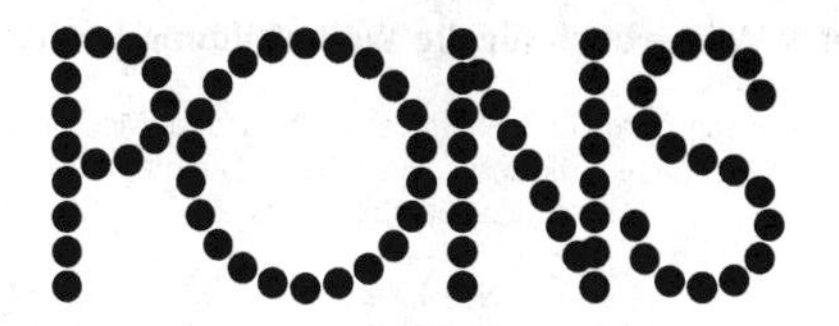

Wörterbuch
für die Weiterbildung

Englisch – Deutsch
Deutsch – Englisch

Neu 1

Standardwörterbuch
Ernst Klett Verlag
Stuttgart · Düsseldorf · Leipzig

PONS Wörterbuch für die Weiterbildung Englisch

Bearbeitet von: Veronika Schnorr, Peter Terrell, Sean McLaughlin,
Ute Nicol, Anne Dickinson, Hugh Keith, Gudrun Küper
Kurzgrammatik: Bruce Pye

Neu 1998
Redaktion **PONS** Wörterbücher

Die Deutsche Bibliothek - CIP - Einheitsaufnahme

PONS Wörterbuch für die Weiterbildung : Standardwörterbuch. -
Stuttgart ; Düsseldorf ; Leipzig : Klett
Bis 2. Aufl. u.d.T.: PONS Standardwörterbuch
Englisch-deutsch, deutsch-englisch / [bearb. von: Veronika Schnorr ...]
- 3. vollst. neubearb. Aufl. - 1998
ISBN 3-12-517256-X

Dieses Werk folgt der reformierten
Rechtschreibung und Zeichensetzung

3. vollständig neubearbeitete Auflage 1998

Redaktion: Andrea Ender
Sprachdatenverarbeitung: Andreas Lang, conTEXT AG für Informatik und Kommunikation, Zürich
Einbandgestaltung: Erwin Poell, Heidelberg, Ira Häußler, Stuttgart
Fotosatz: Dörr und Schiller GmbH, Stuttgart
Druck: Clausen und Bosse, Leck
Printed in Germany
ISBN 3-12-517256-X

Inhalt

Hinweise zur Benutzung des Wörterbuchs

Sie werden dieses Wörterbuch benutzen, entweder weil Sie die Bedeutung eines englischen Wortes wissen wollen oder aber die englische Entsprechung für ein deutsches Wort suchen. Das sind zwei ganz verschiedene Vorgänge, und entsprechend verschieden sind die Probleme bei der Benutzung der beiden Teile des Wörterbuchs. Um Ihnen dabei zu helfen Ihr Wörterbuch richtig zu nutzen, werden die Hauptmerkmale dieses Buches im Folgenden erläutert.

Die „Wortliste" ist eine alphabetisch angeordnete Auflistung aller fett gedruckten Wörter, nämlich der „Stichwörter". Das Stichwort steht am Anfang eines „Eintrags": Ein Eintrag kann weitere Untereinträge, wie z.B. Wendungen und zusammengesetzte Wörter in halbfettem Druck und Ableitungen in Fettdruck enthalten. In Absatz 1. wird beschrieben, wie diese Untereinträge angeordnet sind.

Im ganzen Wörterbuch stehen wahlweise mögliche Buchstaben oder Wortteile in eckigen Klammern. Beim Stichwort **öd[e]** bedeutet das, dass man sowohl öde als auch öd sagen kann ohne den Sinn zu verändern. Beim Stichwort **abridge** steht die Übersetzung [ab]kürzen. Das heißt, dass man abridge sowohl mit abkürzen als auch mit kürzen übersetzen kann.

Vier verschiedene Schriftarten werden verwendet um die verschiedenen Arten von Text im Wörterbuch zu unterscheiden. Alle **fett** und **halbfett** gedruckten Wörter gehören der „Ausgangssprache" an. Sie haben eine Entsprechung in der anderen Sprache, der „Zielsprache". Diese Übersetzungen in der Zielsprache sind mager gedruckt. *Kursiv*gedrucktes gibt nähere Auskunft über das zu übersetzende Wort in Form einer Abkürzung, eines „Wegweisers" zur richtigen Übersetzung, einer Erklärung.

1. Wo findet man das gesuchte Wort?

1.1 Ableitungen

Aus Platzersparnisgründen wurden einige Ableitungen eines Stichworts im selben Eintrag abgehandelt, soweit sie in der alphabetischen Reihenfolge direkt im Anschluss an das Stichwort kommen. So finden sich in der englischen Wortliste die Wörter **failing, failure** im Eintrag des Stichworts **fail**. In der deutschen Wortliste findet man die Wörter **entschlussfreudig** und **Entschlusskraft** unter dem Stichwort **Entschluss**. Die Ableitungen sind im Anschluss an den Artikel des (Haupt)stichworts aufgeführt und erscheinen in fettem Druck.

1.2 Homografe

Homografe sind zwei verschiedene Wörter, die genau gleich geschrieben werden, wie z.B. die englischen Wörter **fine** (fein) und **fine** (Geldstrafe) oder die deutschen Wörter **Bau** (das Bauen) und **Bau** (von Tier).

Im Allgemeinen sind diese Wörter in einem Eintrag unter einem einzigen Stichwort abgehandelt und mit arabischen Ziffern voneinander unterschieden.

1.3 Beispiele und Wendungen

In einem Wörterbuch der vorliegenden Größe kann aus Platzgründen nur eine begrenzte Anzahl idiomatischer Wendungen gegeben werden. Besonderes Gewicht

wurde bei der Auswahl auf verbale Wendungen wie **to go to sleep, to feel at ease, to make an effort, to turn nasty** etc. gelegt und auf Anwendungsbeispiele, die Aufschluss über die Konstruktion geben (siehe Einträge für **berufen, greifen, agree, assortment**).
Verbale Wendungen für die etwa zehn elementaren Verben wie *set, do, get, take, put, make* etc. sind im Eintrag des Substantivs abgehandelt. Alle anderen Beispielsätze und idiomatischen Wendungen sind unter dem ersten bedeutungstragenden Element aufgeführt (z. B. nicht unter einer Präposition). So ist also die Wendung **to take advantage of** unter **advantage** zu finden, der Ausdruck **on edge** unter **edge**.
In Beispielsätzen und Wendungen steht die Tilde (~) für das unveränderte Stichwort.

1.4 Abkürzungen und Eigennamen

Um das Auffinden zu erleichtern wurden Abkürzungen, Kurzwörter und Eigennamen an der entsprechenden alphabetischen Stelle in der Wortliste aufgeführt und nicht in einer gesonderten Liste im Anhang abgehandelt. Der **TÜV** wird im Deutschen genauso als Wort gebraucht wie der **Führerschein** oder die **Zulassung**, im Englischen **TV** genauso wie **television**, und daher werden diese Wörter entsprechend abgehandelt.

1.5 Zusammengesetzte Wörter

Großeltern, Liebesbrief, zusammenschreiben, houseboat, high-pitched, holiday maker sind zusammengesetzte Wörter. Im Deutschen werden die meisten davon zusammengeschrieben und stellen daher bei der Suche weniger Probleme dar da sie an der entsprechenden Stelle in der alphabetischen Reihenfolge zu finden sind. In anderen Sprachen jedoch bestehen zusammengesetzte Wörter oft aus einzelnen Elementen, die nicht oder mit einem Bindestrich verbunden sind. Sie sind schwieriger zu finden.

1.5.1 Zusammengesetzte Wörter im Englischen

Es gibt viele zusammengesetzte Wörter, die aus zwei oder mehreren Elementen bestehen, wobei es nicht leicht vorherzusehen ist, ob sie zusammen, mit einem Bindestrich oder auseinander geschrieben werden. Um das Auffinden zu erleichtern wurden alle zusammengesetzten Wörter an ihrer entsprechenden alphabetischen Stelle in der Wortliste aufgeführt. So finden Sie z. B. **car wash** zwischen den Stichwörtern **carving knife** und **cascade**. Aus Platzgründen wurden diejenigen zusammengesetzten Wörter, die alphabetisch direkt im Anschluss an das erste Element kommen, in einem fortlaufenden Block abgehandelt.

1.5.2 Englische „phrasal verbs"

Unter „phrasal verbs" versteht man zusammengesetzte Verben wie **go off, blow up, cut down** etc. Man kann sie mit zusammengesetzten Verben im Deutschen vergleichen wie z. B. **losrennen, mitsingen, weggehen**. Sie sind als eingenständige Verben zu betrachten, da sie oft eine vom Grundverb abweichende Bedeutung haben. Sie sind unmittelbar im Anschluss an das Stichwort des Verbs (z. B. **go, blow, cut**) fortlaufend im Eintrag abgehandelt, wobei sie alphabetisch nach den Partikeln (z. B. **back, down, up** etc.) angeordnet sind. Sie stehen als Einheit vor den zusammengesetzten Substantiven und Ableitungen (siehe den Eintrag **hold**).

1.5.3 Zusammengesetzte Wörter im Deutschen

Alle zusammengesetzten Wörter befinden sich an ihrer entsprechenden alphabetischen Stelle in der deutschen Wortliste. Sie sind in den Fällen in einem fortlaufenden Block angeordnet, wo die alphabetische Reihenfolge es zulässt. Vergleichen Sie die Wörter **Schlafanzug, Schlafgelegenheit, schlafwandeln**.

1.6 Unregelmäßige Formen

Unregelmäßige Formen von Verben und Substantiven sind als eigene Stichwörter aufgeführt, wenn sie in der alphabetischen Reihenfolge nicht unmittelbar vor oder nach der Grundform kommen. Sie werden auf die Grundform verwiesen. Elementare grammatische Grundkenntnisse über Verb- und Pluralformen werden allerdings vorausgesetzt. Es wird also vorausgesetzt, dass Sie wissen, dass „tries" eine Form des Verbs **try**, „babies" der Plural von **baby** usw. ist.
Beim Partizip Perfekt kann es vorkommen, dass dieses auch als Adjektiv gebraucht wird, wie z. B. **said** oder **spent**. Diese Adjektive werden als eigenständige Stichwörter in einem vollständigen Eintrag behandelt.

2. Wie sind die Einträge aufgebaut?

Alle Einträge, egal wie lang oder komplex sie sind, sind äußerst systematisch aufgebaut. Verschiedene Wortarten sind mit arabischen Ziffern nummeriert. Die Beispielsätze zu allen Wortarten folgen im Anschluss. Zu Anfang mag es wohl etwas schwierig sein sich in langen Einträgen wie **back, round, run, richten** oder **können** zurechtzufinden, weil Homografen zusammen behandelt werden (siehe 1.2) und zusammengesetzte Wörter und Ableitungen oft fortlaufend im gleichen Abschnitt aufgeführt sind (siehe 1.5). Mit der Zeit wird Ihnen jedoch Ihr Wörterbuch vertraut werden. Die folgenden Informationen werden Ihnen helfen das jedem Eintrag zugrundeliegende System zu verstehen.

2.1 „Wegweiser" zur richtigen Übersetzung

Wenn Sie ein englisches Wort nachschlagen und eine Reihe sehr unterschiedlicher deutscher Übersetzungen vorfinden, wird es Ihnen nicht schwerfallen diejenige auszusuchen, die für Ihren Sinnzusammenhang die passende ist, denn Sie wissen ja, was die deutschen Wörter bedeuten, und in dem gegebenen Zusammenhang werden sich die unpassenden automatisch ausschließen.
Anders jedoch, wenn Sie das passende englische Wort für z. B. **Bahn** in dem Zusammenhang „auf Bahn 5 läuft das Pferd mit Namen Sternschnuppe" suchen und einen Eintrag vorfinden, der Ihnen folgendes anbietet: „**Bahn** railway, railroad (*US*); road, way; lane; track; orbit; length". Natürlich könnten Sie jetzt im anderen Teil des Wörterbuchs nachschlagen um herauszufinden, was jedes dieser englischen Wörter bedeutet. Das braucht jedoch viel Zeit und gibt außerdem nicht immer den gewünschten Aufschluss. Aus diesem Grunde finden Sie in diesem Wörterbuch „Wegweiser", die zur richtigen Übersetzung führen. Im Falle von **Bahn** finden Sie dann folgenden Eintrag: railway, railroad (*US*); (*Weg*) road, way; (*Spur*) lane; (*Renn~*) track; (ASTR) orbit; (*Stoff~*) length.
„Wegweiser", die auf ein bestimmtes Sachgebiet hinweisen, stehenstehen in kleinen Großbuchstaben (KAPITÄLCHEN). Sie sind zusammmen mit anderen im Wörterbuch be-

nutzten Abkürzungen in einer alphabetisch angeordneten Liste vorn im Wörterbuch erläutert.
In dem von Ihnen gesuchten Zusammenhang handelt es sich um eine Rennbahn, und daher wissen Sie, dass „track“ die richtige Übersetzung ist. Bei diesen erklärenden Zusätzen steht für das Stichwort eine Tilde.

2.2 Grammatische Kategorisierung und Bedeutungsunterscheidung

Komplexe Einträge werden zuallerest in grammatische Kategorien unterteilt, z.B. **richten 1.** *vt*, **2.** *vr.* Zur Unterteilung werden arabische Ziffern benutzt. Lesen Sie den ganzen Eintrag für Wörter wie **halten** oder **gehen** durch, und Sie werden feststellen, wie nützlich die „Wegweiser“ sind. Jede einzelne grammatische Kategorie ist, wo nötig, in verschiedene Bedeutungen unterteilt:

> **richten 1.** *vt* direct (*an +akk* at); (*fig*) direct (*an +akk* to); (*Waffe*) aim (*auf +akk* at); (*einstellen*) adjust; (*instand setzen*) repair; (*zurechtmachen*) prepare; (*bestrafen*) pass judgement on; **2.** *vr.* **sich ~ nach** go by.

Die „Wegweiser“ führen Sie direkt zur richtigen Übersetzung von Zusammenhängen wie „er hat die Waffe auf das Tier gerichtet“ (he aimed the weapon at the animal) oder „der Mechaniker kam um die Maschine zu richten“ (the mechanic came in order to repair the machine).

3. Wie wird die Übersetzung im Satz verwendet?

3.1 Das Geschlecht

Da es im Englischen meist nur eine Form gibt, die eine männliche oder weibliche Person bezeichnet, sind im englisch-deutschen Teil alle Femininformen von Substantiven aufgeführt um die Benutzer darauf hinzuweisen, dass z.B. **teacher** nicht nur „der Lehrer“, sondern auch die „die Lehrerin“ sein kann. Wenn Sie im „der Lehrer“, sondern auch „die Lehrerin“ sein kann. Wenn Sie im Englischen darauf hinweisen wollen, dass es sich um eine Lehrerin und nicht um einen Lehrer handelt, müssen sie ein „female“ oder „woman“ oder „lady“ einfügen. Also z.B. „I prefer female teachers to male ones“.

3.2 Der Plural

Die Kenntnis der regelmäßigen Pluralbildung von englischen Substantiven wird vorausgesetzt (vgl. Kurzgrammatik im Anhang). In den Fallen, in denen Unregelmäßigkeiten auftreten, wird beim Stichwort darauf hingewiesen, wie z.B. **woman** *n, pl* **women**. Diese unregelmäßigen Plurale sind auch an ihrer alphabetischen Stelle in der Wortliste aufgeführt und auf ihre Singularform verwiesen.

3.3 Das Verb

Im deutsch-englischen Teil werden unregelmäßige englische Verben nicht besonders gekennzeichnet, im englisch-deutschen Teil sind die unregelmäßigen Formen von *past tense* und *past participle* bei der Grundform mit angegeben. Wo sie nicht unmittelbar vor oder nach der Grundform kommen, sind sie an der entsprechenden alphabetischen Stelle aufgeführt und zur Grundform verwiesen. Bei zusammengesetzten unregelmäßigen Verben steht *irr*, vgl. **foretell** *irr vt*. Dies bedeutet, dass **foretell** dieselben unregelmäßigen Formen aufweist wie **tell**. Im Anhang befindet sich außerdem eine Liste der unregelmäßigen Verben, die die Benutzer im Zweifelsfall konsultieren können.

3.4 Umgangssprachliche Wörter

Grundsätzlich sollten Sie beim Benutzen von umgangssprachlichen englischen Wörtern sehr vorsichtig sein. Wenn ein deutsches Wort oder ein deutscher Beispielsatz mit (*umg*), d. h. umgangssprachlich, gekennzeichnet ist, können Sie davon ausgehen, dass die englische Übersetzung ebenso umgangssprachlich ist, und daher in manchen Situationen genauso unangebracht wäre wie das Deutsche.

3.5 „Grammatische Wörter"

Es ist äußerst schwierig in einem so kleinen Wörterbuch Wörter wie **für, weg, der, wer** oder **for, away, whose, which** etc. ausführlich genug zu behandeln. Es wurde versucht möglichst viel nützliche Informationen über die häufigsten Anwendungsfälle zu geben. In vielen Fällen ist es jedoch empfehlenswert ein gutes einsprachiges Wörterbuch, vor allem eines, das für den ausländischen Benutzer erstellt wurde, und eine gute englische Grammatik hinzuzuziehen.

3.6 „Ungefähre" Übersetzungen und kulturell bedingte Unterschiede

Es ist nicht immer möglich eine genaue Entsprechung in der anderen Sprache anzugeben, wenn z. B. ein deutsches Wort einen Gegenstand oder eine Einrichtung bezeichnet, die es in Großbritannien oder Amerika in der Form nicht gibt. Hier kann nur eine ungefähre Übersetzung oder aber eine Erklärung gegeben werden. Siehe z. B. die Einträge für **Abitur, Polterabend**, oder im englisch-deutschen Teil **muffin, graduate**.

3.7 Mehrere Übersetzungen

Übersetzungen, die durch ein Komma getrennt nebeneinander stehen, können im Allgemeinen austauschbar verwendet werden. Durch Strichpunkte getrennte Übersetzungen können nicht gegeneinander ausgetauscht werden, da ein Bedeutungsunterschied zwischen den beiden besteht. Sollte dieser Bedeutungsunterschied nicht hinlänglich klar sein, sollten Sie sich in einem einsprachigen Wörterbuch oder einem größeren zweisprachigen oder im anderen Teil Ihres Wörterbuchs vergewissern. Bei Ableitungen, z. B. der Substantivierung eines Adjektivs oder Verbs, können Sie sich an den „Wegweisern" des Adjektivs bzw. des Verbs orientieren. Sie werden allerdings äußerst selten Fälle finden, in denen ein Strichpunkt steht, dem nicht ein „Wegweiser" folgt und so den Bedeutungsunterschied deutlich macht.
In den Wendungen bedeutet ein Schrägstrich, dass es sich um parallele, aber nicht gleichbedeutende Aussagen handelt. Vgl. im Eintrag **gelten: jdm viel/wenig gelten** mean a lot/not mean much to sb. Hier sind zwei gegensätzliche Aussagen zusammengefasst, nämlich **jdm viel gelten** mean a lot to sb und **jdm wenig gelten** not mean much to sb.
Ein in Klammern stehender, mit *o* eingeleiteter Ausdruck in den Wendungen gibt eine teilweise austauschbare Alternative an. Vgl. im Eintrag **gelten: jdm gelten** (*gemünzt sein auf*) to be meant for (*o* aimed at) sb. Die beiden Übersetzungsmöglichkeiten heißen also: be meant for sb und be aimed at sb.

Im Text verwendete Abkürzungen

österreichisch	*A*	Austrian
auch	*a.*	also
Abkürzung	*abk, abbr*	abbreviation
Akronym	*acr*	acronym
Adjektiv	*adj*	adjective
Adverb	*adv*	adverb
Landwirtschaft	AGR	agriculture
Akkusativ	*akk*	accusative
Akronym	*akr*	acronym
Anatomie	ANAT	anatomy
Architektur	ARCHIT	architecture
Artikel	*art*	article
Astronomie, Astrologie	ASTR	astronomy, astrology
Auto, Verkehr	AUTO	automobiles, traffic
Luftfahrt	AVIAT	aviation
besonders	*bes.*	especially
Biologie	BIO	biology
Botanik	BOT	botany
Britisch	*Brit*	British
schweizerdeutsch	CH	Swiss German
Chemie	CHEM	chemistry
Film	CINE	cinema
Handel	COMM	commerce
Komparativ	*comp*	comparative
Informatik, Computer	COMPUT	computing
Konjunktion	*conj*	conjunction
Dativ	*dat*	dative
Eisenbahn	EISENB	railways
Elektrizität	ELEK, ELEC	electricity
besonders	*esp*	especially
und so weiter	*etc*	et cetera
etwas	*etw*	
Femininum	*f*	feminine

umgangssprachlich	*fam*	familiar, informal
derb	*fam!*	vulgar
übertragen	*fig*	figurative
Finanzen, Börse	FIN	finance
Luftfahrt	FLUG	aviation
Fotografie	FOTO	photography
Gastronomie	GASTR	cooking, gastronomy
Genitiv	*gen*	genitive
Geografie, Geologie	GEO	geography, geology
Geschichte	HIST	history
Imperativ	*imp*	imperative
Imperfekt	*imperf*	past tense
unpersönlich	*impers*	impersonal
Informatik und Computer	INFORM	computing
Interjektion, Ausruf	*interj*	interjection
unveränderlich	*inv*	invariable
unregelmäßig	*irr*	irregular
jemand, jemandem, jemanden, jemandes	*jd, jdm, jdn, jds*	
Rechtsprechung	JUR	law
Komparativ	*komp*	comparative
Konjunktion	*konj*	conjunction
Sprachwissenschaft, Grammatik	LING	linguistics grammar
Literatur	LIT	literature
Maskulinum	*m*	masculine
Mathematik	MATH	mathematics
Medizin	MED	medicine
Meteorologie	METEO	meteorology
Maskulinum und Femininum	*mf*	masculine and feminine
Militär	MIL	military
Bergbau	MIN	mining
Musik	MUS	music
Substantiv	*n*	noun
Seefahrt	NAUT	nautical, naval

Neutrum	*nt*	neuter
Zahlwort	*num*	numeral
oder	*o*	or
pejorativ, abwertend	*pej*	pejorative
Fotografie	PHOT	photography
Physik	PHYS	physics
Plural	*pl*	plural
Politik	POL	politics
Partizip Perfekt	*pp*	past participle
Präfix	*präf, pref*	prefix
Präposition	*präp, prep*	preposition
Pronomen	*pron*	pronoun
Psychologie	PSYCH	psychology
1. Vergangenheit	*pt*	past tense
Warenzeichen	®	registered trademark
Radio	RADIO	radio
Eisenbahn	RAIL	railways
Religion	REL	religion
siehe	*s.*	see
	sb	someone, somebody
Schule, Universität	SCH	school, university
schottisch	*Scot*	Scottish
Singular	*sing*	singular
Skisport	SKI	skiing
	sth	something
Superlativ	*superl*	superlative
Technik	TECH	technology
Nachrichtentechnik	TEL	telecommunications
Theater	THEAT	theatre
Fernsehen	TV	television
Typografie, Buchdruck	TYP	printing
umgangssprachlich	*umg*	familiar, informal
derb	*umg!*	vulgar
unpersönlich	*unpers*	impersonal
(nord)amerikanisch	*US*	(North) American

meist	*usu*	usually
Verb	*vb*	verb
intransitives Verb	*vi*	intransitive verb
reflexives Verb	*vr*	reflexive verb
transitives Verb	*vt*	transitive verb
Wirtschaft	WIRTS	commerce
Zoologie	ZOOL	zoology
zwischen zwei Sprechern	–	change of speaker
ungefähre Entsprechung	≈	cultural equivalent

Regelmäßige deutsche Substantivendungen

Nominativ		Genitiv	Plural	Nominativ		Genitiv	Plural
-ade	*f*	-ade	-aden	-ion	*f*	-ion	-ionen
-ant	*m*	-anten	-anten	-ist	*m*	-isten	-isten
-anz	*f*	-anz	-anzen	-ium	*nt*	-iums	-ien
-ar	*m*	-ars	-are	-ius	*m*	-ius	-iusse
-är	*m*	-ärs	-äre	-ive	*f*	-ive	-iven
-at	*nt*	-at[e]s	-ate	-keit	*f*	-keit	-keiten
-atte	*f*	-atte	-atten	-lein	*nt*	-leins	-lein
-chen	*nt*	-chens	-chen	-ling	*m*	-lings	-linge
-ei	*f*	-ei	-eien	-ment	*nt*	-ments	-mente
-elle	*f*	-elle	-ellen	-mus	*m*	-mus	-men
-ent	*m*	-enten	-enten	-nis	*f*	-nis	-nisse
-enz	*f*	-enz	-enzen	-nis	*nt*	-nisses	-nisse
-ette	*f*	-ette	-etten	-nom	*m*	-nomen	-nomen
-eur	*m*	-eurs	-eure	-rich	*m*	-richs	-riche
-eurin	*f*	-eurin	-eurinnen	-schaft	*f*	-schaft	-schaften
-euse	*f*	-euse	-eusen	-sel	*nt*	-sels	-sel
-heit	*f*	-heit	-heiten	-tät	*f*	-tät	-täten
-ie	*f*	-ie	-ien	-tiv	*nt, m*	-tivs	-tive
-ik	*f*	-ik	-iken	-tor	*m*	-tors	-toren
-in	*f*	-in	-innen	-ung	*f*	-ung	-ungen
-ine	*f*	-ine	-inen	-ur	*f*	-ur	-uren

Substantive, die mit einem geklammerten „r“ oder „s“ enden (z.B. **Angestellte(r)** *mf*, **Beamte(r)** *m*, **Gute(s)** *nt*) werden wie Adjektive dekliniert:

der Angestellte *m*	**die Angestellte** *f*	**die Angestellten** *pl*
ein Angestellter *m*	**eine Angestellte** *f*	**Angestellte** *pl*
der Beamte *m*	**die Beamten** *pl*	
ein Beamter *m*	**Beamte** *pl*	
das Gute *nt*		
ein Gutes *nt*		

Lautschrift

[:] *Längezeichen* ['] *Betonung* [*] *Bindungs-R*

alle Vokallaute sind nur ungefähre Entsprechungen

Vokale und Diphthonge

plant, arm, father	[ɑ:]	Bahn
avant (garde)	[ɑ̃:]	Ensemble
life	[aɪ]	weit
house	[aʊ]	Haut
man, sad	[æ]	
but, son	[ʌ]	Butler
get, bed	[e]	Metall
name, lame	[eɪ]	
ago, better	[ə]	bitte
bird, her	[ɜ:]	
cortège	[ɛ:]	
there, care	[ɛə]	mehr
it, wish	[ɪ]	Bischof
bee, me, beat, belief	[i:]	viel
here	[ɪə]	Bier
no, low	[əʊ]	
not, long	[ɒ]	Post
law, all	[ɔ:]	Mond
restaurant	[ɔ̃:]	Champignon
boy, oil	[ɔɪ]	Heu
push, look	[ʊ]	Pult
you, do	[u:]	Hut
poor, sure	[ʊə]	

Konsonanten

been, blind	[b]	Ball
do, had	[d]	dann
jam, object	[dʒ]	
father, wolf	[f]	Fass
go, beg	[g]	Gast
house	[h]	Herr
youth, Indian	[j]	ja
keep, milk	[k]	kalt
lamp, oil, ill	[l]	Last
man, am	[m]	Mast
no, manner	[n]	Nuss
long, sing	[ŋ]	lang
paper, happy	[p]	Pakt
red, dry	[r]	rot
stand, sand, yes	[s]	Klasse
ship, station	[ʃ]	Schal
tell, fat	[t]	Tal
thank, death	[θ]	
this, father	[ð]	
church, catch	[tʃ]	Rutsch
voice, live	[v]	was
water, we, which	[w]	
loch	[x]	Bach
zeal, these, gaze	[z]	Hase
pleasure	[ʒ]	Genie

A

A, a [eɪ] *n* A *nt,* a *nt.*
a, an [eɪ, ə; æn, ən] *art* ein/eine/ein; **£1 a metre** £1 pro [*o* das] Meter.
aback [ə'bæk] *adv:* **to be taken ~** verblüfft sein.
abandon [ə'bændən] **1.** *vt* (*give up*) aufgeben; (*desert*) verlassen; **2.** *n* Hingabe *f.*
abashed [ə'bæʃt] *adj* verlegen.
abate [ə'beɪt] *vi* nachlassen, sich legen.
abattoir ['æbətwɑ:*] *n* Schlachthaus *nt.*
abbey ['æbɪ] *n* Abtei *f.*
abbreviate [ə'bri:vɪeɪt] *vt* abkürzen; **abbreviation** [əbri:vɪ'eɪʃən] *n* Abkürzung *f.*
ABC ['eɪbi:'si:] *n* (*a. fig*) Abc *nt.*
abdicate ['æbdɪkeɪt] **1.** *vt* aufgeben; **2.** *vi* abdanken; **abdication** [æbdɪ'keɪʃən] *n* Abdankung *f,* [Amts]niederlegung *f.*
abdomen ['æbdəmən] *n* Unterleib *m;* **abdominal** [æb'dɒmɪnl] *adj* Unterleibs-.
abduct [əb'dʌkt] *vt* entführen; **abduction** *n* Entführung *f.*
aberration [æbə'reɪʃən] *n* [geistige] Verwirrung *f.*
abet [ə'bet] *vt:* **aid and ~ sb** (JUR) jdm Beihilfe leisten.
abeyance [ə'beɪəns] *n:* **in ~** in der Schwebe; (*in disuse*) außer Kraft.
abhor [əb'hɔ:*] *vt* verabscheuen.
abide [ə'baɪd] <abode *o* abided, abode *o* abided> *vt* ausstehen, leiden; **abide by** *vt* sich halten an *+akk.*
ability [ə'bɪlɪtɪ] *n* (*power*) Fähigkeit *f;* (*skill*) Geschicklichkeit *f.*
abject ['æbdʒekt] *adj* (*liar*) übel; (*poverty*) bitter; (*person*) demütig.
ablaze [ə'bleɪz] *adj* in Flammen; **~ with lights** hell erleuchtet.
able ['eɪbl] *adj* geschickt, fähig; **to be ~ to do sth** etw tun können; **able-bodied** *adj* kräftig; (*seaman*) Voll-; (MIL) tauglich; **ably** *adv* geschickt.
abnormal [æb'nɔ:ml] *adj* anormal; (MED) abnorm; **abnormality** [æbnɔ:'mælɪtɪ] *n* Regelwidrigkeit *f;* (MED) Abnormität *f.*
aboard [ə'bɔ:d] *adv, prep* an Bord *+gen.*
abode [ə'bəʊd] **1.** *pt, pp of* **abide**; **2.** *n:* **of no fixed ~** ohne festen Wohnsitz.
abolish [ə'bɒlɪʃ] *vt* abschaffen; **abolition** [æbə'lɪʃən] *n* Abschaffung *f.*
abominable *adj,* **abominably** *adv* [ə'bɒmɪnəbl, -blɪ] scheußlich.
aborigine [æbə'rɪdʒɪni:] *n* Ureinwohner(in) *m(f)* [Australiens].
abort [ə'bɔ:t] **1.** *vt* abtreiben; **2.** *vi* eine Fehlgeburt haben; **abortion** [ə'bɔ:ʃən] *n* Abtreibung *f;* (*miscarriage*) Fehlgeburt *f;* **abortion pill** *n* Abtreibungspille *f;* **abortive** *adj* misslungen.
abound [ə'baʊnd] *vi* im Überfluss vorhanden sein; **to ~ in** Überfluss haben an *+dat.*
about [ə'baʊt] **1.** *adv* (*nearby*) in der Nähe; (*roughly*) ungefähr; (*around*) umher, herum; **2.** *prep* (*topic*) über *+akk;* (*place*) um, um ... herum; **to be ~ to** im Begriff sein zu; **I was ~ to go out** ich wollte gerade weggehen.
above [ə'bʌv] **1.** *adv* oben; **2.** *prep* über; **3.** *adj* obig; **~ all** vor allem; **aboveboard** *adj* offen, ehrlich.
abrasion [ə'breɪʒən] *n* Abschürfung *f.*
abrasive [ə'breɪsɪv] **1.** *n* Schleifmittel *nt;* **2.** *adj* Schleif-; (*personality*) aggressiv.
abreast [ə'brest] *adv* nebeneinander; **to keep ~ of** Schritt halten mit.
abridge [ə'brɪdʒ] *vt* [ab]kürzen.
abroad [ə'brɔ:d] *adv* (*be*) im Ausland; (*go*) ins Ausland.
abrupt [ə'brʌpt] *adj* (*sudden*) abrupt, jäh; (*curt*) schroff.
ABS *n abbr of* **anti-lock brake system** ABS *nt.*
abscess ['æbsɪs] *n* Geschwür *nt.*
abscond [əb'skɒnd] *vi* flüchten, sich davonmachen.
abseil ['æpsaɪl] *vi* sich abseilen.
absence ['æbsəns] *n* Abwesenheit *f.*
absent ['æbsənt] *adj* abwesend, nicht da; (*lost in thought*) geistesabwesend; **absentee** [æbsən'ti:] *n* Abwesende(r) *mf;* **absenteeism** [æbsən'ti:ɪzəm] *n* Fehlen *nt* [am Arbeitsplatz/in der Schule]; **absent-minded** *adj* zerstreut.
absolute ['æbsəlu:t] *adj* absolut; (*power*) unumschränkt; (*rubbish*) vollkommen; **absolutely** *adv* absolut, vollkommen; **~!** ganz bestimmt!
absolve [əb'zɒlv] *vt* entbinden; (*from blame*) freisprechen.
absorb [əb'zɔ:b] *vt* aufsaugen, absorbieren; (*fig*) ganz in Anspruch nehmen, fesseln; **absorbent** *adj* absorbierend; **~ cotton** (*US*) [Verbands]watte *f;* **absorbing** *adj* aufsaugend; (*fig*) packend.
abstain [əb'steɪn] *vi* sich enthalten (*from gen*).
abstemious [əb'sti:mɪəs] *adj* mäßig,

enthaltsam.

abstention [əb'stenʃən] *n* (*in vote*) [Stimm]enthaltung *f*.

abstinence ['æbstɪnəns] *n* Enthaltsamkeit *f*.

abstract ['æbstrækt] 1. *adj* abstrakt; 2. *n* Abriss *m*, Zusammenfassung *f*; 3. [æb'strækt] *vt* abstrahieren; (*information*) entnehmen (*from* aus).

abstruse [æb'stru:s] *adj* verworren, abstrus.

absurd [əb'sɜ:d] *adj* absurd; **absurdity** *n* Unsinnigkeit *f*, Absurdität *f*.

abundance [ə'bʌndəns] *n* Überfluss *m* (*of* an +*dat*); **abundant** *adj* reichlich.

abuse [ə'bju:s] 1. *n* (*rude language*) Beschimpfung *f*; (*ill usage*) Missbrauch *m*; (*bad practice*) [Amts]missbrauch *m*; 2. [ə'bju:z] *vt* (*misuse*) missbrauchen; **abusive** [ə'bju:sɪv] *adj* beleidigend.

abysmal [ə'bɪzməl] *adj* scheußlich; (*ignorance*) bodenlos.

abyss [ə'bɪs] *n* Abgrund *m*.

AC *n abbr of* **alternating current** Wechselstrom *m*.

academic [ækə'demɪk] 1. *adj* akademisch; (*theoretical*) theoretisch; 2. *n* Akademiker(in) *m(f)*.

academy [ə'kædəmɪ] *n* (*school*) Hochschule *f*; (*society*) Akademie *f*.

accede [æk'si:d] *vi*: **to ~ to** (*office*) antreten; (*throne*) besteigen; (*request*) zustimmen +*dat*.

accelerate [æk'seləreɪt] 1. *vi* schneller werden; (AUTO) Gas geben; 2. *vt* beschleunigen; **acceleration** [ækselə'reɪʃən] *n* Beschleunigung *f*; **accelerator** [ək'seləreɪtə*] *n* Gas[pedal] *nt*.

accent ['æksent] *n* Akzent *m*; (*stress*) Betonung *f*; **accentuate** [æk'sentjʊeɪt] *vt* betonen.

accept [ək'sept] *vt* (*take*) annehmen; (*agree to*) akzeptieren; **acceptable** *adj* annehmbar; **acceptance** *n* Annahme *f*.

access ['ækses] 1. *n* Zugang *m*; (COMPUT) Zugriff *m*; 2. *vt* zugreifen auf +*akk*; **access code** *n* (COMPUT) Zugangscode *m*; **accessible** [æk'sesɪbl] *adj* (*easy to approach*) zugänglich; (*within reach*) [leicht] erreichbar.

accessory [æk'sesərɪ] *n* Zubehörteil *nt*; **accessories** *pl* Zubehör *nt*; **toilet accessories** *pl* Toilettenartikel *pl*.

access time *n* (COMPUT) Zugriffszeit *f*.

accident ['æksɪdənt] *n* Unfall *m*; (*coincidence*) Zufall *m*; **by ~** zufällig; **accidental** [æksɪ'dentl] *adj* unbeabsichtigt; **accidentally** *adv* zufällig; (*unintentionally*) versehentlich; **accident-prone** *adj*: **to be ~** vom Pech verfolgt sein.

acclaim [ə'kleɪm] 1. *vt* zujubeln +*dat*; 2. *n* Beifall *m*.

acclimatize [ə'klaɪmətaɪz] *vt*: **to become ~d** sich gewöhnen (*to* an +*akk*), sich akklimatisieren.

accommodate [ə'kɒmədeɪt] *vt* unterbringen; (*hold*) Platz haben für; (*oblige*) [aus]helfen +*dat*; **accommodating** *adj* entgegenkommend; **accommodation** [əkɒmə'deɪʃən] *n* Unterkunft *f*.

accompaniment [ə'kʌmpənɪmənt] *n* Begleitung *f*.

accompanist [ə'kʌmpənɪst] *n* Begleiter(in) *m(f)*.

accompany [ə'kʌmpənɪ] *vt* begleiten.

accomplice [ə'kʌmplɪs] *n* Helfershelfer(in) *m(f)*, Komplize *m*, Komplizin *f*.

accomplish [ə'kʌmplɪʃ] *vt* (*fulfil*) durchführen; (*finish*) vollenden; (*aim*) erreichen; **accomplished** *adj* vollendet, ausgezeichnet; **accomplishment** *n* (*skill*) Fähigkeit *f*; (*completion*) Vollendung *f*; (*feat*) Leistung *f*.

accord [ə'kɔ:d] 1. *n* Übereinstimmung *f*; 2. *vt* gewähren; **of one's own ~** freiwillig; **accordance** *n*: **in ~ with** in Übereinstimmung mit; **accordingly** *adv* danach, dementsprechend; **according to** *prep* nach, laut +*gen*.

accordion [ə'kɔ:dɪən] *n* Ziehharmonika *f*, Akkordeon *nt*; **accordionist** *n* Akkordeonspieler(in) *m(f)*.

accost [ə'kɒst] *vt* ansprechen.

account [ə'kaʊnt] *n* (*bill*) Rechnung *f*; (*narrative*) Bericht *m*; (*report*) Rechenschaftsbericht *m*; (*in bank*) Konto *nt*; (*importance*) Geltung *f*; **on ~** auf Rechnung; **of no ~** ohne Bedeutung; **on no ~** keinesfalls; **on ~ of** wegen; **to take into ~** berücksichtigen; **account for** *vt* (*expenditure*) Rechenschaft ablegen für; **how do you ~ ~ that?** wie erklären Sie [sich] das?; **accountable** *adj* verantwortlich; **accountancy** *n* Buchhaltung *f*; **accountant** *n* Wirtschaftsprüfer(in) *m(f)*; (*tax ~*) Steuerberater(in) *m(f)*; **account number** *n* Kontonummer *f*.

accoutrements [ə'ku:trəmənts] *n pl* Ausrüstung *f*.

accredit [ə'kredɪt] *vt* (*approve*) genehmigen; (*attribute*) zuschreiben.

accumulate [ə'kju:mjʊleɪt] 1. *vt* ansammeln; **2.** *vi* sich ansammeln; **accumulation** [əkju:mjʊ'leɪʃən] *n* Ansammlung *f.*

accuracy ['ækjʊrəsɪ] *n* Genauigkeit *f;* **accurate** ['ækjʊrɪt] *adj* genau; **accurately** *adv* genau, richtig.

accusation [ækjʊ'zeɪʃən] *n* Anklage *f,* Beschuldigung *f.*

accusative [ə'kju:zətɪv] *n* Akkusativ *m,* vierter Fall.

accusatory *adj* vorwurfsvoll; **accuse** [ə'kju:z] *vt* anklagen, beschuldigen; **accused** *n* Angeklagte(r) *mf.*

accustom [ə'kʌstəm] *vt* gewöhnen (*to* an +*akk*); **accustomed** *adj* gewohnt.

ace [eɪs] *n* Ass *nt;* (*fam: person*) Ass *nt,* Kanone *f.*

ache [eɪk] **1.** *n* Schmerz *m;* **2.** *vi* (*be sore*) schmerzen, weh tun; **I ~ all over** mir tut es überall weh.

achieve [ə'tʃi:v] *vt* zustande bringen; (*aim*) erreichen; **achievement** *n* Leistung *f.*

acid ['æsɪd] **1.** *n* Säure *f;* **2.** *adj* sauer, scharf; **~ rain** saurer Regen; **acidity** [ə'sɪdɪtɪ] *n* Säuregehalt *m;* **acid test** *n* (*fig*) Feuerprobe *f.*

acknowledge [ək'nɒlɪdʒ] *vt* (*receipt*) bestätigen; (*admit*) zugeben; **acknowledgement** *n* Anerkennung *f;* (*letter*) Empfangsbestätigung *f.*

acne ['æknɪ] *n* Akne *f.*

acorn ['eɪkɔ:n] *n* Eichel *f.*

acoustic [ə'ku:stɪk] *adj* akustisch; **acoustics** *n pl* Akustik *f.*

acquaint [ə'kweɪnt] *vt* vertraut machen; **acquaintance** *n* (*person*) Bekannte(r) *mf;* (*knowledge*) Kenntnis *f.*

acquiesce [ækwɪ'es] *vi* sich abfinden (*in* mit).

acquire [ə'kwaɪə*] *vt* erwerben; **acquisition** [ækwɪ'zɪʃən] *n* Errungenschaft *f;* (*act*) Erwerb *m;* **acquisitive** [ə'kwɪzɪtɪv] *adj* gewinnsüchtig.

acquit [ə'kwɪt] **1.** *vt* (*free*) freisprechen; **2.** *vr:* **~ oneself** sich bewähren; **acquittal** *n* Freispruch *m.*

acre ['eɪkə*] *n* Morgen *m;* **acreage** *n* Fläche *f.*

acrid *adj* (*taste*) bitter; (*smoke, comment*) beißend.

acrimonious [ækrɪ'məʊnɪəs] *adj* bitter.

acrobat ['ækrəbæt] *n* Akrobat(in) *m(f);* **acrobatics** [ækrə'bætɪks] *n pl* akrobatische Kunststücke *pl.*

acronym ['ækrəʊnɪm] *n* Akronym *nt* (*aus den Anfangsbuchstaben mehrerer Wörter gebildetes Wort*).

across [ə'krɒs] **1.** *prep* über +*akk;* **2.** *adv* hinüber, herüber; **ten metres ~** zehn Meter breit; **he lives ~ the river** er wohnt auf der anderen Seite des Flusses; **he lives ~ from us** er wohnt uns gegenüber; **across-the-board** *adj* pauschal.

act [ækt] **1.** *n* (*deed*) Tat *f;* (JUR) Gesetz *nt;* (THEAT) Akt *m;* (THEAT: *turn*) Nummer *f;* **2.** *vi* (*take action*) handeln; (*behave*) sich verhalten; (*pretend*) vorgeben; (THEAT) spielen; **3.** *vt* (*in play*) spielen; **to get one's ~ together** die Sache geregelt kriegen; **acting 1.** *adj* stellvertretend; **2.** *n* Schauspielkunst *f;* (*performance*) Aufführung *f.*

action ['ækʃən] *n* Handlung *f;* (*deed*) Tat *f;* (*motion*) Bewegung *f;* (*way of working*) Funktionieren *nt;* (*battle*) Einsatz *m,* Gefecht *nt;* (*lawsuit*) Klage *f,* Prozess *m;* **to take ~** etwas unternehmen; **action replay** *n* Wiederholung *f.*

activate ['æktɪveɪt] *vt* in Betrieb setzen, aktivieren.

active ['æktɪv] *adj* (*brisk*) rege, tatkräftig; (*working*) aktiv; (LING) aktiv, Tätigkeits-; **actively** *adv* aktiv, tätig.

activist ['æktɪvɪst] *n* Aktivist(in) *m(f).*

activity [æk'tɪvɪtɪ] *n* Aktivität *f;* (*doings*) Unternehmungen *pl;* (*occupation*) Tätigkeit *f.*

actor ['æktə*] *n* Schauspieler *m;* **actress** ['æktrɪs] *n* Schauspielerin *f.*

actual ['æktjʊəl] *adj* wirklich; **actually** *adv* tatsächlich; **~ no** eigentlich nicht.

acumen ['ækjʊmen] *n* Scharfsinn *m.*

acupressure ['ækjʊpreʃə*] *n* Akupressur *f.*

acupuncture ['ækjʊpʌŋktʃə*] *n* Akupunktur *f.*

acute [ə'kju:t] *adj* (*severe*) heftig, akut; (*keen*) scharfsinnig; **acutely** *adv* akut.

ad [æd] *n abbr of* **advertisement**.

AD *abbr of* **Anno Domini** nach Christi, n. Chr.

Adam ['ædəm] *n* Adam *m;* **~'s apple** Adamsapfel *m.*

adamant ['ædəmənt] *adj* eisern; (*stubborn*) hartnäckig.

adapt [ə'dæpt] **1.** *vt* anpassen; **2.** *vi* sich anpassen (*to* an +*akk*); **adaptable** *adj* anpassungsfähig; **adaptation** [ædæp'teɪʃən] *n* (THEAT) Bearbeitung *f;* (*adjustment*) Anpassung *f;* **adapter** *n* (ELEC) Zwischenstecker *m,* Adapter *m.*

add [æd] *vt* (*join*) hinzufügen; (*numbers*) addieren; **add up** *vi* (*make sense*) stimmen; **add up to** *vt* ausmachen; **added value** *n* Wertschöpfung *f.*

addendum [ə'dendəm] *n* <addenda> Zusatz *m.*

adder ['ædə*] *n* Kreuzotter *f,* Natter *f.*

addict ['ædɪkt] *n* Süchtige(r) *mf,* Suchtkranke(r) *mf;* **addicted** [ə'dɪktɪd] *adj:* ~ to -süchtig; **addiction** [ə'dɪkʃən] *n* Sucht *f.*

adding machine ['ædɪŋməʃi:n] *n* Addiermaschine *f.*

addition [ə'dɪʃən] *n* Zusatz *m;* (*to list*) Ergänzung *f;* (*to bill*) Aufschlag *m;* (MATH) Addition *f,* Zusammenzählen *nt;* **in** ~ zusätzlich, außerdem; **additional** *adj* zusätzlich, weiter.

additive ['ædɪtɪv] *n* Zusatz *m.*

addled ['ædld] *adj* faul, schlecht; (*fig*) verwirrt.

add-on ['ædɒn] *n* (*US*) Zusatzgerät *nt.*

address [ə'dres] **1.** *n* (*a.* COMPUT) Adresse *f;* (*speech*) Ansprache *f;* **2.** *vt* (*letter*) adressieren; (*speak to*) ansprechen; (*make speech to*) eine Ansprache halten an +*akk;* **form of** ~ Anredeform *f;* **addressee** [ædre'si:] *n* Empfänger(in) *m(f),* Adressat(in) *m(f).*

adenoids ['ædɪnɔɪdz] *n pl* Polypen *pl.*

adept ['ædept] *adj* geschickt; **to be** ~ **at** gut sein in +*dat.*

adequacy ['ædɪkwəsɪ] *n* Angemessenheit *f;* **adequate** ['ædɪkwɪt] *adj* angemessen; **adequately** *adv* hinreichend.

adhere [əd'hɪə*] *vi:* **to** ~ **to** haften an +*dat;* (*fig*) festhalten an +*dat.*

adhesion [əd'hi:ʒən] *n* Festhaften *nt;* (PHYS) Adhäsion *f.*

adhesive [əd'hi:sɪv] **1.** *adj* klebend, Kleb[e]-; **2.** *n* Klebstoff *m.*

adjacent [ə'dʒeɪsənt] *adj* benachbart.

adjective ['ædʒəktɪv] *n* Adjektiv *nt,* Eigenschaftswort *nt.*

adjoining [ə'dʒɔɪnɪŋ] *adj* benachbart, Neben-.

adjourn [ə'dʒɜ:n] **1.** *vt* vertagen; **2.** *vi* abbrechen.

adjudicate [ə'dʒu:dɪkeɪt] *vi* entscheiden, urteilen.

adjust [ə'dʒʌst] *vt* (*alter*) anpassen; (*put right*) regulieren, richtig stellen; **adjustable** *adj* verstellbar; **adjustment** *n* (*rearrangement*) Anpassung *f;* (*settlement*) Schlichtung *f.*

ad-lib [æd'lɪb] **1.** *vi* improvisieren; **2.** *n* Improvisation *f;* **3.** *adj, adv* improvisiert.

administer [əd'mɪnɪstə*] *vt* (*manage*) verwalten; (*dispense*) ausüben; (*justice*) sprechen; (*medicine*) geben.

administration [ədmɪnɪs'treɪʃən] *n* Verwaltung *f;* (POL) Regierung *f;* **administrative** [əd'mɪnɪstrətɪv] *adj* Verwaltungs-; **administrator** [əd'mɪnɪstreɪtə*] *n* Verwaltungsbeamte(r) *m,* -beamtin *f.*

admirable ['ædmərəbl] *adj* bewundernswert.

admiral ['ædmərəl] *n* Admiral *m.*

admiration [ædmɪ'reɪʃən] *n* Bewunderung *f.*

admire [əd'maɪə*] *vt* bewundern; **admirer** *n* Bewunderer *m,* Bewund[e]rerin *f.*

admissible [əd'mɪsəbl] *adj* zulässig; **admission** [əd'mɪʃən] *n* (*entrance*) Einlass *m;* (*fee*) Eintritt[spreis] *m;* (*confession*) Geständnis *nt.*

admit [əd'mɪt] *vt* (*let in*) einlassen; (*confess*) gestehen; (*accept*) anerkennen; **admittance** *n* Zulassung *f;* **admittedly** *adv* zugegebenermaßen.

ado [ə'du:] *n:* **without more** [*o* **further**] ~ ohne weitere Umstände.

adolescence [ædə'lesns] *n* Jugend[zeit] *f;* **adolescent** [ædə'lesnt] **1.** *adj* Jugend-; **2.** *n* Jugendliche(r) *mf.*

adopt [ə'dɒpt] *vt* (*child*) adoptieren; (*idea*) übernehmen; **adoption** [ə'dɒpʃən] *n* (*of child*) Adoption *f;* (*of idea*) Übernahme *f.*

adorable [ə'dɔ:rəbl] *adj* entzückend; **adoration** [ædə'reɪʃən] *n* Anbetung *f;* (*for person*) Verehrung *f;* **adore** [ə'dɔ:*] *vt* anbeten; (*person*) verehren; **adoring** *adj* bewundernd.

adorn [ə'dɔ:n] *vt* schmücken; **adornment** *n* Schmuck *m,* Verzierung *f.*

adrenalin [ə'drenəlɪn] *n* Adrenalin *nt.*

adrift [ə'drɪft] *adj:* **to be** ~ treiben.

adroit [ə'drɔɪt] *adj* gewandt.

adulation [ædjʊ'leɪʃən] *n* (*pej*) Lobhudelei *f,* Verherrlichung *f.*

adult ['ædʌlt] **1.** *adj* erwachsen; **2.** *n* Erwachsene(r) *mf.*

adulterate [ə'dʌltəreɪt] *vt* verfälschen, mischen.

adultery [ə'dʌltərɪ] *n* Ehebruch *m.*

advance [əd'vɑ:ns] **1.** *n* (*progress*) Vorrücken *nt;* (*money*) Vorschuss *m;* **2.** *vt* (*move forward*) vorrücken; (*money*) vorschießen; (*argument*) vorbringen; **3.** *vi* vorwärts gehen, vorankommen; **in ~** im Voraus; **in ~ of** vor *+dat;* **advance booking** *n* Reservierung *f;* (THEAT) Vorverkauf *m;* **advanced** *adj* (*ahead*) vorgerückt; (*modern*) fortschrittlich; (*study*) für Fortgeschrittene; **advancement** *n* Förderung *f;* (*promotion*) Beförderung *f.*

advantage [əd'vɑ:ntɪdʒ] *n* Vorteil *m;* **to have an ~ over sb** jdm gegenüber im Vorteil sein; **to be of ~** von Nutzen sein; **to take ~ of** (*misuse*) ausnutzen; (*profit from*) Nutzen ziehen aus; **advantageous** [ædvən'teɪdʒəs] *adj* vorteilhaft.

advent ['ædvent] *n* Ankunft *f;* **Advent** Advent *m.*

adventure [əd'ventʃə*] *n* Abenteuer *nt;* **adventurer** [əd'ventʃərə] *n* Abenteurer(in) *m(f);* (*pej*) Windhund *m;* **adventurous** [əd'ventʃərəs] *adj* abenteuerlich, waghalsig.

adverb ['ædvɜ:b] *n* Adverb *nt,* Umstandswort *nt.*

adversary ['ædvəsərɪ] *n* Gegner(in) *m(f).*

adverse ['ædvɜ:s] *adj* widrig; **adversity** [əd'vɜ:sɪtɪ] *n* Widrigkeit *f,* Missgeschick *nt.*

advert ['ædvɜ:t] *n* Anzeige *f;* **advertise** ['ædvətaɪz] **1.** *vt* werben für; (*in newspaper*) inserieren; (*job*) ausschreiben; **2.** *vi* annoncieren; **advertisement** [əd'vɜ:tɪsmənt] *n* Werbung *f;* (*announcement*) Anzeige *f,* Annonce *f,* Inserat *nt;* **advertising** *n* Werbung *f;* **~ campaign** Werbekampagne *f.*

advice [əd'vaɪs] *n* Rat[schlag] *m.*

advisable [əd'vaɪzəbl] *adj* ratsam.

advise [əd'vaɪz] *vt* raten *+dat;* **adviser** *n* Berater(in) *m(f);* **advisory** [əd'vaɪzərɪ] *adj* beratend, Beratungs-.

advocate **1.** ['ædvəkeɪt] *vt* vertreten; **2.** ['ædvəkət] *n* (*Scotland*) Rechtanwalt *m,* -anwältin *f.*

aegis ['i:dʒɪs] *n:* **under the ~ of** unter der Schirmherrschaft von.

aerial ['ɛərɪəl] **1.** *n* Antenne *f;* **2.** *adj* Luft-.

aero- ['ɛərəʊ] *pref* Luft-.

aerobatics ['ɛərəʊ'bætɪks] *n pl* Kunstfliegen *nt.*

aerobics [ɛə'rəʊbɪks] *n sing* Aerobic *nt.*

aerodynamic ['ɛərəʊdaɪ'næmɪk] *adj* aerodynamisch.

aeroplane ['ɛərəpleɪn] *n* Flugzeug *nt.*

aerosol ['ɛərəsɒl] *n* Sprühdose *f.*

aesthetic [ɪs'θetɪk] *adj* ästhetisch; **aesthetics** *n sing* Ästhetik *f.*

afar [ə'fɑ:*] *adv:* **from ~** aus der Ferne.

affable ['æfəbl] *adj* umgänglich.

affair [ə'fɛə*] *n* (*concern*) Angelegenheit *f;* (*event*) Ereignis *nt;* (*scandal*) Affäre *f;* (*love ~*) Verhältnis *nt.*

affect [ə'fekt] *vt* (*influence*) [ein]wirken auf *+akk;* (*move deeply*) bewegen; **this change doesn't ~ us** diese Änderung betrifft uns nicht; **affectation** [æfek'teɪʃən] *n* Affektiertheit *f;* **affected** *adj* affektiert, gekünstelt.

affection [ə'fekʃən] *n* Zuneigung *f;* **affectionate** [ə'fekʃənɪt] *adj* liebevoll, lieb; **affectionately** *adv* liebevoll; **~ yours** herzlichst Dein/Deine.

affiliated [ə'fɪlɪeɪtɪd] *adj* angeschlossen (*to dat*).

affinity [ə'fɪnɪtɪ] *n* (*attraction*) gegenseitige Anziehung; (*relationship*) Verwandtschaft *f.*

affirm [ə'fɜ:m] **1.** *vt* (*innocence*) beteuern; (*ratify*) bestätigen; **2.** *vi* (JUR) eidesstattlich erklären.

affirmation [æfə'meɪʃən] *n* Behauptung *f;* **affirmative** [ə'fɜ:mətɪv] **1.** *adj* bestätigend; **2.** *n:* **in the ~** (LING) nicht verneint, bejaht; **to answer in the ~** mit Ja antworten.

affix [ə'fɪks] *vt* anbringen.

afflict [ə'flɪkt] *vt* quälen, heimsuchen; **affliction** [ə'flɪkʃən] *n* Kummer *m;* (*illness*) Leiden *nt.*

affluence ['æflʊəns] *n* (*wealth*) Wohlstand *m,* Reichtum *m;* **affluent** *adj* wohlhabend, Wohlstands-; **the ~ society** die Wohlstandsgesellschaft.

afford [ə'fɔ:d] *vt* sich *dat* leisten; (*yield*) bieten, einbringen.

affront [ə'frʌnt] *n* Beleidigung *f;* **affronted** *adj* beleidigt.

Afghanistan [æf'gænɪstæn] *n* Afghanistan *nt.*

afloat [ə'fləʊt] *adj:* **to be ~** schwimmen.

afoot [ə'fʊt] *adj* im Gang.

aforesaid [ə'fɔ:sed] *adj* obengenannt.

afraid [ə'freɪd] *adj* ängstlich; **to be ~ of** Angst haben vor *+dat;* **to be ~ to** sich scheuen; **I am ~ I have ...** ich habe leider ...; **I'm ~ so/not** leider/leider nicht.

afresh [ə'freʃ] *adv* von neuem.

Africa ['æfrɪkə] *n* Afrika *nt;* **African** **1.** *adj* afrikanisch; **2.** *n* Afrikaner(in) *m(f).*

aft [ɑ:ft] *adv* achtern.

after ['ɑ:ftə*] **1.** *prep* nach; (*following, seeking*) hinter *+dat* ... her; (*in imitation*) nach, im Stil von; **2.** *adv:* **soon ~** bald danach; **~ all** letzten Endes; **after-effects**

n pl Nachwirkungen *pl;* **afterlife** *n* Leben *nt* nach dem Tode; **aftermath** *n* Auswirkungen *pl;* **afternoon** *n* Nachmittag *m;* **good ~!** guten Tag!; **after-sales service** *n* Kundendienst *m;* **after-shave [lotion]** *n* Rasierwasser *nt;* **aftershock** *n* Nachbeben *nt;* **afterthought** *n* nachträglicher Einfall; **afterwards** *adv* danach, nachher.

again [ə'gen] *adv* wieder, noch einmal; (*besides*) außerdem, ferner; **~ and ~** immer wieder.

against [ə'genst] *prep* gegen.

age [eɪdʒ] **1.** *n* (*of person*) Alter *nt;* (*in history*) Zeitalter *nt;* **2.** *vi* altern, alt werden; **3.** *vt* älter machen; **to come of ~** mündig werden; **aged 1.** *adj* ... Jahre alt, -jährig; **2.** ['əɪdʒɪd] *adj* (*elderly*) betagt; **the ~** *pl* ältere Menschen *pl;* **age group** *n* Altersgruppe *f,* Jahrgang *m;* **ageism** *n* Diskriminierung *f* einer Altersgruppe; **ageless** *adj* zeitlos; **age limit** *n* Altersgrenze *f.*

agency ['eɪdʒənsɪ] *n* Agentur *f,* Vermittlung *f;* (CHEM) Wirkung *f.*

agenda [ə'dʒendə] *n* Tagesordnung *f.*

agent ['eɪdʒənt] *n* (COMM) Vertreter(in) *m(f);* (*spy*) Agent(in) *m(f).*

aggravate ['ægrəveɪt] *vt* (*make worse*) verschlimmern; (*irritate*) reizen; **aggravating** *adj* ärgerlich; **aggravation** [ægrə'veɪʃən] *n* Verschlimmerung *f;* (*irritation*) Verärgerung *f.*

aggregate ['ægrɪgɪt] *n* Summe *f.*

aggression [ə'greʃən] *n* Aggression *f;* **aggressive** *adj,* **aggressively** *adv* [ə'gresɪv, -lɪ] aggressiv; **aggressiveness** *n* Aggressivität *f;* **aggressor** *n* [ə'gresə*] Angreifer(in) *m(f).*

aghast [ə'gɑːst] *adj* entsetzt.

agile ['ædʒaɪl] *adj* beweglich; (*animal*) flink.

agitate ['ædʒɪteɪt] **1.** *vt* rütteln; (*bottle*) schütteln; **2.** *vi* agitieren; **agitated** *adj* aufgeregt.

agitator ['ædʒɪteɪtə*] *n* Agitator(in) *m(f);* (*pej*) Hetzer(in) *m(f).*

agnostic [æg'nɒstɪk] *n* Agnostiker(in) *m(f).*

ago [ə'gəʊ] *adv:* **two days ~** vor zwei Tagen; **not long ~** vor kurzem; **it's so long ~** es ist schon so lange her.

agonize ['ægənaɪz] *vi:* **~ over sth** sich *dat* den Kopf über etwas zerbrechen.

agonizing ['ægənaɪzɪŋ] *adj* qualvoll; **agony** ['ægənɪ] *n* Qual *f.*

agree [ə'griː] **1.** *vt* (*date*) vereinbaren; **2.** *vi* (*have same opinion, correspond*) übereinstimmen (*with* mit); (*consent*) zustimmen; (*be in harmony*) sich vertragen; **to ~ to do sth** sich bereit erklären etw zu tun; **garlic doesn't ~ with me** Knoblauch vertrage ich nicht; **I ~** einverstanden, ich stimme zu; **to ~ on sth** sich auf etw *akk* einigen; **agreeable** *adj* (*pleasing*) liebenswürdig; (*willing to consent*) einverstanden; **agreeably** *adv* angenehm; **agreed** *adj* vereinbart; **~!** einverstanden!; **agreement** *n* (*agreeing*) Übereinstimmung *f;* (*contract*) Vereinbarung *f,* Vertrag *m.*

agricultural [ægrɪ'kʌltʃərəl] *adj* landwirtschaftlich, Landwirtschafts-; **agriculture** ['ægrɪkʌltʃə*] *n* Landwirtschaft *f.*

aground [ə'graʊnd] *adj, adv* auf Grund.

ahead [ə'hed] *adv* vorwärts; **to be ~** voraus sein.

AI *n abbr of* **artificial intelligence** KI *f.*

aid [eɪd] **1.** *n* (*assistance*) Hilfe *f,* Unterstützung *f;* (*person*) Hilfe *f;* (*thing*) Hilfsmittel *nt;* **2.** *vt* unterstützen, helfen *+dat;* **~ and abet** Beihilfe leisten (*sb* jdm).

AIDS [eɪdz] *acr of* **acquired immune deficiency syndrom** Aids *nt,* Immunschwächekrankheit *f;* **AIDS-infected** *adj* aidskrank.

aid worker *n* Entwicklungshelfer(in) *m(f).*

ailing ['eɪlɪŋ] *adj* kränkelnd; **ailment** ['eɪlmənt] *n* Leiden *nt.*

aim [eɪm] **1.** *vt* (*gun, camera*) richten auf *+akk;* **2.** *vi* (*with gun*) zielen; (*intend*) beabsichtigen; **3.** *n* (*intention*) Absicht *f,* Ziel *nt;* (*pointing*) Zielen *nt,* Richten *nt;* **that was ~ed at you** das war auf dich gemünzt; **to ~ at sth** etw anstreben; **to take ~** zielen; **aimless** *adj,* **aimlessly** *adv* ziellos.

air [ɛə*] **1.** *n* Luft *f;* (*manner*) Auftreten *nt;* (MUS) Melodie *f;* **2.** *vt* lüften; (*fig*) an die Öffentlichkeit bringen; **to be on the ~** (*programme*) gesendet werden; **airbag** *n* (AUTO) Luftsack *m,* Airbag *m;* **airbed** *n* (*Brit*) Luftmatratze *f;* **airbrush** *n* Spritzpistole *f;* **air-conditioned** *adj* mit Klimaanlage; **air-conditioning** *n* Klimaanlage *f;* **aircraft** *n* Flugzeug *nt,* Maschine *f;* **~ carrier** Flugzeugträger *m;* **air force** *n* Luftwaffe *f;* **airgun** *n* Luftgewehr *nt;* **air hostess** *n* Stewardess *f;* **airily** *adv* leichtfertig; **air letter** *n* Luftpostbrief *m;* **airline** *n* Fluggesellschaft *f;*

airliner *n* Verkehrsflugzeug *nt;* **airlock** *n* Luftblase *f;* **airmail** *n:* **by** ~ mit Luftpost; **air pollutants** *n pl* Luftschadstoffe *pl;* **air pollution** *n* Luftverschmutzung *f;* **airport** *n* Flughafen *m,* Flugplatz *m;* **air raid** *n* Luftangriff *m;* **air rescue service** *n* Luftrettungsdienst *m;* **airsick** *adj* luftkrank; **airstrip** *n* Start- und Landebahn *f;* **air terminal** *n* Terminal *m o nt;* **airtight** *adj* luftdicht; **air-traffic controller** *n* Fluglotse *m,* Fluglotsin *f;* **airway** *n* (*route*) Flugroute *f;* **airy** *adj* luftig; (*manner*) leichtfertig.

aisle [aɪl] *n* Gang *m.*

ajar [ə'dʒɑː*] *adj* angelehnt, einen Spalt offen stehend.

akin [ə'kɪn] *adj* ähnlich (*to* +*dat*).

alabaster ['æləbɑːstə*] *n* Alabaster *m.*

à la carte [ælæ'kɑːt] *adj* nach der [Speise]karte, à la carte.

alacrity [ə'lækrɪtɪ] *n* Bereitwilligkeit *f;* **accept sth with** ~ etwas ohne zu zögern annehmen.

alarm [ə'lɑːm] **1.** *n* (*warning*) Alarm *m;* (*bell etc*) Alarmanlage *f;* **2.** *vt* beunruhigen; **alarm clock** *n* Wecker *m;* **alarming** *adj* beängstigend, beunruhigend; **alarmist** *n* Bangemacher(in) *m(f).*

alas [ə'læs] *interj* ach, leider.

Albania [æl'beɪnjə] *n* Albanien *nt.*

albeit [ɔːl'biːɪt] *conj* obgleich.

album [əlbəm] *n* Album *nt.*

alcohol ['ælkəhɒl] *n* Alkohol *m;* **alcohol-free** *adj* alkoholfrei; **alcoholic** [ælkə'hɒlɪk] **1.** *adj* (*drink*) alkoholisch; **2.** *n* Alkoholiker(in) *m(f);* **alcoholism** *n* Alkoholismus *m.*

alcopop ['ælkəpɒp] *n* Limonade *f* mit Alkoholzusatz.

alcove ['ælkəʊv] *n* Alkoven *m.*

alderman ['ɔːldəmən] *n* <aldermen> Stadtrat *m.*

ale [eɪl] *n* Ale *nt* (*dunkles englisches Bier*).

alert [ə'lɜːt] **1.** *adj* wachsam; **2.** *n* Alarm *m;* **alertness** *n* Wachsamkeit *f.*

algebra ['ældʒɪbrə] *n* Algebra *f.*

Algeria [æl'dʒɪərɪə] *n* Algerien *nt.*

algorithm ['ælgərɪðm] *n* Algorithmus *m;* **algorithmic** [ælgə'rɪðmɪk] *adj* algorithmisch.

alias ['eɪlɪəs] **1.** *adv* alias; **2.** *n* Deckname *m.*

alibi ['ælɪbaɪ] *n* Alibi *nt.*

alien ['eɪlɪən] **1.** *n* Ausländer(in) *m(f);* **2.** *adj* (*foreign*) ausländisch; (*strange*) fremd; **alienate** *vt* entfremden; **alienation** [eɪlɪə'neɪʃən] *n* Entfremdung *f.*

alight [ə'laɪt] **1.** *adj, adv* brennend; (*of building*) in Flammen; **2.** *vi* (*descend*) aussteigen; (*bird*) sich setzen.

align [ə'laɪn] *vt* (AUTO) ausrichten; **alignment** *n* Ausrichtung *f.*

alike [ə'laɪk] **1.** *adj* gleich, ähnlich; **2.** *adv* gleich, ebenso.

alimony ['ælɪmənɪ] *n* Unterhalt *m,* Alimente *pl.*

alive [ə'laɪv] *adj* (*living*) lebend; (*lively*) lebendig, aufgeweckt; (*full of*) voll (*with* von), wimmelnd (*with* von).

alkali ['ælkəlaɪ] *n* <-[e]s> Alkali *nt.*

all [ɔːl] **1.** *adj* (*every one of*) alle; **2.** *pron* (*everything*) alles; (*everybody*) alle; **3.** *n* alles; **4.** *adv* (*completely*) vollkommen, ganz; ~ **of the books** alle Bücher; **it's ~ mine** das gehört alles mir; **it's ~ over** es ist ganz aus; ~ **around the edge** rund um den Rand; ~ **at once** auf einmal; ~ **but** alles außer; (*almost*) fast; ~ **in** ~ alles in allem; ~ **over town** in der ganzen Stadt; **not at** ~ ganz und gar nicht; (*don't mention it*) bitte.

allay [ə'leɪ] *vt* (*fears*) zerstreuen.

allegation [ælɪ'geɪʃən] *n* Behauptung *f.*

allege [ə'ledʒ] *vt* (*declare*) behaupten; (*falsely*) vorgeben; **allegedly** [ə'ledʒɪdlɪ] *adv* angeblich.

allegiance [ə'liːdʒəns] *n* Treue *f.*

allegory ['ælɪgərɪ] *n* Allegorie *f.*

all-embracing ['ɔːlɪm'breɪsɪŋ] *adj* allumfassend.

allergic [ə'lɜːdʒɪk] *adj* allergisch (*to* gegen); **allergy** ['ælədʒɪ] *n* Allergie *f.*

alleviate [ə'liːvɪeɪt] *vt* erleichtern, lindern.

alley ['ælɪ] *n* Gasse *f,* Durchgang *m.*

alliance [ə'laɪəns] *n* Bund *m,* Allianz *f;* **allied** ['ælaɪd] *adj* vereinigt; (*powers*) alliiert; (BIO, *fig*) verwandt (*to* mit).

alligator ['ælɪgeɪtə*] *n* Alligator *m.*

all-important ['ɔːlɪm'pɔːtənt] *adj* äußerst wichtig.

all-in ['ɔːlɪn] *adj, adv* (*charge*) alles inbegriffen, Gesamt-; (*exhausted*) erledigt, kaputt.

alliteration [əlɪtə'reɪʃən] *n* Alliteration *f,* Stabreim *m.*

all-night ['ɔːl'naɪt] *adj* (*café, cinema*) die ganze Nacht geöffnet, Nacht-.

allocate ['æləkeɪt] *vt* zuweisen, zuteilen; **allocation** [ælə'keɪʃən] *n* Zuteilung *f.*

allot [ə'lɒt] *vt* zuteilen; **allotment** *n* (*share*) Anteil *m;* (*plot*) Schrebergarten *m.*

allow [ə'laʊ] *vt* (*permit*) erlauben, ge-

statten (*sb* jdm); (*grant*) bewilligen; (*deduct*) abziehen; **allow for** *vt* berücksichtigen, einplanen; **allowance** *n* Beihilfe *f;* **to make ~s for sth** etw berücksichtigen.
alloy ['ælɔɪ] *n* Metalllegierung *f.*
all right ['ɔːl'raɪt] **1.** *adj* okay, in Ordnung; **2.** *adv* (*satisfactorily*) ganz gut; (*certainly*) schon; **3.** *interj* okay; **all-round** *adj* (*athlete*) Allround-; **all-rounder** *n* (SPORT) Allroundsportler(in) *m(f);* (*general*) Allerweltskerl *m;* **all-time** *adj* (*record, high*) aller Zeiten, Höchst-.
allude [ə'luːd] *vi* hinweisen, anspielen (*to* auf +*akk*).
alluring [ə'ljʊərɪŋ] *adj* verlockend.
allusion [ə'luːʒn] *n* Anspielung *f,* Andeutung *f.*
alluvium [ə'luːvɪəm] *n* Schwemmland *nt.*
all-wheel drive ['ɔːlwiːl'draɪv] *n* Allradantrieb *m.*
ally ['ælaɪ] *n* Verbündete(r) *mf;* (POL) Alliierte(r) *mf.*
almanac ['ɔːlmənæk] *n* Kalender *m.*
almighty [ɔːl'maɪtɪ] *adj* allmächtig; **the Almighty** der Allmächtige.
almond ['ɑːmənd] *n* Mandel *f.*
almost ['ɔːlməʊst] *adv* fast, beinahe.
alms [ɑːmz] *n pl* Almosen *nt.*
alone [ə'ləʊn] *adj, adv* allein.
along [ə'lɒŋ] **1.** *prep* entlang; **2.** *adv* (*onward*) vorwärts, weiter; **~ with** zusammen mit; **~ the river** den Fluss entlang; **I knew all ~ that ...** ich wusste schon die ganze Zeit, dass ...; **alongside 1.** *adv* (*walk*) nebenher; (*come*) nebendran; (*be*) daneben; **2.** *prep* (*walk, compared with*) neben +*dat;* (*come*) neben +*akk;* (*be*) entlang, neben +*dat;* (*of ship*) längsseits +*gen.*
aloof [ə'luːf] **1.** *adj* zurückhaltend; **2.** *adv* abseits; **aloofness** *n* Zurückhaltung *f.*
aloud [ə'laʊd] *adv* laut.
alphabet ['ælfəbet] *n* Alphabet *nt;* **alphabetical** [ælfə'betɪkl] *adj* alphabetisch.
alpine ['ælpaɪn] *adj* alpin, Alpen-; **Alps** [ælps] *n pl* Alpen *pl.*
already [ɔːl'redɪ] *adv* schon, bereits.
Alsace [æl'sæs] *n* Elsass *nt.*
Alsatian [æl'seɪʃɪən] **1.** *adj* elsässisch, Elsässer; **2.** *n* Elsässer(in) *m(f);* (*Brit: dog*) Schäferhund *m.*
also ['ɔːlsəʊ] *adv* auch, außerdem.
altar ['ɔːltə*] *n* Altar *m.*
alter ['ɔːltə*] **1.** *vt* ändern; (*dress*) umändern; **2.** *vi* sich ändern; **alteration** [ɒltə'reɪʃən] *n* Änderung *f;* (*to building*) Umbau *m.*
altercation [ɒltə'keɪʃən] *n* Auseinandersetzung *f.*
alternate [ɔːl'tɜːnət] **1.** *adj* abwechselnd; **2.** ['ɔːltəneɪt] *vi* abwechseln (*with* mit); **alternately** *adv* abwechselnd, wechselweise.
alternating current ['ɒltɜːneɪtɪŋ-'kʌrənt] *n* Wechselstrom *m.*
alternative [ɔːl'tɜːnətɪv] **1.** *adj* andere(r, s); **2.** *n* [Aus]wahl *f,* Alternative *f;* **what's the ~?** welche Alternative gibt es?; **we have no ~** uns bleibt keine andere Wahl; **alternatively** *adv* oder aber.
although [ɔːl'ðəʊ] *conj* obwohl, wenn auch.
altitude ['æltɪtjuːd] *n* Höhe *f.*
alto ['æltəʊ] *n* <-s> (MUS) Alt *m.*
altogether [ɔːltə'geðə*] *adv* (*on the whole*) im ganzen genommen; (*entirely*) ganz und gar.
altruistic [æltrʊ'ɪstɪk] *adj* uneigennützig, altruistisch.
aluminium, **aluminum** (*US*) [æljʊ-'mɪnɪəm, ə'luːmɪnəm] *n* Aluminium *nt.*
always ['ɔːlweɪz] *adv* immer; **it was ~ that way** es war schon immer so.
Alzheimer's disease ['æltshaɪməz-dɪziːz] *n* Alzheimer-Krankheit *f.*
am *abbr of* **ante meridiem** vormittags, vorm.
amalgam [ə'mælgəm] *n* Amalgam *nt;* (*fig*) Mischung *f.*
amalgamate [ə'mælgəmeɪt] *vi, vt* (*combine*) fusionieren; (*mix*) amalgamieren; **amalgamation** [əmælgə'meɪʃən] *n* (*of companies*) Fusion *f.*
amass [ə'mæs] *vt* anhäufen.
amateur ['æmətə*] **1.** *n* Amateur(in) *m(f);* (*pej*) Stümper(in) *m(f);* **2.** *adj* Hobby-; **amateurish** *adj* (*pej*) dilettantisch, stümperhaft.
amaze [ə'meɪz] *vt* erstaunen, in Staunen versetzen; **amazement** *n* höchstes Erstaunen; **amazing** *adj* erstaunlich.
Amazon ['æməzən] *n* (*also:* **~ river**) Amazonas *m.*
ambassador [æm'bæsədə*] *n* Botschafter *m;* **ambassadress** *n* Botschafterin *f.*
amber ['æmbə*] **1.** *n* Bernstein *m;* **2.** *adj* bernsteinfarben.
ambidextrous [æmbɪ'dekstrəs] *adj* beidhändig.
ambiguity [æmbɪ'gjuːɪtɪ] *n* Zweideutig-

keit *f*, Unklarheit *f*; **ambiguous** [æm'bɪgjʊəs] *adj* zweideutig; (*not clear*) unklar.

ambition [æm'bɪʃən] *n* Ehrgeiz *m*; **ambitious** [æm'bɪʃəs] *adj* ehrgeizig.

ambivalent [æm'bɪvələnt] *adj* (*attitude*) zwiespältig.

amble ['æmbl] *vi* schlendern.

ambulance ['æmbjʊləns] *n* Krankenwagen *m*.

ambush ['æmbʊʃ] **1.** *n* Hinterhalt *m*; **2.** *vt* aus dem Hinterhalt angreifen, überfallen.

ameliorate [ə'mi:lɪəreɪt] *vt* verbessern; **amelioration** [əmi:lɪə'reɪʃən] *n* Verbesserung *f*.

amen ['ɑ:'men] *interj* amen.

amenable [ə'mi:nəbl] *adj* gefügig; (*to reason*) zugänglich (*to dat*); (*to flattery*) empfänglich (*to* für); (*to law*) unterworfen (*to dat*).

amend [ə'mend] **1.** *vt* (*law etc*) abändern; **2.** *n*: **to make ~s** etw wiedergutmachen; **amendment** *n* Änderung *f*.

amenity [ə'mi:nɪtɪ] *n* [moderne] Einrichtung *f*.

America [ə'merɪkə] *n* Amerika *nt*; **in ~** in Amerika; **to go to ~** nach Amerika fahren; **American 1.** *adj* amerikanisch; **2.** *n* Amerikaner(in) *m(f)*; **americanize** [ə'merɪkənaɪz] *vt* amerikanisieren.

amethyst ['æmɪθɪst] *n* Amethyst *m*.

amiable ['eɪmɪəbl] *adj* liebenswürdig, sympathisch.

amicable ['æmɪkəbl] *adj* freundschaftlich; (JUR: *settlement*) gütlich.

amid[st] [ə'mɪd[st]] *prep* mitten in [*o* unter] +*dat*.

amiss [ə'mɪs] *adj* verkehrt, nicht richtig; **to take sth ~** etw übelnehmen.

ammeter ['æmɪtə*] *n* Amperemeter *nt*.

ammunition [æmjʊ'nɪʃən] *n* Munition *f*.

amnesia [æm'ni:zjə] *n* Gedächtnisverlust *m*.

amnesty ['æmnɪstɪ] *n* Amnestie *f*.

amock [ə'mɒk] *adv s.* **amuck**.

amoeba [ə'mi:bə] *n* Amöbe *f*.

among[st] [ə'mʌŋ[st]] *prep* unter.

amoral [æ'mɒrəl] *adj* unmoralisch.

amorous ['æmərəs] *adj* verliebt.

amorphous [ə'mɔ:fəs] *adj* formlos, gestaltlos.

amount [ə'maʊnt] **1.** *n* (*of money*) Betrag *m*; (*of time, energy*) Aufwand *m* (*of* an +*dat*); (*of water, sand*) Menge *f*; **2.** *vi*: **to ~ to** (*total*) sich belaufen auf +*akk*; **this ~s to treachery** das kommt Verrat gleich; **it ~s to the same** es läuft aufs gleiche hinaus; **he won't ~ to much** aus ihm wird nie was; **no ~ of …** kein(e) …

amp, **ampere** [æmp, 'æmpɛə*] *n* Ampere *nt*.

amphibian [æm'fɪbɪən] *n* Amphibie *f*.

amphibious [æm'fɪbɪəs] *adj* amphibisch, Amphibien-.

amphitheatre ['æmfɪθɪətə*] *n* Amphitheater *nt*.

ample ['æmpl] *adj* (*portion*) reichlich; (*dress*) weit, groß; **~ time** genügend Zeit.

amplifier ['æmplɪfaɪə*] *n* Verstärker *m*.

amply ['æmplɪ] *adv* reichlich.

amputate ['æmpjʊteɪt] *vt* amputieren, abnehmen.

amuck [ə'mʌk] *adv*: **to run ~** Amok laufen.

amuse [ə'mju:z] *vt* (*entertain*) unterhalten; (*make smile*) belustigen; (*occupy*) unterhalten; **I'm not ~d** das finde ich gar nicht lustig; **if that ~s you** wenn es dir Spaß macht; **amusement** *n* (*feeling*) Unterhaltung *f*; (*recreation*) Zeitvertreib *m*; **amusement hall** *n* Spielhalle *f*; **amusement park** *n* Freizeitpark *m*; **amusing** *adj* amüsant, unterhaltend.

an [æn, ən] *art* ein[e].

anabolic steroid [ænə'bɒlɪk'sterɔɪd] *n* Anabolikum *nt*.

anaemia [ə'ni:mɪə] *n* Anämie *f*; **anaemic** [ə'ni:mɪk] *adj* blutarm.

anaesthetic [ænɪs'θetɪk] *n* Betäubungsmittel *nt*; **to be under an ~** in Narkose liegen.

anagram ['ænəgræm] *n* Anagramm *nt*.

analgesic [ænæl'dʒi:sɪk] *n* schmerzstillendes Mittel.

analog ['ænəlɒg] *adj* (*watch, computer*) Analog-; **~ computer** Analogrechner *m*; **analogous** [ə'næləgəs] *adj* analog; **analogy** [ə'nælədʒɪ] *n* Analogie *f*.

analyse ['ænəlaɪz] *vt* analysieren; **analysis** [ə'nælɪsɪs] *n* Analyse *f*; **analyst** *n* Analytiker(in) *m(f)*; **analytic** [ænə'lɪtɪk] *adj* analytisch.

anarchist ['ænəkɪst] *n* Anarchist(in) *m(f)*; **anarchy** ['ænəkɪ] *n* Anarchie *f*.

anathema [ə'næθɪmə] *n* (*fig*) Gräuel *nt*.

anatomical [ænə'tɒmɪkəl] *adj* anatomisch; **anatomy** [ə'nætəmɪ] *n* (*structure*) anatomischer Aufbau; (*study*) Anatomie *f*.

ANC *n abbr of* **African National Congress** ANC *m*.

ancestor ['ænsestə*] *n* Vorfahr *m*.

ancestral [æn'sestrəl] *adj* Ahnen-; **ancestry** ['ænsɪstrɪ] *n* Abstammung *f;* (*forefathers*) Vorfahren *pl.*
anchor ['æŋkə*] **1.** *n* Anker *m;* **2.** *vi* ankern, vor Anker liegen; **3.** *vt* verankern; **anchorage** *n* Ankerplatz *m.*
anchovy ['æntʃəvɪ] *n* Sardelle *f.*
ancient ['eɪnʃənt] *adj* alt; (*fam*) uralt; **in ~ times** im Altertum.
ancillary [æn'sɪlərɪ] *adj* (*roads*) Neben-; (*troops*) Hilfs-; **~ industries** Zulieferindustrien.
and [ænd, ənd] *conj* und.
Andorra [æn'dɔːrə] *n* Andorra *nt.*
anecdote ['ænɪkdəʊt] *n* Anekdote *f.*
anemia *n* (*US*) *s.* **anaemia**.
anemone [ə'nemənɪ] *n* Anemone *f.*
anesthetic *n* (*US*) *s.* **anaesthetic**.
anew [ə'njuː] *adv* von neuem.
angel ['eɪndʒəl] *n* Engel *m;* **angelic** [æn'dʒelɪk] *adj* engelhaft.
anger ['æŋgə*] **1.** *n* Zorn *m;* **2.** *vt* ärgern.
angina [æn'dʒaɪnə] *n* Angina *f,* Halsentzündung *f.*
angle ['æŋgl] **1.** *n* Winkel *m;* (*point of view*) Standpunkt *m;* **2.** *vt* einstellen; **to ~ for** aus sein auf *+akk;* **at an ~** nicht gerade.
angler ['æŋglə*] *n* Angler(in) *m(f).*
Anglican ['æŋglɪkən] *adj* anglikanisch.
anglicize ['æŋglɪsaɪz] *vt* anglisieren.
angling ['æŋglɪŋ] *n* Angeln *nt.*
Anglo- ['æŋgləʊ] *pref* Anglo-.
angrily ['æŋgrɪlɪ] *adv* ärgerlich, böse.
angry ['æŋgrɪ] *adj* verärgert, wütend; (*wound*) entzündet; **to be ~ at/with sb** auf/mit jdm böse sein.
anguish ['æŋgwɪʃ] *n* Qual *f.*
angular ['æŋgjʊlə*] *adj* eckig, winkelförmig; (*face*) kantig.
animal ['ænɪməl] **1.** *n* Tier *nt;* **2.** *adj* tierisch, animalisch; **~ rights** Tierschutz.
animate ['ænɪmeɪt] **1.** *vt* beleben; **2.** ['ænɪmət] *adj* lebhaft; **animated** *adj* lebendig; (*film*) Zeichentrick-; **animation** [ænɪ'meɪʃən] *n* Lebhaftigkeit *f.*
animosity [ænɪ'mɒsɪtɪ] *n* Feindseligkeit *f.*
aniseed ['ænɪsiːd] *n* Anis *m.*
ankle ['æŋkl] *n* [Fuß]knöchel *m.*
annex ['æneks] **1.** *n* Anbau *m;* **2.** [ə'neks] *vt* anfügen; (POL) annektieren.
annihilate [ə'naɪəleɪt] *vt* vernichten.
anniversary [ænɪ'vɜːsərɪ] *n* Jahrestag *m;* **wedding ~** Hochzeitstag *m.*
annotate ['ænəteɪt] *vt* kommentieren.
announce [ə'naʊns] *vt* ankündigen, bekannt geben; **announcement** *n* Ankündigung *f;* (*official*) Bekanntmachung *f;* **announcer** *n* Ansager(in) *m(f).*
annoy [ə'nɔɪ] *vt* ärgern; **annoyance** *n* Ärgernis *nt;* **annoying** *adj* ärgerlich; (*person*) lästig.
annual ['ænjʊəl] **1.** *adj* jährlich; (*salary*) Jahres-; **2.** *n* (*plant*) einjährige Pflanze; (*book*) Jahrbuch *nt;* **annually** *adv* jährlich.
annuity [ə'njuːɪtɪ] *n* Jahresrente *f.*
annul [ə'nʌl] *vt* aufheben, annullieren; **annulment** *n* Aufhebung *f,* Annullierung *f.*
anoint [ə'nɔɪnt] *vt* salben.
anomalous [ə'nɒmələs] *adj* anormal; **anomaly** [ə'nɒməlɪ] *n* Abweichung *f* von der Regel.
anonymity [ænə'nɪmɪtɪ] *n* Anonymität *f;* **anonymous** [ə'nɒnɪməs] *adj* anonym.
anorak ['ænəræk] *n* Anorak *m,* Windjacke *f.*
anorexia [ænə'reksɪə] *n* Magersucht *f;* **anorexic** *adj* magersüchtig.
another [ə'nʌðə*] *adj, pron* (*different*) ein(e) andere(r, s); (*additional*) noch eine(r, s).
answer ['ɑːnsə*] **1.** *n* Antwort *f;* **2.** *vi* antworten; (*on phone*) sich melden; **3.** *vt* (*person*) antworten *+dat;* (*letter, question*) beantworten; (*telephone*) gehen an *+akk,* abnehmen; (*door*) öffnen; **to ~ to the name of …** auf den Namen … hören; **answer back** *vi* widersprechen; (*children*) frech sein; **answer for** *vt* verantwortlich sein für; **answerable** *adj* beantwortbar; (*responsible*) verantwortlich, haftbar; **answering machine** *n* Anrufbeantworter *m.*
ant [ænt] *n* Ameise *f.*
antagonism [æn'tægənɪzəm] *n* Antagonismus *m;* **antagonist** *n* Gegner(in) *m(f),* Antagonist(in) *m(f);* **antagonistic** [æntægə'nɪstɪk] *adj* feindselig; **antagonize** [æn'tægənaɪz] *vt* reizen.
Antarctica *n* die Antarktis.
anteater ['æntiːtə*] *n* Ameisenbär *m.*
antecedent [æntɪ'siːdənt] *n* Vorhergehende(s) *nt;* **~s** *pl* Vorleben *nt,* Vorgeschichte *f.*
antelope ['æntɪləʊp] *n* Antilope *f.*
antenatal [æntɪ'neɪtl] *adj* vor der Geburt, pränatal.
antenna [æn'tenə] *n* (BIO) Fühler *m;* (RADIO) Antenne *f.*
anteroom ['æntɪrʊm] *n* Vorzimmer *nt.*

anthem ['ænθəm] *n* Hymne *f.*
anthology [æn'θɒlədʒɪ] *n* Gedichtsammlung *f,* Anthologie *f.*
anthropologist [ænθrə'pɒlədʒɪst] *n* Anthropologe(-login) *m(f);* **anthropology** *n* Anthropologie *f.*
anti- ['æntɪ] *pref* Gegen-, Anti-; **anti-aircraft** *adj* Flugabwehr-; **antibiotic** ['æntɪbaɪ'ɒtɪk] *n* Antibiotikum *nt;* **antibody** *n* (MED) Antikörper *m,* Abwehrkörper *m.*
anticipate [æn'tɪsɪpeɪt] *vt* (*expect: trouble, question*) erwarten, rechnen mit; (*look forward to*) sich freuen auf *+akk;* (*do first*) vorwegnehmen; (*foresee*) ahnen, vorhersehen; **anticipation** [æntɪsɪ'peɪʃən] *n* Erwartung *f;* (*foreshadowing*) Vorwegnahme *f.*
anticlimax [æntɪ'klaɪmæks] *n* Ernüchterung *f;* **anticlockwise** [æntɪ'klɒkwaɪz] *adj* entgegen dem Uhrzeigersinn.
antics ['æntɪks] *n pl* Possen *pl.*
anticyclone [æntɪ'saɪkləʊn] *n* Hoch *nt;* (*area*) Hochdruckgebiet *nt.*
antidote ['æntɪdəʊt] *n* Gegenmittel *nt;* **antifreeze** *n* Frostschutzmittel *nt.*
antihistamine [æntɪ'hɪstəmɪn] *n* Antihistamin *nt.*
anti-lock braking system [æntɪ'lɒk'breɪkɪŋsɪstəm] *n* Antiblockiersystem *nt;* **antinuclear activist** *n* Kernkraftgegner(in) *m(f).*
antipathy [æn'tɪpəθɪ] *n* Abneigung *f,* Antipathie *f.*
Antipodes [æn'tɪpədi:z] *n pl* Australien und Neuseeland.
antiquarian [æntɪ'kwɛərɪən] **1.** *adj* altertümlich; **2.** *n* Antiquitätensammler(in) *m(f);* **antiquated** ['æntɪkweɪtɪd] *adj* antiquiert.
antique [æn'ti:k] **1.** *n* Antiquität *f;* **2.** *adj* antik; (*old-fashioned*) altmodisch.
antiquity [æn'tɪkwɪtɪ] *n* Antike *f,* Altertum *nt.*
antiseptic [æntɪ'septɪk] **1.** *n* Antiseptikum *nt;* **2.** *adj* antiseptisch.
antisocial [æntɪ'səʊʃl] *adj* (*person*) ungesellig; (*behaviour*) asozial; **antitechnological** *adj* technologiefeindlich; **antitheft device** *n* Diebstahlsicherung *f.*
antithesis [æn'tɪθɪsɪs] *n* Gegensatz *m,* Antithese *f.*
antlers ['æntləz] *n pl* Geweih *nt.*
anus ['eɪnəs] *n* After *m.*
anvil ['ænvɪl] *n* Amboss *m.*
anxiety [æŋ'zaɪətɪ] *n* Angst *f;* (*worry*) Sorge *f;* **anxious** ['æŋkʃəs] *adj* ängstlich; (*worried*) besorgt; **to be ~ to do sth** etw unbedingt tun wollen; **anxiously** *adv* besorgt; (*keenly*) eifrig.
any ['enɪ] *adj, adv:* **take ~ one** nimm irgendeine(n, s)!; **do you want ~ apples?** willst du Äpfel [haben]?; **do you want ~?** willst du welche?; **not ~** keine; **~ faster** schneller; **anybody** *pron* irgend jemand; (*everybody*) jedermann; **anyhow** *adv* sowieso, ohnehin; (*carelessly*) einfach so; **anyone** *pron* irgend jemand; **anything** *pron* irgend etwas; **anytime** *adv* jederzeit; **anyway** *adv* sowieso, ohnehin; **~, let's stop** na ja [*o* sei's drum], hören wir auf; **anywhere** *adv* irgendwo; (*everywhere*) überall.

> Der **Anzac** Day, der 25. April, ist in Australien und Neuseeland ein Feiertag zum Gedenken an die Landung der australischen und neuseeländischen Truppen in Gallipoli im Ersten Weltkrieg (1915).

apart [ə'pɑ:t] *adv* (*parted*) auseinander; (*away*) beiseite, abseits; **~ from** außer.
apartheid [ə'pɑ:theɪt] *n* Apartheid *f.*
apartment [ə'pɑ:tmənt] *n* (*US*) Wohnung *f.*
apathetic [æpə'θetɪk] *adj* teilnahmslos, apathisch; **apathy** ['æpəθɪ] *n* Teilnahmslosigkeit *f,* Apathie *f.*
ape [eɪp] **1.** *n* [Menschen]affe *m;* **2.** *vt* (*pej*) nachäffen.
aperitif [ə'perɪtɪv] *n* Aperitif *m.*
aperture ['æpətjʊə*] *n* Öffnung *f;* (PHOT) Blende *f.*
apex ['eɪpeks] *n* Spitze *f;* (*fig*) Höhepunkt *m.*
aphrodisiac [æfrəʊ'dɪzɪæk] *n* Aphrodisiakum *nt.*
apiece [ə'pi:s] *adv* pro Stück; (*per person*) pro Kopf.
aplomb [ə'plɒm] *n* selbstbewusstes Auftreten.
apologetic [əpɒlə'dʒetɪk] *adj* entschuldigend; **to be ~** sich vielmals entschuldigen; **apologize** [ə'pɒlədʒaɪz] *vi* sich entschuldigen; **apology** [ə'pɒlədʒɪ] *n* Entschuldigung *f.*
apoplexy ['æpəpleksɪ] *n* Schlaganfall *m.*
apostle [ə'pɒsl] *n* Apostel *m;* (*pioneer*) Vorkämpfer(in) *m(f).*
apostrophe [ə'pɒstrəfɪ] *n* Apostroph *m.*

appal [ə'pɔ:l] *vt* entsetzen; **appalling** *adj* schrecklich.

apparatus [æpə'reɪtəs] *n* Apparat *m*, Gerät *nt.*

apparent [ə'pærənt] *adj* offenbar; **apparently** *adv* anscheinend.

apparition [æpə'rɪʃən] *n* (*ghost*) Erscheinung *f*, Geist *m;* (*appearance*) Erscheinen *nt.*

appeal [ə'pi:l] **1.** *vi* dringend bitten (*for* um); (JUR) Berufung einlegen; **2.** *n* Aufruf *m;* (JUR) Berufung *f;* **to ~ to sb for sth** jdn um etw bitten; (*to public*) an jdn appellieren etw zu tun; **appealing** *adj* ansprechend.

appear [ə'pɪə*] *vi* (*come into sight*) erscheinen; (*be seen*) auftauchen; (*seem*) scheinen; **appearance** *n* (*coming into sight*) Erscheinen *nt;* (*outward show*) Äußere(s) *nt;* **to put in** [*o* **make**] **an ~** sich zeigen.

appease [ə'pi:z] *vt* beschwichtigen.

append [ə'pend] *vt* anhängen, hinzufügen; **appendage** [ə'pendɪdʒ] *n* Anhang *m*, Anhängsel *nt.*

appendicitis [əpendɪ'saɪtɪs] *n* Blinddarmentzündung *f.*

appendix [ə'pendɪks] *n* (*in book*) Anhang *m;* (MED) Blinddarm *m.*

appetite ['æpɪtaɪt] *n* Appetit *m;* (*fig*) Lust *f;* **appetizing** ['æpɪtaɪzɪŋ] *adj* appetitanregend.

applaud [ə'plɔ:d] *vt, vi* Beifall klatschen +*dat*, applaudieren; **applause** [ə'plɔ:z] *n* Beifall *m*, Applaus *m.*

apple ['æpl] *n* Apfel *m;* **apple pie** *n* gedeckter Apfelkuchen; **apple tree** *n* Apfelbaum *m.*

appliance [ə'plaɪəns] *n* Gerät *nt.*

applicable [ə'plɪkəbl] *adj* anwendbar; (*on forms*) zutreffend.

applicant ['æplɪkənt] *n* Bewerber(in) *m(f);* **application** [æplɪ'keɪʃən] *n* (*request*) Antrag *m;* (*for job*) Bewerbung *f;* (*putting into practice*) Anwendung *f;* (*hard work*) Fleiß *m;* **application program** *n* (COMPUT) Anwendungsprogramm *nt.*

applied [ə'plaɪd] *adj* angewandt.

apply [ə'plaɪ] **1.** *vi* (*ask*) sich wenden (*to* an +*akk*), sich melden; (*be suitable*) zutreffen; **2.** *vt* (*place on*) auflegen; (*cream*) auftragen; (*put into practice*) anwenden; **3.** *vr:* **~ oneself** (*devote oneself*) sich widmen (*to dat*).

appoint [ə'pɔɪnt] *vt* (*to office*) ernennen; (*settle*) festsetzen; **appointment** *n* (*meeting*) Verabredung *f;* (*at hairdresser, in business*) Termin *m;* (*choice for a position*) Ernennung *f.*

apportion [ə'pɔ:ʃən] *vt* zuteilen.

appreciable [ə'pri:ʃəbl] *adj* (*perceptible*) merklich; (*able to be estimated*) abschätzbar.

appreciate [ə'pri:ʃɪeɪt] **1.** *vt* (*value*) zu schätzen wissen; (*understand*) einsehen; **2.** *vi* (*increase in value*) im Wert steigen; **appreciation** [əpri:ʃɪ'eɪʃən] *n* Wertschätzung *f;* (COMM) Wertzuwachs *m;* **appreciative** [ə'pri:ʃɪətɪv] *adj* (*showing thanks*) dankbar; (*showing liking*) anerkennend.

apprehend [æprɪ'hend] *vt* (*arrest*) festnehmen; (*understand*) erfassen.

apprehension [æprɪ'henʃən] *n* Besorgnis *f;* (*arrest*) Festnahme *f;* **apprehensive** [æprɪ'hensɪv] *adj* besorgt.

apprentice [ə'prentɪs] *n* Lehrling *m*, Auszubildende(r) *mf;* **apprenticeship** *n* Lehrzeit *f.*

approach [ə'prəʊtʃ] **1.** *vi* sich nähern; **2.** *vt* herantreten an +*akk;* (*problem*) herangehen an +*akk;* **3.** *n* Annäherung *f;* (*to problem*) Ansatz *m;* (*path*) Zugang *m*, Zufahrt *f;* **approachable** *adj* zugänglich.

approbation [æprə'beɪʃən] *n* Zustimmung *f.*

appropriate [ə'prəʊprɪeɪt] **1.** *vt* beschlagnahmen; (*take for oneself*) sich *dat* aneignen; (*set apart*) bereitstellen; **2.** [ə'prəʊprɪət] *adj* angemessen; (*remark*) treffend; **appropriately** *adv* passend.

approval [ə'pru:vəl] *n* (*show of satisfaction*) Beifall *m;* (*permission*) Billigung *f;* **on ~** (COMM) bei Gefallen; **approve** [ə'pru:v] *vt, vi* billigen (*of akk*); **I don't ~ of it/him** ich halte nichts davon/von ihm.

approximate [ə'prɒksɪmɪt] **1.** *adj* ungefähr; **2.** [ə'prɒksɪmeɪt] *vt* nahekommen +*dat;* **approximately** *adv* rund, ungefähr; **approximation** [əprɒksɪ'meɪʃən] *n* Annäherung *f.*

apricot ['eɪprɪkɒt] *n* Aprikose *f.*

April ['eɪprəl] *n* April *m;* **~ 1st, 1999, 1st ~ 1999** (*Datumsangabe*) 1. April 1999; **on the 11th of ~** (*gesprochen*) am 11. April; **on 11th ~, on ~ 11th** (*geschrieben*) am 11. April; **in ~** im April.

apron ['eɪprən] *n* Schürze *f.*

apt [æpt] *adj* (*suitable*) passend; (*able*) begabt; (*likely*) geneigt; **aptitude** *n* Begabung *f.*

aquaculture ['ækwəkʌltʃə] *n* Aquakultur *f.*
aqualung ['ækwəlʌŋ] *n* Tauchgerät *nt.*
aquarium [ə'kwɛərɪəm] *n* Aquarium *nt.*
Aquarius [ə'kwɛərɪəs] *n* (ASTR) Wassermann *m.*
aquatic [ə'kwætɪk] *adj* Wasser-.
aqueduct ['ækwɪdʌkt] *n* Aquädukt *nt.*
Arab ['ærəb] *n* Araber(in) *m(f);* **Arabian** [ə'reɪbɪən] *adj* arabisch; **Arabic** ['ærəbɪk] *n* (*language*) Arabisch *nt.*
arable ['ærəbl] *adj* bebaubar; ~ **land** Ackerland *nt.*
arbiter ['ɑ:bɪtə*] *n* [Schieds]richter(in) *m(f).*
arbitrary ['ɑ:bɪtrərɪ] *adj* willkürlich.
arbitrate ['ɑ:bɪtreɪt] *vt, vi* schlichten; **arbitration** [ɑ:bɪ'treɪʃən] *n* Schlichtung *f;* **to go to ~** vor ein Schiedsgericht gehen; **arbitrator** ['ɑ:bɪtreɪtə*] *n* Schlichter(in) *m(f).*
arc [ɑ:k] *n* Bogen *m.*
arcade [ɑ:'keɪd] *n* Säulengang *m.*
arch [ɑ:tʃ] **1.** *n* Bogen *m;* **2.** *vt* überwölben; (*back*) krumm machen; **3.** *vi* sich wölben; **4.** *adj* durchtrieben.
archaeologist [ɑ:kɪ'ɒlədʒɪst] *n* Archäologe *m,* Archäologin *f;* **archaeology** *n* Archäologie *f.*
archaic [ɑ:'keɪɪk] *adj* altertümlich.
archbishop [ɑ:tʃ'bɪʃəp] *n* Erzbischof *m.*
arch enemy *n* Erzfeind(in) *m(f).*
archer ['ɑ:tʃə*] *n* Bogenschütze(-schützin) *m(f);* **archery** *n* Bogenschießen *nt.*
archipelago [ɑ:kɪ'pelɪgəʊ] *n* <-[e]s> Archipel *m;* (*sea*) Inselmeer *nt.*
architect ['ɑ:kɪtekt] *n* Architekt(in) *m(f);* **architectural** [ɑ:kɪ'tektʃərəl] *adj* architektonisch; **architecture** *n* Architektur *f.*
archives ['ɑ:kaɪvz] *n pl* Archiv *nt.*
arch support ['ɑ:tʃsəpɔ:t] *n* Senkfußeinlage *f.*
archway ['ɑ:tʃweɪ] *n* Bogen *m.*
ardent ['ɑ:dənt] *adj* glühend.
ardour ['ɑ:də*] *n* Eifer *m.*
arduous ['ɑ:djʊəs] *adj* mühsam.
are [ɑ:*] *s.* **be.**
area ['ɛərɪə] *n* Fläche *f;* (*of land*) Gebiet *nt;* (*part of sth*) Teil *m,* Abschnitt *m.*
arena [ə'ri:nə] *n* Arena *f.*
aren't [ɑ:nt] = **are not.**
Argentina, the Argentine [ɑ:dʒən'ti:nə, 'ɑ:dʒəntaɪn] *n* Argentinien *nt.*
arguable ['ɑ:gjʊəbl] *adj* (*doubtful*) diskutabel; **it's ~ that ...** man könnte argumentieren, dass ...; **arguably** *adv* wohl.
argue ['ɑ:gju:] **1.** *vt* (*case*) vertreten; **2.** *vi* diskutieren; (*angrily*) streiten; **don't ~!** keine Widerrede!; **to ~ with sb** sich mit jdm streiten; **argument** *n* (*theory*) Argument *nt;* (*reasoning*) Argumentation *f;* (*row*) Auseinandersetzung *f,* Streit *m;* **to have an ~** sich streiten; **argumentative** [ɑ:gjʊ'mentətɪv] *adj* streitlustig.
aria ['ɑ:rɪə] *n* Arie *f.*
arid ['ærɪd] *adj* trocken; **aridity** [ə'rɪdɪtɪ] *n* Dürre *f.*
Aries ['ɛəri:z] *n sing* (ASTR) Widder *m.*
arise [ə'raɪz] <arose, arisen> *vi* aufsteigen; (*get up*) aufstehen; (*difficulties etc*) entstehen; (*case*) vorkommen; **to ~ out of sth** von etw herrühren.
aristocracy [ærɪs'tɒkrəsɪ] *n* Adel *m,* Aristokratie *f;* **aristocrat** ['ærɪstəkræt] *n* Adlige(r) *mf,* Aristokrat(in) *m(f);* **aristocratic** [ærɪstə'krætɪk] *adj* adlig, aristokratisch.
arithmetic [ə'rɪθmətɪk] *n* Rechnen *nt,* Arithmetik *f.*
ark [ɑ:k] *n:* **Noah's Ark** die Arche Noah.
arm [ɑ:m] **1.** *n* Arm *m;* (*branch of military service*) Zweig *m;* **2.** *vt* bewaffnen.
armaments ['ɑ:məmənts] *n pl* Waffen *pl,* Rüstung *f.*
armband ['ɑ:mbænd] *n* Armbinde *f;* **armchair** *n* Lehnstuhl *m;* **armed** *adj* (*forces*) Streit-, bewaffnet; (*robbery*) bewaffnet.
armistice ['ɑ:mɪstɪs] *n* Waffenstillstand *m.*
armour ['ɑ:mə*] *n* (*knight's*) Rüstung *f;* (MIL) Panzerplatte *f;* **armoury** *n* Waffenlager *nt;* (*factory*) Waffenfabrik *f.*
armpit ['ɑ:mpɪt] *n* Achselhöhle *f;* **armrest** *n* Armlehne *f.*
arms [ɑ:mz] *n pl* (*weapons*) Waffen *pl;* **arms control** *n* Rüstungskontrolle *f;* **arms race** *n* Rüstungswettlauf *m.*
army ['ɑ:mɪ] *n* Armee *f;* (*host*) Heer *nt.*
aroma [ə'rəʊmə] *n* Duft *m,* Aroma *nt.*
aromatherapy [ərəʊmə'θerəpɪ] *n* Aromatherapie *f.*
aromatic [ærə'mætɪk] *adj* aromatisch.
arose [ə'rəʊz] *pt of* **arise.**
around [ə'raʊnd] **1.** *adv* ringsherum; (*almost*) ungefähr; **2.** *prep* um ... herum; **is he ~?** ist er hier?
arouse [ə'raʊz] *vt* wecken.
arr *abbr of* **arrival, arrives** Ankunft, Ank.
arrange [ə'reɪndʒ] *vt* (*time, meeting*) fest-

setzen; (*holidays*) festlegen; (*flowers, hair, objects*) anordnen; **we ~d to meet at eight o'clock** wir haben uns für acht Uhr verabredet; **it's all ~d** es ist alles arrangiert; **arrangement** *n* (*order*) Reihenfolge *f;* (*agreement*) Übereinkommen *nt;* (*plan*) Vereinbarung *f.*

array [ə'reɪ] *n* Aufstellung *f.*

arrears [ə'rɪəz] *n pl* (*of debts*) Rückstand *m;* **in ~** im Rückstand.

arrest [ə'rest] **1.** *vt* (*person*) verhaften; (*stop*) aufhalten; **2.** *n* Verhaftung *f;* **under ~** in Haft; **you're under ~** Sie sind verhaftet.

arrival [ə'raɪvəl] *n* Ankunft *f.*

arrive [ə'raɪv] *vi* ankommen (*at* bei, in *+dat*); **to ~ at a decision** zu einer Entscheidung kommen.

arrogance ['ærəgəns] *n* Überheblichkeit *f,* Arroganz *f;* **arrogant** *adj* anmaßend, arrogant.

arrow ['ærəʊ] *n* Pfeil *m.*

arse [ɑ:s] *n* (*fam!*) Arsch *m.*

arsenal ['ɑ:sənl] *n* Arsenal *nt.*

arsenic ['ɑ:snɪk] *n* Arsen *nt.*

arson ['ɑ:sn] *n* Brandstiftung *f.*

art [ɑ:t] *n* Kunst *f;* **~s** *pl* Geisteswissenschaften *pl;* **~ gallery** Kunstgalerie *f.*

artery ['ɑ:tərɪ] *n* Schlagader *f,* Arterie *f.*

artful [ɑ:tfʊl] *adj* raffiniert.

arthritis [ɑ:'θraɪtɪs] *n* Arthritis *f.*

artichoke ['ɑ:tɪtʃəʊk] *n* Artischocke *f.*

article ['ɑ:tɪkl] *n* (PRESS, LING) Artikel *m;* (*thing*) Gegenstand *m;* (*clause*) Paragraph *m.*

articulate [ɑ:'tɪkjʊlɪt] **1.** *adj* (*able to express oneself*) redegewandt; (*speaking clearly*) deutlich, verständlich; **2.** [ɑ:'tɪkjʊleɪt] *vt* (*connect*) zusammenfügen, gliedern; **to be ~** sich gut ausdrücken können; **~d vehicle** Sattelschlepper *m.*

artifice ['ɑ:tɪfɪs] *n* (*skill*) Kunstgriff *m;* (*trick*) Kniff *m,* List *f.*

artificial [ɑ:tɪ'fɪʃəl] *adj* künstlich, Kunst-; **~ heart** Kunstherz *nt;* **~ intelligence** künstliche Intelligenz; **~ respiration** künstliche Atmung.

artillery [ɑ:'tɪlərɪ] *n* Artillerie *f.*

artisan ['ɑ:tɪsæn] *n* Handwerker(in) *m(f).*

artist [':tɪst] *n* Künstler(in) *m(f);* **artistic** [ɑ:'tɪstɪk] *adj* künstlerisch; **artistry** ['ɑ:tɪstrɪ] *n* künstlerisches Können.

artless ['ɑ:tlɪs] *adj* ungekünstelt; (*character*) arglos.

arty ['ɑ:tɪ] *adj* (*fam*) künstlerisch angehaucht.

as [æz, əz] *adv, conj* (*since*) da, weil; (*while*) als; (*like*) wie; (*in role of*) als; **~ soon ~ he comes** sobald er kommt; **~ big ~** so groß wie; **~ well** auch; **~ well ~** und auch; **~ for him** was ihn betrifft; **~ if, ~ though** als ob; **~ it were** sozusagen; **tired ~ he was** so müde er auch war.

a.s.a.p. *abbr of* **as soon as possible** möglichst bald.

asbestos [æz'bestəs] *n* Asbest *m.*

ascend [ə'send] **1.** *vi* aufsteigen; **2.** *vt* besteigen; **ascendancy** *n* Oberhand *f.*

ascension [ə'senʃən] *n* (REL) [Christi] Himmelfahrt *f.*

ascent [ə'sent] *n* Aufstieg *m.*

ascertain [æsə'teɪn] *vt* feststellen.

ascetic [ə'setɪk] *adj* asketisch.

ascribe [əs'kraɪb] *vt* zuschreiben (*to dat*).

ash [æʃ] *n* (*dust*) Asche *f;* (*tree*) Esche *f.*

ashamed [ə'ʃeɪmd] *adj* beschämt; **to be ~ of sth/sb** sich für etw/jdn schämen.

ashen ['æʃən] *adj* (*pale*) aschfahl.

ashore [ə'ʃɔ:*] *adv* an Land.

ashtray ['æʃtreɪ] *n* Aschenbecher *m;* **Ash Wednesday** *n* Aschermittwoch *m.*

Asia ['eɪʃə] *n* Asien *nt;* **Asian 1.** *adj* asiatisch; **2.** *n* Asiat(in) *m(f).*

aside [ə'saɪd] **1.** *adv* beiseite; **2.** *n* (THEAT) beiseite gesprochene Worte *pl;* **~ from** (*US*) abgesehen von.

ask [ɑ:sk] *vt, vi* fragen; (*permission*) bitten um; **~ing price** Verkaufspreis *m;* **~ him his name** frage ihn nach seinem Namen; **he ~ed to see you** er wollte dich sehen; **you ~ed for that!** da bist du selbst schuld.

askance [əs'kæns] *adv:* **to look ~ at sb** jdn schief ansehen.

askew [əs'kju:] *adv* schief.

asleep [ə'sli:p] *adj, adv:* **to be ~** schlafen; **to fall ~** einschlafen.

asp [æsp] *n* Espe *f.*

asparagus [əs'pærəgəs] *n* Spargel *m.*

aspect ['æspekt] *n* Aspekt *m;* (*appearance*) Aussehen *nt.*

asphalt ['æsfælt] *n* Asphalt *m.*

asphyxiate [əs'fɪksɪeɪt] *vt* (MED) ersticken; **asphyxiation** [əsfɪksɪ'eɪʃən] *n* Erstickung *f.*

aspiration [æspə'reɪʃən] *n* Trachten *nt;* **to have ~s towards sth** etw anstreben.

aspire [əs'paɪə*] *vi* streben (*to* nach).

aspirin ['æsprɪn] *n* Aspirin *nt.*

ass [æs] *n* (*a. fig*) Esel *m.*

assail [ə'seɪl] *vt* angreifen; **be ~ed by doubts** von Zweifeln geplagt werden.

assassin [ə'sæsɪn] *n* Attentäter(in) *m(f)*; **assassinate** [ə'sæsɪneɪt] *vt* ermorden; **assassination** [əsæsɪ'neɪʃən] *n* Ermordung *f.*

assault [ə'sɔ:lt] **1.** *n* Angriff *m;* **2.** *vt* überfallen; (*woman*) herfallen über +*akk.*

assemble [ə'sembl] **1.** *vt* versammeln; (*parts*) zusammensetzen; **2.** *vi* sich versammeln; **assembly** *n* (*meeting*) Versammlung *f;* (*construction*) Zusammensetzung *f,* Montage *f;* **assembly line** *n* Fließband *nt.*

assent [ə'sent] **1.** *n* Zustimmung *f;* **2.** *vi* zustimmen (*to dat*).

assert [ə'sɜ:t] *vt* erklären; **assertion** [ə'sɜ:ʃən] *n* Behauptung *f;* **assertive** *adj* selbstsicher.

assess [ə'ses] *vt* einschätzen; **assessment** *n* Bewertung *f,* Einschätzung *f.*

asset ['æset] *n* Vorteil *m,* Wert *m;* **~s** *pl* Vermögen *nt;* (*estate*) Nachlass *m.*

assiduous [ə'sɪdjʊəs] *adj* gewissenhaft.

assign [ə'saɪn] *vt* zuweisen; **assignment** *n* Aufgabe *f;* (*mission*) Auftrag *m.*

assimilate [ə'sɪmɪleɪt] *vt* aufnehmen; (*into society*) integrieren; **assimilation** [əsɪmɪ'leɪʃən] *n* Assimilierung *f,* Aufnahme *f.*

assist [ə'sɪst] *vt* beistehen +*dat;* **assistance** *n* Unterstützung *f,* Hilfe *f;* **assistant** *n* Assistent(in) *m(f),* Mitarbeiter(in) *m(f);* (*in shop*) Verkäufer(in) *m(f).*

assizes [ə'saɪzɪz] *n pl* Landgericht *nt.*

associate [ə'səʊʃɪət] **1.** *n* (*partner*) Partner(in) *m(f),* Teilhaber(in) *m(f);* (*member*) außerordentliches Mitglied; **2.** [ə'səʊʃɪeɪt] *vt* verbinden (*with* mit); **3.** *vi* (*keep company*) verkehren (*with* mit); **association** [əsəʊsɪ'eɪʃən] *n* Verband *m,* Verein *m;* (PSYCH) Assoziation *f;* (*link*) Verbindung *f;* **association football** *n* (*Brit*) Fußball *m.*

assorted [ə'sɔ:tɪd] *adj* gemischt; **assortment** *n* Sammlung *f;* (COMM) Sortiment *nt* (*of* von), Auswahl *f* (*of* an +*dat*).

assume [ə'sju:m] *vt* annehmen; (*power*) übernehmen; **~d name** Deckname *m;* **assumption** [ə'sʌmpʃən] *n* Annahme *f.*

assurance [ə'ʃʊərəns] *n* (*firm statement*) Versicherung *f;* (*confidence*) Selbstsicherheit *f;* (*insurance*) [Lebens]versicherung *f;* **assure** *vt* (*make sure*) sicherstellen; (*convince*) versichern +*dat;* (*life*) versichern; **assuredly** *adv* sicherlich.

asterisk ['æstərɪsk] *n* Sternchen *nt.*

astern [əs'tɜ:n] *adv* achtern.

asthma ['æsmə] *n* Asthma *nt;* **asthmatic** [æs'mætɪk] **1.** *adj* asthmatisch; **2.** *n* Asthmatiker(in) *m(f).*

astonish [əs'tɒnɪʃ] *vt* erstaunen; **astonishing** *adj* erstaunlich; **astonishment** *n* Erstaunen *nt.*

astound [əs'taʊnd] *vt* verblüffen; **astounding** *adj* verblüffend.

astray [əs'treɪ] **1.** *adv:* **to go ~** vom Weg abkommmen; (*letter*) verlorengehen; **to lead sb ~** jdn irreführen; **2.** *adj* irregehend.

astride [əs'traɪd] **1.** *adv* rittlings; **2.** *prep* rittlings auf.

astrologer [əs'trɒlədʒə*] *n* Astrologe(-login) *m(f);* **astrology** [əs'trɒlədʒɪ] *n* Astrologie *f.*

astronaut ['æstrənɔ:t] *n* Astronaut(in) *m(f).*

astronomer [əs'trɒnəmə*] *n* Astronom(in) *m(f);* **astronomical** [æstrə'nɒmɪkəl] *adj* astronomisch; (*numbers*) astronomisch; (*success*) riesig; **astronomy** [əs'trɒnəmɪ] *n* Astronomie *f.*

astute [əs'tju:t] *adj* schlau, gerissen.

asunder [ə'sʌndə*] *adv* entzwei.

asylum [ə'saɪləm] *n* (*home*) Anstalt *f;* (*refuge*) Asyl *nt.*

at [æt] *prep:* **~ home** zu Hause; **~ John's** bei John; **~ table** bei Tisch; **~ school** in der Schule; **~ Easter** an Ostern; **~ 2 o'clock** um 2 Uhr; **~ [the age of] 16** mit 16; **~ £5** zu 5 Pfund; **~ 20 mph** mit 20 Meilen pro Stunde; **~ that** darauf; (*also*) dazu.

ate [et, eɪt] *pt of* **eat.**

atheism ['eɪθɪɪzəm] *n* Atheismus *m;* **atheist** *n* Atheist(in) *m(f).*

athlete ['æθli:t] *n* Athlet(in) *m(f),* Sportler(in) *m(f).*

athletic [æθ'letɪk] *adj* sportlich, athletisch; **athletics** *n pl* Leichtathletik *f.*

Atlantic [ət'læntɪk] *n* Atlantik *m.*

atlas ['ætləs] *n* Atlas *m.*

atmosphere ['ætməsfɪə*] *n* Atmosphäre *f.*

atoll ['ætɒl] *n* Atoll *nt.*

atom ['ætəm] *n* Atom *nt;* (*fig*) bisschen *nt;* **atomic** [ə'tɒmɪk] *adj* atomar, Atom-; **atom[ic] bomb** *n* Atombombe *f;* **atomic power** *n* Atomkraft *f.*

atomizer ['ætəmaɪzə*] *n* Zerstäuber *m.*

atone [ə'təʊn] *vi* sühnen (*for akk*).

atrocious [ə'trəʊʃəs] *adj* grässlich.

atrocity [ə'trɒsɪtɪ] *n* Grausamkeit *f;* (*deed*) Greueltat *f.*

attach [ə'tætʃ] *vt* (*fasten*) befestigen; (*importance etc*) legen (*to* auf *+akk*), beimessen (*to dat*); **to be ~ed to sb/sth** an jdm/etw hängen.

attaché [ə'tæʃeɪ] *n* Attaché *m;* ~ **case** Aktenkoffer *m.*

attack [ə'tæk] **1.** *vt, vi* angreifen; **2.** *n* Angriff *m;* (MED) Anfall *m.*

attain [ə'teɪn] *vt* erreichen.

attempt [ə'tempt] **1.** *n* Versuch *m;* **2.** *vt, vi* versuchen.

attend [ə'tend] **1.** *vt* (*go to*) teilnehmen an *+dat;* (*lectures*) besuchen; **2.** *vi* (*pay attention*) aufmerksam sein; **to ~ to** (*needs*) nachkommen *+dat;* (*person*) sich kümmern um; **attendance** *n* (*presence*) Anwesenheit *f;* (*people present*) Besucherzahl *f;* **attendant 1.** *n* (*companion*) Begleiter(in) *m(f);* (*in car park etc*) Wächter(in) *m(f);* (*museum*) Aufseher(in) *m(f);* (*servant*) Bedienstete(r) *mf;* **2.** *adj* begleitend; (*fig*) verbunden mit.

attention [ə'tenʃən] *n* Aufmerksamkeit *f;* **to pay ~ to sb/sth** jdn/etw beachten; **pay ~!** pass auf!; **~!** Achtung!; (MIL) stillgestanden!

attentive *adj,* **attentively** *adv* [ə'tentɪv, -lɪ] aufmerksam.

attest [ə'test] *vt* bestätigen; **to ~ to** sich verbürgen für.

attic ['ætɪk] *n* Dachstube *f,* Mansarde *f.*

attire [ə'taɪə*] *n* Gewand *nt.*

attitude ['ætɪtju:d] *n* (*position*) Haltung *f;* (*mental*) Einstellung *f.*

attorney [ə'tɜ:nɪ] *n* (*US: lawyer*) Rechtsanwalt(-anwältin) *m(f);* (*representative*) Bevollmächtigte(r) *mf;* **Attorney General** (*in USA*) Justizminister(in) *m(f).*

attract [ə'trækt] *vt* anziehen; (*attention*) erregen; (*employees*) anlocken; **the idea ~s me** ich finde die Idee attraktiv; **attraction** [ə'trækʃən] *n* Anziehungskraft *f;* (*thing*) Attraktion *f;* **attractive** *adj* attraktiv.

attribute ['ætrɪbju:t] **1.** *n* Eigenschaft *f,* Attribut *nt;* **2.** [ə'trɪbju:t] *vt* zuschreiben (*to dat*).

attrition [ə'trɪʃən] *n* Verschleiß *m;* **war of ~** Zermürbungskrieg *m.*

aubergine ['əʊbəʒi:n] *n* Aubergine *f.*

auburn ['ɔ:bən] *adj* kastanienbraun.

auction ['ɔ:kʃən] **1.** *n* Versteigerung *f,* Auktion *f;* **2.** *vt* versteigern; **auctioneer** [ɔ:kʃə'nɪə*] *n* Auktionator(in) *m(f).*

audacious [ɔ:'deɪʃəs] *adj* (*daring*) verwegen; (*shameless*) unverfroren; **audacity** [ɔ:'dæsɪtɪ] *n* (*boldness*) Wagemut *m;* (*impudence*) Unverfrorenheit *f.*

audible ['ɔ:dɪbl] *adj* hörbar.

audience ['ɔ:dɪəns] *n* Publikum *nt;* (*radio*) Zuhörer *pl;* (*TV*) Zuschauer *pl;* (*with king*) Audienz *f* (*with* bei).

audio-visual ['ɔ:dɪəʊ'vɪzjʊəl] *adj* audiovisuell.

audit ['ɔ:dɪt] **1.** *n* Bücherrevision *f;* **2.** *vt* prüfen.

audition [ɔ:'dɪʃən] *n* Probe *f.*

auditorium [ɔ:dɪ'tɔ:rɪəm] *n* Zuschauerraum *m.*

augment [ɔ:g'ment] **1.** *vt* vermehren; **2.** *vi* zunehmen.

augur ['ɔ:gə*] *vt, vi* verheißen; **this ~s well** das ist ein gutes Omen; **augury** ['ɔ:gjʊrɪ] *n* Vorbedeutung *f,* Omen *nt.*

august [ɔ:'gʌst] *adj* erhaben.

August ['ɔ:gəst] *n* August *m;* **~ 2nd, 1999, 2nd ~ 1999** (*Datumsangabe*) 2. August 1999; **on the 1st of ~** (*gesprochen*) am 1. August; **on 1st ~, on ~ 1st** (*geschrieben*) am 1. August; **in ~** im August.

aunt [ɑ:nt] *n* Tante *f;* **auntie**, **aunty** *n* Tantchen *nt.*

au pair [əʊ'pɛə*] *n* (*also:* ~ **girl**) Au-pair-Mädchen *nt.*

aura ['ɔ:rə] *n* Nimbus *m.*

auspices ['ɔ:spɪsɪz] *n pl:* **under the ~ of** unter der Schirmherrschaft von.

auspicious [ɔ:s'pɪʃəs] *adj* günstig; (*start*) vielversprechend.

austere [ɔ:s'tɪə*] *adj* streng; (*room*) nüchtern; **austerity** [ɒs'terɪtɪ] *n* Strenge *f;* (POL) wirtschaftliche Einschränkung; **~ measures** Sparmaßnahmen *pl.*

Australia [ɒ'streɪljə] *n* Australien *nt;* **in ~** in Australien; **to go to ~** nach Australien fahren; **Australian 1.** *adj* australisch; **2.** *n* Australier(in) *m(f).*

Austria ['ɒstrɪə] *n* Österreich *nt;* **in ~** in Österreich; **to go to ~** nach Österreich fahren; **Austrian 1.** *adj* österreichisch; **2.** *n* Österreicher(in) *m(f).*

authentic [ɔ:'θentɪk] *adj* echt, authentisch; **authenticate** *vt* beglaubigen; **authenticity** [ɔ:θen'tɪsɪtɪ] *n* Echtheit *f.*

author ['ɔ:θə*] *n* Autor(in) *m(f),* Schriftsteller(in) *m(f);* (*beginner*) Urheber(in) *m(f).*

authoritarian [ɔ:θɒrɪ'tɛərɪən] *adj* autoritär.

authoritative [ɔ:'θɒrɪtətɪv] *adj* (*account*) maßgeblich; (*manner*) entschieden.

authority [ɔ:'θɒrɪtɪ] *n* (*power*) Autorität *f;* (*expert*) Autorität *f,* Fachmann *m;* **the authorities** *pl* die Behörden *pl.*

authorize ['ɔ:θəraɪz] *vt* bevollmächtigen; (*permit*) genehmigen.

autism ['ɔ:tɪzm] *n* Autismus *m;* **autistic** [ɔ:'tɪstɪk] *adj* autistisch.

auto (*US*) ['ɔ:təʊ] *n* <-s> Auto *nt,* Wagen *m.*

autobiographical [ɔ:təbaɪə'græfɪkəl] *adj* autobiografisch; **autobiography** [ɔ:təʊbaɪ'ɒgrəfɪ] *n* Autobiografie *f.*

autogenic training [ɔ:təʊ'dʒenɪk'treɪnɪŋ] *n* autogenes Training.

autograph ['ɔ:təgrɑ:f] **1.** *n* (*of celebrity*) Autogramm *nt;* **2.** *vt* mit einem Autogramm versehen.

automate ['ɔ:təmeɪt] *vt* automatisieren, auf Automation umstellen.

automatic [ɔ:tə'mætɪk] **1.** *adj* automatisch; **2.** *n* Selbstladepistole *f;* (*car*) Automatikwagen *m;* ~ **gear change** (*Brit*), ~ **gear shift** (*US*) Automatikschaltung *f;* **automatically** *adv* automatisch.

automation [ɔ:tə'meɪʃən] *n* Automation *f.*

automaton [ɔ:'tɒmətən] *n* Automat *m;* (*robot*) Roboter *m.*

automobile ['ɔ:təməbi:l] *n* (*US*) Auto[mobil] *nt.*

autonomous [ɔ:'tɒnəməs] *adj* autonom; **autonomy** *n* Autonomie *f,* Selbstbestimmung *f.*

autopsy ['ɔ:tɒpsɪ] *n* Autopsie *f.*

autotrain ['ɔ:təʊtreɪn] *n* (*US*) Autoreisezug *m.*

autotransfusion [ɔ:təʊtræns'fju:ʒən] *n* Eigenbluttransfusion *f.*

autumn ['ɔ:təm] *n* Herbst *m;* **in** ~ im Herbst.

auxiliary [ɔ:g'zɪlɪərɪ] **1.** *adj* Hilfs-; **2.** *n* Hilfskraft *f;* (LING) Hilfsverb *nt.*

avail [ə'veɪl] **1.** *vr:* ~ **oneself of sth** sich einer Sache bedienen; **2.** *n:* **to no** ~ vergeblich; **availability** [əveɪlə'bɪlɪtɪ] *n* Vorhandensein *nt;* **available** *adj* erhältlich; (*at one's disposal*) zur Verfügung stehend; (*person*) erreichbar.

avalanche ['ævəlɑ:nʃ] *n* Lawine *f.*

avant-garde [ævɑ̃ŋ'gɑ:d] **1.** *adj* avantgardistisch; **2.** *n* Avantgarde *f.*

avarice ['ævərɪs] *n* Habsucht *f,* Habgier *m;* **avaricious** [ævə'rɪʃəs] *adj* habsüchtig, habgierig.

Ave *abbr of* **avenue** Straße, Str.

avenge [ə'vendʒ] *vt* rächen.

avenue ['ævənju:] *n* Allee *f.*

average ['ævrɪdʒ] **1.** *n* Durchschnitt *m;* **2.** *adj* durchschnittlich, Durchschnitts-; **3.** *vt* (*figures*) den Durchschnitt nehmen von; (*perform*) durchschnittlich leisten; (*in car etc*) im Schnitt fahren; **on** ~ durchschnittlich, im Durchschnitt.

averse [ə'vɜ:s] *adj:* **to be** ~ **to** eine Abneigung haben gegen; **aversion** [ə'vɜ:ʃən] *n* Abneigung *f.*

avert [ə'vɜ:t] *vt* (*turn away*) abkehren; (*prevent*) abwehren.

aviary ['eɪvɪərɪ] *n* Vogelhaus *nt.*

aviation [eɪvɪ'eɪʃən] *n* Luftfahrt *f.*

aviator ['eɪvɪeɪtə*] *n* Flieger(in) *m(f).*

avid ['ævɪd] *adj* gierig (*for* auf *+akk*); **avidly** *adv* gierig.

avocado [ævə'kɑ:dəʊ] *n* <-s> (*also:* ~ **pear**) Avocado *f.*

avoid [ə'vɔɪd] *vt* vermeiden; **avoidable** *adj* vermeidbar; **avoidance** *n* Vermeidung *f.*

avowal [ə'vaʊəl] *n* Erklärung *f.*

AWACS ['eɪwæks] *acr of* **airborne warning and control system** Frühwarnsystem *nt,* AWACS *nt;* (*plane*) Luftüberwachungsflugkörper *m,* AWACS-Maschine *f.*

await [ə'weɪt] *vt* erwarten, entgegensehen *+dat.*

awake [ə'weɪk] <awoke, awoken> **1.** *vi* aufwachen; **2.** *vt* [auf]wecken; **3.** *adj* wach; **awakening** *n* Erwachen *nt.*

award [ə'wɔ:d] **1.** *n* (*judgment*) Urteil *nt;* (*prize*) Preis *m;* **2.** *vt* zuerkennen.

aware [ə'wɛə*] *adj* bewusst; **to be** ~ sich *dat* bewusst sein (*of gen*); **awareness** *n* Bewusstsein *nt.*

away [ə'weɪ] *adv* weg, fort.

awe [ɔ:] *n* Ehrfurcht *f;* **awe-inspiring, awesome** *adj* Ehrfurcht gebietend; **awe-struck** *adj* von Ehrfurcht ergriffen.

awful ['ɔ:fʊl] *adj* (*fam*) furchtbar; **awfully** *adv* (*fam*) furchtbar, sehr.

awkward ['ɔ:kwəd] *adj* (*clumsy*) ungeschickt, linkisch; (*embarrassing*) peinlich; **awkwardness** *n* Ungeschicklichkeit *f.*

awning ['ɔ:nɪŋ] *n* Markise *f.*

awoke [ə'wəʊk] *pt of* **awake**; **awoken** [ə'wəʊkən] *pp of* **awake**.

awry [ə'raɪ] *adj, adv* schief; **to go** ~ (*person*) fehlgehen; (*plans*) schief gehen.

ax (*US*), **axe** [æks] **1.** *n* Axt *f,* Beil *nt;* **2.** *vt* (*plans*) streichen.

axiom ['æksɪəm] *n* Grundsatz *m,* Axiom *nt;* **axiomatic** [æksɪə'mætɪk] *adj* axio-

matisch.
axis ['æksɪs] *n* (MATH) Achse *f.*
axle ['æksl] *n* (TECH) Achse *f.*
ay[e] [aɪ] *interj* (*yes*) ja; **the ~es** *pl* die Jastimmen *pl.*
azure [æ'ʒjʊə*] *adj* himmelblau.

B, b [biː] *n* B *nt,* b *nt.*
babble ['bæbl] **1.** *vi* plappern; **2.** *n* Geplapper *nt.*
babe [beɪb] *n* (*US fam*) Baby *nt.*
baboon [bə'buːn] *n* Pavian *m.*
baby ['beɪbɪ] *n* Baby *nt,* Säugling *m;* **baby-battering** *n* Kindesmisshandlung *f;* **baby carriage** *n* (*US*) Kinderwagen *m;* **babyish** *adj* kindisch; **baby-sit** *irr vi* Kinder hüten, babysitten; **baby-sitter** *n* Babysitter(in) *m(f).*
bachelor ['bætʃələ*] *n* Junggeselle *m;* **Bachelor of Arts** ≈ Magister *m* der philosophischen Fakultät; **Bachelor of Science** ≈ Magister *m* der Naturwissenschaften.

> Der **bachelor's degree** ist der akademische Grad, den man nach einem erfolgreich abgeschlossenen Universitätsstudium erhält. Die am häufigsten verliehenen Grade sind **BA** (Bachelor of Arts = Magister der Geisteswissenschaften), **BSc** (Bachelor of Science = Magister der Naturwissenschaften), **BEd** (Bachelor of Education = Magister der Erziehungswissenschaften) und **LLB** (Bachelor of Laws = Magister der Rechtswissenschaften).

back [bæk] **1.** *n* (*of person, horse*) Rücken *m;* (*of house*) Rückseite *f;* (*of train*) Ende *nt;* (FOOTBALL) Verteidiger(in) *m(f);* **2.** *vt* (*support*) unterstützen; (*wager*) wetten auf +*akk;* (*car*) rückwärts fahren; **3.** *vi* (*go backwards*) rückwärts gehen [*o* fahren]; **4.** *adj* hinter(e, s); **5.** *adv* zurück; (*to the rear*) nach hinten; **back down** *vi* zurückstecken; **back out** *vi* aussteigen (*of, from* aus); **back up** *vt* (*support*) unterstützen; (COMPUT) sichern; (*car*) zurückfahren mit; **backache** *n* Rückenschmerzen *pl.*

backbencher *n* Abgeordnete(r) *mf* (*auf den hinteren Reihen im britischen Parlament*).

> Als **the back bench** bezeichnet man im britischen Unterhaus die am weitesten vom Mittelgang entfernten Bänke, im Gegensatz zur „front bench". Auf diesen hinteren Bänken sitzen die Unterhausabgeordneten (auch **backbenchers** genannt), die kein Regierungsamt bzw. keine wichtige Stellung in der Opposition haben.

backbiting *n* Lästern *nt;* **backbone** *n* Rückgrat *nt;* (*support*) Rückhalt *m;* **backer** *n* Förderer *m,* Fördrerin *f;* **backfire** *vi* (*plan*) fehlschlagen; (AUTO) fehlzünden; **background** *n* Hintergrund *m;* (*of person*) Verhältnisse *pl;* (*person's education*) Vorbildung *f;* (*information*) Hintergründe *pl,* Umstände *pl;* **backhand 1.** *n* (SPORT) Rückhand *f;* **2.** *adj* Rückhand-; **backhanded** *adj* (*shot*) Rückhand-; (*compliment*) zweifelhaft; **backhander** *n* (*Tennis*) Rückhandschlag *m;* (*fam: bribe*) Schmiergeld *nt;* **backing** *n* (*support*) Unterstützung *f;* **backlash** *n* (TECH) Gegenschlag *m;* (*fig*) Gegenreaktion *f;* **backlog** *n* (*of work*) Rückstand *m;* **back number** *n* (PRESS) alte Nummer; **backpack** *n* (*US*) Rucksack *m;* **backpacker** *n* Rucksacktourist(in) *m(f);* **backpacking** *n* Rucksacktourismus *m;* **back pay** *n* [Gehalts-/Lohn]nachzahlung *f;* **backpedal** *vi* (*on bicycle*) rückwärts treten; (*fig*) zurückstecken; **backside** *n* (*fam*) Hintern *m;* **backspace key** *n* Rücktaste *f;* **backstroke** *n* Rückenschwimmen *nt;* **backtrack** *vi* (*fig*) einen Rückzieher machen; **back-up** *n* (*support*) Unterstützung *f;* ~ (**copy**) (COMPUT) Sicherungskopie *f;* **backward** *adj* (*less developed*) zurückgeblieben; (*primitive*) rückständig; **backwardness** *n* (*of child*) Unterentwicklung *f;* (*of country*) Rückständigkeit *f;* **backwards** *adv* (*in reverse*) rückwärts; (*towards the past*) zurück, rückwärts; **backwater** *n* (*fig*) Kaff *nt;* **cultural ~** tiefste Provinz; **backyard** *n* Hinterhof *m.*
bacon ['beɪkən] *n* Schinkenspeck *m,* Frühstücksspeck *m.*
bacteria [bæk'tɪərɪə] *n pl* Bakterien *pl.*
bad [bæd] *adj* <worse, worst> schlecht, schlimm; (*fam*) toll, geil.

badge [bædʒ] *n* Abzeichen *nt;* (*with pin*) Button *m.*
badger ['bædʒə*] **1.** *n* Dachs *m;* **2.** *vt* plagen.
badly ['bædlɪ] *adv* schlecht, schlimm; **he is ~ off** es geht ihm schlecht.
badminton ['bædmɪntən] *n* Federballspiel *nt.*
bad-tempered ['bæd'tempəd] *adj* schlecht gelaunt.
baffle ['bæfl] *vt* (*puzzle*) verblüffen; **baffling** *adj* verwirrend.
bag [bæg] **1.** *n* (*sack*) Beutel *m;* (*paper ~*) Tüte *f;* (*hand~*) Tasche *f;* (*suitcase*) Koffer *m;* (*pej: woman*) Schachtel *f;* **2.** *vi* sich bauschen.
baggage ['bægɪdʒ] *n* Gepäck *nt;* **baggage claim** *n* Gepäckrückgabe *f.*
baggy ['bægɪ] *adj* weit [geschnitten].
baglady ['bægleɪdɪ] *n* Stadtstreicherin *f.*
bagpipes ['bægpaɪps] *n pl* Dudelsack *m.*
Bahamas [bə'hɑːməz] *n pl:* **the ~** die Bahamas *pl,* die Bahamainseln *pl.*
bail [beɪl] **1.** *n* (*money*) Kaution *f;* **2.** *vt* (*also:* **~ out**) (*prisoner*) gegen Kaution freibekommen; (*boat*) ausschöpfen; *s. a.* **bale.**
bailiff ['beɪlɪf] *n* Gerichtsvollzieher(in) *m(f).*
bait [beɪt] **1.** *n* Köder *m;* **2.** *vt* mit einem Köder versehen; (*fig*) ködern.
bake [beɪk] *vt, vi* backen; **baker** *n* Bäcker(in) *m(f);* **~'s dozen** dreizehn; **bakery** *n* Bäckerei *f;* **baking** *n* Backen *nt;* **baking powder** *n* Backpulver *nt.*
balance ['bæləns] **1.** *n* (*scales*) Waage *f;* (*equilibrium*) Gleichgewicht *nt;* (FIN: *state of account*) Saldo *m;* (*difference*) Bilanz *f;* (*amount remaining*) Restbetrag *m;* **2.** *vt* (*weigh*) abwägen; (*make equal*) ausgleichen; **balanced** *adj* ausgeglichen; **balance sheet** *n* Bilanz *f,* Rechnungsabschluss *m.*
balcony ['bælkənɪ] *n* Balkon *m.*
bald [bɔːld] *adj* kahl, glatzköpfig; (*statement*) knapp.
bale [beɪl] **1.** *n* Ballen *m;* **2.** *vi:* **to ~** [*o* **bail**] **out** (*from a plane*) abspringen.
baleful ['beɪlfʊl] *adj* (*sad*) unglückselig; (*evil*) böse.
balk [bɔːk] **1.** *vt* (*plan*) vereiteln; **2.** *vi* zurückschrecken (*at* vor + *dat*).
Balkans ['ɔːlkənz] *n pl:* **the ~** der Balkan, die Balkanländer.
ball [bɔːl] *n* Ball *m.*
ballad ['bæləd] *n* Ballade *f.*
ballast ['bæləst] *n* Ballast *m.*
ball bearing [bɔːl'bɛərɪŋ] *n* Kugellager *nt.*
ballerina [bælə'riːnə] *n* Ballerina *f.*
ballet ['bæleɪ] *n* Ballett *nt.*
ballistics [bə'lɪstɪks] *n sing* Ballistik *f.*
balloon [bə'luːn] *n* [Luft]ballon *m.*
ballot ['bælət] *n* [geheime] Abstimmung *f;* **ballot box** *n* Wahlurne *f.*
ball-point [pen] ['bɔːlpɔɪnt['pen]] *n* Kugelschreiber *m.*
balmy ['bɑːmɪ] *adj* (*fragrant*) wohlriechend; (*mild*) sanft.
balsa ['bɔːlsə] *n* (*also:* **~ wood**) Balsaholz *nt.*
Baltic ['bɔːltɪk] *adj:* **~ Sea** Ostsee *f;* **~ States** Ostseestaaten *mpl.*
balustrade [bæləs'treɪd] *n* Brüstung *f.*
bamboo [bæm'buː] *n* Bambus *m.*
bamboozle [bæm'buːzl] *vt* übers Ohr hauen.
ban [bæn] **1.** *n* Verbot *nt;* **2.** *vt* verbieten.
banal [bə'nɑːl] *adj* banal.
banana [bə'nɑːnə] *n* Banane *f;* **banana republic** *n* (*pej*) Bananenrepublik *f.*
band [bænd] *n* Band *nt;* (*group*) Gruppe *f;* (*of criminals*) Bande *f;* (MUS) Kapelle *f;* (*of modern music*) Band *f;* **band together** *vi* sich zusammentun.
bandage ['bændɪdʒ] **1.** *n* Verband *m;* (*elastic*) Bandage *f;* **2.** *vt* (*cut*) verbinden; (*broken leg*) bandagieren.
Band-Aid® ['bændeɪd] *n* Hansaplast® *nt.*
B & B *abbr of* **bed and breakfast.**
bandit ['bændɪt] *n* Bandit(in) *m(f).*
bandy ['bændɪ] *vt* wechseln; **bandy-legged** ['bændɪ'legɪd] *adj* o-beinig.
bang [bæŋ] **1.** *n* (*explosion*) Knall *m;* (*blow*) Hieb *m;* **2.** *vt, vi* knallen.
bangle ['bæŋgl] *n* Armspange *f.*
banish ['bænɪʃ] *vt* verbannen.
banister ['bænɪstə*] *n* (*also:* **~s**) [Treppen]geländer *nt.*
banjo ['bændʒəʊ] *n* <**-es** *o* **-s** *US*> Banjo *nt.*
bank [bæŋk] **1.** *n* (*raised ground*) Erdwall *m;* (*of lake etc*) Ufer *nt;* (FIN) Bank *f;* **2.** *vt* (AVIAT) in die Kurve bringen; (*money*) einzahlen; **to ~ on sth** mit etw rechnen; **bank account** *n* Bankkonto *nt;* **bank clerk** *n* (*employee*) Bankangestellte(r) *mf;* **bank code number** *n* Bankleitzahl *f.*
bank holiday *n* gesetzlicher Feiertag.

Als **bank holiday** wird in Großbritannien ein gesetzlicher Feiertag bezeichnet, an dem die Banken geschlossen sind. Die meisten dieser Feiertage, abgesehen von Weihnachten und Ostern, fallen auf Montage im Mai und August. An diesen langen Wochenenden (bank holiday weekends) fahren viele Briten in Urlaub, so dass dann auf den Straßen, Flughäfen und bei der Bahn sehr viel Betrieb ist.

banking *n* Bankwesen *nt,* Bankgeschäft *nt;* **banknote** *n* Banknote *f;* **bank robber** *n* Bankräuber(in) *m(f);* **bank robbery** *n* Bankraub *m;* **bankrupt 1.** *adj* bankrott; **2.** *vt* ruinieren; **to go ~** Bankrott machen; **bankruptcy** *n* Bankrott *m;* **bank statement** *n* Kontoauszug *m.*

banner ['bænə*] *n* Banner *nt.*

banns [bænz] *n pl* Aufgebot *nt.*

banquet ['bæŋkwɪt] *n* Bankett *nt,* Festessen *nt.*

banter ['bæntə*] **1.** *n* scherzhaftes Geplänkel; **2.** *vi* spötteln.

baptism ['bæptɪzəm] *n* Taufe *f;* **baptize** [bæp'taɪz] *vt* taufen.

bar [bɑː*] **1.** *n* (*rod*) Stange *f;* (*obstacle*) Hindernis *nt;* (*of chocolate*) Tafel *f;* (*of soap*) Stück *nt;* (*for drinks*) Bar *f;* (*pub*) Lokal *nt;* (*counter*) Theke *f;* (MUS) Taktstrich *m;* **2.** *vt* (*fasten*) verriegeln; (*hinder*) versperren; (*exclude*) ausschließen; **to be called to the Bar** als Anwalt zugelassen werden; **~ none** ohne Ausnahme.

barbarian [bɑː'bɛərɪən] *n* Barbar(in) *m(f);* **barbaric** [bɑː'bærɪk] *adj* primitiv, unkultiviert; **barbarity** [bɑː'bærɪtɪ] *n* Grausamkeit *f;* **barbarous** ['bɑːbərəs] *adj* grausam, barbarisch.

barbecue ['bɑːbɪkjuː] *n* Barbecue *nt;* (*party also*) Grillfest *nt.*

barbed wire ['bɑːbd'waɪə*] *n* Stacheldraht *m.*

barber ['bɑːbə*] *n* (*dated*) Herrenfriseur *m.*

barbiturate [bɑː'bɪtjʊrət] *n* Barbiturat *nt,* Schlafmittel *nt.*

bar chart ['bɑː*tʃɑːt] *n* Balkendiagramm *nt;* **bar code** *n* Strichcode *m.*

bare [bɛə*] **1.** *adj* nackt; (*trees, country*) kahl; (*mere*) knapp; **2.** *vt* entblößen; **bareback** *adv* ohne Sattel; **barefaced** *adj* unverfroren; **barefoot** *adj* barfuß; **bare-knuckled** *adj* brutal; **barely** *adv* kaum, knapp; **bareness** *n* Nacktheit *f;* Kahlheit *f.*

bargain ['bɑːgɪn] **1.** *n* (*cheap offer*) günstiges Angebot; (*agreement*) Geschäft *nt;* **2.** *vi* handeln (*for* um); **what a ~!** das ist aber günstig!; **into the ~** obendrein; **bargain for** *vt* rechnen mit.

barge [bɑːdʒ] *n* (*for freight*) Lastkahn *m;* (*houseboat*) Hausboot *nt;* **barge in** *vi* hereinplatzen.

baritone ['bæritəʊn] *n* Bariton *m.*

bark [bɑːk] **1.** *n* (*of tree*) Rinde *f;* (*of dog*) Bellen *nt;* **2.** *vi* (*dog*) bellen.

barley ['bɑːlɪ] *n* Gerste *f.*

barmaid ['bɑːmeɪd] *n* Bardame *f;* **barman** ['bɑːmən] *n* <barmen> Barkellner *m.*

barn [bɑːn] *n* Scheune *f.*

barnacle ['bɑːnəkl] *n* Entenmuschel *f.*

barometer [bə'rɒmɪtə*] *n* Barometer *nt.*

baron ['bærən] *n* Baron *m;* **baroness** *n* Baronin *f;* **baronial** [bə'rəʊnɪəl] *adj* (*fig*) fürstlich.

baroque [bə'rɒk] *adj* barock.

barracks ['bærəks] *n pl* Kaserne *f.*

barrage ['bærɑːʒ] *n* (*gunfire*) Sperrfeuer *nt;* (*dam*) Staudamm *m.*

barrel ['bærəl] *n* Fass *nt;* (*of gun*) Lauf *m;* **barrel organ** *n* Drehorgel *f.*

barren ['bærən] *adj* unfruchtbar.

barricade [bærɪ'keɪd] **1.** *n* Barrikade *f;* **2.** *vt* verbarrikadieren.

barrier ['bærɪə*] *n* (*obstruction*) Hindernis *nt;* (*fence*) Schranke *f.*

barrister ['bærɪstə*] *n* (*Brit*) Rechtsanwalt(-anwältin) *m(f).*

Barrister oder **barrister-at-law** ist in England die Bezeichnung für einen Rechtsanwalt, der seine Klienten vor allem vor Gericht vertritt; im Gegensatz zum „solicitor", der nicht vor Gericht auftritt, sondern einen barrister mit dieser Aufgabe beauftragt.

barrow ['bærəʊ] *n* (*cart*) Schubkarren *m.*

bartender ['bɑːtendə*] *n* (*US*) Barmann *m.*

barter ['bɑːtə*] **1.** *n* Tauschhandel *m;* **2.** *vi* Tauschhandel treiben.

base [beɪs] **1.** *n* (*bottom*) Boden *m,* Basis *f;* (MIL) Stützpunkt *m;* **2.** *vt* gründen; **3.** *adj* (*low*) gemein; **to be ~d on** basieren auf;

baseball *n* Baseball *m;* **baseless** *adj* grundlos; **basement** *n* Kellergeschoss *nt.*

bash [bæʃ] *vt* (*fam*) verprügeln.

bashful ['bæʃfʊl] *adj* schüchtern.

basic ['beɪsɪk] *adj* grundlegend.

BASIC ['beɪsɪk] *n acr of* **beginner's all-purpose symbolic instruction code** BASIC *nt.*

basically ['beɪsɪklɪ] *adv* im Grunde.

basin ['beɪsn] *n* (*dish*) Schüssel *f;* (*for washing, also valley*) Becken *nt;* (*dock*) [Trocken]becken *nt.*

basis ['beɪsɪs] *n* Basis *f,* Grundlage *f.*

bask [bɑːsk] *vi* sich sonnen.

basket ['bɑːskɪt] *n* Korb *m;* **basketball** *n* Basketball *m.*

bass [beɪs] *n* (MUS: *instrument*) Bass *m;* (*voice*) Bassstimme *f;* **bass clef** *n* Bassschlüssel *m.*

bassoon [bə'suːn] *n* Fagott *nt.*

bastard ['bɑːstəd] *n* Bastard *m;* (*fam!*) Arschloch *nt.*

baste [beɪst] *vt* (*meat*) [mit Fett] begießen.

bastion ['bæstɪən] *n* (*fig*) Bollwerk *nt.*

bat [bæt] **1.** *n* (SPORT) Schlagholz *nt;* (*table-tennis*) Schläger *m;* (ZOOL) Fledermaus *f;* **2.** *vt* (SPORT) schlagen; **he didn't ~ an eyelid** er hat nicht mit der Wimper gezuckt; **off one's own ~** auf eigene Faust.

batch [bætʃ] *n* (*of letters*) Stoß *m;* (*of samples*) Satz *m.*

bated ['beɪtɪd] *adj:* **with ~ breath** mit angehaltenem Atem.

bath [bɑːθ] **1.** *n* Bad *nt;* (*tub*) Badewanne *f;* **2.** *vt* baden; **bath chair** *n* Rollstuhl *m.*

bathe [beɪð] *vt, vi* baden; **bathing** *n* Baden *nt;* **bathing cap** *n* Badekappe *f;* **bathing costume** *n* Badeanzug *m.*

bathmat ['bɑːθmæt] *n* Badevorleger *m;* **bathroom** *n* Bad[ezimmer] *nt;* **baths** [bɑːðz] *n pl* [Schwimm]bad *nt;* **bath towel** *n* Badetuch *nt.*

batman ['bætmən] *n* <batmen> [Offiziers]bursche *m.*

baton ['bætən] *n* (*of police*) Schlagstock *m;* (MIL) Kommandostab *m;* (MUS) Taktstock *m.*

batter ['bætə*] **1.** *vt* verprügeln; **2.** *n* Teig *m.*

battery ['bætərɪ] *n* (ELEC) Batterie *f;* (MIL) Geschützbatterie *f.*

battery farming ['bætərɪ'fɑːmɪŋ] *n* Batteriehaltung *f* [von Hühnern].

battle ['bætl] **1.** *n* Schlacht *f;* (*small*) Gefecht *nt;* **2.** *vi* kämpfen; **battle-axe** *n* (*pej: woman*) Drachen *m;* **battlefield** *n* Schlachtfeld *nt;* **battlements** *n pl* Zinnen *pl;* **battleship** *n* Schlachtschiff *nt.*

batty ['bætɪ] *adj* (*fam*) plemplem.

Bavaria [bə'vɛərɪə] *n* Bayern *nt;* **Bavarian 1.** *adj* bay[e]risch; **2.** *n* Bayer(in) *m(f).*

bawl [bɔːl] *vi* brüllen; **to ~ sb out** jdn zur Schnecke machen.

bay [beɪ] *n* (*of sea*) Bucht *f;* **at ~** gestellt, in die Enge getrieben; **to keep at ~** unter Kontrolle halten.

bayonet ['beɪənet] *n* Bajonett *nt.*

bay window [beɪ'wɪndəʊ] *n* Erkerfenster *nt.*

bazaar [bə'zɑː*] *n* Basar *m.*

bazooka [bə'zuːkə] *n* Panzerfaust *f.*

BBC [biːbiː'ciː] *abbr of* **British Broadcasting Corporation** BBC *f.*

> **The BBC** (Abkürzung für **British Broadcasting Corporation**) ist die staatliche britische Rundfunk- und Fernsehanstalt. Die Fernsehsender BBC1 und BBC2 bieten beide ein umfangreiches Fernsehprogramm, wobei BBC1 mehr Sendungen von allgemeinem Interesse zeigt. BBC2 zeigt mehr Reisesendungen, Drama, Musik und internationale Filme. Die fünf landesweiten Radiosender bieten mit Popmusik bis Kricket für jeden Geschmack etwas; dazu gibt es noch 37 regionale Radiosender. Der BBC World Service ist auf der ganzen Welt auf Englisch oder in einer von 35 anderen Sprachen zu empfangen. Finanziert wird die BBC vor allem durch Fernsehgebühren und ins Ausland verkaufte Sendungen. Obwohl die BBC dem Parlament verantwortlich ist, werden die Sendungen nicht vom Staat kontrolliert.

BC *abbr of* **before Christ** vor Christi Geburt, v. Chr.

be [biː] <was, were, been> *vi* sein; (*become, for passive*) werden; (*be situated*) liegen, sein; **the book is 40p** das Buch kostet 40p; **he wants to ~ a teacher** er will Lehrer werden; **how long have you been here?** wie lange sind Sie schon da?; **have you ever been to Rome?** warst du schon einmal in Rom?, bist du schon einmal in Rom gewesen?; **his name is on the list** sein Name steht auf der Liste; **there is/are** es gibt.

beach [biːtʃ] **1.** *n* Strand *m;* **2.** *vt* (*ship*) auf den Strand setzen; **beachwear** *n* Strandkleidung *f.*

beacon ['biːkən] *n* (*signal*) Leuchtfeuer *nt;* (*traffic* ~) Bake *f.*

bead [biːd] *n* Perle *f;* (*drop*) Tropfen *m.*

beak [biːk] *n* Schnabel *m.*

beaker ['biːkə*] *n* Becher *m.*

beam [biːm] **1.** *n* (*of wood*) Balken *m;* (*of light*) Strahl *m;* (*smile*) strahlendes Lächeln; **2.** *vi* strahlen.

bean [biːn] *n* Bohne *f.*

bear [bɛə*] <bore, born[e]> **1.** *vt* (*weight, crops*) tragen; (*tolerate*) ertragen; (*young*) gebären; **2.** *n* Bär *m;* **bear on** *vt* relevant sein für; **bearable** *adj* erträglich.

beard [bɪəd] *n* Bart *m;* **bearded** *adj* bärtig.

bearer ['bɛərə*] *n* Träger(in) *m(f).*

bearing ['bɛərɪŋ] *n* (*posture*) Haltung *f;* (*relevance*) Relevanz *f;* (*relation*) Bedeutung *f;* (TECH) Kugellager *nt;* **bearings** *n pl* (*direction*) Orientierung *f.*

bearskin ['bɛəskɪn] *n* Bärenfellmütze *f.*

beast [biːst] *n* Tier *nt,* Vieh *nt;* (*person*) Bestie *f;* (*nasty person*) Biest *nt;* ~ **of burden** Lasttier *nt;* **beastly** *adj* scheußlich.

beat [biːt] <beat, beaten> **1.** *vt* schlagen; **2.** *n* (*stroke*) Schlag *m;* (*pulsation*) [Herz]schlag *m;* (*police round*) Runde *f;* (*police district*) Revier *nt;* (MUS) Takt *m;* (*type of music*) Beat *m;* ~ **it!** (*fam*) hau ab!; **to** ~ **about the bush** wie die Katze um den heißen Brei herumschleichen; **to** ~ **time** den Takt schlagen; **beat off** *vt* abschlagen; **beat up** *vt* zusammenschlagen; **beaten 1.** *pp of* **beat**; **2.** *adj:* ~ **track** gebahnter Weg; (*fig*) herkömmliche Art und Weise; **off the** ~ **track** abgelegen; **beater** *n* (*for eggs, cream*) Schneebesen *m.*

beautiful ['bjuːtɪfʊl] *adj* schön; **beautifully** *adv* ausgezeichnet; **beautify** ['bjuːtɪfaɪ] *vt* verschönern; **beauty** ['bjuːtɪ] *n* Schönheit *f.*

beaver ['biːvə*] *n* Biber *m.*

beaver away ['biːvə*ə'weɪ] *vi* (*fam*) schuften.

becalm [bɪ'kɑːm] *vt:* **to be ~ed** eine Flaute haben.

became [bɪ'keɪm] *pt of* **become**.

because [bɪ'kɒz] **1.** *adv, conj* weil; **2.** *prep:* ~ **of** wegen *+gen o dat.*

beckon ['bekən] *vt, vi* ein Zeichen geben (*sb* jdm).

become [bɪ'kʌm] <became, become> *vt* werden; (*clothes*) stehen *+dat;* **becoming** [bɪ'kʌmɪŋ] *adj* (*suitable*) schicklich; (*clothes*) kleidsam.

bed [bed] *n* Bett *nt;* (*of river*) Flussbett *nt;* (*foundation*) Schicht *f;* (*in garden*) Beet *nt.*

bed and breakfast *n* Übernachtung *f* mit Frühstück.

> **Bed and Breakfast** bedeutet Übernachtung mit Frühstück, wobei sich dies in Großbritannien nicht auf Hotels, sondern auf kleinere Pensionen, Privathäuser und Bauernhöfe bezieht, wo man wesentlich preisgünstiger als in Hotels übernachten kann. Oft wird für „Bed and Breakfast", auch **B & B** genannt, durch ein entsprechendes Schild im Garten oder an der Einfahrt geworben.

bedclothes *n pl* Bettwäsche *f;* **bedding** *n* Bettzeug *nt.*

bedeck [bɪ'dek] *vt* schmücken.

bedlam ['bedləm] *n* totales Durcheinander.

bedraggled [bɪ'drægld] *adj* ramponiert.

bedridden ['bedrɪdn] *adj* bettlägerig.

bedroom ['bedrʊm] *n* Schlafzimmer *nt;* **bedside** *n:* **at the** ~ am Bett; **bedsitter** *n* möbliertes Zimmer; **bedtime** *n* Schlafenszeit *f.*

bee [biː] *n* Biene *f.*

Beeb [biːb] *n* (*fam*) BBC *f.*

beech [biːtʃ] *n* Buche *f.*

beef [biːf] *n* Rindfleisch *nt.*

beehive ['biːhaɪv] *n* Bienenstock *m.*

beeline ['biːlaɪn] *n:* **to make a** ~ **for** schnurstracks zugehen auf *+akk.*

been [biːn] *pp of* **be**.

beer [bɪə*] *n* Bier *nt.*

beetle ['bɪːtl] *n* Käfer *m.*

beetroot ['bɪːtruːt] *n* Rote Bete.

befall [bɪ'fɔːl] *irr* **1.** *vi* sich ereignen; **2.** *vt* zustoßen *+dat.*

befit [bɪ'fɪt] *vt* sich schicken für.

before [bɪ'fɔː*] **1.** *prep* vor; **2.** *conj* bevor; **3.** *adv* (*of time*) vorher; **I've done it** ~ das habe ich schon mal getan.

beg [beg] *vt, vi* (*implore*) dringend bitten;

(*alms*) betteln.
began [bɪ'gæn] *pt of* **begin**.
beggar ['begə*] *n* Bettler(in) *m(f)*.
begin [bɪ'gɪn] <began, begun> *vt, vi* anfangen, beginnen; (*found*) gründen; **to ~ with** zunächst [einmal]; **beginner** *n* Anfänger(in) *m(f)*; **beginning** *n* Anfang *m*.
begrudge [bɪ'grʌdʒ] *vt* [be]neiden; **to ~ sb sth** jdm etw missgönnen.
begun [bɪ'gʌn] *pp of* **begin**.
behalf [bɪ'hɑ:f] *n*: **on ~ of, in ~ of** (*US*) im Namen von; **on my ~** für mich.
behave [bɪ'heɪv] *vi* sich benehmen; **behavior** (*US*), **behaviour** [bɪ'heɪvjə*] *n* Benehmen *nt*.
behead [bɪ'hed] *vt* enthaupten.
behind [bɪ'haɪnd] **1.** *prep* hinter; **2.** *adv* (*late*) im Rückstand; (*in the rear*) hinten; **3.** *n* (*fam*) Hinterteil *nt*.
beige [beɪʒ] *adj* beige.
being ['bi:ɪŋ] *n* (*existence*) [Da]sein *nt*; (*person*) Wesen *nt*.
belch [beltʃ] **1.** *n* Rülpser *m*; **2.** *vi* rülpsen; **3.** *vt* (*smoke*) ausspeien.
belfry ['belfrɪ] *n* Glockenturm *m*.
Belgian ['beldʒən] **1.** *adj* belgisch; **2.** *n* Belgier(in) *m(f)*; **Belgium** ['beldʒəm] *n* Belgien *nt*.
belie [bɪ'laɪ] *vt* Lügen strafen.
belief [bɪ'li:f] *n* Glaube *m* (*in* an +*akk*); (*conviction*) Überzeugung *f*.
believable [bɪ'li:vəbl] *adj* glaubhaft.
believe [bɪ'li:v] **1.** *vt* glauben +*dat*; (*think*) glauben, meinen, denken; **2.** *vi* (*have faith*) glauben; **believer** *n* Gläubige(r) *mf*.
belittle [bɪ'lɪtl] *vt* herabsetzen.
bell [bel] *n* Glocke *f*.
belligerent [bɪ'lɪdʒərənt] *adj* (*person*) streitsüchtig; (*country*) kriegführend.
bellow ['beləʊ] **1.** *vt, vi* brüllen; **2.** *n* Gebrüll *nt*.
bellows ['beləʊz] *n pl* (TECH) Gebläse *nt*; (*for fire*) Blasebalg *m*.
bellwether ['belweðə*] *n* Börsenbarometer *nt*.
belly ['belɪ] *n* Bauch *m*; **belly button** *n* (*fam*) Bauchnabel *m*.
belong [bɪ'lɒŋ] *vi* gehören (*to sb* jdm); (*to club*) angehören +*dat*; **it does not ~ here** es gehört nicht hierher; **belongings** *n pl* Habe *f*.
beloved [bɪ'lʌvɪd] **1.** *adj* innig geliebt; **2.** *n* Geliebte(r) *mf*.
below [bɪ'ləʊ] **1.** *prep* unter; **2.** *adv* unten.
belt [belt] **1.** *n* (*band*) Riemen *m*; (*round waist*) Gürtel *m*; (*safety ~*) Gurt *m*; **2.** *vt* (*fasten*) mit Riemen befestigen; (*fam: beat*) schlagen; **3.** *vi* (*fam: go fast*) rasen, düsen; **beltway** *n* (*US*) Umgehungsstraße *f*.
bench [bentʃ] *n* (*seat*) Bank *f*; (*workshop*) Werkbank *f*; (*judges*) Richter *pl*; (*office*) Richteramt *nt*.
bend [bend] <bent, bent> **1.** *vt* (*curve*) biegen; (*stoop*) beugen; **2.** *n* Biegung *f*; (*in road*) Kurve *f*.
beneath [bɪ'ni:θ] **1.** *prep* unter; **2.** *adv* darunter.
benefactor ['benɪfæktə*] *n* Wohltäter(in) *m(f)*.
beneficial [benɪ'fɪʃl] *adj* gut (*to* für).
beneficiary [benɪ'fɪʃərɪ] *n* Nutznießer(in) *m(f)*.
benefit ['benɪfɪt] **1.** *n* (*advantage*) Nutzen *m*; **2.** *vt* fördern; **3.** *vi* Nutzen ziehen (*from* aus); **earnings-related ~** Arbeitslosengeld *nt*.
Benelux ['benɪlʌks] *n* Beneluxländer *pl*.
benevolence [bɪ'nevələns] *n* Wohlwollen *nt*; **benevolent** [bɪ'nevələnt] *adj* wohlwollend.
benign [bɪ'naɪn] *adj* (*person*) gütig; (*climate*) mild; (MED) gutartig.
bent [bent] **1.** *pt, pp of* **bend**; **2.** *n* (*inclination*) Neigung *f*; **3.** *adj* (*fam: dishonest*) unehrlich; **to be ~ on** versessen sein auf +*akk*.
bequeath [bɪ'kwi:ð] *vt* vermachen; **bequest** [bɪ'kwest] *n* Vermächtnis *nt*.
bereaved [bɪ'ri:vd] *n* (*person*) Hinterbliebene(r) *mf*; **bereavement** [bɪ'ri:vmənt] *n* schmerzlicher Verlust.
beret ['berɪ] *n* Baskenmütze *f*.
Bermuda [bə'mju:də] **1.** *n*: **the ~s** *pl* die Bermudas *pl*, die Bermudainseln *pl*; **2.** *adj*: **~ shorts** *pl* Bermudashorts *pl*.
berry ['berɪ] *n* Beere *f*.
berserk [bə'sɜ:k] *adj*: **to go ~** wild werden.
berth [bɜ:θ] **1.** *n* (*for ship*) Ankerplatz *m*; (*in ship*) Koje *f*; (*in train*) Bett *nt*; **2.** *vt* am Kai festmachen; **3.** *vi* anlegen.
beseech [bɪ'si:tʃ] <besought, besought> *vt* anflehen.
beset [bɪ'set] *irr vt* bedrängen.
beside [bɪ'saɪd] *prep* neben, bei; (*except*) außer; **to be ~ oneself** außer sich sein (*with* vor +*dat*).
besides [bɪ'saɪdz] **1.** *prep* außer, neben; **2.** *adv* außerdem, überdies.
besiege [bɪ'si:dʒ] *vt* (MIL) belagern; (*sur-*

round) umlagern, bedrängen.

besought [bɪ'sɔ:t] *pt, pp of* **beseech**.

bespectacled [bɪ'spektɪkld] *adj* bebrillt.

best [best] *superl of* **good, well 1.** *adj* beste(r, s); **2.** *adv* am besten; **at ~** höchstens; **to make the ~ of it** das Beste daraus machen; **for the ~** zum Besten.

bestial ['bestɪəl] *adj* bestialisch.

best man ['best'mæn] *n* <men> Trauzeuge *m.*

bestow [bɪ'stəʊ] *vt* verleihen.

bestseller ['bestselə*] *n* Bestseller *m,* meistgekauftes Buch.

bet [bet] <bet, bet> **1.** *vt, vi* wetten; **2.** *n* Wette *f.*

beta-blocker ['bi:təblɒkə*] *n* (MED) Betablocker *m.*

betray [bɪ'treɪ] *vt* verraten; **betrayal** *n* Verrat *m.*

better ['betə*] *comp of* **good, well 1.** *adj, adv* besser; **2.** *vt* verbessern; **3.** *n:* **to get the ~ of sb** jdn unterkriegen, jdn schaffen; **he thought ~ of it** er hat sich eines Besseren besonnen; **you had ~ leave** Sie gehen jetzt wohl besser; **better off** *adj* (*richer*) wohlhabender.

betting ['betɪŋ] *n* Wetten *nt;* **betting shop** *n* Wettbüro *nt.*

between [bɪ'twi:n] **1.** *prep* zwischen; (*among*) unter; **2.** *adv* dazwischen.

bevel ['bevəl] *n* Abschrägung *f.*

beverage ['bevərɪdʒ] *n* Getränk *nt.*

beware [bɪ'wɛə*] *vt* sich hüten vor *+dat;* **"~ of the dog"** „Vorsicht, bissiger Hund!".

bewildered [bɪ'wɪldəd] *adj* verwirrt; **bewildering** *adj* verwirrend.

bewitching [bɪ'wɪtʃɪŋ] *adj* bestrickend.

beyond [bɪ'jɒnd] **1.** *prep* (*place*) jenseits *+gen;* (*time*) über ... hinaus; (*out of reach*) außerhalb *+gen;* **2.** *adv* darüber hinaus; **it's ~ me** das geht über meinen Horizont.

bias ['baɪəs] *n* (*slant*) Neigung *f;* (*prejudice*) Vorurteil *nt;* **bias[s]ed** *adj* voreingenommen.

bib [bɪb] *n* Latz *m.*

Bible ['baɪbl] *n* Bibel *f;* **biblical** ['bɪblɪkəl] *adj* biblisch.

bibliography [bɪblɪ'ɒgrəfɪ] *n* Bibliographie *f.*

bicarbonate [baɪ'kɑ:bənɪt] *n:* **~ of soda** Natron *nt.*

bicentenary [baɪsen'ti:nərɪ] *n* Zweihundertjahrfeier *f.*

biceps ['baɪseps] *n sing* Bizeps *m.*

bicker ['bɪkə*] *vi* zanken; **bickering** *n* Gezänk *nt,* Gekeife *nt.*

bicycle ['baɪsɪkl] *n* Fahrrad *nt.*

bid [bɪd] <bid, bidden> **1.** *vt* (*offer*) bieten; **2.** *n* (*offer*) Gebot *nt;* (*attempt*) Versuch *m;* **to ~ sb farewell** jdm Lebewohl sagen; **bidden** ['bɪdn] *pp of* **bid**; **bidder** *n* (*person*) Steigerer *m,* Steigrerin *f;* **bidding** *n* (*at auction*) Steigern *nt;* (*command*) Geheiß *nt.*

bide [baɪd] *vt:* **to ~ one's time** abwarten.

bifocals [baɪ'fəʊklz] *n pl* Bifokalbrille *f.*

big [bɪg] *adj* groß.

bigamy ['bɪgəmɪ] *n* Bigamie *f.*

big bang ['bɪgbæŋ] *n* Urknall *m.*

bigheaded [bɪg'hedɪd] *adj* eingebildet.

bigot ['bɪgət] *n* Frömmler(in) *m(f);* **bigoted** *adj* bigott; **bigotry** *n* Bigotterie *f.*

bigwig ['bɪgwɪg] *n* (*fam*) hohes Tier.

bike [baɪk] *n* (*fam*) Rad *nt;* **bike lane** *n* Radweg *m.*

bikini [bɪ'ki:nɪ] *n* Bikini *m.*

bilateral [baɪ'lætərəl] *adj* bilateral.

bile [baɪl] *n* Galle[nflüssigkeit] *f.*

bilge [bɪldʒ] *n* (*water*) Bilgenwasser *nt.*

bilingual [baɪ'lɪŋgwəl] *adj* zweisprachig.

bilious ['bɪlɪəs] *adj* (*sick*) gallenkrank; (*peevish*) verstimmt.

bill [bɪl] *n* (*account*) Rechnung *f;* (POL) Gesetzentwurf *m;* (*US* FIN) Geldschein *m;* **~ of exchange** Wechsel *m;* **billfold** ['bɪlfəʊld] *n* (*US*) Brieftasche *f.*

billiards ['bɪlɪədz] *n sing* Billard *nt.*

billion ['bɪlɪən] *n* Milliarde *f.*

billy goat ['bɪlɪgəʊt] *n* Ziegenbock *m.*

bin [bɪn] *n* Kasten *m;* (*dust~*) Abfalleimer *m.*

binary ['baɪnərɪ] *adj* binär.

bind [baɪnd] <bound, bound> *vt* (*tie*) binden; (*tie together*) zusammenbinden; (*oblige*) verpflichten; **binding 1.** *n* [Buch]einband *m;* **2.** *adj* verbindlich.

binge [bɪndʒ] *n* (*fam*) Sauferei *f;* **to go on a ~** einen draufmachen.

bingo ['bɪŋgəʊ] *n* Bingo *nt.*

binoculars [bɪ'nɒkjʊləz] *n pl* Fernglas *nt.*

biochemistry [baɪəʊ'kemɪstrɪ] *n* Biochemie *f;* **biocontrol** *n* biologische Schädlingsbekämpfung; **biodegradable** ['baɪəʊdɪ'greɪdəbl] *adj* biologisch abbaubar; **biodetergent** *n* biologisches Reinigungsmittel; **biodynamic** *adj* biodynamisch; **bioengineering** *n* Biotechnik *f;* **bioethics** *n pl* Bioethik *f;* **biofuel** *n* Biotreibstoff *m;* **biogas** *n* Biogas *nt.*

biographer [baɪ'ɒgrəfə*] *n* Biograf(in)

m(f); **biographic**[**al**] [baɪəʊ'græfɪk[l]] *adj* biografisch; **biography** [baɪ'ɒgrəfɪ] *n* Biografie *f*.

biological [baɪə'lɒdʒɪkəl] *adj* biologisch; **biologist** [baɪ'ɒlədʒɪst] *n* Biologe (-login) *m(f)*; **biology** [baɪ'ɒlədʒɪ] *n* Biologie *f*.

biomass ['baɪəʊmæs] *n* Biomasse *f*.

biopsy ['baɪɒpsɪ] *n* Biopsie *f*.

biorhythm ['baɪəʊ'rɪðm] *n* Biorhythmus *m*; **biotechnology** *n* Biotechnik *f*; **biotope** ['baɪətəʊp] *n* Biotop *nt*.

biped ['baɪped] *n* Zweifüßler *m*.

birch [bɜːtʃ] *n* Birke *f*.

bird [bɜːd] *n* Vogel *m*; (*fam: girl*) Mädchen *nt*; **bird's-eye view** *n* Vogelperspektive *f*.

birth [bɜːθ] *n* Geburt *f*; **of good ~** aus gutem Hause; **birth certificate** *n* Geburtsurkunde *f*; **birth control** *n* Geburtenkontrolle *f*; **birthday** *n* Geburtstag *m*; **happy ~** herzlichen Glückwunsch zum Geburtstag; **birthmark** *n* Muttermal *nt*; **birthplace** *n* Geburtsort *m*; **birth rate** *n* Geburtenrate *f*.

Biscay ['bɪskeɪ] *n*: **the Bay of ~** der Golf von Biskaya.

biscuit ['bɪskɪt] *n* (*Brit*) Keks *m*.

bisect [baɪ'sekt] *vt* halbieren.

bisexual [baɪ'seksjʊəl] **1.** *adj* bisexuell; **2.** *n* Bisexuelle(r) *mf*.

bishop ['bɪʃəp] *n* Bischof *m*.

bit [bɪt] **1.** *pt of* **bite**; **2.** *n* bisschen, Stückchen *nt*; (COMPUT) Bit *nt*; (*horse's ~*) Gebiss *nt*; **a ~ tired** etwas müde.

bitch [bɪtʃ] *n* (*dog*) Hündin *f*; (*pej: woman*) Weibsstück *nt*; **son of a ~** (*US: admiring*) toller Kerl; (*nasty*) gemeiner Kerl; **bitchy** *adj* gehässig, gemein.

bite [baɪt] <bit, bitten> **1.** *vt, vi* beißen; **2.** *n* Biss *m*; (*mouthful*) Bissen *m*; **to grab a ~ to eat** unterwegs einen Happen essen; **to have ~** Biss haben; **biting** *adj* beißend; **bitten** ['bɪtn] *pp of* **bite**.

bitter ['bɪtə*] **1.** *adj* bitter; (*memory etc*) schmerzlich; (*person*) verbittert; **2.** *n* (*beer*) dunkles Bier; **to the ~ end** bis zum bitteren Ende; **bitterness** *n* Bitterkeit *f*.

bivouac ['bɪvʊæk] *n* Biwak *nt*.

bizarre [bɪ'zɑː*] *adj* bizarr.

blab [blæb] **1.** *vi* klatschen, tratschen; **2.** *vt* ausplaudern.

black [blæk] **1.** *adj* schwarz; (*night*) finster; **2.** *vt* schwärzen; (*shoes*) wichsen; (*eye*) blau schlagen; (*industry*) boykottieren; **Black Forest** Schwarzwald *m*; **the Black Sea** das Schwarze Meer; **~ sheep** (*fig*) schwarzes Schaf; **~ and blue** grün und blau; **blackberry** *n* Brombeere *f*; **blackbird** *n* Amsel *f*; **blackboard** *n* [Wand]tafel *f*; **blackcurrant** *n* schwarze Johannisbeere; **blackleg** *n* Streikbrecher(in) *m(f)*; **blacklist** *n* schwarze Liste; **blackmail 1.** *n* Erpressung *f*; **2.** *vt* erpressen; **blackmailer** *n* Erpresser(in) *m(f)*; **black market** *n* Schwarzmarkt *m*; **blackness** *n* Schwärze *f*; **blackout** *n* Verdunklung *f*; **to have a ~** (MED) bewusstlos werden; **blacksmith** *n* Schmied(in) *m(f)*.

bladder ['blædə*] *n* Blase *f*.

blade [bleɪd] **1.** *n* (*of weapon*) Klinge *f*; (*of grass*) Halm *m*; (*of oar*) Ruderblatt *nt*; **2.** *vi* (*fam*) Inliners fahren.

blame [bleɪm] **1.** *n* Tadel *m*; (*guilt*) Schuld *f*; **2.** *vt* tadeln, Vorwürfe machen +*dat*; **he is to ~** er ist daran schuld; **blameless** *adj* untadelig.

blanch [blɑːntʃ] *vi* bleich werden.

blancmange [blə'mɒnʒ] *n* Pudding *m*.

bland [blænd] *adj* mild; **blandness** *n* Profillosigkeit *f*.

blank [blæŋk] **1.** *adj* leer, unbeschrieben; (*look*) ausdruckslos; (*cheque*) Blanko-; (*verse*) Blank-; **2.** *n* (*space*) Lücke *f*; (TYP) Zwischenraum *m*; (*cartridge*) Platzpatrone *f*; (*in lottery*) Niete *f*; **to draw a ~** (*fig*) kein Glück haben.

blanket ['blæŋkɪt] *n* [Woll]decke *f*.

blankly ['blæŋklɪ] *adv* leer; (*look*) ausdruckslos.

blare [blɛə*] **1.** *vt, vi* (*radio*) plärren; (*horn*) tuten; (MUS) schmettern; **2.** *n* Geplärr *nt*; (*of horn*) Getute *nt*; (MUS) Schmettern *nt*.

blasé ['blɑːzeɪ] *adj* blasiert.

blaspheme [blæs'fiːm] *vi* [Gott] lästern; **blasphemous** ['blæsfɪməs] *adj* lästernd, lästerlich; **blasphemy** ['blæsfəmɪ] *n* Gotteslästerung *f*, Blasphemie *f*.

blast [blɑːst] **1.** *n* Explosion *f*; (*of wind*) Windstoß *m*; **2.** *vt* (*blow up*) sprengen; **~!** (*fam*) verflixt!; **blast furnace** *n* Hochofen *m*; **blast-off** *n* (SPACE) [Raketen]abschuss *m*.

blatant ['bleɪtənt] *adj* offenkundig.

blaze [bleɪz] **1.** *n* (*fire*) loderndes Feuer; **2.** *vi* lodern.

blazer ['bleɪzə*] *n* Klubjacke *f*, Blazer *m*.

bleach [bliːtʃ] **1.** *n* Bleichmittel *nt*; **2.** *vt* bleichen.

bleak [bli:k] *adj* kahl; (*future*) trostlos.
bleary-eyed ['blɪərɪaɪd] *adj* triefäugig; (*on waking up*) mit verschlafenen Augen.
bleat [bli:t] **1.** *n* (*of sheep*) Blöken *nt;* (*of goat*) Meckern *nt;* **2.** *vi* blöken; meckern.
bled [bled] *pt, pp of* **bleed**.
bleed [bli:d] <bled, bled> **1.** *vi* bluten; **2.** *vt* (*draw blood*) Blut abnehmen *+dat;* **to ~ to death** verbluten; **bleeding** *adj* blutend; (*Brit fam*) verdammt.
blemish ['blemɪʃ] **1.** *n* Makel *m;* **2.** *vt* verunstalten.
blend [blend] **1.** *n* Mischung *f;* **2.** *vt* mischen; **3.** *vi* sich mischen; **blender** *n* Mixer *m.*
bless [bles] *vt* segnen; (*give thanks*) preisen; (*make happy*) glücklich machen; **~ you!** Gesundheit!; **blessing** *n* Segen *m;* (*at table*) Tischgebet *nt;* (*happiness*) Wohltat *f;* (*fig*) Segen *m;* (*good wish*) Glück *nt.*
blew [blu:] *pt of* **blow**.
blight [blaɪt] **1.** *n* (BOT) Mehltau *m;* (*fig*) schädlicher Einfluss; **2.** *vt* zunichte machen; **blight-ridden** *adj* (*fam*) trostlos.
blimey ['blaɪmɪ] *interj* (*Brit fam*) verflucht.
blind [blaɪnd] **1.** *adj* blind; (*corner*) unübersichtlich; **2.** *n* (*for window*) Rollo *nt;* **3.** *vt* blenden; **blind alley** *n* Sackgasse *f;* **blindfold 1.** *n* Augenbinde *f;* **2.** *adj* mit verbundenen Augen; **3.** *vt* die Augen verbinden (*sb* jdm); **blindly** *adv* blind; (*fig*) blindlings; **blindness** *n* Blindheit *f;* **blind spot** *n* (AUT) toter Winkel; (*fig*) schwacher Punkt.
blink [blɪŋk] *vt, vi* blinzeln; **blinkers** *n pl* Scheuklappen *pl.*
bliss [blɪs] *n* [Glück]seligkeit *f;* **blissfully** *adv* glückselig.
blister ['blɪstə*] **1.** *n* Blase *f;* **2.** *vi* Blasen werfen.
blitz [blɪts] **1.** *n* Luftkrieg *m;* **2.** *vt* bombardieren.
blizzard ['blɪzəd] *n* Schneesturm *m.*
bloated ['bləʊtɪd] *adj* aufgedunsen; (*fam: full*) nudelsatt.
blob [blɒb] *n* Klümpchen *nt.*
bloc [blɒk] *n* (POL) Block *m.*
block [blɒk] **1.** *n* (*of wood*) Block *m,* Klotz *m;* (*of houses*) Häuserblock *m;* **2.** *vt* versperren, blockieren.
blockade [blɒ'keɪd] **1.** *n* Blockade *f;* **2.** *vt* blockieren.
blockage ['blɒkɪdʒ] *n* Verstopfung *f.*
blockbuster ['blɒkbʌstə*] *n* Knüller *m,* Renner *m;* **block capitals, block letters** *n pl* Blockbuchstaben *pl.*
bloke [bləʊk] *n* (*fam*) Kerl *m,* Typ *m.*
blonde [blɒnd] **1.** *adj* blond; **2.** *n* Blondine *f.*
blood [blʌd] *n* Blut *nt;* **blood donor** *n* Blutspender(in) *m(f);* **blood group** *n* Blutgruppe *f;* **bloodless** *adj* blutleer; **blood poisoning** *n* Blutvergiftung *f;* **blood pressure** *n* Blutdruck *m;* **bloodshed** *n* Blutvergießen *nt;* **bloodshot** *adj* blutunterlaufen; **bloodstained** *adj* blutbefleckt; **bloodstream** *n* Blut *nt,* Blutkreislauf *m;* **blood test** *n* Blutprobe *f;* **bloodthirsty** *adj* blutrünstig; **blood transfusion** *n* Bluttransfusion *f;* **blood vessel** *n* Blutgefäß *nt;* **bloody** *adj* (*Brit fam*) verdammt, Scheiß-; (*literal sense*) blutig; **bloody-minded** *adj* (*fam*) stur.
bloom [blu:m] **1.** *n* Blüte *f;* (*freshness*) Glanz *m;* **2.** *vi* blühen; **in ~** in Blüte.
blossom ['blɒsəm] **1.** *n* Blüte *f;* **2.** *vi* blühen.
blot [blɒt] **1.** *n* Klecks *m;* **2.** *vt* beklecksen; (*ink*) [ab]löschen; **blot out** *vt* auslöschen.
blotchy ['blɒtʃɪ] *adj* fleckig.
blotting paper ['blɒtɪŋpeɪpə*] *n* Löschpapier *nt.*
blouse [blaʊz] *n* Bluse *f.*
blow [bləʊ] <blew, blown> **1.** *vt* blasen; **2.** *vi* blasen; (*wind*) wehen; **3.** *n* Schlag *m;* **to ~ one's top** [vor Wut] explodieren; **blow over** *vi* vorübergehen; **blow up 1.** *vi* explodieren; **2.** *vt* sprengen; (*balloon, tyre*) aufblasen; (*enlarge*) vergrößern; **blow-dry** *vt* fönen; **blowlamp** *n* Lötlampe *f;* **blown** *pp of* **blow**; **blow-out** *n* (AUT) geplatzter Reifen; **blow-up** *n* (PHOT) Vergrößerung *f;* **blowy** *adj* windig.
blubber ['blʌbə*] *n* Walfischspeck *m.*
bludgeon ['blʌdʒən] *vt* (*fig*) zwingen.
blue [blu:] *adj* blau; (*fam: unhappy*) niedergeschlagen; (*obscene*) pornografisch; (*joke*) anzüglich; **bluebell** *n* Glockenblume *f;* **blue-blooded** *adj* blaublütig; **bluebottle** *n* Schmeißfliege *f;* **blueprint** *n* Blaupause *f;* (*fig*) Entwurf *m;* **blues** *n sing* (MUS) Blues *m;* **to have the ~** *pl* traurig sein.
bluff [blʌf] **1.** *vt* bluffen, täuschen; **2.** *n* (*deception*) Bluff *m.*
bluish ['blu:ɪʃ] *adj* bläulich.
blunder ['blʌndə*] **1.** *n* grober Fehler, Schnitzer *m;* **2.** *vi* einen groben Fehler

machen; (*socially*) sich blamieren.
blunt [blʌnt] **1.** *adj* (*knife*) stumpf; (*talk*) unverblümt; **2.** *vt* abstumpfen; **bluntly** *adv* frei heraus; **bluntness** *n* Stumpfheit *f*; (*fig*) Plumpheit *f*.
blur [blɜ:*] **1.** *n* Fleck *m*; **2.** *vi* verschwimmen; **3.** *vt* verschwommen machen.
blurb [blɜ:b] *n* Waschzettel *m*.
blurt [blɜ:t] *vt* (*also:* ~ **out**) herausplatzen mit.
blush [blʌʃ] *vi* erröten; **blusher** *n* Rouge *nt*; **blushing** *adj* errötend.
bluster ['blʌstə*] *vi* (*wind*) brausen; (*person*) darauf lospoltern, schwadronieren; **blustery** *adj* sehr windig.
BO *n abbr of* **body odour**.
boa ['bəʊə] *n* Boa *f*.
boar [bɔ:*] *n* Eber *m*; (*wild*) Keiler *m*.
board [bɔ:d] **1.** *n* (*of wood*) Brett *nt*; (*of card*) Pappe *f*; (*committee*) Ausschuss *m*; (*of firm*) Aufsichtsrat *m*; (SCH) Direktorium *nt*; **2.** *vt* (*train*) einsteigen in +*akk*; (*ship*) an Bord +*gen* gehen; ~ **and lodging** Unterkunft und Verpflegung; **to go by the** ~ flachfallen; **board up** *vt* mit Brettern vernageln; **boarder** *n* Pensionsgast *m*; (SCH) Internatsschüler(in) *m(f)*; **boarding card** *n* Bordkarte *f*; **boarding house** *n* Pension *f*; **boarding pass** *n* Bordkarte *f*; **boarding school** *n* Internat *nt*; **board room** *n* Sitzungszimmer *nt*.
boast [bəʊst] **1.** *vi* prahlen; **2.** *n* Großtuerei *f*, Prahlerei *f*; **boastful** *adj* prahlerisch; **boastfulness** *n* Überheblichkeit *f*.
boat [bəʊt] *n* Boot *nt*; (*ship*) Schiff *nt*; **boater** *n* (*hat*) Kreissäge *f*; **boating** *n* Bootfahren *nt*; **boatswain** ['bəʊsn] *n* Bootsmann *m*; **boat train** *n* Zug *m* mit Schiffsanschluss.
bob [bɒb] *vi* sich auf und nieder bewegen.
bobbin ['bɒbɪn] *n* Spule *f*.
bobsleigh ['bɒbsleɪ] *n* Bob *m*.
bodice ['bɒdɪs] *n* Mieder *nt*.
bodily ['bɒdɪlɪ] *adj, adv* körperlich.
body ['bɒdɪ] *n* Körper *m*; (*dead*) Leiche *f*; (*group*) Mannschaft *f*; (AUT) Karosserie *f*; (*trunk*) Rumpf *m*; **in a** ~ in einer Gruppe; **the main** ~ **of the work** der Hauptanteil der Arbeit; **bodybuilding** *n* Bodybuilding *nt*; **bodyguard** *n* Leibwache *f*; **body language** *n* Körpersprache *f*; **body odour** *n* Körpergeruch *m*; **body piercing** *n* Piercing *nt*; **body stocking** *n* Body *m*; **bodywork** *n* Karosserie *f*.
bog [bɒg] **1.** *n* Sumpf *m*; (*fam*) Klo *nt*; **2.** *vi*: **to get ~ged down** sich festfahren.
bogey ['bəʊgɪ] *n* Schreckgespenst *nt*.
boggle ['bɒgl] *vi* stutzen; **the mind ~s [at the thought]** bei dem Gedanken wird einem schwindlig.
bogus ['bəʊgəs] *adj* unecht, Schein-.
boil [bɔɪl] **1.** *vt, vi* kochen; **2.** *n* (MED) Geschwür *nt*; **to come to the** ~ zu kochen anfangen; **boiler** *n* Boiler *m*; **boiling point** *n* Siedepunkt *m*; **boiling water reactor** *n* Siedewasserreaktor *m*.
boisterous ['bɔɪstərəs] *adj* ausgelassen.
bold [bəʊld] *adj* (*fearless*) unerschrocken; (*impudent*) unverfroren; (*handwriting*) ausdrucksvoll; (TYP) fett; **boldly** *adv* keck; **boldness** *n* Kühnheit *f*; (*cheekiness*) Dreistigkeit *f*.
Bolivia [bə'lɪvɪə] *n* Bolivien *nt*.
bollard ['bɒləd] *n* (NAUT) Poller *m*; (*on road*) Pfosten *m*.
bolster ['bəʊlstə*] *n* (*on bed*) Nackenrolle *f*; **bolster up** *vt* unterstützen.
bolt [bəʊlt] **1.** *n* Bolzen *m*; (*lock*) Riegel *m*; **2.** *vt* verriegeln; (*swallow*) verschlingen; **3.** *vi* (*horse*) durchgehen.
bomb [bɒm] **1.** *n* Bombe *f*; **2.** *vt* bombardieren; **bombard** [bɒm'bɑ:d] *vt* bombardieren; **bombardment** *n* Bombardierung *f*.
bombastic [bɒm'bæstɪk] *adj* bombastisch.
bomber ['bɒmə*] *n* Bomber *m*; **bombing** *n* Bombenangriff *m*; **bombshell** *n* (*fig*) Bombe *f*.
bona fide ['bəʊnə'faɪdɪ] *adj* echt.
bond [bɒnd] *n* (*link*) Band *nt*; (FIN) Schuldverschreibung *f*.
bone [bəʊn] **1.** *n* Knochen *m*; (*of fish*) Gräte *f*; (*piece of* ~) Knochensplitter *m*; **2.** *vt* die Knochen entfernen von; (*fish*) entgräten; ~ **of contention** Zankapfel *m*; **bone-dry** *adj* knochentrocken; **boner** *n* (*US fam*) Schnitzer *m*.
bonfire ['bɒnfaɪə*] *n* Feuer *nt* im Freien.
bonnet ['bɒnɪt] *n* Haube *f*; (*for baby*) Häubchen *nt*; (*Brit* AUT) Motorhaube *f*.
bonny ['bɒnɪ] *adj* (*Scot*) hübsch.
bonus ['bəʊnəs] *n* Bonus *m*; (*annual* ~) Prämie *f*.
bony ['bəʊnɪ] *adj* knochig, knochendürr.
boo [bu:] *vt* auspfeifen, ausbuhen.
book [bʊk] **1.** *n* Buch *nt*; **2.** *vt* (*ticket etc*) vorbestellen; (*person*) verwarnen; **bookable** *adj* im Vorverkauf erhältlich; **bookcase** *n* Bücherregal *nt*, Bücherschrank *m*; **booking office** *n* (RAIL) Fahrkartenschalter *m*; (THEAT) Vorverkaufsstelle *f*;

book-keeping *n* Buchhaltung *f;* **booklet** *n* Broschüre *f;* **bookmaker** *n* Buchmacher(in) *m(f);* **bookseller** *n* Buchhändler(in) *m(f);* **bookshop** *n* Buchhandlung *f;* **bookstall** *n* Bücherstand *m;* **book token** *n* Büchergutschein *m;* **bookworm** *n* Bücherwurm *m.*

boom [bu:m] **1.** *n* (*noise*) Dröhnen *nt;* (*busy period*) Hochkonjunktur *f;* (*of business*) Boom *m;* **2.** *vi* dröhnen; (*trade*) boomen; (*prices*) in die Höhe schnellen.

boomerang ['bu:məræŋ] *n* Bumerang *m.*

boon [bu:n] *n* Wohltat *f,* Segen *m.*

boorish ['bɔ:rɪʃ] *adj* grob.

boost [bu:st] **1.** *n* Auftrieb *m;* **2.** *vt* Auftrieb geben +*dat.*

boot [bu:t] **1.** *n* Stiefel *m;* (*Brit* AUT) Kofferraum *m;* **2.** *vt* (*kick*) einen Fußtritt geben +*dat;* (COMPUT) hochladen, booten; **to ~** (*in addition*) obendrein.

booty ['bu:tɪ] *n* Beute *f.*

booze [bu:z] **1.** *n* (*fam*) Alkohol *m;* **2.** *vi* (*fam*) saufen.

border ['bɔ:də*] *n* Grenze *f;* (*edge*) Kante *f;* (*in garden*) [Blumen]rabatte *f;* **border on** *vt* grenzen an +*akk;* **borderline** *n* Grenze *f.*

bore [bɔ:*] **1.** *pt of* **bear**; **2.** *vt* bohren; (*weary*) langweilen; **3.** *n* (*person*) langweiliger Mensch; (*thing*) langweilige Sache; (*of gun*) Kaliber *nt;* **boredom** *n* Langeweile *f;* **boring** *adj* langweilig.

born [bɔ:n] *adj:* **to be ~** geboren werden.

born[e] [bɔ:n] *pp of* **bear**.

borough ['bʌrə] *n* Stadt[gemeinde] *f,* Stadtbezirk *m.*

borrow ['bɒrəʊ] *vt* borgen; **borrowing** *n* (FIN) Anleihe *f.*

borstal ['bɔ:stl] *n* (*Brit*) Erziehungsheim *nt* (*für jugendliche Straftäter*).

Bosnia-Herzegovina ['bɒznɪəhɜ:tsəgəʊ'vi:nə] *n* Bosnien-Herzegowina *nt.*

bosom ['bʊzəm] *n* Busen *m.*

boss [bɒs] *n* Chef(in) *m(f),* Boss *m;* **boss around** *vt* herumkommandieren; **bossy** *adj* herrisch.

bosun ['bəʊsn] *n* Bootsmann *m.*

botanical [bə'tænɪkəl] *adj* botanisch; **botany** ['bɒtənɪ] *n* Botanik *f.*

botch [bɒtʃ] *vt* verpfuschen.

both [bəʊθ] **1.** *adj* beide; **2.** *pron* (*people*) beide; (*things*) beides; **3.** *adv:* ~ **X and Y** sowohl X als auch Y; ~ **[of] the books** beide Bücher; **I like them** ~ ich mag [sie] beide.

bother ['bɒðə*] **1.** *vt* (*pester*) ärgern, belästigen; **2.** *vi* (*fuss*) sich aufregen; (*take trouble*) sich *dat* Mühe machen; **3.** *n* Mühe *f,* Umstand *m.*

bottle ['bɒtl] **1.** *n* Flasche *f;* **2.** *vt* [in Flaschen] abfüllen; **bottle bank** *n* [Alt]glascontainer *m;* **bottleneck** *n* (*fig*) Engpass *m.*

bottom ['bɒtəm] **1.** *n* Boden *m;* (*of person*) Hintern *m;* (*riverbed*) Flussbett *nt;* **2.** *adj* unterste(r, s); **at ~** im Grunde; **bottomless** *adj* bodenlos; **a ~ pit** ein Fass ohne Boden.

bough [baʊ] *n* Ast *m.*

bought [bɔ:t] *pt, pp of* **buy**.

boulder ['bəʊldə*] *n* Felsbrocken *m.*

bounce [baʊns] **1.** *vi* (*ball*) hochspringen; (*person*) herumhüpfen; (*cheque*) platzen; **2.** *vt* [auf]springen lassen; **3.** *n* (*rebound*) Aufprall *m;* **bouncer** *n* Rausschmeißer(in) *m(f).*

bound [baʊnd] **1.** *pt, pp of* **bind**; **2.** *n* Grenze *f;* (*leap*) Sprung *m;* **3.** *vi* (*spring, leap*) [auf]springen; **4.** *adj* gebunden, verpflichtet; **out of ~s** Zutritt verboten; **to be ~ to do sth** verpflichtet sein etw zu tun, etw tun müssen; **it's ~ to happen** es muss so kommen; **to be ~ for ...** nach ... fahren; **boundary** *n* Grenze *f;* **boundless** *adj* grenzenlos.

bouquet [bʊ'keɪ] *n* Strauß *m;* (*of wine*) Blume *f.*

bourgeois ['bɔ:ʒwɑ:] *adj* kleinbürgerlich, bourgeois.

bout [baʊt] *n* (*of illness*) Anfall *m;* (*of contest*) Kampf *m.*

bow [bəʊ] **1.** *n* (*ribbon*) Schleife *f;* (*weapon,* MUS) Bogen *m;* **2.** [baʊ] *vi* sich verbeugen; (*submit*) sich beugen (*to dat*); **3.** *n* Verbeugung *f;* (*of ship*) Bug *m.*

bowels ['baʊəlz] *n pl* Darm *m;* (*centre*) Innere(s) *nt.*

bowl [bəʊl] **1.** *n* (*basin*) Schüssel *f;* (*of pipe*) [Pfeifen]kopf *m;* (*wooden ball*) [Holz]kugel *f;* **2.** *vt, vi* (CRICKET) werfen.

bow-legged ['bəʊlegɪd] *adj* o-beinig.

bowler ['bəʊlə*] *n* (CRICKET) Werfer(in) *m(f);* (*hat*) Melone *f.*

bowling ['bəʊlɪŋ] *n* Kegeln *nt;* **bowling alley** *n* Kegelbahn *f;* **bowling green** *n* Rasen *m* zum Bowling-Spiel.

bowls [bəʊlz] *n sing* (*game*) Bowls-Spiel *nt.*

bow tie [bəʊ'taɪ] *n* Fliege *f.*

box [bɒks] **1.** *n* Schachtel *f;* (*bigger*) Kasten *m;* (THEAT) Loge *f;* **2.** *vt* einpacken; **3.** *vi* boxen; **to ~ sb's ears** jdm eine Ohrfeige geben; **box in** *vt* einpferchen; **boxer** *n* Boxer *m;* **boxing** *n* (SPORT) Boxen *nt.*

Boxing Day *n* zweiter Weihnachtsfeiertag.

> **Boxing Day** ist ein Feiertag in Großbritannien. Fällt Weihnachten auf ein Wochenende, wird der Feiertag am nächsten Wochentag nachgeholt. Der Name geht auf einen alten Brauch zurück: früher erhielten Händler und Lieferanten an diesem Tag ein Geschenk, die sogenannte Christmas Box.

boxing ring *n* Boxring *m;* **box office** *n* [Theater]kasse *f;* **box room** *n* Abstellkammer *f.*

boy [bɔɪ] *n* Junge *m.*

boycott ['bɔɪkɒt] **1.** *n* Boykott *m;* **2.** *vt* boykottieren.

boyfriend ['bɔɪfrend] *n* Freund *m;* **boyish** *adj* jungenhaft; **boy scout** *n* Pfadfinder *m.*

bra [brɑ:] *n abbr of* **brassière** BH *m.*

brace [breɪs] **1.** *n* (TECH) Stütze *f;* (*on teeth*) [Zahn]spange *f,* Klammer *f;* **2.** *vt* stützen.

bracelet ['breɪslɪt] *n* Armband *nt.*

braces ['breɪsɪz] *n pl* Hosenträger *pl.*

bracing ['breɪsɪŋ] *adj* belebend.

bracken ['brækən] *n* Adlerfarn *m.*

bracket ['brækɪt] **1.** *n* Halterung *f,* Klammer *f;* (*in punctuation*) Klammer *f;* (*group*) Gruppe *f;* **2.** *vt* einklammern; (*fig*) in dieselbe Gruppe einordnen.

brag [bræg] *vi* prahlen.

braid [breɪd] *n* (*hair*) Flechte *f;* (*trim*) Borte *f.*

Braille [breɪl] *n* Blindenschrift *f.*

brain [breɪn] *n* (ANAT) Gehirn *nt;* (*intellect*) Intelligenz *f,* Verstand *m;* (*person*) kluger Kopf; **~s** *pl* Verstand *m;* **brainless** *adj* dumm; **brainstorm** *n* (*US fam*) Geistesblitz *m;* **brainstorming** *n* gemeinsame Problembewältigung, Brainstorming *nt;* **brainwash** *vt* einer Gehirnwäsche unterziehen; **brainwave** *n* Geistesblitz *m;* **brainy** *adj* gescheit.

braise [breɪz] *vt* schmoren.

brake [breɪk] **1.** *n* Bremse *f;* **2.** *vt, vi* bremsen; **brake fluid** *n* Bremsflüssigkeit *f.*

branch [brɑ:ntʃ] **1.** *n* Ast *m;* (*division*) Zweig *m;* **2.** *vi* (*road*) sich verzweigen.

brand [brænd] **1.** *n* (COMM) Marke *f,* Sorte *f;* (*on cattle*) Brandmal *nt;* **2.** *vt* brandmarken; (COMM) mit seinem Warenzeichen versehen.

brandish ['brændɪʃ] *vt* [drohend] schwingen.

brand-new ['brænd'nju:] *adj* [funkel]nagelneu, brandneu.

brandy ['brændɪ] *n* Weinbrand *m,* Kognak *m.*

brash [bræʃ] *adj* unverschämt.

brass [brɑ:s] *n* Messing *nt;* **brass band** *n* Blaskapelle *f.*

brat [bræt] *n* (*pej fam*) ungezogenes Kind, Gör *nt.*

bravado [brə'vɑ:dəʊ] *n* <-[e]s> Tollkühnheit *f.*

brave [breɪv] **1.** *adj* tapfer; **2.** *n* indianischer Krieger; **3.** *vt* die Stirn bieten +*dat;* **bravely** *adv* tapfer; **bravery** ['breɪvərɪ] *n* Tapferkeit *f.*

bravo [brɑ:'vəʊ] *interj* bravo.

brawl [brɔ:l] **1.** *n* Schlägerei *f;* (*quarrel*) Streit *m;* **2.** *vi* sich zanken, streiten.

brawn [brɔ:n] *n* (ANAT) Muskeln *pl;* (*strength*) Muskelkraft *f;* **brawny** *adj* muskulös, stämmig.

bray [breɪ] **1.** *n* Eselsschrei *m;* **2.** *vi* schreien.

brazen ['breɪzn] **1.** *adj* (*shameless*) unverschämt; **2.** *vt:* **to ~ it out** sich mit Lügen und Betrügen durchsetzen.

brazier ['breɪzɪə*] *n* Kohlenbecken *nt.*

Brazil [brə'zɪl] *n* Brasilien *nt.*

breach [bri:tʃ] **1.** *n* (*gap*) Lücke *f;* (MIL) Durchbruch *m;* (*of discipline*) Verstoß *m* [gegen die Disziplin]; (*of faith*) Vertrauensbruch *m;* **2.** *vt* durchbrechen; **~ of the peace** öffentliche Ruhestörung.

bread [bred] *n* Brot *nt;* **~ and butter** Butterbrot *nt;* **breadcrumbs** *n pl* Brotkrumen *pl;* (GASTR) Paniermehl *nt;* **breadline** *n:* **to be on the ~** sich gerade so durchschlagen.

breadth [bredθ] *n* Breite *f.*

breadwinner ['bredwɪnə*] *n* Ernährer(in) *m(f).*

break [breɪk] <broke, broken> **1.** *vt* (*destroy*) [ab]brechen, zerbrechen; (*somebody*) mürbe machen; (*promise*) brechen, nicht einhalten; (*interrupt*) unterbrechen; **2.** *vi* (*fall apart*) auseinanderbrechen; (*collapse*) zusammenbrechen; (*dawn*) anbrechen; (*become known: story,news*) bekannt werden; **3.** *n* (*gap*) Lücke *f;* (*chance*) Chance *f,* Gelegenheit *f;* (*frac-*

ture) Bruch *m;* (*rest*) Pause *f;* **to ~ free** [*o* **loose**] sich losreißen; **break down** *vi* (*car*) eine Panne haben; (*person*) zusammenbrechen; **break in** 1. *vt* (*animal*) abrichten; (*horse*) zureiten; 2. *vi* (*burglar*) einbrechen; **break out** *vi* ausbrechen; **break up** 1. *vi* zerbrechen; (*fig*) sich zerstreuen; (SCH) in die Ferien gehen; 2. *vt* brechen; **breakable** *adj* zerbrechlich; **breakage** *n* Bruch *m,* Beschädigung *f;* **breakdown** *n* (*car*) Panne *f;* (*nerves*) Zusammenbruch *m;* (*machine*) Störung *f;* **breaker** *n* (*wave*) Brecher *m;* **breakfast** ['brekfəst] *n* Frühstück *nt;* **to have ~** frühstücken; **breakthrough** *n* Durchbruch *m;* **breakwater** *n* Wellenbrecher *m.*

breast [brest] *n* Brust *f;* **breast stroke** *n* Brustschwimmen *nt.*

breath [breθ] *n* Atem *m;* **out of ~** außer Atem; **under one's ~** flüsternd.

breathalyze ['breθəlaɪz] *vt* blasen lassen.

breathe [bri:ð] *vt, vi* atmen; **breather** *n* Verschnaufpause *f.*

breathless ['breθlɪs] *adj* atemlos; **breath-taking** *adj* atemberaubend.

bred [bred] *pt, pp of* **breed**.

breed [bri:d] <**bred, bred**> 1. *vi* sich vermehren; 2. *vt* züchten; 3. *n* (*race*) Rasse *f,* Zucht *f;* **breeder** *n* (*person*) Züchter(in) *m(f);* **breeding** *n* Züchtung *f;* (*upbringing*) Erziehung *f;* (*education*) Bildung *f.*

breeze [bri:z] *n* Brise *f;* **breezy** *adj* windig; (*manner*) fröhlich und unbekümmert.

brevity ['brevɪtɪ] *n* Kürze *f.*

brew [bru:] 1. *vt* brauen; (*plot*) anzetteln; 2. *vi* (*storm*) sich zusammenbrauen; **brewery** *n* Brauerei *f.*

bribe ['braɪb] 1. *n* Bestechungsgeld *nt,* Bestechungsgeschenk *nt;* 2. *vt* bestechen; **bribery** ['braɪbərɪ] *n* Bestechung *f.*

bric-à-brac ['brɪkəbræk] *n* Nippes [sachen] *pl.*

brick [brɪk] *n* Backstein *m;* **bricklayer** *n* Maurer(in) *m(f);* **brickwork** *n* Mauerwerk *nt;* **brickworks** *n pl* Ziegelei *f.*

bridal ['braɪdl] *adj* Braut-, bräutlich; **bride** [braɪd] *n* Braut *f;* **bridegroom** *n* Bräutigam *m;* **bridesmaid** *n* Brautjungfer *f.*

bridge [brɪdʒ] 1. *n* Brücke *f;* (NAUT) Kommandobrücke *f;* (CARDS) Bridge *nt;* (ANAT) Nasenrücken *m;* 2. *vt* eine Brücke schlagen über *+akk;* (*fig*) überbrücken; **bridging loan** *n* Überbrückungskredit *m.*

bridle ['braɪdl] 1. *n* Zaum *m;* 2. *vt* (*fig*) zügeln; (*horse*) aufzäumen; 3. *vi:* **~ at sth** sich gegen etwas sträuben; **bridlepath** *n* Saumpfad *m.*

brief [bri:f] 1. *adj* kurz; 2. *n* (*instructions*) Auftrag *m;* (JUR) Akten *pl;* 3. *vt* instruieren; **briefcase** *n* Aktentasche *f;* **briefing** *n* [genaue] Anweisung *f;* **briefly** *adv* kurz; **briefness** *n* Kürze *f;* **briefs** *n pl* Schlüpfer *m,* Slip *m.*

brigade [brɪ'geɪd] *n* Brigade *f.*

brigadier [brɪgə'dɪə*] *n* Brigadegeneral *m.*

bright [braɪt] *adj* hell; (*cheerful*) heiter; (*idea*) klug; **brighten up** 1. *vt* aufhellen; (*person*) aufheitern; 2. *vi* sich aufheitern; **brightly** *adv* hell; heiter; **brightness control** *n* Helligkeitsregler *m.*

brilliance ['brɪljəns] *n* Glanz *m;* (*of person*) Scharfsinn *m;* **brilliant** *adj* glänzend.

brim [brɪm] 1. *n* Rand *m;* 2. *vi* voll sein; **brimful** *adj* übervoll.

brine [braɪn] *n* Salzwasser *nt.*

bring [brɪŋ] <**brought, brought**> *vt* bringen; **bring about** *vt* zustande bringen; (*cause*) verursachen; **bring off** *vt* davontragen; (*success*) erzielen; **bring round**, **bring to** *vt* wieder zu sich bringen; **bring up** *vt* aufziehen; (*question*) zur Sprache bringen.

brisk [brɪsk] *adj* lebhaft.

bristle ['brɪsl] 1. *n* Borste *f;* 2. *vi* sich sträuben; **bristling with** strotzend vor *+dat.*

Brit [brɪt] *n* (*fam*) Brite *m,* Britin *f.*

Britain ['brɪtn] *n* Großbritannien *nt;* **British** ['brɪtɪʃ] 1. *adj* britisch; 2. *n:* **the ~** *pl* die Briten *pl;* **the ~ Isles** *pl* die Britischen Inseln *pl;* **Briton** ['brɪtn] *n* Brite *m,* Britin *f.*

brittle ['brɪtl] *adj* spröde.

broach [brəʊtʃ] *vt* (*subject*) anschneiden.

broad [brɔ:d] *adj* breit; (*hint*) deutlich; (*daylight*) hellicht; (*general*) allgemein; (*accent*) stark.

broadcast ['brɔ:dkɑ:st] 1. *n* Rundfunkübertragung *f;* 2. *irr vt, vi* übertragen, senden; **broadcasting** *n* Rundfunk *m;* **broadcasting network** *n* Übertragungsnetz *nt.*

broaden ['brɔ:dn] 1. *vt* erweitern; 2. *vi* sich erweitern; **broadly** *adv* allgemein gesagt; **broad-minded** *adj* tolerant.

brocade [brə'keɪd] *n* Brokat *m.*

broccoli ['brɒkəlɪ] *n* Brokkoli *pl.*

brochure ['brəʊʃə*] *n* Broschüre *f.*
broiler ['brɔɪlə*] *n* Bratrost *m.*
broke [brəʊk] **1.** *pt of* **break**; **2.** *adj* (*fam*) pleite; **broken** *pp of* **break**; **broken-hearted** *adj* untröstlich.
broker ['brəʊkə*] *n* (FIN) Makler(in) *m(f).*
bronchitis [brɒŋ'kaɪtɪs] *n* Bronchitis *f.*
bronze [brɒnz] *n* Bronze *f;* **bronzed** *adj* sonnengebräunt.
brooch [brəʊtʃ] *n* Brosche *f.*
brood [bru:d] **1.** *n* Brut *f;* **2.** *vi* brüten; **broody** *adj* brütend.
brook [brʊk] *n* Bach *m.*
broom [bru:m] *n* Besen *m;* **broomstick** *n* Besenstiel *m.*
Bros [brɒs] *abbr of* **brothers** Gebr.
broth [brɒθ] *n* Fleischbrühe *f.*
brothel ['brɒθl] *n* Bordell *nt.*
brother ['brʌðə*] *n* Bruder *m;* **~s** *pl* (COMM) Gebrüder *pl;* **brotherhood** *n* Bruderschaft *f;* **brother-in-law** *n* <brothers-in-law> Schwager *m;* **brotherly** *adj* brüderlich.
brought [brɔ:t] *pt, pp of* **bring**.
brow [braʊ] *n* (*eyebrow*) [Augen]braue *f;* (*forehead*) Stirn *f;* (*of hill*) Bergkuppe *f;* **browbeat** *irr vt* einschüchtern.
brown [braʊn] **1.** *adj* braun; **2.** *vt* bräunen; **brown goods** *n pl* Unterhaltungselektronik *f;* **brownie** *n* Wichtel *m;* **brownnoser** *n* (*sl*) Arschkriecher *m;* **brown paper** *n* Packpapier *nt.*
browse [braʊz] *vi* (*in books*) blättern; (*in shop*) schmökern, herumschauen.
bruise [bru:z] **1.** *n* Bluterguss *m,* blauer Fleck; **2.** *vt, vi* einen blauen Fleck geben/bekommen.
brunch [brʌntʃ] *n* Brunch *m.*
brunette [brʊ'net] *n* Brünette *f.*
brunt [brʌnt] *n* volle Wucht.
brush [brʌʃ] **1.** *n* Bürste *f;* (*for sweeping*) Handbesen *m;* (*for painting*) Pinsel *m;* (*fight*) kurzer Kampf; (MIL) Scharmützel *nt;* (*fig*) Auseinandersetzung *f;* **2.** *vt* (*clean*) bürsten; (*sweep*) fegen; (*touch*) streifen; **brush aside** *vt* abtun; **brush-off** *n:* **to give sb the ~** (*fam*) jdm eine Abfuhr erteilen; **brushwood** *n* Gestrüpp *nt.*
brusque [brʊsk] *adj* schroff.
Brussels sprouts [brʌsl'spraʊts] *n pl* Rosenkohl *m.*
brutal ['bru:tl] *adj* brutal; **brutality** [brʊ'tælɪtɪ] *n* Brutalität *f.*
brute [bru:t] **1.** *n* (*animal*) Tier *nt;* (*person*) Scheusal *nt;* **2.** *adj* (*force*) roh; (*violence*) nackt; **brutish** *adj* tierisch.
BSE *n abbr of* **bovine spongiform encephalopathy** BSE *f.*
bubble ['bʌbl] **1.** *n* (*a. fig*) [Luft]blase *f;* (*on plane*) [Glas]kuppel *f;* **2.** *vi* sprudeln; (*with joy*) übersprudeln; **bubble bath** *n* Schaumbad *nt.*
buck [bʌk] **1.** *n* Bock *m;* (*US fam*) Dollar *m;* **2.** *vi* bocken; **to earn a fast ~** (*US*) schnelles Geld machen; **buck up** *vi* (*fam*) sich zusammenreißen.
bucket ['bʌkɪt] *n* Eimer *m.*

> Der **Buckingham Palace** ist die offizielle Londoner Residenz der britischen Monarchen und liegt am St James Park. Der Palast wurde 1703 für den Herzog von Buckingham erbaut, 1762 von George III gekauft, zwischen 1821 und 1836 von John Nash umgebaut, und Anfang des 20. Jahrhunderts teilweise neu gestaltet. Teile des Buckingham Palace sind heute der Öffentlichkeit zugänglich.

buckle ['bʌkl] **1.** *n* Schnalle *f;* **2.** *vt* [an]schnallen, zusammenschnallen; **3.** *vi* (TECH) sich verziehen.
bud [bʌd] **1.** *n* Knospe *f;* **2.** *vi* knospen, keimen.
Buddhism ['bʊdɪzəm] *n* Buddhismus *m;* **Buddhist** ['bʊdɪst] **1.** *n* Buddhist(in) *m(f);* **2.** *adj* buddhistisch.
budding ['bʌdɪŋ] *adj* angehend.
buddy ['bʌdɪ] *n* (*fam*) Kumpel *m.*
budge [bʌdʒ] *vt, vi* [sich] von der Stelle rühren.
budgerigar ['bʌdʒərɪga:*] *n* Wellensittich *m.*
budget ['bʌdʒɪt] **1.** *n* Budget *nt,* Etat *m;* (POL) Haushalt[splan] *m;* **2.** *vi* haushalten.
budgie ['bʌdʒɪ] *n* (*fam*) *s.* **budgerigar**.
buff [bʌf] **1.** *adj* (*colour*) lederfarben; **2.** *n* (*enthusiast*) Fan *m.*
buffalo ['bʌfələʊ] *n* <-es> Büffel *m.*
buffer ['bʌfə*] *n* (*a.* COMPUT) Puffer *m.*
buffet ['bʌfɪt] **1.** *n* (*blow*) Schlag *m;* **2.** ['bʊfeɪ] *n* (*bar*) Imbissraum *m,* Erfrischungsraum *m;* (*food*) [kaltes] Büffet *nt;* **3.** ['bʌfɪt] *vt* [herum]stoßen.
buffoon [bə'fu:n] *n* Hanswurst *m,* Clown *m.*
bug [bʌg] **1.** *n* (*fig*) Wanze *f;* **2.** *vt* verwanzen; **bugbear** *n* Schreckgespenst *nt;* **bugger** [bʌgə*] **1.** *n* (*fam!*) Scheißkerl

m; (*fam!: thing*) Scheißding *nt;* **2.** *interj* (*fam!*) Scheiße *f;* **bugger off** *vi* (*fam!*) abhauen, Leine ziehen; **bughouse** *n* (*US*) Klapsmühle *f.*

bugle ['bju:gl] *n* Jagdhorn *nt.*

build [bɪld] <built, built> **1.** *vt* bauen; **2.** *n* Körperbau *m;* **builder** *n* Bauunternehmer(in) *m(f);* (*fig*) [Be]gründer(in) *m(f);* **building** *n* Gebäude *nt;* **building society** *n* Bausparkasse *f;* **build-up** *n* Zunahme *f;* (*publicity*) Reklame *f;* (*traffic*) Stau *m;* **built** [bɪlt] **1.** *pt, pp of* **build**; **2.** *adj:* **well-built** (*person*) gut gebaut; **built-in** *adj* (*cupboard*) eingebaut; **built-up area** *n* bebautes Gelände; (AUT) geschlossene Ortschaft.

bulb [bʌlb] *n* (BOT) [Blumen]zwiebel *f;* (ELEC) Glühlampe *f,* Birne *f;* **bulbous** *adj* knollig.

Bulgaria [bʌl'gɛərɪə] *n* Bulgarien *nt;* **Bulgarian** *adj* bulgarisch.

bulge [bʌldʒ] **1.** *n* Ausbauchung *f;* **2.** *vi* sich [aus]bauchen.

bulimia [bʊ'li:mɪə] *n* (MED) Fresssucht *f.*

bulk [bʌlk] *n* Größe *f;* (*large shape*) massige Gesalt; (*greater part*) Großteil *m;* **bulk-buy** *irr vi* in großen Mengen einkaufen; **bulkhead** *n* Schott *nt;* **bulky** *adj* [sehr] umfangreich; (*goods*) sperrig.

bull [bʊl] *n* (*animal*) Bulle *m;* (*cattle*) Stier *m;* (*papal*) Bulle *f;* **bulldog** *n* Bulldogge *f.*

bulldoze ['bʊldəʊz] *vt* planieren; (*fig*) durchboxen; **bulldozer** *n* Planierraupe *f,* Bulldozer *m.*

bullet ['bʊlɪt] *n* Kugel *f.*

bulletin ['bʊlɪtɪn] *n* Bulletin *nt,* Bekanntmachung *f.*

bullfight ['bʊlfaɪt] *n* Stierkampf *m.*

bullion ['bʊlɪən] *n* Barren *m.*

bullock ['bʊlək] *n* Ochse *m.*

bullring ['bʊlrɪŋ] *n* Stierkampfarena *f;* **bull's-eye** *n* Schwarze; **hit the ~** ins Schwarze treffen.

bullshit ['bʊlʃɪt] *n* (*fam!*) Scheiß *m.*

bully ['bʊlɪ] **1.** *n* Tyrann *m;* (SCH) Rabauke *m;* **2.** *vt* einschüchtern, schikanieren.

bum [bʌm] *n* (*fam: backside*) Hintern *m;* (*tramp*) Landstreicher(in) *m(f);* (*nasty person*) fieser Kerl; **bum around** *vi* herumgammeln.

bumble ['bʌmbl] *vi:* ~ **around** (*fam*) herumsausen.

bumblebee ['bʌmblbi:] *n* Hummel *f.*

bump [bʌmp] **1.** *n* (*blow*) Stoß *m;* (*swelling*) Beule *f;* **2.** *vt, vi* stoßen, prallen; **bumper 1.** *n* (AUT) Stoßstange *f;* **2.** *adj* (*edition*) dick; (*harvest*) Rekord-; **bumper strip** *n* (*US*) Stoßstangenaufkleber *m.*

bumptious ['bʌmpʃəs] *adj* aufgeblasen.

bumpy ['bʌmpɪ] *adj* holp[e]rig.

bun [bʌn] *n* süßes Brötchen; **to have a ~ in the oven** (*fig*) schwanger sein.

bunch [bʌntʃ] *n* (*of flowers*) Strauß *m;* (*of keys*) Bund *m;* (*fam: of people*) Haufen *m.*

bundle ['bʌndl] **1.** *n* Bündel *nt;* **2.** *vt* bündeln; **bundle off** *vt* [schnell] fortschicken.

bung [bʌŋ] **1.** *n* Spund *m;* **2.** *vt* (*fam: throw*) schleudern.

bungalow ['bʌŋgələʊ] *n* einstöckiges Haus, Bungalow *m.*

bungle ['bʌŋgl] *vt* verpfuschen.

bunion ['bʌnjən] *n* entzündeter Fußballen.

bunk [bʌŋk] *n* Schlafkoje *f;* **bunk bed** *n* Etagenbett *nt,* Stockbett *nt.*

bunker ['bʌŋkə*] *n* (*coal store*) Kohlenbunker *m;* (GOLF) Sandloch *nt;* (MIL) Bunker *m.*

bunny ['bʌnɪ] *n* (*fam*) Häschen *nt.*

Bunsen burner ['bʌnsn'bɜ:nə*] *n* Bunsenbrenner *m.*

buoy [bɔɪ] *n* Boje *f;* (*lifebuoy*) Rettungsboje *f;* **buoy up** *vt* Auftrieb geben +*dat.*

buoyancy ['bɔɪənsɪ] *n* Schwimmkraft *f;* **buoyant** *adj* (*floating*) schwimmend; (*fig*) heiter.

burden ['bɜ:dn] **1.** *n* (*weight*) Ladung *f,* Last *f;* (*fig*) Bürde *f;* **2.** *vt* belasten.

bureau ['bju:rəʊ] *n* (*desk*) Sekretär *m;* (*for information*) Büro *nt;* (*government department*) Amt *nt.*

bureaucracy [bjʊ'rɒkrəsɪ] *n* Bürokratie *f;* **bureaucrat** ['bju:rəkræt] *n* Bürokrat(in) *m(f);* **bureaucratic** [bju:rə'krætɪk] *adj* bürokratisch.

burglar ['bɜ:glə*] *n* Einbrecher(in) *m(f);* **burglar alarm** *n* Alarmanlage *f;* **burglarize** *vt* (*US*) einbrechen in +*akk;* **burglary** *n* Einbruch *m;* **burgle** ['bɜ:gl] *vt* einbrechen in +*akk.*

burial ['berɪəl] *n* Beerdigung *f;* **burial ground** *n* Friedhof *m.*

burly ['bɜ:lɪ] *adj* stämmig.

burn [bɜ:n] <burnt *o* burned, burnt *o* burned> **1.** *vt* verbrennen; **2.** *vi* brennen; **3.** *n* Brandwunde *f;* **to ~ one's fingers** sich *dat* die Finger verbrennen; **~ing question** brennende Frage.

> Die **Burn's Night** ist der am 25. Januar gefeierte Gedenktag für den schottischen Dichter Robert Burns (1759- 1796). Überall, wo Schotten leben, wird dieser Tag mit einem Abendessen gefeiert, bei dem es das Nationalgericht „Haggis" gibt, das mit Dudelsackbegleitung aufgetischt wird. Dazu isst man Steckrüben- und Kartoffelpüree und trinkt Whisky. Während des Essens werden oft Burns' Gedichte vorgelesen, seine Lieder gesungen und Reden gehalten.

burnish ['bɜ:nɪʃ] *vt* polieren.
burnt [bɜ:nt] *pt, pp of* **burn**.
burrow ['bʌrəʊ] **1.** *n* (*of fox*) Bau *m;* (*of rabbit*) Höhle *f;* **2.** *vi* sich eingraben; **3.** *vt* eingraben.
bursar ['bɜ:sə*] *n* Schatzmeister(in) *m(f).*
burst [bɜ:st] <**burst, burst**> **1.** *vt* zerbrechen; **2.** *vi* platzen; **3.** *n* Explosion *f;* (*outbreak*) Ausbruch *m;* (*in pipe*) Bruch[stelle *f*] *m;* **to ~ into tears** in Tränen ausbrechen.
bury ['berɪ] *vt* vergraben; (*in grave*) beerdigen; **to ~ the hatchet** das Kriegsbeil begraben.
bus [bʌs] *n* [Auto]bus *m,* Omnibus *m;* (INFORM) [Daten]bus *m.*
bush [bʊʃ] *n* Busch *m.*
bushel ['bʊʃl] *n* Scheffel *m.*
bushy ['bʊʃɪ] *adj* buschig.
busily ['bɪzɪlɪ] *adv* geschäftig.
business ['bɪznɪs] *n* Geschäft *nt;* (*concern*) Angelegenheit *f;* **it's none of your ~** es geht dich nichts an; **to mean ~** es ernst meinen; **businessman** *n* <businessmen> Geschäftsmann *m;* **business trip** *n* Geschäftsreise *f;* **businesswoman** *n* <businesswomen> Geschäftsfrau *f.*
bus-stop ['bʌsstɒp] *n* Bushaltestelle *f.*
bust [bʌst] **1.** *n* Büste *f;* **2.** *adj* (*fam: broken*) kaputt[gegangen]; (*business*) pleite; **to go ~** pleite machen.
bustle ['bʌsl] **1.** *n* Getriebe *nt;* **2.** *vi* hasten; **bustling** *adj* geschäftig.
bust-up ['bʌstʌp] *n* (*fam*) Krach *m.*
busy ['bɪzɪ] **1.** *adj* beschäftigt; (*road*) belebt; **2.** *vr:* **~ oneself** sich beschäftigen; **busybody** *n* Wichtigtuer(in) *m(f);* **to be a ~** in alles seine Nase reinstecken.
but [bʌt, bət] *conj* aber; (*only*) nur; (*except*) außer; **not this ~ that** nicht dies, sondern das.
butane ['bju:teɪn] *n* Butan *nt.*
butcher ['bʊtʃə*] **1.** *n* Metzger(in) *m(f);* (*murderer*) Schlächter *m;* **2.** *vt* schlachten; (*kill*) abschlachten.
butler ['bʌtlə*] *n* Butler *m.*
butt [bʌt] **1.** *n* (*cask*) großes Fass; (*target*) Zielscheibe *f;* (*thick end*) dickes Ende; (*of gun*) Kolben *m;* (*of cigarette*) Stummel *m;* **2.** *vt* [mit dem Kopf] stoßen.
butter ['bʌtə*] **1.** *n* Butter *f;* **2.** *vt* buttern; **butterfly** *n* Schmetterling *m;* **butter mountain** *n* Butterberg *m.*
buttocks ['bʌtəks] *n pl* Gesäß *nt.*
button ['bʌtn] **1.** *n* Knopf *m;* (*badge*) Button *m;* **2.** *vt, vi* zuknöpfen; **buttonhole** **1.** *n* Knopfloch *nt;* (*flower*) Blume *f* im Knopfloch; **2.** *vt* rankriegen.
buttress ['bʌtrɪs] *n* Strebepfeiler *m,* Stützbogen *m.*
buxom ['bʌksəm] *adj* drall.
buy [baɪ] <**bought, bought**> *vt* kaufen; **buy up** *vt* aufkaufen; **buyer** *n* Käufer(in) *m(f).*
buzz [bʌz] **1.** *n* Summen *nt;* (*fam*) Gerede *nt;* **2.** *vi* summen; **give sb a ~** (*fam*) jdn anrufen.
buzzard ['bʌzəd] *n* Bussard *m.*
buzzer ['bʌzə*] *n* Summer *m.*
buzz word ['bʌzwɜ:d] *n* (*fam*) Modewort *nt.*
by [baɪ] *prep* (*near*) bei; (*via*) über +*akk;* (*past*) an +*dat* ... vorbei; (*before*) bis; **~ day/night** tags/nachts; **~ train/bus** mit dem Zug/Bus; **done ~ sb/sth** von jdm/durch etw gemacht; **~ oneself** allein; **~ and large** im Großen und Ganzen; **by[e]-law** *n* Verordnung *f;* **by-election** *n* Nachwahl *f;* **bygone** **1.** *adj* vergangen; **2.** *n:* **let ~s be ~s!** reden wir nicht mehr davon!; **bypass** *n* Umgehungsstraße *f;* **byproduct** *n* Nebenprodukt *nt;* **bystander** *n* Zuschauer(in) *m(f).*
byte [baɪt] *n* (COMPUT) Byte *nt.*
byword ['baɪwɜ:d] *n* Inbegriff *m.*

C

C, c [si:] *n* C *nt,* c *nt.*
cab [kæb] *n* Taxi *nt;* (*of train*) Führerstand *m;* (*of truck*) Führersitz *m.*
cabaret ['kæbəreɪ] *n* Kabarett *nt.*

cabbage ['kæbɪdʒ] *n* Kohl[kopf] *m.*

cabin ['kæbɪn] *n* Hütte *f;* (NAUT) Kajüte *f;* (AVIAT) Kabine *f;* **cabin cruiser** *n* Motorjacht *f.*

cabinet ['kæbɪnɪt] *n* Schrank *m;* (*for china*) Vitrine *f;* (POL) Kabinett *nt;* **cabinetmaker** *n* [Möbel]tischler(in) *m(f),* [Möbel]schreiner(in) *m(f).*

cable ['keɪbl] **1.** *n* Drahtseil *nt,* Tau *nt;* (TEL) [Leitungs]kabel *nt;* (*telegram*) Kabel *nt;* **2.** *vt, vi* kabeln, telegraphieren; **cable-car** *n* Seilbahn *f;* **cable channel** *n* Kabelkanal *m;* **cablegram** *n* Telegramm *nt;* **cable railway** *n* [Draht]seilbahn *f;* **cable television**, **cablevision** (*US*) *n* Kabelfernsehen *nt.*

cache [kæʃ] **1.** *n* Versteck *nt;* (*for weapons, food*) geheimes [Waffen-/Proviant]lager; **2.** *vt* verstecken.

cache memory [kæʃ'memərɪ] *n* (COMPUT) Cache[-Speicher] *m.*

cackle ['kækl] **1.** *n* Gegacker *nt;* **2.** *vi* gackern.

cactus ['kæktəs] *n* Kaktus *m,* Kaktee *f.*

CAD *n abbr of* **computer-aided design** CAD *nt.*

caddie ['kædɪ] *n* Golfjunge *m.*

caddy ['kædɪ] *n* Teedose *f.*

cadence ['keɪdəns] *n* Tonfall *m;* (MUS) Kadenz *f.*

cadet [kə'det] *n* Kadett *m.*

cadge [kædʒ] *vt* schmarotzen, schnorren.

Caesarean [si:'zɛərɪən] *adj:* ~ [**section**] Kaiserschnitt *m.*

caesium ['si:zjəm] *n* Cäsium *nt.*

café ['kæfeɪ] *n* Café *nt.*

cafeteria [kæfɪ'tɪərɪə] *n* Cafeteria *f.*

caffein[e] ['kæfi:n] *n* Koffein *nt.*

cage [keɪdʒ] **1.** *n* Käfig *m;* **2.** *vt* einsperren.

cagey ['keɪdʒɪ] *adj* geheimnistuerisch, zurückhaltend.

cagoule [kə'gu:l] *n* Windhemd *nt.*

cajole [kə'dʒəʊl] *vt* überreden.

cake [keɪk] *n* Kuchen *m;* (*of soap*) Stück *nt;* **caked** *adj* verkrustet.

calamine ['kæləmaɪn] *n* Galmei *m* (*Zinklotion gegen Entzündungen*).

calamitous [kə'læmɪtəs] *adj* katastrophal, unglückselig; **calamity** [kə'læmɪtɪ] *n* Unglück *nt,* [Schicksals]schlag *m.*

calcium ['kælsɪəm] *n* Kalzium *nt.*

calculate ['kælkjʊleɪt] *vt* berechnen, kalkulieren; **calculating** *adj* berechnend; **calculation** [kælkjʊ'leɪʃən] *n* Berechnung *f;* **calculator** ['kælkjʊleɪtə*] *n* Rechner *m;* (*pocket* ~) Taschenrechner *m.*

calculus ['kælkjʊləs] *n* (MATH) Differential- und Integralrechnung *f;* (MED) Stein *m.*

calendar ['kælɪndə*] *n* [Wand]kalender *m.*

calf [kɑ:f] *n* <calves> Kalb *nt;* (*leather*) Kalbsleder *nt;* (ANAT) Wade *f.*

caliber (*US*), **calibre** ['kælɪbə*] *n* Kaliber *nt.*

call [kɔ:l] **1.** *vt* rufen; (*summon*) herbeirufen; (*name*) nennen; (*meeting*) einberufen; (*awaken*) wecken; (TEL) anrufen; (COMPUT, AVIAT) aufrufen; **2.** *vi* (*for help*) rufen, schreien; (*visit*) vorbeikommen; **3.** *n* (*shout*) Schrei *m,* Ruf *m;* (*visit*) Besuch *m;* (TEL) Anruf; (COMPUT, AVIAT) Aufruf *m;* **on** ~ in Bereitschaft; (FIN) auf Abruf; **to be** ~**ed** heißen; **call for** *vt* rufen [nach]; (*fetch*) abholen; (*fig: require*) erfordern, verlangen; **call off** *vt* (*meeting*) absagen; **call on** *vt* besuchen, aufsuchen; (*request*) fragen; **call up** *vt* (MIL) einziehen, einberufen; **call box** *n* Fernsprechzelle *f;* **call diversion** *n* Rufumleitung *f;* **caller** *n* Besucher(in) *m(f);* (TEL) Anrufer(in) *m(f);* **call girl** *n* Callgirl *nt;* **calling** *n* (*vocation*) Berufung *f.*

callous *adj,* **callously** *adv* ['kæləs, -lɪ] herzlos; **callousness** *n* Herzlosigkeit *f.*

call waiting *n* (TEL) Anklopfen *nt.*

calm [kɑ:m] **1.** *n* Stille *f,* Ruhe *f;* (NAUT) Flaute *f;* **2.** *vt* beruhigen; **3.** *adj* still, ruhig; (*person*) gelassen; **calm down 1.** *vi* sich beruhigen; **2.** *vt* beruhigen, besänftigen; **calmly** *adv* ruhig, still; **calmness** *n* Stille *f,* Ruhe *f;* (*mental*) Gelassenheit *f.*

calorie ['kælərɪ] *n* Kalorie *f.*

calve [kɑ:v] *vi* kalben.

CAM *n abbr of* **computer-aided manufacture** CAM *nt.*

camber ['kæmbə*] **1.** *n* Wölbung *f;* **2.** *vt* (*road, deck*) wölben.

Cambodia [kæm'bəʊdɪə] *n* Kambodscha *nt.*

camcorder ['kæmkɔ:də*] *n* Camcorder *m.*

came [keɪm] *pt of* **come**.

camel ['kæməl] *n* Kamel *nt.*

cameo ['kæmɪəʊ] *n* <-s> Kamee *f.*

camera ['kæmərə] *n* Fotoapparat *m,* Kamera *f;* **in** ~ unter Ausschluss der Öffentlichkeit; **cameraman** *n* <cameramen> Kameramann *m;* **camerawoman** *n* <camera-women> Kamerafrau *f.*

camomile ['kæməmaɪl] *n* Kamille *f;* ~ **tea** Kamillentee *m.*

camouflage ['kæməflɑːʒ] **1.** *n* Tarnung *f;* **2.** *vt* tarnen; (*fig*) verschleiern, bemänteln.

camp [kæmp] **1.** *n* Lager *nt,* Camp *nt;* (MIL) Feldlager *nt;* (*permanent*) Kaserne *f;* (*camping place*) Zeltplatz *m;* **2.** *vi* zelten, campen; **to go ~ing** zelten [gehen].

campaign [kæm'peɪn] **1.** *n* Kampagne *f;* (MIL) Feldzug *m;* **2.** *vi* (MIL) Krieg führen; (*participate*) in den Krieg ziehen; (*fig*) werben, Propaganda machen; (POL) den Wahlkampf führen; **Campaign for Nuclear Disarmament** *Organisation, die sich für die atomare Abrüstung einsetzt;* **electoral ~** Wahlkampf *m.*

campbed ['kæmpbed] *n* [Camping]liege *f.*

camper ['kæmpə*] *n* (*person*) Camper(in) *m(f);* (*van*) Wohnmobil *nt.*

camping ['kæmpɪŋ] *n* Zelten *nt,* Camping *nt.*

campsite ['kæmpsaɪt] *n* Zeltplatz *m,* Campingplatz *m.*

campus ['kæmpəs] *n* (SCH) Schulgelände *nt;* (*of university*) Universitätsgelände *nt,* Campus *m.*

can [kæn] <could, been able> **1.** *aux vb* (*be able*) können; (*be allowed*) dürfen, können; **2.** *n* Büchse *f,* Dose *f;* (*for water*) Kanne *f;* **3.** *vt* konservieren, in Büchsen einmachen.

Canada ['kænədə] *n* Kanada *nt;* **Canadian** [kə'neɪdjən] **1.** *adj* kanadisch; **2.** *n* Kanadier(in) *m(f).*

canal [kə'næl] *n* Kanal *m.*

canary [kə'nɛərɪ] **1.** *n* Kanarienvogel *m;* **2.** *adj* hellgelb.

cancel ['kænsəl] *vt* (*delete*) durchstreichen; (COMPUT) löschen; (MATH) kürzen; (*arrangement*) aufheben; (*meeting*) absagen; (*treaty*) annullieren; (*stamp*) entwerten; (COMM) stornieren; **cancellation** [kænsə'leɪʃən] *n* Aufhebung *f;* Absage *f;* Annullierung *f;* Entwertung *f.*

cancer ['kænsə*] *n* (MED) Krebs *m;* **Cancer** (ASTR) Krebs *m.*

candid *adj* ['kændɪd] offen, ehrlich.

candidate ['kændɪdət] *n* Bewerber(in) *m(f);* (POL) Kandidat(in) *m(f).*

candidature ['kændɪdətʃə*] *n* Kandidatur *f.*

candidly *adv* ['kændɪdlɪ] offen, ehrlich.

candle ['kændl] *n* Kerze *f;* **candlelight** *n* Kerzenlicht *nt;* **candlestick** *n* Kerzenleuchter *m.*

candour ['kændə*] *n* Offenheit *f.*

candy ['kændɪ] *n* Kandis[zucker] *m;* (*US*) Süßigkeiten *pl,* Bonbons *pl;* **candy-floss** *n* Zuckerwatte *f.*

cane [keɪn] **1.** *n* (BOT) Rohr *nt;* (*for walking,* SCH) Stock *m;* **2.** *vt* schlagen.

canister ['kænɪstə*] *n* Blechdose *f.*

cannabis ['kænəbɪs] *n* Cannabis *m,* Haschisch *nt.*

canned [kænd] *adj* Dosen-.

cannibal ['kænɪbəl] *n* Menschenfresser(in) *m(f);* **cannibalism** *n* Kannibalismus *m.*

cannon ['kænən] *n* Kanone *f.*

cannot ['kænɒt] = **can not**.

canny ['kænɪ] *adj* (*shrewd*) schlau, erfahren; (*cautious*) umsichtig, vorsichtig.

canoe [kə'nuː] *n* Paddelboot *nt,* Kanu *nt;* **canoeing** *n* Kanufahren *nt;* **canoeist** *n* Kanufahrer(in) *m(f).*

can opener ['kænəʊpnə*] *n* Dosenöffner *m.*

canopy ['kænəpɪ] *n* Baldachin *m.*

can't [kɑːnt] = **can not**.

cantankerous [kæn'tæŋkərəs] *adj* zänkisch, mürrisch.

canteen [kæn'tiːn] *n* (*in factory*) Kantine *f;* (*in university*) Mensa *f;* (*case of cutlery*) Besteckkasten *m.*

canter ['kæntə*] **1.** *n* Kanter *m,* kurzer leichter Galopp; **2.** *vi* in kurzem Galopp reiten.

cantilever ['kæntɪliːvə*] *n* Träger *m,* Ausleger *m.*

canvas ['kænvəs] *n* Segeltuch *nt;* (*for tent*) Zeltstoff *m;* (*sail*) Segel *nt;* (*for painting*) Leinwand *f;* (*painting*) Ölgemälde *nt;* **under ~** (*people*) in Zelten; (*boat*) unter Segel.

canvass ['kænvəs] *vt* werben; **canvasser** *n* (POL) Wahlwerber(in) *m(f);* (COMM) Vertreter(in) *m(f).*

canyon ['kænjən] *n* Felsenschlucht *f.*

cap [kæp] **1.** *n* Kappe *f,* Mütze *f;* (*lid*) [Verschluss]kappe *f,* Deckel *m;* **2.** *vt* verschließen; (*surpass*) übertreffen.

capability [keɪpə'bɪlɪtɪ] *n* Fähigkeit *f;* **capable** ['keɪpəbl] *adj* fähig; **to be ~ of sth** zu etw fähig [*o* imstande] sein.

capacity [kə'pæsɪtɪ] *n* Fassungsvermögen *nt;* (*ability*) Fähigkeit *f;* (*position*) Eigenschaft *f.*

cape [keɪp] *n* (*garment*) Cape *nt,* Umhang *m;* (GEO) Kap *nt.*

caper ['keɪpə*] *n* Kaper *f.*

capital ['kæpɪtl] *n* (FIN) Kapital *nt;* (*letter*) Großbuchstabe *m;* **~ [city]** Hauptstadt *f;* **capital goods** *n pl* Investitionsgüter *pl;*

capitalism *n* Kapitalismus *m;* **capitalist 1.** *adj* kapitalistisch; **2.** *n* Kapitalist(in) *m(f);* **capital punishment** *n* Todesstrafe *f.*

The Capitol ist das Gebäude in Washington auf dem Capitol Hill, in dem der Kongress der USA tagt. Die Bezeichnung wird in vielen amerikanischen Bundesstaaten auch für das Parlamentsgebäude des jeweiligen Staates verwendet.

capitulate [kə'pɪtjʊleɪt] *vi* kapitulieren; **capitulation** [kəpɪtjʊ'leɪʃən] *n* Kapitulation *f.*
capricious [kə'prɪʃəs] *adj* launisch.
Capricorn ['kæprɪkɔ:n] *n* (ASTR) Steinbock *m.*
capsize [kæp'saɪz] *vi* kentern.
capstan ['kæpstən] *n* Ankerwinde *f,* Poller *m.*
capsule ['kæpsju:l] *n* Kapsel *f.*
captain ['kæptɪn] **1.** *n* Anführer(in) *m(f),* Leiter(in) *m(f);* (NAUT) Kapitän *m;* (MIL) Hauptmann *m;* (SPORT) [Mannschafts]kapitän *m;* **2.** *vt* anführen.
caption ['kæpʃən] *n* Überschrift *f,* Text *m.*
captivate ['kæptɪveɪt] *vt* fesseln.
captive ['kæptɪv] **1.** *n* Gefangene(r) *mf;* **2.** *adj* gefangen [gehalten]; **captivity** [kæp'tɪvɪtɪ] *n* Gefangenschaft *f.*
capture ['kæptʃə*] **1.** *vt* fassen, gefangen nehmen; (COMPUT) erfassen; **2.** *n* Gefangennahme *f;* (COMPUT) Erfassung *f.*
car [kɑ:*] *n* Auto *nt,* Wagen *m.*
carafe [kə'ræf] *n* Karaffe *f.*
caramel ['kærəmel] *n* Karamel *m;* (*sweet*) Karamelle *f.*
carat ['kærət] *n* Karat *nt.*
caravan ['kærəvæn] *n* Wohnwagen *m;* (*in desert*) Karawane *f.*
caraway ['kærəweɪ] *n* (*also:* ~ **seed**) Kümmel *m.*
carbohydrate [kɑ:bəʊ'haɪdreɪt] *n* Kohle[n]hydrat *nt.*
car bomb ['kɑ:bɒm] *n* Autobombe *f.*
carbon ['kɑ:bən] *n* Kohlenstoff *m;* (*paper*) Kohlepapier *nt;* **carbon copy** *n* Durchschlag *m;* **carbon-copy crime** *n* Nachahmungstat *f.*
carburettor ['kɑ:bjʊretə*] *n* Vergaser *m.*
carcass ['kɑ:kəs] *n* Kadaver *m.*
carcinogenic [kɑ:sɪnə'dʒenɪk] *adj* Krebs erregend, karzinogen; **carcinoma** [kɑ:sɪ'nəʊmə] *n* Karzinom *nt,* Krebsgeschwulst *f.*
card [kɑ:d] *n* Karte *f;* **cardboard** *n* Pappe *f;* ~ **box** Pappschachtel *f;* **cardboard city** *n* (*fam*) *ein Stadtteil, in dem Obdachlose in Pappkartons unter freiem Himmel schlafen;* **card game** *n* Kartenspiel *nt;* **cardholder** *n* Karteninhaber(in) *m(f).*
cardiac ['kɑ:dɪæk] *adj* Herz-.
cardigan ['kɑ:dɪgən] *n* Strickjacke *f.*
cardinal ['kɑ:dɪnl] *adj:* ~ **number** Kardinalzahl *f.*
cardphone ['kɑ:dfəʊn] *n* Kartentelefon *nt.*
care [kεə*] **1.** *n* Sorge *f,* Mühe *f;* (*charge*) Obhut *f,* Fürsorge *f;* **2.** *vi:* **I don't** ~ es ist mir egal; **to** ~ **about sb/sth** sich um jdn/etw kümmern; **to take** ~ (*watch*) vorsichtig sein; (*take pains*) darauf achten; **to take** ~ **of** sorgen für; **care for** *vt* (*look after*) sorgen für; (*like*) mögen, gern haben.
career [kə'rɪə*] **1.** *n* Karriere *f,* Laufbahn *f;* **2.** *vi* rasen.
carefree ['kεəfri:] *adj* sorgenfrei; **careful** *adj,* **carefully** *adv* sorgfältig; **careless** *adj,* **carelessly** *adv* unvorsichtig; **carelessness** *n* Unachtsamkeit *f;* (*neglect*) Nachlässigkeit *f.*
caress [kə'res] **1.** *n* Liebkosung *f;* **2.** *vt* liebkosen.
caretaker ['kεəteɪkə*] *n* Hausmeister(in) *m(f).*
car-ferry ['kɑ:ferɪ] *n* Autofähre *f.*
cargo ['kɑ:gəʊ] *n* <-[e]s> [Schiffs]ladung *f.*
Caribbean [kærɪ'bi:ən] **1.** *n* Karibik *f;* **2.** *adj* karibisch.
caricature ['kærɪkətjʊə*] **1.** *n* Karikatur *f;* **2.** *vt* karikieren.
car insurance ['kɑ:*ɪnʃʊərəns] *n* Kraftfahrzeugversicherung *f.*
carnage ['kɑ:nɪdʒ] *n* Blutbad *nt.*
carnal ['kɑ:nl] *adj* fleischlich.
carnation [kɑ:'neɪʃən] *n* Nelke *f.*
carnival ['kɑ:nɪvəl] *n* Karneval *m,* Fasnacht *f,* Fasching *m.*
carnivorous [kɑ:'nɪvərəs] *adj* Fleisch fressend.
carol ['kærl] *n* [Weihnachts]lied *nt.*
carp [kɑ:p] *n* (*fish*) Karpfen *m;* **carp at** *vt* herumnörgeln an +*dat.*
car park ['kɑ:pɑ:k] *n* Parkplatz *m;* (*multystorey* ~) Parkhaus *nt.*
carpenter ['kɑ:pəntə*] *n* Zimmermann

m; **carpentry** ['kɑ:pəntrɪ] *n* Zimmerhandwerk *nt.*

carpet ['kɑ:pɪt] **1.** *n* Teppich *m;* **2.** *vt* mit einem Teppich auslegen.

car phone ['ka:fəʊn] *n* Autotelefon *nt.*

carping ['kɑ:pɪŋ] *adj* (*critical*) krittelnd, Mecker-.

carpool (*US*) ['kɑ:pu:l] **1.** *n* Fahrgemeinschaft *f;* (*vehicles*) Fuhrpark *m;* **2.** *vi* eine Fahrgemeinschaft bilden.

carriage ['kærɪdʒ] *n* Wagen *m;* (*of goods*) Beförderung *f;* (*bearing*) Haltung *f;* **carriage return** *n* (*on typewriter*) Wagenrücklauf *m;* **carriageway** *n* (*on road*) Fahrbahn *f;* **dual** ~ ≈ Schnellstraße *f.*

carrier ['kærɪə*] *n* Träger(in) *m(f);* (COMM) Spediteur(in) *m(f);* **carrier** [**bag**] *n* Tragetasche *m;* **carrier pigeon** *n* Brieftaube *f.*

carrion ['kærɪən] *n* Aas *nt.*

carrot ['kærət] *n* Möhre *f,* Mohrrübe *f,* Karotte *f.*

carry ['kærɪ] *vt* tragen; (*convey*) befördern; **to be carried away** (*fig*) hingerissen sein; **carry on** *vt, vi* weitermachen; **carry out** *vt* (*orders*) ausführen; **carrycot** *n* Babytragetasche *f.*

cart [kɑ:t] **1.** *n* Wagen *m,* Karren *m;* (*US: trolley*) Einkaufswagen *m;* **2.** *vt* schleppen.

cartilage ['kɑ:tɪlɪdʒ] *n* Knorpel *m.*

cartographer [kɑ:'tɒgrəfə*] *n* Kartograf(in) *m(f).*

carton ['kɑ:tən] *n* [Papp]karton *m;* (*of cigarettes*) Stange *f.*

cartoon [kɑ:'tu:n] *n* (PRESS) Karikatur *f;* (CINE) [Zeichen]trickfilm *m.*

cartridge ['kɑ:trɪdʒ] *n* (*for gun*) Patrone *f;* (*film, for recorder*) Kassette *f;* (*of record player*) Tonabnehmer *m;* (*for laser printer*) Cartridge *nt.*

carve [kɑ:v] *vt, vi* (*wood*) schnitzen; (*stone*) meißeln; (*meat*) schneiden, tranchieren; **carving** *n* (*in wood etc*) Schnitzerei *f;* **carving knife** *n* Tranchiermesser *nt.*

car wash ['kɑ:wɒʃ] *n* Autowäsche *f.*

cascade [kæs'keɪd] **1.** *n* Wasserfall *m;* **2.** *vi* kaskadenartig herabfallen.

case [keɪs] *n* (*box*) Kasten *m,* Kiste *f;* (*suit*~) Koffer *m;* (JUR, *matter*) Fall *m;* **in** ~ falls, im Falle; **in any** ~ jedenfalls, auf jeden Fall.

cash [kæʃ] **1.** *n* [Bar]geld *nt;* **2.** *vt* einlösen; **in** ~ bar; ~ **on delivery** per Nachnahme; **cash card** *n* Geldautomatenkarte *f;* **cash desk** *n* Kasse *f;* **cash dispenser** *n* Geldautomat *m;* **cashier** [kæ'ʃɪə*] *n* Kassierer(in) *m(f).*

cashmere ['kæʃmɪə*] *n* Kaschmirwolle *f.*

cash payment *n* Barzahlung *f;* **cash register** *n* Registrierkasse *f.*

casing ['keɪsɪŋ] *n* Gehäuse *nt.*

casino [kə'si:nəʊ] *n* <-s> Kasino *nt.*

cask [kɑ:sk] *n* Fass *nt.*

casket ['kɑ:skɪt] *n* Kästchen *nt;* (*US: coffin*) Sarg *m.*

casserole ['kæsərəʊl] *n* Kasserole *f;* (*food*) Schmortopf *m.*

cassette [kæ'set] **1.** *n* Kassette *f;* **2.** *vt* (*US*) auf Kassette aufnehmen; **cassette deck** *n* Kassettendeck *nt.*

cast [kɑ:st] <cast, cast> **1.** *vt* werfen; (*horns etc*) verlieren; (*metal*) gießen; (THEAT) besetzen; (*roles*) verteilen; **2.** *n* (THEAT) Besetzung *f;* **cast off** *vi* (NAUT) losmachen; ~ ~ **clothing** abgelegte Kleidung.

castanets [kæstə'nets] *n pl* Kastagnetten *pl.*

castaway ['kɑ:stəweɪ] *n* Schiffbrüchige(r) *mf.*

caste [kɑ:st] *n* Kaste *f.*

casting ['kɑ:stɪŋ] *adj:* ~ **vote** entscheidende Stimme.

cast iron ['kɑ:st'aɪən] **1.** *n* Gusseisen *nt;* **2.** *adj* gusseisern; (*alibi*) hieb- und stichfest.

castle ['kɑ:sl] *n* Burg *f;* Schloss *nt;* (CHESS) Turm *m.*

castor ['kɑ:stə*] *n* (*wheel*) Laufrolle *f;* **castor oil** *n* Rizinusöl *nt;* **castor sugar** *n* Streuzucker *m.*

castrate [kæs'treɪt] *vt* kastrieren.

casual ['kæʒjʊəl] *adj* (*arrangement*) beiläufig; (*attitude*) nachlässig; (*dress*) leger; (*meeting*) zufällig; **casual labour** *n* Gelegenheitsarbeit *f;* **casually** *adv* (*dress*) zwanglos, leger; (*remark*) beiläufig.

casualty ['kæʒjʊəltɪ] *n* Verletzte(r) *mf;* (*dead*) Tote(r) *mf;* (*department in hospital*) Unfallstation *f.*

cat [kæt] *n* Katze *f.*

CAT *abbr of* **computerized axial tomography** Computertomographie *f.*

catalog (*US*), **catalogue** ['kætəlɒg] **1.** *n* Katalog *m;* **2.** *vt* katalogisieren.

catalyst ['kætəlɪst] *n* (*a. fig*) Katalysator *m.*

catalytic converter [kætə'lɪtɪkkən'vɜ:tə*] *n* (AUT) Katalysator *m.*

catapult ['kætəpʌlt] *n* Katapult *nt;* (*slingshot*) Schleuder *f.*
cataract ['kætərækt] *n* Wasserfall *m;* (MED) grauer Star.
catarrh [kə'tɑ:*] *n* Katarr *m.*
catastrophe [kə'tæstrəfɪ] *n* Katastrophe *f;* **catastrophic** [kætə'strɒfɪk] *adj* katastrophal.
catch [kætʃ] <caught, caught> **1.** *vt* fangen; (*train etc*) nehmen; (*not miss*) erreichen; (*surprise*) ertappen; (*understand*) begreifen; **2.** *n* (*of lock*) Sperrhaken *m;* (*of fish*) Fang *m;* **to ~ a cold** sich erkälten; **catching** *adj* (MED *fig*) ansteckend; **catch phrase** *n* Schlagwort *nt,* Slogan *m.*
catchy ['kætʃɪ] *adj* (*tune*) eingängig.
catechism ['kætɪkɪzəm] *n* Katechismus *m.*
categorical *adj,* **categorically** *adv* [kætɪ'gɒrɪkl, -kəlɪ] kategorisch.
categorize ['kætɪgəraɪz] *vt* kategorisieren; **category** ['kætɪgərɪ] *n* Kategorie *f.*
cater ['keɪtə*] *vi* die Speisen und Getränke liefern; **cater for** *vt* (*party*) ausrichten; (*fig*) eingestellt sein auf *+akk;* berücksichtigen; **catering** *n* Gastronomie *f.*
caterpillar ['kætəpɪlə*] *n* Raupe *f;* **caterpillar track** *n* Gleiskette *f.*
cathedral [kə'θi:drəl] *n* Kathedrale *f,* Dom *m.*
Catholic ['kæθəlɪk] **1.** *adj* (REL) katholisch; **2.** *n* Katholik(in) *m(f);* **catholic** vielseitig.
CAT scanner *n* Computertomograph *m.*
cattle ['kætl] *n pl* Vieh *nt.*
catty ['kætɪ] *adj* gehässig.

Caucus bedeutet vor allem in den USA ein privates Treffen von Parteifunktionären, bei dem z. B. Kandidaten ausgewählt oder Grundsatzentscheidungen getroffen werden. Meist wird ein solches Treffen vor einer öffentlichen Parteiversammlung abgehalten. Der Begriff bezieht sich im weiteren Sinne auch auf den kleinen, aber mächtigen Kreis von Parteifunktionären, der zum „caucus" zusammentrifft.

caught [kɔ:t] *pt, pp of* **catch**.
cauliflower ['kɒlɪflaʊə*] *n* Blumenkohl *m.*
cause [kɔ:z] **1.** *n* Ursache *f;* Grund *m;* (*purpose*) Sache *f;* **2.** *vt* verursachen; **in a good ~** zu einem guten Zweck.
causeway ['kɔ:zweɪ] *n* Damm *m.*
caustic ['kɔ:stɪk] *adj* ätzend; (*fig*) bissig.
cauterize ['kɔ:təraɪz] *vt* ätzen, ausbrennen.
caution ['kɔ:ʃən] **1.** *n* Vorsicht *f;* (*warning*) Warnung *f;* (JUR) Verwarnung *f;* **2.** *vt* [ver]warnen.
cautious *adj,* **cautiously** *adv* ['kɔ:ʃəs, -lɪ] vorsichtig.
cavalier [kævə'lɪə*] *adj* unbekümmert.
cavalry ['kævəlrɪ] *n* Kavallerie *f.*
cave [keɪv] *n* Höhle *f;* **cave in** *vi* einstürzen; **caveman** *n* <cavemen> Höhlenmensch *m.*
cavern ['kævən] *n* Höhle *f;* **cavernous** *adj* (*cheeks*) hohl; (*eyes*) tief liegend.
cavil ['kævɪl] *vi* kritteln (*at* an *+dat*).
cavity ['kævɪtɪ] *n* Höhlung *f;* (*in tooth*) Loch *nt.*
CB radio *n abbr of* **Citizens' Band radio** CB-Funk *m.*
CCTV *n abbr of* **closed circuit TV** Fernsehüberwachungsanlage *f.*
CD *n abbr of* **Compact Disc** CD *f;* **CD player** *n* CD-Spieler *m;* **CD rack** *n* CD-Ständer *m;* **CD-ROM** *n abbr of* **Compact Disc Read Only Memory** CD-ROM *f.*
cease [si:s] **1.** *vi* aufhören; **2.** *vt* beenden; **ceasefire** *n* Feuerpause *f;* (*longer*) Waffenruhe *f;* **ceaseless** *adj* unaufhörlich.
cedar ['si:də*] *n* Zeder *f.*
cede [si:d] *vt* abtreten.
Ceefax® ['si:fæks] *n* ≈ Videotext *m.*
ceiling ['si:lɪŋ] *n* Decke *f;* (*fig*) Höchstgrenze *f.*
celebrate ['selɪbreɪt] *vt, vi* feiern; **celebrated** *adj* gefeiert; **celebration** [selɪ'breɪʃən] *n* Feier *f.*
celebrity [sɪ'lebrɪtɪ] *n* gefeierte Persönlichkeit, Berühmtheit *f.*
celeriac [sə'lerɪæk] *n* [Knollen]sellerie *m o f.*
celery ['selərɪ] *n* [Stangen]sellerie *m o f.*
celestial [sɪ'lestɪəl] *adj* himmlisch.
celibacy ['selɪbəsɪ] *n* Zölibat *nt o m.*
cell [sel] *n* Zelle *f;* (ELEC) Element *nt.*
cellar ['selə*] *n* Keller *m.*
cellist ['tʃelɪst] *n* Cellist(in) *m(f);* **cello** ['tʃeləʊ] *n* <-s> Cello *nt.*
cellophane® ['seləfeɪn] *n* Cellophan *nt.*
cellular ['seljʊlə*] *adj* zellenförmig, zellular; **~ phone** Funktelefon *nt;* **~ therapy** Frischzellentherapie *f.*
cellulose ['seljʊləʊs] *n* Zellulose *f.*
Celt [kelt] *n* Kelte *m,* Keltin *f;* **Celtic** ['kel-

tɪk] **1.** *adj* keltisch; **2.** *n* (*language*) Keltisch *nt.*

cement [sɪ'ment] **1.** *n* Zement *m;* **2.** *vt* zementieren; (*fig*) festigen.

cemetery ['semɪtrɪ] *n* Friedhof *m.*

censor ['sensə*] *n* Zensor(in) *m(f);* **censorship** *n* Zensur *f.*

censure ['senʃə*] *vt* rügen.

census ['sensəs] *n* Volkszählung *f.*

centenary, **centennial** [sen'tiːnərɪ, sen'tenjəl] *n* Hundertjahrfeier *f.*

center ['sentə*] *n* (*US*) *s.* **centre**.

centigrade ['sentɪgreɪd] *adj:* **10 [degrees] ~** 10 Grad Celsius.

centiliter (*US*), **centilitre** ['sentɪliːtə*] *n* Zentiliter *m.*

centimeter (*US*), **centimetre** ['sentɪmiːtə*] *n* Zentimeter *m.*

centipede ['sentɪpiːd] *n* Tausendfüßler *m.*

central ['sentrəl] *adj* zentral; **central [door] locking** *n* (AUT) Zentralverriegelung *f;* **central heating** *n* Zentralheizung *f;* **centralist** *adj* zentralistisch; **centralize** *vt* zentralisieren; **central processing unit** *n* Zentraleinheit *f.*

centre ['sentə*] **1.** *n* Zentrum *nt;* **2.** *vt* (TYP, COMPUT) zentrieren; **~ of gravity** Schwerpunkt *m;* **centre on** *vi* kreisen um.

century ['sentjʊrɪ] *n* Jahrhundert *nt.*

ceramic [sɪ'ræmɪk] *adj* keramisch.

cereal ['sɪərɪəl] *n* (*any grain*) Getreide *nt;* (*at breakfast*) Getreideflocken *pl.*

ceremonial [serɪ'məʊnɪəl] *adj* zeremoniell.

ceremony ['serɪmənɪ] *n* Feierlichkeiten *pl*, Zeremonie *f.*

certain ['sɜːtən] *adj* sicher; (*particular*) gewiss; **for ~** ganz bestimmt; **certainly** *adv* sicher, bestimmt; **certainty** *n* Gewissheit *f.*

certificate [sə'tɪfɪkɪt] *n* Bescheinigung *f;* (SCH) Zeugnis *nt.*

certify ['sɜːtɪfaɪ] *vt, vi* bescheinigen.

cervical ['sɜːvɪkəl] *adj* Gebärmutterhals-; **~ smear** Abstrich *m.*

cesium ['siːzjəm] *n* (*US*) *s.* **caesium**.

cessation [se'seɪʃən] *n* Einstellung *f,* Ende *nt.*

CFC *n abbr of* **chlorofluorocarbon** FCKW *nt.*

Chad [tʃæd] *n* Tschad *m.*

chafe [tʃeɪf] *vt, vi* [wund]reiben, scheuern.

chaffinch ['tʃæfɪntʃ] *n* Buchfink *m.*

chain [tʃeɪn] **1.** *n* Kette *f;* **2.** *vt* (*also:* **~ up**) anketten; mit Ketten fesseln; **human ~** Menschenkette *f;* **chain reaction** *n* Kettenreaktion *f;* **chain smoker** *n* Kettenraucher(in) *m(f);* **chain store** *n* Kettenladen *m.*

chair [tʃɛə*] **1.** *n* Stuhl *m;* (*arm~*) Sessel *m;* (SCH) Lehrstuhl *m;* **2.** *vt:* **to ~ a meeting** in einer Versammlung den Vorsitz führen; **chairlift** *n* Sessellift *m;* **chairman** *n* <chairmen> Vorsitzende(r) *m;* (*of firm*) Präsident *m;* **chairperson** *n* Vorsitzende(r) *mf;* (*of firm*) Präsident(in) *m(f);* **chairwoman** *n* <chairwomen> Vorsitzende *f;* (*of firm*) Präsidentin *f.*

chalet ['ʃæleɪ] *n* Chalet *nt.*

chalice ['tʃælɪs] *n* [Abendmahls]kelch *m.*

chalk ['tʃɔːk] *n* Kreide *f.*

challenge ['tʃælɪndʒ] **1.** *n* Herausforderung *f;* **2.** *vt* auffordern; (*contest*) bestreiten; **challenger** *n* Herausforderer(-fordrerin) *m(f);* **challenging** *adj* (*statement*) herausfordernd; (*work*) anspruchsvoll.

chamber ['tʃeɪmbə*] *n* Kammer *f;* **~ of commerce** Handelskammer *f;* **chambermaid** *n* Zimmermädchen *nt;* **chamber music** *n* Kammermusik *f;* **chamberpot** *n* Nachttopf *m.*

chameleon [kə'miːlɪən] *n* (ZOOL *a. fig*) Chamäleon *nt.*

chamois ['ʃæmwɑː] *n* Gämse *f;* **chamois leather** ['ʃæmɪ'leðə*] *n* Sämischleder *nt;* (*for windows*) Fensterleder *nt.*

champagne [ʃæm'peɪn] *n* Champagner *m.*

champion ['tʃæmpɪən] *n* (SPORT) Sieger(in) *m(f),* Meister(in) *m(f);* (*of cause*) Verfechter(in) *m(f);* **championship** *n* Meisterschaft *f.*

chance [tʃɑːns] **1.** *n* (*luck, fate*) Zufall *m;* (*possibility*) Möglichkeit *f;* (*opportunity*) Gelegenheit *f,* Chance *f;* (*risk*) Risiko *nt;* **2.** *adj* zufällig; **3.** *vt:* **to ~ it** es darauf ankommen lassen; **by ~** zufällig; **to take a ~** ein Risiko eingehen; **no ~** (*fam*) ist nicht drin.

chancel ['tʃɑːnsəl] *n* Altarraum *m,* Chor *m.*

chancellor ['tʃɑːnsələ*] *n* Kanzler(in) *m(f);* **Chancellor of the Exchequer** (*Brit*) Finanzminister(in) *m(f).*

chancy ['tʃɑːnsɪ] *adj* (*fam*) riskant.

chandelier [ʃændɪ'lɪə*] *n* Kronleuchter *m.*

change [tʃeɪndʒ] **1.** *vt* verändern; (*money*) wechseln; **2.** *vi* sich verändern;

(*trains*) umsteigen; (*colour etc*) sich verwandeln; (*clothes*) sich umziehen; **3.** *n* Veränderung *f;* (*money*) Wechselgeld *nt;* (*coins*) Kleingeld *nt;* **changeable** *adj* (*weather*) wechselhaft; **changeover** *n* Umstellung *f,* Wechsel *m;* **changing** *adj* veränderlich; **changing room** *n* Umkleideraum *m.*

channel ['tʃænl] **1.** *n* (*stream*) Bachbett *nt;* (NAUT) Straße *f,* Meerenge *f;* (RADIO, TV) Kanal *m;* (*fig*) Weg *m;* **2.** *vt* [hindurch]leiten, lenken; **through official ~s** durch die Instanzen; **the [English] Channel** der Ärmelkanal; **Channel Islands** *pl* Kanalinseln *pl;* **Channel Tunnel** Ärmelkanaltunnel *m.*

chant [tʃɑ:nt] **1.** *n* [liturgischer] Gesang *m;* (*of football fans*) Sprechchor *m;* **2.** *vt* intonieren.

chaos ['keɪɒs] *n* Chaos *nt,* Durcheinander *nt;* **chaotic** [keɪ'ɒtɪk] *adj* chaotisch.

chap [tʃæp] **1.** *n* (*fam*) Bursche *m,* Kerl *m;* **2.** *vt* (*skin*) rissig machen; **3.** *vi* (*hands etc*) aufspringen.

chapel ['tʃæpəl] *n* Kapelle *f.*

chaperon ['ʃæpərəʊn] **1.** *n* Anstandsdame *f;* **2.** *vt* begleiten.

chaplain ['tʃæplɪn] *n* Geistliche(r) *m,* Kaplan *m.*

chapter ['tʃæptə*] *n* Kapitel *nt.*

char [tʃɑ:*] **1.** *vt* (*burn*) verkohlen; **2.** *vi* (*cleaner*) putzen gehen.

character ['kærəktə*] *n* Charakter *m,* Wesen *nt;* (LITER) Figur *f,* Gestalt *f;* (THEAT) Person *f,* Rolle *f;* (*peculiar person*) Original *nt;* (*in writing*) Schriftzeichen *nt;* **characteristic** [kærəktə'rɪstɪk] **1.** *adj* charakteristisch, bezeichnend (*of* für); **2.** *n* Kennzeichen *nt,* Eigenschaft *f;* **characterize** ['kærəktəraɪz] *vt* charakterisieren, kennzeichnen.

charade [ʃə'rɑ:d] *n* Scharade *f.*

charcoal ['tʃɑ:kəʊl] *n* Holzkohle *f.*

charge [tʃɑ:dʒ] **1.** *n* (*cost*) Preis *m;* (JUR) Anklage *f;* (*of gun*) Ladung *f;* (*attack*) Angriff *m;* **2.** *vt* (*gun, battery*) laden; (*price*) verlangen; (MIL) angreifen; **3.** *vi* (*rush*) angreifen, [an]stürmen; **to be in ~ of** verantwortlich sein für; **to take ~** die Verantwortung übernehmen; **charge account** *n* Kunden[kredit]konto *nt;* **charge card** *n* Kunden[kredit]karte *f.*

chariot ['tʃærɪət] *n* [Streit]wagen *m.*

charitable ['tʃærɪtəbl] *adj* wohltätig; (*lenient*) nachsichtig.

charity ['tʃærɪtɪ] *n* (*institution*) Wohlfahrtseinrichtung *f,* Hilfswerk *nt;* (*attitude*) Nächstenliebe *f.*

charlady ['tʃɑ:leɪdɪ] *n* Reinemachefrau *f,* Putzfrau *f.*

charlatan ['ʃɑ:lətæn] *n* Scharlatan *m,* Schwindler(in) *m(f).*

charm [tʃɑ:m] **1.** *n* Charme *m,* gewinnendes Wesen; (*in superstition*) Amulett *nt;* Talisman *m;* **2.** *vt* bezaubern; **charming** *adj* reizend, charmant.

chart [tʃɑ:t] *n* Tabelle *f;* (NAUT) Seekarte *f;* **~s** *pl* Hitliste *f.*

charter ['tʃɑ:tə*] **1.** *vt* (NAUT, AVIAT) chartern; **2.** *n* Schutzbrief *m;* (*cost*) Schiffsmiete *f;* **chartered accountant** *n* Bilanzbuchhalter(in) *m(f);* **charter flight** *n* Charterflug *m;* **charter plane** *n* Charterflugzeug *nt.*

charwoman ['tʃɑ:wʊmən] *n* <charwomen> Reinemachefrau *f,* Putzfrau *f.*

chary ['tʃɛərɪ] *adj* zurückhaltend (*of sth* mit etw).

chase [tʃeɪs] **1.** *vt* jagen, verfolgen; **2.** *n* Jagd *f.*

chasm ['kæzəm] *n* Kluft *f.*

chassis ['ʃæsɪ] *n* Chassis *nt,* Fahrgestell *nt.*

chaste [tʃeɪst] *adj* keusch; **chastity** ['tʃæstɪtɪ] *n* Keuschheit *f.*

chat [tʃæt] **1.** *vi* plaudern, sich [zwanglos] unterhalten; **2.** *n* Plauderei *f;* **chatter** ['tʃætə*] **1.** *vi* schwatzen; (*teeth*) klappern; **2.** *n* Geschwätz *nt;* **chatterbox** *n* Quasselstrippe *f;* **chatty** *adj* geschwätzig.

chauffeur ['ʃəʊfə*] *n* Chauffeur(in) *m(f),* Fahrer(in) *m(f).*

chauvinist ['ʃəʊvɪnɪst] **1.** *adj* chauvinistisch; **2.** *n* Chauvinist(in) *m(f);* (*male ~*) Chauvi *m.*

cheap [tʃi:p] *adj* billig; (*joke*) schlecht; (*of poor quality*) minderwertig; **cheapen** *vr:* **~ oneself** sich entwürdigen; **cheaply** *adv* billig.

cheat [tʃi:t] **1.** *vt, vi* betrügen; (SCH) mogeln; **2.** *n* Betrüger(in) *m(f);* **cheating** *n* Betrug *m.*

check [tʃek] **1.** *vt* prüfen; (*look up, make sure*) nachsehen; (*control*) kontrollieren; (*restrain*) zügeln; (*stop*) anhalten; **2.** *n* (*examination, restraint*) Kontrolle *f;* (*US: restaurant bill*) Rechnung *f;* (*pattern*) Karo[muster] *nt;* (*US*) *s.* **cheque**; **check in** *vt, vi* (AVIAT) einchecken.

checkers ['tʃekəz] *n sing* (*US*) Damespiel *nt.*

check-in desk ['tʃekɪn'desk] *n* Abfertigungsschalter *m;* **checklist** *n* Kontrolliste *f;* **checkmate** *n* Schachmatt *nt;* **checkpoint** *n* Kontrollpunkt *m;* **checkroom** *n* (*US*) Gepäckaufbewahrung *f;* (*for clothes*) Garderobe *f;* **checkup** *n* [Nach]prüfung *f;* (MED) [ärztliche] Untersuchung *f.*

cheek [tʃi:k] *n* Backe *f,* Wange *f;* (*fig*) Frechheit *f,* Unverschämtheit *f;* **cheekbone** *n* Backenknochen *m;* **cheeky** *adj* frech.

cheer [tʃɪə*] **1.** *n* Beifallsruf *m,* Hochruf *m;* **2.** *vt* zujubeln *+dat;* (*encourage*) ermuntern, aufmuntern; **3.** *vi* jubeln; **~s!** prost!; **cheer up 1.** *vt* ermuntern; **2.** *vi* fröhlicher werden; **~ up!** Kopf hoch!

cheerful ['tʃɪəfʊl] *adj* fröhlich; **cheerfulness** *n* Fröhlichkeit *f,* Munterkeit *f.*

cheering ['tʃɪərɪŋ] **1.** *n* Applaus *m;* **2.** *adj* aufheiternd.

cheerio [tʃɪərɪ'əʊ] *interj* tschüss.

cheerless ['tʃɪəlɪs] *adj* (*prospect*) trostlos; (*person*) verdrießlich.

cheese [tʃi:z] *n* Käse *m;* **cheeseboard** *n* [gemischte] Käseplatte *f;* **cheesecake** *n* Käsekuchen *m.*

cheetah ['tʃi:tə] *n* Gepard *m.*

chef [ʃef] *n* Küchenchef(in) *m(f);* (*as profession*) Koch *m,* Köchin *f.*

chemical ['kemɪkəl] *adj* chemisch.

chemist ['kemɪst] *n* Apotheker(in) *m(f),* Drogist(in) *m(f);* (*industrial* ~) Chemiker(in) *m(f);* **~'s [shop]** Apotheke *f,* Drogerie *f;* **chemistry** *n* Chemie *f.*

chemotherapy [ki:məʊ'θerəpɪ] *n* Chemotherapie *f.*

cheque [tʃek] *n* (*Brit*) Scheck *m;* **chequebook** *n* Scheckbuch *nt;* **cheque card** *n* Scheckkarte *f.*

chequered ['tʃekəd] *adj* (*fig*) bewegt.

cherish ['tʃerɪʃ] *vt* (*person*) liebevoll sorgen für; (*hope*) hegen; (*memory*) bewahren.

cheroot [ʃə'ru:t] *n* Zigarillo *nt o m.*

cherry ['tʃerɪ] *n* Kirsche *f.*

chervil ['tʃɜ:vɪl] *n* Kerbel *m.*

chess [tʃes] *n* Schach *nt;* **chessboard** *n* Schachbrett *nt;* **chessman** *n* <chessmen> Schachfigur *f;* **chessplayer** *n* Schachspieler(in) *m(f).*

chest [tʃest] *n* Brust *f,* Brustkasten *m;* (*box*) Kiste *f,* Kasten *m;* **to get sth off one's ~** seinem Herzen Luft machen; **~ of drawers** Kommode *f.*

chestnut ['tʃesnʌt] *n* Kastanie *f;* **~ [tree]** Kastanienbaum *m.*

chew [tʃu:] *vt, vi* kauen; **chewing gum** *n* Kaugummi *m.*

chic [ʃi:k] *adj* schick, elegant.

chicanery [ʃɪ'keɪnərɪ] *n* Schikane *f.*

Chicano [tʃɪ'keɪnəʊ] *n* <-s> (*US*) Einwanderer *m,* Einwanderin *f* aus Mexiko.

chick [tʃɪk] *n* Küken *nt;* (*US: girl*) Mädchen *nt;* **chicken** *n* Huhn *nt;* (*food: roast*) Hähnchen *nt;* **chickenpox** *n* Windpocken *pl;* **chickpea** *n* Kichererbse *f.*

chicory ['tʃɪkərɪ] *n* Chicorée *f.*

chief [tʃi:f] **1.** *n* [Ober]haupt *nt;* Anführer(in) *m(f);* (COMM) Chef(in) *m(f);* **2.** *adj* höchst, Haupt-; **chiefly** *adv* hauptsächlich.

chieftain ['tʃi:ftən] *n* Häuptling *m.*

chilblain ['tʃɪlbleɪn] *n* Frostbeule *f.*

child [tʃaɪld] *n* <children> Kind *nt;* **child abuse** *n* Kindesmisshandlung *f;* **childbirth** *n* Entbindung *f;* **childhood** *n* Kindheit *f;* **childish** *adj* kindisch; **childlike** *adj* kindlich; **child minder** *n* Tagesmutter *f;* **child prodigy** *n* Wunderkind *nt;* **children** ['tʃɪldrən] *pl of* **child**; **child-resistant** *adj* kindersicher; (*toy*) bruchsicher; **child's play** *n* (*fig*) Kinderspiel *nt.*

Chile ['tʃɪlɪ] *n* Chile *nt.*

chill [tʃɪl] *n* Kühle *f;* (MED) Erkältung *f.*

chilli ['tʃɪlɪ] *n* Pepperoni *pl.*

chill-out ['tʃɪlaʊt] *n* (*sl*) Chillout *nt.*

chilly ['tʃɪlɪ] *adj* kühl, frostig.

chime [tʃaɪm] **1.** *n* Glockenschlag *m;* **2.** *vi* ertönen, [er]klingen.

chimney ['tʃɪmnɪ] *n* Schornstein *m,* Kamin *m;* **chimneysweep** *n* Schornsteinfeger(in) *m(f).*

chimpanzee [tʃɪmpæn'zi:] *n* Schimpanse *m.*

chin [tʃɪn] *n* Kinn *nt.*

china ['tʃaɪnə] *n* Porzellan *nt.*

China ['tʃaɪnə] *n* China *nt;* **Chinese** [tʃaɪ'ni:z] **1.** *adj* chinesisch; **2.** *n* Chinese *m,* Chinesin *f;* **the ~** *pl* die Chinesen *pl.*

chink [tʃɪŋk] *n* (*opening*) Ritze *f,* Spalt *m;* (*noise*) Klirren *nt.*

chip [tʃɪp] **1.** *n* (*of wood etc*) Splitter *m;* (COMPUT) Chip *m,* Baustein *m;* (*US: crisp*) [Kartoffel]chip *m;* **2.** *vt* absplittern; **~s** (*Brit: potato ~*) Pommes frites *pl;* **chip in** *vi* Zwischenbemerkungen machen; **chip card** *n* Prozessorchipkarte *f.*

chiropodist [kɪ'rɒpədɪst] *n* Fußpfleger(in) *m(f).*

chirp [tʃɜ:p] *vi* zwitschern.

chisel ['tʃɪzl] *n* Meißel *m.*

chit [tʃɪt] *n* Notizzettel *m.*
chitchat ['tʃɪttʃæt] *n* Geschwätz, Gerede *nt.*
chivalrous ['ʃɪvəlrəs] *adj* ritterlich; **chivalry** ['ʃɪvəlrɪ] *n* Ritterlichkeit *f.*
chives [tʃaɪvz] *n pl* Schnittlauch *m.*
chloride ['klɔːraɪd] *n* Chlorid *nt.*
chlorine ['klɔːriːn] *n* Chlor *nt.*
chlorofluorocarbon [klɒrəʊflʊərə'kɑːbən] *n* Fluorchlorkohlenwasserstoff *m.*
chock [tʃɒk] *n* Keil *m;* **chock-a-block** *adj* (*fam*) vollgepfropft.
chocolate ['tʃɒklɪt] *n* Schokolade *f.*
choice [tʃɔɪs] **1.** *n* Wahl *f;* (*of goods*) Auswahl *f;* **2.** *adj* auserlesen, Qualitäts-.
choir ['kwaɪə*] *n* Chor *m;* **choirboy** *n* Chorknabe *m.*
choke [tʃəʊk] **1.** *vi* ersticken; **2.** *vt* erdrosseln; (*block*) [ab]drosseln; **3.** *n* (AUT) Starterklappe *f,* Choke *m.*
cholera ['kɒlərə] *n* Cholera *f.*
cholesterol [kə'lestərəl] *n* Cholesterin *nt.*
choose [tʃuːz] <chose, chosen> *vt* wählen; (*decide*) beschließen.
chop [tʃɒp] **1.** *vt* [zer]hacken; (*wood*) spalten; **2.** *vi:* **to ~ and change** es sich *dat* ständig anders überlegen; **3.** *n* Hieb *m;* (*meat*) Kotelett *nt;* **choppy** *adj* (*sea*) bewegt; **chopsticks** *n pl* [Ess]stäbchen *pl.*
choral ['kɔːrəl] *adj* Chor-.
chord [kɔːd] *n* Akkord *m;* (*string*) Saite *f.*
chore [tʃɔː*] *n* [lästige] Pflicht *f;* **~s** *pl* Hausarbeit *f.*
choreographer [kɒrɪ'ɒgrəfə*] *n* Choreograf(in) *m(f).*
chorister ['kɒrɪstə*] *n* Chorsänger(in) *m(f).*
chortle ['tʃɔːtl] *vi* glucksen, tief lachen.
chorus ['kɔːrəs] *n* Chor *m;* (*in song*) Refrain *m.*
chose [tʃəʊz] *pt of* **choose**; **chosen** ['tʃəʊzn] *pp of* **choose**.
chow [tʃaʊ] *n* (*dog*) Chow-Chow *m.*
Christ [kraɪst] *n* Christus *m.*
christen ['krɪsn] *vt* taufen; **christening** *n* Taufe *f.*
Christian ['krɪstɪən] **1.** *adj* christlich; **2.** *n* Christ(in) *m(f);* **Christianity** [krɪstɪ'ænɪtɪ] *n* Christentum *nt;* **Christian name** *n* Vorname *m.*
Christmas ['krɪsməs] *n* Weihnachten *pl;* **Christmas card** *n* Weihnachtskarte *f;* **Christmas Day** *n* erster Weihnachts[feier]tag; **Christmas tree** *n* Weihnachtsbaum *m.*
chrome [krəʊm] *n s.* **chromium plating**.
chromium ['krəʊmɪəm] *n* Chrom *nt;* **chromium plating** *n* Verchromung *f.*
chromosome ['krəʊməsəʊm] *n* Chromosom *nt.*
chronic ['krɒnɪk] *adj* (MED) chronisch; (*terrible*) scheußlich.
chronicle ['krɒnɪkl] *n* Chronik *f.*
chronological [krɒnə'lɒdʒɪkəl] *adj* chronologisch.
chrysalis ['krɪsəlɪs] *n* [Insekten]puppe *f.*
chrysanthemum [krɪ'sænθɪməm] *n* Chrysantheme *f.*
chubby ['tʃʌbɪ] *adj* (*child*) pausbäckig; (*adult*) rundlich.
chuck [tʃʌk] **1.** *vt* werfen; **2.** *n* (TECH) Spannvorrichtung *f.*
chuckle ['tʃʌkl] *vi* in sich hinein lachen.
chum [tʃʌm] *n* (*child*) Spielkamerad(in) *m(f);* (*adult*) Kumpel *m.*
chunk [tʃʌŋk] *n* Klumpen *m;* (*of food*) Brocken *m.*
Chunnel ['tʃʌnəl] *n* (*fam*) *s.* **Channel Tunnel**.
church [tʃɜːtʃ] *n* Kirche *f;* (*clergy*) Geistlichkeit *f;* **churchyard** *n* Kirchhof *m.*
churlish ['tʃɜːlɪʃ] *adj* grob.
churn [tʃɜːn] *n* Butterfass *nt;* (*for transport*) [große] Milchkanne *f;* **churn out** *vt* (*fam*) produzieren.
chute [ʃuːt] *n* Rutsche *f.*
CIA *n abbr of* **Central Intelligence Agency** CIA *f.*
cicada [sɪ'kɑːdə] *n* Zikade *f.*
CID *n abbr of* **Criminal Investigation Department** Kripo *f.*
cider ['saɪdə*] *n* Apfelwein *m.*
cigar [sɪ'gɑː*] *n* Zigarre *f.*
cigarette [sɪgə'ret] *n* Zigarette *f;* **to have a ~** eine Zigarette rauchen; **cigarette case** *n* Zigarettenetui *nt;* **cigarette end** *n* Zigarettenstummel *m;* **cigarette holder** *n* Zigarettenspitze *f.*
Cinderella [sɪndə'relə] *n* Aschenbrödel *nt.*
cine-camera ['sɪnɪ'kæmərə] *n* Filmkamera *f;* **cine film** *n* Schmalfilm *m;* **cinema** ['sɪnəmə] *n* Kino *nt;* **cine-projector** *n* Filmvorführapparat *m.*
cinnamon ['sɪnəmən] *n* Zimt *m.*
cipher ['saɪfə*] *n* (*code*) Chiffre *f;* (*numeral*) Ziffer *f.*
circle ['sɜːkl] **1.** *n* Kreis *m;* **2.** *vi* kreisen; **3.** *vt* umkreisen; (*attacking*) umzingeln.
circuit ['sɜːkɪt] *n* Umlauf *m;* (ELEC)

Stromkreis *m.*
circuitous [sɜː'kjuːɪtəs] *adj* weitschweifig.
circular ['sɜːkjʊlə*] **1.** *adj* [kreis]rund, kreisförmig; **2.** *n* Rundschreiben *nt.*
circularize ['sɜːkjʊləraɪz] *vt* (*inform*) benachrichtigen; (*letter*) herumschicken.
circulate ['sɜːkjʊleɪt] **1.** *vi* zirkulieren; **2.** *vt* in Umlauf setzen.
circulation [sɜːkjʊ'leɪʃən] *n* (*of blood*) Kreislauf *m;* (*of newspaper*) Auflage *f;* (*of money*) Umlauf *m.*
circumcise ['sɜːkəmsaɪz] *vt* beschneiden.
circumference [sə'kʌmfərəns] *n* [Kreis]umfang *m.*
circumspect ['sɜːkəmspekt] *adj* umsichtig.
circumstances ['sɜːkəmstənsəz] *n pl* (*facts connected with sth*) Umstände *pl;* (*financial condition*) Verhältnisse *pl.*
circumvent [sɜːkəm'vent] *vt* umgehen.
circus ['sɜːkəs] *n* Zirkus *m.*
CIS *n abbr of* **Commonwealth of Independant States** GUS *pl.*
cissy ['sɪsɪ] *n* (*fam*) Weichling *m.*
cistern ['sɪstən] *n* Zisterne *f;* (*of W.C.*) Spülkasten *m.*
citation [saɪ'teɪʃən] *n* Zitat *nt;* **cite** [saɪt] *vt* zitieren, anführen.
citizen ['sɪtɪzn] *n* Bürger(in) *m(f);* (*of nation*) Staatsangehörige(r) *mf;* **citizenship** *n* Staatsangehörigkeit *f.*
citrus ['sɪtrəs] *adj:* ~ **fruit** Zitrusfrucht *f.*
city ['sɪtɪ] *n* [große, bedeutende] Stadt *f;* (*centre*) Zentrum *nt,* City *f;* **city hall** *n* Rathaus *nt.*
civic ['sɪvɪk] *adj* städtisch, Bürger-.
civil ['sɪvɪl] *adj* (*of town*) Bürger-; (*of state*) staatsbürgerlich; (*not military*) zivil; (*polite*) höflich; **civil defence** *n* Zivilschutz *m;* **civil engineer** *n* Bauingenieur(in) *m(f);* **civil engineering** *n* Hoch- und Tiefbau *m.*
civilian [sɪ'vɪlɪən] **1.** *n* Zivilperson *f;* **2.** *adj* zivil, Zivil-; ~ **support group** (MIL) Zivildienstbeschäftigte *pl.*
civilization [sɪvɪlaɪ'zeɪʃən] *n* Zivilisation *f,* Kultur *f.*
civilized ['sɪvɪlaɪzd] *adj* zivilisiert; Kultur-.
civil law *n* bürgerliches Recht, Zivilrecht *nt;* **civil rights** *n pl* Bürgerrechte *pl;* **civil servant** *n* [Staats]beamte(r) *m,* [Staats]beamtin *f;* **civil service** *n* Staatsdienst *m;* **civil war** *n* Bürgerkrieg *m.*
clad [klæd] *adj* gekleidet; ~ **in** gehüllt in +*akk.*
claim [kleɪm] **1.** *vt* beanspruchen; (*have opinion*) behaupten; **2.** *n* (*demand*) Forderung *f;* (*right*) Anspruch *m;* (*assertion*) Behauptung *f;* **claimant** *n* Antragsteller(in) *m(f).*
clairvoyant [klɛə'vɔɪənt] **1.** *n* Hellseher(in) *m(f);* **2.** *adj* hellseherisch.
clam [klæm] *n* Venusmuschel *f.*
clamber ['klæmbə*] *vi* klettern; (*fam*) kraxeln.
clammy ['klæmɪ] *adj* feucht, klamm.
clamorous ['klæmərəs] *adj* lärmend, laut.
clamp [klæmp] **1.** *n* Schraubzwinge *f;* **2.** *vt* einspannen.
clan [klæn] *n* Sippe *f,* Clan *m.*
clang [klæŋ] **1.** *n* Klang *m;* (*metallic*) Scheppern *nt;* **2.** *vi* klingen; scheppern.
clap [klæp] **1.** *vi* klatschen; **2.** *vt* Beifall klatschen +*dat.*
clapped-out ['klæptaʊt] *adj* (*fam*) ausgebufft.
clapping ['klæpɪŋ] *n* [Beifall]klatschen *nt.*
claret ['klærɪt] *n* roter Bordeaux[wein].
clarification [klærɪfɪ'keɪʃən] *n* Erklärung *f;* **clarify** ['klærɪfaɪ] *vt* klären, erklären.
clarinet [klærɪ'net] *n* Klarinette *f.*
clarity ['klærɪtɪ] *n* Klarheit *f.*
clash [klæʃ] **1.** *n* (*fig*) Konflikt *m,* Widerstreit *m;* (*sound*) Knall *m;* **2.** *vi* zusammenprallen; (*colours*) sich beißen; (*argue*) sich streiten.
clasp [klɑːsp] **1.** *n* Klammer *f,* Haken *m;* (*on belt*) Schnalle *f;* (*with hand*) Griff *m;* **2.** *vt* umklammern.
class [klɑːs] **1.** *n* Klasse *f;* **2.** *vt* einordnen, einstufen; **class-conscious** *adj* klassenbewusst.
classic ['klæsɪk] **1.** *n* Klassiker(in) *m(f);* **2.** *adj* (*traditional*) klassisch; **classical** *adj* klassisch.
classification [klæsɪfɪ'keɪʃən] *n* Klassifizierung *f,* Einteilung *f;* **classify** ['klæsɪfaɪ] *vt* klassifizieren, einteilen.
classroom ['klɑːsrʊm] *n* Klassenzimmer *nt.*
classy ['klɑːsɪ] *adj* (*fam*) nobel, exclusiv.
clatter ['klætə*] **1.** *n* Klappern *nt,* Rasseln *nt;* (*of feet*) Getrappel *nt;* **2.** *vi* klappern, rasseln; (*feet*) trappeln.
clause [klɔːz] *n* (JUR) Klausel *f;* (LING) Satz[teil] *m,* Satzglied *nt.*
claustrophobia [klɒstrə'fəʊbɪə] *n* Platzangst *f,* Klaustrophobie *f.*
claw [klɔː] **1.** *n* Kralle *f;* **2.** *vt* [zer]kratzen.
clay [kleɪ] *n* Lehm *m;* (*for pots*) Ton *m.*
clean [kliːn] **1.** *adj* sauber; (*fig*) schuldlos;

(*shape*) ebenmäßig; (*cut*) glatt; **2.** *vt* sauber machen, reinigen, putzen; **clean out** *vt* gründlich putzen; **clean up** *vt* aufräumen; **cleaner** *n* (*person*) Putzfrau *f*, Putzmann *m*; (*for grease etc*) Putzmittel *nt*; **cleaners** *n pl* chemische Reinigung; **cleaning** *n* Reinigen *nt*, Säubern *nt*; **cleanliness** ['klenlɪnɪs] *n* Sauberkeit *f*, Reinlichkeit *f*; **cleanse** [klenz] *vt* reinigen; **clean-shaven** *adj* glattrasiert; **cleansing cream** *n* Reinigungscreme *f*; **clean-up** *n* Reinigung *f*.

clear ['klɪə*] **1.** *adj* (*water*) klar; (*glass*) durchsichtig; (*sound*) deutlich, klar, hell; (*meaning*) genau, klar; (*certain*) klar, sicher; (*road*) frei; **2.** *vt* (*pipe etc*) reinigen; (*road etc*) räumen; (COMPUT: *screen*) löschen; (*conscience*) erleichtern; (*table*) abräumen; (*from guilt*) freisprechen; (*clean*) reinigen; (*check*) abfertigen; (*ask*) abklären; **3.** *vi* (*weather*) aufklaren; (*mist*) sich auflösen; **clear up** **1.** *vi* (*weather*) sich aufklären; **2.** *vt* reinigen, säubern; (*solve*) aufklären; **clearance** ['klɪərəns] *n* (*removal*) Räumung *f*; (*free space*) Lichtung *f*; (*permission*) Freigabe *f*; **clear-cut** *adj* scharf umrissen; (*case*) eindeutig; **clearing** *n* Lichtung *f*; **clearly** *adv* klar, deutlich, zweifellos; **clearway** *n* (*Brit*) [Straße *f* mit] Halteverbot *nt*.

clef [klef] *n* Notenschlüssel *m*.

clench [klentʃ] *vt* (*teeth*) zusammenbeißen; (*fist*) ballen.

clergy ['klɜːdʒɪ] *n* Geistliche *pl*; **clergyman** *n* <clergymen> Geistliche(r) *m*.

clerical ['klerɪkəl] *adj* (*office*) Schreib-, Büro-; (REL) geistlich, Pfarr[er]-; ~ **error** Versehen *nt*; (*in figures, wording*) Schreibfehler *m*.

clerk [klɑːk, klɜːk *US*] *n* (*in office*) Büroangestellte(r) *mf*; (*US: salesperson*) Verkäufer(in) *m(f)*.

clever *adj*, **cleverly** *adv* ['klevə*, -əlɪ] schlau, klug; (*skilful*) geschickt.

cliché ['kliːʃeɪ] *n* Klischee *nt*.

click [klɪk] **1.** *vi* klicken; **2.** *n* Klicken *nt*; (*of door*) Zuklinken *nt*.

client ['klaɪənt] *n* Kunde *m*, Kundin *f*; **clientele** [kliːɑ̃n'tel] *n* Kundschaft *f*.

cliff [klɪf] *n* Klippe *f*.

climate ['klaɪmɪt] *n* Klima *nt*; **climate change** *n* Klimaveränderung *f*; **climate protection** *n* Klimaschutz *m*; **climatic** [klaɪ'mætɪk] *adj* klimatisch.

climax ['klaɪmæks] *n* Höhepunkt *m*.

climb [klaɪm] **1.** *vt* besteigen, klettern auf +*akk*; **2.** *vi* steigen, klettern; **3.** *n* Aufstieg *m*; **climber** *n* Bergsteiger(in) *m(f)*, Kletterer *m*, Klett[e]rerin *f*; (*fig*) Aufsteiger(in) *m(f)*; **climbing** *n* Bergsteigen *nt*, Klettern *nt*.

clinch [klɪntʃ] **1.** *vt* (*decide*) entscheiden; (*deal*) festmachen; **2.** *n* (*boxing*) Clinch *m*.

cling [klɪŋ] <clung, clung> *vi* anhaften, anhängen; **cling film** *n* Frischhaltefolie *f*.

clinic ['klɪnɪk] *n* Klinik *f*; **clinical** *adj* klinisch.

clink [klɪŋk] **1.** *n* (*of coins*) Klimpern *nt*; (*of glasses*) Klirren *nt*; (*fam: prison*) Knast *m*; **2.** *vi* klimpern; **3.** *vt* klimpern mit; (*glasses*) anstoßen mit.

clip [klɪp] **1.** *n* Spange *f*; **2.** *vt* (*papers*) heften; (*hair, hedge*) stutzen; **paper** ~ [Büro]klammer *f*.

clippers ['klɪpəz] *n pl* (*for hedge*) Heckenschere *f*; (*for hair*) Haarschneidemaschine *f*.

clique [kliːk] *n* Clique *f*, Gruppe *f*.

cloak [kləʊk] *n* loser Mantel, Umhang *m*; **cloakroom** *n* (*for coats*) Garderobe *f*; (*Brit: W.C.*) Toilette *f*.

clobber ['klɒbə*] **1.** *n* (*fam*) Klamotten *pl*; **2.** *vt* schlagen.

clock [klɒk] *n* Uhr *f*; **clockwise** *adv* im Uhrzeigersinn; **clockwork** *n* Uhrwerk *nt*; **like** ~ wie am Schnürchen.

clog [klɒg] **1.** *n* Holzschuh *m*; **2.** *vt* verstopfen.

cloister ['klɔɪstə*] *n* Kreuzgang *m*; (*monastery*) Kloster *nt*.

cloning ['kləʊnɪŋ] *n* Klonen *nt*.

close [kləʊs] **1.** *adj* nahe[gelegen]; (*march*) geschlossen; (*thorough*) genau, gründlich; (*weather*) schwül; **2.** *adv* knapp; **3.** [kləʊz] *vt* schließen, abschließen; **4.** *vi* sich schließen; (*shop, window*) schließen; **5.** *n* (*end*) Ende *nt*, Schluss *m*; ~ **to** in der Nähe +*gen*; **I had a** ~ **shave** das war knapp; **close down** **1.** *vt* (*shop*) dichtmachen, schließen; **2.** *vi* eingehen; **closed** *adj* (*road*) gesperrt; (*shop etc*) geschlossen; ~ **shop** Gewerkschaftszwang *m*; **closely** *adv* eng, dicht; (*attentively*) genau.

closet ['klɒzɪt] *n* Abstellraum *m*, Schrank *m*.

close-up ['kləʊsʌp] *n* Nahaufnahme *f*.

closure ['kləʊʒə*] *n* Schließung *f*.

clot [klɒt] **1.** *n* Klumpen *m*; (*of blood*) Blutgerinnsel *nt*; (*fool*) Trottel *m*; **2.** *vi* gerinnen.

cloth [klɒθ] *n* (*material*) Stoff *m,* Tuch *nt;* (*for cleaning*) Lappen *m,* Tuch *nt.*

clothe [kləʊð] *vt* kleiden, bekleiden; **clothes** *n pl* Kleider *pl,* Kleidung *f;* **clothes brush** *n* Kleiderbürste *f;* **clothes line** *n* Wäscheleine *f;* **clothes peg** *n* Wäscheklammer *f.*

clothing ['kləʊðɪŋ] *n* Kleidung *f.*

cloud [klaʊd] *n* Wolke *f;* **cloudburst** *n* Wolkenbruch *m;* **cloudy** *adj* bewölkt.

clout [klaʊt] **1.** *n* (*fam*) Schlag *m;* **2.** *vt* hauen.

clove [kləʊv] *n* Gewürznelke *f;* ~ **of garlic** Knoblauchzehe *f.*

clover ['kləʊvə*] *n* Klee *m;* **cloverleaf** *n* <cloverleaves> Kleeblatt *nt.*

clown [klaʊn] **1.** *n* Clown *m,* Hanswurst *m;* **2.** *vi* herumkaspern, sich albern benehmen.

cloy [klɔɪ] *vi:* **it ~s** es übersättigt einen.

club [klʌb] **1.** *n* Knüppel *m;* (*society*) Klub *m;* (*golf* ~) Golfschläger *m;* (CARDS) Kreuz *nt;* **2.** *vt* prügeln; **club together** *vi* (*with money*) zusammenlegen; **clubhouse** *n* Klubhaus *nt.*

cluck [klʌk] *vi* glucken.

clue [klu:] *n* Anhaltspunkt *m,* Spur *f;* **he hasn't a** ~ er hat keine Ahnung.

clumsy ['klʌmzɪ] *adj* (*person*) unbeholfen, ungeschickt; (*object, shape*) unförmig.

clung [klʌŋ] *pt, pp of* **cling.**

cluster ['klʌstə*] *n* Traube *f;* (*of trees etc*) Gruppe *f;* **cluster round** *vi* sich scharen um.

clutch [klʌtʃ] **1.** *n* fester Griff; (AUT) Kupplung *f;* **2.** *vt* umklammern; (*book*) an sich klammern.

clutter ['klʌtə*] **1.** *vt* vollstopfen; (*desk etc*) übersäen; **2.** *n* Unordnung *f.*

cm *n abbr of* **centimetre[s]** cm.

CND *n abbr of* **Campaign for Nuclear Disarmament.**

c/o *abbr of* **care of** bei.

coach [kəʊtʃ] **1.** *n* Reisebus *m;* (RAIL) [Personen]wagen *m;* (*trainer*) Trainer(in) *m(f);* **2.** *vt* (SCH) Nachhilfeunterricht geben *+dat;* (SPORT) trainieren; **coach car** *n* (RAIL) Großraumwagen *m.*

coagulate [kəʊ'ægjʊleɪt] *vi* gerinnen.

coal [kəʊl] *n* Kohle *f;* ~ **power station** Kohlekraftwerk *nt.*

coalesce [kəʊə'les] *vi* sich verbinden.

coal face ['kəʊlfeɪs] *n* [Abbau]sohle *f,* Streb *m;* **at the** ~ vor Ort; **coalfield** *n* Kohlengebiet *nt.*

coalition [kəʊə'lɪʃən] *n* Zusammenschluss *m;* (POL) Koalition *f.*

coalmine ['kəʊlmaɪn] *n* Kohlenbergwerk *nt;* **coalminer** *n* Bergarbeiter *m.*

coarse [kɔ:s] *adj* grob; (*fig*) ordinär.

coast [kəʊst] *n* Küste *f;* **coastal** *adj* Küsten-; **coastguard** *n* Küstenwache *f;* **coastline** *n* Küste *f.*

coat [kəʊt] **1.** *n* Mantel *m;* (*on animals*) Fell *nt,* Pelz *m;* (*of paint*) Schicht *f;* **2.** *vt* überstreichen; (*cover*) bedecken; ~ **of arms** Wappen *nt;* **coathanger** *n* Kleiderbügel *m;* **coating** *n* Schicht *f,* Überzug *m;* (*of paint*) Schicht *f.*

coax [kəʊks] *vt* beschwatzen.

cobble[stone]s ['kɒbl[stəʊn]z] *n pl* Pflastersteine *pl.*

cobra ['kəʊbrə] *n* Kobra *f.*

cobweb ['kɒbweb] *n* Spinnennetz *nt.*

cocaine [kə'keɪn] *n* Kokain *nt.*

cock [kɒk] **1.** *n* Hahn *m;* (*fam!: penis*) Schwanz *m;* **2.** *vt* (*ears*) spitzen; (*gun*) den Hahn *+gen* spannen; **cockerel** *n* junger Hahn; **cock-eyed** *adj* (*fig*) verrückt.

cockle ['kɒkl] *n* Herzmuschel *f.*

cockney ['kɒknɪ] *n* (*dialect*) Cockney *nt;* (*person*) Cockney *m.*

cockpit ['kɒkpɪt] *n* (AVIAT) Pilotenkanzel *f.*

cockroach ['kɒkrəʊtʃ] *n* Küchenschabe *f.*

cocktail ['kɒkteɪl] *n* Cocktail *m;* **cocktail party** *n* Cocktailparty *f;* **cocktail shaker** *n* Mixbecher *m.*

cocoa ['kəʊkəʊ] *n* Kakao *m.*

coconut ['kəʊkənʌt] *n* Kokosnuss *f.*

cocoon [kə'ku:n] *n* Kokon *m.*

cod [kɒd] *n* Kabeljau *m.*

COD *abbr of* **cash on delivery** per Nachnahme.

code [kəʊd] *n* Kode *m;* (JUR) Kodex *m;* **in** ~ verschlüsselt.

codeine ['kəʊdi:n] *n* Kodein *nt.*

codify ['kəʊdɪfaɪ] *vt* (*message*) verschlüsseln; (JUR) kodifizieren.

coed [kəʊ'ed] *n* (*Brit*) gemischte Schule; (*US*) Schülerin *f* einer gemischten Schule; **coeducational** [kəʊedjʊ'keɪʃənl] *adj* koedukativ, gemischt.

coerce [kəʊ'ɜ:s] *vt* nötigen, zwingen; **coercion** [kəʊ'ɜ:ʃən] *n* Zwang *m,* Nötigung *f.*

coexistence [kəʊɪg'zɪstəns] *n* Koexistenz *f.*

coffee ['kɒfɪ] *n* Kaffee *m;* **coffee bar** *n* Café *nt;* **coffee break** *n* Kaffeepause *f;* **coffee machine** *n* Kaffeemaschine *f.*

coffin ['kɒfɪn] *n* Sarg *m.*
cog [kɒg] *n* (TECH) [Rad]zahn *m.*
cogent ['kəʊdʒənt] *adj* stichhaltig.
cognac ['kɒnjæk] *n* Kognak *m.*
coherence [kəʊ'hɪərəns] *n* Zusammenhang *mf.*
coherent [kəʊ'hɪərnt] *adj* zusammenhängend, einheitlich.
coil [kɔɪl] **1.** *n* Rolle *f;* (ELEC) Spule *f;* (MED) Spirale *f;* **2.** *vt* aufrollen, aufwickeln.
coin [kɔɪn] **1.** *n* Münze *f;* **~-box telephone** Münzfernsprecher *m;* **2.** *vt* prägen; **coinage** ['kɔɪnɪdʒ] *n* (*word*) Prägung *f.*
coincide [kəʊɪn'saɪd] *vi* (*happen together*) zusammenfallen; (*agree*) übereinstimmen; **coincidence** [kəʊ'ɪnsɪdəns] *n* Zufall *m;* **by a strange ~** merkwürdigerweise; **coincidental** [kəʊɪnsɪ'dentl] *adj* zufällig.
coke [kəʊk] *n* Koks *m.*
Coke [kəʊk] *n* Cola *f.*
colander ['kʌləndə*] *n* Seiher *m.*
cold [kəʊld] **1.** *adj* kalt; **2.** *n* Kälte *f;* (*illness*) Erkältung *f;* **I'm ~** mir ist kalt, ich friere; **to have ~ feet** (*fig*) kalte Füße haben, Angst haben; **to give sb the ~ shoulder** jdm die kalte Schulter zeigen; **cold box** *n* Kühlbox *f;* **coldly** *adv* kalt; (*fig*) gefühllos; **cold sore** *n* Herpes *m;* **cold start** *n* (COMPUT) Kaltstart *m;* **cold turkey** *n* (*US fam*) Totalentzug *m;* (*symptoms*) Entzugserscheinungen *pl.*
coleslaw ['kəʊlslɔː] *n* Krautsalat *m.*
colic ['kɒlɪk] *n* Kolik *f.*
collaborate [kə'læbəreɪt] *vi* zusammenarbeiten; **collaboration** [kəlæbə'reɪʃən] *n* Zusammenarbeit *f;* (POL) Kollaboration *f;* **collaborator** [kə'læbəreɪtə*] *n* Mitarbeiter(in) *m(f);* (POL) Kollaborateur(in) *m(f).*
collapse [kə'læps] **1.** *vi* (*people*) zusammenbrechen; (*things*) einstürzen; **2.** *n* Zusammenbruch *m,* Einsturz *m.*
collapsible [kə'læpsəbl] *adj* zusammenklappbar, Klapp-.
collar ['kɒlə*] *n* Kragen *m;* **collarbone** *n* Schlüsselbein *nt.*
collate [kɒ'leɪt] *vt* zusammenstellen und vergleichen.
colleague ['kɒliːg] *n* Kollege *m,* Kollegin *f.*
collect [kə'lekt] **1.** *vt* sammeln; (*fetch*) abholen; **2.** *vi* sich sammeln; **collect call** *n* (*US*) R-Gespräch *nt;* **collected** *adj* gefasst; **collection** [kə'lekʃən] *n* Sammlung *f;* (REL) Kollekte *f;* **collective** *adj* gemeinsam; (POL) kollektiv; **collector** *n* Sammler(in) *m(f);* (*of cash*) Kassierer(in) *m(f);* (*tax ~*) Finanzbeamte(r) *m,* -beamtin *f.*
college ['kɒlɪdʒ] *n* (SCH) College *nt;* (TECH) Fachschule *f,* Berufsschule *f.*
collide [kə'laɪd] *vi* zusammenstoßen; (*interests*) kollidieren, im Widerspruch stehen (*with* zu).
collie ['kɒlɪ] *n* Collie *m.*
colliery ['kɒlɪərɪ] *n* [Kohlen]grube *nt,* Zeche *f.*
collision [kə'lɪʒən] *n* Zusammenstoß *m;* (*of opinions*) Konflikt *m.*
colloquial [kə'ləʊkwɪəl] *adj* umgangssprachlich.
collusion [kə'luːʒən] *n* geheime Absprache.
Cologne [kə'ləʊn] *n* Köln *nt.*
colon ['kəʊlɒn] *n* Doppelpunkt *m.*
colonel ['kɜːnl] *n* Oberst *m.*
colonial [kə'ləʊnɪəl] *adj* Kolonial-.
colonize ['kɒlənaɪz] *vt* kolonisieren.
colonnade [kɒlə'neɪd] *n* Säulengang *m.*
colony ['kɒlənɪ] *n* Kolonie *f.*
color ['kʌlə*] *n* (*US*) *s.* **colour**.
Colorado beetle [kɒlə'rɑːdəʊ'biːtl] *n* Kartoffelkäfer *m.*
colossal [kə'lɒsl] *adj* kolossal, riesig.
colour ['kʌlə*] **1.** *n* Farbe *f;* **2.** *vt* (*fig*) färben; **3.** *vi* sich verfärben; **to be off ~** sich nicht wohl fühlen; **~s** *pl* Fahne *f;* **colour bar** *n* Rassenschranke *f;* **colour-blind** *adj* farbenblind; **coloured** *adj* farbig; **~ man/woman** Farbige(r) *mf;* **colour film** *n* Farbfilm *m;* **colourful** *adj* bunt; **colour scheme** *n* Farbgebung *f;* **colour television** *n* Farbfernsehen *nt.*
colt [kəʊlt] *n* Fohlen *nt.*
column ['kɒləm] *n* Säule *f;* (MIL) Kolonne *f;* (*of print*) Spalte *f;* **columnist** ['kɒləmnɪst] *n* Kolumnist(in) *m(f).*
coma ['kəʊmə] *n* Koma *nt.*
comb [kəʊm] **1.** *n* Kamm *m;* **2.** *vt* kämmen; (*search*) durchkämmen.
combat ['kɒmbæt] **1.** *n* Kampf *m;* **2.** *vt* bekämpfen.
combination [kɒmbɪ'neɪʃən] *n* Verbindung *f,* Kombination *f.*
combine [kəm'baɪn] **1.** *vt* verbinden; **2.** *vi* sich vereinigen, sich zusammenschließen; **3.** ['kɒmbaɪn] *n* (COMM) Konzern *m,* Verband *m;* **combine harvester** ['kɒmbaɪn'hɑːvɪstə*] *n* Mähdrescher *m.*

combustible [kəm'bʌstɪbl] *adj* brennbar, leicht entzündlich.

combustion [kəm'bʌstʃən] *n* Verbrennung *f.*

come [kʌm] <came, come> *vi* kommen; (*reach*) ankommen, gelangen; **come about** *vi* geschehen; **come across** *vt* (*find*) stoßen auf *+akk;* **come away** *vi* (*person*) weggehen; (*handle etc*) abgehen; **come by 1.** *vi* vorbeikommen; **2.** *vt* (*find*) kommen zu; **come down** *vi* (*price*) fallen; **come forward** *vi* (*volunteer*) sich melden; **come from** *vt* (*result*) kommen von; **where do you ~ ~?** wo kommen Sie her?; **I ~ ~ London** ich komme aus London; **come in for** *vt* abkriegen; **come into** *vt* eintreten in *+akk;* (*inherit*) erben; **come of** *vi:* **what came ~ it?** was ist daraus geworden?; **come off** *vi* (*handle*) abgehen; (*happen*) stattfinden; (*succeed*) klappen; **~ ~ it!** lass den Quatsch!; **come on** *vi* (*progress*) vorankommen; **how's the book coming ~?** was macht das Buch?; **~ ~!** komm!; (*hurry*) beeil dich!; (*encouraging*) los!; **come out** *vi* herauskommen; **come out with** *vt* herausrücken mit; **come round** *vi* (*visit*) vorbeikommen; (MED) wieder zu sich kommen; **come to** *vi* (MED) wieder zu sich kommen; (*bill*) sich belaufen auf *+akk;* **come up** *vi* hochkommen; (*problem*) auftauchen; **to ~ ~ with sth** sich *dat* etw einfallen lassen; **come upon** *vt* stoßen auf *+akk;* **come up to** *vi* (*approach*) zukommen auf *+akk;* (*water*) reichen bis; (*expectation*) entsprechen *+dat;* **comeback** *n* Wiederauftreten *nt;* (*of famous person*) Comeback *nt.*

comedian [kə'mi:dɪən] *n* Komiker(in) *m(f).*

comedown ['kʌmdaʊn] *n* Abstieg *m.*

comedy ['kɒmədɪ] *n* Komödie *f.*

come-on ['kʌmɒn] *n:* **to give sb the ~** jdn anmachen.

comet ['kɒmɪt] *n* Komet *m.*

comfort ['kʌmfət] **1.** *n* Bequemlichkeit *f;* (*of body*) Behaglichkeit *f;* (*of mind*) Trost *m;* **2.** *vt* trösten; **~s** *pl* Annehmlichkeiten *pl;* **comfortable** *adj* bequem, gemütlich.

comic ['kɒmɪk] **1.** *n* Comic[heft] *nt;* (*comedian*) Komiker(in) *m(f);* **2.** *adj* (*also:* **comical**) komisch, humoristisch.

coming ['kʌmɪŋ] *n* Kommen *nt.*

comma ['kɒmə] *n* Komma *nt.*

command [kə'mɑ:nd] **1.** *n* Befehl *m;* (*control*) Führung *f;* (MIL) Kommando *nt,* [Ober]befehl *m;* **2.** *vt* befehlen *+dat;* (MIL) kommandieren, befehligen; (*be able to get*) verfügen über *+akk;* **3.** *vi* befehlen; **commander** *n* Befehlshaber(in) *m(f),* Kommandant(in) *m(f);* **commanding officer** *n* Kommandeur(in) *m(f);* **command key** *n* (COMPUT) Befehlstaste *f;* **commandment** *n* (*esp Bible*) Gebot *nt;* **commando** *n* <-s> [Mitglied *nt* einer] Kommandotruppe *f.*

commemorate [kə'meməreɪt] *vt* gedenken *+gen;* **commemoration** [kəmemə'reɪʃən] *n:* **in ~ of** zum Gedenken an *+akk;* **commemorative** [kə'memərətɪv] *adj* Gedenk-.

commence [kə'mens] *vt, vi* beginnen; **commencement** *n* Beginn *m.*

commend [kə'mend] *vt* (*recommend*) empfehlen; (*praise*) loben; **commendable** *adj* empfehlenswert, lobenswert; **commendation** [kɒmen'deɪʃən] *n* Empfehlung *f;* (SCH) Lob *nt.*

comment ['kɒment] **1.** *n* (*remark*) Bemerkung *f;* (*note*) Anmerkung *f;* (*opinion*) Stellungnahme *f;* **2.** *vi* etwas sagen (*on* zu), sich äußern (*on* zu); **commentary** ['kɒməntrɪ] *n* Kommentar *m;* (*explanations*) Erläuterungen *pl;* **commentator** ['kɒmənteɪtə*] *n* Kommentator(in) *m(f).*

commerce ['kɒmɜ:s] *n* Handel *m;* **commercial** [kə'mɜ:ʃəl] **1.** *adj* kommerziell, geschäftlich; (*training*) kaufmännisch; **2.** *n* (TV) Werbespot *m;* **~ television** Werbefernsehen *nt;* **~ vehicle** Lieferwagen *m;* **commercialize** *vt* kommerzialisieren.

commiserate [kə'mɪzəreɪt] *vi* mitfühlen (*with* mit).

commission [kə'mɪʃən] **1.** *n* Auftrag *m;* (*fee*) Provision *f;* (*reporting body*) Kommission *f;* **2.** *vt* bevollmächtigen, beauftragen; **out of ~** außer Betrieb.

commissionaire [kəmɪʃə'nɛə*] *n* Portier *m.*

commissioner [kə'mɪʃənə*] *n* [Regierungs]bevollmächtigte(r) *mf.*

commit [kə'mɪt] **1.** *vt* (*crime*) begehen; (*entrust*) übergeben, anvertrauen; **2.** *vr:* **~ oneself** (*undertake*) sich verpflichten; **I don't want to ~ myself** ich will mich nicht festlegen; **commitment** *n* Verpflichtung *f.*

committee [kə'mɪtɪ] *n* Ausschuss *m,* Komitee *nt.*

commodity [kə'mɒdɪtɪ] *n* Ware *f,* [Handels]artikel *m,* Gebrauchsartikel *m.*

common ['kɒmən] **1.** *adj* (*cause*) gemeinsam; (*public*) öffentlich, allgemein; (*experience*) allgemein, alltäglich; (*pej*) gewöhnlich; (*widespread*) üblich, häufig, gewöhnlich; **2.** *n* Gemeindeland *nt;* (*park*) öffentliche Anlage; **Common Market** Gemeinsamer Markt; **commonly** *adv* im Allgemeinen, gewöhnlich; **commonplace 1.** *adj* alltäglich; (*remark*) banal; **2.** *n* Gemeinplatz *m;* ~ **ground** (*fig*) gemeinsame Basis; **commonroom** *n* Gemeinschaftsraum *m;* **commonsense** *n* gesunder Menschenverstand.

Commonwealth *n* Commonwealth *nt.*

> **The Commonwealth**, offiziell **Commonwealth of Nations**, ist ein lockerer Zusammenschluss aus souveränen Staaten, die früher unter britischer Führung standen, und von Großbritannien abhängigen Gebieten. Die Mitgliedsstaaten erkennen den britischen Monarchen als Oberhaupt des Commonwealth an. Bei der „Commonwealth Conference", einem Treffen der Staatsoberhäupter der Commonwealthländer, werden Angelegenheiten von gemeinsamem Interesse besprochen.

commotion [kə'məʊʃən] *n* Aufsehen *nt,* Unruhe *f.*

communal ['kɒmjʊnl] *adj* Gemeinde-, Gemeinschafts-.

commune ['kɒmju:n] *n* Kommune *f.*

communicate [kə'mju:nɪkeɪt] **1.** *vt* (*transmit*) übertragen; **2.** *vi* (*be in touch*) in Verbindung stehen; (*make oneself understood*) sich verständlich machen; **communication** [kəmju:nɪ'keɪʃən] *n* (*message*) Mitteilung *f;* (RADIO, TV) Kommunikationsmittel *nt;* (*making understood*) Kommunikation *f;* **~s** *pl* (*transport etc*) Verkehrswege *pl;* **communication cord** *n* Notbremse *f;* **communications satellite** *n* Kommunikationssatellit *m,* Nachrichtensatellit *m;* **communications system** *n* Kommunikationssystem *nt.*

communion [kə'mju:nɪən] *n* (*group*) Gemeinschaft *f;* (REL) Religionsgemeinschaft *f;* **[Holy] Communion** Heiliges Abendmahl; (*Catholic*) Kommunion *f.*

communiqué [kə'mju:nɪkeɪ] *n* Kommunikee *nt,* amtliche Verlautbarung.

communism ['kɒmjʊnɪzəm] *n* Kommunismus *m;* **communist** ['kɒmjʊnɪst] **1.** *n* Kommunist(in) *m(f);* **2.** *adj* kommunistisch.

community [kə'mju:nɪtɪ] *n* Gemeinschaft *f;* (*public*) Gemeinwesen *nt;* **community centre** *n* Gemeindezentrum *nt;* **community chest** *n* (*US*) Wohltätigkeitsfonds *m.*

commutation ticket [kɒmjʊ'teɪʃəntɪkɪt] *n* (*US*) Zeitkarte *f.*

commute [kə'mju:t] *vi* pendeln; **commuter** *n* Pendler(in) *m(f).*

compact [kəm'pækt] **1.** *adj* kompakt, fest, dicht; **2.** ['kɒmpækt] *n* Pakt *m,* Vertrag *m;* (*for make-up*) Puderdose *f;* **compact camera** *n* Kompaktkamera *f;* **compact disc** *n* Compact Disc *f,* CD *f.*

companion [kəm'pænɪən] *n* Begleiter(in) *m(f);* **companionship** *n* Gesellschaft *f.*

company ['kʌmpənɪ] *n* Gesellschaft *f;* (COMM A.) Firma *f;* (MIL) Kompanie *f;* **to keep sb** ~ jdm Gesellschaft leisten.

comparable ['kɒmpərəbl] *adj* vergleichbar.

comparative [kəm'pærətɪv] **1.** *adj* (*relative*) verhältnismäßig, relativ; (LING) steigernd; **2.** *n* (LING) Komparativ *m,* erste Steigerungsstufe; **comparatively** *adv* verhältnismäßig.

compare [kəm'pɛə*] **1.** *vt* vergleichen (*with, to* mit); **2.** *vi* sich vergleichen lassen; **comparison** [kəm'pærɪsn] *n* Vergleich *m;* (*object*) Vergleichsgegenstand *m;* **in ~ with** im Vergleich mit [*o* zu].

compartment [kəm'pɑ:tmənt] *n* (RAIL) Abteil *nt;* (*in drawer etc*) Fach *nt.*

compass ['kʌmpəs] *n* Kompass *m;* **~es** *pl* Zirkel *m.*

compassion [kəm'pæʃən] *n* Mitleid *nt;* **compassionate** *adj* mitfühlend.

compatible [kəm'pætɪbl] *adj* vereinbar, im Einklang; (COMPUT) kompatibel; **environmentally ~** umweltverträglich; **we're not ~** wir passen nicht zueinander.

compel [kəm'pel] *vt* zwingen; **compelling** *adj* (*argument*) zwingend.

compendium [kəm'pendɪəm] *n* Kompendium *nt.*

compensate ['kɒmpenseɪt] *vt* entschädigen; **to ~ for** Ersatz leisten für, kompensieren; **compensation** [kɒmpen'seɪʃən] *n* Entschädigung *f;* (*money*) Schadenersatz *m;* (JUR) Abfindung *f;* (PSYCH) Kompensation *f.*

compère ['kɒmpɛə*] *n* Conférencier *m.*

compete [kəm'pi:t] *vi* sich bewerben; (*be competition*) konkurrieren; (SPORT) teilnehmen.

competence ['kɒmpɪtəns] *n* Fähigkeit *f;* (JUR) Zuständigkeit *f;* **competent** *adj* kompetent, fähig; (JUR) zuständig.

competition [kɒmpɪ'tɪʃən] *n* Wettbewerb *m;* (COMM) Konkurrenz *f;* **competitive** [kəm'petɪtɪv] *adj* Konkurrenz-; (COMM) wettbewerbs- [*o* konkurrenzfähig]; **competitor** [kəm'petɪtə*] *n* Mitbewerber(in) *m(f);* (COMM) Konkurrent(in) *m(f);* (SPORT) Teilnehmer(in) *m(f).*

compile [kəm'paɪl] *vt* zusammenstellen.

complacency [kəm'pleɪsnsɪ] *n* Selbstzufriedenheit *f,* Selbstgefälligkeit *f;* **complacent** [kəm'pleɪsnt] *adj* selbstzufrieden, selbstgefällig.

complain [kəm'pleɪn] *vi* sich beklagen, sich beschweren (*about* über +*akk*); **complaint** *n* Beschwerde *f;* (MED) Leiden *nt.*

complement ['kɒmplɪmənt] *n* Ergänzung *f;* (*ship's crew etc*) Bemannung *f;* **complementary** [kɒmplɪ'mentərɪ] *adj* Komplementär-, [sich] ergänzend.

complete [kəm'pli:t] **1.** *adj* vollständig, vollkommen, ganz; **2.** *vt* vervollständigen; (*finish*) beenden; **completely** *adv* vollständig, ganz; **completion** [kəm'pli:ʃən] *n* Vervollständigung *f;* (*of building*) Fertigstellung *f.*

complex ['kɒmpleks] **1.** *adj* komplex; (*mind, question, problem*) vielschichtig; (*theory, situation*) kompliziert, verwickelt; **2.** *n* Komplex *m.*

complexion [kəm'plekʃən] *n* Gesichtsfarbe *f,* Teint *m;* (*fig*) Anstrich *m,* Aussehen *nt.*

complexity [kəm'pleksɪtɪ] *n* Komplexität *f,* Kompliziertheit *f.*

compliance [kəm'plaɪəns] *n* Einverständnis *nt.*

complicate ['kɒmplɪkeɪt] *vt* komplizieren; **complicated** *adj* kompliziert; **complication** [kɒmplɪ'keɪʃən] *adj* Komplikation *f.*

compliment ['kɒmplɪmənt] **1.** *n* Kompliment *nt;* **2.** ['kɒmplɪment] *vt* ein Kompliment machen (*sb* jdm); **~s** *pl* Grüße *pl,* Empfehlung *f;* **complimentary** [kɒmplɪ'mentərɪ] *adj* schmeichelhaft; (*free*) Frei-, Gratis-.

comply [kəm'plaɪ] *vi:* **to ~ with sth** etw erfüllen, einer Sache *dat* entsprechen.

component [kəm'pəʊnənt] **1.** *adj* Teil-; **2.** *n* Bestandteil *m.*

compose [kəm'pəʊz] *vt* (*arrange*) zusammensetzen; (*music*) komponieren; (*poetry*) schreiben; (*thoughts*) sammeln; (*features*) beherrschen; **composed** *adj* ruhig, gefasst; **to be ~ of** bestehen aus; **composer** *n* Komponist(in) *m(f).*

composite ['kɒmpəzɪt] *adj* zusammengesetzt.

composition [kɒmpə'zɪʃən] *n* (MUS) Komposition *f;* (SCH) Aufsatz *m;* (*composing*) Zusammensetzung *f,* Gestaltung *f;* (*structure*) Zusammensetzung *f,* Aufbau *m.*

compositor [kəm'pɒzɪtə*] *n* Schriftsetzer(in) *m(f).*

compos mentis ['kɒmpɒs'mentɪs] *adj* zurechnungsfähig.

compost ['kɒmpɒst] *n* Kompost *m;* **compost heap** *n* Komposthaufen *m.*

composting ['kɒmpɒstɪŋ] *n* Kompostierung *f.*

composure [kəm'pəʊʒə*] *n* Gelassenheit *f,* Fassung *f.*

compound ['kɒmpaʊnd] **1.** *n* (CHEM) Verbindung *f;* (*mixture*) Gemisch *nt;* (*enclosure*) eingezäuntes Gelände; (LING) Kompositum *nt,* zusammengesetztes Wort; **2.** *adj* zusammengesetzt; **~ fracture** komplizierter Bruch; **~ interest** Zinseszins *m.*

comprehend [kɒmprɪ'hend] *vt* begreifen, verstehen; (*include*) umfassen, einschließen; **comprehension** [kɒmprɪ'henʃən] *n* Verständnis *nt.*

comprehensive [kɒmprɪ'hensɪv] *adj* umfassend; **~ school** Gesamtschule *f.*

> Eine **comprehensive school** ist in Großbritannien eine allgemeine weiterführende Schule, an der alle Kinder aus einem Einzugsgebiet gemeinsam unterrichtet werden. An einer solchen Gesamtschule können alle Schulabschlüsse gemacht werden. Die meisten staatlichen Schulen in Großbritannien sind „comprehensive schools".

compress [kəm'pres] **1.** *vt* zusammendrücken, komprimieren; **2.** ['kɒmpres] *n* (MED) Kompresse *f,* Umschlag *m.*

comprise [kəm'praɪz] *vt* umfassen, bestehen aus.

compromise ['kɒmprəmaɪz] **1.** *n* Kompromiss *m;* **2.** *vt* (*reputation*) kompromittieren; **3.** *vi* einen Kompromiss schließen.

compulsion [kəm'pʌlʃən] *n* Zwang *m;* **compulsive** [kəm'pʌlsɪv] *adj* Gewohnheits-, zwanghaft; **compulsory** [kəm'pʌlsərɪ] *adj* (*obligatory*) obligatorisch, Pflicht-.

computer [kəm'pju:tə*] *n* Computer *m,* Rechner *m;* **computer animation** *n* Computeranimation *f;* **computer centre** *n* Rechenzentrum *nt;* **computer-controlled** *adj* rechnergesteuert; **computer game** *n* Telespiel *nt,* Computerspiel *nt;* **computerize** [kəm'pju:təraɪz] *vt* computerisieren; **computerized axial tomography** *n* Computertomographie *f;* **computer network** *n* Computernetz *nt;* **computer scientist** *n* Informatiker(in) *m(f);* **computer virus** *n* Computervirus *m.*

comrade ['kɒmreɪd] *n* Kamerad(in) *m(f);* (POL) Genosse *m,* Genossin *f;* **comradeship** *n* Kameradschaft *f.*

con artist ['kɒnɑ:tɪst] *n* (*fam*) Hochstapler(in) *m(f).*

concave ['kɒŋkeɪv] *adj* konkav.

conceal [kən'si:l] **1.** *vt* (*secret*) verschweigen; **2.** *vr:* ~ **oneself** sich verbergen.

concede [kən'si:d] **1.** *vt* (*grant*) gewähren; (*point*) zugeben; **2.** *vi* nachgeben.

conceit [kən'si:t] *n* Eitelkeit *f,* Einbildung *f;* **conceited** *adj* eitel, eingebildet.

conceivable [kən'si:vəbl] *adj* vorstellbar.

conceive [kən'si:v] *vt* (*idea*) sich *dat* ausdenken; (*imagine*) sich *dat* vorstellen; (*child*) empfangen.

concentrate ['kɒnsəntreɪt] **1.** *vi* sich konzentrieren (*on* auf *+akk*); **2.** *vt* (*gather*) konzentrieren; **concentration** [kɒnsən'treɪʃən] *n* Konzentration *f;* **concentration camp** *n* Konzentrationslager *nt,* KZ *nt.*

concentric [kɒn'sentrɪk] *adj* konzentrisch.

concept ['kɒnsept] *n* Begriff *m;* **conception** [kən'sepʃən] *n* (*idea*) Vorstellung *f;* (*of child*) Empfängnis *f.*

concern [kən'sɜ:n] **1.** *n* (*affair*) Angelegenheit *f;* (COMM) Unternehmen *nt,* Konzern *m;* (*worry*) Sorge *f,* Unruhe *f;* **2.** *vt* (*involve*) angehen; (*be about*) handeln von; (*have connection with*) betreffen; **concerned** *adj* (*anxious*) besorgt; **concerning** *prep* betreffend, hinsichtlich *+gen.*

concert ['kɒnsət] *n* Konzert *nt;* **in ~ with** im Einverständnis mit; ~ **hall** Konzerthalle *f.*

concerted [kən'sɜ:tɪd] *adj* gemeinsam; (FIN) konzertiert.

concertina [kɒnsə'ti:nə] *n* Handharmonika *f.*

concerto [kən'tʃɜ:təʊ] *n* <-s> Konzert *nt.*

concession [kən'seʃən] *n* (*yielding*) Zugeständnis *nt;* (*right to do sth*) Genehmigung *f.*

conciliation [kənsɪlɪ'eɪʃən] *n* Versöhnung *f;* (*official*) Schlichtung *f;* **conciliatory** [kən'sɪlɪətrɪ] *adj* vermittelnd; versöhnlich.

concise [kən'saɪs] *adj* knapp, gedrängt.

conclude [kən'klu:d] **1.** *vt* (*end*) beenden; (*treaty*) [ab]schließen; (*decide*) schließen, folgern; **2.** *vi* (*finish*) schließen; **conclusion** [kən'klu:ʒən] *n* [Ab]schluss *m;* (*logical ~*) Schlussfolgerung *f;* **in ~** zum Schluss, schließlich; **conclusive** [kən'klu:sɪv] *adj* überzeugend, schlüssig; **conclusively** *adv* endgültig.

concoct [kən'kɒkt] *vt* zusammenbrauen.

concord ['kɒŋkɔ:d] *n* Eintracht *f.*

concourse ['kɒŋkɔ:s] *n* [Bahnhofs]halle *f,* Vorplatz *m.*

concrete ['kɒŋkri:t] **1.** *n* Beton *m;* **2.** *adj* konkret.

concur [kən'kɜ:*] *vi* übereinstimmen.

concurrently [kən'kʌrəntlɪ] *adv* gleichzeitig.

concussion [kɒn'kʌʃən] *n* Gehirnerschütterung *f.*

condemn [kən'dem] *vt* verdammen; (JUR) verurteilen; (*building*) für abbruchreif erklären; **condemnation** [kɒndem'neɪʃən] *n* Verurteilung *f.*

condensation [kɒnden'seɪʃən] *n* Kondensation *f.*

condense [kən'dens] **1.** *vi* (CHEM) kondensieren; **2.** *vt* (*fig*) zusammendrängen; **condensed milk** *n* Kondensmilch *f,* Dosenmilch *f.*

condescend [kɒndɪ'send] *vi* sich herablassen; **condescending** *adj* herablassend.

condition [kən'dɪʃən] **1.** *n* (*state*) Zustand *m,* Verfassung *f;* (*presupposition*) Bedingung *f;* **2.** *vt* (*regulate*) regeln; **do you ~ your hair?** benutzt du eine Pflegespülung?; **on ~ that ...** unter der Bedingung, dass ...; ~**s** *pl* (*circumstances, weather*) Verhältnisse *pl;* **conditional** *adj* bedingt; (LING) Bedingungs-; **conditioned** *adj:* ~ **to** gewöhnt an +*akk;* ~ **reflex** bedingter Reflex; **conditioner** *n* Weichspüler *m;* (*for hair*) Pflegespülung *f.*

condo ['kɒndəʊ] *n s.* **condominium**.

condolences [kən'dəʊlənsɪz] *n pl* Beileid *nt.*

condom ['kɒndəm] *n* Kondom *nt.*

condominium [kɒndə'mɪnɪəm] *n* (*US*) Eigentumswohnung *f;* (*house*) Gebäude *nt* mit Eigentumswohnungen.

condone [kən'dəʊn] *vt* gutheißen.

conducive [kən'dju:sɪv] *adj* dienlich (*to dat*).

conduct ['kɒndʌkt] **1.** *n* (*behaviour*) Verhalten *nt;* (*management*) Führung *f;* **2.** [kən'dʌkt] *vt* führen, leiten; (MUS) dirigieren; ~**ed tour** Führung *f;* **conductor** [kən'dʌktə*] *n* (*of orchestra*) Dirigent(in) *m(f);* (*in bus*) Schaffner *m;* **conductress** [kən'dʌktrɪs] *n* (*in bus*) Schaffnerin *f.*

conduit ['kɒndɪt] *n* (*for water*) Rohrleitung *f;* (ELEC) Isolierrohr *nt.*

cone [kəʊn] *n* (MATH) Kegel *m;* (*for ice cream*) [Waffel]tüte *f;* (*fir* ~) [Tannen]-zapfen *m.*

confectioner [kən'fekʃənə*] *n* Konditor(in) *m(f);* ~**'s [shop]** Konditorei *f;* **confectionery** *n* (*cakes*) Konditorwaren *pl;* (*chocolates*) Konfekt *nt.*

confederation [kənfedə'reɪʃən] *n* Bund *m.*

confer [kən'fɜ:*] **1.** *vt* (*degree*) verleihen (*on sb* jdm); **2.** *vi* (*discuss*) konferieren, verhandeln; **conference** ['kɒnfərəns] *n* Konferenz *f.*

confess [kən'fes] *vt, vi* gestehen; (REL) beichten; **confession** [kən'feʃən] *n* Geständnis *nt;* (REL) Beichte *f;* **confessional** [kən'feʃənl] *n* Beichtstuhl *m;* **confessor** *n* (REL) Beichtvater *m.*

confetti [kən'fetɪ] *n* Konfetti *nt.*

confide [kən'faɪd] *vi:* **to** ~ **in sb** sich jdm anvertrauen; (*trust*) jdm vertrauen; **confidence** ['kɒnfɪdəns] *n* Vertrauen *nt;* (*assurance*) Selbstvertrauen *nt;* (*secret*) vertrauliche Mitteilung, Geheimnis *nt;* **confidence trick** *n* Schwindel *m.*

confident ['kɒnfɪdənt] *adj* (*sure*) überzeugt; sicher; (*self-assured*) selbstsicher.

confidential [kɒnfɪ'denʃəl] *adj* (*secret*) vertraulich, geheim; (*trusted*) Vertrauens-.

confine [kən'faɪn] *vt* (*limit*) begrenzen, einschränken; (*lock up*) einsperren; **confined** *adj* (*space*) eng, begrenzt; **confinement** *n* (*of room*) Beengtheit *f;* (*in prison*) Haft *f;* (MED) Wochenbett *nt;* **confines** ['kɒnfaɪnz] *n pl* Grenze *f.*

confirm [kən'fɜ:m] *vt* bestätigen; **confirmation** [kɒnfə'meɪʃən] *n* Bestätigung *f;* (REL) Konfirmation *f;* **confirmed** *adj* unverbesserlich, hartnäckig; (*bachelor*) eingefleischt.

confiscate ['kɒnfɪskeɪt] *vt* beschlagnahmen, konfiszieren; **confiscation** [kɒnfɪs'keɪʃən] *n* Beschlagnahme *f.*

conflagration [kɒnflə'greɪʃən] *n* Feuersbrunst *f.*

conflict ['kɒnflɪkt] **1.** *n* Kampf *m;* (*of words, opinions*) Konflikt *m,* Streit *m;* **2.** [kən'flɪkt] *vi* im Widerspruch stehen; **conflicting** [kən'flɪktɪŋ] *adj* gegensätzlich; (*testimony*) sich widersprechend.

conform [kən'fɔ:m] *vi* sich anpassen (*to dat*); (*to rules*) sich fügen (*to dat*); (*to general trends*) sich richten (*to* nach); **conformist** *n* Konformist(in) *m(f).*

confront [kən'frʌnt] *vt* (*enemy*) entgegentreten +*dat;* (*sb with sth*) konfrontieren; **confrontation** [kɒnfrən'teɪʃən] *n* Gegenüberstellung *f;* (*quarrel*) Konfrontation *f.*

confuse [kən'fju:z] *vt* verwirren; (*sth with sth*) verwechseln; **confusing** *adj* verwirrend; **confusion** [kən'fju:ʒən] *n* (*disorder*) Verwirrung *f;* (*tumult*) Aufruhr *m;* (*embarrassment*) Bestürzung *f.*

congeal [kən'dʒi:l] *vi* (*freeze*) gefrieren; (*clot*) gerinnen.

congenial [kən'dʒi:nɪəl] *adj* (*agreeable*) angenehm.

congenital [kən'dʒenɪtəl] *adj* angeboren.

conger eel ['kɒŋgər'i:l] *n* Meeraal *m.*

congested [kən'dʒestɪd] *adj* überfüllt; **congestion** [kən'dʒestʃən] *n* Stau *m.*

conglomeration [kənglɒmə'reɪʃən] *n* Anhäufung *f.*

congratulate [kən'grætjʊleɪt] *vt* beglückwünschen (*on* zu); **congratulations** [kəngrætjʊ'leɪʃənz] *n pl* Glückwünsche *pl;* ~**!** gratuliere!, herzlichen Glückwunsch!

congregate ['kɒŋgrɪgeɪt] *vi* sich versammeln; **congregation** [kɒŋgrɪ'geɪʃən] *n* Gemeinde *f.*

congress ['kɒŋgres] *n* Kongress *m.*

> Der **Congress** ist die nationale gesetzgebende Versammlung der

USA, die in Washington im Capitol zusammentritt. Der Kongress besteht aus dem Repräsentantenhaus (435 Abgeordnete, entsprechend den Bevölkerungszahlen auf die einzelnen Bundesstaaten verteilt und jeweils für zwei Jahre gewählt) und dem Senat (100 Senatoren, zwei für jeden Bundesstaat, für sechs Jahre gewählt, wobei ein Drittel alle zwei Jahre neu gewählt wird). Sowohl die Abgeordneten als auch die Senatoren werden in direkter Wahl vom Volk gewählt.

congressional [kən'greʃənl] *adj* Kongress-; **congressman** *n* <congressmen> (*US*) Mitglied *nt* des amerikanischen Repräsentantenhauses.

conical ['kɒnɪkəl] *adj* kegelförmig, konisch.

conifer ['kɒnɪfə*] *n* Nadelbaum *m;* **coniferous** [kə'nɪfərəs] *adj* Nadel-.

conjecture [kən'dʒektʃə*] **1.** *n* Vermutung *f;* **2.** *vt, vi* vermuten.

conjugal ['kɒndʒʊgəl] *adj* ehelich.

conjunction [kən'dʒʌŋkʃən] *n* Verbindung *f;* (LING) Konjunktion *f,* Verbindungswort *nt.*

conjunctivitis [kəndʒʌŋktɪ'vaɪtɪs] *n* Bindehautentzündung *f.*

conjure ['kʌndʒə*] *vt, vi* zaubern; **conjure up** *vt* heraufbeschwören; **conjurer** *n* Zauberer *m,* Zaubrerin *f;* (*entertainer*) Zauberkünstler(in) *m(f);* **conjuring trick** *n* Zauberkunststück *nt.*

conk out [kɒŋk aʊt] *vi* (*fam*) stehen bleiben, streiken; (*person: faint*) umkippen.

connect [kə'nekt] *vt* verbinden; (*train*) koppeln; **~ing flight** Anschlussflug *m;* **connection**, **connexion** [kə'nekʃən] *n* Verbindung *f;* (*relation*) Zusammenhang *m;* **in ~ with** in Verbindung mit.

connoisseur [kɒnɪ'sɜː*] *n* Kenner(in) *m(f).*

conquer ['kɒŋkə*] **1.** *vt* (*overcome*) überwinden, besiegen; (MIL) besiegen; **2.** *vi* siegen; **conqueror** *n* Eroberer *m;* **conquest** ['kɒŋkwest] *n* Eroberung *f.*

conscience ['kɒnʃəns] *n* Gewissen *nt.*

conscientious [kɒnʃɪ'enʃəs] *adj* gewissenhaft; **~ objector** Kriegsdienstverweigerer *m,* Wehrdienstverweigerer *m.*

conscious ['kɒnʃəs] *adj* bewusst; (MED) bei Bewusstsein; **consciousness** *n* Bewusstsein *nt.*

conscript ['kɒnskrɪpt] *n* Wehrpflichtige(r) *m;* **conscription** [kən'skrɪpʃən] *n* Wehrpflicht *f.*

consecrate ['kɒnsɪkreɪt] *vt* weihen.

consecutive [kən'sekjʊtɪv] *adj* aufeinander folgend.

consensus [kən'sensəs] *n* allgemeine Übereinstimmung.

consent [kən'sent] **1.** *n* Zustimmung *f;* **2.** *vi* zustimmen (*to dat*).

consequence ['kɒnsɪkwəns] *n* Konsequenz *f;* (*importance*) Bedeutung *f;* (*result, effect*) Wirkung *f;* **consequently** ['kɒnsɪkwəntlɪ] *adv* folglich.

conservation [kɒnsə'veɪʃən] *n* Erhaltung *f,* Schutz *m;* **conservationist** *n* Umweltschützer(in) *m(f);* **conservation technology** *n* Umweltschutztechnik *f.*

conservative [kən'sɜːvətɪv] *adj* konservativ; (*cautious*) mäßig, vorsichtig; **Conservative** **1.** *adj* (*party*) konservativ; **2.** *n* Konservative(r) *mf.*

conservatory [kən'sɜːvətrɪ] *n* (*greenhouse*) Gewächshaus *nt;* (*room*) Wintergarten *m.*

conserve [kən'sɜːv] *vt* erhalten.

consider [kən'sɪdə*] *vt* sich *dat* überlegen; (*take into account*) in Betracht ziehen; (*regard*) halten für.

considerable [kən'sɪdərəbl] *adj* beträchtlich.

considerate [kən'sɪdərɪt] *adj* rücksichtsvoll, aufmerksam.

consideration [kənsɪdə'reɪʃən] *n* Rücksicht[nahme] *f;* (*thought*) Erwägung *f;* (*reward*) Entgelt *nt;* **on no ~** unter keinen Umständen.

considering [kən'sɪdərɪŋ] **1.** *prep* in Anbetracht *+gen;* **2.** *conj* da.

consign [kən'saɪn] *vt* (*send*) versenden; (*commit*) übergeben; **consignment** *n* (*of goods*) Sendung *f,* Lieferung *f.*

consist [kən'sɪst] *vi* bestehen (*of* aus).

consistency [kən'sɪstənsɪ] *n* (*of material*) Festigkeit *f;* (*of argument*) Folgerichtigkeit *f;* (*of person*) Konsequenz *f;* **consistent** *adj* gleich bleibend, stetig; (*argument*) folgerichtig; **she's not ~** sie ist nicht konsequent.

consolation [kɒnsə'leɪʃən] *n* Trost *m;* **~ prize** Trostpreis *m.*

console [kən'səʊl] **1.** *vt* trösten; **2.** ['kɒnsəʊl] *n* (*US*) Musiktruhe *f.*

consolidate [kən'sɒlɪdeɪt] *vt* festigen.
consommé [kən'sɒmeɪ] *n* Fleischbrühe *f.*
consonant ['kɒnsənənt] *n* Konsonant *m,* Mitlaut *m.*
consortium [kən'sɔ:tɪəm] *n* Gruppe *f,* Konsortium *nt.*
conspicuous [kən'spɪkjʊəs] *adj* (*prominent*) auffallend; (*visible*) deutlich, sichtbar.
conspiracy [kən'spɪrəsɪ] *n* Verschwörung *f,* Komplott *nt.*
conspire [kən'spaɪə*] *vi* sich verschwören.
constable ['kʌnstəbl] *n* Polizist(in) *m(f).*
constabulary [kən'stæbjʊlərɪ] *n* Polizei *f.*
Constance ['kɒnstəns] *n:* **Lake** ~ der Bodensee.
constancy ['kɒnstənsɪ] *n* Beständigkeit *f,* Treue *f.*
constant ['kɒnstənt] *adj* dauernd; **constantly** *adv* (*continually*) andauernd; (*faithfully*) treu, unwandelbar.
constellation [kɒnstə'leɪʃən] *n* (*temporary*) Konstellation *f;* (*permanent*) Sternbild *nt.*
consternation [kɒnstə'neɪʃən] *n* (*dismay*) Bestürzung *f.*
constipated ['kɒnstɪpeɪtəd] *adj* verstopft; **constipation** [kɒnstɪ'peɪʃən] *n* Verstopfung *f.*
constituency [kən'stɪtjʊənsɪ] *n* Wahlkreis *m.*
constituent [kən'stɪtjʊənt] *n* (*person*) Wähler(in) *m(f);* (*part*) Bestandteil *m.*
constitute ['kɒnstɪtju:t] *vt* ausmachen.
constitution [kɒnstɪ'tju:ʃən] *n* Verfassung *f;* **constitutional** *adj* Verfassungs-; (*monarchy*) konstitutionell.
constrain [kən'streɪn] *vt* zwingen; **constraint** *n* Zwang *m;* (PSYCH) Befangenheit *f.*
constrict [kən'strɪkt] *vt* zusammenziehen; **constriction** [kən'strɪkʃən] *n* Zusammenziehung *f;* (*of chest*) Beklemmung *f.*
construct [kən'strʌkt] *vt* bauen; **construction** [kən'strʌkʃən] *n* (*action*) [Er]bauen *nt,* Konstruktion *f;* (*building*) Bau *m;* **under** ~ im Bau befindlich; **constructive** *adj* konstruktiv.
construe [kən'stru:] *vt* (*interpret*) deuten.
consul ['kɒnsl] *n* Konsul(in) *m(f);* **consulate** ['kɒnsjʊlət] *n* Konsulat *nt.*
consult [kən'sʌlt] *vt* um Rat fragen; (*doctor*) konsultieren; (*book*) nachschlagen in +*dat;* **consultant** *n* (MED) Facharzt(-ärztin) *m(f);* (*other specialist*) Gutachter(in) *m(f);* **consultation** [kɒnsəl'teɪʃən] *n* Beratung *f;* (MED) Konsultation *f;* **consulting room** *n* Sprechzimmer *nt.*
consume [kən'sju:m] *vt* verbrauchen; (*food*) verzehren, konsumieren; **consumer** *n* Verbraucher(in) *m(f);* **consumer electronics** *n pl* Unterhaltungselektronik *f;* **consumerism** *n* Konsumsteigerung *f.*
consumption [kən'sʌmpʃən] *n* Verbrauch *m;* (*of food*) Konsum *m.*
contact ['kɒntækt] **1.** *n* (*touch*) Berührung *f;* (*person*) Kontakt *m,* Beziehung *f;* **2.** *vt* sich in Verbindung setzen mit; **contact lenses** *n pl* Kontaktlinsen *pl.*
contagious [kən'teɪdʒəs] *adj* ansteckend.
contain [kən'teɪn] **1.** *vt* enthalten; **2.** *vr:* ~ **oneself** sich zügeln; **container** *n* Behälter *m;* (*for transport*) Container *m;* **containment** *n* (*in nuclear power station*) Sicherheitsbehälter *m.*
contaminate [kən'tæmɪneɪt] *vt* verunreinigen; (*germs*) infizieren; ~**d by radiation** strahlenverseucht, verstrahlt; **contamination** [kəntæmɪ'neɪʃən] *n* Verunreinigung *f;* (*by radiation*) Verstrahlung *f.*
contemplate ['kɒntəmpleɪt] *vt* [nachdenklich] betrachten; (*think about*) überdenken; (*plan*) vorhaben; **contemplation** [kɒntem'pleɪʃən] *n* Betrachtung *f;* (REL) Meditation *f.*
contemporary [kən'tempərərɪ] **1.** *adj* zeitgenössisch; **2.** *n* Zeitgenosse(-genossin) *m(f).*
contempt [kən'tempt] *n* Verachtung *f;* **contemptible** *adj* verächtlich, nichtswürdig; **contemptuous** *adj* voller Verachtung (*of* für).
contend [kən'tend] *vt* (*fight*) kämpfen (*for* um); (*argue*) behaupten; **contender** *n* (*for post*) Bewerber(in) *m(f);* (SPORT) Wettkämpfer(in) *m(f).*
content [kən'tent] **1.** *adj* zufrieden; **2.** *vt* befriedigen; **3.** ['kɒntent] *n* (*also:* ~**s**) Inhalt *m;* **contented** *adj* zufrieden.
contention [kən'tenʃən] *n* (*dispute*) Streit *m;* (*argument*) Behauptung *f.*
contentment [kən'tentmənt] *n* Zufriedenheit *f.*
contest ['kɒntest] **1.** *n* [Wett]kampf *m;* **2.** [kən'test] *vt* (*dispute*) bestreiten; (POL: *election*) teilnehmen an +*dat;* **to ~ a seat** um einen Wahlkreis kämpfen; **contest-**

ant [kən'testənt] *n* Bewerber(in) *m(f)*; **contested takeover** *n* angefochtene Übernahme.

context ['kɒntekst] *n* Zusammenhang *m*.

continent ['kɒntɪnənt] *n* Kontinent *m*, Festland *nt*; **the Continent** das europäische Festland, der Kontinent; **continental** [kɒntɪ'nentl] **1.** *adj* kontinental; **2.** *n* Bewohner(in) *m(f)* des Kontinents; ~ **quilt** Steppdecke *f*.

contingency [kən'tɪndʒənsɪ] *n* Möglichkeit *f*.

contingent [kən'tɪndʒənt] **1.** *n* (MIL) Kontingent *nt*; **2.** *adj* abhängig (*upon* von).

continual [kən'tɪnjʊəl] *adj* (*endless*) fortwährend; (*repeated*) immer wiederkehrend; **continually** *adv* immer wieder.

continuation [kəntɪnjʊ'eɪʃən] *n* Fortsetzung *f*.

continue [kən'tɪnju:] **1.** *vi* (*go on*) anhalten; (*last*) fortbestehen; **2.** *vt* fortsetzen; **shall we ~?** wollen wir weitermachen?; **if this ~s** wenn das so weitergeht; **the rain ~d** es regnete weiter; **he ~d reading** er las weiter.

continuity [kɒntɪ'njʊɪtɪ] *n* Kontinuität *f*; (*wholeness*) Zusammenhang *m*.

continuous [kən'tɪnjʊəs] *adj* ununterbrochen; ~ **paper** Endlospapier *nt*.

contort [kən'tɔ:t] *vt* verdrehen; **contortion** [kən'tɔ:ʃən] *n* Verzerrung *f*; **contortionist** *n* Schlangenmensch *m*.

contour ['kɒntʊə*] *n* Umriss *m*; (*height*) Höhenlinie *f*.

contraband ['kɒntrəbænd] *n* Schmuggelware *f*.

contraception [kɒntrə'sepʃən] *n* Empfängnisverhütung *f*; **contraceptive** [kɒntrə'septɪv] **1.** *n* empfängnisverhütendes Mittel; **2.** *adj* empfängnisverhütend.

contract ['kɒntrækt] **1.** *n* (*agreement*) Vertrag *m*; **2.** [kən'trækt] *vi* (*to do sth*) sich vertraglich verpflichten; (*muscle*) sich zusammenziehen; (*become smaller*) schrumpfen; **contraction** [kən'trækʃən] *n* (*shortening*) Zusammenziehen *nt*; (MED) Wehe *f*; **contractor** [kən'træktə*] *n* Unternehmer(in) *m(f)*; (*supplier*) Lieferant(in) *m(f)*.

contradict [kɒntrə'dɪkt] *vt* widersprechen +*dat*; **contradiction** [kɒtrə'dɪkʃən] *n* Widerspruch *m*.

contralto [kən'træltəʊ] *n* <-s> [tiefe] Altstimme *f*.

contraption [kən'træpʃən] *n* (*fam*) komische Konstruktion, komisches Ding.

contrary ['kɒntrərɪ] **1.** *n* Gegenteil *nt*; **2.** *adj* entgegengesetzt; (*wind*) ungünstig, Gegen-; **3.** [kən'trɛərɪ] *adj* (*obstinate*) widerspenstig, eigensinnig; **on the ~** im Gegenteil.

contrast ['kɒntrɑ:st] **1.** *n* Kontrast *m*; **2.** [kən'trɑ:st] *vt* entgegensetzen; **contrast control** *n* Kontrastregler *m*; **contrasting** [kən'trɑ:stɪŋ] *adj* Kontrast-.

contravene [kɒntrə'vi:n] *vt* verstoßen gegen.

contribute [kən'trɪbju:t] *vt, vi* beitragen; (*money*) spenden; **contribution** [kɒntrɪ'bju:ʃən] *n* Beitrag *m*; **contributor** [kən'trɪbjʊtə*] *n* Mitarbeiter(in) *m(f)*.

contrite ['kɒntraɪt] *adj* zerknirscht.

contrivance [kən'traɪvəns] *n* Vorrichtung *f*; (*invention*) Erfindung *f*.

contrive [kən'traɪv] *vt* zustande bringen; **to ~ to do sth** es schaffen etw zu tun.

control [kən'trəʊl] **1.** *vt* (*direct, test*) kontrollieren; (COMPUT) steuern; **2.** *n* Kontrolle *f*; (*of business*) Leitung *f*; (COMPUT) Steuerung *f*; (*of situation, emotion*) Beherrschung *f*; **~s** *pl* (*of vehicle*) Steuerung *f*; (*of engine*) Schalttafel *f*; **out of ~** außer Kontrolle; **under ~** unter Kontrolle; **control centre** *n* (SPACE) Kontrollzentrum *nt*; **control character** *n* (COMPUT) Steuerzeichen *nt*; **control point** *n* Kontrollstelle *f*; **control unit** *n* (COMPUT) Steuerwerk *nt*.

controversial [kɒntrə'vɜ:ʃəl] *adj* umstritten, kontrovers; **controversy** [kən'trɒvəsɪ] *n* Meinungsstreit *m*, Kontroverse *f*.

conundrum [kə'nʌndrəm] *n* Rätsel *nt*.

convalesce [kɒnvə'les] *vi* gesund werden; **convalescence** *n* Genesung *f*; **convalescent** **1.** *adj* auf dem Wege der Besserung; **2.** *n* Genesende(r) *mf*.

convection oven [kən'vekʃən'ʌvn] *n* Heißluftherd *m*.

convector [kən'vektə*] *n* Heizstrahler *m*.

convene [kən'vi:n] **1.** *vt* zusammenrufen; **2.** *vi* sich versammeln.

convenience [kən'vi:nɪəns] *n* Annehmlichkeit *f*; (*thing*) bequeme Einrichtung; **modern ~s** *pl* Komfort *m*; **convenient** [kən'vi:nɪənt] *adj* günstig, passend; (*useful, functional*) zweckmäßig, praktisch.

convent ['kɒnvənt] *n* Kloster *nt*.

convention [kən'venʃən] *n* (*custom*) Brauch *m,* Konvention *f;* (POL) Übereinkunft *f,* Abkommen *nt;* (*conference*) Konferenz *f;* **conventional** *adj* herkömmlich, konventionell.

converge [kən'vɜːdʒ] *vi* zusammenlaufen.

conversant [kən'vɜːsənt] *adj* vertraut; (*in learning*) bewandert (*with* in +*dat*).

conversation [kɒnvə'seɪʃən] *n* Unterhaltung *f;* **conversational** *adj* Unterhaltungs-; **converse** [kən'vɜːs] **1.** *vi* sich unterhalten; **2.** ['kɒnvɜːs] *adj* gegenteilig; **conversely** [kɒn'vɜːslɪ] *adv* umgekehrt.

conversion [kən'vɜːʃən] *n* Umwandlung *f;* (REL) Bekehrung *f;* **conversion table** *n* Umrechnungstabelle *f.*

convert [kən'vɜːt] **1.** *vt* (*change*) umwandeln; (REL) bekehren; **2.** ['kɒnvɜːt] *n* Bekehrte(r) *mf;* Konvertit(in) *m(f).*

convertible [kən'vɜːtəbl] **1.** *n* (AUT) Kabriolett *nt;* **2.** *adj* umwandelbar; (FIN) konvertierbar; (COMPUT: *disc*) konvertierbar.

convex [kɒn'veks] *adj* konvex.

convey [kən'veɪ] *vt* (*carry*) befördern; (*feelings*) vermitteln; **conveyor belt** *n* Fließband *nt.*

convict [kən'vɪkt] **1.** *vt* verurteilen; **2.** ['kɒnvɪkt] *n* Sträfling *m,* Strafgefangene(r) *mf.*

conviction [kən'vɪkʃən] *n* (*verdict*) Verurteilung *f;* (*belief*) Überzeugung *f.*

convince [kən'vɪns] *vt* überzeugen; **convincing** *adj* überzeugend.

convivial [kən'vɪvɪəl] *adj* festlich, froh.

convoy ['kɒnvɔɪ] *n* (*of vehicles*) Kolonne *f;* (*protected*) Konvoi *m.*

convulse [kən'vʌls] *vt* zusammenzucken lassen; **to be ~d with laughter/pain** sich vor Lachen schütteln/Schmerzen krümmen; **convulsion** [kən'vʌlʃən] *n* (MED) Schüttelkrampf *m.*

coo [kuː] *vi* (*dove*) gurren.

cook [kʊk] **1.** *vt, vi* kochen; **2.** *n* Koch *m,* Köchin *f;* **cookbook** *n* Kochbuch *nt;* **cooker** *n* Herd *m;* **cookery** *n* Kochkunst *f;* ~ **book** Kochbuch *nt;* **cookie** *n* (*US*) Plätzchen *nt;* **cooking** *n* Kochen *nt.*

cool [kuːl] **1.** *adj* kühl; **2.** *vt, vi* [ab]kühlen; **cool down** *vt, vi* (*fig*) [sich] beruhigen; **cooling-tower** *n* Kühlturm *m;* **coolness** *n* Kühle *f;* (*of temperament*) kühler Kopf.

coop [kuːp] *n* Hühnerstall *m;* **coop up** *vt* (*fig*) einpferchen.

co-op ['kəʊɒp] **1.** *n* (*Brit*) *s.* **cooperative**; **2.** *n* (*US: building*) Apartmenthaus *nt* mit Eigentumswohnungen; (*apartment*) Eigentumswohnung *f;* **to go** ~ in Eigentumswohnungen umgewandelt werden.

cooperate [kəʊ'ɒpəreɪt] *vi* zusammenarbeiten; **cooperation** [kəʊɒpə'reɪʃən] *n* Zusammenarbeit *f.*

cooperative [kəʊ'ɒpərətɪv] **1.** *adj* hilfsbereit, kooperativ; (COMM) genossenschaftlich; **2.** *n* Genossenschaft *f;* (~ *store*) Konsumladen *m.*

coordinate [kəʊ'ɔːdɪneɪt] *vt* koordinieren; **coordination** [kəʊɔːdɪ'neɪʃən] *n* Koordination *f.*

coot [kuːt] *n* Wasserhuhn *nt.*

cop [kɒp] *n* (*fam: policeman*) Bulle *m.*

cope [kəʊp] *vi* fertig werden, schaffen (*with akk*).

copier ['kɒpɪə*] *n* Kopierer *m,* Kopiergerät *nt.*

co-pilot ['kəʊ'paɪlət] *n* Kopilot(in) *m(f).*

copious ['kəʊpɪəs] *adj* reichhaltig.

copper ['kɒpə*] *n* Kupfer *nt;* (*coin*) Kupfermünze *f;* (*fam: policeman*) Bulle *m.*

coppice, copse ['kɒpɪs, kɒps] *n* Unterholz *nt.*

copulate ['kɒpjʊleɪt] *vi* sich paaren.

copy ['kɒpɪ] **1.** *n* Kopie; (*imitation*) Nachahmung *f;* (*of book*) Exemplar *nt;* (*of newspaper*) Nummer *f;* **2.** *vt* kopieren, abschreiben; (COMPUT) kopieren; **copycat** *n* Nachahmer(in) *m(f);* **copyright** *n* Copyright *nt;* ~ **reserved** alle Rechte vorbehalten, Nachdruck verboten.

coral ['kɒrəl] *n* Koralle *f;* **coral reef** *n* Korallenriff *nt.*

cord [kɔːd] *n* Schnur *f,* Kordel *f; s. a.* **vocal.**

cordial ['kɔːdɪəl] **1.** *adj* freundlich; **2.** *n* Fruchtsaftkonzentrat *nt;* **cordially** *adv* freundlich; ~ **yours** mit freundlichen Grüßen.

cordless [kɔːdles] *n* schnurlos; ~ **(tele)phone** schnurloses Telefon.

cordon ['kɔːdn] *n* Absperrkette *f.*

corduroy ['kɔːdərɔɪ] *n* Kord[samt] *m.*

core [kɔː*] **1.** *n* (*a. fig*) Kern *m;* (*of nuclear reactor*) [Reaktor]kern *m;* **2.** *vt* entkernen; **core memory** *n* Kernspeicher *m;* **core time** *n* Kern[arbeits]zeit *f.*

cork [kɔːk] *n* (*bark*) Korkrinde *f;* (*stopper*) Korken *m;* **corkage** ['kɔːkɪdʒ] *n* Korkengeld *nt;* **corkscrew** ['kɔːkskruː] *n* Korkenzieher *m.*

corm [kɔːm] *n* Knolle *f.*

corn [kɔːn] *n* Getreide *nt,* Korn *nt;* (*US: maize*) Mais *m;* (*on foot*) Hühnerauge *nt.*

cornea ['kɔ:nɪə] *n* Hornhaut *f.*

corned beef ['kɔ:nd'bi:f] *n* Cornedbeef *nt.*

corner ['kɔ:nə*] **1.** *n* Ecke *f;* (*nook*) Winkel *m;* (*on road*) Kurve *f;* **2.** *vt* in die Enge treiben; **corner kick** *n* Eckball *m;* **cornerstone** *n* Eckstein *m.*

cornet ['kɔ:nɪt] *n* (MUS) Kornett *nt;* (*for ice cream*) Eistüte *f.*

cornflour ['kɔ:nflaʊə*] *n* Maismehl *nt.*

cornice ['kɔ:nɪs] *n* Gesims *nt.*

cornstarch ['kɔ:nstɑ:tʃ] *n* (*US*) Maismehl *nt.*

cornucopia [kɔ:njʊ'kəʊpɪə] *n* Füllhorn *nt.*

Cornwall ['kɔ:nwəl] *n* Cornwall *nt.*

corny ['kɔ:nɪ] *adj* (*joke*) blöd[e].

coronary ['kɒrənərɪ] **1.** *adj* (MED) Koronar-; **2.** *n* Herzinfarkt *m.*

coronation [kɒrə'neɪʃən] *n* Krönung *f.*

coroner ['kɒrənə*] *n* [amtlicher] Leichenbeschauer *m.*

corporal ['kɔ:pərəl] **1.** *n* Obergefreite(r) *m;* **2.** *adj:* ~ **punishment** Prügelstrafe *f.*

corporate ['kɔ:pərɪt] *adj* gemeinschaftlich, korporativ.

corporation [kɔ:pə'reɪʃən] *n* Gemeinde *f,* Stadt *f;* (COMM) Handelsgesellschaft *f;* (*US*) Gesellschaft *f* mit beschränkter Haftung.

corps [kɔ:*] *n* [Armee]korps *nt.*

corpse [kɔ:ps] *n* Leiche *f.*

corpulent ['kɔ:pjʊlənt] *adj* korpulent.

Corpus Christi ['kɔ:pəs'krɪstɪ] *n* Fronleichnam[sfest] *nt.*

corpuscle ['kɔ:pʌsl] *n* (MED) Blutkörperchen *nt.*

corral [kə'rɑ:l] *n* Pferch *m,* Korral *m.*

correct [kə'rekt] **1.** *adj* (*accurate*) richtig; (*proper*) korrekt; **2.** *vt* berichtigen, korrigieren; **correction** [kə'rekʃən] *n* Korrektur *f,* Berichtigung *f;* **correction key** *n* Korrekturtaste *f;* **correction memory** *n* Korrekturspeicher *m;* **correction tape** *n* Korrekturband *nt;* **correctly** *adv* richtig; korrekt.

correlate ['kɒrɪleɪt] **1.** *vt* aufeinander beziehen; **2.** *vi* korrelieren; **correlation** [kɒrɪ'leɪʃən] *n* Wechselbeziehung *f.*

correspond [kɒrɪ'spɒnd] *vi* übereinstimmen; (*exchange letters*) korrespondieren; **correspondence** *n* (*similarity*) Entsprechung *f;* (*letters*) Briefwechsel *m,* Korrespondenz *f;* **correspondence course** *n* Fernkurs *m;* **correspondent** *n* (PRESS) Berichterstatter(in) *m(f);* **corresponding** *adj* entsprechend, gemäß (*to dat*).

corridor ['kɒrɪdɔ:*] *n* Gang *m.*

corroborate [kə'rɒbəreɪt] *vt* bestätigen, erhärten.

corrode [kə'rəʊd] **1.** *vt* (*metal*) zerfressen; (*fig*) zerstören; **2.** *vi* rosten; **corrosion** [kə'rəʊʒən] *n* Rost *m,* Korrosion *f.*

corrugated ['kɒrəgeɪtɪd] *adj* gewellt; ~ **cardboard** Wellpappe *f;* ~ **iron** Wellblech *nt.*

corrupt [kə'rʌpt] **1.** *adj* korrupt; **2.** *vt* verderben; (*bribe*) bestechen; **corruption** [kə'rʌpʃən] *n* (*of society*) Verdorbenheit *f;* (*bribery*) Bestechung *f.*

corset ['kɔ:sɪt] *n* Korsett *nt.*

cortège [kɔ:'tɛ:ʒ] *n* Zug *m;* (*of funeral*) Leichenzug *m.*

cortisone ['kɔ:tɪzəʊn] *n* Kortison *nt.*

cosh [kɒʃ] **1.** *n* Totschläger *m;* **2.** *vt* auf den Schädel schlagen.

cosine ['kəʊsaɪn] *n* Kosinus *m.*

cosiness ['kəʊzɪnɪs] *n* Gemütlichkeit *f.*

cosmetic [kɒz'metɪk] **1.** *n* Schönheitsmittel *nt,* kosmetisches Mittel; **2.** *adj* kosmetisch.

cosmic ['kɒzmɪk] *adj* kosmisch.

cosmonaut ['kɒzmənɔ:t] *n* Kosmonaut(in) *m(f).*

cosmopolitan [kɒzmə'pɒlɪtən] *adj* international; (*city*) Welt-.

cosmos ['kɒzmɒs] *n* Weltall *nt,* Kosmos *m.*

cost [kɒst] <cost, cost> **1.** *vt* kosten; **2.** *n* Kosten *pl,* Preis *m;* **it ~ him his life/job** es kostete ihn sein Leben/seine Stelle; **at all ~s** um jeden Preis; **~ of living** Lebenshaltungskosten *pl.*

co-star ['kəʊstɑ:*] *n* zweiter [*o* weiterer] Hauptdarsteller, zweite [*o* weitere] Hauptdarstellerin.

costing ['kɒstɪŋ] *n* Kostenberechnung *f.*

costly ['kɒstlɪ] *adj* kostspielig.

cost price ['kɒst'praɪs] *n* Selbstkostenpreis *m.*

costume ['kɒstju:m] *n* (THEAT) Kostüm *nt;* (*bathing ~*) Badeanzug *m;* **costume jewellery** *n* Modeschmuck *m.*

cosy ['kəʊzɪ] *adj* behaglich, gemütlich; (*warm*) mollig warm.

cot [kɒt] *n* Kinderbett[chen] *nt;* **cot death** *n* Krippentod *m.*

cottage ['kɒtɪdʒ] *n* kleines Haus [auf dem Land]; **cottage cheese** *n* Hüttenkäse *m.*

cotton ['kɒtn] **1.** *n* Baumwolle *f;* (*fabric*)

Baumwollstoff *m;* **2.** *adj* (*dress etc*) Baumwoll-; **cotton bud** *n* Wattestäbchen *nt;* **cotton wool** *n* Watte *f.*

couch [kaʊtʃ] **1.** *n* Couch *f;* **2.** *vt* [in Worte] fassen, formulieren.

couchette [ku:'ʃet] *n* Liegewagen[platz] *m.*

cougar ['ku:gə*] *n* Puma *m.*

cough [kɒf] **1.** *vi* husten; **2.** *n* Husten *m;* **cough drop** *n* Hustenbonbon *nt.*

could [kʊd] *pt of* **can**; **couldn't** = **could not**.

council ['kaʊnsl] *n* (*of town*) Stadtrat *m;* **council estate** *n* Siedlung *f* des sozialen Wohnungsbaus; **council house** *n* Sozialwohnung *f;* **councillor** ['kaʊnsɪlə*] *n* Stadtrat(-rätin) *m(f);* **council tax** *n* (*Brit*) Gemeindesteuer *f.*

counsel ['kaʊnsl] *n* (*barrister*) Anwalt *m,* Anwältin *f,* Rechtsbeistand *m;* (*advice*) Rat[schlag] *m;* **counsellor** *n* Berater(in) *m(f).*

count [kaʊnt] **1.** *vt, vi* zählen; **2.** *vi* (*be important*) zählen, gelten; **3.** *n* (*reckoning*) Abrechnung *f;* (*nobleman*) Graf *m;* **count on** *vt* zählen auf *+akk;* **count up** *vt* zusammenzählen; **countdown** *n* Countdown *m.*

counter ['kaʊntə*] **1.** *n* (*in shop*) Ladentisch *m;* (*in café*) Theke *f;* (*in bank, post office*) Schalter *m;* **2.** *vt* entgegnen *+dat;* **3.** *adv* entgegen; **counteract** [kaʊntə'rækt] *vt* entgegenwirken *+dat;* **counter-attack** *n* Gegenangriff *m;* **counterbalance** *vt* aufwiegen, ausgleichen; **counter-clockwise** *adv* entgegen dem Uhrzeigersinn; **counter-espionage** *n* Spionageabwehr *f.*

counterfeit ['kaʊntəfɪt] **1.** *n* Fälschung *f;* **2.** *vt* fälschen; **3.** *adj* gefälscht, unecht.

counterfoil ['kaʊntəfɔɪl] *n* [Kontroll]abschnitt *m;* **counterpart** *n* (*object*) Gegenstück *nt;* (*person*) Gegenüber *nt.*

countess ['kaʊntɪs] *n* Gräfin *f.*

countless ['kaʊntlɪs] *adj* zahllos, unzählig.

countrified ['kʌntrɪfaɪd] *adj* ländlich.

country ['kʌntrɪ] *n* Land *nt;* **in the** ~ auf dem Land[e]; **country dancing** *n* Volkstanz *m;* **country house** *n* Landhaus *nt;* **countryman** *n* <countrymen> (*national*) Landsmann *m;* (*rural*) Bauer *m;* **countryside** *n* Landschaft *f.*

county ['kaʊntɪ] *n* Landkreis *m;* (*Brit*) Grafschaft *f;* **county town** *n* Kreisstadt *f.*

coup [ku:] *n* Coup *m;* **coup d'état** [ku:deɪ'tɑ:] *n* Staatsstreich *m,* Putsch *m.*

coupé [ku:'peɪ] *n* (AUT) Coupé *nt.*

couple ['kʌpl] **1.** *n* Paar *nt;* **2.** *vt* koppeln; **a ~ of** ein paar.

couplet ['kʌplɪt] *n* Reimpaar *nt.*

coupling ['kʌplɪŋ] *n* Kupplung *f.*

coupon ['ku:pɒn] *n* Gutschein *m.*

courage ['kʌrɪdʒ] *n* Mut *m;* **courageous** [kə'reɪdʒəs] *adj* mutig.

courgette [kʊə'ʒet] *n* Zucchini *f.*

courier ['kʊrɪə*] *n* (*for holiday*) Reiseleiter(in) *m(f);* (*messenger*) Kurier *m,* Eilbote *m.*

course [kɔ:s] *n* (*race*) Strecke *f,* Bahn *f;* (*of stream*) Lauf *m;* (*of action*) Richtung *f;* (*of lectures*) Vortragsreihe *f;* (*of study*) Studiengang *m;* (NAUT) Kurs *m;* (*in meal*) Gang *m;* **summer** ~ Sommerkurs *m;* **of** ~ natürlich; **in the** ~ **of** im Laufe *+gen;* **in due** ~ zu gegebener Zeit.

court [kɔ:t] **1.** *n* (*royal*) Hof *m;* (JUR) Gericht *nt;* **2.** *vt* den Hof machen *+dat.*

courteous ['kɜ:tɪəs] *adj* höflich, zuvorkommend.

courtesy ['kɜ:təsɪ] *n* Höflichkeit *f.*

courthouse ['kɔ:thaʊs] *n* (*US*) Gerichtsgebäude *nt.*

court-martial [kɔ:t'mɑ:ʃəl] **1.** *n* Kriegsgericht *nt;* **2.** *vt* vor ein Kriegsgericht stellen.

courtroom ['kɔ:trʊm] *n* Gerichtssaal *m.*

courtyard ['kɔ:tjɑ:d] *n* Hof *m.*

cousin ['kʌzn] *n* Cousin(e) *m(f),* Kusine *f.*

cove [kəʊv] *n* kleine Bucht.

covenant ['kʌvənənt] *n* feierliches Abkommen.

cover ['kʌvə*] **1.** *vt* (*spread over*) bedecken; (*shield*) abschirmen; (*include*) sich erstrecken über *+akk;* (*protect*) decken; **2.** *n* (*lid*) Deckel *m;* (*for bed*) Decke *f;* (MIL) Bedeckung *f.*

coverage ['kʌvrɪdʒ] *n* (PRESS: *reports*) Berichterstattung *f;* (*distribution*) Verbreitung *f.*

cover charge ['kʌvətʃɑ:dʒ] *n* Kosten *pl* für ein Gedeck.

covering ['kʌvrɪŋ] *n* Decke *f,* Hülle *f;* (*floor* ~) Belag *m;* **covering letter** *n* Begleitbrief *m.*

cover note ['kʌvənəʊt] *n* Deckungszusage *f,* Versicherungsdoppelkarte *f.*

covert ['kʌvət] *adj* versteckt.

covet ['kʌvɪt] *vt* begehren.

cow [kaʊ] *n* Kuh *f.*

coward ['kaʊəd] *n* Feigling *m;* **coward-**

ice ['kaʊədɪs] *n* Feigheit *f;* **cowardly** *adj* feige.
cowboy ['kaʊbɔɪ] *n* Cowboy *m.*
cower ['kaʊə*] *vi* kauern; (*movement*) sich kauern.
co-worker ['kəʊ'wɜ:kə*] *n* Mitarbeiter(in) *m(f).*
cowshed ['kaʊʃed] *n* Kuhstall *m.*
cox, **coxswain** [kɒks, 'kɒksn] *n* Steuermann *m.*
coy [kɔɪ] *adj* gespielt schüchtern.
coyote [kɔɪ'əʊtɪ] *n* Kojote *m,* Präriewolf *m.*
CPU *n abbr of* **central processing unit** Zentraleinheit *f.*
crab [kræb] *n* Krebs *m;* **crabapple** *n* Holzapfel *m.*
crack [kræk] **1.** *n* Riss *m,* Sprung *m;* (*noise*) Knall *m;* **2.** *vt* (*break*) springen lassen; (*joke*) reißen; **3.** *vi* (*noise*) krachen, knallen; **4.** *adj* erstklassig; (*troops*) Elite-; **crack up** *vi* (*fig*) zusammenbrechen.
cracker ['krækə*] *n* (*firework*) Knallkörper *m,* Kracher *m;* (*biscuit*) Keks *m;* (*Christmas* ~) Knallbonbon *nt;* (*Brit fam*) tolle Frau, toller Mann.
crackle ['krækl] *vi* knistern; (*fire*) prasseln; **crackling** *n* Knistern *nt;* (GASTR) Kruste *f* [des Schweinebratens].
cradle ['kreɪdl] *n* Wiege *f.*
craft [krɑ:ft] *n* (*skill*) Kunstfertigkeit *f;* (*trade*) Handwerk *nt;* (*cunning*) Verschlagenheit *f;* (NAUT) Fahrzeug *nt,* Schiff *nt;* **craftsman** *n* <craftsmen> gelernter Handwerker; **craftsmanship** *n* (*quality*) handwerkliche Ausführung; (*ability*) handwerkliches Können.
crafty ['krɑ:ftɪ] *adj* schlau, gerieben.
crag [kræg] *n* Klippe *f;* **craggy** *adj* schroff, felsig.
cram [kræm] **1.** *vt* vollstopfen; (*fam: teach*) pauken; **2.** *vi* (*learn*) pauken.
cramp [kræmp] **1.** *n* Krampf *m;* **2.** *vt* (*hinder*) einengen, behindern.
crampon ['kræmpən] *n* Steigeisen *nt.*
cranberry ['krænbərɪ] *n* Preiselbeere *f.*
crane [kreɪn] *n* (*machine*) Kran *m;* (*bird*) Kranich *m.*
cranium ['kreɪnɪəm] *n* Schädel *m.*
crank [kræŋk] **1.** *n* (*lever*) Kurbel *f;* (*person*) Spinner(in) *m(f);* **2.** *vt* ankurbeln; **crankshaft** *n* Kurbelwelle *f.*
cranky ['kræŋkɪ] *adj* verschroben.
cranny ['krænɪ] *n* Ritze *f.*
crap [kræp] *n* (*fam!*) Scheiße *f.*
crash [kræʃ] **1.** *n* (*noise*) Krachen *nt;* (*with cars*) Zusammenstoß *m;* (*with plane*) Absturz *m;* (FIN) Zusammenbruch *m;* **2.** *vi* stürzen; (*cars*) zusammenstoßen; (*plane*) abstürzen; (*economy*) zusammenbrechen; (*noise*) knallen; **3.** *adj* (*course*) Schnell-; **crash helmet** *n* Sturzhelm *m;* **crash landing** *n* Bruchlandung *f.*
crass [kræs] *adj* krass.
crate [kreɪt] *n* (*a. fig*) Kiste *f.*
crater ['kreɪtə*] *n* Krater *m.*
cravat[e] [krə'væt] *n* Halstuch *nt.*
crave [kreɪv] *vi* verlangen (*for* nach); **craving** *n* Verlangen *nt.*
crawl [krɔ:l] **1.** *vi* kriechen; (*baby*) krabbeln; **2.** *n* Kriechen *nt;* (*swim*) Kraulen *nt.*
crayon ['kreɪən] *n* Buntstift *m.*
craze [kreɪz] *n* Fimmel *m.*
crazy ['kreɪzɪ] *adj* verrückt (*about* nach); **crazy paving** *n* Mosaikpflaster *nt.*
creak [kri:k] **1.** *n* Knarren *nt;* **2.** *vi* quietschen, knarren.
cream [kri:m] **1.** *n* (*from milk*) Rahm *m,* Sahne *f;* (*polish, cosmetic*) Creme *f;* (*fig: people*) Elite *f;* **2.** *adj* (*colour*) cremefarben; **cream cake** *n* (*small*) Sahnetörtchen *nt;* (*big*) Sahnetorte *f;* **cream cheese** *n* Doppelrahmfrischkäse *m;* **creamery** *n* Molkerei *f;* **creamy** *adj* sahnig.
crease [kri:s] **1.** *n* Falte *f;* **2.** *vt* falten; (*untidy*) zerknittern.
create [krɪ'eɪt] *vt* erschaffen; (*cause*) verursachen; **creation** [krɪ'eɪʃən] *n* Schöpfung *f;* **creative** [krɪ'eɪtɪv] *adj* schöpferisch, kreativ; **creator** [krɪ'eɪtə*] *n* Schöpfer(in) *m(f).*
creature ['kri:tʃə*] *n* Geschöpf *nt.*
crèche [kreɪʃ] *n* [Kinder]krippe *f.*
credibility [kredɪ'bɪlɪtɪ] *n* Glaubwürdigkeit *f;* **credible** ['kredɪbl] *adj* (*person*) glaubwürdig; (*story*) glaubhaft.
credit ['kredɪt] **1.** *n* (COMM) Kredit *m;* (*money possessed*) [Gut]haben *nt;* **2.** *vt* Glauben schenken +*dat;* **to sb's** ~ zu jds Ehre; **creditable** *adj* rühmlich; **credit card** *n* Kreditkarte *f;* **creditor** *n* Gläubiger(in) *m(f);* **credit rating** *n* Bonitätsbewertung *f;* **credit rating company** *n* ≈ Schufa *f.*
credulity [krɪ'dju:lɪtɪ] *n* Leichtgläubigkeit *f.*
creed [kri:d] *n* Glaubensbekenntnis *nt;* (*fig*) Kredo *nt.*
creek [kri:k] *n* (*inlet*) kleine Bucht; (*US: river*) Bach *m.*

creep [kriːp] <crept, crept> *vi* kriechen; **creeper** *n* Kletterpflanze *f.*

creepy ['kriːpɪ] *adj* (*frightening*) gruselig.

cremate [krɪ'meɪt] *vt* einäschern; **cremation** [krɪ'meɪʃən] *n* Einäscherung *f;* **crematorium** [kremə'tɔːrɪəm] *n* Krematorium *nt.*

crepe [kreɪp] *n* Krepp *m;* **crepe bandage** *n* Elastikbinde *f.*

crept [krept] *pt, pp of* **creep**.

crescent ['kresnt] *n* (*of moon*) Halbmond *m.*

cress [kres] *n* Kresse *f.*

crest [krest] *n* (*of cock*) Kamm *m;* (*of wave*) Wellenkamm *m;* (*coat of arms*) Wappen *nt;* **crestfallen** *adj* niedergeschlagen.

cretin ['kretɪn] *n* Idiot(in) *m(f).*

crevasse [krə'væs] *n* Gletscherspalte *f.*

crevice ['krevɪs] *n* Riss *m;* (*in rock*) Felsspalte *f.*

crew [kruː] *n* Besatzung *f,* Mannschaft *f;* **crew-cut** *n* Bürstenschnitt *m;* **crew-neck** *n* runder Ausschnitt.

crib [krɪb] *n* (*bed*) Krippe *f;* (*cheating aid*) Spickzettel *m;* (*fam: plagiary*) Anleihe *f.*

crick [krɪk] *n* Muskelkrampf *m.*

cricket ['krɪkɪt] *n* (*insect*) Grille *f;* (*game*) Kricket *nt;* **cricketer** *n* Kricketspieler(in) *m(f).*

crime [kraɪm] *n* Verbrechen *nt.*

Crimea [kraɪ'mɪə] *n* Krim *f.*

crime-busting ['kraɪmbɑstɪŋ] *n* Verbrechensbekämpfung *f.*

criminal ['krɪmɪnl] **1.** *n* Verbrecher(in) *m(f);* **2.** *adj* kriminell, strafbar.

crimson ['krɪmzn] *adj* purpurrot.

cringe [krɪndʒ] *vi* schaudern.

crinkle ['krɪŋkl] **1.** *vt* zerknittern; **2.** *vi* knittern; **crinkly** *adj* (*hair*) kraus.

cripple ['krɪpl] **1.** *n* Krüppel *m;* **2.** *vt* lahm legen; (MED) lähmen, verkrüppeln.

crisis ['kraɪsɪs] *n* Krise *f.*

crisp [krɪsp] **1.** *adj* knusprig; **2.** *n* (*Brit*) [Kartoffel]chip *m.*

criss-cross ['krɪskrɒs] *adj* Kreuz-.

criterion [kraɪ'tɪərɪən] *n* Kriterium *nt.*

critic ['krɪtɪk] *n* Kritiker(in) *m(f);* **critical** *adj* kritisch; **critically** *adv* kritisch; (*ill*) schwer; **criticism** ['krɪtɪsɪzəm] *n* Kritik *f;* **criticize** ['krɪtɪsaɪz] *vt* kritisieren; (*comment*) beurteilen.

croak [krəʊk] **1.** *vi* krächzen; (*frog*) quaken; **2.** *n* Krächzen *nt;* Quaken *nt.*

Croat ['krəʊæt] *n* Kroate *m,* Kroatin *f;* **Croatia** [krəʊ'eɪʃə] *n* Kroatien *nt;* **Croatian** [krəʊ'eɪʃən] **1.** *adj* kroatisch; **2.** *n* Kroate *m,* Kroatin *f.*

crochet ['krəʊʃeɪ] *n* Häkeln *nt.*

crockery ['krɒkərɪ] *n* Geschirr *nt.*

crocodile ['krɒkədaɪl] *n* Krokodil *nt.*

crocus ['krəʊkəs] *n* Krokus *m.*

croft [krɒft] *n* kleines Pachtgut; **crofter** *n* Kleinbauer(-bäuerin) *m(f).*

crony ['krəʊnɪ] *n* Freund(in) *m(f).*

crook [krʊk] *n* (*criminal*) Gauner(in) *m(f),* Schwindler(in) *m(f);* (*stick*) Hirtenstab *m;* **crooked** ['krʊkɪd] *adj* krumm.

crop [krɒp] *n* (*harvest*) Ernte *f;* (*fam: series*) Haufen *m;* **crop up** *vi* auftauchen; (*thing*) passieren.

croquet ['krəʊkeɪ] *n* Krocket *nt.*

croquette [krə'ket] *n* Krokette *f.*

cross [krɒs] **1.** *n* Kreuz *nt;* (BIO) Kreuzung *f;* **2.** *vt* (*road*) überqueren; (*legs*) übereinander legen; (*write*) einen Querstrich ziehen durch; (*cheque*) als Verrechnungsscheck kennzeichnen; (BIO) kreuzen; **3.** *adj* (*annoyed*) ärgerlich, böse; **to be at ~ purposes** von verschiedenen Dingen reden; **cross out** *vt* streichen; **crossbar** *n* Querstange *f;* **crossbreed** *n* (ZOOL, BIO) Kreuzung *f;* **cross-country [race]** *n* Geländelauf *m;* **cross-country ski** *n* Langlaufski *m;* **cross-country skier** *n* Langläufer(in) *m(f);* **cross-country skiing** *n* Langlauf *m;* **cross-examination** *n* Kreuzverhör *nt;* **cross-examine** *vt* ins Kreuzverhör nehmen; **cross-eyed** *adj:* **to be ~** schielen; **crossing** *n* (*crossroads*) [Straßen]kreuzung *f;* (*of ship*) Überfahrt *f;* (*for pedestrians*) Fußgängerüberweg *m;* **cross-reference** *n* [Quer]verweis *m;* **crossroads** *n sing o pl* Straßenkreuzung *f;* (*fig*) Scheideweg *m;* **cross section** *n* Querschnitt *m;* **crosswalk** *n* (*US*) Fußgängerüberweg *m;* **crosswind** *n* Seitenwind *m;* **crossword [puzzle]** *n* Kreuzworträtsel *nt.*

crotch [krɒtʃ] *n* (*in tree*) Gabelung *f;* (ANAT) Unterleib *nt;* (*in pants*) Zwickel *m.*

crotchet ['krɒtʃɪt] *n* Viertelnote *f.*

crouch [kraʊtʃ] *vi* hocken.

crouton ['kruːtɒn] *n* gerösteter Brotwürfel.

crow [krəʊ] *vi* krähen.

crowbar ['krəʊbɑː*] *n* Stemmeisen *nt.*

crowd [kraʊd] **1.** *n* Menge *f,* Gedränge *nt;* **2.** *vt* (*fill*) überfüllen; **3.** *vi* drängen; **crowded** *adj* überfüllt.

crown [kraʊn] **1.** *n* Krone *f;* **2.** *vt* krönen.

> **The Crown Court** ist ein Strafgericht, das in etwa 90 verschiedenen Städten in England und Wales zusammentritt. Schwere Verbrechen wie Mord, Totschlag, Vergewaltigung und Raub werden nur vor dem „crown court" unter Vorsitz eines Richters mit Geschworenen verhandelt.

crown jewels *n pl* Kronjuwelen *pl;* **crown prince** *n* Kronprinz *m.*
crow's-nest ['krəʊznest] *n* Krähennest *nt,* Ausguck *m.*
crucial ['kru:ʃəl] *adj* entscheidend.
crucifix ['kru:sɪfɪks] *n* Kruzifix *nt;* **crucifixion** [kru:sɪ'fɪkʃən] *n* Kreuzigung *f;* **crucify** ['kru:sɪfaɪ] *vt* kreuzigen.
crude [kru:d] *adj* (*raw*) roh; (*humour, behaviour*) grob; **crudely** *adv* grob; **crudeness, crudity** *n* Roheit *f.*
cruel ['krʊəl] *adj* grausam; (*distressing*) schwer; (*hard-hearted*) hart, gefühllos; **cruelty** *n* Grausamkeit *f.*
cruet ['kru:ɪt] *n* Gewürzständer *m,* Menage *f.*
cruise [kru:z] **1.** *n* Kreuzfahrt *f;* **2.** *vi* kreuzen; **cruise control** *n* (AUTO) Geschwindigkeitsregler *m;* **cruise missile** *n* (MIL) Marschflugkörper *m;* **cruiser** *n* (MIL) Kreuzer *m;* **cruising-speed** *n* Reisegeschwindigkeit *f.*
crumb [krʌm] *n* Krume *f;* (*fig*) Bröckchen *nt.*
crumble ['krʌmbl] *vt, vi* zerbröckeln; **crumbly** *adj* krümelig.
crumpet ['krʌmpɪt] *n* Pfannkuchen *m.*
crumple ['krʌmpl] *vt* zerknittern; **crumple zone** *n* (AUT) Knautschzone *f.*
crunch [krʌntʃ] **1.** *n* Knirschen *nt;* (*fig*) der entscheidende Punkt; **2.** *vt* knirschen; **crunchy** *adj* knusprig.
crusade [kru:'seɪd] *n* (*a. fig*) Kreuzzug *m;* **crusader** *n* (HIST) Kreuzfahrer *m.*
crush [krʌʃ] **1.** *n* Gedränge *nt;* **2.** *vt* zerdrücken; (*rebellion*) unterdrücken, niederwerfen; **3.** *vi* (*material*) knittern; **to have a ~ on sb** für jdn schwärmen; **crushing** *adj* überwältigend.
crust [krʌst] *n* (*of bread*) Rinde *f,* Kruste *f;* (MED) Schorf *m.*
crutch [krʌtʃ] *n* Krücke *f; s. a.* **crotch**.
crux [krʌks] *n* (*crucial point*) der springende Punkt.
cry [kraɪ] **1.** *vi* (*call*) ausrufen; (*shout*) schreien; (*weep*) weinen; **2.** *n* (*call*) Schrei *m;* **cry off** *vi* [plötzlich] absagen; (*fam*) aussteigen; **crying** *adj* (*fig*) himmelschreiend.
crypt [krɪpt] *n* Krypta *f.*
cryptic ['krɪptɪk] *adj* (*secret*) geheim; (*mysterious*) rätselhaft.
crystal ['krɪstl] *n* Kristall *m;* (*glass*) Kristall[glas] *nt;* (*mineral*) Bergkristall *m;* **crystal-clear** *adj* kristallklar; **crystallize** *vt, vi* kristallisieren; (*fig*) klären.
CSCE *n abbr of* **Conference on Security and Cooperation in Europe** KSZE *f.*
cub [kʌb] *n* Junge(s) *nt;* (*young boy scout*) Wölfling *m.*
Cuba ['kju:bə] *n* Kuba *nt.*
cubby-hole ['kʌbɪhəʊl] *n* (*fam*) Eckchen *nt.*
cube [kju:b] *n* Würfel *m;* (MATH) Kubikzahl *f;* **cubic** ['kju:bɪk] *adj* würfelförmig; (*centimetre etc*) Kubik-.
cubicle ['kju:bɪkl] *n* Kabine *f.*
cuckoo ['kʊku:] *n* Kuckuck *m;* **cuckoo clock** *n* Kuckucksuhr *f.*
cucumber ['kju:kʌmbə*] *n* Gurke *f.*
cuddle ['kʌdl] **1.** *vi* schmusen; **2.** *vt* schmusen mit; **3.** *n* Liebkosung *f;* **cuddly** ['kʌdlɪ] *adj* anschmiegsam; (*teddy*) zum Schmusen.
cudgel ['kʌdʒəl] *n* Knüppel *m.*
cue [kju:] *n* Wink *m;* (THEAT) Stichwort *nt;* (SPORT) Billardstock *m;* (MUS) Einsatz *m.*
cuff [kʌf] *n* (*of shirt, coat etc*) Manschette *f,* Aufschlag *m;* **cufflink** *n* Manschettenknopf *m.*
cuisine [kwɪ'zi:n] *n* Kochkunst *f,* Küche *f.*
cul-de-sac ['kʌldəsæk] *n* (*Brit*) Sackgasse *f.*
culinary ['kʌlɪnərɪ] *adj* Koch-.
culminate ['kʌlmɪneɪt] *vi* gipfeln; **culmination** [kʌlmɪ'neɪʃən] *n* Höhepunkt *m.*
culpable ['kʌlpəbl] *adj* schuldig.
culprit ['kʌlprɪt] *n* Schuldige(r) *mf;* (*fig*) Übeltäter(in) *m(f).*
cult [kʌlt] *n* Kult *m.*
cultivate ['kʌltɪveɪt] *vt* (AGR) bebauen, kultivieren; (*mind*) bilden; **cultivated** *adj* (AGR) bebaut; (*cultured*) kultiviert; **cultivation** [kʌltɪ'veɪʃən] *n* (AGR) Bebauung *f;* (*of person*) Bildung *f.*
cultural ['kʌltʃərəl] *adj* kulturell, Kultur-; **culture** ['kʌltʃə*] *n* Kultur *f;* **cultured** *adj* gebildet, kultiviert.
cumbersome ['kʌmbəsəm] *adj* (*task*) beschwerlich; (*object*) unhandlich.
cumulative ['kju:mjʊlətɪv] *adj* gehäuft;

to be ~ sich häufen.

cunning ['kʌnɪŋ] **1.** *n* Verschlagenheit *f;* **2.** *adj* schlau; (*person also*) listig, gerissen.

cunt [kʌnt] *n* (*fam!: vagina*) Fotze *f;* (*term of abuse*) Arsch *m,* Fotze *f.*

cup [kʌp] *n* Tasse *f;* (*prize*) Pokal *m;* **cupboard** ['kʌbəd] *n* Schrank *m;* **cup final** *n* Pokalendspiel *nt.*

cupola ['kju:pələ] *n* Kuppel *f.*

curable ['kjʊrəbəl] *adj* heilbar.

curb [kɜ:b] **1.** *vt* zügeln; **2.** *n* Zaum *m;* (*on spending etc*) Einschränkung *f.*

cure [kjʊə*] **1.** *n* Heilmittel *nt;* (*process*) Heilverfahren *nt;* **2.** *vt* heilen; **there's no ~ for ...** es gibt kein Mittel gegen ...

curfew ['kɜ:fju:] *n* Ausgangssperre *f.*

curiosity [kjʊərɪ'ɒsɪtɪ] *n* Neugier *f;* (*for knowledge*) Wissbegierde *f;* (*object*) Merkwürdigkeit *f;* **curious** ['kjʊərɪəs] *adj* neugierig; (*strange*) seltsam; **curiously** *adv:* ~ **enough** merkwürdigerweise.

curl [kɜ:l] **1.** *n* Locke *f;* **2.** *vt* (*hair*) locken; **curler** *n* Lockenwickler *m.*

curlew ['kɜ:lju:] *n* Brachvogel *m.*

curly ['kɜ:lɪ] *adj* lockig.

currant ['kʌrənt] *n* (*dried*) Korinthe *f;* (*red, black*) Johannisbeere *f.*

currency ['kʌrənsɪ] *n* Währung *f;* (*of ideas*) Geläufigkeit *f.*

current ['kʌrənt] **1.** *n* Strömung *f;* **2.** *adj* (*expression*) gängig, üblich; (*issue*) neueste(r, s); **current account** *n* Girokonto *nt;* **current affairs** *n pl* Zeitgeschehen *nt;* **currently** *adv* zur Zeit.

curriculum [kə'rɪkjʊləm] *n* Lehrplan *m;* **curriculum vitae** [kə'rɪkjʊləm'vi:taɪ] *n* Lebenslauf *m.*

curry ['kʌrɪ] *n* Currygericht *nt;* **curry powder** *n* Curry[pulver] *nt.*

curse [kɜ:s] **1.** *vi* (*swear*) fluchen (*at* auf *+akk*); **2.** *vt* verwünschen; **3.** *n* Fluch *m.*

cursor ['kɜ:sə*] *n* (COMPUT) Cursor *m,* Schreibstellenmarke *f.*

cursory ['kɜ:sərɪ] *adj* flüchtig.

curt [kɜ:t] *adj* schroff.

curtail [kɜ:'teɪl] *vt* abkürzen; (*rights*) einschränken.

curtain ['kɜ:tn] *n* Vorhang *m.*

curtsy ['kɜ:tsɪ] **1.** *n* Knicks *m;* **2.** *vi* knicksen.

cushion ['kʊʃən] **1.** *n* Kissen *nt;* **2.** *vt* polstern.

custard ['kʌstəd] *n* Vanillesoße *f.*

custodian [kʌs'təʊdɪən] *n* Kustos *m,* Verwalter(in) *m(f).*

custody ['kʌstədɪ] *n* Aufsicht *f;* (*for child*) Sorgerecht *nt;* (*police*) Polizeigewahrsam *m.*

custom ['kʌstəm] *n* (*tradition*) Brauch *m;* (*business dealing*) Kundschaft *f; s. a.* **customs.**

customary ['kʌstəmrɪ] *adj* üblich.

customer ['kʌstəmə*] *n* Kunde *m,* Kundin *f;* **customized** ['kʌstəmaɪzd] *adj* kundenspezifisch, maßgeschneidert; **custom-made** *adj* speziell angefertigt.

customs ['kʌstəmz] *n pl* (*taxes*) Einfuhrzoll *m;* **Customs** Zollamt *nt;* **Customs officer** Zollbeamte(r) *m,* -beamtin *f.*

cut [kʌt] <cut, cut> **1.** *vt* schneiden; (*wages*) kürzen; (*prices*) heruntersetzen; **2.** *n* Schnitt *m;* (*wound*) Schnittwunde *f;* (*in book, income etc*) Kürzung *f;* (*in prices*) Ermäßigung *f;* (*share*) Anteil *m;* **I ~ my hand** ich habe mir in die Hand geschnitten.

cute [kju:t] *adj* reizend, niedlich; (*US*) clever.

cuticle ['kju:tɪkl] *n* (*on nail*) Nagelhaut *f.*

cutlery ['kʌtlərɪ] *n* Besteck *nt.*

cutlet ['kʌtlɪt] *n* (*pork*) Kotelett *nt;* (*veal*) Schnitzel *nt.*

cutout ['kʌtaʊt] *n* (ELEC) Sperre *f.*

cut-price ['kʌtpraɪs] *adj* sehr billig, zu Schleuderpreisen.

cutting ['kʌtɪŋ] **1.** *adj* schneidend; **2.** *n* (*from paper*) Ausschnitt *m.*

CV *n abbr of* **curriculum vitae.**

cwt *abbr of* **hundredweight** ≈ Zentner, Ztr.

cyanide ['saɪənaɪd] *n* Zyankali *nt.*

cyber café [saɪbə'kæfeɪ] *n* Cybercafé *nt,* Internetcafé *nt.*

cybernetics [saɪbə'netɪks] *n sing* Kybernetik *f.*

cyberspace [saɪbə'speɪs] *n* Cyberspace *m.*

cyclamen ['sɪkləmən] *n* Alpenveilchen *nt.*

cycle ['saɪkl] **1.** *n* Zyklus *m,* Kreislauf *m;* (*of events*) Gang *m;* (*bycicle*) Fahrrad *nt;* (*series*) Reihe *f;* **2.** *vi* Rad fahren; **cycling** *n* Radfahren *nt;* (SPORT) Radsport *m;* **cyclist** ['saɪklɪst] *n* Radfahrer(in) *m(f).*

cyclone ['saɪkləʊn] *n* Zyklon *m.*

cygnet ['sɪgnɪt] *n* junger Schwan.

cylinder ['sɪlɪndə*] *n* Zylinder *m;* (TECH) Walze *f;* **cylinder block** *n* Zylinderblock *m;* **cylinder capacity** *n* Hubraum *m;* **cylinder head** *n* Zylinderkopf *m.*

cymbals ['sɪmbəlz] *n pl* Becken *nt.*
cynic ['sɪnɪk] *n* Zyniker(in) *m(f)*; **cynical** *adj* zynisch; **cynicism** *n* Zynismus *m.*
cypress ['saɪprəs] *n* Zypresse *f.*
Cyprus ['saɪprəs] *n* Zypern *nt.*
cyst [sɪst] *n* Zyste *f.*
czar [zɑː*] *n* Zar *m*; **czarina** [za'riːnə] *n* Zarin *f.*
Czech [tʃek] **1.** *adj* tschechisch; **2.** *n* Tscheche *m,* Tschechin *f*; **Czech Republic** [tʃekrɪ'pʌblɪk] *n* die Tschechische Republik, Tschechien *nt.*

D

D, d [diː] *n* D *nt,* d *nt.*
dab [dæb] **1.** *vt* (*wound, paint*) betupfen; **2.** *n* (*little bit*) bisschen; (*of paint*) Tupfer *m*; (*smear*) Klecks *m*; (*of liquid, perfume*) Tropfen *m.*
dabble ['dæbl] *vi* (*splash*) plätschern; **to ~ in sth** (*fig*) etw als Hobby machen.
dachshund ['dækshʊnd] *n* Dackel *m.*
dad[dy] ['dæd[ɪ]] *n* Papa *m,* Vati *m*; **daddy-long-legs** *n sing* Weberknecht *m.*
daffodil ['dæfədɪl] *n* Osterglocke *f.*
daft [dɑːft] *adj* (*fam*) doof.
dagger ['dægə*] *n* Dolch *m.*
dahlia ['deɪlɪə] *n* Dahlie *f.*
daily ['deɪlɪ] **1.** *adj, adv* täglich; **2.** *n* (PRESS) Tageszeitung *f*; (*woman*) Haushaltshilfe *f.*
dainty ['deɪntɪ] *adj* zierlich.
dairy ['dɛərɪ] **1.** *n* (*shop*) Milchgeschäft *nt*; (*on farm*) Molkerei *f*; **2.** *adj* Milch-.
daisy ['deɪzɪ] *n* Gänseblümchen *nt*; **daisy wheel** *n* Typenrad *nt*; **~ typewriter** Typenradschreibmaschine *f.*
dam [dæm] **1.** *n* [Stau]damm *m*; **2.** *vt* stauen.
damage ['dæmɪdʒ] **1.** *n* Schaden *m*; **2.** *vt* beschädigen; **~s** *pl* (JUR) Schaden[s]ersatz *m.*
Dame [deɪm] *n* (*Brit*) Dame (*Titel der weiblichen Träger verschiedener Orden*).
damn [dæm] **1.** *vt* verdammen, verwünschen; **2.** *adj* (*fam*) verdammt; **~ it!** verflucht!; **damning** *adj* vernichtend.
damp [dæmp] **1.** *adj* feucht; **2.** *n* Feuchtigkeit *f*; **3.** *vt* (*also:* **~en**) befeuchten; (*discourage*) dämpfen; **dampness** *n* Feuchtigkeit *f.*
damson ['dæmzən] *n* Damaszenerpflaume *f.*
dance [dɑːns] **1.** *n* Tanz *m*; **2.** *vi* tanzen; **dance hall** *n* Tanzlokal *nt*; **dancer** *n* Tänzer(in) *m(f)*; **dancing** *n* Tanzen *nt.*
dandelion ['dændɪlaɪən] *n* Löwenzahn *m.*
dandruff ['dændrəf] *n* [Kopf]schuppen *pl.*
Dane [deɪn] *n* Däne *m,* Dänin *f.*
danger ['deɪndʒə*] *n* Gefahr *f*; **~!** (*sign*) Achtung!; **in ~** in Gefahr; **danger-list** *n*: **on the ~** in Lebensgefahr; **dangerous** *adj,* **dangerously** *adv* gefährlich.
dangle ['dæŋgl] **1.** *vi* baumeln; **2.** *vt* herabhängen lassen.
Danish ['deɪnɪʃ] *adj* dänisch.
Danube ['dænjuːb] *n* Donau *f.*
dapper ['dæpə*] *adj* adrett.
dare [dɛə*] **1.** *vt* herausfordern; **2.** *vi*: **to ~ [to] do sth** es wagen etw zu tun; **I ~ say** ich würde sagen; **daring 1.** *adj* (*audacious*) verwegen; (*bold*) wagemutig; (*dress*) gewagt; **2.** *n* Mut *m.*
dark [dɑːk] **1.** *adj* dunkel; (*fig*) düster, trübe; (*deep colour*) dunkel-; **2.** *n* Dunkelheit *f*; **after ~** nach Anbruch der Dunkelheit; **Dark Ages** *pl* [finsteres] Mittelalter *nt*; **darken** *vt, vi* verdunkeln; **darkness** *n* Finsternis *nt*; **darkroom** *n* Dunkelkammer *f.*
darling ['dɑːlɪŋ] **1.** *n* Liebling *m*; (*child*) Schätzchen *nt*; **2.** *adj* lieb, süß.
darn [dɑːn] *vt* stopfen.
dart [dɑːt] **1.** *n* (*leap*) Satz *m*; (*weapon*) Pfeil *m*; **2.** *vi* sausen; **~s** *sing* (*game*) Pfeilwurfspiel *nt*; **dartboard** *n* Zielscheibe *f.*
dash [dæʃ] **1.** *n* Sprung *m*; (*mark*) [Gedanken]strich *m*; **2.** *vt* schleudern; **3.** *vi* stürzen, stürmen; **dashboard** *n* Armaturenbrett *nt*; **dashing** *adj* schneidig.
data ['deɪtə] **1.** *n pl* Einzelheiten *pl,* Daten *pl*; **2.** *vt* (*US*) erfassen; **data bank** *n* Datenbank *f*; **database** *n* Datenbasis *f,* Datenbestand *m*; **data capture** *n* Datenerfassung *f*; **data carrier** *n* Datenträger *m*; **data glove** *n* Datenhandschuh *m*; **data integrity** *n* Datensicherheit *f*; **data preparation** *n* Datenaufbereitung *f*; **data processing** *n* Datenverarbeitung *f*; **data protection** *n* Datenschutz *m.*
date [deɪt] **1.** *n* Datum *nt*; (*for meeting etc*) Termin *m*; (*with person*) Verabredung *f*; (*fruit*) Dattel *f*; **2.** *vt* (*letter etc*) datieren; (*person*) gehen mit; **dated** *adj* altmodisch; **date-line** *n* Datumsgrenze *f.*
dative ['deɪtɪv] *n* Dativ *m,* Wemfall *m.*
daub [dɔːb] *vt* beschmieren; (*paint*)

schmieren.

daughter ['dɔ:tə*] *n* Tochter *f;* **daughter-in-law** *n* <daughters-in-law> Schwiegertochter *f.*

daunt [dɔ:nt] *vt* entmutigen.

davenport ['dævnpɔ:t] *n* (*Brit: desk*) Sekretär *m;* (*US: sofa*) Sofa *nt.*

dawdle ['dɔ:dl] *vi* trödeln.

dawn [dɔ:n] **1.** *n* Morgendämmerung *f;* **2.** *vi* dämmern; (*fig*) dämmern (*on sb* jdm).

day [deɪ] *n* Tag *m;* ~ **by** ~ Tag für Tag, täglich; **one** ~ eines Tages; **daybreak** *n* Tagesanbruch *m;* **daydream 1.** *n* Wachtraum *m,* Träumerei *f;* **2.** *irr vi* [mit offenen Augen] träumen; **daylight** *n* Tageslicht *nt;* **daytime** *n* Tageszeit *f.*

daze [deɪz] **1.** *vt* benommen machen; **2.** *n* Benommenheit *f;* **dazed** *adj* benommen.

dazzle ['dæzl] *vt* blenden.

deacon ['di:kən] *n* Diakon *m.*

dead [ded] **1.** *adj* tot, gestorben; (*without feeling*) gefühllos; (*without movement*) leer, verlassen; **2.** *adv* (*fam*) total, völlig; ~ **centre** genau in der Mitte; **the** ~ *pl* die Toten *pl;* **the Dead Sea** das Tote Meer; **deaden** *vt* (*pain*) abtöten; (*sound*) ersticken; **dead end** *n* Sackgasse *f;* **dead heat** *n* totes Rennen; **deadline** *n* Frist *f,* Termin *m;* **deadlock** *n* Stillstand *m;* **deadly** *adj* tödlich; **deadpan** *adj* (*face*) unbewegt, undurchdringlich; (*humour*) trocken.

deaf [def] *adj* taub; **deaf-aid** *n* Hörhilfe *f;* (*Brit*) Hörgerät *nt;* **deafen** *vt* taub machen; **deafening** *adj* ohrenbetäubend; **deaf-mute** *n* Taubstumme(r) *mf;* **deafness** *n* Taubheit *f.*

deal [di:l] <dealt, dealt> **1.** *vt, vi* austeilen; (CARDS) geben; **2.** *n* Geschäft *nt;* **a great** ~ **of** sehr viel; **to** ~ **with** (*person*) behandeln; (*department*) sich befassen mit; **dealer** *n* (COMM) Händler(in) *m(f);* (CARDS) Kartengeber(in) *m(f);* **dealings** *n pl* (FIN) Geschäfte *pl;* (*relations*) Beziehungen *pl,* Geschäftsverkehr *m;* **dealt** [delt] *pt, pp of* **deal**.

dean [di:n] *n* (SCH, REL) Dekan *m.*

dear [dɪə*] **1.** *adj* lieb; (*expensive*) teuer; **2.** *n* Liebling *m;* ~ **me!** du liebe Zeit!; **Dear Sir or Madam** Sehr geehrte Damen und Herren!; **Dear John** Lieber John!; **dearly** *adv* (*love*) [heiß und] innig; (*pay*) teuer.

death [deθ] *n* Tod *m;* (*case of*) Todesopfer *nt;* (*end*) Ende *nt;* (*statistic*) Sterbefall *m;* **deathbed** *n* Sterbebett *nt;* **death certificate** *n* Totenschein *m;* **death duties** *n pl* (*Brit*) Erbschaftssteuer *f;* **deathly** *adj* totenähnlich, Toten-; ~ **pale** leichenblass; **death penalty** *n* Todesstrafe *f;* **death rate** *n* Sterblichkeitsziffer *f.*

debatable [dɪ'beɪtəbl] *adj* strittig.

debate [dɪ'beɪt] **1.** *n* Debatte *f,* Diskussion *f;* **2.** *vt* debattieren, diskutieren; (*consider*) überlegen.

debauched [dɪ'bɔ:tʃt] *adj* ausschweifend.

debit ['debɪt] **1.** *n* Soll *nt;* **2.** *vt* belasten.

debris ['debri:] *n* Trümmer *pl.*

debt [det] *n* Schuld *f;* **to be in** ~ verschuldet sein; **debtor** *n* Schuldner(in) *m(f).*

decade ['dekeɪd] *n* Jahrzehnt *nt.*

decadence ['dekədəns] *n* Verfall *m,* Dekadenz *f;* **decadent** *adj* dekadent.

decaffeinated [di:'kæfɪneɪtɪd] *adj* koffeinfrei, entkoffeiniert.

decanter [dɪ'kæntə*] *n* Karaffe *f.*

decay [dɪ'keɪ] **1.** *n* Verfall *m;* **2.** *vi* verfallen; (*teeth, meat*) faulen; (*leaves*) verrotten; (*dead body*) verwesen.

decease [dɪ'si:s] *n* Tod *m;* **deceased** *adj* verstorben.

deceit [dɪ'si:t] *n* Betrug *m;* **deceitful** *adj* falsch.

deceive [dɪ'si:v] *vt* täuschen.

decelerate [di:'seləreɪt] *vi* (*car, train*) langsamer werden; (*production*) sich verlangsamen; (*driver*) die Geschwindigkeit verringern.

December [dɪ'sembə*] *n* Dezember *m;* ~ **24th, 1999, 24th** ~ **1999** (*Datumsangabe*) 24. Dezember 1999; **on the 1st of** ~ (*gesprochen*) am 1. Dezember; **on 1st** ~, **on** ~ **1st** (*geschrieben*) am 1. Dezember; **in** ~ im Dezember.

decency ['di:sənsɪ] *n* Anstand *m;* **decent** ['di:sənt] *adj* (*respectable*) anständig; (*pleasant*) annehmbar.

decentralization [di:sentrəlaɪ'zeɪʃən] *n* Dezentralisierung *f;* **decentralized** [di:'sentrəlaɪzd] *adj* dezentral.

deception [dɪ'sepʃən] *n* Betrug *m;* **deceptive** [dɪ'septɪv] *adj* täuschend, irreführend.

decibel ['desɪbel] *n* Dezibel *nt.*

decide [dɪ'saɪd] **1.** *vt* entscheiden; **2.** *vi* sich entscheiden; **to** ~ **on sth** etw beschließen; (*choose*) etw [aus]wählen; **decided** *adj* bestimmt, entschieden; **decidedly** *adv* entschieden.

deciduous [dɪ'sɪdjʊəs] *adj* Laub-.

decimal ['desɪməl] **1.** *adj* dezimal; **2.** *n*

Dezimalzahl *f;* **decimal point** *n* Komma *nt* [eines Dezimalbruches]; **decimal system** *n* Dezimalsystem *nt.*

decipher [dɪ'saɪfə*] *vt* entziffern.

decision [dɪ'sɪʒən] *n* Entscheidung *f,* Entschluss *m.*

decisive [dɪ'saɪsɪv] *adj* entscheidend, ausschlaggebend; (*manner*) bestimmt; (*person*) entschlussfreudig.

deck [dek] *n* (NAUT) Deck *nt;* (*of cards*) Pack *m;* **deckchair** *n* Liegestuhl *m;* **deckhand** *n* Matrose *m.*

declaration [deklə'reɪʃən] *n* Erklärung *f;* **declare** [dɪ'klɛə*] *vt* (*state*) behaupten; (*war*) erklären; (*at Customs*) verzollen.

decline [dɪ'klaɪn] **1.** *n* (*decay*) Verfall *m;* (*lessening*) Rückgang *m,* Niedergang *m;* **2.** *vt* (*invitation*) ausschlagen, ablehnen; **3.** *vi* (*strength*) nachlassen; (*say no*) ablehnen.

declutch ['diː'klʌtʃ] *vi* (TECH) [aus]kuppeln.

decode [diː'kəʊd] *vt* entschlüsseln; (COMPUT) dekodieren; **decoder** *n* (COMPUT) Decoder *m.*

decompose [diːkəm'pəʊz] *vi* sich zersetzen; **decomposition** [diːkɒmpə'zɪʃən] *n* Zersetzung *f.*

decontaminate [diːkən'tæmɪneɪt] *vt* entgiften, entseuchen.

décor ['deɪkɔː*] *n* Ausstattung *f.*

decorate ['dekəreɪt] *vt* (*room*) tapezieren [und streichen]; (*adorn*) [aus]schmücken; (*cake*) verzieren; (*honour*) auszeichnen; **decoration** [dekə'reɪʃən] *n* Schmuck *m;* (*medal*) Orden *m;* **decorative** ['dekərətɪv] *adj* dekorativ, Schmuck-; **decorator** ['dekəreɪtə*] *n* Maler(in) *m(f),* Anstreicher(in) *m(f).*

decrease [diː'kriːs] **1.** *n* Abnahme *f;* **2.** *vt* vermindern; **3.** *vi* abnehmen.

decree [dɪ'kriː] *n* Verfügung *f,* Erlass *m.*

decrepit [dɪ'krepɪt] *adj* hinfällig.

dedicate ['dedɪkeɪt] *vt* (*to God*) weihen; (*book*) widmen; **dedication** [dedɪ'keɪʃən] *n* (*devotion*) Ergebenheit *f;* (*in book*) Widmung *f.*

deduce [dɪ'djuːs] *vt* ableiten, schließen (*from* aus).

deduct [dɪ'dʌkt] *vt* abziehen; **deduction** [dɪ'dʌkʃən] *n* (*of money*) Abzug *m;* (*conclusion*) [Schluss]folgerung *f.*

deed [diːd] *n* Tat *f;* (*document*) Urkunde *f.*

deep [diːp] *adj* tief; **deepen** *vt* vertiefen; **deep-freeze** *n* Tiefkühltruhe *f;* (*upright*) Tiefkühlschrank *m;* **deep-set** *adj* tief liegend.

deer [dɪə*] *n* Reh *nt;* (*with antlers*) Hirsch *m.*

deface [dɪ'feɪs] *vt* entstellen, verunstalten.

defamation [defə'meɪʃən] *n* Verleumdung *f.*

default [dɪ'fɔːlt] **1.** *n* Versäumnis *nt;* (TECH) Fehler *m;* **2.** *vi* versäumen; **by** ~ durch Nichterscheinen; **3.** ['dɪːfɔːlt] *n* (COMPUT) Default *m,* Voreinstellung *f.*

defeat [dɪ'fiːt] **1.** *n* (*overthrow*) Vernichtung *f;* (*in battle*) Niederlage *f;* **2.** *vt* besiegen; **that ~s the purpose** das bewirkt das Gegenteil; **defeatist** *adj* defätistisch, gottergeben.

defect ['diːfekt] **1.** *n* Defekt *m,* Fehler *m;* **2.** [dɪ'fekt] *vi* überlaufen; **defective** [dɪ'fektɪv] *adj* fehlerhaft, schadhaft.

defence [dɪ'fens] *n* (MIL, SPORT) Verteidigung *f;* (*excuse*) Rechtfertigung *f;* **defenceless** *adj* wehrlos.

defend [dɪ'fend] *vt* verteidigen; **defendant** *n* Angeklagte(r) *mf;* **defender** *n* Verteidiger(in) *m(f);* **defensive** [dɪ'fensɪv] *adj* defensiv, Schutz-; **to be on the** ~ sich verteidigen, in der Defensive sein.

defer [dɪ'fɜː*] *vt* verschieben.

defiant [dɪ'faɪənt] *adj* trotzig, unnachgiebig.

deficiency [dɪ'fɪʃənsɪ] *n* Unzulänglichkeit *f,* Mangel *m;* **deficient** *adj* unzureichend.

deficit ['defɪsɪt] *n* Defizit *nt,* Fehlbetrag *m.*

define [dɪ'faɪn] *vt* bestimmen; (*explain*) definieren.

definite ['defɪnɪt] *adj* bestimmt; (*clear*) klar, eindeutig; **definitely** *adv* bestimmt.

definition [defɪ'nɪʃən] *n* Definition *f;* (PHOT) Schärfe *f.*

definitive [dɪ'fɪnɪtɪv] *adj* definitiv, endgültig.

deflate [diː'fleɪt] *vt* die Luft ablassen aus.

deflect [dɪ'flekt] *vt* ablenken.

defoliant [diː'fəʊlɪənt] *n* Entlaubungsmittel *nt.*

deform [dɪ'fɔːm] *vt* deformieren, entstellen; **deformity** *n* Verunstaltung *f,* Missbildung *f.*

defraud [dɪ'frɔːd] *vt* betrügen.

defrost [diː'frɒst] *vt* (*fridge*) abtauen; (*food*) auftauen.

defy [dɪ'faɪ] *vt* (*challenge*) sich widersetzen *+dat;* (*resist*) trotzen *+dat,* sich stellen gegen.

degenerate [dɪ'dʒenəreɪt] **1.** *vi* degenerieren; **2.** [dɪ'dʒenərət] *adj* degeneriert.

degrading [dɪ'greɪdɪŋ] *adj* erniedrigend.
degree [dɪ'gri:] *n* Grad *m;* (SCH) akademischer Grad; **by ~s** allmählich; **to take one's ~** sein Examen machen.
dehydrated [di:haɪ'dreɪtɪd] *adj* getrocknet, Trocken-; (*person*) ausgetrocknet.
de-ice [di:'aɪs] *vt* enteisen.
deign [deɪn] *vi* sich herablassen.
deity ['deɪɪtɪ] *n* Gottheit *f.*
dejected [dɪ'dʒektɪd] *adj* niedergeschlagen; **dejection** [dɪ'dʒekʃən] *n* Niedergeschlagenheit *f.*
delay [dɪ'leɪ] **1.** *vt* verzögern; (*hold back*) aufschieben; (*person*) aufhalten; **2.** *vi* zögern; **3.** *n* Aufschub *m;* (*lateness*) Verzögerung *f;* (*of train etc*) Verspätung *f;* **the flight was ~ed** die Maschine hatte Verspätung; **without ~** unverzüglich.
delegate ['delɪgət] **1.** *n* Delegierte(r) *mf,* Abgeordnete(r) *mf;* **2.** ['delɪgeɪt] *vt* delegieren; **delegation** [delɪ'geɪʃən] *n* Abordnung *f;* (*foreign*) Delegation *f.*
delete [dɪ'li:t] *vt* [aus]streichen; (COMPUT) löschen.
deli ['delɪ] *n* (*US fam*) Feinkostgeschäft *nt.*
deliberate [dɪ'lɪbərət] **1.** *adj* (*intentional*) absichtlich; (*slow*) bedächtig; **2.** [dɪ'lɪbəreɪt] *vi* (*consider*) überlegen; (*debate*) sich beraten; **deliberately** *adv* vorsätzlich.
delicacy ['delɪkəsɪ] *n* Zartheit *f;* (*weakness*) Anfälligkeit *f;* (*tact*) Zartgefühl *nt;* (*food*) Delikatesse *f;* **delicate** ['delɪkɪt] *adj* (*fine*) fein; (*fragile*) zart; (*situation*) heikel; (MED) empfindlich.
delicatessen [delɪkə'tesn] *n sing* Feinkostgeschäft *nt.*
delicious [dɪ'lɪʃəs] *adj* köstlich, lecker.
delight [dɪ'laɪt] **1.** *n* Wonne *f;* **2.** *vt* entzücken; **delightful** *adj* entzückend, herrlich.
delinquency [dɪ'lɪŋkwənsɪ] *n* Straffälligkeit *f,* Delinquenz *f;* **delinquent 1.** *n* Straffällige(r) *mf;* **2.** *adj* straffällig.
delirious [dɪ'lɪrɪəs] *adj* irre, im Fieberwahn; **delirium** [dɪ'lɪrɪəm] *n* Fieberwahn *m,* Delirium *nt.*
deliver [dɪ'lɪvə*] *vt* (*goods*) [ab]liefern; (*letter*) bringen, zustellen; (*verdict*) aussprechen; (*speech*) halten; **delivery** *n* [Ab]lieferung *f;* (*of letter*) Zustellung *f;* (*of speech*) Vortragsweise *f;* **delivery van** *n* Lieferwagen *m.*
delouse [di:'laʊs] *vt* entlausen.
delude [dɪ'lu:d] *vt* täuschen.
deluge ['delju:dʒ] **1.** *n* Überschwemmung *f;* (*fig*) Flut *f;* **2.** *vt* (*fig*) überfluten.
delusion [dɪ'lu:ʒən] *n* [Selbst]täuschung *f.*
de luxe [dɪ'lʌks] *adj* Luxus-.
demand [dɪ'mɑ:nd] **1.** *vt* verlangen; **2.** *n* (*request*) Verlangen *nt;* (COMM) Nachfrage *f;* **in ~** begehrt, gesucht; **on ~** auf Verlangen; **demanding** *adj* anspruchsvoll.
demented [dɪ'mentɪd] *adj* wahnsinnig.
demi- ['demɪ] *pref* halb-.
demo ['deməʊ] *n* <-s> (*fam*) Demo *f.*
democracy [dɪ'mɒkrəsɪ] *n* Demokratie *f;* **democrat** ['deməkræt] *n* Demokrat(in) *m(f);* **democratic** *adj,* **democratically** *adv* [demə'krætɪk, -əlɪ] demokratisch.
demographic [demə'græfɪk] *adj* demographisch.
demolish [dɪ'mɒlɪʃ] *vt* (*house*) abreißen; (*destroy*) zerstören; (*fig*) vernichten; **demolition** [demə'lɪʃən] *n* Abbruch *m.*
demon ['di:mən] *n* Dämon *m.*
demonstrate ['demənstreɪt] *vt, vi* demonstrieren; **demonstration** [demən'streɪʃən] *n* Demonstration *f;* (*proof*) Beweisführung *f;* **demonstrative** [dɪ'mɒnstrətɪv] *adj* demonstrativ; **demonstrator** ['demənstreɪtə*] *n* (POL) Demonstrant(in) *m(f).*
demoralize [dɪ'mɒrəlaɪz] *vt* demoralisieren.
den [den] *n* (*of animal*) Höhle *f,* Bau *m;* (*of person*) Bude *f;* **~ of vice** Lasterhöhle *f.*
denationalization ['di:næʃ nəlaɪ'zeɪʃ ən] *n* Privatisierung *f.*
denial [dɪ'naɪəl] *n* Leugnung *f;* (*official ~*) Dementi *nt.*
denigrate ['denɪgreɪt] *vt* verunglimpfen.
denim ['denɪm] *adj* Denim-; **denims** *n pl* Denim-Jeans *pl.*
Denmark ['denmɑ:k] *n* Dänemark *nt.*
denomination [dɪnɒmɪ'neɪʃən] *n* (REL) Bekenntnis *nt;* (*type*) Klasse *f;* (FIN) Wert *m.*
denominator [dɪ'nɒmɪneɪtə*] *n* Nenner *m;* **common ~** gemeinsamer Nenner.
denote [dɪ'nəʊt] *vt* bedeuten.
dense [dens] *adj* dicht, dick; (*stupid*) schwer von Begriff; **densely** *adv* dicht; **density** ['densɪtɪ] *n* Dichte *f;* **double/high ~ disk** (COMPUT) Diskette *f* mit doppelter/hoher Schreibdichte.
dent [dent] **1.** *n* Delle *f;* **2.** *vt* einbeulen.
dental ['dentl] *adj* Zahn-; **~ floss** Zahnseide *f;* **~ implant** Zahnimplantat *nt;* **~ surgeon** Zahnarzt(-ärztin) *m(f);* **dentist** ['dentɪst] *n* Zahnarzt(-ärztin) *m(f);*

dentistry *n* Zahnmedizin *f.*

dentures ['dentʃəz] *n pl* Gebiss *nt.*

deny [dɪ'naɪ] *vt* leugnen; (*rumour*) widersprechen *+dat;* (*knowledge*) verleugnen; (*help*) abschlagen; **to ~ oneself sth** sich *dat* etw versagen.

deodorant [diː'əʊdərənt] *n* Deo[dorant] *nt;* ~ **spray** Deospray *nt o m.*

depart [dɪ'pɑːt] *vi* abfahren; (*go away*) weggehen; (*deviate*) abweichen.

department [dɪ'pɑːtmənt] *n* (COMM) Abteilung *f;* (SCH) Fachbereich *m;* (POL) Ministerium *nt;* **departmental** [diːpɑːt'mentl] *adj* Fach-; **department store** *n* Kaufhaus *nt.*

departure [dɪ'pɑːtʃə*] *n* (*of person*) Weggang *m;* (*on journey*) Abreise *f;* (*of train*) Abfahrt *f;* (*of plane*) Abflug *m;* **new** ~ Neuerung *f;* **departure gate** *n* Flugsteig *m,* Ausgang *m;* **departure lounge** *n* Abflughalle *f;* **departure time** *n* (*of train*) Abfahrtzeit *f;* (*of plane*) Abflugzeit *f.*

depend [dɪ'pend] *vi:* **it ~s** es kommt darauf an; **depend on** *vt* abhängen von; (*parents etc*) angewiesen sein auf *+akk;* **dependable** *adj* zuverlässig; **dependence** *n* Abhängigkeit *f;* **dependent 1.** *n* (*person*) Familienangehörige(r) *mf;* **2.** *adj* bedingt (*on* durch).

depict [dɪ'pɪkt] *vt* darstellen; (*in words*) schildern.

deplorable [dɪ'plɔːrəbl] *adj* bedauerlich.

deplore [dɪ'plɔː*] *vt* bedauern; (*disapprove of*) missbilligen.

deploy [dɪ'plɔɪ] *vt* einsetzen.

deport [dɪ'pɔːt] *vt* deportieren; **deportation** [diːpɔː'teɪʃən] *n* Abschiebung *f.*

depose [dɪ'pəʊz] *vt* absetzen.

deposit [dɪ'pɒzɪt] **1.** *n* (*in bank*) Guthaben *nt;* (*down payment*) Anzahlung *f;* (*security*) Kaution *f;* (CHEM) Niederschlag *m;* **2.** *vt* (*in bank*) deponieren; (*put down*) niederlegen; **deposit account** *n* Sparkonto *nt;* **depositor** *n* Kontoinhaber(in) *m(f).*

depot ['depəʊ] *n* Depot *nt.*

deprave [dɪ'preɪv] *vt* [moralisch] verderben; **depraved** *adj* verworfen, verderbt; **depravity** [dɪ'prævɪtɪ] *n* Verworfenheit *f.*

depreciate [dɪ'priːʃɪeɪt] *vi* im Wert sinken; **depreciation** [dɪpriːʃɪ'eɪʃən] *n* Wertminderung *f.*

depress [dɪ'pres] *vt* (*press down*) niederdrücken; (*in mood*) deprimieren; **depressed** *adj* (*person*) niedergeschlagen, deprimiert; ~ **area** Notstandsgebiet *nt;* **depressing** *adj* deprimierend; **depression** [dɪ'preʃən] *n* (*mood*) Depression *f;* (*in trade*) Wirtschaftskrise *f;* (*hollow*) Vertiefung *f;* (METEO) Tief[druckgebiet] *nt.*

deprivation [deprɪ'veɪʃən] *n* Entbehrung *f,* Not *f.*

deprive [dɪ'praɪv] *vt:* **to ~ sb of sth** jdn um etw bringen; **deprived** *adj* (*child*) sozial benachteiligt; (*area*) unterentwickelt.

dept *n abbr of* **department** Abteilung, Abt.

depth [depθ] *n* Tiefe *f;* **in the ~s of despair** in tiefster Verzweiflung; **to be out of one's ~** den Boden unter den Füßen verloren haben; **depth charge** *n* Wasserbombe *f.*

deputation [depjʊ'teɪʃən] *n* Abordnung *f.*

deputy ['depjʊtɪ] **1.** *adj* stellvertretend; **2.** *n* Stellvertreter(in) *m(f).*

derail [dɪ'reɪl] *vt* entgleisen lassen; **to be ~ed** entgleisen.

deranged [dɪ'reɪndʒd] *adj* geistesgestört.

derby ['dɑːbɪ] *n* (*US*) Melone *f.*

derelict ['derɪlɪkt] *adj* verlassen; (*building*) baufällig.

derision [dɪ'rɪʒən] *n* Hohn *m,* Spott *m.*

derivation [derɪ'veɪʃən] *n* Ableitung *f.*

derive [dɪ'raɪv] **1.** *vt* (*get*) gewinnen; (*deduce*) ableiten; **2.** *vi* (*come from*) abstammen.

dermatitis [dɜːmə'taɪtɪs] *n* Hautentzündung *f.*

derogatory [dɪ'rɒgətərɪ] *adj* geringschätzig.

derrick ['derɪk] *n* Drehkran *m;* (*on oil platform*) Bohrturm *m.*

desalination [diːsælɪ'neɪʃən] *n* Entsalzung *f.*

descend [dɪ'send] *vt, vi* hinuntersteigen; **to ~ from** abstammen von; **descendant** *n* Nachkomme *m;* **descent** [dɪ'sent] *n* (*coming down*) Abstieg *m;* (*origin*) Abstammung *f.*

describe [dɪs'kraɪb] *vt* beschreiben; **description** [dɪ'skrɪpʃən] *n* Beschreibung *f;* (*sort*) Art *f;* **descriptive** [dɪ'skrɪptɪv] *adj* beschreibend; (*word*) anschaulich.

desegregation [diːsegrə'geɪʃən] *n* Aufhebung *f* der Rassentrennung.

desert ['dezət] **1.** *n* Wüste *f;* **2.** [dɪ'zɜːt] *vt* verlassen; (*temporarily*) im Stich lassen; **3.** [dɪ'zɜːt] *vi* (MIL) desertieren; **deserter** *n* Deserteur(in) *m(f);* **desertion** *n* (*of* *wife*) böswilliges Verlassen; (MIL) Fahnenflucht *f;* **desert island** ['dezət'aɪlənd] *n* einsame Insel.

deserve [dɪ'zɜ:v] *vt* verdienen; **deserving** *adj* (*person*) würdig; (*action*) verdienstvoll.

design [dɪ'zaɪn] **1.** *n* (*plan*) Entwurf *m;* (*drawing*) Zeichnung *f;* (*planning*) Gestaltung *f;* (*of object*) Design *nt;* (*construction*) Konstruktion *f;* **2.** *vt* entwerfen; (*construct*) konstruieren; (*intend*) bezwecken; **to have ~s on sb/sth** es auf jdn/etw abgesehen haben.

designate ['dezɪgneɪt] **1.** *vt* bestimmen; **2.** ['dezɪgnɪt] *adj* designiert; **designation** [dezɪg'neɪʃən] *n* Bezeichnung *f.*

designer [dɪ'zaɪnə*] *n* Designer(in) *m(f);* (THEAT) Bühnenbildner(in) *m(f);* **designer drug** *n* Designerdroge *f.*

desirability [dɪzaɪərə'bɪlɪtɪ] *n* Wünschbarkeit *f;* **desirable** [dɪ'zaɪərəbl] *n* wünschenswert; (*woman*) begehrenswert.

desire [dɪ'zaɪə*] **1.** *n* Wunsch *m;* (*esp sexual*) Verlangen *nt;* **2.** *vt* begehren, wünschen; (*ask for*) verlangen, wollen.

desk [desk] *n* Schreibtisch *m;* **desktop calculator** *n* Tischrechner *m;* **desktop publishing** *n* Desktoppublishing *nt.*

desolate ['desəlɪt] *adj* öde; (*sad*) trostlos; **desolation** [desə'leɪʃən] *n* Trostlosigkeit *f.*

despair [dɪs'pɛə*] **1.** *n* Verzweiflung *f;* **2.** *vi* verzweifeln (*of* an *+dat*).

despatch [dɪ'spætʃ] *s.* **dispatch**.

desperate ['despərɪt] *adj* verzweifelt; (*situation*) hoffnungslos; **to be ~ for sth** etw unbedingt brauchen; **desperately** *adv* verzweifelt; **desperation** [despə'reɪʃən] *n* Verzweiflung *f.*

despicable [dɪ'spɪkəbl] *adj* abscheulich.

despise [dɪ'spaɪz] *vt* verachten.

despite [dɪ'spaɪt] *prep* trotz *+gen.*

despondent [dɪ'spɒndənt] *adj* mutlos, niedergeschlagen.

dessert [dɪ'zɜ:t] *n* Nachtisch *m;* **dessertspoon** *n* Dessertlöffel *m.*

destination [destɪ'neɪʃən] *n* (*of person*) [Reise]ziel *nt;* (*of goods*) Bestimmungsort *m.*

destiny ['destɪnɪ] *n* Schicksal *nt.*

destitute ['destɪtju:t] *adj* Not leidend; **destitution** [destɪ'tju:ʃən] *n* Elend *nt.*

destroy [dɪ'strɔɪ] *vt* zerstören; **destruction** [dɪ'strʌkʃən] *n* Zerstörung *f;* **destructive** [dɪ'strʌktɪv] *adj* zerstörerisch, destruktiv.

desulphurization [di:sʌlfjʊraɪ'zeɪʃən] *n* Entschwefelung *f;* ~ **plant** Entschwefelungsanlage *f.*

detach [dɪ'tætʃ] *vt* loslösen; **detachable** *adj* abtrennbar; **detached** *adj* (*attitude*) distanziert, objektiv; (*house*) Einzel-.

detail ['di:teɪl, di:'teɪl *US*] **1.** *n* Einzelheit *f,* Detail *nt;* (*minor part*) unwichtige Einzelheit; **2.** *vt* (*relate*) ausführlich berichten; (*appoint*) abkommandieren; **in ~** ausführlich, bis ins Kleinste.

detain [dɪ'teɪn] *vt* aufhalten; (*imprison*) inhaftieren.

detect [dɪ'tekt] *vt* entdecken; **detection** [dɪ'tekʃən] *n* Aufdeckung *f;* **detective** *n* Detektiv(in) *m(f);* **detective story** *n* Krimi *m;* **detector** *n* Detektor *m.*

détente ['deɪtɑ̃:nt] *n* Entspannung *f.*

detention [dɪ'tenʃən] *n* Haft *f;* (SCH) Nachsitzen *nt.*

deter [dɪ'tɜ:*] *vt* abschrecken.

detergent [dɪ'tɜ:dʒənt] *n* Reinigungsmittel *nt;* (*soap powder*) Waschmittel *nt.*

deteriorate [dɪ'tɪərɪəreɪt] *vi* sich verschlechtern; **deterioration** [dɪtɪərɪə'reɪʃən] *n* Verschlechterung *f.*

determination [dɪtɜ:mɪ'neɪʃən] *n* Entschlossenheit *f;* **determine** [dɪ'tɜ:mɪn] *vt* bestimmen; **determined** *adj* entschlossen.

deterrent [dɪ'terənt] **1.** *n* Abschreckungsmittel *nt;* **2.** *adj* abschreckend.

detest [dɪ'test] *vt* verabscheuen; **detestable** *adj* abscheulich.

detonate ['detəneɪt] *vt* detonieren, explodieren lassen; **detonator** ['detəneɪtə*] *n* Sprengkapsel *f.*

detour ['di:tʊə*] *n* Umweg *m;* (*on road sign*) Umleitung *f.*

detract [dɪ'trækt] *vi* schmälern (*from akk*).

detriment ['detrɪmənt] *n:* **to the ~ of** zum Schaden von; **detrimental** [detrɪ'mentl] *adj* schädlich.

deuce [dju:s] *n* (TENNIS) Einstand *m.*

devaluation [dɪvæljʊ'eɪʃən] *n* Abwertung *f;* **devalue** [di:'vælju:] *vt* abwerten.

devastate ['devəsteɪt] *vt* verwüsten; **devastating** *adj* verheerend.

develop [dɪ'veləp] **1.** *vt* entwickeln; (*resources*) erschließen; **2.** *vi* sich entwickeln; **developer** *n* (PHOT) Entwickler *m;* (*of land*) Bauunternehmer(in) *m(f);* **developing** *adj* (*country*) Entwicklungs-; **development** *n* Entwicklung *f.*

deviant ['di:vɪənt] *adj* abweichend; **deviate** ['di:vɪeɪt] *vi* abweichen; **deviation**

[diːvɪ'eɪʃən] *n* Abweichung *f.*

device [dɪ'vaɪs] *n* Vorrichtung *f,* Gerät *nt.*

devil ['devl] *n* Teufel *m;* **devilish** *adj* teuflisch.

devious ['diːvɪəs] *adj* (*route*) gewunden; (*means*) krumm; (*person*) verschlagen.

devise [dɪ'vaɪz] *vt* entwickeln.

devoid [dɪ'vɔɪd] *adj:* ~ **of** ohne, bar +*gen.*

devote [dɪ'vəʊt] *vt* widmen (*to dat*); **devoted** *adj* ergeben; **devotee** [devəʊ'tiː] *n* Anhänger(in) *m(f),* Verehrer(in) *m(f).*

devotion [dɪ'vəʊʃən] *n* (*piety*) Andacht *f;* (*loyalty*) Ergebenheit *f.*

devour [dɪ'vaʊə*] *vt* verschlingen.

devout [dɪ'vaʊt] *adj* fromm.

dew [djuː] *n* Tau *m.*

dexterity [deks'terɪtɪ] *n* Geschicklichkeit *f.*

diabetes [daɪə'biːtiːz] *n* Zuckerkrankheit *f;* **diabetic** [daɪə'betɪk] **1.** *adj* zuckerkrank; **2.** *n* Diabetiker(in) *m(f).*

diagnose ['daɪəgnəʊz] *vt* (MED) diagnostizieren, feststellen; **diagnosis** [daɪəg'nəʊsɪs] *n* Diagnose *f.*

diagonal [daɪ'ægənl] **1.** *adj* diagonal, schräg; **2.** *n* Diagonale *f.*

diagram ['daɪəgræm] *n* Diagramm *nt,* Schaubild *nt.*

dial ['daɪəl] **1.** *n* (TEL) Wählscheibe *f;* (*of clock*) Zifferblatt *nt;* **2.** *vt* wählen; **dial code** (*US*) *n* Vorwahl *f.*

dialect ['daɪəlekt] *n* Dialekt *m.*

dialling code (*Brit*) *n* Vorwahl *f;* **dialling tone** (*Brit*) *n* Amtszeichen *nt.*

dialog ['daɪəlɒg] *n* (COMPUT) Dialog *m.*

dialogue ['daɪəlɒg] *n* Gespräch *nt;* (LITER) Dialog *m.*

dial tone (*US*) *n* Amtszeichen *nt.*

dialysis [daɪ'æləsɪs] *n* (MED) Dialyse *f.*

diameter [daɪ'æmɪtə*] *n* Durchmesser *m.*

diametrically [daɪə'metrɪkəlɪ] *adv:* ~ **opposed to** genau entgegengesetzt +*dat.*

diamond ['daɪəmənd] *n* Diamant *m;* (CARDS) Karo *nt.*

diaper ['daɪpə*] *n* (*US*) Windel *f.*

diaphragm ['daɪəfræm] *n* Zwerchfell *nt;* (MED) Diaphragma *nt,* Pessar *nt.*

diarrhoea [daɪə'riːə] *n* Durchfall *m.*

diary ['daɪərɪ] *n* [Taschen]kalender *m;* (*account*) Tagebuch *nt.*

dice [daɪs] **1.** *n pl* Würfel *pl;* **2.** *vt* (GASTR) in Würfel schneiden.

dicey ['daɪsɪ] *adj* (*fam*) riskant.

dictate [dɪk'teɪt] **1.** *vt* diktieren; (*circumstances*) gebieten; **2.** ['dɪkteɪt] *n* Gebot *nt;* **dictation** [dɪk'teɪʃən] *n* Diktat *nt.*

dictator [dɪk'teɪtə*] *n* Diktator(in) *m(f);* **dictatorship** *n* Diktatur *f.*

diction ['dɪkʃən] *n* Ausdrucksweise *f.*

dictionary ['dɪkʃənrɪ] *n* Wörterbuch *nt.*

did [dɪd] *pt of* **do**.

diddle ['dɪdl] *vt* (*fam*) übers Ohr hauen.

didn't ['dɪdnt] = **did not**.

die [daɪ] *vi* sterben; (*end*) aufhören; **die away** *vi* schwächer werden; **die down** *vi* nachlassen; **die out** *vi* aussterben; (*fig*) nachlassen.

diesel ['diːzəl] *n* (*also:* ~ **engine**) Dieselmotor *m.*

diet ['daɪət] **1.** *n* Nahrung *f,* Kost *f;* (*special food*) Diät *f;* (*slimming*) Abmagerungskur *f;* **2.** *vi* eine Abmagerungskur machen.

dietetics [daɪə'tetɪks] *n* Ernährungswissenschaft *f.*

differ ['dɪfə*] *vi* sich unterscheiden; (*disagree*) anderer Meinung sein; **we** ~ wir sind unterschiedlicher Meinung; **difference** ['dɪfrəns] *n* Unterschied *m;* (*disagreement*) [Meinungs]verschiedenheit *f;* **different** *adj* verschieden; **that's** ~ das ist anders.

differential [dɪfə'renʃəl] *n* (AUT) Differentialgetriebe *nt;* (*in wages*) Lohngefälle *nt.*

differentiate [dɪfə'renʃɪeɪt] *vt, vi* unterscheiden.

differently ['dɪfrəntlɪ] *adv* verschieden, unterschiedlich.

difficult ['dɪfɪkəlt] *adj* schwierig; **difficulty** *n* Schwierigkeit *f;* **with** ~ nur schwer.

diffident ['dɪfɪdənt] *adj* schüchtern.

diffuse [dɪ'fjuːs] **1.** *adj* langatmig; **2.** [dɪ'fjuːz] *vt* verbreiten.

dig [dɪg] <dug, dug> **1.** *vt, vi* (*hole*) graben; (*garden*) [um]graben; (*claws*) senken; **2.** *n* (*prod*) Stoß *m;* **dig in** *vi* (MIL) sich eingraben; (*to food*) sich hermachen über +*akk;* ~ ~**!** greif zu!; **dig up** *vt* ausgraben; (*fig*) aufgabeln.

digest [daɪ'dʒest] **1.** *vt* (*a. fig*) verdauen; **2.** ['daɪdʒest] *n* Auslese *f;* **digestible** [daɪ'dʒestəbl] *adj* verdaulich; **digestion** *n* Verdauung *f.*

digit ['dɪdʒɪt] *n* einstellige Zahl; (ANAT) Finger *m;* (*toe*) Zehe *f;* **digital** ['dɪdʒɪtəl] *adj* digital; ~ **age** Digitalzeitalter *nt;* ~ **computer** Digitalrechner *m;* ~ **TV** Digitalfernsehen *nt;* ~ **video disc** Digitale Videodisc; ~ **watch/clock** Digitaluhr *f.*

digitalization [dɪdʒɪtəlaɪ'zeɪʃən] *n* Digitalisierung *f.*

dignified ['dɪgnɪfaɪd] *adj* würdevoll; **dignify** *vt* Würde verleihen +*dat.*

dignitary ['dɪgnɪtərɪ] *n* Würdenträger(in) *m(f).*

dignity ['dɪgnɪtɪ] *n* Würde *f.*

digress [daɪ'gres] *vi* abschweifen.

digs [dɪgz] *n pl* (*Brit fam*) Bude *f.*

dilapidated [dɪ'læpɪdeɪtɪd] *adj* baufällig.

dilate [daɪ'leɪt] *vt, vi* [sich] weiten.

dilatory ['dɪlətərɪ] *adj* hinhaltend.

dilemma [daɪ'lemə] *n* Dilemma *nt.*

dilettante [dɪlɪ'tæntɪ] *n* Dilettant(in) *m(f).*

diligence ['dɪlɪdʒəns] *n* Fleiß *m;* **diligent** *adj* fleißig.

dill [dɪl] *n* Dill *m.*

dilly-dally ['dɪlɪdælɪ] *vi* (*fam*) herumtrödeln.

dilute [daɪ'lu:t] *vt* verdünnen.

dim [dɪm] **1.** *adj* trübe, matt; (*stupid*) schwer von Begriff; **2.** *vt* verdunkeln; **to take a ~ view of sth** etw missbilligen.

dime [daɪm] *n* (*US*) Zehncentstück *nt.*

dimension [dɪ'menʃən] *n* Dimension *f;* **~s** *pl* Maße *pl;* (*fig*) Ausmaß *nt.*

diminish [dɪ'mɪnɪʃ] *vt, vi* verringern.

diminutive [dɪ'mɪnjʊtɪv] **1.** *adj* winzig; **2.** *n* Verkleinerungsform *f.*

dimly ['dɪmlɪ] *adv* trübe.

dimple ['dɪmpl] *n* Grübchen *nt.*

dim-witted ['dɪm'wɪtɪd] *adj* (*fam*) dämlich.

din [dɪn] *n* Getöse *nt.*

dine [daɪn] *vi* speisen; **diner** *n* (*in restaurant*) Gast *m;* (RAIL) Speisewagen *m;* (*US*) Speiselokal *nt.*

dinghy ['dɪŋgɪ] *n* Schlauchboot *nt,* Dinghy *nt.*

dingy ['dɪndʒɪ] *adj* schmuddelig.

dining car ['daɪnɪŋkɑ:*] *n* Speisewagen *m;* **dining room** *n* Esszimmer *nt;* (*in hotel*) Speiseraum *m.*

dinkies ['dɪŋkɪz] *n pl acr of* **double income no kids** Doppelverdiener *pl.*

dinner ['dɪnə*] *n* (*evening meal*) Abendessen *nt;* (*lunch*) Mittagessen *nt;* (*public*) Festessen *nt;* **to have ~** zu Abend essen; **dinner jacket** *n* Smoking *m;* **dinner party** *n* Essenseinladung *f;* **to have a ~** Leute zum [Abend]essen einladen; **dinner time** *n* Essenszeit *f.*

dinosaur ['daɪnəsɔ:*] *n* Dinosaurier *m.*

diode ['daɪəʊd] *n* Diode *f;* **light-emitting ~** Leuchtdiode *f.*

dioxane [daɪ'ɒksein] *n* Dioxan *nt.*

dioxin [daɪ'ɒksɪn] *n* Dioxin *nt.*

dip [dɪp] **1.** *n* (*hollow*) Senkung *f;* (*bathe*) kurzes Bad[en]; **2.** *vt* eintauchen; (AUT) abblenden; **3.** *vi* (*slope*) sich senken, abfallen.

diphtheria [dɪf'θɪərɪə] *n* Diphterie *f.*

diphthong ['dɪfθɒŋ] *n* Diphthong *m,* Doppellaut *m.*

diploma [dɪ'pləʊmə] *n* Urkunde *f,* Diplom *nt.*

diplomat ['dɪpləmæt] *n* Diplomat(in) *m(f);* **diplomatic** [dɪplə'mætɪk] *adj* diplomatisch; **~ corps** diplomatisches Korps.

dipstick ['dɪpstɪk] *n* Ölmessstab *m.*

dire [daɪə*] *adj* schrecklich.

direct [daɪ'rekt] **1.** *adj* direkt; **2.** *vt* leiten; (*film*) die Regie führen bei; (*jury*) anweisen; (*aim*) richten, lenken; (*tell the way*) den Weg erklären +*dat;* (*order*) anweisen; **~ access** (COMPUT) Direktzugriff *m;* **~ current** Gleichstrom *m;* **~ hit** Volltreffer *m.*

direction [dɪ'rekʃən] *n* Führung *f,* Leitung *f;* (*course*) Richtung *f;* (CINE) Regie *f;* **~s** *pl* (*for use*) Gebrauchsanweisung *f;* (*orders*) Anweisungen *pl;* **directional** [dɪ'rekʃənl] *adj* Richt-; **directive** *n* Anweisung *f,* Richtlinie *f.*

directly [dɪ'rektlɪ] *adv* (*in straight line*) gerade, direkt; (*at once*) unmittelbar, sofort.

direct mail(ing) [dɪ'rektmeɪlɪŋ] *n* Directmail(ing) *nt.*

director [dɪ'rektə*] *n* Direktor(in) *m(f),* Leiter(in) *m(f);* (*of film*) Regisseur(in) *m(f).*

directory [dɪ'rektərɪ] *n* Adressbuch *nt;* (TEL) Telefonbuch *nt;* (COMPUT) Verzeichnis *nt.*

dirt [dɜ:t] *n* Schmutz *m,* Dreck *m;* **dirt cheap** *adj* spottbillig; **dirt road** *n* unbefestigte Straße; **dirty 1.** *adj* schmutzig, dreckig; (*trick*) gemein; **2.** *vt* beschmutzen.

disability [dɪsə'bɪlɪtɪ] *n* Körperbehinderung *f;* **disabled** [dɪs'eɪbld] *adj* körperbehindert.

disadvantage [dɪsəd'vɑ:ntɪdʒ] *n* Nachteil *m;* **disadvantageous** [dɪsædvɑ:n'teɪdʒəs] *adj* ungünstig.

disagree [dɪsə'gri:] *vi* nicht übereinstimmen; (*be of different opinion*) verschiedener Meinung sein; (*food*) nicht bekommen (*with dat*); **disagreeable** *adj* (*person*) widerlich; (*task*) unangenehm; **disagreement** *n* (*between persons*) Meinungsverschiedenheit *f;* (*between*

D

things) Widerspruch *m.*
disallow [dɪsə'laʊ] *vt* nicht zulassen.
disappear [dɪsə'pɪə*] *vi* verschwinden; **disappearance** *n* Verschwinden *nt.*
disappoint [dɪsə'pɔɪnt] *vt* enttäuschen; **disappointing** *adj* enttäuschend; **disappointment** *n* Enttäuschung *f.*
disapproval [dɪsə'pru:vəl] *n* Missbilligung *f;* **disapprove** *vi* missbilligen (*of akk*); **she ~s** sie missbilligt es.
disarm [dɪs'ɑ:m] *vt* entwaffnen; (POL) abrüsten; **disarmament** *n* Abrüstung *f.*
disaster [dɪ'zɑ:stə*] *n* Unglück *nt;* Katastrophe *f;* **disastrous** [dɪ'zɑ:strəs] *adj* verhängnisvoll, katastrophal.
disbelief [dɪsbə'li:f] *n* Ungläubigkeit *f.*
disc [dɪsk] *n* Scheibe *f;* (*record*) [Schall]platte *f.*
discard [dɪ'skɑ:d] *vt* ausrangieren.
disc brake *n* Scheibenbremse *f.*
discern [dɪ'sɜ:n] *vt* unterscheiden [können], erkennen; **discerning** *adj* anspruchsvoll.
discharge [dɪs'tʃɑ:dʒ] **1.** *vt* (*ship*) entladen; (*duties*) nachkommen *+dat;* (*dismiss*) entlassen; (*gun*) abschießen; **2.** ['dɪstʃɑ:dʒ] *n* (MED) Ausfluss *m.*
disciple [dɪ'saɪpl] *n* (*a. fig*) Jünger *m.*
disciplinary ['dɪsɪplɪnərɪ] *adj* disziplinarisch.
discipline ['dɪsɪplɪn] **1.** *n* Disziplin *f;* **2.** *vt* (*train*) schulen; (*punish*) bestrafen.
disc jockey ['dɪskdʒɒkɪ] *n* Diskjockey *m.*
disclose [dɪs'kləʊz] *vt* enthüllen; **disclosure** [dɪs'kləʊʒə*] *n* Enthüllung *f.*
disco ['dɪskəʊ] *n* <-s> Disco *f.*
discoloured [dɪs'kʌləd] *adj* verfärbt, verschossen.
discomfort [dɪs'kʌmfət] *n* Unbehagen *nt;* (*embarrassment*) Verlegenheit *f.*
disconcert [dɪskən'sɜ:t] *vt* aus der Fassung bringen; (*puzzle*) verstimmen.
disconnect [dɪskə'nekt] *vt* abtrennen; (ELEC) ausstecken.
discontent [dɪskən'tent] *n* Unzufriedenheit *f;* **discontented** *adj* unzufrieden.
discontinue [dɪskən'tɪnju:] **1.** *vt* einstellen; **2.** *vi* aufhören.
discord ['dɪskɔ:d] *n* Zwietracht *f;* (*noise*) Dissonanz *f.*
discotheque ['dɪskəʊtek] *n* Diskothek *f.*
discount ['dɪskaʊnt] **1.** *n* Rabatt *m;* **2.** [dɪs'kaʊnt] *vt* außer Acht lassen.
discourage [dɪs'kʌrɪdʒ] *vt* (*dishearten*) entmutigen; (*dissuade*) abraten (*sb* jdm); (*prevent*) abhalten; **discouraging** *adj* entmutigend.
discourteous [dɪs'kɜ:tɪəs] *adj* unhöflich.
discover [dɪs'kʌvə*] *vt* entdecken; **discovery** *n* Entdeckung *f.*
discredit [dɪs'kredɪt] *vt* in Verruf bringen.
discreet *adj,* **discreetly** *adv* [dɪskri:t, -lɪ] taktvoll, diskret.
discrepancy [dɪs'krepənsɪ] *n* Unstimmigkeit *f,* Diskrepanz *f.*
discretion [dɪs'kreʃən] *n* Takt *m,* Diskretion *f;* (*decision*) Gutdünken *nt;* **to leave sth to sb's ~** etw jds Gutdünken überlassen.
discriminate [dɪs'krɪmɪneɪt] *vi* unterscheiden; **to ~ against sb** jdn diskriminieren; **discriminating** *adj* klug; (*taste*) anspruchsvoll, fein; **discrimination** [dɪskrɪmɪ'neɪʃən] *n* Urteilsvermögen *nt;* (*different treatment*) Diskriminierung *f* (*against sb* jds).
discus ['dɪskəs] *n* Diskus *m.*
discuss [dɪs'kʌs] *vt* diskutieren, besprechen; **discussion** [dɪs'kʌʃən] *n* Diskussion *f.*
disdain [dɪs'deɪn] **1.** *vt* verachten, für unter seiner Würde halten; **2.** *n* Verachtung *f;* **disdainful** *adj* geringschätzig.
disease [dɪ'zi:z] *n* Krankheit *f;* **diseased** *adj* erkrankt.
disembark [dɪsɪm'bɑ:k] **1.** *vt* aussteigen lassen; **2.** *vi* von Bord gehen.
disenchanted ['dɪsɪn'tʃɑ:ntɪd] *adj* desillusioniert.
disengage [dɪsɪn'geɪdʒ] *vt* (AUT) auskuppeln.
disentangle ['dɪsɪn'tæŋgl] *vt* entwirren.
disfigure [dɪs'fɪgə*] *vt* entstellen.
disgrace [dɪs'greɪs] **1.** *n* Schande *f;* (*thing*) Schandfleck *m;* **2.** *vt* Schande bringen über *+akk;* (*less strong*) blamieren; **disgraceful** *adj* schändlich, unerhört; **it's ~** es ist eine Schande.
disgruntled [dɪs'grʌntld] *adj* verärgert.
disguise [dɪs'gaɪz] **1.** *vt* verkleiden; (*feelings*) verhehlen; (*voice*) verstellen; **2.** *n* Verkleidung *f;* **in ~** verkleidet, maskiert.
disgust [dɪs'gʌst] **1.** *n* Abscheu *f;* **2.** *vt* anwidern; **disgusting** *adj* abscheulich; (*terrible*) gemein.
dish [dɪʃ] *n* Schüssel *f;* (*food*) Gericht *nt;* **dish up** *vt* auftischen; **dish cloth** *n* Geschirrtuch *nt;* (*for washing-up*) Spüllappen *m.*
dishearten [dɪs'hɑ:tn] *vt* entmutigen.
dishevelled [dɪ'ʃevəld] *adj* (*hair*) zerzaust; (*clothing*) ungepflegt.

dishonest [dɪs'ɒnɪst] *adj* unehrlich; **dishonesty** *n* Unehrlichkeit *f.*
dishonour [dɪs'ɒnə*] **1.** *n* Schande *f;* **2.** *vt* (*cheque*) nicht einlösen; **dishonourable** *adj* unehrenhaft.
dishwasher ['dɪʃwɒʃə*] *n* Geschirrspülmaschine *f.*
disillusion [dɪsɪ'lu:ʒən] *vt* enttäuschen, desillusionieren.
disinfect [dɪsɪn'fekt] *vt* desinfizieren; **disinfectant** *n* Desinfektionsmittel *nt.*
disinherit ['dɪsɪn'herɪt] *vt* enterben.
disintegrate [dɪs'ɪntɪgreɪt] *vi* sich auflösen.
disinterested [dɪs'ɪntrɪstɪd] *adj* uneigennützig; (*bored*) desinteressiert.
disjointed [dɪs'dʒɔɪntɪd] *adj* unzusammenhängend.
disk [dɪsk] *n* (COMPUT) Diskette *f;* (*hard* ~) Platte *f;* ~ **drive** Diskettenlaufwerk *nt.*
diskette [dɪ'sket] *n* (COMPUT) Diskette *f.*
dislike [dɪs'laɪk] **1.** *n* Abneigung *f;* **2.** *vt* nicht leiden können.
dislocate ['dɪsləʊkeɪt] *vt* (MED) verrenken, ausrenken; (*plans*) durcheinander bringen.
disloyal [dɪs'lɔɪəl] *adj* illoyal.
dismal ['dɪzməl] *adj* trostlos, trübe.
dismantle [dɪs'mæntl] *vt* demontieren.
dismay [dɪs'meɪ] **1.** *n* Bestürzung *f;* **2.** *vt* bestürzen.
dismiss [dɪs'mɪs] *vt* (*employee*) entlassen; (*idea*) von sich weisen; (*send away*) wegschicken; (JUR: *complaint*) abweisen; **dismissal** *n* Entlassung *f.*
disobedience [dɪsə'bi:dɪəns] *n* Ungehorsam *m;* **civil** ~ ziviler Ungehorsam; **disobedient** *adj* ungehorsam.
disobey [dɪsə'beɪ] *vt* nicht gehorchen +*dat;* (*an order*) sich widersetzen.
disorder [dɪs'ɔ:də*] *n* (*confusion*) Verwirrung *f;* (*commotion*) Aufruhr *m;* (MED) Erkrankung *f.*
disorderly [dɪs'ɔ:dəlɪ] *adj* (*untidy*) unordentlich; (*unruly*) ordnungswidrig.
disorganized [dɪs'ɔ:gənaɪzd] *adj* chaotisch.
disown [dɪs'əʊn] *vt* (*son*) verstoßen; **I ~ you** ich will nichts mehr mit dir zu tun haben.
disparaging [dɪ'spærɪdʒɪŋ] *adj* geringschätzig.
disparity [dɪ'spærɪtɪ] *n* Ungleichheit *f.*
dispassionate [dɪ'spæʃnɪt] *adj* objektiv.
dispatch [dɪ'spætʃ] **1.** *vt* (*goods*) abschicken, abfertigen; **2.** *n* Absendung *f.*
dispel [dɪ'spel] *vt* zerstreuen.
dispensable [dɪ'spensəbl] *adj* entbehrlich.
dispensary [dɪ'spensərɪ] *n* Apotheke *f.*
dispensation [dɪspen'seɪʃən] *n* (REL) Befreiung *f.*
dispense with [dɪ'spens wɪð] *vt* verzichten auf +*akk.*
dispenser [dɪ'spensə*] *n* (*container*) Spender *m.*
dispensing [dɪ'spensɪŋ] *adj:* ~ **chemist** Apotheker(in) *m(f).*
disperse [dɪ'spɜ:s] **1.** *vt* zerstreuen; **2.** *vi* sich verteilen.
dispirited [dɪ'spɪrɪtɪd] *adj* niedergeschlagen.
displace [dɪs'pleɪs] *vt* verschieben; **displaced** *adj:* ~ **person** Verschleppte(r) *mf.*
display [dɪ'spleɪ] **1.** *n* (*of goods*) Auslage *f;* (*of feeling*) Zurschaustellung *f;* (COMPUT) Anzeige *f,* Display *nt;* **2.** *vt* zeigen; (COMM) ausstellen.
displease [dɪs'pli:z] *vt* missfallen +*dat.*
disposable [dɪ'spəʊzəbl] *adj* (*container etc*) Wegwerf-.
disposal [dɪ'spəʊzəl] *n* (*of property*) Verkauf *m;* (*throwing away*) Beseitigung *f;* **to be at sb's ~** jdm zur Verfügung stehen; **dispose of** *vt* loswerden.
disposed [dɪ'spəʊzd] *adj* geneigt.
disposition [dɪspə'zɪʃən] *n* Wesen *nt,* Natur *f.*
disproportionate [dɪsprə'pɔ:ʃənɪt] *adj* unverhältnismäßig.
disprove [dɪs'pru:v] *vt* widerlegen.
dispute [dɪ'spju:t] **1.** *n* Streit *m;* **2.** *vt* bestreiten.
disqualification [dɪskwɒlɪfɪ'keɪʃən] *n* Disqualifizierung *f;* **disqualify** [dɪs'kwɒlɪfaɪ] *vt* disqualifizieren.
disquiet [dɪs'kwaɪət] *n* Unruhe *f.*
disregard [dɪsrɪ'gɑ:d] *vt* nicht [be]achten.
disreputable [dɪs'repjʊtəbl] *adj* verrufen.
disrespectful [dɪsrɪ'spektfʊl] *adj* respektlos.
disrupt [dɪs'rʌpt] *vt* stören; (*programme*) unterbrechen; **disruption** [dɪs'rʌpʃən] *n* Störung *f,* Unterbrechung *f.*
dissatisfaction ['dɪssætɪs'fækʃən] *n* Unzufriedenheit *f;* **dissatisfied** ['dɪs'sætɪsfaɪd] *adj* unzufrieden.
dissent [dɪ'sent] **1.** *n* abweichende Meinung; **2.** *vi* nicht übereinstimmen.
dissident ['dɪsɪdənt] **1.** *adj* andersden-

kend; **2.** *n* Dissident(in) *m(f)*, Regimekritiker(in) *m(f)*.

dissimilar ['dɪ'sɪmɪlə*] *adj* unähnlich (*to dat*).

dissipate ['dɪsɪpeɪt] *vt* (*waste*) verschwenden; (*scatter*) zerstreuen; **dissipated** *adj* ausschweifend; **dissipation** [dɪsɪ'peɪʃən] *n* Ausschweifung *f*.

dissolute ['dɪsəluːt] *adj* liederlich.

dissolve [dɪ'zɒlv] **1.** *vt* auflösen; **2.** *vi* sich auflösen.

dissuade [dɪ'sweɪd] *vt* abraten *+dat*.

distance ['dɪstəns] **1.** *n* Entfernung *f*; **in the ~** in der Ferne; **2.** *vr:* **to ~ oneself** sich distanzieren; **distant** *adj* entfernt, fern; (*with time*) fern; (*formal*) distanziert.

distaste ['dɪs'teɪst] *n* Abneigung *f*; **distasteful** *adj* widerlich; (*photo*) geschmacklos.

distil [dɪ'stɪl] *vt* destillieren; **distillery** *n* Brennerei *f*.

distinct [dɪ'stɪŋkt] *adj* (*separate*) getrennt; (*clear*) klar, deutlich; **distinction** [dɪ'stɪŋkʃən] *n* Unterscheidung *f*; (*eminence*) Berühmtheit *f*; (*in exam*) Auszeichnung *f*; **distinctly** *adv* deutlich.

distinguish [dɪ'stɪŋgwɪʃ] *vt* unterscheiden; **distinguished** *adj* (*eminent*) berühmt.

distort [dɪ'stɔːt] *vt* verdrehen; (*misrepresent*) entstellen; **distortion** [dɪ'stɔːʃən] *n* Verzerrung *f*.

distract [dɪ'strækt] *vt* ablenken; (*bewilder*) verwirren; **distracting** *adj* verwirrend; (*annoying*) störend; **distraction** [dɪ'strækʃən] *n* Zerstreutheit *f*; (*distress*) Wahnsinn *m*; (*diversion*) Zerstreuung *f*.

distraught [dɪ'strɔːt] *adj* verzweifelt.

distress [dɪ'stres] **1.** *n* Not *f*; (*suffering*) Qual *f*; **2.** *vt* betroffen machen; **distressing** *adj* erschütternd; **distress signal** *n* Notsignal *nt*.

distribute [dɪ'strɪbjuːt] *vt* verteilen; **distribution** [dɪstrɪ'bjuːʃən] *n* Verteilung *f*.

distributor [dɪ'strɪbjʊtə*] *n* (AUT) Verteiler *m*; (COMM) Händler(in) *m(f)*.

district ['dɪstrɪkt] *n* (*of country*) Kreis *m*; (*of town*) Bezirk *m*; **district attorney** *n* (*US*) Oberstaatsanwalt(-anwältin) *m(f)*.

> **District Council** heißt der in jedem der britischen „districts" (Bezirke) alle vier Jahre neu gewählte Bezirksrat, der für bestimmte Bereiche der Kommunalverwaltung (Gesundheitsschutz, Wohnungsbeschaffung, Baugenehmigungen, Müllabfuhr) zuständig ist. Die „district councils" werden durch Kommunalabgaben und durch einen Zuschuss von der Regierung finanziert. Ihre Ausgaben werden von einer unabhängigen Prüfungskommission kontrolliert, und bei zu hohen Ausgaben wird der Regierungszuschuss gekürzt.

district nurse *n* (*Brit*) Gemeindeschwester *f*.

distrust [dɪs'trʌst] **1.** *n* Misstrauen *nt*; **2.** *vt* misstrauen *+dat*.

disturb [dɪ'stɜːb] *vt* stören; (*agitate*) erregen; **disturbance** *n* Störung *f*; **disturbing** *adj* beunruhigend.

ditch [dɪtʃ] **1.** *n* Graben *m*; **2.** *vt* (*person*) den Laufpass geben *+dat*; (*plan etc*) verwerfen.

ditto ['dɪtəʊ] *n* dito, ebenfalls.

dive [daɪv] **1.** *n* (*into water*) Kopfsprung *m*; (AVIAT) Sturzflug *m*; **2.** *vi* tauchen; **diver** *n* Taucher(in) *m(f)*.

diverge [daɪ'vɜːdʒ] *vi* auseinander gehen; (*two things*) voneinander abweichen.

diverse [daɪ'vɜːs] *adj* verschieden.

diversification [daɪvɜːsɪfɪ'keɪʃən] *n* Verzweigung *f*; (COMM) Diversifikation *f*.

diversify [daɪ'vɜːsɪfaɪ] **1.** *vt* [ver]ändern; **2.** *vi* variieren.

diversion [daɪ'vɜːʃən] *n* Ablenkung *f*; (*of traffic*) Umleitung *f*.

diversity [daɪ'vɜːsɪtɪ] *n* Verschiedenheit *f*; (*variety*) Vielfalt *f*.

divert [daɪ'vɜːt] *vt* ablenken; (*traffic*) umleiten.

divide [dɪ'vaɪd] **1.** *vt* teilen; **2.** *vi* sich teilen; **~ed highway** (*US*) vierspurige Straße, Schnellstraße *f*.

dividend ['dɪvɪdend] *n* Dividende *f*; (*fig*) Gewinn *m*.

divine [dɪ'vaɪn] **1.** *adj* göttlich; **2.** *vt* erraten.

diving board ['daɪvɪŋbɔːd] *n* Sprungbrett *nt*.

divinity [dɪ'vɪnɪtɪ] *n* Gottheit *f*, Gott *m*, Göttin *f*; (*subject*) Religion *f*.

divisible [dɪ'vɪzəbl] *adj* teilbar.

division [dɪ'vɪʒən] *n* Teilung *f*; (MATH) Division *f*, Teilung *f*; (MIL) Division *f*; (*part*) Teil *m*, Abteilung *f*; (*in opinion*) Uneinigkeit *f*.

divorce [dɪ'vɔːs] **1.** *n* [Ehe]scheidung *f;* **2.** *vt* scheiden; **divorced** *adj* geschieden; to get ~ sich scheiden lassen; **divorcee** [dɪvɔː'siː] *n* Geschiedene(r) *mf.*

divulge [daɪ'vʌldʒ] *vt* preisgeben.

DIY *n abbr of* **do-it-yourself**.

dizziness ['dɪzɪnəs] *n* Schwindelgefühl *nt;* **dizzy** *adj* schwindlig.

DJ 1. *n abbr of* **dinner jacket** Smoking *m;* **2.** *n abbr of* **disc jockey** Diskjockey *m.*

DNA *n abbr of* **desoxyribonucleic acid** DNS *f.*

do [duː] <did, done> **1.** *vt* tun, machen; **2.** *vi* (*proceed*) vorangehen; (*be suitable*) passen; (*be enough*) genügen; **3.** *n* <-s> (*party*) Party *f;* **how ~ you ~?** guten Tag.

docile ['dəʊsaɪl] *adj* gefügig; (*dog*) gutmütig.

dock [dɒk] **1.** *n* Dock *nt;* (JUR) Anklagebank *f;* **2.** *vi* ins Dock gehen; **dockable** *n* (COMPUT) dockingfähig; **docker** *n* Hafenarbeiter *m.*

docket ['dɒkɪt] *n* Inhaltsvermerk *m.*

dockyard ['dɒkjɑːd] *n* Werft *f.*

doctor ['dɒktə*] *n* Arzt *m,* Ärztin *f;* (*university degree*) Doktor *m.*

> Ein **doctorate** ist der höchste akademische Grad auf jedem Wissensgebiet und wird nach erfolgreicher Vorlage einer Doktorarbeit verliehen. Die Studienzeit (meist mindestens drei Jahre) und Länge der Doktorarbeit ist je nach Hochschule verschieden. Am häufigsten wird der Titel **PhD** (Doctor of Philosophy) auf dem Gebiet der Geisteswissenschaften, Naturwissenschaften und des Ingenieurwesens verliehen, obwohl es auch andere Doktortitel in Musik, Jura usw. gibt.

doctrine ['dɒktrɪn] *n* Doktrin *f.*

document ['dɒkjʊmənt] **1.** *n* Dokument *nt;* **2.** *vt* (*a.* COMPUT) dokumentieren; **documentary** [dɒkjʊ'mentərɪ] **1.** *n* Dokumentarbericht *m;* (*film*) Dokumentarfilm *m;* **2.** *adj* dokumentarisch; **documentation** [dɒkjʊmen'teɪʃən] *n* dokumentarischer Nachweis; (COMPUT) Dokumentation *f.*

doddering, **doddery** ['dɒdərɪŋ, 'dɒdərɪ] *adj* zittrig.

dodge [dɒdʒ] **1.** *n* Kniff *m;* **2.** *vt* umgehen; (*ball, question*) ausweichen +*dat.*

dodgem ['dɒdʒəm] *n* Autoscooter *m.*

dodo ['dəʊdəʊ] *n* <-[e]s> Dronte *f;* **as dead as the ~** mausetot.

doe [dəʊ] *n* (*deer*) Hirschkuh *f;* (*rabbit*) Häsin *f.*

dog [dɒg] *n* Hund *m;* **dog biscuit** *n* Hundekuchen *m;* **dog collar** *n* Hundehalsband *nt;* (REL) Kragen *m* des Geistlichen; **dog-eared** *adj* mit Eselsohren; **dogfish** *n* Hundshai *m;* **dog food** *n* Hundefutter *nt.*

dogged ['dɒgɪd] *adj* hartnäckig.

dogma ['dɒgmə] *n* Dogma *nt;* **dogmatic** [dɒg'mætɪk] *adj* dogmatisch.

doings ['duːɪŋz] *n pl* (*activities*) Treiben *nt.*

do-it-yourself ['duːɪtjə'self] **1.** *n* Heimwerken *nt,* Do-it-yourself *nt;* **2.** *adj* zum Selbermachen, Heimwerker-.

dole [dəʊl] *n* (*Brit fam*) Stempelgeld *nt;* **to be on the ~** stempeln gehen; **dole out** *vt* austeilen.

doleful ['dəʊlfʊl] *adj* traurig.

doll [dɒl] **1.** *n* Puppe *f;* **2.** *vr:* **~ oneself up** (*fam*) sich aufdonnern.

dollar ['dɒlə*] *n* Dollar *m.*

dolphin ['dɒlfɪn] *n* Delfin *m.*

domain [dəʊ'meɪn] *n* Bereich *m.*

dome [dəʊm] *n* Kuppel *f.*

domestic [də'mestɪk] *adj* häuslich; (*within country*) Innen-, Binnen-; (*animal*) Haus-; **domesticated** *adj* (*person*) häuslich; (*animal*) zahm.

domicile ['dɒmɪsaɪl] *n* [ständiger] Wohnsitz *m.*

dominant ['dɒmɪnənt] *adj* vorherrschend.

dominate ['dɒmɪneɪt] *vt* beherrschen.

domineering [dɒmɪ'nɪərɪŋ] *adj* herrisch.

dominion [də'mɪnɪən] *n* (*rule*) Regierungsgewalt *f;* (*land*) Staatsgebiet *nt* mit Selbstverwaltung.

dominoes ['dɒmɪnəʊz] *n pl* Domino[spiel] *nt.*

don [dɒn] *n* akademischer Lehrer, akademische Lehrerin.

donate [dəʊ'neɪt] *vt* spenden; **donation** [dəʊ'neɪʃən] *n* Spende *f.*

done [dʌn] *pp of* **do**.

donkey ['dɒŋkɪ] *n* Esel *m.*

donor ['dəʊnə*] *n* Spender(in) *m(f).*

don't [dəʊnt] = **do not**.

doom [duːm] **1.** *n* Schicksal *nt;* (*downfall*) Verderben *nt;* **2.** *vt:* **to be ~ed** zum Untergang verurteilt sein.

door [dɔː*] *n* Tür *f;* **doorbell** *n* Türklingel

f; **door-handle** *n* Türklinke *f;* **doorman** *n* <doormen> Türsteher *m;* **doormat** *n* Fußmatte *f;* **doorstep** *n* Türstufe *f;* **doorway** *n* Türöffnung *f.*

dope [dəʊp] **1.** *n* (*drug*) Aufputschmittel *nt;* **2.** *vt* (SPORT) dopen.

dopey ['dəʊpɪ] *adj* (*fam*) bekloppt; (*from drugs*) benebelt; (*sleepy*) benommen.

doping ['dəʊpɪŋ] *n* (SPORT) Doping *nt.*

dormant ['dɔːmənt] *adj* schlafend, latent.

dormitory ['dɔːmɪtrɪ] *n* Schlafsaal *m;* ~ town Schlafstadt *f.*

dormobile® ['dɔːməbiːl] *n* Wohnmobil *nt.*

dormouse ['dɔːmaʊs] *n* <dormice> Haselmaus *f.*

DOS [dɒs] *n acr of* **disk operating system** Diskettenbetriebssystem *nt,* DOS *nt.*

dosage ['dəʊsɪdʒ] *n* Dosierung *f.*

dose [dəʊs] **1.** *n* Dosis *f;* **2.** *vt* dosieren.

dossier ['dɒsɪeɪ] *n* Dossier *m,* Akten *pl.*

dot [dɒt] *n* Punkt *m;* **on the** ~ pünktlich.

dote on [dəʊt ɒn] *vt* abgöttisch lieben.

dot-matrix printer ['dɒtmeɪtrɪks-'prɪntə*] *n* Matrixdrucker *m.*

double ['dʌbl] **1.** *adj, adv* doppelt; **2.** *n* Doppelgänger(in) *m(f);* **3.** *vt* verdoppeln; (*fold*) zusammenfalten; **4.** *vi* (*in amount*) sich verdoppeln; ~**s** *pl o sing* (TENNIS) Doppel *nt;* **she is your absolute** ~ sie sieht dir zum Verwechseln ähnlich; **double bass** *n* Kontrabass *m;* **double bed** *n* Doppelbett *nt;* **double-breasted** *adj* zweireihig; **doublecross 1.** *n* Betrug *m;* **2.** *vt* hintergehen; **doubledecker** *n* Doppeldecker *m;* **double glazing** *n* Doppelfenster *pl;* **double room** *n* Doppelzimmer *nt;* **doubly** *adv* doppelt.

doubt [daʊt] **1.** *n* Zweifel *m;* **2.** *vi* zweifeln; **3.** *vt* bezweifeln; **without** ~ zweifellos; **doubtful** *adj* zweifelhaft, fraglich; **doubtless** *adv* ohne Zweifel, sicherlich.

dough [dəʊ] *n* Teig *m;* **doughnut** *n* Krapfen *m,* Berliner [Pfannkuchen] *m.*

dove [dʌv] *n* Taube *f;* **dovetail 1.** *n* Schwalbenschwanz *m;* **2.** *vt* verzahnen, verzinken.

down [daʊn] **1.** *n* (*feathers*) Daunen *pl;* (*fluff*) Flaum *m;* **2.** *adv* unten; (*motion*) herunter; hinunter; **3.** *prep:* **he came ~ the street** er kam die Straße herunter; **to go ~ the street** die Straße hinuntergehen; **he lives ~ the street** er wohnt unten an der Straße; **4.** *vt* niederschlagen; ~ **with X!** nieder mit X!; **down-and-out 1.** *adj* abgerissen; **2.** *n* Penner(in) *m(f);* **down-at-heel** *adj* schäbig; **downcast** *adj* niedergeschlagen; **downfall** *n* Sturz *m;* **down-hearted** *adj* niedergeschlagen, mutlos; **downhill** *adv* bergab.

> **Downing Street** ist die Straße in London, die von Whitehall zum St James Park führt und in der sich der offizielle Wohnsitz des Premierministers (Nr. 10) und des Finanzministers (Nr. 11) befindet. Im weiteren Sinne bezieht sich der Begriff Downing Street auf die britische Regierung.

down-market *adj* weniger anspruchsvoll.

downpour *n* Platzregen *m;* **downright** *adj* völlig, ausgesprochen; **downshifter** *n* Aussteiger(in) *m(f);* **downsize** *vt* verschlanken; **downsizing** *n* Stellenabbau *m.*

Down's syndrome ['daʊnz'sɪndrəʊm] *n* (MED) Down-Syndrom *nt,* Mongolismus *m.*

downstairs [daʊn'stɛəz] **1.** *adv* unten; (*motion*) nach unten; **2.** *adj* (*people, flat*) einen Stock tiefer; **downstream** *adv* flussabwärts; **downtime** *n* (COMPUT) Ausfallzeit *f;* **downtown 1.** *adv* in die/der Innenstadt; **2.** *adj* (*US*) im Geschäftsviertel, City-; **downward** *adj* Abwärts-; **downwards** *adv* abwärts, nach unten.

dowry ['daʊrɪ] *n* Mitgift *f.*

doze [dəʊz] **1.** *vi* dösen; **2.** *n* Schläfchen *nt,* Nickerchen *nt.*

dozen ['dʌzn] *n* Dutzend *nt.*

DP *n abbr of* **data processing** DV *f.*

drab [dræb] *adj* düster, eintönig.

draft [drɑːft] **1.** *n* Skizze *f,* Entwurf *m;* (FIN) Wechsel *m;* (*US* MIL) Einberufung *f;* **2.** *vt* skizzieren; (*US* MIL) einziehen.

drag [dræg] **1.** *vt* schleifen, schleppen; (*river*) mit einem Schleppnetz absuchen; **2.** *vi* sich [dahin]schleppen; **3.** *n* (*bore*) etwas Blödes; (*hindrance*) Klotz *m* am Bein; **in** ~ in Frauenkleidung; **drag on** *vi* sich in die Länge ziehen.

dragon ['drægən] *n* Drache *m;* **dragonfly** *n* Libelle *f.*

drain [dreɪn] **1.** *n* Abfluss *m;* (*ditch*) Abflussgraben *m;* (*fig: burden*) Belastung *f;* **2.** *vt* ableiten; (*exhaust*) erschöpfen; **3.** *vi* (*of water*) abfließen; **drainage** ['dreɪnɪdʒ] *n* Kanalisation *f;* **drainpipe** *n* Abflussrohr *nt.*

drama ['drɑːmə] *n* (*a. fig*) Drama *nt;* **dramatic** [drə'mætɪk] *adj* dramatisch; **dramatist** ['dræmətɪst] *n* Dramatiker(in) *m(f);* **dramatize** ['dræmətaɪz] *vt* dramatisieren, übertrieben darstellen.

drank [dræŋk] *pt of* **drink**.

drape [dreɪp] *vt* drapieren; **drapes** *n pl* (*US*) Vorhänge *pl.*

drastic ['dræstɪk] *adj* drastisch.

draught [drɑːft] *n* [Luft]zug *m;* (NAUT) Tiefgang *m;* **on** ~ (*beer*) vom Fass; **draughtboard** *n* Zeichenbrett *nt;* **draughts** *n sing* Damespiel *nt;* **draughtsman** *n* <draughtsmen> technischer Zeichner; **draughty** *adj* zugig.

draw [drɔː] <drew, drawn> **1.** *vt* (*a. fig*) ziehen; (*crowd*) anlocken; (*picture*) zeichnen; (*money*) abheben; (*water*) schöpfen; **2.** *vi* (SPORT) unentschieden spielen; **3.** *n* (SPORT) Unentschieden *nt;* (*lottery*) Ziehung *f;* **to** ~ **to a close** zu Ende gehen; **draw out 1.** *vi* (*train*) ausfahren; (*lengthen*) sich hinziehen; **2.** *vt* (*money*) abheben; **draw up 1.** *vi* (*stop*) halten; **2.** *vt* (*document*) aufsetzen; **drawback** *n* (*disadvantage*) Nachteil *m;* (*obstacle*) Haken *m;* **drawbridge** *n* Zugbrücke *f.*

drawer ['drɔː*] *n* Schublade *f.*

drawing ['drɔːɪŋ] *n* Zeichnung *f;* (*action*) Zeichnen *nt;* **drawing pin** *n* Reißzwecke *f;* **drawing room** *n* Salon *m.*

drawl [drɔːl] **1.** *n* schleppende Sprechweise; **2.** *vi* gedehnt sprechen.

drawn [drɔːn] **1.** *pp of* **draw**; **2.** *adj* (*game*) unentschieden; (*face*) gequält; (*tired*) abgespannt; (*from worry*) verhärmt.

dread [dred] **1.** *n* Furcht *f,* Grauen *nt;* **2.** *vt* fürchten; **dreadful** *adj* furchtbar.

dream [driːm] <dreamed *o* dreamt, dreamed *o* dreamt> **1.** *vt, vi* (*a. fig*) träumen (*about* von); **2.** *n* Traum *m;* **3.** *adj* (*house etc*) Traum-; **dreamer** *n* Träumer(in) *m(f);* **dreamt** [dremt] *pt, pp of* **dream**; **dream world** *n* Traumwelt *f;* **dreamy** *adj* verträumt.

dreary ['drɪərɪ] *adj* trostlos, öde.

dredge [dredʒ] *vt* ausbaggern; (*with flour etc*) mit Mehl etc bestreuen; **dredger** *n* Baggerschiff *nt;* (*for flour*) [Mehl]streuer *m.*

dregs [dregz] *n pl* [Boden]satz *m;* (*fig*) Abschaum *m.*

drench [drentʃ] *vt* durchnässen.

dress [dres] **1.** *n* Kleidung *f;* (*garment*) Kleid *nt;* **2.** *vt* anziehen; (MED) verbinden; (AGR) düngen; (*food*) anrichten; **to get ~ed** sich anziehen; **dress up** *vi* sich fein machen; **dress circle** *n* erster Rang; **dresser** *n* (*furniture*) Anrichte *f,* Geschirrschrank *m;* (*US*) Frisierkommode *f;* **she's a smart** ~ sie zieht sich elegant an; **dressing** *n* (MED) Verband *m;* (GASTR) Soße *f;* **dressing gown** *n* Morgenrock *m;* **dressing room** *n* (THEAT) Garderobe *f;* (SPORT) Umkleideraum *m;* **dressing table** *n* Frisierkommode *f;* **dressmaker** *n* Schneider(in) *m(f);* **dressmaking** *n* Schneidern *nt;* **dress rehearsal** *n* Generalprobe *f.*

drew [druː] *pt of* **draw**.

dribble ['drɪbl] **1.** *vi* tröpfeln; **2.** *vt* sabbern.

drift [drɪft] **1.** *n* Trift *f,* Strömung *f;* (*snow* ~) Schneewehe *f;* (*fig*) Richtung *f;* **2.** *vi* getrieben werden; (*aimlessly*) sich treiben lassen; **drift-net** *n* Treibnetz *nt;* **driftwood** *n* Treibholz *nt.*

drill [drɪl] **1.** *n* Bohrer *m;* (MIL) Drill *m;* **2.** *vt* bohren; (MIL) ausbilden.

drink [drɪŋk] <drank, drunk> **1.** *vt, vi* trinken; **2.** *n* Getränk *nt;* (*spirits*) Drink *m;* **to have a** ~ etwas trinken; **drinkable** *adj* trinkbar; **drinker** *n* Trinker(in) *m(f);* **drinking water** *n* Trinkwasser *nt.*

drip [drɪp] **1.** *n* Tropfen *m;* (MED *fam*) Tropf *m;* **2.** *vi* tropfen; **drip-dry** *adj* bügelfrei; **dripping** *n* Bratenfett *nt;* **dripping wet** *adj* triefnass.

drive [draɪv] <drove, driven> **1.** *vt* (*car*) fahren; (*animals*) treiben; (*nail*) einschlagen; (*ball*) schlagen; (*power*) antreiben; (*force*) treiben; **2.** *vi* fahren; **3.** *n* Fahrt *f;* (*road*) Einfahrt *f;* (*of house*) Auffahrt *f;* (COMPUT) Laufwerk *nt;* (*energy*) Schwung *m;* (SPORT) Schlag *m;* **to** ~ **sb mad** jdn verrückt machen; **what are you driving at?** worauf willst du hinaus?; **drive-in** *adj* Drive-in-; ~ **movie** (*US*) Autokino *nt;* ~ **bank** Autoschalter *m.*

drivel ['drɪvl] *n* blödes Zeug.

driven ['drɪvn] *pp of* **drive**.

driver ['draɪvə*] *n* Fahrer(in) *m(f);* **~'s license** (*US*) Führerschein *m.*

driving ['draɪvɪŋ] **1.** *adj* (*rain*) stürmisch; **2.** *n* [Auto]fahren *nt;* **driving instructor** *n* Fahrlehrer(in) *m(f);* **driving lesson** *n* Fahrstunde *f;* **driving licence** *n* (*Brit*) Führerschein *m;* **driving school** *n* Fahrschule *f;* **driving test** *n* Fahrprüfung *f.*

drizzle ['drɪzl] 1. *n* Nieselregen *m;* 2. *vi* nieseln.
droll [drəʊl] *adj* drollig.
dromedary ['drɒmɪdərɪ] *n* Dromedar *nt.*
drone [drəʊn] *n* (*sound*) Brummen *nt;* (*bee*) Drohne *f.*
droop [dru:p] *vi* [schlaff] herabhängen.
drop [drɒp] 1. *n* (*of liquid*) Tropfen *m;* (*fall*) Fall *m;* 2. *vt* fallen lassen; (*lower*) senken; (*abandon*) fallen lassen; 3. *vi* (*fall*) herunterfallen; (*temperature*) sinken; **drop off** *vi* (*sleep*) einschlafen; **drop out** *vi* (*withdraw*) aussteigen; **drop-dead** *adj* (*sl*) umwerfend; **dropout** *n* Aussteiger(in) *m(f).*
drought [draʊt] *n* Dürre *f.*
drove [drəʊv] 1. *pt of* **drive**; 2. *n* (*crowd*) Herde *f.*
drown [draʊn] 1. *vt* ertränken; (*sound*) übertönen; 2. *vi* ertrinken.
drowsy ['draʊzɪ] *adj* schläfrig.
drudge [drʌdʒ] *n* (*person*) Arbeitstier *nt;* **drudgery** ['drʌdʒərɪ] *n* Plackerei *f.*
drug [drʌg] 1. *n* (MED) Arznei *f;* (*narcotic*) Rauschgift *nt,* Droge *f;* 2. *vt* betäuben; **drug addict** *n* Rauschgiftsüchtige(r) *mf;* **drug-advice centre** *n* Drogenberatungsstelle *f;* **druggist** *n* (*US*) Drogist(in) *m(f);* **drug squad** *n* Rauschgiftdezernat *nt;* **drugstore** *n* (*US*) Drogerie *f.*
drum [drʌm] *n* Trommel *f;* **drummer** *n* Trommler(in) *m(f).*
drunk [drʌŋk] 1. *pp of* **drink**; 2. *adj* betrunken; 3. *n* Betrunkene(r) *mf;* (*alcoholic*) Trinker(in) *m(f);* **drunkard** *n* Trunkenbold *m;* **drunken** *adj* betrunken; **drunkenness** *n* Betrunkenheit *f.*
dry [draɪ] 1. *adj* trocken; 2. *vt* [ab]trocknen; 3. *vi* trocknen, trocken werden; **dry up** *vi* austrocknen; (*dishes*) abtrocknen; **dry-clean** *vt* chemisch reinigen; **dry-cleaning** *n* chemische Reinigung; **dryer** *n* Trockner *m;* **dryness** *n* Trockenheit *f;* **dry rot** *n* Hausschwamm *m.*
DTP *n abbr of* **desktop-publishing** DTP *nt.*
dual ['djʊəl] *adj* doppelt; ~ **carriageway** ≈ Schnellstraße *f;* ~ **nationality** doppelte Staatsangehörigkeit; **dual-purpose** *adj* Mehrzweck-.
dubbed [dʌbd] *adj* (*film*) synchronisiert.
dubious ['dju:bɪəs] *adj* zweifelhaft.
duchess ['dʌtʃɪs] *n* Herzogin *f.*
duck [dʌk] 1. *n* Ente *f;* 2. *vt* [ein]tauchen; 3. *vi* sich ducken; **duckling** *n* Entenküken *nt;* (*fam*) Entchen *nt.*
duct [dʌkt] *n* Röhre *f.*
dud [dʌd] 1. *n* Niete *f;* 2. *adj* wertlos, miserabel; (*cheque*) ungedeckt.
dude [du:d] *n* (*US fam*) Typ *m;* (*from city*) Stadtmensch *m.*
due [dju:] 1. *adj* fällig; (*fitting*) angemessen; 2. *n* Gebühr *f;* (*right*) Recht *nt;* 3. *adv* (*south etc*) in Richtung; ~ **to** infolge +*gen,* wegen +*gen;* **the train is** ~ der Zug soll laut Fahrplan ankommen.
duel ['djʊəl] *n* Duell *nt.*
duet [dju:'et] *n* Duett *nt.*
dug [dʌg] *pt, pp of* **dig**.
duke [dju:k] *n* Herzog *m.*
dull [dʌl] 1. *adj* (*colour, weather*) trübe; (*stupid*) schwer von Begriff; (*boring*) langweilig; 2. *vt* abstumpfen.
duly ['dju:lɪ] *adv* ordnungsgemäß, richtig; (*on time*) pünktlich.
dumb [dʌm] *adj* stumm; (*fam: stupid*) doof, blöde.
dumb-bell ['dʌmbel] *n* Hantel *f.*
dummy ['dʌmɪ] 1. *n* Schneiderpuppe *f;* (*substitute*) Attrappe *f;* (*baby's teat*) Schnuller *m;* (*fam: person*) Dummkopf *m;* 2. *adj* Schein-.
dump [dʌmp] 1. *n* Abfallhaufen *m;* (*fam: place*) Nest *nt;* 2. *vt* abladen, auskippen; **dumping** *n* (COMM) Dumping *nt,* Verkauf *m* zu Schleuderpreisen; (*of rubbish*) Schuttabladen *nt.*
dumpling ['dʌmplɪŋ] *n* Kloß *m,* Knödel *m.*
dune [dju:n] *n* Düne *f.*
dung [dʌŋ] *n* Dung *m.*
dungarees [dʌŋgə'ri:z] *n pl* Latzhose *f.*
dungeon ['dʌndʒən] *n* Kerker *m.*
dupe [dju:p] 1. *n* (*fam*) Gefoppte(r) *mf;* 2. *vt* hintergehen, anführen.
duplicate ['dju:plɪkɪt] 1. *adj* doppelt; 2. *n* Duplikat *nt;* 3. ['dju:plɪkeɪt] *vt* verdoppeln; (*make copies*) kopieren; **in** ~ in doppelter Ausführung.
durability [djʊərə'bɪlɪtɪ] *n* Haltbarkeit *f;* **durable** ['djʊərəbl] *adj* haltbar.
duration [djʊə'reɪʃən] *n* Dauer *f.*
during ['djʊərɪŋ] *prep* während +*gen.*
dusk [dʌsk] *n* Abenddämmerung *f.*
dust [dʌst] 1. *n* Staub *m;* 2. *vt* abstauben; (*sprinkle*) bestäuben; **dustbin** *n* (*Brit*) Mülleimer *m;* **duster** *n* Staubtuch *nt;* **dustman** *n* <dustmen> (*Brit*) Müllmann *m;* **when do the dustmen come?** wann kommt die Müllabfuhr?; **dust storm** *n* Staubsturm *m;* **dusty** *adj* stau-

big.

Dutch [dʌtʃ] **1.** *adj* holländisch; **2.** *n:* **the** ~ *pl* die Holländer *pl;* **Dutchman** *n* <Dutchmen> Holländer *m;* **Dutchwoman** *n* <Dutchwomen> Holländerin *f.*

dutiable ['dju:tɪəbl] *adj* zollpflichtig.

duty ['dju:tɪ] *n* Pflicht *f;* (*job*) Aufgabe *f;* (*tax*) Einfuhrzoll *m;* **on** ~ im Dienst, Dienst habend; **duty-free** *adj* zollfrei; ~ **articles** *pl* zollfreie Waren *pl;* ~ **shop** Dutyfreeshop *m.*

dwarf [dwɔ:f] *n* <dwarves> Zwerg(in) *m(f).*

dwell [dwel] <dwelt, dwelt> *vi* wohnen; **dwell on** *vt* länger nachdenken über *+akk;* **dwelling** *n* Wohnung *f;* **dwelt** [dwelt] *pt, pp of* **dwell**.

dwindle ['dwɪndl] *vi* schwinden.

dye [daɪ] **1.** *n* Farbstoff *m;* **2.** *vt* färben.

dying ['daɪɪŋ] *adj* (*person*) sterbend; (*moments*) letzte(r, s).

dynamic [daɪ'næmɪk] *adj* dynamisch; **dynamics** *n pl o sing* Dynamik *f.*

dynamite ['daɪnəmaɪt] *n* Dynamit *nt.*

dynamo ['daɪnəməʊ] *n* <-s> Dynamo *m.*

dynasty ['dɪnəstɪ] *n* Dynastie *f.*

dysentery ['dɪsntrɪ] *n* Ruhr *f.*

dyslexia [dɪs'leksɪə] *n* Legasthenie *f.*

dyspepsia [dɪs'pepsɪə] *n* Verdauungsstörung *f.*

E

E, e [i:] *n* E *nt,* e *nt.*

each [i:tʃ] **1.** *adj* jeder/jede/jedes; **2.** *pron* ein jeder/eine jede/ein jedes; ~ **other** einander, sich.

eager *adj,* **eagerly** *adv* ['i:gə*, -lɪ] eifrig; **eagerness** *n* Eifer *m.*

eagle ['i:gl] *n* Adler *m.*

ear [ɪə*] *n* Ohr *nt;* (*of corn*) Ähre *f;* **earache** *n* Ohrenschmerzen *pl;* **eardrum** *n* Trommelfell *nt.*

earl [ɜ:l] *n* Graf *m.*

early ['ɜ:lɪ] *adj, adv* früh; ~ **retirement** vorgezogener Ruhestand; **you're** ~ du bist früh dran.

earmark ['ɪəmɑ:k] *vt* vorsehen.

earn [ɜ:n] *vt* verdienen.

earnest ['ɜ:nɪst] *adj* ernst; **in** ~ im Ernst.

earnings ['ɜ:nɪŋz] *n pl* Verdienst *m.*

earphones ['ɪəfəʊnz] *n pl* Kopfhörer *m;* **earplug** *n* Ohrenstöpsel *m,* Ohropax® *nt;* **earring** *n* Ohrring *m;* **earshot** ['ɪəʃɒt] *n* Hörweite *f.*

earth [ɜ:θ] **1.** *n* Erde *f;* (ELEC) Erdung *f;* **2.** *vt* erden; **earthenware** *n* Steingut *nt;* **earthquake** *n* Erdbeben *nt;* **earth-shattering** *adj* (*fig*) welterschütternd.

earthy ['ɜ:θɪ] *adj* (*taste, smell*) erdig; (*person, humour*) derb.

earwig ['ɪəwɪg] *n* Ohrwurm *m.*

ease [i:z] **1.** *n* (*simplicity*) Leichtigkeit *f;* (*social*) Ungezwungenheit *f;* **2.** *vt* (*pain*) lindern; (*burden*) erleichtern; **at** ~ ungezwungen; (MIL) rührt euch!; **to feel at** ~ sich wohl fühlen; **ease off**, **ease up** *vi* nachlassen.

easel ['i:zl] *n* Staffelei *f.*

easily ['i:zɪlɪ] *adv* leicht.

east [i:st] **1.** *n* Osten *m;* **2.** *adj* östlich, Ost-; **3.** *adv* nach Osten; ~ **of** östlich von; **the East** (POL, GEO) der Osten.

Easter ['i:stə*] *n* Ostern *nt;* **Easter egg** *n* Osterei *nt.*

easterly ['i:stəlɪ] *adj* östlich; **eastern** ['i:stən] *adj* östlich; **eastern Germany** *n* die neuen Bundesländer; **East Germany** *n* Ostdeutschland *nt;* **former** ~ die ehemalige DDR; **East Indies** *n pl* Malaiischer Archipel; **eastwards** ['i:stwədz] *adv* nach Osten, ostwärts.

easy ['i:zɪ] **1.** *adj* (*task*) einfach; (*life*) bequem; (*manner*) ungezwungen; **2.** *adv* leicht.

eat [i:t] <ate, eaten> *vt* essen; (*animals*) fressen; (*destroy*) zerfressen; **eat away** *vt* (*corrode*) zerfressen; **eatable** *adj* genießbar; **eat-by date** *n* Haltbarkeitsdatum *nt;* **eaten** ['i:tn] *pp of* **eat**.

eaves [i:vz] *n pl* überstehender Dachrand.

eavesdrop ['i:vzdrɒp] *vi* horchen, lauschen; **to** ~ **on sb** jdn belauschen.

ebb [eb] *n* Ebbe *f.*

ebony ['ebənɪ] *n* Ebenholz *nt.*

EC *n abbr of* **European Community** (HIST) EG *f.*

eccentric [ɪk'sentrɪk] **1.** *adj* (*a. fig*) exzentrisch, überspannt; **2.** *n* exzentrischer Mensch.

ecclesiastical [ɪkli:zɪ'æstɪkəl] *adj* kirchlich, geistlich.

echo ['ekəʊ] **1.** *n* <-es> Echo *nt;* **2.** *vt* zurückwerfen; (*words, style*) nachbeten; **3.** *vi* widerhallen.

eclipse [ɪ'klɪps] **1.** *n* Verfinsterung *f,* Finsternis *f;* **2.** *vt* verfinstern.

eco-friendly [i:kə'frendlɪ] *adj* umwelt-

E

freundlich.

ecological [i:kə'lɒdʒɪkl] *adj* ökologisch; **ecological disaster** *n* Umweltkatastrophe *f;* **ecologically beneficial** *adj* umweltfreundlich.

ecologist [ɪ'kɒlədʒɪst] *n* Ökologe *m,* Ökologin *f.*

ecology [ɪ'kɒlədʒɪ] *n* Ökologie *f.*

economic [i:kə'nɒmɪk] *adj* volkswirtschaftlich, ökonomisch; **economical** *adj* wirtschaftlich; (*person*) sparsam; **economics** *n pl o sing* Volkswirtschaft *f;* **economist** [ɪ'kɒnəmɪst] *n* Volkswirtschaftler(in) *m(f);* **economize** [ɪ'kɒnəmaɪz] *vi* sparen (*on* an *+dat*); **economy** [ɪ'kɒnəmɪ] *n* (*of country*) Wirtschaft *f;* (*thrift*) Sparsamkeit *f.*

ecosystem ['i:kəʊsɪstəm] *n* Ökosystem *nt;* **ecotest** *n* Umweltverträglichkeitsprüfung *f.*

ecstasy ['ekstəsɪ] *n* Ekstase *f;* (*Droge*) Ecstasy *nt;* **ecstatic** [ɪk'stætɪk] *adj* hingerissen.

ecumenical [i:kjʊ'menɪkəl] *adj* ökumenisch.

eczema ['eksmə] *n* Ekzem *nt.*

Eden ['i:dn] *n:* **the Garden of** ~ der Garten Eden.

edge [edʒ] *n* Rand *m;* (*of knife*) Schneide *f;* **on** ~ nervös; (*nerves*) überreizt; **edging** *n* Einfassung *f;* **edgy** ['edʒɪ] *adj* nervös.

edible ['edɪbl] *adj* essbar.

edict ['i:dɪkt] *n* Erlass *m.*

edifice ['edɪfɪs] *n* Gebäude *nt.*

edit ['edɪt] *vt* edieren, redigieren; (COMPUT) editieren, aufbereiten; **edition** [ɪ'dɪʃən] *n* Ausgabe *f;* **editor** *n* Redakteur(in) *m(f),* Lektor(in) *m(f);* (*of newspaper, magazine*) Herausgeber(in) *m(f);* (COMPUT) Editor *m;* **editorial** [edɪ'tɔ:rɪəl] **1.** *adj* Redaktions-; **2.** *n* Leitartikel *m.*

EDP *n abbr of* **electronic data processing** EDV *f.*

educate ['edjʊkeɪt] *vt* erziehen, ausbilden; **education** [edjʊ'keɪʃən] *n* (*teaching*) Unterricht *m;* (*studies, training*) Ausbildung *f;* (*system*) Schulwesen *nt;* (*knowledge*) Bildung *f;* **educational** *adj* pädagogisch.

edutainment [edjʊ'teɪnmənt] *n* Edutainment *nt.*

EEC *n* (HIST) *abbr of* **European Economic Community** EG *f.*

eel [i:l] *n* Aal *m.*

eerie ['ɪərɪ] *adj* unheimlich.

efface [ɪ'feɪs] *vt* auslöschen.

effect [ɪ'fekt] **1.** *n* Wirkung *f;* **2.** *vt* bewirken; **in** ~ in der Tat; **~s** *pl* (*sound, visual*) Effekte *pl;* **effective** *adj* wirksam, effektiv.

effeminate [ɪ'femɪnɪt] *adj* (*man*) feminin.

effervescent [efə'vesnt] *adj* (*fig*) sprudelnd.

efficiency [ɪ'fɪʃənsɪ] *n* Leistungsfähigkeit *f,* Effizienz *f;* **efficient** *adj,* **efficiently** *adv* tüchtig; (TECH) leistungsfähig; (*method*) wirksam, effizient.

effluent ['eflʊənt] *n* Abwasser *nt.*

effort ['efət] *n* Anstrengung *f;* **to make an** ~ sich anstrengen; **effortless** *adj* mühelos.

effrontery [ɪ'frʌntərɪ] *n* Unverfrorenheit *f.*

EFTA *n abbr of* **European Free Trade Association** EFTA *f.*

eg *abbr of* **for example** z. B.

egg [eg] *n* Ei *nt;* **egg on** *vt* anstacheln; **eggcup** *n* Eierbecher *m;* **eggplant** *n* (*US*) Aubergine *f;* **eggshell** *n* Eierschale *f.*

ego ['i:gəʊ] *n* <-s> Ich *nt,* Selbst *nt;* (*fam*) Selbstbewusstsein *nt.*

egotism ['egəʊtɪzəm] *n* Ichbezogenheit *f;* **egotist** ['egəʊtɪst] *n* Egozentriker(in) *m(f).*

Egypt ['i:dʒɪpt] *n* Ägypten *nt.*

eiderdown ['aɪdədaʊn] *n* Daunendecke *f.*

eight [eɪt] *num* acht.

eighteen ['eɪti:n] *num* achtzehn.

eighth [eɪtθ] **1.** *adj* achte(r, s); **2.** *adv* an achter Stelle; **3.** *n* (*person*) Achte(r) *mf;* (*part*) Achtel *nt.*

eighty ['eɪtɪ] *num* achtzig.

Eire ['ɛərə] *n* Irland *nt.*

either ['aɪðə*] **1.** *conj:* **either ... or** entweder ... oder; **2.** *pron:* ~ **of the two** eine(r, s) von beiden; **I don't want** ~ ich will keins von beiden; **3.** *adj:* **on** ~ **side** auf beiden Seiten; **4.** *adv:* **I don't** ~ ich auch nicht.

eject [ɪ'dʒekt] *vt* ausstoßen, vertreiben; **ejector seat** *n* Schleudersitz *m.*

elaborate [ɪ'læbərət] **1.** *adj* sorgfältig ausgearbeitet, ausführlich, kunstvoll; **2.** [ɪ'læbəreɪt] *vt* sorgfältig ausarbeiten; **elaborately** *adv* genau, ausführlich.

elapse [ɪ'læps] *vi* vergehen.

elastic [ɪ'læstɪk] **1.** *n* Gummiband *nt;* **2.** *adj* elastisch; ~ **band** Gummiband *nt.*

Elastoplast® [ɪ'læstəʊplɑ:st] *n* Hansa-

plast® *nt.*
elbow ['elbəʊ] *n* Ellbogen *m.*
elder ['eldə*] **1.** *adj* älter; **2.** *n* Ältere(r) *mf;* (BOT) Holunder *m;* **elderly** *adj* ältere(r, s); **the ~** *pl* ältere Menschen *pl.*
elect [ɪ'lekt] **1.** *vt* wählen; **2.** *adj* zukünftig; **election** [ɪ'lekʃən] *n* Wahl *f;* **electioneering** [ɪlekʃə'nɪərɪŋ] *n* Wahlpropaganda *f;* **elective** [ɪ'lektɪv] *n* Wahlfach *nt;* **elector** *n* Wähler(in) *m(f);* **electoral** *adj* Wahl-; **electorate** [ɪ'lektərɪt] *n* Wähler *pl,* Wählerschaft *f.*
electric [ɪ'lektrɪk] *adj* elektrisch, Elektro-; **~ blanket** Heizdecke *f;* **~ chair** elektrischer Stuhl; **~ cooker** Elektroherd *m;* **~ current** elektrischer Strom; **~ fire** elektrischer Heizofen; **electrical** *adj* elektrisch; **electrical engineer** *n* Elektroingenieur(in) *m(f);* **electrician** [ɪlek'trɪʃən] *n* Elektriker(in) *m(f);* **electricity** [ɪlek'trɪsɪtɪ] *n* Elektrizität *f,* Strom *m;* **electrify** [ɪ'lektrɪfaɪ] *vt* elektrifizieren; (*fig*) elektrisieren.
electro- [ɪ'lektrəʊ] *pref* Elektro-; **electrocute** [ɪ'lektrəʊkju:t] *vt* elektrisieren; (*kill*) durch elektrischen Strom töten.
electrode [ɪ'lektrəʊd] *n* Elektrode *f.*
electron [ɪ'lektrɒn] *n* Elektron *nt;* **~ microscope** Elektronenmikroskop *nt.*
electronic [ɪlek'trɒnɪk] *adj* elektronisch, Elektronen-; **~ banking** Electronic Banking *nt;* **~ data processing** elektronische Datenverarbeitung; **~ data processing equipment** EDV-Anlage *f;* **~ mail** elektronische Post; **~ mailbox** Mailbox *f,* elektronischer Briefkasten; **electronics** *n pl o sing* Elektronik *f;* **electronic scrap** *n* Elektronikschrott *m;* **electronic smog** *n* Elektrosmog *m.*
elegance ['elɪgəns] *n* Eleganz *f;* **elegant** *adj* elegant.
element ['elɪmənt] *n* Element *nt;* (*fig*) Körnchen *nt.*
elementary [elɪ'mentərɪ] *adj* einfach; (*primary*) grundlegend, Anfangs-.

> Eine **elementary school** ist in den USA und Kanada eine Grundschule, an der ein Kind die ersten sechs bis acht Schuljahre verbringt. In den USA heißt diese Schule auch „grade school" oder „grammar school".

elephant ['elɪfənt] *n* Elefant *m.*
elevation [elɪ'veɪʃən] *n* (*height*) Erhebung *f;* (*of style*) Niveau *nt;* (ARCHIT) Querschnitt *m.*
elevator ['elɪveɪtə*] *n* (*US*) Fahrstuhl *m,* Aufzug *m.*
eleven [ɪ'levn] **1.** *num* elf; **2.** *n* (*team*) Elf *f.*
elf [elf] *n* <elves> Elfe *f.*
elicit [ɪ'lɪsɪt] *vt* entlocken (*from sb* jdm).
eligible ['elɪdʒəbl] *adj* wählbar; **he's not ~** er kommt nicht in Frage; **to be ~ for a pension/competition** pensions-/teilnahmeberechtigt sein; **~ bachelor** gute Partie.
eliminate [ɪ'lɪmɪneɪt] *vt* ausschalten; beseitigen; **elimination** [ɪlɪmɪ'neɪʃən] *n* Ausschaltung *f;* Beseitigung *f.*
elite [eɪ'li:t] *n* Elite *f.*
elm [elm] *n* Ulme *f.*
elocution [elə'kju:ʃən] *n* Sprecherziehung *f;* (*clarity*) Artikulation *f.*
elongated ['i:lɒŋgeɪtɪd] *adj* verlängert.
elope [ɪ'ləʊp] *vi* durchbrennen (*with sb* mit jdm).
eloquence ['eləkwəns] *n* Beredsamkeit *f;* **eloquent** *adj* redegewandt; **eloquently** *adv* beredt.
else [els] *adv* sonst; **who ~?** wer sonst?; **sb ~** jd anders; **or ~** sonst; **elsewhere** *adv* anderswo, woanders.
ELT *n abbr of* **English Language Teaching**.
email, **E-mail** ['ɪmeɪl] *n* E-Mail *nt.*
emancipate [ɪ'mænsɪpeɪt] *vt* emanzipieren; (*slave*) freilassen; **emancipation** [ɪmænsɪ'peɪʃən] *n* Emanzipation *f;* Freilassung *f.*
embalm [ɪm'bɑ:m] *vt* einbalsamieren.
embankment [ɪm'bæŋkmənt] *n* (*of river*) Uferböschung *f;* (*of road*) Straßendamm *m.*
embargo [ɪm'bɑ:gəʊ] *n* <-es> Embargo *nt.*
embark [ɪm'bɑ:k] *vi* sich einschiffen; **embark on** *vt* unternehmen; **embarkation** [embɑ:'keɪʃən] *n* Einschiffung *f.*
embarrass [ɪm'bærəs] *vt* in Verlegenheit bringen; **embarrassed** *adj* verlegen; **embarrassing** *adj* peinlich; **embarrassment** *n* Verlegenheit *f.*
embassy ['embəsɪ] *n* Botschaft *f.*
embed [ɪm'bed] *vt* einbetten.
embellish [ɪm'belɪʃ] *vt* verschönern; (*story*) ausschmücken; (*truth*) beschönigen.
embers ['embəz] *n pl* Glutasche *f.*

embezzle [ɪm'bezl] *vt* unterschlagen; **embezzlement** *n* Unterschlagung *f.*

embitter [ɪm'bɪtə*] *vt* verbittern.

emblem ['embləm] *n* Emblem *nt,* Abzeichen *nt.*

embody [ɪm'bɒdɪ] *vt* (*ideas*) verkörpern; (*new features*) in sich vereinigen.

emboss [ɪm'bɒs] *vt* prägen.

embrace [ɪm'breɪs] **1.** *vt* umarmen; (*include*) einschließen; **2.** *n* Umarmung *f.*

embroider [ɪm'brɔɪdə*] *vt* besticken; (*story*) ausschmücken; **embroidery** *n* Stickerei *f.*

embryo ['embrɪəʊ] *n* <-s> Embryo *m;* (*fig*) Keim *m.*

emerald ['emərəld] *n* Smaragd *m.*

emerge [ɪ'mɜːdʒ] *vi* auftauchen; (*truth*) herauskommen.

emergency [ɪ'mɜːdʒənsɪ] **1.** *n* Notfall *m;* **2.** *adj* (*action*) Not-; ~ **doctor** Notarzt *m;* ~ **exit** Notausgang *m;* ~ **stop** Vollbremsung *f;* ~ **telephone** Notrufsäule *f.*

emery ['emərɪ] *n:* ~ **paper** Schmirgelpapier *nt.*

emigrant ['emɪgrənt] *n* Auswanderer *m,* Auswand[e]rerin *f,* Emigrant(in) *m(f);* **emigrate** ['emɪgreɪt] *vi* auswandern, emigrieren; **emigration** [emɪ'greɪʃən] *n* Auswanderung *f,* Emigration *f.*

eminence ['emɪnəns] *n* hoher Rang; **Eminence** Eminenz *f;* **eminent** *adj* bedeutend.

emission [ɪ'mɪʃən] *n* (*of gases*) Ausströmen *nt;* **emit** [ɪ'mɪt] *vt* (*light*) ausstrahlen; (*gas*) ausströmen.

emotion [ɪ'məʊʃən] *n* Emotion *f,* Gefühl *nt;* **emotional** *adj* (*person*) emotional; (*scene*) ergreifend; **emotionally** *adv* gefühlsmäßig; (*behave*) emotional; (*sing*) ergreifend.

emperor ['empərə*] *n* Kaiser *m.*

emphasis ['emfəsɪs] *n* (*a.* LING) Betonung *f;* **emphasize** ['emfəsaɪz] *vt* betonen.

emphatic *adj* [ɪm'fætɪk] nachdrücklich; **to be ~ about sth** etw nachdrücklich betonen; **emphatically** *adv* nachdrücklich.

empire ['empaɪə*] *n* Reich *nt.*

empirical [em'pɪrɪkəl] *adj* empirisch.

employ [ɪm'plɔɪ] *vt* (*hire*) anstellen; (*use*) anwenden; **employee** [emplɔɪ'iː] *n* Angestellte(r) *mf;* **employer** *n* Arbeitgeber(in) *m(f);* **employment** *n* Beschäftigung *f;* **in** ~ beschäftigt.

empower [ɪm'paʊə*] *vt* befähigen; (*authorize*) ermächtigen.

empress ['emprɪs] *n* Kaiserin *f.*

emptiness ['emptɪnɪs] *n* Leere *f;* **empty** **1.** *adj* leer; **2.** *vt* (*contents*) leeren; (*container*) ausleeren; **empty-handed** *adj* mit leeren Händen.

EMS *n abbr of* **European Monetary System** EWS *f.*

emulate ['emjʊleɪt] *vt* nacheifern *+dat.*

enable [ɪ'neɪbl] *vt* ermöglichen; **it ~s us to ...** das ermöglicht es uns zu ...

enamel [ɪ'næməl] *n* Email *nt;* (*of teeth*) Zahnschmelz *m.*

enamoured [ɪ'næməd] *adj* verliebt (*of* in *+akk*).

encase [ɪn'keɪs] *vt* einschließen; (TECH) verschalen.

enchant [ɪn'tʃɑːnt] *vt* bezaubern; **enchanting** *adj* entzückend.

enclose [ɪn'kləʊz] *vt* einschließen; (*in letter*) beilegen (*in, with dat*); **~d** (*in letter*) beiliegend, anbei; **enclosure** [ɪn'kləʊʒə*] *n* Gehege *nt;* (*in letter*) Anlage *f.*

encode [ɪn'kəʊd] *vt* kodieren; **encoder** *n* Chiffriermaschine *f.*

encore ['ɒŋkɔː*] *n* Zugabe *f.*

encounter [ɪn'kaʊntə*] **1.** *n* Begegnung *f;* (MIL) Zusammenstoß *m;* **2.** *vt* treffen; (*resistance*) stoßen auf *+akk.*

encourage [ɪn'kʌrɪdʒ] *vt* ermutigen; **encouragement** *n* Ermutigung *f,* Förderung *f;* **encouraging** *adj* ermutigend, vielversprechend.

encroach [ɪn'krəʊtʃ] *vi:* **to ~ on sb's time** jds Zeit in Anspruch nehmen.

encyclopaedia [ensaɪkləʊ'piːdɪə] *n* Lexikon *nt,* Enzyklopädie *f.*

end [end] **1.** *n* Ende *nt,* Schluss *m;* (*purpose*) Zweck *m;* **2.** *adj* End-; **3.** *vt* beenden; **4.** *vi* zu Ende gehen; **end up** *vi* landen.

endanger [ɪn'deɪndʒə*] *vt* gefährden.

endeavour [ɪn'devə*] **1.** *n* Bestrebung *f;* **2.** *vi* sich bemühen.

ending ['endɪŋ] *n* Ende *nt;* (LING) Endung *f;* **endless** *adj* endlos; (*plain*) unendlich.

endorse [ɪn'dɔːs] *vt* unterzeichnen; (*approve*) unterstützen; **endorsement** *n* Bestätigung *f;* (*of document*) Unterzeichnung *f;* (*on licence*) Eintrag *m.*

endow [ɪn'daʊ] *vt:* **to ~ sb with sth** jdm etw verleihen; (*with money*) jdm etw stiften.

end product ['endprɒdʌkt] *n* Endprodukt *nt.*

endurable [ɪn'djʊərəbl] *adj* erträglich;

endurance [ɪn'djʊərəns] *n* Ausdauer *f;* (*suffering*) Ertragen *nt;* **endure** [ɪn'djʊə*] **1.** *vt* ertragen; **2.** *vi* (*last*) bestehen.
enemy ['enɪmɪ] **1.** *n* Feind(in) *m(f);* **2.** *adj* feindlich.
energetic [enə'dʒetɪk] *adj* tatkräftig.
energy ['enədʒɪ] *n* Energie *f.*
enervating ['enɜ:veɪtɪŋ] *adj* strapazierend.
enforce [ɪn'fɔ:s] *vt* durchsetzen; (*obedience*) erzwingen.
engage [ɪn'geɪdʒ] *vt* (*employ*) einstellen; (*in conversation*) verwickeln; (TECH) einrasten lassen, einschalten; **engaged** *adj* verlobt; (TEL, *toilet*) besetzt; (*busy*) beschäftigt, unabkömmlich; **to get** ~ sich verloben; **engagement** *n* (*appointment*) Verabredung *f;* (*official*) Verpflichtung *f;* (*to marry*) Verlobung *f;* ~ **ring** Verlobungsring *m.*
engaging [ɪn'geɪdʒɪŋ] *adj* gewinnend.
engine ['endʒɪn] *n* (AUT) Motor *m;* (RAIL) Lokomotive *f;* ~ **failure,** ~ **trouble** Maschinenschaden *m;* (AUT) Motorschaden *m;* **engineer** [endʒɪ'nɪə*] *n* Ingenieur(in) *m(f);* (*US* RAIL) Lokomotivführer(in) *m(f);* **engineering** [endʒɪ'nɪərɪŋ] *n* Technik *f;* (*mechanical* ~) Maschinenbau *m.*
England ['ɪŋglənd] *n* England *nt;* **in** ~ in England; **to go to** ~ nach England fahren; **English 1.** *adj* englisch; **2.** *n* (*language*) Englisch *nt;* **the** ~ *pl* die Engländer *pl;* **the** ~ **Channel** der Ärmelkanal; ~ **Language Teaching** Unterrichten *nt* der englischen Sprache; **to speak** ~ Englisch sprechen; **to learn** ~ Englisch lernen; **to translate into** ~ ins Englische übersetzen; **Englishman** *n* <Englishmen> Engländer *m;* **Englishwoman** *n* <Englishwomen> Engländerin *f.*
engrave [ɪn'greɪv] *vt* (*carve*) einschneiden; (*fig*) tief einprägen; (*print*) eingravieren; **engraving** *n* Stich *m.*
engrossed [ɪn'grəʊst] *adj* vertieft.
enhance [ɪn'hɑ:ns] *vt* (*quality*) verbessern; (*price, value*) erhöhen.
enigma [ɪ'nɪgmə] *n* Rätsel *nt;* **enigmatic** [enɪg'mætɪk] *adj* rätselhaft.
enjoy [ɪn'dʒɔɪ] *vt* genießen; ~ **yourself!** viel Spaß!, viel Vergnügen!; **enjoyable** *adj* erfreulich; **enjoyment** *n* Genuss *m,* Freude *f.*
enlarge [ɪn'lɑ:dʒ] *vt* erweitern; (PHOT) vergrößern; **to** ~ **on sth** etw weiter ausführen; **enlargement** *n* Vergrößerung *f.*
enlighten [ɪn'laɪtn] *vt* aufklären; **enlightenment** *n* Aufklärung *f.*
enlist [ɪn'lɪst] **1.** *vt* gewinnen; **2.** *vi* (MIL) sich melden.
enmity ['enmɪtɪ] *n* Feindschaft *f.*
enormity [ɪ'nɔ:mɪtɪ] *n* ungeheures Ausmaß.
enormous *adj,* **enormously** *adv* [ɪ'nɔ:məs, -lɪ] enorm, ungeheuer.
enough [ɪ'nʌf] **1.** *adj* genug; **2.** *adv* genug, genügend; ~**!** genug!; **that's** ~**!** das reicht!
enquire [ɪn'kwaɪə*] *s.* **inquire**.
enrich [ɪn'rɪtʃ] *vt* bereichern.
enrol [ɪn'rəʊl] **1.** *vt* (MIL) anwerben; **2.** *vi* (*register*) sich anmelden; **enrolment** *n* (*for course*) Anmeldung *f;* (SCH) Einschreibung *f.*
en route [ɑ̃:n'ru:t] *adv* unterwegs.
ensue [ɪn'sju:] *vi* folgen, sich ergeben; **ensuing** *adj* nachfolgend.
ensure [ɪn'ʃʊə*] *vt* garantieren, sicherstellen.
enter ['entə*] **1.** *vt* eintreten in +*akk,* betreten; (*club*) beitreten +*dat;* (*competition*) teilnehmen an +*dat;* (*in book*) eintragen; (COMPUT: *data*) eingeben; **2.** *vi* hereinkommen, hineingehen; **enter into** *vt* (*agreement*) eingehen; (*argument*) sich einlassen auf +*akk;* **enter upon** *vt* beginnen; **enter key** *n* (COMPUT) Eingabetaste *f.*
enterprise ['entəpraɪz] *n* (*in person*) Initiative *f,* Unternehmungsgeist *m;* (COMM) Unternehmen *nt,* Betrieb *m;* **enterprising** *adj* einfallsreich.
entertain [entə'teɪn] *vt* (*guest*) bewirten; (*amuse*) unterhalten; **entertainer** *n* Unterhalter(in) *m(f),* Entertainer(in) *m(f);* **entertaining** *adj* unterhaltsam, amüsant; **entertainment** *n* (*amusement*) Unterhaltung *f;* (*show*) Veranstaltung *f;* **entertainment expenses** *n pl* Bewirtungskosten *pl.*
enthuse [ɪn'θ ju:z] *vi* schwärmen (*over* von).
enthusiasm [ɪn'θu:zɪæzəm] *n* Begeisterung *f;* **enthusiastic** [ɪnθu:zɪ'æstɪk] *adj* begeistert.
entice [ɪn'taɪs] *vt* verleiten, locken.
entire [ɪn'taɪə*] *adj* ganz; **entirely** *adv* ganz, völlig; **entirety** [ɪn'taɪərətɪ] *n:* **in its** ~ in seiner Gesamtheit.
entitle [ɪn'taɪtl] *vt* (*allow*) berechtigen; (*name*) betiteln.
entitlement [ɪn'taɪtlmənt] *n* Anspruch

m (*to* auf +*akk*).

entity ['entɪtɪ] *n* Ding *nt,* Wesen *nt.*

entrance ['entrəns] **1.** *n* Eingang *m;* (*entering*) Eintritt *m;* **2.** [ɪn'trɑ:ns] *vt* hinreißen; **entrance examination** *n* Aufnahmeprüfung *f;* **entrance fee** *n* Eintrittsgeld *nt.*

entrancing [ɪn'trɑnsɪŋ] *adj* bezaubernd.

entrant ['entrənt] *n* (*for exam*) Kandidat(in) *m(f);* (*into job*) Anfänger(in) *m(f);* (MIL) Rekrut(in) *m(f);* (*in race*) Teilnehmer(in) *m(f).*

entreat [ɪn'tri:t] *vt* anflehen, beschwören.

entrée ['ɒntreɪ] *n* (GASTR) Entrée *nt.*

entrust [ɪn'trʌst] *vt* anvertrauen (*sb with sth* jdm etw).

entry ['entrɪ] *n* Eingang *m;* (THEAT) Auftritt *m;* (*in account*) Eintragung *f;* (*in dictionary*) Eintrag *m;* **"no ~"** „Eintritt verboten"; (*for cars*) „Einfahrt verboten"; **entry ban** *n* Einreiseverbot *nt;* **entry form** *n* Anmeldeformular *nt;* **entry phone** *n* Türsprechanlage *f.*

E-number *n* (*food additive*) E-Nummer *f.*

envelope ['envələʊp] *n* [Brief]umschlag *m.*

enviable ['envɪəbl] *adj* beneidenswert.

envious ['envɪəs] *adj* neidisch.

environment [ɪn'vaɪərənmənt] *n* Umgebung *f;* (*ecology*) Umwelt *f;* **environmental** [ɪnvaɪərən'mentl] *adj* Umwelt-; ~ **burden** Umweltbelastung *f;* ~ **health officer** Umweltbeauftragte(r) *mf;* **environmentalist** *n* Umweltschützer(in) *m(f).*

envisage [ɪn'vɪzɪdʒ] *vt* sich *dat* vorstellen; (*plan*) ins Auge fassen.

envoy ['envɔɪ] *n* Gesandte(r) *mf.*

envy ['envɪ] **1.** *n* Neid *m;* (*object*) Gegenstand *m* des Neides; **2.** *vt* beneiden (*sb sth* jdn um etw).

enzyme ['enzaɪm] *n* Enzym *nt.*

ephemeral [ɪ'femərəl] *adj* kurzlebig, vorübergehend.

epic ['epɪk] **1.** *n* Epos *nt;* (*film*) Monumentalfilm *m;* **2.** *adj* episch; (*fig*) heldenhaft.

epidemic [epɪ'demɪk] *n* Epidemie *f.*

epilepsy ['epɪlepsɪ] *n* Epilepsie *f;* **epileptic** [epɪ'leptɪk] **1.** *adj* epileptisch; **2.** *n* Epileptiker(in) *m(f).*

epilogue ['epɪlɒg] *n* (*of drama*) Epilog *m;* (*of book*) Nachwort *nt.*

episode ['epɪsəʊd] *n* (*incident*) Vorfall *m;* (*story*) Episode *f.*

epistle [ɪ'pɪsl] *n* (REL) Brief *m.*

epitaph ['epɪtɑ:f] *n* Grabinschrift *f.*

epitome [ɪ'pɪtəmɪ] *n* Inbegriff *m;* **epitomize** [ɪ'pɪtəmaɪz] *vt* verkörpern.

epoch ['i:pɒk] *n* Epoche *f.*

equal ['i:kwl] **1.** *adj* gleich; **2.** *n* Gleichgestellte(r) *mf;* **3.** *vt* gleichkommen +*dat;* ~ **to the task** der Aufgabe gewachsen; **two times two ~s four** zwei mal zwei ist gleich vier; **without** ~ ohne seinesgleichen; **equality** [ɪ'kwɒlɪtɪ] *n* Gleichheit *f;* (*equal rights*) Gleichberechtigung *f;* **equalize 1.** *vt* gleichmachen; **2.** *vi* (SPORT) ausgleichen; **equalizer** *n* (SPORT) Ausgleichstreffer *m;* **equally** *adv* gleich; **equals sign** *n* Gleichheitszeichen *nt.*

equanimity [ekwə'nɪmɪtɪ] *n* Gleichmut *m.*

equate [ɪ'kweɪt] *vt* gleichsetzen; **equation** [ɪ'kweɪʒən] *n* Gleichung *f.*

equator [ɪ'kweɪtə*] *n* Äquator *m;* **equatorial** [ekwə'tɔ:rɪəl] *adj* Äquator-.

equilibrium [i:kwɪ'lɪbrɪəm] *n* Gleichgewicht *nt.*

equinox ['ekwɪnɒks] *n* Tagundnachtgleiche *f.*

equip [ɪ'kwɪp] *vt* ausrüsten; **equipment** *n* Ausrüstung *f;* **electrical** ~ Elektrogeräte *pl.*

equitable ['ekwɪtəbl] *adj* gerecht, fair; **equity** ['ekwɪtɪ] *n* Billigkeit *f,* Gerechtigkeit *f.*

equivalent [ɪ'kwɪvələnt] **1.** *adj* gleichwertig (*to dat*), entsprechend (*to dat*); **2.** *n* (*amount*) gleiche Menge; (*in money*) Gegenwert *m;* (*same thing*) Äquivalent *nt.*

equivocal [ɪ'kwɪvəkəl] *adj* zweideutig; (*suspect*) fragwürdig.

era ['ɪərə] *n* Epoche *f,* Ära *f.*

eradicate [ɪ'rædɪkeɪt] *vt* ausrotten.

erase [ɪ'reɪz] *vt* ausradieren; (*tape, disk*) löschen; **erase key** *n* Löschtaste *f;* **eraser** *n* Radiergummi *m.*

erect [ɪ'rekt] **1.** *adj* aufrecht; **2.** *vt* errichten; **erection** *n* Errichtung *f;* (ANAT) Erektion *f.*

ergonomic [ɜ:gəʊ'nɒmɪk] *adj* ergonomisch; **ergonomics** *n sing* Ergonomie *f.*

ermine ['ɜ:mɪn] *n* Hermelinpelz *m.*

erode [ɪ'rəʊd] *vt* zerfressen; (*land*) auswaschen; **erosion** [ɪ'rəʊʒən] *n* Auswaschen *nt,* Erosion *f.*

erotic [ɪ'rɒtɪk] *adj* erotisch; **eroticism** [ɪ'rɒtɪsɪzəm] *n* Erotik *f.*

err [ɜ:*] *vi* sich irren.

errand ['erənd] *n* Besorgung *f.*
erratic [ɪ'rætɪk] *adj* unberechenbar.
erroneous [ɪ'rəʊnɪəs] *adj* irrig, irrtümlich.
error ['erə*] *n* Fehler *m.*
erudite ['erʊdaɪt] *adj* gelehrt; **erudition** [erʊ'dɪʃən] *n* Gelehrsamkeit *f.*
erupt [ɪ'rʌpt] *vi* ausbrechen; **eruption** [ɪ'rʌpʃən] *n* Ausbruch *m.*
escalate ['eskəleɪt] **1.** *vt* steigern; **2.** *vi* sich steigern; (*conflict*) eskalieren.
escalator ['eskəleɪtə*] *n* Rolltreppe *f.*
escapade ['eskəpeɪd] *n* Eskapade *f,* Streich *m.*
escape [ɪ'skeɪp] **1.** *n* Flucht *f;* (*of gas*) Entweichen *nt;* **2.** *vt, vi* entkommen +*dat;* (*prisoners*) fliehen; (*leak*) entweichen; **to ~ notice** unbemerkt bleiben; **the word ~s me** das Wort ist mir entfallen; **escape chute** *n* Notrutsche *f;* **escapism** [ɪ'skeɪpɪzəm] *n* Flucht *f* vor der Wirklichkeit.
escort ['eskɔ:t] **1.** *n* (*accompanying person*) Begleiter(in) *m(f);* (*guard*) Eskorte *f;* **2.** [ɪ'skɔ:t] *vt* (*lady*) begleiten; (MIL) eskortieren.
Eskimo ['eskɪməʊ] **1.** *n* <-es> Eskimo *m,* Eskimofrau *f;* **2.** *adj* Eskimo-.
esoteric [esəʊ'terik] *adj* esoterisch.
especially [ɪ'speʃəlɪ] *adv* besonders.
espionage ['espɪənɑ:ʒ] *n* Spionage *f.*
esplanade ['espləneɪd] *n* Promenade *f.*
Esquire [ɪ'skwaɪə*] *n:* **J. Brown, Esq** (*in address*) Herrn J. Brown.
essay ['eseɪ] *n* Aufsatz *m;* (LITER) Essay *m.*
essence ['esəns] *n* (*quality*) Wesen *nt;* (*extract*) Essenz *f,* Extrakt *m.*
essential [ɪ'senʃəl] **1.** *adj* (*necessary*) unentbehrlich; (*basic*) wesentlich; **2.** *n* Hauptbestandteil *m;* **the bare ~** das Allernötigste; **essentially** *adv* in der Hauptsache, eigentlich.
establish [ɪ'stæblɪʃ] *vt* (*set up*) gründen, einrichten; (*prove*) nachweisen; **establishment** *n* (*setting up*) Einrichtung *f;* (*business*) Unternehmen *nt;* **the ~** das Establishment.
estate [ɪ'steɪt] *n* (*land*) Gut *nt;* (*housing ~*) Siedlung *f;* (*will*) Nachlass *m;* **estate agent** *n* Grundstücksmakler(in) *m(f);* **estate car** *n* (*Brit*) Kombiwagen *m.*
esteem [ɪ'sti:m] *n* Wertschätzung *f.*
estimate ['estɪmət] **1.** *n* (*of price*) Kostenvoranschlag *m;* **2.** ['estɪmeɪt] *vt* schätzen; **estimation** [estɪ'meɪʃən] *n* Einschätzung *f;* (*esteem*) Achtung *f.*
estuary ['estjʊərɪ] *n* Mündung *f.*
etching ['etʃɪŋ] *n* Kupferstich *m.*
eternal *adj,* **eternally** *adv* [ɪ'tɜ:nl, -nəlɪ] ewig; **eternity** [ɪ'tɜ:nɪtɪ] *n* Ewigkeit *f.*
ether ['i:θə*] *n* (MED) Äther *m.*
ethical ['eθɪkəl] *adj* ethisch; **ethics** ['eθɪks] *n pl* Ethik *f.*
Ethiopia [i:θɪ'əʊpɪə] *n* Äthiopien *nt.*
ethnic ['eθnɪk] *adj* Volks-, ethnisch; (*US: restaurant etc*) folkloristisch.
etiquette ['etɪket] *n* Etikette *f.*
EU *n abbr of* **European Union** EU *f.*
Eucharist ['ju:kərɪst] *n* heiliges Abendmahl.
eulogy ['ju:lədʒɪ] *n* Lobrede *f.*
eunuch ['ju:nək] *n* Eunuch *m.*
euphemism ['ju:fɪmɪzəm] *n* Euphemismus *m.*
euphoria [ju:'fɔ:rɪə] *n* Freudentaumel *m,* Euphorie *f.*
Euro ['jʊərəʊ] *n* Euro *m;* **Eurobond** *n* Euroanleihe *f.*
Eurocheque ['jʊərəʊtʃek] *n* Euroscheck *m.*
Euro-MP ['jʊərəʊempi:] *n* Europaabgeordnete(r) *mf.*
Europe ['jʊərəp] *n* Europa *nt;* **European** [jʊərə'pi:ən] **1.** *adj* europäisch; **2.** *n* Europäer(in) *m(f);* **European Free Trade Association** *n* Europäische Freihandelsassoziation; **European Parliament** *n* Europäisches Parlament; **European Union** *n* Europäische Union.
Eurotunnel ['jʊərəʊtʌnəl] *n* Eurotunnel *m* (*Tunnel unter dem Ärmelkanal*).
euthanasia [ju:θə'neɪzɪə] *n* Euthanasie *f;* **active ~** Sterbehilfe *f.*
evacuate [ɪ'vækjʊeɪt] *vt* (*place*) räumen; (*people*) evakuieren; (MED) entleeren; **evacuation** [ɪvækjʊ'eɪʃən] *n* Räumung *f,* Evakuierung *f;* Entleerung *f.*
evade [ɪ'veɪd] *vt* (*escape*) entkommen +*dat;* (*avoid*) meiden; (*duty*) sich entziehen +*dat.*
evaluate [ɪ'væljʊeɪt] *vt* bewerten; (*information*) auswerten.
evangelical [i:væn'dʒelɪkəl] *adj* evangelisch; **evangelist** [ɪ'vændʒəlɪst] *n* Evangelist *m;* (*preacher*) Prediger(in) *m(f).*
evaporate [ɪ'væpəreɪt] **1.** *vi* verdampfen; **2.** *vt* verdampfen lassen; **~d milk** Kondensmilch *f;* **evaporation** [ɪvæpə'reɪʃən] *n* Verdunstung *f.*
evasion [ɪ'veɪʒən] *n* Umgehung *f;* (*excuse*) Ausflucht *f;* **evasive** [ɪ'veɪsɪv] *adj* ausweichend.

even ['i:vən] **1.** *adj* eben; gleichmäßig; (*score etc*) unentschieden; (*number*) gerade; **2.** *vt* einebnen, glätten; **3.** *adv:* ~ **you** selbst [*o* sogar] du; **he ~ said ...** er hat sogar gesagt ...; ~ **as he spoke** gerade da er sprach; ~ **if** sogar [*o* selbst] wenn, wenn auch; ~ **so** dennoch; **to get ~** sich revanchieren; **even out**, **even up 1.** *vi* sich ausgleichen; **2.** *vt* ausgleichen.

evening ['i:vnɪŋ] *n* Abend *m;* **in the ~** abends, am Abend; **evening class** *n* Abendschule *f;* **evening dress** *n* (*man's*) Gesellschaftsanzug *m;* (*woman's*) Abendkleid *nt.*

evenly ['i:vənlɪ] *adv* gleichmäßig.

evensong ['i:vənsɒŋ] *n* (REL) Abendandacht *f.*

event [ɪ'vent] *n* (*happening*) Ereignis *nt;* (SPORT) Disziplin *f;* (*horses*) Rennen *nt;* **the next ~** der nächste Wettkampf; **in the ~ of** im Falle *+gen;* **eventful** *adj* ereignisreich.

eventual [ɪ'ventʃʊəl] *adj* (*final*) schließlich.

eventuality [ɪventʃʊ'ælɪtɪ] *n* möglicher Fall, Möglichkeit *f.*

eventually [ɪ'ventʃʊəlɪ] *adv* (*at last*) am Ende; (*given time*) schließlich.

ever ['evə*] *adv* (*always*) immer; (*at any time*) jemals; ~ **so big** sehr groß; ~ **so many** sehr viele; **evergreen 1.** *adj* immergrün; **2.** *n* Immergrün *nt;* **ever-lasting** *adj* immerwährend.

every ['evrɪ] *adj* jeder/jede/jedes; ~ **day** jeden Tag; ~ **other day** jeden zweiten Tag; ~ **so often** hin und wieder; **everybody** *pron* jeder, alle *pl;* **everyday** *adj* (*daily*) täglich; (*commonplace*) alltäglich, Alltags-; **everyone** *pron* jeder, alle *pl;* **everything** *pron* alles; **everywhere** *adv* überall.

evidence ['evɪdəns] *n* (*sign*) Spur *f;* (*proof*) Beweis *m;* (*testimony*) Aussage *f;* **to give ~** aussagen; **in ~** (*obvious*) zu sehen; **evident** *adj,* **evidently** *adv* offensichtlich.

evil ['i:vl] **1.** *adj* böse, übel; **2.** *n* Übel *nt;* (*sin*) Böse(s) *nt.*

evocative [ɪ'vɒkətɪv] *adj:* **to be ~ of sth** an etw *akk* erinnern.

evoke [ɪ'vəʊk] *vt* hervorrufen.

evolution [i:və'lu:ʃən] *n* Entwicklung *f;* (*of life*) Evolution *f.*

evolve [ɪ'vɒlv] **1.** *vt* entwickeln; **2.** *vi* sich entwickeln.

ewe [ju:] *n* Mutterschaf *nt.*

ex- [eks] **1.** *pref* Ex-, Alt-, ehemalig; **2.** *n* (*fam*) Verflossene(r) *mf.*

exacerbate [ek'sæsəbeɪt] *vt* verschlimmern.

exact [ɪg'zækt] **1.** *adj* genau; **2.** *vt* (*demand*) verlangen; (*compel*) erzwingen; (*money, fine*) einziehen; (*punishment*) vollziehen; **exacting** *adj* anspruchsvoll; **exactitude** *n* Genauigkeit *f;* **exactly** *adv* genau; **exactness** *n* Genauigkeit *f,* Richtigkeit *f.*

exaggerate [ɪg'zædʒəreɪt] *vt, vi* übertreiben; **exaggerated** *adj* übertrieben; **exaggeration** [ɪgzædʒə'reɪʃən] *n* Übertreibung *f.*

exalt [ɪg'zɔ:lt] *vt* (*praise*) verherrlichen.

exam [ɪg'zæm] *n* Prüfung *f.*

examination [ɪgzæmɪ'neɪʃən] *n* Untersuchung *f;* (SCH) Prüfung *f,* Examen *nt;* (*at customs*) Kontrolle *f.*

examine [ɪg'zæmɪn] *vt* untersuchen; (SCH) prüfen; (*consider*) erwägen; **examiner** *n* Prüfer(in) *m(f).*

example [ɪg'zɑ:mpl] *n* Beispiel *nt;* **for ~** zum Beispiel.

exasperate [ɪg'zɑ:spəreɪt] *vt* zur Verzweiflung bringen; **exasperating** *adj* ärgerlich; **exasperation** [ɪgzɑ:spə'reɪʃən] *n* Verzweiflung *f.*

excavate ['ekskəveɪt] *vt* (*unearth*) ausgraben; (*hollow out*) aushöhlen; **excavation** [ekskə'veɪʃən] *n* Ausgrabung *f;* **excavator** *n* Bagger *m.*

exceed [ɪk'si:d] *vt* überschreiten; (*hopes*) übertreffen; **exceedingly** *adv* in höchstem Maße.

excel [ɪk'sel] **1.** *vi* sich auszeichnen; **2.** *vt* übertreffen; **excellence** ['eksələns] *n* Vortrefflichkeit *f;* **Excellency** ['eksələnsɪ] *n:* **His ~** Seine Exzellenz; **excellent** ['eksələnt] *adj* ausgezeichnet.

except [ɪk'sept] **1.** *prep* (*also:* ~ **for**) außer *+dat;* **2.** *vt* ausnehmen; **excepting** *prep* mit Ausnahme von, ausgenommen; **exception** [ɪk'sepʃən] *n* Ausnahme *f;* **to take ~ to** Anstoß nehmen an *+dat;* **exceptional** *adj,* **exceptionally** *adv* [ɪk'sepʃənl, -nəlɪ] außergewöhnlich.

excerpt ['eksɜ:pt] *n* Auszug *m.*

excess [ek'ses] **1.** *n* Übermaß *nt* (*of* an *+dat*); **2.** *adj* (*money*) Nach-; (*baggage*) Mehr-; **excesses** *n pl* Ausschweifungen *pl,* Exzesse *pl;* (*violent*) Ausschreitungen *pl;* **excessive** *adj,* **excessively** *adv* übermäßig; **excess weight** *n* (*of thing*) Mehrgewicht *nt;* (*of person*) Übergewicht *nt.*

exchange [ɪks'tʃeɪndʒ] **1.** *n* Austausch *m;* (FIN) Wechsel *m;* (*place*) Wechselstube *f;* (TEL) Vermittlung *f,* Zentrale *f;* (*at Post Office*) Fernsprechamt *nt;* **2.** *vt* (*goods*) tauschen; (*greetings*) austauschen; (*money, blows*) wechseln; **exchange rate** *n* Wechselkurs *m.*

exchequer [ɪks'tʃekə*] *n* Finanzministerium *nt;* (*esp in Britain*) Schatzamt *nt.*

excisable [ek'saɪzɪbl] *adj* verbrauchssteuerpflichtig; **excise** ['eksaɪz] *n* Verbrauchssteuer *f.*

excitable [ɪk'saɪtəbl] *adj* erregbar, nervös.

excite [ɪk'saɪt] *vt* erregen; **excited** *adj* aufgeregt; **to get ~** sich aufregen; **excitement** *n* Aufregung *f;* (*of interest*) Erregung *f;* **exciting** *adj* aufregend; (*book, film*) spannend.

exclamation [ekskla'meɪʃən] *n* Ausruf *m;* **exclamation mark** *n* Ausrufezeichen *nt.*

exclude [ɪks'klu:d] *vt* ausschließen; **exclusion** [ɪks'klu:ʒən] *n* Ausschluss *m;* **exclusive** [ɪks'klu:sɪv] *adj* (*select*) exklusiv; (*sole*) ausschließlich, Allein-; **~ of** exklusive *+gen;* **exclusively** *adv* nur, ausschließlich.

excommunicate [ekskə'mju:nɪkeɪt] *vt* exkommunizieren.

excrement ['ekskrɪmənt] *n* Kot *m,* Exkremente *pl.*

excruciating [ɪks'kru:ʃɪeɪtɪŋ] *adj* qualvoll.

excursion [ɪks'kɜ:ʃən] *n* Ausflug *m.*

excusable [ɪks'kju:zəbl] *adj* entschuldbar.

excuse [ɪks'kju:s] **1.** *n* Entschuldigung *f;* (*pretext*) Ausrede *f;* **2.** [ɪks'kju:z] *vt* entschuldigen; **~ me!** entschuldigen Sie!

ex-directory [eksdaɪ'rektərɪ] *adj:* **to be ~** (*Brit* TEL) nicht im Telefonbuch stehen.

execute ['eksɪkju:t] *vt* (*carry out*) ausführen; (*kill*) hinrichten; **execution** [eksɪ'kju:ʃən] *n* Ausführung *f;* (*killing*) Hinrichtung *f;* **executioner** *n* Scharfrichter *m.*

executive [ɪg'zekjʊtɪv] **1.** *n* (COMM) leitender Angestellter, leitende Angestellte; (POL) Exekutive *f;* **2.** *adj* Exekutiv-, ausführend.

executor [ɪg'zekjʊtə*] *n* Testamentsvollstrecker(in) *m(f).*

exemplary [ɪg'zemplərɪ] *adj* musterhaft.

exemplify [ɪg'zemplɪfaɪ] *vt* veranschaulichen.

exempt [ɪg'zempt] **1.** *adj* befreit; **2.** *vt* befreien; **exemption** [ɪg'zempʃən] *n* Befreiung *f.*

exercise ['eksəsaɪz] **1.** *n* Übung *f;* **2.** *vt* (*power*) ausüben; (*muscle, patience*) üben; (*dog*) ausführen; **3.** *vi:* **you don't ~ enough** du hast zu wenig Bewegung; **exercise bike** *n* Heimtrainer *m;* **exercise book** *n* Heft *nt.*

exert [ɪg'zɜ:t] **1.** *vt* (*influence*) ausüben; **2.** *vr:* **~ oneself** sich anstrengen; **exertion** *n* Anstrengung *f.*

exhaust [ɪg'zɔ:st] **1.** *n* (*fumes*) Abgase *pl;* (*pipe*) Auspuff *m;* **2.** *vt* (*weary*) ermüden; (*use up*) erschöpfen; **~ emission limits** Abgasgrenzwerte *pl;* **exhausted** *adj* erschöpft; **exhausting** *adj* anstrengend; **exhaustion** *n* Erschöpfung *f;* **exhaustive** *adj* erschöpfend.

exhibit [ɪg'zɪbɪt] **1.** *n* (ART) Ausstellungsstück *nt;* (JUR) Beweisstück *nt;* **2.** *vt* ausstellen; **exhibition** [eksɪ'bɪʃən] *n* (ART) Ausstellung *f;* **to make an ~ of oneself** ein Theater machen; **exhibitionist** [eksɪ'bɪʃənɪst] *n* Exhibitionist(in) *m(f);* **exhibitor** *n* Aussteller(in) *m(f).*

exhilarating [ɪg'zɪləreɪtɪŋ] *adj* erhebend; **exhilaration** [ɪgzɪlə'reɪʃən] *n* erhebendes Gefühl.

exhort [ɪg'zɔ:t] *vt* ermahnen.

exile ['ekzaɪl] **1.** *n* Exil *nt;* (*person*) im Exil Lebende(r) *mf;* **2.** *vt* verbannen; **in ~** im Exil.

exist [ɪg'zɪst] *vi* existieren; (*live*) leben; **existence** *n* Existenz *f;* (*way of life*) Leben *nt,* Existenz *f;* **existing** *adj* vorhanden, bestehend.

exit ['eksɪt] **1.** *n* Ausgang *m;* (THEAT) Abgang *m;* **2.** *vi* hinausgehen; (COMPUT) das Programm beenden.

exonerate [ɪg'zɒnəreɪt] *vt* entlasten (*from* von).

exorbitant [ɪg'zɔ:bɪtənt] *adj* übermäßig; (*price*) Phantasie-, unverschämt.

exotic [ɪg'zɒtɪk] *adj* exotisch.

expand [ɪks'pænd] **1.** *vt* (*business*) erweitern; (*operations*) ausdehnen; **2.** *vi* (*solids, gases, liquids*) sich ausdehnen; **could you ~ on that?** könnten Sie das weiter ausführen?; **expandable** *adj* (COMPUT) aufrüstbar.

expanse [ɪks'pæns] *n* weite Fläche, Weite *f.*

expansion [ɪks'pænʃən] *n* Erweiterung *f.*

expatriate [eks'pætrɪət] **1.** *adj* im Ausland lebend; **2.** *n* im Ausland Lebende(r) *mf;* **3.** [eks'pætrɪeɪt] *vt* ausbürgern.

expect [ɪk'spekt] **1.** *vt* erwarten; (*suppose*) annehmen; **2.** *vi:* **to be ~ing** ein Kind erwarten; **expectant** *adj* (*hopeful*) erwartungsvoll; (*mother*) werdend; **expectation** [ekspek'teɪʃən] *n* (*hope*) Hoffnung *f;* **~s** *pl* Erwartungen *pl;* (*prospects*) Aussicht *f.*

expedience, **expediency** [ɪks'pi:dɪəns, -ənsɪ] *n* Zweckdienlichkeit *f;* **expedient 1.** *adj* zweckdienlich; **2.** *n* Hilfsmittel *nt.*

expedition [ekspɪ'dɪʃən] *n* Expedition *f.*

expel [ɪk'spel] *vt* ausweisen; (*student*) verweisen.

expend [ɪk'spend] *vt* (*money*) ausgeben; (*effort*) aufwenden; **expendable** *adj* entbehrlich; **expenditure** *n* Kosten *pl,* Ausgaben *pl.*

expense [ɪk'spens] *n* (*cost*) Auslage *f,* Ausgabe *f;* (*high cost*) Aufwand *m;* **~s** *pl* Spesen *pl;* **at the ~ of** auf Kosten von; **expense account** *n* Spesenkonto *nt.*

expensive [ɪk'spensɪv] *adj* teuer.

experience [ɪk'spɪərɪəns] **1.** *n* (*incident*) Erlebnis *nt;* (*practice*) Erfahrung *f;* **2.** *vt* erfahren, erleben; (*hardship*) durchmachen; **experienced** *adj* erfahren.

experiment [ɪk'sperɪmənt] **1.** *n* Versuch *m,* Experiment *nt;* **2.** [ɪk'sperɪment] *vi* experimentieren; **experimental** [ɪksperɪ'mentl] *adj* versuchsweise, experimentell.

expert ['ekspɜ:t] **1.** *n* Fachmann *m,* Fachfrau *f;* (*official*) Sachverständige(r) *mf;* **2.** *adj* erfahren; (*practised*) gewandt; **expertise** [ekspə'ti:z] *n* Sachkenntnis *f.*

expire [ɪk'spaɪə*] *vi* (*end*) ablaufen; (*die*) sterben; (*ticket*) verfallen; **expiry** [ɪk'spaɪərɪ] *n* Ablauf *m.*

explain [ɪk'spleɪn] *vt* (*make clear*) erklären; (*account for*) begründen; **explanation** [eksplə'neɪʃən] *n* Erklärung *f;* **explanatory** [ɪk'splænətərɪ] *adj* erklärend.

explicable [ek'splɪkəbl] *adj* erklärlich.

explicit [ɪk'splɪsɪt] *adj* (*clear*) ausdrücklich; (*outspoken*) deutlich; **explicitly** *adv* deutlich.

explode [ɪk'spləʊd] **1.** *vi* explodieren; **2.** *vt* (*bomb*) zur Explosion bringen; (*theory*) platzen lassen.

exploit ['eksplɔɪt] **1.** *n* Heldentat *f;* **~s** (*adventures*) Abenteuer *pl;* **2.** [ɪk'splɔɪt] *vt* ausbeuten; **exploitation** [eksplɔɪ'teɪʃən] *n* Ausbeutung *f.*

exploration [eksplə'reɪʃən] *n* Erforschung *f;* **exploratory** [ek'splɒrətərɪ] *adj* sondierend, Probe-; **explore** [ɪk'splɔ:*] *vt* (*travel*) erforschen; (*search*) untersuchen; **explorer** *n* Forschungsreisende(r) *mf,* Forscher(in) *m(f).*

explosion [ɪk'spləʊʒən] *n* Explosion *f;* (*fig*) Ausbruch *m;* **explosive** [ɪk'spləʊsɪv] **1.** *adj* explosiv; **2.** *n* Sprengstoff *m.*

expo ['ekspəʊ] *n* <-s> Ausstellung *f.*

exponent [ek'spəʊnənt] *n* Exponent *m.*

export [ek'spɔ:t] **1.** *vt* exportieren; **2.** ['ekspɔ:t] *n* Export *m;* **3.** *adj* (*trade*) Export-; **exportation** [ekspɔ:'teɪʃən] *n* Ausfuhr *f;* **exporter** *n* Exporteur(in) *m(f).*

expose [ɪk'spəʊz] *vt* (*to danger etc*) aussetzen (*to dat*); (*imposter*) entlarven; (*lie*) aufdecken.

exposé [ek'spəʊzeɪ] *n* (*of scandal*) Enthüllung *f.*

exposed [ɪk'spəʊzd] *adj* (*position*) exponiert.

exposure [ɪk'spəʊʒə*] *n* (MED) Unterkühlung *f;* (PHOT) Belichtung *f;* **exposure meter** *n* Belichtungsmesser *m.*

expound [ɪk'spaʊnd] *vt* entwickeln.

express [ɪk'spres] **1.** *adj* ausdrücklich; (*speedy*) Express-, Eil-; **2.** *n* (RAIL) Schnellzug *m;* **3.** *vt* ausdrücken; **4.** *vr:* **~ oneself** sich ausdrücken; **expression** [ɪk'spreʃən] *n* (*phrase*) Ausdruck *m;* (*look*) Gesichtsausdruck *m;* **expressive** *adj* ausdrucksvoll; **expressly** *adv* ausdrücklich, extra.

expropriate [ek'sprəʊprɪeɪt] *vt* enteignen; **expropriation** *n* Enteignung *f.*

expulsion [ɪk'spʌlʃən] *n* Ausweisung *f.*

exquisite [ek'skwɪzɪt] *adj* erlesen; **exquisitely** *adv* ausgezeichnet.

extend [ɪk'stend] *vt* (*visit etc*) verlängern; (*building*) vergrößern, ausbauen; (*hand*) ausstrecken; **to ~ a welcome to sb** jdn willkommen heißen; **extension** [ɪk'stenʃən] *n* Erweiterung *f;* (*of building*) Anbau *m;* (TEL) Nebenanschluss *m,* Durchwahl *f.*

extensive [ɪk'stensɪv] *adj* (*knowledge*) umfassend; (*use*) weitgehend.

extent [ɪk'stent] *n* (*size*) Ausdehnung *f;* (*scope*) Ausmaß *nt;* (*degree*) Grad *m.*

extenuating [ek'stenjʊeɪtɪŋ] *adj* mildernd.

exterior [ek'stɪərɪə*] **1.** *adj* äußere(r, s), Außen-; **2.** *n* Äußere(s) *nt.*

exterminate [ek'stɜ:mɪneɪt] *vt* ausrotten; **extermination** [ekstɜ:mɪ'neɪʃən] *n*

Ausrottung *f.*
external [ek'stɜːnl] *adj* äußere(r, s), Außen-; **externally** *adv* äußerlich.
extinct [ɪk'stɪŋkt] *adj* ausgestorben; **extinction** [ɪk'stɪŋkʃən] *n* Aussterben *nt.*
extinguish [ɪk'stɪŋgwɪʃ] *vt* auslöschen; **extinguisher** *n* Löschgerät *nt.*
extort [ɪk'stɔːt] *vt* erpressen (*sth from sb* etw von jdm); **extortion** [ɪk'stɔːʃən] *n* Erpressung *f;* **extortionate** [ɪk'stɔːʃənɪt] *adj* überhöht, Wucher-.
extra ['ekstrə] **1.** *adj* zusätzlich; **2.** *adv* besonders; **3.** *n* (*benefit*) Sonderleistung *f;* (*for car*) Extra *nt;* (*charge*) Zuschlag *m;* (THEAT) Statist(in) *m(f);* **~s** *pl* zusätzliche Kosten *pl;* (*food*) Beilagen *pl.*
extract [ɪk'strækt] **1.** *vt* (*select*) auswählen; **2.** ['ekstrækt] *n* (*from book etc*) Auszug *m;* (GASTR) Extrakt *m.*
extraction [ɪk'strækʃən] *n* Herausziehen *nt;* (*origin*) Abstammung *f.*
extracurricular ['ekstrəkə'rɪkjʊlə*] *adj* außerhalb der normalen Schulzeit.
extradite ['ekstrədaɪt] *vt* ausliefern; **extradition** [ekstrə'dɪʃən] *n* Auslieferung *f.*
extraneous [ɪk'streɪnɪəs] *adj* unwesentlich; (*influence*) äußere(r, s).
extraordinary [ɪk'strɔːdnrɪ] *adj* außerordentlich; (*amazing*) erstaunlich.
extravagance [ɪk'strævəgəns] *n* Verschwendung *f;* (*lack of restraint*) Zügellosigkeit *f;* **an ~** eine Extravaganz; **extravagant** *adj* extravagant.
extreme [ɪk'striːm] **1.** *adj* (*edge*) äußerste(r, s), hinterste(r, s); (*cold*) äußerste(r, s); (*behaviour*) außergewöhnlich, übertrieben, extrem; **2.** *n* Extrem *nt;* **to go to ~s** es übertreiben; **extremely** *adv* äußerst, höchst; **extremist** [ɪk'striːmɪst] **1.** *adj* extremistisch; **2.** *n* Extremist(in) *m(f).*
extremity [ɪk'stremɪtɪ] *n* (*end*) Spitze *f,* äußerstes Ende; (*hardship*) bitterste Not; (ANAT) Extremität *f.*
extricate ['ekstrɪkeɪt] *vt* losmachen, befreien.
extrovert ['ekstrəʊvɜːt] **1.** *n* Extrovertierte(r) *mf;* **2.** *adj* extrovertiert.
exuberance [ɪg'zuːbərəns] *n* (*of person*) Überschwenglichkeit *f;* (*of feelings*) Überschwang *m;* **exuberant** *adj* ausgelassen.
exude [ɪg'zjuːd] **1.** *vt* ausscheiden; (*fig: radiate*) ausstrahlen; **2.** *vi* sich absondern.
exult [ɪg'zʌlt] *vi* frohlocken; **exultation** [egzʌl'teɪʃən] *n* Jubel *m.*
eye [aɪ] **1.** *n* Auge *nt;* (*of needle*) Öhr *nt;* **2.** *vt* betrachten; (*up and down*) mustern; **to keep an ~ on** aufpassen auf *+akk;* **in the ~s of** in den Augen *+gen;* **up to the ~s in** bis zum Hals in; **eyeball** *n* Augapfel *m;* **eyebrow** *n* Augenbraue *f;* **eye contact** *n* Blickkontakt *m;* **eyelash** *n* Wimper *f;* **eyelid** *n* Augenlid *nt;* **eyeliner** *n* Eyeliner *m;* **eyeopener** *n:* **that was an ~** das hat mir die Augen geöffnet; **eyeshadow** *n* Lidschatten *m;* **eyesight** *n* Sehkraft *f;* **to have good ~** gute Augen haben, gut sehen; **eyes-only** *adj* (*US*) streng vertraulich, geheim; **eyesore** *n* Schandfleck *m;* **eyewash** *n* Augenwasser *nt;* (*fig*) Augenwischerei *f;* **eye witness** *n* Augenzeuge(-zeugin) *m(f).*

F

F, f [ef] *n* F *nt,* f *nt.*
fable ['feɪbl] *n* Fabel *f.*
fabric ['fæbrɪk] *n* Stoff *m,* Gewebe *nt;* (*fig*) Gefüge *nt.*
fabricate ['fæbrɪkeɪt] *vt* fabrizieren.
fabulous ['fæbjʊləs] *adj* (*imaginary*) legendär, sagenhaft; (*unbelievable*) unglaublich; (*wonderful*) fabelhaft, unglaublich.
façade [fə'sɑːd] *n* (*fig a.*) Fassade *f.*
face [feɪs] **1.** *n* Gesicht *nt;* (*grimace*) Grimasse *f;* (*surface*) Oberfläche *f;* (*of clock*) Zifferblatt *nt;* **2.** *vt* (*point towards*) liegen nach; (*situation*) sich konfrontiert sehen mit; (*difficulty*) mutig entgegentreten *+dat;* **in the ~ of** angesichts *+gen;* **~ to ~** direkt, Auge in Auge; **to ~ up to sth** (*danger*) einer Sache ins Auge sehen; (*facts*) sich abfinden mit; **face cloth** *n* (*Brit*) Waschlappen *m;* **face cream** *n* Gesichtscreme *f.*
facet ['fæsɪt] *n* (*fig*) Seite *f,* Aspekt *m;* (*of gem*) Schliff *m.*
facetious [fə'siːʃəs] *adj* spöttisch; (*humorous*) witzig; **facetiously** *adv* spaßhaft, witzig.
face value ['feɪs 'væljuː] *n* (FIN) Nennwert *m;* **to take sth at [its] ~** (*fig*) etw für bare Münze nehmen.
facial ['feɪʃəl] *adj* Gesichts-.
facile ['fæsaɪl] *adj* oberflächlich; (*US: easy*) leicht.
facilitate [fə'sɪlɪteɪt] *vt* erleichtern.
facility [fə'sɪlɪtɪ] *n* (*ease*) Leichtigkeit *f;* (*skill*) Gewandtheit *f;* **facilities** *pl* Einrich-

tungen *pl.*

facing ['feɪsɪŋ] **1.** *adj* zugekehrt; **2.** *prep* gegenüber; **3.** (*on wall*) Verkleidung *f.*

facsimile [fæk'sɪmɪlɪ] *n* (TEL: *machine*) Fernkopierer *m,* Telekopierer *m,* Telefaxgerät *nt;* (*document*) Telefax *nt;* **facsimile terminal** *n* Telefaxgerät *nt.*

fact [fækt] *n* Tatsache *f;* (*reality*) Wirklichkeit *f,* Realität *f;* **in ~** tatsächlich.

faction ['fækʃən] *n* Splittergruppe *f.*

factor ['fæktə*] *n* Faktor *m.*

factory ['fæktərɪ] *n* Fabrik *f.*

factual ['fæktjʊəl] *adj* Tatsachen-, sachlich.

faculty ['fækəltɪ] *n* Fähigkeit *f;* (SCH) Fakultät *f;* (*US: teaching staff*) Lehrpersonal *nt.*

fad [fæd] *n* Tick *m,* Fimmel *m.*

fade [feɪd] **1.** *vi* (*fig a.*) verblassen; (*grow weak*) nachlassen, schwinden; (*sound*) schwächer werden; (*wither*) verwelken; **2.** *vt* (*material*) verblassen lassen; **to ~ in/out** (CINE) ein-/ausblenden; **faded** *adj* verwelkt; (*colour*) verblichen.

faff about ['fæfəbaʊt] *vi* (*Brit fam*) herumwursteln.

fag [fæg] *n* Plackerei *f;* (*Brit fam: cigarette*) Kippe *f;* **fag end** *n* (*Brit fam*) [Zigaretten]kippe *f.*

Fahrenheit ['færənhaɪt] *n* Fahrenheit.

fail [feɪl] **1.** *vt* (*exam*) nicht bestehen; (*student*) durchfallen lassen; (*courage*) verlassen; (*memory*) im Stich lassen; **2.** *vi* (*supplies*) zu Ende gehen; (*plan*) scheitern; (*student*) durchfallen; (*eyesight*) nachlassen; (*light*) schwächer werden; (*brakes*) versagen; **to ~ to do sth** (*neglect*) es unterlassen etw zu tun; (*be unable*) es nicht schaffen etw zu tun; **without ~** ganz bestimmt, unbedingt; **failing 1.** *n* Fehler *m,* Schwäche *f;* **2.** *prep* in Ermangelung *+gen;* **~ this** falls nicht, sonst; **fail-safe** *adj* hundertprozentig sicher; **failure** ['feɪljə*] *n* (*person*) Versager(in) *m(f);* (*act*) Versagen *nt;* (TECH) Defekt *m.*

faint [feɪnt] **1.** *adj* schwach, matt; **2.** *n* Ohnmacht *f;* **3.** *vi* ohnmächtig werden; **faintly** *adv* schwach; **faintness** *n* Schwäche *f;* (MED) Schwächegefühl *nt.*

fair [fɛə*] **1.** *adj* schön; (*hair*) blond; (*skin*) hell; (*weather*) schön, trocken; (*just*) gerecht, fair; (*reasonable*) mittelmäßig; (*conditions*) günstig, gut; (*sizeable*) ansehnlich; **2.** *adv* (*play*) ehrlich, fair; **3.** *n* (*fun~*) Jahrmarkt *m;* (COMM) Messe *f;* **fairly** *adv* (*honestly*) gerecht, fair; (*rather*) ziemlich; **fairness** *n* Schönheit *f;* (*of hair*) Blondheit *f;* (*of game*) Ehrlichkeit *f,* Fairness *f;* **fairway** *n* (NAUT) Fahrwasser *nt;* (*golf*) Fairway *nt.*

fairy ['fɛərɪ] *n* Fee *f;* **fairyland** *n* Märchenland *nt;* **fairy tale** *n* Märchen *nt.*

faith [feɪθ] *n* (REL) Glaube *m;* (*trust*) Vertrauen *nt* (*in* zu); **faithful** *adj,* **faithfully** *adv* treu; **Yours faithfully** hochachtungsvoll.

fake [feɪk] **1.** *n* (*thing*) Fälschung *f;* (*person*) Schwindler(in) *m(f);* **2.** *adj* vorgetäuscht; **3.** *vt* fälschen.

falcon ['fɔːlkən] *n* Falke *m.*

Falkland Islands ['fɔːklənd 'aɪləndz] *n pl* Falklandinseln *pl.*

fall [fɔːl] <fell, fallen> **1.** *vi* fallen; (*night*) hereinbrechen; **2.** *n* Fall *m,* Sturz *m;* (*decrease*) Fallen *nt,* Rückgang *m;* (*of snow*) Schneefall *m;* (*US: autumn*) Herbst *m;* **in ~** im Herbst; **~s** *pl* (*waterfall*) [Wasser]fälle *pl;* **fall back on** *vt* in Reserve haben, zurückgreifen auf *+akk;* **fall down** *vi* (*person*) hinfallen; (*building*) einstürzen; **fall flat** *vi* (*joke*) nicht ankommen; **the plan fell ~** aus dem Plan wurde nichts; **fall for** *vt* (*trick*) hereinfallen auf *+akk;* (*person*) sich verknallen in *+akk;* **fall off** *vi* herunterfallen von; (*diminish*) sich vermindern; **fall out** *vi* sich streiten; **fall through** *vi* (*plan*) ins Wasser fallen.

fallacy ['fæləsɪ] *n* Trugschluss *m.*

fallen ['fɔːlən] *pp of* **fall**.

fallible ['fæləbl] *adj* fehlbar.

fallout ['fɔːlaʊt] *n* radioaktiver Niederschlag, Fallout *m;* **fallout shelter** *n* Atomschutzraum *m.*

fallow ['fæləʊ] *adj* brachliegend.

false [fɔːls] *adj* falsch; (*artificial*) gefälscht, künstlich; **~ alarm** Fehlalarm *m;* **under ~ pretences** unter Vorspiegelung falscher Tatsachen; **falsely** *adv* fälschlicherweise; **false start** *n* Fehlstart *m;* **false teeth** *n pl* Gebiss *nt.*

falsification [fɔːlsɪfɪ'keɪʃn] *n* [Ver]fälschung *f.*

falter ['fɔːltə*] *vi* schwanken; (*in speech*) stocken.

fame [feɪm] *n* Ruhm *m.*

familiar [fə'mɪlɪə*] *adj* vertraut, bekannt; (*intimate*) familiär; **to be ~ with** vertraut sein mit, gut kennen; **familiarity** [fəmɪlɪ'ærɪtɪ] *n* Vertrautheit *f;* **familiarize** *vt* vertraut machen.

family ['fæmɪlɪ] *n* Familie *f;* (*relations*) Verwandtschaft *f;* **family allowance** *n* Kindergeld *nt;* **family business** *n* Familienunternehmen *nt;* **family doctor** *n* Hausarzt(-ärztin) *m(f);* **family life** *n* Familienleben *nt;* **family planning** *n* Familienplanung *f.*

famine ['fæmɪn] *n* Hungersnot *f.*

famished ['fæmɪʃt] *adj* ausgehungert.

famous ['feɪməs] *adj* berühmt.

fan [fæn] **1.** *n* (*folding*) Fächer *m;* (ELEC) Ventilator *m;* (*admirer*) begeisterter Anhänger, begeisterte Anhängerin, Fan *m;* **2.** *vt* fächeln; **fan out** *vi* sich fächerförmig ausbreiten.

fanatic [fə'nætɪk] **1.** *n* Fanatiker(in) *m(f);* **2.** *adj* fanatisch.

fan belt ['fænbelt] *n* Keilriemen *m.*

fanciful ['fænsɪfʊl] *adj* (*odd*) seltsam; (*imaginative*) phantasievoll.

fancy ['fænsɪ] **1.** *n* (*liking*) Neigung *f;* (*imagination*) Phantasie *f,* Einbildung *f;* **2.** *adj* schick, ausgefallen; **3.** *vt* (*like*) gern haben wollen; (*imagine*) sich *dat* einbilden; **just ~ that!** stellen Sie sich das nur vor!; **fancy dress** *n* Verkleidung *f,* [Masken]kostüm *nt;* **fancy-dress ball** *n* Maskenball *m.*

fanfare ['fænfɛə*] *n* Fanfare *f.*

fang [fæŋ] *n* Fangzahn *m;* (*snake's*) Giftzahn *m.*

fan heater ['fænhi:tə*] *n* Heizlüfter *m;* **fanlight** ['fænlaɪt] *n* Oberlicht *nt;* **fan mail** *n* Fanpost *f.*

fantastic [fæn'tæstɪk] *adj* phantastisch.

fantasy ['fæntəzɪ] *n* Phantasie *f.*

fanzine ['fænzaɪn] *n* Fanzine, Fanmagazin *nt.*

far [fɑ:*] **1.** *adj* <further *o* farther, furthest *o* farthest> weit; **2.** *adv* weit entfernt; (*very much*) weitaus, sehr viel; **~ away, ~ off** weit weg; **by ~** bei weitem; **so ~** soweit; bis jetzt; **the Far East** der Ferne Osten; **faraway** *adj* weit entfernt.

farce [fɑ:s] *n* (THEAT *fig*) Farce *f;* **farcical** ['fɑ:sɪkəl] *adj* possenhaft; (*fig*) lächerlich.

fare [fɛə*] *n* Fahrpreis *m;* (*money*) Fahrgeld *nt;* (*food*) Kost *f;* **fare-dodger** *n* Schwarzfahrer(in) *m(f);* **fare reduction** *n* Fahrpreisermäßigung *f.*

farewell [fɛə'wel] **1.** *n* Abschiedsgruß *m;* **2.** *interj* lebe wohl; **3.** *adj* Abschieds-.

far-fetched [fɑ:'fetʃt] *adj* weit hergeholt.

farm [fɑ:m] **1.** *n* Bauernhof *m,* Farm *f;* **2.** *vt* bewirtschaften; **3.** *vi* Landwirt(in) *m(f)* sein; **farmer** *n* Bauer *m,* Bäuerin *f,* Landwirt(in) *m(f);* **farmhand** *n* Landarbeiter(in) *m(f);* **farmhouse** *n* Bauernhaus *nt;* **farming** *n* Landwirtschaft *f;* **farmland** *n* Ackerland *nt;* **farmyard** *n* Hof *m.*

far-reaching ['fɑ:ri:tʃɪŋ] *adj* weitreichend; **far-sighted** *adj* weitblickend.

fart [fɑ:t] **1.** *n* (*fam*) Furz *m;* **2.** *vi* (*fam*) furzen.

farther ['fɑ:ðə*] *adj, adv comp of* **far** weiter; **farthest** ['fɑ:ðɪst] *superl of* **far** **1.** *adj* weiteste(r, s), fernste(r, s); **2.** *adv* am weitesten.

fascinate ['fæsɪneɪt] *vt* faszinieren, bezaubern; **fascinating** *adj* faszinierend, spannend; **fascination** [fæsɪ'neɪʃən] *n* Faszination *f,* Zauber *m.*

fascism ['fæʃɪzəm] *n* Faschismus *m;* **fascist** ['fæʃɪst] **1.** *n* Faschist(in) *m(f);* **2.** *adj* faschistisch.

fashion ['fæʃən] **1.** *n* (*of clothes*) Mode *f;* (*manner*) Art und Weise *f;* **2.** *vt* machen, gestalten; **in ~** in Mode; **out of ~** unmodisch; **fashionable** *adj* (*clothes*) modern, modisch; (*place*) elegant; **fashion show** *n* Modenschau *f.*

fast [fɑ:st] **1.** *adj* schnell; (*firm*) fest; (*dye*) waschecht; **2.** *adv* schnell; (*firmly*) fest; **3.** *n* Fasten *nt;* **4.** *vi* fasten; **to be ~** (*clock*) vorgehen; **fast-breeder reactor** *n* schneller Brüter.

fasten ['fɑ:sn] **1.** *vt* (*attach*) befestigen; (*with rope*) zuschnüren; **2.** *vi* sich schließen lassen; **to ~ one's seat belt** sich anschnallen; **fastener, fastening** *n* Verschluss *m.*

fast food ['fɑ:st'fu:d] *n* Schnellimbiss *m,* Fastfood *nt;* **~ restaurant** Schnellimbiss *m.*

fastidious [fæ'stɪdɪəs] *adj* genau (*about* in bezug auf +*akk*).

fast lane ['fɑ:stleɪn] *n* Überholspur *f.*

fat [fæt] **1.** *adj* dick, fett; **2.** *n* (*on person*) Fett *nt,* Speck *m;* (*on meat*) Fett *nt;* (*for cooking*) Bratenfett *nt.*

fatal ['feɪtl] *adj* tödlich; (*fig*) verhängnisvoll; **fatalism** *n* Fatalismus *m;* **fatality** [fə'tælɪtɪ] *n* (*road death etc*) Todesopfer *nt;* **fatally** *adv* tödlich.

fate [feɪt] *n* Schicksal *nt;* **fateful** *adj* (*disastrous*) verhängnisvoll; (*important*) schicksalhaft.

father ['fɑ:ðə*] *n* Vater *m;* (REL) Pfarrer *m;* **father-in-law** *n* <fathers-in-law> Schwiegervater *m;* **fatherly** *adj* väterlich.

fathom ['fæðəm] **1.** *n* Klafter *m;* **2.** *vt* ausloten; (*fig*) ergründen.

fatigue [fə'ti:g] **1.** *n* Ermüdung *f;* **2.** *vt* ermüden.

fatten ['fætn] **1.** *vt* dick machen; (*animals*) mästen; **2.** *vi* dick werden.

fatty ['fætɪ] *adj* (*food*) fettig.

fatuous ['fætjʊəs] *adj* albern.

faucet ['fɔːsɪt] *n* (*US*) Wasserhahn *m.*

fault [fɔːlt] **1.** *n* (*defect*) Defekt *m;* (ELEC) Störung *f;* (*blame*) Fehler *m,* Schuld *f;* (GEO) Verwerfung *f;* **2.** *vt:* **to ~ sth** etwas an etw *dat* auszusetzen haben; **it's your ~** du bist daran schuld; **at ~** schuldig, im Unrecht; **faultless** *adj* fehlerfrei, tadellos; **fault-tolerant** *adj* (COMPUT) störunanfällig; **faulty** *adj* fehlerhaft, defekt.

fauna ['fɔːnə] *n* Fauna *f.*

favor (*US*), **favour** ['feɪvə*] **1.** *n* (*approval*) Wohlwollen *nt;* (*kindness*) Gefallen *m;* **2.** *vt* (*prefer*) vorziehen; **in ~ of** für; zugunsten *+gen;* **favourable** *adj,* **favourably** *adv* günstig; **favourite** ['feɪvərɪt] **1.** *adj* Lieblings-; **2.** *n* Liebling *m;* (SPORT) Favorit(in) *m(f);* **favouritism** *n* (SCH) Bevorzugung *f;* (POL) Vetternwirtschaft *f.*

fawn [fɔːn] **1.** *adj* beige; **2.** *n* (*animal*) Rehkitz *nt.*

fawning ['fɔːnɪŋ] *adj* kriecherisch.

fax [fæks] **1.** *vt* [tele]faxen, fernkopieren; **2.** *n* (*system*) Telefax *nt;* (*message*) Fax *nt,* Telefax *nt.*

FBI *n abbr of* **Federal Bureau of Investigation** FBI *nt.*

fear [fɪə*] **1.** *n* Furcht *f;* **2.** *vt* fürchten; **no ~!** keine Angst!; **fearful** *adj* (*timid*) furchtsam; (*terrible*) fürchterlich; **fearless** *adj,* **fearlessly** *adv* furchtlos; **fearlessness** *n* Furchtlosigkeit *f;* **fearsome** *adj* furchterregend.

feasibility [fiːzə'bɪlɪtɪ] *n* Durchführbarkeit *f;* **feasible** ['fiːzəbl] *adj* durchführbar, machbar.

feast [fiːst] **1.** *n* Festmahl *nt;* (REL) Kirchenfest *nt;* **2.** *vi* sich gütlich tun (*on* an *+dat*); **feast day** *n* kirchlicher Feiertag.

feat [fiːt] *n* Leistung *f.*

feather ['feðə*] *n* Feder *f.*

feature ['fiːtʃə*] **1.** *n* Gesichtszug *m;* (*characteristic*) Merkmal *nt;* (*important part*) Grundzug *m;* (CINE, PRESS) Feature *nt;* **2.** *vt* bringen; (*advertising etc*) groß herausbringen; **3.** *vi* vorkommen; **featuring X** mit X; **feature film** *n* Spielfilm *m;* **featureless** *adj* nichtssagend.

February ['februərɪ] *n* Februar *m;* **~ 14th, 1999, 14th ~ 1999** (*Datumsangabe*) 14. Februar 1999; **on the 24th of ~** (*gesprochen*) am 24. Februar; **on 24th ~, on ~ 24th** (*geschrieben*) am 24. Februar; **in ~** im Februar.

fed [fed] *pt, pp of* **feed**.

federal ['fedərəl] *adj* Bundes-; **the Federal Republic of Germany** die Bundesrepublik Deutschland.

federation [fedə'reɪʃən] *n* (*society*) Verband *m;* (*of states*) Staatenbund *m.*

fed-up [fed'ʌp] *adj:* **to be ~ with sth** etw satt haben; **I'm ~** ich habe die Nase voll.

fee [fiː] *n* Gebühr *f;* (*of doctor, lawyer*) Honorar *nt.*

feeble ['fiːbl] *adj* (*person*) schwach; (*excuse*) lahm; **feeble-minded** *adj* dümmlich.

feed [fiːd] <fed, fed> **1.** *vt* füttern; (*support*) ernähren; **2.** *n* (*for baby*) Essen *nt;* (*for animals*) Futter *nt;* (COMPUT: *paper ~*) Zuführung *f;* **to ~ on** leben von, fressen; **feedback** *n* (TECH) Rückkopplung *f;* (*information*) Feedback *nt.*

feel [fiːl] <felt, felt> **1.** *vt* (*sense*) fühlen; (*touch*) anfassen; (*think*) meinen; **2.** *vi* (*person*) sich fühlen; (*thing*) sich anfühlen; **3.** *n:* **it has a soft ~** es fühlt sich weich an; **to get the ~ of sth** sich an etw *akk* gewöhnen; **I ~ cold** mir ist kalt; **I ~ like a cup of tea** ich habe Lust auf eine Tasse Tee; **feeler** *n* Fühler *m;* **feeling** *n* Gefühl *nt;* (*opinion*) Meinung *f.*

feet [fiːt] *pl of* **foot**.

feign [feɪn] *vt* vortäuschen; **feigned** *adj* vorgetäuscht, Schein-.

feint [feɪnt] *n* Täuschungsmanöver *nt.*

feline ['fiːlaɪn] *adj* Katzen-, katzenartig.

fell [fel] **1.** *pt of* **fall**; **2.** *vt* (*tree*) fällen; **3.** *n* (*hill*) kahler Berg; **4.** *adj:* **with one ~ swoop** mit einem Schlag; auf einen Streich.

fellow ['feləʊ] *n* (*companion*) Gefährte *m,* Gefährtin *f,* Kamerad(in) *m(f);* (*man*) Kerl *m,* Typ *m;* **~ citizen** Mitbürger(in) *m(f);* **~ countryman** Landsmann *m;* **~ feeling** Mitgefühl *nt;* **~ men** *pl* Mitmenschen *pl;* **~ worker** Mitarbeiter(in) *m(f);* **fellowship** *n* (*friendliness*) Gemeinschaft *f,* Kameradschaft *f;* (*company*) Gesellschaft *f;* (*scholarship*) Forschungsstipendium *nt.*

felony ['felənɪ] *n* schweres Verbrechen.

felt [felt] **1.** *pt, pp of* **feel**; **2.** *n* Filz *m;* **felt tip**, **felt-tip pen** *n* Filzschreiber *m,* Filzstift *m.*

female ['fiːmeɪl] **1.** *n* (*of animals*) Weibchen *nt;* **2.** *adj* weiblich.

feminine ['femɪnɪn] *adj* (*a.* LING) feminin,

weiblich; **femininity** [femɪ'nɪnɪtɪ] *n* Weiblichkeit *f.*
feminism ['femɪnɪzəm] *n* Feminismus *m;* **feminist** ['femɪnɪst] **1.** *adj* feministisch; **2.** *n* Feminist(in) *m(f).*
fence [fens] **1.** *n* Zaun *m;* (*crook*) Hehler(in) *m(f);* **2.** *vi* fechten; **fence in** *vt* einzäunen; **fence off** *vt* absperren; **fencing** *n* Zaun *m;* (SPORT) Fechten *nt.*
fend [fend] *vi:* **to ~ for oneself** sich allein durchschlagen.
fender ['fendə*] *n* Kamingitter *nt;* (*US* AUT) Kotflügel *m.*
ferment [fə'ment] **1.** *vi* (CHEM) gären; **2.** ['fɜːment] *n* (*excitement*) Unruhe *f,* Erregung *f;* **fermentation** [fɜːmen'teɪʃən] *n* Gärung *f.*
fern [fɜːn] *n* Farn *m.*
ferocious [fə'rəʊʃəs] *adj* wild, grimmig; (*temper*) heftig; **ferociously** *adv* wild; **ferocity** [fə'rɒsɪtɪ] *n* Wildheit *f,* Grimmigkeit *f.*
ferry ['ferɪ] **1.** *n* Fähre *f;* **2.** *vt* übersetzen.
fertile ['fɜːtaɪl] *adj* fruchtbar; **fertility** [fə'tɪlɪtɪ] *n* Fruchtbarkeit *f.*
fertilization [fətɪlaɪ'zeɪʃən] *n* Befruchtung *f;* **fertilize** ['fɜːtɪlaɪz] *vt* (AGR) düngen; (BIO) befruchten; **fertilizer** *n* Kunstdünger *m.*
fervent ['fɜːvənt] *adj* (*admirer*) glühend; (*hope*) innig.
festival ['festɪvəl] *n* (REL) Fest *nt;* (ART, MUS) Festspiele *pl;* (*of modern music*) Festival *nt.*
festive ['festɪv] *adj* festlich; **the ~ season** (*Christmas*) die Festtage *pl.*
festivity [fe'stɪvɪtɪ] *n* Festlichkeit *f;* (*celebration*) Feier *f.*
fetch [fetʃ] *vt* holen; (COMPUT) abrufen, aufrufen; (*in sale*) einbringen, erzielen; **fetching** *adj* bezaubernd, reizend.
fête [feɪt] *n* Fest *nt.*
fetid ['fetɪd] *adj* übelriechend.
fetish ['fetɪʃ] *n* Fetisch *m.*
fetters ['fetəz] *n pl* (*a. fig*) Fesseln *pl.*
fetus ['fiːtəs] *n* (*US*) Fötus *m.*
feud [fjuːd] **1.** *n* Fehde *f;* **2.** *vi* sich befehden.
feudal ['fjuːdl] *adj* lehnsherrlich, Feudal-; **feudalism** *n* Lehenswesen *nt,* Feudalismus *m.*
fever ['fiːvə*] *n* Fieber *nt;* **feverish** *adj* (MED) fiebrig, Fieber-; (*fig*) fieberhaft; **feverishly** *adv* (*fig*) fieberhaft.
few [fjuː] **1.** *adj* wenig; **2.** *pron pl* wenige *pl;* **a ~** *pl* einige *pl;* **a good ~** *pl* ziemlich viele *pl;* **fewer** *adj* weniger; **fewest** *adj* wenigste(r, s).
fiancé [fɪ'ɑ̃ːnseɪ] *n* Verlobte(r) *m;* **fiancée** *n* Verlobte *f.*
fiasco [fɪ'æskəʊ] *n* <-s *o* -es *US*> Fiasko *nt.*
fib [fɪb] **1.** *n* Flunkerei *f;* **2.** *vi* flunkern; **don't tell ~s!** erzähl keine Märchen!
fiber (*US*), **fibre** ['faɪbə*] *n* Faser *f,* Fiber *f;* (*material*) Faserstoff *m;* **fibreglass** *n* Fiberglas *nt.*
fickle ['fɪkl] *adj* unbeständig, wankelmütig; **fickleness** *n* Unbeständigkeit *f,* Wankelmut *m.*
fiction ['fɪkʃən] *n* (*novels*) Prosaliteratur *f;* **fictional** *adj* erfunden.
fictitious [fɪk'tɪʃəs] *adj* erfunden.
fiddle ['fɪdl] **1.** *n* Geige *f,* Fiedel *f;* (*trick*) Schwindelei *f;* **2.** *vt* (*accounts*) frisieren; **to ~ with** herumfummeln an *+dat;* **fiddler** *n* Geiger(in) *m(f).*
fidelity [fɪ'delɪtɪ] *n* Treue *f;* (RADIO) Klangtreue *f.*
fidget ['fɪdʒɪt] **1.** *vi* zappeln; **2.** *n* Zappelphilipp *m;* **fidgety** *adj* nervös, zappelig.
field [fiːld] *n* Feld *nt,* Acker *m;* (*range*) Gebiet *nt;* **field day** *n* (*gala*) Paradetag *m;* **Edgar had a ~** da hatte Edgar seinen großen Tag; **field marshal** *n* Feldmarschall *m;* **fieldwork** *n* (SCH) Feldforschung *f.*
fiend [fiːnd] *n* Teufel *m;* (*beast*) Unhold *m;* (*addict*) Fanatiker(in) *m(f);* **fiendish** *adj* teuflisch; (*problem*) verzwickt.
fierce *adj,* **fiercely** *adv* [fɪəs, -lɪ] wild; **fierceness** *n* Wildheit *f.*
fiery ['faɪərɪ] *adj* glühend; (*blazing*) brennend; (*hot-tempered*) hitzig, heftig.
fifteen [fɪf'tiːn] *num* fünfzehn.
fifth [fɪfθ] **1.** *adj* fünfte(r, s); **2.** *adv* an fünfter Stelle; **3.** *n* (*person*) Fünfte(r) *mf;* (*part*) Fünftel *nt.*
fifty ['fɪftɪ] *num* fünfzig; **fifty-fifty** halbe halbe, fifty-fifty.
fig [fɪg] *n* Feige *f.*
fight [faɪt] <fought, fought> **1.** *vt* kämpfen gegen; sich schlagen mit; (*fig*) bekämpfen; **2.** *vi* kämpfen; sich schlagen; streiten; **3.** *n* Kampf *m;* (*brawl*) Schlägerei *f;* (*argument*) Streit *m;* **fighter** *n* Kämpfer(in) *m(f);* (*plane*) Jagdflugzeug *nt;* **fighting** *n* Kämpfen *nt;* (*war*) Kampfhandlungen *pl.*
figment ['fɪgmənt] *n:* **~ of imagination** reine Einbildung.
figurative ['fɪgərətɪv] *adj* bildlich, über-

tragen.

figure ['fɪgə*] **1.** *n* Form *f;* (*of person*) Figur *f;* (*person*) Gestalt *f;* (*illustration*) Zeichnung *f;* (*number*) Ziffer *f;* **2.** *vt* (*US: imagine*) glauben; **3.** *vi* (*appear*) erscheinen; (*make sense*) stimmen, hinhauen; **that ~s** das hätte ich mir denken können; **figure out** *vt* verstehen, herausbekommen; **figurehead** *n* (NAUT *fig*) Galionsfigur *f;* **figure skating** *n* Eiskunstlauf *m.*

filament ['fɪləmənt] *n* Faden *m;* (ELEC) Glühfaden *m.*

file [faɪl] **1.** *n* (*tool*) Feile *f;* (*dossier*) Akte *f;* (COMPUT) Datei *f;* (*folder*) Aktenordner *m;* (*row*) Reihe *f;* **2.** *vt* (*metal, nails*) feilen; (*papers*) abheften, ablegen; (*claim*) einreichen; (COMPUT) abspeichern; **3.** *vi:* **to ~ in/out** hintereinander hereinkommen/hinausgehen; **in single** [*o* **Indian**] **~** im Gänsemarsch; **filing cabinet** Aktenschrank *m;* **file manager** *n* (COMPUT) Dateimanager *m;* **file name** *n* (COMPUT) Dateiname *m.*

filing ['faɪlɪŋ] *n* Feilen *nt;* **~s** *pl* Feilspäne *pl.*

fill [fɪl] **1.** *vt* füllen; (*occupy*) ausfüllen; (*satisfy*) sättigen; **2.** *n:* **to eat one's ~** sich richtig satt essen; **to have had one's ~** genug haben; **fill in** *vt* (*hole*) auffüllen; (*form*) ausfüllen; **fill up** *vt* (*container*) auffüllen; (*form*) ausfüllen.

fillet ['fɪlɪt] **1.** *n* Filet *nt;* **2.** *vt* filetieren.

filling ['fɪlɪŋ] **1.** *n* (GASTR) Füllung *f;* (*for tooth*) Zahnfüllung *f,* Plombe *f;* **2.** *adj* sättigend; **filling station** *n* Tankstelle *f.*

film [fɪlm] **1.** *n* Film *m;* **2.** *vt* (*scene*) filmen; **film star** *n* Filmstar *m;* **filmstrip** *n* Filmstreifen *m.*

filter ['fɪltə*] **1.** *n* Filter *m;* (*for traffic*) Abbiegespur *f;* **2.** *vt* filtern; **3.** *vi* durchsickern; **filter tip** *n* Filter *m,* Filtermundstück *nt;* **filter-tipped cigarette** *n* Filterzigarette *f.*

filth [fɪlθ] *n* Dreck *m;* (*fig*) Unflat *m;* **filthy** *adj* dreckig; (*behaviour*) gemein; (*weather*) scheußlich.

fin [fɪn] *n* Flosse *f.*

final ['faɪnl] **1.** *adj* letzte(r, s); End-; (*conclusive*) endgültig; **2.** *n* (SPORT) Endspiel *nt;* **~s** *pl* (SCH) Abschlussexamen *nt;* **finale** [fɪ'nɑːlɪ] *n* (THEAT) Schlussszene *f;* (MUS) Finale *nt;* **finalist** *n* (SPORT) Endrundenteilnehmer(in) *m(f);* **finalize** *vt* endgültige Form geben +*dat;* **finally** *adv* (*lastly*) zuletzt; (*eventually*) endlich; (*irrevocably*) endgültig.

finance [faɪ'næns] **1.** *n* Finanzwesen *nt;* **2.** *vt* finanzieren; **~s** *pl* Finanzen *pl;* (*income*) Einkünfte *pl.*

financial [faɪ'nænʃəl] *adj* Finanz-; finanziell; **financial adviser** *n* Finanzberater(in) *m(f);* **financially** *adv* finanziell.

find [faɪnd] <**found, found**> **1.** *vt* finden; **2.** *vi* (*realize*) erkennen; **3.** *n* Fund *m;* **to ~ sb guilty** jdn für schuldig erklären; **find out** *vt* herausfinden; **findings** *n pl* (JUR) Ermittlungsergebnis *nt;* (*of report*) Feststellung *f,* Befund *m.*

fine [faɪn] **1.** *adj* fein; (*thin*) dünn, fein; (*good*) gut; (*clothes*) elegant; (*weather*) schön; **2.** *adv* (*well*) gut; (*small*) klein; **3.** *n* (JUR) Geldstrafe *f,* Bußgeld *nt;* **4.** *vt* (JUR) mit einer Geldstrafe belegen; **to cut it ~** (*fig*) knapp rechnen; **fine arts** *n pl* die schönen Künste *pl;* **fineness** *n* Feinheit *f.*

finesse [fɪ'nes] *n* Finesse *f.*

finger ['fɪŋgə*] **1.** *n* Finger *m;* **2.** *vt* befühlen; **fingernail** *n* Fingernagel *m;* **fingerprint** *n* Fingerabdruck *m;* **fingerstall** *n* Fingerling *m;* **fingertip** *n* Fingerspitze *f;* **to have sth at one's ~** etw parat haben.

finicky ['fɪnɪkɪ] *adj* pingelig.

finish ['fɪnɪʃ] **1.** *n* Ende *nt;* (SPORT) Ziel *nt;* (*of object*) Verarbeitung *f;* (*of paint*) Oberflächenwirkung *f;* **2.** *vt* beenden; (*book*) zu Ende lesen; **3.** *vi* aufhören; (SPORT) ans Ziel kommen; **to be ~ed with sth** mit etw fertig sein; **finishing line** *n* Ziellinie *f;* **finishing school** *n* [Mädchen]pensionat *nt.*

finite ['faɪnaɪt] *adj* endlich, begrenzt; (LING) finit.

Finland ['fɪnlənd] *n* Finnland *nt;* **Finn** *n* Finne *m,* Finnin *f;* **Finnish** *adj* finnisch.

fiord [fjɔːd] *n* Fjord *m.*

fir [fɜː*] *n* Tanne *f,* Fichte *f.*

fire [faɪə*] **1.** *n* Feuer *nt;* (*damaging*) Brand *m,* Feuer *nt;* **2.** *vt* (*rocket*) zünden; (*gun*) abfeuern; (*pottery*) brennen; (*furnace*) befeuern; (*fig: imagination*) beflügeln; (*dismiss*) hinauswerfen, feuern; **3.** *vi* (AUT) zünden; **to ~ at sb** auf jdn schießen; **~ away!** schieß los!; **to set ~ to sth** etw in Brand stecken; **to be on ~** brennen; **fire alarm** *n* Feueralarm *m;* **firearm** *n* Schusswaffe *f;* **fire brigade** *n* Feuerwehr *f;* **fire engine** *n* Feuerwehrauto *nt;* **fire escape** *n* Feuerleiter *f;* **fire extinguisher** *n* Löschgerät *nt;* **fireman** *n*

<firemen> Feuerwehrmann *m;* **fireplace** *n* offener Kamin; **fireproof** *adj* feuerfest; **fireside** *n* Kamin *m;* **firestation** *n* Feuerwehrwache *f;* **firewood** *n* Brennholz *nt;* **fireworks** *n pl* Feuerwerk *nt.*

firing ['faɪərɪŋ] *n* Schießen *nt;* ~ **squad** Exekutionskommando *nt.*

firm [fɜːm] **1.** *adj* fest; (*determined*) entschlossen; **2.** *n* Firma *f;* **firmly** *adv* fest; **firmness** *n* Festigkeit *f;* Entschlossenheit *f.*

first [fɜːst] **1.** *adj* erste(r, s); **2.** *adv* zuerst; (*arrive*) als erste(r); (*happen*) zum ersten Mal; (*travel*) erster Klasse; **3.** *n* (*person*) Erste(r) *mf;* (SCH) Eins *f;* (AUT) erster Gang; **at** ~ zuerst, anfangs; ~ **of all** zuallererst; **first aid** *n* erste Hilfe *f;* **first-aid kit** *n* Verbandskasten *m;* **first-class** *adj* erstklassig; (*travel*) erster Klasse; **first-hand** *adj* aus erster Hand; **first lady** *n* (*US*) First Lady *f,* Frau *f* des Präsidenten; **firstly** *adv* erstens; **first name** *n* Vorname *m;* **first night** *n* Premiere *f;* **first-rate** *adj* erstklassig.

fiscal ['fɪskəl] *adj* Finanz-; (*measures*) finanzpolitisch; **fiscal justice** *n* Steuergerechtigkeit *f.*

fish [fɪʃ] **1.** *n* Fisch *m;* **2.** *vt* (*river*) angeln in *+dat;* (*sea*) fischen in *+dat;* **3.** *vi* fischen; angeln; **to** ~ **out** herausfischen; **to go** ~**ing** angeln gehen; (*in sea*) fischen gehen; **fisherman** *n* <fishermen> Fischer *m;* **fish finger** *n* Fischstäbchen *nt;* **fish hook** *n* Angelhaken *m;* **fishing boat** *n* Fischerboot *nt;* **fishing line** *n* Angelschnur *f;* **fishing rod** *n* Angelrute *f;* **fishing tackle** *n* Angelzeug *nt;* **fish market** *n* Fischmarkt *m;* **fishmonger** *n* Fischhändler(in) *m(f);* **fish slice** *n* (*for serving*) Fischvorlegemesser *nt;* **fishy** *adj* (*fam: suspicious*) faul.

fission ['fɪʃən] *n* Spaltung *f;* **fission material** *n* Spaltmaterial *nt.*

fissure ['fɪʃə*] *n* Riss *m.*

fist [fɪst] *n* Faust *f.*

fit [fɪt] **1.** *adj* (MED) gesund; (SPORT) in Form, fit; (*suitable*) geeignet; **2.** *vt* (~ *onto*) passen auf *+akk;* (~ *into*) passen in *+akk;* (*clothes*) passen *+dat;* (*insert, attach*) einsetzen; **3.** *vi* (*correspond*) passen zu; (*clothes*) passen; (*in space, gap*) hineinpassen; **4.** *n* (*of clothes*) Sitz *m;* (MED, *of anger*) Anfall *m;* (*of laughter*) Krampf *m;* **fit in** *vt* unterbringen; **fit out**, **fit up** *vt* ausstatten; **fitment** *n* Einrichtungsgegenstand *m;* **fitness** *n* (MED) Gesundheit *f;* (SPORT) Fitness *f;* (*suitability*) Eignung *f;* **fitted** *adj* (*garment*) tailliert; ~ **carpet** Teppichboden *m;* ~ **kitchen** Einbauküche *f;* ~ **sheet** Spannbetttuch *nt;* **fitter** *n* (TECH) Monteur(in) *m(f);* **fitting 1.** *adj* passend; **2.** *n* (*of dress*) Anprobe *f;* (*piece of equipment*) Ersatzteil *nt;* ~**s** *pl* Einrichtung *f;* **fitting room** *n* Anproberaum *m;* (*cubicle*) Anprobekabine *f.*

five [faɪv] *num* fünf; **five-day week** *n* Fünftagewoche *f;* **fiver** *n* (*Brit*) Fünf-Pfund-Note *f.*

fix [fɪks] **1.** *vt* befestigen; (*settle*) festsetzen; (*repair*) richten, reparieren; (*drink*) zurechtmachen; **2.** *n:* **in a** ~ in der Klemme; **fixed** *adj* repariert; (*time*) abgemacht; **it was** ~ (*dishonest*) das war Schiebung; **fixer** *n* (*drug addict*) Fixer(in) *m(f);* **fixture** ['fɪkstʃə*] *n* Installationsteil *m;* (SPORT) Spiel *nt.*

fizz [fɪz] *vi* sprudeln.

fizzle ['fɪzl] *vi* zischen; **fizzle out** *vi* verpuffen.

fizzy ['fɪzɪ] *adj* Sprudel-, sprudelnd; ~ **drink** Brause *f.*

fjord [fjɔːd] *n* Fjord *m.*

flabbergasted ['flæbəgɑːstɪd] *adj* (*fam*) platt.

flabby ['flæbɪ] *adj* (*fat*) wabbelig.

flag [flæg] **1.** *n* Fahne *f;* **2.** *vi* (*strength*) nachlassen; (*spirit*) erlahmen; ~ **of convenience** (NAUT) Schattenflagge *f;* **flag down** *vt* stoppen, abwinken; **flagpole** *n* Fahnenstange *f.*

flagrant ['fleɪgrənt] *adj* offenkundig; (*offence*) schamlos; (*violation*) flagrant.

flagstone ['flægstəʊn] *n* Steinplatte *f.*

flair [flɛə*] *n* (*talent*) Talent *nt;* (*style*) Flair *nt.*

flake [fleɪk] **1.** *n* (*of snow*) Flocke *f;* (*of rust*) Schuppe *f;* **2.** *vi* (*also:* ~ **off**) abblättern.

flamboyant [flæm'bɔɪənt] *adj* extravagant; (*colours*) brillant; (*gesture*) großartig.

flame [fleɪm] *n* Flamme *f.*

flaming ['fleɪmɪŋ] *adj* brennend, lodernd; (*fam*) verdammt; (*row*) irre.

flamingo [flə'mɪŋgəʊ] *n* <-es> Flamingo *m.*

flan [flæn] *n* Obstkuchen *m.*

flank [flæŋk] **1.** *n* Flanke *f;* **2.** *vt* flankieren.

flannel ['flænl] *n* Flanell *m;* (*face* ~) Waschlappen *m;* (*fam*) Geschwafel *nt;* ~**s** *pl* Flanellhose *f.*

flap [flæp] **1.** *n* Klappe *f;* (*fam: crisis*) helle Aufregung *f;* **2.** *vt* (*wings*) schlagen mit; **3.** *vi* lose herabhängen; flattern; (*fam: panic*) sich aufregen.

flare [flɛə*] *n* (*signal*) Leuchtsignal *nt;* **flare up** *vi* aufflammen; (*fig*) aufbrausen; (*revolt*) plötzlich ausbrechen; **flared** *adj* (*trousers*) ausgestellt.

flash [flæʃ] **1.** *n* Blitz *m;* (*news* ~) Kurzmeldung *f;* (PHOT) Blitzlicht *nt;* **2.** *vt* aufleuchten lassen; (*message*) durchgeben; **3.** *vi* aufleuchten; (PHOT) blitzen; **in a** ~ im Nu; **to** ~ **by** [*o* **past**] vorbeirasen; **flashback** *n* Rückblende *f;* **flash bulb** *n* Blitzlichtbirne *f;* **flash cube** *n* Blitzlichtwürfel *m.*

flasher ['flæʃə*] *n* (AUT) Lichthupe *f;* (*Brit fam*) Exhibitionist *m.*

flash light ['flæʃlaɪt] *n* Blitzlicht *nt;* (*US: torch*) Taschenlampe *f.*

flashy ['flæʃɪ] *adj* auffällig.

flask [flɑːsk] *n* (*vacuum* ~) Thermosflasche *f;* (*fam*) Flachmann *m;* (CHEM) Kolben *m.*

flat [flæt] **1.** *adj* flach; (*dull*) matt; (*drink*) abgestanden; (*tyre*) platt; **2.** *adv* (MUS) zu tief; **3.** *n* (*Brit: rooms*) Wohnung *f;* (MUS) b *nt,* Erniedrigungszeichen *nt;* (AUT) Reifenpanne *f,* Platte(r) *m;* **A** ~ (MUS) as; **flat-footed** *adj* plattfüßig; **flat-hunting** *n* (*Brit*) Wohnungssuche *f;* **flatly** *adv* glatt; **flatmate** *n* (*Brit*) Mitbewohner(in) *m(f);* **flatness** *n* Flachheit *f;* **flatten** *vt* (*also:* ~ **out**) platt machen, einebnen.

flatter ['flætə*] *vt* schmeicheln +*dat;* **flatterer** *n* Schmeichler(in) *m(f);* **flattering** *adj* schmeichelhaft; **flattery** *n* Schmeichelei *f.*

flatulence ['flætjʊləns] *n* Blähungen *pl.*

flaunt [flɔːnt] *vt* prunken mit.

flavor (*US*), **flavour** ['fleɪvə*] **1.** *n* Geschmack *m;* **2.** *vt* würzen; **flavouring** *n* Aromastoff *m.*

flaw [flɔː] *n* Fehler *m;* (*in argument*) schwacher Punkt; **flawless** *adj* einwandfrei.

flax [flæks] *n* Flachs *m.*

flea [fliː] *n* Floh *m.*

fled [fled] *pt, pp of* **flee**.

flee [fliː] <fled, fled> **1.** *vi* fliehen; **2.** *vt* fliehen vor +*dat;* (*country*) fliehen aus.

fleece [fliːs] **1.** *n* Schaffell *nt,* Vlies *nt;* **2.** *vt* (*fam*) schröpfen.

fleet [fliːt] *n* Flotte *f.*

fleeting ['fliːtɪŋ] *adj* flüchtig.

flesh [fleʃ] *n* Fleisch *nt;* (*of fruit*) Fruchtfleisch *nt;* **flesh wound** *n* Fleischwunde *f.*

flew [fluː] *pt of* **fly**.

flex [fleks] **1.** *n* Leitungskabel *nt;* **2.** *vt* beugen, biegen.

flexibility [fleksɪ'bɪlɪtɪ] *n* Biegsamkeit *f;* (*fig*) Flexibilität *f;* **flexible** *adj* biegsam; (*plans, person*) flexibel; ~ **working hours** *pl* gleitende Arbeitszeit; **flexitime** *n* gleitende Arbeitszeit, Gleitzeit *f.*

flick [flɪk] **1.** *n* Schnippen *nt;* (*blow*) leichter Schlag; **2.** *vt* leicht schlagen; **to** ~ **sth off** etw wegschnippen; **flick through** *vt* durchblättern.

flicker ['flɪkə*] **1.** *n* Flackern *nt;* (*of emotion*) Funken *m;* **2.** *vi* flackern.

flier ['flaɪə*] *n s.* **flyer**.

flight [flaɪt] *n* Flug *m;* (*fleeing*) Flucht *f;* ~ **of stairs** Treppe *f;* **to take** ~ die Flucht ergreifen; **to put to** ~ in die Flucht schlagen; **flight attendant** *n* Flugbegleiter(in) *m(f);* **flight deck** *n* (NAUT) Flugdeck *nt;* (AVIAT) Cockpit *nt;* **flight recorder** *n* Flug[daten]schreiber *m.*

flimsy ['flɪmzɪ] *adj* nicht stabil, windig; (*thin*) hauchdünn; (*excuse*) fadenscheinig.

flinch [flɪntʃ] *vi* zurückschrecken (*away from* vor +*dat*).

fling [flɪŋ] <flung, flung> *vt* schleudern.

flint [flɪnt] *n* (*in lighter*) Feuerstein *m.*

flip [flɪp] *vt* werfen; **he ~ped the lid off** er klappte den Deckel auf; **Alex ~ped his lid** (*fam*) Alex hat durchgedreht [*o* ist ausgerastet].

flippancy ['flɪpənsɪ] *n* Leichtfertigkeit *f;* **flippant** ['flɪpənt] *adj* schnippisch, leichtfertig; **to be** ~ **about sth** etw nicht ernst nehmen.

flippers ['flɪpəz] *n pl* Schwimmflossen *pl.*

flirt [flɜːt] **1.** *vi* flirten; **2.** *n:* **he/she is a** ~ er/sie flirtet gern; **flirtation** [flɜː'teɪʃən] *n* Flirt *m.*

flit [flɪt] *vi* flitzen.

float [fləʊt] **1.** *n* (FISHING) Schwimmer *m;* (*esp in procession*) Festwagen *m;* (*milk* ~) Lieferwagen *m;* **2.** *vi* schwimmen; (*in air*) schweben; **3.** *vt* schwimmen lassen; (COMM) gründen; (*currency*) floaten; **floating** *adj* schwimmend; ~ **voter** (*fig*) Wechselwähler(in) *m(f);* ~ **decimal point** Fließkomma *nt.*

flock [flɒk] *n* (*of sheep,* REL) Herde *f;* (*of birds, people*) Schar *f.*

flog [flɒg] *vt* prügeln; (*with whip*) peitschen; (*fam: sell*) verkaufen, verscherbeln.

flood [flʌd] **1.** *n* Überschwemmung *f;* (*fig*) Flut *f;* **2.** *vt* überschwemmen; **to be in ~** Hochwasser haben; **the Flood** die Sintflut; **flooding** *n* Überschwemmung *f;* **floodlight 1.** *n* Flutlicht *nt;* **2.** *vt* anstrahlen; **floodlighting** *n* Beleuchtung *f.*

floor [flɔ:*] **1.** *n* Fußboden *m;* (*storey*) Stock *m;* **2.** *vt* (*person*) zu Boden schlagen; **ground** *Brit/***first** *US* **~** Erdgeschoss *nt;* **first** *Brit/***second** *US* **~** erster Stock; **floorboard** *n* Diele *f;* **floor leader** *n* (*US*) Fraktionsführer(in) *m(f);* **floor show** *n* Kabarettvorstellung *f;* **floorwalker** *n* (COMM) Ladenaufsicht *f.*

flop [flɒp] **1.** *n* (*fam: failure*) Reinfall *m,* Flop *m;* (*movement*) Plumps *m;* **2.** *vi* (*fail*) durchfallen; **the project ~ped** aus dem Projekt wurde nichts.

floppy ['flɒpɪ] *adj* hängend; **floppy disk** *n* (COMPUT) Diskette *f;* **floppy hat** *n* Schlapphut *m.*

flora ['flɔ:rə] *n* Flora *f;* **floral** *adj* Blumen-.

florid ['flɒrɪd] *adj* (*style*) blumig; (*complexion*) gerötet.

florist ['flɒrɪst] *n* Blumenhändler(in) *m(f);* **~'s shop** Blumengeschäft *nt.*

flotel [fləʊ'tel] *n* Hotelschiff *nt.*

flotsam ['flɒtsəm] *n* Strandgut *nt.*

flounce [flaʊns] *vi:* **to ~ in/out** hinein-/hinausstürmen.

flounder ['flaʊndə*] **1.** *n* (*fish*) Flunder *f;* **2.** *vi* herumstrampeln; (*fig*) ins Schleudern kommen.

flour ['flaʊə*] *n* Mehl *nt.*

flourish ['flʌrɪʃ] **1.** *vi* blühen; (*boom*) florieren; **2.** *vt* (*wave about*) schwenken; **3.** *n* (*waving*) Schwingen *nt;* (*of trumpets*) Tusch *m,* Fanfare *f;* **flourishing** *adj* blühend.

flout [flaʊt] *vt* missachten.

flow [fləʊ] **1.** *n* Fließen *nt;* (*of sea*) Flut *f;* **2.** *vi* fließen; **flow chart**, **flow diagram** *n* Flussdiagramm *nt.*

flower ['flaʊə*] **1.** *n* Blume *f;* **2.** *vi* blühen; **flower bed** *n* Blumenbeet *nt;* **flowerpot** *n* Blumentopf *m;* **flowery** *adj* (*style*) blumenreich.

flowing ['fləʊɪŋ] *adj* fließend; (*hair*) wallend; (*style*) flüssig.

flown [fləʊn] *pp of* **fly**.

flu [flu:] *n* (*fam*) Grippe *f.*

flub around [flʌbə'raʊnd] *vt* (*fam*) vermasseln.

fluctuate ['flʌktjʊeɪt] *vi* schwanken; **fluctuation** [flʌktjʊ'eɪʃən] *n* Schwankung *f.*

fluency ['flu:ənsɪ] *n* Flüssigkeit *f;* **his ~ in English** seine Fähigkeit fließend Englisch zu sprechen; **fluent** *adj* (*speech*) flüssig; **to be ~ in German** fließend Deutsch sprechen.

fluff [flʌf] *n* Fussel *f;* **fluffy** *adj* flaumig; (*toy*) kuschelig.

fluid ['flu:ɪd] **1.** *n* Flüssigkeit *f;* **2.** *adj* flüssig; (*fig: plans*) ungewiss.

fluke [flu:k] *n* (*fam*) Dusel *m.*

flung [flʌŋ] *pt, pp of* **fling**.

fluorescent [flʊə'resnt] *adj* fluoreszierend, Leucht-; (*light*) Neon-.

fluoride ['flʊəraɪd] *n* Fluorid *nt.*

flurry ['flʌrɪ] *n* (*of activity*) Aufregung *f;* (*of snow*) Gestöber *nt.*

flush [flʌʃ] **1.** *n* Erröten *nt;* (*of excitement*) Glühen *nt;* (CARDS) Sequenz *f;* **2.** *vt* ausspülen; **3.** *vi* erröten; **4.** *adj* bündig; **flushed** *adj* rot.

fluster ['flʌstə*] *n* Verwirrung *f;* **flustered** *adj* verwirrt.

flute [flu:t] *n* Querflöte *f.*

fluted ['flu:tɪd] *adj* gerillt.

flutter ['flʌtə*] **1.** *n* (*of wings*) Flattern *nt;* (*of excitement*) Beben *nt;* **2.** *vi* flattern; (*person*) rotieren.

flux [flʌks] *n:* **in a state of ~** im Fluss.

fly [flaɪ] **1.** <flew, flown> *vt* fliegen; **2.** <flew, flown> *vi* fliegen; (*flee*) fliehen; (*flag*) wehen; **3.** *n* (*insect*) Fliege *f;* **flies** *pl* (*on trousers*) Hosenschlitz *m;* **~ open** auffliegen; **let ~** (*shoot*) losschießen; (*fig: become angry*) außer sich geraten; (*insults*) loslassen.

flyer ['flaɪə*] *n* (*US: train*) Schnellzug *m;* (*bus*) Expressbus *m;* **flying** *n:* **to pass with ~ colours** glänzend abschneiden; **flying saucer** *n* fliegende Untertasse; **flying start** *n* guter Start; **flying visit** *n* Stippvisite *f;* **flyover** *n* (*Brit*) Überführung *f;* **flypaper** *n* Fliegenfänger *m;* **flypast** *n* Luftparade *f;* **flysheet** *n* (*for tent*) Überdach *nt;* **flywheel** *n* Schwungrad *nt.*

FO *n abbr of* **Foreign Office** AA *nt.*

foal [fəʊl] *n* Fohlen *nt.*

foam [fəʊm] **1.** *n* Schaum *m;* (*plastic etc*) Schaumgummi *m;* **2.** *vi* schäumen.

fob off [fɒb ɒf] *vt* andrehen (*sb with sth* jdm etw); (*with promise*) abspeisen.

focal ['fəʊkəl] *adj* im Brennpunkt stehend, Brennpunkt-.

focus ['fəʊkəs] **1.** *n* Brennpunkt *m;* (*fig*) Mittelpunkt *m;* **2.** *vt* (*attention*) konzentrieren; (*camera*) scharf einstellen; **3.** *vi* sich konzentrieren (*on* auf *+akk*); **in ~** scharf eingestellt; **out of ~** unscharf eingestellt.

fodder ['fɒdə*] *n* Futter *nt.*

foetus ['fi:təs] *n* Fötus *m.*

fog [fɒg] **1.** *n* Nebel *m;* **2.** *vt* (*issue*) vernebeln, verwirren; **foggy** *adj* neblig, trüb; **fog lamp, foglight** *n* Nebellampe *f;* **rear ~** Nebelschlussleuchte *f.*

foible ['fɔɪbl] *n* Eigenheit *f.*

foil [fɔɪl] **1.** *vt* (*attempts*) vereiteln; **2.** *n* Folie *f.*

foist [fɔɪst] *vt:* **to ~ sth [off] on to sb** jdm etw andrehen; **to ~ oneself on[to] sb** sich jdm aufdrängen.

fold [fəʊld] **1.** *n* (*bend, crease*) Falte *f;* (AGR) Pferch *m;* **2.** *vt* falten; **fold up 1.** *vt* (*map etc*) zusammenfalten; **2.** *vi* (*business*) eingehen; **folder** *n* (*portfolio*) Aktenmappe *f;* (*pamphlet*) Broschüre *f;* **folding** *adj* (*chair etc*) zusammenklappbar, Klapp-.

foliage ['fəʊlɪɪdʒ] *n* Laubwerk *nt.*

folk [fəʊk] **1.** *n* Volk *nt;* **2.** *adj* Volks-; **~s** *pl* Leute *pl;* **folklore** ['fəʊklɔ:*] *n* (*study*) Volkskunde *f;* (*tradition*) Folklore *f;* **folksong** *n* Volkslied *nt;* (*modern*) Folksong *m.*

follow ['fɒləʊ] **1.** *vt* folgen *+dat;* (*obey*) befolgen; (*fashion*) mitmachen; (*profession*) nachgehen *+dat;* (*understand*) folgen können *+dat;* **2.** *vi* folgen; (*result*) sich ergeben; **as ~s** wie im Folgenden; **follow up** *vt* weiter verfolgen; **follower** *n* Anhänger(in) *m(f);* **following 1.** *adj* folgend; **2.** *n* Folgende(s) *nt;* (*people*) Gefolgschaft *f.*

folly ['fɒlɪ] *n* Torheit *f.*

fond [fɒnd] *adj:* **to be ~ of** gern haben; **fondly** *adv* (*with love*) liebevoll; **fondness** *n* Vorliebe *f;* (*for people*) Liebe *f.*

font [fɒnt] *n* Taufbecken *nt;* (TYP) Schriftart *f.*

food [fu:d] *n* Essen *nt,* Nahrung *f;* (*for animals*) Futter *nt;* **food poisoning** *n* Lebensmittelvergiftung *f;* **food processor** *n* Küchenmaschine *f;* **foodstuffs** *n pl* Lebensmittel *pl.*

fool [fu:l] **1.** *n* Narr *m,* Närrin *f;* (*jester*) Hofnarr *m;* (*food*) *Nachspeise aus Obstpüree mit Sahne;* **2.** *vt* (*deceive*) hereinlegen; **3.** *vi:* **behave like a ~** herumalbern; **foolhardy** *adj* tollkühn; **foolish** *adj,* **foolishly** *adv* dumm; albern; **foolishness** *n* Dummheit *f;* **foolproof** *adj* idiotensicher.

foot [fʊt] **1.** *n* <feet> Fuß *m;* (*measure*) Fuß *m* (*30,48 cm*); (*of animal*) Pfote *f;* **2.** *vt* (*bill*) bezahlen; **to put one's ~ in it** ins Fettnäpfchen treten; **on ~** zu Fuß; **foot-and-mouth disease** *n* Maul- und Klauenseuche *f.*

football *n* Fußball *m;* **footballer** *n* Fußballer(in) *m(f).*

> **The football pools**, umgangssprachlich auch **'the pools'** genannt, ist das in Großbritannien sehr beliebte Fußballtoto, bei dem auf die Ergebnisse der samstäglichen Fußballspiele gewettet wird. Teilnehmer schicken ihren ausgefüllten Totoschein vor den Spielen an ihre Totogesellschaft und vergleichen nach den Spielen die Ergebnisse mit ihrem Schein. Die Gewinne können sehr hoch sein und gelegentlich Millionen von Pfund betragen.

footbrake *n* Fußbremse *f;* **footbridge** *n* Fußgängerbrücke *f;* **foothills** *n pl* Ausläufer *pl;* **foothold** *n* Halt *m,* Stand *m;* **footing** *n* Halt *m;* (*fig*) Verhältnis *nt;* **to get a ~ in society** in der Gesellschaft Fuß fassen; **to be on a good ~ with sb** mit jdm auf gutem Fuß stehen; **footlight** *n* Rampenlicht *nt;* **footnote** *n* Fußnote *f;* **footpath** *n* Fußweg *m;* **footrest** *n* Fußstütze *f;* **footsore** *adj* fußkrank; **footstep** *n* Schritt *m;* **in his father's ~** in den Fußstapfen seines Vaters; **footwear** *n* Schuhwerk *nt.*

for [fɔ:*] **1.** *prep* für; **2.** *conj* denn; **what ~?** wozu?

forage ['fɒrɪdʒ] **1.** *n* Viehfutter *nt;* **2.** *vi* Nahrung suchen.

forbade [fə'bæd] *pt of* **forbid.**

forbearing [fɔ:'bɛərɪŋ] *adj* geduldig.

forbid [fə'bɪd] <forbade, forbidden> *vt* verbieten; **forbidding** *adj* Furcht erregend.

force [fɔ:s] **1.** *n* Kraft *f,* Stärke *f;* (*compulsion*) Zwang *m;* (MIL) Truppen *pl;* **2.** *vt* zwingen; (*lock*) aufbrechen; (*plant*) treiben; **in ~** (*rule*) gültig; (*group*) in großer Stärke; **the Forces** *pl* die Streitkräfte; **forced** *adj* (*smile*) gezwungen; (*landing*) Not-; **force feeding** *n* Zwangsernährung *f;* **forceful** *adj* (*speech*) kraftvoll; (*personality*) resolut.

forceps ['fɔ:seps] *n pl* Zange *f.*

forcible ['fɔːsəbl] *adj* (*convincing*) überzeugend; (*violent*) gewaltsam; **forcibly** *adv* mit Gewalt.

ford [fɔːd] **1.** *n* Furt *f;* **2.** *vt* durchqueren; (*on foot*) durchwaten.

fore [fɔː*] **1.** *adj* vordere(r, s), Vorder-; **2.** *n:* **to the ~** in den Vordergrund.

forearm ['fɔːrɑːm] *n* Unterarm *m.*

foreboding [fɔː'bəʊdɪŋ] *n* Vorahnung *f.*

forecast ['fɔːkɑːst] **1.** *n* Vorhersage *f;* **2.** *irr vt* voraussagen.

forecourt ['fɔːkɔːt] *n* Vorhof *m.*

forefathers ['fɔːfɑːðəz] *n pl* Vorfahren *pl.*

forefinger ['fɔːfɪŋgə*] *n* Zeigefinger *m.*

forefront ['fɔːfrʌnt] *n:* **in the ~ of** an der Spitze *gen.*

forego [fɔː'gəʊ] *irr vt* verzichten auf *+akk;* **foregoing** *adj* vorangehend; **foregone** [fɔː'gɒn] *adj:* **it was a ~ conclusion** es stand von vornherein fest.

foreground ['fɔːgraʊnd] *n* Vordergrund *m.*

forehead ['fɒrɪd] *n* Stirn *f.*

foreign ['fɒrən] *adj* Auslands-; (*country, accent*) ausländisch; (*trade*) Außen-; (*body*) Fremd-; **foreigner** *n* Ausländer(in) *m(f);* **foreign exchange** *n* Devisen *pl;* **foreign minister** *n* Außenminister(in) *m(f);* **Foreign Office** *n* (*Brit*) Auswärtiges Amt.

foreman ['fɔːmən] *n* <foremen> Vorarbeiter *m.*

foremost ['fɔːməʊst] *adj* erste(r, s).

forensic [fə'rensɪk] *adj* gerichtsmedizinisch.

forerunner ['fɔːrʌnə*] *n* Vorläufer(in) *m(f).*

foresee [fɔː'siː] *irr vt* vorhersehen; **foreseeable** *adj* absehbar.

foresight ['fɔːsaɪt] *n* Voraussicht *f.*

forest ['fɒrɪst] *n* Wald *m.*

forestall [fɔː'stɔːl] *vt* zuvorkommen *+dat.*

forestry ['fɒrɪstrɪ] *n* Forstwirtschaft *f;* **Forestry Commission** (*Brit*) Forstverwaltung *f.*

foretaste ['fɔːteɪst] *n* Vorgeschmack *m.*

foretell [fɔː'tel] *irr vt* vorhersagen.

forever [fə'revə*] *adv* für immer.

foreword ['fɔːwɜːd] *n* Vorwort *nt.*

forfeit ['fɔːfɪt] **1.** *n* (*in game*) Pfand *nt;* **2.** *vt* verwirken; (*fig*) einbüßen.

forge [fɔːdʒ] **1.** *n* Schmiede *f;* **2.** *vt* fälschen; (*iron*) schmieden; **forge ahead** *vi* Fortschritte machen; **forger** *n* Fälscher(in) *m(f);* **forgery** *n* Fälschung *f.*

forget [fə'get] <forgot, forgotten> *vt, vi* vergessen; **forgetful** *adj* vergesslich; **forgetfulness** *n* Vergesslichkeit *f;* **forget-me-not** *n* Vergissmeinnicht *nt.*

forgive [fə'gɪv] *irr vt* verzeihen (*sb for sth* jdm etw); **forgiveness** [fə'gɪvnəs] *n* Verzeihung *f.*

forgot [fə'gɒt] *pt of* **forget**; **forgotten** *pp of* **forget**.

fork [fɔːk] **1.** *n* Gabel *f;* (*in road*) Gabelung *f;* **2.** *vi* (*road*) sich gabeln; **fork out** *vt, vi* (*fam: pay*) blechen; **forked** *adj* gegabelt; (*lightning*) zickzackförmig.

forlorn [fə'lɔːn] *adj* (*person*) verlassen; (*hope*) vergeblich.

form [fɔːm] **1.** *n* Form *f;* (*type*) Art *f;* (*figure*) Gestalt *f;* (SCH) Klasse *f;* (*document*) Formular *nt;* **2.** *vt* formen; (*be part of*) bilden.

formal ['fɔːməl] *adj* förmlich, formell; (*occasion*) offiziell; **formality** [fɔː'mælɪtɪ] *n* Förmlichkeit *f;* (*of occasion*) offizieller Charakter; **formalities** *pl* Formalitäten *pl;* **formally** *adv* (*ceremoniously*) formell; (*officially*) offiziell.

format ['fɔːmæt] **1.** *n* Format *nt;* **2.** *vt* (COMPUT) formatieren.

formation [fɔː'meɪʃən] *n* Bildung *f;* Gestaltung *f;* (AVIAT) Formation *f.*

formative ['fɔːmətɪv] *adj* (*years*) formend, entscheidend.

former ['fɔːmə*] *adj* früher; (*opposite of latter*) erstere(r, s); **formerly** *adv* früher.

Formica® [fɔː'maɪkə] *n* Resopal® *nt.*

formidable ['fɔːmɪdəbl] *adj* (*person*) furchterregend; (*task*) gewaltig.

formula ['fɔːmjʊlə] *n* Formel *f.*

formulate ['fɔːmjʊleɪt] *vt* formulieren.

forsake [fə'seɪk] <forsook, forsaken> *vt* verlassen; (*habit*) aufgeben; **forsaken** *pp of* **forsake**; **forsook** [fə'sʊk] *pt of* **forsake**.

fort [fɔːt] *n* Fort *nt;* **to hold the ~** die Stellung halten.

forte ['fɔːteɪ] *n* Stärke *f,* starke Seite.

forth [fɔːθ] *adv:* **and so ~** und so weiter; **forthcoming** [fɔːθ'kʌmɪŋ] *adj* kommend; (*character*) entgegenkommend; **forthright** ['fɔːθraɪt] *adj* offen, direkt.

fortification [fɔːtɪfɪ'keɪʃən] *n* Befestigung *f;* **fortify** ['fɔːtɪfaɪ] *vt* verstärken; (*protect*) befestigen.

fortitude ['fɔːtɪtjuːd] *n* innere Kraft *f.*

fortnight ['fɔːtnaɪt] *n* zwei Wochen *pl,* vierzehn Tage *pl;* **fortnightly 1.** *adj* zweiwöchentlich; **2.** *adv* alle vierzehn Tage.

fortress ['fɔːtrɪs] *n* Festung *f.*

fortuitous [fɔː'tjuːɪtəs] *adj* zufällig.

fortunate ['fɔːtʃənɪt] *adj* glücklich; **fortunately** *adv* glücklicherweise, zum Glück.

fortune ['fɔːtʃən] *n* Glück *nt;* (*money*) Vermögen *nt;* (*chance*) Zufall *m;* **fortune-teller** *n* Wahrsager(in) *m(f).*

forty ['fɔːtɪ] *num* vierzig.

forward ['fɔːwəd] **1.** *adj* vordere(r, s); (*movement*) vorwärts; (*person*) vorlaut, dreist; (*planning*) Voraus-; **2.** *adv* vorwärts; **3.** *n* (SPORT) Stürmer(in) *m(f);* **4.** *vt* (*send on*) schicken, nachsenden; (*help*) fördern; **forward contract** *n* Termingeschäft *nt;* **forwards** *adv* vorwärts.

fossil ['fɒsl] *n* Fossil *nt,* Versteinerung *f.*

foster ['fɒstə*] *vt* (*talent*) fördern; **foster child** *n* <children> Pflegekind *nt;* **foster mother** *n* Pflegemutter *f.*

fought [fɔːt] *pt, pp of* **fight**.

foul [faʊl] **1.** *adj* schmutzig; (*language*) unflätig; (*weather, smell*) schlecht; **2.** *n* (SPORT) Foul *nt;* **3.** *vt* (*mechanism*) blockieren; (SPORT) foulen.

found [faʊnd] **1.** *pt, pp of* **find**; **2.** *vt* (*establish*) gründen; **foundation** [faʊn'deɪʃən] *n* (*act*) Gründung *f;* (*fig*) Fundament *nt;* **~s** *pl* Fundament *nt.*

founder ['faʊndə*] **1.** *n* Gründer(in) *m(f);* **2.** *vi* sinken.

foundry ['faʊndrɪ] *n* Gießerei *f,* Eisenhütte *f.*

fountain ['faʊntɪn] *n* Springbrunnen *m;* **fountain pen** *n* Füller *m,* Füllfederhalter *m.*

four [fɔː*] *num* vier; **on all ~s** auf allen vieren; **four-letter word** *n* Vulgärausdruck *m,* unanständiges Wort; **fourplex** *n* (*US*) Vierfamilienhaus *nt;* **foursome** *n* Quartett *nt;* **to go out in a ~** zu viert ausgehen.

fourteen ['fɔːtiːn] *num* vierzehn.

fourth [fɔːθ] **1.** *adj* vierte(r, s); **2.** *adv* an vierter Stelle; **3.** *n* (*person*) Vierte(r) *mf;* (*part*) Viertel *nt.*

four-wheel drive *n* Allradantrieb *m.*

fowl [faʊl] *n* Huhn *nt;* (*food*) Geflügel *nt.*

fox [fɒks] *n* (*a. fig*) Fuchs *m;* **foxed** *adj* verblüfft; **foxhunting** *n* Fuchsjagd *f;* **foxtrot** *n* Foxtrott *m.*

foyer ['fɔɪeɪ] *n* Foyer *nt,* Vorhalle *f.*

fracas ['frækɑː] *n* Radau *m.*

fraction ['frækʃən] *n* (MATH) Bruch *m;* (*part*) Bruchteil *m.*

fracture ['fræktʃə*] **1.** *n* (MED) Bruch *m;* **2.** *vt* brechen.

fragile ['frædʒaɪl] *adj* zerbrechlich.

fragment ['frægmənt] *n* Bruchstück *nt,* Fragment *nt;* (*small part*) Stück *nt,* Bruchteil *m;* **fragmentary** [fræg'mentərɪ] *adj* bruchstückhaft, fragmentarisch.

fragrance ['freɪgrəns] *n* Duft *m;* **fragrant** *adj* duftend.

frail [freɪl] *adj* schwach, gebrechlich.

frame [freɪm] **1.** *n* Rahmen *m;* (*body*) Gestalt *f;* **2.** *vt* einrahmen; (*make*) gestalten, machen; **to ~ sb** (*fam: incriminate*) jdm etw anhängen; **~ of mind** Verfassung *f;* **framework** *n* Rahmen *m;* (*of society*) Gefüge *nt.*

France [frɑːns] *n* Frankreich *nt.*

franchise ['fræntʃaɪz] *n* (POL) aktives Wahlrecht *nt;* (COMM) Konzession *f;* **franchising** *n* (COMM) Franchising *nt.*

frank [fræŋk] *adj* offen.

frankfurter ['fræŋkfɜːtə*] *n* [Frankfurter] Würstchen *nt.*

frankincense ['fræŋkɪnsens] *n* Weihrauch *m.*

frankly ['fræŋklɪ] *adv* offen gesagt; **frankness** *n* Offenheit *f.*

frantic ['fræntɪk] *adj* (*effort*) verzweifelt; **~ with worry** außer sich vor Sorge; **frantically** *adv* verzweifelt.

fraternal [frə'tɜːnl] *adj* brüderlich; **fraternity** [frə'tɜːnɪtɪ] *n* (*club*) Vereinigung *f;* (*spirit*) Brüderlichkeit *f;* (*US* SCH) Burschenschaft *f.*

fraternization [frætənaɪ'zeɪʃən] *n* Verbrüderung *f;* **fraternize** ['frætənaɪz] *vi* fraternisieren.

fraud [frɔːd] *n* (*trickery*) Betrug *m;* (*trick*) Schwindel *m,* Trick *m;* (*person*) Schwindler(in) *m(f);* **fraudulent** ['frɔːdjʊlənt] *adj* betrügerisch.

fraught [frɔːt] *adj* geladen; **~ with meaning** bedeutungsvoll.

freak [friːk] **1.** *n* (*plant*) Missbildung *f;* (*animal, person*) Missgeburt *f;* (*event*) Ausnahmeerscheinung *f;* (*fam: person*) ausgeflippter Typ, Freak *m;* (*fam: fan*) Fan *m,* Freak *m;* **2.** *adj* (*storm, conditions*) anormal; (*animal*) monströs; **freak out** *vi* (*fam*) ausflippen.

freckle ['frekl] *n* Sommersprosse *f;* **freckled** *adj* mit Sommersprossen.

free [friː] **1.** *adj* frei; (*loose*) lose; (*liberal*) freigebig; (*costing nothing*) kostenlos, Gratis-; **2.** *vt* (*set free*) befreien; (*unblock*) freimachen; **to get sth ~** etw umsonst bekommen; **you're ~ to ...** es steht dir frei zu …; **freedom** *n* Freiheit *f;* **free-for-all** *n* allgemeiner Wettbewerb; (*fight*) allgemeines Handgemenge; **free kick** *n* Freistoß *m.*

freelance ['fri:lɑns] **1.** *adj* freiberuflich; (*artist*) freischaffend; **2.** *n* Freiberufler(in) *m(f);* (*with particular firm*) freier Mitarbeiter, freie Mitarbeiterin; **to work ~** freiberuflich tätig sein.

freely ['fri:lɪ] *adv* frei; lose; (*generously*) reichlich; (*admit*) offen; **freemason** *n* Freimaurer(in) *m(f);* **freemasonry** *n* Freimaurerei *f;* **free-range** *adj* (*hen*) freilaufend; (*egg*) Freiland-.

freesia ['fri:ʒə] *n* Freesie *f.*

free trade ['fri:'treɪd] *n* Freihandel *m;* **freeway** *n* (*US*) gebührenfreie Autobahn; **freewheel** *vi* im Freilauf fahren.

freeze [fri:z] <froze, frozen> **1.** *vi* gefrieren; (*feel cold*) frieren; **2.** *vt* (*a. fig*) einfrieren; **3.** *n* (*fig* FIN) Stopp *m;* **freezer** *n* Tiefkühltruhe *f;* (*upright*) Gefrierschrank *m;* (*in fridge*) Gefrierfach *nt;* **freezing** *adj* eisig; (*~ cold*) eiskalt; **freezing point** *n* Gefrierpunkt *m.*

freight [freɪt] *n* (*goods*) Fracht *f;* (*money charged*) Frachtgebühr *f;* **freight car** *n* (*US*) Güterwagen *m.*

French [frentʃ] **1.** *adj* französisch; **2.** *n* (*language*) Französisch *nt;* **the ~** *pl* die Franzosen *pl;* **~ fried potatoes** *pl/* **~ fries** *pl* (*US*) Pommes frites *pl;* **~-speaking Switzerland** die französische Schweiz; **~ window** Verandatür *f;* **Frenchman** *n* <Frenchmen> Franzose *m;* **Frenchwoman** *n* <Frenchwomen> Französin *f.*

frenzy ['frenzɪ] *n* Raserei *f,* wilde Aufregung.

frequency ['fri:kwənsɪ] *n* Häufigkeit *f;* (PHYS) Frequenz *f;* **frequent** ['fri:kwənt] **1.** *adj* häufig; **2.** [fri:'kwent] *vt* regelmäßig besuchen; **frequently** *adv* häufig.

fresco ['freskəʊ] *n* <-es> Fresko *nt.*

fresh [freʃ] *adj* frisch; (*new*) neu; (*cheeky*) frech; **freshen 1.** *vi* (*also:* **~ up**) (*person*) sich frisch machen; **2.** *vt* auffrischen; **freshly** *adv* frisch; **freshness** *n* Frische *f;* **freshwater** *adj* (*fish*) Süßwasser-.

fret [fret] *vi* sich *dat* Sorgen machen (*about* über *+akk*); **fretsaw** *n* Laubsäge *f.*

FRG *n abbr of* **Federal Republic of Germany** BRD *f.*

friar ['fraɪə*] *n* Mönch *m.*

friction ['frɪkʃən] *n* (*a. fig*) Reibung *f.*

Friday ['fraɪdeɪ] *n* Freitag *m;* **on ~** am Freitag; **on ~s, on a ~** freitags.

fridge [frɪdʒ] *n* Kühlschrank *m.*

fried [fraɪd] *adj* gebraten.

friend [frend] *n* Freund(in) *m(f);* (*less close*) Bekannte(r) *mf.*

friendliness ['frendlɪnɪs] *n* Freundlichkeit *f;* **friendly** *adj* freundlich; (*relations*) freundschaftlich.

friendship ['frendʃɪp] *n* Freundschaft *f.*

frieze [fri:z] *n* Fries *m.*

frigate ['frɪgɪt] *n* (NAUT) Fregatte *f.*

fright [fraɪt] *n* Schrecken *m;* **you look a ~** (*fam*) du siehst unmöglich aus!; **frighten** *vt* erschrecken; **to be ~ed** Angst haben; **frightening** *adj* schrecklich; **frightful** *adj,* **frightfully** *adv* schrecklich, furchtbar.

frigid ['frɪdʒɪd] *adj* kalt, eisig; (*woman*) frigide; **frigidity** [frɪ'dʒɪdɪtɪ] *n* Kälte *f;* Frigidität *f.*

frill [frɪl] *n* Rüsche *f.*

fringe [frɪndʒ] *n* Besatz *m;* (*hair*) Pony *m;* (*fig*) äußerer Rand, Peripherie *f;* **fringe group** *n* Randgruppe *f;* **fringe theatre** *n* (*Brit*) Experimentiertheater *nt.*

frisky ['frɪskɪ] *adj* verspielt.

fritter away ['frɪtə* əweɪ] *vt* vertun, verplempern.

frivolity [frɪ'vɒlɪtɪ] *n* Leichtfertigkeit *f,* Frivolität *f;* **frivolous** ['frɪvələs] *adj* frivol, leichtsinnig.

frizzy ['frɪzɪ] *adj* kraus.

frock [frɒk] *n* Kleid *nt.*

frog [frɒg] *n* Frosch *m;* **frogman** *n* <frogmen> Froschmann *m.*

frolic ['frɒlɪk] **1.** *n* lustiger Streich; **2.** *vi* ausgelassen sein.

from [frɒm] *prep* von; (*place*) aus; (*judging by*) nach; (*because of*) wegen *+gen.*

front [frʌnt] **1.** *n* Vorderseite *f;* (*of house*) Fassade *f;* (*promenade*) Strandpromenade *f;* (MIL, POL, METEO) Front *f;* (*fig: appearances*) Fassade *f;* **2.** *adj* (*forward*) vordere(r, s), Vorder-; (*first*) vorderste(r, s); (*page*) erste(r, s); (*door*) Eingangs-, Haus-; **in ~** vorne; **in ~ of** vor; **up ~** (*US: in advance*) vorher, im Voraus; (*in an open manner*) öffentlich.

frontage ['frʌntɪdʒ] *n* Vorderfront *f.*

frontal ['frʌntəl] *adj* frontal, Vorder-.

The front bench bezeichnet im britischen Unterhaus die vorderste Bank auf der Regierungs- und Oppositionsseite zur Rechten und Linken des

„Speaker". Im weiteren Sinne bezieht sich „front bench" auf die Spitzenpolitiker der verschiedenen Parteien, die auf dieser Bank sitzen (auch **frontbenchers** genannt), d. h. die Minister auf der einen Seite und die Mitglieder des Schattenkabinetts auf der anderen.

frontier ['frʌntɪə*] *n* Grenze *f.*

front-loading ['frʌntləʊdɪŋ] *adj:* ~ **video** Frontlader *m;* **front money** *n* (*US*) Vorschuss *m;* **front room** *n* (*Brit*) Wohnzimmer *nt;* **front-runner** *n* (*fig*) Spitzenreiter *m;* **front-wheel drive** *n* Vorderradantrieb *m.*

frost [frɒst] *n* Frost *m;* **frostbite** *n* Frostbeulen *pl;* (*more serious*) Erfrierung *f;* **frosted** *adj* (*glass*) Milch-; **frosty** *adj* frostig.

froth [frɒθ] *n* Schaum *m;* **frothy** *adj* schaumig.

frown [fraʊn] **1.** *n* Stirnrunzeln *nt;* **2.** *vi* die Stirn runzeln; **to ~ on sth** etw missbilligen.

froze [frəʊz] *pt of* **freeze**; **frozen 1.** *pp of* **freeze**; **2.** *adj* (*food*) gefroren; (FIN: *assets*) festgelegt.

fructose ['frʌktəʊs] *n* Fruchtzucker *m.*

frugal ['fru:gəl] *adj* sparsam, bescheiden.

fruit [fru:t] *n* (*particular*) Frucht *f;* (*as collective*) Obst *nt;* **fruiterer** *n* (*esp Brit*) Obsthändler(in) *m(f);* **fruitful** *adj* fruchtbar.

fruition [fru:'ɪʃən] *n* Verwirklichung *f;* **to come to ~** in Erfüllung gehen.

fruit machine ['fru:tməʃi:n] *n* Spielautomat *m;* **fruit salad** *n* Obstsalat *m.*

frustrate [frʌ'streit] *vt* (*person*) frustrieren; **frustrated** *adj* frustriert; **frustration** [frʌ'streɪʃən] *n* Behinderung *f;* (*of person*) Frustration *f.*

fry [fraɪ] **1.** *vt* braten; **2.** *n:* **small ~** *pl* (*fig*) kleine Fische *pl;* (*children*) die Kleinen *pl;* **frying pan** *n* Bratpfanne *f.*

fuchsia ['fju:ʃə] *n* Fuchsie *f.*

fuck [fʌk] **1.** *vt* (*fam!*) ficken; **2.** *n* (*fam!*) Fick *m;* **fucking** *adj* (*fam!*) Scheiß-; **fuck off** *vi* (*fam!*) sich verpissen; **~ ~!** verpiss dich!

fuddy-duddy ['fʌdɪdʌdɪ] *n* komischer Kauz.

fudge [fʌdʒ] *n* ≈ weiche Karamellen.

fuel [fjʊəl] *n* Treibstoff *m;* (*for heating*) Brennstoff *m;* (*for cigarette lighter*) Benzin *nt;* **fuel element** *n* Brennelement *nt;* **fuel-injection engine** *n* Einspritzmotor *m;* **fuel oil** *n* (*diesel fuel*) Heizöl *nt;* **fuel rod** *n* Brennstab *m;* **fuel tank** *n* Tank *m.*

fugitive ['fju:dʒɪtɪv] *n* Flüchtling *m;* (*from prison*) Flüchtige(r) *mf.*

fulfil [fʊl'fɪl] *vt* (*duty*) erfüllen; (*promise*) einhalten; **fulfilment** *n* Erfüllung *f;* Einhaltung *f.*

full [fʊl] *adj* (*box, bottle, price*) voll; (*person: satisfied*) satt; (*member, power, employment, moon*) Voll-; (*complete*) vollständig, Voll-; (*speed*) höchste(r, s); (*skirt*) weit; **in ~** vollständig, ungekürzt; **fullback** *n* Verteidiger(in) *m(f);* **full-cream milk** *n* Vollmilch *f;* **fullness** *n* Fülle *f;* **full stop** *n* Punkt *m;* **full-time 1.** *adj* (*job*) Ganztags-; **2.** *adv* (*work*) ganztags; **fully** *adv* völlig; **fully-fledged** *adj* flügge; **a ~ teacher** ein vollausgebildeter Lehrer.

fumble ['fʌmbl] *vi* herumfummeln (*with, at* an *+dat*).

fume [fju:m] *vi* rauchen, qualmen; (*fig*) wütend sein, kochen; **fumes** *n pl* Abgase *pl;* (*smoke*) Qualm *m.*

fumigate ['fju:mɪgeɪt] *vt* ausräuchern.

fun [fʌn] *n* Spaß *m;* **to make ~ of** sich lustig machen über *+akk.*

function ['fʌŋkʃən] **1.** *n* Funktion *f;* (*occasion*) Veranstaltung *f,* Feier *f;* **2.** *vi* funktionieren; **~ character** (COMPUT) Steuerzeichen *nt;* **~ key** (COMPUT) Funktionstaste *f.*

functional ['fʌŋkʃənəl] *adj* funktionell, praktisch.

fund [fʌnd] *n* (*money*) Geldmittel *pl,* Fonds *m;* (*store*) Schatz *m,* Vorrat *m.*

fundamental [fʌndə'mentl] *adj* fundamental, grundlegend; **fundamentalism** *n* Fundamentalismus *m;* **fundamentalist 1.** *adj* fundamentalistisch; **2.** *n* Fundamentalist(in) *m(f);* **fundamentally** *adv* im Grunde; **fundamentals** *n pl* Grundlage *f.*

funeral ['fju:nərəl] **1.** *n* Beerdigung *f;* **2.** *adj* Beerdigungs-.

funfair ['fʌnfɛə*] *n* Jahrmarkt *m.*

fungus ['fʌŋgəs] *n* <fungi *o* funguses> Pilz *m.*

funicular [fju:'nɪkjʊlə*] *n* Seilbahn *f.*

funnel ['fʌnl] *n* Trichter *m;* (NAUT) Schornstein *m.*

funnily ['fʌnɪlɪ] *adv* komisch; **~ enough** merkwürdigerweise.

funny ['fʌnɪ] *adj* komisch; ~ **bone** Musikantenknochen *m.*
fur [fɜ:*] *n* Pelz *m;* **fur coat** *n* Pelzmantel *m.*
furious *adj,* **furiously** *adv* ['fjʊərɪəs, -lɪ] wütend; (*attempt*) heftig.
furlong ['fɜ:lɒŋ] *n* (*measure*) Achtelmeile *f* (*201,17 m*).
furlough ['fɜ:ləʊ] *n* (MIL) Urlaub *m.*
furnace ['fɜ:nɪs] *n* Hochofen *m.*
furnish ['fɜ:nɪʃ] *vt* einrichten, möblieren; (*supply*) versehen; **furnishings** *n pl* Einrichtung *f.*
furniture ['fɜ:nɪtʃə*] *n sing* Möbel *pl.*
furrow ['fʌrəʊ] *n* Furche *f.*
furry ['fɜ:rɪ] *adj* (*toy*) Plüsch-; (*tongue*) pelzig, belegt; (*animal*) Pelz-.
further ['fɜ:ðə*] *comp of* **far** **1.** *adj* weitere(r, s); **2.** *adv* weiter; **3.** *vt* fördern; ~ **education** Weiterbildung *f,* Erwachsenenbildung *f;* **furthermore** *adv* ferner.
furthest ['fɜ:ðɪst] *superl of* **far** **1.** *adj* weiteste(r,s); **2.** *adv* am weitesten.
furtive *adj,* **furtively** *adv* ['fɜ:tɪv, -lɪ] verstohlen.
fury ['fjʊərɪ] *n* Wut *f,* Zorn *m.*
fuse [fju:z] **1.** *n* (ELEC) Sicherung *f;* (*of bomb*) Zünder *m;* **2.** *vt* verschmelzen; (*fig*) verbinden; (*lights*) die Sicherung durchbrennen lassen; **3.** *vi* (ELEC) durchbrennen; (COMM) fusionieren; **fuse box** *n* Sicherungskasten *m.*
fuselage ['fju:zəlɑ:ʒ] *n* Flugzeugrumpf *m.*
fusion ['fju:ʒən] *n* Verschmelzung *f.*
fuss [fʌs] *n* Theater *nt;* **fuss-free** *adj* (*fam*) problemlos, unkompliziert; **fussy** *adj* (*difficult*) heikel; (*attentive to detail*) pingelig.
futile ['fju:taɪl] *adj* zwecklos, sinnlos; **futility** [fju:'tɪlɪtɪ] *n* Zwecklosigkeit *f.*
future ['fju:tʃə*] **1.** *adj* zukünftig; **2.** *n* Zukunft *f;* **in the** ~ in Zukunft, zukünftig; **futures deal** *n* Termingeschäft *nt;* **futuristic** [fju:tʃə'rɪstɪk] *adj* futuristisch.
fuze [fju:z] (*US*) *s.* **fuse**.
fuzzy ['fʌzɪ] *adj* (*indistinct*) verschwommen; (*hair*) kraus; (COMPUT) unscharf.

G

G, g [dʒi:] *n* G *nt,* g *nt.*
gabble ['gæbl] *vi* plappern.
gable ['geɪbl] *n* Giebel *m.*
gadget ['gædʒɪt] *n* Vorrichtung *f;* **gadgetry** *n* Geräte *pl.*
Gaelic ['geɪlɪk] **1.** *adj* gälisch; **2.** *n* (*language*) Gälisch *nt.*
gaffe [gæf] *n* Fauxpas *m.*
gag [gæg] **1.** *n* Knebel *m;* (THEAT) Gag *m;* **2.** *vt* knebeln; (POL) mundtot machen.
gain [geɪn] **1.** *vt* (*obtain*) erhalten; (*win*) gewinnen; **2.** *vi* (*improve*) gewinnen (*in* an +*dat*); (*make progress*) Vorsprung gewinnen; (*clock*) vorgehen; **3.** *n* Gewinn *m;* **gainful employment** *n* Erwerbstätigkeit *f.*
gala ['gɑ:lə] *n* Fest *nt;* (*film, ball*) Galaveranstaltung *f.*
galaxy ['gæləksɪ] *n* Sternsystem *nt.*
gale [geɪl] *n* Sturm *m.*
gallant ['gælənt] *adj* tapfer, ritterlich; (*polite*) galant; **gallantry** *n* Tapferkeit *f,* Ritterlichkeit *f;* (*compliment*) Galanterie *f.*
gall-bladder ['gɔ:lblædə*] *n* Gallenblase *f.*
gallery ['gælərɪ] *n* Galerie *f.*
galley ['gælɪ] *n* (*ship's kitchen*) Kombüse *f;* (*ship*) Galeere *f.*
gallon ['gælən] *n* Gallone *f* (*4,546 l*).
gallop ['gæləp] **1.** *n* Galopp *m;* **2.** *vi* galoppieren.
gallows ['gæləʊz] *n pl* Galgen *m.*
gallstone ['gɔ:lstəʊn] *n* Gallenstein *m.*
Gambia ['gæmbɪə] *n* Gambia *nt.*
gamble ['gæmbl] **1.** *vi* um Geld spielen; **2.** *vt* (*risk*) aufs Spiel setzen; **3.** *n* Risiko *nt;* **gambler** *n* Spieler(in) *m(f);* **gambling** *n* Glücksspiel *nt.*
game [geɪm] **1.** *n* Spiel *nt;* (HUNTING) Wild *nt;* **2.** *adj* bereit (*for* zu); (*brave*) mutig; **gamekeeper** *n* Wildhüter(in) *m(f).*
gammon ['gæmən] *n* geräucherter Schinken.
gander ['gændə*] *n* Gänserich *m.*
gang [gæŋ] *n* (*of criminals, youths*) Bande *f.*
gangrene ['gæŋgri:n] *n* Brand *m.*
gangster ['gæŋstə*] *n* Gangster *m.*
gangway ['gæŋweɪ] *n* (NAUT) Laufplanke *f.*
gaol [dʒeɪl] **1.** *n* Gefängnis *nt;* **2.** *vt* einsperren.
gap [gæp] *n* (*hole*) Lücke *f;* (*space*) Zwischenraum *m.*
gape [geɪp] *vi* glotzen.
gaping ['geɪpɪŋ] *adj* (*wound*) klaffend; (*hole*) gähnend.
garage ['gærɑ:ʒ] *n* Garage *f;* (*for repair*) Autoreparaturwerkstatt *f;* (*for petrol*)

Tankstelle *f.*

garbage ['gɑ:bɪdʒ] *n* (*esp US*) Abfall *m;* (*nonsense*) Unsinn *m;* **garbage can** *n* (*US*) Mülltonne *f.*

garbled ['gɑ:bld] *adj* (*story*) verdreht.

garden ['gɑ:dn] **1.** *n* Garten *m;* **2.** *vi* gärtnern; **gardener** *n* Gärtner(in) *m(f);* **gardening** *n* Gärtnern *nt;* **garden party** *n* Gartenfest *nt.*

gargle ['gɑ:gl] **1.** *vi* gurgeln; **2.** *n* Gurgelmittel *nt.*

gargoyle ['gɑ:gɔɪl] *n* Wasserspeier *m.*

garish ['gɛərɪʃ] *adj* grell.

garland ['gɑ:lənd] *n* Girlande *f.*

garlic ['gɑ:lɪk] *n* Knoblauch *m.*

garment ['gɑ:mənt] *n* Kleidungsstück *nt.*

garnish ['gɑ:nɪʃ] **1.** *vt* (*food*) garnieren; **2.** *n* Garnierung *f.*

garret ['gærɪt] *n* Dachkammer *f,* Mansarde *f.*

garrison ['gærɪsən] **1.** *n* Garnison *f;* **2.** *vt* besetzen.

garrulous ['gærʊləs] *adj* geschwätzig.

garter ['gɑ:tə*] *n* Strumpfband *nt.*

gas [gæs] **1.** *n* Gas *nt;* (MED) Lachgas *nt;* (*US: petrol*) Benzin *nt;* **2.** *vt* vergasen; **to step on the ~** Gas geben; **gas cooker** *n* Gasherd *m;* **gas cylinder** *n* Gasflasche *f;* **gas fire** *n* Gasofen *m.*

gash [gæʃ] **1.** *n* klaffende Wunde; **2.** *vt* tief verwunden.

gasket ['gæskɪt] *n* Dichtungsring *m.*

gasmask ['gæsmɑ:sk] *n* Gasmaske *f;* **gas meter** *n* Gaszähler *m.*

gasoline ['gæsəli:n] *n* (*US*) Benzin *nt.*

gasp [gɑ:sp] **1.** *vi* keuchen; (*in astonishment*) tief Luft holen; **2.** *n* Keuchen *nt.*

gas pump ['gæspʌmp] *n* (*US*) Zapfsäule *f;* **gas station** *n* (*US*) Tankstelle *f;* **gas stove** *n* Gaskocher *m.*

gassy ['gæsɪ] *adj* (*drink*) kohlensäurehaltig.

gastric ['gæstrɪk] *adj* Magen-; **~ ulcer** Magengeschwür *nt.*

gastronomy [gæ'strɒnəmɪ] *n* Gastronomie *f.*

gate [geɪt] *n* Tor *nt;* (*barrier*) Schranke *f;* **gatecrash** *vt* (*party*) platzen in *+akk;* **gatecrasher** *n* ungeladener Gast; **gateway** *n* Tor *nt.*

gather ['gæðə*] **1.** *vt* (*people*) versammeln; (*things*) sammeln; **2.** *vi* (*deduce*) schließen (*from* aus); (*assemble*) sich versammeln; **gathering** *n* Versammlung *f.*

gauche [gəʊʃ] *adj* linkisch.

gaudy ['gɔ:dɪ] *adj* schreiend.

gauge [geɪdʒ] **1.** *n* (*instrument*) Messgerät *nt;* (RAIL) Spurweite *f;* (*dial*) Anzeiger *m;* (*measure*) Maß *nt;* **2.** *vt* abmessen; (*fig*) abschätzen.

gaunt [gɔ:nt] *adj* hager.

gauntlet ['gɔ:ntlɪt] *n* (*glove*) Stulpenhandschuh *m;* **to throw down/take up the ~** (*fig*) den Fehdehandschuh hinwerfen/aufnehmen.

gauze [gɔ:z] *n* Mull *m,* Gaze *f.*

gave [geɪv] *pt of* **give**.

gawk [gɔ:k] *vi* dumm glotzen; **to ~ at sb/sth** jdn/etw anglotzen.

gay [geɪ] *adj* (*homosexual*) schwul; (*coloured*) bunt.

gaze [geɪz] **1.** *n* Blick *m;* **2.** *vi* starren; **to ~ at sb/sth** jdn/etw anstarren.

gazelle [gə'zel] *n* Gazelle *f.*

gazetteer [gæzɪ'tɪə*] *n* geografisches Ortsverzeichnis.

GDR *n abbr of* **German Democratic Republic** (HIST) DDR *f.*

gear [gɪə*] *n* Getriebe *nt;* (AUT) Gang *m;* (*equipment*) Ausrüstung *f;* **to be out of/in ~** aus-/eingekuppelt sein; **gear up 1.** *vi* heraufschalten; **2.** *vt* höher tourig auslegen; **gearbox** *n* Getriebe[gehäuse] *nt;* **gear-lever**, **gear shift** (*US*), **gear stick** *n* Schalthebel *m.*

geese [gi:s] *pl of* **goose**.

gel [dʒel] *n* Gel *nt.*

gelatine ['dʒeləti:n] *n* Gelatine *f.*

gem [dʒem] *n* Edelstein *m;* (*fig*) Juwel *nt.*

Gemini ['dʒemɪni:] *n sing* (ASTR) Zwillinge *pl.*

gen [dʒen] *n* (*Brit fam: information*) Infos *pl* (*on* über *+akk*).

gender ['dʒendə*] *n* (LING) Geschlecht *nt.*

gene [dʒi:n] *n* Gen *nt.*

genealogy [dʒi:nɪ'ælədʒɪ] *n* Familienforschung *f.*

general ['dʒenərəl] **1.** *n* (MIL) General *m;* **2.** *adj* allgemein; **~ election** Parlamentswahlen *pl;* **generalization** [dʒenərəlaɪ'zeɪʃən] *n* Verallgemeinerung *f;* **generalize** ['dʒenərəlaɪz] *vi* verallgemeinern; **generally** *adv* allgemein, im Allgemeinen.

generate ['dʒenəreɪt] *vt* erzeugen.

generation [dʒenə'reɪʃən] *n* Generation *f;* (*act*) Erzeugung *f.*

generator ['dʒenəreɪtə*] *n* Generator *m.*

generosity [dʒenə'rɒsɪtɪ] *n* Großzügigkeit *f;* **generous** *adj,* **generously** *adv* ['dʒenərəs, -lɪ] (*noble*) hochherzig; (*giving freely*) großzügig.

genetic [dʒɪ'netɪk] *adj* genetisch; **genetically manipulated** *adj* genverändert; **genetic engineering** Gentechnologie *f;* **genetic fingerprint** *n* genetischer Fingerabdruck; **genetic manipulation** Genmanipulation *f.*
genetics [dʒɪ'netɪks] *n sing* Genetik *f,* Vererbungslehre *f.*
genial ['dʒi:nɪəl] *adj* freundlich, jovial.
genitals ['dʒenɪtlz] *n pl* Geschlechtsteile *pl,* Genitalien *pl.*
genitive ['dʒenɪtɪv] *n* Genitiv *m,* Wesfall *m.*
genius ['dʒi:nɪəs] *n* <-es *o* genii> Genie *nt.*
genocide ['dʒenəʊsaɪd] *n* Völkermord *m.*
genotype ['dʒenəʊtaɪp] *n* Erbgut *nt.*
genteel [dʒen'ti:l] *adj* (*polite*) wohlanständig; (*affected*) affektiert.
gentile ['dʒentaɪl] *n* Nichtjude(-jüdin) *m(f).*
gentle ['dʒentl] *adj* sanft, zart; **gentleman** *n* <gentlemen> Herr *m;* (*polite*) Gentleman *m;* **gentleness** *n* Zartheit *f,* Milde *f;* **gently** *adv* zart, sanft.
gentry ['dʒentrɪ] *n* niederer Adel.
gents [dʒents] *n:* **"~"** (*lavatory*) „Herren".
genuine ['dʒenjʊɪn] *adj* echt, wahr; **genuinely** *adv* wirklich, echt.
geographer [dʒɪ'ɒgrəfə*] *n* Geograf(in) *m(f);* **geographical** [dʒɪə'græfɪkəl] *adj* geografisch; **geography** [dʒɪ'ɒgrəfɪ] *n* Geografie *f,* Erdkunde *f.*
geological [dʒɪəʊ'lɒdʒɪkəl] *adj* geologisch; **geologist** [dʒɪ'ɒlədʒɪst] *n* Geologe(-login) *m(f);* **geology** [dʒɪ'ɒlədʒɪ] *n* Geologie *f.*
geometrical [dʒɪə'metrɪkəl] *adj* geometrisch; **geometry** [dʒɪ'ɒmɪtrɪ] *n* Geometrie *f.*
Georgia ['dʒɔ:dʒɪə] *n* Georgien *nt.*
geranium [dʒɪ'reɪnɪəm] *n* Geranie *f.*
germ [dʒ3:m] *n* Keim *m;* (MED) Bazillus *m.*
German ['dʒ3:mən] **1.** *adj* deutsch; **2.** *n* (*person*) Deutsche(r) *mf;* (*language*) Deutsch *nt;* **the ~s** *pl* die Deutschen *pl;* **~ shepherd** (*US: dog breed*) Schäferhund *m;* **to speak ~** Deutsch sprechen; **to learn ~** Deutsch lernen; **to translate into ~** ins Deutsche übersetzen.
Germanic [dʒ3:'mænɪk] *adj* germanisch.
Germany ['dʒ3:mənɪ] *n* Deutschland *nt;* **in ~** in Deutschland; **to go to ~** nach Deutschland fahren.
germination [dʒ3:mɪ'neɪʃən] *n* Keimen *nt.*
gesticulate [dʒe'stɪkjʊleɪt] *vi* gestikulieren; **gesticulation** [dʒestɪkjʊ'leɪʃən] *n* Gesten *pl,* Gestikulieren *nt.*
gesture ['dʒestʃə*] *n* Geste *f.*
get [get] **1.** <got, got *o* gotten *US*> *vt* (*receive*) bekommen, kriegen; (*obtain*) beschaffen, besorgen; **2.** <got, got *o* gotten> *vi* (*become*) werden; (*go, travel*) kommen; (*arrive*) ankommen; **to ~ sb to do sth** jdn dazu bringen etw zu tun, jdn etw machen lassen; **get along** *vi* (*people*) gut zurechtkommen; (*depart*) sich auf den Weg machen; **get at** *vt* (*facts*) herausbekommen; **to ~ ~ sb** (*nag*) an jdm herumnörgeln; **get away** *vi* (*leave*) sich davonmachen; (*escape*) entkommen (*from dat*); **~ ~ with you!** lass den Quatsch!; **get down 1.** *vi* heruntergehen; **2.** *vt* (*take down*) herunterholen; (*depress*) fertigmachen; **get in** *vi* (*train*) ankommen; (*arrive home*) heimkommen; **get off** *vi* (*from train etc*) aussteigen aus; (*from horse*) absteigen von; **get on 1.** *vi* (*progress*) vorankommen; (*be friends*) auskommen; (*age*) alt werden; **2.** *vt* (*train etc*) einsteigen in *+akk;* (*horse*) aufsteigen auf *+akk;* **get out 1.** *vi* (*of house*) herauskommen; (*of vehicle*) aussteigen; **2.** *vt* (*take out*) herausholen; **get over** *vt* (*illness*) sich erholen von; (*surprise*) verkraften; (*news*) fassen; (*loss*) sich abfinden mit; **I couldn't ~ ~ her** ich konnte sie nicht vergessen; **get up** *vi* aufstehen; **getaway** *n* Flucht *f;* **get-together** *n* gemütliches Beisammensein.
geyser ['gi:zə*] *n* Geyser *m;* (*heater*) Durchlauferhitzer *m.*
ghastly ['gɑ:stlɪ] *adj* (*horrible*) grässlich.
gherkin ['g3:kɪn] *n* Gewürzgurke *f.*
ghetto ['getəʊ] *n* <-es> Ghetto *nt;* **ghetto blaster** *n* tragbares Stereogerät, Ghettoblaster *m.*
ghost [gəʊst] *n* Gespenst *nt,* Geist *m;* **ghostly** *adj* gespenstisch; **ghost story** *n* Gespenstergeschichte *f.*
giant ['dʒaɪənt] **1.** *n* Riese *m,* Riesin *f;* **2.** *adj* riesig, Riesen-.
gibberish ['dʒɪbərɪʃ] *n* dummes Geschwätz.
gibe [dʒaɪb] *n* spöttische Bemerkung.
giblets ['dʒɪblɪts] *n pl* Hühnerklein *nt.*
Gibraltar [dʒɪ'brɔ:ltə*] *n* Gibraltar *nt.*
giddiness ['gɪdɪnəs] *n* Schwindelgefühl *nt;* **giddy** *adj* schwindlig; (*frivolous*)

leichtsinnig.

gift [gɪft] *n* Geschenk *nt;* (*ability*) Begabung *f;* **gifted** *adj* begabt; **gift token**, **gift voucher** *n* Geschenkgutschein *m.*

gigantic [dʒaɪ'gæntɪk] *adj* riesenhaft, ungeheuer groß.

giggle ['gɪgl] **1.** *vi* kichern; **2.** *n* Gekicher *nt.*

gild [gɪld] *vt* vergolden.

gill [gɪl] *n* (*of fish*) Kieme *f.*

gilt [gɪlt] **1.** *n* Vergoldung *f;* **2.** *adj* vergoldet.

gimlet ['gɪmlɪt] *n* Handbohrer *m.*

gimmick ['gɪmɪk] *n* (*for sales, publicity*) Gag *m;* **gimmicky** *adj:* **it's so ~** es ist alles nur ein Gag.

gin [dʒɪn] *n* Gin *m.*

ginger ['dʒɪndʒə*] *n* Ingwer *m;* **ginger ale** *n* Ginger Ale *nt;* **ginger beer** *n* Ingwerlimonade *f;* **gingerbread** *n* Pfefferkuchen *m;* **ginger-haired** *adj* rothaarig.

gingerly ['dʒɪndʒəlɪ] *adv* behutsam.

gipsy ['dʒɪpsɪ] *n* Zigeuner(in) *m(f).*

giraffe [dʒɪ'rɑːf] *n* Giraffe *f.*

girder ['gɜːdə*] *n* (*steel ~*) Eisenträger *m;* (*wood ~*) Tragebalken *m.*

girdle ['gɜːdl] **1.** *n* (*woman's*) Hüftgürtel *m;* **2.** *vt* umgürten.

girl [gɜːl] *n* Mädchen *nt;* **girlfriend** *n* Freundin *f;* **girlish** *adj* mädchenhaft.

girth [gɜːθ] *n* (*measure*) Umfang *m;* (*strap*) Sattelgurt *m.*

gist [dʒɪst] *n* Wesentliche(s) *nt,* Quintessenz *f.*

give [gɪv] <gave, given> **1.** *vt* geben; **2.** *vi* (*break*) nachgeben; **give away** *vt* (*give free*) verschenken; (*betray*) verraten; **give back** *vt* zurückgeben; **give in 1.** *vi* (*yield*) aufgeben; (*agree*) nachgeben; **2.** *vt* (*hand in*) abgeben; **give up** *vt, vi* aufgeben; **give way** *vi* (*traffic*) die Vorfahrt achten; (*to feelings*) nachgeben *+dat;* **giveaway** ['gɪvəweɪ] *n* Werbegeschenk *nt;* **given** ['gɪvn] *pp of* **give**.

glacial ['gleɪsɪəl] *adj* (GEO) Gletscher-; (*person*) eiskalt.

glacier ['glæsɪə*] *n* Gletscher *m.*

glad [glæd] *adj* froh; **I was ~ to hear ...** ich habe mich gefreut zu hören ...; **gladden** *vt* erfreuen.

gladiator ['glædɪeɪtə*] *n* Gladiator *m.*

gladioli [glædɪ'əʊlaɪ] *n pl* Gladiolen *pl.*

gladly ['glædlɪ] *adv* gerne.

glamorous ['glæmərəs] *adj* bezaubernd; (*life*) glanzvoll; **glamour** *n* Zauber *m,* Reiz *m.*

glance [glɑːns] **1.** *n* flüchtiger Blick; **2.** *vi* schnell hinblicken (*at* auf *+akk*); **glance off** *vi* (*fly off*) abprallen.

gland [glænd] *n* Drüse *f;* **glandular fever** *n* Drüsenfieber *nt.*

glare [glɛə*] **1.** *n* (*light*) grelles Licht; (*stare*) wilder Blick; **2.** *vi* grell scheinen; (*angrily*) böse ansehen (*at akk*); **glaring** *adj* (*injustice*) schreiend; (*mistake*) krass.

glass [glɑːs] *n* Glas *nt;* (*mirror*) Spiegel *m;* **~es** *pl* Brille *f;* **glasshouse** *n* Gewächshaus *nt;* **glassware** *n* Glaswaren *pl;* **glassy** *adj* glasig.

glaze [gleɪz] **1.** *vt* verglasen; **2.** *n* Glasur *f;* **finish with a ~** glasieren.

glazier ['gleɪzɪə*] *n* Glaser(in) *m(f).*

gleam [gliːm] **1.** *n* Schimmer *m;* **2.** *vi* schimmern; **gleaming** *adj* schimmernd.

glee [gliː] *n* Frohsinn *m;* (*malicious*) Schadenfreude *f;* **gleeful** *adj* fröhlich; schadenfroh.

glen [glen] *n* Bergtal *nt.*

glib [glɪb] *adj* redegewandt; (*superficial*) oberflächlich; **glibly** *adv* glatt.

glide [glaɪd] **1.** *vi* gleiten; **2.** *n* (AVIAT) Segelflug *m;* **glider** *n* (AVIAT) Segelflugzeug *nt;* **gliding** *n* Segelfliegen *nt.*

glimmer ['glɪmə*] *n* Schimmer *m;* **~ of hope** Hoffnungsschimmer *m.*

glimpse [glɪmps] **1.** *n* flüchtiger Blick; **2.** *vt* flüchtig erblicken.

glint [glɪnt] *vi* glitzern.

glisten ['glɪsn] *vi* glänzen.

glitch [glɪtʃ] *n* (*fam*) Störung *f.*

glitter ['glɪtə*] *vi* funkeln; **glittering** *adj* glitzernd.

glitz [glɪts] *n* Pomp *m,* Glitzerwelt *f;* **glitzy** *adj* glamourös, Schickimicki-.

gloat over ['gləʊt əʊvə*] *vt* sich weiden an *+dat.*

global ['gləʊbl] *adj* global; **global village** *n* Weltdorf *nt.*

globe [gləʊb] *n* Erdball *m;* (*sphere*) Globus *m;* **globe-trotter** *n* Weltenbummler(in) *m(f),* Globetrotter(in) *m(f).*

gloom [gluːm] *n* (*also:* **gloominess**) (*darkness*) Düsterkeit *f;* (*depression*) düstere Stimmung; **gloomily** *adv,* **gloomy** *adj* düster.

glorification [glɔːrɪfɪ'keɪʃən] *n* Verherrlichung *f;* **glorify** ['glɔːrɪfaɪ] *vt* verherrlichen, glorifizieren.

glorious ['glɔːrɪəs] *adj* glorreich; (*splendid*) prächtig.

glory ['glɔːrɪ] **1.** *n* Herrlichkeit *f;* (*praise*) Ruhm *m;* **2.** *vi:* **to ~ in** sich sonnen in

+*dat.*

gloss [glɒs] *n* (*shine*) Glanz *m;* **gloss over** *vt* vertuschen.

glossary ['glɒsərɪ] *n* Glossar *nt.*

gloss paint ['glɒspeɪnt] *n* Glanzlack *m.*

glossy ['glɒsɪ] *adj* (*surface*) glänzend.

glove [glʌv] *n* Handschuh *m.*

glow [gləʊ] **1.** *vi* glühen, leuchten; **2.** *n* (*heat*) Glühen *nt;* (*colour*) Röte *f;* (*feeling*) Wärme *f.*

glower at ['glaʊə* æt] *vt* finster anblicken.

glucose ['glu:kəʊs] *n* Traubenzucker *m.*

glue [glu:] **1.** *n* Klebstoff *m,* Leim *m;* **2.** *vt* leimen, kleben; **glue-sniffing** *n* Schnüffeln *nt.*

glum [glʌm] *adj* bedrückt.

glut [glʌt] **1.** *n* Überfluss *m;* **2.** *vt* überschwemmen.

glutton ['glʌtn] *n* Vielfraß *m;* (*fig*) Unersättliche(r) *mf;* **a ~ for punishment** ein Masochist; **gluttonous** *adj* gierig; **gluttony** *n* Völlerei *f;* Unersättlichkeit *f.*

glycerine ['glɪsəri:n] *n* Glyzerin *nt.*

GMT *n abbr of* **Greenwich Mean Time** WEZ *f.*

gnarled [nɑ:ld] *adj* knorrig.

gnat [næt] *n* Stechmücke *f.*

gnaw [nɔ:] *vt* nagen an +*dat.*

gnome [nəʊm] *n* Gnom *m.*

GNP *n abbr of* **Gross National Product** BSP *nt.*

go [gəʊ] <went, gone> **1.** *vi* gehen; (*travel*) reisen, fahren; (*plane*) fliegen; (*depart: train*) abfahren; (*money*) ausgehen; (*vision*) verschwinden; (*smell*) verfliegen; (*disappear*) fortgehen; (*be sold*) weggehen; (*work*) gehen, funktionieren; (*extend*) sich erstrecken (*to* bis); (*fit, suit*) passen (*with* zu); (*become*) werden; (*break etc*) nachgeben; **2.** *n* <-es> (*energy*) Schwung *m;* (*attempt*) Versuch *m;* **can I have another ~?** darf ich noch mal?; **go ahead** *vi* (*proceed*) weitergehen; **go along with** *vt* (*agree to support*) zustimmen +*dat,* unterstützen; **go away** *vi* (*depart*) weggehen; **go back** *vi* (*return*) zurückgehen; **go back on** *vt* (*promise*) nicht halten; **go by** *vi* (*years, time*) vergehen; **go down** *vi* (*sun*) untergehen; **go for** *vt* (*fetch*) holen gehen; (*like*) mögen; (*attack*) sich stürzen auf +*akk;* **go in** *vi* hineingehen; **go into** *vt* (*enter*) hineingehen in +*akk;* (*study*) sich befassen mit; **go off 1.** *vi* (*depart*) weggehen; (*lights*) ausgehen; (*milk etc*) sauer werden; (*explode*) losgehen; **2.** *vt* (*dislike*) nicht mehr mögen; **go on** *vi* (*continue*) weitergehen; (*fam: complain*) meckern; (*lights*) angehen; **to ~ ~ with sth** mit etw weitermachen; **go out** *vi* (*fire, light*) ausgehen; (*of house*) hinausgehen; **go over** *vt* (*examine, check*) durchgehen; **go up** *vi* (*price*) steigen; **go without** *vt* sich behelfen ohne; (*food*) entbehren.

goad [gəʊd] *vt* anstacheln.

go-ahead ['gəʊəhed] **1.** *adj* (*progressive*) fortschrittlich; **2.** *n* grünes Licht.

goal [gəʊl] *n* Ziel *nt;* (SPORT) Tor *nt;* **goalkeeper** *n* Torwart *m,* Torhüter(in) *m(f);* **goal-post** *n* Torpfosten *m.*

goat [gəʊt] *n* Ziege *f.*

gobble ['gɒbl] *vt* hinunterschlingen.

go-between ['gəʊbɪtwi:n] *n* Mittelsmann *m.*

goblet ['gɒblɪt] *n* Kelch[glas *nt*] *m.*

goblin ['gɒblɪn] *n* Kobold *m.*

god [gɒd] *n* Gott *m;* **godchild** *n* <godchildren> Patenkind *nt;* **goddess** *n* Göttin *f;* **godfather** *n* Pate *m;* **godforsaken** *adj* gottverlassen; **godmother** *n* Patin *f;* **godsend** *n* Geschenk *nt* des Himmels.

goggle ['gɒgl] *vi* (*stare*) glotzen; **to ~ at** anglotzen; **goggles** *n pl* Schutzbrille *f.*

going ['gəʊɪŋ] **1.** *n* Weggang *m;* **2.** *adj* (*rate*) gängig; (*concern*) gut gehend; **it's hard ~** es ist schwierig; **the ~ is good/soft** (*in racing*) die Bahn ist gut/weich; **goings-on** *n pl* Vorgänge *pl.*

gold [gəʊld] *n* Gold *nt;* **golden** *adj* golden, Gold-; **goldfish** *n* Goldfisch *m;* **gold mine** *n* Goldgrube *f.*

golf [gɒlf] *n* Golf *nt;* **golf ball** *n* (SPORT) Golfball *m;* (*of typewriter*) Kugelkopf *m;* **golf-ball typewriter** *n* Kugelkopfschreibmaschine *f;* **golf club** *n* (*society*) Golfklub *m;* (*stick*) Golfschläger *m;* **golf course** *n* Golfplatz *m;* **golfer** *n* Golfspieler(in) *m(f).*

gondola ['gɒndələ] *n* Gondel *f.*

gone [gɒn] *pp of* **go**.

gong [gɒŋ] *n* Gong *m.*

good [gʊd] **1.** *n* (*benefit*) Wohl *nt;* (*moral excellence*) Güte *f;* **2.** *adj* <better, best> gut; (*suitable*) passend; **a ~ deal of** ziemlich viel; **a ~ many** ziemlich viele; **~ morning!** guten Morgen!; **Good Friday** Karfreitag *m;* **goodbye** [gʊd'baɪ] **1.** *interj* auf Wiedersehen; **2.** *n* Abschied *m;* **good-looking** *adj* gut aussehend;

goodness *n* Güte *f;* (*virtue*) Tugend *f.*
goods [gʊdz] *n pl* Waren *pl,* Güter *pl;* **goods train** *n* Güterzug *m.*
goodwill [gʊd'wɪl] *n* (*favour*) Wohlwollen *nt;* (COMM) Geschäftswert *m.*
goose [gu:s] *n* <geese> Gans *f;* **gooseberry** ['gʊzbərɪ] *n* Stachelbeere *f;* **gooseflesh** *n,* **goose pimples** *n pl* Gänsehaut *f.*
gore [gɔ:*] **1.** *vt* durchbohren, aufspießen; **2.** *n* Blut *nt.*
gorge [gɔ:dʒ] **1.** *n* Schlucht *f;* **2.** *vr:* ~ **oneself** sich voll essen.
gorgeous ['gɔ:dʒəs] *adj* prächtig; (*person*) hinreißend.
gorilla [gə'rɪlə] *n* Gorilla *m.*
gorse [gɔ:s] *n* Stechginster *m.*
gory ['gɔ:rɪ] *adj* blutig.
go-slow ['gəʊ'sləʊ] *n* Bummelstreik *m.*
gospel ['gɒspəl] *n* Evangelium *nt.*
gossamer ['gɒsəmə*] *n* Spinnfäden *pl.*
gossip ['gɒsɪp] **1.** *n* Klatsch *m;* (*person*) Klatschbase *f;* **2.** *vi* klatschen.
got [gɒt] *pt, pp of* **get**; **gotten** (*US*) *pp of* **get**.
goulash ['gu:læʃ] *n* Gulasch *nt o m.*
gout [gaʊt] *n* Gicht *f.*
govern ['gʌvən] *vt* regieren; verwalten; (LING) bestimmen; **governess** *n* Gouvernante *f;* **governing** *adj* regierend, Regierungs-; (*fig*) bestimmend; ~ **body** Vorstand *m;* **government** **1.** *n* Regierung *f;* **2.** *adj* Regierungs-; **governor** *n* Gouverneur(in) *m(f).*
govt *n abbr of* **government** Regierung *f.*
gown [gaʊn] *n* Gewand *nt;* (SCH) Robe *f.*
GP *n abbr of* **General Practitioner** praktischer Arzt.
GPO *n abbr of* **General Post Office** (*Brit*) Hauptpostamt *nt.*
grab [græb] *vt* packen; an sich reißen.
grace [greɪs] **1.** *n* Anmut *f;* (*of movement*) Grazie *f;* (*favour*) Güte *f,* Gefälligkeit *f;* (*mercy*) Gnade *f;* (*prayer*) Tischgebet *nt;* (COMM) Zahlungsfrist *f;* (*delay*) Aufschub *m;* **2.** *vt* (*adorn*) zieren; (*honour*) auszeichnen; **5 days'** ~ 5 Tage Aufschub; **graceful** *adj,* **gracefully** *adv* anmutig, graziös; **graceless** *adj* schroff; (*person*) ungehobelt.
gracious ['greɪʃəs] *adj* gnädig; (*kind, courteous*) wohlwollend, freundlich.
gradation [grə'deɪʃən] *n* Abstufung *f.*
grade [greɪd] **1.** *n* Grad *m;* (*slope*) Gefälle *nt;* **2.** *vt* (*classify*) einstufen; **to make the** ~ es schaffen; **grade crossing** *n* (*US*) Bahnübergang *m.*
gradient ['greɪdɪənt] *n* (*upward*) Steigung *f;* (*downward*) Gefälle *nt.*
gradual *adj,* **gradually** *adv* ['grædjʊəl, -lɪ] allmählich.
graduate ['grædjʊɪt] **1.** *n* Hochschulabsolvent(in) *m(f);* **2.** ['grædjʊeɪt] *vi* das Studium absolvieren; **graduation** [grædjʊ'eɪʃən] *n* Erlangung *f* eines akademischen Grades.
graft [grɑ:ft] **1.** *n* (*on plant*) Pfropfreis *nt;* (*fam: hard work*) Schufterei *f;* (MED) Verpflanzung *f;* (*unfair self-advancement*) Schiebung *f;* **2.** *vt* propfen; (*fig*) aufpfropfen; (MED) verpflanzen.
grain [greɪn] *n* Korn *nt,* Getreide *nt;* (*particle*) Körnchen *nt,* Korn *nt;* (*in wood*) Maserung *f.*
grammar ['græmə*] *n* Grammatik *f;* **grammatical** [grə'mætɪkəl] *adj* grammatisch.
gramme [græm] *n* Gramm *nt.*
granary ['grænərɪ] *n* Kornspeicher *m.*
grand [grænd] *adj* großartig; **granddaughter** *n* Enkelin *f;* **grandeur** ['grændjə*] *n* Erhabenheit *f;* **grandfather** *n* Großvater *m;* **grandiose** ['grændɪəʊz] *adj* (*imposing*) großartig; (*pompous*) schwülstig; **grandmother** *n* Großmutter *f;* **grandparents** *n pl* Großeltern *pl;* **grand piano** *n* <-s> Flügel *m;* **grandson** *n* Enkel *m;* **grandstand** *n* Haupttribüne *f;* **grand total** *n* Gesamtsumme *f.*
granite ['grænɪt] *n* Granit *m.*
granny ['grænɪ] *n* Oma *f.*
grant [grɑ:nt] **1.** *vt* gewähren; (*allow*) zugeben; **2.** *n* Unterstützung *f;* (SCH) Stipendium *nt;* **to take sb/sth for ~ed** jdn/etw als selbstverständlich hinnehmen.
granulated ['grænjʊleɪtɪd] *adj:* ~ **sugar** Zuckerraffinade *f.*
granule ['grænju:l] *n* Körnchen *nt.*
grape [greɪp] *n* Weintraube *f;* **grapefruit** *n* Grapefruit *f;* **grape juice** *n* Traubensaft *m.*
graph [grɑ:f] *n* Schaubild *nt;* **graphic** ['græfɪk] *adj* (*descriptive*) anschaulich, lebendig; (*drawing*) grafisch; **graphic artist** *n* Grafiker(in) *m(f);* **graphics screen** *n* Grafikbildschirm *m.*
grapple ['græpl] *vi* sich raufen; **to ~ with** kämpfen mit.
grasp [grɑ:sp] **1.** *vt* ergreifen; (*understand*) begreifen; **2.** *n* Griff *m;* (*understanding*) Verständnis *nt;* **grasping** *adj*

habgierig.

grass [grɑːs] *n* Gras *nt;* **grasshopper** *n* Heuschrecke *f;* **grassland** *n* Weideland *nt;* **grass roots** *n pl* (*fig*) Basis *f;* **grass snake** *n* Ringelnatter *f;* **grassy** *adj* grasig, Gras-.

grate [greɪt] **1.** *n* Gitter *nt;* (*in fire*) Feuerrost *m;* (*fireplace*) Kamin *m;* **2.** *vi* kratzen; (*sound*) knirschen; (*on nerves*) zerren (*on* an +*dat*); **3.** *vt* (*cheese*) reiben; (*carrots etc*) raspeln.

grateful *adj,* **gratefully** *adv* ['greɪtfʊl, -fəlɪ] dankbar.

grater ['greɪtə*] *n* (*in kitchen*) Reibe *f.*

gratification [grætɪfɪ'keɪʃən] *n* Befriedigung *f;* **gratify** ['grætɪfaɪ] *vt* befriedigen; **gratifying** *adj* erfreulich.

grating ['greɪtɪŋ] **1.** *n* (*iron bars*) Gitter *nt;* **2.** *adj* (*noise*) knirschend; (*enervating*) nervig.

gratitude ['grætɪtjuːd] *n* Dankbarkeit *f.*

gratuitous [grə'tjuːɪtəs] *adj* (*uncalled-for*) unnötig, überflüssig; (*unasked-for*) unerwünscht.

gratuity [grə'tjuːɪtɪ] *n* Geldgeschenk *nt;* (COMM) Gratifikation *f.*

grave [greɪv] **1.** *n* Grab *nt;* **2.** *adj* (*serious*) ernst, schwerwiegend; (*solemn*) ernst, feierlich; **gravedigger** *n* Totengräber(in) *m(f).*

gravel ['grævəl] *n* Kies *m.*

gravely ['greɪvlɪ] *adv* schwer, ernstlich.

gravestone ['greɪvstəʊn] *n* Grabstein *m;* **graveyard** *n* Friedhof *m.*

gravitate ['grævɪteɪt] *vi* angezogen werden (*towards* von).

gravity ['grævɪtɪ] *n* Schwerkraft *f;* (*seriousness*) Schwere *f,* Ernst *m.*

gravy ['greɪvɪ] *n* Bratensoße *f.*

gray [greɪ] *adj* grau.

graze [greɪz] **1.** *vi* grasen; **2.** *vt* (*touch*) streifen; (MED) abschürfen; **3.** *n* (MED) Abschürfung *f.*

grease [griːs] **1.** *n* (*fat*) Fett *nt;* (*lubricant*) Schmiere *f;* **2.** *vt* einfetten; (TECH) schmieren; **grease gun** *n* Schmierspritze *f;* **greaseproof** *adj* (*paper*) Butterbrot-; **greasy** ['griːsɪ] *adj* fettig.

great [greɪt] *adj* groß; (*important*) groß, bedeutend; (*distinguished*) groß, hervorragend; (*friend*) eng; (*fam: good*) prima; **Great Britain** *n* Großbritannien *nt;* **in ~** in Großbritannien; **to go to ~** nach Großbritannien fahren; **great-grandfather** *n* Urgroßvater *m;* **great-grandmother** *n* Urgroßmutter *f;* **greatly** *adv* sehr; **greatness** *n* Größe *f.*

Greece [griːs] *n* Griechenland *nt.*

greed [griːd] *n* (*also:* **greediness**) Gier *f* (*for* nach); (*meanness*) Geiz *m;* **greedily** *adv* gierig; **greedy** *adj* gefräßig, gierig; **~ for money** geldgierig.

Greek [griːk] **1.** *adj* griechisch; **2.** *n* Grieche *m,* Griechin *f.*

green [griːn] **1.** *adj* grün; **2.** *n* (*village ~*) Dorfwiese *f;* **~ card** grüne Versicherungskarte; **green belt** *n* Grüngürtel *m;* **greengrocer** *n* Obst- und Gemüsehändler(in) *m(f);* **greenhouse** *n* Gewächshaus *nt;* **greenhouse effect** *n* Treibhauseffekt *m;* **greenish** *adj* grünlich; **green issues** *n pl* Umweltfragen *pl;* **Greenland** *n* Grönland *nt;* **green light** *n* (*a. fig*) grünes Licht; **greenness** *n* (*fam*) Umweltfreundlichkeit *f.*

greet [griːt] *vt* grüßen; **greeting** *n* Gruß *m,* Begrüßung *f;* **greetings card** *n* Grußkarte *f.*

gregarious [grɪ'gɛərɪəs] *adj* gesellig.

grenade [grɪ'neɪd] *n* Granate *f.*

grew [gruː] *pt of* **grow**.

grey [greɪ] *adj* grau; **grey-haired** *adj* grauhaarig; **greyhound** *n* Windhund *m;* **greyish** *adj* gräulich; **greywater** *n* Brauchwasser *nt.*

grid [grɪd] *n* Gitter *nt;* (ELEC) Leitungsnetz *nt;* (*on map*) Gitternetz *nt;* **gridiron** ['grɪdaɪən] *n* [Brat]rost *m;* (*US* SPORT) Spielfeld *nt.*

grief [griːf] *n* Gram *m,* Kummer *m.*

grievance ['griːvəns] *n* Beschwerde *f.*

grieve [griːv] **1.** *vi* sich grämen, trauern; **2.** *vt* betrüben.

grill [grɪl] **1.** *n* (*on cooker*) Grill *m;* **2.** *vt* grillen; (*question*) in die Mangel nehmen.

grille [grɪl] *n* (*on car etc*) Kühlergitter *nt.*

grim [grɪm] *adj* grimmig; (*situation*) düster.

grimace [grɪ'meɪs] **1.** *n* Grimasse *f;* **2.** *vi* Grimassen schneiden.

grime [graɪm] *n* Schmutz *m.*

grimly ['grɪmlɪ] *adv* grimmig, finster.

grimy ['graɪmɪ] *adj* schmutzig.

grin [grɪn] **1.** *n* Grinsen *nt;* **2.** *vi* grinsen.

grind [graɪnd] **1.** <ground, ground> *vt* mahlen; (*sharpen*) schleifen; (*teeth*) knirschen mit; **2.** *n* (*fam: drudgery*) Schufterei *f.*

grip [grɪp] **1.** *n* Griff *m;* (*mastery*) Griff *m,* Gewalt *f;* (*suitcase*) kleiner Handkoffer; **2.** *vt* packen.

gripes [graɪps] *n pl* (*bowel pains*) Bauchschmerzen *pl,* Bauchweh *nt.*

gripping ['grɪpɪŋ] *adj* (*exciting*) spannend.

grisly ['grɪzlɪ] *adj* gräßlich.

gristle ['grɪsl] *n* Knorpel *m.*

grit [grɪt] **1.** *n* Splitt *m;* (*courage*) Mut *m,* Mumm *m;* **2.** *vt* (*road*) mit Splitt bestreuen; **to ~ one's teeth** die Zähne zusammenbeißen.

groan [grəʊn] *vi* stöhnen.

grocer ['grəʊsə*] *n* Lebensmittelhändler(in) *m(f);* **groceries** *n pl* Lebensmittel *pl.*

grog [grɒg] *n* Grog *m.*

groggy ['grɒgɪ] *adj* benommen; (*boxing*) angeschlagen.

groin [grɔɪn] *n* Leistengegend *f.*

groom [gru:m] **1.** *n* (*bride~*) Bräutigam *m;* (*for horses*) Pferdeknecht *m;* **2.** *vt:* **to ~ sb for a career** jdn auf eine Laufbahn vorbereiten; **3.** *vr:* **~ oneself** (*men*) sich zurechtmachen, sich pflegen; **well ~ed** gepflegt.

groove [gru:v] *n* Rille *f,* Furche *f.*

grope [grəʊp] *vi* tasten.

gross [grəʊs] **1.** *adj* (*coarse*) dick, plump; (*bad*) grob, schwer; (COMM) brutto; Gesamt-; **2.** *n* Gros *nt;* **grossly** *adv* höchst, ungeheuerlich; **gross national product** *n* Bruttosozialprodukt *nt.*

grotesque [grəʊ'tesk] *adj* grotesk.

grotto ['grɒtəʊ] *n* <-es> Grotte *f.*

ground [graʊnd] **1.** *pt, pp of* **grind**; **2.** *n* Boden *m,* Erde *f;* (*land*) Grundbesitz *m;* (*reason*) Grund *m;* (*esp fig*) Gebiet *nt;* **3.** *vt* (*run ashore*) auf Strand setzen; (*aircraft*) stillegen; (*instruct*) die Grundlagen *+dat;* **4.** *vi* (*run ashore*) stranden, auflaufen; **~s** *pl* (*dregs*) Satz *m;* (*around house*) Gartenanlagen *pl;* **ground floor** *n* (*Brit*) Erdgeschoss *nt,* Parterre *nt;* **grounding** *n* (*basic knowledge*) Grundwissen *m;* **groundsheet** *n* Zeltboden *m;* **ground swell** *n:* **the ~ of opinion** die Stimmung im Volk; **groundwork** *n* Grundlage *f.*

group [gru:p] **1.** *n* Gruppe *f;* **2.** *vt, vi* sich gruppieren; **grouping** *n* Anordnung *f.*

grouse [graʊs] **1.** *n* <-> (*bird*) schottisches Moorhuhn; (*complaint*) Nörgelei *f;* **2.** *vi* (*complain*) meckern.

grove [grəʊv] *n* Hain *m,* Gehölz *nt.*

grovel ['grɒvl] *vi* auf dem Bauch kriechen; (*fig*) kriechen.

grow [grəʊ] <grew, grown> **1.** *vi* wachsen, größer werden; (*grass*) wachsen; (*become*) werden; (*fig*) sich weiterentwickeln; **2.** *vt* (*raise*) anbauen, ziehen; (*beard*) sich *dat* wachsen lassen; **it ~s on you** man gewöhnt sich daran; **grow up** *vi* aufwachsen; (*mature*) erwachsen werden; **grower** *n* Züchter(in) *m(f);* **growing** *adj* wachsend; (*fig*) zunehmend.

growl [graʊl] *vi* knurren.

grown [grəʊn] *pp of* **grow**; **grown-up** [grəʊn'ʌp] **1.** *adj* erwachsen; **2.** *n* Erwachsene(r) *mf.*

growth [grəʊθ] *n* Wachstum *nt,* Wachsen *nt;* (*increase*) Anwachsen *nt,* Zunahme *f;* (*of beard*) Wuchs *m;* (*fig*) Entwicklung *f;* **growth market** *n* Wachstumsmarkt *m.*

grub [grʌb] *n* Made *f,* Larve *f;* (*fam: food*) Futter *nt.*

grubby ['grʌbɪ] *adj* schmutzig, schmuddelig.

grudge [grʌdʒ] **1.** *n* Groll *m;* **2.** *vt* missgönnen (*sb sth* jdm etw); **to bear sb a ~** einen Groll gegen jdn hegen; **grudging** *adj* neidisch; (*unwilling*) widerwillig.

gruelling ['grʊəlɪŋ] *adj* (*climb, race*) mörderisch.

gruesome ['gru:səm] *adj* grauenhaft.

gruff [grʌf] *adj* barsch.

grumble ['grʌmbl] **1.** *vi* murren, schimpfen; **2.** *n* Brummen *nt,* Murren *nt,* Klage *f.*

grump [grʌmp] *vi* (*fam*) meckern.

grumpy ['grʌmpɪ] *adj* verdrießlich.

grunt [grʌnt] **1.** *vi* grunzen; **2.** *n* Grunzen *nt.*

G-string ['dʒi:strɪŋ] *n* ≈ Tanga *m.*

guarantee [gærən'ti:] **1.** *n* (*promise to pay*) Gewähr *f;* (*promise to replace*) Garantie *f;* **2.** *vt* gewährleisten; garantieren.

guard [gɑ:d] **1.** *n* (*defence*) Bewachung *f;* (*sentry*) Wache *f;* (RAIL) Zugbegleiter(in) *m(f);* **2.** *vt* bewachen, beschützen; **~'s van** (*Brit* RAIL) Dienstwagen *m;* **to be on ~** Wache stehen; **to be on one's ~** aufpassen; **guarded** *adj* vorsichtig, zurückhaltend.

guardian ['gɑ:dɪən] *n* Vormund *m;* (*keeper*) Hüter(in) *m(f);* **~ angel** Schutzengel *m.*

guerrilla [gə'rɪlə] *n* Guerilla *mf;* **guerrilla warfare** *n* Guerillakrieg *m.*

guess [ges] **1.** *vt, vi* erraten, schätzen; **2.** *n* Vermutung *f;* **good ~** gut geraten; **guesstimate** *n* (*fam*) grobe Schätzung *f;* **guesswork** *n* Raterei *f.*

guest [gest] *n* Gast *m;* **guest-house** *n*

Pension *f;* **guest room** *n* Gästezimmer *nt.*
guffaw [gʌ'fɔː] **1.** *n* schallendes Gelächter; **2.** *vi* schallend lachen.
guidance ['gaɪdəns] *n* (*control*) Leitung *f;* (*advice*) Rat *m,* Beratung *f.*
guide [gaɪd] **1.** *n* (*person*) Leiter(in) *m(f);* **2.** *vt* führen; **girl ~** Pfadfinderin *f;* **guidebook** *n* Reiseführer *m;* **guided missile** *n* Fernlenkgeschoss *nt;* **guidelines** *n pl* Richtlinien *pl.*
guild [gɪld] *n* (HIST) Gilde *f;* (*society*) Vereinigung *f.*
guile [gaɪl] *n* Arglist *f;* **guileless** *adj* arglos.
guillotine [gɪlə'tiːn] *n* Guillotine *f.*
guilt [gɪlt] *n* Schuld *f;* **guilty** *adj* schuldig.
guise [gaɪz] *n* (*appearance*) Verkleidung *f;* (*pretence*) Vorwand *m;* **in the ~ of** (*things*) in Form von; (*people*) gekleidet als.
guitar [gɪ'tɑː*] *n* Gitarre *f;* **guitarist** *n* Gitarrist(in) *m(f).*
gulf [gʌlf] *n* Golf *m;* (*fig*) Abgrund *m;* **Gulf States** *n pl* Golfstaaten *pl;* **Gulf Stream** *n* Golf Strom *m.*
gull [gʌl] *n* Möwe *f.*
gullet ['gʌlɪt] *n* Schlund *m.*
gullible ['gʌlɪbl] *adj* leichtgläubig.
gully ['gʌlɪ] *n* Wasserrinne *f;* (*gorge*) Schlucht *f.*
gulp [gʌlp] **1.** *vi* würgen; (*eat fast*) schlingen; (*drink*) hastig trinken; (*gasp*) schlucken; **2.** *n* großer Schluck.
gum [gʌm] **1.** *n* (*around teeth*) Zahnfleisch *nt;* (*glue*) Klebstoff *m;* (*chewing ~*) Kaugummi *m;* **2.** *vt* kleben, gummieren; **gumboots** *n pl* Gummistiefel *pl.*
gumption ['gʌmpʃən] *n* (*fam*) Grips *m.*
gum tree ['gʌmtriː] *n* Gummibaum *m;* **up a ~** (*fam*) in der Klemme.
gun [gʌn] *n* Schusswaffe *f;* **gun down** *vt* erschießen; **gunfight** *n* Schießerei *f;* (MIL) Feuergefecht *nt;* **gunfire** *n* Geschützfeuer *nt;* **gunman** *n* <gunmen> Schütze *m;* **gunner** *n* Kanonier *m,* Artillerist *m;* **gunpowder** *n* Schießpulver *nt;* **gunrunner** *n* Waffenschieber(in) *m(f);* **gunshot** *n* Schuss *m.*
gurgle ['gɜːgl] *vi* gluckern.
guru ['gʊruː] *n* Guru *m.*
gush [gʌʃ] **1.** *n* Strom *m,* Erguss *m;* **2.** *vi* (*rush out*) hervorströmen; (*fig*) schwärmen.
gusset ['gʌsɪt] *n* Keil *m,* Zwickel *m.*
gust [gʌst] *n* Windstoß *m,* Bö *f.*
gusto ['gʌstəʊ] *n* Genuss *m,* Begeisterung *f.*
gut [gʌt] *n* (ANAT) Gedärme *pl;* (*string*) Darm *m;* (*for rackets, violin*) Darmsaiten *pl;* **~s** *pl* (*fig*) Schneid *m.*
gutter ['gʌtə*] *n* Dachrinne *f;* (*in street*) Gosse *f.*
guttural ['gʌtərəl] *adj* guttural, Kehl-.
guy [gaɪ] *n* (*rope*) Zeltspannseil *nt;* (*man*) Typ *m,* Kerl *m;* **~s** *pl* (*US*) Leute *pl;* **will you ~s go?** (*US*) geht ihr?

> Die **Guy Fawkes' Night,** auch „bonfire night" genannt, erinnert an den „Gunpowder Plot", einen Attentatsversuch auf James I und sein Parlament am 5. November 1605. Einer der Verschwörer, Guy Fawkes, wurde auf frischer Tat ertappt, als er das Parlamentsgebäude in die Luft sprengen wollte. Vor der „Guy Fawkes' Night" basteln Kinder in Großbritannien eine Guy-Fawkes-Puppe, mit der sie Geld für Feuerwerkskörper von Passanten erbetteln, und die dann am 5. November auf einem Lagerfeuer mit Feuerwerk verbrannt wird.

guzzle ['gʌzl] *vt, vi* (*drink*) saufen; (*eat*) fressen.
gymnasium [dʒɪm'neɪzɪəm] *n* Turnhalle *f;* **gymnast** ['dʒɪmnæst] *n* Turner(in) *m(f);* **gymnastics** [dʒɪm'næstɪks] **1.** *n sing* Turnen *nt,* Gymnastik *f;* **2.** *n pl* (*exercises*) Übungen *pl.*
gynaecologist [gaɪnɪ'kɒlədʒɪst] *n* Frauenarzt(-ärztin) *m(f),* Gynäkologe(-login) *m(f);* **gynaecology** *n* Gynäkologie *f,* Frauenheilkunde *f.*
gypsy ['dʒɪpsɪ] *n* Zigeuner(in) *m(f).*
gyrate [dʒaɪ'reɪt] *vi* kreisen.

H

H, h [eɪtʃ] *n* H *nt,* h *nt.*
haberdashery [hæbə'dæʃərɪ] *n* (*Brit*) Kurzwaren *pl;* (*US*) Herrenartikel *pl.*
habit ['hæbɪt] *n* Angewohnheit *f;* (*monk's*) Habit *nt o m.*
habitable ['hæbɪtəbl] *adj* bewohnbar.

habitat ['hæbɪtæt] *n* (*of plants and animals*) Heimat *f.*
habitation [hæbɪ'teɪʃən] *n* Bewohnen *nt;* (*place*) Wohnung *f.*
habitual [hə'bɪtjʊəl] *adj* üblich, gewohnheitsmäßig; **habitually** *adv* gewöhnlich.
hack [hæk] **1.** *vt* hacken; **2.** *n* Hieb *m;* (*writer*) Schreiberling *m;* **hacker** *n* (COMPUT) Hacker(in) *m(f).*
hackneyed ['hæknɪd] *adj* abgedroschen.
had [hæd] *pt, pp of* **have**.
haddock ['hædək] *n* Schellfisch *m.*
hadn't ['hædnt] = **had not**.
haemophiliac [hi:məʊ'fɪlɪæk] *n* Bluter *m.*
haemorrhage ['hemərɪdʒ] *n* Blutung *f.*
haemorrhoids ['hemərɔɪdz] *n pl* Hämorriden *pl.*
haggard ['hægəd] *adj* abgekämpft.
haggle ['hægl] *vi* feilschen; **haggling** ['hæglɪŋ] *n* Feilschen *nt.*
hail [heɪl] **1.** *n* Hagel *m;* **2.** *vt* umjubeln; **3.** *vi* hageln; **hailstorm** *n* Hagelschauer *m.*
hair [hɛə*] *n* Haar *nt,* Haare *pl;* (*one* ~) Haar *nt;* **hairbrush** *n* Haarbürste *f;* **haircut** *n* Haarschnitt *m;* **to get a** ~ sich *dat* die Haare schneiden lassen; **hairdo** *n* <-s> Frisur *f;* **hairdresser** *n* Friseur *m,* Friseuse *f;* **hair grip** *n* Haarspange *f;* **hairnet** *n* Haarnetz *nt;* **hair oil** *n* Haaröl *nt;* **hairpiece** *n* (*lady's*) Haarteil *nt;* (*man's*) Toupet *nt;* **hairpin** *n* Haarnadel *f;* (*bend*) Haarnadelkurve *f;* **hair-raising** *adj* haarsträubend; **hair's breadth** *n* Haaresbreite *f;* **hair style** *n* Frisur *f;* **hairy** *adj* haarig.
hake [heɪk] *n* Seehecht *m.*
half [hɑ:f] **1.** *n* <halves> Hälfte *f;* **2.** *adj* halb; **3.** *adv* halb, zur Hälfte; **half-back** *n* Läufer(in) *m(f);* **half-breed, half-caste** *n* (*pej*) Mischling *m;* **half-hearted** *adj* lustlos, unlustig; **half-hour** *n* halbe Stunde; **half-life** *n* <half-lives> (*nuclear*) Halbwertzeit *f;* **half price** *n* halber Preis; **half-time** *n* Halbzeit *f;* **halfway** *adv* halbwegs, auf halbem Wege.
halibut ['hælɪbət] *n* Heilbutt *m.*
hall [hɔ:l] *n* Saal *m;* (*entrance* ~) Hausflur *m;* (*building*) Halle *f.*
hallmark ['hɔ:lmɑ:k] *n* Stempel *m;* (*fig*) Kennzeichen *nt.*
hallo [hʌ'ləʊ] *interj* hallo.
Hallowe'en [hæləʊ'i:n] *n* Tag *m* vor Allerheiligen (*an dem sich Kinder verkleiden und von Tür zu Tür gehen*).

Hallowe'en ist der 31. Oktober, der Vorabend von Allerheiligen und nach altem Glauben der Abend, an dem man Geister und Hexen sehen kann. In Großbritannien und vor allem in den USA feiern die Kinder Hallowe'en, indem sie sich verkleiden und mit selbst gemachten Laternen aus Kürbissen von Tür zu Tür ziehen.

hallucination [həlu:sɪ'neɪʃən] *n* Halluzination *f.*
halo ['heɪləʊ] *n* <-es> (*of saint*) Heiligenschein *m;* (*of moon*) Hof *m.*
halt [hɔ:lt] **1.** *n* Halt *m;* **2.** *vt, vi* anhalten.
halve [hɑ:v] *vt* halbieren.
ham [hæm] *n* Schinken *m;* ~ **sandwich** Schinkenbrötchen *nt;* **hamburger** *n* Frikadelle *f,* Hamburger *m.*
hamlet ['hæmlɪt] *n* Weiler *m.*
hammer ['hæmə*] **1.** *n* Hammer *m;* **2.** *vt* hämmern.
hammock ['hæmək] *n* Hängematte *f.*
hamper ['hæmpə*] **1.** *vt* behindern; **2.** *n* Picknickkorb *m;* (*as gift*) Geschenkkorb *m.*
hamster ['hæmstə*] *n* Goldhamster *m.*
hand [hænd] **1.** *n* Hand *f;* (*of clock*) Uhrzeiger *m;* (*worker*) Arbeiter(in) *m(f);* **2.** *vt* (*pass*) geben, reichen; **to give sb a** ~ jdm helfen; **at first** ~ aus erster Hand; **to** ~ zur Hand; **in** ~ (*under control*) in fester Hand, unter Kontrolle; (*being done*) im Gange; (*extra*) übrig; **handbag** *n* Handtasche *f;* **handball** *n* Handball *m;* **handbook** *n* Handbuch *nt;* **handbrake** *n* Handbremse *f;* **hand cream** *n* Handcreme *f;* **handcuffs** *n pl* Handschellen *pl;* **handful** *n* Handvoll *f;* **those children are a** ~ (*fig*) die Kinder können einen ganz schön auf Trab halten.
handicap ['hændɪkæp] **1.** *n* Handikap *nt;* **2.** *vt* benachteiligen; **handicapped** *adj* behindert; **mentally** ~ geistig behindert.
handicraft ['hændɪkrɑ:ft] *n* Kunsthandwerk *nt.*
handkerchief ['hæŋkətʃɪf] *n* Taschentuch *nt.*
handle ['hændl] **1.** *n* (*of door etc*) Klinke *f;* (*of cup etc*) Henkel *m;* (*for winding*) Kurbel *f;* **2.** *vt* (*touch*) anfassen; (*deal with: things*) sich befassen mit; (*people*) umgehen mit; **handlebars** *n pl* Lenkstange *f.*

hand-luggage ['hændlʌgɪdʒ] Handgepäck *nt;* **handmade** *adj* handgefertigt; **handshake** *n* Händedruck *m.*

handsome ['hænsəm] *adj* gut aussehend; (*generous*) großzügig.

handwriting ['hændraɪtɪŋ] *n* Handschrift *f.*

handy ['hændɪ] *adj* praktisch; (*shops*) leicht erreichbar.

handyman ['hændɪmən] *n* <handymen> Mädchen *nt* für alles; (*do-it-yourself*) Bastler *m,* Heimwerker *m.*

hang [hæŋ] <hung *o* hanged, hung *o* hanged> **1.** *vt* aufhängen; (*execute*) hängen; **2.** *vi* (*droop*) hängen; **to ~ sth on sth** etw an etw *akk* hängen; **hang about** *vi* sich herumtreiben; (*Brit fam: wait*) warten.

hangar ['hæŋə*] *n* Hangar *m,* Flugzeughalle *f.*

hanger ['hæŋə*] *n* Kleiderbügel *m.*

hanger-on [hæŋər'ɒn] *n* <hangers-on> Anhänger(in) *m(f).*

hang glider ['hæŋglaɪdə*] *n* Flugdrachen *m;* (*person*) Drachenflieger(in) *m(f);* **hang-gliding** *n* Drachenfliegen *nt.*

hangover ['hæŋəʊvə*] *n* Kater *m.*

hank [hæŋk] *n* Strang *m.*

hanker ['hæŋkə*] *vi* sich sehnen (*for, after* nach).

haphazard [hæp'hæzəd] *adj* wahllos, zufällig.

happen ['hæpən] *vi* sich ereignen, passieren; **happening** *n* Ereignis *nt;* (ART) Happening *nt.*

happily ['hæpɪlɪ] *adv* glücklich; (*fortunately*) glücklicherweise.

happiness ['hæpɪnɪs] *n* Glück *nt.*

happy ['hæpɪ] *adj* glücklich; **~ birthday** herzlichen Glückwunsch zum Geburtstag; **happy-go-lucky** *adj* sorglos.

harass ['hærəs] *vt* bedrängen, plagen.

harbor (*US*), **harbour** ['hɑːbə*] *n* Hafen *m.*

hard [hɑːd] **1.** *adj* (*firm*) hart, fest; (*difficult*) schwer, schwierig; (*physically*) schwer; (*harsh*) hartherzig, gefühllos; **2.** *adv* (*work*) hart; (*try*) sehr; (*push, hit*) fest; **~ by** (*close*) dicht [*o* nahe] an *+dat;* **he took it ~** er hat es schwer genommen; **hardback** *n* gebundenes Buch; **hard-boiled** *adj* hartgekocht; **hard disk** *n* Festplatte *f;* **~ drive** Festplattenlaufwerk *nt;* **harden 1.** *vt* erhärten; (*fig*) verhärten; **2.** *vi* hart werden; (*fig*) sich verhärten; **hard-hearted** *adj* hartherzig; **hardliner** *n* Hardliner(in) *m(f),* Anhänger(in) *m(f)* einer Politik der Härte; **hardly** *adv* kaum; **hard sell** *n* aggressive Verkaufsstrategie; **hardship** *n* Not *f;* (*injustice*) Unrecht *nt;* **hard shoulder** *n* Standspur *f,* Seitenstreifen *m;* **hard-up** *adj* knapp bei Kasse; **hardware** *n* Eisenwaren *pl;* (COMPUT) Hardware *f.*

hardy ['hɑːdɪ] *adj* (*strong*) widerstandsfähig; (*brave*) verwegen.

hare [hɛə*] *n* Hase *m.*

harem [hɑː'riːm] *n* Harem *m.*

harm [hɑːm] **1.** *n* Schaden *m;* Leid *nt;* **2.** *vt* schaden *+dat;* **it won't do any ~** es kann nicht schaden; **harmful** *adj* schädlich; **harmless** *adj* harmlos, unschädlich.

harmonica [hɑː'mɒnɪkə] *n* Mundharmonika *f.*

harmonious [hɑː'məʊnɪəs] *adj* harmonisch.

harmonize ['hɑːmənaɪz] **1.** *vt* abstimmen; **2.** *vi* harmonieren.

harmony ['hɑːmənɪ] *n* Harmonie *f.*

harness ['hɑːnɪs] **1.** *n* Geschirr *nt;* **2.** *vt* (*horse*) anschirren; (*fig*) nutzbar machen.

harp [hɑːp] *n* Harfe *f;* **to ~ on about sth** auf etw *dat* herumreiten; **harpist** *n* Harfenspieler(in) *m(f).*

harpoon [hɑː'puːn] *n* Harpune *f.*

harrow ['hærəʊ] **1.** *n* Egge *f;* **2.** *vt* eggen; **harrowing** *adj* nervenaufreibend.

harsh [hɑːʃ] *adj* (*rough*) rau, grob; (*severe*) schroff, streng; **harshly** *adv* rau, barsch; **harshness** *n* Härte *f.*

harvest ['hɑːvɪst] **1.** *n* Ernte *f;* (*time*) Erntezeit *f;* **2.** *vt* ernten; **harvester** *n* Mähbinder *m.*

hash [hæʃ] **1.** *vt* kleinhacken; **2.** *n* (*mess*) Kuddelmuddel *m;* (*meat: cooked*) Haschee *nt;* (*raw*) Gehackte(s) *nt.*

hashish ['hæʃɪʃ] *n* Haschisch *nt.*

haste [heɪst] *n* (*speed*) Eile *f;* (*hurry*) Hast *f;* **hasten** ['heɪsn] **1.** *vt* beschleunigen; **2.** *vi* eilen, sich beeilen; **hastily** *adv* hastig; (*rash*) vorschnell; **hasty** *adj* hastig; (*rash*) vorschnell.

hat [hæt] *n* Hut *m.*

hatch [hætʃ] **1.** *n* (NAUT) Luke *f;* (*in house*) Durchreiche *f;* **2.** *vi* brüten; (*young*) ausschlüpfen; **3.** *vt* (*brood*) ausbrüten; (*plot*) aushecken.

hatchet ['hætʃɪt] *n* Beil *nt.*

hate [heɪt] **1.** *vt* hassen; **2.** *n* Hass *m;* **I ~ queuing** ich stehe nicht gern Schlange;

hateful *adj* verhasst; **hatred** ['heɪtrɪd] *n* Hass *m;* (*dislike*) Abneigung *f.*

hat trick ['hættrɪk] *n* (SPORT) Hattrick *m* (*drei Treffer hintereinander*).

haughtily *adv* [hɔːtɪlɪ] hochnäsig, überheblich; **haughty** *adj* [hɔːtɪ] hochnäsig, überheblich.

haul [hɔːl] **1.** *vt* ziehen, schleppen; **2.** *n* (*pull*) Zug *m;* (*catch*) Fang *m;* **haulage** ['hɔːlɪdʒ] *n* Transport *m;* (COMM) Spedition *f;* **haulier** ['hɔːlɪə*] *n* Transportunternehmer(in) *m(f),* Spediteur(in) *m(f).*

haunch [hɔːntʃ] *n* Lende *f;* **to sit on one's ~es** hocken.

haunt [hɔːnt] **1.** *vt* (*ghost*) spuken in +*dat,* umgehen in +*dat;* (*memory*) verfolgen; (*pub*) häufig besuchen; **2.** *n* Lieblingsplatz *m;* **the castle is ~ed** in dem Schloss spukt es.

have [hæv] <had, had> *vt* haben; (*at meal, fam: trick*) hereinlegen; **to ~ lunch** zu Mittag essen; **to ~ tea** (*drink*) Tee trinken; (*meal*) zu Abend essen; **to ~ sth done** etw machen lassen; **to ~ to do sth** etw tun müssen; **to ~ sb on** jdn auf den Arm nehmen.

haven ['heɪvn] *n* Hafen *m;* (*fig*) Zufluchtsort *m.*

havoc ['hævək] *n* Verwüstung *f.*

hawk [hɔːk] *n* Habicht *m.*

hay [heɪ] *n* Heu *nt;* **hay fever** *n* Heuschnupfen *m;* **haystack** *n* Heuschober *m.*

haywire ['heɪwaɪə*] *adj* (*fam*) durcheinander.

hazard ['hæzəd] **1.** *n* (*chance*) Zufall *m;* (*danger*) Wagnis *nt,* Risiko *nt;* **2.** *vt* aufs Spiel setzen; **hazardous** *adj* gefährlich, riskant; **hazardous waste** *n* Sondermüll *m;* **hazard warning lights** *n pl* (AUT) Warnlichtanlage *f.*

haze [heɪz] *n* Dunst *m;* (*fig*) Unklarheit *f.*

hazelnut ['heɪzlnʌt] *n* Haselnuss *f.*

hazy ['heɪzɪ] *adj* (*misty*) dunstig, diesig; (*vague*) verschwommen.

he [hiː] *pron* er.

head [hed] **1.** *n* Kopf *m;* (*top*) Spitze *f;* (*leader*) Leiter(in) *m(f);* **2.** *adj* Kopf-; (*leading*) Ober-; **3.** *vt* anführen, leiten; **~s** (*on coin*) Kopf *m,* Wappen *nt;* **head for** *vt* Richtung nehmen auf +*akk,* zugehen auf +*akk;* **headache** ['hedeɪk] *n* Kopfschmerzen *pl,* Kopfweh *nt;* **heading** *n* Überschrift *f;* **headlamp** *n* Scheinwerfer *m;* **headland** *n* Landspitze *f;* **headlight** *n* Scheinwerfer *m;* **headline** *n* Schlagzeile *f;* **headlong** *adv* kopfüber; **headmaster** *n* (*of primary school*) Rektor *m;* (*of secondary school*) Direktor *m;* **headmistress** *n* (*of primary school*) Rektorin *f;* (*of secondary school*) Direktorin *f;* **head-on** *adj* Frontal-; **headphones** *n pl* Kopfhörer *m;* **headquarters** *n pl* Zentrale *f;* (MIL) Hauptquartier *nt;* **headrest, head restraint** *n* Kopfstütze *f;* **headroom** *n* (*of bridges etc*) lichte Höhe; (*in car*) Platz *m* für den Kopf; **headscarf** *n* <headscarves> Kopftuch *nt;* **headstrong** *adj* eigenwillig; **head waiter** *n* Oberkellner(in) *m(f);* **headway** *n* Fahrt *f* voraus; (*fig*) Fortschritte *pl;* **headwind** *n* Gegenwind *m;* **heady** *adj* (*rash*) hitzig; (*intoxicating*) stark, berauschend.

heal [hiːl] **1.** *vt* heilen; **2.** *vi* verheilen.

health [helθ] *n* Gesundheit *f;* **your ~!** zum Wohl!; **health centre** *n* Fitnesscenter *nt,* Fitnessstudio *nt;* **healthy** *adj* gesund.

heap [hiːp] **1.** *n* Haufen *m;* **2.** *vt* häufen.

hear [hɪə*] <heard, heard> **1.** *vt* hören; (*listen to*) anhören; **2.** *vi* hören; **heard** [hɜːd] *pt, pp of* **hear**; **hearing** *n* Gehör *nt;* (JUR) Verhandlung *f;* (*of witnesses*) Vernehmung *f;* (POL) Anhörung *f;* **to give sb a ~** jdn anhören; **hearing aid** *n* Hörgerät *nt;* **hearsay** *n* Hörensagen *nt.*

hearse [hɜːs] *n* Leichenwagen *m.*

heart [hɑːt] *n* Herz *nt;* (*centre also*) Zentrum *nt;* (*courage*) Mut *m;* **by ~** auswendig; **the ~ of the matter** der Kern des Problems; **heart attack** *n* Herzanfall *m;* **heartbeat** *n* Herzschlag *m,* Schlagen *nt* des Herzens; **heartbreaking** *adj* herzzerreißend; **heartbroken** *adj* todunglücklich; **heartburn** *n* Sodbrennen *nt;* **heart failure** *n* Herzversagen *nt;* **heartfelt** *adj* aufrichtig.

hearth [hɑːθ] *n* Herd *m.*

heartily ['hɑːtɪlɪ] *adv* herzlich; (*eat*) herzhaft.

heartless ['hɑːtlɪs] *adj* herzlos.

hearty ['hɑːtɪ] *adj* kräftig; (*friendly*) freundlich.

heat [hiːt] **1.** *n* Hitze *f;* (*of food, water etc*) Wärme *f;* (SPORT) Ausscheidungsrunde *f;* (*excitement*) Feuer *nt;* **2.** *vt* (*house*) heizen; (*substance*) heiß machen, erhitzen; **in the ~ of the moment** in der Hitze des Gefechts; **heat up 1.** *vi* warm werden; **2.** *vt* aufwärmen; **heated** *adj* erhitzt; (*fig*) hitzig; **heater** *n* Heizofen *m;* **heat exchanger** *n* Wärmetauscher *m.*

heath [hiːθ] *n (Brit)* Heide *f.*
heathen ['hiːðən] **1.** *n* Heide *m,* Heidin *f;* **2.** *adj* heidnisch.
heather ['heðə*] *n* Heidekraut *nt,* Erika *f.*
heating ['hiːtɪŋ] *n* Heizung *f.*
heat pump ['hiːtpʌmp] *n* Wärmepumpe *f;* **heatstroke** *n* Hitzschlag *m;* **heatwave** *n* Hitzewelle *f.*
heave [hiːv] **1.** *vt* hochheben; *(sigh)* ausstoßen; **2.** *vi* wogen; *(breast)* sich heben.
heaven ['hevn] *n* Himmel *m; (bliss)* der siebte Himmel *m;* **heavenly** *adj* himmlisch; ~ **body** Himmelskörper *m.*
heavily *adv* ['hevɪlɪ], **heavy** *adj* ['hevɪ] schwer.
heckle ['hekl] **1.** *vt* unterbrechen; **2.** *vi* dazwischenrufen, störende Fragen stellen.
hectic ['hektɪk] *adj* hektisch.
he'd [hiːd] = **he had; he would**.
hedge [hedʒ] **1.** *n* Hecke *f;* **2.** *vt* einzäunen; **3.** *vi (fig)* ausweichen; **to ~ one's bets** sich absichern.
hedgehog ['hedʒhɒg] *n* Igel *m.*
hedging ['hedʒɪŋ] *n* (FIN) Kurssicherungsgeschäfte *pl.*
heed [hiːd] **1.** *vt* beachten; **2.** *n* Beachtung *f;* **heedful** *adj* achtsam; **heedless** *adj* achtlos.
heel [hiːl] **1.** *n* Ferse *f; (of shoe)* Absatz *m;* **2.** *vt (shoes)* mit Absätzen versehen.
hefty ['heftɪ] *adj (person)* stämmig; *(portion)* reichlich; *(bite)* kräftig; *(weight)* schwer.
heifer ['hefə*] *n* Färse *f.*
height [haɪt] *n (of person)* Größe *f; (of object)* Höhe *f; (high place)* Gipfel *m;* **heighten** *vt* erhöhen.
heir [ɛə*] *n* Erbe *m;* **heiress** ['ɛərɪs] *n* Erbin *f;* **heirloom** ['ɛəluːm] *n* Erbstück *nt.*
held [held] *pt, pp of* **hold**.
helicopter ['helɪkɒptə*] *n* Hubschrauber *m.*
heliport ['helɪpɔːt] *n* Hubschrauberlandeplatz *m.*
hell [hel] **1.** *n* Hölle *f;* **2.** *interj* verdammt.
he'll [hiːl] = **he will; he shall**.
hellish ['helɪʃ] *adj* höllisch, verteufelt.
hello [hʌ'ləʊ] *interj (greeting)* hallo; *(surprise)* hallo, he.
helm [helm] *n* Ruder *nt,* Steuer *nt.*
helmet ['helmɪt] *n* Helm *m.*
helmsman ['helmzmən] *n* <helmsmen> Steuermann *m.*
help [help] **1.** *n* Hilfe *f;* **2.** *vt* helfen *+dat;* **I can't ~ it** ich kann nichts dafür; **I couldn't ~ laughing** ich musste einfach lachen; **~ yourself** bedienen Sie sich; **helper** *n* Helfer(in) *m(f);* **helpful** *adj* hilfreich; **helping** *n* Portion *f;* **helpless** *adj* hilflos.
hem [hem] *n* Saum *m;* **hem in** *vt* einschließen; *(fig)* einengen.
hemisphere ['hemɪsfɪə*] *n* Halbkugel *f,* Hemisphäre *f.*
hemline ['hemlaɪn] *n* Rocklänge *f.*
hemorrhage ['hemərɪdʒ] *n (US)* Blutung *f.*
hemorrhoids ['hemərɔɪdz] *n pl (US)* Hämorriden *pl.*
hemp [hemp] *n* Hanf *m.*
hen [hen] *n* Henne *f.*
hence [hens] *adv* von jetzt an; *(therefore)* daher.
henchman ['hentʃmən] *n* <henchmen> Anhänger *m,* Gefolgsmann *m.*

> **i** Als **hen night** bezeichnet man eine feuchtfröhliche Frauenparty, die kurz vor einer Hochzeit von der Braut und ihren Freundinnen meist in einem Gasthaus oder Nachtclub gefeiert wird, und bei der die Freundinnen dafür sorgen, dass vor allem die Braut große Mengen an Alkohol trinkt.

henpecked ['henpekt] *adj:* **to be ~** unter dem Pantoffel stehen; **~ husband** Pantoffelheld *m.*
hepatitis [hepə'taɪtɪs] *n* Hepatitis *f,* Gelbsucht *f.*
her [hɜː*] **1.** *pron (adjektivisch)* ihr; **2.** *pron direct/ indirect object of* **she** sie/ihr; **it's ~** sie ist es.
herald ['herəld] **1.** *n* Herold *m; (fig)* Vorbote *m;* **2.** *vt* verkünden, anzeigen.
heraldry ['herəldrɪ] *n* Wappenkunde *f.*
herb [hɜːb] *n* Kraut *nt.*
herd [hɜːd] *n* Herde *f.*
here [hɪə*] *adv* hier; *(to this place)* hierher; **hereafter 1.** *adv* hernach, künftig; **2.** *n* Jenseits *nt;* **hereby** *adv* hiermit.
hereditary [hɪ'redɪtərɪ] *adj* erblich; **hereditary disease** *n* Erbkrankheit *f;* **heredity** [hɪ'redɪtɪ] *n* Vererbung *f.*
heresy ['herəsɪ] *n* Ketzerei *f;* **heretic** ['herətɪk] *n* Ketzer(in) *m(f);* **heretical** [hɪ'retɪkəl] *adj* ketzerisch.
herewith ['hɪə'wɪð] *adv* hiermit; (COMM) anbei.

heritage ['herɪtɪdʒ] *n* Erbe *nt.*
hermetically [hɜː'metɪkəlɪ] *adv* luftdicht, hermetisch.
hermit ['hɜːmɪt] *n* Einsiedler(in) *m(f).*
hernia ['hɜːnɪə] *n* Leistenbruch *m.*
hero ['hɪərəʊ] *n* <-es> Held *m;* **heroic** [hɪ'rəʊɪk] *adj* heroisch, heldenhaft.
heroin ['herəʊɪn] *n* Heroin *nt.*
heroine ['herəʊɪn] *n* Heldin *f.*
heroism ['herəʊɪzəm] *n* Heldentum *nt.*
heron ['herən] *n* Reiher *m.*
herpes ['hɜːpiːz] *n* (MED) Herpes *m.*
herring ['herɪŋ] *n* Hering *m.*
hers [hɜːz] *pron* (*substanitivisch*) ihre(r, s).
herself [hɜː'self] *pron* sich; **she** ~ sie selbst; **she's not** ~ mit ihr ist etwas los [*o* nicht in Ordnung].
he's [hiːz] = **he is; he has**.
hesitant ['hezɪtənt] *adj* zögernd; (*speech*) stockend.
hesitate ['hezɪteɪt] *vi* zögern; (*feel doubtful*) unschlüssig sein.
hesitation [hezɪ'teɪʃən] *n* Zögern *nt,* Schwanken *nt.*
heterosexual [hetərəʊ'sekʃʊəl] **1.** *adj* heterosexuell; **2.** *n* Heterosexuelle(r) *mf.*
het up [het'ʌp] *adj* (*fam*) aufgeregt.
hew [hjuː] <hewed, hewn *o* hewed> *vt* hauen, hacken.
hexagon ['heksəgən] *n* Sechseck *nt;* **hexagonal** [hek'sægənəl] *adj* sechseckig.
heyday ['heɪdeɪ] *n* Blüte *f,* Höhepunkt *m.*
HGV *n abbr of* **heavy goods vehicle** LKW *m.*
hi [haɪ] *interj* he, hallo.
hibernate ['haɪbəneɪt] *vi* Winterschlaf halten; **hibernation** [haɪbə'neɪʃən] *n* Winterschlaf *m.*
hiccough, hiccup ['hɪkʌp] **1.** *vi* den Schluckauf haben; **2.** *n* (*also:* **hiccups** *pl*) Schluckauf *m.*
hid [hɪd] *pt of* **hide; hidden** ['hɪdn] *pp of* **hide**.
hide [haɪd] <hid, hidden> **1.** *vt* verstecken; (*keep secret*) verbergen; **2.** *vi* sich verstecken; **3.** *n* (*skin*) Haut *f,* Fell *nt;* **hide-and-seek** *n* Versteckspiel *nt.*
hideous ['hɪdɪəs] *adj* abscheulich; **hideously** *adv* scheußlich.
hiding ['haɪdɪŋ] *n* (*beating*) Tracht *f* Prügel; **to be in** ~ sich versteckt halten; ~ **place** Versteck *nt.*
hierarchy ['haɪərɑːkɪ] *n* Hierarchie *f.*
hi-fi set ['haɪfaɪ] *n* Stereoanlage *f,* Hi-Fi-Anlage *f.*
high [haɪ] **1.** *adj* hoch; (*importance*) groß; (*spirits*) Hoch-; (*wind*) stark; (*living*) extravagant, üppig; **2.** *adv* hoch; **highbrow** **1.** *n* Intellektuelle(r) *mf;* **2.** *adj* betont intellektuell; (*pej*) hochgestochen; **highchair** *n* Hochstuhl *m,* Sitzer *m.*

> Der **High Court** ist in England und Wales die Kurzform für **„High Court of Justice"** und bildet zusammen mit dem Berufungsgericht den Obersten Gerichtshof. In Schottland ist es die Kurzform für **„High Court of Justiciary"**, das höchste Strafgericht in Schottland, das in Edinburgh und anderen Großstädten (immer mit Richter und Geschworenen) zusammentritt und für Verbrechen wie Mord, Vergewaltigung und Hochverrat zuständig ist. Weniger schwere Verbrechen werden vor dem **„sheriff court"** verhandelt, und leichtere Vergehen vor dem **„district court"**.

high-handed *adj* eigenmächtig; **high-heeled** *adj* hochhackig; **highjack** *vt* entführen; **Highlands** *n pl* Hochland *nt;* (*in Scotland*) schottisches Hochland; **high-level** *adj* (*meeting*) wichtig, Spitzen-; (*radioactive*) hochaktiv; **highlight** *n* (*fig*) Höhepunkt *m;* **highlighter** *n* Leuchtstift *m;* **highly** *adv* in hohem Maße, höchst; (*praise*) in hohen Tönen; **highly-strung** *adj* nervös; **High Mass** *n* Hochamt; (*nt*); **highness** *n* Höhe *f;* **your Highness** Eure Hoheit; **high-performance** *adj* Hochleistungs-; **high-pitched** *adj* (*voice*) hoch, schrill, hell; **high-powered** *adj* (*car*) starkmotorig; (*fig*) Spitzen-; **high-resolution** *adj* hochauflösend.
high school *n* Oberschule *f.*

> Die **high school** ist eine weiterführende Schule in den USA. Man unterscheidet zwischen der **junior high school** (im Anschluss an die Grundschule umfasst sie das 7., 8. und 9. Schuljahr) und der **senior high school** (10., 11. und 12. Schuljahr, mit akademischen und berufsbezogenen Fächern). Weiterführende Schulen in

Großbritannien werden manchmal auch als **„high school"** bezeichnet.

high-speed *adj* Schnell-; ~ **printer** Schnelldrucker *m;* ~ **train** Hochgeschwindigkeitszug *m;* **high tech 1.** *adj* Hightech-; **2.** *n* Hightech *nt;* **high tide** *n* Flut *f;* **high-voltage** *adj* Hochspannungs-; **highway** *n* Landstraße *f.*

hijack ['haɪjæk] *vt* hijacken, entführen.

hike [haɪk] **1.** *vi* wandern; **2.** *n* Wanderung *f;* **hiker** *n* Wanderer *m,* Wandrerin *f;* **hiking** *n* Wandern *nt.*

hilarious [hɪ'lɛərɪəs] *adj* lustig; zum Schreien komisch; **hilarity** [hɪ'lærɪtɪ] *n* Lustigkeit *f.*

hill [hɪl] *n* Berg *m;* **hillside** *n* Berghang *m;* **hilltop** *n* Bergspitze *f;* **hilly** *adj* hügelig.

hilt [hɪlt] *n* (*of knife*) Heft *nt;* **up to the** ~ ganz und gar.

him [hɪm] *pron direct/ indirect object of* **he** ihn/ihm; **it's** ~ er ist es.

himself [hɪm'self] *pron* sich; **he** ~ er selbst; **he's not** ~ mit ihm ist etwas los [*o* nicht in Ordnung].

hind [haɪnd] **1.** *adj* hintere(r, s), Hinter-; **2.** *n* Hirschkuh *f.*

hinder ['hɪndə*] *vt* (*stop*) hindern; (*delay*) behindern; **hindrance** ['hɪndrəns] *n* (*delay*) Behinderung *f;* (*obstacle*) Hindernis *nt.*

Hindu ['hɪndu:] *adj* hinduistisch.

hinge [hɪndʒ] **1.** *n* Scharnier *nt;* (*on door*) Türangel *f;* **2.** *vt* mit Scharnieren versehen; **3.** *vi* (*fig*) abhängen (*on* von).

hint [hɪnt] **1.** *n* Tip *m,* Andeutung *f;* (*trace*) Anflug *m;* **2.** *vi* andeuten (*at akk*), anspielen (*at* auf +*akk*).

hip [hɪp] *n* Hüfte *f.*

hippopotamus [hɪpə'pɒtəməs] *n* Nilpferd *nt.*

hire ['haɪə*] **1.** *vt* (*worker*) anstellen; (*car*) mieten; **2.** *n* Miete *f;* **for** ~ (*taxi*) frei; **to have for** ~ verleihen; **hire purchase** *n* Teilzahlungskauf *m.*

his [hɪz] **1.** *pron* (*adjektivisch*) sein; **2.** *pron* (*substantivisch*) seine(r, s).

hiss [hɪs] *vi* zischen.

historian [hɪ'stɔ:rɪən] *n* Geschichtsschreiber(in) *m(f);* Historiker(in) *m(f);* **historic** [hɪ'stɒrɪk] *adj* historisch; **historical** [hɪ'stɒrɪkəl] *adj* historisch, geschichtlich; **history** ['hɪstərɪ] *n* Geschichte *f;* (*personal*) Entwicklung *f,* Werdegang *m.*

hit [hɪt] **1.** <hit, hit> *vt* schlagen; (*injure*) treffen, verletzen; **2.** *n* (*blow*) Schlag *m,* Stoß *m;* (*success*) Erfolg *m,* Treffer *m;* (MUS) Hit *m.*

hitch [hɪtʃ] **1.** *vt* festbinden; (*pull up*) hochziehen; **2.** *n* (*loop*) Knoten *m;* (*difficulty*) Schwierigkeit *f,* Haken *m.*

hitch-hike ['hɪtʃhaɪk] *vi* trampen, per Anhalter fahren; **hitch-hiker** *n* Tramper(in) *m(f).*

hitherto [hɪðə'tu:] *adv* bislang.

HIV *n abbr of* **human immunodeficiency virus** HIV *nt;* ~ **positive/negative** HIV-positiv/negativ.

hive [haɪv] *n* Bienenkorb *m;* **hive off 1.** *vt* (*subsidiary*) ausgliedern; **2.** *vi* (*fam*) sich absetzen.

HM *abbr of* **His/Her Majesty**.

hoard [hɔ:d] **1.** *n* Schatz *m;* **2.** *vt* horten, hamstern.

hoarding ['hɔ:dɪŋ] *n* Bretterzaun *m;* (*for advertising*) Reklamewand *f.*

hoarfrost [hɔ:'frɒst] *n* Raureif *m.*

hoarse [hɔ:s] *adj* heiser, rau.

hoax [həʊks] *n* Streich *m;* (*false alarm*) blinder Alarm; **hoaxer** *n jemand, der einen blinden Alarm auslöst.*

hob [hɒb] *n* (*of cooker*) Kochfeld *nt.*

hobble ['hɒbl] *vi* humpeln.

hobby ['hɒbɪ] *n* Steckenpferd *nt,* Hobby *nt.*

hobo ['həʊbəʊ] *n* <-es> (*US*) Penner(in) *m(f).*

hock [hɒk] *n* (*wine*) weißer Rheinwein.

hockey ['hɒkɪ] *n* Hockey *nt.*

hoe [həʊ] **1.** *n* Hacke *f;* **2.** *vt* hacken.

hog [hɒg] **1.** *n* Schlachtschwein *nt;* **2.** *vt* mit Beschlag belegen.

hoist [hɔɪst] **1.** *n* Winde *f;* **2.** *vt* hochziehen.

hold [həʊld] <held, held> **1.** *vt* halten; (*keep*) behalten; (*contain*) enthalten; (*be able to contain*) fassen; (*keep back*) zurückbehalten; (*breath*) anhalten; (*meeting*) abhalten; (*position*) bekleiden, innehaben; **2.** *vi* (*withstand pressure*) halten; (*be valid*) gelten; **3.** *n* (*grasp*) Halt *m;* (*claim*) Anspruch *m;* (NAUT) Schiffsraum *m;* **hold back** *vt* zurückhalten; **hold down** *vt* niederhalten; (*job*) behalten; **hold out 1.** *vt* hinhalten, bieten; **2.** *vi* aushalten; **hold up** *vt* (*delay*) aufhalten; (*rob*) überfallen; **holdall** *n* Reisetasche *f;* **holder** *n* Behälter *m;* **holding** *n* (*share*) Aktienanteil *m;* **holdup** *n* (*in traffic*) Stockung *f;* (*robbery*) Überfall *m.*

hole [həʊl] **1.** *n* Loch *nt;* **2.** *vt* durchlöchern.

holiday ['hɒlɪdəɪ] *n* (*day*) Feiertag *m*, freier Tag; (*vacation*) Urlaub *m*; (SCH) Ferien *pl*; **holiday-maker** *n* Feriengast *m*, Urlauber(in) *m(f)*.

holiness ['həʊlɪnɪs] *n* Heiligkeit *f*.

Holland ['hɒlənd] *n* Holland *nt*.

hollow ['hɒləʊ] **1.** *adj* hohl; (*fig*) leer; **2.** *n* Vertiefung *f*; (*in rock*) Höhle *f*; **hollow out** *vt* aushöhlen.

holly ['hɒlɪ] *n* Stechpalme *f*.

hologram ['hɒləgræm] *n* Hologramm *nt*.

holster ['həʊlstə*] *n* Pistolenhalfter *nt*.

holy ['həʊlɪ] *adj* heilig; (*religious*) fromm.

homage ['hɒmɪdʒ] *n* Huldigung *f*; **to pay ~ to sb** jdm huldigen.

home [həʊm] **1.** *n* Heim *nt*, Zuhause *nt*; (*country, area*) Heimat *f*; (*institution*) Heim *nt*, Anstalt *f*; **2.** *adj* einheimisch; (POL) innere(r, s); **3.** *adv* heim, nach Hause; **at ~** zu Hause; **home automation** *n* Haushaltstechnik *f*; **home banking** *n* Homebanking *nt*; **homecoming** *n* Heimkehr *f*; **home computer** *n* Heimcomputer *m*; **homeless** *adj* obdachlos; **homelessness** *n* Obdachlosigkeit *f*; **homely** *adj* häuslich; (*US: ugly*) unscheinbar; **home-made** *adj* selbstgemacht; **home movie** *n* Amateurfilm *m*; **home page** *n* Homepage *f*; **homesick** *adj*: **to be ~** Heimweh haben; **homewards** *adj* heimwärts; **homework** *n* Hausaufgaben *pl*.

homicide ['hɒmɪsaɪd] *n* (*US*) Totschlag *m*; **culpable ~** Mord *m*.

homoeopathy [həʊmɪ'ɒpəθɪ] *n* Homöopathie *f*.

homogeneous [hɒmə'dʒiːnjəs] *adj* homogen, gleichartig.

homosexual [hɒməʊ'sekʃʊəl] **1.** *adj* homosexuell; **2.** *n* Homosexuelle(r) *mf*.

hone [həʊn] **1.** *n* Schleifstein *m*; **2.** *vt* fein schleifen.

honest ['ɒnɪst] *adj* ehrlich; (*upright*) aufrichtig; **honestly** *adv* ehrlich; **honesty** *n* Ehrlichkeit *f*.

honey ['hʌnɪ] *n* Honig *m*; **honeycomb** *n* Honigwabe *f*; **honeydew melon** *n* Honigmelone *f*; **honeymoon** *n* Flitterwochen *pl*, Hochzeitsreise *f*.

honk [hɒŋk] *vi* hupen.

honor *vt* (*US*) *s.* **honour**.

honorary ['ɒnərərɪ] *adj* Ehren-.

honour ['ɒnə*] **1.** *vt* ehren; (*cheque*) einlösen; (*debts*) begleichen; (*contract*) einhalten; **2.** *n* (*respect*) Ehre *f*; (*reputation*) Ansehen *nt*, guter Ruf; (*sense of right*) Ehrgefühl *nt*; **~s** *pl* (*titles*) Auszeichnungen *pl*.

> Der **Honours Degree** ist ein Universitätsabschluss mit einer guten Note, also der Note I (first class), II:1 (upper second class), II:2 (lower second class) oder III (third class). Wer einen „honours degree" erhalten hat, darf die Abkürzung **Hons** nach seinem Namen und Titel führen, z. B. Anne Smith BA Hons. Heute sind fast alle Universitätsabschlüsse in Großbritannien „honours degrees".

> Die **honours list** ist eine Liste von Adelstiteln und Orden, die die britische Königin zweimal im Jahr (zu Neujahr und am offiziellen Geburtstag der Königin) an Bürger in Großbritannien und im Commonwealth verleiht. Die Liste wird vom Premierminister zusammengestellt, aber drei Orden (der Hosenbandorden, der Verdienstorden und der Victoria-Orden) werden von der Königin persönlich verliehen. Erfolgreiche Geschäftsleute, Militärangehörige, Sportler und andere Prominente, aber auch im sozialen Bereich besonders aktive Bürger werden auf diese Weise geehrt.

honourable *adj* ehrenwert, rechtschaffen; (*intention*) ehrenhaft.

hood [hʊd] *n* Kapuze *f*; (AUT) Verdeck *nt*; (*US* AUT) Kühlerhaube *f*; **hoodwink** *vt* reinlegen.

hoof [huːf] *n* <-s *o* hooves> Huf *m*.

hook [hʊk] **1.** *n* Haken *m*; **2.** *vt* einhaken; **hook-up** *n* (*fam*) Gemeinschaftssendung *f*.

hooligan ['huːlɪgən] *n* Rowdy *m*.

hoop [huːp] *n* Reifen *m*.

hoot [huːt] **1.** *vi* (AUT) hupen; **2.** *n* (*shout*) Johlen *nt*; (AUT) Hupen *nt*; **to ~ with laughter** schallend lachen; **hooter** *n* (NAUT) Dampfpfeife *f*; (AUT) Autohupe *f*.

hop [hɒp] **1.** *vi* hüpfen, hopsen; **2.** *n* (*jump*) Hopser *m*; **3.** *n* (BOT) Hopfen *m*.

hope [həʊp] **1.** *vi* hoffen; **2.** *n* Hoffnung *f*; **I ~ that ...** hoffentlich ...; **hopeful** *adj* hoffnungsvoll; (*promising*) vielversprechend; **hopefully** *adv* (*full of hope*) hoffnungsvoll; (*I hope so*) hoffentlich; **hopeless** *adj* hoffnungslos; (*useless*) unmöglich.

horde [hɔ:d] *n* Horde *f.*

horizon [hə'raɪzn] *n* Horizont *m;* **horizontal** [hɒrɪ'zɒntl] *adj* horizontal.

hormone ['hɔ:məʊn] *n* Hormon *nt.*

horn [hɔ:n] *n* Horn *nt;* (AUT) Hupe *f;* **horned** *adj* gehörnt, Horn-.

hornet ['hɔ:nɪt] *n* Hornisse *f.*

horny ['hɔ:nɪ] *adj* schwielig; (*US*) scharf, geil.

horoscope ['hɒrəskəʊp] *n* Horoskop *nt.*

horrible *adj,* **horribly** *adv* ['hɒrɪbl, -blɪ] fürchterlich.

horrid *adj,* **horridly** *adv* ['hɒrɪd, -lɪ] abscheulich, scheußlich.

horrify ['hɒrɪfaɪ] *vt* entsetzen.

horror ['hɒrə*] *n* Schrecken *m;* (*great dislike*) Abscheu *m* (*of* vor + *dat*).

hors d'oeuvre [ɔ:'dɜ:vr] *n* Vorspeise *f.*

horse [hɔ:s] *n* Pferd *nt;* **on ~back** beritten; **horse chestnut** *n* Rosskastanie *f;* **horse-drawn** *adj* von Pferden gezogen, Pferde-; **horsepower** *n* Pferdestärke *f,* PS *nt;* **horse-racing** *n* Pferderennen *nt;* **horseshoe** *n* Hufeisen *nt.*

horsy ['hɔ:sɪ] *adj* pferdenärrisch.

horticulture ['hɔ:tɪkʌltʃə*] *n* Gartenbau *m.*

hosepipe ['həʊzpaɪp] *n* Schlauch *m.*

hosiery ['həʊzɪərɪ] *n* Strumpfwaren *pl.*

hospice ['hɒspɪs] *n* Pflegeheim *nt.*

hospitable [hɒ'spɪtəbl] *adj* gastfreundlich.

hospital ['hɒspɪtl] *n* Krankenhaus *nt.*

hospitality [hɒspɪ'tælɪtɪ] *n* Gastlichkeit *f,* Gastfreundschaft *f.*

host [həʊst] *n* Gastgeber *m;* (*innkeeper*) Gastwirt *m;* (*large number*) Heerschar *f;* (REL) Hostie *f.*

hostage ['hɒstɪdʒ] *n* Geisel *f.*

hostel ['hɒstəl] *n* Herberge *f.*

hostess ['həʊstɪs] *n* Gastgeberin *f;* (*in hotel etc*) Wirtin *f;* (*in night-club*) Hostess *f.*

hostile ['hɒstaɪl] *adj* feindlich; **hostility** [hɒ'stɪlɪtɪ] *n* Feindschaft *f;* **hostilities** *pl* Feindseligkeiten *pl.*

hot [hɒt] *adj* heiß; (*drink, food, water*) warm; (*spiced*) scharf; (*angry*) hitzig; **~ news** das Neueste vom Neuen; **hotbed** *n* Mistbeet *nt;* (*fig*) Nährboden *m;* **hot-blooded** *adj* heißblütig; **hot dog** *n* Hotdog *m o nt.*

hotel [həʊ'tel] *n* Hotel *nt.*

hotheaded [hɒt'hedɪd] *adj* hitzig, aufbrausend; **hothouse** ['hɒthaʊs] *n* Treibhaus *nt;* **hotline** *n* Hotline *f;* (POL) heißer Draht; **hotly** *adv* (*argue*) hitzig; (*pursue*) dicht; **hotplate** *n* Kochplatte *f;* **hot-water bottle** [hɒt'wɔ:təbɒtl] *n* Wärmflasche *f.*

hound [haʊnd] **1.** *n* Jagdhund *m;* **2.** *vt* jagen, hetzen.

hour ['aʊə*] *n* Stunde *f;* (*time of day*) Tageszeit *f;* **hourly** *adj* stündlich.

house [haʊs] **1.** *n* Haus *nt;* **2.** [haʊz] *vt* (*accommodate*) unterbringen; (*shelter*) aufnehmen.

> Das **House of Commons** ist das Unterhaus des britischen Parlaments, mit 651 Abgeordneten, die in Wahlkreisen in allgemeiner Wahl gewählt werden. Das Unterhaus hat die Regierungsgewalt inne und tagt etwa 175 Tage im Jahr unter Vorsitz des **Speaker**. Als **House of Lords** wird das Oberhaus des britischen Parlaments bezeichnet. Die Mitglieder sind nicht gewählt, sondern werden auf Lebenszeit ernannt (**life peers**), oder sie haben ihren Oberhaussitz geerbt (**hereditary peers**). Das House of Lords setzt sich aus Mitgliedern der Kirche (**Lords Spiritual**) und Adeligen (**Lords Temporal**) zusammen. Es hat im Grunde keine Regierungsgewalt, aber es kann vom Unterhaus erlassene Gesetze abändern und es ist das oberste Berufungsgericht in Großbritannien (außer Schottland).

> Das **House of Representatives** bildet zusammen mit dem Senat die amerikanische gesetzgebende Versammlung (den Kongress). Es besteht aus 435 Abgeordneten, die entsprechend den Bevölkerungszahlen auf die einzelnen Bundesstaaten verteilt sind und jeweils für zwei Jahre direkt vom Volk gewählt werden. Es hat seinen Sitz im Capitol in Washington.

houseboat *n* Hausboot *nt;* **housebreaking** *n* Einbruch *m;* **household** *n* Haushalt *m;* **house-husband** *n* Hausmann *m;* **housekeeper** *n* Haushälter(in) *m(f);* **housekeeping** *n* Haushaltung *f;* **housewife** *n* <housewives> Hausfrau *f;* **housework** *n* Hausarbeit *f.*

housing ['haʊzɪŋ] *n* (*act*) Unterbringung *f;* (*houses*) Wohnungen *pl;* (POL) Wohnungsbau *m;* (*covering*) Gehäuse *nt;* **housing benefit** *n* Wohnbeihilfe *f,* Wohngeld *nt;* **housing development** (*US*), **housing estate** (*Brit*) *n* Wohnsiedlung *f.*

hovel ['hɒvəl] *n* elende Hütte; Loch *nt.*

hover ['hɒvə*] *vi* (*bird*) schweben; (*person*) wartend herumstehen; **hovercraft** *n* Luftkissenfahrzeug *nt.*

how [haʊ] *adv* wie; ~ **many** wie viele; ~ **much** wieviel; **however** [haʊ'evə*] *adv* (*but*) jedoch, aber; ~ **you phrase it** wie Sie es auch ausdrücken.

howl [haʊl] *vi* heulen.

howler ['haʊlə*] *n* (*fam*) grober Schnitzer.

hp 1. *n* (*Brit*) *abbr of* **hire purchase** Ratenkauf *m;* 2. *n abbr of* **horse power** Pferdestärke *f,* PS.

hub [hʌb] *n* Radnabe *f;* (*of the world*) Mittelpunkt *m;* (*of commerce*) Zentrum *nt.*

hubbub ['hʌbʌb] *n* Tumult *m.*

hubcap ['hʌbkæp] *n* Radkappe *f.*

huddle ['hʌdl] 1. *vi* sich zusammendrängen; 2. *n* Grüppchen *nt.*

hue [hju:] *n* Färbung *f,* Farbton *m;* ~ **and cry** Zetergeschrei *nt.*

huff [hʌf] *n* Eingeschnapptsein *nt;* **to go into a** ~ beleidigt sein.

hug [hʌg] 1. *vt* umarmen; (*fig*) sich dicht halten an +*akk;* 2. *n* Umarmung *f.*

huge [hju:dʒ] *adj* groß, riesig.

hulk [hʌlk] *n* (*ship*) abgetakeltes Schiff; (*person*) Koloss *m;* **hulking** *adj* ungeschlacht.

hull [hʌl] *n* Schiffsrumpf *m.*

hullo [hʌ'ləʊ] *interj* hallo.

hum [hʌm] 1. *vi* summen; (*bumblebee*) brummen; 2. *vt* summen; 3. *n* Summen *nt.*

human ['hju:mən] 1. *adj* menschlich; ~ **rights** Menschenrechte *pl;* 2. *n* (*also:* ~ **being**) Mensch *m.*

humane [hju:'meɪn] *adj* human.

humanitarian [hju:mænɪ'tɛərɪən] *adj* humanitär.

humanity [hju:'mænɪtɪ] *n* Menschheit *f;* (*kindliness*) Menschlichkeit *f.*

humble ['hʌmbl] 1. *adj* demütig; (*modest*) bescheiden; 2. *vt* demütigen; **humbly** *adv* demütig.

humdrum ['hʌmdrʌm] *adj* eintönig, langweilig.

humid ['hju:mɪd] *adj* feucht; **humidity** [hju:'mɪdɪtɪ] *n* [Luft]feuchtigkeit *f.*

humiliate [hju:'mɪlɪeɪt] *vt* demütigen; **humiliation** [hju:mɪlɪ'eɪʃən] *n* Demütigung *f.*

humility [hju:'mɪlɪtɪ] *n* Demut *f.*

humor (*US*) *s.* **humour**.

humorist ['hju:mərɪst] *n* Humorist(in) *m(f).*

humorous ['hju:mərəs] *adj* humorvoll, komisch.

humour ['hju:mə*] 1. *n* (*fun*) Humor *m;* (*mood*) Stimmung *f;* 2. *vt* nachgeben +*dat,* bei Stimmung halten.

hump [hʌmp] *n* Buckel *m.*

hunch [hʌntʃ] 1. *n* (*presentiment*) Vorahnung *f;* 2. *vt* (*shoulders*) hochziehen; **hunchback** *n* Bucklige(r) *mf.*

hundred ['hʌndrəd] *num* (*also:* **one** ~, **a** ~) einhundert; **hundredweight** *n* Zentner *m* (*50,8 kg*).

hung [hʌŋ] *pt, pp of* **hang**.

Hungarian [hʌŋ'gɛərɪən] 1. *adj* ungarisch; 2. *n* Ungar(in) *m(f);* **Hungary** ['hʌŋgərɪ] *n* Ungarn *nt.*

hunger ['hʌŋgə*] 1. *n* Hunger *m;* (*fig*) Verlangen *nt* (*for* nach); 2. *vi* hungern; **hungrily** *adv* ['hʌŋgrɪlɪ] hungrig; **hungry** *adj* ['hʌŋgrɪ] hungrig; **to be** ~ Hunger haben.

hunt [hʌnt] 1. *vt* jagen; (*search*) suchen (*for akk*); 2. *vi* jagen; 3. *n* Jagd *f;* **hunter** *n* Jäger *m;* **hunting** *n* Jagen *nt,* Jagd *f;* **huntress** ['hʌntrɪs] *n* Jägerin *f.*

hurdle ['hɜ:dl] *n* (*a. fig*) Hürde *f.*

hurl [hɜ:l] *vt* schleudern.

hurrah, **hurray** [hʊ'rɑ:, hʊ'reɪ] *interj* hurra.

hurricane ['hʌrɪkən] *n* Orkan *m.*

hurried ['hʌrɪd] *adj* eilig; (*hasty*) übereilt; **hurriedly** *adv* übereilt, hastig.

hurry ['hʌrɪ] 1. *n* Eile *f;* 2. *vi* sich beeilen; 3. *vt* (*job*) übereilen; **to be in a** ~ es eilig haben; ~! mach schnell!

hurt [hɜ:t] <hurt, hurt> 1. *vt* weh tun +*dat;* (*injure, fig*) verletzen; 2. *vi* weh tun; **hurtful** *adj* schädlich; (*remark*) verletzend.

husband ['hʌzbənd] *n* Ehemann *m,* Gatte *m.*

hush [hʌʃ] 1. *n* Stille *f;* 2. *vt* zur Ruhe

bringen; **3.** *vi* still sein; **4.** *interj* pst, still.
husk [hʌsk] *n* Spelze *f.*
husky ['hʌskɪ] **1.** *adj* (*voice*) rau; (*figure*) stämmig; **2.** *n* Schlittenhund *m.*
hustle ['hʌsl] **1.** *vt* (*push*) stoßen; (*hurry*) antreiben, drängen; **2.** *n* Hochbetrieb *m;* ~ **and bustle** Geschäftigkeit *f.*
hut [hʌt] *n* Hütte *f.*
hutch [hʌtʃ] *n* Kaninchenstall *m.*
hyacinth ['haɪəsɪnθ] *n* Hyazinthe *f.*
hybrid ['haɪbrɪd] **1.** *n* Kreuzung *f;* **2.** *adj* Misch-.
hydrant ['haɪdrənt] *n* Hydrant *m.*
hydraulic [haɪ'drɔːlɪk] *adj* hydraulisch.
hydroelectric ['haɪdrəʊɪ'lektrɪk] *adj* hydroelektrisch; ~ **power station** Wasserkraftwerk *nt.*
hydrofoil ['haɪdrəʊfɔɪl] *n* Tragfläche *f;* (*ship*) Tragflächenboot *nt.*
hydrogen ['haɪdrədʒən] *n* Wasserstoff *m.*
hydroponics [haɪdrə'pɒnɪks] *n sing* Hydrokultur *f.*
hyena [haɪ'iːnə] *n* Hyäne *f.*
hygiene ['haɪdʒiːn] *n* Hygiene *f;* **hygienic** [haɪ'dʒiːnɪk] *adj* hygienisch.
hymn [hɪm] *n* Kirchenlied *nt.*
hype [haɪp] **1.** *n* (*fam*) Publicity *f;* **2.** *vt* Publicity machen für.
hypermarket ['haɪpəmɑːkɪt] *n* Großmarkt *m.*
hyphen ['haɪfən] *n* Bindestrich *m;* (*at end of line*) Trennungsstrich *nt.*
hypnosis [hɪp'nəʊsɪs] *n* Hypnose *f;* **hypnotism** ['hɪpnətɪzəm] *n* Hypnotismus *m;* **hypnotist** ['hɪpnətɪst] *n* Hypnotiseur(in) *m(f);* **hypnotize** ['hɪpnətaɪz] *vt* hypnotisieren.
hypochondriac [haɪpəʊ'kɒndrɪæk] *n* eingebildeter Kranker, eingebildete Kranke.
hypocrisy [hɪ'pɒkrɪsɪ] *n* Heuchelei *f,* Scheinheiligkeit *f;* **hypocrite** ['hɪpəkrɪt] *n* Heuchler(in) *m(f),* Scheinheilige(r) *mf;* **hypocritical** [hɪpə'krɪtɪkəl] *adj* scheinheilig, heuchlerisch.
hypothesis [haɪ'pɒθɪsɪs] *n* Hypothese *f;* **hypothetical** [haɪpəʊ'θetɪkəl] *adj* hypothetisch.
hysteria [hɪ'stɪərɪə] *n* Hysterie *f;* **hysterical** [hɪ'sterɪkəl] *adj* hysterisch; **hysterics** [hɪ'sterɪks] *n pl* hysterischer Anfall; **to go into** ~ hysterisch werden; (*laugh*) sich totlachen.

I

I, i [aɪ] *n* I *nt,* i *nt.*
I [aɪ] *pron* ich.
ice [aɪs] **1.** *n* Eis *nt;* **2.** *vt* (GASTR) mit Zuckerguss überziehen; **3.** *vi* (*also:* ~ **up**) vereisen; **ice-axe** *n* Eispickel *m;* **iceberg** *n* Eisberg *m;* **icebox** *n* (*US*) Kühlschrank *m;* **ice-cold** *adj* eiskalt; **ice-cream** *n* Eis *nt;* **ice-cube** *n* Eiswürfel *m;* **ice hockey** *n* Eishockey *nt.*
Iceland ['aɪslənd] *n* Island *nt;* **Icelander** *n* Isländer(in) *m(f);* **Icelandic** [aɪs'lændɪk] *adj* isländisch.
ice lolly ['aɪslɒlɪ] *n* Eis *nt* am Stiel; **ice rink** *n* Kunsteisbahn *f.*
icicle ['aɪsɪkl] *n* Eiszapfen *m.*
icing ['aɪsɪŋ] *n* (*on cake*) Zuckerguss *m.*
icon ['aɪkɒn] *n* Ikone *f;* (COMPUT) Icon *nt,* Piktogramm *nt.*
icy ['aɪsɪ] *adj* (*slippery*) vereist; (*cold*) eisig.
I'd [aɪd] = **I would; I had.**
ID *n abbr of* **identification** Ausweis *m.*
idea [aɪ'dɪə] *n* Idee *f;* **no** ~ keine Ahnung; **my ~ of a holiday** wie ich mir einen Urlaub vorstelle.
ideal [aɪ'dɪəl] **1.** *n* Ideal *nt;* **2.** *adj* ideal; **idealism** *n* Idealismus *m;* **idealist** *n* Idealist(in) *m(f);* **idealize** *vt* idealisieren; **ideally** *adv* idealerweise.
identical [aɪ'dentɪkəl] *adj* identisch; (*twins*) eineiig.
identification [aɪdentɪfɪ'keɪʃən] *n* Identifizierung *f;* **identify** [aɪ'dentɪfaɪ] *vt* identifizieren; (*regard as the same*) gleichsetzen.
identikit picture [aɪ'dentɪkɪt'pɪktʃə*] *n* (*Brit*) Phantombild *nt.*
identity [aɪ'dentɪtɪ] *n* Identität *f;* **identity card** *n* Personalausweis *m;* **identity papers** *n pl* Ausweispapiere *pl.*
ideology [aɪdɪ'ɒlədʒɪ] *n* Ideologie *f.*
idiocy ['ɪdɪəsɪ] *n* Idiotie *f.*
idiom ['ɪdɪəm] *n* (*expression*) Redewendung *f;* (*dialect*) Idiom *nt.*
idiosyncrasy [ɪdɪə'sɪŋkrəsɪ] *n* Eigenart *f;* **idiosyncratic** [ɪdɪəsɪŋ'krætɪk] *adj* eigenartig.
idiot ['ɪdɪət] *n* Idiot(in) *m(f);* **idiotic** [ɪdɪ'ɒtɪk] *adj* idiotisch.
idle ['aɪdl] **1.** *adj* (*doing nothing*) untätig, müßig; (*lazy*) faul; (*useless*) vergeblich, nutzlos; (*machine*) stillstehend; (*threat, talk*) leer; **2.** *vi* faulenzen, nichts tun; **idleness** *n* Müßiggang *m;* Faulheit *f;*

idler *n* Faulenzer(in) *m(f)*.
idol ['aɪdl] *n* Idol *nt;* **idolize** ['aɪdəlaɪz] *vt* vergöttern.
idyllic [ɪ'dɪlɪk] *adj* idyllisch.
i.e. *abbr of* **that means** d. h.
if [ɪf] *conj* wenn, falls; (*whether*) ob; ~ **only ...** wenn ... doch nur; ~ **not** falls nicht.
igloo ['ɪglu:] *n* Iglu *m o nt.*
ignite [ɪg'naɪt] *vt* anzünden.
ignition [ɪg'nɪʃən] *n* Zündung *f;* **ignition key** *n* (AUT) Zündschlüssel *m.*
ignominious [ɪgnə'mɪnɪəs] *adj* entwürdigend, schmählich.
ignoramus [ɪgnə'reɪməs] *n* Ignorant(in) *m(f)*.
ignorance ['ɪgnərəns] *n* Unwissenheit *f,* Ignoranz *f;* **ignorant** *adj* unwissend.
ignore [ɪg'nɔ:*] *vt* ignorieren.
ikon ['aɪkɒn] *n* Ikone *f.*
ilk [ɪlk] *n:* **of that** ~ von dieser Sorte.
I'll [aɪl] = **I will; I shall.**
ill [ɪl] **1.** *adj* krank; (*evil*) schlecht, böse; **2.** *n* Übel *nt;* **ill-advised** *adj* schlecht beraten, unklug; **ill-at-ease** *adj* unbehaglich.
illegal [ɪ'li:gəl] *adj* illegal.
illegality [ɪli:'gælɪtɪ] *n* Illegalität *f.*
illegible [ɪ'ledʒəbl] *adj* unleserlich.
illegitimate [ɪlɪ'dʒɪtɪmət] *adj* unzulässig; (*child*) unehelich.
ill-fated ['ɪl'feɪtɪd] *adj* unselig.
ill-feeling ['ɪl'fi:lɪŋ] *n* Verstimmung *f.*
illicit [ɪ'lɪsɪt] *adj* verboten.
illiterate [ɪ'lɪtərət] *adj* ungebildet.
ill-judged [ɪl'dʒʌdʒd] *adj* unklug; **ill-mannered** *adj* ungehobelt.
illness ['ɪlnəs] *n* Krankheit *f.*
illogical [ɪ'lɒdʒɪkəl] *adj* unlogisch.
ill-treat ['ɪl'tri:t] *vt* misshandeln.
illuminate [ɪ'lu:mɪneɪt] *vt* beleuchten; (*fig*) erläutern; **illumination** [ɪlu:mɪ'neɪʃən] *n* Beleuchtung *f.*
illusion [ɪ'lu:ʒən] *n* Illusion *f.*
illusive, **illusory** [ɪ'lu:sɪv, ɪ'lu:sərɪ] *adj* illusorisch, trügerisch.
illustrate ['ɪləstreɪt] *vt* (*book*) illustrieren; (*explain*) veranschaulichen; **illustration** [ɪlə'streɪʃən] *n* Illustration *f;* (*explanation*) Veranschaulichung *f.*
illustrious [ɪ'lʌstrɪəs] *adj* berühmt.
ill will ['ɪl'wɪl] *n* Groll *m.*
I'm [aɪm] = **I am.**
image ['ɪmɪdʒ] *n* Bild *nt;* (*likeness*) Abbild *nt;* (*public* ~) Image *nt;* **image processing** *n* (COMPUT) Bildverarbeitung *f;* **imagery** *n* Symbolik *f.*
imaginable [ɪ'mædʒɪnəbl] *adj* vorstellbar.
imaginary [ɪ'mædʒɪnərɪ] *adj* eingebildet; (*world*) Phantasie-.
imagination [ɪmædʒɪ'neɪʃən] *n* Einbildung *f;* (*creative*) Phantasie *f.*
imaginative [ɪ'mædʒɪnətɪv] *adj* phantasiereich, einfallsreich.
imagine [ɪ'mædʒɪn] *vt* sich *dat* vorstellen; (*wrongly*) sich *dat* einbilden.
imbalance [ɪm'bæləns] *n* Unausgeglichenheit *f.*
imbecile ['ɪmbəsi:l] *n* Schwachsinnige(r) *mf.*
imitate ['ɪmɪteɪt] *vt* nachmachen, imitieren; **imitation** [ɪmɪ'teɪʃən] *n* Nachahmung *f,* Imitation *f;* **imitator** ['ɪmɪteɪtə*] *n* Nachahmer(in) *m(f)*.
immaculate [ɪ'mækjʊlɪt] *adj* makellos; (*dress*) tadellos; (REL) unbefleckt.
immaterial [ɪmə'tɪərɪəl] *adj* unwesentlich.
immature [ɪmə'tjʊə*] *adj* unreif; **immaturity** [ɪmə'tjʊərɪtɪ] *n* Unreife *f.*
immeasurable [ɪ'meʒərəbl] *adj* unermesslich.
immediate [ɪ'mi:dɪət] *adj* (*instant*) sofortig; (*near*) unmittelbar; (*relatives*) nächste(r, s); (*needs*) dringlich; **immediate depreciation** *n* Sofortabschreibung *f;* **immediately** *adv* sofort; (*in position*) unmittelbar.
immense [ɪ'mens] *adj* unermesslich; **immensely** *adv* ungeheuerlich; (*grateful*) unheimlich.
immerse [ɪ'mɜ:s] *vt* eintauchen.
immersion heater [ɪ'mɜ:ʃənhi:tə*] *n* Heißwassergerät *nt.*
immigrant ['ɪmɪgrənt] *n* Einwanderer *m,* Einwandrerin *f;* **immigration** [ɪmɪ'greɪʃən] *n* Einwanderung *f.*
imminent ['ɪmɪnənt] *adj* bevorstehend; (*danger*) drohend.
immobilize [ɪ'məʊbɪlaɪz] *vt* lähmen.
immoderate [ɪ'mɒdərət] *adj* maßlos, übertrieben.
immoral [ɪ'mɒrəl] *adj* unmoralisch; (*sexually*) unsittlich; **immorality** [ɪmə'rælɪtɪ] *n* Sittenlosigkeit *f.*
immortal [ɪ'mɔ:tl] **1.** *adj* unsterblich; **2.** *n* Unsterbliche(r) *mf;* **immortality** [ɪmɔ:'tælɪtɪ] *n* Unsterblichkeit *f;* (*of book etc*) Unvergänglichkeit *f;* **immortalize** *vt* unsterblich machen.
immune [ɪ'mju:n] *adj* (*secure*) geschützt (*from* gegen), sicher (*from* vor +*dat*);

(MED) immun; **immune deficiency syndrome** *n* Immunschwächekrankheit *f;* **immune system** *n* Immunsystem *nt.*

immunity [ɪ'mju:nɪtɪ] *n* (MED, JUR) Immunität *f.*

immunization [ɪmjʊnaɪ'zeɪʃən] *n* Immunisierung *f;* **immunize** ['ɪmjʊnaɪz] *vt* immunisieren.

immunodeficiency [ɪmju:nəʊdi'fɪʃənsɪ] *n* Immunschwäche *f.*

impact ['ɪmpækt] *n* Aufprall *m;* (*force*) Wucht *f;* (*fig*) Wirkung *f.*

impact adhesive ['ɪmpæktəd'hi:sɪv] *n* Kontaktkleber *m.*

impair [ɪm'pɛə*] *vt* beeinträchtigen.

impale [ɪm'peɪl] *vt* aufspießen.

impartial [ɪm'pɑ:ʃəl] *adj* unparteiisch; **impartiality** [ɪmpɑ:ʃɪ'ælɪtɪ] *n* Unparteilichkeit *f.*

impassable [ɪm'pɑ:səbl] *adj* unpassierbar.

impassioned [ɪm'pæʃnd] *adj* leidenschaftlich.

impatience [ɪm'peɪʃəns] *n* Ungeduld *f;* **impatient** *adj* ungeduldig; **to be ~ to do sth** es nicht erwarten können etw zu tun; **impatiently** *adv* ungeduldig.

impeach [ɪm'pi:tʃ] *vt* (JUR) [eines Amtsvergehens] anklagen; (*challenge*) anzweifeln.

impeccable [ɪm'pekəbl] *adj* tadellos.

impede [ɪm'pi:d] *vt* behindern.

impediment [ɪm'pedɪmənt] *n* Hindernis *nt;* (*in speech*) Sprachfehler *m.*

impending [ɪm'pendɪŋ] *adj* bevorstehend.

impenetrable [ɪm'penɪtrəbl] *adj* undurchdringlich; (*forest*) unwegsam; (*theory*) undurchsichtig; (*mystery*) unerforschlich.

imperative [ɪm'perətɪv] **1.** *adj* (*necessary*) unbedingt erforderlich; **2.** *n* (LING) Imperativ *m,* Befehlsform *f.*

imperceptible [ɪmpə'septəbl] *adj* nicht wahrnehmbar.

imperfect [ɪm'pɜ:fɪkt] *adj* (*faulty*) fehlerhaft; (*incomplete*) unvollständig; **imperfection** [ɪmpə'fekʃən] *n* Unvollkommenheit *f;* (*fault*) Fehler *m;* (*faultiness*) Fehlerhaftigkeit *f.*

imperial [ɪm'pɪərɪəl] *adj* kaiserlich; **imperialism** *n* Imperialismus *m.*

imperil [ɪm'perɪl] *vt* gefährden.

impersonal [ɪm'pɜ:snl] *adj* unpersönlich.

impersonate [ɪm'pɜ:səneɪt] *vt* sich ausgeben als; (*for amusement*) imitieren; **impersonation** [ɪmpɜ:sə'neɪʃən] *n* Verkörperung *f;* (THEAT) Imitation *f.*

impertinence [ɪm'pɜ:tɪnəns] *n* Unverschämtheit *f;* **impertinent** *adj* unverschämt, frech.

imperturbable [ɪmpə'tɜ:bəbl] *adj* unerschütterlich, gelassen.

impervious [ɪm'pɜ:vɪəs] *adj* undurchlässig; (*fig*) unempfänglich (*to* für).

impetuous [ɪm'petjʊəs] *adj* heftig, ungestüm.

impetus ['ɪmpɪtəs] *n* Triebkraft *f;* (*fig*) Impuls *m.*

impinge on [ɪm'pɪndʒ ɒn] *vt* beeinträchtigen; (*light*) fallen auf +*akk.*

implacable [ɪm'plækəbl] *adj* unerbittlich.

implant [ɪm'plɑ:nt] **1.** *vt* (MED) implantieren; (*fig*) einimpfen; **2.** ['ɪmplɑ:nt] *n* (MED) Implantat *nt.*

implausible [ɪm'plɔ:zəbl] *adj* unglaubwürdig, nicht überzeugend.

implement ['ɪmplɪmənt] **1.** *n* Werkzeug *nt,* Gerät *nt;* **2.** ['ɪmplɪment] *vt* ausführen.

implicate ['ɪmplɪkeɪt] *vt* verwickeln, hineinziehen; **implication** [ɪmplɪ'keɪʃən] *n* (*meaning*) Bedeutung *f;* (*effect*) Auswirkung *f;* (*hint*) Andeutung *f;* (*in crime*) Verwicklung *f;* **by ~** implizit.

implicit [ɪm'plɪsɪt] *adj* (*suggested*) unausgesprochen; (*utter*) vorbehaltlos.

implore [ɪm'plɔ:*] *vt* anflehen.

imply [ɪm'plaɪ] *vt* (*hint*) andeuten; (*be evidence for*) schließen lassen auf +*akk;* **what does that ~?** was bedeutet das?

impolite [ɪmpə'laɪt] *adj* unhöflich.

imponderable [ɪm'pɒndərəbl] *adj* unwägbar.

import [ɪm'pɔ:t] **1.** *vt* einführen, importieren; **2.** ['ɪmpɔ:t] *n* Einfuhr *f,* Import *m;* (*meaning*) Bedeutung *f,* Tragweite *f.*

importance [ɪm'pɔ:təns] *n* Bedeutung *f;* (*influence*) Einfluss *m;* **important** *adj* wichtig; (*influential*) bedeutend, einflussreich.

import duty ['ɪmpɔ:tdju:tɪ] *n* Einfuhrzoll *m.*

importer [ɪm'pɔ:tə*] *n* Importeur(in) *m(f).*

import licence ['ɪmpɔ:t'laɪsəns] *n* Einfuhrgenehmigung *f.*

impose [ɪm'pəʊz] *vt, vi* auferlegen (*on dat*); (*penalty, sanctions*) verhängen (*on* gegen); **to ~ oneself on sb** sich jdm aufdrängen; **to ~ on sb's kindness** jds Liebenswürdigkeit ausnützen.

imposing [ɪm'pəʊzɪŋ] *adj* eindrucksvoll.

imposition [ɪmpə'zɪʃən] *n* (*of burden, fine*) Auferlegung *f;* (SCH) Strafarbeit *f.*

impossibility [ɪmpɒsə'bɪlɪtɪ] *n* Unmöglichkeit *f;* **impossible** *adj,* **impossibly** *adv* [ɪm'pɒsəbl, -blɪ] unmöglich.

impostor [ɪm'pɒstə*] *n* Betrüger(in) *m(f),* Hochstapler(in) *m(f).*

impotence ['ɪmpətəns] Impotenz *f;* **impotent** *adj* machtlos; (*sexually*) impotent.

impound [ɪm'paʊnd] *vt* beschlagnahmen.

impoverished [ɪm'pɒvərɪʃt] *adj* verarmt.

impracticable [ɪm'præktɪkəbl] *adj* undurchführbar.

impractical [ɪm'præktɪkəl] *adj* unpraktisch.

imprecise [ɪmprə'saɪs] *adj* ungenau.

impregnate ['ɪmpregneɪt] *vt* (*saturate*) sättigen; (*fertilize*) befruchten; (*fig*) durchdringen.

impresario [ɪmpre'sɑːrɪəʊ] *n* <-s> Impresario *m.*

impress [ɪm'pres] *vt* (*influence*) beeindrucken; (*imprint*) aufdrücken; **to ~ sth on sb** jdm etw einschärfen; **impression** [ɪm'preʃən] *n* Eindruck *m;* (*on wax, footprint*) Abdruck *m;* (*of stamp*) Aufdruck *m;* (*of book*) Auflage *f;* (*take-off*) Nachahmung *f;* **I was under the ~** ich hatte den Eindruck; **impressionable** *adj* leicht zu beeindrucken; **impressionist** *n* Impressionist(in) *m(f);* **impressive** *adj* eindrucksvoll.

imprison [ɪm'prɪzn] *vt* ins Gefängnis schicken; **imprisonment** *n* Inhaftierung *f,* Gefangenschaft *f;* **3 years' ~** eine Gefängnisstrafe von 3 Jahren.

improbable [ɪm'prɒbəbl] *adj* unwahrscheinlich.

impromptu [ɪm'prɒmptjuː] *adj, adv* aus dem Stegreif, improvisiert.

improper [ɪm'prɒpə*] *adj* (*indecent*) unanständig; (*wrong*) unrichtig, falsch; (*unsuitable*) unpassend.

improve [ɪm'pruːv] **1.** *vt* verbessern; **2.** *vi* besser werden; **improvement** *n* Verbesserung *f;* (*of appearance*) Verschönerung *f.*

improvisation [ɪmprəvaɪ'zeɪʃən] *n* Improvisation *f;* **improvise** ['ɪmprəvaɪz] *vt, vi* improvisieren.

imprudence [ɪm'pruːdəns] *n* Unklugheit *f;* **imprudent** *adj* unklug.

impudent ['ɪmpjʊdənt] *adj* unverschämt.

impulse ['ɪmpʌls] *n* (*desire*) Drang *m;* (*driving force*) Antrieb *m,* Impuls *m;* **my first ~ was to ...** ich wollte zuerst ...; **impulsive** [ɪm'pʌlsɪv] *adj* impulsiv.

impure [ɪm'pjʊə*] *adj* (*dirty*) unrein; (*mixed*) gemischt; (*bad*) schmutzig, unanständig; **impurity** [ɪm'pjʊərɪtɪ] *n* Unreinheit *f;* (TECH) Verunreinigung *f.*

in [ɪn] **1.** *prep* in; (*made of*) aus; **2.** *adv* hinein; **~ Dickens/a child** bei Dickens/einem Kind; **~ him you'll have ...** an ihm hast du ...; **~ doing this he has ...** dadurch, dass er das tat, hat er ...; **~ saying that I mean ...** wenn ich das sage, meine ich ...; **I haven't seen him ~ years** ich habe ihn seit Jahren nicht mehr gesehen; **15 pence ~ the £** 15 Pence das Pfund; **blind ~ the left eye** auf dem linken Auge [*o* links] blind; **~ itself** an sich; **~ that** (*as far as*) insofern als; **to be ~** zu Hause sein; (*train*) da sein; (*~ fashion*) in Mode sein; **to have it ~ for sb** es auf jdn abgesehen haben; **~s and outs** *pl* Einzelheiten *pl;* **to know the ~s and outs** sich auskennen.

inability [ɪnə'bɪlɪtɪ] *n* Unfähigkeit *f.*

inaccessible [ɪnæk'sesəbl] *adj* (*a. fig*) unzugänglich.

inaccuracy [ɪn'ækjʊrəsɪ] *n* Ungenauigkeit *f;* **inaccurate** [ɪn'ækjʊrɪt] *adj* ungenau; (*wrong*) unrichtig.

inaction [ɪn'ækʃən] *n* Untätigkeit *f.*

inactive [ɪn'æktɪv] *adj* untätig.

inactivity [ɪnæk'tɪvɪtɪ] *n* Untätigkeit *f.*

inadequacy [ɪn'ædɪkwəsɪ] *n* Unzulänglichkeit *f;* (*of punishment*) Unangemessenheit *f;* **inadequate** [ɪn'ædɪkwət] *adj* unzulänglich; (*punishment*) unangemessen.

inadvertently [ɪnəd'vɜːtəntlɪ] *adv* unabsichtlich.

inadvisable [ɪnəd'vaɪzəbl] *adj* nicht ratsam.

inane [ɪ'neɪn] *adj* dumm, albern.

inanimate [ɪn'ænɪmət] *adj* leblos.

inapplicable [ɪnə'plɪkəbl] *adj* unzutreffend.

inappropriate [ɪnə'prəʊprɪət] *adj* (*clothing*) ungeeignet; (*remark*) unangebracht.

inapt [ɪn'æpt] *adj* unpassend; (*clumsy*) ungeschickt; **inaptitude** *n* Untauglichkeit *f.*

inarticulate [ɪnɑː'tɪkjʊlət] *adj* unklar; **to be ~** sich nicht ausdrücken können.

inasmuch as [ɪnəz'mʌtʃəz] *adv* da, weil;

(*in so far as*) soweit.

inattention [ɪnə'tenʃən] *n* Unaufmerksamkeit *f;* **inattentive** [ɪnə'tentɪv] *adj* unaufmerksam.

inaudible [ɪn'ɔ:dəbl] *adj* unhörbar.

inaugural [ɪ'nɔ:gjʊrəl] *adj* Eröffnungs-; (SCH) Antritts-.

inaugurate [ɪ'nɔ:gjʊreɪt] *vt* (*open*) einweihen; (*admit to office*) feierlich einführen; **inauguration** [ɪnɔ:gjʊ'reɪʃən] *n* Eröffnung *f;* feierliche Amtseinführung *f.*

inborn ['ɪn'bɔ:n] *adj* angeboren.

inbred ['ɪn'bred] *adj* (*quality*) angeboren; **they are** ~ bei ihnen herrscht Inzucht.

inbreeding ['ɪn'bri:dɪŋ] *n* Inzucht *f.*

incalculable [ɪn'kælkjʊləbl] *adj* (*person*) unberechenbar; (*consequences*) unabsehbar.

incapable [ɪn'keɪpəbl] *adj* unfähig (*of doing sth* etw zu tun); (*not able*) nicht einsatzfähig.

incapacitate [ɪnkə'pæsɪteɪt] *vt* untauglich machen; **incapacitated** *adj* behindert; (*machine*) nicht gebrauchsfähig.

incarnate [ɪn'kɑ:nɪt] *adj* (REL) menschgeworden; (*fig*) leibhaftig; **incarnation** [ɪnkɑ:'neɪʃən] *n* (REL) Menschwerdung *f;* (*fig*) Inbegriff *m.*

incendiary [ɪn'sendɪərɪ] **1.** *adj* Brand-; (*fig*) aufrührerisch; **2.** *n* Brandstifter(in) *m(f);* (*bomb*) Brandbombe *f.*

incense ['ɪnsens] **1.** *n* Weihrauch *m;* **2.** [ɪn'sens] *vt* erzürnen.

incentive [ɪn'sentɪv] *n* Anreiz *m.*

incessant *adj,* **incessantly** *adv* [ɪn'sesnt, -lɪ] unaufhörlich.

incest ['ɪnsest] *n* Inzest *m.*

inch [ɪntʃ] *n* Zoll *m* (*2,54 cm*).

incidence ['ɪnsɪdəns] *n* Auftreten *nt;* (*of crime*) Quote *f.*

incident ['ɪnsɪdənt] *n* Vorfall *m;* (*disturbance*) Zwischenfall *m.*

incidental [ɪnsɪ'dentl] *adj* (*music*) Begleit-; (*expenses*) Neben-; (*unplanned*) zufällig; (*unimportant*) nebensächlich; (*remark*) beiläufig; ~ **to sth** mit etw verbunden; **incidentally** [ɪnsɪ'dentlɪ] *adv* (*by chance*) nebenbei; (*by the way*) nebenbei bemerkt, übrigens.

incinerate [ɪn'sɪnəreɪt] *vt* verbrennen; **incineration** *n* Verbrennung *f;* **incinerator** *n* Verbrennungsofen *m.*

incision [ɪn'sɪʒən] *n* Schnitt *m;* (MED) Einschnitt *m.*

incisive [ɪn'saɪsɪv] *adj* (*style*) treffend; (*person*) scharfsinnig.

incite [ɪn'saɪt] *vt* anstacheln.

inclement [ɪn'klemənt] *adj* (*weather*) rau.

inclination [ɪnklɪ'neɪʃən] *n* Neigung *f.*

incline ['ɪnklaɪn] **1.** *n* Abhang *m;* **2.** [ɪn'klaɪn] *vt* neigen; (*fig*) veranlassen; **3.** *vi* sich neigen; **to be ~d to do sth** Lust haben etw zu tun; (*have tendency*) dazu neigen etw zu tun.

include [ɪn'klu:d] *vt* einschließen; (*on list, in group*) aufnehmen; **including** *prep:* ~ **X** X inbegriffen; **inclusion** [ɪn'klu:ʒən] *n* Aufnahme *f,* Einbeziehung *f;* **inclusive** [ɪn'klu:sɪv] *adj* einschließlich; (COMM) inklusive.

incognito [ɪnkɒg'ni:təʊ] *adv* inkognito.

incoherent [ɪnkəʊ'hɪərənt] *adj* zusammenhanglos.

income ['ɪnkʌm] *n* Einkommen *nt;* (*from business*) Einkünfte *pl;* **income support** *n* Sozialhilfe *f;* **income tax** *n* Lohnsteuer *f;* (*of self-employed*) Einkommensteuer *f.*

incoming ['ɪnkʌmɪŋ] *adj* ankommend; (*succeeding*) folgend; (*mail*) eingehend; (*tide*) steigend.

incomparable [ɪn'kɒmpərəbl] *adj* unvergleichlich.

incompatible [ɪnkəm'pætəbl] *adj* unvereinbar; (*people*) unverträglich.

incompetence [ɪn'kɒmpɪtəns] *n* Unfähigkeit *f;* **incompetent** *adj* unfähig; (*not qualified*) nicht berechtigt.

incomplete [ɪnkəm'pli:t] *adj* unvollständig.

incomprehensible [ɪnkɒmprɪ'hensəbl] *adj* unverständlich.

inconceivable [ɪnkən'si:vəbl] *adj* unvorstellbar.

inconclusive [ɪnkən'klu:sɪv] *adj* nicht schlüssig.

incongruity [ɪnkɒŋ'gru:ətɪ] *n* Unvereinbarkeit *f;* (*of remark etc*) Unangebrachtsein *nt;* **incongruous** [ɪn'kɒŋgrʊəs] *adj* nicht zusammenpassend; (*remark*) unangebracht.

inconsequential [ɪnkɒnsɪ'kwenʃəl] *adj* belanglos.

inconsiderable [ɪnkən'sɪdərəbl] *adj* unerheblich.

inconsiderate [ɪnkən'sidərət] *adj* rücksichtslos; (*hasty*) unüberlegt.

inconsistency [ɪnkən'sɪstənsɪ] *n* innerer Widerspruch; (*state*) Unbeständigkeit *f;* **inconsistent** *adj* unvereinbar; (*behaviour*) inkonsequent; (*action,*

I

speech) widersprüchlich; (*person, work*) unbeständig.

inconspicuous [ɪnkən'spɪkjʊəs] *adj* unauffällig.

inconstancy [ɪn'kɒnstənsɪ] *n* Unbeständigkeit *f;* **inconstant** *adj* unbeständig.

incontinence [ɪn'kɒntɪnəns] *n* (MED) Inkontinenz *f;* (*fig*) Zügellosigkeit *f;* **incontinent** *adj* (MED) inkontinent; (*fig*) zügellos.

inconvenience [ɪnkən'vi:nɪəns] *n* Unbequemlichkeit *f;* (*trouble to others*) Unannehmlichkeiten *pl;* **inconvenient** *adj* (*time*) ungelegen; (*journey*) unbequem.

incorporate [ɪn'kɔ:pəreɪt] *vt* (*include*) aufnehmen; (*unite*) vereinigen; **incorporated** *adj* eingetragen; (*US*) GmbH.

incorrect ['ɪnkərekt] *adj* unrichtig; (*behaviour*) inkorrekt.

incorrigible [ɪn'kɒrɪdʒəbl] *adj* unverbesserlich.

incorruptible [ɪnkə'rʌptəbl] *adj* unzerstörbar; (*person*) unbestechlich.

increase ['ɪnkri:s] **1.** *n* Zunahme *f,* Erhöhung *f;* (*pay* ~) Gehaltserhöhung *f;* (*in size*) Vergrößerung *f;* **2.** [ɪn'kri:s] *vt* erhöhen; (*wealth, rage*) vermehren; (*business*) erweitern; **3.** *vi* zunehmen; (*prices*) steigen; (*in size*) größer werden; (*in number*) sich vermehren; **increasingly** [ɪn'kri:sɪŋlɪ] *adv* zunehmend.

incredible *adj,* **incredibly** *adv* [ɪn'kredəbl, -blɪ] unglaublich.

incredulity [ɪnkrɪ'dju:lɪtɪ] *n* Ungläubigkeit *f;* **incredulous** [ɪn'kredjʊləs] *adj* ungläubig.

increment ['ɪnkrɪmənt] *n* Zulage *f.*

incriminate [ɪn'krɪmɪneɪt] *vt* belasten.

incubation [ɪnkjʊ'beɪʃən] *n* Ausbrüten *nt;* **incubation period** *n* Inkubationszeit *f.*

incubator ['ɪnkjʊbeɪtə*] *n* Brutkasten *m.*

incur [ɪn'kɜ:*] *vt* sich *dat* zuziehen; (*debts*) machen.

incurable [ɪn'kjʊərəbl] *adj* unheilbar; (*fig*) unverbesserlich.

indebted [ɪn'detɪd] *adj* (*obliged*) verpflichtet (*to sb* jdm); (*owing*) verschuldet.

indecency [ɪn'di:snsɪ] *n* Unanständigkeit *f;* **indecent** *adj* unanständig; **indecent assault** *n* Notzucht *f.*

indecision [ɪndɪ'sɪʒən] *n* Unschlüssigkeit *f.*

indecisive [ɪndɪ'saɪsɪv] *adj* (*battle*) nicht entscheidend; (*result*) unentschieden; (*person*) unentschlossen.

indeed [ɪn'di:d] *adv* tatsächlich, in der Tat.

indefinable [ɪndɪ'faɪnəbl] *adj* undefinierbar; (*vague*) unbestimmt.

indefinite [ɪn'defɪnɪt] *adj* unbestimmt; **indefinitely** *adv* auf unbestimmte Zeit; (*wait*) unbegrenzt lange.

indelible [ɪn'deləbl] *adj* unauslöschlich; ~ **pencil** Tintenstift *m.*

indemnify [ɪn'demnɪfaɪ] *vt* entschädigen; (*safeguard*) versichern.

indentation [ɪnden'teɪʃən] *n* Einbuchtung *f;* (TYP) Einrückung *f.*

independence [ɪndɪ'pendəns] *n* Unabhängigkeit *f.*

> Der **Independence Day**, der 4. Juli, ist in den USA ein gesetzlicher Feiertag zum Gedenken an die Unabhängigkeitserklärung am 4. Juli 1776, mit der die 13 amerikanischen Kolonien ihre Freiheit und Unabhängigkeit von Großbritannien erklärten.

independent *adj* unabhängig (*of* von).

indescribable [ɪndɪ'skraɪbəbl] *adj* unbeschreiblich.

indeterminate [ɪndɪ'tɜ:mɪnət] *adj* unbestimmt.

index ['ɪndeks] *n* Index *m,* Verzeichnis *nt;* (REL) Index *m;* **indexed** *adj* (FIN) dynamisch; **index finger** *n* Zeigefinger *m;* **index-linked** *adj* indexiert; (*pension*) dynamisch.

India ['ɪndɪə] *n* Indien *nt;* **Indian** ['ɪndɪən] **1.** *adj* indisch; (*American* ~) indianisch; **2.** *n* Inder(in) *m(f);* (*American* ~) Indianer(in) *m(f);* **the** ~ **Ocean** der Indische Ozean.

indicate ['ɪndɪkeɪt] *vt* anzeigen; (*hint*) andeuten; **indication** [ɪndɪ'keɪʃən] *n* Anzeichen *nt;* (*information*) Angabe *f.*

indicative [ɪn'dɪkətɪv] *n* (LING) Indikativ *m.*

indicator ['ɪndɪkeɪtə*] *n* (*sign*) Anzeichen *nt;* (AUT) Blinker *m.*

indict [ɪn'daɪt] *vt* anklagen; **indictable** *adj* (*person*) strafrechtlich verfolgbar; (*offence*) strafbar; **indictment** *n* Anklage *f.*

indifference [ɪn'dɪfrəns] *n* (*lack of interest*) Gleichgültigkeit *f;* (*unimportance*) Unwichtigkeit *f;* **indifferent** *adj* (*not caring*) gleichgültig; (*unimportant*) unwichtig; (*mediocre*) mäßig.

indigenous [ɪn'dɪdʒɪnəs] *adj* einheimisch; **a plant** ~ **to X** eine in X vorkommende Pflanze.

indigestible [ɪndɪ'dʒestəbl] *adj* unverdaulich.

indigestion [ɪndɪ'dʒestʃən] *n* Verdauungsstörung *f*, verdorbener Magen.

indignant [ɪn'dɪgnənt] *adj* ungehalten, entrüstet; **indignation** [ɪndɪg'neɪʃən] *n* Entrüstung *f*.

indignity [ɪn'dɪgnɪtɪ] *n* Demütigung *f*.

indigo ['ɪndɪgəʊ] **1.** *n* <-es> Indigo *m o nt;* **2.** *adj* indigoblau.

indirect *adj* [ɪndɪ'rekt] indirekt; (*answer*) nicht direkt; **by ~ means** auf Umwegen; **indirectly** *adv* indirekt.

indiscreet [ɪndɪ'skri:t] *adj* (*insensitive*) unbedacht; (*improper*) taktlos; (*telling secrets*) indiskret; **indiscretion** [ɪndɪ'skreʃən] *n* Taktlosigkeit *f*, Indiskretion *f*.

indiscriminate [ɪndɪ'skrɪmɪnət] *adj* wahllos; kritiklos.

indispensable [ɪndɪ'spensəbl] *adj* unentbehrlich.

indisposed [ɪndɪ'spəʊzd] *adj* unpässlich; **indisposition** [ɪndɪspə'zɪʃən] *n* Unpässlichkeit *f*.

indisputable [ɪndɪ'spju:təbl] *adj* unbestreitbar; (*evidence*) unanfechtbar.

indistinct [ɪndɪ'stɪŋkt] *adj* undeutlich.

indistinguishable [ɪndɪ'stɪŋgwɪʃəbl] *adj* nicht zu unterscheiden; (*difference*) unmerklich.

individual [ɪndɪ'vɪdjʊəl] **1.** *n* Einzelne(r) *mf*, Individuum *nt;* **2.** *adj* individuell; (*case*) Einzel-; (*of, for one person*) eigen, individuell; (*characteristic*) eigentümlich; **individualist** *n* Individualist(in) *m(f);* **individuality** [ɪndɪvɪdjʊ'ælɪtɪ] *n* Individualität *f;* **individually** *adv* einzeln, individuell.

Indo-China [ɪndəʊ'tʃaɪnə] *n* Indochina *nt*.

indoctrinate [ɪn'dɒktrɪneɪt] *vt* indoktrinieren; **indoctrination** [ɪndɒktrɪ'neɪʃən] *n* Indoktrination *f*.

indolent ['ɪndələnt] *adj* träge.

Indonesia [ɪndəʊ'ni:zjə] *n* Indonesien *nt*.

indoor ['ɪndɔ:*] *adj* Haus-; Zimmer-; Innen-; (SPORT) Hallen-; **indoors** *adv* drinnen, im Haus; **to go ~** hineingehen, ins Haus gehen.

indubitable *adj*, **indubitably** *adv* [ɪn'dju:bɪtəbl, -blɪ] zweifellos.

induce [ɪn'dju:s] *vt* dazu bewegen, veranlassen; (*reaction*) herbeiführen; **inducement** *n* Veranlassung *f;* (*incentive*) Anreiz *m*.

induct [ɪn'dʌkt] *vt* in sein Amt einführen.

indulge [ɪn'dʌldʒ] **1.** *vt* (*give way*) nachgeben *+dat;* (*gratify*) frönen *+dat;* **2.** *vi* frönen (*in dat*); **to ~ oneself in sth** sich *dat* etw gönnen; **indulgence** *n* Nachsicht *f;* (*enjoyment*) übermäßiger Genuss *m;* **indulgent** *adj* nachsichtig; (*pej*) nachgiebig.

industrial [ɪn'dʌstrɪəl] *adj* Industrie-, industriell; (*dispute, injury*) Arbeits-; **~ tribunal** Arbeitsgericht *nt;* **industrialist** *n* Industrielle(r) *mf;* **industrialize** *vt* industrialisieren.

industrial robot [ɪn'dʌstrɪəl'rəʊbɒt] *n* Industrieroboter *m*.

industrious [ɪn'dʌstrɪəs] *adj* fleißig.

industry ['ɪndəstrɪ] *n* Industrie *f;* (*diligence*) Fleiß *m;* **hotel ~** Hotelgewerbe *nt*.

inebriated [ɪ'ni:brɪeɪtɪd] *adj* betrunken.

inedible [ɪn'edɪbl] *adj* ungenießbar.

ineffective, **ineffectual** [ɪnɪ'fektɪv, ɪnɪ'fektjʊəl] *adj* unwirksam, wirkungslos; (*person*) untauglich.

inefficiency [ɪnɪ'fɪʃənsɪ] *n* Ineffizienz *f;* **inefficient** *adj* ineffizient; (*ineffective*) unwirksam.

inelegant [ɪn'elɪgənt] *adj* unelegant.

ineligible [ɪn'elɪdʒəbl] *adj* nicht berechtigt; (*candidate*) nicht wählbar.

inept [ɪ'nept] *adj* (*remark*) unpassend; (*person*) ungeeignet.

inequality [ɪnɪ'kwɒlɪtɪ] *n* Ungleichheit *f*.

inert [ɪ'nɜ:t] *adj* träge; (CHEM) inaktiv; (*motionless*) unbeweglich.

inertia [ɪ'nɜ:ʃə] *n* (*a. fig*) Trägheit *f;* **inertia-reel seat belt** *n* Automatikgurt *m*.

inescapable [ɪnɪ'skeɪpəbl] *adj* unvermeidbar.

inessential [ɪnɪ'senʃəl] *adj* unwesentlich.

inestimable [ɪn'estɪməbl] *adj* unschätzbar.

inevitability [ɪnevɪtə'bɪlɪtɪ] *n* Unvermeidlichkeit *f;* **inevitable** [ɪn'evɪtəbl] *adj* unvermeidlich.

inexact [ɪnɪg'zækt] *adj* ungenau.

inexcusable [ɪnɪks'kju:zəbl] *adj* unverzeihlich.

inexhaustible [ɪnɪg'zɔ:stəbl] *adj* (*wealth*) unerschöpflich; (*talker*) unermüdlich; (*curiosity*) unstillbar.

inexorable [ɪn'eksərəbl] *adj* unerbittlich.

inexpensive [ɪnɪks'pensɪv] *adj* preiswert.

inexperience [ɪnɪks'pɪərɪəns] *n* Unerfahrenheit *f;* **inexperienced** *adj* unerfahren.

inexplicable [ɪnɪks'plɪkəbl] *adj* unerklärlich.

inexpressible [ɪnɪks'presəbl] *adj* (*pain, joy*) unbeschreiblich; (*thoughts*) nicht ausdrückbar.

infallible [ɪn'fæləbl] *adj* unfehlbar.

infamous ['ɪnfəməs] *adj* (*place*) verrufen; (*deed*) schändlich; (*person*) niederträchtig, gemein.

infancy ['ɪnfənsɪ] *n* frühe Kindheit; (*fig*) Anfangsstadium *nt*.

infant ['ɪnfənt] *n* kleines Kind; Säugling *m;* **infantile** ['ɪnfəntaɪl] *adj* kindisch, infantil.

infantry ['ɪnfəntrɪ] *n* Infanterie *f*.

infant school *n* Vorschule *f*.

infatuated [ɪn'fætjʊeɪtɪd] *adj* vernarrt; **to become ~ with** sich vernarren in +*akk;* **infatuation** [ɪnfætjʊ'eɪʃən] *n* Vernarrtheit *f* (*with* in +*akk*).

infect [ɪn'fekt] *vt* anstecken, infizieren; **infection** [ɪn'fekʃən] *n* Ansteckung *f*, Infektion *f;* **infectious** [ɪn'fekʃəs] *adj* ansteckend.

infer [ɪn'fəː*] *vt* schließen, folgern (*from* aus); **inference** ['ɪnfərəns] *n* Schlussfolgerung *f*.

inferior [ɪn'fɪərɪə*] **1.** *adj* (*rank*) untergeordnet, niedriger; (*quality*) minderwertig; **2.** *n* Untergebene(r) *mf;* **inferiority** [ɪnfɪərɪ'ɒrɪtɪ] *n* Minderwertigkeit *f;* (*in rank*) untergeordnete Stellung; **inferiority complex** *n* Minderwertigkeitskomplex *m*.

infernal [ɪn'fɜːnl] *adj* höllisch.

inferno [ɪn'fɜːnəʊ] *n* <-s> Hölle *f*, Inferno *nt*.

infertile [ɪn'fɜːtaɪl] *adj* unfruchtbar; **infertility** [ɪnfɜː'tɪlɪtɪ] *n* Unfruchtbarkeit *f*.

infest [ɪn'fest] *vt* plagen, heimsuchen; **to be ~ed with rats** mit Ratten verseucht sein.

infidel ['ɪnfɪdəl] *n* Ungläubige(r) *mf*.

infidelity [ɪnfɪ'delɪtɪ] *n* Untreue *f*.

in-fighting ['ɪnfaɪtɪŋ] *n* Nahkampf *m*.

infiltrate ['ɪnfɪltreɪt] **1.** *vt* infiltrieren; (*spies*) einschleusen; (*liquid*) durchdringen; **2.** *vi* (MIL, *liquid*) einsickern; (POL) unterwandern (*into akk*).

infinite ['ɪnfɪnɪt] *adj* unendlich.

infinitive [ɪn'fɪnɪtɪv] *n* Infinitiv *m*, Nennform *f*.

infinity [ɪn'fɪnɪtɪ] *n* Unendlichkeit *f*.

infirm [ɪn'fɜːm] *adj* schwach, gebrechlich; (*irresolute*) willensschwach.

infirmary [ɪn'fɜːmərɪ] *n* Krankenhaus *nt*.

infirmity [ɪn'fɜːmɪtɪ] *n* Schwäche *f*, Gebrechlichkeit *f*.

inflame [ɪn'fleɪm] *vt* (MED) entzünden; (*person*) reizen; (*anger*) erregen.

inflammable [ɪn'flæməbl] *adj* feuergefährlich.

inflammation [ɪnflə'meɪʃən] *n* Entzündung *f*.

inflatable [ɪn'fleɪtəbl] *adj* aufblasbar; **~ dinghy** Schlauchboot *nt*.

inflate [ɪn'fleɪt] *vt* aufblasen; (*tyre*) aufpumpen; (*prices*) hochtreiben.

inflation [ɪn'fleɪʃən] *n* Inflation *f;* **inflationary** *adj* inflationär.

inflexible [ɪn'fleksəbl] *adj* (*person*) nicht flexibel; (*opinion*) starr; (*thing*) unbiegsam.

inflict [ɪn'flɪkt] *vt* zufügen (*sth on sb* jdm etw); (*punishment*) auferlegen (*on dat*); (*wound*) beibringen (*on dat*).

influence ['ɪnflʊəns] **1.** *n* Einfluss *m;* **2.** *vt* beeinflussen; **influential** [ɪnflʊ'enʃəl] *adj* einflussreich.

influenza [ɪnflʊ'enzə] *n* Grippe *f*.

influx ['ɪnflʌks] *n* (*of water*) Einfließen *nt;* (*of people*) Zustrom *m;* (*of ideas*) Eindringen *nt*.

inform [ɪn'fɔːm] *vt* informieren; **to keep sb ~ed** jdn auf dem Laufenden halten.

informal [ɪn'fɔːməl] *adj* zwanglos; **informality** [ɪnfɔː'mælɪtɪ] *n* Ungezwungenheit *f*.

information [ɪnfə'meɪʃən] *n* Auskunft *f*, Information *f;* **informational** *adj* informationell; **information scientist** *n* Informatiker(in) *m(f);* **information (super)highway** *n* Datenautobahn *f*.

informative [ɪn'fɔːmətɪv] *adj* informativ; (*person*) mitteilsam.

informer [ɪn'fɔːmə*] *n* Denunziant(in) *m(f)*.

infotainment [ɪnfə'teɪnmənt] *n* Infotainment *nt*.

infra-red ['ɪnfrə'red] *adj* infrarot.

infrastructure ['ɪnfrəstrʌktʃə*] *n* Infrastruktur *f*.

infrequent [ɪn'friːkwənt] *adj* selten.

infringe [ɪn'frɪndʒ] *vt* (*law*) verstoßen gegen; **infringe upon** *vt* verletzen; **infringement** *n* Verstoß *m*, Verletzung *f*.

infuriate [ɪn'fjʊərɪeɪt] *vt* wütend machen; **infuriating** *adj* ärgerlich.

infusion [ɪn'fjuːʒən] *n* (GASTR) Aufguss *m;* (*drink*) Kräutertee *m;* (MED) Infusion *f*.

ingenious [ɪn'dʒiːnɪəs] *adj* genial; (*thing*)

raffiniert; **ingenuity** [ɪndʒɪ'nju:ɪtɪ] *n* Findigkeit *f,* Genialität *f;* Raffiniertheit *f.*

ingot ['ɪŋgət] *n* Barren *m.*

ingratiate [ɪn'greɪʃɪeɪt] *vr:* ~ **oneself** sich einschmeicheln (*with sb* bei jdm).

ingratitude [ɪn'grætɪtju:d] *n* Undankbarkeit *f.*

ingredient [ɪn'gri:dɪənt] *n* Bestandteil *m;* (GASTR) Zutat *f.*

inhabit [ɪn'hæbɪt] *vt* bewohnen; **inhabitant** *n* Bewohner(in) *m(f);* (*of island, town*) Einwohner(in) *m(f).*

inhale [ɪn'heɪl] *vt* einatmen; (MED, *cigarettes*) inhalieren.

inherent [ɪn'herənt] *adj* innewohnend (*in dat*).

inherit [ɪn'herɪt] *vt* erben; **inheritance** *n* Erbe *nt,* Erbschaft *f.*

inhibit [ɪn'hɪbɪt] *vt* hemmen; (*restrain*) hindern; **inhibition** [ɪnhɪ'bɪʃən] *n* (*a.* PSYCH) Hemmung *f.*

inhospitable [ɪnhɒ'spɪtəbl] *adj* (*person*) ungastlich; (*country*) unwirtlich.

inhuman [ɪn'hju:mən] *adj* unmenschlich.

inimitable [ɪ'nɪmɪtəbl] *adj* unnachahmlich.

iniquity [ɪ'nɪkwɪtɪ] *n* Ungerechtigkeit *f.*

initial [ɪ'nɪʃəl] **1.** *adj* anfänglich, Anfangs-; **2.** *n* Anfangsbuchstabe *m,* Initiale *f;* **3.** *vt* abzeichnen; (POL) paraphieren; **initially** *adv* anfangs.

initiate [ɪ'nɪʃɪeɪt] *vt* einführen; (*negotiations*) einleiten; (*instruct*) einweihen.

initiative [ɪ'nɪʃətɪv] *n* Initiative *f.*

inject [ɪn'dʒekt] *vt* einspritzen; (*fig*) einflößen; **injection** *n* Spritze *f,* Injektion *f.*

injure ['ɪndʒə*] *vt* verletzen; (*fig*) schaden +*dat;* **injury** ['ɪndʒərɪ] *n* Verletzung *f.*

injustice [ɪn'dʒʌstɪs] *n* Ungerechtigkeit *f.*

ink [ɪŋk] *n* Tinte *f;* **ink-jet printer** *n* Tintenstrahldrucker *m.*

inkling ['ɪŋklɪŋ] *n* dunkle Ahnung *f.*

inlaid ['ɪn'leɪd] *adj* eingelegt, Einlege-.

inland ['ɪnlənd] **1.** *adj* Binnen-; (*domestic*) Inlands-; **2.** *adv* landeinwärts; **Inland Revenue** *n* (*Brit*) Finanzamt *nt.*

in-law ['ɪnlɔ:] *n* angeheirateter Verwandter, angeheiratete Verwandte; **my** ~**s** meine Schwiegereltern.

inlet ['ɪnlet] *n* Öffnung *f,* Einlass *m;* (*bay*) kleine Bucht.

inline skate ['ɪnlaɪnskeɪt] *n* Inlineskate *m.*

inmate ['ɪnmeɪt] *n* Insasse *m,* Insassin *f.*

inn [ɪn] *n* Gasthaus *nt,* Wirtshaus *nt.*

innate [ɪ'neɪt] *adj* angeboren, eigen +*dat.*

inner ['ɪnə*] *adj* innere(r, s), Innen-; (*fig*) verborgen, innerste(r, s).

innocence ['ɪnəsns] *n* Unschuld *f;* (*ignorance*) Unkenntnis *f;* **innocent** *adj* unschuldig.

innocuous [ɪ'nɒkjʊəs] *adj* harmlos.

innovation [ɪnəʊ'veɪʃən] *n* Neuerung *f,* Innovation *f;* **innovative** [ɪnə'veɪtɪv] *adj* innovativ.

innuendo [ɪnjʊ'endəʊ] *n* <-es> versteckte Anspielung *f.*

innumerable [ɪ'nju:mərəbl] *adj* unzählig.

inoculation [ɪnɒkjʊ'leɪʃən] *n* Impfung *f.*

inopportune [ɪn'ɒpətju:n] *adj* (*remark*) unangebracht; (*visit*) ungelegen.

inordinately [ɪ'nɔ:dɪnɪtlɪ] *adv* unmäßig.

inorganic [ɪnɔ:'gænɪk] *adj* unorganisch; (CHEM) anorganisch.

in-patient ['ɪnpeɪʃənt] *n* stationärer Patient, stationäre Patientin.

input ['ɪnpʊt] *n* (ELEC) Aufladung *f;* (TECH) zugeführte Menge; (*labour*) angewandte Arbeitsleistung; (*money*) Investitionssumme *f;* (COMPUT) Eingabe *f.*

inquest ['ɪnkwest] *n* gerichtliche Untersuchung.

inquire [ɪn'kwaɪə*] **1.** *vi* sich erkundigen; **2.** *vt* (*price*) sich erkundigen nach; **inquire into** *vt* untersuchen; **inquiring** *adj* (*mind*) wissensdurstig; **inquiry** [ɪn'kwaɪərɪ] *n* (*question*) Erkundigung *f,* Nachfrage *f;* (COMPUT) Anfrage *f;* (*investigation*) Untersuchung *f;* **inquiry medium** *n* (COMPUT) Abfragemedium *nt;* **inquiry office** *n* Auskunftsbüro *nt.*

inquisitive [ɪn'kwɪzɪtɪv] *adj* neugierig; (*look*) forschend.

inroad ['ɪnrəʊd] *n* (MIL) Einfall *m;* (*fig*) Eingriff *m.*

insane [ɪn'seɪn] *adj* wahnsinnig; (MED) geisteskrank.

insanitary [ɪn'sænɪtərɪ] *adj* unhygienisch.

insanity [ɪn'sænɪtɪ] *n* Wahnsinn *m.*

insatiable [ɪn'seɪʃəbl] *adj* unersättlich.

inscription [ɪn'skrɪpʃən] *n* (*on stone*) Inschrift *f;* (*in book*) Widmung *f.*

inscrutable [ɪn'skru:təbl] *adj* unergründlich.

insect ['ɪnsekt] *n* Insekt *nt;* **insecticide** [ɪn'sektɪsaɪd] *n* Insektenbekämpfungsmittel *nt.*

insecure [ɪnsɪ'kjʊə*] *adj* (*person*) unsicher; (*thing*) nicht fest [*o* sicher]; **inse-**

curity [ɪnsɪ'kjʊərɪtɪ] *n* Unsicherheit *f.*
insemination [ɪnsemɪ'neɪʃən] *n:* **artificial** ~ künstliche Befruchtung.
insensible [ɪn'sensɪbl] *adj* gefühllos; (*unconscious*) bewusstlos; (*imperceptible*) unmerklich; ~ **of** [*o* **to**] **sth** unempfänglich für etw.
insensitive [ɪn'sensɪtɪv] *adj* (*to pain*) unempfindlich; (*without feelings*) gefühllos.
inseparable [ɪn'sepərəbl] *adj* (*people*) unzertrennlich; (*word*) untrennbar.
insert [ɪn'sɜ:t] **1.** *vt* einfügen; (*coin*) einwerfen; (*stick into*) hineinstecken; (*advert*) aufgeben; **2.** ['ɪnsɜ:t] *n* Beifügung *f;* (*in book*) Einlage *f;* (*in magazine*) Beilage *f;* **insertion** *n* Einfügung *f;* (PRESS) Inserat *nt.*
in-service ['ɪnsɜ:vɪs] *adj* innerbetrieblich; ~ **training** Fortbildung *f.*
inshore ['ɪnʃɔ:*] **1.** *adj* Küsten-; **2.** ['ɪn'ʃɔ:*] *adv* an der Küste.
inside ['ɪn'saɪd] **1.** *n* Innenseite *f,* Innere(s) *nt;* **2.** *adj* innere(r, s), Innen-; **3.** *adv* (*place*) innen; (*direction*) nach innen, hinein; **4.** *prep* (*place*) in *+dat;* (*direction*) in *+akk* ... hinein; (*time*) innerhalb *+gen;* **inside out** *adv* linksherum; (*know*) in- und auswendig; **insider** *n* Eingeweihte(r) *mf;* (*member*) Mitglied *nt.*
insidious [ɪn'sɪdɪəs] *adj* heimtückisch.
insight ['ɪnsaɪt] *n* Einsicht *f,* Einblick *m* (*into* in *+akk*).
insignificant [ɪnsɪg'nɪfɪkənt] *adj* unbedeutend.
insincere [ɪnsɪn'sɪə*] *adj* unaufrichtig, falsch; **insincerity** [ɪnsɪn'serɪtɪ] *n* Unaufrichtigkeit *f.*
insinuate [ɪn'sɪnjʊeɪt] *vt* (*hint*) andeuten; **to** ~ **oneself into sth** sich in etw *akk* einschleichen; **insinuation** [ɪnsɪnjʊ'eɪʃən] *n* Anspielung *f.*
insipid [ɪn'sɪpɪd] *adj* fade.
insist [ɪn'sɪst] *vi* bestehen (*on* auf *+dat*); **insistent** *adj* hartnäckig; (*urgent*) dringend.
insolence ['ɪnsələns] *n* Frechheit *f;* **insolent** ['ɪnsələnt] *adj* frech.
insoluble [ɪn'sɒljʊbl] *adj* unlösbar; (CHEM) unlöslich.
insolvent [ɪn'sɒlvənt] *adj* zahlungsunfähig.
insomnia [ɪn'sɒmnɪə] *n* Schlaflosigkeit *f.*
inspect [ɪn'spekt] *vt* besichtigen, prüfen; (*officially*) inspizieren; **inspection** [ɪn'spekʃən] *n* Besichtigung *f,* Inspektion *f;* **inspector** *n* (*official*) Aufsichtsbeamte(r) *m,* -beamtin *f,* Inspektor(in) *m(f);* (*police*) Polizeikommissar(in) *m(f);* (RAIL) Kontrolleur(in) *m(f).*
inspiration [ɪnspɪ'reɪʃən] *n* Inspiration *f.*
inspire [ɪn'spaɪə*] *vt* (*respect*) einflößen (*in dat*); (*hope*) wecken (*in* in *+dat*); (*person*) inspirieren; **to** ~ **sb to do sth** jdn dazu anregen etw zu tun; **inspired** *adj* begabt, einfallsreich; **inspiring** *adj* begeisternd.
instability [ɪnstə'bɪlɪtɪ] *n* Unbeständigkeit *f,* Labilität *f.*
install [ɪn'stɔ:l] *vt* (*put in*) einbauen, installieren; (*telephone*) anschließen; (*establish*) einsetzen; **installation** [ɪnstə'leɪʃən] *n* (*of person*) Amtseinsetzung *f;* (*of machinery*) Einbau *m,* Installierung *f;* (*machines etc*) Anlage *f.*
installment (*US*), **instalment** [ɪn'stɔ:lmənt] *n* Rate *f;* (*of story*) Fortsetzung *f;* **to pay in ~s** auf Raten zahlen.
instance ['ɪnstəns] *n* Fall *m;* (*example*) Beispiel *nt;* **for** ~ zum Beispiel.
instant ['ɪnstənt] **1.** *n* Augenblick *m;* **2.** *adj* augenblicklich, sofortig.
instantaneous [ɪnstən'teɪnɪəs] *adj* unmittelbar.
instant coffee ['ɪnstənt'kɒfɪ] *n* Pulverkaffee *m;* **instantly** *adv* sofort; **instant-picture camera** *n* Sofortbildkamera *f.*
instead [ɪn'sted] *adv* stattdessen; **instead of** *prep* anstatt *+gen.*
instigation [ɪnstɪ'geɪʃən] *n* Veranlassung *f;* (*of crime etc*) Anstiftung *f.*
instil [ɪn'stɪl] *vt* (*fig*) beibringen (*in sb* jdm).
instinct ['ɪnstɪŋkt] *n* Instinkt *m;* **instinctive** *adj,* **instinctively** *adv* [ɪn'stɪŋktɪv, -lɪ] instinktiv.
institute ['ɪnstɪtju:t] **1.** *n* Institut *nt;* (*society also*) Gesellschaft *f;* **2.** *vt* einführen; (*search*) einleiten.
institution [ɪnstɪ'tju:ʃən] *n* (*custom*) Einrichtung *f,* Brauch *m;* (*organisation*) Institution *f;* (*home*) Anstalt *f;* (*beginning*) Einführung *f,* Einleitung *f.*
instruct [ɪn'strʌkt] *vt* anweisen; (*officially*) instruieren; **instruction** [ɪn'strʌkʃən] *n* Unterricht *m;* **~s** *pl* Anweisungen *pl;* (*for use*) Gebrauchsanweisung *f;* **instructive** *adj* lehrreich; **instructor** *n* Lehrer(in) *m(f);* (MIL) Ausbilder(in) *m(f).*
instrument ['ɪnstrʊmənt] *n* (*tool*) Instrument *nt,* Werkzeug *nt;* (MUS) Musikinstru-

ment *nt;* **instrumental** [ɪnstrʊ'mentl] *adj* (MUS) Instrumental-; (*helpful*) behilflich (*in* bei); **instrumentalist** [ɪnstrʊ'mentəlɪst] *n* Instrumentalist(in) *m(f);* **instrument panel** *n* Armaturenbrett *nt.*

insubordinate [ɪnsə'bɔːdnət] *adj* aufsässig; **insubordination** [ɪnsəbɔːdɪ'neɪʃən] *n* Gehorsamsverweigerung *f.*

insufferable [ɪn'sʌfərəbl] *adj* unerträglich.

insufficient *adj,* **insufficiently** *adv* [ɪnsə'fɪʃənt, -lɪ] ungenügend.

insular ['ɪnsjʊlə*] *adj* (*fig*) engstirnig; **insularity** [ɪnsjʊ'lærɪtɪ] *n* (*fig*) Engstirnigkeit *f.*

insulate ['ɪnsjʊleɪt] *vt* (ELEC) isolieren; (*fig*) abschirmen (*from* vor *+dat*); **insulating tape** *n* Isolierband *nt;* **insulation** [ɪnsjʊ'leɪʃən] *n* Isolierung *f.*

insulin ['ɪnsjʊlɪn] *n* Insulin *nt.*

insult ['ɪnsʌlt] **1.** *n* Beleidigung *f;* **2.** [ɪn'sʌlt] *vt* beleidigen; **insulting** [ɪn'sʌltɪŋ] *adj* beleidigend.

insuperable [ɪn'suːpərəbl] *adj* unüberwindlich.

insurance [ɪn'ʃʊərəns] *n* Versicherung *f;* **insurance agent** *n* Versicherungsvertreter(in) *m(f);* **insurance policy** *n* Versicherungspolice *f.*

insure [ɪn'ʃʊə*] *vt* versichern.

insurmountable [ɪnsə'maʊntəbl] *adj* unüberwindlich.

insurrection [ɪnsə'rekʃn] *n* Aufstand *m.*

intact [ɪn'tækt] *adj* intakt, unangetastet, ganz.

intake ['ɪnteɪk] *n* (*place*) Einlassöffnung *f;* (*act*) Aufnahme *f;* (*amount*) aufgenommene Menge; (SCH) Neuaufnahme *f.*

intangible [ɪn'tændʒəbl] *adj* unfassbar; (*thing*) nicht greifbar.

integer ['ɪntɪdʒə*] *n* ganze Zahl.

integral ['ɪntɪgrəl] *adj* (*essential*) wesentlich; (*complete*) vollständig; (MATH) Integral-.

integrate ['ɪntɪgreɪt] *vt* vereinigen; (*people*) eingliedern, integrieren; **integrated circuit** *n* integrierte Schaltung; **integration** [ɪntɪ'greɪʃən] *n* Eingliederung *f,* Integration *f.*

integrity [ɪn'tegrɪtɪ] *n* (*honesty*) Redlichkeit *f,* Integrität *f.*

intellect ['ɪntɪlekt] *n* Intellekt *m;* **intellectual** [ɪntɪ'lektjʊəl] **1.** *adj* geistig, intellektuell; **2.** *n* Intellektuelle(r) *mf.*

intelligence [ɪn'telɪdʒəns] *n* (*understanding*) Intelligenz *f;* (*news*) Information *f;* (MIL) Geheimdienst *m;* **intelligent** *adj* intelligent; (*beings*) vernunftbegabt; **intelligently** *adv* klug; (*write, speak*) verständlich.

intelligible [ɪn'telɪdʒəbl] *adj* verständlich.

intemperate [ɪn'tempərət] *adj* unmäßig.

intend [ɪn'tend] *vt* beabsichtigen; **that was ~ed for you** das war für dich gedacht.

intense [ɪn'tens] *adj* stark, intensiv; (*person*) ernsthaft; **intensely** *adv* äußerst; (*study*) intensiv; **intensify** [ɪn'tensɪfaɪ] *vt* verstärken, intensivieren; **intensity** *n* Intensität *f,* Stärke *f;* **intensive** *adj* intensiv; **intensive care unit** *n* Intensivstation *f;* **intensive course** *n* Intensivkurs *m.*

intent [ɪn'tent] **1.** *n* Absicht *f;* **2.** *adj:* **to be ~ on doing sth** fest entschlossen sein etw zu tun; **to all ~s and purposes** praktisch.

intention [ɪn'tenʃən] *n* Absicht *f;* **with good ~s** mit guten Vorsätzen; **intentional** *adj,* **intentionally** *adv* absichtlich.

intently [ɪn'tentlɪ] *adv* aufmerksam; (*look*) forschend.

inter- ['ɪntə*] *pref* zwischen-, Zwischen-.

interact [ɪntər'ækt] *vi* aufeinander einwirken; **interaction** *n* Wechselwirkung *f;* **interactive** *adj* (COMPUT) interaktiv; **~ TV** interaktives Fernsehen.

intercede [ɪntə'siːd] *vi* sich verwenden; (*in argument*) vermitteln.

intercept [ɪntə'sept] *vt* abfangen; **interception** *n* Abfangen *nt.*

interchange ['ɪntətʃeɪndʒ] **1.** *n* (*exchange*) Austausch *m;* (*of roads*) Kreuzung *f;* (*of motorways*) Autobahnkreuz *nt;* **2.** [ɪntə'tʃeɪndʒ] *vt* austauschen; **interchangeable** [ɪntə'tʃeɪndʒəbl] *adj* austauschbar.

intercity [ɪntə'sɪtɪ] *n* Intercityzug *m,* IC *m.*

intercom ['ɪntəkɒm] *n* Gegensprechanlage *f.*

interconnect [ɪntəkə'nekt] **1.** *vt* miteinander verbinden; **2.** *vi* miteinander verbunden sein; (*roads*) zusammenführen.

intercontinental ['ɪntəkɒntɪ'nentl] *adj* interkontinental.

intercourse ['ɪntəkɔːs] *n* (*exchange*) Verkehr *m,* Beziehungen *pl;* (*sexual*) Geschlechtsverkehr *m.*

interdependence [ɪntədɪ'pendəns] *n*

gegenseitige Abhängigkeit, Interdependenz *f.*

interest ['ɪntrest] **1.** *n* Interesse *nt;* (FIN) Zinsen *pl;* (COMM: *share*) Anteil *m;* (*group*) Interessengruppe *f;* **2.** *vt* interessieren; **to be of ~** von Interesse sein; **interested** *adj* (*having claims*) beteiligt; (*attentive*) interessiert; **to be ~ in** sich interessieren für; **interesting** *adj* interessant; **interest rate** *n* Zinssatz *m.*

interface ['ɪntəfeɪs] *n* (COMPUT *fig*) Schnittstelle *f.*

interfere [ɪntə'fɪə*] *vi* (*meddle*) sich einmischen (*with* in +*akk*), stören (*with akk*); (*with an object*) sich *dat* zu schaffen machen (*with* an +*dat*); **interference** *n* Einmischung *f;* (TV) Störung *f.*

interim ['ɪntərɪm] **1.** *adj* vorläufig; **2.** *n:* **in the ~** inzwischen.

interior [ɪn'tɪərɪə*] **1.** *n* Innere(s) *nt;* **2.** *adj* innere(r, s), Innen-.

interjection [ɪntə'dʒekʃən] *n* Ausruf *m;* (LING) Interjektion *f.*

inter-library loan [ɪntə'laɪbrərɪləʊn] *n* Fernleihe *f.*

interlock [ɪntə'lɒk] **1.** *vi* ineinandergreifen; **2.** *vt* zusammenschließen, verzahnen.

interloper ['ɪntələʊpə*] *n* Eindringling *m.*

interlude ['ɪntəlu:d] *n* Pause *f;* (*in entertainment*) Zwischenspiel *nt.*

intermediary [ɪntə'mi:dɪərɪ] *n* Vermittler(in) *m(f).*

intermediate [ɪntə'mi:dɪət] *adj* Zwischen-, Mittel-.

interminable [ɪn'tɜ:mɪnəbl] *adj* endlos.

intermission [ɪntə'mɪʃən] *n* Pause *f.*

intermittent [ɪntə'mɪtənt] *adj* periodisch, stoßweise; **intermittently** *adv* mit Unterbrechungen.

intern [ɪn'tɜ:n] **1.** *vt* internieren; **2.** ['ɪntɜ:n] *n* (*US*) Assistenzarzt(-ärztin) *m(f).*

internal [ɪn'tɜ:nl] *adj* (*inside*) innere(r, s); (*domestic*) Inlands-; **internal combustion engine** *n* Verbrennungsmotor *m;* **internally** *adv* innen; (MED) innerlich; (*in organisation*) intern; **Internal Revenue Service** *n* (*US*) Finanzamt *nt.*

international [ɪntə'næʃnəl] **1.** *adj* international; **2.** *n* (SPORT) Nationalspieler(in) *m(f);* (*match*) internationales Spiel.

Internet ['ɪntənet] *n* Internet *nt;* **Internet connection** *n* Internetanschluss *m.*

internment [ɪn'tɜ:nmənt] *n* Internierung *f.*

interplanetary [ɪntə'plænɪtərɪ] *adj* interplanetar.

interplay ['ɪntəpleɪ] *n* Wechselspiel *nt.*

Interpol ['ɪntəpɒl] *n* Interpol *f.*

interpret [ɪn'tɜ:prɪt] *vt* (*explain*) auslegen, interpretieren; (*translate*) dolmetschen; (*represent*) darstellen; **interpretation** [ɪntɜ:prɪ'teɪʃən] *n* Deutung *f,* Interpretation *f;* (*translation*) Dolmetschen *nt;* **interpreter** [ɪn'tɜ:prɪtə*] *n* Dolmetscher(in) *m(f).*

interrelated [ɪntərɪ'leɪtɪd] *adj* untereinander zusammenhängend.

interrogate [ɪn'terəgeɪt] *vt* befragen; (JUR) verhören; **interrogation** [ɪntərə'geɪʃən] *n* Verhör *nt;* **interrogative** [ɪntə'rɒgətɪv] *adj* fragend, Frage-; **interrogator** [ɪn'terəgeɪtə*] *n* Vernehmungsbeamte(r) *m,* -beamtin *f.*

interrupt [ɪntə'rʌpt] *vt* unterbrechen; **interruption** [ɪntə'rʌpʃən] *n* Unterbrechung *f.*

intersect [ɪntə'sekt] **1.** *vt* durchschneiden; **2.** *vi* sich schneiden; **intersection** [ɪntə'sekʃən] *n* (*of roads*) Kreuzung *f;* (*of lines*) Schnittpunkt *m.*

intersperse [ɪntə'spɜ:s] *vt* (*scatter*) verstreuen; **to ~ sth with sth** etw mit etw durchsetzen.

interstate [ɪntə'stəit] *n* (*US*) zwischenstaatlich; **~ highway** Bundesautobahn *f.*

interval ['ɪntəvəl] *n* Abstand *m;* (*break*) Pause *f;* (MUS) Intervall *nt;* **at ~s** hier und da; (*time*) dann und wann.

intervene [ɪntə'vi:n] *vi* dazwischenliegen; (*act*) einschreiten (*in* gegen), eingreifen (*in* in +*akk*); **intervening** *adj* dazwischenliegend; **intervention** [ɪntə'venʃən] *n* Eingreifen *nt,* Intervention *f.*

interview ['ɪntəvju:] **1.** *n* (PRESS) Interview *nt;* (*for job*) Vorstellungsgespräch *nt;* **2.** *vt* interviewen; **interviewer** *n* Interviewer(in) *m(f).*

intestate [ɪn'testeɪt] *adj* ohne Hinterlassung eines Testaments.

intestine [ɪn'testɪn] *n* Darm *m;* **~s** *pl* Eingeweide *pl.*

intimacy ['ɪntɪməsɪ] *n* vertrauter Umgang, Intimität *f;* **intimate** ['ɪntɪmət] **1.** *adj* (*inmost*) innerste(r, s); (*knowledge*) eingehend; (*familiar*) vertraut; (*friends*) eng; **2.** ['ɪntɪmeɪt] *vt* andeuten; **intimately** *adv* vertraut, eng.

intimidate [ɪn'tɪmɪdeɪt] *vt* einschüchtern; **intimidation** [ɪntɪmɪ'deɪʃən] *n*

Einschüchterung *f.*
into ['ɪntʊ] *prep* (*motion*) in +*akk* … hinein; **5 ~ 25** 25 durch 5.
intolerable [ɪn'tɒlərəbl] *adj* unerträglich.
intolerance [ɪn'tɒlərəns] *n* Intoleranz *f;* **intolerant** *adj* intolerant.
intonation [ɪntə'neɪʃən] *n* Intonation *f.*
intoxicate [ɪn'tɒksɪkeɪt] *vt* betrunken machen; (*fig*) berauschen; **intoxicated** *adj* betrunken; (*fig*) trunken; **intoxication** [ɪntɒksɪ'keɪʃən] *n* Rausch *m.*
intractable [ɪn'træktəbl] *adj* schwer zu handhaben; (*problem*) schwer lösbar.
intranet ['ɪntrənet] *n* Intranet *nt.*
intransigent [ɪn'trænsɪdʒənt] *adj* unnachgiebig.
intransitive [ɪn'trænsɪtɪv] *adj* intransitiv.
intravenous [ɪntrə'vi:nəs] *adj* intravenös.
in-tray ['ɪntreɪ] *n* Ablagekorb *m* für eingehende Post.
intrepid [ɪn'trepɪd] *adj* unerschrocken.
intricacy ['ɪntrɪkəsɪ] *n* Kompliziertheit *f;* **intricate** ['ɪntrɪkət] *adj* kompliziert.
intrigue [ɪn'tri:g] **1.** *n* Intrige *f;* **2.** *vt* faszinieren; **intriguing** *adj* faszinierend.
intrinsic [ɪn'trɪnsɪk] *adj* innere(r, s); (*difference*) wesentlich.
introduce [ɪntrə'dju:s] *vt* (*person*) vorstellen (*to sb* jdm); (*sth new*) einführen; (*subject*) anschneiden; **to ~ sb to sth** jdn in etw *akk* einführen; **introduction** [ɪntrə'dʌkʃən] *n* Einführung *f;* (*to book*) Einleitung *f;* **introductory** [ɪntrə'dʌktərɪ] *adj* Einführungs-, Vor-.
introspective [ɪntrəʊ'spektɪv] *adj* nach innen gekehrt.
introvert ['ɪntrəʊvɜ:t] *n* Introvertierte(r) *mf;* **introverted** *adj* introvertiert.
intrude [ɪn'tru:d] *vi* stören (*on akk*); **intruder** *n* Eindringling *m;* **intrusion** [ɪn'tru:ʒən] *n* Störung *f;* (*coming into*) Eindringen *nt;* **intrusive** [ɪn'tru:sɪv] *adj* aufdringlich.
intuition [ɪntju:'ɪʃən] *n* Intuition *f;* **intuitive** *adj,* **intuitively** *adv* [ɪn'tju:ɪtɪv, -lɪ] intuitiv.
inundate ['ɪnʌndeɪt] *vt* (*a. fig*) überschwemmen.
invade [ɪn'veɪd] *vt* einfallen in +*akk;* **invader** *n* Eindringling *m.*
invalid ['ɪnvəlɪd] **1.** *n* (*disabled*) Kranke(r) *mf,* Invalide *m,* Invalidin *f;* **2.** *adj* (*ill*) krank; (*disabled*) invalide; **3.** [ɪn'vælɪd] *adj* (*not valid*) ungültig; **invalidate** [ɪn'vælɪdeɪt] *vt* (*passport*) ungültig machen; (*fig*) entkräften.
invaluable [ɪn'væljʊəbl] *adj* unschätzbar.
invariable [ɪn'vɛərɪəbl] *adj* unveränderlich; **invariably** *adv* ausnahmslos.
invasion [ɪn'veɪʒən] *n* Invasion *f,* Einfall *m.*
invective [ɪn'vektɪv] *n* Beschimpfung *f.*
invent [ɪn'vent] *vt* erfinden; **invention** [ɪn'venʃən] *n* Erfindung *f;* **inventive** *adj* erfinderisch; **inventiveness** *n* Erfindungsgabe *f;* **inventor** *n* Erfinder(in) *m(f).*
inventory ['ɪnvəntrɪ] *n* Bestandsverzeichnis *nt,* Inventar *nt.*
inverse [ɪn'vɜ:s] **1.** *adj* umgekehrt; **2.** *n* Umkehrung *f.*
invert [ɪn'vɜ:t] *vt* umdrehen.
invertebrate [ɪn'vɜ:tɪbrət] *n* wirbelloses Tier.
inverted commas [ɪn'vɜ:tɪd'kɒməz] *n pl* Anführungsstriche *pl.*
invest [ɪn'vest] *vt* (FIN) anlegen, investieren; (*endue*) ausstatten.
investigate [ɪn'vestɪgeɪt] *vt* untersuchen; **investigation** [ɪnvestɪ'geɪʃən] *n* Untersuchung *f;* **investigative journalism** *n* Enthüllungsjournalismus *m;* **investigator** [ɪn'vestɪgeɪtə*] *n* Untersuchungsbeamte(r) *m,* -beamtin *f.*
investiture [ɪn'vestɪtʃə*] *n* Amtseinsetzung *f.*
investment [ɪn'vestmənt] *n* Investition *f;* **investor** [ɪn'vestə*] *n* Geldanleger(in) *m(f).*
inveterate [ɪn'vetərət] *adj* unverbesserlich.
invigilate [ɪn'vɪdʒɪleɪt] **1.** *vi* die Aufsicht führen; **2.** *vt* die Aufsicht führen bei.
invigorating [ɪn'vɪgəreɪtɪŋ] *adj* stärkend.
invincible [ɪn'vɪnsəbl] *adj* unbesiegbar.
invisible [ɪn'vɪzəbl] *adj* unsichtbar; (*ink*) Geheim-.
invitation [ɪnvɪ'teɪʃən] *n* Einladung *f;* **invite** [ɪn'vaɪt] *vt* einladen; (*criticism, discussion*) herausfordern; **inviting** *adj* einladend.
invoice ['ɪnvɔɪs] **1.** *n* Rechnung *f,* Lieferschein *m;* **2.** *vt* (*goods*) in Rechnung stellen (*sth for sb* jdm etw).
invoke [ɪn'vəʊk] *vt* anrufen.
involuntarily *adv* [ɪn'vɒləntərɪlɪ] (*unwilling*) unfreiwillig; (*unintentional*) unabsichtlich; **involuntary** *adj* [ɪn'vɒləntərɪ] (*unwilling*) unfreiwillig; (*unintentional*) unabsichtlich.

involve [ɪn'vɒlv] *vt* (*entangle*) verwickeln; (*entail*) mit sich bringen; **involved** *adj* verwickelt; **the person** ~ die betreffende Person; **involvement** *n* Verwicklung *f*.

invulnerable [ɪn'vʌlnərəbl] *adj* unverwundbar; (*fig*) unangreifbar.

inward ['ɪnwəd] *adj* innere(r, s); (*curve*) Innen-; **inwardly** *adv* im Innern; **inwards** *adv* nach innen.

I/O *abbr of* **input/output** (COMPUT) Eingabe/Ausgabe.

iodine ['aɪədi:n] *n* Jod *nt*.

iota [aɪ'əʊtə] *n* (*fig*) bisschen *nt*.

Iran [ɪ'rɑ:n] *n* der Iran.

Iraq [ɪ'rɑ:k] *n* der Irak.

irascible [ɪ'ræsɪbl] *adj* jähzornig, reizbar.

irate [aɪ'reɪt] *adj* zornig.

Ireland ['aɪələnd] *n* Irland *nt;* **in** ~ in Irland; **to go to** ~ nach Irland fahren.

iris ['aɪrɪs] *n* Iris *f*.

Irish ['aɪrɪʃ] **1.** *adj* irisch; **2.** *n* (*language*) Irisch *nt;* **the** ~ *pl* die Iren *pl;* **the** ~ **Sea** die Irische See; **Irishman** *n* <Irishmen> Ire *m;* **Irishwoman** *n* <Irishwomen> Irin *f*.

irk [ɜ:k] *vt* verdrießen; **irksome** ['ɜ:ksəm] *adj* lästig.

iron ['aɪən] **1.** *n* Eisen *nt;* (*for ironing*) Bügeleisen *nt;* (*golf club*) Golfschläger *m*, Metallschläger *m;* **2.** *adj* eisern, Eisen-; **3.** *vt* bügeln; **Iron Curtain** (HIST) Eiserner Vorhang; ~**s** *pl* (*chains*) Hand-/Fußschellen *pl;* **iron out** *vt* (*a. fig*) ausbügeln; (*differences*) ausgleichen.

ironical [aɪ'rɒnɪkəl] *adj* ironisch; (*coincidence etc*) witzig; **ironically** *adv* ironisch; witzigerweise.

ironing ['aɪənɪŋ] *n* Bügeln *nt;* (*laundry*) Bügelwäsche *f;* **ironing board** *n* Bügelbrett *nt*.

ironmonger ['aɪənmʌŋgə*] *n* Eisenwarenhändler(in) *m(f);* ~**'s shop** Eisenwarenhandlung *f*.

iron ore ['aɪənɔ:*] *n* Eisenerz *nt;* **ironworks** ['aɪənwɜ:ks] *n sing o pl* Eisenhütte *f*.

irony ['aɪrənɪ] *n* Ironie *f;* **the** ~ **of it was ...** das Witzige daran war ...

irrational [ɪ'ræʃənl] *adj* unvernünftig, irrational.

irreconcilable [ɪrekən'saɪləbl] *adj* unvereinbar.

irredeemable [ɪrɪ'di:məbl] *adj* (*money*) nicht einlösbar; (*loan*) unkündbar; (*fig*) rettungslos.

irrefutable [ɪrɪ'fju:təbl] *adj* unwiderlegbar.

irregular [ɪ'regjʊlə*] *adj* unregelmäßig; (*shape*) ungleichmäßig; (*fig*) unstatthaft; (*behaviour*) ungehörig; **irregularity** [ɪregjʊ'lærɪtɪ] *n* Unregelmäßigkeit *f;* Ungleichmäßigkeit *f;* (*fig*) Vergehen *nt*.

irrelevance [ɪ'reləvəns] *n* Belanglosigkeit *f;* **irrelevant** *adj* belanglos, irrelevant.

irreligious [ɪrɪ'lɪdʒəs] *adj* ungläubig.

irreparable [ɪ'repərəbl] *adj* nicht gutzumachen.

irreplaceable [ɪrɪ'pleɪsəbl] *adj* unersetzlich.

irrepressible [ɪrɪ'presəbl] *adj* nicht zu unterdrücken; (*joy*) unbändig.

irreproachable [ɪrɪ'prəʊtʃəbl] *adj* untadelig.

irresistible [ɪrɪ'zɪstəbl] *adj* unwiderstehlich.

irresolute [ɪ'rezəlu:t] *adj* unentschlossen.

irrespective of [ɪrɪ'spektɪv ɒv] *prep* ungeachtet *+gen*.

irresponsibility ['ɪrɪspɒnsə'bɪlɪtɪ] *n* Verantwortungslosigkeit *f;* **irresponsible** [ɪrɪ'spɒnsəbl] *adj* verantwortungslos.

irretrievably [ɪrɪ'tri:vəblɪ] *adv* unwiederbringlich; (*lost*) unrettbar.

irrigate ['ɪrɪgeɪt] *vt* bewässern; **irrigation** [ɪrɪ'geɪʃən] *n* Bewässerung *f*.

irritable ['ɪrɪtəbl] *adj* reizbar; **irritate** ['ɪrɪteɪt] *vt* irritieren, reizen; **irritating** *adj* irritierend; (*cough*) lästig; **irritation** [ɪrɪ'teɪʃən] *n* (*anger*) Ärger *m;* (MED) Reizung *f*.

is [ɪz] *3rd person sing present of* **be**.

ISBN *n abbr of* **International Standard Book Number** ISBN *f*.

Islam ['ɪzlɑ:m] *n* Islam *m;* **Islamic** *adj* islamisch.

island ['aɪlənd] *n* Insel *f;* **islander** *n* Inselbewohner(in) *m(f)*.

isle [aɪl] *n* Insel *f*.

isn't ['ɪznt] = **is not**.

isolate ['aɪsəleɪt] *vt* isolieren; **isolated** *adj* isoliert; (*case*) Einzel-; **isolation** [aɪsə'leɪʃən] *n* Isolierung *f;* **to treat sth in** ~ etw vereinzelt [*o* isoliert] behandeln.

isotope ['aɪsətəʊp] *n* Isotop *nt*.

Israel ['ɪzreɪl] *n* Israel *nt*.

issue ['ɪʃu:] **1.** *n* (*matter*) Problem *nt*, Frage *f;* (*outcome*) Resultat *nt*, Ausgang *m;* (*of newspaper, shares*) Ausgabe *f;* (*offspring*) Nachkommenschaft *f;* (*of river*) Mündung *f;* **2.** *vt* ausgeben; (*warrant*) erlassen; (*documents*) ausstellen; (*orders*) erteilen; (*books*) herausgeben; (*verdict*) aussprechen; **to ~ sb with sth** etw an jdn ausgeben; **that's not at ~** das steht nicht zur Debatte; **to make an ~ out of sth** ein Theater wegen etw machen.

isthmus ['ɪsməs] *n* Landenge *f.*

it [ɪt] **1.** *pron* es; **2.** *pron direct/ indirect object of* **it** es/ihm.

Italian [ɪ'tæljən] **1.** *adj* italienisch; **2.** *n* Italiener(in) *m(f).*

italic [ɪ'tælɪk] *adj* kursiv; **italics** *n pl* Kursivschrift *f;* **in ~** kursiv gedruckt.

Italy ['ɪtəlɪ] *n* Italien *nt.*

itch [ɪtʃ] **1.** *n* Juckreiz *m;* (*fig*) brennendes Verlangen; **2.** *vi* jucken; **to be ~ing to do sth** darauf brennen etw zu tun; **itching** *n* Jucken *nt;* **itchy** *adj* juckend.

it'd ['ɪtd] = **it would; it had.**

item ['aɪtəm] *n* Gegenstand *m;* (*on list*) Posten *m;* (*in programme*) Nummer *f;* (*in agenda*) Programmpunkt *m;* (*in newspaper*) Zeitungsnotiz *f;* **itemize** ['aɪtəmaɪz] *vt* verzeichnen.

itinerant [ɪ'tɪnərənt] *adj* (*person*) umherreisend; (*worker, circus*) Wander-.

itinerary [aɪ'tɪnərərɪ] *n* Reiseroute *f;* (*records*) Reisebericht *m.*

it'll ['ɪtl] = **it will; it shall.**

its [ɪts] **1.** *pron* (*adjektivisch*) sein; **2.** *pron* (*substantivisch*) seine(r, s).

it's [ɪts] = **it is; it has.**

itself [ɪt'self] *pron* sich; **it ~** es selbst.

> **ITV** steht für **Independent Television** und ist ein landesweiter privater Fernsehsender in Großbritannien. Unter der Oberaufsicht einer unabhängigen Rundfunkbehörde produzieren Privatfirmen die Programme für die verschiedenen Sendegebiete. ITV, das seit 1955 Programme ausstrahlt, wird ganz durch Werbung finanziert und bietet etwa ein Drittel Informationssendungen (Nachrichten, Dokumentarfilme, Aktuelles) und ansonsten Unterhaltung (Sport, Shows und Spielfilme).

I've [aɪv] = **I have.**

ivory ['aɪvərɪ] *n* Elfenbein *nt;* **ivory tower** *n* (*fig*) Elfenbeinturm *m.*

ivy ['aɪvɪ] *n* Efeu *m.*

> Als **Ivy League** bezeichnet man die acht renommiertesten Universitäten im Nordosten der Vereinigten Staaten (Brown, Columbia, Cornell, Dartmouth College, Harvard, Princeton, University of Pennsylvania und Yale), die untereinander Sportwettkämpfe austragen. Der Name bezieht sich auf die efeubewachsenen Mauern der Universitätsgebäude.

J

J, j [dʒeɪ] *n* J *nt,* j *nt.*

jab [dʒæb] **1.** *vt, vi* hineinstechen; **2.** *n* Stich *m,* Stoß *m;* (*fam*) Spritze *f.*

jabber ['dʒæbə*] *vi* plappern.

jack [dʒæk] *n* Wagenheber *m;* (CARDS) Bube *m;* **jack up** *vt* aufbocken.

jackdaw ['dʒækdɔː] *n* Dohle *f.*

jacket ['dʒækɪt] *n* Jacke *f,* Jackett *nt;* (*of book*) Schutzumschlag *m;* (TECH) Ummantelung *f.*

jack-knife ['dʒæknaɪf] **1.** *n* <jack-knives> Klappmesser *nt;* **2.** *vi* (*truck*) sich zusammenschieben.

jack plug ['dʒækplʌg] *n* Bananenstecker *m.*

jackpot ['dʒækpɒt] *n* Hauptgewinn *m.*

jacuzzi® [dʒə'kuːzɪ] *n* (*jet*) Wirbeldüse *f;* (*bath*) Whirlpool *m.*

jade [dʒeɪd] *n* (*stone*) Jade *m.*

jaded ['dʒeɪdɪd] *adj* ermattet.

jagged ['dʒægɪd] *adj* zackig; (*blade*) schartig.

jail [dʒeɪl] **1.** *n* Gefängnis *nt;* **2.** *vt* einsperren; **jailbreak** *n* Gefängnisausbruch *m;* **jailer** *n* Gefängniswärter(in) *m(f).*

jam [dʒæm] **1.** *n* Marmelade *f;* (*crowd*) Gedränge *nt;* (*traffic ~*) Stau *m;* (*fam: trouble*) Klemme *f;* **2.** *vt* (*people*) zusammendrängen; (*wedge*) einklemmen; (*cram*) hineinzwängen; (*obstruct*) blockieren; **to ~ on the brakes** auf die Bremse treten.

jamboree [dʒæmbə'riː] *n* Pfadfindertreffen *nt.*

jangle ['dʒæŋgl] *vt, vi* klimpern; (*bells*) bimmeln.

janitor ['dʒænɪtə*] *n* Hausmeister(in)

m(f).

January ['dʒænjʊərɪ] *n* Januar *m;* ~ **17th, 1962, 17th ~ 1962** (*Datumsangabe*) 17. Januar 1962; **on the 1st/11th of ~** (*gesprochen*) am 1./11. Januar; **on 1st/11th ~, on ~ 1st/11th** (*geschrieben*) am 1./11. Januar; **in ~** im Januar.

Japan [dʒə'pæn] *n* Japan *nt;* **Japanese** [dʒæpə'ni:z] **1.** *adj* japanisch; **2.** *n* Japaner(in) *m(f).*

jar [dʒɑ:*] **1.** *n* Glas *nt;* **2.** *vi* kreischen; (*colours etc*) nicht harmonieren.

jargon ['dʒɑ:gən] *n* Fachsprache *f,* Jargon *m.*

jarring ['dʒɑ:rɪŋ] *adj* (*sound*) kreischend; (*colour*) sich beißend.

jasmine ['dʒæzmɪn] *n* Jasmin *m.*

jaundice ['dʒɔ:ndɪs] *n* Gelbsucht *f;* **jaundiced** *adj* zynisch.

jaunt [dʒɔ:nt] *n* Spritztour *f;* **jaunty** *adj* (*lively*) munter; (*brisk*) flott; (*attitude*) unbekümmert.

javelin ['dʒævlɪn] *n* Speer *m.*

jaw [dʒɔ:] *n* Kiefer *m;* ~**s** *pl* (*fig*) Rachen *m.*

jaywalker ['dʒeɪwɔ:kə*] *n* unvorsichtiger Fußgänger, unvorsichtige Fußgängerin, Verkehrssünder(in) *m(f).*

jazz [dʒæz] *n* Jazz *m;* **jazz up** *vt* (MUS) verjazzen; (*enliven*) aufmöbeln; **jazz band** *n* Jazzband *f;* **jazzy** *adj* (*colour*) schreiend, auffallend.

jealous ['dʒeləs] *adj* (*envious*) missgünstig; (*husband*) eifersüchtig; (*watchful*) bedacht (*of* auf +*akk*); **jealously** *adv* missgünstig; eifersüchtig; sorgsam; **jealousy** *n* Missgunst *f;* Eifersucht *f.*

jeans [dʒi:nz] *n pl* Jeans *pl.*

jeep [dʒi:p] *n* Jeep *m.*

jeer [dʒɪə*] **1.** *vi* höhnisch lachen (*at* über +*akk*), verspotten (*at sb* jdn); **2.** *n* Hohn *m;* (*remark*) höhnische Bemerkung; **jeering** *adj* höhnisch.

jelly ['dʒelɪ] *n* Gelee *nt;* (*on meat*) Gallert *nt;* (*dessert*) Grütze *f;* **jellyfish** *n* Qualle *f.*

jemmy ['dʒemɪ] *n* Brecheisen *nt.*

jeopardize ['dʒepədaɪz] *vt* gefährden; **jeopardy** *n* Gefahr *f.*

jerk [dʒɜ:k] **1.** *n* Ruck *m;* (*fam: idiot*) Trottel *m;* **2.** *vt* ruckartig bewegen; **3.** *vi* sich ruckartig bewegen; (*muscles*) zucken.

jerkin ['dʒɜ:kɪn] *n* Jacke *f.*

jerky ['dʒɜ:kɪ] *adj* (*movement*) ruckartig; (*writing*) zitterig; (*ride*) rüttelnd.

jerry-built ['dʒerɪbɪlt] *adj* unsolide gebaut.

jersey ['dʒɜ:zɪ] *n* Pullover *m.*

jest [dʒest] **1.** *n* Scherz *m;* **2.** *vi* spaßen; **in ~** im Spaß.

Jesus ['dʒi:zəs] *n* Jesus *m.*

jet [dʒet] *n* (*stream: of water etc*) Strahl *m;* (*spout*) Düse *f;* (AVIAT) Düsenflugzeug *nt;* **jet-black** *adj* rabenschwarz; **jet engine** *n* Düsenmotor *m;* **jet fighter** *n* Düsenjäger *m;* **jet-hop** *vi* (*fam*) jetten; **jetlag** *n* Jet-lag *nt* (*Müdigkeit nach Flug durch Zeitverschiebung*).

jetsam ['dʒetsəm] *n* Strandgut *nt.*

jettison ['dʒetɪsn] *vt* über Bord werfen.

jetty ['dʒetɪ] *n* Landesteg *m,* Mole *f.*

Jew [dʒu:] *n* Jude *m.*

jewel ['dʒu:əl] *n* Juwel *nt;* (*stone*) Edelstein *m;* **jeweller** *n* Juwelier(in) *m(f);* ~**'s shop** Juweliergeschäft *nt;* **jewellery** *n* Schmuck *m,* Juwelen *pl.*

Jewess ['dʒu:ɪs] *n* Jüdin *f;* **Jewish** ['dʒu:ɪʃ] *adj* jüdisch.

jib [dʒɪb] **1.** *n* (NAUT) Klüver *m;* **2.** *vi* sich scheuen (*at* vor +*dat*).

jibe [dʒaɪb] *n* spöttische Bemerkung.

jiffy ['dʒɪfɪ] *n:* **in a ~** (*fam*) sofort.

jigsaw puzzle ['dʒɪgsɔ:pʌzl] *n* Puzzle *nt.*

jilt [dʒɪlt] *vt* den Laufpass geben +*dat.*

jingle ['dʒɪŋgl] **1.** *n* (*advertisement*) Werbesong *m;* (*verse*) Reim *m;* **2.** *vi* klimpern; (*bells*) bimmeln.

jinx [dʒɪŋks] *n* Fluch *m;* **to put a ~ on sth** etw verhexen.

jitters ['dʒɪtəz] *n pl:* **to get the ~** (*fam*) Bammel kriegen.

jittery ['dʒɪtərɪ] *adj* (*fam*) nervös.

jiujitsu [dʒu:'dʒɪtsu:] *n* Jiu-Jitsu *nt.*

job [dʒɒb] *n* (*piece of work*) Arbeit *f;* (*occupation*) Stellung *f,* Arbeit *f;* (*duty*) Aufgabe *f;* (*difficulty*) Mühe *f;* **what's your ~?** was machen Sie beruflich?; **it's a good ~ he ...** es ist ein Glück, dass er ...; **just the ~** genau das Richtige; **jobcentre** *n* Arbeitsvermittlungsstelle *f;* **job creation scheme** *n* Arbeitsbeschaffungsprogramm *nt;* **job hunting** *n:* **to go ~** auf Arbeitssuche gehen; **jobless** *adj* arbeitslos; **job sharing** *n* Arbeitsplatzteilung *f.*

jockey ['dʒɒkɪ] **1.** *n* Jockey *m;* **2.** *vi:* **to ~ for position** sich in eine gute Position drängeln.

jocular ['dʒɒkjʊlə*] *adj* scherzhaft, witzig.

jodhpurs ['dʒɒdpəz] *n pl* Reithose *f.*

jog [dʒɒg] **1.** *vt* anstoßen; **2.** *vi* (*run*) einen Dauerlauf machen, joggen; **jogger** *n* Jogger(in) *m(f);* **jogging** *n* Jogging *nt,*

Dauerlauf *m;* **jogging suit** *n* Jogginganzug *m.*

john [dʒɒn] *n* (*US fam*) Klo *nt.*

join [dʒɔɪn] **1.** *vt* (*put together*) verbinden (*to* mit); (*club*) beitreten *+dat;* (*person*) sich anschließen *+dat;* **2.** *vi* (*unite*) sich vereinigen; (*bones*) zusammenwachsen; **3.** *n* Verbindungsstelle *f,* Naht *f;* **join in** *vi* mitmachen; **join up** *vi* (MIL) zur Armee gehen.

joiner ['dʒɔɪnə*] *n* Schreiner(in) *m(f);* **joinery** *n* Schreinerei *f.*

joint [dʒɔɪnt] **1.** *n* (TECH) Fuge *f;* (*of bones*) Gelenk *nt;* (*of meat*) Braten *m;* (*fam: place*) Lokal *nt;* (*fam: of marijuana*) Joint *m;* **2.** *adj* gemeinsam; ~ **account** gemeinsames Konto; **jointly** *adv* gemeinsam.

joist [dʒɔɪst] *n* Träger *m.*

joke [dʒəʊk] **1.** *n* Witz *m;* **2.** *vi* spaßen, Witze machen; **you must be joking** das ist doch wohl nicht dein Ernst; **it's no** ~ es ist nicht zum Lachen; **joker** *n* Witzbold *m;* (CARDS) Joker *m;* **joking** *adj* scherzhaft; **jokingly** *adv* zum Spaß; (*talk*) im Spaß, scherzhaft.

jollity ['dʒɒlɪtɪ] *n* Fröhlichkeit *f;* **jolly** **1.** *adj* lustig, vergnügt; **2.** *adv* (*fam*) ganz schön; **3.** *vt:* **to ~ sb along** jdn ermuntern; ~ **good** prima.

jolt [dʒəʊlt] **1.** *n* (*shock*) Schock *m;* (*jerk*) Stoß *m,* Rütteln *nt;* **2.** *vt* (*push*) stoßen; (*shake*) durchschütteln; (*fig*) aufrütteln; **3.** *vi* holpern.

Jordan ['dʒɔːdən] *n* (*country*) Jordanien *nt;* (*river*) Jordan *m.*

jostle ['dʒɒsl] *vt* anrempeln.

jot [dʒɒt] *n:* **not one** ~ kein Jota; **jot down** *vt* schnell aufschreiben, notieren; **jotter** *n* Notizbuch *nt;* (*SCH*) Schulheft *nt.*

joule [dʒuːl] *n* Joule *nt.*

journal ['dʒɜːnl] *n* (*diary*) Tagebuch *nt;* (*magazine*) Zeitschrift *f;* **journalese** [dʒɜːnə'liːz] *n* Zeitungsjargon *m,* Pressejargon *m;* **journalism** *n* Journalismus *m;* **journalist** *n* Journalist(in) *m(f).*

journey ['dʒɜːnɪ] *n* Reise *f.*

jovial ['dʒəʊvɪəl] *adj* fröhlich; (*esp pej*) jovial.

joy [dʒɔɪ] *n* Freude *f;* **joyful** *adj* freudig; (*gladdening*) erfreulich; **joyfully** *adv* freudig; **joyous** *adj* freudig; **joy ride** *n* Spritztour *f;* **joystick** *n* (AVIAT) Steuerknüppel *m;* (COMPUT) Joystick *m.*

jubilant ['dʒuːbɪlənt] *adj* triumphierend.

jubilation [dʒuːbɪ'leɪʃən] *n* Jubel *m.*

jubilee ['dʒuːbɪliː] *n* Jubiläum *nt.*

judge [dʒʌdʒ] **1.** *n* Richter(in) *m(f);* (*fig*) Kenner(in) *m(f);* **2.** *vt* (JUR: *person*) die Verhandlung führen über *+akk;* (*case*) verhandeln; (*assess*) beurteilen; (*criticize*) verurteilen; **3.** *vi* ein Urteil abgeben; **as far as I can** ~ soweit ich das beurteilen kann; **judging by sth** nach etw zu urteilen; **judgement** *n* (JUR) Urteil *nt;* (REL) Gericht *nt;* (*opinion*) Ansicht *f;* (*ability*) Urteilsvermögen *nt.*

judicial [dʒuː'dɪʃəl] *adj* gerichtlich, Justiz-.

judicious [dʒuː'dɪʃəs] *adj* weise.

judo ['dʒuːdəʊ] *n* Judo *nt.*

jug [dʒʌg] *n* Krug *m.*

juggernaut ['dʒʌgənɔːt] *n* (*truck*) Fernlastwagen *m.*

juggle ['dʒʌgl] **1.** *vi* jonglieren; **2.** *vt* (*facts*) verdrehen; (*figures*) frisieren; **juggler** *n* Jongleur(in) *m(f).*

juice [dʒuːs] *n* Saft *m;* **juiciness** ['dʒuːsɪnəs] *n* Saftigkeit *f;* **juicy** *adj* saftig; (*story*) schlüpfrig.

jukebox ['dʒuːkbɒks] *n* Musikautomat *m.*

July [dʒuː'laɪ] *n* Juli *m;* ~ **4th, 1999, 4th ~ 1999** (*Datumsangabe*) 4. Juli 1999; **on the 31st of ~** (*gesprochen*) am 31. Juli; **on 31st ~, on ~ 31st** (*geschrieben*) am 31. Juli; **in ~** im Juli.

jumble ['dʒʌmbl] **1.** *n* Durcheinander *nt;* **2.** *vt* (*also:* ~ **up**) durcheinander werfen; (*facts*) durcheinander bringen; **jumble sale** *n* (*Brit*) Basar *m,* Flohmarkt *m.*

> Ein **jumble sale** ist eine Art Wohltätigkeitsbasar, der meist in einer Aula oder einem Gemeindehaus stattfindet, bei dem alle möglichen gebrauchten Dinge, vor allem Kleidung, Spielzeug, Bücher und Geschirr verkauft werden. Der Erlös kommt entweder einer Wohltätigkeitsorganisation zugute oder wird für lokale Zwecke verwendet, z. B. für Reparaturarbeiten in der Schule.

jumbo jet ['dʒʌmbəʊdʒet] *n* <-s> Jumbo-Jet *m.*

jump [dʒʌmp] **1.** *vi* springen; (*nervously*) zusammenzucken; **2.** *vt* überspringen; **3.** *n* Sprung *m;* **to ~ to conclusions** voreilige Schlüsse ziehen; **to ~ the gun** (*fig*) voreilig handeln; **to ~ the queue** sich vordrängeln; **to give sb a ~** jdn erschrecken; **jumped-up** *adj* (*fam*) eingebildet;

jumper *n* Pullover *m;* **jump leads** *n pl* (*Brit* AUT) Starthilfekabel *nt;* **jumpy** *adj* nervös.

junction ['dʒʌŋkʃən] *n* (*of roads*) Kreuzung *f;* (RAIL) Knotenpunkt *m.*

juncture ['dʒʌŋktʃə*] *n:* **at this ~** in diesem Augenblick.

June [dʒu:n] *n* Juni *m;* **~ 17th, 1999, 17th ~ 1999** (*Datumsangabe*) 17. Juni 1999; **on the 17th of ~** (*gesprochen*) am 17. Juni; **on 17th ~, on ~ 17th** (*geschrieben*) am 17. Juni; **in ~** im Juni.

jungle ['dʒʌŋgl] *n* Dschungel *m,* Urwald *m.*

junior ['dʒu:nɪə*] **1.** *adj* (*younger*) jünger; (*after name*) junior; (SPORT) Junioren-; (*lower position*) untergeordnet; (*for young people*) Junioren-; **2.** *n* Jüngere(r) *mf;* **junior rail-pass** *n* Junior-Pass *m.*

junk [dʒʌŋk] *n* (*rubbish*) Plunder *m;* (*ship*) Dschunke *f;* **junkfood** *n* Nahrungsmittel *pl* mit geringem Nährwert, Junkfood *nt;* **junkie** *n* (*fam*) Fixer(in) *m(f);* (*fig*) Freak *m;* **junkshop** *n* Ramschladen *m.*

junta ['dʒʌntə] *n* Junta *f.*

jurisdiction [dʒʊərɪs'dɪkʃən] *n* Gerichtsbarkeit *f;* (*range of authority*) Zuständigkeitsbereich *m.*

jurisprudence [dʒʊərɪs'pru:dəns] *n* Rechtswissenschaft *f,* Jura.

juror ['dʒʊərə*] *n* Geschworene(r) *mf;* Schöffe *m,* Schöffin *f;* (*in competition*) Preisrichter(in) *m(f).*

jury ['dʒʊərɪ] *n* (*court*) Geschworene *pl;* (*in competition*) Jury *f,* Preisgericht *nt;* **juryman** *n* <jurymen> *s.* **juror**.

just [dʒʌst] **1.** *adj* gerecht; **2.** *adv* (*recently, now*) gerade, eben; (*barely*) gerade noch; (*exactly*) genau, gerade; (*only*) nur, bloß; (*small distance*) gleich; (*absolutely*) einfach; **~ as I arrived** gerade als ich ankam; **~ as nice** genauso nett; **~ as well** um so besser; **~ about** so etwa; **~ now** soeben, gerade; **not ~ now** nicht im Moment; **~ try** versuch es bloß [*o* mal].

justice ['dʒʌstɪs] *n* (*fairness*) Gerechtigkeit *f;* (*magistrate*) Richter(in) *m(f);* **~ of the peace** Friedensrichter(in) *m(f).*

justifiable [dʒʌstɪ'faɪəbl] *adj* berechtigt; **justifiably** *adv* berechtigterweise, zu Recht.

justification [dʒʌstɪfɪ'keɪʃən] *n* Rechtfertigung *f;* **justify** ['dʒʌstɪfaɪ] *vt* rechtfertigen; (TYP) justieren; **justified lines** *pl* Blocksatz *m.*

just-in-time-manufacturing [dʒʌstɪntaɪmænjʊ'fæktʃərɪŋ] *n* Just-in-time-Fertigung *f.*

justly ['dʒʌstlɪ] *adv* (*say*) mit Recht; (*condemn*) gerecht.

justness ['dʒʌstnəs] *n* Gerechtigkeit *f.*

jut [dʒʌt] *vi* (*also:* **~ out**) herausragen, vorstehen.

juvenile ['dʒu:vənaɪl] **1.** *adj* (*young*) jugendlich; (*for the young*) Jugend-; **2.** *n* Jugendliche(r) *mf;* **juvenile delinquency** *n* Jugendkriminalität *f;* **juvenile delinquent** *n* jugendlicher Straftäter, jugendliche Straftäterin.

juxtapose ['dʒʌkstəpəʊz] *vt* nebeneinanderstellen; **juxtaposition** [dʒʌkstəpə'zɪʃən] *n* Gegenüberstellung *f.*

K

K, k [keɪ] *n* K *nt,* k *nt.*

K *n abbr of* **kilobyte** K *nt,* Kbyte *nt.*

kaleidoscope [kə'laɪdəskəʊp] *n* Kaleidoskop *nt.*

Kampuchea [kæmpʊ'tʃɪə] *n* Kambodscha *nt,* Kamputschea *nt.*

kangaroo [kæŋgə'ru:] *n* Känguruh *nt.*

karate [kə'rɑ:tɪ] *n* Karate *nt.*

kayak ['kaɪæk] *n* Kajak *m o nt.*

kebab [kə'bæb] *n* Schaschlik *nt o m,* Kebab *m.*

keel [ki:l] *n* Kiel *m;* **on an even ~** (*fig*) im Lot.

keen [ki:n] *adj* eifrig, begeistert; (*intelligence, wind, blade*) scharf; (*sight, hearing*) gut; (*price*) günstig; **keenly** *adv* leidenschaftlich; (*sharply*) scharf; **keenness** *n* Schärfe *f;* (*eagerness*) Begeisterung *f;* (*interest*) starkes Interesse.

keep [ki:p] <kept, kept> **1.** *vt* (*retain*) behalten; (*have*) haben; (*animals, one's word*) halten; (*support*) versorgen; (*maintain in state*) halten; (*preserve*) aufbewahren; (*restrain*) abhalten; **2.** *vi* (*continue in direction*) sich halten; (*food*) sich halten; (*remain quiet etc*) sein, bleiben; **3.** *n* Unterhalt *m;* (*tower*) Burgfried *m;* **it ~s happening** es passiert immer wieder; **keep back** *vt* fernhalten; (*secret*) verschweigen; **keep on 1.** *vi:* **~ ~ doing sth** etw immer weiter tun; **2.** *vt* anbehalten; (*hat*) aufbehalten; **keep out** *vt* draußen lassen, nicht hereinlassen; **"~ ~"** „Eintritt verboten"; **keep up 1.** *vi* Schritt halten; **2.** *vt* aufrechterhalten; (*continue*) weitermachen; **keep-fit** *n* Gymnastik *f;* **keeping** *n* (*care*) Obhut *f;* **in ~ with** in Übereinstimmung mit.

keepsake ['ki:pseɪk] *n* Andenken *nt.*

keg [keg] *n* Fass *nt.*

kennel ['kenl] *n* Hundehütte *f.*

Kenya ['kenjə] *n* Kenia *nt.*

kept [kept] *pt, pp of* **keep**.

kerb [kɜ:b] *n* Bordstein *m.*

kerb crawling ['kɜ:b'krɔ:lɪŋ] *n* Autostrich *m.*

kernel ['kɜ:nl] *n* Kern *m.*

kerosene ['kerəsi:n] *n* Kerosin *nt.*

kestrel ['kestrəl] *n* Turmfalke *m.*

ketchup ['ketʃʌp] *n* Ketschup *nt o m.*

kettle ['ketl] *n* Kessel *m;* **kettledrum** *n* Pauke *f.*

key [ki:] **1.** *n* Schlüssel *m;* (*solution, answers*) Schlüssel *m,* Lösung *f;* (*of piano, typewriter*) Taste *f;* (MUS) Tonart *f;* (*explanatory note*) Zeichenerklärung *f;* **2.** *adj* (*position etc*) Schlüssel-; **3.** *vt* (*also:* **~ in**) (COMPUT) eingeben; **keyboard** *n* (*of piano, typewriter, computer*) Tastatur *f;* **keyboards** *n pl* (MUS) Keyboard *nt;* **keyhole** *n* Schlüsselloch *nt;* **keyhole surgery** *n* Mikrochirurgie *f;* **keynote** *n* Grundton *m;* **keypad** *n* (COMPUT) Keypad *nt,* Handpolster *nt;* **key personnel** *n* leitende Angestellte *pl;* **key ring** *n* Schlüsselring *m;* **keyword** *n* Schlüsselwort *nt.*

khaki ['kɑ:kɪ] **1.** *n* Khaki *nt;* **2.** *adj* khakifarben.

kick [kɪk] **1.** *vt* einen Fußtritt geben *+dat,* treten; **2.** *vi* treten; (*baby*) strampeln; (*horse*) ausschlagen; **3.** *n* Fußtritt *m;* (*thrill*) Spaß *m;* **kick around** *vt* (*person*) herumstoßen; **kick off** *vi* (SPORT) anstoßen; **kick up** *vt* (*fam*) schlagen; **kick-off** *n* (SPORT) Anstoß *m.*

kid [kɪd] **1.** *n* (*child*) Kind *nt;* (*goat*) Zicklein *nt;* (*leather*) Glacéleder *nt;* **2.** *vt* auf den Arm nehmen; **3.** *vi* Witze machen.

kidnap ['kɪdnæp] *vt* entführen, kidnappen; **kidnapper** *n* Kidnapper(in) *m(f),* Entführer(in) *m(f);* **kidnapping** *n* Entführung *f,* Kidnapping *nt.*

kidney ['kɪdnɪ] *n* Niere *f;* **kidney machine** *n* künstliche Niere.

kill [kɪl] **1.** *vt* töten, umbringen; (*chances*) ruinieren; **2.** *vi* töten; **3.** *n* Tötung *f;* (HUNTING) Jagdbeute *f;* **killer** *n* Mörder(in) *m(f);* **killing** *n* Töten *nt;* **make a ~** (*fam*) einen Riesengewinn machen.

kiln [kɪln] *n* Brennofen *m.*

kilo ['ki:ləʊ] *n* <-s> Kilo *nt;* **kilobyte** *n* Kilobyte *nt,* Kbyte *nt;* **kilogramme** *n* Kilogramm *nt;* **kilometer** (*US*), **kilometre** *n* Kilometer *m;* **kilowatt** *n* Kilowatt *nt.*

kilt [kɪlt] *n* Schottenrock *m,* Kilt *m.*

kimono [kɪ'məʊnəʊ] *n* <-s> Kimono *m.*

kin [kɪn] *n* Verwandtschaft *f,* Verwandte(n) *pl.*

kind [kaɪnd] **1.** *adj* freundlich, gütig; **2.** *n* Art *f;* **a ~ of** eine Art von; **two of a ~** zwei von der gleichen Art; (*people*) vom gleichen Schlag; **in ~** auf dieselbe Art; (*in goods*) in Naturalien; **~ of** (*fam*) irgendwie.

kindergarten ['kɪndəgɑ:tn] *n* Kindergarten *m.*

kind-hearted ['kaɪnd'hɑ:tɪd] *adj* gutherzig.

kindle ['kɪndl] *vt* (*set on fire*) anzünden; (*rouse*) reizen, erwecken.

kindliness ['kaɪndlɪnəs] *n* Freundlichkeit *f,* Güte *f.*

kindly ['kaɪndlɪ] **1.** *adj* freundlich; **2.** *adv* liebenswürdigerweise; **would you ~ ...** wären Sie so freundlich und ...

kindness ['kaɪndnəs] *n* Freundlichkeit *f.*

kindred ['kɪndrɪd] *adj* verwandt; **~ spirit** Gleichgesinnte(r) *mf.*

kinetic [kɪ'netɪk] *adj* kinetisch.

king [kɪŋ] *n* König *m;* **kingdom** *n* Königreich *nt;* **kingfisher** *n* Eisvogel *m;* **kingpin** *n* (TECH) Bolzen *m;* (AUT) Achsschenkelbolzen *m;* (*fig*) Stütze *f;* **king-size** *adj* extra groß; (*cigarette*) Kingsize-.

kink [kɪŋk] *n* Knick *m;* (*peculiarity*) Schrulle *f;* **kinky** *adj* (*hair*) wellig; (*fam*) verrückt; (*sexually*) abartig.

kiosk ['ki:ɒsk] *n* Kiosk *m;* (TEL) Telefonhäuschen *nt.*

kip [kɪp] **1.** *n* (*Brit fam*): **have a ~** eine Runde pennen; **2.** *vi* (*Brit fam*): **~ [down]** pennen.

kipper ['kɪpə*] *n* Räucherhering *m,* Bückling *m.*

kiss [kɪs] **1.** *n* Kuss *m;* **2.** *vt* küssen; **3.** *vi:* **they ~ed** sie küssten sich.

kit [kɪt] *n* Ausrüstung *f;* (*tools*) Werkzeug *nt;* **kitbag** *n* Seesack *m.*

kitchen ['kɪtʃɪn] *n* Küche *f;* **kitchen foil** *n* Alufolie *f;* **kitchen garden** *n* Gemüsegarten *m;* **kitchen sink** *n* Spülbecken *nt;* **kitchen unit** *n* Küchenschrank *m;* **kitchenware** *n* Küchengeschirr *nt.*

kite [kaɪt] *n* Drachen *m.*

kith [kɪθ] *n:* **~ and kin** Blutsverwandte *pl;*

with ~ and kin mit Kind und Kegel.
kitten ['kɪtn] *n* Kätzchen *nt.*
kitty ['kɪtɪ] *n* (*money*) gemeinsame Kasse *f.*
kiwi ['ki:wi:] *n* (*fruit*) Kiwi *f.*
kleptomaniac [kleptəʊ'meɪnɪæk] *n* Kleptomane *m,* Kleptomanin *f.*
km *abbr of* **kilometres** km.
knack [næk] *n* Dreh *m,* Trick *m.*
knackered ['nækəd] *adj* (*Brit fam*) ausgebufft.
knapsack ['næpsæk] *n* Rucksack *m;* (MIL) Tornister *m.*
knead [ni:d] *vt* kneten.
knee [ni:] *n* Knie *nt;* **kneecap** *n* Kniescheibe *f;* **knee-deep** *adj* knietief.
kneel [ni:l] <knelt *o* kneeled, knelt *o* kneeled> *vi* knien.
knell [nel] *n* Grabgeläute *nt.*
knelt [nelt] *pt, pp of* **kneel**.
knew [nju:] *pt of* **know**.
knickers ['nɪkəz] *n pl* Schlüpfer *m.*
knife [naɪf] **1.** *n* <knives> Messer *nt;* **2.** *vt* erstechen; **knife edge** *n:* **balanced on a ~** auf des Messers Schneide stehen.
knight [naɪt] *n* Ritter *m;* (CHESS) Springer *m,* Pferd *nt;* **knighthood** *n* Ritterwürde *f.*
knit [nɪt] **1.** *vt, vi* stricken; **2.** *vi* (*bones*) zusammenwachsen; (*people*) harmonieren; **knitting** *n* (*occupation*) Stricken *nt;* (*work*) Strickzeug *nt;* **knitting machine** *n* Strickmaschine *f;* **knitting needle** *n* Stricknadel *f;* **knitting pattern** *n* Strickmuster *nt;* **knitwear** *n* Strickwaren *pl.*
knob [nɒb] *n* Knauf *m;* (*on instrument*) Knopf *m;* (*of butter etc*) kleines Stück.
knock [nɒk] **1.** *vt* schlagen; (*criticize*) heruntermachen; **2.** *vi* klopfen; (*knees*) zittern; **3.** *n* Schlag *m,* Stoß *m;* (*on door*) Klopfen *nt;* **knock off 1.** *vt* (*do quickly*) hinhauen; (*steal*) klauen; **2.** *vi* (*finish*) Feierabend machen; **knock out** *vt* ausschlagen; (BOXING) k.o. schlagen; **knockdown prices** *n pl* Schleuderpreise *pl;* **knocker** *n* (*on door*) Türklopfer *m;* **knock-kneed** *adj* x-beinig; **knockout** *n* K.o.-Schlag *m;* (*fig*) Sensation *f.*
knot [nɒt] **1.** *n* Knoten *m;* (*in wood*) Astloch *nt;* (*group*) Knäuel *nt o m;* **2.** *vt* verknoten; **knotted** *adj* verknotet; **knotty** ['nɒtɪ] *adj* knorrig; (*problem*) kompliziert.
know [nəʊ] <knew, known> *vt, vi* wissen; (*be able to*) können; (*be acquainted with*) kennen; (*recognize*) erkennen; **to ~ how to do sth** wissen, wie man etw macht, etw tun können; **you ~** nicht wahr; **to be well ~n** bekannt sein; **know-all** *n* Alleswisser(in) *m(f);* **know-how** *n* Kenntnis *f,* Know-how *nt;* **knowing** *adj* schlau; (*look, smile*) wissend; **knowingly** *adv* wissend; (*intentionally*) wissentlich.
knowledge ['nɒlɪdʒ] *n* Wissen *nt,* Kenntnis *f;* (*learning*) Kenntnisse *pl;* **knowledgeable** *adj* informiert, kenntnisreich.
known [nəʊn] *pp of* **know**.
knuckle ['nʌkl] *n* Fingerknöchel *m;* **knuckle down** *vi* (*fam*): **to ~ ~ to work** sich an die Arbeit machen; **knuckle under** *vi* (*fam*) spuren.
Koran [kɒ'rɑ:n] *n* Koran *m.*
Korea [kə'rɪə] *n* Korea *nt.*
kph *n abbr of* **kilometres per hour** km/h.
kudos ['kju:dɒs] *n* Ehre *f.*
Kuwait [kʊ'wəɪt] *n* Kuwait *nt.*

L

L, l [el] *n* L *nt,* l *nt.*
lab [læb] *n* (*fam*) Labor *nt.*
label ['leɪbl] **1.** *n* Etikett *nt,* Schild *nt;* (*record company*) Plattenfirma *f;* **2.** *vt* mit einer Aufschrift versehen, etikettieren; (*pej*) abstempeln.
laboratory [lə'bɒrətərɪ] *n* Labor *nt.*
labor (*US*), **labour** ['leɪbə*] **1.** *n* Arbeit *f;* (*workmen*) Arbeitskräfte *pl;* (MED) Wehen *pl;* **2.** *vi* (*in fields*) arbeiten; (*work hard*) sich abmühen (*at, with* mit); **3.** *adj* (POL) Labour-; **hard ~** Zwangsarbeit *f.*

> Der **Labour Day** ist in den USA und Kanada der Name für den Tag der Arbeit. Er wird dort als gesetzlicher Feiertag am ersten Montag im September begangen.

labourer *n* Arbeiter(in) *m(f).*
laborious *adj* [lə'bɔ:rɪəs] mühsam.
labour-saving *adj* arbeitssparend.
laburnum [lə'bɜ:nəm] *n* Goldregen *m.*
labyrinth ['læbərɪnθ] *n* Labyrinth *nt.*
lace [leɪs] **1.** *n* (*fabric*) Spitze *f;* (*of shoe*) Schnürsenkel *m;* (*braid*) Litze *f;* **2.** *vt* (*also:* **~ up**) zuschnüren.
lacerate ['læsəreɪt] *vt* zerschneiden, tief verwunden.

lack [læk] **1.** *vt* nicht haben; **2.** *vi:* **to be ~ing** fehlen; **sb is ~ing in sth** es fehlt jdm an etw *dat;* **3.** *n* Mangel *m;* **sb ~s sth** jdm fehlt etw; **for ~ of** aus Mangel an *+dat.*

lackadaisical [lækə'deɪzɪkəl] *adj* lasch.

lackey ['lækɪ] *n* Lakei *m.*

lackluster (*US*), **lacklustre** ['læklʌstə*] *adj* glanzlos, matt.

laconic [lə'kɒnɪk] *adj* lakonisch.

lacquer ['lækə*] *n* Lack *m.*

lacrosse [lə'krɒs] *n* Lacrosse *nt.*

lacy ['leɪsɪ] *adj* spitzenartig, Spitzen-.

lad [læd] *n* (*boy*) Junge *m;* (*young man*) Bursche *m.*

ladder ['lædə*] **1.** *n* Leiter *f;* (*fig*) Stufenleiter *f;* (*Brit: in stocking*) Laufmasche *f;* **2.** *vt* Laufmaschen bekommen in *+dat.*

laden ['leɪdn] *adj* beladen, voll.

ladle ['leɪdl] *n* Schöpfkelle *f.*

lady ['leɪdɪ] *n* Dame *f;* (*title*) Lady *f;* **"Ladies"** (*lavatory*) „Damen"; **ladybird, ladybug** (*US*) *n* Marienkäfer *m;* **lady-in-waiting** *n* <ladies-in-waiting> Hofdame *f;* **ladylike** *adj* damenhaft, vornehm.

lag [læg] **1.** *n* (*delay*) Verzug *m;* (*time ~*) Zeitabstand *m;* **2.** *vi* (*also:* **~ behind**) zurückbleiben; **3.** *vt* (*pipes*) verkleiden.

lager ['lɑːgə*] *n* helles Bier.

lagging ['lægɪŋ] *n* Isolierung *f.*

lagoon [lə'guːn] *n* Lagune *f.*

laid [leɪd] **1.** *pt, pp of* **lay**; **2.** *adj:* **to be ~ up** ans Bett gefesselt sein; **laid-back** *adj* (*fam*) cool, gelassen.

lain [leɪn] *pp of* **lie**.

laity ['leɪɪtɪ] *n* Laien *pl.*

lake [leɪk] *n* See *m.*

lamb [læm] *n* Lamm *nt;* (*meat*) Lammfleisch *nt;* **lamb chop** *n* Lammkotelett *nt;* **lamb's lettuce** *n* Feldsalat *m;* **lamb's wool** *n* Lammwolle *f.*

lame [leɪm] *adj* lahm; (*person also*) gelähmt; (*excuse*) faul.

lame duck ['leɪmdʌk] *n* Niete *f.*

lament [lə'ment] **1.** *n* Klage *f;* **2.** *vt* beklagen; **lamentable** ['læməntəbl] *adj* bedauerlich; (*bad*) erbärmlich; **lamentation** [læmən'teɪʃən] *n* Wehklage *f.*

laminated ['læmɪneɪtɪd] *adj* beschichtet; **~ glass** Verbundglas *nt;* **~ plastic** Resopal® *nt;* **~ wood** Sperrholz *nt.*

lamp [læmp] *n* Lampe *f;* (*in street*) Straßenlaterne *f;* **lamppost** *n* Laternenpfahl *m;* **lampshade** *n* Lampenschirm *m.*

LAN [læn] *n acr of* **local area network** LAN *nt.*

lance [lɑːns] **1.** *n* Lanze *f;* **2.** *vt* (MED) aufschneiden.

lancet ['lɑːnsɪt] *n* Lanzette *f.*

land [lænd] **1.** *n* Land *nt;* **2.** *vi* (*from ship*) an Land gehen; (AVIAT, *end up*) landen; **3.** *vt* (*obtain*) gewinnen, kriegen; (*passengers*) absetzen; (*goods*) abladen; (*troops, space probe*) landen; **landed** *adj* Land-; **landfill [site]** *n* Mülldeponie *f;* **landing** *n* Landung *f;* (*on stairs*) Treppenabsatz *m;* **landing craft** *n* Landungsboot *nt;* **landing stage** *n* Landesteg *m;* **landing strip** *n* Landebahn *f;* **landlady** *n* Hauswirtin *f,* Besitzerin *f;* **landlocked** *adj* landumschlossen, Binnen-; **landlord** *n* (*of house*) Hauswirt *m,* Besitzer *m;* (*of pub*) Gastwirt *m;* (*of land*) Grundbesitzer *m;* **landlubber** *n* (*fam*) Landratte *f;* **landmark** *n* Wahrzeichen *nt;* (*fig*) Meilenstein *m;* **landowner** *n* Grundbesitzer(in) *m(f);* **landscape** *n* Landschaft *f;* **landslide** *n* (GEO) Erdrutsch *m;* (POL) überwältigender Sieg, Erdrutschsieg *m.*

lane [leɪn] *n* (*in town*) Gasse *f;* (*in country*) Weg *m,* Sträßchen *nt;* (*of motorway*) Fahrbahn *f,* Spur *f;* (SPORT) Bahn *f.*

language ['læŋgwɪdʒ] *n* Sprache *f;* (*style*) Ausdrucksweise *f;* **language laboratory** *n* Sprachlabor *nt.*

languid ['læŋgwɪd] *adj* schlaff, matt.

languish ['læŋgwɪʃ] *vi* schmachten; (*pine*) sich sehnen (*for* nach).

languor ['læŋgə*] *n* Mattigkeit *f.*

languorous ['læŋgərəs] *adj* schlaff, träge.

lank [læŋk] *adj* dürr; **lanky** *adj* schlacksig.

lantern ['læntən] *n* Laterne *f.*

lap [læp] **1.** *n* Schoß *m;* (SPORT) Runde *f;* **2.** *vt* auflecken; **3.** *vi* (*water*) plätschern; **lapdog** *n* Schoßhund *m.*

lapel [lə'pel] *n* Aufschlag *m,* Revers *nt o m.*

lapse [læps] *n* (*mistake*) Irrtum *m;* (*moral*) Fehltritt *m;* (*time*) Zeitspanne *f.*

laptop ['læptɒp] Laptop *m* (*kleiner, tragbarer Personalcomputer*).

larceny ['lɑːsənɪ] *n* Diebstahl *m.*

lard [lɑːd] *n* Schweineschmalz *nt.*

larder ['lɑːdə*] *n* Speisekammer *f.*

large [lɑːdʒ] *adj* groß; **at ~** auf freiem Fuß; **by and ~** im Großen und Ganzen; **largely** *adv* zum größten Teil; **large-scale** *adj* groß angelegt, Groß-.

lark [lɑːk] *n* (*bird*) Lerche *f;* (*joke*) Jux *m;* **lark about** *vi* (*fam*) herumalbern.

larva ['lɑːvə] *n* <larvae> ['lɑːvɪ] Larve *f.*

laryngitis [lærɪn'dʒaɪtɪs] *n* Kehlkopfentzündung *f.*

L

larynx ['lærɪŋks] *n* Kehlkopf *m*.
lascivious *adj*, **lasciviously** *adv* [lə'sɪvɪəs, -lɪ] wollüstig.
laser ['leɪzə*] *n* Laser *m*; **laser printer** *n* Laserdrucker *m*.
lash [læʃ] **1.** *n* Peitschenhieb *m*; **2.** *vt* (*beat against*) schlagen an +*akk*; (*rain*) schlagen gegen; (*whip*) peitschen; (*bind*) festbinden; **lash out 1.** *vi* (*with fists*) um sich schlagen; (*spend money*) sich in Unkosten stürzen; **2.** *vt* (*money etc*) springen lassen.
lass [læs] *n* Mädchen *nt*.
lassitude ['læsɪtju:d] *n* Abgespanntheit *f*.
lasso [læ'su:] **1.** *n* <-es> Lasso *nt*; **2.** *vt* mit einem Lasso fangen.
last [lɑ:st] **1.** *adj* letzte(r, s); **2.** *adv* zuletzt; (*last time*) das letztemal; **3.** *n* (*person*) Letzte(r) *mf*; (*thing*) Letzte(s) *nt*; (*for shoe*) Schuhleisten *m*; **4.** *vi* (*continue*) dauern; (*remain good*) sich halten; (*money*) ausreichen; **at ~** endlich; **~ night** gestern abend; **lasting** *adj* dauerhaft, haltbar; (*shame etc*) andauernd, bleibend; **last-minute** *adj* in letzter Minute.
latch [lætʃ] *n* Riegel *m*; **latchkey** *n* Hausschlüssel *m*; **~ child** Schlüsselkind *nt*.
late [leɪt] **1.** *adj* spät; zu spät; (*recent*) jüngste(r, s); (*former*) frühere(r, s); (*dead*) verstorben; **2.** *adv* spät; (*after proper time*) zu spät; **to be ~** zu spät kommen; **of ~** in letzter Zeit; **~ in the day** spät; (*fig*) reichlich spät; **latecomer** *n* Nachzügler(in) *m(f)*; **lately** *adv* in letzter Zeit; **lateness** ['leɪtnɪs] *n* (*of train*) Verspätung *f*; **~ of the hour** die vorgerückte Stunde.
latent ['leɪtənt] *adj* latent.
lateral ['lætərəl] *adj* seitlich; **lateral thinker** *n* Querdenker(in) *m(f)*.
latest ['leɪtɪst] *n* (*news*) Neueste(s) *nt*; **at the ~** spätestens.
latex ['leɪteks] *n* Milchsaft *m*.
lath [læθ] *n* Latte *f*, Leiste *f*.
lathe [leɪð] *n* Drehbank *f*.
lather ['læðə*] **1.** *n* Seifenschaum *m*; **2.** *vt* einschäumen; **3.** *vi* schäumen.
Latin ['lætɪn] *n* Latein *nt*; **Latin-American 1.** *adj* lateinamerikanisch; **2.** *n* Lateinamerikaner(in) *m(f)*.
latitude ['lætɪtju:d] *n* (GEO) Breite *f*; (*freedom*) Spielraum *m*, Freiheit *f*.
latrine [lə'tri:n] *n* Latrine *f*.
latter ['lætə*] *adj* (*second of two*) letztere(r, s); (*coming at end*) letzte(r, s), später; **latter-day** *adj* modern; **latterly** *adv* in letzter Zeit.
lattice work ['lætɪswɜ:k] *n* Lattenwerk *nt*, Gitterwerk *nt*.
Latvia ['lætvɪə] *n* Lettland *nt*.
laudable ['lɔ:dəbl] *adj* löblich.
laugh [lɑ:f] **1.** *n* Lachen *nt*; **2.** *vi* lachen; **laugh at** *vt* lachen über +*akk*; **laugh off** *vt* mit einem Lachen abtun; **laughable** *adj* lachhaft; **laughing** *adj* lachend; **laughing stock** *n* lächerliche Figur; **laughter** ['lɑ:ftə*] *n* Lachen *nt*, Gelächter *nt*.
launch [lɔ:ntʃ] **1.** *n* (*of ship*) Stapellauf *m*; (*of rocket*) Raketenabschuss *m*; (*boat*) Barkasse *f*; (*pleasure boat*) Vergnügungsboot *nt*; **2.** *vt* (*set afloat*) vom Stapel laufen lassen; (*rocket*) abschießen; (*set going*) in Gang setzen, starten; **launching** *n* Stapellauf *m*; **launching pad** *n* Abschussrampe *f*.
launder ['lɔ:ndə*] *vt* waschen und bügeln; (*fig: money*) waschen; **launderette** [lɔ:ndə'ret] *n* Waschsalon *m*; **laundry** ['lɔ:ndrɪ] *n* (*place*) Wäscherei *f*; (*clothes*) Wäsche *f*; (*fig: of money*) Geldwäscherei *f*, Geldwaschanlage *f*.
laurel ['lɒrəl] *n* Lorbeer *m*.
lava ['lɑ:və] *n* Lava *f*.
lavatory ['lævətrɪ] *n* Toilette *f*.
lavender ['lævɪndə*] *n* Lavendel *m*.
lavish ['lævɪʃ] **1.** *n* (*extravagant*) verschwenderisch; (*generous*) großzügig; **2.** *vt* (*money*) verschwenden (*on* auf +*akk*); (*attentions, gifts*) überschütten mit (*on sb* jdn); **lavishly** *adv* (*give*) großzügig; (*spend money*) verschwenderisch.
law [lɔ:] *n* Gesetz *nt*; (*system*) Recht *nt*; (*of game etc*) Regel *f*; (*as studies*) Jura; **law-abiding** *adj* gesetzestreu; **lawbreaker** *n* Rechtsbrecher(in) *m(f)*; **law court** *n* Gerichtshof *m*; **lawful** *adj* gesetzlich, rechtmäßig; **lawfully** *adv* rechtmäßig; **lawless** *adj* gesetzlos.
lawn [lɔ:n] *n* Rasen *m*; **lawnmower** *n* Rasenmäher *m*; **lawn tennis** *n* Rasentennis *m*.
law school ['lɔ:sku:l] *n* Rechtsakademie *f*; **law student** *n* Jurastudent(in) *m(f)*; **lawsuit** ['lɔ:su:t] *n* Prozess *m*.
lawyer ['lɔ:jə*] *n* Rechtsanwalt(-anwältin) *m(f)*.
lax [læks] *adj* lax.
laxative ['læksətɪv] *n* Abführmittel *nt*.
laxity ['læksɪtɪ] *n* Laxheit *f*.
lay [leɪ] **1.** *pt of* **lie**; **2.** <laid, laid> *vt*

(*place*) legen; (*table*) decken; (*fire*) anrichten; (*egg*) legen; (*trap*) stellen; (*money*) wetten; **3.** *adj* Laien-; **lay aside** *vt* zurücklegen; **lay by** *vt* (*set aside*) beiseite legen; **lay down** *vt* hinlegen; (*rules*) vorschreiben; (*arms*) strecken; **lay off** *vt* (*workers*) vorübergehend entlassen; **lay on** *vt* auftragen; (*concert etc*) veranstalten; **lay out** *vt* herauslegen; (*money*) ausgeben; (*corpse*) aufbahren; **lay up** *vt* (*store*) aufspeichern; (*supplies*) anlegen; (*save*) zurücklegen; **layabout** *n* Faulenzer(in) *m(f)*; **lay-by** *n* Parkbucht *f*; (*bigger*) Rastplatz *m*.

layer ['leɪə*] *n* Schicht *f*.

layette [leɪ'et] *n* Babyausstattung *f*.

layman ['leɪmən] *n* <laymen> Laie *m*.

lay-off ['leɪɒf] *n* [vorübergehende] Entlassung *f*.

layout ['leɪaʊt] *n* Anlage *f*; (ART) Layout *nt*.

laze [leɪz] *vi* faulenzen.

lazily ['leɪzɪlɪ] *adv* träge, faul.

laziness ['leɪzɪnɪs] *n* Faulheit *f*.

lazy ['leɪzɪ] *adj* faul; (*slow-moving*) träge.

lb *n abbr of* **pound** Pfund *nt*, Pfd.

LCD *n abbr of* **liquid crystal display** Leuchtkristallanzeige *f*, Flüssigkristallanzeige *f*; **LCD-display** *n* Leuchtdiodenanzeige *f*.

lead [led] **1.** *n* Blei *nt*; (*of pencil*) Bleistiftmine *f*; **2.** *adj* bleiern, Blei-; **3.** [li:d] <led, led> *vt* (*guide*) führen; (*group etc*) leiten; **4.** *vi* (*be first*) führen; **5.** *n* (*front position*) Führung *f*; (*distance, time ahead*) Vorsprung *f*; (*example*) Vorbild *nt*; (*clue*) Tipp *m*; (*of police*) Spur *f*; (THEAT) Hauptrolle *f*; (*dog's*) Leine *f*; **lead astray** *vt* irreführen; **lead away** *vt* wegführen; (*prisoner*) abführen; **lead back** *vi* zurückführen; **lead on** *vt* anführen; **lead to** *vt* (*street*) hinführen nach; (*result in*) führen zu; **lead up to** *vt* (*drive*) führen zu; (*speaker etc*) hinführen auf *+akk*.

leaded ['ledɪd] *adj* (*petrol*) verbleit.

leader ['li:də*] *n* [An]führer(in) *m(f)*, Leiter(in) *m(f)*; (*of party*) Vorsitzende(r) *mf*; (PRESS) Leitartikel *m*; **leadership** ['li:dəʃɪp] *n* (*office*) Leitung *f*; (*quality*) Führungsqualitäten *fpl*.

lead-free ['led'fri:] *adj* (*petrol*) unverbleit, bleifrei.

leading ['li:dɪŋ] *adj* führend; ~ **lady** (THEAT) Hauptdarstellerin *f*; ~ **light** (*person*) maßgebliche Persönlichkeit; (*fam*) Leuchte *f*; ~ **man** (THEAT) Hauptdarsteller *m*.

leaf [li:f] *n* <leaves> Blatt *nt*; (*of table*) Ausziehplatte *f*; **leaflet** ['li:flɪt] *n* Blättchen *nt*; (*advertisement*) Prospekt *m*; (*pamphlet*) Flugblatt *nt*; (*for information*) Merkblatt *nt*; **leafy** *adj* belaubt.

league [li:g] *n* (*union*) Bund *m*, Liga *f*; (SPORT) Liga *f*, Tabelle *f*; (*measure*) *3 englische Meilen*.

leak [li:k] **1.** *n* undichte Stelle; (*in ship*) Leck *nt*; **2.** *vt* (*liquid etc*) durchlassen; **3.** *vi* (*pipe etc*) undicht sein; (*liquid etc*) auslaufen; **leak out** *vi* (*liquid etc*) auslaufen; (*information*) durchsickern; **leaky** *adj* undicht.

lean [li:n] <leant *o* leaned, leant *o* leaned> **1.** *vi* sich neigen; **2.** *vt* anlehnen; **3.** *adj* mager; **4.** *n* Magere(s) *nt*; **to ~ against sth** (*thing*) an etw *dat* angelehnt sein; (*person*) sich an etw *akk* anlehnen; **lean back** *vi* sich zurücklehnen; **lean forward** *vi* sich vorbeugen; **lean on** *vt* sich stützen auf *+akk*; **lean over** *vi* sich hinüberbeugen; **lean towards** *vt* neigen zu; **leaning** *n* Neigung *f*; **leant** [lent] *pt, pp of* **lean**; **lean-to** *n* Anbau *m*.

leap [li:p] <lept *o* leaped, lept *o* leaped> **1.** *vi* springen; **2.** *n* Sprung *m*; **by ~s and bounds** schnell; **leapfrog 1.** *n* Bockspringen *nt*; **2.** *vt* überspringen; **leap year** *n* Schaltjahr *nt*.

learn [lɜ:n] <learnt *o* learned, learnt *o* learned> *vt, vi* lernen; (*find out*) erfahren, hören; **learned** ['lɜ:nɪd] *adj* gelehrt; **learner** *n* Anfänger(in) *m(f)*; ~ **driver** (AUT) Fahrschüler(in) *m(f)*; **learning** *n* Gelehrsamkeit *f*; **learning disability** *n* Lernbehinderung *f*; **learnt** [lɜ:nt] *pt, pp of* **learn**.

lease [li:s] **1.** *n* (*of property*) Mietvertrag *m*; (*of land*) Pachtvertrag *m*; **2.** *vt* mieten, pachten; (*car, copier etc*) leasen.

leasehold ['li:shəʊld] *n* (*building*) gepachtetes Gebäude; (*contract*) Pachtvertrag *m*.

leasing ['li:sɪŋ] *n* Leasing *nt*.

leash [li:ʃ] *n* Leine *f*.

least [li:st] **1.** *adj* kleinste(r, s); (*slightest*) geringste(r, s); **2.** *n* Mindeste(s) *nt*; **at ~** zumindest; **not in the ~** durchaus nicht.

leather ['leðə*] **1.** *n* Leder *nt*; **2.** *adj* ledern, Leder-; **leathery** *adj* zäh, ledern.

leave [li:v] <left, left> **1.** *vt* verlassen; (*~ behind*) zurücklassen; (*forget*) vergessen; (*allow to remain*) lassen; (*after death*) hinterlassen; (*entrust*) überlassen (*to sb* jdm); **2.** *vi* weggehen, wegfahren; (*for journey*) abreisen; (*bus, train*) abfahren; **3.** *n* Erlaubnis *f;* (MIL) Urlaub *m;* **on** ~ auf Urlaub; **to take one's** ~ **of** Abschied nehmen von; **to be left** (*remain*) übrig bleiben; **leave off** *vi* aufhören; **leave out** *vt* auslassen.

Lebanon ['lebənən] *n:* **the** ~ der Libanon.

lecherous ['letʃərəs] *adj* lüstern.

lectern ['lektɜːn] *n* Lesepult *nt.*

lecture ['lektʃə*] **1.** *n* Vortrag *m;* (*at university*) Vorlesung *f;* **2.** *vi* einen Vortrag halten; (*professor*) lesen; **lecturer** *n* Vortragende(r) *mf;* (*at university*) Dozent(in) *m(f);* **lecture theatre** *n* Hörsaal *m.*

led [led] *pt, pp of* **lead**.

LED *n abbr of* **light-emitting diode** Leuchtdiode *f.*

ledge [ledʒ] *n* Leiste *f;* (*window* ~) Sims *m o nt;* (*of mountain*) Felsvorsprung *m.*

ledger ['ledʒə*] *n* Hauptbuch *nt.*

lee [liː] *n* Windschatten *m;* (NAUT) Lee *f.*

leech [liːtʃ] *n* Blutegel *m.*

leek [liːk] *n* Lauch *m.*

leer [lɪə*] **1.** *n* anzüglicher Blick; (*evil*) heimtückischer Blick; **2.** *vi* schielen (*at* nach).

leeway ['liːweɪ] *n* (*fig*) Rückstand *m;* (*freedom*) Spielraum *m.*

left [left] **1.** *pt, pp of* **leave**; **2.** *adj* linke(r, s); **3.** *adv* links; nach links; **4.** *n* (*side*) linke Seite; **the Left** (POL) die Linke; **left-hand drive** *n* Linkssteuerung *f;* **left-handed** *adj* linkshändig; **to be** ~ Linkshänder(in) sein; **left-hand side** *n* linke Seite; **left-luggage office** *n* Gepäckaufbewahrung *f;* **left-overs** *n pl* Reste *pl,* Überbleibsel *pl;* **left wing** *n* linker Flügel; **left-wing** *adj* linke(r, s).

leg [leg] *n* Bein *nt;* (*of meat*) Keule *f;* (*stage*) Etappe *f.*

legacy ['legəsɪ] *n* Erbe *nt,* Erbschaft *f.*

legal ['liːgəl] *adj* gesetzlich, rechtlich; (*allowed*) legal, rechtsgültig; **to take** ~ **action** den Rechtsweg beschreiten; ~ **tender** gesetzliches Zahlungsmittel; **legal aid** *n* Rechtshilfe *f;* **legal expenses** *n pl* Anwaltskosten *pl;* **legalize** *vt* legalisieren; **legally** *adv* gesetzlich; legal.

legation [lɪ'geɪʃən] *n* Gesandtschaft *f.*

legend ['ledʒənd] *n* Legende *f;* **legendary** *adj* legendär.

leggings ['legɪŋz] *n pl* hohe Gamaschen *pl;* (*fashion*) Leggings *pl.*

legibility [ledʒɪ'bɪlɪtɪ] *n* Leserlichkeit *f;* **legible** *adj,* **legibly** *adv* ['ledʒəbl, -blɪ] leserlich.

legion ['liːdʒən] *n* Legion *f;* **the Foreign Legion** die Fremdenlegion.

legislate ['ledʒɪsleɪt] *vi* Gesetze erlassen; **legislation** [ledʒɪs'leɪʃən] *n* Gesetzgebung *f;* **legislative** ['ledʒɪslətɪv] *adj* gesetzgebend; **legislative initiative** *n* Gesetzesinitiative *f;* **legislator** ['ledʒɪsleɪtə*] *n* Gesetzgeber(in) *m(f);* **legislature** ['ledʒɪslətʃə*] *n* Legislative *f.*

legitimacy [lɪ'dʒɪtɪməsɪ] *n* Rechtmäßigkeit *f;* **legitimate** [lɪ'dʒɪtɪmət] *adj* rechtmäßig, legitim; (*child*) ehelich.

legroom ['legrʊm] *n* Platz *m* für die Beine.

leisure ['leʒə*] **1.** *n* Freizeit *f;* **2.** *adj* Freizeit-; **to be at** ~ Zeit haben; **leisure centre** *n* Freizeitzentrum *nt;* **leisurely** *adj* gemächlich.

lemming ['lemɪŋ] *n* Lemming *m.*

lemon ['lemən] *n* Zitrone *f;* (*colour*) Zitronengelb *nt.*

lemonade [lemə'neɪd] *n* Limonade *f.*

lend [lend] <lent, lent> *vt* leihen; **to** ~ **sb sth** jdm etw leihen; **it** ~**s itself to** es eignet sich zu; **lender** *n* Verleiher(in) *m(f);* **lending library** *n* Leihbücherei *f.*

length [leŋθ] *n* Länge *f;* (*section of road, pipe etc*) Strecke *f;* (*of material*) Stück *nt;* ~ **of time** Zeitdauer *f;* **at** ~ (*lengthily*) ausführlich; (*at last*) schließlich; **lengthen** ['leŋθən] **1.** *vt* verlängern; **2.** *vi* länger werden; **lengthways** *adv* längs; **lengthy** *adj* sehr lang; (*story, speech*) langatmig.

leniency ['liːnɪənsɪ] *n* Nachsicht *f;* **lenient** *adj* nachsichtig; **leniently** *adv* milde.

lens [lenz] *n* Linse *f;* (PHOT) Objektiv *nt.*

lent [lent] *pt, pp of* **lend**.

Lent [lent] *n* Fastenzeit *f.*

lentil ['lentl] *n* Linse *f.*

Leo ['liːəʊ] *n* <-s> (ASTR) Löwe *m.*

leopard ['lepəd] *n* Leopard *m.*

leotard ['liːətɑːd] *n* Trikot *nt,* Gymnastikanzug *m.*

leper ['lepə*] *n* Leprakranke(r) *mf.*

leprosy ['leprəsɪ] *n* Lepra *f.*

lesbian ['lezbɪən] **1.** *adj* lesbisch; **2.** *n* Lesbierin *f.*

lesion ['liːʒn] *n* Verletzung *f.*

less [les] *adj, adv, n* weniger.

lessen ['lesn] **1.** *vi* abnehmen; **2.** *vt* verringern, verkleinern.

lesser ['lesə*] *adj* kleiner, geringer.

lesson ['lesn] *n* (SCH) Stunde *f;* (*unit of study*) Lektion *f;* (*fig*) Lehre *f;* (REL) Lesung *f;* ~**s start at 9** der Unterricht beginnt um 9.

lest [lest] *conj* damit … nicht.

let [let] <let, let> **1.** *vt* lassen; (*lease*) vermieten; **2.** *n:* **without ~ or hindrance** völlig unbehindert; **let down** *vt* hinunterlassen; (*disappoint*) enttäuschen; **let go 1.** *vi* loslassen; **2.** *vt* (*things*) loslassen; (*person*) gehen lassen; **~'s ~** gehen wir; **let off** *vt* (*gun*) abfeuern; (*steam*) ablassen; (*forgive*) laufenlassen; **let out** *vt* herauslassen; (*scream*) ausstoßen; **let up** *vi* nachlassen; (*stop*) aufhören; **let-down** *n* Enttäuschung *f.*

lethal ['li:θəl] *adj* tödlich.

lethargic [le'θɑ:dʒɪk] *adj* lethargisch, träge; **lethargy** ['leθədʒɪ] *n* Lethargie *f,* Teilnahmslosigkeit *f.*

letter ['letə*] *n* (*of alphabet*) Buchstabe *m;* (*message*) Brief *m;* ~**s** *pl* (*literature*) Literatur *f;* **letterbox** *n* Briefkasten *m;* **lettering** *n* Beschriftung *f;* **letter-quality printer** *n* Schönschreibdrucker *m.*

lettuce ['letɪs] *n* Kopfsalat *m.*

let-up ['letʌp] *n* (*fam*) Nachlassen *nt.*

leukaemia, **leukemia** (*US*) [lu:'ki:miə] *n* Leukämie *f.*

level ['levl] **1.** *adj* (*ground*) eben; (*at same height*) auf gleicher Höhe; (*equal*) gleich gut; (*head*) kühl; **2.** *adv* auf gleicher Höhe; **3.** *n* (*instrument*) Wasserwaage *f;* (*altitude*) Höhe *f;* (*flat place*) ebene Fläche; (*position on scale*) Niveau *nt;* (*amount, degree*) Grad *m;* **4.** *vt* (*ground*) einebnen; (*building*) abreißen; (*town*) dem Erdboden gleichmachen; (*blow*) versetzen (*at sb* jdm); (*remark*) richten (*at* gegen); **to draw ~ with** gleichziehen mit; **to do one's ~ best** sein Möglichstes tun; **talks on a high ~** Gespräche auf hohem Niveau; **profits keep on the same ~** Gewinne halten sich auf dem gleichen Stand; **on the moral ~** aus moralischer Sicht; **on the ~** auf gleicher Höhe; (*fig: honest*) ehrlich; **level off**, **level out 1.** *vi* flach [*o* eben] werden; (*fig*) sich ausgleichen; (*plane*) horizontal fliegen; **2.** *vt* (*ground*) planieren; (*differences*) ausgleichen; **level crossing** *n* Bahnübergang *m;* **level-headed** *adj* vernünftig.

lever ['li:və*, 'levə* *US*] **1.** *n* Hebel *m;* (*fig*) Druckmittel *nt;* **2.** *vt* hochstemmen; **leverage** *n* Hebelkraft *f;* (*fig*) Einfluss *m.*

levity ['levɪtɪ] *n* Leichtfertigkeit *f.*

levy ['levɪ] **1.** *n* (*of taxes*) Erhebung *f;* (*tax*) Abgaben *pl;* (MIL) Aushebung *f;* **2.** *vt* erheben; (MIL) ausheben.

lewd [lu:d] *adj* unzüchtig, unanständig.

liability [laɪə'bɪlɪtɪ] *n* (*burden*) Belastung *f;* (*duty*) Pflicht *f;* (*debt*) Verpflichtung *f;* (*proneness*) Anfälligkeit *f;* (*responsibility*) Haftung *f.*

liable ['laɪəbl] *adj* (*responsible*) haftbar; (*prone*) anfällig; **to be ~ for** einer Sache *dat* unterliegen; (*responsible*) haften für; **it's ~ to happen** es kann leicht vorkommen; **then he is ~ to get angry** da könnte er wütend werden.

liaison [li:'eɪzɒn] *n* Verbindung *f;* (*love affair*) Verhältnis *nt.*

liar ['laɪə*] *n* Lügner(in) *m(f).*

libel ['laɪbəl] **1.** *n* Verleumdung *f;* **2.** *vt* verleumden; **libellous** *adj* verleumderisch.

liberal ['lɪbərəl] **1.** *adj* (*generous*) großzügig; (*open-minded*) aufgeschlossen; (POL) liberal; **2.** *n* liberal denkender Mensch; **Liberal** (POL) Liberale(r) *mf;* **liberally** *adv* (*abundantly*) reichlich.

liberate ['lɪbəreɪt] *vt* befreien; **liberation** [lɪbə'reɪʃən] *n* Befreiung *f.*

Liberia [laɪ'bɪərɪə] *n* Liberia *nt.*

liberty ['lɪbətɪ] *n* Freiheit *f;* (*permission*) Erlaubnis *f;* **to be at ~ to do sth** etw tun dürfen; **to take liberties with** sich *dat* Freiheiten herausnehmen gegenüber.

Libra ['li:brə] *n* (ASTR) Waage *f.*

librarian [laɪbrɛərɪən] *n* Bibliothekar(in) *m(f).*

library ['laɪbrərɪ] *n* Bibliothek *f;* (*lending ~*) Bücherei *f.*

libretto [lɪ'bretəʊ] *n* <-s> Libretto *nt.*

Libya ['lɪbɪə] *n* Libyen *nt.*

lice [laɪs] *pl of* **louse**.

licence ['laɪsəns] *n* (*permit*) Erlaubnis *f,* amtliche Zulassung; (COMM) Lizenz *f;* (*driving ~*) Führerschein *m;* (*excess*) Zügellosigkeit *f;* **licence plate** *n* (AUT) Nummernschild *nt.*

license ['laɪsəns] **1.** *n* (*US*) *s.* **licence**; **2.** *vt* genehmigen, konzessionieren; **licensee** [laɪsən'si:] *n* Konzessionsinhaber(in) *m(f).*

licentious [laɪ'senʃəs] *adj* ausschweifend.

lichen ['laɪkən] *n* Flechte *f.*

lick [lɪk] **1.** *vt* lecken; **2.** *vi* (*flames*) züngeln; **3.** *n* Lecken *nt;* (*small amount*) Spur *f;* **a ~ and a promise** Katzenwäsche *f;* **licking** *n* (*fam*) Tracht *f* Prügel; (*defeat*) Niederlage *f;* **to give sb a ~** jdm eine Abreibung geben.

licorice ['lɪkərɪs] *n* Lakritze *f.*

lid [lɪd] *n* Deckel *m;* (*eye~*) Lid *nt.*

lido ['li:dəʊ] *n* <-s> Freibad *nt.*

lie [laɪ] **1.** *n* Lüge *f;* **2.** *vi* lügen; **3.** <lay, lain> *vi* (*rest, be situated*) liegen; (*put oneself in position*) sich legen; **to ~ idle** stillstehen; **~ detector** Lügendetektor *m.*

Liechtenstein ['lɪktənstaɪn] *n* Liechtenstein *nt.*

lieu [lu:] *n:* **in ~ of** anstatt *+gen.*

lieutenant [lef'tenənt, lu:'tenənt *US*] *n* Leutnant *m.*

life [laɪf] *n* <lives> Leben *nt;* (*story*) Lebensgeschichte *f;* (*energy*) Lebendigkeit *f;* **life assurance** *n* Lebensversicherung *f;* **lifebelt** *n* Rettungsring *m;* **lifeboat** *n* Rettungsboot *nt;* **life form** *n* Lebewesen *nt;* **lifeguard** *n* Bademeister(in) *m(f),* Rettungsschwimmer(in) *m(f);* **life jacket** *n* Schwimmweste *f;* **lifeless** *adj* (*dead*) leblos, tot; (*dull*) langweilig; **lifelike** *adj* lebensecht, naturgetreu; **lifeline** *n* (*fig*) Rettungsanker *m;* **lifelong** *adj* lebenslang; **life preserver** *n* Totschläger *m;* **life raft** *n* Rettungsfloß *nt;* **life sentence** *n* lebenslängliche Freiheitsstrafe; **life-sized** *adj* in Lebensgröße; **life span** *n* Lebensspanne *f;* **life style** *n* Lebensstil *m;* **lifetime** *n* Lebenszeit *f.*

lift [lɪft] **1.** *vt* hochheben; **2.** *vi* sich heben; **3.** *n* (*elevator*) Aufzug *m,* Lift *m;* **to give sb a ~** jdn im Auto mitnehmen; **lift-off** *n* Abheben *nt* vom Boden, Start *m;* **lift-off correction tape** *n* Liftoff-Korrekturband *nt.*

ligament ['lɪgəmənt] *n* Sehne *f,* Band *nt.*

light [laɪt] <lit *o* lighted, lit *o* lighted> **1.** *vt* beleuchten; (*lamp*) anmachen; (*fire, cigarette*) anzünden; (*brighten*) erleuchten, erhellen; **2.** *n* Licht *nt;* (*lamp*) Lampe *f;* (*flame*) Feuer *nt;* **3.** *adj* (*bright*) hell, licht; (*pale*) hell-; (*not heavy, easy*) leicht; (*punishment*) milde; (*taxes*) niedrig; (*touch*) leicht; **~s** *pl* (AUT) Beleuchtung *f;* **in the ~ of** angesichts *+gen;* **light up 1.** *vi* (*lamp*) angehen; (*face*) aufleuchten; **2.** *vt* (*illuminate*) beleuchten; (*lights*) anmachen; **light bulb** *n* Glühbirne *f;* **lighten 1.** *vi* (*brighten*) hell werden; **2.** *vt* (*give light to*) erhellen; (*hair*) aufhellen; (*gloom*) aufheitern; (*make less heavy*) leichter machen; (*fig*) erleichtern; **lighter** *n* (*cigarette ~*) Feuerzeug *nt;* (*boat*) Leichter *m;* **light-headed** *adj* (*thoughtless*) leichtsinnig; (*giddy*) schwindlig; **light-hearted** *adj* unbeschwert, fröhlich; **light-house** *n* Leuchtturm *m;* **lighting** *n* Beleuchtung *f;* **lighting-up time** *n* Zeit *f* des Einschaltens der Straßen-/Autobeleuchtung; **lightly** *adv* leicht; (*irresponsibly*) leichtfertig; **light meter** *n* (PHOT) Belichtungsmesser *m;* **lightness** *n* (*of weight*) Leichtigkeit *f;* (*of colour*) Helle *f;* (*light*) Helligkeit *f;* **lightning** *n* Blitz *m;* **~ conductor** Blitzableiter *m;* **light pen** *n* Lichtgriffel *m,* Lichtstift *m;* **light water reactor** *n* Leichtwasserreaktor *m;* **lightweight** *adj* (*suit*) leicht; **~ boxer** Leichtgewicht *nt;* **lightyear** *n* Lichtjahr *nt.*

like [laɪk] **1.** *vt* mögen, gern haben; **2.** *prep* wie; **3.** *adj* (*similar*) ähnlich; (*equal*) gleich; **4.** *n* Gleiche(s) *nt;* **would you ~ ...** hätten Sie gern ...; **would you ~ to ...** möchten Sie gern ...; **what's it/he ~?** wie ist es/er?; **that's just ~ him** das sieht ihm ähnlich; **~ that/this** so.

likeable ['laɪkəbl] *adj* sympathisch.

likelihood ['laɪklɪhʊd] *n* Wahrscheinlichkeit *f.*

likely ['laɪklɪ] **1.** *adj* (*probable*) wahrscheinlich; (*suitable*) geeignet; **2.** *adv* wahrscheinlich.

like-minded [laɪk'maɪndɪd] *adj* gleichgesinnt.

liken ['laɪkən] *vt* vergleichen (*to* mit).

likewise ['laɪkwaɪz] *adv* ebenfalls.

liking ['laɪkɪŋ] *n* Zuneigung *f;* (*taste for*) Vorliebe *f.*

lilac ['laɪlək] *n* Flieder *m.*

lily ['lɪlɪ] *n* Lilie *f;* **~ of the valley** Maiglöckchen *nt.*

limb [lɪm] *n* Glied *nt.*

limber up ['lɪmbə* ʌp] *vi* sich auflockern; (*fig*) sich vorbereiten.

limbo ['lɪmbəʊ] *n* <-s>: **to be in ~** (*fig*) in der Schwebe sein.

lime [laɪm] *n* (*tree*) Linde *f;* (*fruit*) Limone *f;* (*substance*) Kalk *m;* **lime juice** *n* Limonensaft *m;* **limelight** *n* (*fig*) Rampenlicht *nt.*

limerick ['lɪmərɪk] *n* Limerick *m* (*fünfzeiliges komisches Gedicht*).

limestone ['laɪmstəʊn] *n* Kalkstein *m.*

limit ['lɪmɪt] **1.** *n* Grenze *f;* (*for pollution etc*) Grenzwert *m;* (*fam*) Höhe *f;* **2.** *vt* begrenzen, einschränken; **limitation** [lɪmɪ'teɪʃən] *n* Grenzen *pl,* Einschränkung *f;* **limited** *adj* beschränkt; **~ liability company** Gesellschaft *f* mit beschränkter Haftung, GmbH *f;* **limitless** *adj* grenzenlos.

limousine ['lɪməzi:n] *n* Limousine *f.*

limp [lɪmp] **1.** *n* Hinken *nt;* **2.** *vi* hinken;

3. *adj* (*without firmness*) schlaff.

limpet ['lɪmpɪt] *n* Napfschnecke *f;* (*fig*) Klette *f.*

limpid ['lɪmpɪd] *adj* klar.

limply ['lɪmplɪ] *adv* schlaff.

linac ['lɪnæk] *n* Linearbeschleuniger *m.*

line [laɪn] **1.** *n* Linie *f;* (*rope*) Leine *f,* Schnur *f;* (*on face*) Falte *f;* (*row*) Reihe *f;* (*of hills*) Kette *f;* (*US: queue*) Schlange *f;* (*company*) Linie *f,* Gesellschaft *f;* (RAIL) Strecke *f;* (*in plural*) Geleise *pl;* (TEL) Leitung *f;* (*written*) Zeile *f;* (*direction*) Richtung *f;* (*fig: business*) Branche *f,* Beruf *m;* (*range of items*) Kollektion *f;* **2.** *vt* (*coat*) füttern; (*border*) säumen; **it's a bad ~** (TEL) die Verbindung ist schlecht; **hold the ~** bleiben Sie am Apparat; **in ~ with** in Übereinstimmung mit; **line up 1.** *vi* sich aufstellen; **2.** *vt* aufstellen; (*prepare*) sorgen für; (*support*) mobilisieren; (*surprise*) planen.

linear ['lɪnɪə*] *adj* gerade; (*measure*) Längen-.

linen ['lɪnɪn] *n* Leinen *nt;* (*sheets etc*) Wäsche *f.*

liner ['laɪnə*] *n* Überseedampfer *m.*

linesman ['laɪnzmən] *n* <linesmen> (SPORT) Linienrichter *m.*

line-up ['laɪnʌp] *n* Aufstellung *f.*

linger ['lɪŋgə*] *vi* (*remain long*) verweilen; (*taste*) zurückbleiben; (*delay*) zögern, verharren.

lingerie ['læŋʒəri:] *n* Damenunterwäsche *f.*

lingering ['lɪŋgərɪŋ] *adj* lang; (*doubt*) zurückbleibend; (*disease*) langwierig; (*taste*) nachhaltend; (*look*) lang.

lingo ['lɪŋgəʊ] *n* <-es> (*fam*) Sprache *f.*

linguist ['lɪŋgwɪst] *n* (SCH) Sprachwissenschaftler(in) *m(f).*

linguistic [lɪŋ'gwɪstɪc] *adj* sprachlich; sprachwissenschaftlich; **linguistics** *n sing* Sprachwissenschaft *f,* Linguistik *f.*

liniment ['lɪnɪmənt] *n* Einreibemittel *nt.*

lining ['laɪnɪŋ] *n* (*of clothes*) Futter *nt.*

link [lɪŋk] **1.** *n* Glied *nt;* (*connection*) Verbindung *f;* **2.** *vt* verbinden; **links** *n pl* Golfplatz *m;* **link-up** *n* (TEL) Verbindung *f;* (*of spaceships*) Kopplung *f.*

lino, **linoleum** ['laɪnəʊ, lɪ'nəʊlɪəm] *n* Linoleum *nt.*

linseed oil ['lɪnsi:dɔɪl] *n* Leinöl *nt.*

lint [lɪnt] *n* Verbandstoff *m.*

lintel ['lɪntl] *n* (ARCHIT) Sturz *m.*

lion ['laɪən] *n* Löwe *m;* **lioness** *n* Löwin *f.*

lip [lɪp] *n* Lippe *f;* (*of jug*) Schnabel *m;* **lip-read** *irr vi* von den Lippen ablesen; **lip service** *n:* **to pay ~ to** ein Lippenbekenntnis ablegen zu; **lipstick** *n* Lippenstift *m.*

liquefy ['lɪkwɪfaɪ] *vt* verflüssigen.

liqueur [lɪ'kjʊə*] *n* Likör *m.*

liquid ['lɪkwɪd] **1.** *n* Flüssigkeit *f;* **2.** *adj* flüssig.

liquidate ['lɪkwɪdeɪt] *vt* liquidieren; **liquidation** [lɪkwɪ'deɪʃən] *n* Liquidation *f.*

liquid crystal ['lɪkwɪd'krɪstl] *n* Flüssigkristall *m;* **liquid-crystal display** *n* Flüssigkristallanzeige *f.*

liquidizer ['lɪkwɪdaɪzə*] *n* Mixer *m.*

liquor ['lɪkə*] *n* Spirituosen *pl.*

lisp [lɪsp] *vt, vi* lispeln.

list [lɪst] **1.** *n* Liste *f,* Verzeichnis *nt;* (*of ship*) Schlagseite *f;* **2.** *vt* (*write down*) eine Liste machen von, auflisten; (*verbally*) aufzählen; **3.** *vi* (*ship*) Schlagseite haben; **~ed building** unter Denkmalschutz stehendes Gebäude.

listen ['lɪsn] *vi* hören, horchen; **listen to** *vt* zuhören *+dat;* **listener** *n* Zuhörer(in) *m(f).*

listless *adj,* **listlessly** *adv* ['lɪstləs, -lɪ] lustlos, teilnahmslos; **listlessness** *n* Lustlosigkeit *f,* Teilnahmslosigkeit *f.*

lit [lɪt] *pt, pp of* **light**.

litany ['lɪtənɪ] *n* Litanei *f.*

liter ['li:tə*] *n* (*US*) Liter *m.*

literacy ['lɪtərəsɪ] *n* Fähigkeit *f* zu lesen und zu schreiben.

literal ['lɪtərəl] *adj* eigentlich, buchstäblich; (*translation*) wortwörtlich; **literally** *adv* wörtlich; buchstäblich.

literary ['lɪtərərɪ] *adj* literarisch, Literatur-.

literate ['lɪtərət] *adj* lesen und schreiben können; (*well read*) gebildet.

literature ['lɪtrətʃə*] *n* Literatur *f.*

Lithuania [lɪθju:'eɪnjə] *n* Litauen *nt.*

litigant ['lɪtɪgənt] *n* (JUR) prozessführende Partei.

litigate ['lɪtɪgeɪt] *vi* prozessieren.

litmus ['lɪtməs] *n:* **~ paper** Lackmuspapier *nt.*

litre ['li:tə*] *n* Liter *m.*

litter ['lɪtə*] **1.** *n* (*rubbish*) Abfall *m;* (*of animals*) Wurf *m;* **2.** *vt* in Unordnung bringen; **to be ~ed with** übersät sein mit.

little ['lɪtl] **1.** *adj* <smaller, smallest> klein; (*unimportant*) unbedeutend; **2.** *adv, n* <fewer, fewest> wenig; **a ~** ein bisschen; **the ~** das wenige.

liturgy ['lɪtədʒɪ] *n* (REL) Liturgie *f.*

live [laɪv] **1.** *adj* lebendig; (*burning*) glühend; (MIL) scharf; (ELEC) geladen, unter Strom; (*broadcast*) live, Direkt-; **2.** [lɪv] *vi* leben; (*last*) fortleben; (*dwell*) wohnen; **3.** *vt* (*life*) führen; **live down** *vt* Gras wachsen lassen über +*akk;* **I'll never ~ it ~** das wird man mir nie vergessen; **live on** *vi* weiterleben; **~ ~ sth** von etw leben; **live up to** *vt* (*standards*) gerecht werden +*dat;* (*principles*) anstreben; (*hopes*) entsprechen +*dat;* **live-cell therapy** ['laɪvsel'θerəpɪ] *n* Frischzellentherapie *f.*

livelihood ['laɪvlɪhʊd] *n* Lebensunterhalt *m.*

liveliness ['laɪvlɪnəs] *n* Lebendigkeit *f;* **lively** *adj* lebhaft, lebendig.

liver ['lɪvə*] *n* (ANAT) Leber *f;* **liverish** *adj* (*bad-tempered*) gallig, mürrisch.

livery ['lɪvərɪ] *n* Livree *f.*

livestock ['laɪvstɒk] *n* Vieh *nt,* Viehbestand *m.*

livid ['lɪvɪd] *adj* bläulich; (*furious*) fuchsteufelswild.

living ['lɪvɪŋ] **1.** *n* Lebensunterhalt *m;* **2.** *adj* lebendig; (*language etc*) lebend; (*wage*) ausreichend; **living room** *n* Wohnzimmer *nt.*

lizard ['lɪzəd] *n* Eidechse *f.*

llama ['lɑːmə] *n* Lama *nt.*

load [ləʊd] **1.** *n* (*burden, a. fig*) Last *f;* (*amount*) Ladung *f,* Fuhre *f;* **2.** *vt* beladen; (*fig*) überhäufen; (*camera*) einen Film einlegen in +*akk;* (*gun,* COMPUT) laden; **~s of** (*fam*) massenhaft.

loaf [ləʊf] **1.** *n* <loaves> Brot *nt,* Laib *m;* **2.** *vi* herumlungern, faulenzen.

loam [ləʊm] *n* Lehmboden *m.*

loan [ləʊn] **1.** *n* Leihgabe *f;* (FIN) Darlehen *nt;* **2.** *vt* leihen; **on ~** geliehen.

loath [ləʊθ] *adj:* **to be ~ to do sth** etwas ungern tun.

loathe [ləʊð] *vt* verabscheuen; **loathing** *n* Abscheu *m.*

lobby ['lɒbɪ] **1.** *n* Vorhalle *f;* (POL) Lobby *f;* **2.** *vt* politisch beeinflussen wollen.

lobe [ləʊb] *n* Ohrläppchen *nt.*

lobster ['lɒbstə*] *n* Hummer *m.*

local ['ləʊkəl] **1.** *adj* einheimisch; (*anaesthetic*) örtlich; **2.** *n* (*pub*) Stammlokal *nt;* **the ~s** *pl* die Einheimischen *pl;* **local anaesthetic** *n* örtliche Betäubung; **local authority** *n* Stadtverwaltung *f;* **local colour** *n* Lokalkolorit *nt;* **locality** [ləʊ'kælɪtɪ] *n* Ort *m;* **locally** *adv* örtlich, am Ort.

locate [ləʊ'keɪt] *vt* ausfindig machen; (*establish*) errichten.

location [ləʊ'keɪʃən] *n* Platz *m,* Lage *f;* **on ~** (CINE) auf Außenaufnahme.

loch [lɒx] *n* (*Scot*) See *m.*

lock [lɒk] **1.** *n* Schloss *nt;* (NAUT) Schleuse *f;* (*of hair*) Locke *f;* **2.** *vt* (*fasten*) abschließen; **3.** *vi* (*door etc*) sich schließen lassen; (*wheels*) blockieren.

locker ['lɒkə*] *n* Schließfach *nt.*

locket ['lɒkɪt] *n* Medaillon *nt.*

locksmith ['lɒksmɪθ] *n* Schlosser(in) *m(f).*

locomotive [ləʊkə'məʊtɪv] *n* Lokomotive *f.*

locust ['ləʊkəst] *n* Heuschrecke *f.*

lodge [lɒdʒ] **1.** *n* (*gatehouse*) Pförtnerhaus *nt;* (*freemasons'*) Loge *f;* **2.** *vi* in Untermiete wohnen (*with* bei); (*get stuck*) steckenbleiben; **3.** *vt* (*protest*) einreichen; **lodger** *n* Untermieter(in) *m(f);* **lodgings** *n pl* möbliertes Zimmer *nt.*

loft [lɒft] *n* Dachboden *m.*

lofty ['lɒftɪ] *adj* hochragend; (*proud*) hochmütig.

log [lɒg] *n* Klotz *m;* (NAUT) Log *nt.*

logarithm ['lɒgərɪθəm] *n* Logarithmus *m.*

logbook ['lɒgbʊk] *n* Bordbuch *nt,* Logbuch *nt;* (*for lorry*) Fahrtenbuch *nt;* (AUT) Kraftfahrzeugbrief *m.*

loggerheads ['lɒgəhedz] *n pl:* **to be at ~** sich in den Haaren liegen.

logic ['lɒdʒɪk] *n* Logik *f;* **logical** *adj* logisch; **logically** *adv* logischerweise.

logistics [lɒ'dʒɪstɪks] *n sing* Logistik *f,* Planung *f.*

logo ['lɒgəʊ] *n* <-s> Logo *nt,* Emblem *nt.*

loin [lɔɪn] *n* Lende *f.*

loiter ['lɔɪtə*] *vi* herumlungern, sich herumtreiben.

loll [lɒl] *vi* sich rekeln.

lollipop ['lɒlɪpɒp] *n* Dauerlutscher *m;* **~ man** ≈ Schülerlotse *m.*

> **Lollipop lady** oder **lollipop man** heißen in Großbritannien die Frauen bzw. Männer, die mit Hilfe eines runden Stoppschildes den Verkehr anhalten, damit Schulkinder gefahrlos die Straße überqueren können. Der Name bezieht sich auf die Form des Schildes, die an einen Lutscher erinnert.

lone [ləʊn] *adj* einsam.

loneliness ['ləʊnlɪnəs] *n* Einsamkeit *f;* **lonely** *adj* einsam.

long [lɒŋ] **1.** *adj* lang; (*distance*) weit; **2.** *adv* lange; **3.** *vi* sich sehnen (*for* nach); **two-day-long** zwei Tage lang; ~ **ago** vor langer Zeit; **before** ~ bald; **as** ~ **as** solange; **in the** ~ **run** auf die Dauer; **long-distance** *adj* Fern-; **long-haired** *adj* langhaarig; **longhand** *n* Langschrift *f;* **longing 1.** *n* Verlangen *nt,* Sehnsucht *f;* **2.** *adj* sehnsüchtig; **longish** *adj* ziemlich lang; **longitude** ['lɒŋgɪtju:d] *n* Längengrad *m;* **long jump** *n* Weitsprung *m;* **long-life milk** *n* H-Milch *f;* **long-lost** *adj* längst verloren geglaubt; **long-playing record** *n* Langspielplatte *f;* **long-range** *adj* Langstrecken-, Fern-; ~ **missile** Langstreckenrakete *f;* **long-sighted** *adj* weitsichtig; **long-standing** *adj* alt, seit langer Zeit bestehend; **long-suffering** *adj* schwer geprüft; **long-term** *adj* langfristig; ~ **memory** Langzeitgedächtnis *nt;* **long-term unemployment** *n* Langzeitarbeitslosigkeit *f;* **long wave** *n* Langwelle *f;* **long-winded** *adj* langatmig.

loo [lu:] *n* (*fam*) Klo *nt.*

loofah ['lu:fə*] *n* (*plant*) Luffa *f;* (*sponge*) Luffaschwamm *m.*

look [lʊk] **1.** *vi* schauen, blicken; (*seem*) aussehen; (*face*) liegen nach, gerichtet sein nach; **2.** *n* Blick *m;* ~**s** *pl* Aussehen *nt;* **look after** *vt* (*care for*) sorgen für; (*watch*) aufpassen auf +*akk;* **look down on** *vt* (*fig*) herabsehen auf +*akk;* **look for** *vt* (*seek*) suchen nach; (*expect*) erwarten; **look forward to** *vt* sich freuen auf +*akk;* **look out for** *vt* Ausschau halten nach; (*be careful*) Acht geben auf +*akk;* **look to** *vt* (*take care of*) Acht geben auf +*akk;* (*rely on*) sich verlassen auf +*akk;* **look up 1.** *vi* aufblicken; (*improve*) sich bessern; **2.** *vt* (*word*) nachschlagen; (*person*) besuchen; **look up to** *vt* aufsehen zu; **look-out** *n* (*watch*) Ausschau *f;* (*person*) Wachposten *m;* (*place*) Ausguck *m;* (*prospect*) Aussichten *pl.*

loom [lu:m] **1.** *n* Webstuhl *m;* **2.** *vi* sich abzeichnen.

loop [lu:p] **1.** *n* Schlaufe *f,* Schleife *f;* (MED) Spirale *f;* (COMPUT) Schleife *f;* **2.** *vt* schlingen; **loophole** *n* (*fig*) Hintertürchen *nt.*

loose [lu:s] **1.** *adj* lose, locker; (*free*) frei; (*inexact*) unpräzise; **2.** *vt* lösen, losbinden; **to be at a** ~ **end** nicht wissen, was man tun soll; **loosely** *adv* locker, lose; ~ **speaking** grob gesagt; **loosen** *vt* lockern, losmachen; **looseness** *n* Lockerheit *f.*

loot [lu:t] **1.** *n* Beute *f;* **2.** *vt* plündern; **looting** *n* Plünderung *f.*

lop [lɒp] *vt* zurechtstutzen.

lop-sided ['lɒp'saɪdɪd] *adj* schief.

lord [lɔ:d] *n* (*ruler*) Herr *m,* Gebieter *m;* (*Brit: title*) Lord *m;* **the Lord** Gott der Herr; **lordly** *adj* vornehm; (*proud*) stolz.

lore [lɔ:*] *n* Überlieferung *f.*

lorry ['lɒrɪ] *n* Lastwagen *m.*

lose [lu:z] <lost, lost> **1.** *vt* verlieren; (*chance*) verpassen; **2.** *vi* verlieren; **lose out** *vi* den kürzeren ziehen; **loser** *n* Verlierer(in) *m(f);* **losing** *adj* Verlierer-; (COMM) verlustbringend.

loss [lɒs] *n* Verlust *m;* **at a** ~ (COMM) mit Verlust; **to be at a** ~ nicht wissen was tun; **I am at a** ~ **for words** mir fehlen die Worte; ~ **of earnings** Lohnausfall *m.*

lost [lɒst] **1.** *pt, pp of* **lose**; **2.** *adj* verloren; ~ **cause** aussichtslose Sache; **lost-and-found** (*US*), **lost property** *n* Fundsachen *pl;* (*place*) Fundbüro *nt.*

lot [lɒt] *n* (*quantity*) Menge *f;* (*fate, at auction*) Los *nt;* (*fam: people, things*) Haufen *m;* **the** ~ alles; (*people*) alle; **a** ~ **of** viel; (*pl*) viele; ~**s of** massenhaft, viele.

loth [ləʊθ] *adj:* **to be** ~ **to do sth** etwas ungern tun.

lotion ['ləʊʃən] *n* Lotion *f.*

lottery ['lɒtərɪ] *n* Lotterie *f.*

loud [laʊd] **1.** *adj* laut; (*showy*) schreiend; **2.** *adv* laut; **loudly** *adv* laut; **loudmouthed** *adj* (*fam*) großmäulig; **loudness** *n* Lautstärke *f;* **loudspeaker** *n* Lautsprecher *m.*

lounge [laʊndʒ] **1.** *n* (*in hotel*) Gesellschaftsraum *m;* (*in house*) Wohnzimmer *nt;* (*on ship*) Salon *m;* **2.** *vi* sich herumlümmeln; **lounge suit** *n* Straßenanzug *m.*

louse [laʊs] *n* <lice> Laus *f.*

lousy ['laʊzɪ] *adj* verlaust; (*fig*) lausig, miserabel.

lout [laʊt] *n* Rüpel *m.*

lovable ['lʌvəbl] *adj* liebenswert.

love [lʌv] **1.** *n* Liebe *f;* (*person*) Liebling *m,* Schatz *m;* (*as address*) mein Lieber, meine Liebe; (SPORT) null; **2.** *vt* (*person*) lieben; (*activity*) gerne mögen; **to** ~ **to do sth** etw sehr gerne tun; **to make** ~ sich lieben; **to make** ~ **to** [*o* **with**] **sb** mit jdm schlafen; **love affair** *n* Liebesverhältnis *nt;* **love letter** *n* Liebesbrief *m;* **love life** *n*

L

Liebesleben *nt.*

lovely ['lʌvlɪ] *adj* schön; (*person, object also*) entzückend, reizend.

love-making ['lʌvmeɪkɪŋ] *n* Zärtlichkeiten *pl;* (*sexually*) [körperliche] Liebe *f;* **lover** *n* Geliebte(r) *mf;* (*of books etc*) Liebhaber(in) *m(f);* **the ~s** die Liebenden, das Liebespaar; **lovesong** *n* Liebeslied *nt;* **loving** *adj* liebend, liebevoll; **lovingly** *adv* liebevoll.

low [ləʊ] **1.** *adj* niedrig; (*rank*) niedere(r, s); (*level, note, neckline*) tief; (*intelligence, density*) gering; (*vulgar*) ordinär; (*not loud*) leise; (*depressed*) gedrückt; **2.** *adv* (*not high*) niedrig; (*not loudly*) leise; **3.** *n* (*low point*) Tiefstand *m;* (METEO) Tief *nt;* **low-calorie** *adj* kalorienarm; **low-cut** *adj* (*dress*) tief ausgeschnitten.

lower ['ləʊə*] *vt* herunterlassen; (*eyes, gun*) senken; (*reduce*) herabsetzen, senken.

lower case ['ləʊə*keɪs] *n* Kleinbuchstaben *pl.*

Lower Saxony ['ləʊə*'sæksənɪ] *n* Niedersachsen *nt.*

low-fat [ləʊ'fæt] *adj* fettarm; **low-key** *adj* zurückhaltend, unaufdringlich.

low-level *adj* (*radioactive*) schwach aktiv.

lowly ['ləʊlɪ] *adj* bescheiden.

low-lying [ləʊ'laɪɪŋ] *adj* tief gelegen; **low-pressure** *adj* (METEO) Tiefdruck-; **low-radiation** *n* (COMPUT) strahlungsarm.

low tide [ləʊ'taɪd] *n* Niedrigwasser *nt,* Ebbe *f.*

loyal ['lɔɪəl] *adj* (*true*) treu; (*to king*) loyal, treu; **loyally** *adv* treu; loyal; **loyalty** *n* Treue *f,* Loyalität *f.*

lozenge ['lɒzɪndʒ] *n* Pastille *f;* (*shape*) Raute *f.*

LP *n abbr of* **long-playing record** LP *f.*

> Als **L-Plates** werden in Großbritannien die weißen Schilder mit einem roten „L" bezeichnet, die vorn und hinten an jedem von einem Fahrschüler gesteuerten Fahrzeug befestigt werden müssen. Fahrschüler müssen einen vorläufigen Führerschein beantragen und dürfen damit unter der Aufsicht eines erfahrenen Autofahrers auf allen Straßen außer Autobahnen fahren.

Ltd *abbr of* **limited** GmbH *f.*

lubricant ['lu:brɪkənt] *n* Schmiermittel *nt;* **lubricate** ['lu:brɪkeɪt] *vt* abschmieren, ölen; **lubrication** [lu:brɪ'keɪʃən] *n* Schmieren *nt.*

lucid ['lu:sɪd] *adj* klar; (*sane*) bei klarem Verstand; (*moment*) licht; **lucidity** [lu:'sɪdɪtɪ] *n* Klarheit *f;* **lucidly** *adv* klar.

luck [lʌk] *n* Glück *nt;* **bad ~** Pech *nt;* **luckily** *adv* glücklicherweise, zum Glück; **lucky** *adj* glücklich, Glücks-; **to be ~** Glück haben.

lucrative ['lu:krətɪv] *adj* einträglich.

ludicrous ['lu:dɪkrəs] *adj* grotesk, lächerlich.

ludo ['lu:dəʊ] *n* (*game*) Mensch ärgere dich nicht *nt.*

lug [lʌg] *vt* schleppen.

luggage ['lʌgɪdʒ] *n* Gepäck *nt;* **luggage locker** *n* Gepäckschließfach *nt;* **luggage rack** *n* Gepäcknetz *nt;* **luggage trolley** *n* Kofferkuli *m.*

lugubrious [lu:'gu:brɪəs] *adj* traurig.

lukewarm ['lu:kwɔ:m] *adj* lauwarm; (*indifferent*) lau.

lull [lʌl] **1.** *n* Flaute *f;* **2.** *vt* einlullen; (*calm*) beruhigen.

lullaby ['lʌləbaɪ] *n* Schlaflied *nt.*

lumbago [lʌm'beɪgəʊ] *n* Hexenschuss *m.*

lumber ['lʌmbə*] *n* Plunder *m;* (*wood*) Holz *nt;* **lumberjack** *n* Holzfäller *m.*

luminous ['lu:mɪnəs] *adj* leuchtend, Leucht-.

lump [lʌmp] **1.** *n* Klumpen *m;* (MED) Schwellung *f;* (*in breast*) Knoten *m;* (*of sugar*) Stück *nt;* **2.** *vt* zusammentun; (*judge together*) in einen Topf werfen; **lump sum** *n* Pauschalsumme *f;* **lumpy** *adj* klumpig; **to go ~** klumpen.

lunacy ['lu:nəsɪ] *n* Irrsinn *m.*

lunar ['lu:nə*] *adj* Mond-.

lunatic ['lu:nətɪk] **1.** *n* Wahnsinnige(r) *mf;* **2.** *adj* wahnsinnig, irr; **the ~ fringe** die Extremisten *pl.*

lunch, **luncheon** [lʌntʃ, -ən] Mittagessen *nt;* **to have ~** zu Mittag essen; **luncheon meat** *n* Frühstücksfleisch *nt;* **luncheon voucher** *n* Essensbon *m;* **lunch hour** *n* Mittagspause *f;* **lunchtime** *n* Mittagszeit *f.*

lung [lʌŋ] *n* Lunge *f;* **lung cancer** *n* Lungenkrebs *m.*

lunge [lʌndʒ] *vi* losstürzen.

lupin ['lu:pɪn] *n* Lupine *f.*

lurch [lɜ:tʃ] *vi* taumeln; (NAUT) schlingern.

lure [ljʊə*] **1.** *n* Köder *m;* (*fig*) Verlockungen *pl;* **2.** *vt* verlocken.

lurid ['ljʊərɪd] *adj* (*shocking*) grausig, widerlich; (*colour*) grell.
lurk [lɜ:k] *vi* lauern.
luscious ['lʌʃəs] *adj* köstlich; (*colour*) satt.
lush [lʌʃ] *adj* satt; (*vegetation*) üppig.
lust [lʌst] **1.** *n* sinnliche Begierde (*for* nach); (*sensation*) Wollust *f;* (*greed*) Gier *f;* **2.** *vi* gieren (*after* nach).
luster ['lʌstə*] *n* (*US*) Glanz *m.*
lustful *adj* wollüstig, lüstern.
lustre ['lʌstə*] *n* Glanz *m.*
lusty ['lʌstɪ] *adj* gesund und munter; (*old person*) rüstig.
lute [lu:t] *n* Laute *f.*
Luxembourg ['lʌksəmbɜ:g] *n* Luxemburg *nt;* **Luxembourgian** [lʌksəm'bɜ:gɪən] *adj* luxemburgisch.
luxuriant [lʌg'ʒʊərɪənt] *adj* üppig.
luxurious [lʌg'ʒʊərɪəs] *adj* luxuriös, Luxus-.
luxury ['lʌkʃərɪ] *n* Luxus *m;* **the little luxuries** *pl* die kleinen Genüsse *pl.*
lying ['laɪɪŋ] **1.** *n* Lügen *nt;* **2.** *adj* verlogen.
lymph gland ['lɪmfglænd] *n* Lymphdrüse *f.*
lynch [lɪntʃ] *vt* lynchen.
lynx [lɪŋks] *n* Luchs *m.*
lyre ['laɪə*] *n* Leier *f.*
lyric ['lɪrɪk] **1.** *n* Lyrik *f;* **2.** *adj* lyrisch; **~s** *pl* (*words for song*) Liedtext *m;* **lyrical** *adj* lyrisch.

M

M, m [em] *n* M *nt,* m *nt.*
mac [mæk] *n* (*Brit fam*) Regenmantel *m.*
macabre [mə'kɑ:br] *adj* makaber.
macaroni [mækə'rəʊnɪ] *n* Makkaroni *pl.*
mace [meɪs] *n* Amtsstab *m;* (*spice*) Muskatblüte *f.*
machinations [mækɪ'neɪʃnz] *n pl* Machenschaften *pl.*
machine [mə'ʃi:n] **1.** *n* Maschine *f;* **2.** *vt* maschinell herstellen; **machinegun** *n* Maschinengewehr *nt;* **machine language** *n* (COMPUT) Maschinensprache *f;* **machinery** [mə'ʃi:nərɪ] *n* Maschinerie *f,* Maschinen *pl;* **machine tool** *n* Werkzeugmaschine *f;* **machine-washable** *adj* waschmaschinenfest.
mackerel ['mækrəl] *n* Makrele *f.*
mackintosh ['mækɪntɒʃ] *n* Regenmantel *m.*
macro- ['mækrəʊ] *pref* Makro-, makro-.
mad [mæd] *adj* verrückt; (*dog*) tollwütig; (*angry*) wütend; ~ **about** (*fond of*) verrückt nach, versessen auf +*akk.*
madam ['mædəm] *n* gnädige Frau.
mad cow disease [mæd'kaʊdɪ'zi:z] *n* Rinderwahnsinn *m.*
madden ['mædn] *vt* verrückt machen; (*make angry*) ärgern; **maddening** *adj* ärgerlich.
made [meɪd] *pt, pp of* **make**; **made-to-measure** ['meɪdtə'meʒə*] *adj* Maß-; **made-up** *adj* (*story*) erfunden; (*person*) geschminkt.
madly ['mædlɪ] *adv* wahnsinnig.
madman ['mædmən] *n* <madmen> Verrückte(r) *m.*
madness ['mædnəs] *n* Wahnsinn *m.*
Madonna [mə'dɒnə] *n* Madonna *f.*
madwoman ['mædwʊmən] *n* <madwomen> Verrückte *f.*
magazine ['mægəzi:n] *n* Zeitschrift *f;* (*in gun*) Magazin *nt.*
maggot ['mægət] *n* Made *f.*
magic ['mædʒɪk] **1.** *n* Zauberei *f,* Magie *f;* (*fig*) Zauber *m;* **2.** *adj* magisch, Zauber-; **magical** *adj* magisch; **magician** [mə'dʒɪʃən] *n* Zauberer *m,* Zaubrerin *f.*
magistrate ['mædʒɪstrət] *n* Friedensrichter(in) *m(f).*
magnanimous [mæg'nænɪməs] *adj* großmütig.
magnate ['mægneɪt] *n* Magnat *m.*
magnet ['mægnɪt] *n* Magnet *m;* **magnetic** [mæg'netɪk] *adj* magnetisch; (*fig*) anziehend, unwiderstehlich; ~ **strip** Magnetstreifen *m;* ~ **tape** Magnetband *nt;* **magnetism** ['mægnɪtɪzəm] *n* Magnetismus *m;* (*fig*) Ausstrahlungskraft *f.*
magnification [mægnɪfɪ'keɪʃən] *n* Vergrößerung *f.*
magnificent *adj,* **magnificently** *adv* [mæg'nɪfɪsənt, -lɪ] großartig.
magnify ['mægnɪfaɪ] *vt* vergrößern; **magnifying glass** *n* Vergrößerungsglas *nt,* Lupe *f.*
magnitude ['mægnɪtju:d] *n* (*size*) Größe *f;* (*importance*) Ausmaß *nt.*
magnolia [mæg'nəʊlɪə] *n* Magnolie *f.*
magpie ['mægpaɪ] *n* Elster *f.*
maharajah [mɑ:hə'rɑ:dʒə] *n* Maharadscha *m.*
mahogany [mə'hɒgənɪ] *n* Mahagoni *nt.*
maid [meɪd] *n* Dienstmädchen *nt;* **old ~** alte Jungfer; **maiden** **1.** *n* (*literary*) Maid

f; 2. *adj* (*flight, speech*) Jungfern-; **maiden name** *n* Mädchenname *m.*

mail [meɪl] 1. *n* Post *f;* 2. *vt* aufgeben; **mail bomb** *n* Briefbombe *f;* **mailbox** *n* (*US*) Briefkasten *m;* (COMPUT) Mailbox *f,* elektronischer Briefkasten; **mailgram** *n* (*US*) Telebrief *m;* **mailing list** *n* Anschriftenliste *f;* **mail order** *n* Bestellung *f* durch die Post; **mail order firm** *n* Versandhaus *nt.*

maim [meɪm] *vt* verstümmeln.

main [meɪn] 1. *adj* hauptsächlich; 2. *n* (*pipe*) Hauptleitung *f;* **in the ~** im Großen und Ganzen; **main beam** *n* (AUT): **on ~** aufgeblendet; **mainframe** *n* Großrechner *m,* Großcomputer *m;* **mainland** *n* Festland *nt;* **mainline** *n* (RAIL) Hauptstrecke *f;* **mainlining** *n* (*fam*) Fixen *nt;* **main memory** *n* Zentralspeicher *m;* **main office** *n* Hauptgeschäftsstelle *f;* **main road** *n* Hauptstraße *f;* **mainstay** *n* (*fig*) Hauptstütze *f;* **main storage** *n* Hauptspeicher *m;* **mainstream** *n* Hauptrichtung *f.*

maintain [meɪn'teɪn] *vt* (*machine, roads*) instand halten; (COMPUT) pflegen; (*support*) unterhalten; (*keep up*) aufrechterhalten; (*claim*) behaupten; (*innocence*) beteuern.

maintenance ['meɪntənəns] *n* (TECH) Wartung *f;* (*of family*) Unterhalt *m.*

maisonette [meɪzə'net] *n* (*small flat*) Apartement *nt,* Maisonette *f.*

maize [meɪz] *n* Mais *m.*

majestic [mə'dʒestɪk] *adj* majestätisch.

majesty ['mædʒɪstɪ] *n* Majestät *f;* **his/her Majesty** seine/ihre Majestät.

major ['meɪdʒə*] 1. *n* Major *m;* 2. *adj* (MUS) Dur; (*more important*) Haupt-; (*bigger*) größer.

majority [mə'dʒɒrɪtɪ] *n* Mehrheit *f;* (JUR) Volljährigkeit *f.*

make [meɪk] <made, made> 1. *vt* machen; (*appoint*) ernennen zu; (*cause to do sth*) veranlassen; (*reach*) erreichen; (*in time*) schaffen; (*earn*) verdienen; 2. *n* Marke *f,* Fabrikat *nt;* **to ~ sth happen** etw geschehen lassen; **make for** *vt* gehen/fahren nach; **make out** 1. *vi* zurechtkommen; 2. *vt* (*write out*) ausstellen; (*understand*) verstehen; (*pretend*) so tun als ob; **make up** 1. *vt* (*make*) machen, herstellen; (*face*) schminken; (*quarrel*) beilegen; (*story etc*) erfinden; 2. *vi* sich versöhnen; **make up for** *vt* wieder gutmachen; (COMM) vergüten; **make-believe** 1. *n:* **it's ~** es ist nicht wirklich; 2. *adj* ersonnen; **make-or-break** *adj* (*fam*) entscheidend; **maker** *n* (COMM) Hersteller(in) *m(f);* **makeshift** *adj* behelfsmäßig, Not-; **make-up** *n* Schminke *f,* Make-up *nt;* **making** *n:* **in the ~** im Entstehen; **to have the ~s of** das Zeug haben zu.

maladjusted [mælə'dʒʌstɪd] *adj* verhaltensgestört.

malaise [mæ'leɪz] *n* allgemeines Unbehagen.

malaria [mə'lɛərɪə] *n* Malaria *f.*

Malawi [mə'lɑːwɪ] *n* Malawi *nt.*

Malaya [mə'leɪə] *n* Malaya *nt.*

Malaysia [mə'leɪʒə] *n* Malaysia *nt.*

male [meɪl] 1. *n* Mann *m;* (*animal*) Männchen *nt;* 2. *adj* männlich; **~ chauvinism** Chauvinismus *m;* **~ chauvinist pig** (*pej*) Chauvi *m,* Chauvinist *m.*

malevolence [mə'levələns] *n* Böswilligkeit *f;* **malevolent** *adj* boshaft.

malformation [mælfɔː'meɪʃn] Missbildung *f.*

malfunction [mæl'fʌnkʃən] *vi* versagen, nicht richtig funktionieren.

malice ['mælɪs] *n* Bosheit *f.*

malicious *adj,* **maliciously** *adv* [mə'lɪʃəs, -lɪ] böswillig, gehässig.

malign [mə'laɪn] *vt* verleumden; (*run down*) schlecht machen.

malignant [mə'lɪgnənt] *adj* bösartig.

malinger [mə'lɪŋgə*] *vi* simulieren; **malingerer** *n* Drückeberger(in) *m(f),* Simulant(in) *m(f).*

mallard ['mælɑːd] *n* Stockente *f.*

malleable ['mælɪəbl] *adj* formbar.

mallet ['mælɪt] *n* Holzhammer *m.*

malnutrition [mælnjʊ'trɪʃən] *n* Unterernährung *f.*

malpractice [mæl'præktɪs] *n* Amtsvergehen *nt.*

malt [mɔːlt] *n* Malz *nt;* (*whisky*) Malt Whisky *m.*

Malta ['mɔːltə] *n* Malta *nt.*

maltreat [mæl'triːt] *vt* misshandeln.

mammal ['mæməl] *n* Säugetier *nt.*

mammoth ['mæməθ] *adj* Mammut-, Riesen-.

man [mæn] 1. *n* <men> Mann *m;* (*human race*) der Mensch, die Menschen *pl;* 2. *vt* bemannen.

manage ['mænɪdʒ] 1. *vi* zurechtkommen; 2. *vt* (*control*) führen, leiten; (*cope with*) fertigwerden mit; **to ~ to do sth** etw schaffen; **manageable** *adj* (*person, animal*) lenksam, fügsam; (*object*) handlich;

management *n* (*control*) Führung *f*, Leitung *f*; (*directors*) Management *nt*; **management consultant** *n* Unternehmensberater(in) *m(f)*; **management trainee** *n* Nachwuchsführungskraft *f*; **manager** *n* Geschäftsführer *m*, Betriebsleiter *m*; **manageress** [mænɪdʒə'res] *n* Geschäftsführerin *f*; **managerial** [mænə'dʒɪərɪəl] *adj* leitend; (*problem etc*) Management-; **managing** *adj* leitend; ~ **director** Geschäftsführer(in) *m(f)*.

mandarin ['mændərɪn] *n* (*fruit*) Mandarine *f*; (*Chinese official*) Mandarin *m*.

mandate ['mændeɪt] *n* Mandat *nt*.

mandatory ['mændətərɪ] *adj* obligatorisch.

mandoline ['mændəlɪn] *n* Mandoline *f*.

mane [meɪn] *n* Mähne *f*.

maneuver (*US*) [mə'nu:və*] *s.* **manoeuvre**.

mangle ['mæŋgl] *vt* übel zurichten.

mango ['mæŋgəʊ] *n* <-es> Mango *f*.

mangrove ['mæŋgrəʊv] *n* Mangrove *f*.

mangy ['meɪndʒɪ] *adj* (*dog*) räudig.

manhandle ['mænhændl] *vt* grob behandeln; **manhole** *n* Straßenschacht *m*; **manhood** ['mænhʊd] *n* Mannesalter *nt*; (*manliness*) Männlichkeit *f*; **man-hour** *n* Arbeitsstunde *f*; **manhunt** *n* Fahndung *f*.

mania ['meɪnɪə] *n* (*craze*) Sucht *f*, Manie *f*; (*madness*) Wahnsinn *m*; **maniac** ['meɪnɪæk] *n* Wahnsinnige(r) *mf*, Verrückte(r) *mf*; (*fig*) Fanatiker(in) *m(f)*.

manicure ['mænɪkjʊə*] **1.** *n* Maniküre *f*; **2.** *vt* maniküren.

manifest ['mænɪfest] **1.** *vt* offenbaren; **2.** *adj* offenkundig; **manifestation** [mænɪfe'steɪʃən] *n* (*showing*) Ausdruck *m*, Bekundung *f*; (*sign*) Anzeichen *nt*; **manifestly** *adv* offenkundig; **manifesto** [mænɪ'festəʊ] *n* <-es> Manifest *nt*.

manifold ['mænɪfəʊld] *adj* vielfältig.

manipulate [mə'nɪpjʊleɪt] *vt* handhaben; (*fig*) manipulieren; **manipulation** [mənɪpjʊ'leɪʃən] *n* Manipulation *f*.

mankind [mæn'kaɪnd] *n* Menschheit *f*.

man-made ['mænmeɪd] *adj* (*fibre*) künstlich.

manner ['mænə*] *n* Art *f*, Weise *f*; (*style*) Stil *m*; **in such a** ~ so; **in a** ~ **of speaking** sozusagen; ~**s** *pl* Manieren *pl*; **mannerism** *n* (*of person*) Angewohnheit *f*; (*of style*) Maniertheit *f*.

manoeuvrable [mə'nu:vrəbl] *adj* manövrierfähig.

manoeuvre [mə'nu:və*] **1.** *vt, vi* manövrieren; **2.** *n* (MIL) Feldzug *m*; (*clever plan*) Manöver *nt*, Schachzug *m*; ~**s** *pl* Truppenübungen *pl*, Manöver *nt*.

manor ['mænə*] *n* Landgut *nt*; ~ **house** Herrenhaus *nt*.

manpower ['mænpaʊə*] *n* Arbeitskräfte *pl*.

manservant ['mænsɜ:vənt] *n* Diener *m*.

mansion ['mænʃən] *n* Herrenhaus *nt*, Landhaus *nt*.

manslaughter ['mænslɔ:tə*] *n* Totschlag *m*.

mantelpiece ['mæntlpi:s] *n* Kaminsims *m*.

manual ['mænjʊəl] **1.** *adj* manuell, Hand-; **2.** *n* Handbuch *nt*.

manufacture [mænjʊ'fæktʃə*] **1.** *vt* herstellen; **2.** *n* Herstellung *f*; **manufacturer** *n* Hersteller(in) *m(f)*; **manufacturing industry** *n* verarbeitende Industrie.

manure [mə'njʊə*] *n* Dünger *m*.

manuscript ['mænjʊskrɪpt] *n* Manuskript *nt*.

many ['menɪ] *adj* <more, most> viele; **as** ~ **as 20** sage und schreibe 20; ~ **a good soldier** so mancher gute Soldat; ~**'s the time** oft.

map [mæp] **1.** *n* Landkarte *f*; (*of town*) Stadtplan *m*; **2.** *vt* eine Karte machen von; **map out** *vt* (*fig*) ausarbeiten.

maple ['meɪpl] *n* Ahorn *m*.

mar [mɑ:*] *vt* verderben, beeinträchtigen.

marathon ['mærəθən] *n* Marathon *m*.

marauder [mə'rɔ:də*] *n* Plünderer *m*, Plündrerin *f*.

marble ['mɑ:bl] *n* Marmor *m*; (*for game*) Murmel *f*.

march [mɑ:tʃ] **1.** *vi* marschieren; **2.** *n* Marsch *m*.

March [mɑ:tʃ] *n* März *m*; ~ **3rd, 1999, 3rd** ~ **1999** (*Datumsangabe*) 3. März 1999; **on the 6th of** ~ (*gesprochen*) am 6. März; **on 6th** ~**, on** ~ **6th** (*geschrieben*) am 6. März; **in** ~ im März.

mare [mɛə*] *n* Stute *f*; ~**'s nest** Windei *nt*.

margarine [mɑ:dʒə'ri:n] *n* Margarine *f*.

margin ['mɑ:dʒɪn] *n* Rand *m*; (*extra amount*) Spielraum *m*; (COMM) Gewinnspanne *f*; **marginal** *adj* (*note*) Rand-; (*difference etc*) geringfügig; **marginally** *adv* nur wenig.

marigold ['mærɪgəʊld] *n* Ringelblume *f*.

marijuana [mærju:'ɑ:nə] *n* Marihuana

M

nt.

marina [mə'ri:nə] *n* Yachthafen *m.*

marinade ['mærɪneɪd] *n* Marinade *f.*

marinate ['mærɪneɪt] *vt* (GASTR) marinieren.

marine [mə'ri:n] **1.** *adj* Meeres-, See-; **2.** *n* (MIL) Marineinfanterist *m;* (*fleet*) Marine *f;*

mariner ['mærɪnə*] *n* Seemann *m.*

marionette [mærɪə'net] *n* Marionette *f.*

marital ['mærɪtl] *adj* ehelich, Ehe-.

maritime ['mærɪtaɪm] *adj* See-.

marjoram ['mɑ:dʒərəm] *n* Majoran *m.*

mark [mɑ:k] **1.** *n* (*coin*) Mark *f;* (*spot*) Fleck *m;* (*scar*) Kratzer *m;* (*sign*) Zeichen *nt;* (*target*) Ziel *nt;* (SCH) Note *f;* **2.** *vt* (*make* ~) Flecken/Kratzer machen auf +*akk;* (*indicate*) markieren, bezeichnen; (*note*) sich *dat* merken; (*exam*) korrigieren; **to ~ time** (*a. fig*) auf der Stelle treten; **quick off the ~** blitzschnell; **on your ~s** auf die Plätze; **mark out** *vt* bestimmen; (*area*) abstecken; **mark up** *vt* (*price*) heraufsetzen; **marked** *adj* deutlich; **markedly** ['mɑ:kɪdlɪ] *adv* merklich; **marker** *n* (*in book*) Lesezeichen *nt;* (*on road*) Schild *nt;* (*pen*) Markierstift *m,* Marker *m.*

market ['mɑ:kɪt] **1.** *n* Markt *m;* (*stock* ~) Börse *f;* **2.** *vt* (COMM: *new product*) auf den Markt bringen; (*sell*) vertreiben; **marketability** *n* Börsenfähigkeit *f;* **market-building** *n* Marktentwicklung *f;* **market day** *n* Markttag *m;* **market economy** *n* Marktwirtschaft *f;* **market forces** *n* Kräfte des freien Marktes; **market garden** *n* (*Brit*) Handelsgärtnerei *f;* **marketing** *n* Marketing *nt;* **market place** *n* Marktplatz *m;* **market research** *n* Marktforschung *f.*

marksman ['mɑ:ksmən] *n* <marksmen> Scharfschütze *m;* **marksmanship** *n* Treffsicherheit *f.*

marmalade ['mɑ:məleɪd] *n* Orangenmarmelade *f.*

maroon [mə'ru:n] **1.** *vt* aussetzen; **2.** *adj* (*colour*) kastanienbraun.

marquee [mɑ:'ki:] *n* großes Zelt.

marriage ['mærɪdʒ] *n* Ehe *f;* (*wedding*) Heirat *f;* (*fig*) Verbindung *f;* **marriage certificate** *n* Heiratsurkunde *f;* **marriage guidance** *n* Eheberatung *f.*

married ['mærɪd] *adj* (*person*) verheiratet; (*couple, life*) Ehe-.

marrow ['mærəʊ] *n* Knochenmark *nt;* (*vegetable*) Kürbis *m.*

marry ['mærɪ] **1.** *vt* (*join*) trauen; (*take as husband, wife*) heiraten; **2.** *vi* (*also:* **get married**) heiraten.

marsh [mɑ:ʃ] *n* Marsch *f,* Sumpfland *nt.*

marshal ['mɑ:ʃəl] **1.** *n* (*US*) Bezirkspolizeichef *m;* (*at demo*) Ordner *m;* **2.** *vt* anordnen, arrangieren.

marshy ['mɑ:ʃɪ] *adj* sumpfig.

martial ['mɑ:ʃəl] *adj* kriegerisch; **~ arts** *pl* Kampfsportarten *pl;* **~ law** Kriegsrecht *nt.*

martyr ['mɑ:tə*] **1.** *n* Märtyrer(in) *m(f);* **2.** *vt* zum Märtyrer machen; **martyrdom** *n* Martyrium *nt.*

marvel ['mɑ:vəl] **1.** *n* Wunder *nt;* **2.** *vi* staunen (*at* über +*akk*); **marvellous, marvelous** (*US*) *adj* wunderbar.

marzipan [mɑ:zɪ'pæn] *n* Marzipan *nt o m.*

mascara [mæ'skɑ:rə] *n* Wimperntusche *f.*

mascot ['mæskɒt] *n* Maskottchen *nt.*

masculine ['mæskjʊlɪn] **1.** *adj* männlich; **2.** *n* Maskulinum *nt;* **masculinity** [mæskjʊ'lɪnɪtɪ] *n* Männlichkeit *f.*

mashed [mæʃt] *adj:* **~ potatoes** *pl* Kartoffelbrei *m,* Kartoffelpüree *nt.*

mask [mɑ:sk] **1.** *n* (*a.* COMPUT) Maske *f;* **2.** *vt* maskieren; verdecken.

masochist ['mæsəʊkɪst] *n* Masochist(in) *m(f).*

mason ['meɪsn] *n* (*stone~*) Steinmetz(in) *m(f);* (*free~*) Freimaurer *m;* **masonic** [mə'sɒnɪk] *adj* Freimaurer-; **masonry** *n* Mauerwerk *nt.*

masquerade [mæskə'reɪd] **1.** *n* Maskerade *f;* **2.** *vi* sich maskieren, sich verkleiden; **to ~ as** sich ausgeben als.

mass [mæs] **1.** *n* Masse *f;* (*greater part*) Mehrheit *f;* (REL) Messe *f;* **2.** *vt* sammeln, anhäufen; **3.** *vi* sich sammeln; **~es of** massenhaft.

massacre ['mæsəkə*] **1.** *n* Blutbad *nt;* **2.** *vt* niedermetzeln, massakrieren.

massage ['mæsɑ:ʒ] **1.** *n* Massage *f;* **2.** *vt* massieren; **masseur** [mæ'sɜ:*] *n* Masseur *m;* **masseuse** [mæ'sɜ:z] *n* Masseurin *f;* (*in eros centre etc*) Masseuse *f.*

massive ['mæsɪv] *adj* gewaltig, massiv.

mass media ['mæs'mi:dɪə] *n pl* Massenmedien *pl;* **mass-produce** *vt* serienmäßig herstellen; **mass production** *n* Serienproduktion *f,* Massenproduktion *f;* **mass unemployment** *n* Massenarbeitslosigkeit *f.*

mast [mɑ:st] *n* Mast *m.*

master ['mɑ:stə*] **1.** *n* Herr *m;* (NAUT) Kapitän *m;* (*teacher*) Lehrer *m;* (*artist*) Meister *m;* **2.** *vt* meistern; (*language etc*) beherrschen; **Master of Arts** Magister Artium *m;* **master data** *n pl* Stammdaten *pl;* **masterly** *adj* meisterhaft; **mastermind 1.** *n* führender Kopf; **2.** *vt* geschickt lenken; **masterpiece** *n* Meisterwerk *nt.*

> Ein **masters's degree** ist ein höherer akademischer Grad, den man in der Regel nach dem „bachelor's degree" erwerben kann. Je nach Universität erhält man einen „master's degree" nach einem entsprechenden Studium und/oder einer Dissertation. Die am häufigsten verliehenen Grade sind **MA** (Master of Arts) und **MSc** (Master of Science), die beide Studium und Dissertation erfordern, während für **MLitt** (Master of Letters) und **MPhil** (Master of Philosophy) meist nur eine Dissertation nötig ist.

master stroke *n* Glanzstück *nt;* **mastery** *n* Können *nt;* **to gain ~ over sb** die Oberhand über jdn gewinnen.

masturbate ['mæstəbeɪt] *vi* masturbieren, sich selbst befriedigen; **masturbation** [mæstə'beɪʃən] *n* Masturbation *f,* Selbstbefriedigung *f.*

mat [mæt] **1.** *n* Matte *f;* (*for table*) Untersetzer *m;* **2.** *vi* sich verfilzen; **3.** *vt* verfilzen.

match [mætʃ] **1.** *n* Streichholz *nt;* (*sth corresponding*) Pendant *nt;* (SPORT) Wettkampf *m;* (*in ball games*) Spiel *nt;* **2.** *vt* (*be alike, suit*) passen zu; (*equal*) gleichkommen *+dat;* (SPORT) antreten lassen; **3.** *vi* zusammenpassen; **to be a ~ for sb** sich mit jdm messen können; jdm gewachsen sein; **he's a good ~** er ist eine gute Partie; **it's a good ~** es passt gut (*for* zu); **matchbox** *n* Streichholzschachtel *f;* **matching** *adj* passend; **matchless** *adj* unvergleichlich; **matchmaker** *n* Ehestifter(in) *m(f);* (*pej*) Kuppler(in) *m(f).*

mate [meɪt] **1.** *n* (*companion*) Kamerad(in) *m(f);* (*spouse*) Lebensgefährte *m,* -gefährtin *f;* (*of animal*) Weibchen *nt/* Männchen *nt;* (NAUT) Schiffsoffizier *m;* **2.** *vi* (CHESS) schachmatt sein; (*animals*) sich paaren; **3.** *vt* (CHESS) matt setzen.

material [mə'tɪərɪəl] **1.** *n* Material *nt;* (*for book, cloth*) Material *nt,* Stoff *m;* **2.** *adj* (*important*) wesentlich; (*damage*) Sach-; (*comforts etc*) materiell; **~s** *pl* Materialien *pl;* **material fatigue** *n* Materialermüdung *f;* **materialistic** [mətɪərɪə'lɪstɪk] *adj* materialistisch; **materialize** [mə'tɪərɪəlaɪz] *vi* zustande kommen; **materially** *adv* grundlegend.

maternal [mə'tɜːnl] *adj* mütterlich, Mutter-; **~ grandmother** Großmutter mütterlicherseits.

maternity [mə'tɜːnɪtɪ] *adj* Schwangerschafts-; (*dress*) Umstands-; **~ benefit** Mutterschaftsgeld *nt;* **~ leave** ≈ Erziehungsurlaub *m.*

matey ['meɪtɪ] *adj* (*Brit fam*) kameradschaftlich.

mathematical *adj,* **mathematically** *adv* [mæθə'mætikəl, -ɪ] mathematisch; **mathematician** [mæθəmə'tɪʃən] *n* Mathematiker(in) *m(f);* **mathematics** [mæθə'mætɪks] *n sing* Mathematik *f;* **maths** [mæθs] *n sing* Mathe *f.*

matinée ['mætɪneɪ] *n* Matinee *f.*

mating ['meɪtɪŋ] *n* Paarung *f;* **~ call** Lockruf *m.*

matriarchal [meɪtrɪ'ɑːkl] *adj* matriarchalisch.

matrimonial [mætrɪ'məʊnɪəl] *adj* ehelich, Ehe-; **matrimony** ['mætrɪmənɪ] *n* Ehestand *m.*

matron ['meɪtrən] *n* (MED) Oberin *f;* (SCH) Hausmutter *f;* **matronly** *adj* matronenhaft.

matt [mæt] *adj* (*paint*) matt.

matter ['mætə*] **1.** *n* (*substance*) Materie *f;* (*affair*) Sache *f,* Angelegenheit *f;* (*content*) Inhalt *m;* (MED) Eiter *m;* **2.** *vi* darauf ankommen, wichtig sein; **it doesn't ~** es macht nichts; **no ~ how/what** egal wie/was; **what is the ~?** was ist los?; **as a ~ of fact** eigentlich; **matter-of-course** *n* Selbsverständlichkeit *f;* **matter-of-fact** *adj* sachlich, nüchtern.

mattress ['mætrəs] *n* Matratze *f.*

mature [mə'tjʊə*] **1.** *adj* reif; **2.** *vi* reif werden; **maturity** [mə'tjʊərɪtɪ] *n* Reife *f.*

maudlin ['mɔːdlɪn] *adj* gefühlsselig.

maul [mɔːl] *vt* übel zurichten.

mausoleum [mɔːsə'liːəm] *n* Mausoleum *nt.*

mauve [məʊv] *adj* mauvefarben.

mawkish ['mɔːkɪʃ] *adj* kitschig; (*taste*) süßlich.

maxi ['mæksɪ] *pref* Maxi-.

maxim ['mæksɪm] *n* Maxime *f.*

maximize ['mæksɪmaɪz] *vt* maximieren.

maximum ['mæksɪməm] **1.** *adj* höchste(r, s), Höchst-, Maximal-; **2.** *n* Höchstgrenze *f*, Maximum *nt.*

may [meɪ] <might> *aux vb* (*be possible*) können; (*have permission*) dürfen; **I ~ come** ich komme vielleicht, es kann sein, dass ich komme; **we ~ as well go** wir können ruhig gehen; **~ you be very happy** ich hoffe, ihr seid glücklich.

May [meɪ] *n* Mai *m;* **~ 24th, 1999, 24th ~ 1999** (*Datumsangabe*) 24. Mai 1999; **on the 24th of ~** (*gesprochen*) am 24. Mai; **on 24th ~, on ~ 24th** (*geschrieben*) am 24. Mai; **in ~** im Mai.

maybe ['meɪbi:] *adv* vielleicht.

Mayday ['meɪdeɪ] *n* (*message*) SOS *nt;* **May Day** *n* der Erste Mai, der Maifeiertag.

mayonnaise [meɪə'neɪz] *n* Mayonnaise *f.*

mayor [mɛə*] *n* Bürgermeister *m;* **mayoress** *n* (*wife*) Frau *f* Bürgermeister; (*lady mayor*) Bürgermeisterin *f.*

maypole ['meɪpəʊl] *n* Maibaum *m.*

maze [meɪz] *n* Irrgarten *m;* (*fig*) Wirrwarr *nt;* **to be in a ~** (*fig*) durcheinander sein.

MCP *n abbr of* **male chauvinist pig** (*pej*) Chauvi *m.*

me [mi:] *pron direct/ indirect object of* **I** mich/mir; **it's ~** ich bin's.

meadow ['medəʊ] *n* Wiese *f.*

meager (*US*), **meagre** ['mi:gə*] *adj* dürftig, spärlich.

meal [mi:l] *n* Essen *nt*, Mahlzeit *f;* (*grain*) Schrotmehl *nt;* **to have a ~** essen gehen; **meal pack** *n* (*US*) tiefgekühltes Fertiggericht; **mealtime** *n* Essenszeit *f.*

mealy-mouthed ['mi:lɪmaʊðd] *adj* unaufrichtig.

mean [mi:n] <meant, meant> **1.** *vt* (*signify*) bedeuten; **2.** *vi* (*intend*) vorhaben, beabsichtigen; (*be resolved*) entschlossen sein; **3.** *adj* (*stingy*) geizig; (*spiteful*) gemein; (*shabby*) armselig, schäbig; (*average*) durchschnittlich, Durchschnitts-; **4.** *n* (*average*) Durchschnitt *m;* **he ~s well** er meint es gut; **I ~ it** ich meine das ernst; **do you ~ me?** meinen Sie mich?; **it ~s nothing to me** es sagt mir nichts; *s. a.* **means.**

meander [mɪ'ændə*] *vi* sich schlängeln.

meaning ['mi:nɪŋ] *n* Bedeutung *f;* (*of life*) Sinn *m;* **meaningful** *adj* bedeutungsvoll; (*life*) sinnvoll; (*relationship*) ernst; **meaningless** *adj* sinnlos.

meanness ['mi:nnəs] *n* (*stinginess*) Geiz *m;* (*spitefulness*) Gemeinheit *f;* (*shabbiness*) Schäbigkeit *f.*

means [mi:nz] **1.** *n sing* (*method*) Möglichkeit *f*, Mittel *nt;* **2.** *n pl* (*financial etc*) Mittel *pl;* (*wealth*) Vermögen *nt;* **by ~ of** durch; **by all ~** selbstverständlich; **by no ~** keineswegs; **to live beyond one's ~** über seine Verhältnisse leben.

meant [ment] *pt, pp of* **mean.**

meantime, **meanwhile** [mi:n'taɪm, -waɪl] *adv* inzwischen, mittlerweile; **for the ~** vorerst.

measles ['mi:zlz] *n sing* Masern *pl;* **German ~** Röteln *pl.*

measly ['mi:zlɪ] *adj* (*fam*) poplig.

measurable ['meʒərəbl] *adj* messbar.

measure ['meʒə*] **1.** *vt, vi* messen; **2.** *n* Maß *nt;* (*step*) Maßnahme *f;* **to be a ~ of sth** etw erkennen lassen; **measured** *adj* (*slow*) gemessen; **measurement** *n* (*way of measuring*) Messung *f;* (*amount measured*) Maß *nt.*

meat [mi:t] *n* Fleisch *nt;* **meaty** *adj* fleischig; (*fig*) gehaltvoll.

Mecca ['mekə] *n* Mekka *nt.*

mechanic [mɪ'kænɪk] *n* Mechaniker(in) *m(f);* **mechanical** *adj* mechanisch; **mechanics** *n sing* Mechanik *f.*

mechanism ['mekənɪzəm] *n* Mechanismus *m.*

medal ['medl] *n* Medaille *f;* (*decoration*) Orden *m.*

medalist ['medəlɪst] *n* (*US*) *s.* **medallist.**

medallion [mɪ'dælɪən] *n* Medaillon *nt.*

medallist ['medəlɪst] *n* Medaillengewinner(in) *m(f).*

meddle ['medl] *vi* sich einmischen (*in* in *+akk*); (*tamper*) hantieren (*with* an *+dat*); **to ~ with sb** sich mit jdm einlassen; **meddlesome** *adj:* **he's so ~** er mischt sich dauernd in alles ein.

media ['mi:dɪə] *n pl* Medien *pl.*

mediate ['mi:dɪeɪt] *vi* vermitteln; **mediation** [mi:dɪ'eɪʃən] *n* Vermittlung *f;* **mediator** ['mi:dɪeɪtə*] *n* Vermittler(in) *m(f).*

medical ['medɪkəl] **1.** *adj* medizinisch, Medizin-; ärztlich; **2.** *n* Untersuchung *f;* **medical certificate** *n* Attest *nt.*

Medicare ['medɪkɛə*] *n* (*US*) Krankenkasse *f.*

medicated ['medɪkeɪtɪd] *adj* medizinisch.

medicinal [me'dɪsɪnl] *adj* medizinisch, Heil-.

medicine ['medsɪn] *n* Medizin *f;* (*drugs*) Arznei *f;* **medicine chest** *n* Hausapotheke *f.*

medieval [medɪ'iːvəl] *adj* mittelalterlich.

mediocre [miːdɪ'əʊkə*] *adj* mittelmäßig; **mediocrity** [miːdɪ'ɒkrɪtɪ] *n* Mittelmäßigkeit *f;* (*person*) kleiner Geist.

meditate ['medɪteɪt] *vi* nachdenken (*on* über +*akk*); (REL) meditieren (*on* über +*akk*); **meditation** [medɪ'teɪʃən] *n* Nachsinnen *nt;* Meditation *f.*

Mediterranean [medɪtə'reɪnɪən] *n* Mittelmeer *nt.*

medium ['miːdɪəm] **1.** *adj* mittlere(r, s), Mittel-, mittel-; **2.** *n* Mitte *f;* (*means*) Mittel *nt;* (*person*) Medium *nt;* **medium-sized company** *n* mittelständischer Betrieb; **medium-term** *adj* mittelfristig.

medley ['medlɪ] *n* Gemisch *nt;* (MUS) Potpourri *nt.*

meek *adj,* **meekly** *adv* [miːk, -lɪ] sanftmütig; (*pej*) duckmäuserisch.

meet [miːt] <met, met> **1.** *vt* (*encounter*) treffen, begegnen +*dat;* (*by arrangement*) sich treffen mit; (*difficulties*) stoßen auf +*akk;* (*become acquainted with*) kennen lernen; (*fetch*) abholen; (*join*) zusammentreffen mit; (*river*) fließen in +*akk;* (*satisfy*) entsprechen +*dat;* (*debt*) bezahlen; **2.** *vi* sich treffen; (*become acquainted*) sich kennen lernen; (*join*) sich treffen; (*rivers*) ineinander fließen; (*roads*) zusammenlaufen; **pleased to ~ you!** sehr angenehm!; **meet with** *vt* (*problems*) stoßen auf +*akk;* (*US: people*) zusammentreffen mit; **meeting** *n* Treffen *nt;* (*business ~*) Besprechung *f,* Konferenz *f;* (*of committee*) Sitzung *f;* (*assembly*) Versammlung *f;* **meeting place** *n* Treffpunkt *m.*

megabyte ['megəbaɪt] *n* Megabyte *nt.*

megaphone ['megəfəʊn] *n* Megaphon *nt.*

melancholy ['melənkəlɪ] **1.** *n* Melancholie *f;* **2.** *adj* (*person*) melancholisch, schwermütig; (*sight, event*) traurig.

mellow ['meləʊ] **1.** *adj* mild, weich; (*fruit*) reif, weich; (*fig*) gesetzt; **2.** *vi* reif werden.

melodious [mɪ'ləʊdɪəs] *adj* wohlklingend.

melodrama ['meləʊdrɑːmə] *n* Melodrama *nt;* **melodramatic** [meləʊdrə'mætɪk] *adj* melodramatisch.

melody ['melədɪ] *n* Melodie *f.*

melon ['melən] *n* Melone *f.*

melt [melt] **1.** *vi* schmelzen; (*anger*) verfliegen; **2.** *vt* schmelzen; **melt away** *vi* dahinschmelzen; **melt down** *vt* einschmelzen; **meltdown** *n* (*in nuclear reactor*) Kernschmelze *f;* **melting point** *n* Schmelzpunkt *m;* **melting pot** *n* (*fig*) Schmelztiegel *m;* **to be in the ~** in der Schwebe sein.

member ['membə*] *n* Mitglied *nt;* (*of tribe, species*) Angehörige(r) *mf;* (ANAT) Glied *nt;* **membership** *n* Mitgliedschaft *f;* **membership qualification** *n* Beitrittsvoraussetzung *f.*

membrane ['membreɪn] *n* Membrane *f.*

memento [mə'mentəʊ] *n* <-es> Andenken *nt.*

memo ['meməʊ] *n* <-s> Notiz *f,* Mitteilung *f.*

memoirs ['memwɑːz] *n pl* Memoiren *pl.*

memorable ['memərəbl] *adj* denkwürdig.

memorandum [memə'rændəm] *n* Notiz *f,* Mitteilung *f;* (POL) Memorandum *nt.*

memorial [mɪ'mɔːrɪəl] **1.** *n* Denkmal *nt;* **2.** *adj* Gedenk-.

> Der **Memorial Day** ist in den USA ein gesetzlicher Feiertag am letzten Montag im Mai zum Gedenken aller gefallenen amerikanischen Soldaten.

memorize ['meməraɪz] *vt* sich *dat* einprägen.

memory ['memərɪ] *n* Gedächtnis *nt;* (*of computer*) Speicher *m;* (*sth recalled*) Erinnerung *f;* **in ~ of** zur Erinnerung an +*akk;* **from ~** aus dem Kopf; **memory capacity** *n* Speicherkapazität *f;* **memory dump** *n* (COMPUT) Speicherauszug *m;* **memory function** *n* Speicherfunktion *f;* **memory-hogging** *adj* speicherintensiv; **memory protection** *n* Speicherschutz *m;* **memory typewriter** *n* Speicherschreibmaschine *f.*

men [men] *pl of* **man**.

menace ['menɪs] **1.** *n* Drohung *f,* Gefahr *f;* **2.** *vt* bedrohen; **menacing** *adj* drohend.

mend [mend] **1.** *vt* reparieren, flicken; **2.** *n* ausgebesserte Stelle; **on the ~** auf dem Wege der Besserung.

menial ['miːnɪəl] *adj* niedrig, untergeordnet.

meningitis [menɪn'dʒaɪtɪs] *n* Hirnhautentzündung *f,* Meningitis *f.*

menopause ['menəʊpɔːz] *n* Wechsel-

M

jahre *pl,* Menopause *f.*

menstrual ['menstrʊəl] *adj* Monats-, Menstruations-; **menstruate** *vi* menstruieren; **menstruation** [menstrʊ'eɪʃən] *n* Menstruation *f.*

mental ['mentl] *adj* geistig, Geistes-; (*arithmetic*) Kopf-; (*hospital*) Nerven-; (*cruelty*) seelisch; (*fam: abnormal*) verrückt; **mental hospital** *n* Nervenklinik *f.*

mentality [men'tælɪtɪ] *n* Mentalität *f.*

mentally ['mentəlɪ] *adv* geistig; ~ **ill** geisteskrank.

mentholated ['menθəleɪtɪd] *adj* Menthol-.

mention ['menʃən] **1.** *n* Erwähnung *f;* **2.** *vt* erwähnen; (*names*) nennen; **don't ~ it** bitte sehr, gern geschehen.

menu ['menju:] *n* Speisekarte *f;* (*food*) Speisenfolge *f;* (COMPUT) Menü *nt.*

mercantile ['mɜ:kəntaɪl] *adj* Handels-.

mercenary ['mɜ:sɪnərɪ] **1.** *adj* (*person*) geldgierig; (MIL) Söldner-; **2.** *n* Söldner *m.*

merchandise ['mɜ:tʃəndaɪz] *n* Handelsware *f.*

merchant ['mɜ:tʃənt] **1.** *n* Kaufmann *m,* Kauffrau *f;* **2.** *adj* Handels-; ~ **navy** Handelsmarine *f.*

merciful ['mɜ:sɪfʊl] *adj* gnädig, barmherzig; **mercifully** ['mɜ:sɪfəlɪ] *adv* gnädig; (*fortunately*) glücklicherweise; **merciless** *adj,* **mercilessly** *adv* erbarmungslos.

mercurial [mɜ:'kjʊərɪəl] *adj* Quecksilber-; (*person*) wechselhaft; (*lively*) lebendig.

mercury ['mɜ:kjʊrɪ] *n* Quecksilber *nt.*

mercy ['mɜ:sɪ] *n* Erbarmen *nt,* Gnade *f;* (*blessing*) Segen *m;* **at the ~ of** ausgeliefert *+dat.*

mere *adj,* **merely** *adv* [mɪə*, 'mɪəlɪ] bloß.

merge [mɜ:dʒ] **1.** *vt* verbinden; (COMM) fusionieren; **2.** *vi* verschmelzen; (*roads*) zusammenlaufen; (AUT) sich einfädeln; (COMM) fusionieren; **to ~ into** übergehen in *+akk;* **merger** *n* (COMM) Fusion *f.*

meridian [mə'rɪdɪən] *n* Meridian *m.*

meringue [mə'ræŋ] *n* Baiser *nt,* Schaumgebäck *nt.*

merit ['merɪt] **1.** *n* Verdienst *nt;* (*advantage*) Vorzug *m;* **2.** *vt* verdienen; **to judge on ~** nach Leistung beurteilen.

mermaid ['mɜ:meɪd] *n* Nixe *f,* Meerjungfrau *f.*

merrily ['merɪlɪ] *adv* lustig.

merriment ['merɪmənt] *n* Fröhlichkeit *f;* (*laughter*) Gelächter *nt.*

merry ['merɪ] *adj* fröhlich; (*fam*) angeheitert; **merry-go-round** *n* Karussell *nt.*

mesh [meʃ] **1.** *n* Masche *f;* **2.** *vi* (*gears*) ineinandergreifen.

mesmerize ['mezməraɪz] *vt* hypnotisieren; (*fig*) faszinieren.

mess [mes] *n* Unordnung *f;* (*dirt*) Schmutz *m;* (*trouble*) Schwierigkeiten *pl;* (MIL) Messe *f;* **to look a ~** unmöglich aussehen; **to make a ~ of sth** etw verpfuschen; **mess about** *vi* (*tinker with*) herummurksen (*with* an *+dat*); (*play the fool*) herumalbern; (*do nothing in particular*) herumgammeln; **mess up** *vt* verpfuschen; (*make untidy*) in Unordnung bringen.

message ['mesɪdʒ] *n* Mitteilung *f,* Nachricht *f;* **to get the ~** kapieren; **message unit** *n* (*US* TEL) Gebühreneinheit *f.*

messenger ['mesɪndʒə*] *n* Bote *m,* Botin *f.*

messy ['mesɪ] *adj* schmutzig; (*untidy*) unordentlich.

met [met] *pt, pp of* **meet**.

metabolism [me'tæbəlɪzəm] *n* Stoffwechsel *m.*

metal ['metl] *n* Metall *nt;* **metallic** [mɪ'tælɪk] *adj* metallisch.

metamorphosis [metə'mɔ:fəsɪs] *n* Metamorphose *f.*

metaphor ['metəfə*] *n* Metapher *f;* **metaphorical** [metə'fɒrɪkəl] *adj* bildlich, metaphorisch.

metaphysics [metə'fɪzɪks] *n sing* Metaphysik *f.*

meteor ['mi:tɪə*] *n* Meteor *m;* **meteoric** [mi:tɪ'ɒrɪk] *adj* meteorisch, Meteor-; **meteorite** ['mi:tɪəraɪt] *n* Meteorit *m.*

meteorological [mi:tɪərə'lɒdʒɪkəl] *adj* meteorologisch, Wetter-; **meteorology** [mi:tɪə'rɒlədʒɪ] *n* Meteorologie *f.*

meter ['mi:tə*] *n* Zähler *m;* (*US*) *s.* **metre**.

methadone ['meθədəʊn] *n* Methadon *nt.*

method ['meθəd] *n* Methode *f;* **methodical** [mɪ'θɒdɪkəl] *adj* methodisch; **methodology** [meθə'dɒlədʒɪ] *n* Methodik *f.*

methylated spirit ['meθɪleɪtɪd'spɪrɪt] *n* (*also:* **meths** *sing*) Brennspiritus *m.*

meticulous [mɪ'tɪkjʊləs] *adj* [peinlich]genau.

metre ['mi:tə*] *n* Meter *m o nt;* (*verse*) Metrum *nt.*

metric ['metrɪk] *adj* (*also:* ~**al**) metrisch; ~ **system** Dezimalsystem *nt;* **metrication** [metrɪ'keɪʃən] *n* Umstellung *f* auf das Dezimalsystem.
metronome ['metrənəʊm] *n* Metronom *nt.*
metropolis [me'trɒpəlɪs] *n* Metropole *f.*
mettle ['metl] *n* Mut *m.*
Mexico ['meksɪkəʊ] *n* Mexiko *nt.*
miaow [miː'aʊ] *vi* miauen.
mice [maɪs] *pl of* **mouse.**
mickey ['mɪkɪ] *n:* **to take the ~ out of sb** (*fam*) jdn auf den Arm nehmen.
micro ['maɪkrəʊ] *n* <-s> (COMPUT) Mikrocomputer *m.*
microbe ['maɪkrəʊb] *n* Mikrobe *f.*
microchip ['maɪkrəʊtʃɪp] *n* (COMPUT) Mikrochip *m;* **microcomputer** *n* Mikrocomputer *m;* **microelectronics** *n sing* Mikroelektonik *f.*
microfilm ['maɪkrəʊfɪlm] **1.** *n* Mikrofilm *m;* **2.** *vt* auf Mikrofilm aufnehmen.
microphone ['maɪkrəfəʊn] *n* Mikrophon *nt.*
microprocessor [maɪkrəʊ'prəʊsesə*] *n* Mikroprozessor *m.*
microscope ['maɪkrəskəʊp] *n* Mikroskop *nt;* **microscopic** [maɪkrə'skɒpɪk] *adj* mikroskopisch.
microsurgery ['maɪkrəʊsɜːdʒərɪ] *n* Mikrochirurgie *f.*
microwave ['maɪkrəʊweɪv] *n* Mikrowelle *f;* ~ **oven** Mikrowellenherd *m.*
mid [mɪd] *adj* mitten in *+dat;* **in the ~ eighties** Mitte der achtziger Jahre; **in ~ course** mittendrin.
midday ['mɪd'deɪ] *n* Mittag *m.*
middle ['mɪdl] **1.** *n* Mitte *f;* (*waist*) Taille *f;* **2.** *adj* mittlere(r, s), Mittel-; **in the ~ of** mitten in *+dat;* **the Middle Ages** *pl* das Mittelalter; **the Middle East** der Nahe Osten; **middle-aged** *adj* mittleren Alters; **middle-class** **1.** *n* Mittelstand *m;* **2.** *adj* Mittelstands-; (*fig*) bürgerlich; (*pej*) spießig; **middleman** *n* <middlemen> (COMM) Zwischenhändler *m;* **middle name** *n* zweiter Vorname; **middle-of-the-road** *adj* gemäßigt.
middling ['mɪdlɪŋ] *adj* mittelmäßig.
midge [mɪdʒ] *n* Mücke *f.*
midget ['mɪdʒɪt] **1.** *n* Liliputaner(in) *m(f);* **2.** *adj* Kleinst-.
midnight ['mɪdnaɪt] *n* Mitternacht *f.*
midriff ['mɪdrɪf] *n* Taille *f.*
midst [mɪdst] *n:* **in the ~ of** (*persons*) mitten unter *+dat;* (*things*) mitten in *+dat;* **in our ~** unter uns.
midsummer ['mɪdsʌmə*] *n* Hochsommer *m;* **Midsummer's Day** Sommersonnenwende *f.*
midway [mɪd'weɪ] **1.** *adv* auf halbem Wege; **2.** *adj* Mittel-.
midweek [mɪd'wiːk] *adj, adv* in der Mitte der Woche.
midwife ['mɪdwaɪf] *n* <midwives> Hebamme *f;* **midwifery** ['mɪdwɪfərɪ] *n* Geburtshilfe *f.*
midwinter [mɪd'wɪntə*] *n* tiefster Winter.
might [maɪt] **1.** *pt of* **may**; **2.** *n* Macht *f,* Kraft *f;* **I ~ come** ich komme vielleicht; **mightily** *adv* mächtig; **mightn't** = **might not**; **mighty** *adj, adv* mächtig.
migraine ['miːgreɪn] *n* Migräne *f.*
migrant ['maɪgrənt] **1.** *n* (*bird*) Zugvogel *m;* (*worker*) Saisonarbeiter(in) *m(f),* Wanderarbeiter(in) *m(f);* **2.** *adj* Wander-; (*bird*) Zug-.
migrate [maɪ'greɪt] *vi* abwandern; (*birds*) fortziehen; **migration** [maɪ'greɪʃən] *n* Wanderung *f,* Zug *m;* **migratory bird** *n* Wandervogel *m.*
mike [maɪk] *n* (*fam*) Mikrophon *nt.*
mild [maɪld] *adj* mild; (*medicine, interest*) leicht; (*person*) sanft.
mildew ['mɪldjuː] *n* (*on plants*) Mehltau *m;* (*on food*) Schimmel *m.*
mildly ['maɪldlɪ] *adv* leicht; **to put it ~** gelinde gesagt.
mildness ['maɪldnəs] *n* Milde *f.*
mile [maɪl] *n* Meile *f* (*1,609 km*); **mileage** *n* Meilenzahl *f;* **milestone** *n* (*a. fig*) Meilenstein *m.*
milieu ['miːljɜː] *n* Milieu *nt.*
militant ['mɪlɪtənt] *adj* militant.
militarism ['mɪlɪtərɪzəm] *n* Militarismus *m.*
military ['mɪlɪtərɪ] **1.** *adj* militärisch, Militär-; **2.** *n* Militär *nt.*
militia [mɪ'lɪʃə] *n* Miliz *f,* Bürgerwehr *f.*
milk [mɪlk] **1.** *n* Milch *f;* **2.** *vt* melken; **milk chocolate** *n* Milchschokolade *f;* **milkman** *n* <milkmen> Milchmann *m;* **milk shake** *n* Milchmixgetränk *nt;* **Milky Way** *n* Milchstraße *f.*
mill [mɪl] **1.** *n* Mühle *f;* (*factory*) Fabrik *f;* **2.** *vt* mahlen; **3.** *vi* (*move around*) umherlaufen; **milled** *adj* gemahlen.
millennium [mɪ'lenɪəm] *n* Jahrtausend *nt.*
millet ['mɪlɪt] *n* Hirse *f.*
milligramme ['mɪlɪgræm] *n* Milligramm

nt; **milliliter** (*US*), **millilitre** *n* Milliliter *m;* **millimeter** (*US*), **millimetre** *n* Millimeter *m.*

milliner ['mɪlɪnə*] *n* Hutmacher(in) *m(f);* **millinery** *n* (*hats*) Hüte *pl,* Modewaren *pl;* (*business*) Hutgeschäft *nt.*

million ['mɪljən] *n* Million *f;* **millionaire** [mɪljə'nɛə*] *n* Millionär(in) *m(f).*

millwheel ['mɪlwi:l] *n* Mühlrad *nt.*

milometer [maɪ'lɒmɪtə*] *n* ≈ Kilometerzähler *m.*

mime [maɪm] **1.** *n* Pantomime *f;* (*actor*) Pantomime *m,* Pantomimin *f;* **2.** *vt, vi* mimen.

mimic ['mɪmɪk] **1.** *n* Imitator(in) *m(f);* **2.** *vt, vi* nachahmen; **mimicry** ['mɪmɪkrɪ] *n* Nachahmung *f;* (BIO) Mimikry *f.*

mince [mɪns] **1.** *vt* zerhacken; **2.** *vi* (*walk*) trippeln; **3.** *n* (*meat*) Hackfleisch *nt;* **mincemeat** *n* süße Pastetenfüllung; **mince pie** *n* gefüllte süße Pastete; **mincing** *adj* (*manner*) affektiert.

mind [maɪnd] **1.** *n* Verstand *m,* Geist *m;* (*opinion*) Meinung *f;* (*thoughts*) Gedanken *pl;* **2.** *vt* aufpassen auf *+akk;* (*object to*) etwas haben gegen; **3.** *vi* etwas dagegen haben; **on my** ~ auf dem Herzen; **to my** ~ meiner Meinung nach; **to be out of one's** ~ wahnsinnig sein; **to bear** [*o* **keep**] **in** ~ bedenken, nicht vergessen; **to change one's** ~ es sich *dat* anders überlegen; **to make up one's** ~ sich entschließen; **to have sth in** ~ an etw *akk* denken; etw beabsichtigen; **to have a good** ~ **to do sth** große Lust haben etw zu tun; **I don't** ~ **the rain** der Regen macht mir nichts aus; **do you** ~ **if I ...** macht es Ihnen etwas aus, wenn ich ...; **do you** ~**!** na hören Sie mal!; **never** ~ macht nichts; **"~ the step"** „Vorsicht Stufe!"; ~ **your own business** kümmern Sie sich um Ihre eigenen Angelegenheiten; **mindful** *adj* achtsam (*of* auf *+akk*); **mindless** *adj* hirnlos, dumm; (*senseless*) sinnlos.

mine [maɪn] **1.** *pron* (*substantivisch*) meine(r, s); **2.** *n* (*coal~*) Bergwerk *nt;* (MIL) Mine *f;* (*source*) Fundgrube *f;* **3.** *vt* abbauen; (MIL) verminen; **4.** *vi* Bergbau betreiben; **to** ~ **for sth** etw gewinnen; **mine detector** *n* Minensuchgerät *nt;* **minefield** *n* Minenfeld *nt;* **miner** *n* Bergarbeiter *m.*

mineral ['mɪnərəl] **1.** *adj* mineralisch, Mineral-; **2.** *n* Mineral *nt;* **mineral water** *n* Mineralwasser *nt.*

mineshaft ['maɪnʃɑ:ft] *n* Schacht *m.*

minesweeper ['maɪnswi:pə*] *n* Minensuchboot *nt.*

mingle ['mɪŋgl] **1.** *vt* vermischen; **2.** *vi* sich mischen (*with* unter *+akk*).

mini ['mɪnɪ] *pref* Mini-, Klein-.

miniature ['mɪnɪtʃə*] **1.** *adj* Miniatur-, Klein-; **2.** *n* Miniatur *f;* **in** ~ en miniature, in Kleinformat.

minibus ['mɪnɪbʌs] *n* Kleinbus *m,* Minibus *m;* **minicab** ['mɪnɪkæb] *n* Kleintaxi *nt.*

minim ['mɪnɪm] *n* halbe Note.

minimal ['mɪnɪml] *adj* kleinste(r, s), minimal, Mindest-.

minimize ['mɪnɪmaɪz] *vt* auf das Mindestmaß beschränken; (*belittle*) herabsetzen.

minimum ['mɪnɪməm] **1.** *n* Minimum *nt;* **2.** *adj* Mindest-.

mining ['maɪnɪŋ] **1.** *n* Bergbau *m;* **2.** *adj* Bergbau-, Berg-.

miniquake ['mɪnɪkweɪk] *n* Erdstoß *m.*

miniskirt ['mɪnɪskɜ:t] *n* Minirock *m.*

minister ['mɪnɪstə*] *n* (POL) Minister(in) *m(f);* (REL) Geistliche(r) *mf,* Pfarrer(in) *m(f);* **ministerial** [mɪnɪ'stɪərɪəl] *adj* ministeriell, Minister-.

ministry ['mɪnɪstrɪ] *n* (*government body*) Ministerium *nt;* (REL: *office*) geistliches Amt; (*all ministers*) Geistlichkeit *f.*

mink [mɪŋk] *n* Nerz *m.*

minor ['maɪnə*] **1.** *adj* kleiner; (*operation*) leicht; (*problem, poet*) unbedeutend; (MUS) Moll; **2.** *n* (*Brit: under 18*) Minderjährige(r) *mf;* **Smith** ~ Smith der Jüngere; **minority** [maɪ'nɒrɪtɪ] *n* Minderheit *f.*

minster ['mɪnstə*] *n* Münster *nt,* Kathedrale *f.*

mint [mɪnt] **1.** *n* Minze *f;* (*sweet*) Pfefferminzbonbon *nt;* (*place*) Münzstätte *f;* **2.** *adj* (*condition*) neu; (*stamp*) ungestempelt, postfrisch; **mint sauce** *n* Minzsoße *f.*

minuet [mɪnjʊ'et] *n* Menuett *nt.*

minus ['maɪnəs] **1.** *n* Minuszeichen *nt;* (*amount*) Minusbetrag *m;* **2.** *prep* minus, weniger.

minute [maɪ'nju:t] **1.** *adj* winzig, sehr klein; (*detailed*) minuziös; **2.** ['mɪnɪt] *n* Minute *f;* (*moment*) Augenblick *m;* **~s** *pl* Protokoll *nt;* **minutely** [maɪ'nju:tlɪ] *adv* (*in detail*) genau.

miracle ['mɪrəkl] *n* Wunder *nt.*

miraculous [mɪ'rækjʊləs] *adj* wunderbar; **miraculously** *adv* auf wunderbare

Weise.
mirage ['mɪrɑ:ʒ] *n* Luftspiegelung *f,* Fata Morgana *f.*
mirror ['mɪrə*] **1.** *n* Spiegel *m;* **2.** *vt* widerspiegeln.
mirth [mɜ:θ] *n* Freude *f;* (*laughter*) Heiterkeit *f.*
misadventure [mɪsəd'ventʃə*] *n* Missgeschick *nt,* Unfall *m.*
misanthropist [mɪ'zænθrəpɪst] *n* Menschenfeind(in) *m(f).*
misapprehension ['mɪsæprɪ'henʃən] *n* Missverständnis *nt;* **to be under the ~ that ...** irrtümlicherweise annehmen, dass ...
misappropriate [mɪsə'prəʊprɪeɪt] *vt* (*funds*) veruntreuen.
misbehave [mɪsbɪ'heɪv] *vi* sich schlecht benehmen.
miscalculate [mɪs'kælkjʊleɪt] *vt* falsch berechnen; **miscalculation** ['mɪskælkjʊ'leɪʃən] *n* Rechenfehler *m.*
miscarriage [mɪs'kærɪdʒ] *n* (MED) Fehlgeburt *f;* **~ of justice** Fehlurteil *nt.*
miscellaneous [mɪsɪ'leɪnɪəs] *adj* verschieden.
miscellany [mɪ'selənɪ] *n* Sammlung *f.*
mischance [mɪs'tʃɑ:ns] *n* Missgeschick *nt.*
mischief ['mɪstʃɪf] *n* Unfug *m;* (*harm*) Schaden *m;* **mischievous** *adj,* **mischievously** *adv* ['mɪstʃɪvəs, -lɪ] (*person*) durchtrieben; (*glance*) verschmitzt; (*rumour*) bösartig.
misconception [mɪskən'sepʃən] *n* fälschliche Annahme.
misconduct [mɪs'kɒndʌkt] *n* Vergehen *nt.*
misconstrue [mɪskən'stru:] *vt* missverstehen.
miscount [mɪs'kaʊnt] *vt* falsch auszählen.
misdemeanor (*US*), **misdemeanour** [mɪsdɪ'mi:nə*] *n* Vergehen *nt.*
misdirect [mɪsdɪ'rekt] *vt* (*person*) irreleiten; (*letter*) fehlleiten.
miser ['maɪzə*] *n* Geizhals *m.*
miserable ['mɪzərəbl] *adj* (*unhappy*) unglücklich; (*headache, weather*) fürchterlich; (*poor*) elend; (*contemptible*) erbärmlich; **miserably** *adv* unglücklich; (*fail*) kläglich.
miserly ['maɪzəlɪ] *adj* geizig.
misery ['mɪzərɪ] *n* Elend *nt,* Qual *f.*
misfire [mɪs'faɪə*] *vi* (*gun*) versagen; (*engine*) fehlzünden; (*plan*) fehlgehen.
misfit ['mɪsfɪt] *n* Außenseiter(in) *m(f).*
misfortune [mɪs'fɔ:tʃən] *n* Unglück *nt.*
misgiving [mɪs'gɪvɪŋ] *n* (*often pl*) Befürchtung *f,* Bedenken *pl.*
misguided [mɪs'gaɪdɪd] *adj* töricht; (*opinions*) irrig.
mishandle [mɪs'hændl] *vt* falsch handhaben.
mishap ['mɪshæp] *n* Unglück *nt;* (*slight*) Panne *f.*
mishear [mɪs'hɪə*] *irr vt* falsch hören.
misinform [mɪsɪn'fɔ:m] *vt* falsch unterrichten.
misinterpret [mɪsɪn'tɜ:prɪt] *vt* falsch auffassen [*o* deuten]; **misinterpretation** [mɪsɪntɜ:prɪ'teɪʃən] *n* falsche Auslegung.
misjudge [mɪs'dʒʌdʒ] *vt* falsch beurteilen.
mislay [mɪs'leɪ] *irr vt* verlegen.
mislead [mɪs'li:d] *irr vt* (*deceive*) irreführen; **misleading** *adj* irreführend.
mismanage [mɪs'mænɪdʒ] *vt* schlecht verwalten; **mismanagement** *n* Misswirtschaft *f.*
misnomer [mɪs'nəʊmə*] *n* falsche Bezeichnung.
misogynist [mɪ'sɒdʒɪnɪst] **1.** *n* Frauenfeind *m;* **2.** *adj* frauenfeindlich.
misplace [mɪs'pleɪs] *vt* verlegen.
misprint ['mɪsprɪnt] *n* Druckfehler *m.*
mispronounce [mɪsprə'naʊns] *vt* falsch aussprechen.
misread [mɪs'ri:d] *irr vt* falsch lesen.
misrepresent [mɪsreprɪ'zent] *vt* falsch darstellen.
miss [mɪs] **1.** *vt* (*fail to hit, catch*) verfehlen; (*not notice*) verpassen; (*be too late*) versäumen, verpassen; (*omit*) auslassen; (*regret the absence of*) vermissen; **2.** *vi* fehlen; **3.** *n* (*shot*) Fehlschuss *m;* (*failure*) Fehlschlag *m;* **I ~ you** du fehlst mir.
Miss [mɪs] *n* Fräulein *nt;* **~ Germany** die Miss Germany.
missal ['mɪsəl] *n* Messbuch *nt.*
misshapen [mɪs'ʃeɪpən] *adj* missgebildet.
missile ['mɪsaɪl] *n* Geschoss *nt,* Rakete *f;* **missile-defence system** *n* Raketenabwehrsystem *nt.*
missing ['mɪsɪŋ] *adj* (*person*) vermisst; (*thing*) fehlend; **to be ~** fehlen.
mission ['mɪʃən] *n* (*work*) Auftrag *m,* Mission *f;* (*people*) Delegation *f;* (REL) Mission *f;* **missionary** *n* Missionar(in)

m(f); **mission control** *n* (SPACE) Kontrollzentrum *nt;* **mission statement** *n* Grundsatzerklärung *f.*

misspent [mɪs'spent] *adj* (*youth*) vergeudet.

mist [mɪst] *n* Dunst *m,* Nebel *m;* **mist over**, **mist up** *vi* sich beschlagen.

mistake [mɪ'steɪk] **1.** *n* Fehler *m;* **2.** *irr vt* (*misunderstand*) missverstehen; (*mix up*) verwechseln (*for* mit); **mistaken** *adj* (*idea*) falsch; ~ **identity** Verwechslung *f;* **to be** ~ sich irren.

mister ['mɪstə*] *n* Herr *m.*

mistletoe ['mɪsltəʊ] *n* Mistel *f;* Mistelzweig *m.*

mistranslation [mɪstræns'leɪʃən] *n* falsche Übersetzung.

mistreat [mɪs'tri:t] *vt* schlecht behandeln.

mistress ['mɪstrɪs] *n* (*teacher*) Lehrerin *f;* (*in house*) Herrin *f;* (*lover*) Geliebte *f.*

mistrust [mɪs'trʌst] *vt* misstrauen +*dat.*

misty ['mɪstɪ] *adj* neblig.

misunderstand [mɪsʌndə'stænd] *irr vt, vi* missverstehen, falsch verstehen; **misunderstanding** *n* Missverständnis *nt;* (*disagreement*) Meinungsverschiedenheit *f;* **misunderstood** [mɪsʌndə'stʊd] *adj* (*person*) unverstanden.

misuse [mɪs'ju:s] **1.** *n* falscher Gebrauch; **2.** [mɪs'ju:z] *vt* falsch gebrauchen.

mite [maɪt] *n* Milbe *f;* (*fig*) bisschen *nt;* **miter** ['maɪtə*] *n* (*US* REL) Mitra *f.*

mitigate ['mɪtɪgeɪt] *vt* (*pain*) lindern; (*punishment*) mildern.

mitre ['maɪtə*] *n* (REL) Mitra *f.*

mitten ['mɪtn] *n* Fausthandschuh *m.*

mix [mɪks] **1.** *vt* (*blend*) vermischen; **2.** *vi* (*liquids*) sich vermischen lassen; (*people: get on*) sich vertragen; (*associate*) Kontakt haben; **3.** *n* (*mixture*) Mischung *f;* **she ~es well** sie ist kontaktfreudig; **mix up** *vt* (*mix*) zusammenmischen; (*confuse*) verwechseln; **to be ~ed ~ in sth** in etw *dat* verwickelt sein; **mixed** *adj* gemischt; **mixed bag** *n* (*fam*) Sammelsurium *nt;* **mixed-up** *adj* (*papers, person*) durcheinander; **mixer** *n* (*for food*) Mixer *m;* **mixture** ['mɪkstʃə*] *n* (*assortment*) Mischung *f;* (MED) Saft *m;* **mix-up** *n* Durcheinander *nt;* Verwechslung *f.*

mnemonic [ni:'mɒnɪk] *n* Eselsbrücke *f.*

moan [məʊn] **1.** *n* Stöhnen *nt;* (*complaint*) Klage *f;* **2.** *vi* stöhnen; (*complain*) maulen; **moaning** *n* Stöhnen *nt;* Gemaule *nt.*

moat [məʊt] *n* Burggraben *m.*

mob [mɒb] **1.** *n* Mob *m;* (*the masses*) Pöbel *m;* **2.** *vt* (*star*) herfallen über +*akk.*

mobile ['məʊbaɪl] **1.** *adj* beweglich; (*library etc*) fahrbar, Fahr-; **2.** *n* (*decoration*) Mobile *nt;* ~ **home** Wohnwagen *m;* ~ **phone** Handy *nt;* ~ **telephone system** Mobilfunk *m;* **mobility** [məʊ'bɪlɪtɪ] *n* Beweglichkeit *f.*

moccasin ['mɒkəsɪn] *n* Mokassin *m.*

mock [mɒk] **1.** *vt* verspotten; (*defy*) trotzen +*dat;* **2.** *adj* Schein-; **mockery** *n* Spott *m;* (*person*) Gespött *nt;* **mocking** *adj* (*tone*) spöttisch; **mockingbird** *n* Spottdrossel *f;* **mock-up** *n* Modell *nt.*

mod cons ['mɒd'kɒnz] *abbr of* **modern conveniences** [moderner] Komfort *m.*

mode [məʊd] *n* Art und Weise *f;* (COMPUT) Modus *m.*

model ['mɒdl] **1.** *n* Modell *nt;* (*example*) Vorbild *nt;* (*in fashion*) Mannequin *nt;* **2.** *vt* (*make*) formen, modellieren; (*clothes*) vorführen; **3.** *adj* Modell-; (*perfect*) Muster-; vorbildlich; **modeling** (*US*), **modelling** *n* (*model making*) Basteln *nt.*

modem ['məʊdem] *n* Modem *nt.*

moderate ['mɒdərət] **1.** *adj* gemäßigt; (*fairly good*) mittelmäßig; **2.** *n* (POL) Gemäßigte(r) *mf;* **3.** ['mɒdəreɪt] *vi* sich mäßigen; **4.** *vt* mäßigen; **moderately** ['mɒdərətlɪ] *adv* mäßig; **moderation** [mɒdə'reɪʃən] *n* Mäßigung *f;* **in** ~ mit Maßen.

modern ['mɒdən] *adj* modern; (*history, languages*) neuere(r, s); (*Greek etc*) Neu-; **modernization** [mɒdənaɪ'zeɪʃən] *n* Modernisierung *f;* **modernize** ['mɒdənaɪz] *vt* modernisieren.

modest *adj*, **modestly** *adv* ['mɒdɪst, -lɪ] (*attitude*) bescheiden; (*meal, home*) einfach; (*chaste*) schamhaft; **modesty** *n* Bescheidenheit *f;* (*chastity*) Schamgefühl *nt.*

modicum ['mɒdɪkəm] *n* bisschen *nt.*

modification [mɒdɪfɪ'keɪʃən] *n* Abänderung *f;* **modify** ['mɒdɪfaɪ] *vt* abändern; (LING) modifizieren.

modular ['mɒdjʊlə*] *adj* (COMPUT) modular.

modulation [mɒdjʊ'leɪʃən] *n* Modulation *f.*

module ['mɒdjʊl] *n* (SPACE) Raumkapsel *f;* (COMPUT) Modul *nt.*

mohair ['məʊhɛə*] *n* Mohair *m.*

moist [mɔɪst] *adj* feucht; **moisten** ['mɔɪsn] *vt* befeuchten; **moisture** ['mɔɪstʃə*] *n* Feuchtigkeit *f;* **moisturizer** *n* Feuchtigkeitscreme *f.*

molar ['məʊlə*] *n* Backenzahn *m.*
molasses [mə'læsɪz] *n sing* Melasse *f.*
mold (*US*) [məʊld] *s.* **mould.**
mole [məʊl] *n* (*spot*) Leberfleck *m;* (*animal*) Maulwurf *m;* (*pier*) Mole *f.*
molecular [mə'lekjʊlə*] *adj* molekular, Molekular-.
molecule ['mɒlɪkju:l] *n* Molekül *nt.*
molest [məʊ'lest] *vt* belästigen.
mollusc ['mɒləsk] *n* Weichtier *nt.*
mollycoddle ['mɒlɪkɒdl] *vt* verhätscheln.
molt [məʊlt] *vi* (*US*) sich mausern.
molten ['məʊltən] *adj* geschmolzen.
moment ['məʊmənt] *n* Moment *m,* Augenblick *m;* (*importance*) Tragweite *f;* ~ **of truth** Stunde *f* der Wahrheit; **any** ~ jeden Augenblick; **momentarily** [məʊmən'tærəlɪ] *adv* momentan; **momentary** ['məʊməntərɪ] *adj* kurz.
momentous [məʊ'mentəs] *adj* folgenschwer.
momentum [məʊ'mentəm] *n* Schwung *m.*
Monaco ['mɒnəkəʊ] *n* Monaco *nt.*
monarch ['mɒnək] *n* Herrscher(in) *m(f);* **monarchist** *n* Monarchist(in) *m(f);* **monarchy** *n* Monarchie *f.*
monastery ['mɒnəstrɪ] *n* Kloster *nt.*
monastic [mə'næstɪk] *adj* klösterlich, Kloster-.
Monday ['mʌndeɪ] *n* Montag *m;* **on** ~ am Montag; **on ~s, on a** ~ montags.
Monegasque [mɒnɪ'gæsk] *adj* monegassisch.
monetary ['mʌnɪtərɪ] *adj* geldlich, Geld-; (*of currency*) Währungs-, monetär.
money ['mʌnɪ] *n* Geld *nt;* **moneyed** *adj* vermögend; **moneylender** *n* Geldverleiher(in) *m(f);* **moneymaking 1.** *adj* einträglich, lukrativ; **2.** *n* Gelderwerb *m;* **money order** *n* Postanweisung *f;* **money-washing** *n* Geldwäsche *f.*
mongol ['mɒŋgəl] **1.** *n* (MED) mongoloides Kind; **2.** *adj* mongolisch; (MED) mongoloid.
mongoose ['mɒŋgu:s] *n* <-s> Mungo *m.*
mongrel ['mʌŋgrəl] **1.** *n* Promenadenmischung *f;* **2.** *adj* Misch-.
monitor ['mɒnɪtə*] **1.** *n* (SCH) Klassenordner(in) *m(f);* (*screen*) Monitor *m,* Sichtgerät *nt;* **2.** *vt* (*broadcasts*) abhören; (*control*) überwachen.
monk [mʌŋk] *n* Mönch *m.*
monkey ['mʌŋkɪ] *n* Affe *m;* **monkey nut** *n* Erdnuss *f;* **monkey wrench** *n* (TECH) Engländer *m.*
mono- ['mɒnəʊ] *pref* Mono-; **monochrome** ['mɒnəkrəʊm] *adj* einfarbig; (*television*) schwarzweiß; (COMPUT) monochrom.
monocle ['mɒnəkl] *n* Monokel *nt.*
monogram ['mɒnəgræm] *n* Monogramm *nt.*
monologue ['mɒnəlɒg] *n* Monolog *m.*
monopolize [mə'nɒpəlaɪz] *vt* beherrschen; (*fig*) mit Beschlag belegen.
monopoly [mə'nɒpəlɪ] *n* Monopol *nt.*
monorail ['mɒnəʊreɪl] *n* Einschienenbahn *f.*
monoski ['mɒnəʊski:] *n* Monoski *m.*
monosyllabic [mɒnəʊsɪ'læbɪk] *adj* einsilbig.
monotone ['mɒnətəʊn] *n* gleichbleibender Tonfall; **monotonous** [mə'nɒtənəs] *adj* eintönig, monoton; **monotony** [mə'nɒtənɪ] *n* Eintönigkeit *f,* Monotonie *f.*
monsoon [mɒn'su:n] *n* Monsun *m.*
monster ['mɒnstə*] **1.** *n* Ungeheuer *nt;* (*person*) Scheusal *nt;* **2.** *adj* (*fam*) Riesen-.
monstrosity [mɒn'strɒsɪtɪ] *n* Ungeheuerlichkeit *f;* (*thing*) Monstrosität *f.*
monstrous ['mɒnstrəs] *adj* (*shocking*) grässlich, ungeheuerlich; (*huge*) riesig.
montage [mɒn'tɑ:ʒ] *n* Montage *f.*
month [mʌnθ] *n* Monat *m;* **month-end accounts** *n* Ultimoabrechnung *f;* **monthly 1.** *adj* monatlich, Monats-; **2.** *adv* einmal im Monat; **3.** *n* (*magazine*) Monatsschrift *f.*
monument ['mɒnjʊmənt] *n* Denkmal *nt;* **monumental** [mɒnjʊ'mentl] *adj* (*huge*) gewaltig; (*ignorance*) ungeheuer.
moo [mu:] *vi* muhen.
mood [mu:d] *n* Stimmung *f,* Laune *f;* **to be in the ~ for** aufgelegt sein zu; **I am not in the ~ for laughing** mir ist nicht zum Lachen zumute; **moodily** *adv* launisch; **moodiness** *n* Launenhaftigkeit *f;* **moody** *adj* launisch.
moon [mu:n] *n* Mond *m;* **to be over the** ~ überglücklich sein; **moonbeam** *n* Mondstrahl *m;* **moonless** *adj* mondlos; **moonlight 1.** *n* Mondlicht *nt;* **2.** *vi* schwarzarbeiten; **moonlit** *adj* mondhell; **moonshot** *n* Mondflug *m.*
moor [mɔ:*] **1.** *n* Heide *f,* Hochmoor *nt;* **2.** *vt* (*ship*) festmachen, verankern; **3.** *vi* anlegen; **moorings** *n pl* Liegeplatz *m;* **moorland** *n* Heidemoor *nt.*
moose [mu:s] *n* <-> Elch *m.*
moot [mu:t] **1.** *vt* aufwerfen; **2.** *adj:* ~

point strittiger Punkt.
mop [mɒp] **1.** *n* Mopp *m;* **2.** *vt* aufwischen; ~ **of hair** Mähne *f.*
mope [məʊp] *vi* Trübsal blasen.
moped ['məʊped] *n* (*Brit*) Moped *nt.*
mopy ['məʊpɪ] *adj* trübselig.
moral ['mɒrəl] **1.** *adj* moralisch; (*values*) sittlich; (*virtuous*) tugendhaft; **2.** *n* Moral *f;* ~**s** *pl* Moral *f;* **morale** [mɒ'rɑːl] *n* Moral *f,* Stimmung *f;* **morality** [mə'rælɪtɪ] *n* Sittlichkeit *f;* **morally** *adv* moralisch; **moral obligation** *n* Gewissenspflicht *f.*
morass [mə'ræs] *n* Sumpf *m.*
morbid ['mɔːbɪd] *adj* krankhaft; (*jokes*) makaber.
more [mɔː*] *adj, n, pron, adv* mehr; ~ **or less** mehr oder weniger; ~ **than ever** mehr denn je; **a few** ~ noch ein paar; ~ **beautiful** schöner; **moreover** *adv* überdies.
morgue [mɔːg] *n* Leichenschauhaus *nt.*
moribund ['mɒrɪbʌnd] *adj* aussterbend; (*person*) im Sterben liegend.
morning ['mɔːnɪŋ] **1.** *n* Morgen *m;* **2.** *adj* morgendlich, Morgen-, Früh-; **in the** ~ am Morgen; **morning sickness** *n* Schwangerschaftsübelkeit *f.*
Morocco [mə'rɒkəʊ] *n* Marokko *nt.*
moron ['mɔːrɒn] *n* Schwachsinnige(r) *mf;* **moronic** [mə'rɒnɪk] *adj* schwachsinnig.
morose [mə'rəʊs] *adj* mürrisch.
morphine ['mɔːfiːn] *n* Morphium *nt.*
Morse [mɔːs] *n* (*also:* ~ **code**) Morsealphabet *nt.*
morsel ['mɔːsl] *n* Stückchen *nt.*
mortal ['mɔːtl] **1.** *adj* sterblich; (*deadly*) tödlich; (*very great*) Todes-; **2.** *n* (*human being*) Sterbliche(r) *mf;* **mortality** [mɔː'tælɪtɪ] *n* Sterblichkeit *f;* (*death rate*) Sterblichkeitsziffer *f;* **mortally** *adv* tödlich.
mortar ['mɔːtə*] *n* (*for building*) Mörtel *m;* (*bowl*) Mörser *m;* (MIL) Granatwerfer *m.*
mortgage ['mɔːgɪdʒ] **1.** *n* Hypothek *f;* **2.** *vt* eine Hypothek aufnehmen auf +*akk.*
mortification [mɔːtɪfɪ'keɪʃən] *n* Beschämung *f;* (*embarrassment*) äußerste Verlegenheit; **mortified** ['mɔːtɪfaɪd] *adj:* **I was** ~ es war mir schrecklich peinlich.
mortuary ['mɔːtjʊərɪ] *n* Leichenhalle *f.*
mosaic [məʊ'zeɪɪk] *n* Mosaik *nt.*
Moslem ['mɒzlem] **1.** *n* Moslem *m,* Moslime *f;* **2.** *adj* moslemisch.
mosque [mɒsk] *n* Moschee *f.*
mosquito [mɒ'skiːtəʊ] *n* <-es> Moskito *m.*
moss [mɒs] *n* Moos *nt;* **mossy** *adj* bemoost.
most [məʊst] **1.** *adj* meiste(r, s); **2.** *adv* am meisten; (*very*) höchst; **3.** *n* das meiste, der größte Teil; (*people*) die meisten; ~ **men** die meisten Männer; ~ **of the time** meistens, die meiste Zeit; ~ **of the winter** fast den ganzen Winter über; **the** ~ **beautiful** der/die/das Schönste; **at the very** ~ allerhöchstens; **to make the** ~ **of** das Beste machen aus; **mostly** *adv* größtenteils.
MOT *n abbr of* **Ministry of Transport** TÜV *m.*
motel [məʊ'tel] *n* Motel *nt.*
moth [mɒθ] *n* Nachtfalter *m;* (*wool-eating*) Motte *f;* **mothball** *n* Mottenkugel *f;* **moth-eaten** *adj* mottenzerfressen.
mother ['mʌðə*] **1.** *n* Mutter *f;* **2.** *vt* bemuttern; **3.** *adj* (*tongue*) Mutter-; (*country*) Heimat-; **motherhood** ['mʌðəhʊd] *n* Mutterschaft *f;* **mother-in-law** *n* <mothers-in-law> Schwiegermutter *f;* **motherly** *adj* mütterlich; **mother-to-be** *n* <mothers-to-be> werdende Mutter.
mothproof ['mɒθpruːf] *adj* mottenfest.
motif [məʊ'tiːf] *n* Motiv *nt.*
motion ['məʊʃən] **1.** *n* Bewegung *f;* (*in meeting*) Antrag *m;* **2.** *vt, vi* winken +*dat,* zu verstehen geben +*dat;* **motionless** *adj* regungslos; **motion picture** *n* Film *m.*
motivate ['məʊtɪveɪt] *vt* motivieren; **motivation** [məʊtɪ'veɪʃən] *n* Motivation *f.*
motive ['məʊtɪv] **1.** *n* Motiv *nt,* Beweggrund *m;* **2.** *adj* treibend.
motley ['mɒtlɪ] *adj* bunt.
motor ['məʊtə*] **1.** *n* Motor *m;* (*car*) Auto *nt;* **2.** *vi* im Auto fahren; **3.** *adj* Motor-; **motorbike** *n* Motorrad *nt;* **motorboat** *n* Motorboot *nt;* **motorcar** *n* Auto *nt;* **motorcycle** *n* Motorrad *nt;* **motorcyclist** *n* Motorradfahrer(in) *m(f);* **motoring** **1.** *n* Autofahren *nt;* **2.** *adj* Auto-; **motoring technology** *n* Automobiltechnik *f;* **motorist** ['məʊtərɪst] *n* Autofahrer(in) *m(f);* **motor oil** *n* Motorenöl *nt;* **motor racing** *n* Autorennen *nt;* **motor scooter** *n* Motorroller *m;* **motor vehicle** *n* Kraftfahrzeug *nt;* **motorway** *n* (*Brit*) Autobahn *f.*
mottled ['mɒtld] *adj* gesprenkelt.

motto ['mɒtəʊ] *n* <-es> Motto *nt,* Wahlspruch *m.*

mould [məʊld] **1.** *n* Form *f;* (*mildew*) Schimmel *m;* **2.** *vt* (*a. fig*) formen.

moulder ['məʊldə*] *vi* (*decay*) vermodern.

moulding ['məʊldɪŋ] *n* Formen *nt;* (*on ceiling*) Deckenstuck *m.*

mouldy ['məʊldɪ] *adj* schimmelig.

moult [məʊlt] *vi* sich mausern.

mound [maʊnd] *n* Erdhügel *m.*

mount [maʊnt] **1.** *n* (*hill*) Berg *m;* (*horse*) Pferd *nt;* (*for jewel etc*) Fassung *f;* **2.** *vt* (*horse*) steigen auf *+akk;* (*put in setting*) fassen; (*exhibition*) veranstalten; (*attack*) unternehmen; **3.** *vi* (*also:* ~ **up**) sich häufen; (*on horse*) aufsitzen.

mountain ['maʊntɪn] *n* Berg *m;* **mountaineer** [maʊntɪ'nɪə*] *n* Bergsteiger(in) *m(f);* **mountaineering** *n* Bergsteigen *nt;* **mountainous** *adj* bergig; **mountainside** *n* Bergabhang *m.*

mourn [mɔ:n] **1.** *vt* betrauern, beklagen; **2.** *vi* trauern (*for* um); **mourner** *n* Trauernde(r) *mf;* **mournful** *adj* traurig; **mourning** *n* (*grief*) Trauer *f;* **in** ~ (*period etc*) in Trauer; (*dress*) in Trauerkleidung.

mouse [maʊs] *n* <mice> (*a.* COMPUT) Maus *f;* **mouse pad** *n* (COMPUT) Mauspad *nt;* **mousetrap** *n* Mausefalle *f.*

mousse [mu:s] *n* (GASTR) Creme *f;* (*styling* ~) Schaum *m.*

moustache [mə'stæʃ] *n* Schnurrbart *m.*

mousy ['maʊsɪ] *adj* (*colour*) mausgrau; (*person*) schüchtern.

mouth [maʊθ] *n* Mund *m;* (*general*) Öffnung *f;* (*of river*) Mündung *f;* (*of harbour*) Einfahrt *f;* **down in the** ~ niedergeschlagen; **mouthful** *n* (*of drink*) Schluck *m;* (*of food*) Bissen *m;* **mouth organ** *n* Mundharmonika *f;* **mouthpiece** *n* Mundstück *nt;* (*fig*) Sprachrohr *nt;* **mouthwash** *n* Mundwasser *nt;* **mouthwatering** *adj* lecker, appetitlich.

movable ['mu:vəbl] *adj* beweglich.

move [mu:v] **1.** *n* (*movement*) Bewegung *f;* (*in game*) Zug *m;* (*step*) Schritt *m;* (*of house*) Umzug *m;* **2.** *vt* bewegen; (*object*) rücken; (*people*) transportieren; (*in job*) versetzen; (*emotionally*) bewegen, ergreifen; **3.** *vi* sich bewegen; (*change place*) gehen; (*vehicle, ship*) fahren; (*take action*) etwas unternehmen; (*go to another house*) umziehen; **to ~ sb to do sth** jdn veranlassen etw zu tun; **to get a ~ on** sich beeilen; **on the** ~ in Bewegung; **to ~ house** umziehen; **to ~ closer to** [*o* **towards**] **sth** sich einer Sache *dat* nähern; **move about** *vi* sich hin- und herbewegen; (*travel*) unterwegs sein; **move away** *vi* weggehen; (*move house*) wegziehen; **move back** *vi* zurückgehen; (*to the rear*) zurückweichen; **move forward 1.** *vi* vorwärtsgehen, sich vorwärtsbewegen; **2.** *vt* vorschieben; (*time*) vorverlegen; **move in** *vi* (*to house*) einziehen; (*troops*) einrücken; **move on 1.** *vi* weitergehen; **2.** *vt* weitergehen lassen; **move out** *vi* (*of house*) ausziehen; (*troops*) abziehen; **move up 1.** *vi* aufsteigen; (*in job*) befördert werden; **2.** *vt* nach oben bewegen; (*in job*) befördern; (SCH) versetzen; **movement** *n* Bewegung *f;* (MUS) Satz *m;* (*of clock*) Uhrwerk *nt.*

movie ['mu:vɪ] *n* Film *m;* **the ~s** (*the cinema*) das Kino; **movie camera** *n* Filmkamera *f.*

moving ['mu:vɪŋ] *adj* beweglich; (*force*) treibend; (*touching*) ergreifend.

mow [məʊ] <mowed, mown *o* mowed> *vt* mähen; **mow down** *vt* (*fig*) niedermähen; **mower** *n* (*machine*) Mähmaschine *f;* (*lawn*~) Rasenmäher *m;* **mown** [məʊn] *pp of* **mow**.

Mozambique [məʊzæm'bi:k] *n* Mozambique *nt.*

MP *n abbr of* **Member of Parliament** Abgeordnete(r) *mf.*

mph *abbr of* **miles per hour** Meilen pro Stunde.

Mr [mɪstə*] *n abbr of* **mister** Herr.

Mrs ['mɪsɪz] *n abbr of* **mistress** Frau.

Ms [məz] *n* (*form of address for any woman*) Frau.

MS *n abbr of* **multiple sclerosis**.

much [mʌtʃ] **1.** *adj* <more, most> viel; **2.** *adv* sehr; viel; **3.** *n* viel, eine Menge; ~ **better** viel besser; ~ **the same size** so ziemlich gleich groß; **how ~?** wie viel?; **too** ~ zu viel; ~ **to my surprise** zu meiner großen Überraschung; ~ **as I should like to** so gern ich möchte.

muck [mʌk] *n* (*manure*) Mist *m;* (*fig*) Schmutz *m;* **muck about 1.** *vi* (*fam*) herumgammeln; (*meddle*) herumalbern; **2.** *vt:* **to ~ sb ~** mit jdm treiben, was man will; **to ~ ~ with sth** an etw *dat* herumfummeln; **muck up** *vt* (*fam: ruin*) vermasseln; (*dirty*) dreckig machen; **mucky** *adj* (*dirty*) dreckig.

mucus ['mju:kəs] *n* Schleim *m.*

mud [mʌd] *n* Schlamm *m;* (*fig*) Schmutz *m.*
muddle ['mʌdl] **1.** *n* Durcheinander *nt;* **2.** *vt* (*also:* ~ **up**) durcheinander bringen; **muddle through** *vi* sich durchwursteln.
muddy ['mʌdɪ] *adj* schlammig.
mudguard ['mʌdgɑ:d] *n* Schutzblech *nt;* **mudpack** *n* Moorpackung *f;* **mudslinging** *n* (*fig*) Schlammschlacht *f.*
muff [mʌf] *n* Muff *m.*
muffin ['mʌfɪn] *n weiches, flaches Milchbrötchen.*
muffle ['mʌfl] *vt* (*sound*) dämpfen; (*wrap up*) einhüllen.
muffler ['mʌflə] *n* (TECH) Schalldämpfer *m;* (*US* AUT) Auspuff *m.*
mufti ['mʌftɪ] *n:* **in** ~ in Zivil.
mug [mʌg] **1.** *n* (*cup*) Becher *m;* (*fam: face*) Visage *f;* (*fam: fool*) Trottel *m;* **2.** *vt* überfallen und ausrauben; **mugging** *n* Überfall *m.*
muggy ['mʌgɪ] *adj* (*weather*) schwül.
mulatto [mju:'lætəʊ] *n* <-es> Mulatte *m,* Mulattin *f.*
mule [mju:l] *n* Maulesel *m.*
mull over [mʌl: əʊvə*] *vt* nachdenken über +*akk.*
mulled [mʌld] *adj* (*wine*) Glüh-.
multi- ['mʌltɪ] *pref* Multi-, multi-; **multicolored** (*US*), **multicoloured** *adj* mehrfarbig; **multi cultural**, **multiculti** *adj* multikulti; **multi-functional** *adj* multifunktional, Multifunktions-; **multigrade** *adj:* ~ **oil** Mehrbereichsöl *nt;* **multilateral** *adj* multilateral; **multimedia** *adj* Multimedia-; ~ **CD-ROM** Multimedia-CD-Rom *f;* **multinational** **1.** *adj* multinational; **2.** *n* (*company*) Multi *m.*
multiple ['mʌltɪpl] **1.** *n* Vielfache(s) *nt;* **2.** *adj* mehrfach; (*many*) mehrere; **multiple-function keyboard** *n* Multifunktionstastatur *f;* **multiple sclerosis** *n* multiple Sklerose *f;* **multiple store** *n* Kaufhauskette *f.*
multiplication [mʌltɪplɪ'keɪʃən] *n* Multiplikation *f;* **multiply** ['mʌltɪplaɪ] **1.** *vt* multiplizieren (*by* mit); **2.** *vi* (BIO) sich vermehren.
multi-purpose ['mʌltɪpɜ:pəs] *adj* Mehrzweck-.
multiracial ['mʌltɪ'reɪʃəl] *adj* gemischtrassig; ~ **policy** Rassenintegration *f;* **multistation** *adj* (COMPUT) mehrplatzfähig; **multitasking** *n* (COMPUT) Multitasking *nt.*
multitude ['mʌltɪtju:d] *n* Menge *f.*
mum [mʌm] **1.** *adj:* **to keep** ~ den Mund halten (*about* über +*akk*); **2.** *n* (*fam*) Mutti *f,* Mami *f.*
mumble ['mʌmbl] **1.** *vt, vi* murmeln; **2.** *n* Gemurmel *nt.*
mummy ['mʌmɪ] *n* (*dead body*) Mumie *f;* (*fam*) Mami *f.*
mumps [mʌmps] *n sing* Mumps *m.*
munch [mʌntʃ] *vt, vi* mampfen.
mundane [mʌn'deɪn] *adj* weltlich; (*fig*) profan.
Munich ['mju:nɪk] *n* München *nt.*
municipal [mju:'nɪsɪpəl] *adj* städtisch, Stadt-; **municipality** [mju:nɪsɪ'pælɪtɪ] *n* Stadt *f* mit Selbstverwaltung.
munificence [mju:'nɪfɪsns] *n* Freigebigkeit *f.*
munitions [mju:'nɪʃənz] *n pl* Munition *f.*
mural ['mjʊərəl] *n* Wandgemälde *nt.*
murder ['mɜ:də*] **1.** *n* Mord *m;* **2.** *vt* ermorden; **it was** ~ es war mörderisch; **to get away with** ~ (*fig*) sich *dat* alles erlauben können; **murderer** *n* Mörder *m;* **murderess** *n* Mörderin *f;* **murderous** *adj* Mord-; (*fig*) mörderisch.
murk [mɜ:k] *n* Dunkelheit *f;* **murky** *adj* finster.
murmur ['mɜ:mə*] **1.** *n* Murmeln *nt;* (*of water, wind*) Rauschen *nt;* **2.** *vt, vi* murmeln; **without a** ~ ohne zu murren.
muscle ['mʌsl] *n* Muskel *m;* **muscular** ['mʌskjʊlə*] *adj* Muskel-; (*strong*) muskulös.
muse [mju:z] *vi* nachsinnen.
Muse [mju:z] *n* Muse *f.*
museum [mju:'zɪəm] *n* Museum *nt.*
mushroom ['mʌʃru:m] **1.** *n* Champignon *m;* (*any edible* ~, *atomic* ~) Pilz *m;* **2.** *vi* (*fig*) emporschießen.
mushy [mʌʃɪ] *adj* breiig; (*sentimental*) gefühlsduselig.
music ['mju:zɪk] *n* Musik *f;* (*printed*) Noten *pl;* **musical** **1.** *adj* (*sound*) melodisch; (*person*) musikalisch; **2.** *n* (*show*) Musical *nt;* ~ **box** Spieldose *f;* **to play** ~ **chairs** die Reise nach Jerusalem spielen; ~ **instrument** Musikinstrument *nt;* **musically** *adv* musikalisch; (*sing*) melodisch; **music cassette** *n* Musikkassette *f;* **music hall** *n* (*Brit*) Varieté *nt;* **musician** [mju:'zɪʃən] *n* Musiker(in) *m(f);* **music stand** *n* Notenständer *m.*
Muslim ['mʊslɪm] **1.** *n* Moslem *m,* Moslime *f;* **2.** *adj* moslemisch.

mussel ['mʌsl] *n* Miesmuschel *f.*

must [mʌst] <had to, had to> **1.** *aux vb* müssen; (*in negation*) dürfen; **2.** *n* Muss *nt;* **the film is a ~** den Film muss man einfach gesehen haben.

mustache ['mʌstæʃ] *n* (*US*) Schnurrbart *m.*

mustard ['mʌstəd] *n* Senf *m.*

muster ['mʌstə*] *vt* (MIL) antreten lassen; (*courage*) zusammennehmen.

mustiness ['mʌstɪnəs] *n* Muffigkeit *f.*

mustn't ['mʌsnt] = **must not**.

musty ['mʌstɪ] *adj* muffig.

mute [mju:t] **1.** *adj* stumm; **2.** *n* (*person*) Stumme(r) *mf;* (MUS) Dämpfer *m.*

mutilate ['mju:tɪleɪt] *vt* verstümmeln; **mutilation** [mjʊtɪ'leɪʃən] *n* Verstümmelung *f.*

mutiny ['mju:tɪnɪ] **1.** *n* Meuterei *f;* **2.** *vi* meutern.

mutter ['mʌtə*] *vt, vi* murmeln.

mutton ['mʌtn] *n* Hammelfleisch *nt.*

mutual ['mju:tjʊəl] *adj* gegenseitig; beiderseitig; **mutually** *adv* gegenseitig; auf beiden Seiten; für beide Seiten.

muzzle ['mʌzl] **1.** *n* (*of animal*) Schnauze *f;* (*for animal*) Maulkorb *m;* (*of gun*) Mündung *f;* **2.** *vt* einen Maulkorb anlegen *+dat.*

my [maɪ] *pron* (*adjektivisch*) mein.

myopic [maɪ'ɒpɪk] *adj* kurzsichtig.

myrrh [mɜ:*] *n* Myrrhe *f.*

myself [maɪ'self] *pron* mich; **I ~** ich selbst; **I'm not ~** mit mir ist etwas nicht in Ordnung.

mysterious [mɪ'stɪərɪəs] *adj* geheimnisvoll, mysteriös; **mysteriously** *adv* auf unerklärliche Weise.

mystery ['mɪstərɪ] *n* (*secret*) Geheimnis *nt;* (*sth difficult*) Rätsel *nt.*

mystic ['mɪstɪk] **1.** *n* Mystiker(in) *m(f);* **2.** *adj* mystisch; **mystical** *adj* mystisch; **mysticism** ['mɪstɪsɪzəm] *n* Mystizismus *m.*

mystification [mɪstɪfɪ'keɪʃən] *n* Verblüffung *f;* **mystify** ['mɪstɪfaɪ] *vt* ein Rätsel sein *+dat,* verblüffen.

mystique [mɪ'sti:k] *n* geheimnisvolle Natur.

myth [mɪθ] *n* Mythos *m;* (*fig*) Märchen *nt;* **mythical** *adj* mythisch, Sagen-; **mythological** [mɪθə'lɒdʒɪkəl] *adj* mythologisch; **mythology** [mɪ'θɒlədʒɪ] *n* Mythologie *f.*

N

N, n [en] *n* N *nt,* n *nt.*

nab [næb] *vt* (*fam*) schnappen.

nadir ['nædɪə*] *n* Tiefpunkt *m.*

NAFTA *n abbr of* **North American Free Trade Agreement** NAFTA-Abkommen *nt.*

nag [næg] **1.** *n* (*horse*) Gaul *m;* (*person*) Nörgler(in) *m(f);* **2.** *vt, vi* herumnörgeln (*sb* an jdm); **nagging 1.** *adj* (*doubt*) nagend; **2.** *n* Nörgelei *f.*

nail [neɪl] **1.** *n* Nagel *m;* **2.** *vt* nageln; **nail down** *vt* (*a. fig*) festnageln; **nailbrush** *n* Nagelbürste *f;* **nailfile** *n* Nagelfeile *f;* **nail polish** *n* Nagellack *m;* **nail polish remover** *n* Nagellackentferner *m;* **nail scissors** *n pl* Nagelschere *f.*

naive *adj,* **naively** *adv* [naɪ'i:v, -lɪ] naiv.

naked ['neɪkɪd] *adj* nackt; **nakedness** *n* Nacktheit *f.*

name [neɪm] **1.** *n* Name *m;* (*reputation*) Ruf *m;* **2.** *vt* nennen; (*sth new*) benennen; (*appoint*) ernennen; **what's your ~?** wie heißen Sie?; **in the ~ of** im Namen von; (*for the sake of*) um *+gen* willen; **namedrop** *vi:* **he's always ~ping** er wirft immer mit großen Namen um sich; **nameless** *adj* namenlos; **namely** *adv* nämlich; **namesake** *n* Namensvetter *m,* Namensschwester *f.*

nanny ['nænɪ] *n* Kindermädchen *nt.*

nap [næp] *n* (*sleep*) Nickerchen *nt;* (*on cloth*) Strich *m;* **to have a ~** ein Nickerchen machen.

napalm ['næpɑ:m] *n* Napalm *nt.*

nape [neɪp] *n* Nacken *m.*

napkin ['næpkɪn] *n* (*at table*) Serviette *f;* (*Brit: for baby*) Windel *f.*

nappy ['næpɪ] *n* (*Brit: for baby*) Windel *f.*

narcissism [nɑ:'sɪsɪzəm] *n* Narzissmus *m,* Selbstverliebtheit *f.*

narcotic [nɑ:'kɒtɪk] *n* Betäubungsmittel *nt.*

narrate [nə'reɪt] *vt* erzählen; **narration** [nə'reɪʃən] *n* Erzählung *f.*

narrative ['nærətɪv] **1.** *n* Erzählung *f;* **2.** *adj* erzählend; **narrator** [nə'reɪtə*] *n* Erzähler(in) *m(f).*

narrow ['nærəʊ] **1.** *adj* eng, schmal; (*limited*) beschränkt; **2.** *vi* sich verengen; **to ~ sth down to sth** etw auf etw *akk* einschränken; **narrowly** *adv* (*miss*) knapp; (*escape*) mit knapper Not; **narrow-minded** *adj* engstirnig.

nasal ['neɪzəl] *adj* Nasal-.

nastily ['nɑːstɪlɪ] *adv* böse, schlimm; **nastiness** ['nɑːstɪnəs] *n* Gemeinheit *f;* **nasty** *adj* ekelhaft, fies; (*business, wound*) schlimm; **to turn** ~ gemein werden.

nation ['neɪʃən] *n* Nation *f;* **national** ['næʃənl] **1.** *adj* national, National-, Landes-; **2.** *n* Staatsangehörige(r) *mf;* ~ **anthem** Nationalhymne *f;* ~ **insurance** (*Brit*) Sozialversicherung *f;* **nationalism** ['næʃnəlɪzəm] *n* Nationalismus *m;* **nationalist 1.** *n* Nationalist(in) *m(f);* **2.** *adj* nationalistisch; **nationality** [næʃ'nælɪtɪ] *n* Staatsangehörigkeit *f,* Nationalität *f;* **nationalization** [næʃnəlaɪ'zeɪʃən] *n* Verstaatlichung *f;* **nationalize** ['næʃnəlaɪz] *vt* verstaatlichen; **nationally** ['næʃnəlɪ] *adv* als Nation, landesweit.

> Der **National Trust** ist ein 1895 gegründeter Natur- und Denkmalschutzverband in Großbritannien, der Gebäude und Gelände von besonderem historischem oder ästhetischem Interesse erhält und der Öffentlichkeit zugänglich macht.

nation-wide *adj, adv* landesweit.

native ['neɪtɪv] **1.** *n* (*born in particular place*) Einheimische(r) *mf;* (*original inhabitant*) Ureinwohner *pl;* (*in colonial context*) Eingeborene(r) *mf;* **2.** *adj* (*coming from a certain place*) einheimisch; (*of the original inhabitants*) Eingeborenen-; (*of birth*) heimatlich, Heimat-; (*inborn*) angeboren, natürlich; **a** ~ **of Germany** ein gebürtiger Deutscher, eine gebürtige Deutsche; ~ **language** Muttersprache *f.*

NATO ['neɪtəʊ] *n acr of* **North Atlantic Treaty Organization** Nato *f.*

natter ['nætə*] *vi* (*fam: chat*) quatschen.

natural ['nætʃrəl] *adj* natürlich; Natur-; (*inborn*) angeboren; **naturalist** *n* Naturkundler(in) *m(f);* **naturalize** *vt* (*foreigner*) einbürgern, naturalisieren; (*plant etc*) einführen; **naturally** *adv* natürlich; **naturalness** *n* Natürlichkeit *f.*

nature ['neɪtʃə*] *n* Natur *f;* **by** ~ von Natur aus; **nature conservation** *n* Naturschutz *m.*

naught [nɔːt] *n* Null *f.*

naughtily ['nɔːtɪlɪ] *adv* unartig; **naughtiness** ['nɔːtɪnəs] *n* Unartigkeit *f;* **naughty** *adj* (*child*) unartig, ungezogen; (*action*) ungehörig.

nausea ['nɔːsɪə] *n* (*sickness*) Übelkeit *f;* (*disgust*) Ekel *m;* **nauseate** ['nɔːsɪeɪt] *vt* anekeln; **nauseating** *adj* Ekel erregend; (*job*) widerlich.

nautical ['nɔːtɪkəl] *adj* nautisch; See-; (*expression*) seemännisch.

naval ['neɪvəl] *adj* Marine-, Flotten-.

nave [neɪv] *n* Kirchenhauptschiff *nt.*

navel ['neɪvəl] *n* Nabel *m.*

navigable ['nævɪgəbl] *adj* schiffbar.

navigate ['nævɪgeɪt] **1.** *vt* (*ship etc*) steuern; **2.** *vi* (*sail*) fahren; **navigation** [nævɪ'geɪʃən] *n* Navigation *f;* **navigator** ['nævɪgeɪtə*] *n* Steuermann *m;* (*explorer*) Seefahrer(in) *m(f);* (AVIAT) Navigator(in) *m(f);* (AUT) Beifahrer(in) *m(f).*

navvy ['nævɪ] *n* Bauarbeiter(in) *m(f);* (*on roads also*) Straßenarbeiter(in) *m(f).*

navy ['neɪvɪ] *n* Kriegsmarine *f;* **navy-blue** *adj* marineblau.

NB *abbr of* **nota bene** NB.

neap [niːp] *adj:* ~ **tide** Nippflut *f.*

near [nɪə*] **1.** *adj* nahe; **2.** *adv* in der Nähe; **3.** *prep* (*also:* ~ **to**) (*space*) in der Nähe *+gen;* (*time*) um *+akk* … herum; **4.** *vt* sich nähern *+dat;* ~ **at hand** nicht weit weg; **the holidays are** ~ es sind bald Ferien; **a** ~ **miss** knapp daneben; **a** ~ **thing** knapp; **to come ~er** näher kommen; (*time*) näher rücken; **nearby 1.** *adj* nahe gelegen; **2.** *adv* in der Nähe; **nearly** *adv* fast; **nearness** *n* Nähe *f;* **nearside 1.** *n* (AUT) Beifahrerseite *f;* **2.** *adj* auf der Beifahrerseite.

neat *adj,* **neatly** *adv* ['niːt, -lɪ] (*tidy*) ordentlich; (*clever*) treffend; (*solution*) sauber; (*pure*) unverdünnt, rein; (*pleasing*) nett; **neatness** *n* Ordentlichkeit *f,* Sauberkeit *f.*

nebulous ['nebjʊləs] *adj* nebelhaft, verschwommen.

necessarily [nesə'serəlɪ] *adv* unbedingt; notwendigerweise.

necessary ['nesəsərɪ] *adj* notwendig, nötig.

necessitate [nɪ'sesɪteɪt] *vt* erforderlich machen.

necessity [nɪ'sesɪtɪ] *n* (*need*) Not *f;* (*compulsion*) Notwendigkeit *f;* **in case of** ~ im Notfall; **necessities** *pl* **of life** Bedürfnisse *pl* des Lebens.

neck [nek] *n* Hals *m;* ~ **and** ~ Kopf an Kopf; **necklace** ['neklɪs] *n* Halskette *f;* **neckline** *n* Ausschnitt *m;* **necktie** *n* (*US*) Krawatte *f.*

nectar ['nektə*] *n* Nektar *m.*

nectarine ['nektərɪn] *n* Nektarine *f.*

née [neɪ] *adj* geborene.

need [ni:d] **1.** *n* Bedarf *m* (*for* an +*dat*), Bedürfnis *nt* (*for* für); (*want*) Mangel *m;* (*necessity*) Notwendigkeit *f;* (*poverty*) Not *f;* **2.** *vt* brauchen; **to ~ to do** tun müssen; **if ~ be** wenn nötig; **to be in ~ of sth** etw brauchen; **there is no ~ for you to come** du brauchst nicht zu kommen; **there's no ~** es ist nicht nötig.

needle ['ni:dl] *n* Nadel *f.*

needless *adj,* **needlessly** *adv* ['ni:dlɪs, -lɪ] unnötig.

needlework ['ni:dlwɜ:k] *n* Handarbeit *f.*

needy ['ni:dɪ] *adj* bedürftig.

negation [nɪ'geɪʃən] *n* Verneinung *f.*

negative ['negətɪv] **1.** *n* (PHOT) Negativ *nt;* **2.** *adj* negativ; (*answer*) abschlägig.

neglect [nɪ'glekt] **1.** *vt* (*leave undone*) versäumen; (*take no care of*) vernachlässigen; **2.** *n* Vernachlässigung *f;* **in a state of ~** verwahrlost.

negligence ['neglɪdʒəns] *n* Nachlässigkeit *f;* **negligent** *adj,* **negligently** *adv* nachlässig, unachtsam.

negligible ['neglɪdʒəbl] *adj* unbedeutend, geringfügig.

negotiable [nɪ'gəʊʃɪəbl] *adj* (*cheque*) übertragbar.

negotiate [nɪ'gəʊʃɪeɪt] **1.** *vi* verhandeln; **2.** *vt* (*treaty*) abschließen, aushandeln; (*difficulty*) überwinden; (*corner*) nehmen; **negotiation** [nɪgəʊsɪ'eɪʃən] *n* Verhandlung *f;* **negotiator** [nɪ'gəʊʃɪeɪtə*] *n* Unterhändler(in) *m(f).*

Negress ['ni:gres] *n* (*pej*) Negerin *f.*

Negro ['ni:grəʊ] **1.** *n* <-es> (*pej*) Neger *m;* **2.** *adj* Neger-.

neighbor (*US*), **neighbour** ['neɪbə*] *n* Nachbar(in) *m(f);* **neighbourhood** *n* Nachbarschaft *f,* Umgebung *f;* **neighbouring** *adj* benachbart, angrenzend; **neighbourly** *adv* freundlich, gutnachbarschaftlich.

neither ['naɪðə*] **1.** *adj, pron* keine(r, s) von beiden; **2.** *conj* weder; **he can't do it, and ~ can I** er kann es nicht und ich auch nicht.

neo- ['ni:əʊ] *pref* neo-.

neon ['ni:ɒn] *n* Neon *nt;* **~ light** Neonlicht *nt.*

nephew ['nefju:] *n* Neffe *m.*

nerve [nɜ:v] *n* Nerv *m;* (*courage*) Mut *m;* (*impudence*) Frechheit *f;* **nerve-racking** *adj* nervenaufreibend; **nervous** ['nɜ:vəs] *adj* (*of the nerves*) Nerven-; (*timid*) nervös, ängstlich; **~ breakdown** Nervenzusammenbruch *m;* **nervously** *adv* nervös; **nervousness** *n* Nervosität *f.*

nest [nest] *n* Nest *nt.*

nestle ['nesl] *vi* sich kuscheln; (*village*) sich schmiegen.

Net [net] *n* Netz *nt;* **~ monopoly** Netzmonopol *nt;* **~ surfer** Netsurfer(in) *m(f).*

net [net] **1.** *n* Netz *nt;* **2.** *adj* (*also:* **nett**) netto, Netto-, Rein-; **netball** *n* Netzball *m;* **net curtain** *n* Store *m.*

Netherlands ['neðələndz] *n pl:* **the ~** die Niederlande *pl.*

netting ['netɪŋ] *n* Netzwerk *nt,* Drahtgeflecht *nt.*

network ['netwɜ:k] *n* Netz *nt;* (COMPUT) Netzwerk *nt;* **networked** *adj* vernetzt; **networking** *n* Vernetzung *f.*

neurosis [njʊə'rəʊsɪs] *n* Neurose *f;* **neurotic** [njʊə'rɒtɪk] **1.** *adj* neurotisch; **2.** *n* Neurotiker(in) *m(f).*

neuter ['nju:tə*] **1.** *adj* (BIO) geschlechtslos; (LING) sächlich; **2.** *n* (BIO) kastriertes Tier; (LING) Neutrum *nt.*

neutral ['nju:trəl] *adj* neutral; **neutrality** [nju:'trælɪtɪ] *n* Neutralität *f.*

neutron ['nju:trɒn] *n* Neutron *nt;* **neutron bomb** *n* Neutronenbombe *f.*

never ['nevə*] *adv* niemals; **well I ~** na so was; **never-ending** *adj* endlos; **nevertheless** [nevəðə'les] *adv* trotzdem, dennoch.

new [nju:] *adj* neu; **they are still ~ to the work** die Arbeit ist ihnen noch neu; **~ from** frisch aus [*o* von]; **newborn** *adj* neugeboren; **newcomer** *n* Neuankömmling *m;* (*in job, subject*) Neuling *m;* **newly** *adv* frisch, neu; **new moon** *n* Neumond *m;* **newness** *n* Neuheit *f.*

news [nju:z] *n sing* Nachricht *f;* (RADIO, TV) Nachrichten *pl;* **news agency** *n* Nachrichtenagentur *f;* **newsagent** *n* Zeitungshändler(in) *m(f);* **news flash** *n* Kurzmeldung *f;* **newsletter** *n* Rundschreiben *nt;* **newspaper** *n* Zeitung *f;* **newsreel** *n* Wochenschau *f.*

newt [nju:t] *n* Wassermolch *m;* **as drunk as a ~** sturzbesoffen.

New Year ['nju:'jɪə*] *n* Neujahr *nt;* **~'s Day** Neujahrstag *m;* **~'s Eve** Silvesterabend *m.*

New York [nju:'jɔ:k] *n* New York *nt.*

New Zealand [nju:'zi:lənd] **1.** *n* Neuseeland *nt;* **2.** *adj* neuseeländisch; **New Zealander** *n* Neuseeländer(in) *m(f).*

N

next [nekst] 1. *adj* nächste(r, s); 2. *adv* (*after*) dann, darauf; (*next time*) das nächste Mal; 3. *prep:* ~ **to** gleich neben +*dat;* ~ **to nothing** so gut wie nichts; **to do sth** ~ etw als Nächstes tun; **what ~?** was denn noch alles?; **the ~ day** am nächsten [*o* folgenden] Tag; ~ **door** nebenan; ~ **year** nächstes Jahr; ~ **of kin** Familienangehörige(r) *mf.*

Niagara Falls [naɪ'ægrə'fɔ:lz] *n pl* Niagarafälle *pl.*

nib [nɪb] *n* Spitze *f.*

nibble ['nɪbl] *vt* knabbern an +*dat.*

Nicaragua [nɪkə'rægjʊə] *n* Nicaragua *nt;* **Nicaraguan** 1. *adj* nicaraguanisch; 2. *n* Nicaraguaner(in) *m(f).*

nice [naɪs] *adj* hübsch, nett, schön; (*subtle*) fein; **nice-looking** *adj* hübsch, gutaussehend; **nicely** *adv* gut, fein, nett.

nick [nɪk] *n* Einkerbung *f;* **in the ~ of time** gerade rechtzeitig.

nickel ['nɪkl] *n* (CHEM) Nickel *nt;* (*US*) Nickel *m,* Fünfcentstück *nt.*

nickname ['nɪkneɪm] *n* Spitzname *m.*

nicotine ['nɪkəti:n] *n* Nikotin *nt.*

niece [ni:s] *n* Nichte *f.*

Nielsen rating ['ni:lsənreɪtɪŋ] *n* (*US*) Einschaltquote *f.*

niggardly ['nɪgədlɪ] *adj* schäbig; (*person*) geizig.

niggling ['nɪglɪŋ] *adj* pedantisch; (*doubt, worry*) quälend; (*detail*) kleinlich.

night [naɪt] *n* Nacht *f;* (*evening*) Abend *m;* **good ~!** gute Nacht!; **at** [*o* **by**] ~ nachts; abends; **nightcap** *n* (*drink*) Schlummertrunk *m;* **nightclub** *n* Nachtlokal *nt,* Nachtklub *m;* **nightdress** *n* Nachthemd *nt;* **nightfall** *n* Einbruch *m* der Nacht.

nightie ['naɪtɪ] *n* (*fam*) Nachthemd *nt.*

nightingale ['naɪtɪŋgeɪl] *n* Nachtigall *f.*

night life ['naɪtlaɪf] *n* Nachtleben *nt;* **nightly** *adv* jeden Abend; jede Nacht; **nightmare** ['naɪtmɛə*] *n* Albtraum *m;* **night school** *n* Abendschule *f;* **nighttime** *n* Nacht *f;* **at ~** nachts; **night watchman** *n* <night watchmen> Nachtwächter *m.*

nil [nɪl] *n* (SPORT) null.

Nile [naɪl] *n* Nil *m.*

nimble ['nɪmbl] *adj* behende, flink; (*mind*) beweglich; **nimbly** *adv* flink.

nine [naɪn] *num* neun.

nineteen [naɪn'ti:n] *num* neunzehn.

ninety ['naɪntɪ] *num* neunzig.

ninth [naɪnθ] 1. *adj* neunte(r, s); 2. *adv* an neunter Stelle; 3. *n* (*person*) Neunte(r) *mf;* (*part*) Neuntel *nt.*

nip [nɪp] 1. *vt* kneifen; 2. *vi* flitzen, sausen.

nipple ['nɪpl] *n* Brustwarze *f.*

nippy ['nɪpɪ] *adj* (*fam: person*) flink; (*car*) flott; (*cold*) frisch.

nit [nɪt] *n* Nisse *f.*

nitrogen ['naɪtrədʒən] *n* Stickstoff *m;* **nitrogen oxide** *n* Stickoxid *nt.*

no [nəʊ] 1. *adj* kein; 2. *adv* nein; 3. *n* <-es> Nein *nt;* ~ **further** nicht weiter; ~ **more time** keine Zeit mehr; **in ~ time** schnell.

nobility [nəʊ'bɪlɪtɪ] *n* Adel *m;* **the ~ of this deed** diese edle Tat.

noble ['nəʊbl] 1. *adj* (*rank*) adlig; (*splendid*) nobel, edel; 2. *n* Adlige(r) *mf;* **nobleman** *n* <noblemen> Edelmann *m,* Adlige(r) *m;* **noblewoman** *n* <noblewomen> Adlige *f;* **nobly** ['nəʊblɪ] *adv* edel, großmütig.

nobody ['nəʊbədɪ] 1. *pron* niemand, keiner; 2. *n* Niemand *m.*

no-claims bonus [nəʊ'kleɪmzbəʊnəs] *n* Schadenfreiheitsrabatt *m.*

nod [nɒd] *vi* nicken; **nod off** *vi* einnicken.

noise [nɔɪz] *n* (*sound*) Geräusch *nt;* (*unpleasant, loud*) Lärm *m;* **noise prevention** *n* Lärmschutz *m;* **noise reducer** *n* (COMPUT) Schallschluckhaube *f;* **noisily** *adv* lärmend, laut; **noisy** *adj* laut; (*crowd*) lärmend.

nomad ['nəʊmæd] *n* Nomade *m,* Nomadin *f;* **nomadic** [nəʊ'mædɪk] *adj* nomadisch.

no-man's land ['nəʊmænzlænd] *n* Niemandsland *nt.*

nominal ['nɒmɪnl] *adj* nominell; (LING) Nominal-.

nominate ['nɒmɪneɪt] *vt* (*suggest*) vorschlagen; (*in election*) aufstellen; (*appoint*) ernennen; **nomination** [nɒmɪ'neɪʃən] *n* (*election*) Nominierung *f;* (*appointment*) Ernennung *f.*

nominative ['nɒmɪnətɪv] *n* (LING) Nominativ *m,* erster Fall.

nominee [nɒmɪ'ni:] *n* Kandidat(in) *m(f).*

non- [nɒn] *pref* Nicht-, un-; **non-alcoholic** *adj* alkoholfrei.

nonchalant ['nɒnʃələnt] *adj* lässig.

nondescript ['nɒndɪskrɪpt] *adj* mittelmäßig.

non-durables [nɒn'djʊərəblz] *n pl* kurzlebige Konsumgüter *pl.*

none [nʌn] 1. *adj, pron* kein(e, er, es); 2. *adv:* ~ **the wiser** keineswegs klüger; ~ **of**

your cheek! sei nicht so frech!
nonentity [nɒ'nentɪtɪ] *n* Null *f.*
nonetheless [nʌnðə'les] *adv* nichtsdestoweniger.
non-fiction [nɒn'fɪkʃən] *n* Sachbücher *pl.*
nonplussed [nɒn'plʌst] *adj* verdutzt.
nonprint [nɒn'prɪnt] *adj* nicht in Buchform.
nonsense ['nɒnsəns] *n* Unsinn *m.*
non-stop [nɒn'stɒp] *adj* pausenlos, Nonstop-.
noodle ['nu:dl] **1.** *n* Nudel *f;* **2.** *vt:* **to ~ over sth** (*fam*) über etw nachdenken.
nook [nʊk] *n* Winkel *m,* Eckchen *nt.*
noon [nu:n] *n* Mittag *m.*
no one ['nəʊwʌn] *pron s.* **nobody**.
noose [nu:s] *n* Schlinge *f.*
norm [nɔ:m] *n* Norm *f,* Regel *f.*
normal ['nɔ:məl] *adj* normal; **normally** *adv* normal; (*usually*) normalerweise.
north [nɔ:θ] **1.** *n* Norden *m;* **2.** *adj* nördlich, Nord-; **3.** *adv* nach Norden; **~ of** nördlich von; **North America** *n* Nordamerika *nt;* **northerly** *adj* nördlich; **northern** ['nɔ:ðən] *adj* nördlich; **Northern Ireland** *n* Nordirland *nt;* **North Sea** *n* Nordsee *f;* **northwards** *adv* nach Norden.
Norway ['nɔ:weɪ] *n* Norwegen *nt;* **Norwegian** [nɔ:'wi:dʒən] **1.** *adj* norwegisch; **2.** *n* Norweger(in) *m(f).*
nos *abbr of* **numbers** Nummern, Nr.
nose [nəʊz] *n* Nase *f;* **nosebleed** *n* Nasenbluten *nt;* **nose-dive** *n* Sturzflug *m.*
nosey ['nəʊzɪ] *adj* neugierig.
nostalgia [nɒ'stældʒɪə] *n* Sehnsucht *f,* Nostalgie *f;* **nostalgic** *adj* wehmütig, nostalgisch.
nostril ['nɒstrɪl] *n* Nasenloch *nt;* (*of animal*) Nüster *f.*
not [nɒt] *adv* nicht; **he is ~ an expert** er ist kein Experte; **~ at all** keineswegs; (*don't mention it*) gern geschehen.
notable ['nəʊtəbl] *adj* bemerkenswert; **notably** *adv* (*especially*) besonders; (*noticeably*) bemerkenswert.
notch [nɒtʃ] *n* Kerbe *f,* Einschnitt *m.*
note [nəʊt] **1.** *n* (MUS) Note *f,* Ton *m;* (*short letter*) Nachricht *f;* (POL) Note *f;* (*comment, attention*) Notiz *f;* (*of lecture etc*) Aufzeichnung *f;* (*bank~*) Schein *m;* (*fame*) Ruf *m,* Ansehen *nt;* **2.** *vt* (*observe*) bemerken; (*write down*) notieren; **to take ~s of** sich *dat* Notizen machen über +*akk;* **notebook** *n* Notizbuch *nt;* (COMPUT) Notebook *nt* (*kleiner, tragbarer Personalcomputer*)*;* **note-case** *n* Brieftasche *f;* **noted** *adj* bekannt; **notepaper** *n* Briefpapier *nt.*
nothing ['nʌθɪŋ] *n* nichts; **for ~** umsonst; **it is ~ to me** es bedeutet mir nichts.
notice ['nəʊtɪs] **1.** *n* (*announcement*) Anzeige *f,* Bekanntmachung *f;* (*attention*) Beachtung *f;* (*warning*) Ankündigung *f;* (*dismissal*) Kündigung *f;* **2.** *vt* bemerken; **to take ~ of** beachten; **to bring sth to sb's ~** jdn auf etw *akk* aufmerksam machen; **take no ~!** kümmere dich nicht darum!; **noticeable** *adj* merklich; **notice board** *n* Anschlagtafel *f.*
notification [nəʊtɪfɪ'keɪʃən] *n* Benachrichtigung *f.*
notify ['nəʊtɪfaɪ] *vt* benachrichtigen.
notion ['nəʊʃən] *n* (*idea*) Vorstellung *f,* Idee *f;* (*fancy*) Lust *f.*
notorious [nəʊ'tɔ:rɪəs] *adj* berüchtigt.
notwithstanding [nɒtwɪð'stændɪŋ] **1.** *adv* trotzdem, dennoch; **2.** *prep* trotz.
nougat ['nu:gɑ:] *n* weißer Nougat.
nought [nɔ:t] *n* Null *f.*
noun [naʊn] *n* Hauptwort *nt,* Substantiv *nt.*
nourish ['nʌrɪʃ] *vt* nähren; **nourishing** *adj* nahrhaft; **nourishment** *n* Nahrung *f.*
novel ['nɒvəl] **1.** *n* Roman *m;* **2.** *adj* neuartig; **novelist** *n* Schriftsteller(in) *m(f);* **novelty** *n* Neuheit *f.*
November [nəʊ'vembə*] *n* November *m;* **~ 16th, 1999, 16th ~ 1999** (*Datumsangabe*) 16. November 1999; **on the 16th of ~** (*gesprochen*) am 16. November; **on 16th ~, on ~ 16th** (*geschrieben*) am 16. November; **in ~** im November.
novice ['nɒvɪs] *n* Neuling *m;* (REL) Novize *m,* Novizin *f.*
now [naʊ] *adv* jetzt; **right ~** jetzt, gerade; **do it right ~** tun Sie es sofort; **~ and then, ~ and again** ab und zu, manchmal; **~, ~** na, na; **~ ... ~** [*o* **then**] bald ... bald, mal ... mal; **nowadays** *adv* heutzutage.
nowhere ['nəʊwεə*] *adv* nirgends.
nozzle ['nɒzl] *n* Düse *f.*
nuclear ['nju:klɪə*] *adj* (*energy etc*) Atom-, Kern-; **~ power** Kernkraft *f,* Atomkraft *f;* **~ power station** Atomkraftwerk *nt,* Kernkraftwerk *nt;* **~ winter** nuklearer Winter; **nuclear-free** *adj* atomwaffenfrei.
nucleus ['nju:klɪəs] *n* <nuclei> ['nju:klɪaɪ] Kern *m.*

nude [nju:d] **1.** *adj* nackt; **2.** *n* (*person*) Nackte(r) *mf;* (ART) Akt *m;* **in the ~** nackt.
nudge [nʌdʒ] *vt* leicht anstoßen.
nudist ['nju:dɪst] *n* Nudist(in) *m(f)*, FKK-Anhänger(in) *m(f);* **nudist beach** *n* FKK-Strand *m,* Nacktbadestrand *m.*
nudity ['nju:dɪtɪ] *n* Nacktheit *f.*
nuisance ['nju:sns] *n* Ärgernis *nt;* **that's a ~** das ist ärgerlich; **he's a ~** er geht einem auf die Nerven.
nuke [nju:k] **1.** *n* (*esp US fam*) Kernkraftwerk *nt,* Atomkraftwerk *nt;* (*bomb*) Atombombe *f;* **2.** *vt* (*esp US fam*) eine Atombombe werfen auf *+akk.*
null [nʌl] *adj:* **~ and void** null und nichtig; **nullify** *vt* für null und nichtig erklären.
numb [nʌm] **1.** *adj* taub, gefühllos; **2.** *vt* betäuben.
number ['nʌmbə*] **1.** *n* Nummer *f;* (*numeral also*) Zahl *f;* (*quantity*) Anzahl *f;* (LING) Numerus *m;* (*of magazine also*) Ausgabe *f;* **2.** *vt* (*give a number to*) nummerieren; (*amount to*) sein; **his days are ~ed** seine Tage sind gezählt; **~ed account** Nummernkonto *nt;* **number plate** *n* (*Brit* AUT) Nummernschild *nt.*
numbness ['nʌmnəs] *n* Gefühllosigkeit *f.*
numbskull ['nʌmskʌl] *n* Idiot(in) *m(f).*
numeral ['nju:mərəl] *n* Ziffer *f.*
numerical [nju:'merɪkəl] *adj* numerisch; (*order*) zahlenmäßig.
numerous ['nju:mərəs] *adj* zahlreich.
nun [nʌn] *n* Nonne *f.*
nurse [nɜ:s] *n* **1.** Krankenschwester *f;* (*male ~*) Krankenpfleger *m;* (*for children*) Kindermädchen *nt;* **2.** *vt* (*patient*) pflegen; (*doubt etc*) hegen; **nursery** *n* (*for children*) Kinderzimmer *nt;* (*for plants*) Gärtnerei *f;* (*for trees*) Baumschule *f;* **~ rhyme** Kinderreim *m;* **~ school** Kindergarten *m;* **nursing** *n* (*profession*) Krankenpflege *f;* **~ home** Privatklinik *f.*
nut [nʌt] *n* Nuss *f;* (*screw*) Schraubenmutter *f;* (*fam*) Verrückte(r) *mf; s. a.* **nuts; nutcase** *n* (*fam*) Verrückte(r) *mf;* **nutcrackers** *n pl* Nussknacker *m.*
nutmeg ['nʌtmeg] *n* Muskatnuss *f.*
nutrient ['nju:trɪənt] *n* Nährstoff *m;* **nutrition** [nju:'trɪʃən] *n* Nahrung *f;* **nutritional supplement** *n* Vitamin- und Mineralstofftabletten *pl;* **nutritious** [nju:'trɪʃəs] *adj* nahrhaft.
nuts [nʌts] *adj* (*fam: crazy*) verrückt.
nutshell ['nʌtʃel] *n:* **in a ~** in aller Kürze.
nylon ['naɪlɒn] **1.** *n* Nylon *nt;* **2.** *adj* Nylon-.

O, o [əʊ] *n* O *nt,* o *nt;* (TEL) Null *f; s. a.* **oh.**
oaf [əʊf] *n* <-s *o* oaves> Trottel *m.*
oak [əʊk] **1.** *n* Eiche *f;* **2.** *adj* Eichenholz-.
oar [ɔ:*] *n* Ruder *nt.*
oasis [əʊ'eɪsɪs] *n* Oase *f.*
oath [əʊθ] *n* (*statement*) Eid *m,* Schwur *m;* (*swearword*) Fluch *m.*
oatmeal ['əʊtmi:l] *n* Haferschrot *m.*
oats [əʊts] *n pl* Hafer *m;* (GASTR) Haferflocken *pl.*
obedience [ə'bi:dɪəns] *n* Gehorsam *m;* **obedient** *adj* gehorsam, folgsam.
obelisk ['ɒbəlɪsk] *n* Obelisk *m.*
obesity [əʊ'bi:sɪtɪ] *n* Fettleibigkeit *f.*
obey [ə'beɪ] *vt, vi* gehorchen *+dat,* folgen *+dat.*
obituary [ə'bɪtjʊərɪ] *n* Nachruf *m.*
object ['ɒbdʒekt] **1.** *n* (*thing*) Gegenstand *m,* Objekt *nt;* (*of feeling etc*) Gegenstand *m;* (*purpose*) Ziel *nt;* (LING) Objekt *nt;* **2.** [əb'dʒekt] *vi* dagegen sein, Einwände haben (*to* gegen); (*morally*) Anstoß nehmen (*to* an *+dat*); **objection** [əb'dʒekʃən] *n* (*reason against*) Einwand *m,* Einspruch *m;* (*dislike*) Abneigung *f;* **objectionable** [əb'dʒekʃnəbl] *adj* nicht einwandfrei; (*language*) anstößig.
objective [əb'dʒektɪv] **1.** *n* Ziel *nt;* **2.** *adj* objektiv; **objectively** *adv* objektiv; **objectivity** [ɒbdʒek'tɪvətɪ] *n* Objektivität *f.*
objector [əb'dʒektə*] *n* Gegner(in) *m(f).*
obligation [ɒblɪ'geɪʃən] *n* (*duty*) Pflicht *f;* (*promise*) Verpflichtung *f;* **no ~** unverbindlich; **to be under an ~** verpflichtet sein.
obligatory [ə'blɪgətərɪ] *adj* bindend, obligatorisch; **it is ~ to ...** es ist Pflicht zu ...
oblige [ə'blaɪdʒ] *vt* (*compel*) zwingen; (*do a favour*) einen Gefallen tun *+dat;* **you are not ~d to do it** Sie sind nicht verpflichtet es zu tun; **much ~d** herzlichen Dank; **obliging** *adj* entgegenkommend.
oblique [ə'bli:k] **1.** *adj* schräg, schief; **2.** *n* Schrägstrich *m.*
obliterate [ə'blɪtəreɪt] *vt* auslöschen.
oblivion [ə'blɪvɪən] *n* Vergessenheit *f.*
oblivious [ə'blɪvɪəs] *adj* nicht bewusst (*of gen*); **he was ~ of it** er hatte es nicht bemerkt.
oblong ['ɒblɒŋ] **1.** *n* Rechteck *nt;* **2.** *adj* länglich.
obnoxious [əb'nɒkʃəs] *adj* abscheulich,

widerlich.
oboe ['əʊbəʊ] *n* Oboe *f.*
obscene [əb'si:n] *adj* obszön, unanständig; **obscenity** [əb'senɪtɪ] *n* Obszönität *f;* **obscenities** *pl* Zoten *pl.*
obscure [əb'skjʊə*] **1.** *adj* unklar; (*indistinct*) undeutlich; (*unknown*) unbekannt, obskur; (*dark*) düster; **2.** *vt* verdunkeln; (*view*) verbergen; (*confuse*) verwirren; **obscurity** [əb'skjʊərɪtɪ] *n* Unklarheit *f;* (*being unknown*) Verborgenheit *f;* (*darkness*) Dunkelheit *f.*
obsequious [əb'si:kwɪəs] *adj* servil.
observable [əb'zɜ:vəbl] *adj* wahrnehmbar, sichtlich.
observance [əb'zɜ:vəns] *n* Befolgung *f.*
observant [əb'zɜ:vənt] *adj* aufmerksam.
observation [ɒbzə'veɪʃən] *n* (*noticing*) Beobachtung *f;* (*surveillance*) Überwachung *f;* (*remark*) Bemerkung *f.*
observatory [əb'zɜ:vətrɪ] *n* Sternwarte *f,* Observatorium *nt.*
observe [əb'zɜ:v] *vt* (*notice*) bemerken; (*watch*) beobachten; (*customs*) einhalten; **observer** *n* Beobachter(in) *m(f).*
obsess [əb'ses] *vt* verfolgen, quälen; **to be ~ed with an idea** von einem Gedanken besessen sein; **obsession** [əb'seʃən] *n* Besessenheit *f,* Wahn *m;* **obsessive** *adj* krankhaft.
obsolete ['ɒbsəli:t] *adj* überholt, veraltet.
obstacle ['ɒbstəkl] *n* Hindernis *nt;* ~ **race** Hindernisrennen *nt.*
obstetrics [ɒb'stetrɪks] *n sing* Geburtshilfe *f.*
obstinacy ['ɒbstɪnəsɪ] *n* Hartnäckigheit *f,* Sturheit *f;* **obstinate** *adj,* **obstinately** *adv* ['ɒbstɪnət, -lɪ] hartnäckig, stur.
obstreperous [əb'strepərəs] *adj* aufmüpfig.
obstruct [əb'strʌkt] *vt* versperren; (*pipe*) verstopfen; (*hinder*) hemmen; **obstruction** [əb'strʌkʃən] *n* Versperrung *f,* Verstopfung *f;* (*obstacle*) Hindernis *nt;* **obstructive** *adj* behindernd.
obtain [əb'teɪn] *vt* erhalten, bekommen; (*result*) erzielen; **obtainable** *adj* erhältlich.
obtrusive [əb'tru:sɪv] *adj* aufdringlich.
obtuse [əb'tju:s] *adj* begriffsstutzig; (*angle*) stumpf.
obviate ['ɒbvɪeɪt] *vt* beseitigen; (*danger*) abwenden.
obvious ['ɒbvɪəs] *adj* offenbar, offensichtlich; **obviously** *adv* offensichtlich.
occasion [ə'keɪʒən] **1.** *n* Gelegenheit *f;* (*special event*) großes Ereignis; (*reason*) Grund *m,* Anlass *m;* **2.** *vt* veranlassen; **on ~** gelegentlich; **occasional** *adj,* **occasionally** *adv* gelegentlich; **very occasionally** sehr selten.
occult [ɒ'kʌlt] **1.** *n:* **the** ~ der Okkultismus; **2.** *adj* okkult.
occupant ['ɒkjʊpənt] *n* Inhaber(in) *m(f);* (*of house etc*) Bewohner(in) *m(f).*
occupation [ɒkjʊ'peɪʃən] *n* (*employment*) Tätigkeit *f,* Beruf *m;* (*pastime*) Beschäftigung *f;* (*of country*) Besetzung *f,* Okkupation *f;* **occupational** *adj* (*hazard*) Berufs-; (*therapy*) Beschäftigungs-.
occupier ['ɒkjʊpaɪə*] *n* Bewohner(in) *m(f).*
occupy ['ɒkjʊpaɪ] *vt* (*take possession of*) besetzen; (*seat*) belegen; (*live in*) bewohnen; (*position, office*) bekleiden; (*position in sb's life*) einnehmen; (*time*) beanspruchen; (*mind*) beschäftigen.
occur [ə'kɜ:*] *vi* (*happen*) vorkommen, geschehen; (*appear*) vorkommen; (*come to mind*) einfallen (*to sb* jdm); **occurrence** [ə'kʌrəns] *n* (*event*) Ereignis *nt;* (*appearing*) Auftreten *nt.*
ocean ['əʊʃən] *n* Ozean *m,* Meer *nt;* **ocean-going** *adj* Hochsee-.
ochre ['əʊkə*] *n* Ocker *m o nt.*
o'clock [ə'klɒk] *adv:* **it is 5** ~ es ist 5 Uhr.
OCR *abbr of* **optical character recognition/reader** OCR *f,* optische Zeichenerkennung; (*reader*) OCR-Lesegerät *nt;* **OCR font** *n* OCR-Schrift *f.*
octagonal [ɒk'tægənl] *adj* achteckig.
octane ['ɒkteɪn] *n* Oktan *nt.*
octave ['ɒktɪv] *n* Oktave *f.*
October [ɒk'təʊbə*] *n* Oktober *m;* ~ **3rd, 1999, 3rd ~ 1999** (*Datumsangabe*) 3. Oktober 1999; **on the 3rd of** ~ (*gesprochen*) am 3. Oktober; **on 3rd ~, on ~ 3rd** (*geschrieben*) am 3. Oktober; **in** ~ im Oktober.
octopus ['ɒktəpəs] *n* Krake *m;* (*small*) Tintenfisch *m.*
oculist ['ɒkjʊlɪst] *n* Augenarzt(-ärztin) *m(f).*
odd [ɒd] *adj* (*strange*) sonderbar; (*not even*) ungerade; (*the other part missing*) einzeln; (*about*) ungefähr; (*surplus*) übrig; (*casual*) Gelegenheits-, zeitweilig; **oddity** *n* (*strangeness*) Merkwürdigkeit *f;* (*queer person*) seltsamer Kauz; (*thing*) Kuriosität *f;* **oddly** *adv* seltsam; ~ **enough** merkwürdigerweise; **oddment** *n* Rest *m,* Einzelstück *nt;* **odds** *n pl* Chancen *pl;* (*in*

betting) Gewinnchancen *pl;* **it makes no ~** es spielt keine Rolle; **at ~** uneinig; **~ and ends** (*fam*) Kleinkram *pl.*

ode [əʊd] *n* Ode *f.*

odious ['əʊdɪəs] *adj* verhasst; (*action*) abscheulich.

odometer [əʊ'dɒmɪtə*] *n* (*esp US*) Kilometerzähler *m.*

odor (*US*), **odour** ['əʊdə*] *n* Geruch *m;* **odourless** *adj* geruchlos.

of [ɒv, əv] *prep* von; (*indicating material*) aus; **the third ~ May** der dritte Mai; **within a month ~ his arrival** einen Monat nach seiner Ankunft; **a girl ~ ten** ein zehnjähriges Mädchen; **fear ~ God** Gottesfurcht *f;* **love ~ money** Liebe *f* zum Geld; **the six ~ us** wir sechs.

off [ɒf] **1.** *adv* (*absent*) weg, fort; (*switch*) ausgeschaltet, abgeschaltet; (*milk*) sauer; **2.** *prep* von; (*distant from*) abgelegen von; **3% ~** 3% Nachlass; **just ~ Piccadilly** gleich bei Piccadilly; **I'm ~** ich gehe jetzt; **I'm ~ smoking** ich rauche nicht mehr; **the button's ~** der Knopf ist ab; **to be well-/badly-off** reich/arm sein.

offal ['ɒfəl] *n* Innereien *pl.*

off-colour ['ɒf'kʌlə*] *adj* nicht wohl.

offence [ə'fens] *n* (*crime*) Vergehen *nt,* Straftat *f;* (*insult*) Beleidigung *f.*

offend [ə'fend] *vt* beleidigen; **offender** *n* Rechtsbrecher(in) *m(f);* **offending** *adj* verletzend; **offense** (*US*) *s.* **offence**.

offensive [ə'fensɪv] **1.** *adj* (*unpleasant*) übel, abstoßend; (*weapon*) Kampf-; (*remark*) verletzend; **2.** *n* Angriff *m,* Offensive *f.*

offer ['ɒfə*] **1.** *n* Angebot *nt;* **2.** *vt* anbieten; (*reward*) aussetzen; (*opinion*) äußern; (*resistance*) leisten; **on ~** zum Verkauf angeboten; **offering** *n* Gabe *f;* (*collection*) Kollekte *f.*

offhand [ɒf'hænd] **1.** *adj* lässig; **2.** *adv* ohne weiteres.

office ['ɒfɪs] *n* Büro *nt;* (*position*) Amt *nt;* (*duty*) Aufgabe *f;* (REL) Gottesdienst *m;* **office automation** *n* Büroautomation *f;* **office block** *n* Bürohochhaus *nt;* **office boy** *n* Laufbursche *m;* **office hours** *n pl* Geschäftszeiten *pl.*

officer ['ɒfɪsə*] *n* (MIL) Offizier(in) *m(f);* (*police ~*) Polizist(in) *m(f);* (*public ~*) Beamte(r) *m* im öffentlichen Dienst.

office space ['ɒfɪsspeɪs] *n* Büroräume *pl;* **office work** *n* Büroarbeit *f;* **office worker** *n* Büroangestellte(r) *mf.*

official [ə'fɪʃəl] **1.** *adj* offiziell, amtlich; **2.** *n* Beamte(r) *m,* Beamtin *f;* (POL) amtlicher Sprecher, amtliche Sprecherin; (*of club*) Funktionär(in) *m(f),* Offizielle(r) *mf;* **officially** *adv* offiziell.

officious [ə'fɪʃəs] *adj* dienstbeflissen.

offing ['ɒfɪŋ] *n:* **in the ~** in Aussicht.

off-licence ['ɒflaɪsəns] *n* Wein- und Spirituosenhandlung *f;* **off-line** *adj* (COMPUT) Offline- (*getrennt von der Anlage arbeitend*); **~ mode** Offlinebetrieb *m;* **off-peak** *adj* (*heating*) Speicher-; (*charges*) verbilligt; **off-season** *adj* außerhalb der Saison.

offset ['ɒfset] *irr vt* ausgleichen.

offshore ['ɒfʃɔː*] *adj* küstennah, Küsten-; (*oil rig*) im Meer.

offside ['ɒf'saɪd] **1.** *adj* (SPORT) im Abseits stehend; **2.** *adv* abseits; **3.** *n* (AUT) Fahrerseite *f;* (SPORT) Abseits *nt.*

offspring ['ɒfsprɪŋ] *n* Nachkommenschaft *f;* (*one*) Sprössling *m.*

offstage ['ɒf'steɪdʒ] *adv* hinter den Kulissen.

off-the-cuff ['ɒfðəkʌf] *adj* unvorbereitet, aus dem Stegreif.

often ['ɒfən] *adv* oft.

oh [əʊ] *interj* oh, ach.

oil [ɔɪl] **1.** *n* Öl *nt;* **2.** *vt* ölen; **oilcan** *n* Ölkännchen *nt;* **oilfield** *n* Ölfeld *nt;* **oil filter** *n* Ölfilter *m;* **oil-fired** *adj* Öl-; **oil level** *n* Ölstand *m;* **oil painting** *n* Ölgemälde *nt;* **oil production** *n* Ölförderung *f;* **oil refinery** *n* Ölraffinerie *f;* **oil-rig** *n* [Öl]bohrinsel *f;* **oilskins** *n pl* Ölzeug *nt;* **oil slick** *n* Ölteppich *m;* **oil tanker** *n* Öltanker *m;* **oil well** *n* Ölquelle *f;* **oily** *adj* ölig; (*dirty*) ölbeschmiert; (*manners*) schleimig.

ointment ['ɔɪntmənt] *n* Salbe *f.*

OK, okay ['əʊ'keɪ] **1.** *interj* in Ordnung, o.k.; **2.** *adj* in Ordnung; **3.** *n* Zustimmung *f;* **4.** *vt* genehmigen; **that's ~ with** [*o* **by**] **me** ich bin damit einverstanden.

old [əʊld] *adj* alt; (*former also*) ehemalig; **in the ~ days** früher; **any ~ thing** irgend etwas; **old age** *n* Alter *nt;* **old-fashioned** *adj* altmodisch; **old maid** *n* alte Jungfer.

olive ['ɒlɪv] **1.** *n* (*fruit*) Olive *f;* (*colour*) Olive *nt;* **2.** *adj* Oliven-; (*coloured*) olivenfarben; **olive branch** *n* Ölzweig *m;* **olive oil** *n* Olivenöl *nt.*

Olympic [əʊ'lɪmpɪk] *adj* olympisch; **the Olympic Games, the Olympics** *pl* die Olympischen Spiele *pl,* die Olympiade.

omelette ['ɒmlət] *n* Omelett *nt.*

omen ['əʊmən] *n* Zeichen *nt,* Omen *nt.*
ominous ['ɒmɪnəs] *adj* bedrohlich.
omission [əʊ'mɪʃən] *n* Auslassung *f;* (*neglect*) Versäumnis *nt;* **omit** [əʊ'mɪt] *vt* auslassen; (*fail to do*) versäumen.
on [ɒn] **1.** *prep* auf; **2.** *adv* darauf; **she had nothing ~** sie hatte nichts an; (*no plans*) sie hatte nichts vor; **what's ~ at the cinema?** was läuft im Kino?; **to move ~** weitergehen; **go ~** mach weiter; **the light is ~** das Licht ist an; **you're ~** (*fam*) abgemacht!; **it's not ~** (*fam*) das ist nicht drin; **~ and off** hin und wieder; **~ TV** im Fernsehen; **I have it ~ me** ich habe es bei mir; **a ring ~ his finger** ein Ring am Finger; **~ the main road/the bank of the river** an der Hauptstraße/dem Flussufer; **~ foot** zu Fuß; **a lecture ~ Dante** eine Vorlesung über Dante; **~ the left** links; **~ the right** rechts; **~ and ~** ununterbrochen, andauernd; **~ Sunday** am Sonntag; **~ Sundays** sonntags; **~ hearing this, he left** als er das hörte, ging er.
once [wʌns] **1.** *adv* einmal; **2.** *conj* wenn ... einmal; **~ you've seen him** wenn du ihn erst einmal gesehen hast; **~ she had seen him** sobald sie ihn gesehen hatte; **at ~** sofort; (*at the same time*) gleichzeitig; **all at ~** plötzlich; **~ more** noch einmal; **more than ~** mehr als einmal; **~ in a while** ab und zu; **~ and for all** ein für allemal; **~ upon a time** es war einmal.
oncoming ['ɒnkʌmɪŋ] *adj* (*traffic*) Gegen-, entgegenkommend.
one [wʌn] **1.** *num* eins; **2.** *adj* ein, eine, ein; **3.** *pron* eine(r, s); (*people, you*) man; **~ day** eines Tages; **this ~, that ~** das; dieser/diese/dieses; **the blue ~** der/die/das blaue; **which ~** welche(r, s); **he is ~ of us** er ist einer von uns; **~ by ~** einzeln; **~ another** einander; **one-man** *adj* Einmann-; **oneself** *pron* sich selber; **one-upmanship** *n* Überlegenheit *f;* **one-way** *adj* (*street*) Einbahn-; **~ ticket** (*US*) einfache Fahrkarte.
ongoing ['ɒngəʊɪŋ] *adj* laufend, andauernd; **it's an ~ process** das geht laufend weiter.
onion ['ʌnjən] *n* Zwiebel *f.*
on-line ['ɒnlaɪn] *adj* (COMPUT) Online- (*in direkter Verbindung mit der Anlage arbeitend*); **~ library** Onlinebibliothek *f;* **~ mode** Onlinebetrieb *m.*
onlooker ['ɒnlʊkə*] *n* Zuschauer(in) *m(f).*
only ['əʊnlɪ] **1.** *adv* nur, bloß; **2.** *adj* einzige(r, s); **~ yesterday** erst gestern; **~ just arrived** gerade erst angekommen.
onset ['ɒnset] *n* (*beginning*) Beginn *m.*
onshore ['ɒnʃɔː*] **1.** *adv* an Land; **2.** *adj* Küsten-.
onto ['ɒntʊ] = **on to**.
onwards ['ɒnwədz] *adv* (*place*) voran, vorwärts; **from that day ~** von dem Tag an; **from today ~** ab heute.
onyx ['ɒnɪks] *n* Onyx *m.*
ooze [uːz] *vi* sickern; (*a. fig*) triefen.
opacity [əʊ'pæsɪtɪ] *n* Undurchsichtigkeit *f.*
opal ['əʊpəl] *n* Opal *m.*
opaque [əʊ'peɪk] *adj* undurchsichtig.
open ['əʊpən] **1.** *adj* offen; (*public*) öffentlich; (*mind*) aufgeschlossen; (*sandwich*) belegt; **2.** *vt* öffnen, aufmachen; (*trial, motorway, account*) eröffnen; **3.** *vi* (*begin*) anfangen; (*shop*) aufmachen; (*door, flower*) aufgehen; (*play*) Premiere haben; **in the ~ air** im Freien; **to keep a day ~** einen Tag freihalten; **to keep an ~ mind on sth** sich bezüglich einer Sache *gen* nicht vorschnell festlegen; **open out 1.** *vt* ausbreiten; (*hole, business*) erweitern; **2.** *vi* (*person*) aus sich herausgehen; **open up** *vt* (*route*) erschließen; (*shop, prospects*) eröffnen; **open-air** *adj* Freiluft-, Openair-; **open credit** *n* Blankokredit *m;* **opener** *n* Öffner *m;* **opening** *n* (*hole*) Öffnung *f;* (*beginning*) Eröffnung *f,* Anfang *m;* (*good chance*) Gelegenheit *f;* **openly** *adv* offen; (*publicly*) öffentlich; **open-minded** *adj* aufgeschlossen; **open-plan** *adj* (*house*) offen angelegt; (*office*) Großraum-.
Open University *n* (*Brit*) Fernuniversität *f;* **to do an ~ course** ein Fernstudium machen.

> Die **Open University** ist eine 1969 in Großbritannien gegründete Fernuniversität. Der Unterricht findet durch Fernseh- und Radiosendungen statt, schriftliche Arbeiten werden mit der Post verschickt, und der Besuch von Sommerkursen ist Pflicht. Die Studenten müssen eine bestimmte Anzahl von Unterrichtseinheiten in einem bestimmten Zeitraum absolvieren und für die Verleihung eines akademischen Grades eine Mindestzahl von Scheinen machen.

opera ['ɒpərə] *n* Oper *f;* **opera glasses** *n pl* Opernglas *nt;* **opera house** *n* Opernhaus *nt.*

operate ['ɒpəreɪt] **1.** *vt* (*machine*) bedienen; (*brakes, light*) betätigen; **2.** *vi* (*machine*) laufen, in Betrieb sein; (*person*) arbeiten; **to ~ on sb** (MED) jdn operieren.

operatic [ɒpə'rætɪk] *adj* Opern-.

operating system ['ɒpəreɪtɪŋsɪstəm] *n* (COMPUT) Betriebssystem *nt.*

operation [ɒpə'reɪʃən] *n* (*working*) Betrieb *m,* Tätigkeit *f;* (MED) Operation *f;* (*undertaking*) Unternehmen *nt;* (MIL) Einsatz *m;* **in full ~** in vollem Gang; **to be in ~** (JUR) in Kraft sein; (*machine*) in Betrieb sein; **operational** *adj* einsatzbereit.

operative ['ɒpərətɪv] *adj* wirksam; (*law*) rechtsgültig; (MED) operativ.

operator ['ɒpəreɪtə*] *n* (*of machine*) Arbeiter(in) *m(f);* (COMPUT) Bediener(in) *m(f);* (TEL) Telefonist(in) *m(f);* **phone the ~** rufen Sie die Vermittlung [*o* das Fernamt] an.

operetta [ɒpə'retə] *n* Operette *f.*

opinion [ə'pɪnjən] *n* Meinung *f;* **in my ~** meiner Meinung nach; **a matter of ~** Ansichtssache *f;* **opinionated** *adj* starrsinnig; **opinion poll** *n* Meinungsumfrage *f.*

opium ['əʊpɪəm] *n* Opium *nt.*

opponent [ə'pəʊnənt] *n* Gegner(in) *m(f).*

opportune ['ɒpətju:n] *adj* günstig; (*remark*) passend.

opportunist [ɒpə'tju:nɪst] *n* Opportunist(in) *m(f).*

opportunity [ɒpə'tju:nɪtɪ] *n* Gelegenheit *f,* Möglichkeit *f;* **equality of ~** Chancengleichheit *f.*

oppose [ə'pəʊz] *vt* entgegentreten *+dat;* (*argument, idea*) ablehnen; (*plan*) bekämpfen; **opposed** *adj:* **to be ~ to sth** gegen etw sein; **as ~ to** im Gegensatz zu; **opposing** *adj* gegnerisch; (*points of view*) entgegengesetzt.

opposite ['ɒpəzɪt] **1.** *adj* (*house*) gegenüberliegend; (*direction*) entgegengesetzt; **2.** *adv* gegenüber; **3.** *prep* gegenüber; **4.** *n* Gegenteil *nt;* **~ me** mir gegenüber; **opposite number** *n* (*person*) Pendant *nt;* (SPORT) Gegenspieler(in) *m(f).*

opposition [ɒpə'zɪʃən] *n* (*resistance*) Widerstand *m;* (POL) Opposition *f;* (*contrast*) Gegensatz *m.*

oppress [ə'pres] *vt* unterdrücken; (*heat etc*) bedrücken; **oppression** [ə'preʃən] *n* Unterdrückung *f;* **oppressive** *adj* (*authority, law*) ungerecht; (*burden, thought*) bedrückend; (*heat*) drückend.

opt [ɒpt] *vi:* **to ~ for sth** sich für etw entscheiden; **to ~ to do sth** sich entscheiden etw zu tun; **opt out of** *vt* sich drücken vor *+dat;* (*of society*) aussteigen aus *+dat.*

optical ['ɒptɪkəl] *adj* optisch; **~ bar reader** Balkencodeleser *m;* **~ character recognition** optische Zeichenerkennung; **~ character reader** OCR-Lesegerät *nt.*

optician [ɒp'tɪʃən] *n* Optiker(in) *m(f).*

optimism ['ɒptɪmɪzəm] *n* Optimismus *m;* **optimist** *n* Optimist(in) *m(f);* **optimistic** [ɒptɪ'mɪstɪk] *adj* optimistisch.

optimize ['ɒptɪmaɪz] *vt* optimieren.

optimum ['ɒptɪməm] *adj* optimal.

option ['ɒpʃən] *n* Wahl *f;* (COMM) Vorkaufsrecht *m,* Option *f;* **optional** *adj* freiwillig; (*subject*) wahlfrei; **~ extras** Extras *pl* auf Wunsch.

or [ɔ:*] *conj* oder; **he could not read ~ write** er konnte weder lesen noch schreiben.

oracle ['ɒrəkl] *n* Orakel *nt.*

oral ['ɔ:rəl] **1.** *adj* mündlich; **2.** *n* (*exam*) mündliche Prüfung, Mündliche(s) *nt.*

orange ['ɒrɪndʒ] **1.** *n* (*fruit*) Apfelsine *f,* Orange *f;* (*colour*) Orange *nt;* **2.** *adj* orangefarben; **~ juice** Orangensaft *m.*

orang-outang, orang-utan [ɔ:ræŋ-u:'tæn] *n* Orang-Utan *m.*

oratorio [ɒrə'tɔ:rɪəʊ] *n* <-s> Oratorium *nt.*

orbit ['ɔ:bɪt] **1.** *n* Umlaufbahn *f;* (*single circuit*) Umkreisung *f;* (*fig*) Machtbereich *m;* **2.** *vt* umkreisen; **to be in ~** die Erde/den Mond umkreisen.

orchard ['ɔ:tʃəd] *n* Obstgarten *m.*

orchestra ['ɔ:kɪstrə] *n* Orchester *nt;* **orchestral** [ɔ:'kestrəl] *adj* Orchester-.

orchid ['ɔ:kɪd] *n* Orchidee *f.*

ordain [ɔ:'deɪn] *vt* (REL) weihen; (*decide*) verfügen.

ordeal [ɔ:'di:l] *n* Tortur *f.*

order ['ɔ:də*] **1.** *n* (*sequence*) Reihenfolge *f;* (*good arrangement*) Ordnung *f;* (*command*) Befehl *m;* (JUR) Anordnung *f;* (*peace*) Ordnung *f,* Ruhe *f;* (*condition*) Zustand *m;* (*rank*) Klasse *f;* (COMM) Bestellung *f;* (REL, *honour*) Orden *m;* **2.** *vt* (*arrange*) ordnen; (*command*) befehlen (*sb sth* jdm etw); (COMM) bestellen; **out of ~** außer Betrieb; **in ~ to do sth** um etw zu tun; **in ~ that** damit; **holy ~s** *pl* Priesterweihe *f;* **order form** *n* Bestellschein *m;* **orderly 1.** *n* (MIL) Offiziersbursche *m;*

(MIL MED) Sanitäter(in) *m(f)*; (MED) Pfleger *m*; **2.** *adj* (*tidy*) ordentlich; (*well-behaved*) ruhig; ~ **officer** diensthabender Offizier; **order processing** *n* Auftragsabwicklung *f.*

ordinal ['ɔ:dɪnl] *adj* Ordnungs-, Ordinal-.

ordinarily [ɔ:də'nerɪlɪ] *adv* gewöhnlich.

ordinary ['ɔ:dnrɪ] *adj* (*usual*) gewöhnlich, normal; (*commonplace*) gewöhnlich, alltäglich.

> Der **ordinary degree** ist ein Universitätsabschluss, der an Studenten vergeben wird, die entweder die für ein „honours degree" nötige Note nicht erreicht haben, aber trotzdem nicht durchgefallen sind, oder die sich nur für ein „ordinary degree" eingeschrieben haben. Das Studium ist dabei meist kürzer.

ordination [ɔ:dɪ'neɪʃən] *n* Priesterweihe *f*; (*Protestant*) Ordination *f.*

ordnance ['ɔ:dnəns] *n* Munition *f*; ~ **factory** Munitionsfabrik *f.*

ore [ɔ:*] *n* Erz *nt.*

organ ['ɔ:gən] *n* (MUS) Orgel *f*; (BIO, *fig*) Organ *nt.*

organic [ɔ:'gænɪk] *adj* organisch.

organism ['ɔ:gənɪzm] *n* Organismus *m.*

organist ['ɔ:gənɪst] *n* Organist(in) *m(f).*

organization [ɔ:gənaɪ'zeɪʃən] *n* Organisation *f*; (*make-up*) Struktur *f.*

organize ['ɔ:gənaɪz] *vt* organisieren; **organizer** *n* Organisator(in) *m(f)*, Veranstalter(in) *m(f).*

orgasm ['ɔ:gæzəm] *n* Orgasmus *m.*

orgy ['ɔ:dʒɪ] *n* Orgie *f.*

Orient ['ɔ:rɪənt] *n* Orient *m*; **oriental** [ɔ:rɪ'entəl] **1.** *adj* orientalisch; **2.** *n* Orientale *m*, Orientalin *f.*

orientate ['ɔ:rɪenteɪt] *vt* orientieren.

orifice ['ɒrɪfɪs] *n* Öffnung *f.*

origin ['ɒrɪdʒɪn] *n* Ursprung *m*; (*of the world*) Anfang *m*, Entstehung *f.*

original [ə'rɪdʒɪnl] **1.** *adj* (*first*) ursprünglich; (*painting*) original; (*idea*) originell; **2.** *n* Original *nt*; **originality** [ərɪdʒɪ'nælɪtɪ] *n* Originalität *f*; **originally** *adv* ursprünglich; originell.

originate [ə'rɪdʒɪneɪt] **1.** *vi* entstehen; **2.** *vt* ins Leben rufen; **to ~ from** stammen aus; **originator** [ə'rɪdʒɪneɪtə*] *n* (*of movement*) Begründer(in) *m(f)*; (*of invention*) Erfinder(in) *m(f).*

Orkneys ['ɔ:knɪz] *n pl* (*also:* **Orkney Islands**) Orkneyinseln *pl.*

ornament ['ɔ:nəmənt] *n* Schmuck *m*; (*on mantelpiece*) Nippesfigur *f*; (*fig*) Zierde *f*; **ornamental** [ɔ:nə'mentl] *adj* schmückend, dekorativ, Zier-; **ornamentation** [ɔ:nəmen'teɪʃən] *n* Verzierung *f.*

ornate [ɔ:'neɪt] *adj* reich verziert; (*style*) überladen.

ornithology [ɔ:nɪ'θɒlədʒɪ] *n* Vogelkunde *f*, Ornithologie *f.*

orphan ['ɔ:fən] **1.** *n* Waise *f*, Waisenkind *nt*; **2.** *vt* zur Waise machen; **orphanage** ['ɔ:fənɪdʒ] *n* Waisenhaus *nt.*

orthodontist *n* [ɔ:θə'dɔntɪst] Kieferorthopäde(-din) *m(f).*

orthodox ['ɔ:θədɒks] *adj* orthodox.

orthopaedic, **orthopedic** (*US*) [ɔ:θəʊ'pi:dɪk] *adj* orthopädisch.

oscillation [ɒsɪ'leɪʃən] *n* Schwingung *f*, Oszillation *f.*

ostensible *adj*, **ostensibly** *adv* [ɒ'stensəbl, -ɪ] vorgeblich, angeblich.

ostentatious [ɒsten'teɪʃəs] *adj* großtuerisch, protzig.

ostracize ['ɒstrəsaɪz] *vt* ächten.

ostrich ['ɒstrɪtʃ] *n* Strauß *m.*

other ['ʌðə*] **1.** *adj* andere(r, s); **2.** *pron* andere(r, s); **3.** *adv:* ~ **than** anders als; **the ~ day** neulich; **every ~ day** jeden zweiten Tag; **any person ~ than him** alle außer ihm; **there are 6 ~s** da sind noch 6; **otherwise** *adv* (*in a different way*) anders; (*in other ways*) sonst, im Übrigen; (*or else*) sonst.

otter ['ɒtə*] *n* Otter *m.*

ought [ɔ:t] *aux vb* sollen; **he behaves as he ~** er benimmt sich, wie es sich gehört; **you ~ to do that** Sie sollten das tun; **he ~ to win** er müsste gewinnen; **that ~ to do** das müsste [*o* dürfte] reichen.

ounce [aʊns] *n* Unze *f* (*28,35 g*).

our [aʊə*] *pron* (*adjektivisch*) unser; **ours** *pron* (*substantivisch*) unsere(r, s); **ourselves** *pron* uns; **we ~** wir selbst.

oust [aʊst] *vt* verdrängen; (*government*) absetzen.

out [aʊt] *adv* hinaus/heraus; (*not indoors*) draußen; (*not alight*) aus; (*unconscious*) bewusstlos; (*results*) bekannt gegeben; **to eat/go ~** auswärts essen/ausgehen; **that fashion's ~** das ist nicht mehr Mode; **the ball was ~** der Ball war aus; **the flowers are ~** die Blumen blühen; **he was ~ in his calculations** seine Berechnungen waren nicht richtig; **to be ~ for sth** auf etw *akk* aus sein; ~ **and** ~ durch und durch; ~ **loud** laut.

outback ['aʊtbæk] *n* (*in Australia*): **the** ~ das Hinterland.

outboard motor ['aʊtbɔ:d'məʊtə*] *n* Außenbordmotor *m*.

outbreak ['aʊtbreɪk] *n* Ausbruch *m*.

outbuilding ['aʊtbɪldɪŋ] *n* Nebengebäude *nt*.

outburst ['aʊtbɜ:st] *n* Ausbruch *m*.

outcast ['aʊtkɑ:st] *n* Ausgestoßene(r) *mf*.

outclass [aʊt'klɑ:s] *vt* übertreffen.

outcome ['aʊtkʌm] *n* Ergebnis *nt*.

outcry ['aʊtkraɪ] *n* Aufschrei *m*; (*public protest*) Protestwelle *f* (*against* gegen).

outdated [aʊt'deɪtɪd] *adj* veraltet, überholt.

outdo [aʊt'du:] *irr vt* übertreffen.

outdoor ['aʊtdɔ:*] *adj* Außen-; (SPORT) im Freien; **outdoors** [aʊt'dɔ:z] *adv* draußen, im Freien; **to go** ~ ins Freie [*o* nach draußen] gehen.

outer ['aʊtə*] *adj* äußere(r, s); **outer space** *n* Weltraum *m*.

outfit ['aʊtfɪt] *n* Ausrüstung *f*; (*set of clothes*) Kleidung *f*; **outfitters** *n sing* (*for men's clothes*) Herrenausstatter *m*.

outgoing mail ['aʊtgəʊɪŋmeɪl] *n* Postausgang *m*.

outgoings ['aʊtgəʊɪŋz] *n pl* Ausgaben *pl*.

outgrow [aʊt'grəʊ] *irr vt* (*clothes*) herauswachsen aus; (*habit*) ablegen.

outing ['aʊtɪŋ] *n* Ausflug *m*.

outlandish [aʊt'lændɪʃ] *adj* eigenartig.

outlaw ['aʊtlɔ:] **1.** *n* Geächtete(r) *mf*; **2.** *vt* ächten; (*thing*) verbieten.

outlet ['aʊtlet] *n* Auslass *m*, Abfluss *m*; (COMM) Absatzmarkt *m*; (*shop*) Verkaufsstelle *f*; (*for emotions*) Ventil *nt*.

outline ['aʊtlaɪn] *n* Umriss *m*.

outlive [aʊt'lɪv] *vt* überleben.

outlook ['aʊtlʊk] *n* (*a. fig*) Aussicht *f*; (*attitude*) Einstellung *f*.

outlying ['aʊtlaɪɪŋ] *adj* entlegen; (*district*) Außen-.

outmoded [aʊt'məʊdɪd] *adj* veraltet.

outnumber [aʊt'nʌmbə*] *vt* zahlenmäßig überlegen sein +*dat*.

out of ['aʊtɒv] *prep* aus; (*away from*) außerhalb +*gen*; **to be** ~ **milk** keine Milch mehr haben; **made** ~ **wood** aus Holz gemacht; ~ **danger** außer Gefahr; ~ **place** fehl am Platz; ~ **curiosity** aus Neugier; **nine** ~ **ten** neun von zehn; **out-of-bounds** *adj* verboten; **out-of-court** *adj* außergerichtlich; **out-of-date** *adj* veraltet; **out-of-doors** *adv* im Freien; **out-of-house** *adj* extern; **out-of-the-way** *adj* (*off the general route*) abgelegen; (*unusual*) ungewöhnlich.

outpatient ['aʊtpeɪʃənt] *n* ambulanter Patient, ambulante Patientin.

output ['aʊtpʊt] **1.** *n* Leistung *f*, Produktion *f*; (COMPUT) Ausgabe *f*; **2.** *vt* (COMPUT) ausgeben.

outrage ['aʊtreɪdʒ] **1.** *n* (*cruel deed*) Ausschreitung *f*, Verbrechen *nt*; (*indecency*) Skandal *m*; **2.** *vt* (*morals*) verstoßen gegen; (*person*) empören; **outrageous** [aʊt'reɪdʒəs] *adj* unerhört, empörend.

outright ['aʊtraɪt] **1.** *adv* (*at once*) sofort; (*openly*) ohne Umschweife; **2.** *adj* (*denial*) völlig; (*winner*) unbestritten; **to refuse** ~ rundweg ablehnen.

outset ['aʊtset] *n* Beginn *m*.

outside [aʊt'saɪd] **1.** *n* Außenseite *f*; **2.** *adj* äußere(r, s), Außen-; (*price*) Höchst-; (*chance*) gering; **3.** *adv* außen; **4.** *prep* außerhalb +*gen*; **to go** ~ nach draußen [*o* hinaus] gehen; **on the** ~ außen; **at the very** ~ höchstens; **outsider** *n* Außenseiter(in) *m(f)*.

outsize ['aʊtsaɪz] *adj* übergroß.

outskirts ['aʊtskɜ:ts] *n pl* Stadtrand *m*.

outsourcing ['aʊtsɔ:sɪŋ] *n* Outsourcing *nt* (*Benutzung von externen Dienstleistungen*).

outspoken [aʊt'spəʊkən] *adj* offen, freimütig; **she is a very** ~ **person** sie nimmt kein Blatt vor den Mund.

outstanding [aʊt'stændɪŋ] *adj* hervorragend; (*debts etc*) ausstehend.

outstay [aʊt'steɪ] *vt*: **to** ~ **one's welcome** länger bleiben als erwünscht.

out-tray ['aʊttreɪ] *n* Ablagekorb *m* für ausgehende Post.

outturn ['aʊttɜ:n] *n* Produktionsleistung *f*.

outward ['aʊtwəd] **1.** *adj* äußere(r, s); (*journey*) Hin-; (*freight*) ausgehend; **2.** *adv* nach außen; **outwardly** *adv* äußerlich.

outweigh [aʊt'weɪ] *vt* (*fig*) überwiegen.

outwit [aʊt'wɪt] *vt* überlisten.

outwork ['aʊtwɜ:k] *n* Heimarbeit *f*; **outworker** *n* Heimarbeiter(in) *m(f)*.

oval ['əʊvəl] **1.** *adj* oval; **2.** *n* Oval *nt*.

> Das **Oval Office**, ein großer ovaler Raum im Weißen Haus, ist das persönliche Büro des amerikanischen

Präsidenten. Im weiteren Sinne bezieht sich dieser Begriff oft auf die Präsidentschaft selbst.

ovary ['əʊvərɪ] *n* Eierstock *m.*
ovation [əʊ'veɪʃən] *n* Beifallssturm *m.*
oven ['ʌvn] *n* Backofen *m;* **oven cloth** *n* Topflappen *m.*
over ['əʊvə*] **1.** *adv* (*across*) hinüber/herüber; (*finished*) vorbei; (*left*) übrig; (*again*) wieder, noch einmal; **2.** *prep* über; (*in every part of*) in; **famous the world ~** in der ganzen Welt berühmt; **five times ~** fünfmal; **~ the weekend** übers Wochenende; **~ coffee** bei einer Tasse Kaffee; **~ the phone** am Telephon; **all ~** (*everywhere*) überall; (*finished*) vorbei; **~ and ~** immer wieder; **~ and above** darüber hinaus.
over- ['əʊvə*] *pref* über-; (*excessively*) übermäßig.
overact [əʊvər'ækt] *vi* übertreiben.
overall ['əʊvərɔ:l] **1.** *n* (*Brit*) Kittel *m;* **2.** *adj* (*situation*) allgemein; (*length*) Gesamt-; **3.** *adv* insgesamt; **overalls** *n pl* Overall *m.*
overawe [əʊvər'ɔ:] *vt* (*frighten*) einschüchtern; (*impress*) überwältigen.
overbearing [əʊvə'bɛərɪŋ] *adj* aufdringlich.
overboard ['əʊvəbɔ:d] *adv* über Bord; **to go ~** (*fig*) es übertreiben; **to go ~ for sb** von jdm ganz hingerissen sein.
overcast ['əʊvəkɑ:st] *adj* bedeckt.
overcharge [əʊvə'tʃɑ:dʒ] *vt* zuviel verlangen von.
overcoat ['əʊvəkəʊt] *n* Mantel *m.*
overcome [əʊvə'kʌm] *irr vt* überwinden; (*sleep, emotion*) übermannen; **we shall ~** wir werden siegen.
overcrowded [əʊvə'kraʊdɪd] *adj* überfüllt; **overcrowding** [əʊvə'kraʊdɪŋ] *n* Überfüllung *f.*
overdo [əʊvə'du:] *irr vt* (*cook too much*) verkochen; (*exaggerate*) übertreiben.
overdose ['əʊvədəʊs] *n* Überdosis *f.*
overdraft ['əʊvədrɑ:ft] *n* Kontoüberziehung *f;* **to have an ~** sein Konto überzogen haben; **overdrawn** [əʊvə'drɔ:n] *adj* (*account*) überzogen.
overdrive ['əʊvədraɪv] *n* (AUT) Schnellgang *m.*
overdue [əʊvə'dju:] *adj* überfällig.
overestimate [əʊvər'estɪmeɪt] *vt* überschätzen.
overexcited [əʊvərɪk'saɪtɪd] *adj* überreizt; (*children*) überdreht.
overexertion [əʊvərɪg'zɜ:ʃən] *n* Überanstrengung *f.*
overexpose [əʊvərɪks'pəʊz] *vt* (PHOT) überbelichten.
overflow [əʊvə'fləʊ] **1.** *vi* überfließen; **2.** ['əʊvəfləʊ] *n* (*excess*) Überschuss *m;* (*outlet*) Überlauf *m.*
overgrown [əʊvə'grəʊn] *adj* (*garden*) verwildert.
overhaul [əʊvə'hɔ:l] **1.** *vt* (*car*) überholen; (*plans*) überprüfen; **2.** ['əʊvəhɔ:l] *n* Überholung *f.*
overhead ['əʊvəhed] **1.** *adj* Hoch-; (*wire*) oberirdisch; (*lighting*) Decken-; **2.** [əʊvə'hed] *adv* oben; **overhead projector** *n* Tageslichtprojektor *m,* Overheadprojektor *m;* **overheads** *n pl* allgemeine Unkosten *pl.*
overhear [əʊvə'hɪə*] *irr vt* mit anhören.
overjoyed [əʊvə'dʒɔɪd] *adj* überglücklich.
overland ['əʊvəlænd] **1.** *adj* Überland-; **2.** [əʊvə'lænd] *adv* (*travel*) über Land.
overlap [əʊvə'læp] **1.** *vi* sich überschneiden; (*objects*) sich teilweise decken; **2.** ['əʊvəlæp] *n* Überschneidung *f.*
overload [əʊvə'ləʊd] *vt* überladen.
overlook [əʊvə'lʊk] *vt* (*view from above*) überblicken; (*not notice*) übersehen; (*pardon*) hinwegsehen über *+akk.*
overnight [əʊvə'naɪt] **1.** *adj* (*journey*) Nacht-; **2.** *adv* über Nacht; **~ bag** Reisetasche *f;* **~ stay** Übernachtung *f.*
overpass ['əʊvəpɑ:s] *n* Überführung *f.*
overpower [əʊvə'paʊə*] *vt* überwältigen; **overpowering** *adj* überwältigend.
overrate [əʊvə'reɪt] *vt* überschätzen.
override [əʊvə'raɪd] *irr vt* (*order, decision*) aufheben; (*objection*) übergehen; **overriding** *adj* Haupt-, vorherrschend.
overrule [əʊvə'ru:l] *vt* verwerfen; **we were ~d** unser Vorschlag wurde verworfen.
overseas [əʊvə'si:z] **1.** *adv* nach/in Übersee; **2.** *adj* überseeisch, Übersee-.
overshadow [əʊvə'ʃædəʊ] *vt* überschatten.
overshoot [əʊvə'ʃu:t] *irr vt* (*runway*) hinausschießen über *+akk.*
oversight ['əʊvəsaɪt] *n* (*mistake*) Versehen *nt.*
oversimplify [əʊvə'sɪmplɪfaɪ] *vt* zu sehr vereinfachen.
oversleep [əʊvə'sli:p] *irr vi* verschlafen.

overspill ['əʊvəspɪl] *n* Bevölkerungsüberschuss *m.*

overstate [əʊvə'steɪt] *vt* übertreiben.

overt [əʊ'vɜːt] *adj* offenkundig.

overtake [əʊvə'teɪk] *irr vt, vi* überholen.

overthrow [əʊvə'θrəʊ] *irr vt* (POL) stürzen.

overtime ['əʊvətaɪm] *n* Überstunden *pl.*

overtone ['əʊvətəʊn] *n* (*fig*) Note *f.*

overture ['əʊvətjʊə*] *n* Ouvertüre *f;* **~s** *pl* (*fig*) Annäherungsversuche *pl.*

overturn [əʊvə'tɜːn] *vt, vi* umkippen.

overweight [əʊvə'weɪt] *adj* zu dick, zu schwer.

overwhelm [əʊvə'welm] *vt* überwältigen; **overwhelming** *adj* überwältigend.

overwork [əʊvə'wɜːk] **1.** *vt* überlasten; **2.** *vi* überarbeiten.

overwrought [əʊvə'rɔːt] *adj* überreizt.

owe [əʊ] *vt* schulden; **to ~ sth to sb** (*money*) jdm etw schulden; (*favour etc*) jdm etw verdanken; **owing to** wegen *+gen.*

owl [aʊl] *n* Eule *f.*

own [əʊn] **1.** *vt* besitzen; **2.** *adj* eigen; **3.** *n* Eigentum *nt;* **all my ~** mein Eigentum; **on one's ~** allein; **who ~s that?** wem gehört das?; **I have money of my ~** ich habe selbst Geld; **own up** *vi* zugeben (*to sth* etw *akk*); **owner** *n* Besitzer(in) *m(f),* Eigentümer(in) *m(f);* **ownership** *n* Besitz *m.*

ox [ɒks] *n* Ochse *m.*

> Die Bezeichnung **Oxbridge** setzt sich aus **Ox**(ford) und (Cam)**bridge** zusammen und bezieht sich auf die beiden alten Universitäten. Dieser Begriff ist oft wertend und bringt das Prestige und die Privilegien zum Ausdruck, die traditionellerweise mit diesen Universitäten in Verbindung gebracht werden.

oxide ['ɒksaɪd] *n* Oxid *nt.*

oxtail ['ɒksteɪl] *n* Ochsenschwanz *m;* **~ soup** Ochsenschwanzsuppe *f.*

oxygen ['ɒksɪdʒən] *n* Sauerstoff *m;* **oxygen mask** *n* Sauerstoffmaske *f;* **oxygen tent** *n* Sauerstoffzelt *nt.*

oyster ['ɔɪstə*] *n* Auster *f.*

oz *n abbr of* **ounces** Unze *f.*

ozone ['əʊzəʊn] *n* Ozon *nt;* **~ barrier, ~ shield** Ozonschild *m;* **~ layer** Ozonschicht *f.*

P

P, p [piː] *n* P *nt,* p *nt.*

p 1. *abbr of* **page** Seite, S *f;* **2.** *abbr of* **pence** Penny *m.*

pa [pɑː] *n* (*fam*) Papa *m,* Papi *m.*

p.a. *abbr of* **per annum** pro Jahr.

pace [peɪs] **1.** *n* Schritt *m;* (*speed*) Geschwindigkeit *f,* Tempo *nt;* **2.** *vi* schreiten; **to keep ~ with** Schritt halten mit; **pacemaker** *n* (MED, SPORT) Schrittmacher *m.*

Pacific [pə'sɪfɪk] *n* Pazifik *m.*

pacifism ['pæsɪfɪzəm] *n* Pazifismus *m;* **pacifist** *n* Pazifist(in) *m(f).*

pacify ['pæsɪfaɪ] *vt* (*calm*) beruhigen; (*countries, people*) aussöhnen.

pack [pæk] **1.** *n* Packen *m;* (*of wolves*) Rudel *nt;* (*of hounds*) Meute *f;* (*of cards*) Spiel *nt;* (*gang*) Bande *f;* (*US: back~*) Rucksack *m;* **2.** *vt, vi* (*case*) packen; (*clothes*) einpacken; **package** ['pækɪdʒ] *n* Paket *nt;* (COMPUT) Programmpaket *nt,* Softwarepaket *nt;* **package deal** *n* Pauschalangebot *nt;* **package tour** *n* Pauschalreise *f;* **packet** *n* Päckchen *nt;* **packhorse** *n* Packpferd *nt;* **pack ice** *n* Packeis *nt;* **packing** *n* (*action*) Packen *nt;* (*material*) Verpackung *f;* **packing case** *n* Packkiste *f,* Umzugskiste *f.*

pact [pækt] *n* Pakt *m,* Vertrag *m.*

pad [pæd] **1.** *n* (*of paper*) Schreibblock *m;* (*for inking*) Stempelkissen *nt;* (*padding*) Polster *nt;* **2.** *vt* polstern.

paddle ['pædl] **1.** *n* Paddel *nt;* **2.** *vt* (*boat*) paddeln; **3.** *vi* (*in sea*) planschen; **paddling pool** *n* Planschbecken *nt.*

paddock ['pædək] *n* Koppel *f.*

paddy ['pædɪ] *n:* **~ [field]** Reisfeld *nt.*

padlock ['pædlɒk] *n* Vorhängeschloss *nt.*

paediatrics [piːdɪ'ætrɪks] *n sing* Kinderheilkunde *f.*

pagan ['peɪgən] *adj* heidnisch.

page [peɪdʒ] **1.** *n* Seite *f;* (*person*) Page *m;* **2.** *vt* (*in hotel etc*) ausrufen lassen.

pageant ['pædʒənt] *n* Festzug *m;* **pageantry** *n* Prunk *m.*

pager ['peɪdʒə*] *n* Piepser *m.*

pagoda [pə'gəʊdə] *n* Pagode *f.*

paid [peɪd] *pt, pp of* **pay**.

pail [peɪl] *n* Eimer *m.*

pain [peɪn] *n* Schmerz *m,* Schmerzen *pl;*

~**s** *pl* (*efforts*) große Mühe, große Anstrengungen *pl;* **to be at ~s to do sth** sich *dat* Mühe geben etw zu tun; **pained** *adj* (*expression*) gequält; **painful** *adj* (*physically*) schmerzhaft; (*embarrassing*) peinlich; (*difficult*) mühsam; **painkiller** *n* Schmerzmittel *nt;* **pain-killing drug** *n* schmerzstillendes Mittel; **painless** *adj* schmerzlos; **painstaking** *adj* gewissenhaft.

paint [peɪnt] **1.** *n* Farbe *f;* **2.** *vt* anstreichen; (*picture*) malen; **paintbrush** *n* Pinsel *m;* **painter** *n* Maler(in) *m(f);* **painting** *n* (*act*) Malen *nt;* (ART) Malerei *f;* (*picture*) Bild *nt,* Gemälde *nt.*

pair [pɛə*] *n* Paar *nt;* **a ~ of scissors** eine Schere; **a ~ of trousers** eine Hose.

pajamas [pə'dʒɑːməz] *n pl* (*US*) Schlafanzug *m.*

Pakistan [pɑːkɪ'stɑːn] *n* Pakistan *nt.*

pal [pæl] *n* (*fam*) Kumpel *m.*

palace ['pæləs] *n* Palast *m,* Schloss *nt.*

palatable ['pælətəbl] *adj* schmackhaft.

palate ['pælɪt] *n* Gaumen *m;* (*taste*) Geschmack *m.*

palaver [pə'lɑːvə*] *n* (*fam*) Theater *nt.*

pale [peɪl] *adj* (*face*) blass, bleich; (*colour*) hell, blass; **paleness** *n* Blässe *f.*

palette ['pælɪt] *n* Palette *f.*

pall [pɔːl] **1.** *n* Leichentuch *nt;* (*of smoke*) Rauchwolke *f;* **2.** *vi* an Reiz verlieren; **pallbearer** *n* Sargträger(in) *m(f).*

pallid ['pælɪd] *adj* blass, bleich.

pally ['pælɪ] *adj* (*fam*) freundlich; **they are very ~** sie sind dicke Freunde; **to get ~ with sb** jdm plump-vertraulich kommen.

palm [pɑːm] *n* (*also:* **~ tree**) Palme *f;* (*of hand*) Handfläche *f;* **palmist** *n* Handleser(in) *m(f);* **Palm Sunday** *n* Palmsonntag *m;* **palmtop** *n* Palmtop *nt.*

palpable ['pælpəbl] *adj* greifbar; **palpably** *adv* offensichtlich.

palpitation [pælpɪ'teɪʃən] *n* Herzklopfen *nt.*

paltry ['pɔːltrɪ] *adj* armselig.

pamper ['pæmpə*] *vt* verhätscheln.

pamphlet ['pæmflət] *n* Broschüre *f.*

pan [pæn] **1.** *n* Pfanne *f;* **2.** *vi* (CINE) schwenken.

pan- [pæn] *pref* Pan-, All-.

panacea [pænə'sɪə] *n* (*fig*) Allheilmittel *nt.*

panache [pə'næʃ] *n* Schwung *m.*

Panama ['pænəmɑː] *n* Panama *nt;* **the ~ Canal** der Panamakanal.

pancake ['pænkeɪk] *n* Pfannkuchen *m.*

panda ['pændə] *n* Panda *m.*

pandemonium [pændɪ'məʊnɪəm] *n* Hölle *f;* (*noise*) Höllenlärm *m.*

pander ['pændə*] *vi* sich richten (*to* nach); **to ~ to sb's ego** jdm schmeicheln.

pane [peɪn] *n* Fensterscheibe *f.*

panel ['pænl] *n* (*of wood*) Tafel *f;* (TV) Diskussionsteilnehmer *pl;* **panel discussion** *n* Podiumsdiskussion *f;* **paneling** (*US*) *s.* **panelling**; **panelist** (*US*) *s.* **panellist**; **panelling** *n* Täfelung *f;* **panellist** *n* Diskussionsteilnehmer(in) *m(f).*

pang [pæŋ] *n* Stich *m;* **~s** *pl* **of conscience** Gewissensbisse *pl.*

panic ['pænɪk] **1.** *n* Panik *f;* **2.** *vi* in Panik geraten, durchdrehen; **don't ~** nur keine Panik; **panicky** *adj* (*person*) überängstlich; **panic-stricken** *adj* von Panik erfasst.

pannier ['pænɪə*] *n* Tragekorb *m;* (*on bike*) Satteltasche *f.*

panorama [pænə'rɑːmə] *n* Rundblick *m,* Panorama *nt;* **panoramic** [pænə'ræmɪk] *adj* Panorama-.

pansy ['pænzɪ] *n* (*flower*) Stiefmütterchen *nt;* (*fam*) Schwule(r) *m.*

pant [pænt] *vi* keuchen; (*dog*) hecheln.

pantechnicon [pæn'teknɪkən] *n* Möbelwagen *m.*

panther ['pænθə*] *n* Panther *m.*

panties ['pæntɪz] *n pl* Damenslip *m.*

pantomime ['pæntəmaɪm] *n* Märchenkomödie *f* um Weihnachten.

> **i** Eine **Pantomime** oder umgangssprachlich auch **panto** ist in Großbritannien ein zur Weihnachtszeit aufgeführtes Märchenspiel mit possenhaften Elementen, Musik, Standardrollen (ein als Frau verkleideter Mann, ein Junge, ein Bösewicht) und aktuellen Witzen. Publikumsbeteiligung wird gern gesehen (z. B. warnen die Kinder den Helden mit dem Ruf „He's behind you" vor einer drohenden Gefahr) und viele der Witze sprechen vor allem Erwachsene an, so dass „pantomimes" Unterhaltung für die ganze Familie bieten.

pantry ['pæntrɪ] *n* Vorratskammer *f.*

pants [pænts] *n pl* Unterhose *f;* (*trousers*) Hose *f.*

panty-liner ['pæntɪlaɪnə*] *n* Slipeinlage *f.*

papal ['peɪpəl] *adj* päpstlich.

paper ['peɪpə*] **1.** *n* Papier *nt;* (*newspaper*) Zeitung *f;* (*essay*) Vortrag *m,* Referat *nt;* **2.** *adj* Papier-, aus Papier; **3.** *vt* (*wall*) tapezieren; **~s** *pl* (*identity* ~) Ausweispapiere *pl;* **paperback** *n* Taschenbuch *nt;* **paper bag** *n* Tüte *f;* **paper clip** *n* Büroklammer *f;* **paper cup** *n* Pappbecher *m;* **paper feed** *n* (*printer*) Papiereinzug *m;* **paper handkerchief** *n* Papiertaschentuch *nt;* **paper plate** *n* Pappteller *m;* **paper tissue** *n* Kosmetiktuch *nt;* (*handkerchief*) Papiertaschentuch *nt;* **paperweight** *n* Briefbeschwerer *m;* **paperwork** *n* Schreibarbeit *f.*

papier-mâché ['pæpɪeɪ'mæʃeɪ] *n* Pappmaschee *nt.*

paprika ['pæprɪkə] *n* Paprikapulver *nt.*

papyrus [pə'paɪərəs] *n* Papyrus *m.*

par [pɑ:*] *n* (COMM) Nennwert *m;* (GOLF) Par *nt;* **on a ~ with** ebenbürtig *+dat;* **to be on a ~ with sb** sich mit jdm messen können; **below ~** unter jds Niveau.

parable ['pærəbl] *n* Parabel *f;* (REL) Gleichnis *nt.*

parachute ['pærəʃu:t] **1.** *n* Fallschirm *m;* **2.** *vi* abspringen; **parachutist** ['pærəʃu:tɪst] *n* Fallschirmspringer(in) *m(f).*

parade [pə'reɪd] **1.** *n* Parade *f;* (*fashion* ~) Modenschau *f;* **2.** *vt* zur Schau stellen; **3.** *vi* vorbeimarschieren.

paradise ['pærədaɪs] *n* Paradies *nt.*

paradox ['pærədɒks] *n* Paradox *nt;* **paradoxical** [pærə'dɒksɪkəl] *adj* paradox, widersinnig; **paradoxically** *adv* paradoxerweise.

paraffin ['pærəfɪn] *n* Paraffin *nt.*

paragraph ['pærəgrɑ:f] *n* Absatz *m,* Paragraph *m.*

parallel ['pærəlel] **1.** *adj* parallel; **2.** *n* Parallele *f.*

paralysis [pə'ræləsɪs] *n* Lähmung *f;* **paralyze** ['pærəlaɪz] *vt* lähmen.

paramedic [pærə'medɪk] *n* Rettungssanitäter(in) *m(f).*

parameter [pə'ræmɪtə*] *n* Parameter *m.*

paramilitary [pærə'mɪlɪtrɪ] *adj* paramilitärisch.

paranoia [pærə'nɔɪə] *n* Paranoia *f,* Verfolgungswahn *m.*

parapet ['pærəpɪt] *n* Brüstung *f.*

paraphernalia [pærəfə'neɪlɪə] *n pl* Brimborium *nt.*

paraphrase ['pærəfreɪz] *vt* umschreiben.

paraplegic [pærə'pli:dʒɪk] *n* Querschnittsgelähmte(r) *mf.*

parasite ['pærəsaɪt] *n* Schmarotzer(in) *m(f);* (*plant, animal*) Parasit *m.*

parasol ['pærəsɒl] *n* Sonnenschirm *m.*

paratrooper ['pærətru:pə*] *n* Fallschirmjäger *m.*

parcel ['pɑ:sl] **1.** *n* Paket *nt;* **2.** *vt* (*also:* ~ **up**) einpacken.

parch [pɑ:tʃ] *vt* ausdörren, austrocknen; **I'm ~ed** ich bin am Verdursten.

parchment ['pɑ:tʃmənt] *n* Pergament *nt.*

pardon ['pɑ:dn] **1.** *n* Begnadigung *f;* **2.** *vt* (JUR) begnadigen; ~ **me, I beg your** ~ verzeihen Sie bitte; (*objection*) aber ich bitte Sie; **I beg your ~?, ~ me?** (*US*) wie bitte?

parent ['pɛərənt] *n* Elternteil *m;* **~s** *pl* Eltern *pl;* **parental** [pə'rentl] *adj* elterlich, Eltern-.

parenthesis [pə'renθɪsɪs] *n* Klammer *f;* (*sentence*) Parenthese *f.*

parenthood ['pɛərənthʊd] *n* Elternschaft *f.*

parish ['pærɪʃ] *n* Gemeinde *f;* **parishioner** [pə'rɪʃənə*] *n* Gemeindemitglied *nt.*

parity ['pærɪtɪ] *n* (*equality*) Gleichberechtigung *f;* (FIN) Währungsparität *f;* ~ **check** (COMPUT) Plausibilitätskontrolle *f.*

park [pɑ:k] **1.** *n* Park *m;* **2.** *vt, vi* parken; **parking** *n* Parken *nt;* **"no ~"** „Parken verboten"; **parking disc** *n* Parkscheibe *f;* **parking lot** *n* (*US*) Parkplatz *m;* **parking meter** *n* Parkuhr *f;* **parking place** *n* Parkplatz *m;* **parkway** *n* (*US*) Schnellstraße *f* durch einen Park.

parliament ['pɑ:ləmənt] *n* Parlament *nt.*

> Das **Parliament** ist die höchste gesetzgebende Versammlung in Großbritannien und tritt im Parlamentsgebäude in London zusammen. Die Legislaturperiode beträgt normalerweise fünf Jahre. Das Parliament besteht aus zwei Kammern: dem Oberhaus (House of Lords) und dem Unterhaus (House of Commons).

parliamentary [pɑ:lə'mentərɪ] *adj* parlamentarisch, Parlaments-.

parlor (*US*), **parlour** ['pɑ:lə*] *n* Salon *m,* Wohnzimmer *nt.*

parochial [pə'rəʊkɪəl] *adj* (REL) Gemeinde-; (*narrow-minded*) engstirnig, Provinz-.

parody ['pærədɪ] 1. *n* Parodie *f;* 2. *vt* parodieren.
parole [pə'rəʊl] *n:* **on** ~ (*prisoner*) auf Bewährung.
parquet ['pɑːkeɪ] *n* Parkettfußboden *m.*
parrot ['pærət] *n* Papagei *m;* **parrot fashion** *adv* wie ein Papagei.
parry ['pærɪ] *vt* parieren, abwehren.
parsimonious *adj,* **parsimoniously** *adv* [pɑːsɪ'məʊnɪəs, -lɪ] geizig.
parsing ['pɑːsɪŋ] *n* (COMPUT) Parsing *nt.*
parsley ['pɑːslɪ] *n* Petersilie *f.*
parsnip ['pɑːsnɪp] *n* Pastinake *f,* Petersilienwurzel *f.*
parson ['pɑːsn] *n* Pfarrer.
part [pɑːt] 1. *n* (*piece*) Teil *m,* Stück *nt;* (THEAT) Rolle *f;* (*of machine*) Teil *nt;* 2. *adj* Teil-; 3. *adv s.* **partly**; 4. *vt* trennen; (*hair*) scheiteln; 5. *vi* (*people*) sich trennen, Abschied nehmen; **for my** ~ ich für meinen Teil; **for the most** ~ meistens, größtenteils; **in** ~ **exchange** in Zahlung; **part with** *vt* hergeben; (*renounce*) aufgeben.
partial ['pɑːʃəl] *adj* (*incomplete*) teilweise, Teil-; (*biased*) eingenommen, parteiisch; (*eclipse*) partiell; **to be** ~ **to** eine besondere Vorliebe haben für; **partially** *adv* teilweise, zum Teil.
participate [pɑː'tɪsɪpeɪt] *vi* teilnehmen; (*in*) an +*dat;* **participation** [pɑːtɪsɪ'peɪʃən] *n* Teilnahme *f;* (*sharing*) Beteiligung *f.*
participle ['pɑːtɪsɪpl] *n* Partizip *nt,* Mittelwort *nt.*
particular [pə'tɪkjʊlə*] 1. *adj* bestimmt, speziell; (*exact*) genau; (*fussy*) eigen; 2. *n* Einzelheit *f;* ~**s** *pl* (*details*) Einzelheiten *pl;* (*about person*) Personalien *pl;* **particularly** *adv* besonders.
parting ['pɑːtɪŋ] 1. *n* (*separation*) Abschied *m,* Trennung *f;* (*of hair*) Scheitel *m;* 2. *adj* Abschieds-.
partisan [pɑːtɪ'zæn] 1. *n* Parteigänger(in) *m(f),* Anhänger(in) *m(f);* (*guerrilla*) Partisan(in) *m(f);* 2. *adj* Partei-; Partisanen-.
partition [pɑː'tɪʃən] *n* (*wall*) Trennwand *f;* (*division*) Teilung *f.*
partly ['pɑːtlɪ] *adv* zum Teil, teilweise.
partner ['pɑːtnə*] *n* Partner(in) *m(f);* (COMM A.) Gesellschafter(in) *m(f),* Teilhaber(in) *m(f);* **partnership** *n* Partnerschaft *f,* Gemeinschaft *f;* (COMM) Teilhaberschaft *f.*
partridge ['pɑːtrɪdʒ] *n* Rebhuhn *nt.*
part-time ['pɑːt'taɪm] 1. *adj* teilzeitbeschäftigt; 2. *adv* als Teilzeitkraft.
party ['pɑːtɪ] 1. *n* (POL, JUR) Partei *f;* (*group*) Gesellschaft *f;* (*celebration*) Party *f;* 2. *adj* (*dress*) Gesellschafts-, Party-; (POL) Partei-.
pass [pɑːs] 1. *vt* vorbeikommen an +*dat;* (*on foot*) vorbeigehen an +*dat;* (*by car etc*) vorbeifahren an +*dat;* (*surpass*) übersteigen; (*hand on*) weitergeben; (*approve*) gelten lassen, genehmigen; (*time*) verbringen; (*exam*) bestehen; 2. *vi* (*go by*) vorbeigehen; vorbeifahren; (*years*) vergehen; (*be successful*) bestehen; 3. *n* (*in mountains*) Pass *m;* (*permission*) Passierschein *m;* (SPORT) Pass *m,* Abgabe *f;* **to get a** ~ (*in exam*) bestehen; **pass away** *vi* (*die*) verscheiden; **pass by** *vi* vorbeigehen; vorbeifahren; (*years*) vergehen; **pass for** *vi* gehalten werden für; **pass out** *vi* (*faint*) ohnmächtig werden.
passable ['pɑːsəbl] *adj* (*road*) passierbar, befahrbar; (*fairly good*) passabel, leidlich; **passably** *adv* leidlich, ziemlich.
passage ['pæsɪdʒ] *n* (*corridor*) Gang *m,* Korridor *m;* (*in book*) Textstelle *f;* (*voyage*) Überfahrt *f;* **passageway** *n* Passage *f,* Durchgang *m.*
passenger ['pæsɪndʒə*] *n* Passagier *m;* (*on bus*) Fahrgast *m;* (*in aeroplane also*) Fluggast *m;* (*on train*) Reisende(r) *mf;* **passenger lounge** *n* Warteraum *m.*
passer-by ['pɑːsə'baɪ] *n* Passant(in) *m(f).*
passing ['pɑːsɪŋ] 1. *n* (*death*) Ableben *nt;* 2. *adj* (*car*) vorbeifahrend; (*thought, affair*) momentan; **in** ~ en passant.
passion ['pæʃən] *n* Leidenschaft *f;* **passionate** *adj,* **passionately** *adv* leidenschaftlich.
passive ['pæsɪv] 1. *n* Passiv *nt;* 2. *adj* Passiv-, passiv; ~ **smoking** Passivrauchen *nt.*
Passover ['pɑːsəʊvə*] *n* Passahfest *nt.*
passport ['pɑːspɔːt] *n* Reisepass *m.*
password ['pɑːswɜːd] *n* (*a.* COMPUT) Kennwort *nt.*
past [pɑːst] 1. *n* Vergangenheit *f;* 2. *adv* vorbei; 3. *adj* (*years*) vergangen; (*president etc*) ehemalig; 4. *prep:* **to go** ~ **sth** an etw *dat* vorbeigehen; **to be** ~ **10** (*with age*) über 10 sein; (*with time*) nach 10 sein.
pasta ['pæstə] *n* Nudeln *pl.*
paste [peɪst] 1. *n* (*for pastry*) Teig *m;* (*fish* ~ *etc*) Paste *f;* (*glue*) Kleister *m;* 2. *vt* kleben; (*put* ~ *on*) mit Kleister bestreichen.
pastel ['pæstəl] *adj* (*colour*) Pastell-.

pasteurized ['pæstəraɪzd] *adj* pasteurisiert.

pastille ['pæstɪl] *n* Pastille *f.*

pastime ['pɑ:staɪm] *n* Hobby *nt,* Zeitvertreib *m.*

pastmaster [pɑ:st'mɑ:stə*] *n* Meister *m.*

pastor ['pɑ:stə*] *n* Pastor(in) *m(f),* Pfarrer(in) *m(f).*

pastry ['peɪstrɪ] *n* Blätterteig *m;* (*tarts etc*) Stückchen *pl,* Tortengebäck *nt.*

pasture ['pɑ:stʃə*] *n* Weide *f.*

pasty ['pæstɪ] **1.** *n* Fleischpastete *f;* **2.** ['peɪstɪ] *adj* blässlich, käsig.

pat [pæt] **1.** *n* leichter Schlag, Klaps *m;* **2.** *vt* tätscheln.

patch [pætʃ] **1.** *n* Fleck *m;* **2.** *vt* flicken; **a bad ~** eine Pechsträhne; **~ of fog** Nebelfeld *nt;* **patchwork** *n* Patchwork *nt;* **patchy** *adj* (*irregular*) ungleichmäßig.

patent ['peɪtənt] **1.** *n* Patent *nt;* **2.** *vt* patentieren lassen; (*by authorities*) patentieren; **3.** *adj* offenkundig; **patent leather** *n* Lackleder *nt;* **patently** *adv* offensichtlich.

paternal [pə'tɜ:nl] *adj* väterlich; **his ~ grandmother** seine Großmutter väterlicherseits; **paternalistic** [pətɜ:nə'lɪstɪk] *adj* patriarchalisch.

paternity [pə'tɜ:nɪtɪ] *n* Vaterschaft *f.*

path [pɑ:θ] *n* (*a. fig*) Pfad *m,* Weg *m;* (COMPUT) Pfad *m;* (*of the sun*) Bahn *f.*

pathetic *adj,* **pathetically** *adv* [pə'θetɪk, -lɪ] (*very bad*) kläglich; **it's ~** es ist zum Weinen [*o* Heulen].

pathological [pæθə'lɒdʒɪkəl] *adj* krankhaft, pathologisch; **pathologist** [pə'θɒlədʒɪst] *n* Pathologe(-login) *m(f);* **pathology** [pə'θɒlədʒɪ] *n* Pathologie *f.*

pathos ['peɪθɒs] *n* Rührseligkeit *f.*

pathway ['pɑ:θweɪ] *n* Pfad *m,* Weg *m.*

patience ['peɪʃəns] *n* Geduld *f;* (CARDS) Patience *f;* **patient 1.** *adj* geduldig; **2.** *n* Patient(in) *m(f),* Kranke(r) *mf;* **patiently** *adv* geduldig.

patio ['pætɪəʊ] *n* <-s> Innenhof *m;* (*outside*) Terrasse *f.*

patriotic [pætrɪ'ɒtɪk] *adj* patriotisch; **patriotism** ['pætrɪətɪzəm] *n* Patriotismus *m.*

patrol [pə'trəʊl] **1.** *n* Patrouille *f;* (*police*) Streife *f;* **2.** *vt* patrouillieren in *+dat;* **3.** *vi* (*police*) die Runde machen; (MIL) patrouillieren; **on ~** (*police*) auf Streife; **patrol car** *n* Streifenwagen *m;* **patrolman** *n* <patrolmen> (*US*) Streifenpolizist *m.*

patron ['peɪtrən] *n* (*in shop*) Stammkunde *m,* -kundin *f;* (*in hotel*) Stammgast *m;* (*supporter*) Förderer *m,* Fördrerin *f;* **patronage** ['pætrənɪdʒ] *n* Förderung *f,* Schirmherrschaft *f;* (COMM) Kundschaft *f;* **patronize** ['pætrənaɪz] *vt* (*support*) unterstützen; (*shop*) besuchen; (*treat condescendingly*) von oben herab behandeln; **patronizing** *adj* (*attitude*) herablassend; **patron saint** *n* Schutzheilige(r) *mf,* Schutzpatron(in) *m(f).*

patter ['pætə*] **1.** *n* (*sound: of feet*) Trappeln *nt,* Trippeln *nt;* (*of rain*) Prasseln *nt;* (*sales talk*) Art *f* zu reden, Gerede *nt;* **2.** *vi* (*feet*) trappeln; (*rain*) prasseln.

pattern ['pætən] **1.** *n* Muster *nt;* (*sewing*) Schnittmuster *nt;* (*knitting*) Strickanleitung *f;* **2.** *vt:* **to ~ sth on sth** etw nach etw bilden.

paunch [pɔ:ntʃ] *n* dicker Bauch, Wanst *m.*

pauper ['pɔ:pə*] *n* Arme(r) *mf.*

pause [pɔ:z] **1.** *n* Pause *f;* **2.** *vi* innehalten, eine Pause machen.

pave [peɪv] *vt* pflastern; **to ~ the way for** den Weg bahnen für; **pavement** *n* (*Brit*) Bürgersteig *m.*

pavilion [pə'vɪlɪən] *n* Pavillon *m;* (SPORT) Klubhaus *nt.*

paving ['peɪvɪŋ] *n* Straßenpflaster *nt.*

paw [pɔ:] **1.** *n* Pfote *f;* (*of big cats*) Tatze *f,* Pranke *f;* **2.** *vt* (*scrape*) scharren; (*handle*) betatschen.

pawn [pɔ:n] **1.** *n* Pfand *nt;* (CHESS) Bauer *m;* **2.** *vt* versetzen, verpfänden; **pawnbroker** *n* Pfandleiher(in) *m(f);* **pawnshop** *n* Pfandhaus *nt.*

pay [peɪ] <paid, paid> **1.** *vt* bezahlen; **2.** *vi* zahlen; (*be profitable*) sich bezahlt machen; **3.** *n* Bezahlung *f,* Lohn *m;* **to be in sb's ~** von jdm bezahlt werden; **it would ~ you to ...** es würde sich für dich lohnen zu ...; **to ~ attention** Acht geben (*to* auf *+akk*); **it doesn't ~** es lohnt sich nicht; **pay for** *vt* bezahlen für; **pay off** *vt* auszahlen und entlassen; **pay up** *vi* bezahlen, seine Schulden begleichen; **payable** *adj* zahlbar; (*due*) fällig; **pay-as-you-earn [tax] system** *n* Quellenabzugsverfahren *nt* (*Steuersystem, bei dem die Lohnsteuer direkt einbehalten wird*); **payback period** *n* Amortisationszeit, -dauer *f;* **payday** *n* Zahltag *m.*

PAYE *n abbr of* **pay-as-you-earn**.

payee [peɪ'i:] *n* Zahlungsempfänger(in) *m(f);* **paying** *adj* einträglich, rentabel; **paying guest** *n* zahlender Gast; **pay-**

load *n* Nutzlast *f;* **payment** *n* Bezahlung *f;* **pay negotiations** *n pl* Tarifverhandlungen *pl;* **pay packet** *n* Lohntüte *f;* **payroll** *n* Lohnliste *f;* **to be on sb's ~** bei jdm beschäftigt sein; **pay TV** *n* Pay-TV *nt.*

PC 1. *n abbr of* personal computer PC *m;* 2. *n abbr of* police constable Polizeibeamte(r) *m.*

pc *adj abbr of* **politically correct**.

PDA *n abbr of* personal digital assistant PDA *m* (*kleiner Notizbuchrechner, der handschriftliche Eingaben ermöglicht*).

pea [pi:] *n* Erbse *f.*

peace [pi:s] *n* Frieden *m;* **peaceable** *adj,* **peaceably** *adv* friedlich; **Peace Corps** *n* (*US*) Entwicklungsdienst *m;* **peaceful** *adj* friedlich, ruhig; **peace-keeping** *adj* Friedens-; ~ **role** Vermittlerrolle *f;* **peace movement** *n* Friedensbewegung *f;* **peace offering** *n* Friedensangebot *nt;* **peace studies** *n pl* Friedensforschung *f;* **peacetime** *n* Frieden *m.*

peach [pi:tʃ] *n* Pfirsich *m.*

peacock ['pi:kɒk] *n* Pfau *m.*

peak [pi:k] *n* Spitze *f;* (*of mountain*) Gipfel *m;* (*fig*) Höhepunkt *m;* (*of cap*) Mützenschirm *m;* **peak period** *n* Stoßzeit *f,* Hauptverkehrzeit *f.*

peanut ['pi:nʌt] *n* Erdnuss *f;* **to work for ~s** für einen Hungerlohn arbeiten; **peanut butter** *n* Erdnussbutter *f.*

pear [pɛə*] *n* Birne *f.*

pearl [pɜ:l] *n* Perle *f.*

peasant ['pezənt] *n* Bauer *m,* Bäuerin *f.*

pea souper ['pi:suɪpə*] *n* (*fam: fog*) Waschküche *f.*

peat [pi:t] *n* Torf *m.*

pebble ['pebl] *n* Kiesel *m.*

peck [pek] 1. *vt, vi* picken; 2. *n* (*with beak*) Schnabelhieb *m;* (*kiss*) flüchtiger Kuss; **peckish** *adj* (*fam*) ein bisschen hungrig.

peculiar [pɪ'kju:lɪə*] *adj* (*odd*) seltsam; ~ **to** charakteristisch für; **peculiarity** [pɪkjʊlɪ'ærɪtɪ] *n* (*singular quality*) Besonderheit *f;* (*strangeness*) Eigenartigkeit *f;* **peculiarly** *adv* seltsam; (*especially*) besonders.

pecuniary [pɪ'kju:nɪərɪ] *adj* Geld-, finanziell, pekuniär.

pedal ['pedl] 1. *n* Pedal *nt;* 2. *vi* (*cycle*) fahren, Rad fahren.

pedant ['pedənt] *n* Pedant(in) *m(f);* **pedantic** [pɪ'dæntɪk] *adj* pedantisch; **pedantry** ['pedəntrɪ] *n* Pedanterie *f.*

peddle ['pedl] *vt* hausieren gehen mit.

pedestal ['pedɪstl] *n* Sockel *m.*

pedestrian [pɪ'destrɪən] 1. *n* Fußgänger(in) *m(f);* 2. *adj* Fußgänger-; (*humdrum*) langweilig; **pedestrian crossing** *n* Fußgängerüberweg *m;* **pedestrianize** *vt* in eine Fußgängerzone umwandeln; **pedestrian precinct** *n* Fußgängerzone *f.*

pediatrics [pi:dɪ'ætrɪks] *n sing* (*US*) *s.* **paediatrics**.

pedigree ['pedɪgri:] 1. *n* Stammbaum *m;* 2. *adj* (*animal*) reinrassig, Zucht-.

pee [pi:] *vi* (*fam*) pinkeln.

peek [pi:k] 1. *n* flüchtiger Blick; 2. *vi* gucken.

peel [pi:l] 1. *n* Schale *f;* 2. *vt* schälen; 3. *vi* (*paint etc*) abblättern; (*skin, person*) sich schälen; **peelings** *n pl* Schalen *pl.*

peep [pi:p] 1. *n* (*look*) neugieriger Blick; (*sound*) Piepsen *nt;* 2. *vi* (*look*) neugierig gucken; **peephole** *n* Guckloch *nt.*

peer [pɪə*] 1. *vi* angestrengt schauen (*at* auf *+akk*); (*peep*) gucken; 2. *n* (*nobleman*) Peer *m;* (*equal*) Ebenbürtige(r) *mf;* **his ~s** seinesgleichen; **peerage** *n* Peerswürde *f;* **peerless** *adj* unvergleichlich.

peeve [pi:v] *vt* (*fam*) verärgern; **peeved** *adj* ärgerlich; (*person*) sauer.

peevish ['pi:vɪʃ] *adj* verdrießlich, brummig; **peevishness** *n* Verdrießlichkeit *f.*

peg [peg] *n* Stift *m;* (*hook*) Haken *m;* (*stake*) Pflock *m;* **clothes ~** Wäscheklammer *f;* **off the ~** von der Stange.

pejorative [pɪ'dʒɒrɪtɪv] *adj* pejorativ, abwertend.

pekinese [pi:kɪ'ni:z] *n* Pekinese *m.*

Peking [pi:'kɪŋ] *n* Peking *nt.*

pelican ['pelɪkən] *n* Pelikan *m.*

pellet ['pelɪt] *n* Kügelchen *nt.*

pelmet ['pelmɪt] *n* Blende *f,* Schabracke *f.*

pelt [pelt] 1. *vt* werfen (*at* nach); 2. *n* Pelz *m,* Fell *nt;* **pelt down** *vi* niederprasseln.

pelvis ['pelvɪs] *n* Becken *nt.*

pen [pen] *n* Feder *f;* (*fountain ~*) Füllfederhalter *m;* (*ball-point*) Kuli *m;* (*for sheep*) Pferch *m;* **have you got a ~?** haben Sie etwas zum Schreiben?

penal ['pi:nl] *adj* Straf-; **penalize** *vt* (*make punishable*) unter Strafe stellen; (*punish*) bestrafen; (*disadvantage*) benachteiligen; **penalty** ['penəltɪ] *n* Strafe *f;* (FOOTBALL) Elfmeter *m;* **penalty area** *n* Strafraum *m;* **penalty kick** *n* Elfmeter *m.*

penance ['penəns] *n* Buße *f.*

pence [pens] *n pl of* **penny** Pence *pl.*

pencil ['pensl] *n* Bleistift *m;* **pencil sharpener** *n* Bleistiftspitzer *m.*

pendant ['pendənt] *n* Anhänger *m.*

pending ['pendɪŋ] **1.** *prep* bis zu; **2.** *adj* unentschieden, noch offen; **pending tray** *n* Ablage *f* für Unerledigtes.

pendulum ['pendjʊləm] *n* Pendel *nt.*

penetrate ['penɪtreɪt] *vt* durchdringen; (*enter into*) eindringen in *+akk;* **penetrating** *adj* durchdringend; (*analysis*) scharfsinnig; **penetration** [penɪ'treɪʃən] *n* Durchdringen *nt,* Eindringen *nt.*

penfriend ['penfrend] *n* Brieffreund(in) *m(f).*

penguin ['peŋgwɪn] *n* Pinguin *m.*

penicillin [penɪ'sɪlɪn] *n* Penizillin *nt.*

peninsula [pɪ'nɪnsjʊlə] *n* Halbinsel *f.*

penis ['pi:nɪs] *n* Penis *m,* männliches Glied.

penitence ['penɪtəns] *n* Reue *f;* **penitent** *adj* reuig.

penitentiary [penɪ'tenʃərɪ] *n* (*US*) Zuchthaus *nt.*

penknife ['pennaɪf] *n* <penknives> Taschenmesser *nt.*

pen name ['penneɪm] *n* Pseudonym *nt.*

pennant ['penənt] *n* Wimpel *m;* (*official* ~) Stander *m.*

penniless ['penɪləs] *adj* mittellos, ohne einen Pfennig.

penny ['penɪ] *n* <pence *o* pennies *coins*> Penny *m.*

pen pal ['penpæl] *n* Brieffreund(in) *m(f).*

pension ['penʃən] *n* Rente *f;* (*for civil servants, executives etc*) Pension *f;* **pensionable** *adj* (*person*) pensionsberechtigt; (*job*) mit Renten-/Pensionsanspruch; **pension entitlement** *n* Rentenanspruch *m;* **pensioner** *n* Rentner(in) *m(f);* (*civil servant, executive*) Pensionär(in) *m(f);* **pension fund** *n* Rentenfonds *m.*

pensive ['pensɪv] *adj* nachdenklich.

pentagon ['pentəgən] *n* Fünfeck *nt;* **the Pentagon** (*in USA*) das Pentagon.

> **Pentagon** heißt das fünfeckige Gebäude in Arlington, Virginia, in dem das amerikanische Verteidigungsministerium untergebracht ist. Im weiteren Sinne bezieht sich dieses Wort auf die amerikanische Militärführung.

pentathlon [pen'tæθlən] *n* Zehnkampf *m.*

Pentecost ['pentɪkɒst] *n* Pfingsten *nt.*

penthouse ['penthaʊs] *n* Dachterrassenwohnung *f.*

pent-up ['pentʌp] *adj* (*feelings*) angestaut.

penultimate [pɪ'nʌltɪmət] *adj* vorletzte(r, s).

people ['pi:pl] **1.** *n pl* (*nation*) Volk *nt;* (*inhabitants*) Bevölkerung *f;* (*persons*) Leute *pl;* **2.** *vt* besiedeln; ~ **think/say** man glaubt/sagt.

pep [pep] *n* (*fam*) Schwung *m,* Schmiss *m;* **pep up** *vt* aufmöbeln.

pepper ['pepə*] **1.** *n* Pfeffer *m;* (*vegetable*) Paprika *m;* **2.** *vt* (*pelt*) bombardieren; **peppermint** *n* (*plant*) Pfefferminze *f;* (*sweet*) Pfefferminz *nt.*

peptalk ['peptɔ:k] *n:* **to give sb a** ~ (*fam*) jdm gut zusprechen, jdn anspornen.

per [pɜ:*] *prep* pro; ~ **annum** pro Jahr; ~ **cent** Prozent *nt.*

perceive [pə'si:v] *vt* (*realize*) wahrnehmen, spüren; (*understand*) verstehen.

percentage [pə'sentɪdʒ] *n* Prozentsatz *m;* (*payment*) Anteil *m,* Prozente *pl.*

perceptible [pə'septəbl] *adj* merklich, wahrnehmbar.

perception [pə'sepʃən] *n* Wahrnehmung *f;* (*insight*) Einsicht *f.*

perceptive [pə'septɪv] *adj* (*person*) aufmerksam; (*analysis*) tiefgehend, scharfsinnig.

perch [pɜ:tʃ] **1.** *n* Stange *f;* (*fish*) Flussbarsch *m;* **2.** *vi* sitzen, hocken.

percolator ['pɜ:kəleɪtə*] *n* Kaffeemaschine *f.*

percussion [pɜ:'kʌʃən] *n* (MUS) Schlagzeug *nt;* ~ **drill** Schlagbohrmaschine *f.*

peremptory [pə'remptərɪ] *adj* schroff.

perennial [pə'renɪəl] **1.** *adj* wiederkehrend; (*everlasting*) unvergänglich; **2.** *n* mehrjährige Pflanze.

perfect ['pɜ:fɪkt] **1.** *adj* vollkommen; (*crime, solution*) perfekt; **2.** *n* (LING) Perfekt *nt;* **3.** [pə'fekt] *vt* vervollkommnen; **perfection** [pə'fekʃən] *n* Vollkommenheit *f,* Perfektion *f;* **perfectionist** [pə'fekʃənɪst] *n* Perfektionist(in) *m(f);* **perfectly** *adv* vollkommen, perfekt; (*quite*) ganz, einfach.

perforate ['pɜ:fəreɪt] *vt* perforieren; **perforated** *adj* perforiert; **perforation** [pɜ:fə'reɪʃən] *n* Perforation *f.*

perform [pə'fɔ:m] **1.** *vt* (*play, concert*) aufführen; (*solo*) vortragen; (*trick*) vorführen; (*task*) ausführen; (*duty*) erfüllen; (*operation*) durchführen; **2.** *vi* (THEAT) auftreten; (*car, team etc*) leisten; **to ~ well** viel leisten; **performance** *n* Durchführung *f;* (*efficiency*) Leistung *f;* (*show*) Vorstellung *f;* **performer** *n* Künstler(in) *m(f);* **performing** *adj* (*animal*) dressiert.

perfume ['pɜːfjuːm] *n* (*scent*) Duft *m;* (*substance*) Parfüm *nt.*

perfunctory [pə'fʌŋktərɪ] *adj* oberflächlich, mechanisch.

perhaps [pə'hæps] *adv* vielleicht.

peril ['perɪl] *n* Gefahr *f;* **perilous** *adj,* **perilously** *adv* gefährlich.

perimeter [pə'rɪmɪtə*] *n* Peripherie *f;* (*of circle etc*) Umfang *m.*

period ['pɪərɪəd] **1.** *n* Periode *f,* Zeit *f;* (LING) Punkt *m;* (MED) Periode *f;* **2.** *adj* (*costume*) historisch; **periodical** [pɪərɪ'ɒdɪkəl] *adj* periodisch; **periodical** *n* Zeitschrift *f;* **periodically** *adv* periodisch.

peripheral [pə'rɪfərəl] **1.** *adj* Rand-, peripher, nebensächlich; **2.** *n* (COMPUT) Peripheriegerät *nt.*

periphery [pə'rɪfərɪ] *n* Peripherie *f,* Rand *m.*

periscope ['perɪskəʊp] *n* Periskop *nt,* Sehrohr *nt.*

perish ['perɪʃ] *vi* umkommen; (*material*) unbrauchbar werden; (*fruit*) verderben; **~ the thought** daran wollen wir nicht denken; **perishable** *adj* (*fruit*) leicht verderblich; **perishing** *adj* (*fam: cold*) eisig.

perjure ['pɜːdʒə*] *vr:* **~ oneself** einen Meineid leisten; **perjury** ['pɜːdʒərɪ] *n* Meineid *m.*

perk [pɜːk] *n* (*fam: fringe benefit*) Vergünstigung *f;* **perk up 1.** *vi* munter werden; **2.** *vt* (*ears*) spitzen; **perky** *adj* (*cheerful*) keck, munter.

perm [pɜːm] *n* Dauerwelle *f.*

permanent *adj,* **permanently** *adv* ['pɜːmənənt, -lɪ] dauernd, ständig.

permissible [pə'mɪsəbl] *adj* zulässig.

permission [pə'mɪʃən] *n* Erlaubnis *f,* Genehmigung *f.*

permissive [pə'mɪsɪv] *adj* nachgiebig; (*society etc*) permissiv, sexuell freizügig; **permissiveness** *n* Permissivität *f,* sexuelle Freizügigkeit.

permit ['pɜːmɪt] **1.** *n* Genehmigung *f,* Erlaubnisschein *m;* **2.** [pə'mɪt] *vt* erlauben, zulassen.

permutation [pɜːmjʊ'teɪʃən] *n* Veränderung *f;* (MATH) Permutation *f.*

pernicious [pɜː'nɪʃəs] *adj* schädlich.

perpendicular [pɜːpən'dɪkjʊlə*] *adj* senkrecht.

perpetrate ['pɜːpɪtreɪt] *vt* begehen, verüben.

perpetual *adj,* **perpetually** *adv* [pə'petjʊəl, -ɪ] ständig, dauernd; **perpetuate** [pə'petjʊeɪt] *vt* verewigen, bewahren; **perpetuity** [pɜːpɪ'tjuːɪtɪ] *n* Ewigkeit *f.*

perplex [pə'pleks] *vt* verblüffen; **perplexed** *adj* verblüfft, perplex; **perplexing** *adj* verblüffend; **perplexity** *n* Verblüffung *f.*

persecute ['pɜːsɪkjuːt] *vt* verfolgen; **persecution** [pɜːsɪ'kjuːʃən] *n* Verfolgung *f.*

perseverance [pɜːsɪ'vɪərəns] *n* Ausdauer *f;* **persevere** *vi* beharren, durchhalten.

Persian ['pɜːʃən] **1.** *adj* persisch; **2.** *n* (*person*) Perser(in) *m(f);* (*cat*) Perserkatze *f;* **the ~ Gulf** der Persische Golf.

persist [pə'sɪst] *vi* (*in belief etc*) bleiben (*in* bei); (*rain, smell*) andauern; (*continue*) nicht aufhören; **persistence** *n* Beharrlichkeit *f;* **persistent** *adj,* **persistently** *adv* beharrlich; (*unending*) ständig.

person ['pɜːsn] *n* Mensch *m;* (LING, *in official context*) Person *f;* **on one's ~** bei sich; **in ~** persönlich; **personable** *adj* gut aussehend; **personal** *adj* persönlich; (*private*) privat; (*of body*) körperlich, Körper-; **personal allowance** *n* Grundfreibetrag *m;* **personal assets** *n pl* bewegliches Privatvermögen; **personal computer** *n* Personal Computer *m,* PC *m;* **personal identification number** *n* Geheimnummer *f;* **personality** [pɜːsə'nælɪtɪ] *n* Persönlichkeit *f;* **personal stereo** *n* Walkman® *m.*

personification [pɜːsɒnɪfɪ'keɪʃən] *n* Verkörperung *f;* **personify** [pɜː'sɒnɪfaɪ] *vt* verkörpern, personifizieren.

personnel [pɜːsə'nel] *n* Personal *nt;* (*in factory*) Belegschaft *f;* (*department*) Personalabteilung *f;* **personnel manager** *n* Personalchef(in) *m(f).*

perspective [pə'spektɪv] *n* Perspektive *f.*

perspex® ['pɜːspeks] *n* Acrylglas *nt.*

perspicacity [pɜːspɪ'kæsɪtɪ] *n* Scharfsinn *m.*

perspiration [pɜːspə'reɪʃən] *n* Transpiration *f;* **perspire** [pə'spaɪə*] *vi* schwitzen.

persuade [pə'sweɪd] *vt* überreden; (*convince*) überzeugen; **persuasion** [pə'sweɪʒən] *n* Überredung *f;* Überzeugung *f;* **persuasive** *adj,* **persuasively** *adv* [pə'sweɪsɪv, -lɪ] überzeugend.

pert [pɜːt] *adj* keck.

pertain [pɜː'teɪn] *vt* gehören (*to* zu); **~ing to** betreffend +*akk.*

pertinent ['pɜːtɪnənt] *adj* relevant.

perturb [pə'tɜːb] *vt* beunruhigen.

pervasive [pə'veɪsɪv] *adj* (*smell*) durchdringend; (*ideas*) um sich greifend.

perverse *adj,* **perversely** *adv* [pə'vɜːs, -lɪ] pervers; (*obstinate*) eigensinnig; **perverseness** *n* Perversität *f;* Eigensinn *m;* **perversion** [pə'vɜːʃən] *n* Perversion *f;* (*of justice*) Verdrehung *f;* **perversity** [pə'vɜːsɪtɪ] *n* Perversität *f;* **pervert** ['pɜːvɜːt] **1.** *n* Perverse(r) *mf;* **2.** [pə'vɜːt] *vt* verdrehen; (*morally*) verderben.

pessimism ['pesɪmɪzəm] *n* Pessimismus *m;* **pessimist** *n* Pessimist(in) *m(f);* **pessimistic** [pesɪ'mɪstɪk] *adj* pessimistisch.

pest [pest] *n* Plage *f;* (*insect*) Schädling *m;* (*fig: person*) Nervensäge *f;* (*thing*) Plage *f.*

pester ['pestə*] *vt* plagen.

pesticide ['pestɪsaɪd] *n* Schädlingsbekämpfungsmittel *nt.*

pestle ['pesl] *n* Stößel *m.*

pet [pet] **1.** *n* (*animal*) Haustier *nt;* (*person*) Liebling *m;* **2.** *vt* liebkosen, streicheln.

petal ['petl] *n* Blütenblatt *nt.*

peter out ['piːtə* aʊt] *vi* allmählich zu Ende gehen.

petite [pə'tiːt] *adj* zierlich.

petition [pə'tɪʃən] *n* Bittschrift *f.*

petrel ['petrəl] *n* Sturmvogel *m.*

petrified ['petrɪfaɪd] *adj* versteinert; (*person*) starr vor Schreck; **petrify** *vt* versteinern; (*person*) erstarren lassen.

petrol ['petrəl] *n* (*Brit*) Benzin *nt,* Kraftstoff *m;* **petroleum** [pɪ'trəʊlɪəm] *n* Petroleum *nt;* **petrol pump** *n* (*in car*) Benzinpumpe *f;* (*at garage*) Zapfsäule *f,* Tanksäule *f;* **petrol station** *n* Tankstelle *f;* **petrol tank** *n* Benzintank *m.*

petticoat ['petɪkəʊt] *n* Unterrock *m,* Petticoat *m.*

pettifogging ['petɪfɒgɪŋ] *adj* kleinlich.

pettiness ['petɪnəs] *n* Geringfügigkeit *f;* (*meanness*) Kleinlichkeit *f.*

petty ['petɪ] *adj* (*unimportant*) geringfügig, unbedeutend; (*mean*) kleinlich; **petty cash** *n* Portokasse *f;* **petty officer** *n* Maat *m.*

petulant ['petjʊlənt] *adj* leicht reizbar.

pew [pjuː] *n* Kirchenbank *f.*

pewter ['pjuːtə*] *n* Zinn *nt.*

pH *n* pH-Wert *m.*

phallic ['fælɪk] *adj* phallisch, Phallus-.

phantom ['fæntəm] *n* Phantom *nt,* Geist *m.*

pharmacist ['fɑːməsɪst] *n* Pharmazeut(in) *m(f);* (*druggist*) Apotheker(in) *m(f);* **pharmacy** ['fɑːməsɪ] *n* Pharmazie *f;* (*shop*) Apotheke *f.*

phase [feɪz] *n* Phase *f;* **phase out** *vt* langsam abbauen; (*model*) auslaufen lassen; (*person*) absetzen.

PhD *n abbr of* **Doctor of Philosophy** Dr. phil; (*dissertation*) Doktorarbeit *f.*

pheasant ['feznt] *n* Fasan *m.*

phenomenal *adj,* **phenomenally** *adv* [fɪ'nɒmɪnl, -nəlɪ] phänomenal.

phenomenon [fi'nɒmɪnən] *n* <phenomena> Phänomen *nt;* **common ~** häufige Erscheinung.

phial ['faɪəl] *n* Fläschchen *nt;* (*for serum*) Ampulle *f.*

philanderer [fɪ'lændərə*] *n* Schürzenjäger *m.*

philanthropic [fɪlən'θrɒpɪk] *adj* philanthropisch, menschenfreundlich; **philanthropist** [fɪ'lænθrəpɪst] *n* Philanthrop *m,* Menschenfreund *m.*

philatelist [fɪ'lætəlɪst] *n* Briefmarkensammler(in) *m(f),* Philatelist(in) *m(f);* **philately** [fɪ'lætəlɪ] *n* Briefmarkensammeln *nt,* Philatelie *f.*

Philippines ['fɪlɪpiːnz] *n pl* Philippinen *pl.*

philosopher [fɪ'lɒsəfə*] *n* Philosoph(in) *m(f).*

philosophical [fɪlə'sɒfɪkəl] *adj* philosophisch.

philosophize [fɪ'lɒsəfaɪz] *vi* philosophieren.

philosophy [fɪ'lɒsəfɪ] *n* Philosophie *f,* Weltanschauung *f.*

phlegm [flem] *n* (MED) Schleim *m;* (*calmness*) Gelassenheit *f;* **phlegmatic** [fleg'mætɪk] *adj* (*cool*) gelassen; (*stolid*) träge, phlegmatisch.

phobia ['fəʊbɪə] *n* krankhafte Furcht, Phobie *f.*

phoenix ['fiːnɪks] *n* Phönix *m.*

phone [fəʊn] **1.** *n* Telefon *nt;* **2.** *vt, vi* telefonieren, anrufen; **phonecard** *n* Telefonkarte *f;* **phone-in** *n Rundfunkpro-*

gramm, bei dem Hörer anrufen können.

phonetics [fəʊ'netɪks] *n sing* Phonetik *f,* Lautbildungslehre *f;* (*in plural*) Lautschrift *f.*

phoney ['fəʊnɪ] **1.** *adj* (*fam*) unecht; (*excuse*) faul; (*money*) gefälscht; **2.** *n* (*person*) Schwindler(in) *m(f);* (*thing*) Fälschung *f;* (*pound note*) Blüte *f.*

phonograph ['fəʊnəgrɑːf] *n* (*US*) Grammophon *nt.*

phosphate ['fɒsfeɪt] *n* Phosphat *nt.*

phosphorus ['fɒsfərəs] *n* Phosphor *m.*

photo ['fəʊtəʊ] *n* <-s> Foto *nt.*

photocopier ['fəʊtəʊ'kɒpɪə*] *n* Kopiergerät *nt;* **photocopy** ['fəʊtəʊkɒpɪ] **1.** *n* Fotokopie *f;* **2.** *vt* fotokopieren.

photo finish ['fəʊtəʊ'fɪnɪʃ] *n* Zielfotografie *f.*

photogenic [fəʊtəʊ'dʒenɪk] *adj* fotogen.

photograph ['fəʊtəgrɑːf] **1.** *n* Fotografie *f,* Aufnahme *f;* **2.** *vt* fotografieren, aufnehmen; **photographer** [fə'tɒgrəfə] *n* Fotograf(in) *m(f);* **photographic** [fəʊtə'græfɪk] *adj* fotografisch; **photography** [fə'tɒgrəfɪ] *n* Fotografie *f;* (*of film, book*) Aufnahmen *pl.*

photostat ['fəʊtəʊstæt] *n* Fotokopie *f.*

phrase [freɪz] **1.** *n* Satz *m;* (LING) Phrase *f;* (*expression*) Redewendung *f,* Ausdruck *m;* **2.** *vt* ausdrücken, formulieren; **phrase book** *n* Sprachführer *m.*

physical *adj,* **physically** *adv* ['fɪzɪkəl, -ɪ] physikalisch; (*bodily*) körperlich, physisch; ~ **training,** ~ **education** Turnen *nt.*

physician [fɪ'zɪʃən] *n* Arzt *m,* Ärztin *f.*

physicist ['fɪzɪsɪst] *n* Physiker(in) *m(f).*

physics ['fɪzɪks] *n sing* Physik *f.*

physiology [fɪzɪ'ɒlədʒɪ] *n* Physiologie *f.*

physiotherapist [fɪzɪə'θerəpɪst] *n* Krankengymnast(in) *m(f);* **physiotherapy** *n* Krankengymnastik *f,* Physiotherapie *f.*

physique [fɪ'ziːk] *n* Körperbau *m;* (*in health*) Konstitution *f.*

pianist ['pɪənɪst] *n* Pianist(in) *m(f).*

piano ['pjɑːnəʊ] *n* <-s> Klavier *nt;* **piano-accordion** *n* Akkordeon *nt.*

piccolo ['pɪkələʊ] *n* <-s> Pikkoloflöte *f.*

pick [pɪk] **1.** *n* (*tool*) Pickel *m;* (*choice*) Auswahl *f;* **2.** *vt* (*gather*) auflesen, sammeln; (*fruit*) pflücken; (*choose*) auswählen, aussuchen; (MUS) zupfen; (*bird*) [auf]picken; **to ~ one's nose** in der Nase bohren; **to ~ sb's pocket** jdn bestehlen; **to ~ at one's food** im Essen herumstochern; **the ~ of** das Beste von; **pick on** *vt* (*person*) herumhacken auf *+dat;* **why ~ ~ me?** warum ich?; **pick out** *vt* auswählen; **pick up 1.** *vi* (*improve*) sich erholen; **2.** *vt* (*lift up*) aufheben; (*learn*) schnell mitbekommen; (*word*) aufschnappen; (*collect*) abholen; (*woman or man*) abschleppen; (*speed*) gewinnen an *+dat;* **pick axe** *n* Pickel *m.*

picket ['pɪkɪt] **1.** *n* (*stake*) Pfahl *m,* Pflock *m;* (*guard*) Posten *m;* (*striker*) Streikposten *m;* **2.** *vt* (*factory*) Streikposten aufstellen vor *+dat;* **3.** *vi* Streikposten stehen; **picketing** *n* Streikwache *f;* **picket line** *n* Streikpostenkette *f.*

pickle ['pɪkl] **1.** *n* (*food*) [Mixed] Pickles *pl;* (*fam*) Klemme *f;* **2.** *vt* einlegen; einpökeln.

pick-me-up ['pɪkmiːʌp] *adj* Schnäpschen *nt.*

pickpocket ['pɪkpɒkɪt] *n* Taschendieb(in) *m(f).*

pickup ['pɪkʌp] *n* (*on record player*) Tonabnehmer *m;* (*small truck*) Lieferwagen *m.*

picnic ['pɪknɪk] **1.** *n* Picknick *nt;* **2.** *vi* picknicken.

pictogram ['pɪktəgræm] *n* Piktogramm *nt.*

pictorial [pɪk'tɔːrɪəl] **1.** *adj* in Bildern, bebildert; **2.** *n* Illustrierte *f.*

picture ['pɪktʃə*] **1.** *n* Bild *nt;* (*likeness also*) Abbild *nt;* (*in words*) Darstellung *f;* **2.** *vt* darstellen; (*fig: paint*) malen; (*visualize*) sich *dat* vorstellen; **the ~s** *pl* (*Brit*) das Kino; **in the ~** (*fig*) im Bild; **picture book** *n* Bilderbuch *nt.*

picturesque [pɪktʃə'resk] *adj* malerisch.

pidgin ['pɪdʒɪn] *adj:* ~ **English** Pidgin-Englisch *nt.*

pie [paɪ] *n* (*meat*) Pastete *f;* (*fruit*) Kuchen *m.*

piebald ['paɪbɔːld] *adj* gescheckt.

piece [piːs] *n* Stück *nt;* **to go to ~s** (*work, standard*) wertlos werden; **he's gone to ~s** er ist vor die Hunde gegangen; **in ~s** entzwei, kaputt; (*taken apart*) auseinander genommen; **a ~ of cake** (*fam*) ein Kinderspiel; **piecemeal** *adv* stückweise, Stück für Stück; (*not ordered*) durcheinander; **piece together** *vt* zusammensetzen; **piecework** *n* Akkordarbeit *f.*

pier [pɪə*] *n* Pier *m,* Mole *f.*

pierce [pɪəs] *vt* durchstechen, durchbohren; (*look*) durchdringen; **piercing** *adj* durchdringend; (*cry also*) gellend.

piety ['paɪətɪ] *n* Frömmigkeit *f.*

pig [pɪg] *n* Schwein *nt.*

pigeon ['pɪdʒən] *n* Taube *f;* **pigeonhole 1.** *n* (*compartment*) Ablegefach *nt;* **2.** *vt* ablegen; (*idea*) zu den Akten legen.

piggy bank ['pɪgɪbæŋk] *n* Sparschwein *nt.*

pigheaded ['pɪg'hedɪd] *adj* dickköpfig, stur.

piglet ['pɪglət] *n* Ferkel *nt,* Schweinchen *nt.*

pigment ['pɪgmənt] *n* Farbstoff *m;* (*a.* BIO) Pigment *nt;* **pigmentation** [pɪgmən'teɪʃən] *n* Färbung *f,* Pigmentation *f.*

pigmy ['pɪgmɪ] *n* Pygmäe *m.*

pigskin ['pɪgskɪn] **1.** *n* Schweinsleder *nt;* **2.** *adj* schweinsledern.

pigsty ['pɪgstaɪ] *n* (*a. fig*) Schweinestall *m.*

pigtail ['pɪgteɪl] *n* Zopf *m.*

pike [paɪk] *n* Pike *f;* (*fish*) Hecht *m.*

pilchard ['pɪltʃəd] *n* Sardine *f.*

pile [paɪl] **1.** *n* Haufen *m;* (*of books, wood*) Stapel *m,* Stoß *m;* (*in ground*) Pfahl *m;* (*of bridge*) Pfeiler *m;* (*on carpet*) Flor *m;* **2.** *vt, vi* (*also:* ~ **up**) sich anhäufen.

piles [paɪlz] *n pl* Hämorroiden *pl.*

pile-up ['paɪlʌp] *n* (AUT) Massenzusammenstoß *m.*

pilfer ['pɪlfə*] *vt* stehlen, klauen; **pilfering** *n* Diebstahl *m.*

pilgrim ['pɪlgrɪm] *n* Wallfahrer(in) *m(f),* Pilger(in) *m(f);* **pilgrimage** ['pɪlgrɪmɪdʒ] *n* Wallfahrt *f,* Pilgerfahrt *f.*

pill [pɪl] *n* Tablette *f,* Pille *f;* **the Pill** die [Antibaby]pille.

pillage ['pɪlɪdʒ] *vt* plündern.

pillar ['pɪlə*] *n* Pfeiler *m;* (*a. fig*) Säule *f;* **pillar box** *n* (*Brit*) Briefkasten *m.*

pillion ['pɪljən] *n* Soziussitz *m;* **pillion passenger** *n* Soziusfahrer(in) *m(f).*

pillory ['pɪlərɪ] **1.** *n* Pranger *m;* **2.** *vt* (*fig*) anprangern.

pillow ['pɪləʊ] *n* Kissen *nt;* **pillowcase** *n* Kissenbezug *m.*

pilot ['paɪlət] **1.** *n* Pilot(in) *m(f);* (NAUT) Lotse *m;* **2.** *adj* (*scheme etc*) Versuchs-, Pilot-; **3.** *vt* führen; (*ship*) lotsen; **pilot light** *n* Zündflamme *f;* **pilot scheme** *n* Pilotprojekt *nt.*

pimento [pɪ'mentəʊ] *n* <-s> (*US*) rote Paprikaschote.

pimp [pɪmp] *n* Zuhälter *m.*

pimple ['pɪmpl] *n* Pickel *m;* **pimply** ['pɪmplɪ] *adj* pickelig.

PIN *n abbr of* **personal identification number**.

pin [pɪn] **1.** *n* Nadel *f;* (*sewing*) Stecknadel *f;* (TECH) Stift *m,* Bolzen *m;* **2.** *vt* stecken, heften (*to* an *+akk*); (*keep in one position*) pressen, drücken; **~s and needles** *pl* Kribbeln *nt;* **I have ~s and needles in my leg** mein Bein ist mir eingeschlafen; **pin down** *vt* (*fig: person*) festnageln (*to* auf *+akk*).

pinafore ['pɪnəfɔ:*] *n* Schürze *f;* **pinafore dress** *n* Trägerkleid *nt.*

pincers ['pɪnsəz] *n pl* Kneifzange *f,* Beißzange *f;* (MED) Pinzette *f.*

pinch [pɪntʃ] **1.** *n* Zwicken *nt,* Kneifen *nt;* (*of salt*) Prise *f;* **2.** *vt, vi* zwicken, kneifen; (*shoe*) drücken; **3.** *vt* (*fam: steal*) klauen; (*arrest*) schnappen; **at a** ~ notfalls, zur Not; **to feel the** ~ die Not [*o* es] zu spüren bekommen.

pincushion ['pɪnkʊʃən] *n* Nadelkissen *nt.*

pine [paɪn] **1.** *n* (*also:* ~ **tree**) Kiefer *f;* **2.** *vi:* **to** ~ **for** sich sehnen [*o* verzehren] nach; **to** ~ **away** sich zu Tode sehnen.

pineapple ['paɪnæpl] *n* Ananas *f.*

ping [pɪŋ] *n* Peng *nt,* Kling *nt;* **ping-pong** *n* Pingpong *nt.*

pink [pɪŋk] **1.** *n* (*plant*) Nelke *f;* (*colour*) Rosa *nt;* **2.** *adj* (*colour*) rosafarben.

pin money ['pɪnmʌnɪ] *n* Taschengeld *nt.*

pinnacle ['pɪnəkl] *n* Spitze *f.*

PIN-number ['pɪnʌmbə*] *n* Geheimnummer *f.*

pinpoint ['pɪnpɔɪnt] *vt* festlegen.

pinstripe ['pɪnstraɪp] *n* Nadelstreifen *m.*

pint [paɪnt] *n* Pint *nt* (*Brit: 0,57 l, US: 0,473l*).

pin-up ['pɪnʌp] *n* Pin-up-girl *nt.*

pioneer [paɪə'nɪə*] *n* Pionier(in) *m(f);* (*fig a.*) Bahnbrecher(in) *m(f).*

pious ['paɪəs] *adj* fromm; (*literature*) geistlich.

pip [pɪp] *n* Kern *m;* (*sound*) Piepen *nt;* (*on uniform*) Stern *m.*

pipe [paɪp] **1.** *n* (*for smoking*) Pfeife *f;* (MUS) Flöte *f;* (*tube*) Rohr *nt;* (*in house*) Rohrleitung *f;* **2.** *vt, vi* leiten; (MUS) blasen; **pipe down** *vi* (*be quiet*) die Luft anhalten; **pipe cleaner** *n* Pfeifenreiniger *m;* **pipe-dream** *n* Hirngespinst *nt;* **pipeline** *n* (*for oil*) Pipeline *f;* **piper** *n* Pfeifer(in) *m(f);* (*bagpipes*) Dudelsackbläser(in) *m(f);* **pipe tobacco** *n* Pfeifentabak *m.*

piping ['paɪpɪŋ] **1.** *n* Leitungsnetz *nt;* (*on cake*) Dekoration *f;* (*on uniform*) Tresse *f;* **2.** *adv:* ~ **hot** kochend heiß.

piquant ['pi:kənt] *adj* pikant.

pique [piːk] *n* gekränkter Stolz; **piqued** *adj* pikiert.

piracy ['paɪərəsɪ] *n* Piraterie *f;* (*plagiarism*) Plagiat *nt.*

pirate ['paɪərɪt] **1.** *n* Pirat(in) *m(f),* Seeräuber *m;* **2.** *vt* unerlaubt kopieren; **pirated copy** *n* Raubkopie *f;* **pirate radio** *n* Piratensender *m.*

pirouette [pɪrʊ'et] **1.** *n* Pirouette *f;* **2.** *vi* pirouettieren, eine Pirouette drehen.

Pisces ['paɪsiːz] *n sing* (ASTR) Fische *pl;* **she is ~** sie ist [ein] Fisch.

piss [pɪs] *vi* (*fam!*) pissen; **~ off!** (*Brit fam!*) verpiss dich!; (*don't be stupid*) du kannst mich mal!

pissed [pɪst] *adj* (*fam*) sturzbesoffen.

pistol ['pɪstl] *n* Pistole *f.*

piston ['pɪstən] *n* Kolben *m.*

pit [pɪt] **1.** *n* Grube *f;* (THEAT) Parterre *nt;* **2.** *vt* (*mark with scars*) zerfressen; (*compare oneself*) messen (*against* mit); (*sb/sth*) messen (*against* an *+dat*); **the ~s** *pl* (*motor racing*) die Boxen *pl;* **orchestra ~** Orchestergraben *m;* **~ closures** Zechenschließungen.

pitch [pɪtʃ] **1.** *n* Wurf *m;* (*of trader*) Stand *m;* (SPORT) Spielfeld *nt;* (*slope*) Neigung *f;* (*degree*) Stufe *f;* (MUS) Tonlage *f;* (*substance*) Pech *nt;* **2.** *vt* werfen, schleudern; (*set up*) aufschlagen; (*song*) anstimmen; **3.** *vi* (*fall*) der Länge nach hinschlagen; (NAUT) rollen; **~ed too high** zu hoch; **~ed battle** offene Schlacht; **perfect ~** absolutes Gehör; **to queer sb's ~** (*fam*) jdm alles verderben; **pitch-black** *adj* pechschwarz.

piteous ['pɪtɪəs] *adj* kläglich, erbärmlich.

pitfall ['pɪtfɔːl] *n* (*fig*) Falle *f.*

pith [pɪθ] *n* Mark *nt;* (*of speech*) Kern *m.*

pithead ['pɪthed] *n* Schachtkopf *m.*

pithy ['pɪθɪ] *adj* prägnant.

pitiable ['pɪtɪəbl] *adj* bedauernswert; (*contemptible*) jämmerlich.

pitiful *adj,* **pitifully** *adv* ['pɪtɪfʊl, -fəlɪ] mitleidig; (*deserving pity*) bedauernswert; (*contemptible*) jämmerlich; **pitiless** *adj,* **pitilessly** *adv* erbarmungslos.

pittance ['pɪtəns] *n* Hungerlohn *m.*

pity ['pɪtɪ] **1.** *n* (*sympathy*) Mitleid *nt;* (*shame*) Jammer *m;* **2.** *vt* Mitleid haben mit; **I ~ you** du tust mir Leid; **to have** [*o* **take**] **~ on sb** mit jdm Mitleid haben; **for ~'s sake!** um Himmels willen!; **what a ~** wie schade; **it's a ~** es ist schade; **pitying** *adj* mitleidig.

pivot ['pɪvət] **1.** *n* Drehpunkt *m;* (*pin*) Drehzapfen *m;* (*fig*) Angelpunkt *m;* **2.** *vi* sich drehen (*on* um).

pixel ['pɪksl] *n* (COMPUT) Pixel *nt.*

pixie ['pɪksɪ] *n* Elfe *f.*

placate [plə'keɪt] *vt* beschwichtigen, besänftigen.

place [pleɪs] **1.** *n* Platz *m;* (*spot*) Stelle *f;* (*town etc*) Ort *m;* **2.** *vt* setzen, stellen, legen; (*order*) aufgeben; (SPORT) platzieren; (*identify*) unterbringen; **in ~** am rechten Platz; **out of ~** nicht am rechten Platz; (*fig: remark*) unangebracht; **in ~ of** anstelle von; **in the first/second ~** erstens/zweitens; **to give ~ to** Platz machen *+dat;* **to invite sb to one's ~** jdn zu sich nach Hause einladen; **to put sb in his ~** jdn in seine Schranken verweisen; **~ of worship** Stätte *f* des Gebets; **place mat** *n* Platzdeckchen *nt.*

placid ['plæsɪd] *adj* gelassen, ruhig.

plagiarism ['pleɪdʒɪərɪzəm] *n* Plagiat *nt;* **plagiarist** ['pleɪdʒɪərɪst] *n* Plagiator(in) *m(f);* **plagiarize** ['pleɪdʒɪəraɪz] *vt* abschreiben, plagiieren.

plague [pleɪg] **1.** *n* Pest *f;* (*fig*) Plage *f;* **2.** *vt* plagen.

plaice [pleɪs] *n* Scholle *f.*

plain [pleɪn] **1.** *adj* (*clear*) klar, deutlich; (*simple*) einfach, schlicht; (*not beautiful*) unscheinbar, nicht attraktiv; (*honest*) offen; **2.** *n* Ebene *f;* (*chocolate*) bittere Schokolade; **in ~ clothes** (*police*) in Zivilkleidung; **it is ~ sailing** das ist ganz einfach; **plainly** *adv* klar, deutlich; einfach; offen; **plainness** *n* Einfachheit *f.*

plaintiff ['pleɪntɪf] *n* Kläger(in) *m(f).*

plait [plæt] **1.** *n* Zopf *m;* **2.** *vt* flechten.

plan [plæn] **1.** *n* Plan *m;* **2.** *vt, vi* planen; (*intend also*) vorhaben; **according to ~** planmäßig; **plan out** *vt* vorbereiten.

plane [pleɪn] **1.** *n* Ebene *f;* (AVIAT) Flugzeug *nt;* (*tool*) Hobel *m;* (*tree*) Platane *f;* **2.** *adj* eben, flach; **3.** *vt* hobeln.

planet ['plænɪt] *n* Planet *m.*

planetarium [plænɪ'tɛərɪəm] *n* Planetarium *nt.*

plank [plæŋk] *n* Planke *f,* Brett *nt;* (POL) Programmpunkt *m.*

plankton ['plæŋktən] *n* Plankton *nt.*

planning ['plænɪŋ] *n* Planen *nt,* Planung *f;* **~ permission** Baugenehmigung *f.*

plant [plɑːnt] **1.** *n* Pflanze *f;* (TECH) Maschinenanlage *f;* (*factory*) Fabrik *f,* Werk *nt;* **2.** *vt* pflanzen; (*set firmly*) stellen.

plantain ['plæntɪn] *n* Mehlbanane *f.*

plantation [plæn'teɪʃən] *n* Pflanzung *f,*

Plantage *f.*

plaque [plæk] *n* Gedenktafel *f;* (*on teeth*) Zahnbelag *m.*

plasma ['plæzmə] *n* Plasma *nt.*

plaster ['plɑːstə*] **1.** *n* Gips *m;* (*on wall*) Verputz *m;* (MED: *sticking* ~) Pflaster *nt;* (*for fracture*) Gipsverband *m;* **2.** *vt* gipsen; (*hole*) zugipsen; (*ceiling*) verputzen; (*fig: with pictures etc*) bekleben; **in** ~ (*leg etc*) in Gips; **plastered** *adj* (*fam*) besoffen.

plastic ['plæstɪk] **1.** *n* Kunststoff *m;* **2.** *adj* (*made of plastic*) Kunststoff-, Plastik-; (*soft*) formbar, plastisch; (ART) plastisch, bildend; ~ **bag** Plastiktüte *f;* ~ **surgery** plastische Chirurgie, Schönheitsoperation *f.*

plasticine ['plæstɪsiːn] *n* Plastilin *nt.*

plate [pleɪt] **1.** *n* Teller *m;* (*gold/silver*) vergoldetes/versilbertes Tafelgeschirr; (*flat sheet*) Platte *f;* (*in book*) Bildtafel *f;* **2.** *vt* überziehen, plattieren; **to silver-/gold-plate** versilbern/vergolden.

plateau ['plætəʊ] *n* <-x> Hochebene *f,* Plateau *nt.*

platform ['plætfɔːm] *n* (*at meeting*) Plattform *f,* Podium *nt;* (*stage*) Bühne *f;* (RAIL) Bahnsteig *m;* (POL) Parteiprogramm *nt;* **platform ticket** *n* Bahnsteigkarte *f.*

platinum ['plætɪnəm] *n* Platin *nt.*

platitude ['plætɪtjuːd] *n* Gemeinplatz *m,* Platitüde *f.*

platter ['plætə*] *n* Platte *f.*

plausibility [plɔːzə'bɪlɪtɪ] *n* Plausibilität *f;* ~ **check** Plausibilitätskontrolle *f;* **plausible** *adj,* **plausibly** *adv* ['plɔːzəbl, -blɪ] plausibel, einleuchtend; (*liar*) überzeugend.

play [pleɪ] **1.** *n* (*a.* TECH) Spiel *nt;* (THEAT) Theaterstück *nt,* Schauspiel *nt;* **2.** *vt, vi* spielen; (*another team*) spielen gegen; (*put sb in a team*) einsetzen, spielen lassen; **to** ~ **a joke on sb** jdm einen Streich spielen; **to** ~ **sb off against sb else** jdn gegen jdn anders ausspielen; **to** ~ **a part in** (*fig*) eine Rolle spielen bei; **play down** *vt* herunterspielen; **play up 1.** *vi* (*cause trouble*) frech werden; (*bad leg etc*) weh tun; **2.** *vt* (*person*) plagen; **to** ~ ~ **to sb** jdm schöntun; **playacting** *n* Schauspielerei *f;* **playboy** *n* Playboy *m;* **player** *n* Spieler(in) *m(f);* **playful** *adj* spielerisch, verspielt; **playgoer** *n* Theaterbesucher(in) *m(f);* **playground** *n* Spielplatz *m;* **play group** *n* Spielgruppe *f;* **playing card** *n* Spielkarte *f;* **playing field** *n* Sportplatz *m;* **playmate** *n* Spielkamerad(in) *m(f);* **play-off** *n* (SPORT) Entscheidungsspiel *nt;* **playpen** *n* Laufstall *m;* **plaything** *n* Spielzeug *nt;* **playwright** *n* Dramatiker(in) *m(f).*

plc *abbr of* **public limited company** AG *f.*

plea [pliː] *n* Bitte *f,* Gesuch *nt;* (JUR) Antwort *f* des Angeklagten; (*excuse*) Ausrede *f,* Vorwand *m;* (*objection*) Einrede *f;* ~ **of guilty** Geständnis *nt.*

plead [pliːd] **1.** *vt* (*poverty*) zur Entschuldigung anführen; (JUR: *sb's case*) vertreten; **2.** *vi* (*beg*) dringend bitten (*with sb* jdn); (JUR) plädieren; **to** ~ **guilty** für schuldig plädieren.

pleasant *adj,* **pleasantly** *adv* ['pleznt, -lɪ] angenehm, freundlich; **pleasantness** *n* Angenehme(s) *nt;* (*of person*) angenehmes Wesen, Freundlichkeit *f;* **pleasantry** *n* Scherz *m.*

please [pliːz] *vt* (*be agreeable to*) gefallen +*dat;* ~ bitte; ~ **yourself** wie du willst; **do what you** ~ mach' was du willst; **pleased** *adj* zufrieden; (*glad*) erfreut (*with* über +*akk*); **pleasing** *adj* erfreulich.

pleasurable *adj,* **pleasurably** *adv* ['pleʒərəbl, -blɪ] angenehm, erfreulich.

pleasure ['pleʒə*] *n* Vergnügen *nt,* Freude *f;* **it's a** ~ gern geschehen; **they take no/great** ~ **in doing ...** es macht ihnen keinen/großen Spaß zu ...; **pleasure ground** *n* Vergnügungspark *m;* **pleasure-seeking** *adj* vergnügungshungrig; **pleasure steamer** *n* Vergnügungsdampfer *m.*

pleat [pliːt] *n* Falte *f.*

plebiscite ['plebɪsɪt] *n* Volksentscheid *m,* Plebiszit *nt.*

plebs [plebz] *n pl* Plebs *m,* Pöbel *m.*

plectrum ['plektrəm] *n* Plektron *nt.*

pledge [pledʒ] **1.** *n* Pfand *nt;* (*promise*) Versprechen *nt;* **2.** *vt* verpfänden; (*promise*) geloben, versprechen; **to take the** ~ dem Alkohol abschwören.

plentiful ['plentɪfʊl] *adj* reichlich.

plenty ['plentɪ] **1.** *n* Fülle *f,* Überfluss *m;* **2.** *adv* (*fam*) ganz schön; ~ **of** eine Menge, viel; **in** ~ reichlich, massenhaft; **to be** ~ genug sein, reichen.

pleurisy ['plʊərɪsɪ] *n* Brustfellentzündung *f.*

pliable ['plaɪəbl] *adj* biegsam; (*person*) beeinflussbar.

pliers ['plaɪəz] *n pl* Kombizange *f.*

plight [plaɪt] *n* Notlage *f.*

plimsolls ['plɪmsəlz] *n pl* Turnschuhe *pl.*

plod [plɒd] *vi* (*work*) sich abplagen; (*walk*)

trotten; **plodder** *n* Arbeitstier *nt;* **plodding** *adj* schwerfällig.

plonk [plɒŋk] **1.** *n* (*fam: wine*) billiger Wein; **2.** *vt:* **to ~ sth down** etw hinknallen.

plot [plɒt] **1.** *n* Komplott *nt,* Verschwörung *f;* (*of story*) Handlung *f;* (*of land*) Stück *nt* Land, Grundstück *nt;* **2.** *vt* markieren; (*curve*) zeichnen; (*movements*) nachzeichnen; **3.** *vi* (*plan secretly*) sich verschwören, ein Komplott schmieden; **plotter** *n* Verschwörer(in) *m(f);* (COMPUT) Plotter *m;* **plotting** *n* Intrigen *pl.*

plough, **plow** (*US*) [plaʊ] **1.** *n* Pflug *m;* **2.** *vt* pflügen; (*fam: exam candidate*) durchfallen lassen; **plough through** *vt* (*water*) durchpflügen; (*book*) sich kämpfen durch.

plow *n* (*US*) *s.* **plough**.

ploy [plɔɪ] *n* Masche *f.*

pluck [plʌk] **1.** *vt* (*fruit*) pflücken; (*guitar*) zupfen; (*goose*) rupfen; **2.** *n* Mut *m;* **to ~ up courage** all seinen Mut zusammennehmen; **plucky** *adj* beherzt.

plug [plʌg] **1.** *n* Stöpsel *m;* (ELEC) Stecker *m;* (*fam: publicity*) Schleichwerbung *f;* (AUT) Zündkerze *f;* **2.** *vt* (*fam: advertise*) Reklame machen für; **to ~ in a lamp** den Stecker einer Lampe einstecken.

plum [plʌm] **1.** *n* Pflaume *f,* Zwetschge *f;* **2.** *adj* (*fam: job etc*) Super-.

plumage ['plu:mɪdʒ] *n* Gefieder *nt.*

plumb [plʌm] **1.** *n* Lot *nt;* **2.** *adj* senkrecht; **3.** *adv* (*exactly*) genau; **4.** *vt* ausloten; (*fig*) sondieren; (*mystery*) ergründen; **out of ~** nicht im Lot.

plumber ['plʌmə*] *n* Klempner(in) *m(f),* Installateur(in) *m(f).*

plumbing ['plʌmɪŋ] *n* (*craft*) Installieren *nt;* (*fittings*) Leitungen *pl,* Installationen *pl.*

plumbline ['plʌmlaɪn] *n* Senkblei *nt.*

plume [plu:m] **1.** *n* Feder *f;* (*of smoke etc*) Fahne *f;* **2.** *vr:* **~ oneself** (*bird*) sich putzen.

plummet ['plʌmɪt] **1.** *n* Senkblei *nt;* **2.** *vi* abstürzen.

plump [plʌmp] **1.** *adj* rundlich, füllig; **2.** *vi* plumpsen, sich fallen lassen; **3.** *vt* plumpsen lassen; **to ~ for** (*fam: choose*) wählen, sich entscheiden für; **plumpness** *n* Rundlichkeit *f.*

plunder ['plʌndə*] **1.** *n* Plünderung *f;* (*loot*) Beute *f;* **2.** *vt* plündern; (*things*) rauben.

plunge [plʌndʒ] **1.** *n* Sprung *m,* Stürzen *nt;* **2.** *vt* stoßen; **3.** *vi* stürzen; (*ship*) rollen; **a room ~d into darkness** ein in Dunkelheit getauchtes Zimmer; **plunging** *adj* (*neckline*) offenherzig.

pluperfect [plu:'pɜ:fɪkt] *n* Plusquamperfekt *nt,* Vorvergangenheit *f.*

plural ['plʊərəl] *n* Plural *m,* Mehrzahl *f.*

pluralistic [plʊərə'lɪstɪk] *adj* pluralistisch.

plus [plʌs] **1.** *prep* plus, und; **2.** *adj* Plus-.

plush [plʌʃ] **1.** *adj* (*also:* **~y**) (*fam: luxurious*) feudal; **2.** *n* Plüsch *m.*

plutonium [plu:'təʊnɪəm] *n* Plutonium *nt.*

ply [plaɪ] **1.** *n:* **three-ply** (*wood*) dreischichtig; (*wool*) Dreifach-; **2.** *vt* (*trade*) betreiben; (*with questions*) zusetzen *+dat;* (*ship, taxi*) befahren; **3.** *vi* (*ship, taxi*) verkehren; **plywood** *n* Sperrholz *nt.*

pm *abbr of* **post meridiem** nachmittags, nachm.

PM *n abbr of* **Prime Minister**.

pneumatic [nju:'mætɪk] *adj* pneumatisch; (TECH) Luft-; **~ drill** Pressluftbohrer *m;* **~ tyre** Luftreifen *m.*

pneumonia [nju:'məʊnɪə] *n* Lungenentzündung *f.*

poach [pəʊtʃ] *vt* (GASTR) pochieren; (*game*) wildern; **poached** *adj* (*egg*) pochiert, verloren; **poacher** *n* Wilddieb(in) *m(f);* **poaching** *n* Wildern *nt.*

pocket ['pɒkɪt] **1.** *n* Tasche *f;* (*of ore*) Ader *f;* (*of resistance*) Widerstandsnest *nt;* **2.** *vt* einstecken, in die Tasche stecken; **to be out of ~** kein Geld haben; **air ~** Luftloch *nt;* **pocketbook** *n* Taschenbuch *nt;* **pocket calculator** *n* Taschenrechner *m;* **pocket knife** *n* <knives> Taschenmesser *nt;* **pocket money** *n* Taschengeld *nt.*

pockmarked ['pɒkmɑ:kt] *adj* (*face*) pockennarbig.

pod [pɒd] Hülse *f;* (*of peas also*) Schote *f.*

podgy ['pɒdʒɪ] *adj* pummelig.

poem ['pəʊəm] *n* Gedicht *nt.*

poet ['pəʊɪt] *n* Dichter(in) *m(f),* Poet(in) *m(f).*

poetic [pəʊ'etɪk] *adj* poetisch, lyrisch; (*beauty*) malerisch, stimmungsvoll.

poet laureate [pəʊɪt'lɔ:rɪət] *n* Hofdichter *m.*

Ein **poet laureate** ist in Großbritannien ein Dichter, der ein Gehalt als Hofdichter bezieht und kraft seines Amtes ein lebenslanges Mitglied des britischen Königshofs ist. Der Poet Laureate schrieb früher ausführliche Gedichte zu Staatsanlässen. Der erste Poet Laureate war 1616 Ben Jonson.

poetry ['pəʊɪtrɪ] *n* Poesie *f;* (*poems*) Gedichte *pl.*
po-faced ['pəʊfeɪst] *adj* grimmig.
point [pɔɪnt] **1.** *n* Punkt *m;* (*in discussion, scoring, also spot*) Stelle *f;* (*sharpened tip*) Spitze *f;* (*moment*) Zeitpunkt *m,* Moment *m;* (*purpose*) Zweck *m,* Sinn *m;* (*idea*) Argument *nt;* (*decimal ~*) Dezimalstelle *f;* (*personal characteristic*) Seite *f;* **2.** *vt* zeigen mit; (*gun*) richten (*at* auf *+akk*); **3.** *vi* zeigen; **~s** *pl* (RAIL) Weichen *pl;* **~ of view** Standpunkt *m,* Gesichtspunkt *m;* **what's the ~?** was soll das?; **you have a ~ there** da hast du Recht; **three ~ two** drei Komma zwei; **point out** *vt* hinweisen auf *+akk;* **point to** *vt* zeigen auf *+akk;* **point-blank** *adv* (*at close range*) aus nächster Entfernung; (*bluntly*) unverblümt; **point duty** *n* Verkehrsregelungsdienst *m;* **pointed** *adj,* **pointedly** *adv* spitz, scharf; (*fig*) gezielt; **pointer** *n* Zeigestock *m;* (*on dial*) Zeiger *m;* **pointless** *adj,* **pointlessly** *adv* zwecklos, sinnlos.
poise [pɔɪz] **1.** *n* Haltung *f;* (*fig*) Gelassenheit *f;* **2.** *vt, vi* balancieren; (*knife, pen*) bereithalten; **3.** *vr:* **~ oneself** sich bereitmachen; **poised** *adj* beherrscht.
poison ['pɔɪzn] **1.** *n* Gift *nt;* **2.** *vt* vergiften; **poisoning** *n* Vergiftung *f;* **poisonous** *adj* giftig, Gift-.
poke [pəʊk] **1.** *vt* stoßen; (*put*) stecken; (*fire*) schüren; (*hole*) bohren; **2.** *n* Stoß *m;* **to ~ one's nose into** seine Nase stecken in *+akk;* **to ~ fun at sb** sich über jdn lustig machen; **poke about** *vi* herumstochern; herumwühlen; **poker** *n* Schürhaken *m;* (CARDS) Poker *nt;* **poker-faced** *adj* undurchdringlich.
poky ['pəʊkɪ] *adj* eng.
Poland ['pəʊlənd] *n* Polen *nt.*
polar ['pəʊlə*] *adj* Polar-, polar; **~ bear** Eisbär *m.*
polarization [pəʊləraɪ'zeɪʃən] *n* Polarisation *f;* **polarize** ['pəʊləraɪz] **1.** *vt* polarisieren; **2.** *vi* sich polarisieren.
pole [pəʊl] *n* Stange *f,* Pfosten *m;* (*flag~, telegraph ~*) Mast *m;* (ELEC, GEO) Pol *m;* (SPORT: *vaulting ~*) Stab *m;* (*ski ~*) Stock *m;* **the North/South Pole** der Nord-/Südpol; **we are ~s apart** uns trennen Welten.
Pole [pəʊl] *n* Pole *m,* Polin *f.*
polecat ['pəʊlkæt] *n* (*US*) Skunk *m.*
polemic [pə'lemɪk] *n* Polemik *f.*
pole star ['pəʊlstaː*] *n* Polarstern *m;* **pole vault** *n* Stabhochsprung *m.*
police [pə'liːs] **1.** *n* Polizei *f;* **2.** *vt* polizeilich überwachen; kontrollieren; **police car** *n* Polizeiwagen *m;* **police computer** *n* Fahndungscomputer *m;* **policeman** *n* <policemen> Polizist *m;* **police state** *n* Polizeistaat *m;* **police station** *n* Polizeirevier *nt,* Wache *f;* **policewoman** *n* <policewomen> Polizistin *f.*
policy ['pɒlɪsɪ] *n* Politik *f;* (*insurance ~*) Versicherungspolice *f;* (*prudence*) Klugheit *f;* (*principle*) Grundsatz *m;* **policy decision** *n* Grundsatzentscheidung *f;* **policy statement** *n* Grundsatzerklärung *f.*
polio ['pəʊlɪəʊ] *n* Kinderlähmung *f.*
polish ['pɒlɪʃ] **1.** *n* Politur *f;* (*for floor*) Wachs *nt;* (*for shoes*) Creme *f;* (*nail~*) Lack *m;* (*shine*) Glanz *m;* (*fig*) Schliff *m;* **2.** *vt* polieren; (*shoes*) putzen; (*fig*) den letzten Schliff geben *+dat,* aufpolieren; **polish off** *vt* (*fam: work*) erledigen; (*food*) wegputzen; (*drink*) hinunterschütten; **polish up** *vt* (*essay*) aufpolieren; (*knowledge*) auffrischen.
Polish ['pəʊlɪʃ] *adj* polnisch.
polished ['pɒlɪʃt] *adj* glänzend; (*fig: manners*) verfeinert.
polite *adj,* **politely** *adv* [pə'laɪt, -lɪ] höflich; (*society*) fein; **politeness** *n* Höflichkeit *f.*
politic ['pɒlɪtɪk] *adj* (*prudent*) diplomatisch; **political** *adj,* **politically** *adv* [pə'lɪtɪkəl, -ɪ] politisch; **political science** Politologie *f;* **politically correct** *adj* ≈ nicht diskriminierend; **'financially disadvantaged' is a ~ term for 'poor'** ‚finanziell benachteiligt' ist eine politisch korrekte Bezeichnung für ‚arm'; **politician** [pɒlɪ'tɪʃən] *n* Politiker(in) *m(f),* Staatsmann *m;* **politics** ['pɒlɪtɪks] *n sing o pl* Politik *f.*
poll [pəʊl] **1.** *n* Abstimmung *f;* (*in election*) Wahl *f;* (*votes cast*) Wahlbeteiligung *f;* (*opinion ~*) Umfrage *f;* **2.** *vt* (*votes*) erhalten, auf sich vereinigen.
pollen ['pɒlən] *n* Blütenstaub *m,* Pollen *m;* **pollen count** *n* Pollenkonzentration *f.*
pollination [pɒlɪ'neɪʃən] *n* Befruchtung

f.

polling booth ['pəʊlɪŋbu:ð] *n* Wahlkabine *f;* **polling day** *n* Wahltag *m;* **polling station** *n* Wahllokal *nt.*

pollutant [pə'lu:tənt] *n* Schadstoff *m.*

pollute [pə'lu:t] *vt* verschmutzen, verunreinigen; **pollution** [pə'lu:ʃən] *n* Verschmutzung *f.*

polo ['pəʊləʊ] *n* Polo *nt.*

poly- [pɒlɪ] *pref* Poly-.

polygamy [pɒ'lɪgəmɪ] *n* Polygamie *f.*

Polynesia [pɒlɪ'ni:zɪə] *n* Polynesien *nt.*

polytechnic [pɒlɪ'teknɪk] *n* technische Hochschule.

polythene ['pɒlɪθi:n] *n* Plastik *nt;* **polythene bag** *n* Plastiktüte *f.*

pomegranate ['pɒməgrænɪt] *n* Granatapfel *m.*

pomp [pɒmp] *n* Pomp *m,* Prunk *m.*

pompous *adj,* **pompously** *adv* ['pɒmpəs, -lɪ] aufgeblasen; (*language*) geschwollen.

ponce [pɒns] *n* (*fam: pimp*) Louis *m;* (*queer*) Schwule(r) *m.*

pond [pɒnd] *n* Teich *m,* Weiher *m.*

ponder ['pɒndə*] *vt* nachdenken [*o* nachgrübeln] über *+akk;* **ponderous** *adj* schwerfällig.

pontificate [pɒn'tɪfɪkeɪt] *vi* (*fig*) dozieren.

pontoon [pɒn'tu:n] *n* Ponton *m;* (CARDS) 17-und-4 *nt.*

pony ['pəʊnɪ] *n* Pony *nt;* **ponytail** *n* Pferdeschwanz *m.*

poodle ['pu:dl] *n* Pudel *m.*

pooh-pooh [pu:'pu:] *vt* die Nase rümpfen über *+akk.*

pool [pu:l] **1.** *n* (*swimming* ~) Schwimmbad *nt;* (*private*) Swimmingpool *m;* (*typing* ~) Schreibzentrale *f;* (*of spilt liquid, blood*) Lache *f;* (*fund*) gemeinsame Kasse *f;* (*billiards*) Poolspiel *nt;* **2.** *vt* (*money etc*) zusammenlegen.

poor [pɔ:*] *adj* arm; (*not good*) schlecht, schwach; **the** ~ *pl* die Armen *pl;* **poorly** **1.** *adv* schlecht, schwach; (*dressed*) ärmlich; **2.** *adj* (*ill*) schlecht, elend.

pop [pɒp] **1.** *n* Knall *m;* (*music*) Popmusik *f;* (*drink*) Limonade *f;* (*US fam*) Papa *m;* **2.** *vt* (*put*) stecken; (*balloon*) platzen lassen; **3.** *vi* knallen; **to** ~ **in/out** (*person*) vorbeikommen/hinausgehen; hinein-/hinausspringen; **pop concert** *n* Popkonzert *nt;* **popcorn** *n* Popcorn *nt.*

Pope [pəʊp] *n* Papst *m.*

poplar ['pɒplə*] *n* Pappel *f.*

poplin ['pɒplɪn] *n* Popelin *m.*

poppy ['pɒpɪ] *n* Mohn *m.*

populace ['pɒpjʊlɪs] *n* Volk *nt.*

popular ['pɒpjʊlə*] *adj* beliebt, populär; (*of the people*) volkstümlich, Populär-; (*widespread*) allgemein; **popularity** [pɒpjʊ'lærɪtɪ] *n* Beliebtheit *f,* Popularität *f;* **popularize** ['pɒpjʊləraɪz] *vt* popularisieren; **popularly** *adv* allgemein, überall.

populate ['pɒpjʊleɪt] *vt* bevölkern; (*town*) bewohnen.

population [pɒpjʊ'leɪʃən] *n* Bevölkerung *f;* (*of town*) Einwohner *pl.*

porcelain ['pɔ:slɪn] *n* Porzellan *nt.*

porch [pɔ:tʃ] *n* Vorbau *m,* Veranda *f;* (*in church*) Vorhalle *f.*

porcupine ['pɔ:kjʊpaɪn] *n* Stachelschwein *nt.*

pore [pɔ:*] *n* Pore *f;* **pore over** *vt* brüten [*o* hocken] über *+dat.*

pork [pɔ:k] *n* Schweinefleisch *nt.*

pornographic *adj,* **pornographically** *adv* [pɔ:nə'græfɪk, -əlɪ] pornografisch; **pornography** [pɔ:'nɒgrəfɪ] *n* Pornografie *f.*

porous ['pɔ:rəs] *adj* porös; (*skin*) porig.

porpoise ['pɔ:pəs] *n* Tümmler *m.*

porridge ['pɒrɪdʒ] *n* Porridge *m,* Haferbrei *m.*

port [pɔ:t] *n* Hafen *m;* (*town*) Hafenstadt *f;* (NAUT: *left side*) Backbord *nt;* (*opening for loads*) Luke *f;* (*wine*) Portwein *m.*

portable ['pɔ:təbl] *adj* tragbar; (*radio*) Koffer-; (*typewriter*) Reise-.

portal ['pɔ:tl] *n* Portal *nt.*

portcullis [pɔ:t'kʌlɪs] *n* Fallgitter *nt.*

porter ['pɔ:tə*] *n* Pförtner(in) *m(f);* (*for luggage*) Gepäckträger *m.*

porthole ['pɔ:thəʊl] *n* Bullauge *nt.*

portico ['pɔ:tikəʊ] *n* <-es> Säulengang *m.*

portion ['pɔ:ʃən] *n* Teil *m,* Stück *nt;* (*of food*) Portion *f.*

portly ['pɔ:tlɪ] *adj* korpulent, beleibt.

portrait ['pɔ:trɪt] *n* Porträt *nt,* Bildnis *nt.*

portray [pɔ:'treɪ] *vt* darstellen; (*describe*) schildern; **portrayal** *n* Darstellung *f;* Schilderung *f.*

Portugal ['pɔ:tʃʊgl] *n* Portugal *nt;* **Portuguese** [pɔ:tʃʊ'gi:z] **1.** *adj* portugiesisch; **2.** *n* Portugiese *m,* Portugiesin *f;* **the** ~ *pl* die Portugiesen *pl.*

pose [pəʊz] **1.** *n* Stellung *f;* (*affectation*) Pose *f;* **2.** *vi* posieren, sich in Positur setzen; **3.** *vt* stellen; **to** ~ **as** sich ausgeben als; **poser** *n* (*person*) Angeber(in) *m(f);*

(*difficult question*) knifflige Frage.

posh [pɒʃ] *adj* (*fam*) piekfein.

position [pəˈzɪʃən] **1.** *n* Stellung *f;* (*place*) Position *f,* Lage *f;* (*job*) Stelle *f;* (*attitude*) Standpunkt *m,* Haltung *f;* **2.** *vt* aufstellen; (COMPUT) positionieren; **to be in a ~ to do sth** in der Lage sein etw zu tun.

positive *adj,* **positively** *adv* [ˈpɒzɪtɪv, -lɪ] positiv; (*convinced*) sicher; (*definite*) eindeutig.

posse [ˈpɒsɪ] *n* (*US*) Aufgebot *nt.*

possess [pəˈzes] *vt* besitzen; **what ~ed you to ...** was ist in dich gefahren, dass ...?; **possessed** *adj* besessen; **possession** [pəˈzeʃən] *n* Besitz *m;* **possessive** *adj* besitzergreifend, eigensüchtig; (LING) Possessiv-, besitzanzeigend; **possessively** *adv* besitzergreifend, eigensüchtig; **possessor** *n* Besitzer(in) *m(f).*

possibility [pɒsəˈbɪlɪtɪ] *n* Möglichkeit *f.*

possible [ˈpɒsəbl] *adj* möglich; **if ~** wenn möglich, möglichst; **as big as ~** so groß wie möglich, möglichst groß; **possibly** *adv* möglicherweise, vielleicht; **as soon as I ~ can** sobald ich irgendwie kann.

post [pəʊst] **1.** *n* Post *f;* (*pole*) Pfosten *m,* Pfahl *m;* (*place of duty*) Posten *m;* (*job*) Stelle *f;* **2.** *vt* (*notice*) anschlagen; (*letters*) aufgeben; (*soldiers*) aufstellen; **postage** [ˈpəʊstɪdʒ] *n* Postgebühr *f,* Porto *nt;* **postal** *adj* Post-; **~ order** Postanweisung *f;* **postcard** *n* Postkarte *f;* **postcode** *n* (*Brit*) Postleitzahl *f;* **postdate** *vt* (*cheque*) nachdatieren.

poster [ˈpəʊstə*] *n* Plakat *nt,* Poster *nt.*

poste restante [pəʊstˈrestɑ̃:nt] *n:* **to send sth ~** etw postlagernd schicken.

posterior [pɒˈstɪərɪə*] *n* (*fam*) Hintern *m.*

posterity [pɒˈsterɪtɪ] *n* Nachwelt *f;* (*descendants*) Nachkommenschaft *f.*

postgraduate [pəʊstˈgrædjuɪt] *n jd, der seine Studien nach dem ersten akademischen Grad weiterführt.*

posthumous *adj,* **posthumously** *adv* [ˈpɒstjʊməs, -lɪ] posthum.

postman [ˈpəʊstmən] *n* <postmen> Briefträger *m,* Postbote *m;* **postmark** *n* Poststempel *m.*

post-modern [pəʊstˈmɒdən] *adj* postmodern.

post-mortem [ˈpəʊstˈmɔ:təm] *n* Autopsie *f;* (*fig*) nachträgliche Erörterung.

post office [ˈpəʊstɒfɪs] *n* Postamt *nt;* (*organization*) Post *f.*

postpone [pəˈspəʊn] *vt* verschieben, aufschieben.

postscript [ˈpəʊsskrɪpt] *n* Nachschrift *f,* Postskript *nt;* (*in book*) Nachwort *nt.*

postulate [ˈpɒstjʊleɪt] *vt* voraussetzen; (*maintain*) behaupten.

posture [ˈpɒstʃə*] **1.** *n* Haltung *f;* **2.** *vi* posieren.

postwar [pəʊstˈwɔ:*] *adj* Nachkriegs-.

posy [ˈpəʊzɪ] *n* Blumenstrauss *m.*

pot [pɒt] **1.** *n* Topf *m;* (*tea~*) Kanne *f;* (*fam: marijuana*) Hasch *nt;* **2.** *vt* (*plant*) eintopfen.

potash [ˈpɒtæʃ] *n* Pottasche *f.*

potato [pəˈteɪtəʊ] *n* <-es> Kartoffel *f;* **potato peeler** *n* Kartoffelschäler *m.*

potency [ˈpəʊtənsɪ] *n* Stärke *f,* Potenz *f;* **potent** *adj* stark; (*argument*) zwingend.

potential [pəʊˈtenʃəl] **1.** *adj* potentiell; **2.** *n* Potential *nt;* **he is a ~ virtuoso** er hat das Zeug zum Virtuosen; **potentially** *adv* potentiell.

pothole [ˈpɒthəʊl] *n* Höhle *f;* (*in road*) Schlagloch *nt;* **potholer** *n* Höhlenforscher(in) *m(f);* **potholing** *n:* **to go ~** Höhlen erforschen.

potion [ˈpəʊʃən] *n* Trank *m.*

potluck [pɒtˈlʌk] *n:* **to take ~ with sth** etw auf gut Glück nehmen.

pot plant [ˈpɒt plɑ:nt] *n* Topfpflanze *f.*

potted [ˈpɒtɪd] *adj* (*food*) eingelegt, eingemacht; (*plant*) Topf-; (*fig: book, version*) konzentriert.

potter [ˈpɒtə*] **1.** *n* Töpfer(in) *m(f);* **2.** *vi* herumhantieren, herumwursteln; **pottery** *n* Töpferwaren *pl,* Steingut *nt;* (*place*) Töpferei *f.*

potty [ˈpɒtɪ] **1.** *adj* (*fam*) verrückt; **2.** *n* Töpfchen *nt.*

pouch [pəʊtʃ] *n* Beutel *m;* (*under eyes*) Tränensack *m;* (*for tobacco*) Tabaksbeutel *m.*

pouffe [pu:f] *n* Sitzkissen *nt.*

poultice [ˈpəʊltɪs] *n* Packung *f.*

poultry [ˈpəʊltrɪ] *n* Geflügel *nt;* **poultry farm** *n* Geflügelfarm *f.*

pounce [paʊns] **1.** *vi* sich stürzen (*on* auf *+akk*); **2.** *n* Sprung *m,* Satz *m.*

pound [paʊnd] **1.** *n* (FIN) Pfund *nt;* (*weight*) Pfund *nt* (*0,454 kg*); (*for cars, animals*) Auslösestelle *f;* (*for stray animals*) Tierasyl *nt;* **2.** *vi* klopfen, hämmern; **3.** *vt* zerstampfen; **pounding** *n* starkes Klopfen, Hämmern *nt,* Zerstampfen *nt.*

pour [pɔ:*] **1.** *vt* gießen, schütten; **2.** *vi* gießen; (*crowds etc*) strömen; **~ing rain**

strömender Regen; **pour away, pour off** *vt* abgießen.
pout [paʊt] **1.** *n* Schnute *f*, Schmollmund *m;* **2.** *vi* schmollen.
poverty ['pɒvəti] *n* Armut *f;* **poverty-stricken** *adj* verarmt, sehr arm.
PoW *n abbr of* **prisoner of war**.
powder ['paʊdə*] **1.** *n* Pulver *nt;* (*cosmetic*) Puder *m;* **2.** *vt* pulverisieren; (*sprinkle*) bestreuen; **to ~ one's nose** sich *dat* die Nase pudern; (*fig*) zur Toilette gehen; **powder room** *n* Damentoilette *f;* **powdery** *adj* pulverig, Pulver-.
power ['paʊə*] **1.** *n* Macht *f;* (*ability*) Fähigkeit *f;* (*strength*) Stärke *f;* (*authority*) Macht *f*, Befugnis *f;* (MATH) Potenz *f;* (ELEC) Strom *m;* **2.** *vt* betreiben, antreiben; **power-assisted steering** *n* Servolenkung *f;* **power cut** *n* Stromausfall *m;* **powerful** *adj* (*person*) mächtig; (*engine, government*) stark; **powerless** *adj* machtlos; **power line** *n* Hauptstromleitung *f;* **power pack** *n* (ELEC) Netzteil *nt;* **power player** *n* Machtmensch *m;* **power point** *n* elektrischer Anschluss; **power station** *n* Kraftwerk *nt;* **atomic** [*o* **nuclear**] ~ Atomkraftwerk *nt*, Kernkraftwerk *nt*.
powwow ['paʊwaʊ] **1.** *n* Besprechung *f;* **2.** *vi* eine Besprechung abhalten.
PR 1. *n abbr of* **public relations; 2.** *n abbr of* **proportional representation**.
practicability [præktɪkə'bɪlɪtɪ] *n* Durchführbarkeit *f;* **practicable** ['præktɪkəbl] *adj* durchführbar.
practical ['præktɪkəl] *adj* praktisch; (*solution*) praxisnah; ~ **joke** Streich *m*.
practice ['præktɪs] **1.** *n* Übung *f;* (*reality*) Praxis *f;* (*custom*) Brauch *m;* (*in business*) Usus *m;* (*doctor's, lawyer's*) Praxis *f;* **in ~** (*in reality*) in der Praxis; **out of ~** außer Übung; **2.** *n* (*US*) *s.* **practise**; **practicing** (*US*) *s.* **practising**.
practise ['præktɪs] **1.** *vt* üben; (*profession*) ausüben; **2.** *vi* üben; (*doctor, lawyer*) praktizieren; **to ~ law/medicine** als Rechtsanwalt/Arzt arbeiten; **practised** *adj* erfahren; **practising** *adj* praktizierend; (*Christian etc*) aktiv.
practitioner [præk'tɪʃənə*] *n* praktischer Arzt, praktische Ärztin.
pragmatic [præg'mætɪk] *adj* pragmatisch; **pragmatist** ['prægmətɪst] *n* Pragmatiker(in) *m(f)*.
prairie ['prɛərɪ] *n* Prärie *f*, Steppe *f*.
praise [preɪz] **1.** *n* Lob *nt;* **2.** *vt* loben; (*worship*) lobpreisen, loben; **praiseworthy** *adj* lobenswert.
pram [præm] *n* Kinderwagen *m*.
prance [prɑ:ns] *vi* (*horse*) tänzeln; (*person*) stolzieren; (*gaily*) herumhüpfen.
prank [præŋk] *n* Streich *m*.
prattle ['prætl] *vi* schwatzen, plappern.
prawn [prɔ:n] *n* Garnele *f*, Krabbe *f*.
pray [preɪ] *vi* beten; **prayer** [prɛə*] *n* Gebet *nt;* **prayer book** *n* Gebetbuch *nt*.
pre- [pri:] *pref* prä-, vorher-.
preach [pri:tʃ] *vi* predigen; **preacher** *n* Prediger(in) *m(f)*.
preamble [pri:'æmbl] *n* Einleitung *f*.
prearrange [pri:ə'reɪndʒ] *vt* vereinbaren, absprechen; **prearranged** *adj* vereinbart; **prearrangement** *n* Vereinbarung *f*, vorherige Absprache.
precarious *adj*, **precariously** *adv* [prɪ'kɛərɪəs, -lɪ] prekär, unsicher.
precaution [prɪ'kɔ:ʃən] *n* Vorsichtsmaßnahme *f*, Vorbeugung *f;* **precautionary** *adj* (*measure*) vorbeugend, Vorsichts-.
precede [prɪ'si:d] *vt, vi* vorausgehen +*dat;* (*be more important*) an Bedeutung übertreffen; **precedence** ['presɪdəns] *n* Priorität *f*, Vorrang *m;* **to take ~ over** den Vorrang haben vor +*dat;* **precedent** ['presɪdənt] *n* Präzedenzfall *m;* **preceding** *adj* vorhergehend.
precinct ['pri:sɪŋkt] *n* Gelände *nt;* (*district*) Bezirk *m;* (*police ~*) Revier *nt;* (*shopping ~*) Einkaufsviertel *nt*.
precious ['preʃəs] *adj* kostbar, wertvoll; (*affected*) preziös, geziert.
precipice ['presɪpɪs] *n* Abgrund *m*.
precipitate [prɪ'sɪpɪteɪt] *vt* beschleunigen; (*events*) heraufbeschwören.
precipitation [prɪsɪpɪ'teɪʃən] *n* (CHEM, METEO) Niederschlag *m*.
precipitous *adj*, **precipitously** *adv* [prɪ'sɪpɪtəs, -lɪ] steil; (*action*) überstürzt.
précis ['preɪsi:] *n* Übersicht *f*, Zusammenfassung *f;* (SCH) Inhaltsangabe *f*.
precise *adj*, **precisely** *adv* [prɪ'saɪs, -lɪ] genau, präzis.
preclude [prɪ'klu:d] *vt* ausschließen; (*person*) abhalten (*sb from sth* jdn von etw).
precocious [prɪ'kəʊʃəs] *adj* frühreif.
preconceived [pri:kən'si:vd] *adj* (*idea*) vorgefasst.
precursor [pri:'kɜ:sə*] *n* Vorläufer(in) *m(f)*.
predator ['predətə*] *n* Raubtier *nt;* **predatory** *adj* Raub-.

predecessor ['pri:dɪsesə*] *n* Vorgänger(in) *m(f)*.

predestination [pri:destɪ'neɪʃən] *n* Vorherbestimmung *f*, Prädestination *f*; **predestine** [pri:'destɪn] *vt* vorherbestimmen.

predetermine [pri:dɪ'tɜ:mɪn] *vt* vorherentscheiden, vorherbestimmen.

predicament [prɪ'dɪkəmənt] *n* missliche Lage; **to be in a ~** in der Klemme sitzen.

predicate ['predɪkət] *n* Prädikat *nt*, Satzaussage *f*.

predict [prɪ'dɪkt] *vt* voraussagen; **prediction** [prɪ'dɪkʃən] *n* Voraussage *f*.

predominance [prɪ'dɒmɪnəns] *n* (*in power*) Vorherrschaft *f*; (*fig*) Vorherrschen *nt*, Überwiegen *nt*; **predominant** *adj* vorherrschend; (*fig a.*) überwiegend; **predominantly** *adv* überwiegend, hauptsächlich; **predominate** [prɪ'dɒmɪneɪt] *vi* vorherrschen; (*fig a.*) überwiegen.

pre-eminent [pri:'emɪnənt] *adj* hervorragend, herausragend.

pre-empt [pri:'empt] *vt* (*action, decision*) vorwegnehmen.

preen [pri:n] *vt* putzen; **to ~ oneself on sth** sich *dat* etwas auf etw einbilden.

prefab ['pri:fæb] *n* Fertighaus *nt*; **prefabricated** [pri:'fæbrɪkeɪtɪd] *adj* vorgefertigt, Fertig-.

preface ['prefɪs] *n* Vorwort *nt*, Einleitung *f*.

prefect ['pri:fekt] *n* Präfekt(in) *m(f)*; (SCH) Aufsichtsschüler(in) *m(f)*.

prefer [prɪ'fɜ:*] *vt* vorziehen, lieber mögen; **to ~ to do sth** etw lieber tun; **preferable** ['prefərəbl] *adj* vorzuziehen (*to dat*); **preferably** ['prefərəblɪ] *adv* vorzugsweise, am liebsten; **preference** ['prefərəns] *n* Vorliebe *f*; (*greater favour*) Vorzug *m*; **preferential** [prefə'renʃəl] *adj* bevorzugt, Vorzugs-.

prefix ['pri:fɪks] *n* Vorsilbe *f*, Präfix *nt*; (*US* TEL) Vorwahl *f*.

pregnancy ['pregnənsɪ] *n* Schwangerschaft *f*; **pregnancy test** *n* Schwangerschaftstest *m*; **pregnant** *adj* schwanger; **~ with meaning** (*fig*) bedeutungsschwer, bedeutungsvoll.

prehistoric [pri:hɪ'stɒrɪk] *adj* prähistorisch, vorgeschichtlich; **prehistory** [pri:'hɪstərɪ] *n* Urgeschichte *f*.

prejudge [pri:'dʒʌdʒ] *vt* vorschnell beurteilen.

prejudice ['predʒʊdɪs] **1.** *n* Vorurteil *nt*, Voreingenommenheit *f*; (*harm*) Schaden *m*; **2.** *vt* beeinträchtigen; **prejudiced** *adj* (*person*) voreingenommen.

preliminary [prɪ'lɪmɪnərɪ] **1.** *adj* einleitend, Vor-; **2.** *n* Einleitung *f*; (*measure*) Vorbereitung *f*; (SPORT) Vorspiel *nt*; **the preliminaries** *pl* die vorbereitenden Maßnahmen *pl*; **prelims** *n pl* (SCH) Vorprüfung *f*; (*in book*) Vorbemerkungen *pl*.

prelude ['prelju:d] *n* Vorspiel *nt*; (MUS) Präludium *nt*; (*fig*) Auftakt *m*.

premarital [pri:'mærɪtl] *adj* vorehelich.

premature ['premətʃʊə*] *adj* vorzeitig, verfrüht; (*birth*) Früh-; (*decision*) voreilig; **prematurely** *adv* vorzeitig; verfrüht; voreilig.

premeditate [pri:'medɪteɪt] *vt* im Voraus planen; **premeditated** *adj* geplant; (*murder*) vorsätzlich; **premeditation** [pri:medɪ'teɪʃən] *n* Planung *f*.

premier ['premɪə*] **1.** *adj* erste(r, s), oberste(r, s), höchste(r, s); **2.** *n* Premier *m*, Premierminister(in) *m(f)*.

premiere ['premɪɛə*] *n* Premiere *f*; (*first ever*) Uraufführung *f*.

premise ['premɪs] *n* Voraussetzung *f*, Prämisse *f*; **~s** *pl* Räumlichkeiten *pl*; (*grounds*) Grundstück *nt*.

premium ['pri:mɪəm] *n* Prämie *f*; **to sell at a ~** mit Gewinn verkaufen; **premium quality** *n* erstklassige Qualität.

premonition [premə'nɪʃən] *n* Vorahnung *f*.

preoccupation [pri:ɒkjʊ'peɪʃən] *n* Sorge *f*; **preoccupied** [pri:'ɒkjʊpaɪd] *adj* (*look*) geistesabwesend; **to be ~ with sth** mit dem Gedanken an etw *akk* beschäftigt sein.

prepaid [pri:'peɪd] *adj* vorausbezahlt; (*letter*) frankiert.

preparation [prepə'reɪʃən] *n* Vorbereitung *f*.

preparatory [prɪ'pærətərɪ] *adj* Vorbereitungs-.

> Eine **prep(aratory) school** ist in Großbritannien eine meist private Schule für Kinder im Alter von 7 bis 13 Jahren, die auf eine weiterführende Privatschule (public school) vorbereiten soll.

prepare [prɪ'pɛə*] **1.** *vt* vorbereiten (*for* auf +*akk*); **2.** *vi* sich vorbereiten; **to be ~d to ...** bereit sein zu ...

preponderance [prɪ'pɒndərəns] *n*

Übergewicht *nt.*

preposition [prepə'zɪʃən] *n* Präposition *f,* Verhältniswort *nt.*

preposterous [prɪ'pɒstərəs] *adj* absurd, widersinnig.

preppy ['prepɪ] *adj* (*esp US*) adrett und trendy.

prerequisite [priː'rekwɪzɪt] *n* Voraussetzung *f.*

prerogative [prɪ'rɒgətɪv] *n* Vorrecht *nt,* Privileg *nt.*

presbytery ['prezbɪtərɪ] *n* (*house*) Presbyterium *nt;* (*Catholic*) Pfarrhaus *nt.*

prescribe [prɪ'skraɪb] *vt* vorschreiben, anordnen; (MED) verschreiben; **prescription** [prɪ'skrɪpʃən] *n* Vorschrift *f;* (MED) Rezept *nt;* **prescriptive** [prɪ'skrɪptɪv] *adj* normativ.

presence ['prezns] *n* Gegenwart *f,* Anwesenheit *f;* ~ **of mind** Geistesgegenwart *f;*

present ['preznt] **1.** *adj* anwesend; (*existing*) gegenwärtig, augenblicklich; **2.** *n* Gegenwart *f;* (LING) Präsens *nt;* (*gift*) Geschenk *nt;* **3.** [prɪ'zent] *vt* vorlegen; (*introduce*) vorstellen; (*show*) zeigen; (*give*) überreichen; **to ~ sb with sth** jdm etw überreichen; **at ~** im Augenblick.

presentable [prɪ'zentəbl] *adj* präsentabel.

presentation [prezən'teɪʃən] *n* Überreichung *f;* (*of prize*) Verleihung *f;* (*gift*) Geschenk *nt;* (THEAT) Inszenierung *f;* (TV) Produktion *f;* (*announcing etc*) Moderation *f.*

present-day ['preznt'deɪ] *adj* heutig, gegenwärtig, modern; **presently** *adv* bald; (*at present*) im Augenblick; **present participle** *n* Partizip Präsens *nt,* Mittelwort *nt* der Gegenwart; **present tense** *n* Präsens *nt,* Gegenwart *f.*

preservation [prezə'veɪʃən] *n* Erhaltung *f.*

preservative [prɪ'zɜːvətɪv] *n* Konservierungsmittel *nt.*

preserve [prɪ'zɜːv] **1.** *vt* erhalten, schützen; (*food*) einmachen, konservieren; **2.** *n* (*jam*) Eingemachte(s) *nt;* (HUNTING) Schutzgebiet *nt.*

preside [prɪ'zaɪd] *vi* den Vorsitz haben.

presidency ['prezɪdənsɪ] *n* (POL) Präsidentschaft *f.*

president ['prezɪdənt] *n* Präsident(in) *m(f);* **presidential** [prezɪ'denʃəl] *adj* Präsidenten-; (*election*) Präsidentschafts-; (*system*) Präsidial-.

press [pres] **1.** *n* Presse *f;* (*printing house*) Druckerei *f;* **2.** *vt* drücken, pressen; (*iron*) bügeln; (*urge*) bedrängen; **3.** *vi* (*push*) drücken, pressen; **to be ~ed for time** unter Zeitdruck stehen; **to be ~ed for money/space** wenig Geld/Platz haben; **to ~ for sth** auf etw *akk* drängen; **to give the clothes a ~** die Kleider bügeln; **press on** *vi* weitermachen; **press agency** *n* Presseagentur *f;* **press conference** *n* Pressekonferenz *f;* **press cutting** *n* Zeitungsausschnitt *m;* **pressing** *adj* dringend; **press-stud** *n* Druckknopf *m;* **press-up** *n* (*Brit*) Liegestütz *m.*

pressure ['preʃə*] *n* Druck *m;* **pressure cooker** *n* Schnellkochtopf *m;* **pressure gauge** *n* Druckmesser *m;* **pressure group** *n* Interessengruppe *f,* Pressure-group *f.*

pressurized ['preʃəraɪzd] *adj* Druck-.

prestige [pre'stiːʒ] *n* Ansehen *nt,* Prestige *nt;* **prestigious** [pre'stɪdʒəs] *adj* Prestige-.

presumably [prɪ'zjuːməblɪ] *adv* vermutlich.

presume [prɪ'zjuːm] *vt, vi* annehmen; (*dare*) sich *dat* erlauben.

presumption [prɪ'zʌmpʃən] *n* Annahme *f;* (*impudent behaviour*) Anmaßung *f.*

presumptuous [prɪ'zʌmptjʊəs] *adj* anmaßend.

presuppose [priːsə'pəʊz] *vt* voraussetzen; **presupposition** [priːsʌpə'zɪʃən] *n* Voraussetzung *f.*

P

pretence [prɪ'tens] *n* Vortäuschung *f;* (*false claim*) Vorwand *m.*

pretend [prɪ'tend] **1.** *vt* vorgeben, so tun als ob ...; **2.** *vi* so tun; **to ~ to sth** Anspruch auf etw *akk* erheben.

pretense [prɪ'tens] *n* (*US*) *s.* **pretence**.

pretension [prɪ'tenʃən] *n* Anspruch *m;* (*impudent claim*) Anmaßung *f.*

pretentious [prɪ'tenʃəs] *adj* angeberisch.

pretext ['priːtekst] *n* Vorwand *m.*

prettily ['prɪtɪlɪ] *adv* hübsch, nett.

pretty ['prɪtɪ] **1.** *adj* hübsch, nett; **2.** *adv* (*fam*) ganz schön.

prevail [prɪ'veɪl] *vi* siegen (*against, over* über *+akk*); (*custom*) vorherrschen; **to ~ upon sb to do sth** jdn dazu bewegen etw zu tun; **prevailing** *adj* vorherrschend, aktuell.

prevalent ['prevələnt] *adj* vorherrschend.

prevarication [prɪværɪ'keɪʃən] *n* Ausflucht *f.*

prevent [prɪ'vent] *vt* (*stop*) verhindern, verhüten; **to ~ sb from doing sth** jdn daran hindern etw zu tun; **preventable** *adj* verhütbar; **preventative** *n* Vorbeugungsmittel *nt;* **prevention** [prɪ'venʃən] *n* Verhütung *f,* Schutz *m* (*of* gegen); **preventive** *adj* vorbeugend, Schutz-.

preview ['pri:vju:] **1.** *n* private Voraufführung; (*trailer*) Vorschau *f;* **2.** *vt* (*film*) privat vorführen.

previous ['pri:vɪəs] *adj* früher, vorherig; **previously** *adv* früher.

prewar [pri:'wɔ:*] *adj* Vorkriegs-.

prey [preɪ] *n* Beute *f;* **bird/beast of** ~ Raubvogel *m*/Raubtier *nt;* **prey on** *vt* Jagd machen auf +*akk;* (*mind*) nagen an +*dat.*

price [praɪs] **1.** *n* Preis *m;* (*value*) Wert *m;* **2.** *vt* schätzen; (*label*) auszeichnen; **price-fixing** *n* Preisabsprache *f;* **price-freeze** *n* Preisstopp *m;* **priceless** *adj* (*a. fig*) unbezahlbar; **price list** *n* Preisliste *f;* **pricey** *adj* (*fam*) teuer.

prick [prɪk] **1.** *n* Stich *m;* **2.** *vt, vi* stechen; **to ~ up one's ears** die Ohren spitzen.

prickle ['prɪkl] **1.** *n* Stachel *m,* Dorn *m;* **2.** *vi* brennen.

prickly ['prɪklɪ] *adj* stachelig; (*fig: person*) reizbar; **prickly heat** *n* Hitzebläschen *pl;* **prickly pear** *n* Feigenkaktus *m;* (*fruit*) Kaktusfeige *f.*

pride [praɪd] *n* Stolz *m;* (*arrogance*) Hochmut *m;* **to ~ oneself in sth** auf etw *akk* stolz sein.

priest [pri:st] *n* Priester *m;* **priestess** *n* Priesterin *f;* **priesthood** *n* Priesteramt *nt.*

prig [prɪg] *n* Selbstgefällige(r) *mf.*

prim *adj* [prɪm] prüde.

prima donna [pri:mə'dɒnə] *n* Primadonna *f.*

primarily ['praɪmərɪlɪ] *adv* vorwiegend, hauptsächlich.

primary ['praɪmərɪ] *adj* Haupt-, Grund-, primär; ~ **colour** Grundfarbe *f;* ~ **education** Grundschulausbildung *f;* ~ **election** Vorwahl *f;* ~ **school** Grundschule *f.*

Als **primary** wird im amerikanischen Präsidentschaftswahlkampf eine Vorwahl bezeichnet, die mitentscheidet, welche Präsidentschaftskandidaten die beiden großen Parteien aufstellen. Vorwahlen werden nach komplizierten Regeln von Februar (New Hampshire) bis Juni in etwa 35 Staaten abgehalten. Der von den Kandidaten in den „primaries" erzielte Stimmanteil bestimmt wie viele Abgeordnete bei der endgültigen Auswahl der demokratischen bzw. republikanischen Kandidaten bei den nationalen Parteitagen im Juli/August für sie stimmen.

Eine **primary school** ist in Großbritannien eine Grundschule für Kinder im Alter von 5 bis 11 Jahren. Oft wird sie aufgeteilt in **infant school** (5 bis 7 Jahre) und **junior school** (7 bis 11 Jahre).

primate ['praɪmɪt] *n* (REL) Primas *m;* (BIO) Primat *m.*

prime [praɪm] **1.** *adj* oberste(r, s), erste(r, s), wichtigste(r, s); (*excellent*) erstklassig, prima; **2.** *vt* vorbereiten; (*gun*) laden; **3.** *n* (*of life*) bestes Alter; **prime minister** *n* Premierminister(in) *m(f),* Ministerpräsident(in) *m(f);* **primer** *n* Elementarlehrbuch *nt,* Fibel *f.*

primeval [praɪ'mi:vəl] *adj* vorzeitlich; (*forests*) Ur-.

primitive ['prɪmɪtɪv] *adj* primitiv.

primly *adv* [prɪmlɪ] prüde.

primrose ['prɪmrəʊz] *n* Primel *f.*

primula ['prɪmjʊlə] *n* Primel *f.*

primus stove® ['praɪməs stəʊv] *n* Campingkocher *m* (*der mit Paraffin betrieben wird*).

prince [prɪns] *n* Prinz *m;* (*ruler*) Fürst *m;* **princess** [prɪn'ses] *n* Prinzessin *f;* Fürstin *f.*

principal ['prɪnsɪpəl] **1.** *adj* Haupt-; wichtigste(r, s); **2.** *n* (SCH) Schuldirektor(in) *m(f),* Rektor(in) *m(f);* (*money*) Grundkapital *nt.*

principality [prɪnsɪ'pælɪtɪ] *n* Fürstentum *nt.*

principally ['prɪnsɪpəlɪ] *adv* hauptsächlich.

principle ['prɪnsəpl] *n* Grundsatz *m,* Prinzip *nt;* **in/on** ~ im/aus Prinzip, prinzipiell.

print [prɪnt] **1.** *n* Druck *m;* (*made by feet, fingers*) Abdruck *m;* (PHOT) Abzug *m;* **2.** *vt* drucken; (COMPUT) ausdrucken; (*name*) in Druckbuchstaben schreiben; (*photo*) abziehen; **is the book still in ~?** ist das Buch noch erhältlich?; **out of** ~ vergriffen;

printed matter *n* Drucksache *f;* **printer** *n* Drucker *m;* **printing** *n* Drucken *nt;* (*of photos*) Abziehen *nt;* ~ **press** Druckerpresse *f;* **printout** *n* (COMPUT) Ausdruck *m.*

prior ['praɪə*] **1.** *adj* früher; **2.** *n* Prior *m;* ~ **to sth** vor etw *dat;* ~ **to going abroad, she had ...** bevor sie ins Ausland ging, hatte sie ...; **prioress** *n* Priorin *f.*

priority [praɪ'ɒrɪtɪ] *n* Vorrang *m,* Priorität *f.*

priory ['praɪərɪ] *n* Kloster *nt.*

prise [praɪz] *vt:* **to ~ open** aufbrechen.

prism ['prɪzəm] *n* Prisma *nt.*

prison ['prɪzn] *n* Gefängnis *nt;* **prisoner** *n* Gefangene(r) *mf;* ~ **of war** Kriegsgefangene(r) *mf;* **to be taken ~** in Gefangenschaft geraten.

prissy ['prɪsɪ] *adj* (*fam*) etepetete.

pristine ['prɪsti:n] *adj* makellos.

privacy ['prɪvəsɪ] *n* Privatleben *nt.*

private ['praɪvɪt] **1.** *adj* privat, Privat-; (*secret*) vertraulich, geheim; (*soldier*) einfach; **2.** *n* einfacher Soldat; **in ~** privat, unter vier Augen; **private eye** *n* Privatdetektiv(in) *m(f);* **privately** *adv* privat; vertraulich.

privet ['prɪvɪt] *n* Liguster *m.*

privilege ['prɪvɪlɪdʒ] *n* Vorrecht *nt,* Privileg *nt;* (*honour*) Ehre *f;* **privileged** *adj* bevorzugt, privilegiert.

privy ['prɪvɪ] *adj* geheim, privat; ~ **council** Geheimer Staatsrat.

> Der **Privy Council** ist eine Gruppe von königlichen Beratern, die ihren Ursprung im normannischen England hat. Heute hat dieser Rat eine rein formale Funktion. Kabinettsmitglieder und andere wichtige Persönlichkeiten aus Politik und Kirche sind automatisch Mitglieder.

prize [praɪz] **1.** *n* Preis *m;* **2.** *adj* (*example*) erstklassig; (*idiot*) Voll-; **3.** *vt* hoch schätzen; **prize fighting** *n* Preisboxen *nt;* **prize giving** *n* Preisverteilung *f;* **prize money** *n* Geldpreis *m;* **prizewinner** *n* Preisträger(in) *m(f);* (*of money*) Gewinner(in) *m(f).*

pro [prəʊ] *n* <-s> (*professional*) Profi *m;* **the ~s and cons** *pl* das Für und Wider.

pro- [prəʊ] *pref* pro-.

probability [prɒbə'bɪlɪtɪ] *n* Wahrscheinlichkeit *f;* **in all ~** aller Wahrscheinlichkeit nach; **probable** *adj,* **probably** *adv* ['probəbl, -blɪ] wahrscheinlich.

probation [prə'beɪʃən] *n* Probezeit *f;* (JUR) Bewährung *f;* **on ~** auf Probe; auf Bewährung; **probationary** *adj* Probe-; **probationer** *n* (*nurse*) Lernschwester *f,* Pfleger *m* in der Ausbildung; (JUR) auf Bewährung freigelassener Gefangener; **probation officer** *n* Bewährungshelfer(in) *m(f).*

probe [prəʊb] **1.** *n* Sonde *f;* (*enquiry*) Untersuchung *f;* **2.** *vt, vi* untersuchen, erforschen, sondieren.

problem ['prɒbləm] *n* Problem *nt;* **problematic** [prɒblɪ'mætɪk] *adj* problematisch.

procedural [prə'si:djʊrəl] *adj* verfahrensmäßig, Verfahrens-; **procedure** [prə'si:dʒə*] *n* Verfahren *nt,* Vorgehen *nt.*

proceed [prə'si:d] *vi* (*advance*) vorrücken; (*start*) anfangen; (*carry on*) fortfahren; (*set about*) vorgehen; (*come from*) entstehen (*from* aus); (JUR) gerichtlich vorgehen; **proceedings** *n pl* (JUR) Verfahren *nt;* (*record of things*) Sitzungsbericht *m.*

proceeds ['prəʊsi:ds] *n pl* Erlös *m,* Gewinn *m.*

process ['prəʊses] **1.** *n* Vorgang *m,* Prozess *m;* (*method also*) Verfahren *nt;* **2.** *vt* bearbeiten; (*food,* COMPUT) verarbeiten; (*film*) entwickeln.

procession [prə'seʃən] *n* Prozession *f,* Umzug *m.*

proclaim [prə'kleɪm] *vt* verkünden, proklamieren; **to ~ sb king** jdn zum König ausrufen; **proclamation** [prɒklə'meɪʃən] *n* Verkündung *f,* Proklamation *f.*

procrastination [prəʊkræstɪ'neɪʃən] *n* Hinausschieben *nt.*

procreation [prəʊkrɪ'eɪʃən] *n* Erzeugung *f.*

procure [prə'kjʊə*] *vt* beschaffen.

prod [prɒd] **1.** *vt* stoßen; **2.** *n* Stoß *m;* **to ~ sb** (*fig*) jdn anspornen, jdn treten.

prodigal ['prɒdɪgəl] *adj* verschwenderisch (*of* mit); **the ~ son** der verlorene Sohn.

prodigious [prə'dɪdʒəs] *adj* gewaltig, erstaunlich; (*wonderful*) wunderbar.

prodigy ['prɒdɪdʒɪ] *n* Wunder *nt;* **a child ~** ein Wunderkind.

produce ['prɒdju:s] **1.** *n* (AGR) Produkte *pl,* [Natur]erzeugnis *nt;* **2.** [prə'dju:s] *vt* herstellen, produzieren; (*cause*) hervorrufen; (*farmer*) erzeugen; (*yield*) liefern, bringen; (*play*) inszenieren; **producer** *n*

P

Erzeuger(in) *m(f)*, Hersteller(in) *m(f)*; (CINE) Produzent(in) *m(f)*.

product ['prɒdʌkt] *n* Produkt *nt*, Erzeugnis *nt*.

production [prə'dʌkʃən] *n* Produktion *f*, Herstellung *f*; (*thing*) Erzeugnis *nt*, Produkt *nt*; (THEAT) Inszenierung *f*; **production line** *n* Fließband *nt*; **production site** *n* Produktionsstandort *m*.

productive [prə'dʌktɪv] *adj* produktiv; (*fertile*) ertragreich, fruchtbar; **to be ~ of** führen zu, erzeugen.

productivity [prɒdʌk'tɪvɪtɪ] *n* Produktivität *f*; (COMM) Leistungsfähigkeit *f*; (*fig*) Fruchtbarkeit *f*.

product liability ['prɒdʌktlaɪə'bɪlɪtɪ] *n* (*US*) Produkthaftung *f*; **product range** *n* Produktpalette *f*.

prof [prɒf] *n* (*fam*) Professor(in) *m(f)*.

profane [prə'feɪn] *adj* weltlich, profan, Profan-.

profess [prə'fes] *vt* bekennen; (*show*) zeigen; (*claim to be*) vorgeben.

profession [prə'feʃən] *n* Beruf *m*; (*declaration*) Bekenntnis *nt*.

professional [prə'feʃənl] **1.** *n* Fachmann *m*, -frau *f*; (SPORT) Berufsspieler(in) *m(f)*, Profi *m*; **2.** *adj* Berufs-; (*expert*) fachlich; (*player*) professionell; **professionalism** *n* fachliches Können *nt*; Berufssportlertum *nt*.

professor [prə'fesə*] *n* Professor(in) *m(f)*.

proficiency [prə'fɪʃənsɪ] *n* Fertigkeit *f*, Können *nt*; **proficient** *adj* fähig.

profile ['prəʊfaɪl] *n* Profil *nt*; (*fig: report*) Kurzbiografie *f*.

profit ['prɒfɪt] **1.** *n* Gewinn *m*, Profit *m*; **2.** *vi* profitieren (*by, from* von), Nutzen, Gewinn ziehen (*by, from* aus); **profitability** [prɒfɪtə'bɪlɪtɪ] *n* Rentabilität *f*; **profitable** *adj* einträglich, rentabel; **profitably** *adv* nützlich; **profiteering** [prɒfɪ'tɪərɪŋ] *n* Profitmacherei *f*.

profound [prə'faʊnd] *adj* tief; (*knowledge*) profund; (*book, thinker*) tiefschürfend; **profoundly** *adv* zutiefst.

profuse [prə'fju:s] *adj* überreich; **to be ~ in** überschwenglich sein bei; **profusely** *adv* überschwenglich; (*sweat*) reichlich; **profusion** [prə'fju:ʒən] *n* Überfülle *f*, Überfluss *m* (*of* an + *dat*).

program (*US*) *s.* **programm**.

programing (*US*) *s.* **programming**.

programme ['prəʊgræm] **1.** *n* Programm *nt*; **2.** *vt* planen; (*computer*) programmieren; **programmer** *n* Programmierer(in) *m(f)*; **programming** *n* Programmieren *nt*, Programmierung *f*; **~ language** Programmiersprache *f*.

progress ['prəʊgres] **1.** *n* Fortschritt *m*; **2.** [prə'gres] *vi* fortschreiten, weitergehen; **to be in ~** im Gang sein; **to make ~** Fortschritte machen; **progression** [prə'greʃən] *n* Fortschritt *m*, Progression *f*; (*walking etc*) Fortbewegung *f*; **progressive** [prə'gresɪv] *adj* fortschrittlich, progressiv; **progressively** [prə'gresɪvlɪ] *adv* zunehmend; **progress payment** *n* Abschlagszahlung *f*.

prohibit [prə'hɪbɪt] *vt* verbieten; **prohibition** [prəʊɪ'bɪʃən] *n* Verbot *nt*; (*US*) Alkoholverbot *nt*, Prohibition *f*; **prohibitive** *adj* (*price etc*) unerschwinglich.

project ['prɒdʒekt] **1.** *n* Projekt *nt*; **2.** [prə'dʒekt] *vt* vorausplanen; (PSYCH) hineinprojizieren; (*film etc*) projizieren; (*personality, voice*) zum Tragen bringen; **3.** *vi* (*stick out*) hervorragen, hervorstehen.

projectile [prə'dʒektaɪl] *n* Geschoss *nt*, Projektil *nt*.

projection [prə'dʒekʃən] *n* Projektion *f*; (*sth prominent*) Vorsprung *m*.

projector [prə'dʒektə*] *n* Projektor *m*, Vorführgerät *nt*.

proletarian [prəʊlə'tɛərɪən] **1.** *adj* proletarisch; **2.** *n* Proletarier(in) *m(f)*.

proliferate [prə'lɪfəreɪt] *vi* sich vermehren; **proliferation** [prəlɪfə'reɪʃən] *n* Vermehrung *f*; (*of nuclear weapons*) Weitergabe *f*.

prolific [prə'lɪfɪk] *adj* fruchtbar; (*author*) produktiv.

prologue ['prəʊlɒg] *n* Prolog *m*; (*event*) Vorspiel *nt*.

prolong [prə'lɒŋ] *vt* verlängern; **prolonged** *adj* lang.

prom [prɒm] **1.** *n abbr of* **promenade, promenade concert**; **2.** *n* (*US: college ball*) Studentenball *m*.

The Proms (kurz für „promenade concerts") sind in Großbritannien Konzerte, bei denen ein Teil der Zuhörer steht (ursprünglich spazieren ging). Die seit 1895 alljährlich stattfindenden „Proms" (seit 1941 immer in der Londoner Royal Albert Hall) zählen zu den bedeutendsten Musikereignissen in

England. Der letzte Abend der „Proms" steht ganz im Zeichen des Patriotismus und gipfelt im Singen des Lieds „Land of Hope and Glory".
In den USA und Kanada steht **prom** für „promenade", ein Ball an der High School oder einem College.

promenade [prɒmɪ'nɑ:d] *n* Promenade *f;* **promenade concert** *n* Konzert *nt* (*in lockerem Rahmen*); **promenade deck** *n* Promenadendeck *nt.*

prominent ['prɒmɪnənt] *adj* bedeutend; (*politician*) prominent; (*easily seen*) herausragend, auffallend.

promiscuity [prɒmɪ'skju:ɪtɪ] *n* Promiskuität *f,* häufiger Partnerwechsel; **promiscuous** [prə'mɪskjʊəs] *adj* promisk, häufig den Partner wechselnd; (*mixed up*) wild.

promise ['prɒmɪs] **1.** *n* Versprechen *nt;* (*hope*) Aussicht *f* (*of* auf *+akk*); **2.** *vt, vi* versprechen; **the Promised Land** das Gelobte Land; **to show ~** viel versprechend sein; **a writer of ~** ein viel versprechender Schriftsteller; **promising** *adj* viel versprechend.

promote [prə'məʊt] *vt* befördern; (*help on*) fördern, unterstützen; **promoter** *n* (*in sport, entertainment*) Veranstalter(in) *m(f);* (*for charity etc*) Organisator(in) *m(f);* **promotion** [prə'məʊʃən] *n* (*in rank*) Beförderung *f;* (*furtherance*) Förderung *f;* (COMM) Werbung *f* (*of* für).

prompt [prɒmpt] **1.** *adj* prompt, schnell; **2.** *adv* (*punctually*) genau; **3.** *vt* veranlassen; (THEAT) einsagen *+dat,* soufflieren *+dat;* **4.** *n* (COMPUT) Befehlszeile *f;* **to be ~ to do sth** etw sofort tun; **at two o'clock ~** punkt zwei Uhr; **prompter** *n* (THEAT) Souffleur *m,* Souffleuse *f;* **promptly** *adv* sofort; **promptness** *n* Schnelligkeit *f,* Promptheit *f.*

prone [prəʊn] *adj* hingestreckt; **to be ~ to sth** zu etw neigen.

prong [prɒŋ] *n* Zinke *f.*

pronoun ['prəʊnaʊn] *n* Pronomen *nt,* Fürwort *nt.*

pronounce [prə'naʊns] **1.** *vt* aussprechen; (JUR) verkünden; **2.** *vi* (*give an opinion*) sich äußern (*on* zu); **pronounced** *adj* ausgesprochen; **pronouncement** *n* Erklärung *f.*

pronto ['prɒntəʊ] *adv* (*fam*) fix, pronto.

pronunciation [prənʌnsɪ'eɪʃən] *n* Aussprache *f.*

proof [pru:f] **1.** *n* Beweis *m;* (TYP) Korrekturfahne *f;* (*of alcohol*) Alkoholgehalt *m;* **2.** *adj* sicher; (*alcohol*) prozentig; **to put to the ~** unter Beweis stellen.

prop [prɒp] **1.** *n* (*a. fig*) Stütze *f;* (THEAT) Requisit *nt;* **2.** *vt* (*also:* **~ up**) abstützen.

propaganda [prɒpə'gændə] *n* Propaganda *f.*

propagate ['prɒpəgeɪt] *vt* fortpflanzen; (*news*) verbreiten; **propagation** [prɒpə'geɪʃən] *n* Fortpflanzung *f;* (*of knowledge*) Verbreitung *f.*

propel [prə'pel] *vt* antreiben; **propellant** *n* Treibgas *nt;* **propeller** *n* Propeller *m;* **propelling pencil** *n* Drehbleistift *m.*

propensity [prə'pensɪtɪ] *n* Tendenz *f.*

proper ['prɒpə*] *adj* richtig; (*seemly*) schicklich; **it is not ~ to ...** es schickt sich nicht zu ...; **properly** *adv* richtig; **~ speaking** genau genommen; **proper noun** *n* Eigenname *m.*

property ['prɒpətɪ] *n* Eigentum *nt,* Besitz *m;* (*quality*) Eigenschaft *f;* (*land*) Grundbesitz *m;* **properties** *pl* (THEAT) Requisiten *pl;* **property developer** *n* Häusermakler(in) *m(f);* **property owner** *n* Grundbesitzer(in) *m(f).*

prophecy ['prɒfɪsɪ] *n* Prophezeiung *f;* **prophesy** ['prɒfɪsaɪ] *vt* prophezeien, vorhersagen.

prophet ['prɒfɪt] *n* Prophet(in) *m(f);* **prophetic** [prə'fetɪk] *adj* prophetisch.

proportion [prə'pɔ:ʃən] **1.** *n* Verhältnis *nt,* Proportion *f;* (*share*) Teil *m;* **2.** *vt* abstimmen (*to* auf *+akk*); **proportional** *adj,* **proportionally** *adv* proportional, verhältnismäßig; **~ spacing** Proportionalschrift *f;* **to be ~ to** entsprechen *+dat;* **proportionate** *adj,* **proportionately** *adv* verhältnismäßig; **proportioned** *adj* proportioniert.

proposal [prə'pəʊzl] *n* Vorschlag *m,* Antrag *m;* (*of marriage*) Heiratsantrag *m.*

propose [prə'pəʊz] **1.** *vt* vorschlagen; (*toast*) ausbringen; **2.** *vi* (*offer marriage*) einen Heiratsantrag machen; **proposer** *n* Antragsteller(in) *m(f);* **proposition** [prɒpə'zɪʃən] *n* Angebot *nt;* (MATH) Lehrsatz *m;* (*statement*) Satz *m.*

proprietor [prə'praɪətə*] *n* Besitzer(in) *m(f);* (*of pub, hotel*) Inhaber(in) *m(f).*

props [prɒps] *n pl* Requisiten *pl.*

propulsion [prə'pʌlʃən] *n* Antrieb *m.*

pro-rata [prəʊ'rɑ:tə] *adv* anteilmäßig.

prosaic [prə'zeɪɪk] *adj* prosaisch, alltäg-

P

lich.

prose [prəʊz] *n* Prosa *f.*

prosecute ['prɒsɪkjuːt] *vt* verfolgen; **prosecution** [prɒsɪ'kjuːʃən] *n* Durchführung *f;* (JUR) strafrechtliche Verfolgung; (*party*) Anklage *f,* Staatsanwaltschaft *f;* **prosecutor** ['prɒsɪkjuːtə*] *n* Vertreter(in) *m(f)* der Anklage; **Public Prosecutor** Staatsanwalt(-anwältin) *m(f).*

prospect ['prɒspekt] **1.** *n* Aussicht *f;* **2.** [prə'spekt] *vi* suchen (*for* nach); **prospecting** [prə'spektɪŋ] *n* (*for minerals*) Suche *f;* **prospective** [prə'spektɪv] *adj* voraussichtlich; (*future*) zukünftig; **prospector** [prə'spektə*] *n* Goldsucher(in) *m(f).*

prospectus [prə'spektəs] *n* Werbeprospekt *m.*

prosper ['prɒspə*] *vi* blühen, gedeihen; (*person*) erfolgreich sein; **prosperity** [prɒ'sperɪtɪ] *n* Wohlstand *m;* **prosperous** *adj* wohlhabend, reich; (*business*) gut gehend, blühend.

prostitute ['prɒstɪtjuːt] *n* Prostituierte(r) *mf.*

prostrate ['prɒstreɪt] *adj* ausgestreckt; ~ **with grief/exhaustion** von Schmerz/Erschöpfung übermannt.

protagonist [prəʊ'tægənɪst] *n* Hauptperson *f,* Held(in) *m(f).*

protect [prə'tekt] *vt* beschützen; (COMPUT) sichern; **protection** [prə'tekʃən] *n* Schutz *m;* ~ **factor** Lichtschutzfaktor *m;* **protectionism** *n* Protektionismus *m;* **protective** *adj* Schutz-, beschützend; **protector** *n* Beschützer(in) *m(f).*

protégé ['prɒtɪʒeɪ] *n* Schützling *m.*

protein ['prəʊtiːn] *n* Protein *nt,* Eiweiß *nt.*

protest ['prəʊtest] **1.** *n* Protest *m;* **2.** [prə'test] *vi* protestieren (*against* gegen); **to ~ that …** beteuern, dass …

Protestant ['prɒtəstənt] **1.** *adj* protestantisch; **2.** *n* Protestant(in) *m(f).*

protocol ['prəʊtəkɒl] *n* Protokoll *nt.*

prototype ['prəʊtəʊtaɪp] *n* Prototyp *m.*

protracted [prə'træktɪd] *adj* sich hinziehend.

protractor [prə'træktə*] *n* Winkelmesser *m.*

protrude [prə'truːd] *vi* hervorstehen.

protuberance [prə'tjuːbərəns] *n* Auswuchs *m;* **protuberant** *adj* hervorstehend.

proud *adj,* **proudly** *adv* [praʊd, -lɪ] stolz (*of* auf +*akk*).

prove [pruːv] **1.** *vt* beweisen; **2.** *vi* sich herausstellen, sich zeigen.

proverb ['prɒvɜːb] *n* Sprichwort *nt;* **proverbial** *adj,* **proverbially** *adv* [prə'vɜːbɪəl, -ɪ] sprichwörtlich.

provide [prə'vaɪd] *vt* versehen; (*supply*) besorgen; (*person*) versorgen; ~**d that** vorausgesetzt, dass; **blankets will be ~d** Decken werden gestellt; **provide for** *vt* sorgen für, sich kümmern um; (*emergency*) Vorkehrungen treffen für.

Providence ['prɒvɪdəns] *n* die Vorsehung.

providing [prə'vaɪdɪŋ] *conj* vorausgesetzt, dass.

province ['prɒvɪns] *n* Provinz *f;* (*division of work*) Bereich *m;* **the ~s** *pl* die Provinz; **provincial** [prə'vɪnʃəl] **1.** *adj* provinziell, Provinz-; **2.** *n* (*pej*) Provinzler(in) *m(f).*

provision [prə'vɪʒən] *n* Vorkehrung *f,* Maßnahme *f;* (*condition*) Bestimmung *f;* ~**s** *pl* (*food*) Vorräte *pl,* Proviant *m.*

provisional *adj,* **provisionally** *adv* [prə'vɪʒənl, -ɪ] vorläufig, provisorisch.

proviso [prə'vaɪzəʊ] *n* <-es> Vorbehalt *m,* Bedingung *f.*

provocation [prɒvə'keɪʃən] *n* Provokation *f,* Herausforderung *f;* **provocative** [prə'vɒkətɪv] *adj* provokativ, herausfordernd; **provoke** [prə'vəʊk] *vt* provozieren; (*cause*) hervorrufen.

prow [praʊ] *n* Bug *m.*

prowl [praʊl] **1.** *vt* (*streets*) durchstreifen; **2.** *vi* herumstreichen; (*animal*) schleichen; **3.** *n:* **on the ~** umherstreifend; (*police*) auf der Streife; (*cat, burgler*) auf Streifzug sein; **prowler** *n* Eindringling *m.*

proximity [prɒk'sɪmɪtɪ] *n* Nähe *f.*

proxy ['prɒksɪ] *n* Stellvertreter(in) *m(f),* Bevollmächtigte(r) *mf;* (*document*) Vollmacht *f;* **to vote by ~** Briefwahl machen.

prudence ['pruːdəns] *n* Klugheit *f,* Umsicht *f;* **prudent** *adj,* **prudently** *adv* klug, umsichtig.

prudish ['pruːdɪʃ] *adj* prüde.

prune [pruːn] **1.** *n* Backpflaume *f;* **2.** *vt* ausputzen; (*fig*) zurechtstutzen.

pry [praɪ] *vi* seine Nase stecken (*into* in +*akk*).

psalm [sɑːm] *n* Psalm *m.*

pseudo ['sjuːdəʊ] *adj* Pseudo-; (*false*) falsch, unecht; **pseudo croup** ['sjuːdəʊ'kruːp] *n* (MED) Pseudokrupp *m;* **pseudonym** ['sjuːdənɪm] *n* Pseudonym *nt,* Deckname *m.*

psyche ['saɪkɪ] *n* Psyche *f;* **psyched** *adj*

(*sl*) aufgekratzt.
psychiatric [saɪkɪ'ætrɪk] *adj* psychiatrisch.
psychiatrist [saɪ'kaɪətrɪst] *n* Psychiater(in) *m(f)*.
psychiatry [saɪ'kaɪətrɪ] *n* Psychiatrie *f*.
psychical ['saɪkɪkəl] *adj* übersinnlich; ~ **healer** Geistheiler(in) *m(f)*; **you must be** ~ du kannst wohl hellsehen.
psychoanalyse [saɪkəʊ'ænəlaɪz] *vt* psychoanalytisch behandeln; **psychoanalysis** [saɪkəʊə'nælɪsɪs] *n* Psychoanalyse *f*; **psychoanalyst** [saɪkəʊ'ænəlɪst] *n* Psychoanalytiker(in) *m(f)*; **psychoanalyze** (*US*) *s.* **psychoanalyse**.
psychological *adj*, **psychologically** *adv* [saɪkə'lɒdʒɪkəl, -ɪ] psychologisch.
psychologist [saɪ'kɒlədʒɪst] *n* Psychologe(-login) *m(f)*.
psychology [saɪ'kɒlədʒɪ] *n* Psychologie *f*.
psychopath ['saɪkəʊpæθ] *n* Psychopath(in) *m(f)*.
psychosomatic [saɪkəʊsəʊ'mætɪk] *adj* psychosomatisch.
psychotherapy [saɪkəʊ'θerəpɪ] *n* Psychotherapie *f*.
psychotic [saɪ'kɒtɪk] **1.** *adj* psychotisch; **2.** *n* Psychotiker(in) *m(f)*.
pto *abbr of* **please turn over** bitte wenden, b.w.
pub [pʌb] *n* (*Brit*) Wirtschaft *f*, Kneipe *f*.

> Ein **pub** ist ein Gasthaus mit einer Lizenz zum Ausschank von alkoholischen Getränken. Ein Pub besteht meist aus verschiedenen gemütlichen (**lounge, snug**) oder einfacheren (**public bar**) Räumen, in denen oft auch Spiele wie Darts, Domino und Poolbillard zur Verfügung stehen. In Pubs werden vor allem mittags auch Mahlzeiten angeboten (**pub lunch**). Pubs sind normalerweise von 11 bis 23 Uhr geöffnet, aber manchmal nachmittags geschlossen.

puberty ['pju:bətɪ] *n* Pubertät *f*.
pubic ['pju:bɪk] *adj* Scham-.
public ['pʌblɪk] **1.** *n* (*also:* **general** ~) Öffentlichkeit *f*; **2.** *adj* öffentlich; ~ **company** Aktiengesellschaft *f*; ~ **convenience** öffentliche Toiletten *pl*; ~ **opinion** die öffentliche Meinung; ~ **relations** *pl* Öffentlichkeitsarbeit *f*, Publicrelations *pl*; ~ **school** (*Brit*) Privatschule *f*, Internatsschule *f*.

> **Public school** bezeichnet vor allem in England eine weiterführende Privatschule, meist eine Internatsschule mit hohem Prestige, an die oft auch eine „preparatory school" angeschlossen ist. Public Schools werden von einem Schulbeirat verwaltet und durch Stiftungen und Schulgelder, die an den bekanntesten Schulen wie Eton, Harrow und Westminster sehr hoch sein können, finanziert. Die meisten Schüler einer Public School gehen zur Universität, oft nach Oxford oder Cambridge. Viele Industrielle, Abgeordnete und hohe Beamte haben eine Public School besucht. In Schottland und den USA bedeutet **public school** eine öffentliche, vom Steuerzahler finanzierte Schule.

publication [pʌblɪ'keɪʃən] *n* Publikation *f*, Veröffentlichung *f*.
publicity [pʌb'lɪsɪtɪ] *n* Publicity *f*, Werbung *f*.
publicly ['pʌblɪklɪ] *adv* öffentlich; **public sector** *n* öffentlicher Sektor.
publish ['pʌblɪʃ] *vt* veröffentlichen, publizieren; (*event*) bekannt geben; **publisher** *n* Verleger(in) *m(f)*; **publishing** *n* Herausgabe *f*, Verlegen *nt*; (*business*) Verlagswesen *nt*.
puck [pʌk] *n* (SPORT) Puck.
pucker ['pʌkə*] *vt* (*face*) verziehen; (*lips*) kräuseln.
pudding ['pʊdɪŋ] *n* (*course*) Nachtisch *m*; Pudding *m*.
puddle ['pʌdl] *n* Pfütze *f*.
puff [pʌf] **1.** *n* (*of wind etc*) Stoß *m*; (*cosmetic*) Puderquaste *f*; **2.** *vt* blasen, pusten; (*pipe*) paffen an +*dat*; **3.** *vi* keuchen, schnaufen; (*smoke*) paffen; **puffed** *adj* (*fam: out of breath*) außer Puste.
puffin ['pʌfɪn] *n* Papageientaucher *m*.
puff paste (*US*), **puff pastry** ['pʌf'peɪstrɪ] *n* Blätterteig *m*.
puffy ['pʌfɪ] *adj* aufgedunsen.
puke [pju:k] *vi* (*fam!*) kotzen.
pull [pʊl] **1.** *n* Ruck *m*, Zug *m*; (*influence*) Beziehungen *pl*; **2.** *vt* ziehen; (*muscle*) zerren; (*trigger*) abdrücken; **3.** *vi* ziehen; **to** ~ **a face** ein Gesicht schneiden; **to** ~

sb's leg jdn auf den Arm nehmen; **to ~ to pieces** in Stücke reißen; (*fig*) verreißen; **to ~ one's weight** sein Bestes geben; **to ~ oneself together** sich zusammenreißen; **pull apart** *vt* (*break*) zerreißen; (*dismantle*) auseinander nehmen; (*fighters*) trennen; **pull down** *vt* (*house*) abreißen; **pull in** *vi* hineinfahren; (*stop*) anhalten; (RAIL) einfahren; **pull off** *vt* (*deal etc*) abschließen; **pull out 1.** *vi* (*car*) herausfahren; (*fig: partner*) aussteigen; **2.** *vt* herausziehen; **pull round**, **pull through** *vi* durchkommen; **pull up** *vi* anhalten.

pulley ['pʊlɪ] *n* Flaschenzug *m.*

pullover ['pʊləʊvə*] *n* Pullover *m.*

pulp [pʌlp] *n* Brei *m;* (*of fruit*) Fruchtfleisch *nt.*

pulpit ['pʊlpɪt] *n* Kanzel *f.*

pulsate [pʌl'seɪt] *vi* pulsieren.

pulse [pʌls] *n* Puls *m.*

pulverize ['pʌlvəraɪz] *vt* (*a. fig*) pulverisieren, in kleine Stücke zerlegen.

puma ['pju:mə] *n* Puma *m.*

pump [pʌmp] **1.** *n* Pumpe *f;* (*shoe*) Lackschuh *m;* (*US*) Pumps *m;* **2.** *vt* pumpen; **pump up** *vt* (*tyre*) aufpumpen.

pumpkin ['pʌmpkɪn] *n* Kürbis *m.*

pun [pʌn] *n* Wortspiel *nt.*

punch [pʌntʃ] **1.** *n* (*tool*) Locher *m;* (*blow*) Faustschlag *m;* (*drink*) Punsch *m,* Bowle *f;* **2.** *vt* lochen; (*strike*) schlagen, boxen; **punch-drunk** *adj* benommen; **punch-up** *n* (*fam*) Keilerei *f.*

punctual ['pʌŋktjʊəl] *adj* pünktlich; **punctuality** [pʌŋktjʊ'ælɪtɪ] *n* Pünktlichkeit *f.*

punctuate ['pʌŋktjʊeɪt] *vt* mit Satzzeichen versehen, interpunktieren; (*fig*) unterbrechen; **punctuation** [pʌŋktjʊ'eɪʃən] *n* Zeichensetzung *f,* Interpunktion *f.*

puncture ['pʌŋktʃə*] **1.** *n* Loch *nt;* (AUT) Reifenpanne *f;* **2.** *vt* durchbohren.

pungent ['pʌndʒənt] *adj* scharf.

punish ['pʌnɪʃ] *vt* bestrafen; (*in boxing etc*) übel zurichten; **punishable** *adj* strafbar; **punishment** *n* Strafe *f;* (*action*) Bestrafung *f.*

punk [pʌŋk] *n* (*~ rock*) Punk *m;* (*person*) Punker(in) *m(f).*

punt [pʌnt] *n* Stechkahn *m,* Stocherkahn *m;* (*money*) irisches Pfund.

punter ['pʌntə*] *n* (*better*) Wetter(in) *m(f).*

puny ['pju:nɪ] *adj* kümmerlich.

pup [pʌp] *n s.* **puppy**.

pupil ['pju:pl] *n* Schüler(in) *m(f);* (*in eye*) Pupille *f.*

puppet ['pʌpɪt] *n* Puppe *f;* (*string ~, fig*) Marionette *f.*

puppy ['pʌpɪ] *n* junger Hund.

purchase ['pɜ:tʃɪs] **1.** *n* Kauf *m,* Anschaffung *f;* (*grip*) Halt *m;* **2.** *vt* kaufen, erwerben; **purchase book** *n* Wareneingangsbuch *nt;* **purchase ledger** *n* Einkaufsbuch *nt;* **purchase order number** *n* Auftragsnummer *f;* **purchaser** *n* Käufer(in) *m(f).*

pure [pjʊə*] *adj* pur; (*a. fig*) rein.

purée ['pjʊəreɪ] *n* Püree *nt.*

purely ['pju:əlɪ] *adv* rein; (*only*) nur; (*with adjective also*) rein.

purgatory ['pɜ:gətərɪ] *n* Fegefeuer *nt.*

purge [pɜ:dʒ] **1.** *n* (*a.* POL) Säuberung *f;* (*medicine*) Abführmittel *nt;* **2.** *vt* reinigen; (*body*) entschlacken.

purification [pjʊərɪfɪ'keɪʃən] *n* Reinigung *f.*

purify ['pjʊərɪfaɪ] *vt* reinigen.

purist ['pjʊərɪst] *n* Purist(in) *m(f).*

puritan ['pjʊərɪtən] *n* Puritaner(in) *m(f);* **puritanical** [pjʊərɪ'tænɪkəl] *adj* puritanisch.

purity ['pjʊərɪtɪ] *n* Reinheit *f.*

purl [pɜ:l] **1.** *n* linke Masche; **2.** *vt* links stricken.

purple ['pɜ:pl] *adj* violett; (*face*) dunkelrot.

purpose ['pɜ:pəs] *n* Zweck *m,* Ziel *nt;* (*of person*) Absicht *f;* **on ~** absichtlich; **purposeful** *adj* zielbewusst, entschlossen; **purposely** *adv* absichtlich.

purr [pɜ:*] *vi* schnurren.

purse [pɜ:s] **1.** *n* Portemonnaie *nt,* Geldbeutel *m;* (*US: handbag*) Handtasche *f;* **2.** *vt* (*lips*) zusammenpressen, schürzen.

purser ['pɜ:sə*] *n* Zahlmeister(in) *m(f).*

purse-snatching ['pɜ:ssnætʃɪŋ] *n* Handtaschenraub *m.*

pursue [pə'sju:] *vt* verfolgen, nachjagen *+dat;* (*study*) nachgehen *+dat;* **pursuer** *n* Verfolger(in) *m(f);* **pursuit** [pə'sju:t] *n* Jagd *f* (*of* nach), Verfolgung *f;* (*occupation*) Beschäftigung *f.*

pus [pʌs] *n* Eiter *m.*

push [pʊʃ] **1.** *n* Stoß *m,* Schub *m;* (*energy*) Schwung *m;* **2.** *vt* stoßen, schieben; (*button*) drücken; (*idea*) durchsetzen; **3.** *vi* stoßen, schieben; **at a ~** zur Not; **push aside** *vt* beiseite schieben; **push off** *vi* (*fam*) abschieben, abhauen; **push on** *vi* weitermachen; **push through** *vt* durchdrücken; (*policy*) durchsetzen; **push up** *vt* (*total*) erhöhen; (*prices*) hochtreiben; **push-button telephone** *n* Tastentelefon *nt;* **pushchair** *n* (*Brit*) Kindersportwagen *m;* **pushing** *adj* aufdringlich; **pushover** *n* (*fam*) Kinderspiel *nt;* (*person*) leichtes Opfer; **push-up** *n* (*US*) Liegestütz *m;* **pushy** *adj* (*fam*) penetrant.

puss [pʊs] *n* Miezekatze *f.*

put [pʊt] <put, put> *vt* setzen, stellen, legen; (*express*) ausdrücken, sagen; (*write*) schreiben; **put about 1.** *vi* (*turn back*) wenden; **2.** *vt* (*spread*) verbreiten; **put across** *vt* (*explain*) erklären; **put away** *vt* weglegen; (*store*) beiseite legen; **put back** *vt* zurückstellen, zurücklegen; **put by** *vt* zurücklegen, sparen; **put down** *vt* hinstellen, hinlegen; (*stop*) niederschlagen; (*animal*) einschläfern; (*in writing*) niederschreiben; **put forward** *vt* (*idea*) vorbringen; (*clock*) vorstellen; **put off** *vt* verlegen, verschieben; (*discourage*) abbringen; **it ~ me ~ smoking** das hat mir die Lust am Rauchen verdorben; **put on** *vt* (*clothes etc*) anziehen; (*light*) anschalten, anmachen; (*play etc*) aufführen; (*brake*) anziehen; (*fig*) heucheln, vorgeben; **put out** *vt* (*hand etc*) ausstrecken; (*news, rumour*) verbreiten; (*light*) ausschalten, ausmachen; **put up** *vt* (*tent*) aufstellen; (*building*) errichten; (*price*) erhöhen; (*person*) unterbringen; **to ~ ~ with** sich abfinden mit; **I won't ~ ~ with it** das lass ich mir nicht gefallen; **put option** *n* Verkaufsoption *f.*

putrid ['pju:trɪd] *adj* faul, verfault.

putsch [pʊtʃ] *n* Putsch *m.*

putt [pʌt] **1.** *vt* (GOLF) putten, einlochen; **2.** *n* (GOLF) Putten *nt,* leichter Schlag.

putty ['pʌtɪ] *n* Kitt *m;* (*fig*) Wachs *nt.*

put-up ['pʊtʌp] *adj:* ~ **job** abgekartetes Spiel.

puzzle ['pʌzl] **1.** *n* Rätsel *nt;* (*toy*) Geduldspiel *nt;* (*jigsaw ~*) Puzzle *nt;* **2.** *vt* verwirren; **3.** *vi* sich *dat* den Kopf zerbrechen; **puzzling** *adj* rätselhaft, verwirrend.

pygmy ['pɪgmɪ] *n* Pygmäe *m;* (*fig*) Zwerg(in) *m(f).*

pyjamas [pɪ'dʒɑ:məz] *n pl* Schlafanzug *m,* Pyjama *m.*

pylon ['paɪlən] *n* Mast *m.*

pyramid ['pɪrəmɪd] *n* Pyramide *f.*

python ['paɪθən] *n* Pythonschlange *f.*

Q

Q, q [kju:] *n* Q *nt,* q *nt.*

> Ein **QC** (kurz für **Queen's Counsel**, bzw. **KC** für **King's Counsel**) ist in Großbritannien ein hochgestellter „barrister", der auf Empfehlung des Lordkanzlers ernannt wird und zum Zeichen seines Amtes einen seidenen Umhang trägt und daher auch als „silk" bezeichnet wird. Ein QC muss vor Gericht in Begleitung eines rangniederen Anwaltes erscheinen.

quack [kwæk] *n* Quaken *nt;* (*doctor*) Quacksalber(in) *m(f).*

quad [kwɒd] *abbr of* **quadrangle**, **quadruple**, **quadruplet**.

quadrangle ['kwɒdræŋgl] *n* (*court*) Hof *m;* (MATH) Viereck *nt.*

quadruped ['kwɒdrʊped] *n* Vierfüßler *m.*

quadruple ['kwɒdru:pl] **1.** *adj* vierfach; **2.** *vi* sich vervierfachen; **3.** *vt* vervierfachen.

quadruplet ['kwɒdrʊplət] *n* Vierling *m.*

quagmire ['kwægmaɪə*] *n* Morast *m.*

quaint [kweɪnt] *adj* kurios; (*picturesque*) malerisch; **quaintly** *adv* kurios; **quaintness** *n* Kuriosität *f;* malerischer Anblick.

quake [kweɪk] *vi* beben, zittern.

qualification [kwɒlɪfɪ'keɪʃən] *n* Qualifikation *f;* (*sth which limits*) Einschränkung *f;* **qualified** ['kwɒlɪfaɪd] *adj* (*competent*) qualifiziert; (*limited*) bedingt; **qualify 1.** *vt* (*prepare*) befähigen; (*limit*) einschränken; **2.** *vi* sich qualifizieren.

qualitative ['kwɒlɪtətɪv] *adj* qualitativ.

quality ['kwɒlɪtɪ] **1.** *n* Qualität *f;* (*characteristic*) Eigenschaft *f;* **2.** *adj* Qualitäts-.

> **Quality press** bezeichnet die seriösen Tages- und Wochenzeitungen, im Gegensatz zu den Massenblättern. Diese Zeitungen sind fast alle großformatig und wenden sich an anspruchvolle Leser, die gut informiert sein möchten und bereit sind für die Zeitungslektüre viel Zeit aufzuwenden.

qualm [kwa:m] *n* Bedenken *nt,* Zweifel *m.*

quandary ['kwɒndərɪ] *n* Verlegenheit *f;* **to be in a ~** in Verlegenheit sein.
quantitative ['kwɒntɪtətɪv] *adj* quantitativ.
quantity ['kwɒntɪtɪ] *n* Menge *f,* Quantität *f;* **quantity discount** *n* Mengenrabatt *m.*
quarantine ['kwɒrəntiːn] *n* Quarantäne *f.*
quarrel ['kwɒrəl] **1.** *n* Streit *m;* **2.** *vi* sich streiten; **quarrelsome** *adj* streitsüchtig.
quarry ['kwɒrɪ] *n* Steinbruch *m;* (*animal*) Wild *nt;* (*fig*) Opfer *nt.*
quarter ['kwɔːtə*] **1.** *n* Viertel *nt;* (*of year*) Quartal *nt,* Vierteljahr *nt;* **2.** *vt* (*divide*) vierteln, in Viertel teilen; **~ of an hour** eine Viertelstunde; **~ past three** Viertel nach drei; **~ to three** dreiviertel drei, Viertel vor drei; **quarter-deck** *n* Achterdeck *nt;* **quarter final** *n* Viertelfinale *nt;* **quarterly** *adj* vierteljährlich; **quarters** *n pl* (MIL) Quartier *nt.*
quartette [kwɔː'tet] *n* Quartett *nt.*
quartz [kwɔːts] *n* Quarz *m.*
quash [kwɒʃ] *vt* (*verdict*) aufheben.
quaver ['kweɪvə*] **1.** *n* (MUS) Achtelnote *f;* **2.** *vi* (*tremble*) zittern.
quay [kiː] *n* Kai *m.*
queasy ['kwiːzɪ] *adj* übel; **he feels ~** ihm ist übel.
queen [kwiːn] *n* Königin *f;* **queen mother** *n* Königinmutter *f.*

The Queen's Speech (bzw. King's Speech) ist eine Rede der Königin, die sie bei der alljährlichen feierlichen Parlamentseröffnung im Oberhaus vor dem versammelten Ober- und Unterhaus verliest. Die Rede wird vom Premierminister in Zusammenarbeit mit dem Kabinett verfasst und enthält die Regierungserklärung.

queer [kwɪə*] **1.** *adj* seltsam, sonderbar, kurios; **2.** *n* (*pej: homosexual*) Schwule(r) *m;* **~ fellow** komischer Kauz.
quench [kwentʃ] *vt* (*thirst*) löschen, stillen; (*extinguish*) löschen.
query ['kwɪərɪ] **1.** *n* (*question*) Anfrage *f;* (*question mark*) Fragezeichen *nt;* **2.** *vt* (*express doubt about*) bezweifeln; (*bill*) reklamieren; (*check*) abklären.
quest [kwest] *n* Suche *f.*
question ['kwestʃən] **1.** *n* Frage *f;* **2.** *vt* (*ask*) befragen; (*suspect*) verhören; (*doubt*) in Frage stellen, bezweifeln; **beyond ~** ohne Frage; **out of the ~** ausgeschlossen; **questionable** *adj* zweifelhaft; **questioning** *adj* fragend; **question mark** *n* Fragezeichen *nt;* **questionnaire** [kwestʃə'nɛə*] *n* Fragebogen *m.*
queue [kjuː] **1.** *n* Schlange *f;* **2.** *vi* (*also:* **~ up**) Schlange stehen.
quibble ['kwɪbl] **1.** *n* Spitzfindigkeit *f;* **2.** *vi* kleinlich sein.
quick [kwɪk] **1.** *n* (*of nail*) Nagelhaut *f;* **2.** *adj* schnell; **to the ~** (*fig*) bis ins Innerste; **quicken 1.** *vt* (*hasten*) beschleunigen; (*stir*) anregen; **2.** *vi* sich beschleunigen; **quickly** *adv* schnell; **quickness** *n* Schnelligkeit *f;* (*mental*) Scharfsinn *m;* **quicksand** *n* Treibsand *m;* **quick-witted** *adj* schlagfertig, aufgeweckt.
quid [kwɪd] *n* (*Brit fam: £1*) Pfund *nt.*
quiet ['kwaɪət] **1.** *adj* (*without noise*) leise; (*peaceful, calm*) still, ruhig; **2.** *n* Stille *f,* Ruhe *f;* **quieten** ['kwaɪətən] **1.** *vi* (*also:* **~ down**) ruhig werden; **2.** *vt* beruhigen; **quietly** *adv* leise, ruhig; **quietness** *n* Ruhe *f,* Stille *f.*
quill [kwɪl] *n* (*of porcupine*) Stachel *m;* (*pen*) Feder *f.*
quilt [kwɪlt] *n* Steppdecke *f;* **quilting** *n* Wattierung *f.*
quin [kwɪn] *n abbr of* **quintuplet**.
quince [kwɪns] *n* Quitte *f.*
quinine [kwɪ'niːn] *n* Chinin *nt.*
quinsy ['kwɪnzɪ] *n* Mandelentzündung *f.*
quintette [kwɪn'tet] *n* Quintett *nt.*
quintuplet ['kwɪntjʊplət] *n* Fünfling *m.*
quip [kwɪp] **1.** *n* witzige Bemerkung; **2.** *vi* witzeln.
quirk [kwɜːk] *n* (*oddity*) Eigenart *f.*
quit [kwɪt] <quit *o* quitted, quit *o* quitted> **1.** *vt* verlassen; **2.** *vi* aufhören.
quite [kwaɪt] *adv* (*completely*) ganz, völlig; (*fairly*) ziemlich; **~ so** richtig.
quits [kwɪts] *adj* quitt.
quiver ['kwɪvə*] **1.** *vi* zittern; **2.** *n* (*for arrows*) Köcher *m.*
quiz [kwɪz] **1.** *n* (*competition*) Quiz *nt;* (*series of questions*) Befragung *f;* **2.** *vt* prüfen; (*question*) ausfragen; **quizzical** *adj* fragend, verdutzt.
quoit [kɔɪt] *n* Wurfring *m.*
quorum ['kwɔːrəm] *n* beschlussfähige Anzahl.
quota ['kwəʊtə] *n* Anteil *m;* (COM, POL) Quote *f;* **~ system** (*US*) Quotenregelung *f.*

quotation [kwəʊ'teɪʃən] *n* Zitat *nt;* (*price*) Kostenvoranschlag *m;* **quotation marks** *n pl* Anführungszeichen *pl.*
quote [kwəʊt] **1.** *n s.* **quotation**; **2.** *vi* (*from book*) zitieren (*from* aus); **3.** *vt* (*from book*) zitieren; (*price*) angeben.
quotient ['kwəʊʃənt] *n* Quotient *m.*

R

R, r [ɑː*] *n* R *nt,* r *nt.*
rabbi ['ræbaɪ] *n* Rabbiner *m;* (*title*) Rabbi *m.*
rabbit ['ræbɪt] *n* Kaninchen *nt;* **rabbit hutch** *n* Kaninchenstall *m.*
rabble ['ræbl] *n* Pöbel *m.*
rabies ['reɪbiːz] *n sing* Tollwut *f.*
raccoon [rə'kuːn] *n* Waschbär *m.*
race [reɪs] **1.** *n* (*species*) Rasse *f;* (*competition*) Rennen *nt;* (*on foot also*) Wettlauf *m;* **2.** *vt* um die Wette laufen mit; (*horses*) laufen lassen; **3.** *vi* (*run*) rennen; (*in contest*) am Rennen teilnehmen; **racecourse** *n* (*for horses*) Rennbahn *f;* **race horse** *n* Rennpferd *nt;* **race meeting** *n* (*for horses*) Pferderennen *nt;* **race relations** *n pl* Beziehungen *pl* zwischen den Rassen; **racetrack** *n* (*for cars etc*) Rennstrecke *f.*
racial ['reɪʃəl] *adj* Rassen-; ~ **discrimination** Rassendiskriminierung *f;* **racialism** *n* Rassismus *m;* **racialist 1.** *adj* rassistisch; **2.** *n* Rassist(in) *m(f).*
racing ['reɪsɪŋ] *n* Rennen *nt;* **racing car** *n* Rennwagen *m;* **racing driver** *n* Rennfahrer(in) *m(f).*
racism ['reɪsɪzəm] *n* Rassismus *m;* **racist 1.** *n* Rassist(in) *m(f);* **2.** *adj* rassistisch.
rack [ræk] **1.** *n* Ständer *m,* Gestell *nt;* **2.** *vt* zermartern; **to go to ~ and ruin** verfallen.
racket ['rækɪt] *n* (*din*) Krach *m;* (*scheme*) Schwindelgeschäft *nt;* (TENNIS) Tennisschläger *m.*
racketeer [rækɪ'tɪə*] *n* Gauner(in) *m(f).*
racy ['reɪsɪ] *adj* gewagt; (*style*) spritzig.
radar ['reɪdɑː*] *n* Radar *nt o m.*
radial ['reɪdɪəl] *adj* radial; (*lines*) strahlenförmig; ~**-ply tyres** *pl* Gürtelreifen *pl.*
radiant ['reɪdɪənt] *adj* (*bright*) strahlend; (*giving out rays*) Strahlungs-.
radiate ['reɪdɪeɪt] *vt, vi* ausstrahlen; (*roads, lines*) strahlenförmig wegführen.
radiation [reɪdɪ'eɪʃən] *n* Strahlung *f;* **exposure to** ~ Strahlenbelastung *f;* ~ **burn** Strahlenverbrennung *f;* ~ **sickness** Strahlenkrankheit *f.*
radiator ['reɪdɪeɪtə*] *n* (*for heating*) Heizkörper *m;* (AUT) Kühler *m;* **radiator cap** *n* Kühlerverschlussdeckel *m.*
radical ['rædɪkəl] **1.** *adj* radikal; **2.** *n* Radikale(r) *mf.*
radio ['reɪdɪəʊ] *n* <-s> Rundfunk *m,* Radio *nt;* (*set*) Radio *nt,* Radioapparat *m.*
radioactive [reɪdɪəʊ'æktɪv] *adj* radioaktiv; **radioactivity** [reɪdɪəʊæk'tɪvɪtɪ] *n* Radioaktivität *f.*
radio alarm clock [reɪdɪəʊə'lɑːm] *n* Radiowecker *m;* **radio cab** *n* Funktaxi *nt;* **radio cassette recorder** *n* Radiorecorder *m.*
radiographer [reɪdɪ'ɒgrəfə*] *n* Röntgenassistent(in) *m(f);* **radiography** [reɪdɪ'ɒgrəfɪ] *n* Radiographie *f,* Röntgenographie *f;* **radiology** [reɪdɪ'ɒlədʒɪ] *n* Radiologie *f.*
radio station ['reɪdɪəʊsteɪʃən] *n* Rundfunkstation *f,* Rundfunksender *m;* **radio taxi** *n* Funktaxi *nt;* **radio telephone** *n* Funksprechgerät *nt;* **radio telescope** *n* Radioteleskop *nt.*
radiotherapist [reɪdɪəʊ'θerəpɪst] *n* Röntgenologe(-login) *m(f);* **radiotherapy** *n* Strahlenbehandlung *f,* Bestrahlung *f.*
radish ['rædɪʃ] *n* (*big*) Rettich *m;* (*small*) Radieschen *nt.*
radium ['reɪdɪəm] *n* Radium *nt.*
radius ['reɪdɪəs] *n* Radius *m,* Halbkreis *m;* (*area*) Umkreis *m.*
raffia ['ræfɪə] *n* Raffiabast *m.*
raffish ['ræfɪʃ] *adj* liederlich; (*clothes*) gewagt.
raffle ['ræfl] *n* Verlosung *f,* Tombola *f.*
raft [rɑːft] *n* Floß *nt.*
rafter ['rɑːftə*] *n* Dachsparren *m.*
rag [ræg] **1.** *n* (*cloth*) Lumpen *m,* Lappen *m;* (*pej: newspaper*) Käseblatt *nt;* (*at university: for charity*) *studentische Sammelaktion;* **2.** *vt* auf den Arm nehmen; **ragbag** *n* (*fig*) Sammelsurium *nt.*

> **Rag Day/Rag Week** heißt der Tag bzw. die Woche, wenn Studenten Geld für wohltätige Zwecke sammeln. Diverse gesponserte Aktionen wie Volksläufe, Straßentheater und Kneipentouren werden zur Unterhaltung der Studenten und der Bevöl-

R

kerung organisiert. Studentenzeitschriften mit schlüpfrigen Witzen werden auf der Straße verkauft, und fast alle Universitäten und Colleges halten einen Ball ab. Der Erlös aller Veranstaltungen kommt Wohltätigkeitsorganisationen zugute.

rage [reɪdʒ] **1.** *n* Wut *f;* (*desire*) Sucht *f;* (*fashion*) große Mode; **2.** *vi* wüten, toben; **to be in a ~** wütend sein.

ragged ['rægɪd] *adj* (*edge*) gezackt; (*clothes*) zerlumpt.

raging ['reɪdʒɪŋ] *adj* tobend; (*thirst*) Heiden-; (*pain*) rasend.

raid [reɪd] **1.** *n* Überfall *m;* (MIL) Angriff *m;* (*by police*) Razzia *f;* **2.** *vt* überfallen.

rail [reɪl] *n* Schiene *f,* Querstange *f;* (*on stair*) Geländer *nt;* (*of ship*) Reling *f;* (RAIL) Schiene *f;* **by ~** per Bahn; **railings** *n* Geländer *nt;* **railroad** *n* (*US*) Eisenbahn *f;* **railroad station** *n* Bahnhof *m;* **railway** *n* (*Brit*) Eisenbahn *f;* **railway station** *n* Bahnhof *m.*

rain [reɪn] **1.** *n* Regen *m;* **2.** *vi impers* regnen; **the ~s** *pl* die Regenzeit; **rainbow** *n* Regenbogen *m;* **raincoat** *n* Regenmantel *m;* **raindrop** *n* Regentropfen *m;* **rainfall** *n* Niederschlag *m;* **rainforest** *n* Regenwald *m;* **rainproof** *n* regendicht; **rainy** *adj* (*region, season*) Regen-; (*day*) regnerisch, verregnet.

raise [reɪz] **1.** *n* (*esp US: increase*) Preiserhöhung *f;* (*of wages/salary*) Lohn-/Gehaltserhöhung *f;* **2.** *vt* (*lift*) hochheben; (*increase*) erhöhen; (*question*) aufwerfen; (*doubts*) äußern; (*funds*) beschaffen; (*family*) großziehen; (*livestock*) züchten; (*build*) errichten.

raisin ['reɪzən] *n* Rosine *f.*

rake [reɪk] **1.** *n* Rechen *m,* Harke *f;* (*person*) Wüstling *m;* **2.** *vt* rechen, harken; (*search*) suchen; **to ~ in** (*fam: money*) kassieren.

rakish ['reɪkɪʃ] *adj* verwegen, flott.

rally ['rælɪ] **1.** *n* (POL) Kundgebung *f;* (AUT) Rallye *f;* (*improvement*) Erholung *f;* **2.** *vt* (MIL) sammeln; **3.** *vi* Kräfte sammeln; **rally round** *vt* sich scharen um; (*help*) zu Hilfe kommen *+dat.*

ram [ræm] **1.** *n* Widder *m;* (*instrument*) Ramme *f;* **2.** *vt* (*strike*) rammen; (*stuff*) hineinstopfen.

RAM *n* [ræm] *acr of* **Random-access memory** RAM *m.*

ramble ['ræmbl] **1.** *n* Wanderung *f,* Ausflug *m;* **2.** *vi* (*wander*) umherstreifen; (*talk*) schwafeln; **rambler** *n* Wanderer *m,* Wandrerin *f;* (*plant*) Kletterrose *f;* **rambling** *adj* (*plant*) Kletter-; (*speech*) weitschweifig; (*town*) ausgedehnt.

ramp [ræmp] *n* Rampe *f.*

rampage [ræm'peɪdʒ] *n:* **to be on the ~, to ~** randalieren.

rampant ['ræmpənt] *adj* (*heraldry*) aufgerichtet; **to be ~** überhandnehmen.

rampart ['ræmpɑːt] *n* Schutzwall *m.*

ramshackle ['ræmʃækl] *adj* baufällig.

ran [ræn] *pt of* **run**.

ranch [rɑːntʃ] *n* Ranch *f;* **rancher** *n* Rancher(in) *m(f).*

rancid ['rænsɪd] *adj* ranzig.

rancor (*US*), **rancour** ['ræŋkə*] *n* Verbitterung *f,* Groll *m.*

random ['rændəm] **1.** *adj* willkürlich; **2.** *n:* **at ~** aufs Geratewohl; **Random-access memory** Direktzugriffsspeicher *m;* **~ sample** Stichprobe *f.*

randy ['rændɪ] *adj* (*Brit*) geil, scharf.

rang [ræŋ] *pt of* **ring**.

range [reɪndʒ] **1.** *n* Reihe *f;* (*of mountains*) Kette *f;* (COMM) Sortiment *nt;* (*selection*) Auswahl *f* (*of* an *+dat*); (*reach*) Reichweite *f;* (*of gun*) Schussweite *f;* (*for shooting practice*) Schießplatz *m;* (*stove*) Herd *m;* **2.** *vt* (*set in row*) anordnen, aufstellen; (*roam*) durchstreifen; **3.** *vi* (*extend*) sich erstrecken; **prices ranging from £5 to £10** Preise, die sich zwischen £5 und £10 bewegen; **ranger** *n* Förster(in) *m(f).*

rank [ræŋk] **1.** *n* (*row*) Reihe *f;* (*for taxis*) Stand *m;* (MIL) Dienstgrad *m,* Rang *m;* (*social position*) Stand *m;* **2.** *vt* einschätzen; **3.** *vi* gehören (*among* zu); **4.** *adj* (*strong-smelling*) stinkend; (*extreme*) krass; **the ~ and file** (*fig*) die breite Masse.

ransack ['rænsæk] *vt* (*plunder*) plündern; (*search*) durchwühlen.

ransom ['rænsəm] *n* Lösegeld *nt;* **to hold sb to ~** jdn als Geisel festhalten.

rant [rænt] *vi* Tiraden loslassen; (*talk nonsense*) irres Zeug reden; **to ~ and rave** toben; **ranting** *n* Wortschwall *m.*

rap [ræp] **1.** *n* Schlag *m;* **2.** *vi* klopfen; **3.** *vt* (*fam*) verurteilen, kritisieren.

rape [reɪp] **1.** *n* Vergewaltigung *f;* **2.** *vt* vergewaltigen.

rapid ['ræpɪd] *adj* rasch, schnell; **rapidity** [rə'pɪdɪtɪ] *n* Schnelligkeit *f;* **rapidly** *adv* schnell; **rapids** *n pl* Stromschnellen *pl.*

rapier ['reɪpɪə*] *n* Florett *nt.*

rapist ['reɪpɪst] *n* Vergewaltiger *m.*

rapport [ræ'pɔ:] *n* gutes Verhältnis.

rapt [ræpt] *adj* hingerissen; **rapture** ['ræptʃə*] *n* Entzücken *nt;* **to go into ~s** ins Schwärmen geraten; **rapturous** *adj* (*applause*) stürmisch; (*expression*) verzückt, hingerissen.

rare [rɛə*] *adj* selten, rar; (*especially good*) vortrefflich; (*underdone*) nicht durchgebraten; **rarefied** ['rɛərɪfaɪd] *adj* (*air, atmosphere*) dünn; **rarely** *adv* selten; **rarity** ['rɛərɪtɪ] *n* Seltenheit *f.*

rascal ['rɑ:skəl] *n* Schuft *m;* (*child*) Schlingel *m.*

rash [ræʃ] **1.** *adj* übereilt; (*reckless*) unbesonnen; **2.** *n* Hautausschlag *m.*

rasher ['ræʃə*] *n* Speckscheibe *f.*

rashly ['ræʃlɪ] *adv* vorschnell, unbesonnen.

rashness ['ræʃnəs] *n* Voreiligkeit *f;* (*recklessness*) Unbesonnenheit *f.*

rasp [rɑ:sp] *n* Raspel *f.*

raspberry ['rɑ:zbərɪ] *n* Himbeere *f.*

rat [ræt] *n* (*animal*) Ratte *f;* (*person*) Schuft *m.*

ratable ['reɪtəbl] *adj:* ~ **value** Grundsteuer *f.*

ratchet ['rætʃɪt] *n* Sperrad *nt.*

rate [reɪt] **1.** *n* (*proportion*) Ziffer *f,* Rate *f;* (*price*) Tarif *m,* Gebühr *f;* (*speed*) Tempo *nt;* **2.** *vt* einschätzen; **~s** *pl* (*Brit*) Grundsteuer *f,* Gemeindeabgaben *pl;* **at any ~** jedenfalls; (*at least*) wenigstens; **at this ~** wenn es so weitergeht; ~ **of exchange** Wechselkurs *m;* **ratepayer** *n* Steuerzahler(in) *m(f).*

rather ['rɑ:ðə*] *adv* (*in preference*) lieber, eher; (*to some extent*) ziemlich; **~!** und ob!

ratification [rætɪfɪ'keɪʃən] *n* Ratifizierung *f;* **ratify** ['rætɪfaɪ] *vt* bestätigen; (POL) ratifizieren.

rating ['reɪtɪŋ] *n* Klasse *f;* (*sailor*) Matrose *m.*

ratio ['reɪʃɪəʊ] *n* <-s> Verhältnis *nt.*

ration ['ræʃən] **1.** *n* Ration *f;* **2.** *vt* rationieren.

rational *adj* ['ræʃənl] rational, vernünftig.

rationale [ræʃə'nɑ:l] *n* Gründe *pl.*

rationalization [ræʃnəlaɪ'zeɪʃən] *n* Rationalisierung *f;* **rationalize** ['ræʃnəlaɪz] *vt* rationalisieren.

rationing ['ræʃnɪŋ] *n* Rationierung *f.*

rat race ['rætreɪs] *n* Konkurrenzkampf *m.*

rattle ['rætl] **1.** *n* (*sound*) Rattern *nt,* Rasseln *nt;* (*toy*) Rassel *f;* **2.** *vi* rattern, klappern; **rattlesnake** *n* Klapperschlange *f.*

raucous *adj,* **raucously** *adv* ['rɔ:kəs, -lɪ] heiser, rau.

ravage ['rævɪdʒ] *vt* verheeren; **ravages** *n pl* verheerende Wirkungen *pl;* **the ~ of time** der Zahn der Zeit.

rave [reɪv] *vi* (*talk wildly*) phantasieren; (*rage*) toben; (*enthuse*) schwärmen (*about* von).

raven ['reɪvn] *n* Rabe *m.*

ravenous ['rævənəs] *adj* heißhungrig; (*appetite*) unersättlich.

ravine [rə'vi:n] *n* Schlucht *f,* Klamm *f.*

raving ['reɪvɪŋ] *adj* tobend; ~ **mad** total verrückt.

ravioli [rævɪ'əʊlɪ] *n* Ravioli *pl.*

ravish ['rævɪʃ] *vt* (*delight*) entzücken; (JUR: *woman*) vergewaltigen; **ravishing** *adj* hinreißend.

raw [rɔ:] *adj* roh; (*tender*) wund gerieben; (*wound*) offen; (*inexperienced*) unerfahren; ~ **material** Rohmaterial *nt.*

ray [reɪ] *n* (*of light*) Lichtstrahl *m;* (*gleam*) Schimmer *m.*

rayon ['reɪɒn] *n* Kunstseide *f,* Reyon *nt o m.*

raze [reɪz] *vt* dem Erdboden gleichmachen.

razor ['reɪzə*] *n* Rasierapparat *m;* **razor blade** *n* Rasierklinge *f.*

razzle ['ræzl] *n:* **to be out on the ~** (*fam*) eine Sause machen.

razzmatazz ['ræzmə'tæz] *n* (*fam*) Rummel *m,* Trubel *m.*

Rd *abbr of* **road** Straße, Str.

re [ri:] *prep* (COMM) betreffs +*gen.*

re- [ri:] *pref* wieder-.

reach [ri:tʃ] **1.** *n* Reichweite *f;* (*of river*) Flussstrecke *f;* **2.** *vt* erreichen; (*pass on*) reichen, geben; **3.** *vi* (*try to get*) langen (*for* nach); (*stretch*) sich erstrecken; **within ~** (*shops*) in Reichweite; **reach out** *vi* die Hand ausstrecken.

react [ri:'ækt] *vi* reagieren; **reaction** [ri:'ækʃən] *n* Reaktion *f.*

reactionary [ri:'ækʃənrɪ] *adj* reaktionär.

reactor [rɪ'æktə*] *n* Reaktor *m;* **reactor block** *n* Reaktorblock *m.*

read [ri:d] <read, read> *vt, vi* lesen; (*aloud*) vorlesen; **it ~s as follows** es lautet folgendermaßen; **read** [red] *pt, pp of* **read**; **readable** *adj* leserlich; (*worth reading*) lesenswert; **reader** *n* (*person*) Leser(in) *m(f);* (*book*) Lesebuch *nt;* **readership** *n* Leserschaft *f.*

readily ['redɪlɪ] *adv* (*willingly*) bereitwillig; (*easily*) leicht.

readiness ['redɪnəs] *n* (*willingness*) Bereitwilligkeit *f;* (*being ready*) Bereitschaft *f.*

reading ['ri:dɪŋ] *n* Lesen *nt;* (*interpretation*) Deutung *f,* Auffassung *f;* **reading device** *n* (COMPUT) Lesegerät *nt;* **reading lamp** *n* Leselampe *f;* **reading matter** *n* Lesestoff *m,* Lektüre *f;* **reading room** *n* Lesezimmer *nt,* Lesesaal *m.*

readjust [ri:ə'dʒʌst] *vt* wieder in Ordnung bringen; neu einstellen; **to ~ oneself to sth** sich wieder an etw *akk* anpassen.

Read only memory ['ri:dəʊnlɪ'memərɪ] *n* (COMPUT) Lesespeicher *m.*

ready ['redɪ] **1.** *adj* (*prepared*) bereit, fertig; (*willing*) bereit, willens; (*in condition to*) reif; (*quick*) schlagfertig; (*money*) verfügbar, bar; **2.** *adv* bereit; **3.** *n:* **at the ~** bereit; **ready-made** *adj* gebrauchsfertig, Fertig-; (*solution*) Patent-; (*clothes*) Konfektions-; **ready reckoner** *n* Rechentabelle *f.*

real [rɪəl] *adj* wirklich; (*actual*) eigentlich; (*true*) wahr; (*not fake*) echt; **real estate** *n* Immobilien *pl.*

realignment [ri:ə'laɪnmənt] *n* Neufestsetzung *f.*

realism *n* Realismus *m.*

realist [rɪəlɪst] *n* Realist(in) *m(f);* **realistic** *adj,* **realistically** [rɪə'lɪstɪk, -əlɪ] *adv* realistisch; **reality** [ri:'ælɪtɪ] *n* (*real existence*) Wirklichkeit *f,* Realität *f;* (*facts*) Tatsachen *pl.*

realization [rɪəlaɪ'zeɪʃən] *n* (*understanding*) Erkenntnis *f;* (*fulfilment*) Verwirklichung *f;* **realize** ['rɪəlaɪz] *vt* (*understand*) begreifen; (*make real*) realisieren; (*money*) einbringen; **I didn't ~ ...** ich wusste nicht, ...

really ['ri:əlɪ] *adv* wirklich.

realm [relm] *n* Reich *nt.*

real time [rɪəl'taɪm] *n* (COMPUT) Echtzeit *f.*

reap [ri:p] *vt* ernten.

reappear [ri:ə'pɪə*] *vi* wieder erscheinen; **reappearance** *n* Wiedererscheinen *nt.*

reappoint [ri:ə'pɔɪnt] *vt* wieder anstellen; wieder ernennen.

reappraisal [ri:ə'preɪzəl] *n* Neubeurteilung *f.*

rear [rɪə*] **1.** *adj* hintere(r, s), Rück-; **2.** *n* Rückseite *f;* (*last part*) Schluss *m;* **3.** *vt* (*bring up*) aufziehen; **4.** *vi* (*horse*) sich aufbäumen; **rear-engined** *adj* mit Heckmotor; **rearguard** *n* Nachhut *f.*

rearm [ri:'ɑ:m] **1.** *vt* wieder bewaffnen; **2.** *vi* wieder aufrüsten; **rearmament** *n* Wiederaufrüstung *f;* (*additional*) Nachrüstung *f.*

rearrange [ri:ə'reɪndʒ] *vt* umordnen; (*plans*) ändern.

rear-view ['rɪəvju:] *adj:* **~ mirror** Rückspiegel *m;* **rear-wheel drive** *n* (AUT) Hinterradantrieb *m;* **rear window** *n* (AUT) Heckscheibe *f.*

reason ['ri:zn] **1.** *n* (*cause*) Grund *m;* (*ability to think*) Verstand *m;* (*sensible thoughts*) Vernunft *f;* **2.** *vi* (*think*) denken; (*use arguments*) argumentieren; **to ~ with sb** mit jdm vernünftig reden; **it stands to ~** das ist logisch; **reasonable** *adj* vernünftig; **reasonably** *adv* vernünftig; (*fairly*) ziemlich; **one could ~ suppose** man könnte doch annehmen; **reasoned** *adj* (*argument*) durchdacht; **reasoning** *n* logisches Denken; (*argumentation*) Beweisführung *f.*

reassemble [ri:ə'sembl] **1.** *vt* wieder versammeln; (TECH) wieder zusammensetzen, wieder zusammenbauen; **2.** *vi* sich wieder versammeln.

reassurance [ri:ə'ʃʊərəns] *n* Beruhigung *f;* (*confirmation*) nochmalige Versicherung, Bestätigung *f;* **reassure** [ri:ə'ʃʊə*] *vt* beruhigen; (*confirm*) versichern (*sb* jdm); **reassuring** *adj* beruhigend.

rebate ['ri:beɪt] *n* Rabatt *m;* (*money back*) Rückzahlung *f.*

rebel ['rebl] **1.** *n* Rebell(in) *m(f);* **2.** *adj* Rebellen-, rebellisch; **rebellion** [rɪ'belɪən] *n* Rebellion *f,* Aufstand *m;* **rebellious** [rɪ'belɪəs] *adj* rebellisch; (*fig*) widerspenstig.

rebirth [ri:'bɜ:θ] *n* Wiedergeburt *f.*

rebound [rɪ'baʊnd] **1.** *vi* zurückprallen; **2.** ['ri:baʊnd] *n* Rückprall *m;* **on the ~** (*fig*) als Reaktion.

rebuff [rɪ'bʌf] **1.** *n* Abfuhr *f;* **2.** *vt* abblitzen lassen.

rebuild [ri:'bɪld] *irr vt* wieder aufbauen; (*fig*) wiederherstellen.

rebuke [rɪ'bju:k] **1.** *n* Tadel *m;* **2.** *vt* tadeln, rügen.

recall [rɪ'kɔ:l] *vt* (*call back*) zurückrufen; (*remember*) sich erinnern an +*akk.*

recant [rɪ'kænt] *vi* widerrufen.

recap ['ri:kæp] **1.** *n* kurze Zusammenfassung; **2.** *vt, vi* (*information*) wiederholen.

recede [rɪ'si:d] *vi* zurückweichen; **receding hairline** Stirnglatze *f.*

receipt [rɪ'si:t] *n* (*document*) Quittung *f;* (*receiving*) Empfang *m;* **~s** *pl* Einnahmen *pl.*

receive [rɪ'si:v] *vt* erhalten; (*visitors etc*) empfangen.

> **Received Pronunciation** oder **RP** ist die hochsprachliche Standardaussprache des britischen Englisch, die bis vor kurzem noch in der Ober- und Mittelschicht vorherrschte.

receiver *n* (TEL) Hörer *m;* (*of letters, goods*) Empfänger(in) *m(f).*
recent ['ri:snt] *adj* vor kurzem geschehen, neuerlich; (*modern*) neu; **recently** *adv* kürzlich, neulich.
receptacle [rɪ'septəkl] *n* Behälter *m.*
reception [rɪ'sepʃən] *n* Empfang *m;* (*welcome*) Aufnahme *f;* (*in hotel*) Rezeption *f;* **receptionist** *n* (*in hotel*) Empfangschef(-dame) *m(f);* (MED) Sprechstundenhilfe *f.*
receptive [rɪ'septɪv] *adj* aufnahmebereit.
recess [ri:'ses] *n* (*break*) Ferien *pl;* (*hollow*) Nische *f;* ~**es** *pl* Winkel *m.*
recession [rɪ'seʃən] *n* Rezession *f.*
recharge [ri:'tʃɑ:dʒ] *vt* (*battery*) aufladen.
recipe ['resɪpɪ] *n* Rezept *nt.*
recipient [rɪ'sɪpɪənt] *n* Empfänger(in) *m(f).*
reciprocal [rɪ'sɪprəkəl] *adj* gegenseitig; (*mutual*) wechselseitig.
reciprocate [rɪ'sɪprəkeɪt] *vt* erwidern.
recital [rɪ'saɪtl] *n* Vortrag *m;* (MUS) Konzert *nt.*
recite [rɪ'saɪt] *vt* vortragen, aufsagen; (*give list of*) aufzählen.
reckless *adj,* **recklessly** *adv* ['rekləs, -lɪ] leichtsinnig; (*driving*) fahrlässig; **recklessness** *n* Rücksichtslosigkeit *f.*
reckon ['rekən] **1.** *vt* (*count*) berechnen, errechnen; (*consider*) glauben; (*estimate*) schätzen; **2.** *vi* (*suppose*) annehmen; **reckon on** *vt* rechnen mit; **reckoning** *n* (*calculation*) Rechnen *nt.*
reclaim [rɪ'kleɪm] *vt* (*land*) abgewinnen (*from dat*); (*expenses*) zurückverlangen.
reclamation [reklə'meɪʃən] *n* Rückgewinnung *f.*
recline [rɪ'klaɪn] *vi* sich zurücklehnen; **reclining** *adj* verstellbar, Liege-; ~ **seat** Liegesitz *m.*
recluse [rɪ'klu:s] *n* Einsiedler(in) *m(f).*
recognition [rekəg'nɪʃən] *n* (*recognizing*) Erkennen *nt;* (*acknowledgement*) Anerkennung *f.*
recognizable ['rekəgnaɪzəbl] *adj* erkennbar.
recognize ['rekəgnaɪz] *vt* erkennen; (POL: *approve*) anerkennen.
recoil [rɪ'kɔɪl] **1.** *n* Rückstoß *m;* **2.** *vi* (*in horror*) zurückschrecken; (*rebound*) zurückprallen.
recollect [rekə'lekt] *vt* sich erinnern an +*akk;* **recollection** *n* Erinnerung *f.*
recommend [rekə'mend] *vt* empfehlen; **recommendation** [rekəmen'deɪʃən] *n* Empfehlung *f;* **recommended retail price** *n* unverbindliche Preisempfehlung.
recompense ['rekəmpens] **1.** *n* (*compensation*) Entschädigung *f;* (*reward*) Belohnung *f;* **2.** *vt* (*compensate*) entschädigen; (*reward*) belohnen.
reconcilable ['rekənsaɪləbl] *adj* vereinbar.
reconcile ['rekənsaɪl] *vt* (*facts*) vereinbaren, in Einklang bringen; (*people*) versöhnen.
reconciliation [rekənsɪlɪ'eɪʃən] *n* Versöhnung *f.*
reconditioned [ri:kən'dɪʃənd] *adj* überholt, erneuert; ~ **engine** Austauschmotor *m.*
reconnaissance [rɪ'kɒnɪsəns] *n* Aufklärung *f.*
reconnoiter (*US*), **reconnoitre** [rekə'nɔɪtə*] **1.** *vt* erkunden; **2.** *vi* aufklären.
reconsider [ri:kən'sɪdə*] **1.** *vt* überdenken; (*change*) revidieren; (JUR) wieder aufnehmen; **2.** *vi* es sich *dat* noch einmal überlegen.
reconstruct [ri:kən'strʌkt] *vt* wieder aufbauen; (*crime*) rekonstruieren; **reconstruction** [ri:kən'strʌkʃən] *n* Rekonstruktion *f.*
record ['rekɔ:d] **1.** *n* Aufzeichnung *f;* (MUS) Schallplatte *f;* (*best performance*) Rekord *m;* **2.** *adj* (*time*) Rekord-; **3.** [rɪ'kɔ:d] *vt* aufzeichnen; (MUS) aufnehmen; ~ **holder** (SPORT) Rekordinhaber(in) *m(f);* **for the** ~ der Ordnung halber; **record card** *n* (*in file*) Karteikarte *f.*
recorder [rɪ'kɔ:də*] *n* (*officer*) Protokollführer(in) *m(f);* (MUS) Blockflöte *f;* **cassette** ~ [Kassetten]recorder *m.*
recording [rɪ'kɔ:dɪŋ] *n* (MUS) Aufnahme *f.*
record player ['rekɔ:dpleɪə*] *n* Plattenspieler *m.*
recount ['ri:kaʊnt] **1.** *n* Nachzählung *f;* **2.** *vt* (*count again*) nachzählen; **3.** [rɪ'kaʊnt] *vt* (*tell*) berichten.
recoup [rɪ'ku:p] *vt* wettmachen.
recourse [rɪ'kɔ:s] *n* Zuflucht *f.*
recover [rɪ'kʌvə*] **1.** *vt* (*get back*) zurück-

erhalten; **2.** *vi* sich erholen; **recovery** *n* Wiedererlangung *f;* (*of health*) Genesung *f.*

recreate [ri:krɪ'eɪt] *vt* wiederherstellen.

recreation [rekrɪ'eɪʃən] *n* Erholung *f;* (*leisure*) Freizeitbeschäftigung *f;* **recreational** *adj* Freizeit-; **recreational vehicle, RV** *n* (*US*) Wohnmobil *nt.*

recrimination [rɪkrɪmɪ'neɪʃən] *n* Gegenbeschuldigung *f.*

recruit [rɪ'kru:t] **1.** *n* Rekrut(in) *m(f);* **2.** *vt* rekrutieren, anwerben; **recruitment** *n* Rekrutierung *f.*

rectangle ['rektæŋgl] *n* Rechteck *nt;* **rectangular** [rek'tæŋgjʊlə*] *adj* rechteckig, rechtwinklig.

rectify ['rektɪfaɪ] *vt* berichtigen.

rectory ['rektərɪ] *n* Pfarrhaus *nt.*

recuperate [rɪ'ku:pəreɪt] *vi* sich erholen.

recur [rɪ'kɜ:*] *vi* sich wiederholen; **recurrence** *n* Wiederholung *f;* **recurrent** *adj* wiederkehrend.

recyclable [ri:'saɪkəbl] *adj* recyclingsgerecht.

recycle [ri:'saɪkl] *vt* wieder verwerten, recyclen; **recycling** *n* Recycling *nt,* Wiederverwertung *f,* Wiederaufarbeitung *f;* **recycling paper** *n* Umweltschutzpapier *nt,* Recyclingpapier *nt.*

red [red] **1.** *n* Rot *nt;* (POL) Rote(r) *mf;* **2.** *adj* rot; **in the ~** in den roten Zahlen; **Red Cross** Rotes Kreuz.

> Als **redbrick university** werden die neueren britischen Universitäten bezeichnet, die im späten 19. und Anfang des 20. Jh. in Städten wie Bristol, Liverpool und Manchester gegründet wurden. Der Name bezieht sich auf die roten Backsteinmauern der Universitätsgebäude.

reddish *adj* rötlich.

redecorate [ri:'dekəreɪt] *vt* renovieren.

redeem [rɪ'di:m] *vt* (COMM) einlösen; (*promise*) einhalten; (*debt*) zahlen; (*mortgage*) tilgen; (*save*) retten; (*compensate for*) wettmachen; **to ~ sb from sin** jdn von seinen Sünden erlösen; **redeeming** *adj* (*virtue, feature*) rettend.

red-haired ['redhɛəd] *adj* rothaarig; **red-handed** [red'hændɪd] *adv* auf frischer Tat; **redhead** *n* Rothaarige(r) *mf;* **red herring** *n* Ablenkungsmanöver *nt;* **red-hot** *adj* rotglühend; (*excited*) hitzig; (*tip*) heiß.

redirect [ri:daɪ'rekt] *vt* umleiten.

rediscovery [ri:dɪ'skʌvərɪ] *n* Wiederentdeckung *f.*

redistribute [ri:dɪ'strɪbju:t] *vt* neu verteilen.

red-letter day [red'letədeɪ] *n* Festtag *m.*

redness ['rednəs] *n* Röte *f.*

redo [ri:'du:] *irr vt* nochmals tun [*o* machen].

redouble [ri:'dʌbl] *vt* verdoppeln.

red tape [red'teɪp] *n* Bürokratismus *m.*

reduce [rɪ'dju:s] *vt* (*price*) herabsetzen (*to* auf *+akk*); (*speed, temperature*) vermindern; (*photo*) verkleinern; **to ~ sb to tears/silence** jdn zum Weinen/Schweigen bringen; **reduction** [rɪ'dʌkʃən] *n* Herabsetzung *f;* Verminderung *f;* Verkleinerung *f;* (*amount of money*) Nachlass *m.*

redundancy [rɪ'dʌndənsɪ] *n* Überflüssigkeit *f;* (*of workers*) Entlassung *f;* **redundancy payment** *n* Abfindung *f;* **redundant** *adj* überflüssig; (*workers*) ohne Arbeitsplatz; **to be made ~** arbeitslos werden.

reed [ri:d] *n* Schilf *nt;* (MUS) Rohrblatt *nt.*

reef [ri:f] *n* Riff *nt.*

reek [ri:k] *vi* stinken (*of* nach).

reel [ri:l] **1.** *n* Spule *f,* Rolle *f;* **2.** *vt* (*wind*) wickeln, spulen; (*stagger*) taumeln.

re-election [ri:ɪ'lekʃən] *n* Wiederwahl *f.*

re-engage [ri:ɪn'geɪdʒ] *vt* wieder einstellen.

re-enter [ri:'entə*] *vt, vi* wieder eintreten in *+akk;* **re-entry** [ri:'entrɪ] *n* Wiedereintritt *m.*

re-examine [ri:ɪg'zæmɪn] *vt* neu überprüfen.

ref [ref] *n* (*fam*) Schiri *m,* Schiedsrichter(in) *m(f).*

refectory [rɪ'fektərɪ] *n* (*at college*) Mensa *f;* (SCH) Speisesaal *m;* (REL) Refektorium *nt.*

refer [rɪ'fɜ:*] **1.** *vt:* **to ~ sb to sb/sth** jdn an jdn/etw verweisen; **2.** *vi:* **to ~ to** hinweisen auf *+akk;* (*to book*) nachschlagen in *+dat;* (*mention*) sich beziehen auf *+akk.*

referee [refə'ri:] **1.** *n* Schiedsrichter(in) *m(f);* (*for job*) Referenz *f;* **2.** *vt* schiedsrichtern.

reference ['refrəns] *n* (*mentioning*) Hinweis *m;* (*allusion*) Anspielung *f;* (*for job*) Referenz *f;* (*in book*) Verweis *m;* (*number, code*) Aktenzeichen *nt;* (*in catalogue*) Katalognummer *f;* **with ~ to** in Bezug auf

+*akk;* **reference book** *n* Nachschlagewerk *nt.*
referendum [refə'rendəm] *n* Volksentscheid *m.*
refill [ri:'fɪl] 1. *vt* nachfüllen; 2. ['ri:fɪl] *n* Nachfüllung *f;* (*for pen*) Ersatzpatrone *f,* Ersatzmine *f.*
refine [rɪ'faɪn] *vt* (*purify*) raffinieren, läutern; (*fig*) bilden, kultivieren; **refined** *adj* fein; kultiviert; **refinement** *n* Bildung *f,* Kultiviertheit *f;* **refinery** *n* Raffinerie *f.*
reflect [rɪ'flekt] 1. *vt* (*light*) reflektieren; (*fig*) widerspiegeln, zeigen; 2. *vi* (*meditate*) nachdenken (*on* über +*akk*); **reflection** [rɪ'flekʃən] *n* Reflexion *f;* (*image*) Spiegelbild *nt;* (*thought*) Überlegung *f,* Gedanke *m;* **reflector** [rɪ'flektə*] *n* Reflektor *m.*
reflex ['ri:fleks] *n* Reflex *m;* **reflex camera** *n* Spiegelreflexkamera *f.*
reflexive [rɪ'fleksɪv] *adj* (LING) Reflexiv-, rückbezüglich, reflexiv.
reform [rɪ'fɔ:m] 1. *n* Reform *f;* 2. *vt* (*person*) bessern; **Reformation** [refə'meɪʃən] *n* Reformation *f;* **reformer** *n* Reformer(in) *m(f);* (REL) Reformator *m.*
refrain [rɪ'freɪn] *vi* unterlassen (*from akk*).
refresh [rɪ'freʃ] *vt* erfrischen; **refresher course** *n* Wiederholungskurs *m;* **refreshing** *adj* erfrischend; **refreshments** *n pl* Erfrischungen *pl.*
refrigeration [rɪfrɪdʒə'reɪʃən] *n* Kühlung *f.*
refrigerator [rɪ'frɪdʒəreɪtə*] *n* Kühlschrank *m.*
refuel [ri:'fjʊəl] *vt, vi* auftanken; **refuelling** *n* Auftanken *nt.*
refuge ['refju:dʒ] *n* Zuflucht *f;* **refugee** [refjʊ'dʒi:] *n* Flüchtling *m.*
refund ['ri:fʌnd] 1. *n* Rückvergütung *f;* 2. [rɪ'fʌnd] *vt* zurückerstatten, rückvergüten.
refurbish [ri:'fɜ:bɪʃ] *vt* aufpolieren.
refurnish [ri:'fɜ:nɪʃ] *vt* neu möblieren.
refusal [rɪ'fju:zəl] *n* Ablehnung *f;* (*official*) abschlägige Antwort, Verweigerung *f.*
refuse ['refju:s] 1. *n* Abfall *m,* Müll *m;* 2. [rɪ'fju:z] *vt* ablehnen; (*permission*) verweigern; 3. *vi* sich weigern; **refuse-derived fuel, RDF** *n* Brennstoff *m* aus Müll, BRAM; **refuse disposal** *n* Abfallbeseitigung *f.*
refute [rɪ'fju:t] *vt* widerlegen.
regain [rɪ'geɪn] *vt* wiedergewinnen; (*consciousness*) wiedererlangen.
regal ['ri:gəl] *adj* königlich.
regalia [rɪ'geɪlɪə] *n pl* Insignien *pl;* (*of mayor etc*) Amtsornat *m.*
regard [rɪ'gɑ:d] 1. *n* Achtung *f;* 2. *vt* ansehen; ~s *pl* Grüße *pl;* ~**ing, as ~s, with ~ to** bezüglich +*gen,* in Bezug auf +*akk;* **regardless** 1. *adj* ohne Rücksicht (*of* auf +*akk*); 2. *adv* unbekümmert, ohne Rücksicht auf die Folgen.
regatta [rɪ'gætə] *n* Regatta *f.*
regency ['ri:dʒənsɪ] *n* Regentschaft *f;* **regent** *n* Regent(in) *m(f).*
régime [reɪ'ʒi:m] *n* Regime *nt.*
regiment ['redʒɪmənt] *n* Regiment *nt;* **regimental** [redʒɪ'mentl] *adj* Regiments-; **regimentation** *n* Reglementierung *f.*
region ['ri:dʒən] *n* Gegend *f,* Bereich *m;* **regional** *adj* örtlich, regional.
register ['redʒɪstə*] 1. *n* Register *nt,* Verzeichnis *nt,* Liste *f;* (COMPUT) Kurzzeitspeicher *m;* 2. *vt* (*list*) registrieren, eintragen; (*emotion*) zeigen; (*write down*) eintragen; 3. *vi* (*at hotel*) sich eintragen; (*with police*) sich melden (*with* bei); (*make impression*) wirken, ankommen; **registered** *adj* (*design*) eingetragen; (*letter*) Einschreibe-, eingeschrieben; ~ **trademark** eingetragenes Warenzeichen.
registrar [redʒɪ'strɑ:*] *n* Standesbeamte(r) *m,* -beamtin *f.*
registration [redʒɪ'streɪʃən] *n* (*act*) Erfassung *f,* Registrierung *f;* (*number*) Autonummer *f,* polizeiliches Kennzeichen.
registry office ['redʒɪstrɪɒfɪs] *n* Standesamt *nt.*
regret [rɪ'gret] 1. *n* Bedauern *nt;* 2. *vt* bedauern; **to have no ~s** nichts bereuen; **regretful** *adj* traurig; **to be ~ about sth** etw bedauern; **regretfully** *adv* mit Bedauern, ungern; **regrettable** *adj* bedauerlich.
regroup [ri:'gru:p] 1. *vt* umgruppieren; 2. *vi* sich umgruppieren.
regular ['regjʊlə*] 1. *adj* regelmäßig; (*usual*) üblich; (*fixed by rule*) geregelt; (*fam*) regelrecht; 2. *n* (*client*) Stammkunde(-kundin) *m(f);* (MIL) Berufssoldat(in) *m(f);* (*petrol*) Normalbenzin *nt;* **regularity** [regjʊ'lærɪtɪ] *n* Regelmäßigkeit *f;* **regularly** *adv* regelmäßig.
regulate ['regjʊleɪt] *vt* regeln, regulieren; **regulation** [regjʊ'leɪʃən] *n* (*rule*) Vorschrift *f;* (*control*) Regulierung *f;* (*order*) Anordnung *f,* Regelung *f.*
rehab ['ri:hæb] *n* (*US fam*) Reha *f.*
rehabilitate [ri:ə'bɪlɪteɪt] *vt* rehabilitieren.

rehabilitation [riːhəbɪlɪ'teɪʃən] *n* (*of invalid*) Rehabilitation *f;* (*of criminal*) Resozialisierung *f.*
rehash [riː'hæʃ] *vt* (*pej: rework*) aufbereiten.
rehearsal [rɪ'hɜːsəl] *n* Probe *f;* **rehearse** [rɪ'hɜːs] *vt* proben.
reign [reɪn] **1.** *n* Herrschaft *f;* **2.** *vi* herrschen; **reigning** *adj* (*monarch*) herrschend; (*champion*) gegenwärtig.
reimburse [riːɪm'bɜːs] *vt* entschädigen, zurückzahlen (*sb for sth* jdm etw).
rein [reɪn] *n* Zügel *m.*
reincarnation [riːɪnkɑː'neɪʃən] *n* Wiedergeburt *f,* Reinkarnation *f.*
reindeer ['reɪndɪə*] *n* Ren *nt.*
reinforce [riːɪn'fɔːs] *vt* verstärken; **reinforced** *adj* verstärkt; (*concrete*) Stahl-; **reinforcement** *n* Verstärkung *f;* **~s** *pl* (MIL *fig*) Verstärkung *f.*
reinstate [riːɪn'steɪt] *vt* wieder einsetzen.
reissue [riː'ɪʃuː] *vt* neu herausgeben.
reiterate [riː'ɪtəreɪt] *vt* wiederholen.
reject ['riːdʒekt] **1.** *n* (COMM) Ausschussartikel *m;* **2.** [rɪ'dʒekt] *vt* ablehnen; (*throw away*) ausrangieren; **rejection** [rɪ'dʒekʃən] *n* Ablehnung *f.*
rejoice [rɪ'dʒɔɪs] *vi* sich freuen.
rejuvenate [rɪ'dʒuːvɪneɪt] *vt* verjüngen.
relapse [rɪ'læps] *n* Rückfall *m.*
relate [rɪ'leɪt] *vt* (*tell*) berichten, erzählen; (*connect*) verbinden; **related** *adj* verwandt (*to* mit); **relating** *prep:* ~ **to** bezüglich +*gen.*
relation [rɪ'leɪʃən] *n* Verwandte(r) *mf;* (*connection*) Beziehung *f;* **relational** *adj* (COMPUT) relational; **relationship** *n* Verhältnis *nt,* Beziehung *f.*
relative ['relətɪv] **1.** *n* Verwandte(r) *mf;* **2.** *adj* relativ, bedingt; **relatively** *adv* verhältnismäßig; **relative pronoun** *n* Verhältniswort *nt,* Relativpronomen *nt.*
relax [rɪ'læks] **1.** *vi* (*slacken*) sich lockern; (*muscles, person*) sich entspannen; (*be less strict*) freundlicher werden; **2.** *vt* (*ease*) lockern, entspannen; **~!** reg' dich nicht auf!; **relaxation** [riːlæk'seɪʃən] *n* Entspannung *f;* **relaxed** *adj* entspannt, locker; **relaxing** *adj* entspannend.
relay ['riːleɪ] **1.** *n* (SPORT) Staffel *f;* **2.** *vt* (*message*) weiterleiten; (RADIO, TV) übertragen.
release [rɪ'liːs] **1.** *n* (*freedom*) Entlassung *f;* (TECH) Auslöser *m;* **2.** *vt* befreien; (*prisoner*) entlassen; (*report, news*) veröffentlichen, bekannt geben; (*film, record*) herausbringen.
relent [rɪ'lent] *vi* nachgeben; **relentless** *adj,* **relentlessly** *adv* unnachgiebig.
relevance ['reləvəns] *n* Bedeutung *f,* Relevanz *f;* **relevant** *adj* wichtig, relevant.
reliability [rɪlaɪə'bɪlɪtɪ] *n* Zuverlässigkeit *f;* **reliable** *adj,* **reliably** *adv* [rɪ'laɪəbl, -blɪ] zuverlässig.
reliance [rɪ'laɪəns] *n* Abhängigkeit *f* (*on* von).
relic ['relɪk] *n* (*from past*) Überbleibsel *nt;* (REL) Reliquie *f.*
relief [rɪ'liːf] *n* Erleichterung *f;* (*help*) Hilfe *f,* Unterstützung *f;* (*person*) Ablösung *f;* (ART) Relief *nt.*
relieve [rɪ'liːv] *vt* (*ease*) erleichtern; (*bring help*) entlasten; (*person*) ablösen; (*pain*) lindern; **to ~ sb of sth** jdm etw abnehmen; **relieved** *adj:* **be ~ that...** erleichtert sein, dass...
religion [rɪ'lɪdʒən] *n* Religion *f.*
religious [rɪ'lɪdʒəs] *adj* religiös; **religiously** *adv* religiös; (*conscientiously*) gewissenhaft.
relinquish [rɪ'lɪŋkwɪʃ] *vt* aufgeben.
relish ['relɪʃ] **1.** *n* Würze *f,* pikante Beigabe; **2.** *vt* genießen.
relive [riː'lɪv] *vt* noch einmal durchleben.
reluctance [rɪ'lʌktəns] *n* Widerstreben *nt,* Abneigung *f;* **reluctant** *adj* widerwillig; **reluctantly** *adv* ungern.
rely on [rɪ'laɪ ɒn] *vt* sich verlassen auf +*akk.*
remain [rɪ'meɪn] **1.** *vi* (*be left*) übrig bleiben; (*stay*) bleiben; **2.** *n:* **~s** *pl* Überreste *pl;* (*dead body*) sterbliche Überreste *pl;* **remainder** *n* Rest *m;* **remaining** *adj* übrig.
remand [rɪ'mɑːnd] **1.** *n:* **on ~** in Untersuchungshaft; **2.** *vt:* **to ~ in custody** in Untersuchungshaft halten.
remark [rɪ'mɑːk] **1.** *n* Bemerkung *f;* **2.** *vt* bemerken; **remarkable** *adj,* **remarkably** *adv* bemerkenswert.
remarry [riː'mærɪ] *vi* sich wieder verheiraten.
remedial [rɪ'miːdɪəl] *adj* (*measures*) Hilfs-; (MED) Heil-; ~ **teaching** Förderunterricht *m,* Hilfsunterricht *m;* ~ **class** Förderklasse *f.*
remedy ['remədɪ] **1.** *n* Mittel *nt* (*for* gegen); **2.** *vt* (*pain*) abhelfen +*dat;* (*trouble*) in Ordnung bringen.
remember [rɪ'membə*] *vt* sich erinnern an +*akk;* ~ **me to them** grüße sie von mir.
remembrance [rɪ'membrəns] *n* Erinne-

rung *f;* (*official*) Gedenken *nt.*

> **Remembrance Sunday/Day** ist der britische Gedenktag für die Gefallenen der beiden Weltkriege und anderer Kriege. Er fällt auf einen Sonntag vor oder nach dem 11. November (am 11.11.1918 endete der Erste Weltkrieg) und wird mit einer Schweigeminute, Kranzniederlegungen an Kriegerdenkmälern und dem Tragen von Anstecknadeln in Form einer Mohnblume begangen.

remind [rɪ'maɪnd] *vt* erinnern; **reminder** *n* Mahnung *f.*
reminisce [remɪ'nɪs] *vi* in Erinnerungen schwelgen; **reminiscences** [remɪ'nɪsənsɪz] *n pl* Erinnerungen *pl;* **reminiscent** *adj* erinnernd (*of* an *+akk*), Erinnerungen wachrufend (*of* an *+akk*).
remit [rɪ'mɪt] *vt* (*money*) überweisen (*to* an *+akk*); **remittance** *n* Geldanweisung *f.*
remnant ['remnənt] *n* Rest *m.*
remorse [rɪ'mɔ:s] *n* Gewissensbisse *pl;* **remorseful** *adj* reumütig; **remorseless** *adj,* **remorselessly** *adv* unbarmherzig.
remote [rɪ'məʊt] *adj* abgelegen, entfernt; (*slight*) gering; ~ **access** Fernabfrage *f;* ~ **control** Fernsteuerung *f;* **remotely** *adv* entfernt; **remoteness** *n* Entlegenheit *f.*
removal [rɪ'mu:vəl] *n* Beseitigung *f;* (*of furniture*) Umzug *m;* (*from office*) Entlassung *f;* **removal van** *n* Möbelwagen *m.*
remove [rɪ'mu:v] *vt* beseitigen, entfernen; (*dismiss*) entlassen; **remover** *n* (*for paint etc*) Entferner *m;* ~**s** *pl* Möbelspedition *f.*
remuneration [rɪmju:nə'reɪʃən] *n* Vergütung *f,* Honorar *nt.*
Renaissance [rə'neɪsɑ̃:ns] *n:* **the** ~ die Renaissance.
rename [ri:'neɪm] *vt* umbenennen.
rend [rend] <rent, rent> *vt* zerreißen.
render ['rendə*] *vt* machen; (*translate*) übersetzen; **rendering** *n* (MUS) Wiedergabe *f.*
renegade ['renɪgeɪd] *n* Abtrünnige(r) *mf.*
renew [rɪ'nju:] *vt* erneuern; (*contract, licence*) verlängern; (*replace*) ersetzen; **renewal** *n* Erneuerung *f;* Verlängerung *f.*
renounce [rɪ'naʊns] *vt* (*give up*) verzichten auf *+akk;* (*disown*) verstoßen.
renovate ['renəveɪt] *vt* renovieren; (*building*) restaurieren; **renovation** [renəʊ'veɪʃən] *n* Renovierung *f;* Restauration *f.*
renown [rɪ'naʊn] *n* Ruf *m;* **renowned** *adj* namhaft.
rent [rent] **1.** *pt, pp of* **rend**; **2.** *n* Miete *f;* (*for land*) Pacht *f;* **3.** *vt* (*hold as tenant*) mieten; pachten; (*let*) vermieten; verpachten; (*car etc*) mieten; (*firm*) vermieten; **rental** *n* Miete *f;* Pacht *f;* **rent boy** *n* (*fam*) Stricher *m.*
renunciation [rɪnʌnsɪ'eɪʃən] *n* Verzicht *m* (*of* auf *+akk*).
reopen [ri:'əʊpən] *vt* wieder eröffnen.
reorder [ri:'ɔ:də*] *vt* wieder bestellen; nachbestellen.
reorganization [ri:ɔ:gənaɪ'zeɪʃən] *n* Neugestaltung *f;* (COMM) Umbildung *f;* **reorganize** [ri:'ɔ:gənaɪz] *vt* umgestalten, reorganisieren.
rep [rep] *n* (COMM) Vertreter(in) *m(f);* (THEAT) Repertoire *nt.*
repair [rɪ'pɛə*] **1.** *n* Reparatur *f;* **2.** *vt* reparieren; (*damage*) wieder gutmachen; **in good** ~ in gutem Zustand; **repair kit** *n* Werkzeugkasten *m;* **repair man** *n* <repairmen> Mechaniker *m;* **repair shop** *n* Reparaturwerkstatt *f.*
repartee [repɑ:'ti:] *n* schlagfertige Antwort.
repay [ri:'peɪ] *irr vt* zurückzahlen; (*reward*) vergelten; **repayment** *n* Rückzahlung *f;* (*fig*) Vergelten *nt.*
repeal [rɪ'pi:l] **1.** *n* Aufhebung *f;* **2.** *vt* aufheben.
repeat [rɪ'pi:t] **1.** *n* (RADIO, TV) Wiederholungssendung *f;* **2.** *vt* wiederholen; **repeatedly** *adv* wiederholt.
repel [rɪ'pel] *vt* (*drive back*) zurückschlagen; (*disgust*) abstoßen; **repellent** **1.** *adj* abstoßend; **2.** *n:* **insect** ~ Insektenschutzmittel *nt.*
repent [rɪ'pent] *vt, vi* bereuen; **repentance** *n* Reue *f.*
repercussion [ri:pə'kʌʃən] *n* Auswirkung *f;* (*of rifle*) Rückstoß *m.*
repertoire ['repətwɑ:*] *n* (THEAT, MUS) Repertoire *nt.*
repertory ['repətərɪ] *n* Repertoire *nt.*
repetition [repə'tɪʃən] *n* Wiederholung *f.*
repetitive [rɪ'petɪtɪv] *adj* sich wiederholend.
rephrase [ri:'freɪz] *vt* anders formulieren.
replace [rɪ'pleɪs] *vt* ersetzen; (*put back*) zurückstellen; **replacement** *n* Ersatz *m.*
replenish [rɪ'plenɪʃ] *vt* wieder auffüllen.

replica ['replɪkə] *n* Kopie *f.*

reply [rɪ'plaɪ] **1.** *n* Antwort *f,* Erwiderung *f;* **2.** *vi* antworten, erwidern.

report [rɪ'pɔːt] **1.** *n* Bericht *m;* (SCH) Zeugnis *nt;* (*of gun*) Knall *m;* **2.** *vt* (*tell*) berichten; (*give information against*) melden; (*to police*) anzeigen; **3.** *vi* (*make report*) Bericht erstatten; (*present oneself*) sich melden; **reportedly** *adv* wie verlautet; **reporter** *n* Reporter(in) *m(f).*

reprehensible [reprɪ'hensɪbl] *adj* verwerflich.

represent [reprɪ'zent] *vt* darstellen, zeigen; (*act*) darstellen; (*speak for*) vertreten; **representation** [reprɪzen'teɪʃən] *n* Darstellung *f;* (*being represented*) Vertretung *f;* **representative** [reprɪ'zentətɪv] **1.** *n* (*person*) Vertreter(in) *m(f);* **2.** *adj* repräsentativ.

repress [rɪ'pres] *vt* unterdrücken; **repression** [rɪ'preʃən] *n* Unterdrückung *f;* **repressive** *adj* Unterdrückungs-; (PSYCH) hemmend.

reprieve [rɪ'priːv] *n* Aufschub *m;* (*cancellation*) Begnadigung *f;* (*fig*) Atempause *f.*

reprimand ['reprɪmɑːnd] **1.** *n* Verweis *m;* **2.** *vt* einen Verweis erteilen +*dat.*

reprint ['riːprɪnt] **1.** *n* Nachdruck *m;* **2.** [riː'prɪnt] *vt* nachdrucken, neu auflegen.

reprisal [rɪ'praɪzəl] *n* Vergeltung *f.*

reproach [rɪ'prəʊtʃ] **1.** *n* (*blame*) Vorwurf *m,* Tadel *m;* (*disgrace*) Schande *f;* **2.** *vt* Vorwürfe machen +*dat,* tadeln; **beyond ~** über jeden Vorwurf erhaben; **reproachful** *adj* vorwurfsvoll.

reprocess [riː'prəʊses] *vt* wieder aufarbeiten, wieder aufbereiten; **reprocessing** *n* Wiederaufbereitung *f,* Wiederaufarbeitung *f;* **~ plant** Wiederaufarbeitungsanlage *f.*

reproduce [riːprə'djuːs] **1.** *vt* reproduzieren; **2.** *vi* (*have offspring*) sich vermehren.

reproduction [riːprə'dʌkʃən] *n* Wiedergabe *f;* (ART, PHOT) Reproduktion *f;* (*breeding*) Fortpflanzung *f.*

reproductive [riːprə'dʌktɪv] *adj* reproduktiv; (*breeding*) Fortpflanzungs-.

reprove [rɪ'pruːv] *vt* tadeln.

reptile ['reptaɪl] *n* Reptil *nt.*

republic [rɪ'pʌblɪk] *n* Republik *f;* **republican** **1.** *adj* republikanisch; **2.** *n* Republikaner(in) *m(f).*

repudiate [rɪ'pjuːdɪeɪt] *vt* zurückweisen, nicht anerkennen.

repugnance [rɪ'pʌgnəns] *n* Widerwille *m;* **repugnant** *adj* widerlich.

repulsion [rɪ'pʌlʃən] *n* Abscheu *m.*

repulsive [rɪ'pʌlsɪv] *adj* abstoßend.

reputable ['repjʊtəbl] *adj* anständig, ordentlich.

reputation [repjʊ'teɪʃən] *n* Ruf *m.*

repute [rɪ'pjuːt] *n* hohes Ansehen; **reputed** *adj,* **reputedly** *adv* angeblich.

request [rɪ'kwest] **1.** *n* (*asking*) Ansuchen *nt;* (*demand*) Wunsch *m;* **2.** *vt* (*thing*) erbitten; (*person*) ersuchen; **at sb's ~** auf jds Wunsch.

require [rɪ'kwaɪə*] *vt* (*need*) brauchen; (*wish*) wünschen; **to be ~d to do sth** etw tun müssen; **requirement** *n* (*condition*) Anforderung *f;* (*need*) Bedarf *m.*

requisite ['rekwɪzɪt] **1.** *n* (COMM) Artikel *m;* (*necessary thing*) Erfordernis *nt;* **2.** *adj* erforderlich.

requisition [rekwɪ'zɪʃən] **1.** *n* Anforderung *f;* **2.** *vt* beschlagnahmen; (*order*) anfordern.

reroute [riː'ruːt] *vt* umleiten.

rescind [rɪ'sɪnd] *vt* aufheben.

rescue ['reskjuː] **1.** *n* Rettung *f;* **2.** *vt* retten; **rescue party** *n* Rettungsmannschaft *f;* **rescuer** *n* Retter(in) *m(f).*

research [rɪ'sɜːtʃ] **1.** *n* Forschung *f;* **2.** *vi* Forschungen betreiben, forschen (*into* über +*akk*); **3.** *vt* erforschen; **researcher** *n* Forscher(in) *m(f);* **research satellite** *n* Forschungssatellit *m;* **research work** *n* Forschungsarbeit *f;* **research worker** *n* Forscher(in) *m(f).*

resemblance [rɪ'zembləns] *n* Ähnlichkeit *f.*

resemble [rɪ'zembl] *vt* ähneln +*dat.*

resent [rɪ'zent] *vt* übelnehmen; **resentful** *adj* nachtragend, empfindlich; **resentment** *n* Verstimmung *f,* Unwille *m.*

reservation [rezə'veɪʃən] *n* (*of seat*) Reservierung *f;* (THEAT) Vorbestellung *f;* (*doubt*) Vorbehalt *m;* (*land*) Reservat *nt.*

reserve [rɪ'zɜːv] **1.** *n* (*store*) Vorrat *m,* Reserve *f;* (*manner*) Zurückhaltung *f;* (*game ~*) Naturschutzgebiet *nt;* (*native ~*) Reservat *nt;* (SPORT) Ersatzspieler(in) *m(f);* **2.** *vt* reservieren; (*judgement*) sich *dat* vorbehalten; **~s** *pl* (MIL) Reserve *f;* **in ~** in Reserve; **reserved** *adj* reserviert; **all rights ~** alle Rechte vorbehalten.

reservoir ['rezəvwɑː*] *n* Reservoir *nt.*

resettle [rɪː'setl] *vt* (*refugees*) umsiedeln; (*land*) neu [*o* wieder] besiedeln.

reshuffle [riː'ʃʌfl] *vt* (POL) umbilden; (*cards*) neu mischen.

reside [rɪ'zaɪd] *vi* wohnen, ansässig sein; **residence** ['rezɪdəns] (*house*) Wohnung *f*, Wohnsitz *m;* (*living*) Wohnen *nt*, Aufenthalt *m;* **resident** ['rezɪdənt] **1.** *n* (*in house*) Bewohner(in) *m(f);* (*in area*) Einwohner(in) *m(f);* **2.** *adj* wohnhaft, ansässig; **"~s only"** „nur für Mieter"; (*on road*) „Anlieger frei"; (*at hotel*) „nur für Gäste"; **residential** [rezɪ'denʃəl] *adj* Wohn-.

residue ['rezɪdju:] *n* Rest *m;* (CHEM) Rückstand *m;* (*fig*) Bodensatz *m*.

resign [rɪ'zaɪn] **1.** *vt* (*office*) aufgeben, zurücktreten von; **2.** *vi* (*from office*) zurücktreten; **to be ~ed to sth, to ~ oneself to sth** sich mit etw abfinden; **resignation** [rezɪg'neɪʃən] *n* (*resigning*) Aufgabe *f;* (POL) Rücktritt *m;* (*submission*) Resignation *f;* **resigned** *adj* resigniert.

resilient [rɪ'zɪlɪənt] *adj* unverwüstlich.

resin ['rezɪn] *n* Harz *nt*.

resist [rɪ'zɪst] *vt* widerstehen *+dat;* **resistance** *n* Widerstand *m;* **resistant** *adj* widerstandsfähig (*to* gegen); (*material*) strapazierfähig; **water-resistant** wasserbeständig.

resolute *adj,* **resolutely** *adv* ['rezəlu:t, -lɪ] entschlossen, resolut.

resolution [rezə'lu:ʃən] *n* (*firmness*) Entschlossenheit *f;* (*intention*) Vorsatz *m;* (*decision*) Beschluss *m;* (*personal*) Entschluss *m*.

resolve [rɪ'zɒlv] **1.** *n* Vorsatz *m*, Entschluss *m;* **2.** *vt* (*decide*) beschließen; **it ~d itself** es löste sich von selbst; **resolved** *adj* fest entschlossen.

resonant ['rezənənt] *adj* widerhallend; (*voice*) volltönend.

resort [rɪ'zɔ:t] **1.** *n* (*holiday place*) Urlaubsort *m;* (*good for health*) Kurort *m;* (*help*) Zuflucht *f;* **2.** *vi* Zuflucht nehmen (*to* zu); **as a last ~** als letzter Ausweg.

resource [rɪ'sɔ:s] *n* Findigkeit *f;* **~s** *pl* (*of energy*) Energiequellen *pl;* (*of money*) Quellen *pl;* (*of a country etc*) Bodenschätze *pl;* **resourceful** *adj* findig.

respect [rɪ'spekt] **1.** *n* Respekt *m;* (*esteem*) Hochachtung *f;* **2.** *vt* achten, respektieren; **with ~ to** in Bezug auf *+akk*, hinsichtlich *+gen;* **in ~ of** in Bezug auf *+akk;* **in this ~** in dieser Hinsicht.

respectability [rɪspektə'bɪlɪtɪ] *n* Anständigkeit *f*, Achtbarkeit *f;* **respectable** [rɪ'spektəbl] *adj* (*decent*) angesehen, geachtet; (*fairly good*) leidlich; (*sum*) beachtlich.

respected [rɪ'spektɪd] *adj* angesehen; **respectful** *adj* höflich; **respectfully** *adv* ehrerbietig; (*in letter*) mit vorzüglicher Hochachtung.

respective [rɪ'spektɪv] *adj* jeweilig; **respectively** *adv* beziehungsweise; (*correspondingly*) dementsprechend.

respiration [respɪ'reɪʃən] *n* Atmung *f*, Atmen *nt;* **respiratory** [rɪ'spɪrətərɪ] *adj* Atmungs-.

respite ['respaɪt] *n* Ruhepause *f;* **without ~** ohne Unterlass.

resplendent [rɪ'splendənt] *adj* strahlend.

respond [rɪ'spɒnd] *vi* antworten; (*react*) reagieren (*to* auf *+akk*); **response** [rɪ'spɒns] *n* Antwort *f;* Reaktion *f;* (*to advert etc*) Resonanz *f*.

responsibility [rɪspɒnsə'bɪlɪtɪ] *n* Verantwortung *f;* **responsible** [rɪ'spɒnsəbl] *adj* verantwortlich; (*reliable*) verantwortungsvoll; **responsibly** *adv* verantwortungsvoll.

responsive [rɪ'spɒnsɪv] *adj* empfänglich (*to* für).

rest [rest] **1.** *n* Ruhe *f;* (*break*) Pause *f;* (*remainder*) Rest *m;* **2.** *vi* sich ausruhen; (*be supported*) aufliegen; (*remain*) liegen (*with* bei); **the ~ of them** die übrigen.

restaurant ['restərɒnt] *n* Restaurant *nt*, Gaststätte *f;* **restaurant car** *n* Speisewagen *m*.

rest cure ['restkjʊə*] *n* Erholung *f;* **restful** *adj* erholsam, ruhig; **rest home** *n* Pflegeheim *nt*.

restitution [restɪ'tju:ʃən] *n* Rückgabe *f*, Entschädigung *f*.

restive ['restɪv] *adj* unruhig; (*disobedient*) störrisch.

restless ['restləs] *adj* unruhig; **restlessly** *adv* ruhelos; **restlessness** *n* Ruhelosigkeit *f*.

restock [ri:'stɒk] *vt* auffüllen.

restoration [restə'reɪʃən] *n* Wiederherstellung *f;* Neueinführung *f;* Wiedereinsetzung *f;* Rückgabe *f;* Restaurierung *f;* **the Restoration** die Restauration; **restore** [rɪ'stɔ:*] *vt* (*order*) wiederherstellen; (*customs*) wieder einführen; (*person to position*) wiedereinsetzen; (*give back*) zurückgeben; (*paintings*) restaurieren.

restrain [rɪ'streɪn] *vt* zurückhalten; (*curiosity etc*) beherrschen; **restrained** *adj* (*style etc*) verhalten; **restraint** *n* (*restraining*) Einschränkung *f;* (*being restrained*) Beschränkung *f;* (*self-control*)

Zurückhaltung *f.*

restrict [rɪ'strɪkt] *vt* einschränken; **restricted** *adj* beschränkt; **restriction** [rɪ'strɪkʃən] *n* Einschränkung *f;* **restrictive** *adj* einschränkend.

restroom ['restru:m] *n* (*US*) Toilette *f.*

result [rɪ'zʌlt] **1.** *n* Resultat *nt,* Folge *f;* (*of exam, game*) Ergebnis *nt;* **2.** *vi* zur Folge haben (*in akk*); **resultant** *adj* daraus entstehend [*o* resultierend].

resume [rɪ'zju:m] *vt* fortsetzen; (*occupy again*) wieder einnehmen.

résumé ['reɪzʊmeɪ] *n* Zusammenfassung *f;* (*US*) Lebenslauf *m.*

resumption [rɪ'zʌmpʃən] *n* Wiederaufnahme *f.*

resurgence [rɪ'sɜ:dʒəns] *n* Wiederaufleben *nt.*

resurrection [rezə'rekʃən] *n* Auferstehung *f.*

resuscitate [rɪ'sʌsɪteɪt] *vt* wiederbeleben; **resuscitation** [rɪsʌsɪ'teɪʃən] *n* Wiederbelebung *f.*

retail ['ri:teɪl] **1.** *n* Einzelhandel *m;* **2.** *adj* Einzelhandels-; **3.** [ri:'teɪl] *vt* im Kleinen verkaufen; **4.** *vi* im Einzelhandel kosten; **retailer** ['ri:teɪlə*] *n* Einzelhändler(in) *m(f);* **retail price** *n* Ladenpreis *m,* Einzelhandelspreis *m.*

retain [rɪ'teɪn] *vt* (*keep*) zurückbehalten; (*pay*) unterhalten; **retainer** *n* (*servant*) Gefolgsmann *m;* (*fee*) Honorarvorschuss *m.*

retaliate [rɪ'tælɪeɪt] *vi* zum Vergeltungsschlag ausholen; **retaliation** [rɪtælɪ'eɪʃən] *n* Vergeltung *f.*

retarded [rɪ'tɑ:dɪd] *adj* zurückgeblieben.

retention [rɪ'tenʃən] *n* Beibehaltung *f;* (*of possession*) Zurückhalten *nt;* (*of facts*) Behalten *nt;* (*of information*) Speicherung *f;* (*memory*) Gedächtnis *nt;* **retentive** [rɪ'tentɪv] *adj* (*memory*) gut.

rethink [ri:'θɪŋk] *irr vt* überdenken.

reticence ['retɪsəns] *n* Zurückhaltung *f;* **reticent** *adj* schweigsam, zurückhaltend.

retina ['retɪnə] *n* Netzhaut *f.*

retinue ['retɪnju:] *n* Gefolge *nt.*

retire [rɪ'taɪə*] *vi* (*from work*) in den Ruhestand treten, in Rente gehen; (*withdraw*) sich zurückziehen; (*go to bed*) schlafen gehen; **retired** *adj* (*person*) pensioniert, im Ruhestand; **retirement** *n* Ruhestand *m.*

retiring [rɪ'taɪərɪŋ] *adj* zurückhaltend, schüchtern.

retort [rɪ'tɔ:t] **1.** *n* (*reply*) Erwiderung *f;* (SCIENCE) Retorte *f;* **2.** *vi* scharf erwidern.

retrace [rɪ'treɪs] *vt* zurückverfolgen.

retract [rɪ'trækt] *vt* (*statement*) zurücknehmen; (*claws*) einziehen; **retractable** *adj* (*aerial*) ausziehbar.

retrain [ri:'treɪn] *vt* umschulen.

retreat [rɪ'tri:t] **1.** *n* Rückzug *m;* (*place*) Zufluchtsort *m;* **2.** *vi* sich zurückziehen.

retrial [ri:'traɪəl] *n* Wiederaufnahmeverfahren *nt.*

retribution [retrɪ'bju:ʃən] *n* Strafe *f.*

retrieval [rɪ'tri:vəl] *n* Wiedergewinnung *f;* (*of data*) Abruf *m;* **retrieve** [rɪ'tri:v] *vt* wiederbekommen; (*data*) abrufen, aufrufen; (*rescue*) retten; **retriever** *n* Apportierhund *m.*

retroactive [retrəʊ'æktɪv] *adj* rückwirkend.

retrograde ['retrəʊgreɪd] *adj* (*step*) Rück-; (*policy*) rückschrittlich.

retrospect ['retrəʊspekt] *n:* **in** ~ rückblickend; **retrospective** [retrəʊ'spektɪv] *adj* rückwirkend; rückblickend.

retrovirus ['retrəʊvaɪrəs] Retrovirus *nt.*

return [rɪ'tɜ:n] **1.** *n* Rückkehr *f;* (*profits*) Ertrag *m,* Gewinn *m;* (*report*) amtlicher Bericht; (*rail ticket*) Rückfahrkarte *f;* (*plane*) Rückflugkarte *f;* (*bus*) Rückfahrschein *m;* **2.** *adj* (*journey, match*) Rück-; **3.** *vi* zurückkommen, zurückkehren; **4.** *vt* zurückgeben, zurücksenden; (*pay back*) zurückzahlen; (*elect*) wählen; (*verdict*) aussprechen; **by ~ of post** postwendend; **~ on investment, ROI** Kapitalrendite *f;* **returnable** *adj* (*bottle etc*) Pfand-; **returned empties** *n pl* Leergut *nt;* **return key** *n* (COMPUT) Eingabetaste *f;* **return(s) rate** *n* Rücklaufquote *f.*

reunion [ri:'ju:njən] *n* Wiedervereinigung *f;* (SCH) Klassentreffen *nt;* **reunite** [ri:ju:'naɪt] *vt* wieder vereinigen.

reutilization [ri:'ju:tɪlaɪ'zeɪʃən] *n* Wiedernutzbarmachung *f.*

rev [rev] **1.** *n* Drehzahl *f;* **2.** *vt, vi* (*also:* **~ up**) den Motor auf Touren bringen.

Rev *n abbr of* **Reverend** ≈ Pfarrer *m.*

revalue [rɪ:'vælju:] *vt* (*currency*) aufwerten.

reveal [rɪ'vi:l] *vt* enthüllen; **revealing** *adj* aufschlussreich.

revel ['revl] *vi* genießen (*in akk*).

revelation [revə'leɪʃən] *n* Offenbarung *f.*

revelry ['revlrɪ] *n* Festlichkeit *f.*

revenge [rɪ'vendʒ] **1.** *n* Rache *f;* **2.** *vt* rächen; **revengeful** *adj* rachsüchtig.

revenue ['revənju:] *n* Einnahmen *pl;* (*of state*) Staatseinkünfte *pl;* (*department*) Finanzamt *nt.*

reverberate [rɪ'vɜ:bəreɪt] *vi* widerhallen; **reverberation** [rɪvɜ:bə'reɪʃən] *n* Widerhall *m.*

revere [rɪ'vɪə*] *vt* verehren; **reverence** ['revərəns] *n* Ehrfurcht *f.*

Reverend ['revərənd] *n* Hochwürden *m.*

reverent ['revərənt] *adj* ehrfurchtsvoll.

reversal [rɪ'vɜ:səl] *n* Umkehrung *f.*

reverse [rɪ'vɜ:s] **1.** *n* Rückseite *f;* (AUT: *gear*) Rückwärtsgang *m;* **2.** *adj* (*order, direction*) entgegengesetzt; **3.** *vt* umkehren; **4.** *vi* (AUT) rückwärts fahren.

revert [rɪ'vɜ:t] *vi* zurückkehren (*to* zu).

review [rɪ'vju:] **1.** *n* (*of book*) Besprechung *f,* Rezension *f;* (*magazine*) Zeitschrift *f;* **2.** *vt* Rückschau halten auf *+akk;* (MIL) mustern; (*book*) besprechen, rezensieren; (*reexamine*) von neuem untersuchen; **to be under ~** untersucht werden; **reviewer** *n* (*critic*) Rezensent(in) *m(f).*

revise [rɪ'vaɪz] *vt* durchsehen, verbessern; (*book*) überarbeiten; (*reconsider*) ändern, revidieren; **revision** [rɪ'vɪʒən] *n* Durchsicht *f,* Prüfung *f;* (COMM) Revision *f;* (*of book*) überarbeitete Ausgabe; (SCH) Wiederholung *f.*

revitalize [ri:'vaɪtəlaɪz] *vt* neu beleben.

revival [rɪ'vaɪvəl] *n* Wiederbelebung *f;* (REL) Erweckung *f;* (THEAT) Wiederaufnahme *f.*

revive [rɪ'vaɪv] **1.** *vt* wieder beleben; (*fig*) wieder auffrischen; **2.** *vi* wieder erwachen; (*fig*) wieder aufleben.

revoke [rɪ'vəʊk] *vt* aufheben; (*decision*) widerrufen; (*licence*) entziehen.

revolt [rɪ'vəʊlt] **1.** *n* Aufstand *m,* Revolte *f;* **2.** *vi* sich auflehnen; **3.** *vt* entsetzen; **revolting** *adj* widerlich.

revolution [revə'lu:ʃən] *n* (*turn*) Umdrehung *f;* (*change*) Umwälzung *f;* (POL) Revolution *f;* **revolutionary 1.** *adj* revolutionär; **2.** *n* Revolutionär(in) *m(f);* **revolutionize** *vt* revolutionieren.

revolve [rɪ'vɒlv] *vi* kreisen; (*on own axis*) sich drehen; **revolver** *n* Revolver *m;* **revolving door** *n* Drehtür *f.*

revue [rɪ'vju:] *n* Revue *f.*

revulsion [rɪ'vʌlʃən] *n* (*disgust*) Ekel *m.*

reward [rɪ'wɔ:d] **1.** *n* Belohnung *f;* **2.** *vt* belohnen; **rewarding** *adj* lohnend.

reword [ri:'wɜ:d] *vt* anders formulieren.

rewrite [ri:'raɪt] *irr vt* umarbeiten, neu schreiben.

rhetoric ['retərɪk] *n* Rhetorik *f,* Redekunst *f;* **rhetorical** [rɪ'tɒrɪkəl] *adj* rhetorisch.

rheumatic [ru:'mætɪk] *adj* rheumatisch; **rheumatism** ['ru:mətɪzəm] *n* Rheumatismus *m,* Rheuma *nt.*

Rhine [raɪn] *n* Rhein *m.*

rhinoceros [raɪ'nɒsərəs] *n* Nashorn *nt,* Rhinozeros *nt.*

rhododendron [rəʊdə'dendrən] *n* Rhododendron *m.*

Rhone [rəʊn] *n* Rhone *f.*

rhubarb ['ru:bɑ:b] *n* Rhabarber *m.*

rhyme [raɪm] *n* Reim *m.*

rhythm ['rɪðəm] *n* Rhythmus *m;* **rhythmical** *adj,* **rhythmically** *adv* ['riðmɪkl, -lɪ] rhythmisch.

rib [rɪb] *n* Rippe *f.*

ribald ['rɪbəld] *adj* saftig, derb.

ribbon ['rɪbən] *n* Band *nt.*

rice [raɪs] *n* Reis *m;* **rice pudding** *n* Milchreis *m.*

rich [rɪtʃ] *adj* reich, wohlhabend; (*fertile*) fruchtbar; (*splendid*) kostbar; (*food*) reichhaltig; **riches** *n pl* Reichtum *m,* Reichtümer *pl;* **richly** *adv* reich; (*deserve*) völlig; **richness** *n* Reichtum *m;* (*of food*) Reichhaltigkeit *f;* (*of colours*) Sattheit *f.*

rick [rɪk] *n* Schober *m.*

rickets ['rɪkɪts] *n sing* Rachitis *f.*

rickety ['rɪkɪtɪ] *adj* wackelig.

rickshaw ['rɪkʃɔ:] *n* Rikscha *f.*

ricochet ['rɪkəʃeɪ] **1.** *n* Abprallen *nt;* (*shot*) Querschläger *m;* **2.** *vi* abprallen.

rid [rɪd] <rid, rid> *vt* befreien (*of* von); **to get ~ of** loswerden; **riddance** ['rɪdəns] *n:* **good ~!** den/die/das wären wir los!

ridden ['rɪdn] *pp of* **ride**.

riddle ['rɪdl] **1.** *n* Rätsel *nt;* **2.** *vt* (*esp passive*) durchlöchern.

ride [raɪd] <rode, ridden> **1.** *vt* (*horse*) reiten; (*bicycle*) fahren; **2.** *vi* reiten; fahren; (*ship*) vor Anker liegen; **3.** *n* (*in vehicle*) Fahrt *f;* (*on horse*) Ritt *m;* **rider** *n* Reiter(in) *m(f);* (*addition*) Zusatz *m.*

ridge [rɪdʒ] *n* (*of hills*) Bergkette *f;* (*top*) Grat *m,* Kamm *m;* (*of roof*) Dachfirst *m.*

ridicule ['rɪdɪkju:l] **1.** *n* Spott *m;* **2.** *vt* lächerlich machen.

ridiculous *adj,* **ridiculously** *adv* [rɪ'dɪkjʊləs, -lɪ] lächerlich.

riding ['raɪdɪŋ] *n* Reiten *nt,* Reitsport *m;* **to go ~** reiten gehen; **riding school** *n* Reitschule *f.*

rife [raɪf] *adj* weit verbreitet.

riffraff ['rɪfræf] *n* Gesindel *nt,* Pack *nt.*

rifle ['raɪfl] **1.** *n* Gewehr *nt;* **2.** *vt* plündern; **rifle range** *n* Schießstand *m.*

rift [rɪft] *n* Ritze *f,* Spalte *f;* (*fig*) Bruch *m.*

rig [rɪg] **1.** *n* (*outfit*) Takelung *f;* (*fig*) Aufmachung *f;* **2.** *vt* (*election etc*) manipulieren; **oil ~** Bohrinsel *f;* **rig out** *vt* ausstatten; **rig up** *vt* zusammenbasteln, konstruieren; **rigging** *n* Takelage *f.*

right [raɪt] **1.** *adj* (*correct, just*) richtig, recht; (*right side*) rechte(r, s); **2.** *n* Recht *nt;* (POL: *not left*) Rechte *f;* **3.** *adv* (*on the ~*) rechts; (*to the ~*) nach rechts; (*look, work*) richtig, recht; (*directly*) gerade; (*exactly*) genau; **4.** *vt* in Ordnung bringen, korrigieren; **5.** *interj* gut; **~ away** sofort; **~ now** in diesem Augenblick, eben; **~ to the end** bis ans Ende; **to be ~** Recht haben; **all ~!** gut!, in Ordnung!, schön!; **by ~s** von Rechts wegen; **on the ~** rechts.

righteous ['raɪtʃəs] *adj* rechtschaffen.

rightful ['raɪtfʊl] *adj* rechtmäßig; **rightfully** *adv* rechtmäßig; (*justifiably*) zu Recht; **right-hand drive** *n:* **to have ~** das Steuer rechts haben; **right-handed** *adj* rechtshändig; **right-hand man** *n* <men> rechte Hand; **right-hand side** *n* rechte Seite; **rightly** *adv* mit Recht; **right-minded** *adj* rechtschaffen; **right of way** *n* Vorfahrt *f;* **right-wing 1.** *n* rechter Flügel; **2.** *adj* rechtsgerichtet, Rechts-; **right-wing extremism** *n* Rechtsradikalismus *m;* **right-wing extremist** *n* Rechtsradikale(r) *mf.*

rigid ['rɪdʒɪd] *adj* (*stiff*) starr, steif; (*strict*) streng; **rigidity** [rɪ'dʒɪdɪtɪ] *n* Starrheit *f,* Steifheit *f;* Strenge *f;* **rigidly** *adv* (*stand*) starr, steif; (*fig: behave, treat*) streng; (*inflexibly*) hart, unbeugsam.

rigmarole ['rɪgmərəʊl] *n* Gewäsch *nt.*

rigor ['rɪgə*] *n* (*US*) Strenge *f,* Härte *f.*

rigor mortis ['rɪgə'mɔːtɪs] *n* Totenstarre *f.*

rigorous *adj,* **rigorously** *adv* ['rɪgərəs, -lɪ] streng; **rigour** *n* Strenge *f,* Härte *f.*

rig-out ['rɪgaʊt] *n* (*fam*) Aufzug *m.*

rile [raɪl] *vt* ärgern.

rim [rɪm] *n* (*edge*) Rand *m;* (*of wheel*) Felge *f;* **rimless** *adj* randlos; **rimmed** *adj* gerändert.

rind [raɪnd] *n* Rinde *f.*

ring [rɪŋ] <rang, rung> **1.** *vt, vi* (*bell*) läuten; **~ up** (TEL) anrufen; **2.** *n* Ring *m;* (*of people*) Kreis *m;* (*arena*) Ring *m,* Manege *f;* (*of telephone*) Klingeln *nt,* Läuten *nt;* **to give sb a ~** jdn anrufen; **it has a familiar ~** es klingt bekannt; **ring off** *vi* aufhängen; **ring binder** *n* Ringbuch *nt;* **ringing tone** *n* (TEL) Rufzeichen *nt;* **ringleader** *n* Anführer(in) *m(f);* **ringlets** *n pl* Ringellocken *pl;* **ring road** *n* Umgehungsstraße *f.*

rink [rɪŋk] *n* (*ice ~*) Eisbahn *f.*

rinse [rɪns] *vt* [ab-, aus]spülen.

riot ['raɪət] **1.** *n* Aufruhr *m;* **2.** *vi* randalieren; **to read sb the ~ act** (*US*) jdm die Leviten lesen; **rioter** *n* Aufrührer(in) *m(f);* **riotous** *adj,* **riotously** *adv* aufrührerisch; (*noisy*) lärmend.

rip [rɪp] **1.** *n* Schlitz *m,* Riss *m;* **2.** *vt, vi* zerreißen; **ripcord** *n* Reißleine *f;* **rip off 1.** *vt* (*fam*) übers Ohr hauen; **2.** *n* (*fam*) Beschiss *m.*

ripe [raɪp] *adj* (*fruit*) reif; (*cheese*) ausgereift; **ripen** *vt, vi* reifen, reif werden lassen; **ripeness** *n* Reife *f.*

riposte [rɪ'pɒst] *n* Nachstoß *m;* (*fig*) schlagfertige Antwort.

ripple ['rɪpl] **1.** *n* kleine Welle; **2.** *vt* kräuseln; **3.** *vi* sich kräuseln.

rise [raɪz] <rose, risen> **1.** *vi* aufstehen; (*sun*) aufgehen; (*smoke*) aufsteigen; (*mountain*) sich erheben; (*ground*) ansteigen; (*prices*) steigen; (*in revolt*) sich erheben; **2.** *n* (*slope*) Steigung *f;* (*esp in wages*) Erhöhung *f;* (*growth*) Aufstieg *m;* **to give ~ to** Anlass geben zu; **to ~ to the occasion** sich der Lage gewachsen zeigen; **risen** ['rɪzn] *pp of* **rise**.

risk [rɪsk] **1.** *n* Gefahr *f,* Risiko *nt;* **2.** *vt* (*venture*) wagen; (*chance loss of*) riskieren, aufs Spiel setzen; **risky** *adj* gewagt, gefährlich, riskant.

risqué ['riːskeɪ] *adj* gewagt.

rissole ['rɪsəʊl] *n* Fleischklößchen *nt.*

rite [raɪt] *n* Ritus *m;* **last ~s** *pl* Letzte Ölung.

ritual ['rɪtjʊəl] **1.** *n* Ritual *nt;* **2.** *adj* Ritual-; (*fig*) rituell.

rival ['raɪvəl] **1.** *n* Rivale *m,* Rivalin *f,* Konkurrent(in) *m(f);* **2.** *adj* rivalisierend; **3.** *vt* rivalisieren mit; (COMM) konkurrieren mit; **rivalry** *n* Rivalität *f,* Konkurrenz *f.*

river ['rɪvə*] *n* Fluss *m;* **riverbank** *n* Flussufer *nt;* **riverbed** *n* Flussbett *nt;* **riverside 1.** *n* Flussufer *nt;* **2.** *adj* am Ufer gelegen, Ufer-.

rivet ['rɪvɪt] **1.** *n* Niete *f;* **2.** *vt* (*fasten*) vernieten.

Riviera [rɪvɪ'ɛərə] *n:* **the French ~** die Riviera.

RNA *n abbr of* **ribonucleic acid** RNS *f.*

roach [rəʊtʃ] *n* (*US fam*) Küchenschabe *f.*

road [rəʊd] *n* Straße *f;* **road accident** *n* Verkehrsunfall *m;* **roadblock** *n* Straßensperre *f;* **road hog** *n* (*fam*) Verkehrsrowdy *m;* **roadmap** *n* Straßenkarte *f;* **road-pricing** *n* Straßenbenutzungsgebühr *f;* **road side** 1. *n* Straßenrand *m;* 2. *adj* an der Landstraße gelegen; **road sign** *n* Straßenschild *nt;* **road test** 1. *n* Fahrtest *m;* 2. *vt* einem Fahrtest unterziehen; **road traffic** *n* Straßenverkehr *m;* **road user** *n* Verkehrsteilnehmer(in) *m(f);* **roadway** *n* Fahrbahn *f;* **roadworks** *n pl* Bauarbeiten *pl,* Straßenarbeiten *pl;* **roadworthy** *adj* (*car*) fahrtüchtig.

roam [rəʊm] 1. *vi* umherstreifen; 2. *vt* durchstreifen.

roar [rɔː*] 1. *n* Brüllen *nt,* Gebrüll *nt;* 2. *vi* brüllen; **roaring** *adj* (*fire*) Bomben-, prasselnd; (*trade*) schwunghaft, Bomben-.

roast [rəʊst] 1. *n* Braten *m;* 2. *vt* braten, rösten, schmoren.

rob [rɒb] *vt* bestehlen, berauben; (*bank*) ausrauben; **robber** *n* Räuber(in) *m(f);* **robbery** *n* Raub *m.*

robe [rəʊb] 1. *n* (*dress*) Gewand *nt;* (*US*) Hauskleid *nt;* (*judge's*) Robe *f;* 2. *vt* feierlich ankleiden.

robin ['rɒbɪn] *n* Rotkehlchen *nt.*

robot ['rəʊbɒt] *n* Roboter *m.*

robust [rəʊ'bʌst] *adj* stark, robust.

rock [rɒk] 1. *n* Felsen *m;* (*piece*) Stein *m;* (*bigger*) Felsbrocken *m;* (*sweet*) Zuckerstange *f;* 2. *vt, vi* wiegen, schaukeln; **on the ~s** (*drink*) mit Eiswürfeln; (*marriage*) gescheitert; (*ship*) aufgelaufen; **rock-bottom** *n* (*fig*) Tiefpunkt *m;* **~ price** Niedrigstpreis *m;* **rock climber** *n* Kletterer *m,* Kletterin *f;* **rock climbing** *n* Klettern *nt;* **to go ~** klettern gehen; **rockery** *n* Steingarten *m.*

rocket ['rɒkɪt] *n* Rakete *f.*

rock face ['rɒkfeɪs] *n* Felswand *f.*

rocking chair ['rɒkɪŋtʃɛə*] *n* Schaukelstuhl *m;* **rocking horse** *n* Schaukelpferd *nt.*

rocky ['rɒkɪ] *adj* felsig.

rococo [rəʊ'kəʊkəʊ] *n* Rokoko *nt.*

rod [rɒd] *n* (*bar*) Stange *f;* (*stick*) Rute *f.*

rode [rəʊd] *pt of* **ride**.

rodent ['rəʊdənt] *n* Nagetier *nt.*

rodeo ['rəʊdɪəʊ] *n* <-s> Rodeo *nt.*

roe [rəʊ] *n* (*deer*) Reh *nt;* (*of fish*) Rogen *m.*

roger ['rɒdʒə*] *interj* verstanden.

roguish ['rəʊgɪʃ] *adj* schurkisch; (*humorous*) schelmisch.

role [rəʊl] *n* (THEAT *fig*) Rolle *f;* **role-swapping** *n* Rollentausch *m.*

roll [rəʊl] 1. *n* Rolle *f;* (*bread*) Brötchen *nt,* Semmel *f;* (*list*) Namensliste *f,* Verzeichnis *nt;* (*of drum*) Wirbel *m;* 2. *vt* (*turn*) rollen; herumwälzen; (*grass etc*) walzen; 3. *vi* (*swing*) schlingern; (*sound*) grollen; **roll by** *vi* (*time*) verfließen; **roll in** *vi* (*mail*) hereinkommen; **roll over** *vi* sich herumdrehen; **roll up** 1. *vi* (*arrive*) kommen, auftauchen; 2. *vt* (*carpet*) aufrollen; **roll call** *n* Namensaufruf *m;* **roller** *n* Rolle *f,* Walze *f;* (*road ~*) Straßenwalze *f;* (*hair ~*) Lockenwickler *m;* **roller skates** *n pl* Rollschuhe *pl.*

rollicking ['rɒlɪkɪŋ] *adj* ausgelassen.

rolling ['rəʊlɪŋ] *adj* (*landscape*) wellig; **rolling pin** *n* Nudelholz *nt,* Wellholz *nt;* **rolling stock** *n* Wagenmaterial *nt.*

roll-on [deodorant] ['rəʊlɒn[dɪː'əʊdərənt]] *n* Deoroller *m.*

ROM [rɒm] *n acr of* **Read Only Memory** Lesespeicher *m.*

Roman ['rəʊmən] 1. *adj* römisch; 2. *n* Römer(in) *m(f);* (TYP) Magerdruck *m;* **Roman Catholic** 1. *adj* römisch-katholisch; 2. *n* Katholik(in) *m(f).*

romance [rəʊ'mæns] 1. *n* Romanze *f;* (*story*) Liebesroman *m;* 2. *vi* phantasieren.

Romania [ruː'meɪnɪə] *n* Rumänien *nt;* **Romanian** 1. *adj* rumänisch; 2. *n* Rumäne *m,* Rumänin *f.*

romantic [rəʊ'mæntɪk] *adj* romantisch; **Romanticism** [rəʊ'mæntɪsɪzəm] *n* Romantik *f.*

romp [rɒmp] *vi* (*also:* ~ **about**) herumtollen; **rompers** *n pl* Spielanzug *m.*

roof [ruːf] 1. *n* Dach *nt;* (*of mouth*) Gaumen *nt;* 2. *vt* überdachen, überdecken; **roofing** *n* Dachdeckmaterial *nt;* (*action*) Dachdecken *nt.*

rook [rʊk] 1. *n* (*bird*) Saatkrähe *f;* (CHESS) Turm *m;* 2. *vt* (*cheat*) betrügen.

room [ruːm] *n* Zimmer *nt,* Raum *m;* (*space*) Platz *m;* (*fig*) Spielraum *m;* **~s** *pl* Wohnung *f;* **room-mate** *n* Mitbewohner(in) *m(f);* **room service** *n* Zimmerbedienung *f;* **roomy** *adj* geräumig.

roost [ruːst] 1. *n* Hühnerstange *f;* 2. *vi* auf der Stange hocken; **to rule the ~** Herr im Hause sein.

root [ruːt] 1. *n* Wurzel *f;* (*fig*) Ursache *f,* Grund *m;* 2. *vt* einwurzeln; **root about** *vi* (*fig*) herumwühlen; **root for** *vt* Stimmung machen für; **root out** *vt* ausjäten;

(*fig*) ausrotten; **rooted** *adj* (*fig*) verwurzelt.

rope [rəʊp] **1.** *n* Seil *nt,* Strick *m;* **2.** *vt* (*tie*) festschnüren; **to ~ sb in** jdn gewinnen; **to know the ~s** sich auskennen; **rope off** *vt* absperren; **rope ladder** *n* Strickleiter *f.*

rosary ['reʊzərɪ] *n* Rosenkranz *m.*

rose [rəʊz] **1.** *pt of* **rise; 2.** *n* Rose *f;* **3.** *adj* rosarot.

rosé ['rəʊzeɪ] *n* Rosé *m.*

rosebud ['rəʊzbʌd] *n* Rosenknospe *f;* **rosebush** *n* Rosenstock *m,* Rosenstrauch *m.*

rosemary ['rəʊzmərɪ] *n* Rosmarin *m.*

rosette [rəʊ'zet] *n* Rosette *f.*

roster ['rɒstə*] *n* Dienstplan *m.*

rostrum ['rɒstrəm] *n* Rednerbühne *f.*

rosy ['rəʊzɪ] *adj* rosig.

rot [rɒt] **1.** *n* Fäulnis *f;* (*nonsense*) Quatsch *m,* Blödsinn *m;* **2.** *vt, vi* verfaulen lassen.

rota ['rəʊtə] *n* Dienstplan *m.*

rotary ['rəʊtərɪ] *adj* rotierend, sich drehend.

rotate [rəʊ'teɪt] **1.** *vt* rotieren lassen; (*two or more things in order*) turnusmäßig wechseln; **2.** *vi* rotieren; **rotating** *adj* rotierend; **rotation** [rəʊ'teɪʃən] *n* Umdrehung *f,* Rotation *f;* **in ~** der Reihe nach, abwechselnd.

rotor ['rəʊtə*] *n* Rotor *m.*

rotten ['rɒtn] *adj* faul, verfault; (*fig*) schlecht, gemein.

rotund [rəʊ'tʌnd] *adj* rund; (*person*) rundlich.

rouge [ru:ʒ] *n* Rouge *nt.*

rough [rʌf] **1.** *adj* (*not smooth*) rau; (*path*) uneben; (*violent*) roh, grob; (*crossing*) stürmisch; (*wind*) rau; (*without comforts*) hart, unbequem; (*unfinished, makeshift*) grob; (*approximate*) ungefähr; **2.** *n* (*grass*) unebener Boden; (*person*) Rowdy *m,* Rohling *m;* **to ~ it** primitiv leben; **to play ~** (SPORT) hart spielen; **to sleep ~** im Freien schlafen; **rough out** *vt* entwerfen, flüchtig skizzieren; **roughage** ['rʌfɪdʒ] *n* Ballaststoffe *pl;* **roughen** *vt* aufrauen; **roughly** *adv* grob; (*about*) ungefähr; **roughness** *n* Rauheit *f;* (*of manner*) Ungeschliffenheit *f.*

roulette [ru:'let] *n* Roulette *nt.*

round [raʊnd] **1.** *adj* rund; (*figures*) abgerundet, aufgerundet; **2.** *adv* (*in a circle*) rundherum; **3.** *prep* um … herum; **4.** *n* Runde *f;* (*of ammunition*) Magazin *nt;* (*song*) Kanon *m;* **5.** *vt* (*corner*) biegen um; **~ of applause** Beifall *m;* **round off** *vt* abrunden; **round up** *vt* (*end*) abschließen; (*figures*) aufrunden; **roundabout 1.** *n* (*traffic*) Kreisverkehr *m;* (*merry-go-round*) Karussell *nt;* **2.** *adj* auf Umwegen; **rounded** *adj* gerundet; **roundly** *adv* (*fig*) gründlich; **round-shouldered** *adj* mit abfallenden Schultern; **roundsman** *n* <roundsmen> (*general*) Austräger *m;* (*milk ~*) Milchmann *m;* **round trip** *n* Rundreise *f;* **round-trip ticket** *n* (*US*) Rückfahrkarte *f;* **roundup** *n* Zusammentreiben *nt,* Sammeln *nt.*

rouse [raʊz] *vt* (*waken*) aufwecken; (*stir up*) erregen; **rousing** *adj* (*welcome*) stürmisch; (*speech*) zündend.

rout [raʊt] *vt* in die Flucht schlagen.

route [ru:t] *n* Weg *m,* Route *f.*

routine [ru:'ti:n] **1.** *n* Routine *f;* **2.** *adj* Routine-.

rover ['rəʊvə*] *n* Vagabund *m.*

roving ['rəʊvɪŋ] *adj* (*reporter*) im Außendienst.

row [rəʊ] **1.** *n* (*line*) Reihe *f;* **2.** *vt, vi* (*boat*) rudern; **3.** [raʊ] *n* (*noise*) Lärm *m,* Krach *m,* Radau *m;* (*dispute*) Streit *m;* (*scolding*) Krach *m;* **4.** *vi* sich streiten; **to give sb a ~** mit jdm schimpfen.

rowboat ['rəʊbəʊt] *n* (*US*) Ruderboot *nt.*

rowdy ['raʊdɪ] **1.** *adj* rüpelhaft; **2.** *n* (*person*) Rowdy *m.*

rowing ['rəʊɪŋ] *n* Rudern *nt;* (SPORT) Rudersport *m;* **rowing boat** *n* Ruderboot *nt.*

royal ['rɔɪəl] *adj* königlich, Königs-.

> **i** Die **Royal Academy (of Arts)**, eine Akademie zur Förderung der Malerei, Bildhauerei und Architektur, wurde 1768 unter der Schirmherrschaft von George II gegründet und befindet sich seit 1869 in Burlington House, Piccadilly, London. Jeden Sommer findet dort eine Ausstellung mit Werken zeitgenössischer Künstler statt. Die Royal Academy unterhält auch Schulen, an denen Malerei, Bildhauerei und Architektur unterrichtet wird.

royalist 1. *n* Royalist(in) *m(f);* **2.** *adj* königstreu; **royalty** *n* (*family*) königliche Familie; (*for invention*) Patentgebühr *f;* (*for book*) Tantieme *f.*

RSVP *abbr of* **répondez s'il vous plaît**

U.A.w.g.

rub [rʌb] **1.** *n* (*problem*) Haken *m;* **2.** *vt* reiben; **to ~ it in** darauf herumreiten; **to give sth a ~** etw abreiben; **rub off** *vi* (*a. fig*) abfärben (*on* auf *+akk*).

rubber ['rʌbə*] *n* Gummi *m;* (*Brit*) Radiergummi *m;* (*US: contraceptive*) Gummi *m,* Kondom *nt;* **rubber band** *n* Gummiband *nt;* **rubber check** *n* (*US*) ungedeckter Scheck; **rubberneck** *vi* (*US fam*) gaffen; **rubbernecker** *n* (*US fam*) Gaffer(in) *m(f),* Schaulustige(r) *mf;* **rubber plant** *n* Gummibaum *m;* **rubbery** *adj* gummiartig, wie Gummi.

rubbish ['rʌbɪʃ] *n* (*waste*) Abfall *m;* (*nonsense*) Blödsinn *m,* Quatsch *m;* **rubbish dump** *n* Müllabladeplatz *m.*

rubble ['rʌbl] *n* Steinschutt *m.*

ruby ['ru:bɪ] **1.** *n* Rubin *m;* **2.** *adj* rubinrot.

rucksack ['rʌksæk] *n* Rucksack *m.*

rudder ['rʌdə*] *n* Steuerruder *nt.*

ruddy ['rʌdɪ] *adj* (*colour*) rötlich; (*fam: bloody*) verdammt.

rude *adj,* **rudely** *adv* [ru:d, -lɪ] unhöflich, unverschämt; (*shock*) schwer; (*awakening*) unsanft; (*unrefined, rough*) grob; **rudeness** *n* Unhöflichkeit *f,* Unverschämtheit *f,* Grobheit *f.*

rudiment ['ru:dɪmənt] *n* Grundlage *f;* **rudimentary** [ru:dɪ'mentərɪ] *adj* rudimentär.

ruff [rʌf] *n* Halskrause *f.*

ruffian ['rʌfɪən] *n* Rohling *m.*

ruffle ['rʌfl] *vt* kräuseln; durcheinander bringen.

rug [rʌg] *n* Teppich *m;* (*in bedroom*) Bettvorleger *m;* (*for knees*) Wolldecke *f.*

rugged ['rʌgɪd] *adj* (*coastline*) zerklüftet; (*features*) markig.

ruin ['ru:ɪn] **1.** *n* Ruine *f;* (*downfall*) Ruin *m;* **2.** *vt* ruinieren; **~s** *pl* Trümmer *pl;* **ruination** [ru:ɪ'neɪʃən] *n* Zerstörung *f,* Ruinierung *f;* **ruinous** *adj* ruinierend.

rule [ru:l] **1.** *n* Regel *f;* (*government*) Herrschaft *f,* Regierung *f;* (*for measuring*) Lineal *nt;* **2.** *vt, vi* (*govern*) herrschen über *+akk,* regieren; (*decide*) anordnen, entscheiden; (*make lines*) linieren; **as a ~** in der Regel; **ruled** *adj* (*paper*) liniert; **ruler** *n* Lineal *nt;* (*person*) Herrscher(in) *m(f);* **ruling** *adj* (*party*) Regierungs-; (*class*) herrschend.

rum [rʌm] **1.** *n* Rum *m;* **2.** *adj* (*fam*) komisch.

rumble ['rʌmbl] **1.** *n* Rumpeln *nt;* (*of thunder*) Grollen *nt;* **2.** *vi* rumpeln; grollen.

ruminate ['ru:mɪneɪt] *vi* grübeln; (*cows*) wiederkäuen.

rummage ['rʌmɪdʒ] **1.** *n* Durchsuchung *f;* **2.** *vi* durchstöbern.

rumor (*US*), **rumour** ['ru:mə*] **1.** *n* Gerücht *nt;* **2.** *vt:* **it is ~ed that** man sagt [*o* munkelt], dass.

rump [rʌmp] *n* Hinterteil *nt;* (*of fowl*) Bürzel *m;* **rump steak** *n* Rumpsteak *nt.*

rumpus ['rʌmpəs] *n* (*fam*) Spektakel *m,* Krach *m.*

run [rʌn] <ran, run> **1.** *vt* (*cause to run,* COMPUT) laufen lassen; (*car, train, bus*) fahren; (*pay for*) unterhalten; (*race, distance*) laufen, rennen; (*manage*) leiten, verwalten, führen; (*knife*) stoßen; (*pass: hand, eye*) gleiten lassen; **2.** *vi* (*a.* COMPUT) laufen; (*move quickly also*) rennen; (*bus, train*) fahren; (*flow*) fließen, laufen; (*colours*) abfärben; **3.** *n* Lauf *m;* (*in car*) Spazierfahrt *f;* (*series*) Serie *f,* Reihe *f;* (*of play*) Spielzeit *f;* (*sudden demand*) Ansturm *m,* starke Nachfrage; (*for animals*) Auslauf *m;* (*in stocking*) Laufmasche *f;* **ski ~** Skiabfahrt *f;* **on the ~** auf der Flucht; **in the long ~** auf die Dauer; **to ~ riot** Amok laufen; **to ~ a risk** ein Risiko eingehen; **to ~ for president** für die Präsidentschaft kandidieren; **run about** *vi* (*children*) umherspringen; **run across** *vt* (*find*) stoßen auf *+akk;* **run away** *vi* weglaufen; **run down 1.** *vi* (*clock*) ablaufen; (*battery*) leer werden; **2.** *vt* (*with car*) überfahren; (*talk against*) heruntermachen; (*firm*) herunterwirtschaften; **to be ~ ~** erschöpft [*o* abgespannt] sein; **run in** *vt* (*Brit: car*) einfahren; **run into** *vt* (*person*) treffen, begegnen *+dat;* (*trouble*) kriegen; (*collide with*) zusammenstoßen mit; **run off** *vi* fortlaufen; **run out** *vi* (*person*) hinausrennen; (*liquid*) auslaufen; (*lease*) ablaufen; (*money*) ausgehen; **he ran ~ of money/petrol** ihm ging das Geld/Benzin aus; **run over** *vt* (*in accident*) überfahren; (*read quickly*) überfliegen; **run through** *vt* (*instructions*) durchgehen; **run up** *vt* (*debt, bill*) machen; **run up against** *vt* (*difficulties*) stoßen auf *+akk;* **runabout** *n* (*small car*) kleiner Flitzer; **runaway** *adj* (*horse*) ausgebrochen; (*person*) flüchtig.

rung [rʌŋ] **1.** *pp of* **ring**; **2.** *n* Sprosse *f.*

runner ['rʌnə*] *n* Läufer(in) *m(f);* (*messenger*) Bote *m,* Botin *f;* (*for sleigh*) Kufe *f;* **runner-up** *n* Zweite(r) *mf.*

running ['rʌnɪŋ] **1.** *n* (*of business*) Leitung *f;* (*of machine*) Laufen *nt,* Betrieb *m;* **2.** *adj* (*water*) fließend; (*commentary*) laufend; **3 days** ~ 3 Tage lang [*o* hintereinander].

runny ['rʌnɪ] *adj* dünn.

runoff ['rʌnɒf] *n* Schmiergelder *pl.*

run-of-the-mill ['rʌnəvðə'mɪl] *adj* gewöhnlich, alltäglich.

runway ['rʌnweɪ] *n* Startbahn *f,* Landebahn *f.*

rupture ['rʌptʃə*] **1.** *n* (MED) Bruch *m;* **2.** *vr:* ~ **oneself** sich *dat* einen Bruch zuziehen.

rural ['rʊərəl] *adj* ländlich, Land-.

ruse [ru:z] *n* Kniff *m,* List *f.*

rush [rʌʃ] **1.** *n* Eile *f,* Hetze *f;* (FIN) starke Nachfrage; **2.** *vt* (*carry along*) auf dem schnellsten Wege schaffen [*o* transportieren]; (*attack*) losstürmen auf *+akk;* **3.** *vi* (*hurry*) eilen, stürzen; **to** ~ **into sth** etw überstürzen; **don't** ~ **me** dräng mich nicht; **rushes** *n pl* (BOT) Schilfrohr *nt;* **rush hour** *n* Hauptverkehrszeit *f.*

rusk [rʌsk] *n* Zwieback *m.*

Russia ['rʌʃə] *n* Russland *nt;* **Russian** **1.** *adj* russisch; **2.** *n* Russe *m,* Russin *f.*

rust [rʌst] **1.** *n* Rost *m;* **2.** *vi* rosten.

rustic ['rʌstɪk] *adj* bäuerlich, ländlich, Bauern-.

rustle ['rʌsl] **1.** *n* Rauschen *nt,* Rascheln *nt;* **2.** *vi* rauschen, rascheln; **3.** *vt* rascheln lassen; (*cattle*) stehlen.

rustproof ['rʌstpru:f] *adj* nichtrostend, rostfrei.

rusty ['rʌstɪ] *adj* rostig.

rut [rʌt] *n* (*in track*) Radspur *f;* (*of deer*) Brunst *f;* (*fig*) Trott *m.*

ruthless *adj,* **ruthlessly** *adv* ['ru:θləs, -lɪ] rücksichtslos; (*treatment, criticism*) schonungslos; **ruthlessness** *n* Rücksichtslosigkeit *f;* Schonungslosigkeit *f.*

RV *n abbr of* **recreational vehicle** (*US*) Wohnmobil *nt.*

rye [raɪ] *n* Roggen *m;* **rye bread** *n* Roggenbrot *nt.*

S

S, s [es] *n* S *nt,* s *nt.*

Sabbath ['sæbəθ] *n* Sabbat *m.*

sabbatical [sə'bætɪkəl] *adj:* ~ **year** akademischer Urlaub, Forschungsjahr *nt.*

saber ['seɪbə*] *n* (*US*) Säbel *m.*

sabotage ['sæbətɑ:ʒ] **1.** *n* Sabotage *f;* **2.** *vt* sabotieren.

sabre ['seɪbə*] *n* Säbel *m.*

saccharine ['sækərɪn] *n* Saccharin *nt.*

sachet ['sæʃeɪ] *n* Beutel *m;* (*of shampoo*) Briefchen *nt,* Kissen *nt.*

sack [sæk] **1.** *n* Sack *m;* **2.** *vt* (*fam*) hinauswerfen; (*pillage*) plündern; **to give sb the** ~ (*fam*) jdn hinauswerfen; **sacking** *n* (*material*) Sackleinen *nt;* (*fam*) Rausschmiss *m.*

sacrament ['sækrəmənt] *n* Sakrament *nt.*

sacred ['seɪkrɪd] *adj* (*building, music etc*) geistlich, Kirchen-; (*altar, oath*) heilig.

sacrifice ['sækrɪfaɪs] **1.** *n* Opfer *nt;* **2.** *vt* (*a. fig*) opfern.

sacrilege ['sækrɪlɪdʒ] *n* Sakrileg *nt.*

sad [sæd] *adj* traurig; **sadden** *vt* traurig machen, betrüben.

saddle ['sædl] **1.** *n* Sattel *m;* **2.** *vt* (*burden*) aufhalsen (*sb with sth* jdm etw); **saddlebag** *n* Satteltasche *f.*

sadism ['seɪdɪzəm] *n* Sadismus *m;* **sadist** *n* Sadist(in) *m(f);* **sadistic** [sə'dɪstɪk] *adj* sadistisch.

sadly ['sædlɪ] *adv* traurig; (*unfortunately*) traurigerweise; (*regrettably*) bedauerlich; ~ **neglegted** stark vernachlässigt.

sadness ['sædnəs] *n* Traurigkeit *f.*

s.a.e. *n abbr of* **stamped addressed envelope** vorfrankierter Umschlag.

safari [sə'fɑ:rɪ] *n* Safari *f;* **safari park** *n* Safaripark *m,* Wildpark *m.*

safe [seɪf] **1.** *adj* (*free from danger*) sicher; (*careful*) vorsichtig; **2.** *n* Safe *m,* Tresor *m;* **it's** ~ **to say** man kann ruhig behaupten; **safe deposit box** *n* Banksafe *m;* **safeguard** **1.** *n* Sicherung *f;* **2.** *vt* sichern, schützen; (COMPUT) sichern; **safekeeping** *n* sichere Verwahrung; **safely** *adv* sicher; (*arrive*) wohlbehalten; **safeness** *n* Sicherheit *f;* **safety** *n* Sicherheit *f;* ~ **first** (*slogan*) Sicherheit geht vor; **safety belt** *n* Sicherheitsgurt *m;* **safety curtain** *n* (THEAT) eiserner Vorhang; **safety pin** *n* Sicherheitsnadel *f.*

sag [sæg] *vi* durchsacken, sich senken.

saga ['sɑ:gə] *n* Sage *f;* (*fig*) Geschichte *f.*

sage [seɪdʒ] *n* (*herb*) Salbei *m;* (*man*) Weise(r) *m.*

Sagittarius [sædʒɪ'tɛərɪəs] *n* (ASTR) Schütze *m.*

sago ['seɪgəʊ] *n* Sago *m.*

said [sed] **1.** *pt, pp of* **say**; **2.** *adj* besagt.

sail [seɪl] **1.** *n* Segel *nt;* (*trip*) Fahrt *f;* **2.** *vt* segeln; **3.** *vi* segeln; mit dem Schiff fahren; (*begin voyage: person*) abfahren; (*ship*) auslaufen; (*fig: cloud etc*) dahinsegeln; **sailboat** *n* (*US*) Segelboot *nt;* **sailing** *n* Segeln *nt;* **to go ~** segeln gehen; **sailing ship** *n* Segelschiff *nt;* **sailor** *n* Matrose *m,* Seemann *m.*

saint [seɪnt] *n* Heilige(r) *mf;* **saintliness** *n* Heiligkeit *f;* **saintly** *adj* heilig, fromm.

sake [seɪk] *n:* **for the ~ of** um *+gen* … willen; **for your ~** um deinetwillen, deinetwegen, wegen dir.

salad ['sæləd] *n* Salat *m;* **salad cream** *n* Salatmayonnaise *f;* **salad dressing** *n* Salatsoße *f;* **salad oil** *n* Speiseöl *nt,* Salatöl *nt.*

salami [sə'lɑːmɪ] *n* Salami *f.*

salaried ['sælərɪd] *adj:* **~ staff** Gehaltsempfänger *pl.*

salary ['sælərɪ] *n* Gehalt *nt.*

sale [seɪl] *n* Verkauf *m;* (*reduced prices*) Ausverkauf *m;* **saleroom** *n* Auktionsraum *m;* **sales appeal** *n* Kaufanreiz *m;* **sales executive** *n* Verkaufsleiter(in) *m(f);* **sales forecast** *n* Absatzprognose *f;* **salesman** *n* <salesmen> Verkäufer *m;* (*rep*) Vertreter *m;* **salesmanship** *n* Verkaufstechnik *f;* **sales revenue** *n* Verkaufserlös *m;* **saleswoman** *n* <saleswomen> Verkäuferin *f.*

salient ['seɪlɪənt] *adj* hervorspringend; (*fig*) bemerkenswert.

saliva [sə'laɪvə] *n* Speichel *m.*

sallow ['sæləʊ] *adj* fahl; (*face*) bleich.

salmon ['sæmən] *n* Lachs *m.*

saloon [sə'luːn] *n* (AUTO) Limousine *f;* (*ship's lounge*) Salon *m;* (*US*) Wirtschaft *f.*

salt [sɔːlt] **1.** *n* Salz *nt;* **2.** *vt* (*cure*) einsalzen; (*flavour*) salzen; **salt away** *vt* (*money*) auf die hohe Kante legen; **saltcellar** *n* Salzfass *nt;* (*shaker*) Salzstreuer *m;* **salt mine** *n* Salzbergwerk *nt;* **salty** *adj* salzig.

salubrious [sə'luːbrɪəs] *adj* gesund; (*district etc*) ersprießlich.

salutary ['sæljʊtərɪ] *adj* gesund, heilsam.

salute [sə'luːt] **1.** *n* (MIL) Gruß *m,* Salut *m;* (*with guns*) Salutschüsse *pl;* **2.** *vi* (MIL) salutieren.

salvage ['sælvɪdʒ] **1.** *n* (*from ship*) Bergung *f;* (*objects*) Bergungsgut *nt;* **2.** *vt* bergen; (*fig*) retten.

salvation [sæl'veɪʃən] *n* Rettung *f;* **Salvation Army** Heilsarmee *f.*

salver ['sælvə*] *n* Tablett *nt.*

salvo ['sælvəʊ] *n* <-s> Salve *f.*

same [seɪm] *adj* (*similar*) gleiche(r, s); (*identical*) derselbe/dieselbe/dasselbe; **all** [*o* **just**] **the ~** trotzdem; **it's all the ~ to me** das ist mir egal; **they all look the ~ to me** für mich sehen sie alle gleich aus; **the ~ to you** gleichfalls; **at the ~ time** zur gleichen Zeit, gleichzeitig; (*however*) zugleich; andererseits.

sample ['sɑːmpl] **1.** *n* (*specimen*) Probe *f;* (*example of sth*) Muster *nt,* Probe *f;* **2.** *vt* probieren.

sanatorium [sænə'tɔːrɪəm] *n* Sanatorium *nt.*

sanctify ['sæŋktɪfaɪ] *vt* weihen.

sanctimonious [sæŋktɪ'məʊnɪəs] *adj* scheinheilig.

sanction ['sæŋkʃən] *n* Sanktion *f.*

sanctity ['sæŋktɪtɪ] *n* Heiligkeit *f;* (*fig*) Unverletzlichkeit *f.*

sanctuary ['sæŋktjʊərɪ] *n* Heiligtum *nt;* (*for fugitive*) Asyl *nt;* (*refuge*) Zufluchtsort *m;* (*for animals*) Naturpark *m,* Schutzgebiet *nt.*

sand [sænd] **1.** *n* Sand *m;* **2.** *vt* mit Sand bestreuen; (*furniture*) schmirgeln; **~s** *pl* Sand *m.*

sandal ['sændl] *n* Sandale *f.*

sandbag ['sændbæg] *n* Sandsack *m;* **sandblast** *vt* sandstrahlen; **sand dune** *n* Sanddüne *f;* **sandpaper** *n* Sandpapier *nt;* **sandpit** *n* Sandkasten *m;* **sandstone** *n* Sandstein *m.*

sandwich ['sænwɪdʒ] **1.** *n* Sandwich *m o nt;* (*open ~*) belegtes Brot; **2.** *vt* einklemmen.

sandy ['sændɪ] *adj* sandig, Sand-; (*colour*) sandfarben; (*hair*) rotblond.

sane [seɪn] *adj* geistig gesund, normal; (*sensible*) vernünftig, gescheit.

sang [sæŋ] *pt of* **sing.**

sanguine ['sæŋgwɪn] *adj* (*hopeful*) zuversichtlich.

sanitarium [sænɪ'tɛərɪəm] *n* (*US*) Sanatorium *nt.*

sanitary ['sænɪtərɪ] *adj* hygienisch einwandfrei; (*against dirt*) hygienisch, Gesundheits-; **sanitary napkin** (*US*), **sanitary towel** *n* Monatsbinde *f.*

sanitation [sænɪ'teɪʃən] *n* sanitäre Einrichtungen *pl;* Gesundheitswesen *nt.*

sanity ['sænɪtɪ] *n* geistige Gesundheit; (*good sense*) gesunder Verstand, Vernunft *f.*

sank [sæŋk] *pt of* **sink.**

Santa Claus [sæntə'klɔːz] *n* Nikolaus *m,* Weihnachtsmann *m.*

sap [sæp] 1. *n* (*of plants*) Saft *m;* 2. *vt* (*strength*) schwächen; (*health*) untergraben.
sapling ['sæplɪŋ] *n* junger Baum.
sapphire ['sæfaɪə*] *n* Saphir *m.*
sarcasm ['sɑːkæzəm] *n* Sarkasmus *m;* **sarcastic** [sɑː'kæstɪk] *adj* sarkastisch.
sarcophagus [sɑː'kɒfəgəs] *n* Sarkophag *m.*
sardine [sɑː'diːn] *n* Sardine *f.*
sardonic [sɑː'dɒnɪk] *adj* zynisch.
sari ['sɑːrɪ] *n* Sari *m.*
sash [sæʃ] *n* Schärpe *f.*
sat [sæt] *pt, pp of* **sit**.
Satan ['seɪtn] *n* Satan *m,* Teufel *m;* **satanic** [sə'tænɪk] *adj* satanisch, teuflisch.
satchel ['sætʃəl] *n* (SCH) Schulranzen *m,* Schulmappe *f.*
satellite ['sætəlaɪt] 1. *n* Satellit *m;* (*fig*) Trabant *m;* 2. *adj* Satelliten-; **satellite television** *n* Satellitenfernsehen *nt;* ~ **town** Satellitenstadt *f,* Trabantenstadt *f.*
satin ['sætɪn] *n* Satin *m.*
satire ['sætaɪə*] *n* Satire *f;* **satirical** [sə'tɪrɪkəl] *adj* satirisch; **satirize** ['sætəraɪz] *vt* durch Satire verspotten.
satisfaction [sætɪs'fækʃən] *n* Befriedigung *f,* Genugtuung *f;* **satisfactorily** [sætɪs'fæktərɪlɪ] *adv* zufriedenstellend; **satisfactory** [sætɪs'fæktərɪ] *adj* zufriedenstellend, befriedigend; **satisfy** ['sætɪsfaɪ] *vt* befriedigen, zufrieden stellen; (*convince*) überzeugen; (*conditions*) erfüllen; **satisfying** *adj* befriedigend; (*meal*) sättigend.
saturate ['sætʃəreɪt] *vt* durchtränken; **saturation** [sætʃə'reɪʃən] *n* Durchtränkung *f;* (CHEM *fig*) Sättigung *f.*
Saturday ['sætədeɪ] *n* Samstag *m,* Sonnabend *m;* **on** ~ am Samstag [*o* Sonnabend]; **on ~s, on a** ~ samstags, sonnabends.
sauce [sɔːs] *n* Soße *f,* Sauce *f;* **saucepan** *n* Kochtopf *m;* **saucer** *n* Untertasse *f.*
saucily ['sɔːsɪlɪ] *adv* frech.
sauciness ['sɔːsɪnəs] *n* Frechheit *f.*
saucy ['sɔːsɪ] *adj* frech, keck.
Saudi Arabia ['saʊdɪə'reɪbɪə] *n* Saudi-Arabien *nt.*
sauna ['sɔːnə] *n* Sauna *f.*
saunter ['sɔːntə*] *vi* schlendern.
sausage ['sɒsɪdʒ] *n* Wurst *f;* **sausage roll** *n* Wurst *f* im Schlafrock, Wurstrolle *f.*
savage ['sævɪdʒ] 1. *adj* (*fierce*) wild, brutal, grausam; (*uncivilized*) wild, primitiv; 2. *n* (*pej*) Wilde(r) *mf;* 3. *vt* (*animals*) zerfleischen; **savagely** *adv* grausam; **savagery** *n* Roheit *f,* Grausamkeit *f.*
save [seɪv] 1. *vt* retten; (*money, electricity etc*) sparen; (*strength etc*) aufsparen; (COMPUT) sichern; (*data*) abspeichern; 2. *n* (SPORT) Ballabwehr *f;* 3. *prep, conj* außer, ausgenommen; **to ~ you the trouble** um dir Mühe zu ersparen; **saving** 1. *adj* rettend; 2. *n* Sparen *nt;* **~s** *pl* Ersparnisse *pl;* **~s bank** Sparkasse *f.*
saviour ['seɪvjə*] *n* Retter(in) *m(f);* (REL) Heiland *m,* Erlöser *m.*
savoir-faire ['sævwɑː'fɛə*] *n* Gewandtheit *f.*
savor (*US*), **savour** ['seɪvə*] 1. *n* Geschmack *m;* 2. *vt* (*taste*) schmecken; (*fig*) genießen; 3. *vi* schmecken (*of* nach); riechen (*of* nach); **savoury** *adj* schmackhaft; (*not sweet*) pikant, würzig.
savvy ['sævɪ] *n* (*fam*) Grips *m.*
saw [sɔː] <sawed, sawn> 1. *vt, vi* sägen; 2. *n* (*tool*) Säge *f;* 3. *pt of* **see**; **sawdust** *n* Sägemehl *nt;* **sawmill** *n* Sägewerk *nt;* **sawn** [sɔːn] *pp of* **saw**; **sawn-off shotgun** *n* Flinte *f* mit abgesägtem Lauf.
saxophone ['sæksəfəʊn] *n* Saxophon *nt.*
say [seɪ] <said, said> 1. *vt, vi* sagen; 2. *n* Meinung *f;* (*right*) Mitspracherecht *nt;* **to have no/a ~ in sth** kein/ein Mitspracherecht bei etw haben; **let him have his** ~ lass ihn doch reden; **I couldn't** ~ schwer zu sagen; **how old would you ~ he is?** wie alt schätzt du ihn?; **you don't ~!** was du nicht sagst!; **don't ~ you forgot** sag bloß nicht, dass du es vergessen hast; **there are, ~, 50 ...** es sind, sagen wir mal, 50 ...; **that is to** ~ das heißt; (*more precisely*) beziehungsweise, mit anderen Worten; **to ~ nothing of ...** ganz zu schweigen von ...; **saying** *n* Sprichwort *nt;* **say-so** *n* (*fam*) Ja *nt,* Zustimmung *f;* **on whose ~?** wer sagt das?
scab [skæb] *n* Schorf *m;* (*of sheep*) Räude *f;* (*pej*) Streikbrecher(in) *m(f);* **scabby** *adj* (*sheep*) räudig; (*skin*) schorfig.
scaffold ['skæfəʊld] *n* (*for execution*) Schafott *nt;* **scaffolding** *n* Baugerüst *nt.*
scald [skɔːld] 1. *n* Verbrühung *f;* 2. *vt* (*burn*) verbrühen; (*clean*) abbrühen; **scalding** *adj* siedend heiß.
scale [skeɪl] 1. *n* (*of fish*) Schuppe *f;* (MUS) Tonleiter *f;* (*dish for measuring*) Waagschale *f;* (*on map, size*) Maßstab *m;* (*gradation*) Skala *f;* 2. *vt* (*climb*) erklimmen; **~s** *pl* (*balance*) Waage *f;* **on a large ~** (*fig*) im Großen, in großem Umfang; **scale down** *vt* verkleinern; (*fig*) verrin-

gern; **scale drawing** *n* maßstabgerechte Zeichnung.

scallop ['skɒləp] *n* Jakobsmuschel *f.*

scalp [skælp] **1.** *n* Kopfhaut *f;* **2.** *vt* skalpieren.

scalpel ['skælpəl] *n* Skalpell *nt.*

scamp [skæmp] *vt* schluderig machen, hinschlampen.

scamper ['skæmpə*] *vi* huschen.

scan [skæn] **1.** *vt* (*examine*) genau prüfen; (*quickly*) überfliegen; (*horizon*) absuchen; **2.** *n* (*Brit*) Ultraschallaufnahme *f;* **scan in** *vt* (COMPUT) einfügen, scannen.

scandal ['skændl] *n* (*disgrace*) Skandal *m;* (*gossip*) böswilliger Klatsch; **scandalize** *vt* schockieren; **scandalmongering** *n* Klatschsucht *f;* (*by press*) Skandalsucht *f;* **scandalous** *adj* skandalös, anstößig.

Scandinavia [skændɪ'neɪvɪə] *n* Skandinavien *nt;* **Scandinavian 1.** *adj* skandinavisch; **2.** *n* Skandinavier(in) *m(f).*

scant [skænt] *adj* knapp, wenig; **scantily** *adv* knapp, dürftig; **scantiness** *n* Knappheit *f;* **scanty** *adj* knapp, unzureichend.

scapegoat ['skeɪpgəʊt] *n* Sündenbock *m.*

scar [skɑ:*] **1.** *n* Narbe *f;* **2.** *vt* durch Narben entstellen.

scarce ['skɛəs] *adj* selten, rar; (*goods*) knapp; **scarcely** *adv* kaum; **scarceness** *n* Seltenheit *f;* **scarcity** ['skɛəsɪtɪ] *n* Mangel *m,* Knappheit *f.*

scare ['skɛə*] **1.** *n* Schrecken *m,* Panik *f;* **2.** *vt* erschrecken; ängstigen; **to be ~d** Angst haben; **scarecrow** *n* Vogelscheuche *f;* **scaremonger** *n* Panikmacher(in) *m(f).*

scarf [skɑ:f] *n* <scarves> Schal *m;* (*on head*) Kopftuch *nt.*

scarlet ['skɑ:lət] *adj* scharlachrot; **scarlet fever** *n* Scharlach *m.*

scarred ['skɑ:d] *adj* narbig.

scary ['skɛərɪ] *adj* (*fam*) schaurig.

scathing ['skeɪðɪŋ] *adj* scharf, vernichtend.

scatter ['skætə*] **1.** *vt* (*sprinkle*) verstreuen; (*disperse*) zerstreuen; **2.** *vi* sich zerstreuen; **scatterbrained** *adj* (*fam*) flatterhaft, schusslig; **scattering** *n:* **a ~ of** ein paar.

scavenger ['skævɪndʒə*] *n* (*animal*) Aasfresser *m;* (*fig: person*) Aasgeier *m.*

scene [si:n] *n* (*of happening*) Ort *m;* (*of play, incident*) Szene *f;* (*canvas etc*) Bühnenbild *nt;* (*view*) Anblick *m;* (*argument*) Szene *f,* Auftritt *m;* **on the ~** am Ort, dabei; **behind the ~s** hinter den Kulissen; **scenery** ['si:nərɪ] *n* (THEAT) Bühnenbild *nt;* (*landscape*) Landschaft *f.*

scenic ['si:nɪk] *adj* landschaftlich, Landschafts-.

scent [sent] **1.** *n* Parfüm *nt;* (*smell*) Duft *m;* (*sense*) Geruchssinn *m;* **2.** *vt* parfümieren.

scepter ['septə*] *n* (*US*) Zepter *nt.*

sceptic ['skeptɪk] *n* Skeptiker(in) *m(f);* **sceptical** *adj* skeptisch; **scepticism** ['skeptɪsɪzəm] *n* Skepsis *f.*

sceptre ['septə*] *n* Zepter *nt.*

schedule ['ʃedju:l, 'skedʒʊəl] **1.** *n* (*list*) Liste *f,* Tabelle *f;* (*plan*) Programm *nt;* **2.** *vt:* **it is ~d for 2** es soll um 2 abfahren/stattfinden; **on ~** pünktlich, fahrplanmäßig; **behind ~** mit Verspätung; **~d flight** Linienflug *m.*

scheme [ski:m] **1.** *n* Schema *nt;* (*dishonest*) Intrige *f;* (*plan of action*) Plan *m,* Programm *nt;* **2.** *vi* sich verschwören, intrigieren; **3.** *vt* planen; **scheming** *adj* intrigierend.

schism ['skɪzəm] *n* Spaltung *f;* (REL) Schisma *nt,* Kirchenspaltung *f.*

schizophrenic [skɪtsəʊ'frenɪk] *adj* schizophren.

scholar ['skɒlə*] *n* Gelehrte(r) *mf;* (*holding scholarship*) Stipendiat(in) *m(f);* **scholarly** *adj* gelehrt; **scholarship** *n* Gelehrsamkeit *f,* Belesenheit *f;* (*grant*) Stipendium *nt.*

school [sku:l] **1.** *n* Schule *f;* (*at university*) Fakultät *f;* **2.** *vt* schulen; (*dog*) trainieren; **schoolbook** *n* Schulbuch *nt;* **schoolboy** *n* Schüler *m,* Schuljunge *m;* **schooldays** *n pl* alte Schulzeit *f;* **schoolgirl** *n* Schülerin *f,* Schulmädchen *nt;* **schooling** *n* Schulung *f,* Ausbildung *f;* **schoolleaver** *n* (*Brit*) Schulabgänger(in) *m(f);* **schoolmaster** *n* Lehrer *m;* **schoolmistress** *n* Lehrerin *f;* **schoolroom** *n* Klassenzimmer *nt;* **schoolteacher** *n* Lehrer(in) *m(f).*

schooner ['sku:nə*] *n* Schoner *m;* (*glass*) großes Sherryglas.

sciatica [saɪ'ætɪkə] *n* Ischias *m o nt.*

science ['saɪəns] *n* Wissenschaft *f;* (*natural ~*) Naturwissenschaft *f;* **science fiction** *n* Sciencefiction *f.*

scientific [saɪən'tɪfɪk] *adj* wissenschaftlich; (*natural sciences*) naturwissenschaftlich.

scientist ['saɪəntɪst] *n* Wissenschaftler(in)

m(f).

scintillating ['sɪntɪleɪtɪŋ] *adj* sprühend.

scissors ['sɪzəz] *n pl* Schere *f;* **a pair of ~** eine Schere.

scoff [skɒf] **1.** *vt* (*eat*) fressen; **2.** *vi* (*mock*) spotten (*at* über +*akk*).

scold [skəʊld] *vt* schimpfen.

scone [skɒn] *n weiches englisches Teegebäck.*

scoop [sku:p] **1.** *n* Schaufel *f;* (*news*) Knüller *m;* **2.** *vt* (*also:* **~ out, ~ up**) schaufeln.

scooter ['sku:tə*] *n* Motorroller *m;* (*child's*) Roller *m.*

scope [skəʊp] *n* Ausmaß *nt;* (*opportunity*) Spielraum *m.*

scorch [skɔ:tʃ] **1.** *n* Brandstelle *f;* **2.** *vt* versengen, verbrennen; **scorcher** *n* (*fam*) heißer Tag; **scorching** *adj* brennend, glühend.

score [skɔ:*] **1.** *n* (*in game*) Punktzahl *f,* Spielergebnis *nt;* (MUS) Partitur *f;* (*line*) Kratzer *m;* (*twenty*) 20, 20 Stück; **2.** *vt* (*goal*) schießen; (*points*) machen; (*mark*) einkerben; (*damage*) zerkratzen, einritzen; **3.** *vi* (*keep record*) Punkte zählen; **on that ~** in dieser Hinsicht; **what's the ~?** wie steht's?; **scoreboard** *n* Anzeigetafel *f;* **scorecard** *n* (SPORT) Punktliste *f;* **scorer** *n* Torschütze(-schützin) *m(f);* (*recorder*) Aufschreiber *m.*

scorn ['skɔ:n] **1.** *n* Verachtung *f;* **2.** *vt* verhöhnen; **scornful** *adj,* **scornfully** *adv* höhnisch, verächtlich.

Scorpio ['skɔ:pɪəʊ] *n* <-s> (ASTR) Skorpion *m.*

scorpion ['skɔ:pɪən] *n* (ZOOL) Skorpion *m.*

Scot [skɒt] *s.* **Scotch, Scottish.**

scotch [skɒtʃ] *vt* (*end*) unterbinden.

Scotch [skɒtʃ] **1.** *adj* schottisch; **2.** *n* (*whisky*) schottischer Whisky, Scotch *m;* **the ~** *pl* die Schotten *pl;* **Scotland** *n* Schottland *nt;* **in ~** in Schottland; **to go to ~** nach Schottland fahren; **Scotsman** *n* <Scotsmen> Schotte *m;* **Scotswoman** *n* <Scotswomen> Schottin *f;* **Scottish** *adj* schottisch.

scoundrel ['skaʊndrəl] *n* Schurke *m,* Schuft *m.*

scour ['skaʊə*] *vt* (*search*) absuchen; (*clean*) schrubben; **scourer** *n* Topfkratzer *m.*

scourge [skɜ:dʒ] *n* (*whip*) Geißel *f;* (*plague*) Qual *f.*

scout [skaʊt] **1.** *n* (MIL) Kundschafter *m,* Aufklärer *m;* (*boy~*) Pfadfinder *m;* (*US: girl ~*) Pfadfinderin *f;* **2.** *vi* (*reconnoitre*) auskundschaften.

scowl [skaʊl] *vi* finster blicken.

scraggy ['skrægɪ] *adj* dürr, hager.

scram [skræm] *vi* (*fam*) verschwinden, abhauen.

scramble ['skræmbl] **1.** *n* (*climb*) Kletterei *f;* (*struggle*) Kampf *m;* **2.** *vi* klettern; (*fight*) sich schlagen; **~ed eggs** *pl* Rührei *nt.*

scrap [skræp] **1.** *n* (*bit*) Stückchen *nt;* (*fight*) Keilerei *f;* **2.** *adj* Abfall-; **3.** *vt* verwerfen; **4.** *vi* (*fight*) streiten, sich prügeln; **~s** *pl* (*waste*) Abfall *m;* **scrapbook** *n* Sammelalbum *nt.*

scrape [skreɪp] **1.** *n* Kratzen *nt;* (*trouble*) Klemme *f;* **2.** *vt* kratzen; (*car*) zerkratzen; (*clean*) abkratzen; **3.** *vi* (*make harsh noise*) kratzen; **scraper** *n* Kratzer *m.*

scrap heap ['skræphi:p] *n* Abfallhaufen *m;* (*metal*) Schrotthaufen *m;* **scrap iron** *n* Schrott *m.*

scrappy ['skræpɪ] *adj* zusammengestoppelt.

scratch ['skrætʃ] **1.** *n* (*wound*) Kratzer *m,* Schramme *f;* **2.** *adj* (*improvised*) zusammengewürfelt; **3.** *vt* kratzen; (*car*) zerkratzen; **4.** *vi* sich kratzen; **to start from ~** ganz von vorne anfangen; **scratch file** *n* (COMPUT) Hilfsdatei *f.*

scrawl [skrɔ:l] **1.** *n* Gekritzel *nt;* **2.** *vt, vi* kritzeln.

scream [skri:m] **1.** *n* Schrei *m;* **2.** *vi* schreien.

scree ['skri:] *n* Geröllhalde *f.*

screech [skri:tʃ] **1.** *n* Schrei *m;* **2.** *vi* kreischen.

screen [skri:n] **1.** *n* (*protective*) Schutzschirm *m;* (CINE) Leinwand *f;* (TV, COMPUT) Bildschirm *m;* (*against insects*) Fliegengitter *nt;* (REL) Lettner *m;* **2.** *vt* (*shelter*) beschirmen; (*film*) zeigen, vorführen.

screw [skru:] **1.** *n* Schraube *f;* (NAUT) Schiffsschraube *f;* **2.** *vt* (*fasten*) schrauben; (*fam*) bumsen; **to ~ money out of sb** (*fam*) jdm das Geld aus der Tasche ziehen; **screwdriver** *n* Schraubenzieher *m;* **Phillips ~®** Kreuzschlitzschraubenzieher *m;* **screw top** *n* Schraubverschluss *m;* **screwy** *adj* (*fam*) verrückt.

scribble ['skrɪbl] **1.** *n* Gekritzel *nt;* **2.** *vt* kritzeln.

script [skrɪpt] *n* (*handwriting*) Handschrift *f;* (*for film*) Drehbuch *nt;* (THEAT) Manuskript *nt,* Text *m.*

Scripture ['skrɪptʃə*] *n* Heilige Schrift.

scriptwriter ['skrɪptraɪtə*] *n* Textverfasser(in) *m(f)*.
scroll [skrəʊl] **1.** *n* Schriftrolle *f;* **2.** *vi* (COMPUT) blättern.
scrounge [skraʊndʒ] **1.** *vt* schnorren; **2.** *n:* **on the ~** beim Schnorren.
scrub [skrʌb] **1.** *n* (*clean*) Schrubben *nt;* (*in countryside*) Gestrüpp *nt;* **2.** *vt* (*clean*) schrubben; (*reject*) fallenlassen.
scruff [skrʌf] *n* Genick *nt,* Kragen *m;* **scruffy** *adj* unordentlich, vergammelt.
scrummage ['skrʌmɪdʒ] *n* Gedränge *nt.*
scruple ['skru:pl] *n* Skrupel *m,* Bedenken *nt;* **scrupulous** *adj,* **scrupulously** *adv* ['skru:pjʊləs, -lɪ] peinlich genau, gewissenhaft.
scrutinize ['skru:tɪnaɪz] *vt* genau prüfen [*o* untersuchen]; **scrutiny** ['skru:tɪnɪ] *n* genaue Untersuchung.
scuba diving ['sku:bə 'daɪvɪŋ] *n* Gerätetauchen *nt.*
scuffle ['skʌfl] *n* Handgemenge *nt.*
scullery ['skʌlərɪ] *n* Spülküche *f;* Abstellraum *m.*
sculptor ['skʌlptə*] *n* Bildhauer(in) *m(f).*
sculpture ['skʌlptʃə*] *n* (ART) Bildhauerei *f;* (*statue*) Skulptur *f.*
scum [skʌm] *n* Abschaum *m.*
scupper ['skʌpə*] *vt* (*plans, attempts*) zunichte machen; (*person*) erledigen.
scurrilous ['skʌrɪləs] *adj* unflätig.
scurry ['skʌrɪ] *vi* huschen.
scurvy ['skɜ:vɪ] *n* Skorbut *m.*
scuttle ['skʌtl] **1.** *n* Kohleneimer *m;* **2.** *vt* (*ship*) versenken; **3.** *vi* (*scamper away*) sich davonmachen.
scythe [saɪð] *n* Sense *f.*
SDP *n abbr of* **Social Democratic Party** *britische sozialdemokratische Partei.*
sea [si:] **1.** *n* Meer *nt,* See *f;* **2.** *adj* Meeres-, See-; **sea bird** *n* Meeresvogel *m;* **seaboard** *n* Küste *f;* **sea breeze** *n* Seewind *m;* **seadog** *n* Seebär *m;* **seafaring** *adj* seefahrend; **seafood** *n* Meeresfrüchte *pl;* **sea front** *n* Strandpromenade *f;* **seagoing** *adj* seetüchtig, Hochsee-; **seagull** *n* Möwe *f.*
seal [si:l] **1.** *n* (*animal*) Robbe *f,* Seehund *m;* (*stamp, impression*) Siegel *nt;* **2.** *vt* versiegeln.
sea level ['si:levl] *n* Meeresspiegel *m.*
sealing wax ['si:lɪŋwæks] *n* Siegellack *m.*
sea lion ['si:laɪən] *n* Seelöwe *m.*
seam [si:m] *n* Saum *m;* (*edges joining*) Naht *f;* (*layer*) Schicht *f;* (*of coal*) Flöz *nt.*
seaman ['si:mən] *n* <seamen> Seemann *m.*
seamless ['si:mlɪs] *adj* nahtlos.
seamy ['si:mɪ] *adj* (*people, café*) zwielichtig; (*life*) anrüchig; **the ~ side of life** die dunkle Seite des Lebens.
seaport ['si:pɔ:t] *n* Seehafen *m,* Hafenstadt *f.*
search [sɜ:tʃ] **1.** *n* (*a.* COMPUT) Suche *f* (*for* nach); **2.** *vi* suchen; **3.** *vt* (*examine*) durchsuchen; **search engine** *n* (COMPUT) Suchmaschine *f;* **searching** *adj* (*look*) forschend, durchdringend; **searchlight** *n* Suchscheinwerfer *m;* **search operation** *n* (COMPUT) Suchlauf *m;* **search party** *n* Suchmannschaft *f;* **search warrant** *n* Durchsuchungsbefehl *m.*
seashore ['si:ʃɔ:*] *n* Meeresküste *f;* **seasick** *adj* seekrank; **seasickness** *n* Seekrankheit *f;* **seaside** *n* Küste *f;* **at the ~** am Meer; **to go to the ~** ans Meer fahren.
season ['si:zn] **1.** *n* Jahreszeit *f;* (*Christmas ~ etc*) Zeit *f;* (COMM) Saison *f;* **2.** *vt* (*flavour*) würzen; **seasonal** *adj* Saison-; **seasoning** *n* Gewürz *nt,* Würze *f;* **season ticket** *n* (RAIL) Zeitkarte *f;* (THEAT) Abonnement *nt.*
seat [si:t] **1.** *n* Sitz *m,* Platz *m;* (*in Parliament*) Sitz *m;* (*part of body*) Gesäß *nt;* (*part of garment*) Sitzfläche *f,* Hosenboden *m;* **2.** *vt* (*place*) setzen; (*have space for*) Sitzplätze bieten für; **seat belt** *n* Sicherheitsgurt *m;* **seating** *n* Anweisen *nt* von Sitzplätzen; **~ arrangements** *pl* Sitzordnung *f.*
sea water ['si:wɔ:tə*] *n* Meerwasser *nt,* Seewasser *nt;* **seaweed** *n* Seetang *m,* Alge *f;* **seaworthy** *adj* seetüchtig.
secluded [sɪ'klu:dɪd] *adj* abgelegen, ruhig; **seclusion** [sɪ'klu:ʒən] *n* Abgeschiedenheit *f.*
second ['sekənd] **1.** *adj* zweite(r, s); **2.** *adv* (*in ~ position*) an zweiter Stelle; (RAIL) zweiter Klasse; **3.** *n* Sekunde *f;* (*person*) Zweite(r) *mf;* (COMM: *imperfect*) zweite Wahl; **4.** *vt* (*support*) unterstützen; **to have ~ thoughts** es sich *dat* anders überlegen; **it is ~ nature to him** es ist ihm zur zweiten Natur geworden; **secondary** *adj* zweitrangig; **~ education** Sekundarstufe *f;* **~ school** weiterführende Schule.

Eine **secondary school** ist in Großbritannien eine weiterführende Schule für Kinder im Alter von 11

S

bis 18 Jahren. Manche Schüler gehen schon mit 16 Jahren, wenn die allgemeine Schulpflicht endet, von der Schule ab. Die meisten „secondary schools" sind heute Gesamtschulen.

seconder *n* Befürworter(in) *m(f)*; **secondhand** *adj* aus zweiter Hand; (*car etc*) gebraucht; **secondly** *adv* zweitens; **second-rate** *adj* mittelmäßig, zweitklassig.

secrecy ['si:krəsɪ] *n* (*of person*) Verschwiegenheit *f*; (*of event*) Heimlichkeit *f*; **in** ~ im Geheimen.

secret ['si:krət] **1.** *n* Geheimnis *nt*; **2.** *adj* geheim, Geheim-; **in** ~ heimlich.

secretarial [sekrə'tɛərɪəl] *adj* Sekretärs-, Sekretärinnen-; ~ **job** Büroarbeit *f*; ~ **staff** Schreibkräfte *pl.*

secretary ['sekrətrɪ] *n* Sekretär(in) *m(f)*; (*government*) Staatssekretär(in) *m(f)*; (*esp US*) Minister(in) *m(f)*.

secretive ['si:krətɪv] *adj* geheimnistuerisch, geheimnisvoll.

secretly ['si:krətlɪ] *adv* heimlich.

sect [sekt] *n* Sekte *f*; **sectarian** [sek'tɛərɪən] *adj* (*belonging to a sect*) Sekten-; (*school*) konfessionell; (*troubles*) Konfessions-; ~ **murder** religiös begründeter Mord.

section ['sekʃən] *n* Teil *m*, Ausschnitt *m*; (*department*) Abteilung *f*; (*of document*) Abschnitt *m*, Paragraf *m*; **sectional** *adj* (*regional*) partikularistisch.

sector ['sektə*] *n* Sektor *m*.

secular ['sekjʊlə*] *adj* weltlich, profan.

secure [sɪ'kjʊə*] **1.** *adj* (*safe*) sicher; (*firmly fixed*) fest; **2.** *vt* (*make firm*) befestigen, sichern; (*obtain*) sichern; **securely** *adv* sicher, fest.

security [sɪ'kjʊərɪtɪ] *n* Sicherheit *f*; (*pledge*) Pfand *nt*; (*document*) Sicherheiten *pl*; (*feeling*) Geborgenheit *f*; (*national* ~) Staatssicherheit *f*; *s. a.* **social**; **security check** *n* Sicherheitskontrolle *f*; **Security Council** *n* (*of UN*) Sicherheitsrat *m*; **Security Force** *n* (*of UN*) Friedenstruppe *f*; **security guard** *n* Sicherheitsbeamte(r) *m*, -beamtin *f*.

sedan [sɪ'dæn] *n* (*US* AUT) Limousine *f*.

sedate [sɪ'deɪt] **1.** *adj* (*calm*) gelassen, ruhig; (*serious*) gesetzt; **2.** *vt* (MED) ein Beruhigungsmittel geben *+dat*; **sedation** [sɪ'deɪʃən] *n* (MED) Einfluss *m* von Beruhigungsmitteln; **sedative** ['sedətɪv] **1.** *n* Beruhigungsmittel *nt*; **2.** *adj* beruhigend, einschläfernd.

sedentary ['sedntrɪ] *adj* (*job*) sitzend.

sediment ['sedɪmənt] *n* Bodensatz *m*; **sedimentary** [sedɪ'mentərɪ] *adj* (GEO) Sediment-.

seduce [sɪ'dju:s] *vt* verführen; **seduction** [sɪ'dʌkʃən] *n* Verführung *f*; **seductive** [sɪ'dʌktɪv] *adj* verführerisch.

see [si:] <saw, seen> **1.** *vt* sehen; (*understand*) einsehen, erkennen; (*find out*) sehen, herausfinden; (*make sure*) dafür sorgen, dass; (*accompany*) begleiten, bringen; (*visit*) besuchen; **2.** *vi* (*be aware*) sehen; (*find out*) nachsehen; **I** ~ ach so, ich verstehe; **let me** ~ warte mal; **we'll** ~ werden mal sehen; **to** ~ **sth through** etw durchfechten; **to** ~ **through sb/sth** jdn/etw durchschauen; **to** ~ **to it** dafür sorgen; **to** ~ **sb off** jdn begleiten; **to** ~ **a doctor** zum Arzt gehen.

seed [si:d] **1.** *n* Samen *m*, Samenkorn *nt*; **2.** *vt* (TENNIS) plazieren; **seedling** *n* Setzling *m*.

seedy ['si:dɪ] *adj* (*ill*) flau, angeschlagen; (*clothes*) schäbig; (*person*) zweifelhaft, zwielichtig.

seeing ['si:ɪŋ] *conj* da.

seek [si:k] <sought, sought> *vt* suchen.

seem [si:m] *vi* scheinen; **seemingly** *adv* anscheinend; **seemly** *adj* geziemend.

seen [si:n] *pp of* **see**.

seep [si:p] *vi* sickern.

seer [sɪə*] *n* Seher(in) *m(f)*.

see-safe ['si:seɪf] *n* Kauf *m* mit Rückgaberecht.

seesaw ['si:sɔ:] *n* Wippe *f*.

seethe [si:ð] *vi* kochen; (*with crowds*) wimmeln (*with* von).

see-through ['si:θru:] *adj* (*dress*) durchsichtig.

segment ['segmənt] *n* Teil *m*; (*of circle*) Ausschnitt *m*.

segregate ['segrɪgeɪt] *vt* trennen, absondern; **segregation** [segrɪ'geɪʃən] *n* Rassentrennung *f*.

seismic ['saɪzmɪk] *adj* seismisch, Erdbeben-.

seize [si:z] *vt* (*grasp*) ergreifen, packen; (*power*) ergreifen; (*take legally*) beschlagnahmen; (*point*) erfassen, begreifen; **seize up** *vi* (TECH) sich festfressen.

seizure ['si:ʒə*] *n* (*illness*) Anfall *m*.

seldom ['seldəm] *adv* selten.

select [sɪ'lekt] **1.** *adj* ausgewählt; **2.** *vt* auswählen; **selection** [sɪ'lekʃən] *n* Auswahl *f*; **selective** *adj* (*person*) wählerisch; ~ **service** (*US*) Grundwehrdienst *m*.

self [self] *n* <selves> Selbst *nt,* Ich *nt;* **self-adhesive** *adj* selbstklebend; **self-appointed** *adj* selbsternannt; **self-assurance** *n* Selbstsicherheit *f;* **self-assured** *adj* selbstsicher; **self-aware** *adj* selbstbewusst; **self-catering** *adj* für Selbstversorger; **self-colored** (*US*), **self-coloured** *adj* einfarbig; **self-confidence** *n* Selbstvertrauen *nt,* Selbstbewusstsein *nt;* **self-confident** *adj* selbstsicher; **self-conscious** *adj* gehemmt, befangen; **self-contained** *adj* (*complete*) in sich geschlossen; (*person*) verschlossen; (*flat*) separat, mit separatem Eingang; **self-defeating** *adj* widersinnig, kontraproduktiv; **to be ~** das Gegenteil erzielen; **self-defence** *n* Selbstverteidigung *f;* (JUR) Notwehr *f;* **self-employed** *adj* freischaffend; **self-evident** *adj* offensichtlich; **self-explanatory** *adj* für sich selbst sprechend; **self-indulgent** *adj* zügellos; **self-interest** *n* Eigennutz *m;* **selfish** *adj,* **selfishly** *adv* egoistisch, selbstsüchtig; **selfishness** *n* Egoismus *m,* Selbstsucht *f;* **selflessly** *adv* selbstlos; **self-made** *adj* selbstgemacht; **self-pity** *n* Selbstmitleid *nt;* **self-reliant** *adj* unabhängig; **self-respect** *n* Selbstachtung *f;* **self-righteous** *adj* selbstgerecht; **self-satisfied** *adj* selbstzufrieden, selbstgefällig; **self-service** *adj* Selbstbedienungs-; **self-sufficient** *adj* genügsam; (*person*) selbstständig; (*country*) autark; **self-supporting** *adj* (FIN) Eigenfinanzierungs-; (*person*) eigenständig.

sell [sel] <sold, sold> **1.** *vt* verkaufen; **2.** *vi* verkaufen; (*goods*) sich verkaufen lassen; **sell-by date** *n* Haltbarkeitsdatum *nt;* **seller** *n* Verkäufer(in) *m(f);* **selling price** *n* Verkaufspreis *m.*

semantic [sɪ'mæntɪk] *adj* semantisch; **semantics** *n sing* Semantik *f.*

semaphore ['seməfɔː*] *n* Winkzeichen *pl.*

semi ['semɪ] **1.** *n* (*semidetached house*) Doppelhaushälfte *f;* **2.** *pref* halb-; **semicircle** *n* Halbkreis *m;* **semicolon** *n* Semikolon *nt;* **semiconductor** *n* Halbleiter *m;* **semiconscious** *adj* halb bewusstlos; **semidetached house** *n* Doppelhaushälfte *f,* Doppelhaus *nt;* **semifinal** *n* Halbfinale *nt.*

seminar ['semɪnɑː*] *n* Seminar *nt.*

semiquaver ['semɪkweɪvə*] *n* Sechzehntelnote *f;* **semiskilled** *adj* angelernt; **semi-skimmed milk** *n* Halbfettmilch *f;* **semitone** ['semɪtəʊn] *n* Halbton *m.*

semolina [semə'liːnə] *n* Grieß *m.*

senate ['senət] *n* Senat *m.*

> **The Senate** ist das Oberhaus des amerikanischen Kongresses; das Unterhaus ist das „House of Representatives". Der Senat besteht aus 100 Senatoren, zwei für jeden Bundesstaat, die für sechs Jahre gewählt werden, wobei ein Drittel alle zwei Jahre neu gewählt wird. Die Senatoren werden in direkter Wahl vom Volk gewählt.

senator ['senətə*] *n* Senator(in) *m(f).*

send [send] <sent, sent> *vt* senden, schicken; (*fam: inspire*) hinreißen; **send away** *vt* wegschicken; **send away for** *vt* holen lassen; **send back** *vt* zurückschicken; **send for** *vt* holen lassen; **send off** *vt* (*goods*) abschicken; (*player*) vom Feld schicken; **send out** *vt* (*invitation*) aussenden; **send up** *vt* hinaufsenden; (*fam*) verulken; **sender** *n* Absender(in) *m(f);* **send-off** *n* Verabschiedung *f;* **send-up** *n* (*fam*) Verulkung *f.*

senile ['siːnaɪl] *adj* senil, Alters-; **senility** [sɪ'nɪlɪtɪ] *n* Altersschwäche *f.*

senior ['siːnɪə*] **1.** *adj* (*older*) älter; (*higher rank*) vorgesetzt; **2.** *n* (*older person*) Ältere(r) *mf;* (*higher ranking*) Vorgesetzte(r) *mf;* **~ citizen** Senior(in) *m(f);* **~ citizen's travel pass** Seniorenpass *m;* **~ mortgage** Ersthypothek *f;* **seniority** [siːnɪ'ɒrɪtɪ] *n* (*of age*) höheres Alter; (*in rank*) höherer Dienstgrad.

sensation [sen'seɪʃən] *n* Empfindung *f,* Gefühl *nt;* (*excitement*) Sensation *f,* Aufsehen *nt;* **sensational** *adj* sensationell, Sensations-.

sense [sens] **1.** *n* Sinn *m;* (*understanding*) Verstand *m,* Vernunft *f;* (*meaning*) Sinn *m,* Bedeutung *f;* (*feeling*) Gefühl *nt;* **2.** *vt* fühlen, spüren; **to make ~** Sinn ergeben, sinnvoll sein; **senseless** *adj* sinnlos; (*unconscious*) besinnungslos; **senselessly** *adv* (*stupidly*) sinnlos.

sensibility [sensɪ'bɪlɪtɪ] *n* Empfindsamkeit *f;* (*feeling hurt*) Empfindlichkeit *f.*

sensible *adj,* **sensibly** *adv* ['sensəbl, -blɪ] vernünftig.

sensitive ['sensɪtɪv] *adj* empfindlich (*to* gegen); (*easily hurt*) sensibel, feinfühlig;

(*film*) lichtempfindlich; **sensitivity** [sensɪ'tɪvɪtɪ] *n* Empfindlichkeit *f;* (*artistic*) Feingefühl *nt;* (*tact*) Feinfühligkeit *f;* **sensitize** *vt* sensibilisieren.

sensor ['sensə*] *n* Sensor *m.*

sensual ['sensjʊəl] *adj* sinnlich.

sensuous ['sensjʊəs] *adj* sinnlich, sinnenfreudig.

sent [sent] *pt, pp of* **send**.

sentence ['sentəns] **1.** *n* Satz *m;* (JUR) Strafe *f;* (*verdict*) Urteil *nt;* **2.** *vt* verurteilen.

sentiment ['sentɪmənt] *n* Gefühl *nt;* (*thought*) Gedanke *m,* Gesinnung *f;* **sentimental** [sentɪ'mentl] *adj* sentimental; (*of feelings rather than reason*) gefühlsmäßig; **sentimentality** [sentɪmen'tælɪtɪ] *n* Sentimentalität *f.*

sentinel ['sentɪnl] *n* Wachtposten *m.*

sentry ['sentrɪ] *n* Wache *f,* Wachposten *m.*

separable ['sepərəbl] *adj* abtrennbar.

separate ['seprət] **1.** *adj* getrennt, separat; **2.** ['sepəreɪt] *vt* trennen; **3.** *vi* sich trennen; **separately** *adv* getrennt; **separate taxation** *n* Splitting *nt;* **separation** [sepə'reɪʃən] *n* Trennung *f.*

sepia ['si:pɪə] **1.** *n* Sepia *f;* **2.** *adj* Sepia-.

September [sep'tembə*] *n* September *m;* ~ **24th, 1999, 24th** ~ **1999** (*Datumsangabe*) 24. September 1999; **on the 24th of** ~ (*gesprochen*) am 24. September; **on 24th** ~**, on** ~ **24th** (*geschrieben*) am 24. September; **in** ~ im September.

septic ['septɪk] *adj* vereitert, septisch; ~ **tank** Klärbecken *nt,* Klärbehälter *m.*

sequel ['si:kwəl] *n* Folge *f.*

sequence ['si:kwəns] *n* Reihenfolge *f;* **sequential** [sɪ'kwenʃəl] *adj* (COMPUT) sequentiell; **to be** ~ **upon sth** auf etw *akk* folgen.

sequin ['si:kwɪn] *n* Paillette *f.*

Serbia ['sɜ:bjə] *n* Serbien *nt.*

serenade [serə'neɪd] **1.** *n* Serenade *f;* **2.** *vt* ein Ständchen bringen *+dat.*

serene *adj,* **serenely** *adv* [sə'ri:n, -lɪ] heiter, gelassen, ruhig; **serenity** [sɪ'renɪtɪ] *n* Heiterkeit *f,* Gelassenheit *f,* Ruhe *f.*

sergeant ['sɑ:dʒənt] *n* Feldwebel(in) *m(f);* (*police*) Polizeiwachtmeister(in) *m(f).*

serial ['sɪərɪəl] **1.** *n* Fortsetzungsroman *m;* (TV) Fernsehserie *f;* **2.** *adj* (*number*) fortlaufend; (COMPUT) seriell; **serialize** *vt* in Fortsetzungen veröffentlichen/senden.

series ['sɪərɪz] *n sing* Serie *f,* Reihe *f.*

serious ['sɪərɪəs] *adj* ernst; (*injury*) schwer; (*development*) ernst zu nehmend; **I'm** ~ das meine ich ernst; **seriously** *adv* ernsthaft, im Ernst; (*hurt*) schwer; **seriousness** *n* Ernst *m,* Ernsthaftigkeit *f.*

sermon ['sɜ:mən] *n* Predigt *f.*

serpent ['sɜ:pənt] *n* Schlange *f.*

serrated [se'reɪtɪd] *adj* gezackt; ~ **knife** Sägemesser *nt.*

serum ['sɪərəm] *n* Serum *nt.*

servant ['sɜ:vənt] *n* Dienstbote(-botin) *m(f),* Diener(in) *m(f); s. a.* **civil**.

serve [sɜ:v] **1.** *vt* dienen *+dat;* (*guest, customer*) bedienen; (*food*) servieren; (*writ*) zustellen (*on sb* jdm); **2.** *vi* dienen, nützen; (*at table*) servieren; (TENNIS) aufschlagen; **it ~s him right** das geschieht ihm recht; **that'll** ~ **the purpose** das reicht; **that'll** ~ **as a table** das geht als Tisch; **serve out** *vt* (*also:* ~ **up**) (*food*) auftragen, servieren.

service ['sɜ:vɪs] **1.** *n* (*help*) Dienst *m,* Dienstleistung *f;* (*trains etc*) Verkehrsverbindungen *pl;* (*in hotel*) Service *m,* Bedienung *f;* (*set of dishes*) Service *nt;* (REL) Gottesdienst *m;* (MIL) Waffengattung *f;* (*for car*) Inspektion *f;* (*for TVs*) Kundendienst *m;* (TENNIS) Aufschlag *m;* **2.** *vt* (AUT, TECH) warten, überholen; **the Services** *pl* (*armed forces*) die Streitkräfte *pl;* **to be of** ~ **to sb** jdm einen großen Dienst erweisen; **can I be of ~?** kann ich Ihnen behilflich sein?; **serviceable** *adj* brauchbar; **service area** *n* (*on motorway*) Raststätte *f;* **service centre** *n* Reparaturwerkstatt *f;* **service charge** *n* Bedienung *f;* **service industry** *n* Dienstleistungsindustrie *f;* **serviceman** *n* <servicemen> (*soldier*) Soldat *m;* **service manual** *n* Wartungshandbuch *nt;* **service station** *n* Großtankstelle *f;* **servicing** *n* Wartung *f.*

serviette [sɜ:vɪ'et] *n* Serviette *f.*

servile ['sɜ:vaɪl] *adj* sklavisch, unterwürfig.

session ['seʃən] *n* Sitzung *f;* (POL) Sitzungsperiode *f;* **to be in** ~ tagen.

set [set] <set, set> **1.** *vt* (*place*) setzen, stellen, legen; (*arrange*) anordnen; (*table*) decken; (*time, price*) festsetzen; (*alarm, watch*) stellen; (*jewels*) einfassen; (*task*) stellen; (*exam*) ausarbeiten; **2.** *vi* (*sun*) untergehen; (*become hard*) fest werden; (*bone*) zusammenwachsen; **3.** *n* (*collection of things*) Satz *m,* Set *nt;* (*construction*) Baukasten *m;* (RADIO, TV) Apparat *m;* (TENNIS) Satz *m;* (*group of people*) Kreis *m;*

(CINE) Szene *f;* (THEAT) Bühnenbild *nt;* **4.** *adj* festgelegt; (*ready*) bereit; ~ **phrase** feststehender Ausdruck; **to ~ one's hair** die Haare eindrehen; **to ~ on fire** anstecken; **to ~ free** freilassen; **to ~ sth going** etw in Gang bringen; **to ~ sail** losfahren; **set about** *vt* (*task*) anpacken; **set aside** *vt* beiseite legen; **set back** *vt* zurückwerfen; **set down** *vt* absetzen; **set off 1.** *vi* sich auf den Weg machen; **2.** *vt* (*explode*) zur Explosion bringen; (*alarm*) auslösen; (*show up well*) hervorheben; **set out 1.** *vi* aufbrechen; **2.** *vt* (*arrange*) anlegen, arrangieren; (*state*) darlegen; **set up** *vt* (*organization*) gründen; (*record*) aufstellen; (*monument*) erstellen; **set-aside** *n* Flächenstilllegung *f;* **setback** *n* Rückschlag *m;* **set square** *n* Zeichendreieck *nt.*

settee [se'ti:] *n* Sofa *nt.*

setting ['setɪŋ] *n* (MUS) Vertonung *f;* (*scenery*) Hintergrund *m;* ~ **lotion** (*for hair*) Haarfestiger *m.*

settle ['setl] **1.** *vt* beruhigen; (*pay*) begleichen, bezahlen; (*agree*) regeln; (*argument*) beilegen, schlichten; **2.** *vi* (*also:* ~ **down**) sich einleben; (*come to rest*) sich niederlassen; (*sink*) sich setzen; (*calm down*) sich beruhigen; **settlement** *n* Regelung *f;* (*payment*) Begleichung *f;* (*of quarrel*) Schlichtung *f;* (*colony*) Siedlung *f,* Niederlassung *f;* **settler** *n* Siedler(in) *m(f).*

setup ['setʌp] *n* (*arrangement*) Aufbau *m,* Gliederung *f;* (*situation*) Situation *f,* Lage *f.*

seven ['sevn] *num* sieben.

seventeen ['sevn'ti:n] *num* siebzehn.

seventh ['sevnθ] **1.** *adj* siebte(r, s); **2.** *adv* an siebter Stelle; **3.** *n* (*person*) Siebte(r) *mf;* (*part*) Siebtel *nt.*

seventy ['sevntɪ] *num* siebzig.

sever ['sevə*] *vt* abtrennen.

several ['sevrəl] **1.** *adj* mehrere, verschiedene; **2.** *pron* mehrere.

severance ['sevərəns] *n* Abtrennung *f;* (*fig*) Abbruch *m.*

severe [sɪ'vɪə*] *adj* (*strict*) streng; (*serious*) schwer; (*climate*) rau; (*plain*) streng, schmucklos; **severely** *adv* (*strictly*) streng, strikt; (*harshly*) hart; (*seriously*) schwer, ernstlich; **severity** [sɪ'verɪtɪ] *n* Strenge *f;* Schwere *f;* Ernst *m.*

sew [səʊ] <sewed, sewn> *vt, vi* nähen; **sew up** *vt* zunähen.

sewage ['su:ɪdʒ] *n* Abwässer *pl.*

sewer ['sʊə*] *n* Abwasserkanal *m.*

sewing ['səʊɪŋ] *n* Näharbeit *f;* **sewing machine** *n* Nähmaschine *f;* **sewn** [səʊn] *pp of* **sew**.

sex [seks] *n* Sex *m;* (*gender*) Geschlecht *nt;* **sex act** *n* Geschlechtsakt *m;* **sex discrimination** *n* Diskriminierung *f* aufgrund des Geschlechts; **sexism** ['seksɪzəm] *n* Sexismus *m;* **sexist 1.** *adj* sexistisch; **2.** *n* Sexist(in) *m(f).*

sextant ['sekstənt] *n* Sextant *m.*

sextet [seks'tet] *n* Sextett *nt.*

sexual ['seksjʊəl] *adj* sexuell, geschlechtlich; (*intercourse*) Geschlechts-; **sexually** *adv* geschlechtlich, sexuell.

sexy ['seksɪ] *adj* sexy.

shabbily ['ʃæbɪlɪ] *adv* schäbig.

shabbiness ['ʃæbɪnəs] *n* Schäbigkeit *f.*

shabby ['ʃæbɪ] *adj* schäbig.

shack [ʃæk] *n* Hütte *f.*

shade [ʃeɪd] **1.** *n* Schatten *m;* (*for lamp*) Lampenschirm *m;* (*colour*) Farbton *m;* (*small quantity*) Spur *f,* Idee *f;* **2.** *vt* abschirmen.

shadow ['ʃædəʊ] **1.** *n* Schatten *m;* **2.** *vt* (*follow*) beschatten; **3.** *adj:* ~ **cabinet** (POL) Schattenkabinett *nt;* **shadowy** *adj* schattig.

shady ['ʃeɪdɪ] *adj* schattig; (*fig*) zwielichtig.

shaft [ʃɑ:ft] *n* (*of spear etc*) Schaft *m;* (*in mine*) Schacht *m;* (TECH) Welle *f;* (*of light*) Strahl *m.*

shaggy ['ʃægɪ] *adj* struppig.

shake [ʃeɪk] <shook, shaken> **1.** *vt* schütteln, rütteln; (*shock*) erschüttern; **2.** *vi* (*move*) schwanken; (*tremble*) zittern, beben; **to ~ hands with sb** jdm die Hand geben; **they shook hands** sie gaben sich die Hand; **to ~ one's head** den Kopf schütteln; **shake off** *vt* abschütteln; **shake up** *vt* aufschütteln; (*fig*) aufrütteln; **shaken** *pp of* **shake**; **shake-up** *n* Aufrüttelung *f;* (POL) Umgruppierung *f;* **shakily** ['ʃeɪkɪlɪ] *adv* zitternd, unsicher; **shakiness** *n* Wackeligkeit *f;* **shaky** *adj* zittrig; (*weak*) unsicher.

shale [ʃeɪl] *n* Schieferton *m.*

shall [ʃæl] <should> *aux vb* werden; (*must*) sollen.

shallow ['ʃæləʊ] *adj* (*a. fig*) flach, seicht; **shallows** *n pl* flache Stellen *pl.*

sham [ʃæm] **1.** *n* Täuschung *f,* Trug *m,* Schein *m;* **2.** *adj* unecht, falsch.

shambles ['ʃæmblz] *n sing* Durcheinander *nt.*

shame [ʃeɪm] **1.** *n* Scham *f;* (*disgrace, pity*) Schande *f;* **2.** *vt* beschämen; **what a ~!** wie schade!; **~ on you!** schäm dich!; **shamefaced** *adj* beschämt; **shameful** *adj,* **shamefully** *adv* schändlich; **shameless** *adj* schamlos.

shampoo [ʃæm'pu:] **1.** *n* Schampoo *nt;* (*for hair also*) Haarwaschmittel *nt;* **2.** *vt* schampunieren; **~ and set** Waschen und Legen.

shamrock ['ʃæmrɒk] *n* Kleeblatt *nt.*

shandy ['ʃændɪ] *n* Radler *nt,* Alsterwasser *nt.*

shan't [ʃɑ:nt] = **shall not**.

shanty ['ʃæntɪ] *n* (*cabin*) Hütte *f,* Baracke *f;* **shanty town** *n* Elendsviertel *nt.*

shape [ʃeɪp] **1.** *n* Form *f,* Gestalt *f;* **2.** *vt* formen, gestalten; **to take ~** Gestalt annehmen; **shapeless** *adj* formlos; **shapely** *adj* wohlgeformt, wohlproportioniert.

share [ʃɛə*] **1.** *n* Anteil *m;* (FIN) Aktie *f;* **2.** *vt* teilen; **shareholder** *n* Aktionär(in) *m(f);* **shareholding** *n* Beteiligung *f;* **share issue** *n* Aktienemission *f.*

shark [ʃɑ:k] *n* Haifisch *m;* (*fam: swindler*) Gauner(in) *m(f);* (*profiteer*) Wucherer *m,* Wucherin *f.*

sharp [ʃɑ:p] **1.** *adj* scharf; (*pin*) spitz; (*person*) clever; (*child*) aufgeweckt; (*unscrupulous*) gerissen, raffiniert; (MUS) erhöht; **2.** *n* (MUS) Kreuz *nt;* **3.** *adv* (MUS) zu hoch; **~ practices** *pl* unsaubere Geschäfte *pl;* **nine o'clock ~** Punkt neun; **look ~!** mach schnell!; **sharpen** *vt* schärfen; (*pencil*) spitzen; **sharpener** *n* (*pencil~*) [Bleistift]spitzer *m;* **sharp-eyed** *adj* scharfsichtig; **sharpness** *n* Schärfe *f;* **sharp-witted** *adj* scharfsinnig, aufgeweckt.

shatter ['ʃætə*] **1.** *vt* zerschmettern; (*hopes*) zerstören; (*nerves*) zerrütten; (*tire*) erledigen; (*emotionally*) mitnehmen; (*flabbergast*) erschüttern; **2.** *vi* zerspringen, kaputtgehen; **shattered** *adj* kaputt; **shattering** *adj* (*experience*) furchtbar.

shave [ʃeɪv] <shaved, shaved *o* shaven> **1.** *vt* rasieren; **2.** *vi* sich rasieren; **3.** *n* Rasur *f,* Rasieren *nt;* **to have a ~** sich rasieren lassen; **shaven 1.** *pp of* **shave**; **2.** *adj* (*head*) geschoren; **shaver** *n* (ELEC) Rasierapparat *m,* Rasierer *m;* **shaving** *n* (*action*) Rasieren *nt;* **~s** *pl* (*of wood etc*) Späne *pl;* **shaving brush** *n* Rasierpinsel *m;* **shaving cream** *n* Rasierkrem *f;* **shaving foam** *n* Rasierschaum *m;* **shaving point** *n* Rasiersteckdose *f;* **shaving soap** *n* Rasierseife *f.*

shawl [ʃɔ:l] *n* Schal *m,* Umhang *m.*

she [ʃi:] **1.** *pron* sie; **2.** *adj* weiblich.

sheaf [ʃi:f] *n* <sheaves> Garbe *f.*

shear [ʃɪə*] <sheared, shorn *o* sheared> *vt* scheren; **shear off** *vt* abscheren; **shears** *n pl* große Schere; (*for hedges*) Heckenschere *f.*

sheath [ʃi:θ] *n* (*for sword*) Scheide *f;* (*contraceptive*) Kondom *m o nt;* **sheathe** [ʃi:ð] *vt* einstecken; (TECH) verkleiden.

shed [ʃed] <shed, shed> **1.** *vt* (*leaves etc*) abwerfen, verlieren; (*tears*) vergießen; **2.** *n* Schuppen *m;* (*for animals*) Stall *m.*

she'd [ʃi:d] = **she had; she would**.

sheep [ʃi:p] *n* <-> Schaf *nt;* **sheepdog** *n* Schäferhund *m;* **sheepish** *adj* verschämt, betreten; **sheepskin** *n* Schaffell *nt.*

sheer [ʃɪə*] **1.** *adj* bloß, rein; (*steep*) steil; (*transparent*) hauchdünn, durchsichtig; **2.** *adv* (*directly*) direkt.

sheet [ʃi:t] *n* Betttuch *nt,* Bettlaken *nt;* (*of paper*) Blatt *nt;* (*of metal etc*) Platte *f;* (*of ice*) Fläche *f;* **sheet lightning** *n* Wetterleuchten *nt.*

sheikh [ʃeɪk] *n* Scheich *m.*

shelf [ʃelf] *n* <shelves> Bord *nt,* Regal *nt.*

she'll [ʃi:l] = **she will; she shall**.

shell [ʃel] **1.** *n* Schale *f;* (*sea~*) Muschel *f;* (*explosive*) Granate *f;* (*of building*) Rohbau *m;* **2.** *vt* (*peas*) schälen; (*fire on*) beschießen; **shellfish** *n* Schalentier *nt;* (*as food*) Meeresfrüchte *pl.*

shelter ['ʃeltə*] **1.** *n* Schutz *m;* (*air-raid ~*) Bunker *m,* Schutzraum *m;* **2.** *vt* schützen, bedecken; (*refugees*) aufnehmen; **3.** *vi* sich unterstellen; **sheltered** *adj* (*life*) behütet; (*spot*) geschützt; **sheltered housing** *n* Wohnungen *pl* für Behinderte/Senioren.

shelve [ʃelv] **1.** *vt* aufschieben; **2.** *vi* abfallen.

shelving ['ʃelvɪŋ] *n* Regale *pl.*

shepherd ['ʃepəd] **1.** *n* Schäfer *m;* **2.** *vt* treiben, führen; **shepherdess** *n* Schäferin *f.*

sheriff ['ʃerɪf] *n* Sheriff *m.*

sherry ['ʃerɪ] *n* Sherry *m.*

she's [ʃi:z] = **she is; she has**.

Shetland ['ʃetlənd] *n* (*also:* **~ Islands**) Shetlandinseln *pl.*

shield [ʃi:ld] **1.** *n* Schild *m;* (*fig*) Schirm *m,*

Schutz *m;* **2.** *vt* beschirmen; (TECH) abschirmen.

shift [ʃɪft] **1.** *n* Veränderung *f,* Verschiebung *f;* (*work*) Schicht *f;* (*on keyboard*) Hochstelltaste *f;* **2.** *vt* verrücken, verschieben; (*office*) verlegen; (*arm*) wegnehmen; **3.** *vi* sich verschieben; (*fam*) schnell fahren; **shift work** *n* Schichtarbeit *f;* **shifty** *adj* verschlagen; (*character*) fragwürdig.

shilly-shally ['ʃɪlɪʃælɪ] *vi* zögern.

shimmer ['ʃɪmə*] **1.** *n* Schimmer *m;* **2.** *vi* schimmern.

shin [ʃɪn] *n* Schienbein *nt.*

shine [ʃaɪn] <shone, shone> **1.** *vt* polieren; **2.** *vi* scheinen; (*fig*) glänzen; **3.** *n* Glanz *m,* Schein *m;* **to ~ a torch on sb** jdn mit einer Lampe anleuchten.

shingle ['ʃɪŋgl] *n* Schindel *f;* (*on beach*) Kies *m;* **shingles** *n sing* (MED) Gürtelrose *f.*

shining ['ʃaɪnɪŋ] *adj* (*light*) strahlend.

shiny ['ʃaɪnɪ] *adj* glänzend.

ship [ʃɪp] **1.** *n* Schiff *nt;* **2.** *vt* an Bord bringen, verladen; (*transport as cargo*) verschiffen; **ship-building** *n* Schiffbau *m;* **shipment** *n* Verladung *f;* (*goods*) Schiffsladung *f;* **shipper** *n* Verschiffer *m;* **shipping** *n* (*act*) Verschiffung *f;* (*ships*) Schifffahrt *f;* **shipping note** *n* Frachtbrief *m;* **shipshape** *adj* in Ordnung; **shipwreck** *n* Schiffbruch *m;* (*destroyed ship*) Wrack *nt;* **shipyard** *n* Werft *f.*

shirk [ʃɜ:k] *vt* scheuen, sich drücken vor *+dat.*

shirt [ʃɜ:t] *n* Oberhemd *nt;* **in ~-sleeves** in Hemdsärmeln; **shirty** *adj* (*fam*) mürrisch.

shiver ['ʃɪvə*] **1.** *n* Schauer *m;* **2.** *vi* frösteln, zittern.

shoal [ʃəʊl] *n* Fischschwarm *m.*

shock [ʃɒk] **1.** *n* Stoß *m,* Erschütterung *f;* (*mental*) Schock *m;* (ELEC) Schlag *m;* **2.** *vt* erschüttern; (*offend*) schockieren; **shock absorber** *n* Stoßdämpfer *m;* **shocking** *adj* unerhört, schockierend; **shockproof** *adj* (*watch*) stoßsicher.

shod [ʃɒd] *pt, pp of* **shoe**.

shoddy ['ʃɒdɪ] *adj* schäbig.

shoe [ʃu:] <shod, shod> **1.** *vt* (*horse*) beschlagen; **2.** *n* Schuh *m;* (*of horse*) Hufeisen *nt;* **shoebrush** *n* Schuhbürste *f;* **shoehorn** *n* Schuhlöffel *m;* **shoelace** *n* Schnürsenkel *m;* **shoemaker** *n* Schuster(in) *m(f);* **shoe polish** *n* Schuhcreme *f.*

shone [ʃɒn] *pt, pp of* **shine**.

shook [ʃʊk] *pt of* **shake**.

shoot [ʃu:t] <shot, shot> **1.** *vt* (*gun*) abfeuern; (*goal, arrow*) schießen; (*kill*) erschießen; (CINE) drehen, filmen; **2.** *vi* (*gun, move quickly*) schießen; (*fam: heroin*) fixen, drücken; **3.** *n* (*branch*) Schössling *m;* **shot in the leg** ins Bein getroffen; **don't ~!** nicht schießen!; **shoot down** *vt* abschießen; **shooting** *n* Schießerei *f;* **shooting star** *n* Sternschnuppe *f.*

shop [ʃɒp] **1.** *n* Geschäft *nt,* Laden *m;* (*workshop*) Werkstatt *f;* **2.** *vi* (*also:* **go ~ping**) einkaufen gehen; **shop assistant** *n* Verkäufer(in) *m(f);* **shopkeeper** *n* Geschäftsinhaber(in) *m(f);* **shoplifter** *n* Ladendieb(in) *m(f);* **shoplifting** *n* Ladendiebstahl *m;* **shopper** *n* Käufer(in) *m(f);* **shopping** *n* Einkaufen *nt,* Einkauf *m;* **shopping arcade** *n* Einkaufspassage *f;* **shopping bag** *n* Einkaufstasche *f;* **shopping center** (*US*), **shopping centre** *n* Einkaufszentrum *nt;* **shopping voucher** *n* Einkaufsgutschein *m;* **shop-soiled** *adj* angeschmutzt; **shop steward** *n* Betriebsrat(-rätin) *m(f);* **shop window** *n* Schaufenster *nt.*

shore [ʃɔ:*] **1.** *n* Ufer *nt;* (*of sea*) Strand *m,* Küste *f;* **2.** *vt:* **to ~ up** abstützen.

shorn [ʃɔ:n] *pp of* **shear**.

short [ʃɔ:t] **1.** *adj* kurz; (*person*) klein; (*curt*) kurz angebunden; (*measure*) zu knapp; **2.** *n* (ELEC: *~-circuit*) Kurzschluss *m;* **3.** *adv* (*suddenly*) plötzlich; **4.** *vi* (ELEC) einen Kurzschluss haben; **to be ~ of** zu wenig ... haben; **to cut ~** abkürzen; **to fall ~** nicht erreichen; **two ~** zwei zu wenig; **for ~** kurz; **shortage** *n* Knappheit *f,* Mangel *m;* **shortbread** *n* Buttergebäck *nt;* **short-circuit 1.** *n* Kurzschluss *m;* **2.** *vi* einen Kurzschluss haben; **shortcoming** *n* Fehler *m,* Mangel *m;* **short cut** *n* Abkürzung *f;* **shorten** *vt* abkürzen; (*clothes*) kürzer machen; **shorthand** *n* Stenographie *f,* Kurzschrift *f;* **shorthand typist** *n* Stenotypist(in) *m(f);* **shortlist** *n* engere Wahl; **short-lived** *adj* kurzlebig; **shortly** *adv* bald; **shortness** *n* Kürze *f;* **short-range missile** *n* Kurzstreckenrakete *f;* **shorts** *n pl* Shorts *pl;* **short-sighted** *adj* (*a. fig*) kurzsichtig; **short-sightedness** *n* Kurzsichtigkeit *f;* **short-stay parking** *n* Kurzparksystem *nt;* **short story** *n* Kurzgeschichte *f;* **short-tempered** *adj* unbeherrscht; **short-term** *adj* (*effect*) kurzfristig; ~ **memory** Kurzzeitgedächtnis *nt;* **short wave** *n* (RADIO) Kurzwelle *f.*

shot [ʃɒt] **1.** *pt, pp of* **shoot**; **2.** *n* (*from gun*) Schuss *m;* (*person*) Schütze *m,* Schützin *f;* (*try*) Versuch *m;* (*injection*) Spritze *f;* (PHOT) Aufnahme *f,* Schnappschuss *m;* **like a** ~ wie der Blitz; **let me have a** ~ lass mich mal; **shotgun** *n* Schrotflinte *f.*

should [ʃʊd] **1.** *pt of* **shall**; **2.** *aux vb:* **I** ~ **go now** ich sollte jetzt gehen; **I** ~ **say** ich würde sagen; **I** ~ **like to** ich möchte gerne, ich würde gerne.

shoulder ['ʃəʊldə*] **1.** *n* Schulter *f;* **2.** *vt* (*rifle*) schultern; (*fig*) auf sich *akk* nehmen; **shoulder blade** *n* Schulterblatt *nt.*

shouldn't ['ʃʊdnt] = **should not**.

shout [ʃaʊt] **1.** *n* Schrei *m;* (*call*) Ruf *m;* **2.** *vt* rufen; **3.** *vi* schreien, laut rufen; **to** ~ **at** anbrüllen; **shouting** *n* Geschrei *nt.*

shove [ʃʌv] **1.** *n* Schubs *m,* Stoß *m;* **2.** *vt* schieben, stoßen, schubsen; **shove off** *vi* (NAUT) abstoßen; (*fig fam*) abhauen.

shovel ['ʃʌvl] **1.** *n* Schaufel *f;* **2.** *vt* schaufeln.

show [ʃəʊ] <**showed, shown**> **1.** *vt* zeigen; (*kindness*) erweisen; **2.** *vi* zu sehen sein; **3.** *n* (*display*) Schau *f;* (*exhibition*) Ausstellung *f;* (CINE, THEAT) Vorstellung *f,* Show *f;* **to** ~ **sb in** jdn hereinführen; **to** ~ **sb out** jdn hinausbegleiten; **show off 1.** *vi* (*pej*) angeben, protzen; **2.** *vt* (*display*) ausstellen; **show up 1.** *vi* (*stand out*) sich abheben; (*arrive*) erscheinen; **2.** *vt* aufzeigen; (*unmask*) bloßstellen; **show business** *n* Showbusiness *nt;* **showdown** *n* Kraftprobe *f,* endgültige Auseinandersetzung.

shower ['ʃaʊə*] **1.** *n* (*of rain*) Schauer *m;* (*of stones*) [Stein]hagel *m;* (*of sparks*) [Funken]regen *m;* (~ *bath*) Dusche *f;* **2.** *vt* (*fig*) überschütten (*sth on sb, sb with sth* jdn mit etw); **to have a** ~ duschen; **showerproof** *adj* Wasser abstoßend; **showery** *adj* (*weather*) regnerisch.

showground ['ʃəʊgraʊnd] *n* Ausstellungsgelände *nt;* **showing** ['ʃəʊɪŋ] *n* (*of film*) Vorführung *f;* **show jumping** *n* Turnierreiten *nt;* **showmanship** ['ʃəʊmənʃɪp] *n* Talent *nt* als Showman; **shown** [ʃəʊn] *pp of* **show**; **show-off** ['ʃəʊɒf] *n* Angeber(in) *m(f);* **showpiece** *n* Muster *nt;* (*fine example*) Paradestück *nt;* **showroom** *n* Ausstellungsraum *m.*

shrank [ʃræŋk] *pt of* **shrink**.

shred [ʃred] **1.** *n* Fetzen *m;* **2.** *vt* zerfetzen; (GASTR) raspeln; **in** ~**s** in Fetzen; **shredder** *n* (*vegetable* ~) Gemüseschneider *m;* (*document* ~) Reißwolf *m,* Aktenvernichter *m.*

shrewd *adj,* **shrewdly** *adv* [ʃru:d, -lɪ] scharfsinnig, clever; **shrewdness** *n* Scharfsinn *m.*

shriek [ʃri:k] **1.** *n* Schrei *m;* **2.** *vt, vi* kreischen, schreien.

shrill [ʃrɪl] *adj* schrill, gellend.

shrimp [ʃrɪmp] *n* Krabbe *f,* Garnele *f.*

shrine [ʃraɪn] *n* Schrein *m.*

shrink [ʃrɪŋk] <**shrank, shrunk**> **1.** *vi* schrumpfen, eingehen; **2.** *vt* [ein]schrumpfen lassen; **shrink away** *vi* zurückschrecken (*from* vor *+dat*); **shrinkage** *n* Schrumpfung *f;* **shrink-wrap** *vt* einschweißen.

shrivel ['ʃrɪvl] *vi* (*also:* ~ **up**) schrumpfen, schrumpeln.

shroud [ʃraʊd] **1.** *n* Leichentuch *nt;* **2.** *vt* umhüllen, [ein]hüllen.

Shrove Tuesday ['ʃrəʊv'tju:zdeɪ] *n* Fastnachtsdienstag *m.*

shrub [ʃrʌb] *n* Busch *m,* Strauch *m;* **shrubbery** *n* Gebüsch *nt.*

shrug [ʃrʌg] **1.** *n* Achselzucken *nt;* **2.** *vi* die Achseln zucken; **shrug off** *vt* auf die leichte Schulter nehmen.

shrunk [ʃrʌŋk] *pp of* **shrink**; **shrunken** *adj* eingelaufen.

shudder ['ʃʌdə*] **1.** *n* Schauder *m;* **2.** *vi* schaudern.

shuffle ['ʃʌfl] **1.** *n* (*change*) Umstellung *f;* (*of jobs*) Umbesetzung *f;* (*of cabinet*) Umbildung *f;* (CARDS) [Karten]mischen *nt;* (*dance*) Shuffle *m;* **2.** *vt* (CARDS) mischen; (*cabinet*) umbilden; **3.** *vi* (*walk*) schlurfen.

shun [ʃʌn] *vt* scheuen, [ver]meiden.

shunt [ʃʌnt] *vt* rangieren.

shut [ʃʌt] <**shut, shut**> **1.** *vt* schließen, zumachen; **2.** *vi* sich schließen [lassen]; **shut down** *vt, vi* schließen; **shutdown** *n* Stilllegung *f;* **shut off** *vt* (*supply*) abdrehen; **shut up 1.** *vi* (*keep quiet*) den Mund halten; **2.** *vt* (*close*) zuschließen; (*silence*) zum Schweigen bringen; ~ ~**!** halt den Mund!; **shutter** *n* Fensterladen *m,* Rollladen *m;* (PHOT) Verschluss *m.*

shuttlecock ['ʃʌtlkɒk] *n* Federball *m,* Federballspiel *nt.*

shuttle service ['ʃʌtlsɜ:vɪs] *n* Pendelverkehr *m.*

shy *adj,* **shyly** *adv* [ʃaɪ, -lɪ] schüchtern, scheu; **we are 3** ~ (*US*) wir haben 3 zu

wenig; **shyness** *n* Schüchternheit *f*, Zurückhaltung *f*.
Siamese [saɪə'mi:z] *adj*: ~ **cat** Siamkatze *f*; ~ **twins** *pl* siamesische Zwillinge *pl*.
Sicily ['sɪsɪlɪ] *n* Sizilien *nt*.
sick [sɪk] *adj* krank; (*humour*) schwarz; (*joke*) makaber; **I feel** ~ mir ist schlecht; **I was** ~ ich habe gebrochen; **to be** ~ **of sb/sth** jdn/etw satt haben; **sick bay** *n* Krankenrevier *nt*; **sickbed** *n* Krankenbett *nt*; **sicken 1.** *vt* (*disgust*) krank machen; **2.** *vi* krank werden; **sickening** *adj* (*sight*) widerlich; (*annoying*) zum Weinen.
sickle ['sɪkl] *n* Sichel *f*.
sick leave ['sɪkli:v] *n*: **to be on** ~ krank geschrieben sein; **sick list** *n* Krankenliste *f*; **sickly** ['sɪklɪ] *adj* kränklich, blass; (*causing nausea*) widerlich; **sickness** ['sɪknəs] *n* Krankheit *f*; (*vomiting*) Übelkeit *f*, Erbrechen *nt*; **sick pay** *n* Krankengeld *nt*.
side [saɪd] **1.** *n* Seite *f*; **2.** *adj* (*door, entrance*) Seiten-, Neben-; **3.** *vi*: **to** ~ **with sb** es mit jdm halten; **to take** ~**s [with]** Partei nehmen [für]; **by the** ~ **of** neben; **on all** ~**s** von allen Seiten; **sideboard** *n* Anrichte *f*, Sideboard *nt*; **sideboards, sideburns** *n pl* Koteletten *pl*; **side effect** *n* Nebenwirkung *f*; **sidelight** *n* (AUT) Parkleuchte *f*, Standlicht *nt*; **sideline** *n* (SPORT) Seitenlinie *f*; (*fig: hobby*) Nebenbeschäftigung *f*; **side mirror** *n* Außenspiegel *m*; **side road** *n* Nebenstraße *f*; **side show** *n* Nebenvorstellung *f*; (*exhibition*) Sonderausstellung *f*; **side street** *n* Seitenstraße *f*; **sidetrack** *vt* (*fig*) ablenken; **sidewalk** *n* (*US*) Bürgersteig *m*; **sideways** *adv* seitwärts.
siding ['saɪdɪŋ] *n* Nebengleis *nt*.
sidle up ['saɪdl ʌp] *vi* sich heranmachen (*to* an +*akk*).
siege [si:dʒ] *n* Belagerung *f*.
sieve [sɪv] **1.** *n* Sieb *nt*; **2.** *vt* sieben.
sift [sɪft] *vt* sieben; (*fig*) sichten.
sigh [saɪ] **1.** *n* Seufzer *m*; **2.** *vi* seufzen.
sight [saɪt] **1.** *n* (*power of seeing*) Sehvermögen *nt*, Augenlicht *nt*; (*view, thing seen*) Anblick *m*; (*scene*) Aussicht *f*, Blick *m*; (*of gun*) Zielvorrichtung *f*, Korn *nt*; **2.** *vt* sichten; ~**s** *pl* (*of city etc*) Sehenswürdigkeiten *pl*; **in** ~ in Sicht; **out of** ~ außer Sicht; **sightseeing** *n* Sightseeing *nt*; **to go** ~ Sehenswürdigkeiten besichtigen; **sightseer** *n* Tourist(in) *m(f)*.
sign [saɪn] **1.** *n* Zeichen *nt*; (*notice, road* ~) Schild *nt*; **2.** *vt* unterschreiben; **sign out** *vi* sich austragen; **sign up 1.** *vi* (MIL) sich verpflichten; **2.** *vt* verpflichten.
signal ['sɪgnl] **1.** *n* Signal *nt*; **2.** *vt* ein Zeichen geben +*dat*.
signatory ['sɪgnətrɪ] *n* Unterzeichner(in) *m(f)*.
signature ['sɪgnətʃə*] *n* Unterschrift *f*; **signature tune** *n* Erkennungsmelodie *f*.
signet ring ['sɪgnətrɪŋ] *n* Siegelring *m*.
significance [sɪg'nɪfɪkəns] *n* Bedeutung *f*; **significant** *adj* (*meaning sth*) bedeutsam; (*important*) bedeutend, wichtig; **significantly** *adv* bezeichnenderweise.
signify ['sɪgnɪfaɪ] *vt* bedeuten; (*show*) andeuten, zu verstehen geben.
sign language ['saɪnlæŋgwidʒ] *n* Zeichensprache *f*; **signpost** *n* Wegweiser *m*, Schild *nt*.
silence ['saɪləns] **1.** *n* Stille *f*, Ruhe *f*; (*of person*) Schweigen *nt*; **2.** *vt* zum Schweigen bringen; **silencer** *n* (*on gun*) Schalldämpfer *m*; (AUT) Auspufftopf *m*; **silent** *adj* still; (*person*) schweigsam; **silently** *adv* schweigend, still.
silhouette [sɪlu:'et] **1.** *n* Silhouette *f*, Umriss *m*; (*picture*) Schattenbild *nt*; **2.** *vt*: **to be** ~**d against sth** sich [als Silhouette] gegen etw abheben.
silk [sɪlk] **1.** *n* Seide *f*; **2.** *adj* seiden, Seiden-; **silky** *adj* seidig.
silliness ['sɪlɪnəs] *n* Albernheit *f*, Dummheit *f*.
silly ['sɪlɪ] *adj* dumm, albern.
silo ['saɪləʊ] *n* <-s> Silo *m*.
silt [sɪlt] *n* Schlamm *m*, Schlick *m*.
silver ['sɪlvə*] **1.** *n* Silber *nt*; **2.** *adj* silbern, Silber-; **silver paper** *n* Silberpapier *nt*; **silver-plate** *n* Silber[geschirr] *nt*; **silver-plated** *adj* versilbert; **silversmith** *n* Silberschmied(in) *m(f)*; **silverware** *n* Silber *nt*; **silvery** *adj* silbern.
similar ['sɪmɪlə*] *adj* ähnlich (*to dat*); **similarity** [sɪmɪ'lærɪtɪ] *n* Ähnlichkeit *f*; **similarly** *adv* in ähnlicher Weise.
simile ['sɪmɪlɪ] *n* Vergleich *m*.
simmer ['sɪmə*] *vt, vi* sieden [lassen].
simple ['sɪmpl] *adj* einfach; (*dress also*) schlicht; **simple[-minded]** *adj* naiv, einfältig; **simplicity** [sɪm'plɪsɪtɪ] *n* Einfachheit *f*; (*of person*) Einfältigkeit *f*; **simplification** [sɪmplɪfɪ'keɪʃən] *n* Vereinfachung *f*; **simplify** ['sɪmplɪfaɪ] *vt* vereinfachen; **simply** *adv* einfach; (*only*) bloß, nur.
simulate ['sɪmjʊleɪt] *vt* simulieren; **simulation** [sɪmjʊ'leɪʃən] *n* Simulation

f.

simultaneous *adj* [sɪməl'teɪnɪəs] gleichzeitig; **simultaneous interpreting** *n* Simultandolmetschen *nt.*

sin [sɪn] **1.** *n* Sünde *f;* **2.** *vi* sündigen.

since [sɪns] **1.** *adv* seither; **2.** *prep* seit, seitdem; **3.** *conj* (*time*) seit; (*because*) da, weil.

sincere [sɪn'sɪə*] *adj* aufrichtig, ehrlich, offen; **sincerely** *adv* aufrichtig; **yours ~** mit freundlichen Grüßen; **sincerity** [sɪn'serɪtɪ] *n* Aufrichtigkeit *f.*

sinew ['sɪnjuː] *n* Sehne *f.*

sinful ['sɪnfʊl] *adj* sündig.

sing [sɪŋ] <sang, sung> *vt, vi* singen.

Singapore [sɪŋgə'pɔː*] *n* Singapur *nt.*

singe [sɪndʒ] *vt* versengen.

singer ['sɪŋə*] *n* Sänger(in) *m(f);* **singing** *n* Singen *nt,* Gesang *m.*

single ['sɪŋgl] **1.** *adj* (*one only*) einzig; (*bed, room*) Einzel-, einzeln; (*unmarried*) ledig; (*Brit: ticket*) einfach; (*having one part only*) einzeln; **2.** *n* (*Brit: ticket*) einfache Fahrkarte; **~s** *sing o pl* (TENNIS) Einzel *nt;* **in ~ file** hintereinander, im Gänsemarsch; **~ mother** allein erziehende Mutter; **~ parent family** Einelternfamilie *f;* **~ ticket** (*Brit*) einfache Fahrkarte; **single out** *vt* aussuchen, auswählen; **single-breasted** *adj* einreihig; **single-handed** *adj* allein; **Single Market** *n* Binnenmarkt *m;* **single-minded** *adj* zielstrebig; **singly** *adv* einzeln, allein.

singular ['sɪŋgjʊlə*] **1.** *adj* (LING) Singular-; (*odd*) merkwürdig, seltsam; **2.** *n* (LING) Einzahl *f,* Singular *m;* **singularly** *adv* besonders, höchst.

sinister ['sɪnɪstə*] *adj* (*evil*) böse; (*ghostly*) unheimlich.

sink [sɪŋk] <sank, sunk> **1.** *vt* (*ship*) versenken; (*lower*) senken; **2.** *vi* sinken; **3.** *n* Spülbecken *nt,* Ausguss *m;* **sink in** *vi* (*news etc*) kapiert werden; **has it sunk ~?** hast du's kapiert?; **sinking** *adj* (*feeling*) flau.

sinner ['sɪnə*] *n* Sünder(in) *m(f).*

sinuous ['sɪnjʊəs] *adj* gewunden, sich schlängelnd.

sinus ['saɪnəs] *n* (ANAT) Stirnhöhle *f.*

sip [sɪp] **1.** *n* Schlückchen *nt;* **2.** *vt* nippen an *+dat.*

siphon ['saɪfən] *n* Siphon *m;* **siphon off** *vt* absaugen; (*fig*) abschöpfen.

sir [sɜː*] *n* (*respect*) Herr *m;* (*knight*) Sir *m;* **yes Sir** ja[wohl, mein Herr].

siren ['saɪrən] *n* Sirene *f.*

sirloin ['sɜːlɔɪn] *n* Lendenstück *nt.*

sirocco [sɪ'rɒkəʊ] *n* <-s> Schirokko *m.*

sissy ['sɪsɪ] *n* (*fam*) Weichling *m.*

sister ['sɪstə*] *n* Schwester *f;* (*nurse*) Oberschwester *f;* (*nun*) Ordensschwester *f;* **sister-in-law** *n* <sisters-in-law> Schwägerin *f.*

sit [sɪt] <sat, sat> **1.** *vi* sitzen; (*hold session*) tagen; **2.** *vt* (*exam*) machen; **to ~ tight** abwarten; **sit down** *vi* sich hinsetzen; **sit out** *vt* aussitzen; **sit up** *vi* (*after lying*) sich aufsetzen; (*straight*) sich gerade setzen; (*at night*) aufbleiben.

sitcom ['sɪtkɒm] *n* Situationskomik *f.*

site [saɪt] **1.** *n* Platz *m;* **2.** *vt* platzieren, legen; **site engineer** *n* Bauleiter(in) *m(f).*

sit-in ['sɪtɪn] *n* Sit-in *nt;* (*on road*) Sitzblockade *f.*

siting ['saɪtɪŋ] *n* (*location*) Platz *m,* Lage *f.*

sitting ['sɪtɪŋ] *n* (*meeting*) Sitzung *f,* Tagung *f;* **sitting room** *n* Wohnzimmer *nt.*

situated ['sɪtjʊeɪtɪd] *adj:* **to be ~** liegen.

situation [sɪtjʊ'eɪʃən] *n* Situation *f,* Lage *f;* (*place*) Lage *f;* (*employment*) Stelle *f.*

six [sɪks] *num* sechs.

sixteen ['sɪks'tiːn] *num* sechzehn.

sixth [sɪksθ] **1.** *adj* sechste(r, s); **2.** *adv* an sechster Stelle; **3.** *n* (*person*) Sechste(r) *mf;* (*part*) Sechstel *nt.*

sixty ['sɪkstɪ] *num* sechzig.

size [saɪz] *n* Größe *f;* (*of project*) Umfang *m;* (*glue*) Kleister *m;* **size up** *vt* (*assess*) abschätzen, einschätzen; **sizeable** *adj* ziemlich groß, ansehnlich.

sizzle ['sɪzl] *vi* zischen; (GASTR) brutzeln.

skate [skeɪt] **1.** *n* Schlittschuh *m;* **2.** *vi* Schlittschuh laufen; **skateboard** *n* Skateboard *nt,* Rollbrett *nt;* **skatepark** *n* Skateboardanlage *f;* **skater** *n* Schlittschuhläufer(in) *m(f);* **skating** *n* Eislauf *m;* **to go ~** Eislaufen gehen; **skating rink** *n* Eisbahn *f.*

skeleton ['skelɪtn] *n* Skelett *nt;* (*fig*) Gerüst *nt;* **skeleton key** *n* Dietrich *m.*

skeptic ['skeptɪk] *n* (*US*) *s.* **sceptic**.

sketch [sketʃ] **1.** *n* Skizze *f;* (THEAT) Sketch *m;* **2.** *vt* skizzieren, eine Skizze machen von; **sketchbook** *n* Skizzenbuch *nt;* **sketch pad** *n* Skizzenblock *m;* **sketchy** *adj* skizzenhaft.

skewer ['skjʊə*] *n* Fleischspieß *m.*

ski [skiː] **1.** *n* Ski *m,* Schi *m;* **2.** *vi* Ski [*o* Schi] laufen; **ski boot** *n* Skistiefel *m.*

skid [skɪd] *vi* rutschen; (AUT) schleudern; **skidmark** *n* Reifenspur *f.*

skier ['ski:ə*] *n* Skiläufer(in) *m(f)*; **skiing** *n:* **to go** ~ Skilaufen gehen; **ski-jump** *n* Sprungschanze *f.*

skilful *adj*, **skilfully** *adv* ['skɪlfʊl, -fəlɪ] geschickt.

ski-lift ['ski:lɪft] *n* Skilift *m.*

skill [skɪl] *n* Können *nt*, Geschicklichkeit *f*; **skilled** *adj* geschickt; (*worker*) Fach-, gelernt.

skim [skɪm] *vt* (*liquid*) abschöpfen; (*milk*) entrahmen; (*read*) überfliegen; (*glide over*) gleiten über +*akk*; ~**med milk** Magermilch *f.*

skimp [skɪmp] *vt* (*do carelessly*) oberflächlich tun; **skimpy** *adj* (*work*) schlecht gemacht; (*dress*) knapp.

skin [skɪn] **1.** *n* Haut *f*; (*peel*) Schale *f*; **2.** *vt* abhäuten; schälen; **skin-deep** *adj* oberflächlich; **skin diving** *n* Sporttauchen *nt*; **skinhead** *n* Skinhead *m*; **skinny** *adj* dünn; **skintight** *adj* (*dress etc*) hauteng.

skip [skɪp] **1.** *n* Sprung *m*, Hopser *m*; **2.** *vi* hüpfen, springen; (*with rope*) Seil springen; **3.** *vt* (*chapter*) überspringen; (*school*) schwänzen.

ski pants ['ski:pænts] *n pl* Skihose *f.*

skipper ['skɪpə*] *n* (NAUT) Schiffer *m*, Kapitän *m*; (SPORT) Mannschaftskapitän *m.*

skipping rope ['skɪpɪŋrəʊp] *n* Hüpfseil *nt.*

ski rack ['ski:ræk] *n* Skiträger *m.*

skirmish ['skɜ:mɪʃ] *n* Scharmützel *nt.*

skirt [skɜ:t] **1.** *n* Rock *m*; **2.** *vt* herumgehen um; (*fig*) umgehen.

ski run ['ski:rʌn] *n* [Ski]abfahrt *f*; **ski school** *n* Skischule *f*; **ski suit** *n* Skianzug *m*; **ski tow** *n* Schlepplift *m.*

skittle ['skɪtl] *n* Kegel *m*; ~**s** (*game*) Kegeln *nt.*

skive [skaɪv] *vi* (*Brit fam*) schwänzen.

skull [skʌl] *n* Schädel *m*; ~ **and crossbones** Totenkopf *m.*

skunk [skʌŋk] *n* Stinktier *nt.*

sky [skaɪ] *n* Himmel *m*; **sky-blue** *adj* himmelblau; **skylight** *n* Dachfenster *nt*, Oberlicht *nt*; **skyscraper** *n* Wolkenkratzer *m.*

slab [slæb] *n* (*of stone*) Platte *f*; (*of chocolate*) Tafel *f.*

slack [slæk] **1.** *adj* (*loose*) lose, schlaff, locker; (*business*) flau; (*careless*) nachlässig, lasch; **2.** *vi* nachlässig sein; **3.** *n* (*in rope etc*) durchhängendes Teil; **to take up the** ~ straffziehen; **slacken 1.** *vi* (*also:* ~ **off**) schlaff/locker werden; (*become slower*) nachlassen, stocken; **2.** *vt* (*loosen*) lockern; **slackness** *n* Schlaffheit *f*; **slacks** *n pl* Hose[n *pl*] *f.*

slag [slæg] *n* Schlacke *f*; **slag heap** *n* Halde *f.*

slalom ['slɑ:ləm] *n* Slalom *m.*

slam [slæm] **1.** *vt* (*door*) zuschlagen, zuknallen; (*throw down*) knallen; **2.** *vi* zuschlagen.

slander ['slɑ:ndə*] **1.** *n* Verleumdung *f*; **2.** *vt* verleumden; **slanderous** *adj* verleumderisch.

slang [slæŋ] *n* Slang *m*; (*MIL*) Jargon *m.*

slant [slɑ:nt] **1.** *n* Schräge *f*; (*fig*) Tendenz *f*, Einstellung *f*; **2.** *vt* schräg legen; **3.** *vi* schräg liegen; **slanting** *adj* schräg.

slap [slæp] **1.** *n* Schlag *m*, Klaps *m*; **2.** *vt* schlagen, einen Klaps geben +*dat*; **3.** *adv* (*directly*) geradewegs; **slapdash** *adj* salopp; **slapstick** *n* (*comedy*) Klamauk *m*, Slapstick *m*; **slap-up** *adj* (*meal*) erstklassig, prima.

slash [slæʃ] **1.** *n* Hieb *m*; (*gash*) Schnittwunde *f*; **2.** *vt* [auf]schlitzen; (*expenditure*) radikal kürzen.

slate [sleɪt] **1.** *n* (*stone*) Schiefer *m*; (*roofing*) Dachziegel *m*; **2.** *vt* (*criticize*) verreißen.

slaughter ['slɔ:tə*] **1.** *n* (*of animals*) Schlachten *nt*; (*of people*) Gemetzel *nt*; **2.** *vt* schlachten; (*people*) niedermetzeln.

slave [sleɪv] **1.** *n* Sklave *m*, Sklavin *f*; **2.** *vi* schuften, sich schinden; **slavery** *n* Sklaverei *f*; (*work*) Schinderei *f*; **slavish** *adj*, **slavishly** *adv* sklavisch.

sleazoid ['sli:zɔɪd] *n* (*fam*) schmierige Person, Schleimer(in) *m(f)*.

sleazy ['sli:zɪ] *adj* (*place*) schmierig.

sledge ['sledʒ] *n* Schlitten *m*; **sledgehammer** *n* Vorschlaghammer *m.*

sleek [sli:k] *adj* glatt, glänzend; (*shape*) rassig.

sleep [sli:p] <slept, slept> **1.** *vi* schlafen; **2.** *n* Schlaf *m*; **to go to** ~ einschlafen; **sleep in** *vi* ausschlafen; (*oversleep*) verschlafen; **sleeper** *n* (*person*) Schläfer(in) *m(f)*; (RAIL) Schlafwagen *m*; (*beam*) Schwelle *f*; **sleepily** *adv* schläfrig; **sleepiness** *n* Schläfrigkeit *f*; **sleeping bag** *n* Schlafsack *m*; **sleeping car** *n* Schlafwagen *m*; **sleeping pill** *n* Schlaftablette *f*; **sleepless** *adj* (*night*) schlaflos; **sleeplessness** *n* Schlaflosigkeit *f*; **sleepwalker** *n* Schlafwandler(in) *m(f)*; **sleepy** *adj* schläfrig.

sleet [sli:t] *n* Schneeregen *m.*

sleeve [sli:v] *n* Ärmel *m;* (*of record*) Umschlag *m;* **sleeveless** *adj* (*garment*) ärmellos.

sleigh [sleɪ] *n* Pferdeschlitten *m.*

sleight [slaɪt] *n:* ~ **of hand** Fingerfertigkeit *f;* (*trick*) Taschenspielertrick *m.*

slender ['slendə*] *adj* schlank; (*fig*) gering.

slept [slept] *pt, pp of* **sleep**.

slice [slaɪs] **1.** *n* Scheibe *f;* **2.** *vt* in Scheiben schneiden.

slick [slɪk] **1.** *adj* (*clever*) raffiniert, aalglatt; **2.** *n* Ölteppich *m.*

slid [slɪd] *pt, pp of* **slide**.

slide [slaɪd] <slid, slid> **1.** *vt* schieben; **2.** *vi* (*slip*) gleiten, rutschen; **3.** *n* Rutschbahn *f;* (PHOT) Dia[positiv] *nt;* (*for hair*) [Haar]spange *f;* (*fall in prices*) [Preis]rutsch *m;* **to let things** ~ die Dinge schleifen lassen; **slide rule** *n* Rechenschieber *m;* **sliding** *adj* (*door*) Schiebe-.

slight [slaɪt] **1.** *adj* zierlich; (*trivial*) geringfügig; (*small*) leicht, gering; **2.** *n* Kränkung *f;* **3.** *vt* (*offend*) kränken; **slightly** *adv* etwas, ein bisschen.

slim [slɪm] **1.** *adj* schlank; (*book*) dünn; (*chance*) gering; **2.** *vi* abnehmen.

slime [slaɪm] *n* Schleim *m.*

slimming ['slɪmɪŋ] *n* Abnehmen *nt.*

slimness ['slɪmnəs] *n* Schlankheit *f.*

slimy ['slaɪmɪ] *adj* glitschig; (*dirty*) schlammig; (*person*) schmierig.

sling [slɪŋ] <slung, slung> **1.** *vt* werfen; (*hurl*) schleudern; **2.** *n* Schlinge *f;* (*weapon*) Schleuder *f.*

slip [slɪp] **1.** *n* (*slipping*) Ausgleiten *nt,* Rutschen *nt;* (*mistake*) Flüchtigkeitsfehler *m;* (*petticoat*) Unterrock *m;* (*of paper*) Zettel *m;* **2.** *vt* (*put*) stecken, schieben; **3.** *vi* (*lose balance*) ausrutschen; (*move*) gleiten, rutschen; (*make mistake*) einen Fehler machen; (*decline*) nachlassen; **it ~ped my mind** das ist mir entfallen, ich habe es vergessen; **to let things** ~ die Dinge schleifen lassen; **to give sb the** ~ jdm entwischen; ~ **of the tongue** Versprecher *m;* **slip away** *vi* sich wegstehlen; **slip by** *vi* (*time*) verstreichen; **slip in 1.** *vt* hineingleiten lassen; **2.** *vi* (*errors*) sich einschleichen; **slip out** *vi* hinausschlüpfen; **slipper** *n* Hausschuh *m;* **slippery** *adj* glatt; (*tricky*) aalglatt, gerissen; **slip-road** *n* Auffahrt *f,* Ausfahrt *f;* **slipshod** *adj* schlampig; **slipstream** *n* Windschatten *m;* **slip-up** *n* Panne *f.*

slit [slɪt] <slit, slit> **1.** *vt* aufschlitzen; **2.** *n* Schlitz *m.*

slither ['slɪðə*] *vi* schlittern; (*snake*) sich schlängeln.

slog [slɒg] **1.** *n* (*great effort*) Plackerei *f;* **2.** *vi* (*work hard*) schuften.

slogan ['sləʊgən] *n* Schlagwort *nt;* (COMM) Werbespruch *m.*

slope [sləʊp] *n* Neigung *f,* Schräge *f;* (*of mountains*) [Ab]hang *m;* **slope down** *vi* sich senken; **slope up** *vi* ansteigen; **sloping** *adj* schräg; (*shoulders*) hängend; (*ground*) abschüssig.

sloppily ['slɒpɪlɪ] *adv* schlampig; **sloppiness** *n* (*of work*) Nachlässigkeit *f;* **sloppy** *adj* (*careless*) schlampig; (*silly*) rührselig.

slot [slɒt] **1.** *n* Schlitz *m;* (COMPUT) Steckplatz *m;* **2.** *vt:* **to** ~ **sth in** etw einlegen; **slot machine** *n* Spielautomat *m.*

slouch [slaʊtʃ] *vi* krumm dasitzen [*o* dastehen], sich lümmeln.

Slovak ['sləʊvæk] **1.** *n* Slowake *m,* Slowakin *f;* **2.** *adj* slowakisch; **Slovakia** [sləʊ'vækɪə] *n* Slowakei *f.*

Slovenia [sləʊ'vi:nɪə] *n* Slowenien; **Slovene** ['sləʊvi:n], **Slovenian** [sləʊ'vi:nɪən] **1.** *n* Slowene *m,* Slowenin *f;* **2.** *adj* slowenisch.

slovenly ['slʌvnlɪ] *adj* schlampig, schluderig.

slow [sləʊ] *adj* langsam; **to be** ~ (*clock*) nachgehen; (*stupid*) begriffsstutzig sein; **in** ~ **motion** in Zeitlupe; **slow down 1.** *vi* langsamer werden; **2.** *vt* aufhalten, langsamer machen, verlangsamen; ~ ~**!** mach langsamer!; **slow up 1.** *vi* sich verlangsamen; **2.** *vt* aufhalten, langsamer machen; **slowly** *adv* langsam; (*gradually*) allmählich; **slowpoke** *n* (*US fam*) Transuse *f.*

sludge [slʌdʒ] *n* Schlamm *m,* Matsch *m.*

slug [slʌg] *n* Nacktschnecke *f;* (*fam: bullet*) Kugel *f;* **sluggish** *adj* träge; (COMM) schleppend; **sluggishly** *adv* träge; **sluggishness** *n* Langsamkeit *f,* Trägheit *f.*

sluice [slu:s] *n* Schleuse *f.*

slum [slʌm] *n* Elendsviertel *nt,* Slum *m.*

slumber ['slʌmbə*] *n* Schlummer *m.*

slump [slʌmp] **1.** *n* Rückgang *m;* **2.** *vi* fallen, stürzen.

slung [slʌŋ] *pt, pp of* **sling**.

slur [slɜ:*] **1.** *n* Undeutlichkeit *f;* (*insult*) Verleumdung *f;* **2.** *vt* (*also:* ~ **over**) hinweggehen über *+akk;* **slurred** [slɜ:d] *adj* (*pronunciation*) undeutlich.

slush [slʌʃ] *n* (*snow*) Schneematsch *m;*

(*mud*) Schlamm *m;* **slushy** *adj* matschig; (*fig: sentimental*) schmalzig.
slut [slʌt] *n* Schlampe *f.*
sly *adj,* **slyly** *adv* [slaɪ, -lɪ] schlau, verschlagen; **slyness** *n* Schlauheit *f.*
smack [smæk] 1. *n* Klaps *m;* 2. *vt* einen Klaps geben +*dat;* 3. *vi:* **to ~ of** riechen nach; **to ~ one's lips** schmatzen, sich *dat* die Lippen lecken.
small [smɔ:l] *adj* klein; **~ change** Kleingeld *nt;* **~ hours** *pl* frühe Morgenstunden *pl;* **smallholding** *n* Kleinlandbesitz *m;* **smallish** *adj* ziemlich klein; **smallness** *n* Kleinheit *f;* **smallpox** *n* Pocken *pl;* **small-scale** *adj* klein, in kleinem Maßstab; **small talk** *n* Konversation *f,* Geplauder *nt.*
smarmy ['smɑ:mɪ] *adj* (*fam*) schmierig.
smart [smɑ:t] 1. *adj* (*fashionable*) elegant, schick; (*neat*) adrett; (*clever*) clever; (*quick*) scharf; 2. *vi* brennen, schmerzen; **smart card** *n* Chipkarte *f;* **smarten up** 1. *vi* sich in Schale werfen; 2. *vt* herausputzen; **smartly** *adv* elegant; clever; **smartness** *n* Gescheitheit *f;* Eleganz *f.*
smash [smæʃ] 1. *n* Zusammenstoß *m;* (TENNIS) Schmetterball *m;* 2. *vt* (*break*) zerschmettern; (*destroy*) vernichten; 3. *vi* (*break*) zersplittern, zerspringen; **smashing** *adj* (*fam*) toll, phantastisch.
smattering ['smætərɪŋ] *n* oberflächliche Kenntnis.
smear [smɪə*] 1. *n* Fleck *m;* (MED: *~-test*) Abstrich *m;* 2. *vt* beschmieren.
smell [smel] <**smelt** *o* **smelled, smelt** *o* **smelled**> 1. *vt, vi* riechen (*of* nach); 2. *n* Geruch *m;* (*sense*) Geruchssinn *m;* **smelly** *adj* übelriechend.
smelt [smelt] *pt, pp of* **smell**.
SMEs *n abbr of* **small and medium-sized enterprises**.
smile [smaɪl] 1. *n* Lächeln *nt;* 2. *vi* lächeln.
smirk [smɜ:k] 1. *n* blödes Grinsen; 2. *vi* blöde grinsen.
smith [smɪθ] *n* Schmied(in) *m(f);* **smithy** ['smɪðɪ] *n* Schmiede *f.*
smock [smɒk] *n* Kittel *m.*
smog [smɒg] *n* Smog *m;* **smog alert** *n* Smogalarm *m.*
smoke [sməʊk] 1. *n* Rauch *m;* 2. *vt* rauchen; (*food*) räuchern; 3. *vi* rauchen; **smoke alarm, smoke detector** *n* Rauchmelder *m;* **smoker** *n* Raucher(in) *m(f);* (RAIL) Raucherabteil *nt;* **smoke screen** *n* Rauchwand *f;* **smoking** *n* Rauchen *nt;* **"no ~"** „Rauchen verboten"; **smoky** *adj* rauchig; (*room*) verraucht; (*taste*) geräuchert.
smolder ['sməʊldə*] *vi* (*US*) *s.* **smoulder**.
smooth [smu:ð] 1. *adj* glatt; (*movement*) geschmeidig; (*person*) glatt, gewandt; 2. *vt* (*also:* **~ out**) glätten; glatt streichen; **smoothly** *adv* glatt, eben; (*fig*) reibungslos, glatt; **smoothness** *n* Glätte *f;* **smooth-talk** *vi* (*fam*) sich einschmeicheln.
smother ['smʌðə*] *vt* ersticken.
smoulder ['sməʊldə*] *vi* glimmen, schwelen.
smudge [smʌdʒ] 1. *n* Schmutzfleck *m;* 2. *vt* beschmieren.
smug [smʌg] *adj* selbstgefällig.
smuggle ['smʌgl] *vt* schmuggeln; **smuggler** *n* Schmuggler(in) *m(f);* **smuggling** *n* Schmuggel *m.*
smugly ['smʌglɪ] *adv* selbstgefällig.
smugness ['smʌgnəs] *n* Selbstgefälligkeit *f.*
smutty ['smʌtɪ] *adj* (*obscene*) obszön, schmutzig.
snack [snæk] *n* Imbiss *m;* **snack bar** *n* Snackbar *f,* Imbissstube *f.*
snag [snæg] *n* Haken *m;* (*in stocking*) gezogener Faden.
snail [sneɪl] *n* Schnecke *f.*
snake [sneɪk] *n* Schlange *f.*
snap [snæp] 1. *n* Schnappen *nt;* (*photograph*) Schnappschuss *m;* 2. *adj* (*decision*) schnell; 3. *vt* (*break*) zerbrechen; (PHOT) knipsen; 4. *vi* (*break*) brechen; (*bite*) schnappen; (*speak*) anfauchen (*at sb* jdn); **to ~ one's fingers** mit den Fingern schnipsen; **~ out of it!** raff dich auf!, reiß dich zusammen!; **snap off** *vt* (*break*) abbrechen; **snap up** *vt* aufschnappen; **snappy** *adj* flott; **snapshot** *n* Schnappschuss *m.*
snare [snɛə*] *n* Schlinge *f.*
snarl [snɑ:l] 1. *n* Zähnefletschen *nt;* 2. *vi* (*dog*) knurren; (*engine*) brummen, dröhnen.
snatch [snætʃ] *vt* schnappen, packen.
sneak [sni:k] *vi* schleichen; **sneakers** *n pl* (*US*) Freizeitschuhe *pl;* **sneak preview** *n* Vorpremiere *f.*
sneer [snɪə*] *vi* höhnisch grinsen; spötteln.
sneeze [sni:z] *vi* niesen.
snide [snaɪd] *adj* (*fam: sarcastic*) abfällig.
sniff [snɪf] 1. *vi* schniefen; (*smell*) schnüf-

feln; **2.** *vt* schnuppern.

sniffer dog ['snɪfə dɒg] *n* Spürhund *m.*

snigger ['snɪgə*] *vi* hämisch kichern.

snip [snɪp] **1.** *n* Schnippel *m,* Schnipsel *m;* **2.** *vt* schnippeln.

sniper ['snaɪpə*] *n* Heckenschütze *m.*

snippet ['snɪpɪt] *n* Schnipsel *m;* (*of conversation*) Fetzen *m.*

snivelling ['snɪvlɪŋ] *adj* weinerlich.

snob [snɒb] *n* Snob *m;* **snobbery** *n* Snobismus *m;* **snobbish** *adj* versnobt; **snobbishness** *n* Versnobtheit *f,* Snobismus *m.*

snooker ['snu:kə*] *n* Snooker *nt* (*Art Billardspiel*).

snoop [snu:p] *vi:* **to ~ about** herumschnüffeln.

snooty ['snu:tɪ] *adj* (*fam*) hochnäsig; (*restaurant*) stinkfein.

snooze [snu:z] **1.** *n* Nickerchen *nt;* **2.** *vi* ein Nickerchen machen, dösen.

snore [snɔ:*] *vi* schnarchen; **snoring** *n* Schnarchen *nt.*

snorkel ['snɔ:kl] *n* Schnorchel *m.*

snort [snɔ:t] *vi* schnauben.

snotty ['snɒtɪ] *adj* (*fam*) rotzig.

snout [snaʊt] *n* Schnauze *f;* (*of pig*) Rüssel *m.*

snow [snəʊ] **1.** *n* Schnee *m;* **2.** *vi* schneien; **snowball** *n* Schneeball *m;* **snow-blind** *adj* schneeblind; **snowboard** *n* Snowboard *nt;* **snowbound** *adj* eingeschneit; **snowdrift** *n* Schneewehe *f;* **snowdrop** *n* Schneeglöckchen *nt;* **snowfall** *n* Schneefall *m;* **snowflake** *n* Schneeflocke *f;* **snowline** *n* Schneegrenze *f;* **snowman** *n* <snowmen> Schneemann *m;* **snowplough**, **snowplow** (*US*) *n* Schneepflug *m;* **snowshoe** *n* Schneeschuh *m;* **snowstorm** *n* Schneesturm *m.*

snub [snʌb] **1.** *vt* schroff abfertigen; **2.** *n* Verweis *m,* schroffe Abfertigung; **snub-nosed** *adj* stupsnasig.

snuff [snʌf] *n* Schnupftabak *m;* **snuffbox** *n* Schnupftabakdose *f.*

snug [snʌg] *adj* gemütlich, behaglich.

so [səʊ] **1.** *adv* so; **2.** *conj* daher, folglich, also; **~ as to** um zu; **or ~** so etwa; **~ long!** (*goodbye*) tschüs!; **~ many** so viele; **~ much** so viel; **~ that** damit.

soak [səʊk] *vt* durchnässen; (*leave in liquid*) einweichen; **soak in** *vi* einsickern; **soaking** *n* Einweichen *nt;* **soaking wet** *adj* klatschnass.

soap [səʊp] *n* Seife *f;* **soapflakes** *n pl* Seifenflocken *pl;* **soap opera** *n* Seifenoper *f;* **soap powder** *n* Waschpulver *nt;* **soapy** *adj* seifig, Seifen-.

soar [sɔ:*] *vi* aufsteigen; (*prices*) in die Höhe schnellen.

sob [sɒb] **1.** *n* Schluchzen *nt;* **2.** *vi* schluchzen.

sober ['səʊbə*] *adj* (*a. fig*) nüchtern; **sober up** *vi* nüchtern werden; **soberly** *adv* nüchtern.

so-called ['səʊ'kɔ:ld] *adj* so genannt.

soccer ['sɒkə*] *n* Fußball *m.*

sociability [səʊʃə'bɪlɪtɪ] *n* Umgänglichkeit *f;* **sociable** ['səʊʃəbl] *adj* umgänglich, gesellig.

social ['səʊʃəl] *adj* sozial; (*friendly, living with others*) gesellig; **social democrat** *n* Sozialdemokrat(in) *m(f);* **socialism** *n* Sozialismus *m;* **socialist** **1.** *n* Sozialist(in) *m(f);* **2.** *adj* sozialistisch; **socially** *adv* gesellschaftlich, privat; **social science** *n* Sozialwissenschaft *f;* **social security** *n* Sozialversicherung *f;* (*benefit*) Sozialhilfe *f;* **social services** *n* Sozialdienste *pl;* **social welfare** *n* Fürsorge *f;* **social work** *n* Sozialarbeit *f;* **social worker** *n* Sozialarbeiter(in) *m(f).*

society [sə'saɪətɪ] *n* Gesellschaft *f;* (*fashionable world*) die große Welt.

sociological [səʊsɪə'lɒdʒɪkəl] *adj* soziologisch; **sociologist** [səʊsɪ'ɒlədʒɪst] *n* Soziologe(-login) *m(f);* **sociology** [səʊsɪ'ɒlədʒɪ] *n* Soziologie *f.*

sock [sɒk] **1.** *n* Socke *f;* **2.** *vt* (*fam*) schlagen.

socket ['sɒkɪt] *n* (ELEC) Steckdose *f;* (*of eye*) Augenhöhle *f;* (TECH) Rohransatz *m.*

sod [sɒd] *n* Rasenstück *nt;* (*fam!*) Saukerl *m.*

soda ['səʊdə] *n* Soda *f;* **soda pop** *n* (*US*) Brause *f,* Limo *f;* **soda water** *n* Mineralwasser *nt,* Soda[wasser] *nt.*

sodden ['sɒdn] *adj* durchweicht.

sofa ['səʊfə] *n* Sofa *nt.*

soft [sɒft] *adj* weich; (*not loud*) leise, gedämpft; (*kind*) weichherzig, gutmütig; (*weak*) weich, nachgiebig; **~ drink** alkoholfreies Getränk; **~ loan** zinsloser Kredit, zinsloses Darlehen; **~ sell** zurückhaltende Verkaufsstrategie; **soften** ['sɒfn] **1.** *vt* weich machen; (*blow*) abschwächen, mildern; **2.** *vi* weich werden; **soft-hearted** *adj* weichherzig; **softly** *adv* sanft; leise; **softness** *n* Weichheit *f;* (*fig*) Sanftheit *f;* **software** *n* (COMPUT) Software *f.*

soggy ['sɒgɪ] *adj* (*ground*) sumpfig;

(*bread*) aufgeweicht.

soil [sɔɪl] **1.** *n* Erde *f*, Boden *m;* **2.** *vt* beschmutzen; **soiled** *adj* beschmutzt, schmutzig; **soil erosion** *n* Bodenerosion *f;* **soil pipe** *n* Abflussrohr *nt.*

solace ['sɒləs] *n* Trost *m.*

solar ['səʊlə*] *adj* Sonnen-; ~ **age** Solarzeitalter *nt;* ~ **cell** Solarzelle *f;* ~ **farm** Sonnenfarm *f;* ~ **panel** Sonnenkollektor *m;* ~ **power** Sonnenenergie *f;* ~ **power station** Solarkraftwerk *nt;* ~ **system** Sonnensystem *nt.*

sold [səʊld] *pt, pp of* **sell**.

solder ['səʊldə*] **1.** *vt* löten; **2.** *n* Lötmetall *nt.*

soldier ['səʊldʒə*] *n* Soldat(in) *m(f).*

sole [səʊl] **1.** *n* Sohle *f;* (*fish*) Seezunge *f;* **2.** *vt* besohlen; **3.** *adj* alleinig, Allein-; **solely** *adv* ausschließlich, nur.

solemn ['sɒləm] *adj* feierlich; (*serious*) feierlich, ernst.

solicitor [sə'lɪsɪtə*] *n* Rechtsanwalt(-anwältin) *m(f).*

solid ['sɒlɪd] *adj* (*hard*) fest; (*of same material*) rein, massiv; (*not hollow*) massiv, stabil; (*without break*) voll, ganz; (*reliable*) solide, zuverlässig; (*sensible*) solide, gut; (*united*) eins, einig; (*meal*) kräftig; ~ **figure** (MATH) Körper *m.*

solidarity [sɒlɪ'dærɪtɪ] *n* Solidarität *f*, Zusammenhalt *m;* **declare/show** ~ sich solidarisieren mit.

solidify [sə'lɪdɪfaɪ] **1.** *vi* fest werden, erstarren; **2.** *vt* fest machen, verdichten.

solidity [sə'lɪdɪtɪ] *n* Festigkeit *f.*

solidly ['sɒlɪdlɪ] *adv* (*fig: behind*) einmütig; (*work*) ununterbrochen.

soliloquy [sə'lɪləkwɪ] *n* Monolog *m.*

solitaire [sɒlɪ'tɛə*] *n* (CARDS) Patience *f;* (*gem*) Solitär *m.*

solitary ['sɒlɪtərɪ] *adj* einsam, einzeln.

solitude ['sɒlɪtju:d] *n* Einsamkeit *f.*

solo ['səʊləʊ] *n* <-s> Solo *nt;* **soloist** *n* Solist(in) *m(f).*

solstice ['sɒlstɪs] *n* Sonnenwende *f.*

soluble ['sɒljʊbl] *adj* (*substance*) löslich; (*problem*) lösbar.

solution [sə'lu:ʃən] *n* (*a. fig*) Lösung *f;* (*of mystery*) Erklärung *f.*

solve [sɒlv] *vt* [auf]lösen.

solvent ['sɒlvənt] *adj* (FIN) zahlungsfähig.

sombre *adj*, **sombrely** *adv* ['sɒmbə*, -əlɪ] düster.

some [sʌm] **1.** *adj* (*people etc*) einige; (*water etc*) etwas; (*unspecified*) [irgend]ein; (*remarkable*) toll, enorm; **2.** *pron* (*amount*) etwas; (*number*) einige; **that's ~ house** das ist vielleicht ein Haus; **somebody** *pron* [irgend]jemand; **he is ~** er ist jemand [*o* wer]; **someday** *adv* irgendwann; **somehow** *adv* (*in a certain way*) irgendwie; (*for a certain reason*) aus irgendeinem Grunde; **someone** *pron s.* **somebody**; **someplace** *adv* (*US*) *s.* **somewhere**.

somersault ['sʌməsɔ:lt] **1.** *n* Purzelbaum *m;* (SPORT) Salto *m;* **2.** *vi* Purzelbäume schlagen; einen Salto machen.

something ['sʌmθɪŋ] *pron* [irgend]etwas; **sometime** *adv* [irgend]einmal; **sometimes** *adv* manchmal, gelegentlich; **somewhat** *adv* etwas, ein wenig, ein bisschen; **somewhere** *adv* irgendwo; (*to a place*) irgendwohin.

son [sʌn] *n* Sohn *m.*

song [sɒŋ] *n* Lied *nt;* **songwriter** *n* Texter(in) *m(f).*

sonic ['sɒnɪk] *adj* Schall-; ~ **boom** Überschallknall *m.*

son-in-law ['sʌnɪnlɔ:] *n* <sons-in-law> Schwiegersohn *m.*

sonnet ['sɒnɪt] *n* Sonett *nt.*

sonny ['sʌnɪ] *n* (*fam*) Kleine(r) *m.*

soon [su:n] *adv* bald; **too** ~ zu früh; **as ~ as possible** so bald wie möglich, möglichst bald; **sooner** *adv* (*time*) eher, früher; (*for preference*) lieber; **no** ~ kaum.

soot [sʊt] *n* Ruß *m.*

soothe [su:ð] *vt* (*person*) beruhigen; (*pain*) lindern; **soothing** *adj* (*for person*) beruhigend; (*for pain*) lindernd.

sophisticated [sə'fɪstɪkeɪtɪd] *adj* (*person*) kultiviert, weltgewandt; (*machinery*) differenziert, hochentwickelt; (*plan*) ausgeklügelt; **sophistication** [səfɪstɪ'keɪʃən] *n* Weltgewandtheit *f*, Kultiviertheit *f;* (TECH) technische Verfeinerung.

sophomore ['sɒfəmɔ:*] *n* (*US*) College-Student(in) *m(f)* im zweiten Jahr.

soporific [sɒpə'rɪfɪk] *adj* einschläfernd, Schlaf-.

sopping ['sɒpɪŋ] *adj* (*very wet*) patschnass, triefend.

soppy ['sɒpɪ] *adj* (*fam*) schmalzig.

soprano [sə'prɑ:nəʊ] *n* <-s> Sopran *m.*

sordid ['sɔ:dɪd] *adj* (*dirty*) schmutzig, eklig; (*mean*) niederträchtig.

sore [sɔ:*] **1.** *adj* schmerzend; (*point*) wund; (*angry*) böse; **2.** *n* Wunde *f;* **to be ~** weh tun; **sorely** *adv* (*tempted*) stark, sehr; **soreness** *n* Schmerzhaftigkeit *f*,

Empfindlichkeit *f.*

sorrow ['sɒrəʊ] *n* Kummer *m,* Leid *nt;* **sorrowful** *adj* sorgenvoll; **sorrowfully** *adv* traurig, betrübt, kummervoll.

sorry ['sɒrɪ] *adj* traurig, erbärmlich; **[I'm]** ~ es tut mir Leid; **I feel ~ for him** er tut mir Leid.

sort [sɔ:t] **1.** *n* Art *f,* Sorte *f;* **2.** *vt* (*also:* ~ **out**) (*papers*) sortieren, sichten; (*problems*) in Ordnung bringen; (COMPUT) sortieren; **sorted** *adj* (*sl*) erledigt; **sorter** *n* Sortierer *m;* (*machine*) Sortiermaschine *f;* **sorting code** *n* Bankleitzahl *f;* **sort run** *n* Sortierlauf *m.*

so-so ['səʊ'səʊ] *adv* so[-so] la-la, mäßig.

soufflé ['su:fleɪ] *n* Auflauf *m,* Soufflé *nt.*

sought [sɔ:t] *pt, pp of* **seek**.

soul [səʊl] *n* Seele *f;* (*music*) Soul *m;* **soul-destroying** *adj* trostlos; **soulful** *adj* seelenvoll; **soulless** *adj* seelenlos, gefühllos.

sound [səʊnd] **1.** *adj* (*healthy*) gesund; (*safe*) sicher, solide; (*sensible*) vernünftig; (*theory*) stichhaltig; (*thorough*) tüchtig, gehörig; **2.** *n* (*noise*) Geräusch *nt;* (LING) Laut *m;* (MUS) Klang *m;* (RADIO, TV, CINE, *verbal*) Ton *m;* (GEO) Meerenge *f,* Sund *m;* **3.** *vt* erschallen lassen; (MED) abhorchen; **4.** *vi* (*make a sound*) schallen, tönen; (*seem*) klingen, sich anhören; **to ~ the alarm** Alarm schlagen; **to ~ one's horn** hupen; **sound out** *vt* (*opinion*) erforschen; (*person*) auf den Zahn fühlen *+dat;* **sound barrier** *n* Schallmauer *f;* **sound card** *n* Soundkarte *f;* **sounding** *n* (NAUT) Lotung *f;* **soundly** *adv* (*sleep*) fest, tief; (*beat*) tüchtig; **soundproof 1.** *adj* (*room*) schalldicht; **2.** *vt* schalldicht machen; ~ **barrier** Lärmschutzwall *m;* **soundtrack** *n* Tonstreifen *m;* (*of film*) Filmmusik *f.*

soup [su:p] *n* Suppe *f;* **in the ~** (*fam*) in der Tinte; **soupspoon** *n* Suppenlöffel *m.*

sour ['saʊə*] *adj* (*a. fig*) sauer.

source [sɔ:s] *n* (*a. fig*) Quelle *f.*

sourcing ['sɔ:sɪŋ] *n* Erwerb *m.*

sourness ['saʊənəs] *n* Säure *f;* (*fig*) Bitterkeit *f.*

south [saʊθ] **1.** *n* Süden *m;* **2.** *adj* Süd-, südlich; **3.** *adv* nach Süden; ~ **of** südlich von; **the South** (GEO) der Süden; **the South of France** Südfrankreich; **South Africa** *n* Südafrika *nt;* **South America** *n* Südamerika *nt;* **South American 1.** *adj* südamerikanisch; **2.** *n* Südamerikaner(in) *m(f);* **southerly** ['sʌðəlɪ] *adj* südlich; **southern** ['sʌðən] *adj* südlich; **southward[s]** *adv* südwärts, nach Süden.

souvenir [su:və'nɪə*] *n* Andenken *nt,* Souvenir *nt.*

sovereign ['sɒvrɪn] **1.** *n* (*ruler*) Herrscher(in) *m(f);* **2.** *adj* (*independent*) souverän; **sovereignty** *n* Oberhoheit *f;* (*self-determination*) Souveränität *f.*

Soviet Union ['səʊvɪət'ju:njən] *n* (HIST) Sowjetunion *f.*

sow [səʊ] <sowed, sown *o* sowed> **1.** *vt* säen; **2.** [saʊ] *n* Sau *f;* **sown** [səʊn] *pp of* **sow**.

soya bean ['sɔɪə'bi:n] *n* Sojabohne *f.*

spa [spɑ:] *n* (*spring*) Mineralquelle *f;* (*place*) Kurort *m,* Bad *nt.*

space [speɪs] *n* Platz *m,* Raum *m;* (*universe*) Weltraum *m,* All *nt;* (*length of time*) Abstand *m;* **space out** *vt* Platz lassen zwischen; (*typing*) gesperrt schreiben; **space armament** *n* Weltraumrüstung *f;* **spacecraft** *n* Raumschiff *nt;* **space lab** *n* Raumlabor *nt;* **spaceman** *n* <spacemen> Raumfahrer *m;* **space module** *n* Kommandokapsel *f;* **space probe** *n* Raumsonde *f;* **space shuttle** *n* Raumfähre *f;* **space station** *n* Raumstation *f.*

spacious ['speɪʃəs] *adj* geräumig, weit.

spade [speɪd] *n* Spaten *m;* (CARDS) Pik *nt;* **to play ~s** Pik spielen; **spadework** *n* (*fig*) Vorarbeit *f.*

spaghetti [spə'getɪ] *n* Spaghetti *pl.*

Spain [speɪn] *n* Spanien *nt.*

span [spæn] **1.** *n* Spanne *f,* Spannweite *f;* **2.** *vt* überspannen.

Spaniard ['spænɪəd] *n* Spanier(in) *m(f).*

spaniel ['spænjəl] *n* Spaniel *m.*

Spanish ['spænɪʃ] **1.** *adj* spanisch; **2.** *n:* **the ~** *pl* die Spanier *pl.*

spank [spæŋk] *vt* verhauen, versohlen.

spanner ['spænə*] *n* Schraubenschlüssel *m.*

spar [spɑ:*] **1.** *n* (NAUT) Sparren *m;* **2.** *vi* (*boxing*) ein Sparring machen.

spare [spɛə*] **1.** *adj* Ersatz-; **2.** *n* Ersatzteil *nt;* **3.** *vt* (*lives, feelings*) verschonen; (*trouble*) ersparen; **4 to ~** 4 übrig; **~ part** Ersatzteil *nt;* **~ time** Freizeit *f;* **~ tyre** Wohlstandsbauch *m.*

spark [spɑ:k] *n* Funken *m;* **spark[ing] plug** *n* Zündkerze *f.*

sparkle ['spɑ:kl] **1.** *n* Funkeln *nt,* Glitzern *nt;* (*gaiety*) Lebhaftigkeit *f,* Schwung *m;* **2.** *vi* funkeln, glitzern; **sparkling** *adj* funkelnd, sprühend; (*wine*) Schaum-; (*conversation*) spritzig, geistreich.

sparrow ['spærəʊ] *n* Spatz *m.*

sparse *adj,* **sparsely** *adv* [spɑːs, -lɪ] spärlich, dünn.

spasm ['spæzəm] *n* (MED) Krampf *m;* (*fig*) Anfall *m;* **spasmodic** [spæz'mɒdɪk] *adj* krampfartig, spasmodisch; (*fig*) sprunghaft.

spastic ['spæstɪk] *adj* spastisch.

spat [spæt] *pt, pp of* **spit**.

spate [speɪt] *n* (*fig*) Flut *f,* Schwall *m;* **in** ~ (*river*) angeschwollen.

spatter ['spætə*] **1.** *n* Spritzer *m;* **2.** *vt* bespritzen, verspritzen; **3.** *vi* spritzen.

spatula ['spætjʊlə] *n* Spatel *m;* (*for building*) Spachtel *f.*

spawn [spɔːn] *vt* laichen.

speak [spiːk] <**spoke, spoken**> **1.** *vt* sprechen; (*truth*) sagen; **2.** *vi* sprechen (*to* mit, zu), reden (*to* mit); **not to be on ~ing terms** nicht miteinander sprechen [*o* reden]; **speak for** *vt* sprechen [*o* eintreten] für; **speak up** *vi* lauter sprechen; (*fig*) etwas sagen, seine Meinung äußern; **speaker** *n* Sprecher(in) *m(f),* Redner(in) *m(f);* (*loud~*) Lautsprecher[box *f*] *m.*

spear [spɪə*] **1.** *n* Speer *m,* Lanze *f,* Spieß *m;* **2.** *vt* aufspießen, durchbohren.

spec [spek] *n* (*fam*): **on** ~ auf gut Glück.

special ['speʃəl] **1.** *adj* besondere(r, s); speziell; **2.** *n* (RAIL) Sonderzug *m;* **specialist** *n* Spezialist(in) *m(f);* (TECH) Fachmann(-frau) *m(f);* (MED) Facharzt(-ärztin) *m(f);* **speciality** [speʃɪ'ælɪtɪ] *n* Spezialität *f;* (*study*) Spezialgebiet *nt;* **specialize** *vi* sich spezialisieren (*in* auf *+akk*); **specially** *adv* besonders; (*explicitly*) extra, ausdrücklich.

species ['spiːʃiːz] *n sing* Art *f.*

specific [spə'sɪfɪk] *adj* spezifisch, eigentümlich, besondere(r, s); **specifically** *adv* genau, spezifisch.

specifications [spesɪfɪ'keɪʃənz] *n pl* genaue Angaben *pl;* (TECH) technische Daten *pl.*

specify ['spesɪfaɪ] *vt* genau angeben.

specimen ['spesɪmən] *n* Probe *f,* Muster *nt.*

speck [spek] *n* Fleckchen *nt;* **speckled** *adj* gesprenkelt.

specs [speks] *n pl* (*fam*) Brille *f.*

spectacle ['spektəkl] *n* Schauspiel *nt;* **~s** *pl* Brille *f.*

spectacular [spek'tækjʊlə*] *adj* Aufsehen erregend, spektakulär.

spectator [spek'teɪtə*] *n* Zuschauer(in) *m(f).*

specter (*US*), **spectre** ['spektə*] *n* Geist *m,* Gespenst *nt.*

spectrum ['spektrəm] *n* Spektrum *nt.*

speculate ['spekjʊleɪt] *vi* vermuten; (*a.* FIN) spekulieren; **speculation** [spekjʊ'leɪʃən] *n* Vermutung *f;* (*a.* FIN) Spekulation *f;* **speculative** ['spekjʊlətɪv] *adj* spekulativ.

sped [sped] *pt, pp of* **speed**.

speech [spiːtʃ] *n* Sprache *f;* (*address*) Rede *f,* Ansprache *f;* (*manner of speaking*) Sprechweise *f;* **speech day** *n* (SCH) [Jahres]schlussfeier *f;* **speechless** *adj* sprachlos; **speech recognition** *n* Spracherkennung *f;* **speech therapy** *n* Sprachtherapie *f.*

speed [spiːd] <**sped** *o* **speeded, sped** *o* **speeded**> **1.** *vi* rasen; (JUR) [zu] schnell fahren; **2.** *n* Geschwindigkeit *f;* (*gear*) Gang *m;* **speed up 1.** *vt* beschleunigen; **2.** *vi* schneller werden/fahren; **speedboat** *n* Schnellboot *nt;* **speedily** *adv* schnell, schleunigst; **speeding** *n* zu schnelles Fahren; **speed limit** *n* Geschwindigkeitsbegrenzung *f;* (*general*) Tempolimit *nt;* **speed merchant** *n* Raser(in) *m(f);* **speedometer** [spɪ'dɒmɪtə*] *n* Tachometer *m;* **speed trap** *n* Radarfalle *f;* **speedway** *n* (*bike racing*) Motorradrennstrecke *f;* **speedy** *adj* schnell, zügig.

spell [spel] <**spelt** *o* **spelled, spelt** *o* **spelled**> **1.** *vt* buchstabieren; (*imply*) bedeuten; **2.** *n* (*magic*) Bann *m,* Zauber *m;* (*period of time*) Zeit *f,* Zeitlang *f,* Weile *f;* **how do you ~ ...?** wie schreibt man ...?; **sunny ~s** *pl* Aufheiterungen *pl;* **rainy ~s** *pl* vereinzelte Schauer *pl;* **spellbound** *adj* [wie] gebannt; **spell-checker** *n* (COMPUT) Rechtschreibprogramm *nt;* **spelling** *n* Buchstabieren *nt;* **spelling mistake** *n* Rechtschreibfehler *m;* **English** ~ die englische Rechtschreibung.

spend [spend] <**spent, spent**> *vt* (*money*) ausgeben; (*time*) verbringen; **spending money** *n* Taschengeld *nt;* **spent** [spent] **1.** *pt, pp of* **spend**; **2.** *adj* (*patience*) erschöpft.

sperm [spɜːm] *n* (BIO) Samenflüssigkeit *f.*

spew [spjuː] *vt* [er]brechen.

sphere [sfɪə*] *n* (*globe*) Kugel *f;* (*fig*) Sphäre *f,* Gebiet *nt;* **spherical** ['sferɪkəl] *adj* kugelförmig.

sphinx [sfɪŋks] *n* Sphinx *f.*

spice [spaɪs] 1. *n* Gewürz *nt;* 2. *vt* würzen; **spiciness** ['spaɪsɪnəs] *n* Würze *f.*

spick-and-span ['spɪkən'spæn] *adj* blitzblank, tipptopp.

spicy ['spaɪsɪ] *adj* würzig, pikant.

spider ['spaɪdə*] *n* Spinne *f;* **spidery** *adj* (*writing*) krakelig.

spike [spaɪk] *n* Dorn *m,* Spitze *f;* **~s** *pl* Spikes *pl.*

spill [spɪl] <spilt *o* spilled, spilt *o* spilled> 1. *vt* verschütten; 2. *vi* sich ergießen; **spilt** [spɪlt] *pt, pp of* **spill**.

spin [spɪn] <spun, spun> 1. *vt* (*thread*) spinnen; (*turn fast*) schnell drehen, [herum]wirbeln; 2. *vi* sich drehen; 3. *n* Umdrehung *f;* (*trip in car*) Spazierfahrt *f;* (AVIAT) [Ab]trudeln *nt;* (*on ball*) Drall *m;* **spin out** *vt* in die Länge ziehen; (*story*) ausmalen.

spinach ['spɪnɪtʃ] *n* Spinat *m.*

spinal ['spaɪnl] *adj* Rückgrat-, Rückenmark-; ~ **column** Wirbelsäule *f,* Rückgrat *nt;* ~ **cord** Rückenmark *nt.*

spindly ['spɪndlɪ] *adj* spindeldürr.

spin-drier ['spɪndraɪə*] *n* Wäscheschleuder *f;* **spin-dry** *vt* schleudern.

spine [spaɪn] *n* Rückgrat *nt;* (*thorn*) Stachel *m;* **spineless** *adj* (*a. fig*) ohne Rückgrat.

spinning ['spɪnɪŋ] *n* (*of thread*) [Faden]spinnen *nt;* **spinning wheel** *n* Spinnrad *nt.*

spinster ['spɪnstə*] *n* unverheiratete Frau; (*pej*) alte Jungfer.

spiral ['spaɪrəl] 1. *n* Spirale *f;* 2. *adj* gewunden, spiralförmig, Spiral-; 3. *vi* sich ringeln; ~ **staircase** Wendeltreppe *f.*

spire ['spaɪə*] *n* Turm *m.*

spirit ['spɪrɪt] *n* Geist *m;* (*humour, mood*) Stimmung *f;* (*courage*) Mut *m;* (*verve*) Elan *m;* (*alcohol*) Alkohol *m;* **~s** *pl* Spirituosen *pl;* **in good ~s** gut aufgelegt; **spirited** *adj* beherzt; **spirit level** *n* Wasserwaage *f.*

spiritual ['spɪrɪtjʊəl] 1. *adj* geistig, seelisch; (REL) geistlich; 2. *n* Spiritual *nt;* **spiritualism** *n* Spiritismus *m.*

spit [spɪt] <spat, spat> 1. *vi* spucken; (*rain*) sprühen; (*make a sound*) zischen; (*cat*) fauchen; 2. *n* (*for roasting*) [Brat]spieß *m;* (*saliva*) Spucke *f.*

spite [spaɪt] 1. *n* Gehässigkeit *f;* 2. *vt* ärgern, kränken; **in ~ of** trotz *+gen o dat;* **spiteful** *adj* gehässig.

splash [splæʃ] 1. *n* Spritzer *m;* (*of colour*) [Farb]fleck *m;* 2. *vt* bespritzen; 3. *vi* spritzen; **splashdown** *n* Wasserlandung *f,* Wasserung *f.*

spleen [spliːn] *n* (ANAT) Milz *f;* (*fig*) Ärger *m.*

splendid *adj,* **splendidly** *adv* ['splendɪd, -lɪ] glänzend, großartig.

splendor (*US*), **splendour** ['splendə*] *n* Pracht *f.*

splint [splɪnt] *n* Schiene *f.*

splinter ['splɪntə*] 1. *n* Splitter *m;* 2. *vi* [zer]splittern.

split [splɪt] <split, split> 1. *vt* spalten; 2. *vi* (*divide*) reißen; sich spalten; (*fam: depart*) abhauen; 3. *n* Spalte *f;* (*fig*) Spaltung *f;* (*division*) Trennung *f;* **split up** 1. *vi* sich trennen; 2. *vt* aufteilen, teilen; **split payment** *n* Teilzahlung *f;* **splitting** *adj* (*headache*) rasend, wahnsinnig; **splittist** *n* Separatist(in) *m(f).*

splutter ['splʌtə*] *vi* spritzen; (*person, engine*) stottern.

spoil [spɔɪl] <spoiled *o* spoilt, spoiled *o* spoilt> 1. *vt* (*ruin*) verderben; (*child*) verwöhnen, verziehen; 2. *vi* (*food*) verderben; **you are ~ing me** du verwöhnst mich; **spoils** *n pl* Beute *f;* **spoilsport** *n* Spielverderber(in) *m(f);* **spoilt** [spɔɪlt] *pt, pp of* **spoil**.

spoke [spəʊk] 1. *pt of* **speak**; 2. *n* Speiche *f.*

spoken ['spəʊkən] *pp of* **speak**; **spokesman** *n* <spokesmen> Sprecher *m,* Vertreter *m;* **spokesperson** *n* <spokespeople> Sprecher(in) *m(f).*

sponge [spʌndʒ] 1. *n* Schwamm *m;* 2. *vt* mit dem Schwamm abwaschen; 3. *vi* schmarotzen, auf Kosten leben (*on gen*); **to throw in the ~** das Handtuch werfen; **sponge bag** *n* Kulturbeutel *m;* **sponge cake** *n* Rührkuchen *m;* **sponger** *n* (*fam*) Schmarotzer(in) *m(f);* **spongy** ['spʌndʒɪ] *adj* schwammig.

sponsor ['spɒnsə*] 1. *n* Bürge *m,* Bürgin *f;* (COMM) Sponsor(in) *m(f);* 2. *vt* bürgen für; (COMM) sponsern; **sponsorship** *n* Bürgschaft *f;* (*public*) Schirmherrschaft *f.*

spontaneity [spɒntə'neɪɪtɪ] *n* Spontanität *f;* **spontaneous** *adj,* **spontaneously** *adv* [spɒn'teɪnɪəs, -lɪ] spontan.

spooky ['spuːkɪ] *adj* (*fam*) gespenstisch.

spool [spuːl] *n* Spule *f,* Rolle *f.*

spoon [spuːn] *n* Löffel *m;* **spoon-feed** *irr vt* mit dem Löffel füttern; (*fig*) gängeln, denken für; **spoonful** *n* Löffel[voll] *m.*

sporadic [spə'rædɪk] *adj* vereinzelt, sporadisch.

sport [spɔ:t] *n* Sport *m;* (*fun*) Spaß *m;* (*person*) feiner Kerl; **sporting** *adj* (*fair*) sportlich, fair; **sports car** *n* Sportwagen *m;* **sport[s] coat**, **sport[s] jacket** *n* Sportjackett *nt;* **sportsman** *n* <sportsmen> Sportler *m;* (*fig*) anständiger Kerl; **sportsmanship** *n* Sportlichkeit *f;* (*fig*) Anständigkeit *f;* **sports page** *n* Sportseite *f;* **sportswear** *n* Sportkleidung *f;* **sportswoman** *n* <sportswomen> Sportlerin *f;* **sporty** *adj* sportlich.

spot [spɒt] **1.** *n* Punkt *m;* (*dirty*) Fleck[en] *m;* (*place*) Stelle *f*, Platz *m;* (MED) Pickel *m*, Pustel *f;* (*small amount*) Schluck *m*, Tropfen *m;* (*TV*) Werbespot *m;* (*fig*) Makel *m;* **2.** *vt* erspähen; (*mistake*) bemerken; **spot check** *n* Stichprobe *f;* **spotless** *adj*, **spotlessly** *adv* fleckenlos; **spotlight** *n* Scheinwerferlicht *nt;* (*lamp*) Scheinwerfer *m;* **spotted** *adj* gefleckt; (*dress*) gepunktet; **spotty** *adj* (*face*) pickelig.

spouse [spaʊs] *n* Gatte *m*, Gattin *f.*

spout [spaʊt] **1.** *n* (*of pot*) Tülle *f;* (*jet*) Wasserstrahl *m;* **2.** *vi* speien, spritzen.

sprain [spreɪn] **1.** *n* Verrenkung *f;* **2.** *vt* verrenken.

sprang [spræŋ] *pt of* **spring**.

sprawl [sprɔ:l] **1.** *n* (*of city*) Ausbreitung *f;* **2.** *vi* sich erstrecken.

spray [spreɪ] **1.** *n* Spray *nt o m;* (*off sea*) Gischt *f;* (*instrument*) Zerstäuber *m;* (*~ can*) Spraydose *f;* (*of flowers*) Zweig *m;* **2.** *vt* besprühen, sprayen.

spread [spred] <spread, spread> **1.** *vt* ausbreiten; (*scatter*) verbreiten; (*butter*) streichen; **2.** *n* (*extent*) Verbreitung *f;* (*of wings*) Spannweite *f;* (*fam: meal*) Schmaus *m;* (*for bread*) Aufstrich *m.*

spreadsheet ['spredʃi:t] *n* (COMPUT) Tabellenkalkulation[sprogramm *nt*] *f.*

spree [spri:] *n* lustiger Abend; (*shopping*) Einkaufsbummel *m;* **to go out on a ~** einen draufmachen.

sprig [sprɪg] *n* kleiner Zweig.

sprightly ['spraɪtlɪ] *adj* munter, lebhaft.

spring [sprɪŋ] <sprang, sprung> **1.** *vi* (*leap*) springen; **2.** *n* (*leap*) Sprung *m;* (*metal*) Feder *f;* (*season*) Frühling *m;* (*water*) Quelle *f;* **in ~** im Frühling; **spring up** *vi* (*problem*) entstehen, auftauchen; **springboard** *n* Sprungbrett *nt;* **springclean** *vt* Frühjahrsputz machen in *+dat;* **spring-cleaning** *n* Frühjahrsputz *m;* **springiness** *n* Elastizität *f;* **springtime** *n* Frühling *m;* **springy** *adj* federnd, elastisch.

sprinkle ['sprɪŋkl] **1.** *n* Prise *f;* **2.** *vt* (*salt*) streuen; (*liquid*) sprenkeln; **sprinkler [system]** *n* (*horticulture*) Berieselungsanlage *f;* (*fire-prevention*) Sprinkleranlage *f;* **sprinkling** *n* Spur *f*, ein bisschen.

sprint [sprɪnt] **1.** *n* Kurzstreckenlauf *m;* (SPORT) Sprint *m;* **2.** *vi* sprinten; **sprinter** *n* Sprinter(in) *m(f)*, Kurzstreckenläufer(in) *m(f).*

sprite [spraɪt] *n* Kobold *m.*

spritzer ['sprɪtsə*] *n* (*US*) Weinschorle *f*, Gespritzte(r) *m.*

sprout [spraʊt] **1.** *n* (*of plant*) Trieb *m;* (*from seed*) Keim *m;* **2.** *vt* treiben; **3.** *vi* (*grow*) wachsen, sprießen; (*seeds*) keimen; (*fig*) wie die Pilze aus dem Boden schießen; **sprouts** *pl* Rosenkohl *m.*

spruce [spru:s] **1.** *n* Fichte *f;* **2.** *adj* schmuck, adrett.

sprung [sprʌŋ] *pp of* **spring**.

spry [spraɪ] *adj* flink, rege.

spud [spʌd] *n* (*fam*) Kartoffel *f.*

spun [spʌn] *pt, pp of* **spin**.

spur [spɜ:*] **1.** *n* Sporn *m;* (*fig*) Ansporn *m;* **2.** *vt* (*also:* **~ on**) (*fig*) anspornen; **on the ~ of the moment** spontan.

spurious ['spjʊərɪəs] *adj* falsch, unecht, Pseudo-.

spurn [spɜ:n] *vt* verschmähen.

spurt [spɜ:t] **1.** *n* (*jet*) Strahl *m;* (*acceleration*) Spurt *m;* **2.** *vi* (*jet*) steigen; (*liquid*) schießen, spritzen; (*run*) spurten.

spy [spaɪ] **1.** *n* Spion(in) *m(f);* **2.** *vi* spionieren; **3.** *vt* erspähen; **to ~ on sb** jdm nachspionieren; **spying** *n* Spionage *f.*

Sq *n abbr of* **square** Platz, Pl. *m.*

squabble ['skwɒbl] *vi* sich zanken; **squabbling** *n* Zankerei *f.*

squad [skwɒd] *n* (MIL) Abteilung *f;* (*police*) Kommando *nt.*

squadron ['skwɒdrən] *n* (*cavalry*) Schwadron *f;* (NAUT) Geschwader *nt;* (*air force*) Staffel *f.*

squalid ['skwɒlɪd] *adj* schmutzig, verkommen.

squall [skwɔ:l] *n* Bö *f*, Windstoß *m;* **squally** *adj* (*weather*) stürmisch; (*wind*) böig.

squalor ['skwɒlə*] *n* Verwahrlosung *f*, Schmutz *m.*

squander ['skwɒndə*] *vt* verschwenden.

square [skwɛə*] **1.** *n* (MATH) Quadrat *nt;* (*open space*) Platz *m;* (*instrument*) Winkel *m;* (*fam: person*) Spießer(in) *m(f);* **2.**

adj viereckig, quadratisch; (*fair*) ehrlich, reell; (*meal*) reichlich; (*fam: ideas, tastes*) spießig; **3.** *adv* (*exactly*) direkt, gerade; **4.** *vt* (*arrange*) ausmachen, aushandeln; (MATH) ins Quadrat erheben; (*bribe*) schmieren; **5.** *vi* (*agree*) übereinstimmen; **all** ~ quitt; **2 metres** ~ 2 Meter im Quadrat; **2** ~ **metres** 2 Quadratmeter; **squarely** *adv* fest, gerade.

squash [skwɒʃ] **1.** *n* (*drink*) Saft *m;* (SPORT) Squash *nt;* **2.** *vt* zerquetschen.

squat [skwɒt] **1.** *adj* untersetzt, gedrungen; **2.** *vi* hocken; **squatter** *n* Hausbesetzer(in) *m(f);* **squatting** *n* Hausbesetzung *f.*

squaw [skwɔ:] *n* Squaw *f.*

squawk [skwɔ:k] *vi* kreischen.

squeak [skwi:k] *vi* quiek[s]en; (*spring, door etc*) quietschen; **squeaky** *adj* quiek[s]end; quietschend.

squeal [skwi:l] *vi* schrill schreien; (*brakes*) quietschen.

squeamish ['skwi:mɪʃ] *adj* empfindlich; **that made me** ~ davon wurde mir übel; **squeamishness** *n* Überempfindlichkeit *f.*

squeeze [skwi:z] **1.** *n* Pressen *nt;* (POL) Geldknappheit *f,* wirtschaftlicher Engpass; **2.** *vt* pressen, drücken; (*orange*) auspressen; **squeeze out** *vt* ausquetschen.

squid [skwɪd] *n* Tintenfisch *m.*

squint [skwɪnt] *vi* schielen.

squire ['skwaɪə*] *n* Gutsherr *m.*

squirm [skwɜ:m] *vi* sich winden.

squirrel ['skwɪrəl] *n* Eichhörnchen *nt.*

squirt [skwɜ:t] **1.** *n* Spritzer *m,* Strahl *m;* **2.** *vt, vi* spritzen.

Sri Lanka [sri:'læŋkə] *n* Sri Lanka *nt.*

st *n abbr of* **stone** *Gewichtseinheit* (*6,35 kg*).

St 1. *n abbr of* **saint** St.; **2.** *n abbr of* **street** Straße, Str. *f.*

stab [stæb] **1.** *n* (*blow*) Stoß *m,* Stich *m;* (*fam: try*) Versuch *m;* **2.** *vt* erstechen; **stabbing** *n* Messerstecherei *f.*

stability [stə'bɪlɪtɪ] *n* Festigkeit *f,* Stabilität *f.*

stabilization [steɪbəlaɪ'zeɪʃən] *n* Festigung *f,* Stabilisierung *f.*

stabilize ['steɪbəlaɪz] *vt* festigen, stabilisieren; **stabilizer** *n* Stabilisator *m.*

stable ['steɪbl] **1.** *n* Stall *m;* **2.** *adj* fest, stabil; (*person*) gefestigt.

stack [stæk] **1.** *n* Stoß *m,* Stapel *m;* **2.** *vt* [auf]stapeln.

stadium ['steɪdɪəm] *n* Stadion *nt.*

staff [stɑ:f] **1.** *n* (*stick,* MIL) Stab *m;* (*personnel*) Personal *nt;* (SCH) Lehrkräfte *pl;* **2.** *vt* (*with people*) besetzen.

stag [stæg] *n* Hirsch *m.*

> Als **stag night** bezeichnet man eine feuchtfröhliche Männerparty, die kurz vor einer Hochzeit vom Bräutigam und seinen Freunden meist in einem Gasthaus oder einem Nachtclub gefeiert wird. Diese Partys sind oft sehr ausgelassen und können manchmal auch zu weit gehen, wenn dem betrunkenen Bräutigam ein schlimmer Streich gespielt wird.

stage [steɪdʒ] **1.** *n* Bühne *f;* (*of journey*) Etappe *f;* (*degree*) Stufe *f;* (*point*) Stadium *nt;* **2.** *vt* (*put on*) aufführen; (*play*) inszenieren; (*demonstration*) veranstalten; **in ~s** etappenweise; **stagecoach** *n* Postkutsche *f;* **stage door** *n* Bühneneingang *m;* **stage manager** *n* Spielleiter(in) *m(f),* Intendant(in) *m(f).*

stagger ['stægə*] **1.** *vi* wanken, taumeln; **2.** *vt* (*amaze*) verblüffen; (*hours*) staffeln; **staggering** *adj* (*amazing*) atemberaubend.

stagnant ['stægnənt] *adj* stagnierend; (*water*) stehend; **stagnate** [stæg'neɪt] *vi* stagnieren; **stagnation** [stæg'neɪʃən] *n* Stillstand *m,* Stagnation *f.*

staid [steɪd] *adj* gesetzt.

stain [steɪn] **1.** *n* Fleck *m;* (*colouring for wood*) Beize *f;* **2.** *vt* beflecken, Flecken machen auf +*akk;* (*wood*) beizen; **~ed glass window** buntes Glasfenster; **stainless** *adj* (*steel*) rostfrei, nicht rostend; **stain remover** *n* Fleckentferner *m.*

stair [stɛə*] *n* [Treppen]stufe *f;* **~s** *pl* Treppe *f;* **staircase** *n* Treppenhaus *nt,* Treppe *f;* **stairway** *n* Treppenaufgang *m.*

stake [steɪk] **1.** *n* (*post*) Pfahl *m,* Pfosten *m;* (*money*) Einsatz *m;* **2.** *vt* (*bet money*) setzen; **to be at** ~ auf dem Spiel stehen.

stalactite ['stæləktaɪt] *n* Stalaktit *m.*

stalagmite ['stæləgmaɪt] *n* Stalagmit *m.*

stale [steɪl] *adj* alt; (*beer*) schal; (*bread*) altbacken; **stalemate** *n* (CHESS *fig*) Patt *nt.*

stalk [stɔ:k] **1.** *n* Stängel *m,* Stiel *m;* **2.** *vt* (*game*) sich anpirschen an +*akk,* jagen; **3.** *vi* (*walk*) stolzieren.

stall [stɔ:l] **1.** *n* (*in stable*) Stand *m,* Box *f;* (*in market*) [Verkaufs]stand *m;* **2.** *vt* (AUT:

engine) abwürgen; (*progress*) blockieren; **3.** *vi* (AUT) stehen bleiben; (*avoid*) Ausflüchte machen, ausweichen.

stallion ['stælɪən] *n* Zuchthengst *m.*

stalls [stɔːlz] *n pl* (THEAT) Parkett *nt.*

stalwart ['stɔːlwət] **1.** *adj* standhaft; **2.** *n* treuer Anhänger, treue Anhängerin.

stamina ['stæmɪnə] *n* Durchhaltevermögen *nt,* Zähigkeit *f.*

stammer ['stæmə*] *vt, vi* stottern, stammeln.

stamp [stæmp] **1.** *n* Briefmarke *f;* (*with foot*) Stampfen *nt;* (*for document*) Stempel *m;* **2.** *vi* stampfen; **3.** *vt* (*mark*) stempeln; (*mail*) frankieren; (*foot*) stampfen mit; **stamp album** *n* Briefmarkenalbum *nt;* **stamp collecting** *n* Briefmarkensammeln *nt.*

stampede [stæm'piːd] *n* panische Flucht.

stance [stæns] *n* (*posture*) Haltung *f,* Stellung *f;* (*opinion*) Einstellung *f.*

stand [stænd] <**stood, stood**> **1.** *vi* stehen; (*rise*) aufstehen; (*decision*) feststehen; **2.** *vt* setzen; stellen; (*endure*) aushalten; (*person*) ausstehen, leiden können; (*nonsense*) dulden; **3.** *n* Standort *m,* Platz *m;* (*for objects*) Gestell *nt;* (*seats*) Tribüne *f;* **it ~s to reason** es ist einleuchtend; **to make a ~** Widerstand leisten; **to ~ still** still stehen; **stand by 1.** *vi* (*be ready*) bereitstehen; **2.** *vt* (*opinion*) treu bleiben *+dat;* **stand for** *vt* (*signify*) stehen für; (*permit, tolerate*) hinnehmen; **stand in for** *vt* einspringen für; **stand out** *vi* (*be prominent*) hervorstechen; **stand up** *vi* (*rise*) aufstehen; **stand up for** *vt* sich einsetzen für.

standard ['stændəd] **1.** *n* (*measure*) Standard *m,* Norm *f;* (*flag*) Standarte *f,* Fahne *f;* **2.** *adj* (*size etc*) Normal-, Durchschnitts-; **~ of living** Lebensstandard *m;* **standardization** [stændədaɪ'zeɪʃən] *n* Vereinheitlichung *f;* **standardize** ['stændədaɪz] *vt* vereinheitlichen, normen; **standard lamp** *n* Stehlampe *f;* **standard time** *n* Ortszeit *f.*

stand-by ['stændbaɪ] *n* Reserve *f;* **stand-by flight** *n* Standby-Flug *m;* **stand-in** *n* Ersatz[mann] *m,* Hilfskraft *f.*

standing ['stændɪŋ] **1.** *adj* (*erect*) stehend; (*permanent*) ständig, dauernd; (*invitation*) offen; **2.** *n* (*duration*) Dauer *f;* (*reputation*) Ansehen *nt;* **~ room only** nur Stehplatz; **standing jump** *n* Sprung *m* aus dem Stand; **standing order** *n* (*at bank*) Dauerauftrag *m;* **standing orders** *n pl* (MIL) Vorschrift *f.*

stand-offish [stænd'ɒfɪʃ] *adj* zurückhaltend, sehr reserviert.

standpoint ['stændpɔɪnt] *n* Standpunkt *m.*

standstill ['stændstɪl] *n* Stillstand *m;* **to be at a ~** stillstehen; **to come to a ~** zum Stillstand kommen.

stank [stæŋk] *pt of* **stink.**

stanza ['stænzə] *n* Strophe *f.*

staple ['steɪpl] **1.** *n* (*clip*) Krampe *f;* (*in paper*) Heftklammer *f;* (*article*) Haupterzeugnis *nt;* **2.** *adj* Grund-; Haupt-; **3.** *vt* [fest]klammern; **stapler** *n* Heftmaschine *f.*

star [stɑː*] **1.** *n* Stern *m;* (*person*) Star *m;* **2.** *vi* die Hauptrolle spielen; **3.** *vt* (*actor*) in der Hauptrolle zeigen; **Star Wars** *pl* Krieg *m* der Sterne.

starboard ['stɑːbəd] **1.** *n* Steuerbord *nt;* **2.** *adj* Steuerbord-.

starch [stɑːtʃ] **1.** *n* Stärke *f;* **2.** *vt* stärken; **starchy** *adj* stärkehaltig; (*formal*) steif.

stardom ['stɑːdəm] *n* Berühmtheit *f.*

stare [stɛə*] **1.** *n* starrer Blick; **2.** *vi* starren (*at* auf *+akk*); **stare at** *vt* anstarren.

starfish ['stɑːfɪʃ] *n* Seestern *m.*

stark [stɑːk] **1.** *adj* öde; **2.** *adv:* **~ naked** splitternackt.

starless ['stɑːləs] *adj* sternlos; **starlight** *n* Sternenlicht *nt.*

starling ['stɑːlɪŋ] *n* Star *m.*

starlit ['stɑːlɪt] *adj* sternklar.

starring ['stɑːrɪŋ] *adj* mit ... in der Hauptrolle.

starry ['stɑːrɪ] *adj* Sternen-; **starry-eyed** *adj* (*innocent*) blauäugig.

star-studded ['stɑːstʌdɪd] *adj* mit Spitzenstars.

start [stɑːt] **1.** *n* Beginn *m,* Anfang *m,* Start *m;* (SPORT) Start *m;* (*lead*) Vorsprung *m;* **2.** *vt* in Gang setzen, anfangen; (*car*) anlassen; (COMPUT) starten; **3.** *vi* anfangen; (*car*) anspringen; (*on journey*) aufbrechen; (SPORT) starten; **to give a ~** zusammenzucken; **to give sb a ~** jdn zusammenzucken lassen; **start over** *vi* (*US*) wieder anfangen; **start up 1.** *vi* anfangen; (*startled*) auffahren; **2.** *vt* beginnen; (*car*) anlassen; (*engine*) starten; **starter** *n* (AUT) Anlasser *m;* (*for race*) Starter(in) *m(f);* **starting handle** *n* Anlasskurbel *f;* **starting point** *n* Ausgangspunkt *m.*

startle ['stɑːtl] *vt* erschrecken; **startling** *adj* erschreckend.

start-up ['stɑ:tʌp] *adj* Start-.

starvation [stɑ:'veɪʃən] *n* Verhungern *nt;* **to die of** ~ verhungern.

starve [stɑ:v] **1.** *vi* hungern; (*die*) verhungern; **2.** *vt* verhungern lassen; **to be ~d of affection** unter Mangel an Liebe leiden; **starve out** *vt* aushungern; **starving** *adj* [ver]hungernd.

state [steɪt] **1.** *n* (*condition*, COMPUT) Zustand *m;* (POL) Staat *m;* (*fam: anxiety*) [schreckliche] Verfassung *f;* **2.** *vt* erklären; (*facts*) angeben; **state control** *n* staatliche Kontrolle; **stated** *adj* festgesetzt.

stateliness ['steɪtlɪnəs] *n* Pracht *f,* Würde *f;* **stately** *adj* würdevoll, erhaben; ~ **home** herrschaftliches Anwesen.

statement ['steɪtmənt] *n* Aussage *f;* (POL) Erklärung *f;* (*bank*) Kontoauszug *m.*

statesman ['steɪtsmən] *n* <statesmen> Staatsmann *m.*

static ['stætɪk] **1.** *n* Statik *f;* **2.** *adj* statisch.

station ['steɪʃən] **1.** *n* (RAIL) Bahnhof *m;* (*police etc*) Station *f,* Wache *f;* (*in society*) gesellschaftliche Stellung; **2.** *vt* aufstellen; **to be ~ed** stationiert sein.

stationary ['steɪʃənərɪ] *adj* stillstehend; (*car*) parkend, haltend.

stationer ['steɪʃənə*] *n* Schreibwarenhändler(in) *m(f);* **~'s [shop]** Schreibwarengeschäft *nt;* **stationery** *n* Schreibwaren *pl.*

station wagon ['steɪʃənwægən] *n* Kombiwagen *m.*

statistic [stə'tɪstɪk] *n* Statistik *f;* **~s** *sing* (*as subject*) Statistik *f;* **statistical** *adj* statistisch.

statue ['stætju:] *n* Statue *f.*

stature ['stætʃə*] *n* Wuchs *m,* Statur *f;* (*fig*) Größe *f.*

status ['steɪtəs] *n* Stellung *f,* Status *m;* **the ~ quo** der Status quo; **status poll** *n* (COMPUT) Statusabfrage *f;* **status symbol** *n* Statussymbol *nt.*

statute ['stætju:t] *n* Gesetz *nt;* **statutory** ['stætjʊtərɪ] *adj* gesetzlich; **statutory sick pay** *n* Lohnfortzahlung *f* bei Krankheit.

staunch *adj,* **staunchly** *adv* [stɔ:ntʃ, -lɪ] treu, zuverlässig; (*Catholic*) standhaft, erz-.

stay [steɪ] **1.** *n* Aufenthalt *m;* (*support*) Stütze *f;* (*for tent*) Schnur *f;* **2.** *vi* bleiben; (*reside*) wohnen; **to ~ put** an Ort und Stelle bleiben; **to ~ with friends** bei Freunden untergebracht sein; **to ~ the night** übernachten; **stay behind** *vi* zurückbleiben; **stay in** *vi* (*at home*) zu Hause bleiben; **stay on** *vi* (*continue*) länger bleiben; **stay up** *vi* (*at night*) aufbleiben.

steadfast ['stedfəst] *adj* standhaft, treu.

steadily ['stedɪlɪ] *adv* stetig, regelmäßig.

steadiness ['stedɪnəs] *n* Festigkeit *f;* (*fig*) Beständigkeit *f.*

steady ['stedɪ] **1.** *adj* (*firm*) fest, stabil; (*regular*) gleichmäßig; (*reliable*) zuverlässig, beständig; (*hand*) ruhig; (*job, boyfriend*) fest; **2.** *vt* festigen; **to ~ oneself** sich stützen.

steak [steɪk] *n* Steak *nt;* (*fish*) Filet *nt.*

steal [sti:l] <stole, stolen> **1.** *vt, vi* stehlen; **2.** *vi* sich [fort]stehlen.

stealth [stelθ] *n* Heimlichkeit *f;* **stealthy** *adj* verstohlen, heimlich.

steam [sti:m] **1.** *n* Dampf *m;* **2.** *vt* (GASTR) dünsten; **3.** *vi* dampfen; (*ship*) dampfen, fahren; **steam engine** *n* Dampfmaschine *f;* **steamer** *n* Dampfer *m;* **steam iron** *n* Dampfbügeleisen *nt;* **steamroller** *n* Dampfwalze *f;* **steamy** *adj* dampfig.

steel [sti:l] **1.** *n* Stahl *m;* **2.** *adj* Stahl-; (*fig*) stählern; **steelworks** *n pl o sing* Stahlwerke *pl.*

steep [sti:p] **1.** *adj* steil; (*price*) gepfeffert; **2.** *vt* einweichen.

steeple ['sti:pl] *n* Kirchturm *m;* **steeplechase** *n* Hindernisrennen *nt;* **steeplejack** *n* Turmarbeiter(in) *m(f).*

steeply ['sti:plɪ] *adv* steil.

steepness ['sti:pnəs] *n* Steilheit *f.*

steer [stɪə*] **1.** *n* Mastochse *m;* **2.** *vt, vi* steuern; (*car etc*) lenken; **steering** *n* (AUT) Steuerung *f;* **steering column** *n* Lenksäule *f;* **steering wheel** *n* Steuer *nt,* Lenkrad *nt.*

stellar ['stelə*] *adj* Stern[en]-.

stem [stem] **1.** *n* (BIO) Stengel *m,* Stiel *m;* (*of glass*) Stiel *m;* **2.** *vt* aufhalten; **stem from** *vi* abstammen von.

stench [stentʃ] *n* Gestank *m.*

stencil ['stensl] **1.** *n* Schablone *f;* (*paper*) Matrize *f;* **2.** *vt* [auf]drucken.

stenographer [ste'nɒgrəfə*] *n* Stenograf(in) *m(f).*

step [step] **1.** *n* Schritt *m;* (*stair*) Stufe *f;* **2.** *vi* treten, schreiten; **to take ~s** Schritte unternehmen; **~s** *pl* (*stepladder*) Trittleiter *f;* **step down** *vi* (*fig*) abtreten; **step up** *vt* steigern; **step-brother** *n* Stiefbruder *m;* **stepchild** *n* <stepchildren> Stiefkind *nt;* **stepfather** *n*

Stiefvater *m;* **stepladder** *n* Trittleiter *f;* **stepmother** *n* Stiefmutter *f.*

steppe [step] *n* Steppe *f.*

stepping stone ['stepɪŋstəʊn] *n* Stein *m;* (*fig*) Sprungbrett *nt.*

stereo ['sterɪəʊ] *n* <-s> Stereoanlage *f;* **stereophonic** [sterɪəʊ'fɒnɪk] *adj* stereofon.

stereotype ['sterɪətaɪp] **1.** *n* Klischee *nt;* **2.** *vt* (TYP) stereotypieren; (*fig*) klischeehaft darstellen.

sterile ['steraɪl] *adj* steril, keimfrei; (*person*) unfruchtbar; (*after operation*) steril; **sterility** [ste'rɪlɪtɪ] *n* Unfruchtbarkeit *f,* Sterilität *f;* **sterilization** [sterɪlaɪ'zeɪʃən] *n* Sterilisation *f;* **sterilize** ['sterɪlaɪz] *vt* sterilisieren.

sterling ['stɜ:lɪŋ] *adj* (FIN) Sterling-; (*silver*) von Standardwert; (*character*) bewährt, gediegen; **£** ~ Pfund Sterling; **sterling area** *n* Sterlingblock *m.*

stern [stɜ:n] **1.** *adj* streng; **2.** *n* Heck *nt,* Achterschiff *nt;* **sternly** *adv* streng; **sternness** *n* Strenge *f.*

stethoscope ['steθəskəʊp] *n* Stethoskop *nt,* Hörrohr *nt.*

stevedore ['sti:vədɔ:*] *n* Schauermann *m.*

stew [stju:] **1.** *n* Eintopf *m;* **2.** *vt, vi* schmoren.

steward ['stju:əd] *n* Steward *m;* (*in club*) Kellner *m;* (*at meeting*) Ordner *m;* (*on estate*) Verwalter *m;* **stewardess** *n* Stewardess *f.*

stick [stɪk] <stuck, stuck> **1.** *vt* (*stab*) stechen; (*fix*) stecken; (*put*) stellen; (*gum*) [an]kleben; (*fam: tolerate*) vertragen; **2.** *vi* (*stop*) stecken bleiben; (*get stuck*) klemmen; (*hold fast*) kleben, haften; **3.** *n* Stock *m;* (*of chalk etc*) Stück *nt;* **stick out** *vi* (*project*) vorstehen; **stick up** *vi* (*project*) in die Höhe stehen; **stick up for** *vt* (*defend*) eintreten für; **sticker** *n* Klebezettel *m,* Aufkleber *m.*

stickleback ['stɪklbæk] *n* Stichling *m.*

stickler ['stɪklə*] *n* Pedant(in) *m(f);* **Herbert is a ~ for rules** Herbert hält sich stur an die Vorschriften.

stick-up ['stɪkʌp] *n* (*fam*) [Raub]überfall *m.*

sticky ['stɪkɪ] *adj* klebrig; (*atmosphere*) stickig.

stiff [stɪf] *adj* steif; (*difficult*) schwierig, hart; (*paste*) dick, zäh; (*drink*) stark; **stiffen 1.** *vt* versteifen, [ver]stärken; **2.** *vi* sich versteifen; **stiffness** *n* Steifheit *f.*

stifle ['staɪfl] *vt* (*yawn etc*) unterdrücken; **stifling** *adj* (*atmosphere*) drückend.

stigma ['stɪgmə] *n* (*disgrace*) Stigma *nt.*

still [stɪl] **1.** *adj* still; **2.** *adv* [immer] noch; (*anyhow*) immerhin; **stillborn** *adj* tot geboren; **still life** *n* <lives> Stillleben *nt;* **stillness** *n* Stille *f.*

stilt [stɪlt] *n* Stelze *f;* **stilted** *adj* gestelzt.

stimulant ['stɪmjʊlənt] *n* Anregungsmittel *nt,* Stimulans *nt;* **stimulate** ['stɪmjʊleɪt] *vt* anregen, stimulieren; **stimulating** *adj* anregend, stimulierend; **stimulation** [stɪmjʊ'leɪʃən] *n* Anregung *f,* Stimulation *f;* **stimulus** ['stɪmjʊləs] *n* Anregung *f,* Anreiz *m.*

sting [stɪŋ] <stung, stung> **1.** *vt, vi* stechen; (*on skin*) brennen; **2.** *n* Stich *m;* (*organ*) Stachel *m.*

stingily ['stɪndʒɪlɪ] *adv* knickerig, geizig.

stinginess ['stɪndʒɪnəs] *n* Geiz *m.*

stinging nettle ['stɪŋɪŋnetl] *n* Brennnessel *f.*

stingy ['stɪndʒɪ] *adj* geizig, knauserig.

stink [stɪŋk] <stank, stunk> **1.** *vi* stinken; **2.** *n* Gestank *m;* **stinker** *n* (*fam: person*) Ekel *nt;* (*problem*) harte Nuss; **stinking** *adj* (*fig*) widerlich; ~ **rich** steinreich.

stint [stɪnt] **1.** *n* Pensum *nt;* (*period*) Betätigung *f;* **2.** *vt* einschränken, knapphalten.

stipend ['staɪpend] *n* Gehalt *nt.*

stipulate ['stɪpjʊleɪt] *vt* festsetzen; **stipulation** [stɪpjʊ'leɪʃən] *n* Bedingung *f.*

stir [stɜ:*] **1.** *n* Bewegung *f;* (*sensation*) Aufsehen *nt;* **2.** *vt* [um]rühren; **3.** *vi* sich rühren; **to give sth a** ~ etw umrühren; **stir up** *vt* (*mob*) aufhetzen; (*fire*) entfachen; (*mixture*) umrühren; (*dust*) aufwirbeln; **to ~ things ~** Ärger machen; **stirring** *adj* ergreifend.

stirrup ['stɪrəp] *n* Steigbügel *m.*

stitch [stɪtʃ] **1.** *n* (*with needle*) Stich *m;* (MED) Faden *m;* (*of knitting*) Masche *f;* (*pain*) Seitenstechen *nt;* **2.** *vt* nähen.

stoat [stəʊt] *n* Wiesel *nt.*

stock [stɒk] **1.** *n* Vorrat *m;* (COMM) [Waren]lager *nt;* (*live* ~) Vieh *nt;* (GASTR) Brühe *f;* (FIN) Grundkapital *nt;* **2.** *adj* stets vorrätig; (*standard*) Normal-; **3.** *vt* versehen, versorgen; (*in shop*) führen; **in ~** auf Vorrat; **to take ~** Inventur machen; (*fig*) Bilanz ziehen; **to ~ up with** Reserven anlegen von.

stockade [stɒ'keɪd] *n* Palisade *f.*

stockbroker ['stɒkbrəʊkə*] *n* Börsenmakler(in) *m(f);* **stock code** *n* Warencode *m;* **stock cube** *n* [Fleisch]brühwürfel *m;* **stock exchange** *n* Börse *f.*

stocking ['stɒkɪŋ] *n* Strumpf *m.*

stock level ['stɒklevl] *n* Lagerbestand *m.*

stock market ['stɒkmɑːkɪt] *n* Börse *f,* Effektenmarkt *m.*

stockpile ['stɒkpaɪl] **1.** *n* Vorrat *m;* **2.** *vt* aufstapeln; **nuclear** ~ Atomwaffenlager *nt.*

stocktaking ['stɒkteɪkɪŋ] *n* Inventur *f,* Bestandsaufnahme *f.*

stocky ['stɒkɪ] *n* untersetzt.

stodgy ['stɒdʒɪ] *adj* (*food*) pampig; (*fig*) langweilig, trocken.

stoic ['stəʊɪk] *n* Stoiker(in) *m(f);* **stoical** *adj* stoisch; **stoicism** ['stəʊɪsɪzəm] *n* Stoizismus *m;* (*fig*) Gelassenheit *f.*

stoke [stəʊk] *vt* schüren; **stoker** *n* Heizer *m.*

stole [stəʊl] **1.** *pt of* **steal**; **2.** *n* Stola *f;* **stolen** ['stəʊlən] *pp of* **steal**.

stolid ['stɒlɪd] *adj* schwerfällig; (*silence*) stur.

stomach ['stʌmək] **1.** *n* Bauch *m,* Magen *m;* **2.** *vt* vertragen; **I have no ~ for it** das ist nichts für mich; **stomach-ache** *n* Magenschmerzen *pl,* Bauchschmerzen *pl.*

stone [stəʊn] **1.** *n* Stein *m;* (*seed*) Stein *m,* Kern *m;* (*weight*) *Gewichtseinheit (6,35 kg)*; **2.** *adj* steinern, Stein-; **3.** *vt* entkernen; (*kill*) steinigen; **stone-cold** *adj* eiskalt; **stone-deaf** *adj* stocktaub; **stone erosion** *n* Steinfraß *m;* **stonemason** *n* Steinmetz(in) *m(f);* **stonewall** *vi* (*fig*) mauern; **stonework** *n* Mauerwerk *nt;* **stony** ['stəʊnɪ] *adj* steinig.

stood [stʊd] *pt, pp of* **stand**.

stool [stuːl] *n* Hocker *m.*

stoop [stuːp] *vi* sich bücken; (*walk with a ~*) gebeugt gehen.

stop [stɒp] **1.** *n* Halt *m;* (*bus ~*) Haltestelle *f;* (*punctuation*) Punkt *m;* **2.** *vt* stoppen, anhalten; (*bring to end*) aufhören [mit], sein lassen; **3.** *vi* aufhören; (*clock*) stehen bleiben; (*remain*) bleiben; **to ~ doing sth** aufhören etw zu tun; **~ it!** hör auf [damit]!; **~ dead** plötzlich aufhören, innehalten; **stop in** *vi* (*at home*) zu Hause bleiben; **stop off** *vi* kurz Halt machen; **stop over** *vi* übernachten, über Nacht bleiben; **stop up 1.** *vi* (*at night*) aufbleiben; **2.** *vt* (*hole*) zustopfen, verstopfen; **stoplights** *n pl* (AUT) Bremslichter *pl;* **stopover** *n* (*on journey*) Zwischenstation *f;* **stoppage** ['stɒpɪdʒ] *n* [An]halten *nt;* (*traffic*) Verkehrsstockung *f;* (*strike*) Arbeitseinstellung *f;* **stopper** *n* Propfen *m,* Stöpsel *m;* **stop-press** *n* letzte Meldung; **stopwatch** *n* Stoppuhr *f.*

storage ['stɔːrɪdʒ] *n* Lagerung *f;* **final** [*o* **ultimate**] ~ Endlagerung *f;* **working** ~ (COMPUT) Arbeitsspeicher *m;* ~ **heater** Speicherofen *m.*

store [stɔː*] **1.** *n* Vorrat *m;* (*place*) Lager *nt,* Warenhaus *nt;* (*large shop*) Kaufhaus *nt;* (COMPUT) Speicher *m;* **2.** *vt* lagern; (COMPUT) speichern; **store up** *vt* sich eindecken mit; **storeroom** *n* Lagerraum *m,* Vorratsraum *m.*

storey ['stɔːrɪ] *n* (*Brit*) Stock *m,* Stockwerk *nt.*

stork [stɔːk] *n* Storch *m.*

storm [stɔːm] **1.** *n* Sturm *m;* **2.** *vt, vi* stürmen; **to take by ~** im Sturm nehmen; **storm-cloud** *n* Gewitterwolke *f;* **stormy** *adj* stürmisch.

story ['stɔːrɪ] *n* Geschichte *f,* Erzählung *f;* (*lie*) Märchen *nt;* (*US: storey*) Stock *m,* Stockwerk *nt;* **storybook** *n* Geschichtenbuch *nt;* **storyteller** *n* Geschichtenerzähler(in) *m(f).*

stout [staʊt] *adj* (*bold*) mutig, tapfer; (*too fat*) beleibt, korpulent; **stoutness** *n* Festigkeit *f;* (*of body*) Korpulenz *f.*

stove [stəʊv] *n* [Koch]herd *m;* (*for heating*) Ofen *m.*

stow [stəʊ] *vt* verstauen; **stowaway** *n* blinder Passagier.

straddle ['strædl] *vt* (*horse, fence*) rittlings sitzen auf *+dat;* (*fig*) überbrücken.

strafe [strɑːf] *vt* beschießen, bombardieren.

straggle ['strægl] *vi* (*branches etc*) wuchern; (*people*) nachhinken; **straggler** *n* Nachzügler(in) *m(f).*

straight [streɪt] **1.** *adj* gerade; (*honest*) offen, ehrlich; (*in order*) in Ordnung; (*drink*) pur, unverdünnt; **2.** *adv* (*direct*) direkt, geradewegs; **3.** *n* (SPORT) Gerade *f;* **~ off** sofort; direkt nacheinander; **~ on** geradeaus; **straightaway** *adv* sofort, unverzüglich; **straighten** *vt* (*also:* **~ out**) gerade machen; (*fig*) in Ordnung bringen, klarstellen; **straightforward** *adj* einfach, unkompliziert.

strain [streɪn] **1.** *n* Belastung *f;* (*streak, trace*) Zug *m;* (*of music*) Fetzen *m;* **2.** *vt* überanstrengen; (*stretch*) anspannen; (*muscle*) zerren; (*filter*) [durch]sieben; **3.** *vi* (*make effort*) sich anstrengen; **don't ~**

yourself überanstrenge dich nicht; **strained** *adj* (*laugh*) gezwungen; (*relations*) gespannt; **strainer** *n* Sieb *nt.*
strait [streɪt] *n* Straße *f,* Meerenge *f.*
straitened ['streɪtnd] *adj* (*circumstances*) beschränkt.
strait-jacket ['streɪtdʒækɪt] *n* Zwangsjacke *f;* **strait-laced** *adj* prüde.
strand [strænd] **1.** *n* Faden *m;* (*of hair*) Strähne *f;* **2.** *vi:* **to be ~ed** (*a. fig*) gestrandet sein.
strange [streɪndʒ] *adj* fremd; (*unusual*) merkwürdig, seltsam; **strangely** *adv* merkwürdig; fremd; ~ **enough** merkwürdigerweise; **strangeness** *n* Fremdheit *f;* **stranger** *n* Fremde(r) *mf;* **I'm a ~ here** ich bin hier fremd.
strangle ['stræŋgl] *vt* erdrosseln, erwürgen; **stranglehold** *n* (*fig*) Würgegriff *m;* **strangulation** [stræŋgjʊ'leɪʃən] *n* Erdrosseln *nt.*
strap [stræp] **1.** *n* Riemen *m;* (*on clothes*) Träger *m;* **2.** *vt* (*fasten*) festschnallen; **strapless** *adj* (*dress*) trägerlos; **strapping** *adj* stramm.
stratagem ['strætədʒəm] *n* [Kriegs]list *f.*
strategic *adj,* **strategically** *adv* [strə'ti:dʒɪk, -əlɪ] strategisch; **strategist** ['strætədʒɪst] *n* Stratege *m,* Strategin *f;* **strategy** ['strætədʒɪ] *n* Kriegskunst *f;* (*fig*) Strategie *f.*
stratosphere ['strætəʊsfɪə*] *n* Stratosphäre *f.*
stratum ['strɑ:təm] *n* Schicht *f.*
straw [strɔ:] **1.** *n* Stroh *nt;* (*single stalk, drinking ~*) Strohhalm *m;* **2.** *adj* Stroh-; **strawberry** *n* Erdbeere *f.*
stray [streɪ] **1.** *n* verirrtes Tier; **2.** *vi* herumstreunen; **3.** *adj* (*animal*) verirrt; (*thought*) zufällig.
streak [stri:k] **1.** *n* Streifen *m;* (*in character*) Einschlag *m;* (*in hair*) Strähne *f;* **2.** *vt* streifen; ~ **of bad luck** Pechsträhne *f;* **streaky** *adj* gestreift; (*bacon*) durchwachsen.
stream [stri:m] **1.** *n* (*brook*) Bach *m;* (*fig*) Strom *m;* (*flow of liquid*) Strom *m,* Flut *f;* **2.** *vi* strömen, fluten; **streamer** *n* (*pennon*) Wimpel *m;* (*of paper*) Luftschlange *f;* (COMPUT) Streamer *m;* **streamlined** *adj* stromlinienförmig; (*effective*) rationell.
street [stri:t] *n* Straße *f;* **streetcar** *n* (*US*) Straßenbahn *f;* **street lamp** *n* Straßenlaterne *f;* **street lighting** *n* Straßenbeleuchtung *f;* **street map** *n* Stadtplan *m;* **streetwise** *adj* clever.
strength [streŋθ] *n* Stärke *f;* (*a. fig*) Kraft *f;* **strengthen** *vt* [ver]stärken.
strenuous ['strenjʊəs] *adj* anstrengend; **strenuously** *adv* angestrengt.
stress [stres] **1.** *n* Druck *m;* (*mental*) Stress *m;* (LING) Betonung *f;* **2.** *vt* betonen; (*put under ~*) stressen; **stressful** *adj* stressig; **stress management** *n* Stressbewältigung *f.*
stretch [stretʃ] **1.** *n* Stück *nt,* Strecke *f;* **2.** *vt* ausdehnen, strecken; **3.** *vi* sich erstrecken; (*person*) sich strecken; **at a ~** (*continuously*) ununterbrochen; **stretch out 1.** *vi* sich ausstrecken; **2.** *vt* ausstrecken; **stretcher** *n* Tragbahre *f.*
stricken ['strɪkən] **1.** *pp of* **strike**; **2.** *adj* (*person*) leidgeprüft; (*city, country*) heimgesucht.
strict [strɪkt] *adj* (*exact*) genau; (*severe*) streng; **strictly** *adv* streng, genau; ~ **speaking** streng [*o* genau] genommen; **strictness** *n* Strenge *f.*
stridden ['strɪdn] *pp of* **stride**.
stride [straɪd] <**strode, stridden**> **1.** *vi* schreiten; **2.** *n* langer Schritt.
strident ['straɪdənt] *adj* schneidend, durchdringend.
strife [straɪf] *n* Streit *m.*
strike [straɪk] <**struck, struck** *o* **stricken**> **1.** *vt* (*hit*) schlagen; (*not miss*) treffen; (*collide*) stoßen gegen; (*come to mind*) einfallen +*dat;* (*stand out*) auffallen; (*find*) stoßen auf +*akk,* finden; (*impress*) beeindrucken; **2.** *vi* (*stop work*) streiken; (*attack*) zuschlagen; (*clock*) schlagen; **3.** *n* Streik *m,* Ausstand *m;* (*discovery*) Fund *m;* (*attack*) Schlag *m;* **to be on ~** streiken; **strike down** *vt* (*lay low*) niederschlagen; **strike out** *vt* (*cross out*) ausstreichen; **strike up** *vt* (MUS) anstimmen; (*friendship*) schließen; **strike pay** *n* Streikgeld *nt;* **striker** *n* Streikende(r) *mf;* **striking** *adj,* **strikingly** *adv* auffallend, bemerkenswert.
string [strɪŋ] *n* Schnur *f,* Kordel *f,* Bindfaden *m;* (*row*) Reihe *f;* (MUS) Saite *f;* **pull ~s** (*fig fam*) Fäden ziehen; **string bean** *n* grüne Bohne.
stringency ['strɪndʒənsɪ] *n* Strenge *f;* **stringent** *adj* streng.
stringer [strɪŋə*] *n* Lokalreporter(in) *m(f).*
strip [strɪp] **1.** *n* Streifen *m;* **2.** *vt* (*uncover*) abstreifen, abziehen; (TECH) auseinandernehmen; **3.** *vi* (*undress*) sich ausziehen; **strip cartoon** *n* Comic[strip] *m.*

stripe [straɪp] *n* Streifen *m;* **striped** *adj* gestreift.

strip light ['strɪplaɪt] *n* Leuchtröhre *f.*

stripper ['strɪpə*] *n* Stripteasetänzer(in) *m(f);* **striptease** ['strɪpti:z] *n* Striptease *nt o m.*

strive [straɪv] <strove, striven> *vi* streben (*for* nach); **striven** ['strɪvn] *pp of* **strive**.

strode [strəʊd] *pt of* **stride**.

stroke [strəʊk] **1.** *n* Schlag *m,* Hieb *m;* (*swim, row*) Stoß *m;* (TECH) Hub *m;* (MED) Schlaganfall *m;* (*caress*) Streicheln *nt;* **2.** *vt* streicheln; **at a ~** mit einem Schlag; **on the ~ of 5** Schlag 5.

stroll [strəʊl] **1.** *n* Spaziergang *m;* **2.** *vi* spazieren gehen, schlendern; **stroller** *n* (*US: for babies*) Sportwagen *m.*

strong [strɒŋ] *adj* stark; (*firm*) fest; **they are 50 ~** sie sind 50 Mann stark; **stronghold** *n* Hochburg *f;* **strongly** *adv* stark; **strongroom** *n* Tresor *m.*

strove [strəʊv] *pt of* **strive**.

struck [strʌk] *pt, pp of* **strike**.

structural ['strʌktʃərəl] *adj* strukturell.

structure ['strʌktʃə*] *n* Struktur *f,* Aufbau *m;* (*building*) Gebäude *nt,* Bau *m;* **structuring** *n* (*a.* COMPUT) Strukturierung *f.*

struggle ['strʌgl] **1.** *n* Kampf *m;* (*effort*) Anstrengung *f;* **2.** *vi* (*fight*) kämpfen; **to ~ to do sth** sich [ab]mühen etw zu tun.

strum [strʌm] *vt* (*guitar*) klimpern auf *+dat.*

strut [strʌt] **1.** *n* Strebe *f,* Stütze *f;* **2.** *vi* stolzieren.

strychnine ['strɪkni:n] *n* Strychnin *nt.*

stub [stʌb] *n* Stummel *m;* (*of cigarette*) Kippe *f.*

stubble ['stʌbl] *n* Stoppel *f;* **stubbly** *adj* stoppelig, Stoppel-.

stubborn *adj,* **stubbornly** *adv* ['stʌbən, -lɪ] stur, hartnäckig; **stubbornness** *n* Sturheit *f,* Hartnäckigkeit *f.*

stubby ['stʌbɪ] *adj* untersetzt.

stucco ['stʌkəʊ] *n* <-[e]s> Stuck *m.*

stuck [stʌk] *pt, pp of* **stick**; **stuck-up** [stʌk'ʌp] *adj* (*fam*) hochnäsig.

stud [stʌd] *n* (*nail*) Beschlagnagel *m;* (*button*) Kragenknopf *m;* (*number of horses*) Stall *m;* (*place*) Gestüt *nt;* **~ded with** übersät mit.

student ['stju:dənt] *n* Student(in) *m(f);* (*US a.*) Schüler(in) *m(f);* **fellow ~** Kommilitone *m,* Kommilitonin *f;* **student driver** *n* (*US*) Fahrschüler(in) *m(f).*

studied ['stʌdɪd] *adj* absichtlich.

studio ['stju:dɪəʊ] *n* <-s> Studio *nt;* (*for artist*) Atelier *nt.*

studious *adj,* **studiously** *adv* ['stju:dɪəs, -lɪ] lernbegierig.

study ['stʌdɪ] **1.** *n* Studium *nt;* (*investigation*) Untersuchung *f;* (*room*) Arbeitszimmer *nt;* (*essay etc*) Studie *f;* **2.** *vt* studieren; (*face*) erforschen; (*evidence*) prüfen; **3.** *vi* studieren; **study group** *n* Arbeitsgruppe *f.*

stuff [stʌf] **1.** *n* Stoff *m;* (*fam*) Zeug *nt;* **2.** *vt* stopfen, füllen; (*animal*) ausstopfen; **that's hot ~!** das ist Klasse!; **to ~ oneself** sich voll stopfen; **~ed full** voll gepfropft; **stuffer** *n* (*US*) Reklamebeilage *f.*

stuffiness ['stʌfɪnəs] *n* Schwüle *f;* (*of person*) Spießigkeit *f.*

stuffing ['stʌfɪŋ] *n* Füllung *f.*

stuffy ['stʌfɪ] *adj* (*room*) schwül; (*person*) spießig.

stumble ['stʌmbl] *vi* stolpern; **to ~ on** zufällig stoßen auf *+akk;* **stumbling block** *n* Hindernis *nt,* Stein *m* des Anstoßes.

stump [stʌmp] **1.** *n* Stumpf *m;* **2.** *vt* umwerfen.

stun [stʌn] *vt* betäuben; (*shock*) erschüttern; (*amaze*) verblüffen, umwerfen.

stung [stʌŋ] *pt, pp of* **sting**.

stunk [stʌŋk] *pp of* **stink**.

stunning ['stʌnɪŋ] *adj* betäubend; (*news*) überwältigend, umwerfend; **~ly beautiful** traumhaft schön.

stunt [stʌnt] **1.** *n* Kunststück *nt,* Trick *m;* **2.** *vt* verkümmern lassen; **to do ~s** ein Stuntman sein; **stunted** *adj* verkümmert.

stupefy ['stju:pɪfaɪ] *vt* betäuben; (*amaze*) verblüffen.

stupendous [stjʊ'pendəs] *adj* erstaunlich, enorm.

stupid *adj* ['stju:pɪd] dumm; **stupidity** [stju:'pɪdɪtɪ] *n* Dummheit *f.*

stupor ['stju:pə*] *n* Betäubung *f;* **in a drunken ~** sturzbesoffen, sinnlos betrunken.

sturdily ['stɜ:dɪlɪ] *adv* kräftig, stabil.

sturdiness ['stɜ:dɪnəs] *n* Robustheit *f.*

sturdy ['stɜ:dɪ] *adj* kräftig, robust.

stutter ['stʌtə*] *vi* stottern.

sty [staɪ] *n* (*a. fig*) Schweinestall *m.*

stye [staɪ] *n* (MED) Gerstenkorn *nt.*

style [staɪl] **1.** *n* Stil *m;* (*fashion*) Mode *f;* **2.** *vt* (*hair*) frisieren; **hair ~** Frisur *f;* **in ~** in großem Stil, großartig; **styling** *n* (*of car etc*) Formgebung *f,* Styling *nt;* **sty-**

ling mousse *n* Schaumfestiger *m;* **stylish** *adj,* **stylishly** *adv* ['staɪlɪʃ, -lɪ] modisch, schick.
stylized ['staɪlaɪzd] *adj* stilisiert.
stylus ['staɪləs] *n* [Grammofon]nadel *f;* **stylus printer** *n* Nadeldrucker *m.*
styptic ['stɪptɪk] *adj:* ~ **pencil** blutstillender Stift, Alaunstift *m.*
suave [swɑ:v] *adj* (*pej*) aalglatt.
sub- [sʌb] *pref* Unter-.
subconscious [sʌb'kɒnʃəs] **1.** *adj* unterbewusst; **2.** *n:* **the** ~ das Unterbewusste.
subdirectory [sʌb'dɪrektərɪ] *n* (COMPUT) Unterverzeichnis *nt.*
subdivide [sʌbdɪ'vaɪd] *vt* unterteilen; **subdivision** ['sʌbdɪvɪʒən] *n* Unterteilung *f;* (*department*) Unterabteilung *f.*
subdue [səb'dju:] *vt* unterwerfen; (*fig*) zähmen; **subdued** *adj* (*lighting*) gedämpft; (*person*) still.
subject ['sʌbdʒɪkt] **1.** *n* (*of kingdom*) Untertan(in) *m(f);* (*citizen*) Staatsangehörige(r) *mf;* (*topic*) Thema *nt;* (SCH) Fach *nt;* (LING) Subjekt *nt,* Satzgegenstand *m;* **2.** [səb'dʒekt] *vt* (*subdue*) unterwerfen, abhängig machen; (*expose*) aussetzen; **to be** ~ **to** unterworfen sein *+dat;* (*exposed*) ausgesetzt sein *+dat;* **subjection** [səb'dʒekʃən] *n* (*conquering*) Unterwerfung *f;* (*being controlled*) Abhängigkeit *f;* **subjective** *adj,* **subjectively** *adv* [səb'dʒektɪv, -lɪ] subjektiv; **subject matter** *n* Thema *nt.*
subjunctive [səb'dʒʌŋktɪv] **1.** *n* Konjunktiv *m,* Möglichkeitsform *f;* **2.** *adj* Konjunktiv-, konjunktivisch.
sublet [sʌb'let] *irr vt* untervermieten.
sublime [sə'blaɪm] *adj* erhaben.
submarine [sʌbmə'ri:n] *n* Unterseeboot *nt,* U-Boot *nt.*
submenu ['sʌbmenju:] *n* (COMPUT) Untermenü *nt.*
submerge [səb'mɜ:dʒ] **1.** *vt* untertauchen; (*flood*) überschwemmen; **2.** *vi* untertauchen.
submission [səb'mɪʃən] *n* (*obedience*) Ergebenheit *f,* Gehorsam *m;* (*claim*) Behauptung *f;* (*of plan*) Unterbreitung *f.*
submit [səb'mɪt] **1.** *vt* behaupten; (*plan*) unterbreiten; **2.** *vi* (*give in*) sich ergeben.
subnormal [sʌb'nɔ:məl] *adj* minderbegabt.
subordinate [sə'bɔ:dɪnət] **1.** *adj* untergeordnet; **2.** *n* Untergebene(r) *mf.*
subpoena [sə'pi:nə] **1.** *n* (JUR) Vorladung *f;* **2.** *vt* vorladen.
subscribe [səb'skraɪb] *vi* spenden, Geld geben; (*to view etc*) unterstützen, beipflichten *+dat;* (*to newspaper*) abonnieren (*to akk*); **subscriber** *n* (*to periodical*) Abonnent(in) *m(f);* (TEL) Telefonteilnehmer(in) *m(f);* **subscription** [səb'skrɪpʃən] *n* Abonnement *nt;* (*to club*) [Mitglieds]beitrag *m.*
subsequent ['sʌbsɪkwənt] *adj* folgend, später; **subsequently** *adv* später.
subside [səb'saɪd] *vi* sich senken; **subsidence** [sʌb'saɪdəns] *n* Senkung *f.*
subsidiarity [səbsɪ'djærɪtɪ] *n* Subsidiarität *f;* **subsidiary 1.** *n* Neben-; **2.** *n* (*company*) Tochtergesellschaft *f.*
subsidize ['sʌbsɪdaɪz] *vt* subventionieren; **subsidy** ['sʌbsɪdɪ] *n* Subvention *f.*
subsistence [səb'sɪstəns] *n* Unterhalt *m;* **subsistence level** *n* Existenzminimum *nt.*
substance ['sʌbstəns] *n* Substanz *f,* Stoff *m;* (*most important part*) Hauptbestandteil *m.*
substandard [sʌb'stændəd] *adj* minderwertig; (*achievement*) unzulänglich.
substantial [səb'stænʃəl] *adj* (*strong*) fest, kräftig; (*important*) wesentlich; **substantially** *adv* erheblich.
substantiate [səb'stænʃɪeɪt] *vt* begründen, belegen.
substation ['sʌbsteɪʃən] *n* (ELEC) Umspannwerk *nt.*
substitute ['sʌbstɪtju:t] **1.** *n* Ersatz *m;* **2.** *vt* ersetzen; **substitution** [sʌbstɪ'tju:ʃən] *n* Ersetzen *nt.*
subterfuge ['sʌbtəfju:dʒ] *n* (*trickery*) Täuschung *f.*
subterranean [sʌbtə'reɪnɪən] *adj* unterirdisch.
subtitle ['sʌbtaɪtl] *n* Untertitel *m.*
subtle ['sʌtl] *adj* fein; (*sly*) raffiniert; **subtlety** *n* subtile Art, Raffinesse *f;* (*subtle distinction*) Feinheit *f;* **subtly** *adv* fein, raffiniert.
subtract [səb'trækt] *vt* abziehen, subtrahieren; **subtraction** [səb'trækʃən] *n* Abziehen *nt,* Subtraktion *f.*
subtropical [sʌb'trɒpɪkəl] *adj* subtropisch.
suburb ['sʌbɜ:b] *n* Vorort *m;* **suburban** [sə'bɜ:bən] *adj* Vorort[s]-, Stadtrand-; **suburbia** [sə'bɜ:bɪə] *n* Vororte *pl;* **typical of** ~ typisch Spießbürger.
subvention [səb'venʃən] *n* (*US*) Unterstützung *f,* Subvention *f.*
subversive [səb'vɜ:sɪv] *adj* subversiv.

subway ['sʌbweɪ] *n* (*US*) U-Bahn *f*, Untergrundbahn *f*; (*Brit*) Unterführung *f*.
sub-zero ['sʌb'zɪərəʊ] *adj* unter Null, unter dem Gefrierpunkt.
succeed [sək'si:d] **1.** *vi* gelingen; (*person*) Erfolg haben; **2.** *vt* [nach]folgen *+dat;* **he ~ed** es gelang ihm; **succeeding** *adj* [nach]folgend.
success [sək'ses] *n* Erfolg *m;* **successful** *adj,* **successfully** *adv* erfolgreich.
succession [sək'seʃən] *n* [Aufeinander]folge *f;* (*to throne*) Nachfolge *f;* **successive** *adj* [sək'sesɪv] aufeinander folgend; **successively** *adv* nacheinander, hintereinander; **successor** *n* Nachfolger(in) *m(f)*.
succinct [sək'sɪŋkt] *adj* kurz und bündig, knapp.
succulent ['sʌkjʊlənt] *adj* saftig.
succumb [sə'kʌm] *vi* zusammenbrechen (*to* unter *+dat*); (*yield*) nachgeben; (*die*) erliegen (*to dat*).
such [sʌtʃ] **1.** *adj* solche(r, s); **2.** *pron* solch; **~ a** so ein; **~ a lot** so viel; **~ is life** so ist das Leben; **~ is my wish** das ist mein Wunsch; **~ as** wie; **~ as I have** die, die ich habe; **suchlike 1.** *adj* derartig; **2.** *pron* dergleichen.
suck [sʌk] **1.** *vt* saugen; (*ice cream etc*) lecken; (*toffee etc*) lutschen; **2.** *vi* saugen; **sucker** *n* (*fam*) Idiot(in) *m(f)*.
suckle ['sʌkl] **1.** *vt* säugen; (*child*) stillen; **2.** *vi* saugen.
suction ['sʌkʃən] *n* Saugen *nt*, Saugkraft *f*.
sudden *adj,* **suddenly** *adv* ['sʌdn, -lɪ] plötzlich; **all of a ~** ganz plötzlich, auf einmal; **suddenness** *n* Plötzlichkeit *f;* (*of movement*) Abruptheit *f*.
sue [su:] *vt* verklagen.
suede [sweɪd] *n* Wildleder *nt*.
suet [suɪt] *n* Nierenfett *nt*.
suffer ['sʌfə*] **1.** *vt* [er]leiden; (*allow*) zulassen, dulden; **2.** *vi* leiden; **sufferer** *n* Leidende(r) *mf;* **sufferering** *n* Leiden *nt*.
suffice [sə'faɪs] *vi* genügen.
sufficient *adj,* **sufficiently** *adv* [sə'fɪʃənt, -lɪ] ausreichend.
suffix ['sʌfɪks] *n* Nachsilbe *f*.
suffocate ['sʌfəkeɪt] *vt, vi* ersticken; **suffocation** [sʌfə'keɪʃən] *n* Ersticken *nt*.
suffragette [sʌfrə'dʒet] *n* Suffragette *f*.
sugar ['ʃʊgə*] **1.** *n* Zucker *m;* **2.** *vt* zuckern; **sugar beet** *n* Zuckerrübe *f;* **sugar cane** *n* Zuckerrohr *nt;* **sugary** *adj* süß.
suggest [sə'dʒest] *vt* vorschlagen; (*show*) schließen lassen auf *+akk;* **what does this painting ~ to you?** was drückt das Bild für dich aus?; **suggestion** [sə'dʒestʃən] *n* Vorschlag *m;* **suggestive** *adj* anregend; (*indecent*) zweideutig; **to be ~ of sth** an etw *akk* erinnern.
suicidal [sʊɪ'saɪdl] *adj* selbstmörderisch; **that's ~** das ist Selbstmord; **suicide** ['sʊɪsaɪd] *n* Selbstmord *m;* **to commit ~** Selbstmord begehen.
suit [su:t] **1.** *n* Anzug *m;* (CARDS) Farbe *f;* **2.** *vt* passen *+dat;* (*clothes*) stehen *+dat;* (*adapt*) anpassen; **~ yourself** mach doch, was du willst; **suitability** [su:tə'bɪlɪtɪ] *n* Eignung *f;* **suitable** *adj* geeignet, passend; **suitably** *adv* passend, angemessen; **suitcase** *n* [Hand]koffer *m*.
suite [swi:t] *n* (*of rooms*) Zimmerflucht *f;* (*of furniture*) Einrichtung *f;* (MUS) Suite *f;* **three-piece ~** Couchgarnitur *f*.
sulfur ['sʌlfə*] *n* (*US*) *s.* **sulphur**.
sulk [sʌlk] *vi* schmollen; **sulky** *adj* schmollend.
sullen ['sʌlən] *adj* (*gloomy*) düster; (*bad-tempered*) mürrisch, verdrossen.
sulphur ['sʌlfə*] *n* Schwefel *m;* **sulphuric** [sʌl'fjʊərɪk] *adj:* **~ acid** Schwefelsäure *f*.
sultan ['sʌltən] *n* Sultan *m;* **sultana** [sʌl'tɑ:nə] *n* (*woman*) Sultanin *f;* (*raisin*) Sultanine *f*.
sultry ['sʌltrɪ] *adj* schwül.
sum [sʌm] *n* Summe *f;* (*money also*) Betrag *m;* (*arithmetic*) Rechenaufgabe *f;* **~s** *pl* Rechnen *nt;* **sum up** *vt, vi* zusammenfassen; **summarize** ['sʌməraɪz] *vt* kurz zusammenfassen; **summary** *n* Zusammenfassung *f;* (*of book etc*) Inhaltsangabe *f*.
summer ['sʌmə*] **1.** *n* Sommer *m;* **2.** *adj* Sommer-; **in ~** im Sommer; **summerhouse** *n* (*in garden*) Gartenhaus *nt;* **summertime** *n* Sommerzeit *f*.
summing-up ['sʌmɪŋ'ʌp] *n* Zusammenfassung *f*.
summit ['sʌmɪt] *n* Gipfel *m;* **summit conference** *n* Gipfelkonferenz *f*.
summon ['sʌmən] *vt* bestellen, kommen lassen; (JUR) vorladen; (*gather up*) aufbieten, aufbringen; **summons** *n sing* (JUR) Vorladung *f*.
sump [sʌmp] *n* Ölwanne *f*.
sumptuous ['sʌmptjʊəs] *adj* prächtig; **sumptuousness** *n* Pracht *f*.
sun [sʌn] *n* Sonne *f;* **sunbathe** *vi* sich

sonnen; **sunbathing** *n* Sonnenbaden *nt;* **sunburn** *n* Sonnenbrand *m;* **to be ~t** einen Sonnenbrand haben.

Sunday ['sʌndeɪ] *n* Sonntag *m;* **on ~** [am] Sonntag; **on ~s, on a ~** sonntags.

> Die **Sunday papers** umfassen sowohl Massenblätter als auch seriöse Zeitungen. „The Observer" ist die älteste überregionale Sonntagszeitung der Welt. Die Sonntagszeitungen sind alle sehr umfangreich mit vielen Farb- und Sonderbeilagen. Zu den meisten Tageszeitungen gibt es Sonntagsblätter, die aber separate Redaktionen haben.

sundial ['sʌndaɪəl] *n* Sonnenuhr *f.*

sundown ['sʌndaʊn] *n* Sonnenuntergang *m.*

sundry ['sʌndrɪ] **1.** *adj* verschieden; **2.** *n:* **~s** *pl* Verschiedene(s) *nt;* **all and ~** jedermann.

sunflower ['sʌnflaʊə*] *n* Sonnenblume *f.*

sung [sʌŋ] *pp of* **sing.**

sunglasses ['sʌnglɑ:sɪz] *n pl* Sonnenbrille *f.*

sunk [sʌŋk] *pp of* **sink.**

sunken ['sʌŋkən] *adj* versunken; (*eyes*) eingesunken.

sunlight ['sʌnlaɪt] *n* Sonnenlicht *nt;* **sunlit** *adj* sonnenbeschienen; **sunny** ['sʌnɪ] *adj* sonnig; **sun protection factor** *n* Lichtschutzfaktor *m;* **sunrise** *n* Sonnenaufgang *m;* **sunrise technology** *n* Zukunftstechnologie *f;* **sunset** *n* Sonnenuntergang *m;* **sunshade** *n* Sonnenschirm *m;* **sunshine** *n* Sonnenschein *m;* **sunspot** *n* Sonnenfleck *m;* **sunstroke** *n* Hitzschlag *m;* **suntan** *n* [Sonnen]bräune *f;* **to get a ~** braun werden; **suntrap** *n* sonniger Platz; **sunup** *n* (*fam*) Sonnenaufgang *m.*

super ['su:pə*] **1.** *adj* (*fam*) super, klasse; **2.** *pref* Super-, Über-.

superannuation [su:pərænjʊ'eɪʃən] *n* Pension *f.*

superb *adj,* **superbly** *adv* [su:'pɜ:b, -lɪ] ausgezeichnet, hervorragend.

supercilious [su:pə'sɪlɪəs] *adj* herablassend.

superficial *adj,* **superficially** *adv* [su:pə'fɪʃəl, -ɪ] oberflächlich.

superfluous [sʊ'pɜ:flʊəs] *adj* überflüssig.

superglue ['su:pəglu:] *n* Sekundenkleber *m.*

superhuman [su:pə'hju:mən] *adj* (*effort*) übermenschlich.

superimpose [su:pərɪm'pəʊz] *vt* übereinander legen.

superintendent [su:pərɪn'tendənt] *n* (*police*) Kommissar(in) *m(f).*

superior [sʊ'pɪərɪə*] **1.** *adj* (*higher*) höher[stehend]; (*better*) besser; (*proud*) überlegen; **2.** *n* Vorgesetzte(r) *mf;* **superiority** [sʊpɪərɪ'ɒrɪtɪ] *n* Überlegenheit *f.*

superlative [su'pɜ:lətɪv] **1.** *adj* höchste(r, s); **2.** *n* (LING) Superlativ *m.*

superman ['su:pəmæn] *n* <supermen> Übermensch *m;* **Superman** (*in comics*) Supermann *m.*

supermarket ['su:pəmɑ:kɪt] *n* Supermarkt *m.*

supernatural [su:pə'nætʃərəl] *adj* übernatürlich.

superpower ['su:pəpaʊə*] *n* Weltmacht *f,* Supermacht *f.*

supersede [su:pə'si:d] *vt* ersetzen.

supersonic [su:pə'sɒnɪk] *n* Überschall-.

superstition [su:pə'stɪʃən] *n* Aberglaube *m;* **superstitious** [su:pə'stɪʃəs] *adj* abergläubisch.

superstore ['su:pəstɔ:*] *n* Verbrauchermarkt *m.*

supervise ['su:pəvaɪz] *vt* beaufsichtigen, kontrollieren; **supervision** [su:pə'vɪʒən] *n* Aufsicht *f;* **supervisor** ['su:pəvaɪzə*] *n* Aufsichtsperson *f;* **supervisory** *adj* Aufsichts-.

supper ['sʌpə*] *n* Abendessen *nt.*

supple ['sʌpl] *adj* gelenkig, geschmeidig; (*wire*) biegsam.

supplement ['sʌplɪmənt] **1.** *n* Ergänzung *f;* (*in book*) Nachtrag *m;* **2.** *vt* ergänzen; **supplementary** [sʌplɪ'mentərɪ] *adj* ergänzend, Ergänzungs-, Zusatz-; **~ benefit** Sozialhilfe *f.*

supplier [sə'plaɪə*] *n* Lieferant(in) *m(f).*

supply [sə'plaɪ] **1.** *vt* liefern; **2.** *n* Vorrat *m;* (*supplying*) Lieferung *f;* **supplies** *pl* (*food*) Vorräte *pl;* (MIL) Nachschub *m;* **~ and demand** Angebot und Nachfrage.

support [sə'pɔ:t] **1.** *n* Unterstützung *f;* (TECH) Stütze *f;* **2.** *vt* (*hold up*) stützen, tragen; (*provide for*) ernähren; (*speak in favour of*) befürworten, unterstützen; **supporter** *n* Anhänger(in) *m(f);* (*of theory*) Befürworter(in) *m(f);* (SPORT) Fan *m;* **supporting** *adj* (*programme*) Bei-; (*role*) Neben-.

suppose [sə'pəʊz] *vt, vi* annehmen, denken, glauben; **I ~ so** ich glaube schon; **~ he comes ...** angenommen, er kommt ...; **supposedly** [sə'pəʊzɪdlɪ] *adv* angeblich; **supposing** *conj* angenommen; **supposition** [sʌpə'zɪʃən] *n* Mutmaßung *f*, Spekulation *f*; (*thing supposed*) Annahme *f*.

suppress [sə'pres] *vt* unterdrücken; **suppression** [sə'preʃən] *n* Unterdrückung *f*; **suppressor** *n* (ELEC) Entstörungselement *nt*.

supra- ['su:prə] *pref* Über-.

supremacy [su'preməsɪ] *n* Vormachtstellung *f*.

supreme *adj*, **supremely** *adv* [sʊ'pri:m, -lɪ] oberste(r, s), höchste(r, s).

surcharge ['sɜ:tʃɑ:dʒ] *n* Zuschlag *m*.

sure [ʃʊə*] **1.** *adj* sicher, gewiss; **2.** *adv* sicher; **~!** (*of course*) ganz bestimmt!, natürlich!, klar!; **we are ~ to win** wir werden ganz sicher gewinnen; **to be ~** sicher sein; **to be ~ about sth** sich *dat* einer Sache *gen* sicher sein; **to make ~ of** sich vergewissern *+gen*; **surely** *adv* (*certainly*) sicherlich, gewiss; **~ it's wrong** das ist doch wohl falsch; **~ not!** das ist doch wohl nicht wahr!; **surety** *n* Bürgschaft *f*, Sicherheit *f*; (*person*) Bürge *m*, Bürgin *f*.

surf [sɜ:f] **1.** *n* Brandung *f*; **2.** *vi* (SPORT) [wind]surfen.

surface ['sɜ:fɪs] **1.** *n* Oberfläche *f*; **2.** *vt* (*roadway*) teeren; **3.** *vi* auftauchen; **surface mail** *n* auf dem Landweg beförderte Post.

surfboard ['sɜ:fbɔ:d] *n* [Wind]surfbrett *nt*; **surfer** *n* [Wind]surfer(in) *m(f)*; **surfing** *n* [Wind]surfen *nt*.

surgeon ['sɜ:dʒən] *n* Chirurg(in) *m(f)*.

surgery ['sɜ:dʒərɪ] *n* Praxis *f*; (*room*) Sprechzimmer *nt*; (*consultation*) Sprechstunde *f*; (*treatment*) operativer Eingriff, Operation *f*; **he needs ~** er muss operiert werden.

surgical ['sɜ:dʒɪkəl] *adj* chirurgisch; **surgical stocking** *n* Stützstrumpf *m*; **surgicenter** *n* (*US*) Poliklinik *f*.

surly ['sɜ:lɪ] *adj* verdrießlich, grob.

surmount [sɜ:'maʊnt] *vt* überwinden.

surname ['sɜ:neɪm] *n* Nachname *m*.

surpass [sɜ:'pɑ:s] *vt* übertreffen.

surplus ['sɜ:pləs] **1.** *n* Überschuss *m*; **2.** *adj* überschüssig, Über[schuss]-.

surprise [sə'praɪz] **1.** *n* Überraschung *f*; **2.** *vt* überraschen; **surprising** *adj* überraschend; **surprisingly** *adv* überraschend[erweise].

surrealism [sə'rɪəlɪzəm] *n* Surrealismus *m*.

surrender [sə'rendə*] **1.** *n* Übergabe *f*, Kapitulation *f*; **2.** *vi* sich ergeben, kapitulieren; **3.** *vt* übergeben.

surreptitious *adj*, **surreptitiously** *adv* [sʌrəp'tɪʃəs, -lɪ] verstohlen.

surrogate ['sʌrəgɪt] *n* Ersatz *m*; **~ mother** Leihmutter *f*.

surround [sə'raʊnd] *vt* umgeben; (*come all round*) umringen; **~ed by** umgeben von; **surrounding 1.** *adj* (*countryside*) umliegend; **2.** *n*: **~s** *pl* Umgebung *f*; (*environment*) Umwelt *f*.

surveillance [sɜ:'veɪləns] *n* Überwachung *f*.

survey ['sɜ:veɪ] **1.** *n* Übersicht *f*; (*opinion poll*) Umfrage *f* (*of, on* über *+akk*); **2.** [sɜ:'veɪ] *vt* überblicken; (*land*) vermessen; (*building*) inspizieren, begutachten; **surveying** [sə'veɪɪŋ] *n* (*of land*) [Land]vermessung *f*; (*of building*) [Be]gutachten *nt*; **surveyor** [sə'veɪə*] *n* Land[ver]messer(in) *m(f)*; (*of building*) Baugutachter(in) *m(f)*.

survival [sə'vaɪvəl] *n* Überleben *nt*; (*sth from earlier times*) Überbleibsel *nt*; **survive** [sə'vaɪv] *vt, vi* überleben; **survivor** [sə'vaɪvə*] *n* Überlebende(r) *mf*.

susceptible [sə'septəbl] *adj* empfindlich (*to* gegen); (*open to*) empfänglich (*to* für).

suspect ['sʌspekt] **1.** *n* Verdächtige(r) *mf*; **2.** *adj* verdächtig; **3.** [sə'spekt] *vt* verdächtigen; (*think*) vermuten.

suspend [sə'spend] *vt* verschieben; (*from work*) suspendieren; (*hang up*) aufhängen; (SPORT) sperren; **suspenders** *n pl* Strumpfhalter *m*, Straps *m*; (*men's*) Sockenhalter *m*; (*US*) Hosenträger *m*.

suspense [sə'spens] *n* Spannung *f*.

suspension [sə'spenʃən] *n* (*hanging*) [Auf]hängen *nt*, Aufhängung *f*; (*postponing*) Aufschub *m*; (*from work*) Suspendierung *f*; (SPORT) Sperrung *f*; (AUT) Federung *f*; (*of wheels*) Aufhängung *f*; **suspension bridge** *n* Hängebrücke *f*.

suspicion [sə'spɪʃən] *n* Misstrauen *nt*, Verdacht *m*; **suspicious** *adj*, **suspiciously** *adv* [sə'spɪʃəs, -lɪ] misstrauisch; (*causing suspicion*) verdächtig; **suspiciousness** *n* Misstrauen *nt*.

sustain [sə'steɪn] *vt* (*hold up*) stützen, tragen; (*maintain*) aufrechterhalten; (*confirm*) bestätigen; (JUR) anerkennen; (*injury*) davontragen; **sustainable devel-**

opment *n* nachhaltige Entwicklung; **sustained** *adj* (*effort*) anhaltend.
sustenance ['sʌstɪnəns] *n* Nahrung *f.*
swab [swɒb] **1.** *n* (MED) Tupfer *m;* **2.** *vt* (*decks*) schrubben; (*wound*) abtupfen.
swagger ['swægə*] *vi* stolzieren; (*behave*) prahlen, angeben.
swallow ['swɒləʊ] **1.** *n* (*bird*) Schwalbe *f;* (*of food etc*) Schluck *m;* **2.** *vt* [ver]schlucken; **swallow up** *vt* verschlingen.
swam [swæm] *pt of* **swim**.
swamp [swɒmp] **1.** *n* Sumpf *m;* **2.** *vt* überschwemmen; **swampy** *adj* sumpfig.
swan [swɒn] *n* Schwan *m;* **swan song** *n* Schwanengesang *m.*
swap [swɒp] **1.** *n* Tausch *m;* **2.** *vt* [ein]tauschen (*for* gegen); **3.** *vi* tauschen; **swap meet** *n* (*US*) ≈ Flohmarkt *m.*
swarm [swɔ:m] **1.** *n* Schwarm *m;* **2.** *vi* wimmeln (*with* von).
swarthy ['swɔ:ðɪ] *adj* dunkel, braun.
swastika ['swɒstɪkə] *n* (*Nazism*) Hakenkreuz *nt.*
swat [swɒt] *vt* totschlagen.
sway [sweɪ] **1.** *vi* schwanken; (*branches*) schaukeln, sich wiegen; **2.** *vt* schwenken; (*influence*) beeinflussen, umstimmen.
swear [swɛə*] <swore, sworn> *vi* (*promise*) schwören; (*curse*) fluchen; **to ~ to sth** auf etw *akk* schwören; **swearword** *n* Fluch *m.*
sweat [swet] **1.** *n* Schweiß *m;* **2.** *vi* schwitzen; **sweater** *n* Pullover *m;* **sweatshirt** *n* Sweatshirt *nt;* **sweaty** *adj* verschwitzt.
swede [swi:d] *n* Steckrübe *f.*
Swede [swi:d] *n* Schwede *m,* Schwedin *f;* **Sweden** *n* Schweden *nt;* **Swedish** *adj* schwedisch.
sweep [swi:p] <swept, swept> **1.** *vt* fegen, kehren; **2.** *vi* (*road*) sich dahinziehen; (*go quickly*) rauschen; **3.** *n* (*cleaning*) Kehren *nt;* (*wide curve*) Bogen *m;* (*with arm*) schwungvolle Bewegung; (*chimney ~*) Schornsteinfeger(in) *m(f);* **sweep away** *vt* wegfegen; (*river*) wegspülen; **sweep past** *vi* vorbeisausen; **sweep up** *vt* zusammenkehren; **sweeping** *adj* (*gesture*) schwungvoll; (*statement*) pauschal; **sweepstake** *n* Toto *nt.*
sweet [swi:t] **1.** *n* (*course*) Nachtisch *m;* (*candy*) Bonbon *nt;* **2.** *adj* süß; **to have a ~ tooth** gerne Süßes essen; **sweetcorn** *n* Zuckermais *m;* **sweeten** *vt* süßen; (*fig*) versüßen; **sweetener** *n:* **artificial ~** Süßstoff *m;* **sweetheart** *n* Liebste(r) *mf;* **sweetness** *n* Süße *f;* **sweet pea** *n* Gartenwicke *f.*
swell [swel] <swelled, swollen *o* swelled> **1.** *vt* (*numbers*) vermehren; **2.** *vi* (*also:* **~ up**) [an]schwellen; **3.** *n* Seegang *m;* **4.** *adj* (*fam*) todschick; **swelling** *n* Schwellung *f.*
sweltering ['sweltərɪŋ] *adj* drückend.
swept [swept] *pt, pp of* **sweep**.
swerve [swɜ:v] *vi* ausscheren, zur Seite schwenken.
swift [swɪft] **1.** *adj* geschwind, schnell, rasch; **2.** *n* Mauersegler *nt;* **swiftly** *adv* geschwind, schnell, rasch; **swiftness** *n* Schnelligkeit *f.*
swig [swɪg] *n* Zug *m.*
swill [swɪl] **1.** *n* (*for pigs*) Schweinefutter *nt;* **2.** *vt* spülen.
swim [swɪm] <swam, swum> **1.** *vi* schwimmen; **2.** *vt* (*cross*) [durch]schwimmen; **3.** *n:* **to go for a ~** schwimmen gehen; **my head is ~ming** mir dreht sich der Kopf; **swimmer** *n* Schwimmer(in) *m(f);* **swimming** *n* Schwimmen *nt;* **to go ~** schwimmen gehen; **swimming cap** *n* Badehaube *f,* Badekappe *f;* **swimming costume** *n* Badeanzug *m;* **swimming pool** *n* Schwimmbad, Schwimmbecken *nt;* (*private*) Swimming-Pool *m;* **swimsuit** *n* Badeanzug *m.*
swindle ['swɪndl] **1.** *n* Schwindel *m,* Betrug *m;* **2.** *vt* betrügen; **swindler** *n* Schwindler(in) *m(f).*
swine [swaɪn] *n* (*a. fig*) Schwein *nt.*
swing [swɪŋ] <swung, swung> **1.** *vt* schwingen, [herum]schwenken; **2.** *vi* schwingen, pendeln, schaukeln; (*turn quickly*) schwenken; **3.** *n* (*child's*) Schaukel *f;* (*swinging*) Schwingen *nt,* Schwung *m;* (MUS) Swing *m;* **in full ~** in vollem Gange; **swing bridge** *n* Drehbrücke *f;* **swing door** *n* Schwingtür *f,* Pendeltür *f.*
swipe [swaɪp] **1.** *n* Hieb *m;* **2.** *vt* (*fam: hit*) hart schlagen; (*steal*) klauen.
Swiss [swɪs] **1.** *adj* schweizerisch, Schweizer; **2.** *n* Schweizer(in) *m(f);* **~ German** Schweizerdeutsch *nt;* **the ~** *pl* die Schweizer *pl.*
switch [swɪtʃ] **1.** *n* (ELEC) Schalter *m;* (*change*) Wechsel *m;* **2.** *vt, vi* (ELEC) schalten; (*change*) wechseln; **switch off** *vt* abschalten, ausschalten; **switch on** *vt* anschalten, einschalten; **switchback** *n* Achterbahn *f;* **switchboard** *n*

Vermittlung *f,* Zentrale *f;* (*board*) Schaltbrett *nt.*

Switzerland ['swɪtsələnd] *n* die Schweiz; **in** ~ in der Schweiz; **to go to** ~ in die Schweiz fahren.

swivel ['swɪvl] *vt, vi* (*also:* ~ **round**) [sich] drehen.

swollen ['swəʊlən] *pp of* **swell**.

swoop [swu:p] **1.** *n* Sturzflug *m;* (*esp by police*) Razzia *f;* **2.** *vi* (*also:* ~ **down**) stürzen.

swop [swɒp] *s.* **swap**.

sword [sɔ:d] *n* Schwert *nt;* **swordfish** *n* Schwertfisch *m;* **swordsman** *n* <swordsmen> Fechter *m.*

swore [swɔ:*] *pt of* **swear**; **sworn** [swɔ:n] **1.** *pp of* **swear**; **2.** *adj:* ~ **enemies** *pl* Todfeinde *pl.*

swum [swʌm] *pp of* **swim**.

swung [swʌŋ] *pt, pp of* **swing**.

sycamore ['sɪkəmɔ:*] *n* (*US*) Platane *f;* (*Brit*) Bergahorn *m.*

sycophantic [sɪkə'fæntɪk] *adj* schmeichlerisch, kriecherisch.

syllable ['sɪləbl] *n* Silbe *f.*

syllabus ['sɪləbəs] *n* Lehrplan *m.*

symbol ['sɪmbəl] *n* Symbol *nt;* **symbolic**[**al**] [sɪm'bɒlɪk[əl]] *adj* symbolisch; **symbolism** *n* symbolische Bedeutung; (ART) Symbolismus *m;* **symbolize** *vt* versinnbildlichen, symbolisieren.

symmetrical *adj,* **symmetrically** *adv* [sɪ'metrɪkəl, -ɪ] symmetrisch, gleichmäßig; **symmetry** ['sɪmɪtrɪ] *n* Symmetrie *f.*

sympathetic *adj,* **sympathetically** *adv* [sɪmpə'θetɪk, -əlɪ] mitfühlend; **sympathize** ['sɪmpəθaɪz] *vi* sympathisieren; mitfühlen; **sympathizer** *n* Mitfühlende(r) *mf;* (POL) Sympathisant(in) *m(f);* **sympathy** ['sɪmpəθɪ] *n* Mitleid *nt,* Mitgefühl *nt;* (*condolence*) Beileid *nt.*

symphonic [sɪm'fɒnɪk] *adj* sinfonisch; **symphony** ['sɪmfənɪ] *n* Sinfonie *f;* **symphony orchestra** *n* Sinfonieorchester *nt.*

symposium [sɪm'pəʊzɪəm] *n* Tagung *f.*

symptom ['sɪmptəm] *n* Symptom *nt,* Anzeichen *nt;* **symptomatic** [sɪmptə'mætɪk] *adj* (*fig*) symptomatisch (*of* für).

synagogue ['sɪnəgɒg] *n* Synagoge *f.*

synchromesh ['sɪŋkrəʊmeʃ] *n* Synchrongetriebe *nt.*

synchronize ['sɪŋkrənaɪz] **1.** *vt* synchronisieren; **2.** *vi* gleichzeitig sein [*o* ablaufen].

syndicate ['sɪndɪkət] *n* Konsortium *nt,* Verband *m,* Ring *m.*

syndrome ['sɪndrəʊm] *n* Syndrom *nt.*

synonym ['sɪnənɪm] *n* Synonym *nt;* **synonymous** [sɪ'nɒnɪməs] *adj* synonym.

synopsis [sɪ'nɒpsɪs] *n* Abriss *m,* Zusammenfassung *f.*

syntactic [sɪn'tæktɪk] *adj* syntaktisch; **syntax** ['sɪntæks] *n* Syntax *f.*

synthesis ['sɪnθəsɪs] *n* Synthese *f.*

synthetic *adj,* **synthetically** *adv* [sɪn'θetɪk, -əlɪ] synthetisch, künstlich.

syphilis ['sɪfɪlɪs] *n* Syphilis *f.*

syphon ['saɪfən] *s.* **siphon**.

Syria ['sɪrɪə] *n* Syrien *nt.*

syringe [sɪ'rɪndʒ] **1.** *n* (MED) Spritze *f;* **2.** *vt* [aus]spülen.

syrup ['sɪrəp] *n* Sirup *m;* (*of sugar*) Melasse *f.*

system ['sɪstəm] *n* System *nt;* (COMPUT A.) Anlage *f;* **systematic** *adj,* **systematically** *adv* [sɪstə'mætɪk, -əlɪ] systematisch, planmäßig; **system crash** *n* (COMPUT) Systemabsturz *m;* **system disk** *n* (COMPUT) Systemdiskette *f;* **system error** *n* (COMPUT) Systemfehler *m;* **systems analysis** *n* (COMPUT) Systemanalyse *f;* **systems analyst** *n* (COMPUT) Systemanalytiker(in) *m(f).*

T

T, t [ti:] *n* T *nt,* t *nt;* **to a** ~ genau.

ta [tɑ:] *interj* (*Brit fam*) danke.

tab [tæb] *n* Schlaufe *f,* Aufhänger *m;* (*name* ~) Schild *nt;* (*tabulator*) Tabulator *m.*

tabby ['tæbɪ] **1.** *n* (*female cat*) weibliche Katze *f;* **2.** *adj* (*black-striped*) getigert.

table ['teɪbl] **1.** *n* Tisch *m;* (*list*) Tabelle *f,* Tafel *f;* **2.** *vt* (POL: *propose*) vorlegen, einbringen; **to lay sth on the** ~ (*fig*) etw zur Diskussion stellen; **tablecloth** *n* Tischtuch *nt,* Tischdecke *f;* **tablemat** *n* Untersetzer *m;* **tablespoon** *n* Esslöffel *m.*

tablet ['tæblət] *n* (MED) Tablette *f;* (*for writing*) Täfelchen *nt;* (*of paper*) Schreibblock *m;* (*of soap*) Riegel *m.*

table talk ['teɪbltɔ:k] *n* Tischgespräch *nt;* **table tennis** *n* Tischtennis *nt;* **table wine** *n* Tafelwein *m.*

tabloid ['tæblɔɪd] *n* (*Brit*) Boulevardzeitung *f.*

Unter **tabloid press** versteht man in Großbritannien kleinformatige Zeitungen (ca. 30 × 40 cm), die fast ausschließlich Massenblätter sind. Im Gegensatz zur „quality press" verwenden diese Massenblätter viele Fotos und einen knappen, oft reißerischen Stil. Sie kommen den Lesern entgegen, die eher Wert auf Unterhaltung legen.

taboo [tə'bu:] **1.** *n* Tabu *nt;* **2.** *adj* tabu.
tabulate ['tæbjʊleɪt] *vt* tabellarisch ordnen; **tabulator** *n* Tabulator *m.*
tachograph ['tækəʊgrɑ:f] *n* Fahrtenschreiber *m.*
tacit *adj,* **tacitly** *adv* ['tæsɪt, -lɪ] stillschweigend.
taciturn ['tæsɪtɜ:n] *adj* schweigsam, wortkarg.
tack [tæk] *n* (*small nail*) Stift *m;* (*US: thumb* ~) Reißzwecke *f;* (*stitch*) Heftstich *m;* (NAUT) Lavieren *nt;* (*course*) Kurs *m.*
tackle ['tækl] **1.** *n* Ausrüstung *f;* (*for lifting*) Flaschenzug *m;* (NAUT) Takelage *f;* (SPORT) Tackling *nt;* **2.** *vt* (*deal with*) anpacken, in Angriff nehmen; (*person*) festhalten; (*player*) angehen; **he couldn't ~ it** er hat es nicht geschafft.
tacky ['tækɪ] *adj* (*sticky*) klebrig; (*fam pej: in bad taste*) geschmacklos.
tact [tækt] *n* Takt *m;* **tactful** *adj,* **tactfully** *adv* taktvoll.
tactical ['tæktɪkəl] *adj* taktisch.
tactics ['tæktɪks] *n sing* Taktik *f.*
tactless *adj,* **tactlessly** *adv* ['tæktləs, -lɪ] taktlos.
tadpole ['tædpəʊl] *n* Kaulquappe *f.*
taffeta ['tæfɪtə] *n* Taft *m.*
taffy ['tæfɪ] *n* (*US*) Sahnebonbon *nt.*
tag [tæg] *n* (*label*) Schild *nt,* Anhänger *m;* (*maker's name*) Etikett *nt;* (*phrase*) Floskel *f,* Spruch *m;* **tag along** *vi* mitkommen; **tag question** *n* Bestätigungsfrage *f.*
tail [teɪl] **1.** *n* Schwanz *m;* (*of list*) Schluss *m;* (*of comet*) Schweif *m;* **2.** *vt* folgen +*dat;* (*suspect*) beschatten; **~s** (*of coin*) Zahlseite *f;* **tailback** *n* Rückstau *m;* **tail off** *vi* abfallen, schwinden; **tail end** *n* Schluss *m,* Ende *nt;* **tailgate** *n* (AUT) Heckklappe *f.*
tailor ['teɪlə*] *n* Schneider(in) *m(f);* **tailoring** *n* Schneidern *nt,* Schneiderarbeit *f;* **tailor-made** *adj* maßgeschneidert; (*fig*) wie auf den Leib geschnitten (*for sb* jdm).
tailwind ['teɪlwɪnd] *n* Rückenwind *m.*
tainted ['teɪntɪd] *adj* verdorben.
Taiwan [taɪ'wæn] *n* Taiwan *nt.*
take [teɪk] <took, taken> *vt* nehmen; (*prize*) entgegennehmen; (*trip, exam*) machen; (*capture: person*) fassen; (*town*) einnehmen; (*disease*) bekommen; (*carry to a place*) bringen; (MATH: *subtract*) abziehen (*from* von); (*extract, quotation*) entnehmen (*from dat*); (*get for oneself*) sich *dat* nehmen; (*gain, obtain*) bekommen; (FIN, COMM) einnehmen; (*record*) aufnehmen; (*consume*) zu sich nehmen; (PHOT) aufnehmen; (*picture*) machen; (*put up with*) hinnehmen; (*respond to*) aufnehmen; (*understand, interpret*) auffassen; (*assume*) annehmen; (*contain*) fassen, Platz haben für; (LING) stehen mit; **it ~s 4 hours** man braucht 4 Stunden; **it ~s him 4 hours** er braucht 4 Stunden; **to ~ sth from sb** jdm etw wegnehmen; **to ~ part in** teilnehmen an +*dat;* **to ~ place** stattfinden; **to be ~n with** begeistert sein von; **take after** *vt* ähnlich sein +*dat;* **take back** *vt* (*return*) zurückbringen; (*retract*) zurücknehmen; (*remind*) zurückversetzen (*to* in +*akk*); **take down** *vt* (*pull down*) abreißen; (*write down*) aufschreiben; **take in** *vt* (*deceive*) hereinlegen; (*understand*) begreifen; (*include*) einschließen; **take off** **1.** *vi* (*plane*) starten, abheben; **2.** *vt* (*remove*) wegnehmen, abmachen; (*clothing*) ausziehen; (*imitate*) nachmachen; **take on** *vt* (*undertake*) übernehmen; (*engage*) einstellen; (*opponent*) antreten gegen; **take out** *vt* (*person, dog*) ausführen; (*extract*) herausnehmen; (*insurance*) abschließen; (*licence*) sich *dat* geben lassen; (*book*) ausleihen; (*remove*) entfernen; **to ~ sth ~ on sb** etw an jdm auslassen; **take over** **1.** *vt* übernehmen; **2.** *vi* ablösen (*from sb* jdn); **take to** *vt* (*like*) mögen; (*adopt as practice*) sich *dat* angewöhnen; **take up** *vt* (*raise*) aufnehmen; (*hem*) kürzer machen; (*occupy*) in Anspruch nehmen; (*absorb*) aufsaugen; (*engage in*) sich befassen mit; **to ~ sb ~ on sth** jdn beim Wort nehmen; **takeaway** ['teɪkəweɪ] *n* Essen *nt* zum Mitnehmen; **taken** ['teɪkən] *pp of* **take**; **takeoff** *n* (AVIAT) Abflug *m,* Start *m;* (*imitation*) Nachahmung *f;* **takeover** *n* (COMM) Übernahme *f;* ~ **bid** Übernahmeangebot

T

nt; **takings** *n pl* (COMM) Einnahmen *pl.*
talc [tælk] *n* (*also:* **talcum powder**) Talkumpuder *m.*
tale [teɪl] *n* Geschichte *f,* Erzählung *f.*
talent ['tælənt] *n* Talent *nt,* Begabung *f;* **talented** *adj* talentiert, begabt.
talk [tɔːk] **1.** *n* (*conversation*) Gespräch *nt;* (*rumour*) Gerede *nt;* (*speech*) Vortrag *m;* **2.** *vi* sprechen, reden; (*gossip*) klatschen, reden; **~ing of ...** da wir gerade von ... sprechen; **~ about impertinence!** so eine Frechheit!; **to ~ sb into doing sth** jdn überreden etw zu tun; **to ~ shop** fachsimpeln; **talk over** *vt* besprechen; **talkative** *adj* redselig, gesprächig; **talker** *n* Schwätzer(in) *m(f);* **talk show** *n* (TV) Talkshow *f.*
tall [tɔːl] *adj* groß; (*building*) hoch; **a ~ story** ein Märchen; **tallboy** *n* Kommode *f;* **tallness** *n* Größe *f;* Höhe *f.*
tally ['tælɪ] **1.** *n* Abrechnung *f;* **2.** *vi* übereinstimmen; **3.** *vt* (*also:* **~ up**) zusammenrechnen.
talon ['tælən] *n* Kralle *f.*
tambourine [tæmbə'riːn] *n* Tamburin *nt.*
tame [teɪm] **1.** *adj* zahm; (*fig*) fade, langweilig; **2.** *vt* zähmen; **tameness** *n* Zahmheit *f;* (*fig*) Langweiligkeit *f.*
tamper ['tæmpə*] *vi:* **to ~ with** herumpfuschen an *+dat;* (*documents*) fälschen; **tamper-proof** *adj* einbruchsicher.
tampon ['tæmpɒn] *n* Tampon *m.*
tan [tæn] **1.** *n* (*on skin*) Sonnenbräune *f;* (*colour*) Gelbbraun *nt;* **2.** *adj* (*colour*) gelbbraun; **3.** *vt* gerben; (*Sonne*) bräunen.
tandem ['tændəm] *n* Tandem *nt.*
tang [tæŋ] *n* Schärfe *f,* scharfer Geschmack/Geruch.
tangent ['tændʒənt] *n* Tangente *f;* **to go off at a ~** vom Thema abkommen.
tangerine [tændʒə'riːn] *n* Mandarine *f.*
tangible ['tændʒəbl] *adj* greifbar; (*real*) handgreiflich; **tangible assets** *n pl* Sachanlagen *pl.*
tangle ['tæŋgl] **1.** *n* Durcheinander *nt;* (*trouble*) Schwierigkeiten *pl;* **2.** *vt* verwirren.
tango ['tæŋgəʊ] *n* <-s> Tango *m.*
tank [tæŋk] *n* (*container*) Tank *m,* Behälter *m;* (MIL) Panzer *m.*
tankard ['tæŋkəd] *n* Seidel *nt,* Deckelkrug *m.*
tanker ['tæŋkə*] *n* (*ship*) Tanker *m;* (*vehicle*) Tankwagen *m.*
tanned [tænd] *adj* (*skin*) gebräunt, sonnenverbrannt.
tantalizing ['tæntəlaɪzɪŋ] *adj* verlockend; (*annoying*) quälend.
tantamount ['tæntəmaʊnt] *adj* gleichbedeutend (*to* mit).
tantrum ['tæntrəm] *n* Wutanfall *m.*
Tanzania [tænzə'nɪə] *n* Tansania *nt.*
tap [tæp] **1.** *n* Hahn *m;* (*gentle blow*) leichter Schlag, Klopfen *nt;* **2.** *vt* (*strike*) klopfen; (*supply*) anzapfen; (*telephone*) abhören; **tap-dance** *vi* steppen.
tape [teɪp] **1.** *n* Band *nt;* (*magnetic*) Tonband *nt;* (*adhesive*) Klebstreifen *m;* **2.** *vt* (*record*) auf Band aufnehmen; **tape measure** *n* Maßband *nt.*
taper ['teɪpə*] **1.** *n* dünne Wachskerze *f;* **2.** *vi* spitz zulaufen.
tape recorder ['teɪprɪkɔːdə*] *n* Tonbandgerät *nt.*
tapestry ['tæpɪstrɪ] *n* Wandteppich *m,* Gobelin *m.*
tapioca [tæpɪ'əʊkə] *n* Tapioka *f.*
tap stock ['tæpstɒk] *n* (FIN) Staatsanleihe *f.*
tar [tɑː*] *n* Teer *m.*
tarantula [tə'ræntjʊlə] *n* Tarantel *f.*
tardy ['tɑːdɪ] *adj* langsam, spät.
target ['tɑːgɪt] *n* Ziel *nt;* (*board*) Zielscheibe *f.*
tariff ['tærɪf] *n* (*duty paid*) Zoll *m;* (*list*) Tarif *m.*
tarmac ['tɑːmæk] *n* (AVIAT) Rollfeld *nt.*
tarnish ['tɑːnɪʃ] *vt* matt machen; (*fig*) beflecken.
tarpaulin [tɑː'pɔːlɪn] *n* Plane *f,* Persenning *f.*
tart [tɑːt] **1.** *n* Obsttorte *f;* (*fam*) Nutte *f;* **2.** *adj* scharf, sauer; (*remark*) scharf, spitz.
tartan ['tɑːtən] *n* Schottenkaro *nt;* (*material*) Schottenstoff *m.*
tartar ['tɑːtə*] *n* Zahnstein *m;* Weinstein *m;* Kesselstein *m;* **tartare sauce** *n* Remouladensoße *f.*
tartly ['tɑːtlɪ] *adv* spitz.
task [tɑːsk] *n* Aufgabe *f;* (*duty*) Pflicht *f;* **task force** *n* (*esp police*) Sondertrupp *m.*
Tasmania [tæz'meɪnɪə] *n* Tasmanien *nt.*
tassel ['tæsəl] *n* Quaste *f.*
taste [teɪst] **1.** *n* Geschmack *m;* (*sense*) Geschmackssinn *m;* (*small quantity*) Kostprobe *f;* (*liking*) Vorliebe *f;* **2.** *vt* schmecken; (*try*) versuchen; **3.** *vi* schmecken (*of* nach); **tasteful** *adj,* **tastefully** *adv* geschmackvoll; **tasteless** *adj* (*insipid*) ohne Geschmack, fade; (*in bad taste*) geschmacklos; **tastelessly** *adv* ge-

schmacklos; **tastily** *adv* schmackhaft; **tastiness** *n* Schmackhaftigkeit *f;* **tasty** *adj* schmackhaft.

tattered ['tætəd] *adj* zerrissen, zerlumpt; **tatters** ['tætəz] *n pl:* **in ~** in Fetzen.

tattoo [tə'tu:] **1.** *n* (MIL) Zapfenstreich *m;* (*on skin*) Tätowierung *f;* **2.** *vt* tätowieren.

tatty ['tætɪ] *adj* (*fam*) schäbig.

taught [tɔ:t] *pt, pp of* **teach**.

taunt [tɔ:nt] **1.** *n* höhnische Bemerkung; **2.** *vt* verhöhnen.

Taurus ['tɔ:rəs] *n* (ASTR) Stier *m.*

taut [tɔ:t] *adj* straff.

tavern ['tævən] *n* Taverne *f.*

tawdry ['tɔ:drɪ] *adj* billig und geschmacklos.

tawny ['tɔ:nɪ] *adj* gelbbraun.

tax [tæks] **1.** *n* Steuer *f;* **2.** *vt* besteuern; (*strain*) strapazieren; (*strength*) angreifen; **taxation** [tæk'seɪʃən] *n* Besteuerung *f;* **tax avoidance** *n* Steuerminderung *f;* **tax collector** *n* Finanzbeamte(r) *m,* -beamtin *f;* **tax consultant** *n* Steuerberater(in) *m(f);* **tax-deductible** *adj* [von der Steuer] absetzbar; **tax disc** *n* (*Brit*) Autosteuerplakette *f;* **tax evasion** *n* Steuerhinterziehung *f;* **tax-free** *adj* steuerfrei; **tax haven** *n* Steuerparadies *nt.*

taxi ['tæksɪ] **1.** *n* Taxi *nt;* **2.** *vi* (*plane*) rollen.

taxidermist ['tæksɪdɜ:mɪst] *n* Tierpräparator(in) *m(f).*

taxi driver ['tæksɪdraɪvə*] *n* Taxifahrer(in) *m(f);* **taxi rank** *n* Taxistand *m.*

taxpayer ['tækspeɪə*] *n* Steuerzahler(in) *m(f);* **tax relief** *n* Steuererleichteung *f,* Steuervergünstigung *f;* **tax return** *n* Steuererklärung *f.*

tea [ti:] *n* Tee *m;* (*meal*) frühes Abendessen *nt;* **tea bag** *n* Teebeutel *m;* **tea break** *n* [Tee]pause *f;* **tea cake** *n* Rosinenbrötchen *nt.*

teach [ti:tʃ] <**taught, taught**> *vt, vi* lehren; (SCH A.) unterrichten; (*show*) zeigen, beibringen (*sb sth* jdm etw); **that'll ~ him!** das hat er nun davon!; **teacher** *n* Lehrer(in) *m(f);* **teaching** *n* (*teacher's work*) Unterricht *m,* Lehren *nt;* (*doctrine*) Lehre *f.*

tea cosy ['ti:kəʊzɪ] *n* Teewärmer *m;* **teacup** *n* Teetasse *f.*

teak [ti:k] **1.** *n* Teakbaum *m;* **2.** *adj* Teakholz-.

tea leaves ['ti:li:vz] *n pl* Teeblätter *pl;* **to read the ~** ≈ aus dem Kaffeesatz wahrsagen.

team [ti:m] *n* (*workers*) Team *nt;* (SPORT) Mannschaft *f;* (*animals*) Gespann *nt;* **team spirit** *n* Gemeinschaftsgeist *m;* (SPORT) Mannschaftsgeist *m;* **teamwork** *n* Zusammenarbeit *f,* Teamwork *nt.*

tea party ['ti:pɑ:tɪ] *n* ≈ Kaffeeklatsch *m;* **teapot** *n* Teekanne *f.*

tear [tɛə*] <**tore, torn**> **1.** *vt* zerreißen; (*muscle*) zerren; **2.** *vi* zerreißen; (*rush*) rasen, sausen; **3.** *n* Riss *m;* **I am torn between ...** ich bin hin und her gerissen.

tear [tɪə*] *n* Träne *f;* **in ~s** in Tränen aufgelöst.

tearaway ['tɛərəweɪ] *n* Rabauke *m.*

tearful ['tɪəfʊl] *adj* weinend; (*voice*) weinerlich; **tear gas** *n* Tränengas *nt.*

tearing ['tɛərɪŋ] *adj:* **to be in a ~ hurry** es schrecklich eilig haben; **tear-jerker** ['tɪədʒɜ:kə*] *n* (*fam*) Schnulze *f.*

tearoom ['ti:rʊm] *n* Teestube *f.*

tease [ti:z] **1.** *n* Schäker(in) *m(f);* **2.** *vt* necken, aufziehen; (*animal*) quälen; **I was only teasing** ich habe nur Spaß gemacht.

tea set ['ti:set] *n* Teeservice *nt;* **teashop** *n* Café *nt;* **teaspoon** *n* Teelöffel *m;* **tea strainer** *n* Teesieb *nt.*

teat [ti:t] *n* (*of woman*) Brustwarze *f;* (*of animal*) Zitze *f;* (*of bottle*) Sauger *m.*

tea towel ['ti:taʊəl] *n* Geschirrtuch *nt;* **tea urn** *n* Teemaschine *f.*

technical ['teknɪkəl] *adj* technisch; (*knowledge, terms*) Fach-; **technicality** [teknɪ'kælɪtɪ] *n* technische Einzelheit; (JUR) Formsache *f;* **technically** *adv* technisch; (*speak*) spezialisiert; (*fig*) genau genommen.

technician [tek'nɪʃən] *n* Techniker(in) *m(f).*

technique [tek'ni:k] *n* Technik *f.*

technological [teknə'lɒdʒɪkəl] *adj* technologisch; **technologist** [tek'nɒlədʒɪst] *n* Technologe(-login) *m(f);* **technology** [tek'nɒlədʒɪ] *n* Technologie *f;* **technology transfer** *n* Technologietransfer *m.*

teddy bear ['tedɪbɛə*] *n* Teddybär *m.*

tedious *adj,* **tediously** *adv* ['ti:dɪəs, -lɪ] langweilig, ermüdend.

tee [ti:] *n* (GOLF) Abschlagstelle *f;* (*object*) Tee *nt.*

teem [ti:m] *vi* (*swarm*) wimmeln (*with* von); (*pour*) gießen.

teenage ['ti:neɪdʒ] *adj* (*fashions etc*) Teenager-, jugendlich; **teenager** *n* Teenager *m,* Jugendliche(r) *mf.*

T

teens [ti:nz] *n pl* Jugendjahre *pl;* **to be in one's** ~ im Teenageralter sein.
teeter ['ti:tə*] *vi* schwanken, taumeln.
teeth [ti:θ] *pl of* **tooth**.
teethe [ti:ð] *vi* zahnen; **teething ring** *n* Beißring *m;* **teething troubles** *n pl* (*fig*) Anfangsschwierigkeiten *pl.*
teetotal ['ti:'təʊtl] *adj* abstinent; **teetotaler** (*US*), **teetotaller** *n* Antialkoholiker(in) *m(f),* Abstinenzler(in) *m(f).*
telebanking ['telɪbæŋkɪŋ] *n* Telebanking *nt.*
telecommunications [telɪkəmju:nɪ'keɪʃənz] *n pl* Fernmeldewesen *nt;* **telecommunications network** *n* Telekommunikationsnetz *nt.*
[**tele**]**fax** ['telɪfæks] *n* [Tele]fax *nt.*
telegram ['telɪgræm] *n* Telegramm *nt.*
telegraph ['telɪgrɑ:f] *n* Telegraph *m;* **telegraphic** [telɪ'græfɪk] *adj* (*address*) Telegramm-; **telegraph pole** *n* Telegrafenmast *m.*
telemessage ['telɪmesɪdʒ] *n* Telebrief *m.*
telepathic [telɪ'pæθɪk] *adj* telepathisch; **telepathy** [tə'lepəθɪ] *n* Telepathie *f,* Gedankenübertragung *f.*
telephone ['telɪfəʊn] **1.** *n* Telefon *nt,* Fernsprecher *m;* **2.** *vi* telefonieren; **3.** *vt* anrufen; (*message*) telefonisch mitteilen; **telephone booth**, **telephone box** *n* Telefonhäuschen *nt,* Fernsprechzelle *f;* **telephone call** *n* Telefongespräch *nt,* Anruf *m;* **telephone directory** *n* Telefonbuch *nt;* **telephone exchange** *n* Telefonvermittlung *f,* Telefonzentrale *f;* **telephone number** *n* Telefonnummer *f.*
telephonist [tə'lefənɪst] *n* Telefonist(in) *m(f).*
telephoto lens ['telɪfəʊtəʊ'lenz] *n* Teleobjektiv *nt.*
teleprinter ['telɪprɪntə*] *n* Fernschreiber *m.*
telescope ['telɪskəʊp] **1.** *n* Teleskop *nt,* Fernrohr *nt;* **2.** *vt* ineinander schieben; **telescopic** [telɪ'skɒpɪk] *adj* teleskopisch; (*aerial etc*) ausziehbar.
teleshopping ['telɪʃɒpɪŋ] *n* Teleshopping *nt.*
telethon ['telɪθɒn] *n* Wohltätigkeitsprogramm *nt.*
televangelist ['telɪvændʒlɪst] *n* (*US*) Fernsehprediger(in) *m(f).*
televiewer ['telɪvju:ə*] *n* Fernsehteilnehmer(in) *m(f);* **televise** ['telɪvaɪz] *vt* im Fernsehen übertragen; **television** ['telɪvɪʒən] *n* Fernsehen *nt;* **on** ~ im Fernsehen; **to watch** ~ fernsehen; **television set** *n* Fernsehapparat *m,* Fernseher *m.*
teleworker ['telɪwɜ:kə*] *n* Heimarbeiter(in) *m(f)* am Computer; **teleworking** *n* Teleheimarbeit *f.*
telex ['teleks] **1.** *n* Telex *nt;* **2.** *vt* telexen.
tell [tel] <told, told> **1.** *vt* (*story*) erzählen; (*secret*) ausplaudern; (*say, make known*) sagen (*sth to sb* jdm etw); (*distinguish*) erkennen (*sb by sth* jdn an etw *dat*); (*be sure*) wissen; (*order*) sagen, befehlen (*sb* jdm); **2.** *vi* (*be sure*) wissen; (*divulge*) es verraten; (*have effect*) sich auswirken; **to** ~ **a lie** lügen; **to** ~ **sb about sth** jdm von etw erzählen; **tell off** *vt* schimpfen; **tell on** *vt* verraten, verpetzen; **teller** *n* (*in bank*) Kassierer(in) *m(f);* **telling** *adj* verräterisch; (*blow*) hart; **the** ~ **moment** der Augenblick der Wahrheit; **telltale** *adj* verräterisch.
telly ['telɪ] *n* (*fam*) Fernseher *m,* Glotze *f.*
temerity [tɪ'merɪtɪ] *n* Tollkühnheit *f.*
temp [temp] *n* Aushilfe *f;* ~ **work** Zeitarbeit *f.*
temper ['tempə*] **1.** *n* (*disposition*) Temperament *nt,* Gemütsart *f;* (*anger*) Gereiztheit *f,* Zorn *m;* **2.** *vt* (*tone down*) mildern; (*metal*) härten; **quick ~ed** jähzornig, aufbrausend; **to be in a bad** ~ wütend [*o* gereizt] sein; **temperament** *n* Temperament *nt,* Veranlagung *f;* **temperamental** [tempərə'mentl] *adj* (*moody*) launisch.
temperance ['tempərəns] *n* Mäßigung *f;* (*abstinence*) Enthaltsamkeit *f;* ~ **hotel** alkoholfreies Hotel.
temperate ['tempərət] *adj* gemäßigt.
temperature ['temprɪtʃə*] *n* Temperatur *f;* (MED: *high* ~) Fieber *nt;* **to have a** ~ Fieber haben; **to take sb's** ~ bei jdm Fieber messen.
tempest ['tempɪst] *n* Sturm *m;* **tempestuous** [tem'pestjʊəs] *adj* stürmisch; (*fig*) ungestüm.
template ['templət] *n* Schablone *f.*
temple ['templ] *n* Tempel *m;* (ANAT) Schläfe *f.*
tempo ['tempəʊ] *n* <-s> Tempo *nt.*
temporal ['tempərəl] *adj* (*of time*) zeitlich; (*worldly*) irdisch, weltlich.
temporarily ['tempərərɪlɪ] *adv* zeitweilig, vorübergehend.
temporary ['tempərərɪ] *adj* vorläufig; (*road, building*) provisorisch.

tempt [tempt] *vt* (*persuade*) verleiten, in Versuchung führen; (*attract*) reizen, verlocken; **temptation** [temp'teɪʃən] *n* Versuchung *f;* **tempting** *adj* (*person*) verführerisch; (*object, situation*) verlockend.

ten [ten] *num* zehn.

tenable ['tenəbl] *adj* haltbar; **to be ~** (*post*) vergeben werden.

tenacious *adj,* **tenaciously** *adv* [tə'neɪʃəs, -lɪ] zäh, hartnäckig; **tenacity** [tə'næsɪtɪ] *n* Zähigkeit *f,* Hartnäckigkeit *f.*

tenancy ['tenənsɪ] *n* Mietverhältnis *nt;* Pachtverhältnis *nt;* **tenant** ['tenənt] *n* Mieter(in) *m(f);* (*of larger property*) Pächter(in) *m(f).*

tend [tend] **1.** *vt* (*look after*) sich kümmern um; **2.** *vi* neigen, tendieren (*to* zu); **to ~ to do sth** (*things*) etw gewöhnlich tun; **tendency** *n* Tendenz *f;* (*of person also*) Neigung *f.*

tender ['tendə*] **1.** *adj* (*soft*) weich, zart; (*delicate*) zart; (*loving*) liebevoll, zärtlich; **2.** *n* (COMM: *offer*) Kostenvoranschlag *m,* Angebot *nt;* **tenderize** *vt* weich machen; **tenderly** *adv* liebevoll; (*touch also*) zart; **tenderness** *n* Zartheit *f;* (*being loving*) Zärtlichkeit *f.*

tendon ['tendən] *n* Sehne *f.*

tenement ['tenəmənt] *n* Mietshaus *nt.*

tennis ['tenɪs] *n* Tennis *nt;* **tennis ball** *n* Tennisball *m;* **tennis court** *n* Tennisplatz *m;* **tennis racket** *n* Tennisschläger *m.*

tenor ['tenə*] *n* (MUS) Tenor *m;* (*meaning*) Sinn *m,* wesentlicher Inhalt.

tense [tens] **1.** *adj* angespannt; (*stretched tight*) gespannt, straff; **2.** *n* Zeitform *f;* **tensely** *adv* angespannt; **tenseness** *n* Spannung *f;* (*strain*) Angespanntheit *f;* **tension** ['tenʃən] *n* Spannung *f;* (*strain*) Angespanntheit *f.*

tent [tent] *n* Zelt *nt.*

tentacle ['tentəkl] *n* Fühler *m;* (*of sea animals*) Fangarm *m.*

tentative ['tentətɪv] *adj* (*movement*) unsicher; (*offer*) Probe-; (*arrangement*) vorläufig; (*suggestion*) unverbindlich; **tentatively** *adv* versuchsweise; (*try, move*) vorsichtig.

tenterhooks ['tentəhʊks] *n pl:* **to be on ~** auf die Folter gespannt sein.

tenth [tenθ] **1.** *adj* zehnte(r, s); **2.** *adv* an zehnter Stelle; **3.** *n* (*person*) Zehnte(r) *mf;* (*part*) Zehntel *nt.*

tent peg ['tentpeg] *n* Hering *m;* **tent pole** *n* Zeltstange *f.*

tenuous ['tenjʊəs] *adj* fein; (*air*) dünn; (*connection, argument*) schwach.

tenure ['tenjʊə*] *n* (*of land*) Besitz *m;* (*of office*) Amtszeit *f.*

tepid ['tepɪd] *adj* lauwarm.

term [tɜ:m] **1.** *n* (*period of time*) Zeitraum *m;* (*limit*) Frist *f;* (SCH) Quartal *nt,* Trimester *nt;* (*expression*) Ausdruck *m;* **2.** *vt* benennen; **~s** *pl* (*conditions*) Bedingungen *pl;* (*relationship*) Beziehungen *pl;* **to be on good ~s with sb** mit jdm gut auskommen; **term deposit** *n* (FIN) Termineinlage *f.*

terminable ['tɜ:minəbl] *n* kündbar.

terminal ['tɜ:minl] **1.** *n* (RAIL, *bus* ~) Endstation *f;* (AVIAT) Terminal *m;* (COMPUT) Terminal *nt,* Endgerät *nt;* **2.** *adj* Schluss-; (MED) unheilbar; **~ cancer** Krebs im Endstadium.

terminate ['tɜ:mɪneɪt] **1.** *vt* beenden; **2.** *vi* enden, aufhören (*in* auf +*dat*); **termination** [tɜ:mɪ'neɪʃən] *n* Ende *nt;* (*act*) Beendigung *f.*

terminology [tɜ:mɪ'nɒlədʒɪ] *n* Terminologie *f.*

terminus ['tɜmɪnəs] *n* (RAIL, *bus terminal*) Endstation *f.*

termite ['tɜ:maɪt] *n* Termite *f.*

terrace ['terəs] *n* (*of houses*) Häuserreihe *f;* (*in garden etc*) Terrasse *f;* **terraced** *adj* (*garden*) terrassenförmig angelegt; (*house*) Reihen-.

terrible ['terəbl] *adj* schrecklich, entsetzlich, fürchterlich; **terribly** *adv* fürchterlich.

terrier ['terɪə*] *n* Terrier *m.*

terrific *adj,* **terrifically** *adv* [tə'rɪfɪk, -lɪ] unwahrscheinlich, sagenhaft; **~!** klasse!

terrify ['terɪfaɪ] *vt* erschrecken, entsetzen; **terrifying** *adj* erschreckend, grauenvoll.

territorial [terɪ'tɔ:rɪəl] *adj* Gebiets-, territorial; **~ waters** *pl* Hoheitsgewässer *pl.*

territory ['terɪtərɪ] *n* Gebiet *nt.*

terror ['terə*] *n* Schrecken *m;* (POL) Terror *m;* **terrorism** *n* Terrorismus *m;* **terrorist** *n* Terrorist(in) *m(f);* **terrorize** *vt* terrorisieren.

tertiary ['tɜ:ʃərɪ] *adj* tertiär; **~ industry** Dienstleistungsgewerbe *nt.*

test [test] **1.** *n* Probe *f;* (*examination*) Prüfung *f;* (PSYCH, TECH) Test *m;* **2.** *vt* prüfen; (PSYCH, TECH) testen.

testament ['testəmənt] *n* Testament *nt.*

test bed ['testbed] *n* Prüfstand *m.*

test card ['testkɑ:d] *n* (TV) Testbild *nt;*

test case *n* (JUR) Präzedenzfall *m;* (*fig*) Musterbeispiel *nt;* **test flight** *n* Probeflug *m.*
testicle ['testɪkl] *n* Hoden *m.*
testify ['testɪfaɪ] *vi* aussagen; bezeugen (*to akk*).
testimonial [testɪ'məʊnɪəl] *n* (*of character*) Referenz *f.*
testimony ['testɪmənɪ] *n* (JUR) Zeugenaussage *f;* (*fig*) Zeugnis *nt.*
test match ['testmætʃ] *n* (SPORT) Länderkampf *m;* **test paper** *n* schriftliche Klassenarbeit; **test pilot** *n* Testpilot(in) *m(f);* **test tube** *n* Reagenzglas *nt;* ~ **baby** Retortenbaby *nt.*
testy ['testɪ] *adj* gereizt; reizbar.
tetanus ['tetənəs] *n* Wundstarrkrampf *m,* Tetanus *m.*
tether ['teðə*] *vt* anbinden; **to be at the end of one's** ~ völlig am Ende sein.
text [tekst] *n* Text *m;* (*of document*) Wortlaut *m;* **textbook** *n* Lehrbuch *nt.*
textile ['tekstaɪl] *n* Gewebe *nt;* ~**s** *pl* Textilien *pl.*
texture ['tekstʃə*] *n* Beschaffenheit *f,* Struktur *f.*
Thailand ['taɪlənd] *n* Thailand *nt.*
Thames [temz] *n* Themse *f.*
than [ðæn] *prep, conj* als.
thank [θæŋk] *vt* danken +*dat;* **you've him to** ~ **for your success** Sie haben Ihren Erfolg ihm zu verdanken; **thankful** *adj* dankbar; **thankfully** *adv* (*luckily*) zum Glück; **thankless** *adj* undankbar; **thanks** *n pl* Dank *m;* ~ **to** dank +*gen;* ~**s, thank you** danke, dankeschön.
Thanksgiving *n* (*US*) Thanksgiving Day *m* (*4. Donnerstag im November*).

> **Thanksgiving (Day)** ist ein Feiertag in den USA, der auf den vierten Donnerstag im November fällt. Er soll daran erinnern, wie die Pilgerväter die gute Ernte im Jahre 1621 feierten. In Kanada gibt es einen ähnlichen Erntedanktag (, der aber nichts mit den Pilgervätern zu tun hat) am zweiten Montag im Oktober.

that [ðæt] **1.** *adj* der/die/das, jene(r, s); **2.** *pron* das; **3.** *conj* dass; **and** ~**'s** ~ und damit Schluss; ~ **is** das heißt; **after** ~ danach; **at** ~ dazu noch; ~ **big** so groß.
thatched [θætʃt] *adj* strohgedeckt.
thaw [θɔː] **1.** *n* Tauwetter *nt;* **2.** *vi* tauen; (*frozen food, fig: people*) auftauen; **3.** *vt* auftauen lassen.
the [ðiː, ðə] *art* der/die/das; **to play** ~ **piano** Klavier spielen; ~ **sooner** ~ **better** je eher desto besser.
theater (*US*), **theatre** ['θɪətə*] *n* Theater *nt;* (*for lectures etc*) Saal *m;* (MED) Operationssaal *m;* **theatregoer** *n* Theaterbesucher(in) *m(f);* **theatrical** [θɪ'ætrɪkəl] *adj* Theater-; (*career*) Schauspieler-; (*showy*) theatralisch.
theft [θeft] *n* Diebstahl *m.*
their [ðɛə*] *pron* (*adjektivisch*) ihr; **theirs** *pron* (*substantivisch*) ihre(r, s).
them [ðem, ðəm] *pron direct/indirect object of* **they** sie/ihnen; **it's** ~ sie sind's.
theme [θiːm] *n* Thema *nt;* (MUS) Motiv *nt;* ~ **park** thematisch gestalteter Vergnügungspark; ~ **song** Titelmusik *f.*
themselves [ðəm'selvz] *pron* sich; **they** ~ sie selbst.
then [ðen] **1.** *adv* (*at that time*) damals; (*next*) dann; **2.** *conj* also, folglich; (*furthermore*) ferner; **3.** *adj* damalig; **from** ~ **on** von da an; **before** ~ davor; **by** ~ bis dahin; **not till** ~ erst dann.
theologian [θɪə'ləʊdʒən] *n* Theologe(-login) *m(f);* **theological** [θɪə'lɒdʒɪkəl] *adj* theologisch; **theology** [θɪ'ɒlədʒɪ] *n* Theologie *f.*
theorem ['θɪərəm] *n* Lehrsatz *m,* Theorem *nt.*
theoretical *adj,* **theoretically** *adv* [θɪə'retɪkəl, -ɪ] theoretisch.
theorize ['θɪəraɪz] *vi* theoretisieren.
theory ['θɪərɪ] *n* Theorie *f;* **in** ~ theoretisch.
therapeutical [θerə'pjuːtɪkəl] *adj* (MED) therapeutisch; erholsam.
therapist ['θerəpɪst] *n* Therapeut(in) *m(f).*
therapy ['θerəpɪ] *n* Therapie *f,* Behandlung *f.*
there [ðɛə*] **1.** *adv* dort; (*to a place*) dorthin; **2.** *interj* (*see*) na also; (*to child*) sei ruhig, na na; ~ **is** es gibt; ~ **are** es sind, es gibt; **thereabouts** *adv* so ungefähr; **thereafter** [ðɛər'ɑːftə*] *adv* danach, später; **thereby** *adv* dadurch; **therefore** *adv* daher, deshalb; **there's** = **there is**.
thermal ['θɜːməl] *adj* (*springs*) Thermal-; (PHYS) thermisch; ~ **printer** Thermodrucker *m.*
thermometer [θə'mɒmɪtə*] *n* Thermometer *nt.*

thermonuclear [θɜːməʊ'njuːklɪə*] *adj* thermonuklear.
Thermos® ['θɜːməs] *n* Thermosflasche *f.*
thermostat ['θɜːməstæt] *n* Thermostat *m.*
thesaurus [θɪ'sɔːrəs] *n* Synonymwörterbuch *nt.*
these [ðiːz] *pron, adj* diese.
thesis ['θiːsɪs] *n* (*for discussion*) These *f;* (SCH) Dissertation *f,* Doktorarbeit *f.*
they [ðeɪ] *pron pl* sie; (*people in general*) man; **they'd** = **they had; they would**; **they'll** = **they shall; they will**; **they're** = **they are**; **they've** = **they have**.
thick [θɪk] **1.** *adj* dick; (*forest*) dicht; (*liquid*) dickflüssig; (*slow, stupid*) dumm, schwer von Begriff; **2.** *n:* **in the ~ of** mitten in *+dat;* **thicken 1.** *vi* (*fog*) dichter werden; **2.** *vt* (*sauce*) eindicken; **thickness** *n* (*of object*) Dicke *f;* Dichte *f;* Dickflüssigkeit *f;* (*of person*) Dummheit *f;* **thickset** *adj* untersetzt; **thickskinned** *adj* dickhäutig.
thief [θiːf] *n* <thieves> Dieb(in) *m(f);* **thieving** ['θiːvɪŋ] **1.** *n* Stehlen *nt;* **2.** *adj* diebisch.
thigh [θaɪ] *n* Oberschenkel *m;* **thighbone** *n* Oberschenkelknochen *m.*
thimble ['θɪmbl] *n* Fingerhut *m.*
thin [θɪn] *adj* dünn; (*person also*) mager; (*face*) schmal; (*not abundant*) spärlich; (*fog, rain*) leicht; (*excuse*) schwach.
thing [θɪŋ] *n* Ding *nt;* (*affair*) Sache *f;* **my ~s** *pl* meine Sachen *pl.*
think [θɪŋk] <thought, thought> *vt, vi* denken; (*believe*) meinen, denken; **to ~ of doing sth** vorhaben [*o* beabsichtigen] etw zu tun; **think over** *vt* überdenken; **think up** *vt* sich *dat* ausdenken; **thinking** *adj* denkend; **think-tank** *n* Expertenkommission *f.*
thinly ['θɪnlɪ] *adv* dünn; (*disguised*) kaum.
thinness ['θɪnnəs] *n* Dünnheit *f;* Magerkeit *f;* Spärlichkeit *f.*
third [θɜːd] **1.** *adj* dritte(r, s); **2.** *adv* an dritter Stelle; **3.** *n* (*person*) Dritte(r) *mf;* (*part*) Drittel *nt;* **the Third World** die Dritte Welt; **thirdly** *adv* drittens; **third party insurance** *n* Haftpflichtversicherung *f;* **third-rate** *adj* minderwertig.
thirst [θɜːst] *n* Durst *m;* (*fig*) Verlangen *nt;* **thirsty** *adj* (*person*) durstig; (*work*) durstig machend; **to be ~** Durst haben.
thirteen ['θɜː'tiːn] *num* dreizehn.
thirty ['θɜːtɪ] *num* dreißig.
this [ðɪs] **1.** *adj* diese(r, s); **2.** *pron* dies/das; **it was ~ long** es war so lang.
thistle ['θɪsl] *n* Distel *f.*
thong [θɒŋ] *n* Lederriemen *m.*
thorn [θɔːn] *n* Dorn *m,* Stachel *m;* (*plant*) Dornbusch *m;* **thorny** *adj* dornig; (*problem*) schwierig.
thorough ['θʌrə] *adj* gründlich; (*contempt*) tief; **thoroughbred 1.** *n* Vollblut *nt;* **2.** *adj* reinrassig, Vollblut-; **thoroughfare** *n* Hauptstraße *f;* **thoroughly** *adv* gründlich; (*extremely*) vollkommen, äußerst; **thoroughness** *n* Gründlichkeit *f.*
those [ðəʊz] **1.** *pron* die da, jene; **2.** *adj* die, jene; **~ who** diejenigen, die.
though [ðəʊ] **1.** *conj* obwohl; **2.** *adv* trotzdem; **as ~** als ob.
thought [θɔːt] **1.** *pt, pp of* **think**; **2.** *n* (*idea*) Gedanke *m;* (*opinion*) Auffassung *f;* (*thinking*) Denken *nt,* Denkvermögen *nt;* **thoughtful** *adj* (*thinking*) gedankenvoll, nachdenklich; (*kind*) rücksichtsvoll, aufmerksam; **thoughtless** *adj* gedankenlos, unbesonnen; (*unkind*) rücksichtslos; **thought-provoking** *adj* nachdenklich stimmend.
thousand ['θaʊzənd] *num* (*also:* **one ~, a ~**) eintausend.
thrash [θræʃ] *vt* verdreschen, verprügeln; (*fig*) vernichtend schlagen.
thread [θred] **1.** *n* Faden *m,* Garn *nt;* (*on screw*) Gewinde *nt;* (*in story*) Faden *m,* Zusammenhang *m;* **2.** *vt* (*needle*) einfädeln; **3.** *vi:* **to ~ one's way** sich hindurchschlängeln; **threadbare** *adj* abgewetzt; (*fig*) fadenscheinig.
threat [θret] *n* Drohung *f;* (*danger*) Bedrohung *f,* Gefahr *f;* **threaten 1.** *vt* bedrohen; **2.** *vi* drohen; **to ~ sb with sth** jdm etw androhen; **threatening** *adj* drohend; (*letter*) Droh-.
three [θriː] *num* drei; **three-dimensional** *adj* dreidimensional; **threefold** *adj* dreifach; **three-piece suit** *n* Anzug *m* mit Weste; **three-piece suite** *n* dreiteilige Polstergarnitur; **three-ply** *adj* (*wool*) dreifach; (*wood*) dreischichtig; **three-quarter** [θriː'kwɔːtə*] *adj* dreiviertel; **three-wheeler** *n* Dreiradwagen *m.*
thresh [θreʃ] *vt, vi* dreschen; **threshing machine** *n* Dreschmaschine *f.*
threshold ['θreʃhəʊld] *n* Schwelle *f;* **~ price** Schwellenpreis *m.*
threw [θruː] *pt of* **throw**.
thrift [θrɪft] *n* Sparsamkeit *f;* **thrifty** *adj*

sparsam.

thrill [θrɪl] **1.** *n* Reiz *m*, Erregung *f;* **2.** *vt* begeistern, packen; **3.** *vi* beben, zittern; **it gave me quite a ~ to ...** es war ein wahnsinniges Erlebnis für mich zu ...; **thriller** *n* Krimi *m;* **thrilling** *adj* spannend, packend; (*news*) aufregend.

thrive [θraɪv] *vi* gedeihen (*on* bei); **thriving** *adj* blühend, gut gedeihend.

throat [θrəʊt] *n* Hals *m*, Kehle *f.*

throb [θrɒb] *vi* klopfen, pochen.

throes [θrəʊz] *n pl:* **in the ~ of** mitten in *+dat.*

thrombosis [θrɒm'bəʊsɪs] *n* Thrombose *f.*

throne [θrəʊn] *n* Thron *m.*

throttle ['θrɒtl] **1.** *n* Gashebel *m;* **2.** *vt* erdrosseln; **to open the ~** Gas geben.

through [θru:] **1.** *prep* durch; (*time*) während *+gen;* (*because of*) aus, durch; **2.** *adv* durch; **3.** *adj* (*ticket, train*) durchgehend; (*finished*) fertig; **we're ~** es ist aus zwischen uns; **to put sb ~** (TEL) jdn verbinden (*to* mit); **throughout** [θrʊ'aʊt] **1.** *prep* (*place*) überall in *+dat;* (*time*) während *+gen;* **2.** *adv* überall; die ganze Zeit.

throw [θrəʊ] <threw, thrown> **1.** *vt* werfen; **2.** *n* Wurf *m;* **throw out** *vt* hinauswerfen; (*rubbish*) wegwerfen; (*plan*) verwerfen; **throw up** *vt, vi* (*vomit*) speien; **throwaway** *adj* (*disposable*) Wegwerf-; (*bottle*) Einweg-; **~ society** Wegwerfgesellschaft *f;* **throw-in** *n* Einwurf *m;* **thrown** [θrəʊn] *pp of* **throw**.

thru [θru:] *prep* (*US*) *s.* **through**.

thrush [θrʌʃ] *n* Drossel *f.*

thrust [θrʌst] <thrust, thrust> **1.** *vt, vi* (*push*) stoßen; (*fig*) sich drängen; **2.** *n* (TECH) Schubkraft *f;* **to ~ oneself on sb** sich jdm aufdrängen; **thrusting** *adj* (*person*) aufdringlich, unverfroren.

thug [θʌg] *n* Schläger[typ] *m.*

thumb [θʌm] **1.** *n* Daumen *m;* **2.** *vt* (*book*) durchblättern; **a well-thumbed book** ein abgegriffenes Buch; **to ~ a lift** per Anhalter fahren wollen; **thumb index** *n* Daumenregister *nt;* **thumbnail** *n* Daumennagel *m;* **thumbtack** *n* (*US*) Reißzwecke *f.*

thump [θʌmp] **1.** *n* (*blow*) Schlag *m;* (*noise*) Bums *m;* **2.** *vi* hämmern; **3.** *vt* schlagen auf *+akk.*

thunder ['θʌndə*] **1.** *n* Donner *m;* **2.** *vi* donnern; **3.** *vt* brüllen; **thunderous** *adj* stürmisch; **thunderstorm** *n* Gewitter *nt*, Unwetter *nt;* **thunderstruck** *adj* wie vom Donner gerührt; **thundery** *adj* gewitterschwül.

Thuringia [θjʊə'rɪndʒɪə] *n* Thüringen *nt.*

Thursday ['θɜ:zdeɪ] *n* Donnerstag *m;* **on ~** am Donnerstag; **on ~s, on a ~** donnerstags.

thus [ðʌs] *adv* (*in this way*) so; (*therefore*) somit, also, folglich.

thwart [θwɔ:t] *vt* vereiteln, durchkreuzen; (*person*) hindern.

thyme [taɪm] *n* Thymian *m.*

thyroid ['θaɪrɔɪd] *n* Schilddrüse *f.*

tiara [tɪ'ɑ:rə] *n* Diadem *nt;* (*pope's*) Tiara *f.*

Tibet [tɪ'bet] *n* Tibet *nt.*

tic [tɪk] *n* (MED) Muskelzucken *nt.*

tick [tɪk] **1.** *n* (*sound*) Ticken *nt;* (*mark*) Häkchen *nt;* (*Insekt*) Zecke *f;* **2.** *vi* ticken; **3.** *vt* abhaken; **in a ~** (*fam*) sofort; **tick off** *vi* abhaken; (*fam*) ausschimpfen; **tick over** *vi* im Leerlauf laufen; (*fig*) gut laufen.

ticket ['tɪkɪt] *n* (*for travel*) Fahrkarte *f;* (*for entrance*) Eintrittskarte *f;* (*price ~*) Preisschild *nt;* (*luggage ~*) Gepäckschein *m;* (*raffle ~*) Los *nt;* (*parking ~*) Strafzettel *m;* (*permission*) Parkschein *m;* **ticket collector** *n* Fahrkartenkontrolleur(in) *m(f);* **ticket holder** *n* (THEAT) jdm, der eine Eintrittskarte hat; **ticket machine** *n* Fahrscheinautomat *m;* **ticket office** *n* (RAIL) Fahrkartenschalter *m;* (THEAT) Kasse *f.*

ticking-off ['tɪkɪŋ'ɒf] *n* (*fam*) Anpfiff *m.*

tickle ['tɪkl] **1.** *n* Kitzeln *nt;* **2.** *vt* kitzeln; (*amuse*) amüsieren; **that ~d her fancy** das gefiel ihr; **ticklish** ['tɪklɪʃ] *adj* (*a. fig*) kitzlig.

tidal ['taɪdl] *adj* Flut-, Tide-; **tidal power station** *n* Gezeitenkraftwerk *nt.*

tidbit ['tɪdbɪt] *n* (*US*) Leckerbissen *m.*

tiddlywinks ['tɪdlɪwɪŋks] *n sing* Flohhüpfspiel *nt.*

tide [taɪd] *n* Gezeiten *pl*, Ebbe und Flut *f;* **the ~ is in/out** es ist Flut/Ebbe.

tidily ['taɪdɪlɪ] *adv* sauber, ordentlich.

tidiness ['taɪdɪnəs] *n* Ordnung *f.*

tidy ['taɪdɪ] **1.** *adj* ordentlich; **2.** *vt* aufräumen, in Ordnung bringen.

tie [taɪ] **1.** *n* (*necktie*) Krawatte *f*, Schlips *m;* (*sth connecting*) Band *nt;* (SPORT) Unentschieden *nt;* **2.** *vt* (*fasten, restrict*) binden; (*knot*) schnüren; **3.** *vi* (SPORT) unentschieden spielen; (*in competition*) punktgleich sein; **tie down** *vt* festbinden; (*fig*) binden; **tie up** *vt* (*dog*) anbinden;

(*parcel*) verschnüren; (*boat*) festmachen; (*person*) fesseln; **I am ~d ~ right now** ich bin im Moment beschäftigt; **tiebreaker** *n* (TENNIS) Tie-Break *m o nt.*

tier [tɪə*] *n* Reihe *f*, Rang *m;* (*of cake*) Etage *f.*

tiff [tɪf] *n* kleine Meinungsverschiedenheit.

tiger ['taɪgə*] *n* Tiger *m.*

tight [taɪt] *adj* (*close*) eng, knapp; (*schedule*) gedrängt; (*firm*) fest, dicht; (*screw*) festsitzend; (*control*) streng; (*stretched*) stramm angespannt; (*fam*) blau, stramm; **tighten 1.** *vt* anziehen, anspannen; (*restrictions*) verschärfen; **2.** *vi* sich spannen; **tight-fisted** *adj* knauserig; **tightly** *adv* eng; fest, dicht; (*stretched*) straff; **tightness** *n* Enge *f;* Festigkeit *f;* Straffheit *f;* (*of money*) Knappheit *f;* **tight-rope** *n* Seil *nt* (*des Seiltänzers*); **tights** *n pl* Strumpfhose *f.*

tile [taɪl] *n* (*on roof*) Dachziegel *m;* (*on wall o floor*) Fliese *f;* **tiled** *adj* (*roof*) gedeckt, Ziegel-; (*floor, wall*) mit Fliesen belegt.

till [tɪl] **1.** *n* Kasse *f;* **2.** *vt* bestellen; **3.** *prep, conj* bis; **not ~** (*in future*) nicht vor; (*in past*) erst.

tiller ['tɪlə*] *n* Ruderpinne *f.*

tilt [tɪlt] **1.** *vt* kippen, neigen; **2.** *vi* sich neigen.

timber ['tɪmbə*] *n* Holz *nt;* (*trees*) Baumbestand *m.*

time [taɪm] **1.** *n* Zeit *f;* (*occasion*) Mal *nt;* (*rhythm*) Takt *m;* **2.** *vt* (*choose right ~*) den richtigen Zeitpunkt wählen für; (*bomb*) einstellen; (*with stop-watch*) stoppen; **at all ~s** immer; **at one ~** früher; **at no ~** nie; **at ~s** manchmal; **by the ~** bis; **for the ~ being** vorläufig; **in ~** (*soon enough*) rechtzeitig; (*after some ~*) mit der Zeit; (MUS) im Takt; **in 2 weeks' ~** in 2 Wochen; **on ~** pünktlich, rechtzeitig; **local ~** Ortszeit; **to have a good ~** viel Spaß haben, sich amüsieren; **this ~** diesmal, dieses Mal; **five ~s** fünfmal; **what ~ is it?** wie viel Uhr ist es?, wie spät ist es?; **I have no ~ for people like him** für Leute wie ihn habe ich nichts übrig *f;* **time-consuming** *adj* zeitraubend; **time-honored** (*US*), **time-honoured** *adj* althergebracht; **timekeeper** *n* Zeitnehmer(in) *m(f);* **time-lag** *n* (*in travel*) Verzögerung *f;* (*difference*) Zeitunterschied *m;* **time-lapse** *adj* Zeitraffer-; **timeless** *adj* (*beauty*) zeitlos; **time limit** *n* Frist *f;* **timely** *adj* rechtzeitig; **time-saving** *adj* zeitsparend; **time-share** *n* Anteil *m* an einer Ferienwohnung; **time-sharing** *n* Timesharing *nt,* Anteile *pl* an einer Ferienwohnung; **time switch** *n* Zeitschalter *m;* **timetable** *n* Fahrplan *m;* (SCH) Stundenplan *m;* **time zone** *n* Zeitzone *f.*

timid ['tɪmɪd] *adj* ängstlich, schüchtern; **timidity** [tɪ'mɪdɪtɪ] *n* Ängstlichkeit *f;* **timidly** *adv* ängstlich.

timing ['taɪmɪŋ] *n* Wahl *f* des richtigen Zeitpunkts, Timing *nt;* (AUT) Einstellung *f.*

tin [tɪn] *n* (*metal*) Blech *nt;* (*container*) Büchse *f*, Dose *f;* **tinfoil** *n* Alufolie *f.*

tinge [tɪndʒ] **1.** *n* (*colour*) Färbung *f;* (*fig*) Anflug *m;* **2.** *vt* färben, einen Anstrich geben *+dat.*

tingle ['tɪŋgl] *vi* prickeln.

tinker ['tɪŋkə*] *n* Kesselflicker(in) *m(f);* **tinker with** *vt* herumbasteln an *+dat.*

tinkle ['tɪŋkl] *vi* klingeln.

tinned [tɪnd] *adj* (*food*) Dosen-, Büchsen-; **tinny** ['tɪnɪ] *adj* Blech-, blechern; **tin opener** *n* Dosenöffner *m,* Büchsenöffner *m.*

tinsel ['tɪnsəl] *n* Rauschgold *nt;* Lametta *nt.*

tint [tɪnt] *n* Farbton *m;* (*slight colour*) Anflug *m;* (*hair*) Tönung *f.*

tiny ['taɪnɪ] *adj* winzig.

tip [tɪp] **1.** *n* (*pointed end*) Spitze *f;* (*money*) Trinkgeld *nt;* (*hint*) Wink *m,* Tipp *m;* **2.** *vt* (*slant*) kippen; (*hat*) antippen; (*~ over*) umkippen; (*waiter*) ein Trinkgeld geben *+dat;* **it's on the ~ of my tongue** es liegt mir auf der Zunge; **tip-off** *n* Hinweis *m,* Tipp *m;* **tipped** *adj* (*cigarette*) Filter-.

tipple ['tɪpl] *n* (*drink*) Schnäpschen *nt.*

tipsy ['tɪpsɪ] *adj* beschwipst.

tiptoe ['tɪptəʊ] *n:* **on ~** auf Zehenspitzen.

tiptop [tɪp'tɒp] *adj:* **in ~ condition** tipptopp, erstklassig.

tire ['taɪə*] **1.** *n* (*US*) *s.* **tyre**; **2.** *vt, vi* ermüden, müde machen/werden; **tired** *adj* müde; **to be ~ of sth** etw satt haben; **tiredness** *n* Müdigkeit *f;* **tireless** *adj,* **tirelessly** *adv* unermüdlich; **tiresome** *adj* lästig; **tiring** *adj* ermüdend.

tissue ['tɪʃu:] *n* Gewebe *nt;* (*paper handkerchief*) Papiertaschentuch *nt;* **tissue paper** *n* Seidenpapier *nt.*

tit [tɪt] *n* (*bird*) Meise *f;* (*fam: breast*) Titte *f;* **~ for tat** wie du mir, so ich dir.

titbit ['tɪtbɪt] *n* (*esp Brit*) Leckerbissen *m.*

titillate ['tɪtɪleɪt] *vt* (*interest*) erregen.

titivate ['tɪtɪveɪt] *vt* schniegeln.

title ['taɪtl] *n* Titel *m;* (*in law*) Rechtstitel *m,* Eigentumsrecht *nt;* **title deed** *n* Eigentumsurkunde *f;* **title role** *n* Hauptrolle *f;* **title-track** *n* Titelstück *nt.*

to [tu:, tə] **1.** *prep* (*towards*) zu; (*with countries, towns*) nach; (*indirect object*) *dat;* (*as far as*) bis; (*next to, attached to*) an +*dat;* (*per*) pro; **2.** *conj* (*in order to*) um … zu; **3.** *adv:* ~ **and fro** hin und her; **to go ~ school/the theatre/bed** in die Schule/ins Theater/ins Bett gehen; **I have never been ~ Germany** ich war noch nie in Deutschland; **to give sth ~ sb** jdm etw geben; ~ **this day** bis auf den heutigen Tag; **20 minutes ~ 4** 20 Minuten vor 4; **superior ~ sth** besser als etw; **they tied him ~ a tree** sie banden ihn an einen Baum.

toad [təʊd] *n* Kröte *f;* (*fig*) Ekel *nt;* **toadstool** *n* Giftpilz *m;* **toady 1.** *n* Speichellecker(in) *m(f),* Kriecher(in) *m(f);* **2.** *vi* kriechen (*to* vor +*dat*).

toast [təʊst] **1.** *n* (*bread*) Toast *m;* (*drinking*) Trinkspruch *m;* **2.** *vt* trinken auf +*akk;* (*bread*) toasten; (*warm*) wärmen; **toaster** *n* Toaster *m;* **toastmaster** *n* Zeremonienmeister *m;* **toastrack** *n* Toastständer *m.*

tobacco [tə'bækəʊ] *n* <-es> Tabak *m;* **tobacconist** [tə'bækənɪst] *n* Tabakhändler(in) *m(f);* **~'s shop** Tabakladen *m.*

toboggan [tə'bɒgən] *n* Rodelschlitten *m.*

today [tə'deɪ] **1.** *adv* heute; (*at the present time*) heutzutage; **2.** *n* (*day*) heutiger Tag; (*time*) Heute *nt,* heutige Zeit.

toddle ['tɒdl] *vi* watscheln; **toddler** *n* Kleinkind *nt.*

toddy ['tɒdɪ] *n* Whiskygrog *m.*

to-do [tə'du:] *n* <-s> (*fam*) Aufheben *nt,* Theater *nt.*

toe [təʊ] **1.** *n* Zehe *f;* (*of sock, shoe*) Spitze *f;* **2.** *vt:* **to ~ the line** (*fig*) sich einfügen; **toenail** *n* Zehennagel *m.*

toffee ['tɒfɪ] *n* Sahnebonbon *nt;* **toffee apple** *n* kandierter Apfel; **toffee-nosed** *adj* (*Brit fam*) eingebildet, hochnäsig.

together [tə'geðə*] *adv* zusammen; (*at the same time*) gleichzeitig; **togetherness** *n* (*company*) Beisammensein *nt;* (*feeling*) Zusammengehörigkeitsgefühl *nt.*

toggle ['tɒgl] *n* Knebel *m;* (*on clothes*) Knebelknopf *m;* (*on tent*) Seilzug *m;* ~ **switch** Kipphebelschalter *m.*

toil [tɔɪl] **1.** *n* harte Arbeit, Plackerei *f;* **2.** *vi* sich abmühen, sich plagen.

toilet ['tɔɪlət] **1.** *n* Toilette *f;* **2.** *adj* Toiletten-; **toilet bag** *n* Kulturbeutel *m;* **toilet paper** *n* Toilettenpapier *nt;* **toiletries** ['tɔɪlətrɪz] *n pl* Toilettenartikel *pl;* **toilet roll** *n* Rolle *f* Toilettenpapier; **toilet soap** *n* Toilettenseife *f;* **toilet water** *n* Toilettenwasser *nt.*

token ['təʊkən] **1.** *n* Zeichen *nt;* (*gift ~*) Gutschein *m;* **2.** *adj* Alibi-, pro forma; ~ **payment** symbolische Bezahlung; ~ **strike** Warnstreik *m.*

Tokyo ['təʊkɪəʊ] *n* Tokio *nt.*

told [təʊld] *pt, pp of* **tell**.

tolerable ['tɒlərəbl] *adj* (*bearable*) erträglich; (*fairly good*) leidlich; **tolerably** *adv* ziemlich, leidlich.

tolerance ['tɒlərəns] *n* Toleranz *f;* **tolerant** *adj,* **tolerantly** *adv* tolerant; (*patient*) geduldig.

tolerate ['tɒləreɪt] *vt* dulden; (*noise*) ertragen.

toll [təʊl] **1.** *n* Gebühr *f;* (*for road*) Autobahngebühr *f;* **2.** *vi* (*bell*) läuten; **it took a heavy ~ of human life** es forderte [*o* kostete] viele Menschenleben; **tollbridge** *n* gebührenpflichtige Brücke; **toll road** *n* gebührenpflichtige Straße.

tomato [tə'mɑ:təʊ] *n* <-es> Tomate *f.*

tomb [tu:m] *n* Grabmal *nt.*

tombola [tɒm'bəʊlə] *n* Tombola *f.*

tomboy ['tɒmbɔɪ] *n* Wildfang *m;* **she's a ~** sie ist sehr burschikos.

tombstone ['tu:mstəʊn] *n* Grabstein *m.*

tomcat ['tɒmkæt] *n* Kater *m.*

tome [təʊm] *n* (*volume*) Band *m;* (*big book*) Wälzer *m.*

tomograph ['tɒməgrɑ:f] *n* Tomograph *m;* **tomography** [tə'mɒgrəfɪ] *n* Computertomographie *f.*

tomorrow [tə'mɒrəʊ] **1.** *n* Morgen *nt;* **2.** *adv* morgen.

ton [tʌn] *n* Tonne *f* (*1.016 kg*); **~s of** (*fam*) eine Unmenge von.

tone [təʊn] **1.** *n* Ton *m;* **2.** *vi* (*harmonize*) zusammenpassen, harmonieren; **3.** *vt* eine Färbung geben +*dat;* **tone down** *vt* (*criticism, demands*) mäßigen; (*colours*) abtönen; **tone-deaf** *adj* ohne musikalisches Gehör.

toner ['təʊnə*] *n* Toner *m.*

tongs [tɒŋz] *n pl* Zange *f;* (*curling ~*) Lockenstab *m.*

tongue [tʌŋ] *n* Zunge *f;* (*language*) Sprache *f;* **with ~ in cheek** ironisch, scherzhaft; **tongue-tied** *adj* stumm, sprachlos; **tongue-twister** *n* Zungenbrecher *m.*

tonic ['tɒnɪk] *n* (MED) Stärkungsmittel *nt;* (MUS) Grundton *m,* Tonika *f;* **tonic water** *n* Tonicwater *nt.*

tonight [tə'naɪt] **1.** *n* heutiger Abend; diese Nacht; **2.** *adv* heute Abend; heute Nacht.

tonnage ['tʌnɪdʒ] *n* Tonnage *f.*

tonsil ['tɒnsl] *n* Mandel *f;* **tonsillitis** [tɒnsɪ'laɪtɪs] *n* Mandelentzündung *f.*

too [tu:] *adv* zu; (*also*) auch.

took [tʊk] *pt of* **take**.

tool [tu:l] *n* (*a. fig*) Werkzeug *nt;* **toolbox** *n* Werkzeugkasten *m;* **toolkit** *n* Werkzeug *nt.*

toot [tu:t] *vi* tuten; (AUT) hupen.

tooth [tu:θ] *n* <teeth> Zahn *m;* **toothache** *n* Zahnschmerzen *pl,* Zahnweh *nt;* **toothbrush** *n* Zahnbürste *f;* **toothpaste** *n* Zahnpasta *f;* **toothpick** *n* Zahnstocher *m.*

top [tɒp] **1.** *n* Spitze *f;* (*of mountain*) Gipfel *m;* (*of tree*) Wipfel *m;* (*toy*) Kreisel *m;* (~ *gear*) vierter Gang; **2.** *adj* oberste(r, s); **3.** *vt* (*list*) an erster Stelle stehen auf +*dat;* **to ~ it all, he said ...** und er setzte dem noch die Krone auf, indem er sagte ...; **from ~ to toe** von Kopf bis Fuß; **topcoat** *n* Mantel *m;* **topflight** *adj* erstklassig, prima; **top hat** *n* Zylinder *m;* **top-heavy** *adj* oben schwerer als unten, kopflastig.

topic ['tɒpɪk] *n* Thema *nt,* Gesprächsgegenstand *m;* **topical** *adj* aktuell.

topless ['tɒpləs] *adj* (*dress*) oben ohne.

top-level ['tɒp'levl] *adj* auf höchster Ebene.

topmost ['tɒpməʊst] *adj* oberste(r, s), höchste(r, s).

top out ['tɒpaʊt] *n* (*US*) Spitzenbedarf *m.*

topple ['tɒpl] *vt, vi* stürzen, kippen.

top-secret ['tɒp'si:krət] *adj* streng geheim; **top-security** *adj* Hochsicherheits-.

top-selling ['tɒp'selɪŋ] *adj* meistverkauft.

topsy-turvy ['tɒpsɪ'tɜ:vɪ] **1.** *adv* durcheinander; **2.** *adj* auf den Kopf gestellt.

torch [tɔ:tʃ] *n* (ELEC) Taschenlampe *f;* (*with flame*) Fackel *f.*

tore [tɔ:*] *pt of* **tear**.

torment ['tɔ:ment] **1.** *n* Qual *f;* **2.** [tɔ:'ment] *vt* (*annoy*) plagen; (*distress*) quälen.

torn [tɔ:n] **1.** *pp of* **tear**; **2.** *adj* hin- und hergerissen.

tornado [tɔ:'neɪdəʊ] *n* <-es> Tornado *m,* Wirbelsturm *m.*

torpedo [tɔ:'pi:dəʊ] *n* <-es> Torpedo *m.*

torrent ['tɒrənt] *n* Sturzbach *m;* **torrential** [tə'renʃəl] *adj* wolkenbruchartig.

tortoise ['tɔ:təs] *n* Schildkröte *f.*

tortuous ['tɔ:tjʊəs] *adj* (*winding*) gewunden; (*deceitful*) krumm, unehrlich.

torture ['tɔ:tʃə*] **1.** *n* Folter *f;* **2.** *vt* foltern.

Tory ['tɔ:rɪ] **1.** *n* Tory *m,* Konservative(r) *mf;* **2.** *adj* Tory-, konservativ.

toss [tɒs] *vt* werfen, schleudern; **to ~ a coin, to ~ up for sth** etw mit einer Münze auslosen.

tot [tɒt] *n* (*small quantity*) bisschen *nt;* (*child*) Knirps *m;* **tot up** *vt* (*Brit fam*) zusammenrechnen.

total ['təʊtl] **1.** *n* Gesamtheit *f,* Ganze(s) *nt;* **2.** *adj* ganz, gesamt, total; **3.** *vt* (*add up*) zusammenzählen; (*amount to*) sich belaufen auf +*akk.*

totalitarian [təʊtælɪ'tɛərɪən] *adj* totalitär.

totality [təʊ'tælɪtɪ] *n* Gesamtheit *f;* **totally** *adv* gänzlich, total; **total spend** *n* Gesamtausgaben *pl.*

totem pole ['təʊtəmpəʊl] *n* Totempfahl *m.*

totter [tɒtə*] *vi* wanken, schwanken, wackeln.

touch [tʌtʃ] **1.** *n* Berührung *f;* (*sense of feeling*) Tastsinn *m;* (*small amount*) Spur *f;* (*style*) Stil *m;* **2.** *vt* (*feel*) berühren; (*come against*) leicht anstoßen; (*emotionally*) bewegen, rühren; **in ~ with** in Verbindung mit; **to give sth a personal ~** einer Sache *dat* eine persönliche Note geben; **touch on** *vt* (*topic*) berühren, erwähnen; **touch up** *vt* (*paint*) auffrischen; **touch-and-go** *adj* riskant, knapp; **touchdown** *n* Landen *nt,* Niedergehen *nt;* **touchiness** *n* Empfindlichkeit *f;* **touching** *adj* rührend, ergreifend; **touchline** *n* Seitenlinie *f;* **touchy** *adj* empfindlich, reizbar.

tough [tʌf] **1.** *adj* (*strong*) zäh, widerstandsfähig; (*difficult*) schwierig, hart; (*meat*) zäh; **2.** *n* Schlägertyp *m;* ~ **luck** Pech *nt;* **toughen 1.** *vt* zäh machen; (*make strong*) abhärten; **2.** *vi* zäh werden; **toughness** *n* Zähigkeit *f;* Härte *f.*

toupée ['tu:peɪ] *n* Toupet *nt.*

tour ['tʊə*] **1.** *n* Reise *f,* Tour *f,* Fahrt *f;* **2.** *vi* umherreisen; (THEAT) auf Tour sein/gehen; **touring** *n* Umherreisen *nt;* (THEAT) Tournee *f.*

T

tourism ['tʊərɪzəm] *n* Fremdenverkehr *m,* Tourismus *m;* **tourist 1.** *n* Tourist(in) *m(f);* **2.** *adj* (*class*) Touristen-; **tourist guide** *n* (*book*) Reiseführer *m;* (*person*) Fremdenführer(in) *m(f);* **tourist office** *n* Verkehrsamt *nt.*

tournament ['tʊənəmənt] *n* Tournier *nt.*

tour operator ['tʊərɒpəreɪtə*] *n* Reiseveranstalter(in) *m(f).*

tousled ['taʊzld] *adj* zerzaust.

tout [taʊt] **1.** *n* Anreißer(in) *m(f);* (*ticket tout*) Kartenschwarzhändler(in) *m(f);* **2.** *vt* anreißen; (*tickets*) schwarz verkaufen.

tow [təʊ] *vt* abschleppen.

towards [tə'wɔ:dz] *prep* (*with time*) gegen; (*in direction of*) nach; **he walked ~ me/the town** er kam auf mich zu/er ging auf die Stadt zu; **my feelings ~ him** meine Gefühle ihm gegenüber.

towel ['taʊəl] *n* Handtuch *nt;* **to throw in the ~** das Handtuch werfen.

tower ['taʊə*] *n* Turm *m;* **tower block** *n* Hochhaus *nt;* **tower over** *vt* (*a. fig*) überragen; **towering** *adj* hochragend; (*rage*) rasend.

town [taʊn] *n* Stadt *f;* **town clerk** *n* Stadtdirektor(in) *m(f);* **town hall** *n* Rathaus *nt;* **town house** *n* (*US*) Reihenhaus *nt;* **town planner** *n* Stadtplaner(in) *m(f);* **town twinning** *n* Städtepartnerschaft *f.*

towpath ['təʊpɑ:θ] *n* Leinpfad *m,* Treidelpfad *m;* **towrope** *n* Abschleppseil *nt.*

toxic ['tɒksɪk] *adj* giftig, Gift-; **~ waste** Giftmüll *m;* **toxicological** [tɒksɪkə'lɒdʒɪkəl] *adj* toxikologisch.

toy [tɔɪ] *n* Spielzeug *nt;* **toy with** *vt* spielen mit; **toyshop** *n* Spielwarengeschäft *nt.*

trace [treɪs] **1.** *n* Spur *f;* **2.** *vt* (*follow a course*) nachspüren *+dat;* (*find out*) aufspüren; (*copy*) nachzeichnen, durchpausen.

track [træk] **1.** *n* (*mark*) Spur *f;* (*path*) Weg *m,* Pfad *m;* (*race-track*) Rennbahn *f;* (RAIL) Gleis *nt;* **2.** *vt* verfolgen; **to keep ~ of sb** jdn im Auge behalten; **to keep ~ of an argument** einer Argumentation folgen können; **to keep ~ of the situation** die Lage verfolgen; **to make ~s for** gehen nach; **trackball** ['trækbɔ:l] *n* (COMPUT) Trackball *m;* **track down** *vt* aufspüren; **tracker dog** *n* Spürhund *m.*

tract [trækt] *n* (*of land*) Gebiet *nt;* (*booklet*) Abhandlung *f,* Traktat *nt.*

tractor ['træktə*] *n* Traktor *m.*

trade [treɪd] **1.** *n* (COMM) Handel *m;* (*business*) Geschäft *nt,* Gewerbe *nt;* (*people*) Geschäftsleute *pl;* (*skilled manual work*) Handwerk *nt;* **2.** *vi* handeln (*in* mit); **3.** *vt* tauschen; **trade deficit** *n* Handelsbilanzdefizit *nt;* **trade fair** *n* [Fach]messe *f;* **trade in** *vt* in Zahlung geben; **trademark** *n* Warenzeichen *nt;* **trade name** *n* Handelsbezeichnung *f;* **trader** *n* Händler(in) *m(f);* **tradesman** *n* <tradesmen> (*shopkeeper*) Geschäftsmann *m;* (*workman*) Handwerker *m;* (*delivery man*) Lieferant *m;* **trade union** *n* Gewerkschaft *f;* **trade unionist** *n* Gewerkschaftler(in) *m(f);* **trading** *n* Handel *m;* **~ estate** Industriegelände *nt;* **~ stamp** Rabattmarke *f.*

tradition [trə'dɪʃən] *n* Tradition *f;* **traditional** *adj* traditionell, herkömmlich; **traditionally** *adv* üblicherweise, schon immer.

traffic ['træfɪk] **1.** *n* Verkehr *m;* (*esp in drugs*) Handel *m* (*in* mit); **2.** *vi* (*esp drugs*) handeln, dealen (*in* mit); **traffic circle** *n* (*US*) Kreisverkehr *m;* **traffic guidance system** *n* Verkehrsleitsystem *nt;* **traffic jam** *n* Verkehrsstauung *f;* **traffic lights** *n pl* Verkehrsampel *f;* **traffic warden** *n* Verkehrspolizist(in) *m(f)* (*ohne polizeiliche Befugnisse*).

tragedy ['trædʒədɪ] *n* (*a. fig*) Tragödie *f;* **tragic** ['trædʒɪk] *adj* tragisch; **tragically** *adv* tragisch, auf tragische Weise.

trail [treɪl] **1.** *n* (*track*) Spur *f,* Fährte *f;* (*of meteor*) Schweif *m;* (*of smoke*) Rauchfahne *f;* (*of dust*) Staubwolke *f;* (*road*) Pfad *m,* Weg *m;* **2.** *vt* (*animal*) verfolgen; (*person*) folgen *+dat;* (*drag*) schleppen; **3.** *vi* (*hang loosely*) schleifen; (*plants*) sich ranken; (*be behind*) hinterherhinken; (SPORT) weit zurückliegen; (*walk*) zuckeln; **on the ~** auf der Spur; **trail behind** *vi* zurückbleiben; **trailer** *n* Anhänger *m;* (*US: caravan*) Wohnwagen *m;* (CINE) Vorschau *f.*

train [treɪn] **1.** *n* Zug *m;* (*of dress*) Schleppe *f;* (*series*) Folge *f,* Kette *f;* **2.** *vt* (*teach: person*) ausbilden; (*animal*) abrichten; (*mind*) schulen; (SPORT) trainieren; (*aim*) richten (*on* auf *+akk*); (*plant*) wachsen lassen, ziehen; **3.** *vi* (*exercise*) trainieren; (*study*) ausgebildet werden; **trained** *adj* (*eye*) geschult; (*person, voice*) ausgebildet; **trainee** *n* Auzubildende(r) *mf,* Praktikant(in) *m(f);* (*management*) Trainee *mf;* **traineeship** *n* Ausbildungsplatz *m;* **trainer** *n* (SPORT) Trainer(in) *m(f),* Ausbilder(in) *m(f);* **training** *n* (*for occupation*) Ausbildung *f;* (SPORT) Training *nt;* **in ~** im Training; **training college** *n* Pädagogische Hochschule; Lehrerseminar *nt;* (*for priests*) Priesterseminar *nt.*

traipse [treɪps] *vi* latschen.

trait [treɪ(t)] *n* Zug *m,* Merkmal *nt.*

traitor ['treɪtə*] *n* Verräter *m;* **traitress** ['treɪtrɪs] *n* Verräterin *f.*

trajectory [trə'dʒektərɪ] *n* Flugbahn *f.*

tramcar ['træmkɑ:*] *n* Straßenbahn *f;* **tram line** *n* Straßenbahnschiene *f;* (*route*) Straßenbahnlinie *f.*

tramp [træmp] **1.** *n* Landstreicher(in) *m(f);* **2.** *vi* (*walk heavily*) stampfen, stapfen; (*travel on foot*) wandern.

trample ['træmpl] **1.** *vt* niedertrampeln; **2.** *vi* herumtrampeln.

trampoline ['træmpəlɪn] *n* Trampolin *nt.*

trance [trɑ:ns] *n* Trance *f.*

tranquil ['træŋkwɪl] *adj* ruhig, friedlich; **tranquility** [træŋ'kwɪlɪtɪ] *n* Ruhe *f;* **tranquilizer** *n* Beruhigungsmittel *nt.*

trans- [trænz] *pref* Trans-.

transact [træn'zækt] *vt* durchführen, abwickeln; **transaction** *n* Durchführung *f,* Abwicklung *f;* (*piece of business*) Geschäft *nt,* Transaktion *f.*

transatlantic ['trænzət'læntɪk] *adj* transatlantisch.

transcend [træn'send] *vt* übersteigen.

transcendent [træn'sendənt] *adj* transzendent.

transcribe [træn'skraɪb] *vt* (MUS) transkribieren.

transcript ['trænskrɪpt] *n* Abschrift *f,* Kopie *f;* (JUR) Protokoll *nt;* **transcription** [træn'skrɪpʃən] *n* Transkription *f;* (*product*) Abschrift *f.*

transept ['trænsept] *n* (ARCHIT) Querschiff *nt.*

transfer ['trænsfə*] **1.** *n* (*transferring*) Übertragung *f;* (*of business*) Umzug *m;* (*being transferred*) Versetzung *f;* (*design*) Abziehbild *nt;* (SPORT) Transfer *m;* (*player*) Transferspieler(in) *m(f);* **2.** [træns'fɜ:*] *vt* (*business*) verlegen; (*person*) versetzen; (*prisoner*) überführen; (*drawing*) übertragen; (*money*) überweisen; **transferable** [træns'fɜ:rəbl] *adj* übertragbar.

transform [træns'fɔ:m] *vt* umwandeln, verändern; verwandeln; **transformation** [trænsfə'meɪʃən] *n* Umwandlung *f,* Veränderung *f,* Verwandlung *f;* **transformer** *n* (ELEC) Transformator *m.*

transfusion [træns'fju:ʒən] *n* Blutübertragung *f,* Transfusion *f.*

transgenic [træns'dʒenɪk] *adj* transgen.

transgress [træns'gres] *vi* verstoßen gegen.

transient ['trænzɪənt] *adj* kurzlebig.

transistor [træn'zɪstə*] *n* (ELEC) Transistor *m;* (RADIO) Transistorradio *nt.*

transit ['trænzɪt] *n:* **in ~** unterwegs, auf dem Transport.

transition [træn'zɪʃən] *n* Übergang *m;* **transitional** *adj* Übergangs-.

transitive *adj,* **transitively** *adv* ['trænzɪtɪv, -lɪ] transitiv.

transitory ['trænzɪtərɪ] *adj* vorübergehend.

translate [trænz'leɪt] *vt, vi* übersetzen; **translation** [trænz'leɪʃən] *n* Übersetzung *f;* **translator** [trænz'leɪtə*] *n* Übersetzer(in) *m(f).*

translucent [træns'lu:snt] *adj* lichtdurchlässig.

transmission [trænz'mɪʃən] *n* (*of information*) Übermittlung *f;* (ELEC, MED, TV, RADIO) Übertragung *f;* (AUT) Getriebe *nt;* (*process*) Übersetzung *f;* **transmit** [trænz'mɪt] *vt* (*message*) übermitteln; (ELEC, MED, TV) übertragen; **transmitter** *n* Sender *m.*

transparency [træns'pærənsɪ] *n* Durchsichtigkeit *f,* Transparenz *f;* (PHOT) Diapositiv *nt;* **transparent** [træns'pærənt] *adj* durchsichtig; (*fig*) offenkundig.

transplant [træns'plɑ:nt] **1.** *vt* umpflanzen; (MED) verpflanzen; (*fig: person*) verpflanzen; **2.** ['trænsplɑ:nt] *n* (MED) Transplantation *f;* (*organ*) Transplantat *nt.*

transport ['trænspɔ:t] **1.** *n* Transport *m,* Beförderung *f;* (*vehicle*) fahrbarer Untersatz; **2.** [træns'pɔ:t] *vt* befördern, transportieren; **means of ~** Transportmittel *nt;* **transportable** [træns'pɔ:təbl] *adj* transportabel, transportierbar; **transportation** [trænspɔ:'teɪʃən] *n* Transport *m,* Beförderung *f;* (*means*) Beförderungsmittel *nt;* (*cost*) Transportkosten *pl.*

transsexual [træns'seksjʊəl] *n* Transsexuelle(r) *mf.*

transverse ['trænzvɜ:s] *adj* Quer-; (*position*) horizontal; (*engine*) querliegend.

transvestite [trænz'vestaɪt] *n* Transvestit *m.*

trap [træp] **1.** *n* Falle *f;* (*carriage*) zweirädriger Einspänner; (*fam: mouth*) Klappe *f;*

2. *vt* fangen; (*person*) in eine Falle locken; **the miners were ~ped** die Bergleute waren eingeschlossen; **trapdoor** *n* Falltür *f.*

trapeze [trə'pi:z] *n* Trapez *nt.*

trapper ['træpə*] *n* Fallensteller(in) *m(f),* Trapper(in) *m(f).*

trappings ['træpɪŋz] *n pl* Aufmachung *f.*

trash [træʃ] **1.** *n* (*rubbish*) wertloses Zeug, Plunder *m;* (*nonsense*) Mist *m,* Blech *nt;* **2.** *vt* (*US sl*) schlecht machen; **trash can** *n* (*US*) Mülleimer *m;* **trashy** *adj* wertlos; (*novel etc*) Schund-.

trauma ['trɔ:mə] *n* Trauma *nt;* **traumatic** [trɔ:'mætɪk] *adj* traumatisch.

travel ['trævl] **1.** *n* Reisen *nt;* **2.** *vi* reisen, eine Reise machen; **3.** *vt* (*distance*) zurücklegen; (*country*) bereisen; **travel agent** *n* Reisebüro *nt;* **travelcard** *n* Netzkarte *f;* **traveler** (*US*) *s.* **traveller**; **traveler's check** (*US*) *s.* **tarveller's cheque**; **traveling** (*US*) *s.* **travelling**; **traveller** *n* Reisende(r) *mf;* (*salesperson*) Handlungsreisende(r) *mf;* **traveller's cheque** *n* Reisescheck *m;* **travelling** *n* Reisen *nt;* **travelling bag** *n* Reisetasche *f;* **travel sickness** *n* Reisekrankheit *f.*

traverse ['trævəs] *vt* (*cross*) durchqueren; (*lie across*) überspannen.

travesty ['trævəstɪ] *n* Zerrbild *nt,* Travestie *f;* **a ~ of justice** ein Hohn auf die Gerechtigkeit.

travolator ['trævəleɪtə] *n* Rollsteg *m.*

trawl [trɔ:l] *vi* mit dem Schleppnetz fischen.

trawler ['trɔ:lə*] *n* Fischdampfer *m,* Trawler *m.*

tray [treɪ] *n* (*tea ~*) Tablett *nt;* (*receptacle*) Schale *f;* (*for mail*) Ablage *f.*

treacherous ['tretʃərəs] *adj* verräterisch; (*memory*) unzuverlässig; (*road*) gefährlich; **treachery** ['tretʃərɪ] *n* Verrat *m.*

treacle ['tri:kl] *n* Sirup *m;* Melasse *f.*

tread [tred] <trod, trodden> **1.** *vi* treten; (*walk*) gehen; **2.** *n* Schritt *m,* Tritt *m;* (*of stair*) Stufe *f;* (*on tyre*) Profil *nt.*

treadmill ['tredmɪl] *n* (*fig*) Tretmühle *f;* **tread on** *vt* treten auf *+akk.*

treason ['tri:zn] *n* Verrat *m* (*to* an *+dat*).

treasure ['treʒə*] **1.** *n* Schatz *m;* **2.** *vt* schätzen; **treasure hunt** *n* Schatzsuche *f;* **treasurer** *n* Kassenverwalter(in) *m(f);* (*of club*) Schatzmeister(in) *m(f);* (*business*) Leiter(in) *m(f)* der Finanzabteilung; **treasury** ['treʒərɪ] *n* (POL) Finanzministerium *nt.*

treat [tri:t] **1.** *n* besondere Freude; (*school ~ etc*) Fest *nt;* (*outing*) Ausflug *m;* **2.** *vt* (*deal with*) behandeln; (*entertain*) bewirten; **to ~ sb to sth** jdn zu etw einladen, jdm etw spendieren.

treatise ['tri:tɪz] *n* Abhandlung *f.*

treatment ['tri:tmənt] *n* Behandlung *f.*

treaty ['tri:tɪ] *n* Vertrag *m.*

treble ['trebl] **1.** *adj* dreifach; **2.** *vt* verdreifachen; **3.** *n* (*voice*) Sopran *m;* (*of piano*) Diskant *m;* **~ clef** Violinschlüssel *m.*

tree [tri:] *n* Baum *m;* **tree-lined** *adj* baumbestanden; **tree trunk** *n* Baumstamm *m.*

trellis ['trelɪs] *n* Gitter *nt;* (*for gardening*) Spalier *nt.*

tremble ['trembl] *vi* zittern; (*ground*) beben.

tremendous [trə'mendəs] *adj* gewaltig, kolossal; (*fam: very good*) prima; **tremendously** *adv* ungeheuer, enorm; (*fam*) unheimlich.

tremor ['tremə*] *n* Zittern *nt;* (*of earth*) Beben *nt.*

trench [trentʃ] *n* Graben *m;* (MIL) Schützengraben *m.*

trend [trend] **1.** *n* Richtung *f,* Tendenz *f;* **2.** *vi* sich neigen, tendieren; **trendsetter** *n* Trendsetter(in) *m(f);* **trendy** *adj* modisch; (*fam*) schickimicki.

trepidation [trepɪ'deɪʃən] *n* Beklommenheit *f.*

trespass ['trespəs] *vi* widerrechtlich betreten (*on akk*); **trespasser** *n:* **"~s will be prosecuted"** „Betreten verboten".

trestle ['tresl] *n* Bock *m;* **trestle table** *n* Klapptisch *m.*

tri- [traɪ] *pref* Drei-, drei-.

trial ['traɪəl] *n* (JUR) Prozess *m,* Verfahren *nt;* (*test*) Versuch *m,* Probe *f;* (*hardship*) Prüfung *f;* **by ~ and error** durch Ausprobieren.

triangle ['traɪæŋgl] *n* Dreieck *nt;* (MUS) Triangel *m;* **triangular** [traɪ'æŋgjʊlə*] *adj* dreieckig.

tribal ['traɪbəl] *adj* Stammes-.

tribe [traɪb] *n* Stamm *m;* **tribesman** *n* <tribesmen> Stammesangehörige(r) *m.*

tribulation [trɪbjʊ'leɪʃən] *n* Not *f,* Mühsal *f.*

tribunal [traɪ'bju:nl] *n* Gericht *nt;* (*inquiry*) Untersuchungsausschuss *m.*

tributary ['trɪbjʊtərɪ] *n* Nebenfluss *m.*

tribute ['trɪbju:t] *n* (*admiration*) Zeichen

nt der Hochachtung.

trice [traɪs] *n:* **in a** ~ im Nu.

trick [trɪk] **1.** *n* Trick *m;* (*mischief*) Streich *m;* (*habit*) Angewohnheit *f;* (CARDS) Stich *m;* **2.** *vt* überlisten, beschwindeln; **trickery** *n* Betrügerei *f,* Tricks *pl.*

trickle ['trɪkl] **1.** *n* Tröpfeln *nt;* (*small river*) Rinnsal *nt;* **2.** *vi* tröpfeln; (*seep*) sickern.

tricky ['trɪkɪ] *adj* (*problem*) schwierig; (*situation*) kitzlig.

tricycle ['traɪsɪkl] *n* Dreirad *nt.*

tried [traɪd] *adj* erprobt, bewährt.

trifle ['traɪfl] **1.** *n* Kleinigkeit *f;* (GASTR) Trifle *m* (*Süßspeise aus Früchten und Löffelbiskuits*)*;* **2.** *adv:* **a** ~ ein bisschen; **trifle with** *vi* spielen mit; **she is not someone to be ~d with** mit ihr ist nicht zu spaßen; **trifling** *adj* geringfügig.

trigger ['trɪgə*] *n* Abzug *m,* Drücker *m;* **trigger off** *vt* auslösen.

trigonometry [trɪgə'nɒmətrɪ] *n* Trigonometrie *f.*

trill [trɪl] *n* (MUS) Triller *m.*

trim [trɪm] **1.** *adj* ordentlich, gepflegt; (*figure*) schlank; **2.** *n* Verfassung *f;* (*embellishment, on car*) Verzierung *f;* **3.** *vt* (*clip*) schneiden; (*trees, beard*) stutzen; (*decorate*) besetzen; (*sails*) trimmen; **to give sb's hair a** ~ jdm die Haare etwas nachschneiden; **trimmings** *n pl* (*decorations*) Verzierungen *pl;* (*extras*) Zubehör *nt.*

Trinity ['trɪnɪtɪ] *n:* **the** ~ die Dreieinigkeit.

trinket ['trɪŋkɪt] *n* kleines Schmuckstück.

trio ['trɪəʊ] *n* <-s> Trio *nt.*

trip [trɪp] **1.** *n* Reise *f;* (*outing*) Ausflug *m;* **2.** *vi* (*walk quickly*) trippeln; (*stumble*) stolpern; **trip over** *vt* stolpern über *+akk;* **trip up 1.** *vi* stolpern; (*fig*) einen Fehler machen; **2.** *vt* zu Fall bringen; (*fig*) hereinlegen.

tripe [traɪp] *n* (*food*) Kutteln *pl;* (*rubbish*) Mist *m.*

triple ['trɪpl] *adj* dreifach; **triplets** ['trɪpləts] *n pl* Drillinge *pl;* **triplicate** ['trɪplɪkət] *n:* **in** ~ in dreifacher Ausfertigung.

tripod ['traɪpɒd] *n* Dreifuß *m;* (PHOT) Stativ *nt.*

tripper ['trɪpə*] *n* Ausflügler(in) *m(f).*

trite [traɪt] *adj* banal.

triumph ['traɪʌmf] **1.** *n* Triumph *m;* **2.** *vi* triumphieren; **triumphal** [traɪ'ʌmfəl] *adj* triumphal, Sieges-; **triumphant** [traɪ'ʌmfənt] *adj* triumphierend; (*victorious*) siegreich; **triumphantly** *adv* triumphierend; siegreich.

trivial ['trɪvɪəl] *adj* geringfügig, trivial; **triviality** [trɪvɪ'ælɪtɪ] *n* Trivialität *f,* Nebensächlichkeit *f.*

trod [trɒd] *pt of* **tread**; **trodden** *pp of* **tread**.

trolley ['trɒlɪ] *n* Handwagen *m;* (*in shop*) Einkaufswagen *m;* (*for luggage*) Kofferkuli *m;* (*table*) Teewagen *m;* **trolley bus** *n* Oberleitungsbus *m.*

trombone [trɒm'bəʊn] *n* Posaune *f.*

troop [tru:p] *n* Schar *f;* (MIL) Trupp *m;* **~s** *pl* Truppen *pl;* **troop in/out** *vi* hinein-/hinausströmen; **trooper** *n* Kavallerist *m;* (*US: state* ~) Polizist(in) *m(f).*

trophy ['trəʊfɪ] *n* Trophäe *f.*

tropic ['trɒpɪk] *n* Wendekreis *m;* **the ~s** *pl* die Tropen *pl;* **tropical** *adj* tropisch.

trot [trɒt] **1.** *n* Trott *m;* **2.** *vi* trotten.

trouble ['trʌbl] **1.** *n* (*worry*) Sorge *f,* Kummer *m;* (*in country, industry*) Unruhen *pl;* (*effort*) Umstand *m,* Mühe *f;* **2.** *vt* (*disturb*) beunruhigen, stören, belästigen; **to take the** ~ **to do sth** sich die Mühe machen etw zu tun; **to make** ~ Schwierigkeiten [*o* Ärger] machen; **to have** ~ **with** Ärger haben mit; **to be in** ~ Probleme [*o* Ärger] haben; **troubled** *adj* (*person*) beunruhigt; (*country*) geplagt; **trouble-free** *adj* sorglos; **troublemaker** *n* Unruhestifter(in) *m(f);* **troubleshooter** *n* (TECH) Störungssucher(in) *m(f);* (POL, COMM) Vermittler(in) *m(f);* **troublesome** *adj* lästig, unangenehm; (*child*) schwierig.

trough [trɒf] *n* (*vessel*) Trog *m;* (*channel*) Rinne *f,* Kanal *m;* (METEO) Tief *nt.*

trousers ['traʊzəz] *n pl* Hose *f,* Hosen *pl.*

trout [traʊt] *n* Forelle *f.*

trowel ['traʌəl] *n* Kelle *f.*

truant ['trʊənt] *n:* **to play** ~ die Schule schwänzen.

truce [tru:s] *n* Waffenstillstand *m.*

truck [trʌk] *n* Lastwagen *m,* Lastauto *nt;* (*small*) Lieferwagen *m;* (RAIL) offener Güterwagen; (*barrow*) Gepäckkarren *m;* **truck driver** *n* Lastwagenfahrer(in) *m(f);* **truck farm** *n* (*US*) Gemüsegärtnerei *f.*

truculent ['trʌkjʊlənt] *adj* trotzig.

trudge [trʌdʒ] *vi* sich mühselig dahinschleppen.

true [tru:] *adj* (*exact*) wahr; (*genuine*) echt; (*friend*) treu.

truffle ['trʌfl] *n* Trüffel *f.*

truly ['tru:lɪ] *adv* (*really*) wirklich; (*exactly*) genau; (*faithfully*) treu; **yours ~ ...** Hochachtungsvoll.

trump [trʌmp] *n* (CARDS) Trumpf *m;* **trumped-up** *adj* erfunden.

trumpet ['trʌmpɪt] **1.** *n* Trompete *f;* **2.** *vt* ausposaunen; **3.** *vi* trompeten.

truncated [trʌŋ'keɪtɪd] *adj* verstümmelt.

truncheon ['trʌntʃən] *n* Gummiknüppel *m.*

trunk [trʌŋk] *n* (*of tree*) Baumstamm *m;* (ANAT) Rumpf *m;* (*box*) Truhe *f;* Überseekoffer *m;* (*of elephant*) Rüssel *m;* **~s** *pl* Badehose *f;* **trunk call** *n* Ferngespräch *nt.*

trust [trʌst] **1.** *n* (*confidence*) Vertrauen *nt;* (*for property etc*) Treuhandvermögen *nt;* **2.** *vt* vertrauen *+dat;* (*rely on*) sich verlassen auf *+akk;* (*hope*) hoffen; **~ him to break it!** er muss es natürlich kaputt machen, typisch!; **to ~ sb with sth** jdm etw anvertrauen; **trusted** *adj* treu; **trustee** [trʌ'sti:] *n* Vermögensverwalter(in) *m(f);* **trustful**, **trusting** *adj* vertrauensvoll; **trustworthy** *adj* vertrauenswürdig; (*account*) glaubwürdig; **trusty** *adj* treu, zuverlässig.

truth [tru:θ] *n* Wahrheit *f;* **truthful** *adj* ehrlich; **truthfully** *adv* wahrheitsgemäß; **truthfulness** *n* Ehrlichkeit *f;* (*of statement*) Wahrheit *f.*

try [traɪ] **1.** *n* Versuch *m;* **2.** *vt* (*attempt*) versuchen; (*test*) ausprobieren; (JUR: *person*) unter Anklage stellen; (*case*) verhandeln; (*strain*) anstrengen; (*courage, patience*) auf die Probe stellen; **3.** *vi* (*make effort*) versuchen, sich bemühen; **to have a ~** es versuchen; **try on** *vt* (*dress*) anprobieren; (*hat*) aufprobieren; **try out** *vt* ausprobieren; **trying** *adj* schwierig; **~ for** anstrengend für.

tsar [zɑ:*] *n* Zar *m;* **tsarina** [tsɑ:'ri:nə] *n* Zarin *f.*

T-shirt ['ti:ʃɜ:t] *n* T-shirt *nt;* **T-square** *n* Reißschiene *f.*

tub [tʌb] *n* Wanne *f,* Kübel *m;* (*for margarine etc*) Becher *m.*

tubby ['tʌbɪ] *adj* rundlich, klein und dick.

tube [tju:b] *n* (*pipe*) Röhre *f,* Rohr *nt;* (*for toothpaste etc*) Tube *f;* (*in London*) U-Bahn *f;* (AUT: *for tyre*) Schlauch *m;* **tubeless** *adj* (*tyre*) schlauchlos.

tuber ['tju:bə*] *n* Knolle *f.*

tuberculosis [tjʊbɜ:kjʊ'ləʊsɪs] *n* Tuberkulose *f.*

tube station ['tju:bsteɪʃən] *n* U-Bahn-Station *f.*

tubular ['tju:bjʊlə*] *adj* röhrenförmig.

tuck [tʌk] **1.** *n* Saum *m;* (*ornamental*) Biese *f;* **2.** *vt* (*put*) stecken; (*gather*) fälteln; **tuck away** *vt* wegstecken; **tuck in 1.** *vt* hineinstecken; (*blanket etc*) feststecken; (*person*) zudecken; **2.** *vi* (*eat*) zulangen; **tuck up** *vt* (*child*) warm zudecken; **tuck shop** *n* Süßwarenladen *m.*

Tuesday ['tju:zdeɪ] *n* Dienstag *m;* **on ~** am Dienstag; **on ~s, on a ~** dienstags.

tuft [tʌft] *n* Büschel *m.*

tug [tʌg] **1.** *n* (*jerk*) Zerren *nt,* Ruck *m;* (NAUT) Schleppdampfer *m;* **2.** *vt, vi* zerren, ziehen; (*boat*) schleppen; **tug-of-war** *n* Tauziehen *nt.*

tuition [tju'ɪʃən] *n* Unterricht *m.*

tulip ['tju:lɪp] *n* Tulpe *f.*

tumble ['tʌmbl] **1.** *n* (*fall*) Sturz *m;* **2.** *vi* (*fall*) fallen, stürzen; **tumble to** *vt* kapieren; **tumbledown** *adj* baufällig; **tumbler** *n* (*glass*) Trinkglas *nt,* Wasserglas *nt;* (*for drying*) Trockenautomat *m.*

tummy ['tʌmɪ] *n* (*fam*) Bauch *m.*

tumour ['tju:mə*] *n* Tumor *m,* Geschwulst *f.*

tumult ['tju:mʌlt] *n* Tumult *m;* **tumultuous** [tju:'mʌltjʊəs] *adj* lärmend, turbulent.

tumulus ['tju:mjʊləs] *n* Grabhügel *m.*

tuna ['tju:nə] *n* Thunfisch *m.*

tune [tju:n] **1.** *n* Melodie *f;* **2.** *vt* (*put in tune*) stimmen; (AUT) richtig einstellen; **to sing in/out of ~** richtig/falsch singen; **to be out of ~ with** nicht harmonieren mit; **tune in** *vi* einstellen (*to akk*); **tune up** *vi* (MUS) stimmen; **tuneful** *adj* melodisch; **tuner** *n* (*person*) Instrumentenstimmer(in) *m(f);* (*radio set*) Empfangsgerät *nt,* Steuergerät *nt;* **tuner-amplifier** *n* Steuergerät *nt,* Tuner *m.*

Tunesia [tju:'nɪzɪə] *n* Tunesien *nt.*

tungsten ['tʌŋstən] *n* Wolfram *nt.*

tunic ['tju:nɪk] *n* Waffenrock *m;* (*loose garment*) Kasack *m;* (*of school uniform*) Kittel *m.*

tuning ['tju:nɪŋ] *n* (RADIO, AUT) Einstellen *nt;* (MUS) Stimmen *nt.*

tunnel ['tʌnl] *n* Tunnel *m;* (*under road, railway*) Unterführung *f.*

tunny ['tʌnɪ] *n* Tunfisch *m.*

turban ['tɜ:bən] *n* Turban *m.*

turbid ['tɜ:bɪd] *adj* trübe; (*fig*) verworren.

turbine ['tɜ:baɪn] *n* Turbine *f;* **turbine-engine** *n* (AUT) Turbomotor *m.*

turbocharger ['tɜ:bəʊtʃɑ:dʒə*] *n* Turbo-

lader *m.*
turbot ['tɜ:bət] *n* Steinbutt *m.*
turbulence ['tɜ:bjʊləns] *n* (AVIAT) Turbulenz *f;* **turbulent** *adj* stürmisch.
tureen [tə'ri:n] *n* Terrine *f.*
turf [tɜ:f] *n* <-s *o* turves> Rasen *m;* (*piece*) Sode *f.*
Turk [tɜ:k] *n* Türke *m,* Türkin *f.*
turkey ['tɜ:kɪ] *n* Puter *m,* Truthahn *m.*
Turkey ['tɜ:kɪ] *n* die Türkei; **Turkish** *adj* türkisch.
turmoil ['tɜ:mɔɪl] *n* Aufruhr *m,* Tumult *m.*
turn [tɜ:n] **1.** *n* (*rotation*) Umdrehung *f;* (*performance*) Programmnummer *f;* (MED) Schock *m;* **2.** *vt* (*rotate*) drehen; (*change position of*) umdrehen, wenden; (*page*) umblättern; (*transform*) verwandeln; (*direct*) zuwenden; **3.** *vi* (*rotate*) sich drehen; (*change direction: in car*) abbiegen; (*wind*) drehen; (~ *round*) umdrehen, wenden; (*become*) werden; (*leaves*) sich verfärben; (*milk*) sauer werden; (*weather*) umschlagen; **the ~ of the tide** der Gezeitenwechsel; **the ~ of the century** die Jahrhundertwende; **in ~, by ~s** abwechselnd; **to make a ~ to the left** nach links abbiegen; **to take a ~ for the worse** sich zum Schlechten wenden; **to take ~s** sich abwechseln; **to ~ sb loose** jdn loslassen, jdn freilassen; **to do sb a good/bad ~** jdm einen guten/schlechten Dienst erweisen; **it's your ~** du bist dran [*o* an der Reihe]; **it gave me quite a ~** das hat mich schön erschreckt; **turn back 1.** *vt* umdrehen; (*person*) zurückschicken; (*clock*) zurückstellen; **2.** *vi* umkehren; **turn down** *vt* (*refuse*) ablehnen; (*fold down*) umschlagen; **turn in 1.** *vi* (*go to bed*) ins Bett gehen; **2.** *vt* (*fold inwards*) einwärts biegen; **turn into** *vi* sich verwandeln in *+akk;* **turn off 1.** *vi* abbiegen; **2.** *vt* ausschalten; (*tap*) zudrehen; (*machine, electricity*) abstellen; **turn on** *vt* (*light*) anschalten, einschalten; (*tap*) aufdrehen; (*machine*) anstellen; (*fam: person*) anmachen, anturnen; **turn out 1.** *vi* (*prove to be*) sich herausstellen, sich erweisen; (*people*) sich entwickeln; **2.** *vt* (*light*) ausschalten; (*gas*) abstellen; (*produce*) produzieren; **how did the cake ~ ~?** wie ist der Kuchen geworden?; **turn to** *vt* sich zuwenden *+dat;* **turn up 1.** *vi* auftauchen; (*happen*) passieren, sich ereignen; **2.** *vt* (*collar*) hochklappen, hochstellen; (*nose*) rümpfen; (*radio*) lauter stellen; (*heat*) höher drehen; **turnabout** *n* Kehrtwendung *f;* **turned-up** *adj* (*nose*) Stups-; **turning** *n* (*in road*) Abzweigung *f;* **~ point** Wendepunkt *m.*
turnip ['tɜ:nɪp] *n* Steckrübe *f.*
turnkey ['tɜ:nki:] *adj* schlüsselfertig.
turnout ['tɜ:naʊt] *n* Besucherzahl *f;* (COMM) Produktion *f.*
turnover ['tɜ:nəʊvə*] *n* Umsatz *m;* (*of staff*) Fluktuation *f;* **~ tax** Umsatzsteuer *f.*
turnpike ['tɜ:npaɪk] *n* (*US*) gebührenpflichtige Autobahn; (*place*) Mautschranke *f.*
turnstile ['tɜ:nstaɪl] *n* Drehkreuz *nt.*
turntable ['tɜ:nteɪbl] *n* (*of record-player*) Plattenteller *m;* (RAIL) Drehscheibe *f.*
turn-up ['tɜ:nʌp] *n* (*on trousers*) Aufschlag *m.*
turpentine ['tɜ:pəntaɪn] *n* Terpentin *nt.*
turquoise ['tɜ:kwɔɪz] **1.** *n* (*gem*) Türkis *m;* (*colour*) Türkis *nt;* **2.** *adj* türkisfarben.
turret ['tʌrɪt] *n* Turm *m.*
turtle ['tɜ:tl] *n* Schildkröte *f.*
Tuscany ['tʌskənɪ] *n* die Toskana.
tusk [tʌsk] *n* Stoßzahn *m.*
tutor ['tju:tə*] *n* (*teacher*) Privatlehrer(in) *m(f);* (*Brit: university*) Tutor(in) *m(f);* **tutorial** [tju:'tɔ:rɪəl] *n* (SCH) Kolloquium *nt,* Seminarübung *f.*
tuxedo [tʌk'si:dəʊ] *n* <-s> (*US*) Smoking *m.*
TV ['ti:'vi:] **1.** *n* Fernseher *m;* **2.** *adj* Fernseh-; **~ satellite** Fernsehsatellit *m.*
twang [twæŋ] **1.** *n* scharfer Ton; (*of voice*) Näseln *nt;* **2.** *vt* zupfen; **3.** *vi* klingen; (*talk*) näseln.
tweed [twi:d] *n* Tweed *m.*
tweezers ['twi:zəz] *n pl* Pinzette *f.*
twelfth [twelfθ] *adj* zwölfte(r, s); **Twelfth Night** Dreikönigsabend *m.*
twelve [twelv] *num* zwölf.
twenty ['twentɪ] *num* zwanzig; **twenty-one** *num* einundzwanzig; **twenty-two** *num* zweiundzwanzig.
twerp [twɜ:p] *n* (*fam*) Hohlkopf *m.*
twice [twaɪs] *adv* zweimal; **~ as much** doppelt soviel; **~ my age** doppelt so alt wie ich.
twig [twɪg] **1.** *n* dünner Zweig; **2.** *vt* (*fam*) kapieren, merken.
twilight ['twaɪlaɪt] *n* Dämmerung *f,* Zwielicht *nt.*
twin [twɪn] **1.** *n* Zwilling *m;* **2.** *adj* Zwillings-; (*very similar*) Doppel-.
twinge [twɪndʒ] *n* stechender Schmerz, Stechen *nt.*

twinkle ['twɪŋkl] **1.** *n* Funkeln *nt,* Blitzen *nt;* **2.** *vi* funkeln.
twinning ['twɪnɪŋ] Städtepartnerschaft *f;* **twin town** *n* Partnerstadt *f.*
twirl [twɜːl] **1.** *n* Wirbel *m;* **2.** *vt, vi* herumwirbeln.
twist [twɪst] **1.** *n* (*twisting*) Biegen *nt,* Drehung *f;* (*bend*) Kurve *f;* **2.** *vt* (*turn*) drehen; (*make crooked*) verbiegen; (*distort*) verdrehen; **3.** *vi* (*wind*) sich drehen; (*curve*) sich winden.
twit [twɪt] *n* (*fam*) Idiot *m.*
twitch [twɪtʃ] *vi* zucken.
two [tuː] *num* zwei; **to break in** ~ in zwei Teile brechen; ~ **by** ~ zu zweit; **to be in** ~ **minds** nicht genau wissen; **to put** ~ **and** ~ **together** seine Schlüsse ziehen; **two-door** *adj* zweitürig; **two-faced** *adj* falsch; **twofold** *adj, adv* zweifach, doppelt; **two-piece** *adj* zweiteilig; **two-seater** *n* (*plane, car*) Zweisitzer *m;* **twosome** *n* Paar *nt;* **in a** ~ zu zweit; **two-way** *adj* in beide Richtungen; (*traffic*) Gegen-; (*street*) mit Gegenverkehr; (*switch*) Wechsel-; ~ **adaptor** Doppelstecker *m;* ~ **radio** Funksprechgerät *nt.*
tycoon [taɪ'kuːn] *n* Magnat *m.*
type [taɪp] **1.** *n* Typ *m,* Art *f;* (TYP) Type *f;* **in** ~ gedruckt; **2.** *vt, vi* Maschine schreiben, tippen; **type-cast** *adj* (THEAT, TV) auf eine Rolle festgelegt; **typeface** *n* Schriftart *f;* **typescript** *n* Maschine geschriebener Text, Typoskript *nt;* **typewriter** *n* Schreibmaschine *f;* **typewritten** *adj* Maschine geschrieben.
typhoid ['taɪfɔɪd] *n* Typhus *m.*
typhoon [taɪ'fuːn] *n* Taifun *m.*
typhus ['taɪfəs] *n* Flecktyphus *m.*
typical *adj,* **typically** *adv* ['tɪpɪkəl, -klɪ] typisch (*of* für).
typify ['tɪpɪfaɪ] *vt* typisch sein für.
typing ['taɪpɪŋ] *n* Maschineschreiben *nt;* **typist** ['taɪpɪst] *n* Schreibkraft *f.*
typography [taɪ'pɒgrəfɪ] *n* Typografie *f;* (*subject also*) Buchdruckerkunst *f.*
tyranny ['tɪrənɪ] *n* Tyrannei *f,* Gewaltherrschaft *f;* **tyrant** ['taɪrənt] *n* Tyrann(in) *m(f).*
tyre [taɪə*] *n* Reifen *m.*

U

U, u [juː] *n* U *nt,* u *nt.*
ubiquitous [juː'bɪkwɪtəs] *adj* überall zu finden; allgegenwärtig.
udder ['ʌdə*] *n* Euter *nt.*
UFO ['juːfəʊ] *n acr of* **unidentified flying object** Ufo *nt.*
Uganda [juː'gændə] *n* Uganda *nt.*
Ugandan [juː'gændən] **1.** *adj* ugandisch; **2.** *n* Ugander(in) *m(f).*
ugliness ['ʌglɪnəs] *n* Hässlichkeit *f.*
ugly ['ʌglɪ] *adj* hässlich; (*bad*) böse, schlimm.
UK *n abbr of* **United Kingdom** Vereinigtes Königreich.
ukulele [juːkə'leɪlɪ] *n* Ukulele *f.*
ulcer ['ʌlsə*] *n* Geschwür *nt.*
ulterior [ʌl'tɪərɪə*] *adj:* ~ **motive** Hintergedanke *m.*
ultimate ['ʌltɪmət] *adj* äußerste(r, s), allerletzte(r, s); (*perfect*) vollendet, perfekt; **ultimately** *adv* schließlich, letzten Endes.
ultimatum [ʌltɪ'meɪtəm] *n* Ultimatum *nt.*
ultra- ['ʌltrə] *pref* ultra-.
ultrasound ['ʌltrəsaʊnd] *n* (*US* MED) Ultraschallaufnahme *f.*
ultraviolet [ʌltrə'vaɪələt] *adj* ultraviolett.
umbilical cord [ʌm'bɪlɪkl'kɔːd] *n* Nabelschnur *f.*
umbrage ['ʌmbrɪdʒ] *n:* **to take** ~ Anstoß nehmen (*at* an +*dat*).
umbrella [ʌm'brelə] *n* Schirm *m.*
umpire ['ʌmpaɪə*] **1.** *n* Schiedsrichter(in) *m(f);* **2.** *vt, vi* schiedsrichtern.
umpteen ['ʌmptiːn] *num* (*fam*) zig.
un- [ʌn] *pref* un-.
UN *n sing abbr of* **United Nations** UNO *f.*
unabashed [ʌnə'bæʃt] *adj* unerschrocken.
unabated [ʌnə'beɪtɪd] *adj* unvermindert.
unable [ʌn'eɪbl] *adj* außerstande; **to be** ~ **to do sth** etw nicht tun können.
unaccompanied [ʌnə'kʌmpənɪd] *adj* ohne Begleitung.
unaccountably [ʌnə'kaʊntəblɪ] *adv* unerklärlicherweise.
unaccustomed [ʌnə'kʌstəmd] *adj* nicht gewöhnt (*to* an +*akk*); (*unusual*) ungewohnt.
unadulterated [ʌnə'dʌltəreɪtəd] *adj* rein, unverfälscht.
unaided [ʌn'eɪdɪd] *adj* selbständig, ohne Hilfe.
unanimity [juːnə'nɪmɪtɪ] *n* Einstimmigkeit *f;* **unanimous** *adj,* **unanimously** *adv* [juː'nænɪməs, -lɪ] einmütig; (*vote*) einstimmig.

unattached [ʌnəˈtætʃt] *adj* ungebunden.
unattended [ʌnəˈtendɪd] *adj* (*person*) unbeaufsichtigt; (*thing*) unbewacht.
unattractive [ʌnəˈtræktɪv] *adj* unattraktiv.
unauthorized [ʌnˈɔːθəraɪzd] *adj* unbefugt.
unavoidable *adj,* **unavoidably** *adv* [ʌnəˈvɔɪdəbl, -blɪ] unvermeidlich.
unaware [ʌnəˈwɛə*] *adj:* **to be ~ of sth** sich *dat* einer Sache nicht bewusst sein; **unawares** *adv* unversehens.
unbalanced [ʌnˈbælənst] *adj* unausgeglichen; (*mentally*) gestört.
unbearable [ʌnˈbɛərəbl] *adj* unerträglich.
unbeatable [ʌnˈbiːtəbl] *adj* unschlagbar.
unbecoming [ʌnbɪˈkʌmɪŋ] *adj* (*dress*) unkleidsam; (*behaviour*) unpassend, unschicklich.
unbelievable [ʌnbɪˈliːvəbl] *adj* unglaublich.
unbend [ʌnˈbend] *irr* **1.** *vt* gerade biegen; **2.** *vi* aus sich herausgehen.
unbreakable [ʌnˈbreɪkəbl] *adj* unzerbrechlich.
unbridled [ʌnˈbraɪdld] *adj* ungezügelt.
unbroken [ʌnˈbrəʊkən] *adj* (*period*) ununterbrochen; (*spirit*) ungebrochen; (*record*) unübertroffen.
unburden [ʌnˈbɜːdn] *vr:* **~ oneself** sein Herz ausschütten.
unbutton [ʌnˈbʌtn] *vt* aufknöpfen.
uncalled-for [ʌnˈkɔːldfɔː*] *adj* unnötig.
uncanny [ʌnˈkænɪ] *adj* unheimlich.
unceasing [ʌnˈsiːsɪŋ] *adj* unaufhörlich.
uncertain [ʌnˈsɜːtn] *adj* unsicher; (*doubtful*) ungewiss; (*unreliable*) unbeständig; (*vague*) undeutlich, vage; **uncertainty** *n* Ungewissheit *f.*
unchanged [ʌnˈtʃeɪndʒd] *adj* unverändert.
uncharitable [ʌnˈtʃærɪtəbl] *adj* hartherzig; (*remark*) unfreundlich, lieblos.
uncharted [ʌnˈtʃɑːtɪd] *adj* nicht verzeichnet.
unchecked [ʌnˈtʃekt] *adj* ungeprüft; (*not stopped: advance*) ungehindert.
uncivil [ʌnˈsɪvɪl] *adj* unhöflich, grob.
uncle [ˈʌŋkl] *n* Onkel *m.*
uncomfortable [ʌnˈkʌmfətəbl] *adj* unbequem, ungemütlich.
uncompromising [ʌnˈkɒmprəmaɪzɪŋ] *adj* kompromisslos, unnachgiebig.
unconditional [ʌnkənˈdɪʃənl] *adj* bedingungslos.
uncongenial [ʌnkənˈdʒiːnɪəl] *adj* unangenehm.
unconscious [ʌnˈkɒnʃəs] *adj* (MED) bewusstlos; (*not aware*) nicht bewusst (*of gen*); (*not meant*) unbeabsichtigt; **the ~** das Unbewusste; **unconsciously** *adv* unwissentlich, unbewusst; **unconsciousness** *n* Bewusstlosigkeit *f.*
uncontrollable [ʌnkənˈtrəʊləbl] *adj* unkontrollierbar, unbändig.
uncork [ʌnˈkɔːk] *vt* entkorken.
uncouth [ʌnˈkuːθ] *adj* grob, ungehobelt.
uncover [ʌnˈkʌvə*] *vt* aufdecken.
unctuous [ˈʌŋktjʊəs] *adj* salbungsvoll.
undaunted [ʌnˈdɔːntɪd] *adj* unerschrocken.
undecided [ʌndɪˈsaɪdɪd] *adj* unschlüssig.
undeniable [ʌndɪˈnaɪəbl] *adj* unleugbar, unbestreitbar; **undeniably** *adv* unbestreitbar.
under [ˈʌndə*] **1.** *prep* unter; **2.** *adv* darunter; **~ repair** in Reparatur; **underage** *adj* minderjährig.
undercarriage [ˈʌndəkærɪdʒ] *n* Fahrgestell *nt.*
underclothes [ˈʌndəkləʊðz] *n pl* Unterwäsche *f.*
undercoat [ˈʌndəkəʊt] *n* (*paint*) Grundierung *f.*
undercover [ˈʌndəkʌvə*] *adj* Geheim-.
undercut [ˈʌndəkʌt] *irr vt* unterbieten.
underdeveloped [ʌndədɪˈveləpt] *adj* Entwicklungs-, unterentwickelt.
underdog [ˈʌndədɒg] *n* Unterlegene(r) *mf;* (*in society*) Benachteiligte(r) *mf.*
underdone [ʌndəˈdʌn] *adj* (GASTR) nicht gar, nicht durchgebraten.
underestimate [ʌndərˈestɪmeɪt] *vt* unterschätzen.
underexposed [ʌndərɪksˈpəʊzd] *adj* unterbelichtet.
underfed [ʌndəˈfed] *adj* unterernährt.
undergo [ʌndəˈgəʊ] *irr vt* (*experience*) durchmachen; (*operation, test*) sich unterziehen *+dat.*
undergraduate [ʌndəˈgrædjʊət] *n* Student(in) *m(f).*
underground [ˈʌndəgraʊnd] **1.** *n* Untergrundbahn *f,* U-Bahn *f;* **2.** *adj* (*press etc*) Untergrund-.
undergrowth [ˈʌndəgrəʊθ] *n* Gestrüpp *nt,* Unterholz *nt.*
underhand [ʌndəˈhænd] *adj* hinterhältig.
underlie [ʌndəˈlaɪ] *irr vt* (*form the basis of*) zugrunde liegen *+dat.*
underline [ʌndəˈlaɪn] *vt* unterstreichen;

(*emphasize*) betonen.

underling ['ʌndəlɪŋ] *n* (*pej*) Untergebene(r) *mf;* (*subordinate*) Befehlsempfänger(in) *m(f).*

undermine [ʌndə'maɪn] *vt* unterhöhlen; (*fig*) unterminieren, untergraben.

underneath [ʌndə'ni:θ] **1.** *adv* darunter; **2.** *prep* unter.

underpaid [ʌndə'peɪd] *adj* unterbezahlt.

underpants ['ʌndəpænts] *n pl* Unterhose *f.*

underpass ['ʌndəpɑ:s] *n* Unterführung *f.*

underprice [ʌndə'praɪs] *vt* zu niedrig ansetzen.

underprivileged [ʌndə'prɪvɪlɪdʒd] *adj* benachteiligt, unterpriviligiert.

underrate [ʌndə'reɪt] *vt* unterschätzen.

undershirt ['ʌndəʃɜ:t] *n* (*US*) Unterhemd *nt.*

undershorts ['ʌndəʃɔ:ts] *n pl* (*US*) Unterhose *f.*

underside ['ʌndəsaɪd] *n* Unterseite *f.*

underskirt ['ʌndəskɜ:t] *n* Unterrock *m.*

understand [ʌndə'stænd] *irr vt* verstehen; **I ~ that ...** ich habe gehört, dass ...; **am I to ~ that ...** soll das etwa heißen, dass ...; **what do you ~ by that?** was verstehen Sie darunter?; **it is understood that ...** es wurde vereinbart, dass ...; **to make oneself understood** sich verständlich machen; **is that understood?** ist das klar?; **understandable** *adj* verständlich; **understanding 1.** *n* Verständnis *nt;* **2.** *adj* verständnisvoll.

understatement ['ʌndəsteɪtmənt] *n* Untertreibung *f,* Understatement *nt.*

understudy ['ʌndəstʌdɪ] *n* (THEAT) zweite Besetzung; (*fig*) Stellvertreter(in) *m(f).*

undertake [ʌndə'teɪk] *irr* **1.** *vt* unternehmen; **2.** *vi* (*promise*) sich verpflichten; **undertaker** *n* Leichenbestatter(in) *m(f);* **~'s** Beerdigungsinstitut *nt;* **undertaking** *n* (*enterprise*) Unternehmen *nt;* (*promise*) Verpflichtung *f.*

underwater [ʌndə'wɔ:tə*] **1.** *adv* unter Wasser; **2.** *adj* Unterwasser-.

underwear ['ʌndəwɛə*] *n* Unterwäsche *f.*

underweight [ʌndə'weɪt] *adj:* **to be ~** Untergewicht haben.

underworld ['ʌndəwɜ:ld] *n* (*of crime*) Unterwelt *f.*

underwrite ['ʌndəraɪt] *vt* (*shares*) garantieren; (*enterprise*) finanzieren.

underwriter ['ʌndəraɪtə*] *n* Assekurant(in) *m(f).*

undesirable [ʌndɪ'zaɪərəbl] *adj* unerwünscht.

undies ['ʌndɪz] *n pl* (*fam*) Damenunterwäsche *f.*

undiscovered [ʌndɪs'kʌvəd] *adj* unentdeckt.

undisputed [ʌndɪ'spju:tɪd] *adj* unbestritten.

undo [ʌn'du:] *irr vt* (*unfasten*) öffnen, aufmachen; (*work*) zunichte machen; **undoing** *n* Verderben *nt.*

undoubted [ʌn'daʊtɪd] *adj* unbezweifelt; **undoubtedly** *adv* zweifellos, ohne Zweifel.

undress [ʌn'dres] *vt, vi* ausziehen.

undue [ʌn'dju:] *adj* übermäßig.

undulating ['ʌndjʊleɪtɪŋ] *adj* wellenförmig; (*country*) wellig, hügelig.

unduly [ʌn'dju:lɪ] *adv* übermäßig.

unearth [ʌn'ɜ:θ] *vt* (*dig up*) ausgraben; (*discover*) ans Licht bringen; **unearthly** *adj* schauerlich.

unease [ʌn'i:z] *n* Unbehagen *nt;* (*public*) Unruhe *f;* **uneasy** *adj* (*worried*) unruhig; (*feeling*) ungut; (*embarrassed*) unbequem; **I feel ~ about it** mir ist nicht wohl dabei; **to make sb ~** jdm beunruhigen.

uneconomical [ʌni:kə'nɒmɪkəl] *adj* unwirtschaftlich.

uneducated [ʌn'edjʊkeɪtɪd] *adj* ungebildet.

unemployed [ʌnɪm'plɔɪd] *adj* arbeitslos; **the ~** *pl* die Arbeitslosen *pl;* **unemployment** [ʌnɪm'plɔɪmənt] *n* Arbeitslosigkeit *f;* **~ benefit** Arbeitslosenhilfe *f.*

unending [ʌn'endɪŋ] *adj* endlos.

unenviable [ʌn'envɪəbl] *adj* wenig beneidenswert.

unerring [ʌn'ɜ:rɪŋ] *adj* unfehlbar.

uneven [ʌn'i:vən] *adj* (*surface*) uneben; (*quality*) ungleichmäßig.

unfair *adj,* **unfairly** *adv* [ʌn'fɛə*, -əlɪ] ungerecht, unfair.

unfaithful [ʌn'feɪθfʊl] *adj* untreu.

unfasten [ʌn'fɑ:sn] *vt* öffnen, aufmachen.

unfavorable (*US*), **unfavourable** [ʌn'feɪvərəbl] *adj* ungünstig.

unfeeling [ʌn'fi:lɪŋ] *adj* gefühllos, kalt.

unfinished [ʌn'fɪnɪʃt] *adj* unvollendet; (*business*) unerledigt.

unfit [ʌn'fɪt] *adj* ungeeignet (*for* zu, für); (*in bad health*) nicht fit.

unflagging [ʌn'flægɪŋ] *adj* unermüdlich.

unflappable [ʌn'flæpəbl] *adj* unerschütterlich.

unflinching [ʌn'flɪntʃɪŋ] *adj* unerschrocken.

unfold [ʌn'fəʊld] **1.** *vt* entfalten; (*paper*) auseinanderfalten; **2.** *vi* (*develop*) sich entfalten.

unforeseen [ʌnfɔː'siːn] *adj* unvorhergesehen.

unforgivable [ʌnfə'gɪvəbl] *adj* unverzeihlich.

unfortunate [ʌn'fɔːtʃnət] *adj* unglücklich, bedauerlich; **unfortunately** *adv* leider.

unfounded [ʌn'faʊndɪd] *adj* unbegründet.

unfriendly [ʌn'frendlɪ] *adj* unfreundlich.

unfurnished [ʌn'fɜːnɪʃt] *adj* unmöbliert.

ungainly [ʌn'geɪnlɪ] *adj* linkisch, unbeholfen.

ungodly [ʌn'gɒdlɪ] *adj* (*hour*) unchristlich; (*row*) heillos.

unguarded [ʌn'gɑːdɪd] *adj* (*moment*) unbewacht.

unhappiness [ʌn'hæpɪnəs] *n* Unglück *nt*, Unglückseligkeit *f*; **unhappy** *adj* unglücklich.

unharmed [ʌn'hɑːmd] *adj* wohlbehalten, unversehrt.

unhealthy [ʌn'helθɪ] *adj* ungesund.

unheard-of [ʌn'hɜːdɒv] *adj* unerhört.

unhurt [ʌn'hɜːt] *adj* unverletzt.

unicorn ['juːnɪkɔːn] *n* Einhorn *nt*.

unidentified [ʌnaɪ'dentɪfaɪd] *adj* unbekannt, nicht identifiziert; ~ **flying object** unbekanntes Flugobjekt.

unification [juːnɪfɪ'keɪʃən] *n* Vereinigung *f*.

uniform ['juːnɪfɔːm] **1.** *n* Uniform *f*; **2.** *adj* einheitlich; **uniformity** [juːnɪ'fɔːmɪtɪ] *n* Einheitlichkeit *f*.

unify ['juːnɪfaɪ] *vt* vereinigen.

unilateral [juːnɪ'lætərəl] *adj* einseitig.

unimaginable [ʌnɪ'mædʒɪnəbl] *adj* unvorstellbar.

uninjured [ʌn'ɪndʒəd] *adj* unverletzt.

unintentional [ʌnɪn'tenʃənl] *adj* unabsichtlich.

union ['juːnjən] *n* (*uniting*) Vereinigung *f*; (*alliance*) Bund *m*, Union *f*; (*trade* ~) Gewerkschaft *f*; **Union Jack** Union Jack *m* (*britische Flagge*).

unique [juː'niːk] *adj* einzigartig, einmalig.

unisex ['juːnɪseks] *n* Unisexmode *f*.

unison ['juːnɪsn] *n* Einstimmigkeit *f*; **in** ~ einstimmig.

unit ['juːnɪt] *n* Einheit *f*.

unite [juː'naɪt] **1.** *vt* vereinigen; **2.** *vi* sich vereinigen; **united** *adj* vereinigt; (*together*) vereint; **United Kingdom** Vereinigtes Königreich; **United Nations** *pl* Vereinte Nationen *pl*; **United States of America** *pl* Vereinigte Staaten von Amerika *pl*.

unity ['juːnɪtɪ] *n* Einheit *f*; (*agreement*) Einigkeit *f*.

universal *adj*, **universally** *adv* [juːnɪ'vɜːsəl, -ɪ] allgemein.

universe ['juːnɪvɜːs] *n* All *nt*, Universum *nt*.

university [juːnɪ'vɜːsɪtɪ] *n* Universität *f*.

unjust [ʌn'dʒʌst] *adj* ungerecht.

unjustifiable [ʌndʒʌstɪ'faɪəbl] *adj* ungerechtfertigt.

unkempt [ʌn'kempt] *adj* ungepflegt, verwahrlost.

unkind [ʌn'kaɪnd] *adj* unfreundlich.

unknown [ʌn'nəʊn] *adj* unbekannt (*to dat*).

unleaded [ʌn'ledɪd] *adj* bleifrei, unverbleit.

unleash [ʌn'liːʃ] *vt* entfesseln.

unleavened [ʌn'levnd] *adj* ungesäuert.

unless [ən'les] *conj* wenn nicht, es sei denn …

unlicensed [ʌn'laɪsənst] *adj* (*to sell alcohol*) unkonzessioniert.

unlike [ʌn'laɪk] **1.** *adj* unähnlich; **2.** *prep* im Gegensatz zu.

unlimited [ʌn'lɪmɪtɪd] *adj* unbegrenzt.

unlisted [ʌn'lɪstɪd] *adj*: **to have an ~ number** nicht im Telefonbuch stehen, eine Geheimnummer haben.

unload [ʌn'ləʊd] *vt* entladen.

unlock [ʌn'lɒk] *vt* aufschließen.

unmannerly [ʌn'mænəlɪ] *adj* unmanierlich.

unmarried [ʌn'mærɪd] *adj* unverheiratet, ledig.

unmask [ʌn'mɑːsk] *vt* demaskieren; (*fig*) entlarven.

unmistakable [ʌnmɪ'steɪkəbl] *adj* unverkennbar; **unmistakably** [ʌnmɪ'steɪkəblɪ] *adv* unverwechselbar, unverkennbar.

unmitigated [ʌn'mɪtɪgeɪtɪd] *adj* ungemildert, ganz.

unnecessary [ʌn'nesəsərɪ] *adj* unnötig.

unobtainable [ʌnəb'teɪnəbl] *adj*: **this number is** ~ kein Anschluss unter dieser Nummer.

unoccupied [ʌn'ɒkjʊpaɪd] *adj* (*seat*) frei.

unopened [ʌn'əʊpənd] *adj* ungeöffnet.

unorthodox [ʌn'ɔːθədɒks] *adj* unorthodox.

unpack [ʌn'pæk] *vt, vi* auspacken.

unpalatable [ʌn'pælətəbl] *adj* (*food, drink*) ungenießbar; (*truth*) bitter.

unparalleled [ʌn'pærəleld] *adj* beispiellos.

unpleasant [ʌn'pleznt] *adj* unangenehm.

unplug [ʌn'plʊg] *vt* den Stecker herausziehen von.

unpopular [ʌn'pɒpjʊlə*] *adj* unbeliebt, unpopulär.

unprecedented [ʌn'presɪdəntɪd] *adj* noch nie dagewesen; beispiellos.

unqualified [ʌn'kwɒlɪfaɪd] *adj* (*success*) uneingeschränkt, voll; (*person*) unqualifiziert.

unravel [ʌn'rævəl] *vt* entwirren; (*knitting*) aufziehen; (*fig*) entwirren.

unreal [ʌn'rɪəl] *adj* unwirklich.

unreasonable [ʌn'ri:znəbl] *adj* unvernünftig; (*demand*) übertrieben; **that's ~** das ist zuviel verlangt.

unrelenting [ʌnrɪ'lentɪŋ] *adj* unerbittlich.

unrelieved [ʌnrɪ'li:vd] *adj* (*monotony*) ungemildert.

unrepeatable [ʌnrɪ'pi:təbl] *adj* nicht zu wiederholen.

unrest [ʌn'rest] *n* (*discontent*) Unruhe *f;* (*fighting*) Unruhen *pl.*

unruly [ʌn'ru:lɪ] *adj* (*child*) wild, ungebärdig.

unsafe [ʌn'seɪf] *adj* nicht sicher.

unsaid [ʌn'sed] *adj:* **to leave sth ~** etw ungesagt sein lassen.

unsatisfactory [ʌnsætɪs'fæktərɪ] *adj* unbefriedigend; unzulänglich.

unsavory (*US*), **unsavoury** [ʌn'seɪvərɪ] *adj* (*fig*) widerwärtig; (*details*) unerfreulich.

unscrew [ʌn'skru:] *vt* aufschrauben.

unscrupulous [ʌn'skru:pjʊləs] *adj* skrupellos.

unselfish [ʌn'selfɪʃ] *adj* selbstlos, uneigennützig.

unsettled [ʌn'setld] *adj* unstet; (*person*) rastlos; (*weather*) wechselhaft; (*dispute*) nicht beigelegt.

unshaven [ʌn'ʃeɪvn] *adj* unrasiert.

unsightly [ʌn'saɪtlɪ] *adj* unansehnlich.

unskilled [ʌn'skɪld] *adj* ungelernt.

unsophisticated [ʌnsə'fɪstɪkeɪtɪd] *adj* (*person*) einfach; (*style*) natürlich.

unspeakable [ʌn'spi:kəbl] *adj* (*joy*) unsagbar; (*crime*) scheußlich.

unstuck [ʌn'stʌk] *adj:* **to come ~** sich lösen; (*plan*) schiefgehen; (*speaker*) steckenbleiben; (*in exam*) ins Schwimmen kommen.

unsuccessful [ʌnsək'sesfʊl] *adj* erfolglos.

unsuitable [ʌn'su:təbl] *adj* unpassend.

unsuspecting [ʌnsə'spektɪŋ] *adj* nichtsahnend.

untangle [ʌn'tæŋgl] *vt* entwirren.

untapped [ʌn'tæpt] *adj* (*resources*) ungenützt.

unthinkable [ʌn'θɪŋkəbl] *adj* unvorstellbar.

untidy [ʌn'taɪdɪ] *adj* unordentlich.

untie [ʌn'taɪ] *vt* aufmachen, aufschnüren.

until [ən'tɪl] *prep, conj* bis.

untimely [ʌn'taɪmlɪ] *adj* (*death*) vorzeitig.

untold [ʌn'təʊld] *adj* unermesslich.

untoward [ʌntə'wɔ:d] *adj* (*unfortunate*) unglücklich, bedauerlich; (*unseemly*) unpassend.

untranslatable [ʌntræns'leɪtəbl] *adj* unübersetzbar.

untried [ʌn'traɪd] *adj* (*plan*) noch nicht ausprobiert.

unused [ʌn'ju:zd] *adj* unbenutzt.

unusual *adj*, **unusually** *adv* [ʌn'ju:ʒʊəl, -ɪ] ungewöhnlich.

unveil [ʌn'veɪl] *vt* enthüllen.

unwavering [ʌn'weɪvərɪŋ] *adj* standhaft, unerschütterlich.

unwell [ʌn'wel] *adj* unpässlich.

unwilling [ʌn'wɪlɪŋ] *adj* unwillig; **to be ~ to do sth** nicht gewillt sein etw zu tun.

unwind [ʌn'waɪnd] *irr* **1.** *vt* abwickeln; **2.** *vi* (*relax*) sich entspannen.

unwitting [ʌn'wɪtɪŋ] *adj* unwissentlich.

unwrap [ʌn'ræp] *vt* aufwickeln, auspacken.

unwritten [ʌn'rɪtn] *adj* ungeschrieben.

up [ʌp] **1.** *prep* auf; **2.** *adv* nach oben, hinauf; (*out of bed*) auf; **~ there** dort oben; **it is ~ to you** es liegt bei Ihnen; **what is he ~ to?** was hat er vor?; **he is not ~ to it** er kann es nicht tun; **what's ~?** was ist los?; **~ to** (*temporally*) bis; **the ~s and downs** das Auf und Ab; **up-and-coming** *adj* im Aufstieg; **upbeat** *adj* (*fam*) optimistisch.

upbringing ['ʌpbrɪŋɪŋ] *n* Erziehung *f.*

update [ʌp'deɪt] *vt* auf den neuesten Stand bringen, aktualisieren.

upgrade [ʌp'greɪd] *vt* höher einstufen.

upheaval [ʌp'hi:vəl] *n* Umbruch *m.*

uphill [ʌp'hɪl] **1.** *adj* ansteigend, bergauf

führend; (*fig*) mühsam; **2.** *adv* bergauf.
uphold [ʌp'həʊld] *irr vt* unterstützen; (*tradition*) wahren.
upholstery [ʌp'həʊlstərɪ] *n* Polster *nt*, Polsterung *f.*
upkeep ['ʌpki:p] *n* Instandhaltung *f.*
up-market [ʌp'mɑ:kɪt] *adj* (*product*) für den anspruchsvollen Kunden; (*house, hotel*) luxuriös.
upon [ə'pɒn] *prep* auf.
upper ['ʌpə*] **1.** *n* (*on shoe*) Oberleder *nt;* (*fam*) Aufputschmittel *nt;* **2.** *adj* obere(r, s), höhere(r, s); **the ~ class** die Oberschicht; **upper-class** *adj* vornehm; **uppermost** *adj* oberste(r, s), höchste(r, s).
upright ['ʌpraɪt] **1.** *adj* (*erect*) aufrecht; (*honest*) aufrecht, rechtschaffen; **2.** *n* Pfosten *m;* ~ **freezer** Gefrierschrank *m.*
uprising ['ʌpraɪzɪŋ] *n* Aufstand *m.*
uproar ['ʌprɔ:*] *n* Aufruhr *m.*
upset ['ʌpset] **1.** *n* Aufregung *f;* **2.** [ʌp'set] *irr vt* (*overturn*) umwerfen; (*disturb*) aufregen, bestürzen; (*plans*) durcheinander bringen; **upsetting** *adj* bestürzend; (*annoying*) störend, unangenehm; (*offending*) beleidigend.
upshot ['ʌpʃɒt] *n* Endergebnis *nt*, Ausgang *m.*
upside-down [ʌpsaɪd'daʊn] *adv* verkehrt herum; (*fig*) drunter und drüber.
upstairs [ʌp'stɛəz] **1.** *adv* oben, im oberen Stockwerk; (*go*) nach oben; **2.** *adj* (*room*) obere(r, s), Ober-; **3.** *n* oberes Stockwerk.
upstart ['ʌpstɑ:t] *n* Emporkömmling *m.*
upstream [ʌp'stri:m] *adv* stromaufwärts.
uptake ['ʌpteɪk] *n:* **to be quick on the ~** schnell begreifen; **to be slow on the ~** schwer von Begriff sein.
uptight [ʌp'taɪt] *adj* (*fam: nervous*) nervös; (*inhibited*) verklemmt.
up-to-date ['ʌptə'deɪt] *adj* (*clothes*) modisch, modern; (*information*) neueste(r, s); **to bring sth ~** etw auf den neuesten Stand bringen.
upwards ['ʌpwədz] **1.** *adj* nach oben gerichtet; **2.** *adv* aufwärts.
uranium [jʊə'reɪnɪəm] *n* Uran *nt.*
urban ['ɜ:bən] *adj* städtisch, Stadt-; ~ **fringe** Umland *nt.*
urbane [ɜ:'beɪn] *adj* höflich, weltgewandt.
urchin ['ɜ:tʃɪn] *n* (*boy*) Schlingel *m;* (*sea ~*) Seeigel *m.*
urge [ɜ:dʒ] **1.** *n* Drang *m;* **2.** *vt* drängen, dringen in *+akk;* **urge on** *vt* antreiben.
urgency ['ɜ:dʒənsɪ] *n* Dringlichkeit *f;* **urgent** *adj*, **urgently** *adv* dringend.
urinal ['jʊərɪnl] *n* (MED) Urinflasche *f;* (*public*) Pissoir *nt.*
urinate ['jʊərɪneɪt] *vi* urinieren, Wasser lassen.
urine ['jʊərɪn] *n* Urin *m*, Harn *m.*
urn [ɜ:n] *n* Urne *f;* (*tea ~*) Teemaschine *f.*
us [ʌs] *pron direct/ indirect object of* **we** uns; **it's ~** wir sind's.
USA *n sing abbr of* **United States of America** USA *pl.*
usage ['ju:sɪdʒ] *n* Gebrauch *m;* (LING) Sprachgebrauch *m.*
use [ju:s] **1.** *n* Verwendung *f;* (*custom*) Brauch *m*, Gewohnheit *f;* (*employment*) Gebrauch *m;* (*point*) Zweck *m;* **2.** [ju:z] *vt* gebrauchen; **~d to** gewöhnt an *+akk;* **she ~d to live here** sie hat früher mal hier gewohnt; **in ~** in Gebrauch; **out of ~** außer Gebrauch; **it's no ~** es hat keinen Zweck; **what's the ~?** was soll's?; **use up** [ju:z'ʌp] *vt* aufbrauchen, verbrauchen; **used** [ju:zd] *adj* (*car*) Gebraucht-; **useful** *adj* nützlich; **usefulness** *n* Nützlichkeit *f;* **useless** *adj* nutzlos, unnütz; **uselessly** *adv* nutzlos; **uselessness** *n* Nutzlosigkeit *f;* **user** ['ju:zə*] *n* Benutzer(in) *m(f);* (COMPUT) Anwender(in) *m(f);* ~ **program** Anwenderprogramm *nt;* **user-friendliness** *n* Bedienungskomfort *m;* **user-friendly** *adj* benutzerfreundlich.
usher ['ʌʃə*] *n* Platzanweiser *m;* **usherette** [ʌʃə'ret] *n* Platzanweiserin *f.*
USSR *n* (HIST) *abbr of* **Union of Soviet Socialist Republics** UdSSR *f.*
usual ['ju:ʒʊəl] *adj* gewöhnlich, üblich; **usually** *adv* gewöhnlich.
usurp [ju:'zɜ:p] *vt* an sich reißen; **usurper** *n* Usurpator(in) *m(f).*
usury ['ju:ʒʊrɪ] *n* Wucher *m.*
utensil [ju:'tensl] *n* Gerät *nt*, Utensil *nt.*
uterus ['ju:tərəs] *n* Gebärmutter *f*, Uterus *m.*
utilitarian [ju:tɪlɪ'tɛərɪən] *adj* Nützlichkeits-.
utility [ju:'tɪlɪtɪ] *n* (*usefulness*) Nützlichkeit *f;* (*also public ~*) öffentlicher Versorgungsbetrieb; ~ (**program**) (COMPUT) Dienstprogramm *nt;* ~ **room** Abstellraum *m;* ~ (**program**) (COMPUT) Dienstprogramm *nt.*
utilization [ju:tɪlaɪ'zeɪʃən] *n* Benutzung *f*, Verwendung *f;* (*of old things*) Verwertung *f.*
utilize ['ju:tɪlaɪz] *vt* benützen, verwenden; (*old things*) verwerten.

U

utmost ['ʌtməʊst] 1. *adj* äußerste(r, s); 2. *n:* to do one's ~ sein Möglichstes tun.
utter ['ʌtə*] 1. *adj* äußerste(r, s) höchste(r, s), völlig; 2. *vt* äußern, aussprechen; **utterance** *n* Äußerung *f;* **utterly** *adv* äußerst, absolut, völlig.
U-turn ['ju:'tɜ:n] *n* (AUT) Kehrtwendung *f;* "no ~s" „Wenden verboten".

V

V, v [vi:] *n* V *nt,* v *nt.*
vacancy ['veɪkənsɪ] *n* (*job*) offene Stelle; (*room*) freies Zimmer; **vacant** ['veɪkənt] *adj* leer; (*unoccupied*) frei; (*house*) leerstehend, unbewohnt; (*stupid*) gedankenleer; "~" (*on door*) „frei".
vacate [və'keɪt] *vt* (*seat*) frei machen; (*room*) räumen.
vacation [və'keɪʃən] *n* Ferien *pl,* Urlaub *m;* **vacationist** *n* (*US*) Urlauber(in) *m(f).*
vaccinate ['væksɪneɪt] *vt* impfen; **vaccination** [væksɪ'neɪʃən] *n* Impfung *f;* **vaccine** ['væksi:n] *n* Impfstoff *m.*
vacuum ['vækjʊm] *n* luftleerer Raum, Vakuum *nt;* **vacuum bottle** (*US*) *n* Thermosflasche *f;* **vacuum cleaner** *n* Staubsauger *m;* **vacuum flask** (*Brit*) *n* Thermosflasche *f;* **vacuum-packed** *adj* vakuumverpackt.
vagary ['veɪgərɪ] *n* Laune *f.*
vagina [və'dʒaɪnə] *n* Scheide *f,* Vagina *f.*
vagrant ['veɪgrənt] *n* Landstreicher(in) *m(f).*
vague [veɪg] *adj* unbestimmt, vage; (*outline*) verschwommen; (*absent-minded*) geistesabwesend; **vaguely** *adv* unbestimmt, vage; (*understand, correct*) ungefähr; **vagueness** *n* Unbestimmtheit *f,* Verschwommenheit *f.*
vain [veɪn] *adj* (*worthless*) eitel, nichtig; (*attempt*) vergeblich; (*conceited*) eitel, eingebildet; **in** ~ vergebens, umsonst; **vainly** *adv* vergebens, vergeblich; eitel, eingebildet.
valentine ['væləntaɪn] *n Freund(in), dem(der) man am Valentinstag einen Gruß schickt.*
valerian [və'lɪərɪən] *n* Baldrian *m.*
valiant *adj,* **valiantly** *adv* ['vælɪənt, -lɪ] tapfer.
valid ['vælɪd] *adj* gültig; (*argument*) stichhaltig; (*objection*) berechtigt; **validity** [və'lɪdɪtɪ] *n* Gültigkeit *f;* Stichhaltigkeit *f.*
valley ['vælɪ] *n* Tal *nt.*
valuable ['væljʊəbl] *adj* wertvoll; (*time*) kostbar; **valuables** *n pl* Wertsachen *pl.*
value ['vælju:] 1. *n* Wert *m;* (*usefulness*) Nutzen *m;* 2. *vt* (FIN: *estimate*) schätzen; **valued** *adj* hoch geschätzt; **valueless** *adj* wertlos; **valuer** *n* Schätzer(in) *m(f).*
valve [vælv] *n* Ventil *nt;* (BIO) Klappe *f;* (RADIO) Röhre *f.*
vampire ['væmpaɪə*] *n* Vampir *m.*
van [væn] *n* Lieferwagen *m,* Kombiwagen *m.*
vandal ['vændəl] *n* Rowdy *m;* **vandalism** *n* mutwillige Beschädigung, Vandalismus *m.*
vanilla [və'nɪlə] *n* Vanille *f.*
vanish ['vænɪʃ] *vi* verschwinden.
vanity ['vænɪtɪ] *n* Eitelkeit *f,* Einbildung *f;* **vanity case** *n* Schminkkoffer *m.*
vantage ['vɑ:ntɪdʒ] *n:* ~ **point** guter Aussichtspunkt.
vapor (*US*), **vapour** ['veɪpə*] *n* (*mist*) Dunst *m;* (*gas*) Dampf *m.*
variable ['vɛərɪəbl] *adj* wechselhaft, veränderlich; (*speed, height*) regulierbar.
variance ['vɛərɪəns] *n:* **to be at** ~ uneinig sein.
variant ['vɛərɪənt] *n* Variante *f.*
variation [vɛərɪ'eɪʃən] *n* Variation *f,* Veränderung *f;* (*of temperature, prices*) Schwankung *f.*
varicose ['værɪkəʊs] *adj;* ~ **veins** *pl* Krampfadern *pl.*
varied ['vɛərɪd] *adj* verschieden, unterschiedlich; (*life*) abwechslungsreich.
variety [və'raɪətɪ] *n* (*difference*) Abwechslung *f;* (*varied collection*) Vielfalt *f;* (COMM) Auswahl *f;* (*sort*) Sorte *f,* Art *f;* **variety show** *n* Varieté *nt.*
various ['vɛərɪəs] *adj* verschieden; (*several*) mehrere.
varnish ['vɑ:nɪʃ] 1. *n* Lack *m;* (*on pottery*) Glasur *f;* 2. *vt* lackieren; (*truth*) beschönigen.
vary ['vɛərɪ] 1. *vt* (*alter*) verändern; (*give variety to*) abwechslungsreicher gestalten; 2. *vi* sich verändern; (*prices*) schwanken; (*weather*) unterschiedlich sein; **to ~ from sth** sich von etw unterscheiden; **varying** *adj* unterschiedlich; veränderlich.
vase [vɑ:z] *n* Vase *f.*
vast [vɑ:st] *adj* weit, groß, riesig; **vastly** *adv* wesentlich; (*grateful, amused*) äußerst; **vastness** *n* Unermesslichkeit *f,*

Weite *f.*

vat [væt] *n* großes Fass.

VAT *n abbr of* **value added tax** Mehrwertsteuer, MwSt *f.*

Vatican ['vætɪkən] *n:* **the** ~ der Vatikan.

vaudeville ['vɔ:dəvɪl] *n* (*US*) Varietee *nt.*

vault [vɔ:lt] **1.** *n* (*of roof*) Gewölbe *nt;* (*tomb*) Gruft *f;* (*in bank*) Tresorraum *m;* (*leap*) Sprung *m;* **2.** *vt* überspringen.

vaunted ['vɔ:ntɪd] *adj* gerühmt, gepriesen.

VCR *n abbr of* **video cassette recorder** Videorecorder *m.*

VD *n abbr of* **venereal disease** Geschlechtskrankheit *f.*

VDU *n abbr of* **visual display unit** [Daten]sichtgerät *nt.*

veal [vi:l] *n* Kalbfleisch *nt.*

veer [vɪə*] *vi* sich drehen; (*car*) ausscheren.

vegetable ['vedʒətəbl] *n* Gemüse *nt;* (*plant*) Pflanze *f.*

vegetarian [vedʒɪ'tɛərɪən] **1.** *n* Vegetarier(in) *m(f);* **2.** *adj* vegetarisch.

vegetate ['vedʒɪteɪt] *vi* dahinvegetieren.

vegetation [vedʒɪ'teɪʃən] *n* Vegetation *f.*

vehemence ['vi:ɪməns] *n* Heftigkeit *f;* **vehement** *adj* heftig; (*feelings*) leidenschaftlich.

vehicle ['vi:ɪkl] *n* Fahrzeug *nt;* (*fig*) Mittel *nt;* **vehicular** [vɪ'hɪkjʊlə*] *adj* Fahrzeug-; (*traffic*) Kraft-.

veil [veɪl] **1.** *n* (*a. fig*) Schleier *m;* **2.** *vt* verschleiern.

vein [veɪn] *n* Ader *f;* (ANAT) Vene *f;* (*mood*) Stimmung *f.*

Velcro® ['velkrəʊ] *n* <-s> Klettverschluss *m.*

velocity [vɪ'lɒsətɪ] *n* Geschwindigkeit *f.*

velvet ['velvɪt] *n* Samt *m.*

vendetta [ven'detə] *n* Fehde *f;* (*in family*) Blutrache *f.*

vending machine ['vendɪŋməʃi:n] *n* Automat *m.*

vendor ['vendɔ:*] *n* (COMM) Verkäufer(in) *m(f).*

veneer [və'nɪə*] *n* Furnierholz *nt;* (*fig*) äußerer Anstrich.

venerable ['venərəbl] *adj* ehrwürdig.

venereal [vɪ'nɪərɪəl] *adj* (*disease*) Geschlechts-.

venetian [vɪ'ni:ʃən] *adj:* ~ **blind** Jalousie *f.*

vengeance ['vendʒəns] *n* Rache *f;* **with a** ~ gewaltig.

venison ['venɪsn] *n* Rehfleisch *nt.*

venom ['venəm] *n* Gift *nt;* **venomous** *adj,* **venomously** *adv* giftig, gehässig.

vent [vent] **1.** *n* Öffnung *f;* (*in coat*) Schlitz *m;* (*fig*) Ventil *nt;* **2.** *vt* (*emotion*) abreagieren.

ventilate ['ventɪleɪt] *vt* belüften; (*question*) erörtern; **ventilation** [ventɪ'leɪʃən] *n* Belüftung *f,* Ventilation *f;* **ventilator** ['ventɪleɪtə*] *n* Ventilator *m.*

ventriloquist [ven'trɪləkwɪst] *n* Bauchredner(in) *m(f).*

venture ['ventʃə*] **1.** *n* Unternehmung *f,* Projekt *nt;* **2.** *vt* wagen; (*life*) aufs Spiel setzen; **3.** *vi* sich wagen; **venture capital** *n* Beteiligungskapital *nt,* Risikoanlagekapital *nt.*

venue ['venju:] *n* Schauplatz *m;* (*meeting place*) Treffpunkt *m.*

verandah [və'rændə] *n* Veranda *f.*

verb [vɜ:b] *n* Zeitwort *nt,* Verb *nt;* **verbal** *adj* (*spoken*) mündlich; (*translation*) wörtlich; (*of a verb*) verbal, Verbal-; **verbally** *adv* mündlich; (*as a verb*) verbal; **verbatim** [vɜ:'beɪtɪm] **1.** *adv* wörtlich; **2.** *adj* wortwörtlich.

verbose [vɜ:'bəʊs] *adj* wortreich, langatmig.

verdict ['vɜ:dɪkt] *n* Urteil *nt.*

verge [vɜ:dʒ] **1.** *n* [Straßen]rand *m;* **2.** *vi:* **to** ~ **on** grenzen an *+akk;* **on the** ~ **of doing sth** im Begriff etw zu tun.

verification [verɪfɪ'keɪʃən] *n* Bestätigung *f;* (*checking*) Überprüfung *f;* (*proof*) Beleg *m.*

verify ['verɪfaɪ] *vt* überprüfen; (*confirm*) bestätigen; (*theory*) beweisen.

vermin ['vɜ:mɪn] *n* Ungeziefer *nt.*

vermouth ['vɜ:məθ] *n* Wermut *m.*

vernacular [və'nækjʊlə*] *n* Landessprache *f;* (*dialect*) Dialekt *m,* Mundart *f;* (*jargon*) Fachsprache *f.*

versatile ['vɜ:sətaɪl] *adj* vielseitig; **versatility** [vɜ:sə'tɪlɪtɪ] *n* Vielseitigkeit *f.*

verse [vɜ:s] *n* (*poetry*) Poesie *f;* (*stanza*) Strophe *f;* (*of Bible*) Vers *m;* **in** ~ in Versform; **versed** *adj:* ~ **in** bewandert in *+dat,* beschlagen in *+dat.*

version ['vɜ:ʃən] *n* Version *f;* (*of car*) Modell *nt.*

versus ['vɜ:səs] *prep* gegen.

vertebra ['vɜ:tɪbrə] *n* Rückenwirbel *m;* **vertebrate** ['vɜ:tɪbrət] *adj* (*animal*) Wirbel-.

vertical *adj,* **vertically** *adv* ['vɜ:tɪkəl, -lɪ] senkrecht, vertikal.

vertigo ['vɜ:tɪgəʊ] *n* <-s> Schwindel *m,*

Schwindelgefühl *nt.*

verve [vɜ:v] *n* Schwung *m.*

very ['verɪ] **1.** *adv* sehr; **2.** *adj* (*extreme*) äußerste(r, s); **the ~ book** genau das Buch; **at that ~ moment** gerade [*o* genau] in dem Augenblick; **at the ~ latest** allerspätestens; **the ~ same day** noch am selben Tag; **the ~ thought** der Gedanke allein, der bloße Gedanke.

vespers ['vespəz] *n pl* (REL) Vesper *f.*

vessel ['vesl] *n* (*ship*) Schiff *nt;* (*container, blood ~*) Gefäß *nt.*

vest [vest] **1.** *n* (*Brit*) Unterhemd *nt;* (*US: waistcoat*) Weste *f;* **2.** *vt:* **to ~ sb with sth** [*o* **sth in sb**] jdm etw verleihen; **vested** *adj:* **~ interests** *pl* finanzielle Beteiligung; (*people*) finanziell Beteiligte *pl;* (*fig*) persönliches Interesse.

vestibule ['vestɪbju:l] *n* Vorhalle *f.*

vestige ['vestɪdʒ] *n* Spur *f.*

vestry ['vestrɪ] *n* Sakristei *f.*

vet [vet] **1.** *n* Tierarzt(-ärztin) *m(f);* **2.** *vt* genau prüfen.

veteran ['vetərən] **1.** *n* Veteran(in) *m(f);* **2.** *adj* altgedient.

veterinary ['vetɪnərɪ] *adj* Veterinär-; **~ surgeon** Tierarzt(-ärztin) *m(f).*

veto ['vi:təʊ] **1.** *n* <-es> Veto *nt;* **2.** *vt* sein Veto einlegen gegen; **power of ~** Vetorecht *nt.*

vex [veks] *vt* ärgern; **vexed** *adj* verärgert; **vexing** *adj* ärgerlich.

VGA *n abbr of* **video graphics array**: **VGA card** VGA-Karte *f;* **VGA monitor** VGA-Monitor *m.*

VHF *n abbr of* **very high frequency** UKW.

via ['vaɪə] *prep* über *+akk.*

viability [vaɪə'bɪlɪtɪ] *n* (*of plan, scheme*) Durchführbarkeit *f;* (*of company*) Rentabilität *f;* (*of life forms*) Lebensfähigkeit *f;* **viable** ['vaɪəbl] *adj* (*plan*) realisierbar; (*company*) rentabel; (*plant, economy*) lebensfähig.

viaduct ['vaɪədʌkt] *n* Viadukt *m.*

vibrate [vaɪ'breɪt] *vi* zittern, beben; (*machine, string*) vibrieren; (*notes*) schwingen; **vibration** [vaɪ'breɪʃən] *n* Schwingung *f;* (*of machine*) Vibrieren *nt;* (*of voice, ground*) Beben *nt.*

vicar ['vɪkə*] *n* Pfarrer(in) *m(f);* **vicarage** *n* Pfarrhaus *nt.*

vice [vaɪs] **1.** *n* (*evil*) Laster *nt;* (TECH) Schraubstock *m;* **2.** *pref:* **~-chairman** stellvertretender Vorsitzender; **~-president** Vizepräsident(in) *m(f).*

vice versa ['vaɪs'vɜ:sə] *adv* umgekehrt.

vicinity [vɪ'sɪnɪtɪ] *n* Umgebung *f;* (*closeness*) Nähe *f.*

vicious ['vɪʃəs] *adj* gemein, böse; **~ circle** Teufelskreis *m;* **viciousness** *n* Bösartigkeit *f,* Gemeinheit *f.*

vicissitudes [vɪ'sɪsɪtju:dz] *n pl* Wandel *m.*

victim ['vɪktɪm] *n* Opfer *nt;* **victimization** [vɪktɪmaɪ'zeɪʃən] *n* Benachteiligung *f;* **victimize** *vt* benachteiligen.

victor ['vɪktə*] *n* Sieger(in) *m(f).*

Victorian [vɪk'tɔ:rɪən] *adj* viktorianisch; (*fig*) sittenstreng.

victorious [vɪk'tɔ:rɪəs] *adj* siegreich.

victory ['vɪktərɪ] *n* Sieg *m.*

video ['vɪdɪəʊ] **1.** *adj* Video-; **2.** *n* <-s> Video *nt;* (*recorder*) Videogerät *nt,* Videorecorder *m;* **video camera** *n* Videokamera *f;* **video cassette** *n* Videokassette *f;* **video clip** *n* Videoclip *m;* **video conferencing** *n* Videokonferenzsystem *nt;* **video disc** *n* Bildplatte *f;* **~ player** Bildplattenspieler *m;* **video game** *n* Videospiel *nt,* Telespiel *nt;* **video nasty** *n* *Video mit grausamen Gewaltszenen und/ oder pornografischen Inhalts;* **video on demand** *n* Video-on-Demand *nt;* **video player** *n* Videogerät *nt;* **video-record** *vt* auf Video aufnehmen; **video recorder** *n* Videorecorder *m;* **video surveillance** *n* Videoüberwachung *f;* **videotape** **1.** *n* Videoband *nt;* **2.** *vt* auf Video aufnehmen; **~ library** Videothek *f;* **videotex®** *n* Bildschirmtext *m.*

vie [vaɪ] *vi* wetteifern.

Vietnam [vjet'næm] *n* Vietnam *nt.*

view [vju:] **1.** *n* (*sight*) Sicht *f,* Blick *m;* (*scene*) Aussicht *f;* (*opinion*) Ansicht *f,* Meinung *f;* (*intention*) Absicht *f;* **2.** *vt* (*situation*) betrachten; (*house*) besichtigen; **to have sth in ~** etw beabsichtigen; **in ~ of** wegen *+gen,* angesichts *+gen;* **viewdata** *n* Bildschirmtext *m;* **viewer** *n* (*viewfinder*) Sucher *m;* (PHOT: *small projector*) Gucki *m;* (TV) Zuschauer *m;* **viewfinder** *n* Sucher *m;* **viewpoint** *n* Standpunkt *m.*

vigil ['vɪdʒɪl] *n* Nachtwache *f.*

vigilance ['vɪdʒɪləns] *n* Wachsamkeit *f;* **vigilant** *adj* wachsam; **vigilantly** *adv* aufmerksam.

vigor ['vɪgə*] *n* (*US*) *s.* **vigour**.

vigorous *adj,* **vigorously** *adv* ['vɪgərəs, -lɪ] kräftig; (*protest*) energisch, heftig.

vigour ['vɪgə*] *n* Kraft *f,* Vitalität *f;* (*of protest*) Heftigkeit *f.*

vile [vaɪl] *adj* (*mean*) gemein; (*foul*) abscheulich.
vilify ['vɪlɪfaɪ] *vt* verleumden.
villa ['vɪlə] *n* Villa *f.*
village ['vɪlɪdʒ] *n* Dorf *nt;* **villager** *n* Dorfbewohner(in) *m(f).*
villain ['vɪlən] *n* Schurke *m,* Schurkin *f,* Bösewicht *m.*
vindicate ['vɪndɪkeɪt] *vt* rechtfertigen; (*clear*) rehabilitieren.
vindictive [vɪn'dɪktɪv] *adj* nachtragend; rachsüchtig.
vine [vaɪn] *n* Rebstock *m,* Rebe *f.*
vinegar ['vɪnɪgə*] *n* Essig *m.*
vineyard ['vɪnjəd] *n* Weinberg *m.*
vintage ['vɪntɪdʒ] *n* (*of wine*) Jahrgang *m;* **vintage car** *n* Vorkriegsmodell *nt;* **vintage wine** *n* edler Wein; **vintage year** *n* besonderes Jahr.
vinyl ['vaɪnɪl] *n* Vinyl *nt,* PVC *nt.*
viola [vɪ'əʊlə] *n* Bratsche *f.*
violate ['vaɪəleɪt] *vt* (*promise*) brechen; (*law*) übertreten; (*rights, rule, neutrality*) verletzen; (*sanctity, woman*) schänden; **violation** [vaɪə'leɪʃən] *n* Verletzung *f,* Übertretung *f;* (*rape*) Vergewaltigung *f.*
violence ['vaɪələns] *n* (*force*) Heftigkeit *f;* (*brutality*) Gewalttätigkeit *f;* **violent** *adj,* **violently** *adv* (*strong*) heftig; (*brutal*) gewalttätig, brutal; (*contrast*) krass; (*death*) gewaltsam; **violent crime** *n* Gewaltverbrechen *nt;* **violently** *adv* (*strong*) heftig; (*brutal*) gewalttätig, brutal; (*contrast*) krass; (*death*) gewaltsam.
violet ['vaɪələt] **1.** *n* Veilchen *nt;* **2.** *adj* veilchenblau, violett.
violin [vaɪə'lɪn] *n* Geige *f,* Violine *f.*
VIP *n abbr of* **very important person** prominente Persönlichkeit, VIP *mf.*
viper ['vaɪpə*] *n* Viper *f;* (*fig*) Schlange *f.*
virgin ['vɜːdʒɪn] **1.** *n* Jungfrau *f;* **2.** *adj* jungfräulich, unberührt; **virginity** [vɜː'dʒɪnɪtɪ] *n* Unschuld *f.*
Virgo ['vɜːgəʊ] *n* <-s> (ASTR) Jungfrau *f.*
virile ['vɪraɪl] *adj* männlich; (*fig*) kraftvoll; **virility** [vɪ'rɪlɪtɪ] *n* Männlichkeit *f.*
virtual ['vɜːtjʊəl] *adj* eigentlich; **it was a ~ disaster** es war geradezu eine Katastrophe; **virtually** *adv* praktisch, fast; **virtual reality** *n* (COMPUT) virtuelle Realität.
virtue ['vɜːtjuː] *n* (*moral goodness*) Tugend *f;* (*good quality*) Vorteil *m,* Vorzug *m;* **by ~ of** aufgrund *+gen.*
virtuoso [vɜːtjʊ'əʊzəʊ] *n* <-s> Virtuose *m,* Virtuosin *f.*
virtuous ['vɜːtjʊəs] *adj* tugendhaft.
virulence ['vɪrjʊləns] *n* Bösartigkeit *f;* **virulent** *adj* (*poisonous*) bösartig; (*bitter*) scharf, geharnischt.
virus ['vaɪrəs] *n* Virus *nt.*
visa ['viːzə] *n* Visum *nt,* Sichtvermerk *m.*
vis-à-vis ['viːzəviː] *prep* gegenüber.
visibility [vɪzɪ'bɪlɪtɪ] *n* Sichtbarkeit *f;* (METEO) Sichtweite *f;* **visible** ['vɪzəbl] *adj* sichtbar; **visibly** *adv* sichtlich.
vision ['vɪʒən] *n* (*ability*) Sehvermögen *nt;* (*foresight*) Weitblick *m;* (*in dream, image*) Vision *f;* **visionary 1.** *n* Hellseher(in) *m(f);* (*dreamer*) Phantast(in) *m(f);* **2.** *adj* phantastisch.
visit ['vɪzɪt] **1.** *n* Besuch *m;* **2.** *vt* besuchen; (*town, country*) fahren nach; **visiting** *adj* (*professor*) Gast-; **~ card** Visitenkarte *f;* **~ hours** *pl* Besuchszeiten *pl;* **visitor** *n* (*in house*) Besucher(in) *m(f);* (*in hotel*) Gast *m;* **~'s book** Gästebuch *nt.*
visor ['vaɪzə*] *n* Visier *nt;* (*on cap*) Schirm *m;* (AUT) Blende *f.*
vista ['vɪstə] *n* Aussicht *f.*
visual ['vɪzjʊəl] *adj* Seh-, visuell; **~ aid** Anschauungsmaterial *nt;* **~ display unit** Bildschirm *m,* Datensichtgerät *nt;* **visualize** *vt* (*imagine*) sich *dat* vorstellen; (*expect*) erwarten; **visually** *adv* visuell.
vital ['vaɪtl] *adj* (*important*) unerlässlich; (*necessary for life*) Lebens-, lebenswichtig; (*lively*) vital; **vitality** [vaɪ'tælɪtɪ] *n* Vitalität *f,* Lebendigkeit *f;* **vitally** *adv* äußerst, ungeheuer.
vitamin ['vɪtəmɪn] *n* Vitamin *nt.*
vivacious [vɪ'veɪʃəs] *adj* lebhaft; **vivacity** [vɪ'væsɪtɪ] *n* Lebhaftigkeit *f,* Lebendigkeit *f.*
vivid *adj,* **vividly** *adv* ['vɪvɪd, -lɪ] (*graphic*) lebendig; deutlich; (*memory*) lebhaft; (*bright*) leuchtend.
vivisection [vɪvɪ'sekʃən] *n* Vivisektion *f.*
vocabulary [vəʊ'kæbjʊlərɪ] *n* Wortschatz *m,* Vokabular *nt.*
vocal ['vəʊkəl] *adj* Stimm-; (*music*) Vokal-; (*group*) Gesangs-; (*fig*) lautstark; **~ cord** Stimmband *nt;* **vocalist** *n* Sänger(in) *m(f).*
vocation [vəʊ'keɪʃən] *n* (*calling*) Berufung *f;* **vocational** *adj* Berufs-.
vociferous *adj,* **vociferously** *adv* [vəʊ'sɪfərəs, -lɪ] lautstark.
vodka ['vɒdkə] *n* Wodka *m.*
vogue [vəʊg] *n* Mode *f.*
voice [vɔɪs] **1.** *n* Stimme *f;* (*fig*) Mitspracherecht *nt;* **2.** *vt* äußern; **active/passive ~** (LING) Aktiv *nt*/Passiv *nt;* **with**

one ~ einstimmig; **voiced consonant** *n* stimmhafter Konsonant; **voiceless consonant** *n* stimmloser Konsonant.

void [vɔɪd] **1.** *n* Leere *f;* **2.** *adj* (*empty*) leer; (*lacking*) ohne (*of akk*), bar (*of gen*); (JUR) ungültig; *s. a.* **null**.

volatile ['vɒlətaɪl] *adj* (*gas*) flüchtig; (*person*) impulsiv; (*situation*) brisant.

volcanic [vɒl'kænɪk] *adj* vulkanisch, Vulkan-.

volcano [vɒl'keɪnəʊ] *n* <-es> Vulkan *m.*

volition [və'lɪʃən] *n* Wille *m;* **of one's own** ~ aus freiem Willen.

volley ['vɒlɪ] *n* (*of guns*) Salve *f;* (*of stones*) Hagel *m;* (*of words*) Schwall *m;* (TENNIS) Flugball *m;* **volleyball** *n* Volleyball *m.*

volt [vəʊlt] *n* Volt *nt;* **voltage** *n* Voltspannung *f;* ~ **detector** Spannungsprüfer *m.*

voluble ['vɒljʊbl] *adj* (*pej*) redselig.

volume ['vɒlju:m] *n* (*book*) Band *m;* (*size*) Umfang *m;* (*space*) Rauminhalt *m,* Volumen *nt;* (*of sound*) Lautstärke *f.*

voluntarily *adv* ['vɒləntərɪlɪ] freiwillig; **voluntary** *adj* ['vɒləntərɪ] freiwillig; ~ **service overseas** (*Brit*) Entwicklungsdienst *m.*

volunteer [vɒlən'tɪə*] **1.** *n* Freiwillige(r) *mf;* **2.** *vi* sich freiwillig melden; **3.** *vt* anbieten.

voluptuous [və'lʌptjʊəs] *adj* sinnlich, wollüstig.

vomit ['vɒmɪt] **1.** *n* Erbrochene(s) *nt;* (*act*) Erbrechen *nt;* **2.** *vt* speien; **3.** *vi* sich übergeben.

vote [vəʊt] **1.** *n* Stimme *f;* (*ballot*) Wahl *f,* Abstimmung *f;* (*result*) Wahlergebnis *nt,* Abstimmungsergebnis *nt;* (*right to vote*) Wahlrecht *nt;* **2.** *vt, vi* wählen; **voter** *n* Wähler(in) *m(f);* **voting** *n* Wahl *f;* **low** ~ geringe Wahlbeteiligung.

voucher ['vaʊtʃə*] *n* Gutschein *m.*

vouch for ['vaʊtʃ fɔ:*] *vt* bürgen für.

vow [vaʊ] **1.** *n* Versprechen *nt;* (REL) Gelübde *nt;* **2.** *vt* geloben; (*vengeance*) schwören.

vowel ['vaʊəl] *n* Vokal *m,* Selbstlaut *m.*

voyage ['vɔɪɪdʒ] *n* Reise *f.*

VR *n abbr of* **virtual reality**.

vulgar ['vʌlgə*] *adj* (*rude*) vulgär; (*of common people*) allgemein, Volks-; **vulgarity** [vʌl'gærɪtɪ] *n* Gewöhnlichkeit *f,* Vulgarität *f.*

vulnerability [vʌlnərə'bɪlɪtɪ] *n* Verletzlichkeit *f;* **vulnerable** ['vʌlnərəbl] *adj* (*easily injured*) verwundbar; (*sensitive*) verletzlich.

vulture ['vʌltʃə*] *n* (*a. fig*) Geier *m.*

W

W, w ['dʌblju:] *n* W *nt,* w *nt.*

wad [wɒd] *n* (*bundle*) Bündel *nt;* (*of paper*) Stoß *m;* (*of money*) Packen *m.*

wade [weɪd] *vi* waten.

wafer ['weɪfə*] *n* Waffel *f;* (REL) Hostie *f;* (COMPUT) Chip *m,* Siliziumplättchen *nt.*

waffle ['wɒfl] **1.** *n* Waffel *f;* (*fam: empty talk*) Geschwafel *nt;* **2.** *vi* (*fam*) schwafeln.

waft [wɒft] *vt, vi* wehen.

wag [wæg] **1.** *vt* (*tail*) wedeln mit; **2.** *vi* (*tail*) wedeln; **her tongue never stops** ~**ging** ihr Mund steht nie still.

wage [weɪdʒ] **1.** *n* Arbeitslohn *m;* **2.** *vt* (*war*) führen; ~**s** *pl* Lohn *m;* **wage claim** *n* Lohnforderung *f;* **wage earner** *n* Lohnempfänger(in) *m(f);* **wage freeze** *n* Lohnstopp *m.*

wager ['weɪdʒə*] **1.** *n* Wette *f;* **2.** *vt, vi* wetten.

waggle ['wægl] **1.** *vt* (*tail*) wedeln mit; **2.** *vi* wedeln.

waggon ['wægən] *n* (*horse-drawn*) Fuhrwerk *nt;* (*US* AUT) Wagen *m;* (*Brit* RAIL) Waggon *m.*

wail [weɪl] **1.** *n* Wehgeschrei *nt;* **2.** *vi* wehklagen, jammern.

waist [weɪst] *n* Taille *f;* **waistcoat** *n* Weste *f;* **waistline** *n* Taille *f.*

wait [weɪt] **1.** *n* Wartezeit *f;* **2.** *vi* warten (*for* auf +*akk*); ~ **and see!** abwarten!; **to** ~ **for sb to do sth** darauf warten, dass jd etw tut; **to** ~ **at table** servieren; **waiter** *n* Kellner *m;* (*as address*) Herr Ober; **waiting list** *n* Warteliste *f;* **waiting room** *n* (MED) Wartezimmer *nt;* (RAIL) Wartesaal *m;* **waitress** *n* Kellnerin *f;* (*as address*) Fräulein *nt.*

waive [weɪv] *vt* verzichten auf +*akk.*

wake [weɪk] <woke *o* waked, woken *o* waked> **1.** *vt* wecken; **2.** *vi* aufwachen; **3.** *n* (NAUT) Kielwasser *nt;* (*for dead*) Totenwache *f;* **in the** ~ **of** unmittelbar nach; **to** ~ **up to sth** (*fig*) sich *dat* einer Sache *gen* bewusst werden; **waken** *vt* aufwecken.

Wales ['weɪlz] *n* Wales *nt.*

walk [wɔ:k] **1.** *n* Spaziergang *m;* (*way of*

walking) Gang *m;* (*route*) Weg *m;* **2.** *vi* gehen; (*stroll*) spazieren gehen; (*longer*) wandern; **to take sb for a ~** mit jdm einen Spaziergang machen; **a 10-minute ~** 10 Minuten zu Fuß; **~s of life** *pl* Lebensbereiche *pl;* **walkabout** *n* Bad *nt* in der Menge; **walker** *n* Spaziergänger(in) *m(f);* (*hiker*) Wanderer *m,* Wandrerin *f;* **walkie-talkie** *n* Handfunksprechgerät *nt,* Walkie-Talkie *nt;* **walking 1.** *n* Gehen *nt;* Spazierengehen *nt;* Wandern *nt;* **2.** *adj* Wander-; **~ stick** Spazierstock *m;* **walkout** *n* Streik *m;* **walkover** *n* (*fam*) leichter Sieg.

wall [wɔːl] *n* (*inside*) Wand *f;* (*outside*) Mauer *f;* **walled** *adj* von Mauern umgeben.

wallet ['wɒlɪt] *n* Brieftasche *f.*

wallow ['wɒləʊ] *vi* sich wälzen [*o* suhlen].

wallpaper ['wɔːlpeɪpə*] *n* Tapete *f.*

walnut ['wɔːlnʌt] *n* Walnuss *f;* (*tree*) Walnussbaum *m;* (*wood*) Nussbaumholz *nt.*

walrus ['wɔːlrəs] *n* Walross *nt.*

waltz [wɔːlts] **1.** *n* Walzer *m;* **2.** *vi* Walzer tanzen.

wan [wɒn] *adj* bleich.

wand [wɒnd] *n* Stab *m.*

wander ['wɒndə*] *vi* (*roam*) herumwandern; (*fig*) abschweifen; **wanderer** *n* Wanderer *m,* Wandrerin *f;* **wandering** *adj* umherziehend; (*thoughts*) abschweifend.

wane [weɪn] *vi* abnehmen; (*fig*) schwinden.

want [wɒnt] **1.** *n* (*lack*) Mangel *m* (*of* an *+dat*); (*need*) Bedürfnis *nt;* **2.** *vt* (*need*) brauchen; (*desire*) wollen; (*lack*) nicht haben; **I ~ to go** ich will gehen; **he ~s confidence** ihm fehlt das Selbstvertrauen; **for ~ of** aus Mangel an *+dat,* mangels *+gen.*

wanton ['wɒntən] *adj* mutwillig, zügellos.

war [wɔː*] *n* Krieg *m.*

ward [wɔːd] *n* (*in hospital*) Station *f;* (*child*) Mündel *nt;* (*of city*) Bezirk *m;* **ward off** *vt* abwenden, abwehren.

warden ['wɔːdən] *n* (*guard*) Wache *f,* Wachposten *m;* (*in youth hostel*) Herbergsvater(-mutter) *m(f);* (*traffic ~*) Verkehrspolizist(in) *m(f),* Politesse *f;* (SCH) Heimleiter(in) *m(f).*

warder ['wɔːdə*] *n* Gefängniswärter(in) *m(f).*

wardrobe ['wɔːdrəʊb] *n* Kleiderschrank *m;* (*clothes*) Garderobe *f.*

warehouse ['wɛəhaʊs] *n* Lagerhaus *nt.*

warfare ['wɔːfɛə*] *n* Krieg *m,* Kriegsführung *f;* **warhead** *n* Sprengkopf *m,* Gefechtskopf *m.*

warily ['wɛərɪlɪ] *adv* vorsichtig.

warlike ['wɔːlaɪk] *adj* kriegerisch.

warm [wɔːm] **1.** *adj* warm; (*welcome*) herzlich; **2.** *vt, vi* wärmen; **warm up 1.** *vt* aufwärmen; **2.** *vi* warm werden; **warm-hearted** *adj* warmherzig; **warmly** *adv* warm; herzlich; **warm start** *n* (COMPUT) Warmstart *m;* **warmth** *n* Wärme *f;* Herzlichkeit *f.*

warn [wɔːn] *vt* warnen (*of, against* vor *+dat*); **warning** *n* Warnung *f;* **without ~** unerwartet; **warning light** *n* Warnlicht *nt;* **warning triangle** *n* (AUT) Warndreieck *nt.*

warp [wɔːp] *vt* verziehen; **warped** *adj* wellig; (*fig*) pervers.

warrant ['wɒrənt] *n* Haftbefehl *m.*

warranty ['wɒrəntɪ] *n* Garantie *f.*

warrior ['wɒrɪə*] *n* Krieger *m.*

warship ['wɔːʃɪp] *n* Kriegsschiff *nt.*

wart [wɔːt] *n* Warze *f.*

wartime ['wɔːtaɪm] *n* Kriegszeit *f,* Krieg *m.*

wary ['wɛərɪ] *adj* vorsichtig; (*suspicious*) misstrauisch.

was [wɒz, wəz] *pt of* **be.**

wash [wɒʃ] **1.** *n* Wäsche *f;* **2.** *vt* waschen; (*dishes*) abwaschen; **3.** *vi* sich waschen; (*do washing*) waschen; **to give sth a ~** etw waschen; **to have a ~** sich waschen; **wash away** *vt* abwaschen, wegspülen; **washable** *adj* waschbar; **washbag** *n* (*US*) Kulturbeutel *m;* **washbasin** *n* Waschbecken *nt;* **wash cloth** *n* (*US*) Waschlappen *m;* **washer** *n* (TECH) Dichtungsring *m;* (*machine*) Waschmaschine *f;* (*dish~*) Spülmaschine *f;* **washing** *n* Wäsche *f;* **washing machine** *n* Waschmaschine *f;* **washing powder** *n* Waschpulver *nt;* **washing-up** *n* Abwasch *m;* **washing-up liquid** *n* Geschirrspülmittel *nt;* **wash-out** *n* (*fam: event*) Reinfall *m;* (*person*) Niete *f;* **washroom** *n* Waschraum *m.*

wasn't ['wɒznt] = **was not.**

wasp [wɒsp] *n* Wespe *f.*

WASP [wɒsp] *n* (*US*) *acr of* **White Anglo-Saxon Protestant.**

wastage ['weɪstɪdʒ] *n* Verlust *m;* **natural ~** Verschleiß *m.*

waste [weɪst] **1.** *n* (*wasting*) Verschwendung *f;* (*materials*) Abfall *m;* **2.** *adj* (*useless*) überschüssig, Abfall-; **3.** *vt* (*materi-*

als) verschwenden; (*time, life*) vergeuden; **4.** *vi* (*also:* ~ **away**) verfallen; ~**s** *pl* Einöde *f;* **wasteful** *adj,* **wastefully** *adv* verschwenderisch; (*process*) aufwendig; **wasteland** *n* Ödland *nt;* **waste management** *n* Entsorgung *f;* **wastepaper basket** *n* Papierkorb *m;* **waste water** *n* Abwasser *nt.*

watch [wɒtʃ] **1.** *n* Wache *f;* (*for time*) Uhr *f;* **2.** *vt* ansehen; (*observe*) beobachten; (*be careful of*) aufpassen auf +*akk;* (*guard*) bewachen; **3.** *vi* zusehen; (*guard*) Wache halten; **to ~ for sb/sth** nach jdm/etw Ausschau halten; **to ~ TV** fernsehen; **to ~ sb doing sth** jdm bei etw zuschauen; **~ it!** pass bloß auf!; **~ out!** pass auf!; **to be on the ~ for sth** auf etw *akk* aufpassen; **watchdog** *n* Wachhund *m;* (*fig*) Aufpasser(in) *m(f);* **watchful** *adj* wachsam; **watchmaker** *n* Uhrmacher(in) *m(f);* **watchman** *n* <watchmen> Nachtwächter *m;* **watch strap** *n* Uhrarmband *nt.*

water ['wɔːtə*] **1.** *n* Wasser *nt;* **2.** *vt* begießen; (*river*) bewässern; (*horses*) tränken; **3.** *vi* (*eye*) tränen; **my mouth is ~ing** mir läuft das Wasser im Mund zusammen; ~**s** *pl* Gewässer *nt;* **water down** *vt* verwässern; **water cannon** *n* Wasserwerfer *m;* **water closet** *n* Wasserklosett *nt;* **watercolor** (*US*), **watercolour** *n* (*painting*) Aquarell *nt;* (*paint*) Wasserfarbe *f;* **watercress** *n* Brunnenkresse *f;* **waterfall** *n* Wasserfall *m;* **water hole** *n* Wasserloch *nt;* **watering can** *n* Gießkanne *f;* **water level** *n* Wasserstand *m;* **waterlily** *n* Seerose *f;* **waterline** *n* Wasserlinie *f;* **waterlogged** *adj* (*ground*) voll Wasser; (*wood*) mit Wasser vollgesogen; **watermelon** *n* Wassermelone *f;* **water polo** *n* Wasserballspiel *nt;* **waterproof** *adj* wasserdicht; **watershed** *n* Wasserscheide *f;* **water-skiing** *n* Wasserschilaufen *nt;* **to go ~** Wasserschilaufen gehen; **watertight** *adj* wasserdicht; **waterworks** *n pl o sing* Wasserwerk *nt;* **watery** *adj* wässerig.

watt [wɒt] *n* Watt *nt.*

wave [weɪv] **1.** *n* Welle *f;* (*with hand*) Winken *nt;* **2.** *vt* (*move to and fro*) schwenken; (*hand, flag*) winken mit; (*hair*) wellen; **3.** *vi* (*person*) winken; (*flag*) wehen; (*hair*) sich wellen; **to ~ to sb** jdm zuwinken; **to ~ sb goodbye** jdm zum Abschied winken; **wavelength** *n* (*a. fig*) Wellenlänge *f;* **wave power** *n* Wellenkraft *f.*

waver ['weɪvə*] *vi* (*hesitate*) schwanken; (*flicker*) flackern.

wavy ['weɪvɪ] *adj* wellig.

wax [wæks] **1.** *n* Wachs *nt;* (*sealing ~*) Siegellack *m;* (*in ear*) Ohrenschmalz *nt;* **2.** *vt* (*floor*) einwachsen; **3.** *vi* (*moon*) zunehmen; **waxworks** *n pl o sing* Wachsfigurenkabinett *nt.*

way [weɪ] *n* Weg *m;* (*road also*) Straße *f;* (*method*) Art und Weise *f,* Methode *f;* (*direction*) Richtung *f;* (*habit*) Eigenart *f,* Gewohnheit *f;* (*distance*) Entfernung *f;* (*condition*) Zustand *m;* **a long ~ away** [*o* **off**] weit weg; **to lose one's ~** sich verirren; **to make ~ for sb/sth** jdm/einer Sache Platz machen; **to be in a bad ~** schlecht dransein; **to get one's own ~** seinen Willen bekommen; **do it this ~** machen Sie es so; **give ~** (AUT) Vorfahrt achten!; **~ of thinking** Meinung *f;* **one ~ or another** irgendwie; **under ~** im Gange; **in a ~** in gewisser Weise; **in the ~** im Wege; **by the ~** übrigens; **by ~ of** (*via*) über +*akk;* (*in order to*) um … zu; (*instead of*) als; **"~ in"** „Eingang“; **"~ out"** „Ausgang“; **waylay** *irr vt* auflauern +*dat;* **wayward** *adj* eigensinnig.

we [wiː] *pron* wir.

weak *adj* [wiːk] schwach; **weaken 1.** *vt* schwächen, entkräften; **2.** *vi* schwächer werden; nachlassen; **weakling** *n* Schwächling *m;* **weakly** *adv* [wiːklɪ] schwach; **weakness** *n* Schwäche *f.*

wealth [welθ] *n* Reichtum *m;* (*abundance*) Fülle *f;* **wealthy** *adj* reich.

wean [wiːn] *vt* entwöhnen.

weapon ['wepən] *n* Waffe *f.*

wear [wɛə*] <wore, worn> **1.** *vt* (*have on*) tragen; (*smile etc*) haben; (*use*) abnutzen; **2.** *vi* (*last*) halten; (*become old*) verschleißen; (*clothes*) sich abtragen; **3.** *n* (*clothing*) Kleidung *f;* (*use*) Verschleiß *m;* **~ and tear** Abnutzung *f,* Verschleiß *m;* **wear away 1.** *vt* verbrauchen; **2.** *vi* schwinden; **wear down** *vt* (*people*) zermürben; **wear off** *vi* sich verlieren; **wear out** *vt* verschleißen; (*person*) erschöpfen; **wearer** *n* Träger(in) *m(f).*

wearily ['wɪərɪlɪ] *adv* müde; **weariness** *n* Müdigkeit *f;* **weary 1.** *adj* (*tired*) müde; (*tiring*) ermüdend; **2.** *vt* ermüden; **3.** *vi* überdrüssig werden (*of gen*).

weasel ['wiːzl] *n* Wiesel *nt.*

weather ['weðə*] **1.** *n* Wetter *nt;* **2.** *vt*

verwittern lassen; (*resist*) überstehen; **under the ~** (*fig: ill*) angeschlagen, mitgenommen; **weather-beaten** *adj* verwittert; (*skin*) wettergegerbt; **weathercock** *n* Wetterhahn *m;* **weather forecast** *n* Wettervorhersage *f.*

weave [wi:v] <wove *o* weaved, woven *o* weaved> *vt* weben; **to ~ one's way through sth** sich durch etw durchschlängeln; **weaver** *n* Weber(in) *m(f);* **weaving** *n* Weben *nt,* Weberei *f.*

web [web] *n* Netz *nt;* (*membrane*) Schwimmhaut *f;* **webbed** *adj* Schwimm-, schwimmhäutig; **webbing** *n* Gewebe *nt.*

web browser *n* Websurfprogramm *nt;* **web page** *n* Webseite *f;* **websurfer** *n* Websurfer(in) *m(f).*

wed [wed] <wed *o* wedded, wed *o* wedded> *vt* heiraten.

we'd [wi:d] = **we had; we would.**

wedding ['wedɪŋ] *n* Hochzeit *f;* **wedding day** *n* Hochzeitstag *m;* **wedding present** *n* Hochzeitsgeschenk *nt;* **wedding ring** *n* Trauring *m,* Ehering *m.*

wedge [wedʒ] **1.** *n* Keil *m;* (*of cheese etc*) Stück *nt;* **2.** *vt* (*fasten*) festklemmen; (*pack tightly*) einkeilen.

Wednesday ['wenzdeɪ] *n* Mittwoch *m;* **on ~** am Mittwoch; **on ~s, on a ~** mittwochs.

wee [wi:] *adj* (*esp Scot*) klein, winzig.

weed [wi:d] **1.** *n* Unkraut *nt;* **2.** *vt* jäten; **weed-killer** *n* Unkrautvertilgungsmittel *nt.*

week [wi:k] *n* Woche *f;* **a ~ today** heute in einer Woche; **weekday** *n* Wochentag *m;* **weekend** *n* Wochenende *nt;* **weekly** *adj, adv* wöchentlich; (*wages, magazine*) Wochen-.

weep [wi:p] <wept, wept> *vi* weinen.

weigh [weɪ] *vt, vi* wiegen; **weigh down** *vt* niederdrücken; **weigh up** *vt* prüfen, abschätzen; **weighbridge** *n* Brückenwaage *f.*

weight [weɪt] *n* Gewicht *nt;* **to lose/put on ~** ab-/zunehmen; **weighting** *n* (*allowance*) Zulage *f;* **weightlessness** *n* Schwerelosigkeit *f;* **weight-lifter** *n* Gewichtheber(in) *m(f);* **weighty** *adj* (*heavy*) gewichtig; (*important*) schwerwiegend.

weir [wɪə*] *n* Stauwehr *nt.*

weird [wɪəd] *adj* seltsam.

welcome ['welkəm] **1.** *n* Willkommen *nt,* Empfang *m;* **2.** *vt* begrüßen; **welcoming** *adj* Begrüßungs-; (*nice*) freundlich.

weld [weld] **1.** *n* Schweißnaht *f;* **2.** *vt* schweißen; **welder** *n* Schweißer(in) *m(f);* **welding** *n* Schweißen *nt.*

welfare ['welfɛə*] *n* Wohl *nt;* (*social*) Fürsorge *f;* **welfare payments** *n pl* Sozialhilfeleistungen *pl;* **welfare state** *n* Wohlfahrtsstaat *m.*

well [wel] **1.** *n* Brunnen *m;* (*oil ~*) Quelle *f;* **2.** *adj* (*in good health*) gesund; **3.** *interj* nun, na schön; (*starting conversation*) nun, tja; **4.** *adv* gut; **~, ~!** na, na!; **are you ~?** geht es Ihnen gut?; **~ over 40** weit über 40; **it may ~ be** es kann wohl sein; **it would be as ~ to ...** es wäre wohl gut zu ...; **you did ~ not to ...** Sie haben gut daran getan nicht zu ...; **very ~** (*O.K.*) nun gut.

we'll [wi:l] = **we will; we shall.**

well-behaved [welbɪ'heɪvd] *adj* wohlerzogen; **well-being** *n* Wohl *nt,* Wohlergehen *nt;* **well-built** *adj* kräftig gebaut; **well-developed** *adj* (*muscle*) gut entwickelt; (*economy*) hoch entwickelt; (*sense*) [gut] ausgeprägt; **well-earned** *adj* (*rest*) wohlverdient; **well-heeled** *adj* (*fam: wealthy*) betucht.

wellingtons ['welɪŋtənz] *n pl* Gummistiefel *pl.*

well-known [wel'nəʊn] *adj* (*person*) weithin bekannt; **well-meaning** *adj* (*person*) wohlmeinend; (*action*) gutgemeint; **wellness** *n* Wellness *f;* **well-off** *adj* gut situiert; **well-read** [wel'red] *adj* belesen; **well-to-do** *adj* wohlhabend.

Welsh [welʃ] **1.** *adj* walisisch; **2.** *n:* **the ~** *pl* die Waliser *pl;* **~ rarebit** überbackene Käseschnitte; **Welshman** *n* <Welshmen> Waliser *m;* **Welshwoman** *n* <Welshwomen> Waliserin *f.*

went [went] *pt of* **go.**

wept [wept] *pt, pp of* **weep.**

were [wɜ:*] *pt pl of* **be.**

we're [wɪə*] = **we are.**

weren't [wɜ:nt] = **were not.**

west [west] **1.** *n* Westen *m;* **2.** *adj* West-, westlich; **3.** *adv* nach Westen; **~ of** westlich von; **the West** (POL, GEO) der Westen; **the West Bank** (*in the Middle East*) das Westjordanland, die West Bank; **westerly** *adj* westlich; **western 1.** *adj* westlich; **Western Germany** Westdeutschland *nt,* die alten Bundesländer *pl;* **Western Europe** Westeuropa *nt;* **Western European Time** Westeuropäische Zeit, WEZ *f;* **2.** *n* (CINE) Western *m;* **westwards**

['westwədz] *adv* nach Westen, westwärts.

wet [wet] *adj* nass; ~ **blanket** (*fig*) Miesmacher(in) *m(f)*; **"~ paint"** „frisch gestrichen"; **wetness** *n* Nässe *f*, Feuchtigkeit *f*.

we've [wi:v] = **we have**.

whack [wæk] **1.** *n* Schlag *m*; **2.** *vt* schlagen.

whacko ['wækəʊ] *adj* (*Brit sl*) ballaballa.

whale [weɪl] *n* Wal *m*.

wharf [wɔ:f] *n* <-s *o* wharves> Kai *m*.

what [wɒt] **1.** *pron, interj* was; **2.** *adj* welche(r, s); ~ **a hat!** was für ein Hut!; ~ **money I had** das Geld, das ich hatte; ~ **about ...** (*suggestion*) wie wär's mit ...; ~ **about it?, so ~?** na und?; **well, ~ about him?** was ist mit ihm?; **and ~ about me?** und ich?; ~ **for?** wozu?; **whatever** *adj:* ~ **he says** egal, was er sagt; **no reason ~** überhaupt kein Grund.

wheat [wi:t] *n* Weizen *m*.

wheedle ['wi:dl] *vt:* **to ~ sb into doing sth** jdn herumkriegen etw zu tun; **to ~ sth out of sb** jdm etw abschmeicheln.

wheel [wi:l] **1.** *n* Rad *nt*; (*steering ~*) Lenkrad *nt*; (*disc*) Scheibe *f*; **2.** *vt* schieben; **3.** *vi* (*revolve*) sich drehen; **wheelbarrow** *n* Schubkarren *m*; **wheel brace** *n* Kreuzschlüssel *m*; **wheelchair** *n* Rollstuhl *m*; **wheel clamp** *n* Parkkralle *f*.

wheeze [wi:z] *vi* keuchen.

when [wen] **1.** *adv* wann; **2.** *adv, conj* (*with present tense*) wenn; (*with past tense*) als; (*with indirect question*) wann; **whenever** *adv* wann immer; immer wenn.

where [wɛə*] *adv* (*place*) wo; (*direction*) wohin; ~ **from** woher; **whereabouts** ['wɛərə'baʊts] **1.** *adv* wo; **2.** *n pl* Aufenthalt *m*, Verbleib *m*; **whereas** [wɛər'æz] *conj* während, wo ... doch; **whereby** [wɛə'baɪ] *adv* wonach; wodurch; woran; **wherever** [wɛər'evə*] *adv* wo immer.

whet [wet] *vt* (*appetite*) anregen.

whether ['weðə*] *conj* ob.

which [wɪtʃ] **1.** *adj* (*from selection*) welche(r, s); **2.** *pron* (*relative*) der/die/das; (*which fact*) was; (*interrogative*) welche(r, s); **~ever book he takes** welches Buch er auch nimmt.

whiff [wɪf] *n* Hauch *m*.

while [waɪl] **1.** *n* Weile *f*; **2.** *conj* während; **for a ~** eine Zeitlang.

whim [wɪm] *n* Laune *f*.

whimper ['wɪmpə*] *vi* wimmern.

whimsical ['wɪmzɪkəl] *adj* launisch.

whine [waɪn] **1.** *n* Gewinsel *nt*, Gejammer *nt*; **2.** *vi* heulen, winseln.

whip [wɪp] **1.** *n* Peitsche *f*; (POL) Einpeitscher(in) *m(f)*; **2.** *vt* (*beat*) peitschen; (*snatch*) reißen; **~ped cream** Schlagsahne *f*.

> Als **whip** bezeichnet man in der Politik einen Abgeordneten, der für die Einhaltung der Parteidisziplin zuständig ist, besonders für die Anwesenheit und das Wahlverhalten der Abgeordneten im Unterhaus. Die „whips" fordern die Abgeordneten ihrer Partei schriftlich zur Anwesenheit auf und deuten die Wichtigkeit der Abstimmungen durch ein-, zwei-, oder dreimaliges Unterstreichen an, wobei dreimaliges Unterstreichen (three-line whip) strengster Fraktionszwang bedeutet.

whip-round *n* (*fam*) Geldsammlung *f*.

whirl [wɜ:l] **1.** *n* Wirbel *m*; **2.** *vt, vi* herumwirbeln; **whirlpool** *n* Strudel *m*; ~ **bath** Whirlpool *m*; **whirlwind** *n* Wirbelwind *m*.

whisk [wɪsk] **1.** *n* Schneebesen *m*; **2.** *vt* (*cream etc*) schlagen.

whisker ['wɪskə*] *n* (*of animal*) Schnurrhaar *nt*; **~s** *pl* (*of man*) Backenbart *m*.

whiskey ['wɪskɪ] *n* Whisky *m*.

whisper ['wɪspə*] **1.** *vi* flüstern; (*leaves*) rascheln; **2.** *vt* flüstern, munkeln.

whistle ['wɪsl] **1.** *n* Pfiff *m*; (*instrument*) Pfeife *f*; **2.** *vt, vi* pfeifen.

white [waɪt] **1.** *n* Weiß *nt*; (*of egg*) Eiweiß *nt*; (*of eye*) Weiße(s) *nt*; **2.** *adj* weiß; (*with fear*) blass; **white-collar crimes** *n pl* Wirtschaftskriminalität *f*; **white-collar worker** *n* Angestellte(r) *mf*.

> **The White House**, eine weiß gestrichene Villa in Washington, ist der offizielle Wohnsitz des amerikanischen Präsidenten. Im weiteren Sinne bezieht sich dieser Begriff auf die Exekutive der amerikanischen Regierung.

white lie *n* Notlüge *f*; **whiteness** *n* Weiß *nt*; **whiteout** *n* (*US*) Korrekturflüssigkeit *f*, Tipp-Ex® *nt*; **whitewash** **1.** *n* (*paint*) Tünche *f;* (*fig*) Schönfärberei *f;* **2.** *vt* weißen, tünchen; (*fig*) beschönigen; (*person*) reinwaschen.

whiting ['waɪtɪŋ] *n* Weißfisch *m.*

Whitsun ['wɪtsn] *n* Pfingsten *nt.*

whizz [wɪz] *vi* sausen, zischen, schwirren; **whizz kid** *n* (*fam*) Kanone *f.*

who [hu:] *pron* (*interrogative*) wer; (*relative*) der/die/das; **whoever** [hu:'evə*] *pron* wer immer; jeder, der/jede, die/jedes, das.

whole [həʊl] **1.** *adj* ganz; (*uninjured*) heil; **2.** *n* Ganze(s) *nt;* **the ~ of the year** das ganze Jahr; **on the ~** im Großen und Ganzen; **wholefood** *n* Vollwertkost *f;* **wholehearted** *adj* rückhaltlos; **wholeheartedly** *adv* von ganzem Herzen, voll und ganz; **wholemeal** *adj* Vollkorn-; **wholesale 1.** *n* Großhandel *m;* **2.** *adj* (*trade*) Großhandels-; (*destruction*) vollkommen, Massen-; **wholesaler** *n* Großhändler(in) *m(f);* **wholesome** *adj* bekömmlich, gesund; **wholly** ['həʊlɪ] *adv* ganz, völlig.

whom [hu:m] *pron* (*interrogative*) wen; (*relative*) den/die/das/die *pl.*

whooping cough ['hu:pɪŋkɒf] *n* Keuchhusten *m.*

whopper ['wɒpə*] *n* (*fam*) Mordsding *nt;* (*lie*) faustdicke Lüge; **whopping** *adj* (*fam*) kolossal, Riesen-.

whore ['hɔ:*] *n* Hure *f.*

whose [hu:z] *pron* (*interrogative*) wessen; (*relative*) dessen/deren/dessen/deren *pl.*

why [waɪ] **1.** *adv* warum; **2.** *interj* nanu; **that's ~** deshalb.

wick [wɪk] *n* Docht *m.*

wicked ['wɪkɪd] *adj* böse; **wickedness** *n* Bosheit *f,* Schlechtigkeit *f.*

wicker ['wɪkə*] *n* Weidengeflecht *nt,* Korbgeflecht *nt.*

wicket ['wɪkɪt] *n* Tor *nt,* Dreistab *m;* (*playing pitch*) Spielfeld *nt.*

wide [waɪd] **1.** *adj* breit; (*plain*) weit; (*in firing*) daneben; **2.** *adv* weit; daneben; **~ of** weitab von; **wide-angle** *adj* (*lens*) Weitwinkel-; **wide-awake** *adj* hellwach; **widely** *adv* weit; (*known*) allgemein; **widen** *vt* erweitern; **wideness** *n* Breite *f,* Ausdehnung *f;* **wide-open** *adj* weit geöffnet; **widespread** *adj* weit verbreitet.

widow ['wɪdəʊ] *n* Witwe *f;* **widowed** *adj* verwitwet; **widower** *n* Witwer *m.*

width [wɪdθ] *n* Breite *f;* Weite *f.*

wife [waɪf] *n* <wives> Ehefrau *f,* Gattin *f.*

wig [wɪg] *n* Perücke *f.*

wiggle ['wɪgl] **1.** *vt* wackeln mit; **2.** *vi* wackeln.

wigwam ['wɪgwæm] *n* Wigwam *m.*

wild [waɪld] *adj* wild; (*violent*) heftig; (*plan, idea*) verrückt; **the ~s** *pl* die Wildnis; **wilderness** ['wɪldənəs] *n* Wildnis *f;* (*fig*) Wüste *f;* **wild-goose chase** *n* fruchtloses Unternehmen; **wildlife** *n* Tierwelt *f;* **wildly** *adv* wild, ungestüm; (*exaggerated*) irrsinnig.

wilful ['wɪlfʊl] *adj* (*intended*) vorsätzlich; (*obstinate*) eigensinnig.

will [wɪl] **1.** *aux vb:* **he ~ come** er wird kommen; **I ~ do it!** ich werde es tun; **2.** *vt* wollen; **3.** *n* (*power to choose*) Wille *m;* (*wish*) Wunsch *m,* Bestreben *nt;* (JUR) Testament *nt;* **willing** *adj* gewillt, bereit; **willingly** *adv* bereitwillig, gern; **willingness** *n* Bereitwilligkeit *f.*

willow ['wɪləʊ] *n* Weide *f.*

will power ['wɪlpaʊə*] *n* Willenskraft *f.*

willy-nilly ['wɪlɪ'nɪlɪ] *adv* nolens volens, wohl oder übel.

wilt [wɪlt] *vi* verwelken.

win [wɪn] <won, won> **1.** *vt* gewinnen; **2.** *vi* (*be successful*) siegen; **3.** *n* Sieg *m;* **to ~ sb over** jdn gewinnen, jdn dazu bringen.

winch [wɪntʃ] *n* Winde *f.*

wind [waɪnd] <wound, wound> **1.** *vt* (*rope*) winden; (*bandage*) wickeln; **2.** *vi* (*turn*) sich winden; (*change direction*) wenden; **to ~ one's way** sich schlängeln; **wind up 1.** *vt* (*clock*) aufziehen; (*debate*) abschließen; **2.** *vi* (*fam*) enden, landen.

wind [wɪnd] *n* Wind *m;* (MED) Blähungen *pl;* **windbreak** *n* Windschutz *m;* **windfall** *n* unverhoffter Glücksfall; **~ tax** Sondergewinnsteuer *f;* **wind-farm** *n* Windparkanlage *f.*

winding ['waɪndɪŋ] *adj* (*road*) gewunden, sich schlängelnd.

wind instrument ['wɪndɪnstrʊmənt] *n* Blasinstrument *nt;* **windmill** *n* Windmühle *f.*

window ['wɪndəʊ] *n* (*a.* COMPUT) Fenster *nt;* (*fig*) Realisationsmöglichkeit *f;* **window box** *n* Blumenkasten *m;* **window cleaner** *n* Fensterputzer(in) *m(f);* **window envelope** *n* Fensterumschlag *m;* **window ledge** *n* Fenstersims *m;* **window pane** *n* Fensterscheibe *f;* **window-shopping** *n* Schaufensterbummel *m;* **windowsill** *n* Fensterbank *f.*

windpipe ['wɪndpaɪp] *n* Luftröhre *f;* **wind power** *n* Windkraft *f.*

windscreen ['wɪndskriːn] *n* Windschutzscheibe *f;* **windscreen wiper** *n* Scheibenwischer *m;* **windshield** (*US*) ['wɪndʃiːld] *n* Windschutzscheibe *f.*

windsurfer ['wɪndsɜːfə*] *n* Windsurfer(in) *m(f);* (*board*) Windsurfbrett *nt;* **windsurfing** *n* Windsurfen *nt.*

windswept ['wɪndswept] *adj* vom Wind gepeitscht; (*person*) zerzaust.

windy ['wɪndɪ] *adj* windig.

wine [waɪn] *n* Wein *m;* **wineglass** *n* Weinglas *nt;* **wine list** *n* Weinkarte *f,* Getränkekarte *f;* **wine merchant** *n* Weinhändler(in) *m(f);* **winery** *n* (*US*) Weingut *nt;* **wine tasting** *n* Weinprobe *f;* **wine waiter** *n* Weinkellner *m.*

wing [wɪŋ] *n* Flügel *m;* (MIL) Gruppe *f;* ~**s** *pl* (THEAT) Seitenkulisse *f;* **winger** *n* (SPORT) Flügelspieler(in) *m(f).*

wink [wɪŋk] **1.** *n* Zwinkern *nt;* **2.** *vi* zwinkern, blinzeln; **to ~ at sb, to give sb a ~** jdm zublinzeln; **forty ~s** Nickerchen *nt.*

winner ['wɪnə*] *n* Gewinner(in) *m(f);* (SPORT) Sieger(in) *m(f);* **winning 1.** *adj* (*team*) siegreich, Sieger-; (*goal*) entscheidend; **2.** *n:* ~**s** *pl* Gewinn *m;* ~ **post** Ziel *nt.*

winter ['wɪntə*] **1.** *n* Winter *m;* **2.** *adj* (*clothes*) Winter-; **3.** *vi* überwintern; **in ~** im Winter; **nuclear ~** nuklearer Winter; **~ sports** *pl* Wintersport *m;* **wintry** ['wɪntrɪ] *adj* Winter-, winterlich.

wipe [waɪp] *vt* wischen, abwischen; **wipe out** *vt* (*debt*) löschen; (*destroy*) auslöschen.

wire ['waɪə*] **1.** *n* Draht *m;* (*telegram*) Telegramm *nt;* **2.** *vt* telegrafieren (*sb sth* jdm etw); **wireless** *n* (*esp Brit: dated*) Radioapparat *m;* **wireman** *n* <wiremen> (*US*) Abhörspezialist *m;* **wiretapping** *n* Abhören *nt.*

wiry ['waɪərɪ] *adj* drahtig.

wisdom ['wɪzdəm] *n* Weisheit *f;* (*of decision*) Klugheit *f;* **wisdom tooth** *n* <teeth> Weisheitszahn *m.*

wise [waɪz] *adj* klug, weise; **wisecrack** *n* (*esp US*) Witzelei *f;* (*pej*) Stichelei *f;* **wisely** *adv* klug, weise.

wish [wɪʃ] **1.** *n* Wunsch *m;* **2.** *vt* wünschen; **he ~es us to do it** er möchte, dass wir es tun; **with best ~es** herzliche Grüße; **to ~ sb goodbye** jdn verabschieden; **to ~ to do sth** etw tun wollen; **wishful thinking** *n* Wunschdenken *nt.*

wishy-washy ['wɪʃɪwɒʃɪ] *adj* nichtssagend; (*colour*) verwaschen; (*ideas, argument*) wischiwaschi.

wistful ['wɪstfʊl] *adj* sehnsüchtig.

wit [wɪt] *n* (*also:* ~**s**) Verstand *m;* (*amusing ideas*) Witz *m;* (*person*) Witzbold *m;* **at one's ~s' end** mit seinem Latein am Ende; **to have one's ~s about one** auf dem Posten sein.

witch [wɪtʃ] *n* Hexe *f;* **witchcraft** *n* Hexerei *f.*

with [wɪð, wɪθ] *prep* mit; (*in spite of*) trotz *+gen o dat;* ~ **him it's …** bei ihm ist es …; **to stay ~ sb** bei jdm wohnen; **I have no money ~ me** ich habe kein Geld bei mir; **shaking ~ fright** vor Angst zitternd.

withdraw [wɪð'drɔː] *irr* **1.** *vt* zurückziehen; (*money*) abheben; (*remark*) zurücknehmen; **2.** *vi* sich zurückziehen; **withdrawal** *n* Zurückziehung *f;* Abheben *nt;* Zurücknahme *f;* (*from nuclear energy, from society*) Ausstieg *m;* **~ symptoms** *pl* Entzugserscheinungen *pl.*

wither ['wɪðə*] *vi* verwelken; **withered** *adj* verwelkt, welk.

withhold [wɪθ'həʊld] *irr vt* vorenthalten (*from sb* jdm).

within [wɪð'ɪn] *prep* innerhalb *+gen.*

without [wɪð'aʊt] *prep* ohne; **it goes ~ saying** es ist selbstverständlich.

withstand [wɪθ'stænd] *irr vt* widerstehen *+dat.*

witness ['wɪtnəs] **1.** *n* Zeuge *m,* Zeugin *f;* **2.** *vt* (*see*) sehen, miterleben; (*sign document*) beglaubigen; **3.** *vi* aussagen; **witness box, witness stand** (*US*) *n* Zeugenstand *m.*

witticism ['wɪtɪsɪzəm] *n* witzige Bemerkung.

wittily *adv,* **witty** *adj* ['wɪtɪ(lɪ)] witzig, geistreich.

wizard ['wɪzəd] *n* Zauberer *m,* Zaubrerin *f.*

wobble ['wɒbl] *vi* wackeln.

woe [wəʊ] *n* Weh *nt,* Leid *nt,* Kummer *m.*

woke [wəʊk] *pt of* **wake**; **woken** *pp of* **wake**.

wolf [wʊlf] *n* <wolves> Wolf *m.*

woman ['wʊmən] *n* <women> Frau *f;* **a ~ teacher/doctor** eine Lehrerin/Ärztin.

womb [wuːm] *n* Gebärmutter *f.*

women ['wɪmɪn] *pl of* **woman**; **women's lib** *n* Frauenbewegung *f;* **women's libber** *n* Emanze *f;* **women's shelter** *n* Frauenhaus *nt.*

won [wʌn] *pt, pp of* **win**.

wonder ['wʌndə*] **1.** *n* (*marvel*) Wunder *nt;* (*surprise*) Staunen *nt,* Verwunderung *f;* **2.** *vi* sich wundern; **I ~ whether ...** ich frage mich, ob ...; **wonderful** *adj* wunderbar, herrlich; **wonderfully** *adv* wunderbar.

won't [wəʊnt] = **will not**.

wood [wʊd] *n* Holz *nt;* (*forest*) Wald *m;* **wood carving** *n* Holzschnitzerei *f;* **wooded** *adj* bewaldet, waldig, Wald-; **wooden** *adj* hölzern; **woodpecker** *n* Specht *m;* **woodwind** *n* Blasinstrumente *pl;* **woodwork** *n* Holz *nt;* (*craft*) Holzarbeiten *pl,* Tischlerei *f;* **woodworm** *n* Holzwurm *m.*

wool [wʊl] *n* Wolle *f;* **woollen, woolen** (*US*) *adj* Woll-; **woolly, wooly** (*US*) *adj* wollig; (*fig*) schwammig.

word [wɜ:d] **1.** *n* Wort *nt;* (*news*) Bescheid *m;* **2.** *vt* formulieren; **to have a ~ with sb** mit jdm reden; **to have ~s with sb** Worte wechseln mit jdm; **by ~ of mouth** mündlich; **wording** *n* Wortlaut *m,* Formulierung *f;* **word processing** *n* Textverarbeitung *f;* **word processor** *n* Textverarbeitungsanlage *f;* (*program*) Textverarbeitungsprogramm *nt;* **word wrap** *n* (COMPUT) automatischer Zeilenumbruch.

wore [wɔ:*] *pt of* **wear**.

work [wɜ:k] **1.** *n* Arbeit *f;* (ART, LITER) Werk *nt;* **2.** *vi* arbeiten; (*machine*) funktionieren; (*medicine*) wirken; (*succeed*) klappen; **to get ~ed up** sich aufregen; **~s** *sing o pl* (*factory*) Fabrik *f,* Werk *nt;* (*of watch*) Werk *nt;* **work off** *vt* (*debt*) abarbeiten; (*anger*) abreagieren; **work on 1.** *vi* weiterarbeiten; **2.** *vt* (*be engaged in*) arbeiten an *+dat;* (*influence*) bearbeiten; **work out 1.** *vi* (*sum*) aufgehen; (*plan*) klappen; **2.** *vt* (*problem*) lösen; (*plan*) ausarbeiten; **work up to** *vt* hinarbeiten auf *+akk;* **workable** *adj* (*soil*) bearbeitbar; (*plan*) ausführbar; **workaholic** [wɜ:kə'hɒlɪk] *n* Arbeitstier *nt;* **worker** *n* Arbeiter(in) *m(f);* **working class** *n* Arbeiterklasse *f;* **working-class** *adj* Arbeiter-; **working dinner** *n* Arbeitsessen *nt;* **workman** *n* <workmen> Arbeiter *m;* **workmanship** *n* Arbeit *f,* Ausführung *f;* **workmate** *n* Arbeitskollege(-kollegin) *m(f);* **work-sharing** *n* Arbeitsplatzteilung *f,* Jobsharing *nt;* **workshop** *n* Werkstatt *f;* **works manager** *n* Betriebsleiter(in) *m(f);* **works outing** *n* Betriebsausflug *m;* **workspace** *n* (COMPUT) Arbeitsspeicher *m;* **work station** *n* Bildschirmarbeitsplatz *m,* Computerarbeitsplatz *m.*

world [wɜ:ld] *n* Welt *f;* (*animal ~ etc*) Reich *nt;* **out of this ~** himmlisch; **to come into the ~** auf die Welt kommen; **to do sb/sth the ~ of good** jdm/einer Sache sehr guttun; **to be the ~ to sb** jds Ein und Alles sein; **to think the ~ of sb** große Stücke auf jdn halten; **world-famous** *adj* weltberühmt; **worldly** *adj* weltlich, irdisch; **world-wide** *adj* weltweit.

worm [wɜ:m] *n* Wurm *m.*

worn [wɔ:n] **1.** *pp of* **wear**; **2.** *adj* (*clothes*) abgetragen; **worn-out** *adj* (*object*) abgenutzt; (*person*) völlig erschöpft.

worried ['wʌrɪd] *adj* besorgt, beunruhigt.

worrier ['wʌrɪə*] *n:* **he is a ~** er macht sich *dat* ewig Sorgen.

worry ['wʌrɪ] **1.** *n* Sorge *f,* Kummer *m;* **2.** *vt* quälen, beunruhigen; **3.** *vi* (*feel uneasy*) sich sorgen, sich *dat* Gedanken machen; **worrying** *adj* beunruhigend.

worse [wɜ:s] **1.** *adj comp of* **bad** schlechter, schlimmer; **2.** *adv comp of* **badly** schlimmer; **3.** *n* Schlimmere(s) *nt,* Schlechtere(s) *nt;* **worsen 1.** *vt* verschlimmern; **2.** *vi* sich verschlechtern.

worship ['wɜ:ʃɪp] **1.** *n* Anbetung *f,* Verehrung *f;* (*religious service*) Gottesdienst *m;* **2.** *vt* anbeten; **worshipper** *n* Gottesdienstbesucher(in) *m(f).*

worst [wɜ:st] **1.** *adj superl of* **bad** schlimmste(r, s), schlechteste(r, s); **2.** *adv superl of* **badly** am schlimmsten, am ärgsten; **3.** *n* Schlimmste(s) *nt,* Ärgste(s) *nt.*

worth [wɜ:θ] **1.** *n* Wert *m;* **2.** *adj* wert; **~ seeing** sehenswert; **£10 ~ of food** Essen für 10£; **it's ~ £10** es ist 10£ wert; **worthless** *adj* wertlos; (*person*) nichtsnutzig; **worthwhile 1.** *adj* lohnend, der Mühe wert; **2.** *adv:* **it's not ~ going** es lohnt sich nicht dahin zu gehen; **worthy** ['wɜ:ðɪ] *adj* (*having worth*) wertvoll; (*deserving*) wert (*of gen*), würdig (*of gen*).

would [wʊd] *aux vb:* **she ~ come** sie würde kommen; **if you asked he ~ come** wenn Sie ihn fragten, würde er kommen; **~ you like a drink?** möchten Sie etwas trinken?; **would-be** *adj* angeblich; **wouldn't = would not**.

wound [wu:nd] **1.** *pt, pp of* **wind**; **2.** *n* Wunde *f;* **3.** *vt* verwunden, verletzen.

wove [wəʊv] *pt of* **weave**; **woven** *pp of*

W

weave.

wrap [ræp] **1.** *n* (*stole*) Umhang *m*, Schal *m*; **2.** *vt* (*also:* ~ **up**) einwickeln; (*deal*) abschließen; **wraparound** *n* (COMPUT) (automatischer) Zeilenumbruch; **wrapper** *n* Umschlag *m*, Schutzhülle *f*; **wrapping paper** *n* Packpapier *nt*; (*decorative*) Geschenkpapier *nt*.

wreak [ri:k] *vt* (*havoc*) anrichten; (*vengeance*) üben.

wreath [ri:θ] *n* Kranz *m*.

wreck [rek] **1.** *n* Schiffbruch *m*; (*ship*) Wrack *nt*; (*sth ruined*) Ruine *f*, Trümmerhaufen *m*; **2.** *vt* zerstören; **a nervous** ~ ein Nervenbündel; **wreckage** ['rekɪdʒ] *n* Wrack *nt*, Trümmer *pl*.

wren [ren] *n* Zaunkönig *m*.

wrench [rentʃ] **1.** *n* (*spanner*) Schraubenschlüssel *m*; (*twist*) Ruck *m*, heftige Drehung; **2.** *vt* reißen, zerren.

wrestle ['resl] *vi* ringen; **wrestling** *n* Ringen *nt*; ~ **match** Ringkampf *m*.

wretched ['retʃɪd] *adj* (*hovel*) elend; (*fam*) verflixt; **I feel** ~ mir ist elend.

wriggle ['rɪgl] *vi* sich winden.

wring [rɪŋ] <wrung, wrung> *vt* wringen.

wrinkle ['rɪŋkl] **1.** *n* Falte *f*, Runzel *f*; **2.** *vt* runzeln; **3.** *vi* sich runzeln; (*material*) knittern.

wrist [rɪst] *n* Handgelenk *nt*; **wristwatch** *n* Armbanduhr *f*.

writ [rɪt] *n* gerichtlicher Befehl.

write [raɪt] <wrote, written> *vt*, *vi* schreiben; **write down** *vt* niederschreiben, aufschreiben; **write off** *vt* (*dismiss*) abschreiben; **write out** *vt* (*notes*) ausarbeiten; (*cheque*) ausstellen; **write up** *vt* schreiben; **write-off** *n*: **it is a** ~ das kann man abschreiben; **writer** *n* Verfasser(in) *m(f)*; (*author*) Schriftsteller(in) *m(f)*; (*of TV commercials, subtitles*) Texter(in) *m(f)*; **write-up** *n* Besprechung *f*; **writing** *n* (*act*) Schreiben *nt*; (*hand* ~) Handschrift *f*; ~**s** *pl* Schriften *pl*, Werke *pl*; **writing paper** *n* Schreibpapier; **written** ['rɪtən] *pp of* **write**.

wrong [rɒŋ] **1.** *adj* (*incorrect*) falsch; (*morally*) unrecht; (*out of order*) nicht in Ordnung; **2.** *n* Unrecht *nt*; **3.** *vt* Unrecht tun +*dat*; **he was** ~ **in doing that** es war nicht recht von ihm das zu tun; **what's** ~ **with your leg?** was ist mit deinem Bein los?; **to go** ~ (*plan*) schief gehen; (*person*) einen Fehler machen; **wrongful** *adj* unrechtmäßig; **wrongly** *adv* falsch; (*accuse*) zu Unrecht.

wrote [rəʊt] *pt of* **write**.

wrought [rɔ:t] *adj*: ~ **iron** Schmiedeeisen *nt*.

wrung [rʌŋ] *pt, pp of* **wring**.

wry [raɪ] *adj* schief, krumm; (*ironical*) trocken; **to make a** ~ **face** das Gesicht verziehen.

wuss [wʌs] *n* (*fam*) Dussel *m*.

WWW *n abbr of* **World Wide Web** WWW *nt*.

X, x [eks] *n* X *nt*, x *nt*.

xenophobia [zenə'fəʊbɪə] *n* Ausländerfeindlichkeit *f*.

XL *adj abbr of* **extra large**.

Xmas ['eksməs] *n* (*fam*) Weihnachten *nt*.

X-ray ['eks'reɪ] **1.** *n* Röntgenaufnahme *f*; **2.** *vt* röntgen.

xylophone ['zaɪləfəʊn] *n* Xylophon *nt*.

Y

Y, y [waɪ] *n* Y *nt*, y *nt*.

yacht [jɒt] *n* Jacht *f*; **yachting** *n* Sportsegeln *nt*; **yachtsman** *n* <yachtsmen> Sportsegler *m*.

Yank, Yankee [jæŋk, -ɪ] *n* (*fam*) Ami *m*.

yap [jæp] *vi* (*dog*) kläffen; (*people*) quasseln.

yard [jɑ:d] *n* Hof *m*; (*measure*) englische Elle *f*, Yard *nt* (*0,91 m*); **yardstick** *n* (*fig*) Maßstab *m*.

yarn [jɑ:n] *n* (*thread*) Garn *nt*; (*story*) Seemannsgarn *nt*.

yawn [jɔ:n] **1.** *n* Gähnen *nt*; **2.** *vi* gähnen.

yeah [jɛə] *adv* (*fam*) ja.

year ['jɪə*] *n* Jahr *nt*; **yearly** *adj*, *adv* jährlich.

yearn [jɜ:n] *vi* sich sehnen (*for* nach); **yearning** *n* Verlangen *nt*, Sehnsucht *f*.

yeast [ji:st] *n* Hefe *f*.

yell [jel] **1.** *n* gellender Schrei; **2.** *vi* laut schreien.

yellow ['jeləʊ] *adj* gelb; ~ **fever** Gelbfieber *nt*; ~ **lines** *pl* ≈ Parkverbot *nt*; **double** ~ **lines** *pl* ≈ Halteverbot *nt*; ~ **pages** *pl* Gelbe Seiten *pl*, Branchentelefonbuch *nt*.

yelp [jelp] *vi* kläffen.

yeoman ['jəʊmən] *n* <yeomen>: **Yeoman of the Guard** königlicher Leibgardist *m.*

yes [jes] **1.** *adv* ja; **2.** *n* Ja *nt,* Jawort *nt;* **yesman** *n* <yesmen> Jasager *m.*

yesterday ['jestədeɪ] **1.** *adv* gestern; **2.** *n* Gestern *nt;* **the day before** ~ vorgestern.

yet [jet] **1.** *adv* noch; (*in question*) schon; (*up to now*) bis jetzt; **2.** *conj* doch, dennoch; **and** ~ **again** und wieder [*o* noch] einmal; **as** ~ bis jetzt; (*in past*) bis dahin.

yew [ju:] *n* Eibe *f.*

Yiddish ['jɪdɪʃ] *n* Jiddisch *nt.*

yield [ji:ld] **1.** *n* Ertrag *m;* **2.** *vt* (*result, crop*) hervorbringen; (*interest, profit*) abwerfen; (*concede*) abtreten; **3.** *vi* nachgeben; (MIL) sich ergeben; **"~"** (AUT) „Vorfahrt achten!".

YMCA *n abbr of* **Young Men's Christian Association** CVJM *m.*

yodel ['jəʊdl] *vi* jodeln.

yoga ['jəʊgə] *n* Joga *m.*

yoghurt [jɒgət] *n* Jogurt *m.*

yoke [jəʊk] *n* (*a. fig*) Joch *nt.*

yolk [jəʊk] *n* Eidotter *m,* Eigelb *nt.*

yonder ['jɒndə*] **1.** *adv* dort drüben, da drüben; **2.** *adj* jene(r, s) dort.

you [ju:] **1.** *pron* (*2nd person sing*) du; (*polite form*) Sie; (*indefinite*) man; **2.** *pron* (*2nd person pl*) ihr; (*polite form*) Sie; **3.** *pron direct/indirect object of sing* **you** dich/dir; (*polite form*) Sie/Ihnen; (*indefinite*) einen/einem; **4.** *pron direct/indirect object of pl* **you** euch; (*polite form*) Sie/Ihnen; **it's** ~ du bist's; ihr seid's; Sie sind's.

you'd [ju:d] = **you had; you would.**

you'll [ju:l] = **you will; you shall.**

young [jʌŋ] **1.** *adj* jung; **2.** *n:* **the** ~ *pl* die Jungen *pl;* **youngish** *adj* ziemlich jung; **youngster** *n* Junge *m,* junger Bursche, junges Mädchen.

your ['jɔ:*] **1.** *pron* (*adjektivisch sing*) dein; (*polite form*) Ihr; **2.** *pron* (*adjektivisch pl*) euer; (*polite form*) Ihr.

you're ['jʊə*] = **you are.**

yours ['jɔ:z] **1.** *pron* (*substantivisch sing*) deine(r, s); (*polite form*) Ihre(r, s); **2.** *pron* (*substantivisch pl*) eure(r, s); (*polite form*) Ihre(r, s); ~ **sincerely/faithfully** mit freundlichen Grüßen/hochachtungsvoll.

yourself [jɔ:'self] *pron sing* dich; (*polite form*) sich; **you** ~ du/Sie selbst; **you are not** ~ mit dir/Ihnen ist etwas nicht in Ordnung; **yourselves** *pron pl* euch; (*polite form*) sich; **you** ~ ihr/Sie selbst.

youth [ju:θ] *n* Jugend *f;* (*young man*) junger Mann; (*young people*) Jugend *f;* **youth club** *n* Jugendclub *m;* **youthful** *adj* jugendlich; **youth hostel** *n* Jugendherberge *f.*

you've [ju:v] = **you have.**

YTS *n abbr of* **youth training scheme** Ausbildungsförderungsprogramm *nt.*

Yugoslav ['ju:gəʊ'slɑ:v] **1.** *adj* jugoslawisch; **2.** *n* Jugoslawe *m,* Jugoslawin *f;* **Yugoslavia** ['ju:gəʊ'slɑ:vɪə] *n* Jugoslawien *nt;* **former** ~ das ehemalige Jugoslawien; **Yugoslavian** *adj* jugoslawisch.

yuppie, yuppy ['jʌpɪ] *n acr of* **young urban professional** Yuppie *mf.*

YWCA *n abbr of* **Young Women's Christian Association** CVJF *m.*

Z

Z, z [zɛd, zi: *US*] *n* Z *nt,* z *nt.*

Zaire [zɑ:'ɪə*] *n* Zaire *nt.*

Zambia ['zæmbɪə] *n* Sambia *nt.*

zany ['zeɪnɪ] *adj* komisch.

zap [zæp] *vt* (COMPUT) löschen; (*TV*) zappen.

zapping ['zæpɪŋ] *n* TV-Hoppen *nt,* ständiges Umschalten.

zeal [zi:l] *n* Eifer *m;* **zealous** ['zeləs] *adj* eifrig.

zebra ['zebrə, 'zi:brə *US*] *n* Zebra *nt;* **zebra crossing** *n* Zebrastreifen *m.*

zero ['zɪərəʊ] *n* <-es> Null *f;* (*on scale*) Nullpunkt *m;* ~ **economic growth** Nullwachstum *nt;* ~ **emission vehicle, ZEV** abgasfreies Fahrzeug; ~ **hour** die Stunde X; ~ **option** (POL) Nullösung *f;* ~ **payround** Nullrunde *f.*

zest [zest] *n* Begeisterung *f.*

zigzag ['zɪgzæg] **1.** *n* Zickzack *m;* **2.** *vi* im Zickzack laufen/fahren.

Zimbabwe [zɪm'bɑ:bwɪ] *n* Zimbabwe *nt,* Simbabwe *nt.*

zinc [zɪŋk] *n* Zink *nt.*

Zionism ['zaɪənɪzəm] *n* Zionismus *m.*

zip [zɪp] **1.** *n* (*also:* ~ **fastener,** ~**per**) Reißverschluss *m;* **2.** *vt* (*also:* ~ **up**) den Reißverschluss zumachen von.

zip code ['zɪpkəʊd] *n* (*US*) Postleitzahl, PLZ *f.*

zipper ['zɪpə*] *n* (*US*) Reißverschluss *m;* ~ **clause** Schweigepflichtklausel *f.*

zither ['zɪðə*] *n* Zither *f.*

zodiac ['zəʊdɪæk] *n* Tierkreis *m.*
zombie ['zɒmbɪ] *n* Zombie *m;* (*fam a.*) Trantüte *f;* **like a** ~ total im Tran.
zone [zəʊn] *n* Zone *f;* (*area*) Gebiet *nt.*
zoo [zu:] *n* Zoo *m;* **zoological** [zəʊə'lɒd-ʒɪkəl] *adj* zoologisch; **zoologist** [zəʊ'ɒlədʒɪst] *n* Zoologe(-login) *m(f);* **zoology** [zəʊ'ɒlədʒɪ] *n* Zoologie *f.*
zoom [zu:m] *vi* (*engine*) surren; (*plane*) aufsteigen; (*move fast*) brausen, sausen; (*prices*) hochschnellen; **zoom lens** *n* Zoomobjektiv *nt.*
zucchini [zu:'kini] *n* (*US*) Zucchini *f.*
Zululand ['zu:lu:lænd] *n* Kwazulu *nt.*

A

A, **a** *nt* A, a.
Aal *m* <-[e]s, -e> eel.
Aas *nt* <-es, -e *o* Äser> carrion; **Aasgeier** *m* vulture.
ab 1. *präp +dat* from; **2.** *adv* off; **links** ~ to the left; ~ **und zu** [*o* **an**] now and then [*o* again]; **von da** ~ from then on; **der Knopf ist** ~ the button has come off.
Abänderung *f* alteration.
Abart *f* (BIO) variety; **abartig** *adj* abnormal.
Abbau *m* <-[e]s> dismantling; (*Verminderung*) reduction (*gen* in); (*Verfall*) decline (*gen* in); (MIN) mining; (*über Tage*) quarrying; (CHEM) decomposition; **abbauen** *vt* dismantle; (MIN) mine; (*über Tage*) quarry; (*verringern*) reduce; (CHEM) break down.
abbeißen *irr vt* bite off.
abbekommen *irr vt* get; **etwas** ~ (*Auto*) be damaged; (*Mensch*) be hurt.
abberufen *irr vt* recall.
abbestellen *vt* cancel.
abbezahlen *vt* pay off.
abbiegen *irr* **1.** *vi* turn off; (*Straße*) bend; **2.** *vt* bend; (*verhindern*) ward off.
Abbiegespur *f* turn-off lane.
Abbild *nt* portrayal; (*eines Menschen*) image, likeness; **abbilden** *vt* portray; **Abbildung** *f* illustration.
Abbitte *f*: ~ **leisten** [*o* **tun**] make one's apologies (*bei* to).
abblasen *irr vt* blow off; (*fig*) call off.
abblenden *vt, vi* (AUTO) dip, dim *US*; **Abblendlicht** *nt* dipped [*o* dimmed *US*] headlights *pl.*
abbrechen *irr* **1.** *vt* break off; (*Gebäude*) pull down; (*Zelt*) take down; (*aufhören*) stop; **2.** *vi* break off.
abbrennen *irr* **1.** *vt* burn off; (*Feuerwerk*) let off; **2.** *vi* burn down; **abgebrannt sein** (*umg*) be broke.
abbringen *irr vt*: **jdn von etw** ~ dissuade sb from sth; **jdn vom Weg** ~ divert sb; **ich bringe den Verschluss nicht ab** (*umg*) I can't get the top off.
abbröckeln *vi* crumble off [*o* away]; (*fig*) fall off.
Abbruch *m* (*von Verhandlungen etc*) breaking off; (*von Haus*) demolition; **jdm/einer Sache** ~ **tun** harm sb/sth; **abbruchreif** *adj* only fit for demolition.
abbuchen *vt* debit.
abdanken *vi* resign; (*König*) abdicate.
abdecken *vt* uncover; (*Tisch*) clear; (*Loch*) cover.
abdichten *vt* seal; (NAUT) caulk.
abdrängen *vt* push off.
abdrehen **1.** *vt* (*Gas*) turn off; (*Licht*) switch off; (*Film*) shoot; **2.** *vi* (*Schiff*) change course.
Abdruck **1.** *m* <Abdrucke *pl*> (*Nachdrucken*) reprinting; (*Gedrucktes*) reprint; **2.** *m* <Abdrücke *pl*> (*Gips~, Wachs~*) impression; (*Finger~*) print; **abdrucken** *vt* print.
abdrücken **1.** *vt* make an impression of; (*Waffe*) fire; (*umg: jdn*) hug, squeeze; **2.** *vr*: **sich** ~ leave imprints.
abebben *vi* ebb away.
Abend *m* <-s, -e> evening; **zu** ~ **essen** have dinner [*o* supper]; **heute** ~[RR] this evening; **Abendbrot** *nt*, **Abendessen** *nt* dinner, supper; **abendfüllend** *adj* taking up the whole evening; **Abendkleid** *nt* evening dress; **Abendkurs** *m* evening classes *pl;* **Abendland** *nt* West; **abendlich** *adj* evening; **Abendmahl** *nt* Holy Communion; **Abendrot** *nt* sunset; **abends** *adv* in the evening.
Abenteuer *nt* <-s, -> adventure; **Abenteuerferien** *pl* adventure holidays *pl;* **abenteuerlich** *adj* adventurous; **Abenteurer** *m* <-s, -> adventurer; **Abenteurerin** *f* adventuress.
aber 1. *konj* but; (*jedoch*) however; **2.** *adv*: **tausend und** ~ **tausend** thousands upon thousands; **das ist** ~ **schön** that's really nice; **nun ist** ~ **Schluss!** now that's enough!; **Aber** *nt* <-s, -> but.
Aberglaube *m* superstition; **abergläubisch** *adj* superstitious.
aberkennen *irr vt*: **jdm etw** ~ deprive sb of sth, take sth [away] from sb.
abermalig *adj* repeated; **abermals** *adv* once again.
aberwitzig *adj* crazy.
abfackeln *vt* (*Gas*) burn off, flare off.
abfahren *irr* **1.** *vi* leave, depart; **2.** *vt* (*Strecke*) drive; (*Reifen*) wear; (*Fahrkarte*) use.
Abfahrt *f* departure; (SKI) downhill; (*Piste*) run; **Abfahrtslauf** *m* (SKI) downhill; **Abfahrtstag** *m* day of departure; **Abfahrtszeit** *f* departure time.
Abfall *m* waste; (*Müll*) rubbish, garbage *US;* (*Neigung*) slope; (*Verschlechterung*) decline; **Abfallbeseitigung** *f* refuse disposal; **Abfalleimer** *m* rubbish bin, garbage can *US.*

abfallen *irr vi* (*a. fig*) fall [*o* drop] off; (*vom Glauben,* POL) break away; (*sich neigen*) fall [*o* drop] away.

abfällig *adj* disparaging.

Abfallprodukt *nt* waste product; **Abfallvermeidung** *f* waste reduction.

abfangen *irr vt* intercept; (*jdn*) catch; (*unter Kontrolle bringen*) check.

abfärben *vi* (*Wäsche*) run; (*fig*) rub off.

abfassen *vt* write; (*Erstentwurf*) draft.

abfertigen *vt* (*Pakete*) prepare for dispatch, process; (*an der Grenze*) clear; (*Kundschaft*) attend to; **jdn kurz** ~ give sb short shrift; **Abfertigung** *f* preparing for dispatch, processing; clearance; **Abfertigungsschalter** *m* check-in desk.

abfinden *irr* **1.** *vt* pay off; **2.** *vr:* **sich mit etw** ~ come to terms with sth; **sich mit etw nicht** ~ be unable to accept sth; **Abfindung** *f* (*von Gläubigern*) payment; (*Geld*) sum in settlement.

abflachen **1.** *vt* flatten; **2.** *vr:* **sich** ~ flatten out, become flatter.

abflauen *vi* (*Wind, Erregung*) die away; (*Nachfrage, Geschäft*) fall [*o* drop] off.

abfliegen *irr* **1.** *vi* (*Flugzeug*) take off; (*Passagier a.*) fly; **2.** *vt* (*Gebiet*) fly over.

abfließen *irr vi* drain away.

Abflug *m* departure; (*Start*) take-off; **Abflughalle** *f* departure lounge; **Abflugzeit** *f* departure time.

Abfluss[RR] *m* (*Öffnung*) outlet; (*Rohr*) drainpipe; (*Abwasser*) waste-pipe.

Abfolge *f* sequence.

abfragen *vt* test; (INFORM) call up; **jdn** [*o* **jdm**] **etw** ~ question sb on sth.

Abfuhr *f* <-, -en> removal; (*fig*) snub, rebuff; **jdn eine** ~ **erteilen** snub sb.

abführen **1.** *vt* lead away; (*Gelder, Steuern*) pay; **2.** *vi* (MED) have a laxative effect; **Abführmittel** *nt* laxative.

abfüllen *vt* draw off; (*in Flaschen*) bottle.

Abgabe *f* handing in; (*von Ball*) pass; (*Steuer*) tax; (*einer Erklärung*) giving; **abgabenfrei** *adj* tax-free; **abgabenpflichtig** *adj* liable to tax.

Abgang *m* (*von Schule*) leaving; (THEAT) exit; (MED: *Ausscheiden*) passing; (*Fehlgeburt*) miscarriage; (*der Post, von Waren*) dispatch.

Abgas *nt* waste gas; (AUTO) exhaust; **abgasarm** *adj* with low exhaust emission; **abgasfreies Fahrzeug** *nt* zero emission vehicle, ZEV; **Abgassonderuntersuchung** *f* exhaust emission test.

abgeben *irr* **1.** *vt* (*Gegenstand*) hand [*o* give] in; (*Ball*) pass; (*Wärme*) give off; (*Amt*) hand over; (*Schuss*) fire; (*Erklärung, Urteil*) give; (*darstellen, sein*) make; **2.** *vr:* **sich mit jdm/etw** ~ associate with sb/bother with sth; **jdm etw** ~ (*überlassen*) let sb have sth.

abgebrüht *adj* (*umg*) hard-boiled.

abgedreht *adj* (*sl*) way out.

abgedroschen *adj* hackneyed; (*Witz*) corny.

abgefeimt *adj* cunning.

abgegriffen *adj* (*Buch*) well-thumbed; (*Redensart*) hackneyed.

abgehen *irr* **1.** *vi* (THEAT) exit; (*Post*) go; (*Eiter*) be discharged; (*Fötus*) be aborted; (*Knopf etc*) come off; (*abgezogen werden*) be taken off; (*Straße*) branch off; **2.** *vt* (*Strecke*) go [*o* walk] along; **etw geht jdm ab** (*umg: fehlen*) sb lacks sth.

abgelegen *adj* remote.

abgemacht *interj* OK, that's settled.

abgeneigt *adj* averse to, disinclined.

Abgeordnete(r) *mf* member of parliament.

Abgesandte(r) *mf* delegate; (POL) envoy.

abgeschmackt *adj* tasteless.

abgesehen *adj:* **es auf jdn/etw** ~ **haben** be after sb/sth; ~ **von …** apart from …

abgespannt *adj* tired.

abgestanden *adj* stale; (*Bier a.*) flat.

abgestorben *adj* numb; (BIO, MED) dead.

abgewinnen *irr vt:* **einer Sache etw/Geschmack** ~ get sth/pleasure from sth.

abgewöhnen *vt:* **jdm/sich etw** ~ cure sb of sth/give sth up.

abgleiten *irr vi* slip, slide.

Abgott *m* idol; **abgöttisch** *adv:* ~ **lieben** idolize.

abgrenzen *vt* mark off; (*mit Zaun*) fence off; (*unterscheiden*) differentiate.

Abgrund *m* (*a. fig*) abyss; **abgründig** *adj* unfathomable; (*Lächeln*) cryptic.

abhaken *vt* tick off.

abhalten *irr vt* (*Versammlung*) hold; **jdn von etw** ~ (*fernhalten*) keep sb away from sth; (*hindern*) keep sb from sth.

abhandeln *vt* (*Thema*) deal with.

abhanden *adj:* ~ **kommen** get lost.

Abhandlung *f* treatise, discourse.

Abhang *m* slope.

abhängen **1.** *vt* (*Bild*) take down; (*Anhänger*) uncouple; (*Verfolger*) shake off; **2.** *irr vi* (*Fleisch*) hang; **von jdm/etw** ~ depend on sb/sth.

abhängig *adj* dependent (*von* on); **Abhängigkeit** *f* dependence (*von* on).

abhärten *vr:* **sich** ~ toughen [oneself] up; **sich gegen etw** ~ harden oneself to sth.
abhauen *irr* **1.** *vt* cut off; **2.** *vi* (*umg: verschwinden*) clear off.
abheben *irr* **1.** *vt* (*Geld*) withdraw; (*Masche*) slip; **2.** *vi* (*Flugzeug*) take off; (*Rakete*) lift off; (KARTEN) cut; **3.** *vr:* **sich** ~ stand out (*von* from), contrast (*von* with).
abhelfen *irr vi + dat* remedy.
abhetzen *vr:* **sich** ~ wear [*o* tire] oneself out.
Abhilfe *f* remedy; ~ **schaffen** put things right.
abholen *vt* collect; (*am Bahnhof etc*) pick up, meet.
Abholmarkt *m* cash and carry.
abhorchen *vt* sound.
abhören *vt* (*Vokabeln*) test; (*Telefongespräch*) tap; (*Tonband etc*) listen to; (MED) sound; **Abhörgerät** *nt* bug.
Abitur *nt* <-s, -e> *German school leaving examination,* ≈ A-levels *Brit;* **Abiturient(in)** *m(f) person who is doing/has done the Abitur.*
Abk. *f abk von* **Abkürzung** abbr.
abkämmen *vt* (*Gegend*) comb, scour.
abkanzeln *vt* (*umg*): **jdn** ~ give sb a dressing-down.
abkapseln *vr:* **sich** ~ shut oneself off.
abkaufen *vt:* **jdm etw** ~ buy sth from sb.
abkehren 1. *vt* (*Blick*) avert, turn away; **2.** *vr:* **sich** ~ turn away.
abklären *vt* clear up.
Abklatsch *m* <-es, -e> (*pej*) poor copy.
abklingen *irr vi* die away.
abknöpfen *vt* unbutton; **jdm etw** ~ (*umg*) get sth off sb.
abkochen *vt* boil.
abkommen *irr vi* get away; **von der Straße/einem Plan** ~ leave the road/give up a plan.
Abkommen *nt* <-s, -> agreement.
abkömmlich *adj* available.
abkratzen 1. *vt* scrape off; **2.** *vi* (*umg*) kick the bucket.
abkühlen 1. *vt* cool down; **2.** *vr:* **sich** ~ (*umg!*) cool down; (*Wetter*) get cool; (*Zuneigung*) cool.
abkupfern *vt* (*umg*) crib, copy.
abkürzen *vt* shorten; (*Wort a.*) abbreviate; **den Weg** ~ take a short cut; **Abkürzung** *f* (*Wort*) abbreviation; (*Weg*) short cut.
abladen *irr vt* unload.
Ablage *f* (*für Akten*) tray; (*Aktenordnung*) filing; ~ **für Unerledigtes** pending tray.
ablagern 1. *vt* deposit; **2.** *vr:* **sich** ~ be deposited; **3.** *vi* mature.
Ablagerung *f* deposit.
ablassen *irr* **1.** *vt* (*Wasser, Dampf*) let off; (*vom Preis*) knock off; **2.** *vi:* **von etw** ~ abandon sth.
Ablauf *m* (*Abfluss*) drain; (*von Ereignissen*) course; (*einer Frist, Zeit*) expiry; **ablaufen** *irr* **1.** *vi* (*abfließen*) drain away; (*Ereignisse*) happen; (*Frist, Zeit, Pass*) expire; **2.** *vt* (*Sohlen*) wear [*o* down/out].
ablegen *vt* put down; (*Kleider*) take off; (*Gewohnheit*) get rid of; (*Prüfung*) take, sit; (*Zeugnis*) give.
Ableger *m* <-s, -> (BOT) layer; (*fig*) branch, offshoot.
ablehnen 1. *vt* reject; (*Einladung*) decline, refuse; **2.** *vi* decline, refuse; **Ablehnung** *f* rejection; refusal.
ableiten *vt* (*Wasser*) divert; (*deduzieren*) deduce; (*Wort*) derive; **Ableitung** *f* diversion; deduction; derivation; (*Wort*) derivative.
ablenken 1. *vt* turn away, deflect; (*zerstreuen*) distract; **2.** *vi* change the subject; **Ablenkung** *f* distraction; **Ablenkungsmanöver** *nt* diversionary tactic.
ablesen *irr vt* read out; (*Messgeräte*) read.
abliefern *vt* deliver; **etw bei jdm/einer Dienststelle** ~ hand sth over to sb/in at an office; **Ablieferung** *f* delivery.
abliegen *irr vi* be some distance away.
ablösen *vt* (*abtrennen*) take off, remove; (*in Amt*) take over from; (*Wache*) relieve; **Ablösung** *f* removal; relieving.
abmachen *vt* take off; (*vereinbaren*) agree; **Abmachung** *f* agreement.
abmagern *vi* get thinner; **Abmagerungskur** *f* diet; **eine** ~ **machen** go on a diet.
Abmarsch *m* departure; **abmarschbereit** *adj* ready to start; **abmarschieren** *vi* march off.
abmelden 1. *vt* (*Zeitungen*) cancel; (*Auto*) deregister, take off the road; **2.** *vr:* **sich** ~ give notice of one's departure; (*im Hotel*) check out; **jdn bei der Polizei** ~ register sb's departure with the police.
abmessen *irr vt* measure; **Abmessung** *f* measurement.
abmontieren *vt* take off.
abmühen *vr:* **sich** ~ wear oneself out.
abnabeln *vr:* **sich** ~ cut oneself loose.
Abnäher *m* <-s, -> dart.
Abnahme *f* <-, -n> removal; (WIRTS) buy-

ing; (*Verringerung*) decrease (*gen* in).

abnehmen *irr* **1.** *vt* take off, remove; (*Führerschein*) take away; (*Geld*) get (*jdm* out of sb); (*kaufen, umg: glauben*) buy (*jdm* from sb); (*Prüfung*) hold; (*Maschen*) decrease; **2.** *vi* decrease; (*schlanker werden*) lose weight; **jdm Arbeit** ~ take work off sb's shoulders.

Abnehmer(in) *m(f)* <-s, -> purchaser, customer.

Abneigung *f* aversion, dislike.

abnutzen *vt* wear out; **Abnutzung** *f* wear [and tear].

Abonnement *nt* <-s, -s> subscription; **Abonnent(in)** *m(f)* subscriber; **abonnieren** *vt* subscribe to.

Abort *m* <-[e]s, -e> lavatory.

abpacken *vt* pack.

abpassen *vt* (*jdn, Gelegenheit*) wait for.

abpfeifen *irr vt, vi:* **[das Spiel]** ~ (SPORT) blow the whistle [for the end of the game]; **Abpfiff** *m* final whistle.

abplagen *vr:* **sich** ~ wear oneself out.

abprallen *vi* bounce off; (*Kugel*) ricochet.

abputzen *vt* clean.

abquälen *vr:* **sich** ~ drive oneself frantic; **sich mit etw** ~ struggle with sth.

abrackern *vi* slave [away].

abraten *irr vi* advise, warn (*jdm von etw* sb against sth).

abräumen *vt* clear up [*o* away].

abreagieren **1.** *vt* (*Wut*) work off; **2.** *vr:* **sich** ~ calm down; **seinen Ärger an jdm** ~ take it out on sb.

abrechnen **1.** *vt* deduct, take off; **2.** *vi* settle up; (*fig*) get even; **Abrechnung** *f* settlement; (*Rechnung*) bill.

abregen *vr:* **sich** ~ (*umg*) calm [*o* cool] down.

abreiben *irr vt* rub off; (*säubern*) wipe; **jdn mit einem Handtuch** ~ towel sb down.

Abreise *f* departure; **abreisen** *vi* leave, set off.

abreißen *irr vt* (*Haus*) tear down; (*Blatt*) tear off.

abrichten *vt* train.

abriegeln *vt* (*Tür*) bolt; (*Straße, Gebiet*) seal off.

Abriss[RR] *m* <-es, -e> (*Übersicht*) outline.

Abruf *m:* **auf** ~ on call; **abrufen** *irr vt* (*jdn*) call away; (INFORM) retrieve; (WIRTS: *Ware*) request delivery of.

abrunden *vt* round off; (*Zahl*) round down.

abrüsten *vi* disarm; **Abrüstung** *f* disarmament.

Abs. *abk von* **Absender**.

ABS *f* (AUTO) *abk von* **Antiblockiersystem** ABS.

Absage *f* refusal; **absagen** **1.** *vt* cancel, call off; (*Einladung*) turn down; **2.** *vi* cry off; (*ablehnen*) decline.

absägen *vt* saw off.

absahnen **1.** *vi* make a killing; **2.** *vt* skim; **das Beste für sich** ~ take the cream.

Absatz *m* (WIRTS) sales *pl;* (*neuer Abschnitt*) paragraph; (*Treppen~*) landing; (*Schuh~*) heel; **Absatzflaute** *f* slump in the market; **Absatzgebiet** *nt* (WIRTS) market.

abschaben *vt* scrape off; (*Möhren*) scrape.

abschaffen *vt* abolish, do away with; **Abschaffung** *f* abolition.

Abschaltautomatik *f* automatic shut-off/cutoff/cutout.

abschalten *vt, vi* (*a. fig*) switch off.

abschätzen *vt* estimate; (*Lage*) assess; (*jdn*) size up.

abschätzig *adj* disparaging, derogatory.

abschauen *vi* (*A*): **bei jdm** ~ copy from sb.

Abschaum *m* scum.

Abscheu *m* <-[e]s> loathing, repugnance; ~ **erregend**[RR] repulsive, loathsome; **abscheuerregend** *adj s.* **Abscheu**; **abscheulich** *adj* abominable.

abschicken *vt* send off.

abschieben *irr vt* push away; (*jdn*) pack off; (*ausweisen*) deport.

Abschied *m* <-[e]s, -e> parting; ~ **nehmen** say good-bye (*von jdm* to sb), take one's leave (*von jdm* of sb); **zum** ~ on parting; **Abschiedsbrief** *m* farewell letter; **Abschiedsfeier** *f* farewell party.

abschießen *irr vt* (*Flugzeug*) shoot down; (*Geschoss*) fire; (*umg*) get rid of.

abschirmen *vt* screen.

abschlagen *irr vt* (*abhacken,* WIRTS) knock off; (*ablehnen*) refuse.

abschlägig *adj* negative.

Abschlagszahlung *f* interim payment.

abschleifen *irr* **1.** *vt* grind down; (*Rost*) polish off; **2.** *vr:* **sich** ~ wear off.

Abschleppdienst *m* (AUTO) breakdown service; **abschleppen** *vt* take in tow; **Abschleppseil** *nt* towrope.

abschließen *irr* **1.** *vt* (*Tür*) lock; (*beenden*) conclude, finish; (*Vertrag, Handel*) conclude; **2.** *vr:* **sich** ~ (*sich isolieren*) cut oneself off.

AbschlussRR *m* (*Beendigung*) close, conclusion; (WIRTS: *Rechnungs~*) balancing; (*von Vertrag, Handel*) conclusion; **zum ~** in conclusion; **Abschlussfeier**RR *f* end-of-term party; **Abschlussrechnung**RR *f* final account.

abschmieren *vt* (AUTO) grease, lubricate.

abschminken *vr:* **sich ~** remove one's make-up.

abschnallen 1. *vt* undo; **2.** *vi:* **da schnallste ab!** (*umg*) it blows your mind!

abschneiden *irr* **1.** *vt* cut off; **2.** *vi* do, come off.

Abschnitt *m* section; (MIL) sector; (*Kontroll~*) counterfoil; (MATH) segment; (*Zeit~*) period.

abschöpfen *vt* skim off.

abschotten *vt* seal off.

abschrauben *vt* unscrew.

abschrecken *vt* deter, put off; (*mit kaltem Wasser*) plunge in cold water; **abschreckend** *adj* deterrent; **~es Beispiel** warning; **Abschreckung** *f* (MIL) deterrence.

abschreiben *irr vt* copy; (*verloren geben*) write off; (WIRTS) deduct; **Abschreibung** *f* (WIRTS) deduction; (*Wertverminderung*) depreciation.

Abschrift *f* copy.

abschürfen *vt* graze.

AbschussRR *m* (*eines Geschützes*) firing; (*Herunterschießen*) shooting down; (*Tötung*) shooting.

abschüssig *adj* steep.

abschwächen 1. *vt* lessen; (*Behauptung, Kritik*) tone down; **2.** *vr:* **sich ~** lessen.

abschweifen *vi* wander; **Abschweifung** *f* digression.

abschwellen *irr vi* (*Geschwulst*) go down; (*Lärm*) die down.

abschwören *irr vi +dat* renounce.

absehbar *adj* foreseeable; **in ~er Zeit** in the foreseeable future; **das Ende ist ~** the end is in sight; **absehen** *irr* **1.** *vt* (*Ende, Folgen*) foresee; **2.** *vi:* **von etw ~** refrain from sth; (*nicht berücksichtigen*) leave sth out of consideration.

abseits 1. *adv* out of the way; **2.** *präp +gen* away from; **Abseits** *nt* <-> (SPORT) offside; **im ~ stehen** be offside.

absenden *irr vt* send off, dispatch; **Absender(in)** *m(f)* <-s, -> sender.

absetzbar *adj* (*Beamter*) dismissible; (*Waren*) saleable; (*von Steuer*) deductible; **absetzen 1.** *vt* (*niederstellen, aussteigen lassen*) put down; (*abnehmen*) take off; (WIRTS) sell; (FIN) deduct; (*entlassen*) dismiss; (*König*) depose; (*streichen*) drop; (*hervorheben*) pick out; **2.** *vr:* **sich ~** (*sich entfernen*) clear off; (*sich ablagern*) be deposited.

absichern *vt* make safe; (*schützen*) safeguard.

Absicht *f* intention; **mit ~** on purpose; **absichtlich** *adj* intentional, deliberate.

absitzen *irr* **1.** *vi* dismount; **2.** *vt* (*Strafe*) serve.

absolut *adj* absolute; **Absolutismus** *m* absolutism.

absolvieren *vt* (SCH) complete.

absondern 1. *vt* separate; (*ausscheiden*) give off, secrete; **2.** *vr:* **sich ~** cut oneself off.

absparen *vt:* **sich** *dat* **etw ~** scrimp and save for sth.

abspecken *vi* (*umg*) lose weight.

abspeichern *vt* (INFORM) save, file.

abspeisen *vt* (*fig*) fob off.

abspenstig *adj:* **~ machen** lure away (*jdm* from sb).

absperren *vt* block [*o* close] off; (*Tür*) lock; **Absperrung** *f* (*Vorgang*) blocking [*o* closing] off; (*Sperre*) barricade.

abspielen 1. *vt* (*Platte, Tonband*) play; (SPORT) pass; **2.** *vr:* **sich ~** happen.

Absprache *f* arrangement.

absprechen *irr vt* (*vereinbaren*) arrange; **jdm etw ~** deny sb sth.

abspringen *irr vi* jump down/off; (*Farbe, Lack*) flake off; (FLUG) bale out; (*sich distanzieren*) back out; **Absprung** *m* jump.

abspülen *vt* rinse; (*Geschirr*) wash up.

abstammen *vi* be descended; (*Wort*) be derived; **Abstammung** *f* descent; derivation.

Abstand *m* distance; (*zeitlich*) interval; **davon ~ nehmen etw zu tun** refrain from doing sth; **~ halten** (AUTO) keep one's distance; **mit ~ der Beste** by far the best; **Abstandssumme** *f* compensation.

abstatten *vt* (*Dank*) give; (*Besuch*) pay.

abstauben *vt, vi* dust; (*umg: stehlen*) pinch; [**den Ball**] **~** (SPORT) tuck the ball away.

Abstecher *m* <-s, -> detour; (*fig*) digression.

abstehen *irr vi* (*Ohren, Haare*) stick out.

absteigen *irr vi* (*vom Rad etc*) get off, dismount; (*in Gasthof*) put up (*in +dat* at); (SPORT) be relegated (*in +akk* to).

abstellen *vt* (*niederstellen*) put down; (*entfernt stellen*) pull out; (*hinstellen:*

Auto) park; (*ausschalten*) turn [*o* switch] off; (*Missstand, Unsitte*) stop; (*ausrichten*) gear (*auf +akk* to); **Abstellgleis** *nt* siding.

abstempeln *vt* stamp.

absterben *irr vi* die; (*Körperteil*) go numb.

Abstieg *m* <-[e]s, -e> descent; (SPORT) relegation; (*fig*) decline.

abstimmen **1.** *vi* vote; **2.** *vt* (*Instrument*) tune (*auf +akk* to); (*Interessen*) match (*auf+akk* with); (*Termine, Ziele*) fit in (*auf +akk* with); **3.** *vr:* **sich ~** come to an agreement; **Abstimmung** *f* vote.

abstinent *adj* abstemious; (*von Alkohol*) teetotal; **Abstinenz** *f* abstinence; teetotalism; **Abstinenzler(in)** *m(f)* <-s, -> teetotaller.

abstoßen *irr vt* push off [*o* away]; (*verkaufen*) get rid of; (*anekeln*) repel, repulse; **abstoßend** *adj* repulsive.

abstrakt **1.** *adj* abstract; **2.** *adv* abstractly, in the abstract; **Abstraktion** *f* abstraction; **Abstraktum** *nt* <-s, Abstrakta> abstract concept/noun.

abstreiten *irr vt* deny.

Abstrich *m* (*Abzug*) cut; (MED) smear; **~e machen** lower one's sights.

abstufen *vt* (*Hang*) terrace; (*Farben*) shade; (*Gehälter*) grade.

abstumpfen **1.** *vt* (*a. fig*) dull, blunt; **2.** *vi* (*a. fig*) become dulled.

Absturz *m* fall; (FLUG, INFORM) crash; **abstürzen** *vi* fall; (FLUG, INFORM) crash.

absuchen *vt* scour, search.

absurd *adj* absurd.

Abszess[RR] *m* <-es, -e> abscess.

Abt *m* <-[e]s, Äbte> abbot.

abtasten *vt* feel, probe.

abtauen *vt, vi* thaw.

Abtei *f* <-, -en> abbey.

Abteil *nt* <-[e]s, -e> compartment.

abteilen *vt* divide up; (*abtrennen*) divide off.

Abteilung *f* (*in Firma, Kaufhaus*) department, section; (MIL) unit; **Abteilungsleiter(in)** *m(f)* head of department, section.

Äbtissin *f* abbess.

abtörnen *vt* (*sl*) turn off.

abträglich *adj* harmful (*dat* to).

abtreiben *irr* **1.** *vt* (*Boot, Flugzeug*) drive off course; (*Kind*) abort; **2.** *vi* be driven off course; abort; **Abtreibung** *f* abortion; **Abtreibungspille** *f* abortion pill; **Abtreibungsversuch** *m* attempted abortion.

abtrennen *vt* (*lostrennen*) detach; (*entfernen*) take off; (*abteilen*) separate off.

abtreten *irr* **1.** *vt* wear out; (*überlassen*) hand over, cede (*jdm* to sb); **2.** *vi* go off; (*zurücktreten*) step down.

abtrocknen *vt* dry.

abtrünnig *adj* renegade.

abwägen <wägte ab, abgewogen> *vt* weigh up.

abwählen *vt* vote out [of office].

abwandeln *vt* adapt.

Abwärme *f* waste heat.

abwarten **1.** *vt* wait for; **2.** *vi* wait.

abwärts *adv* down.

Abwasch *m* <-[e]s> washing-up; **abwaschbar** *adj* washable; **abwaschen** *irr vt* (*Schmutz*) wash off; (*Geschirr*) wash [up]; **Abwaschmaschine** *f* (*CH*) dishwasher.

Abwasser *nt* <-s, Abwässer> sewage.

abwechseln *vr:* **sich ~** alternate; (*Menschen*) take turns; **abwechselnd** *adv* alternately; **wir haben das ~ gemacht** we took turns.

Abwechslung *f* change; (*Zerstreuung*) diversion; **abwechslungsreich** *adj* varied.

Abweg *m:* **auf ~e geraten/führen** go/lead astray; **abwegig** *adj* wrong.

Abwehr *f* <-> defence; (*Schutz*) protection; (*~dienst*) counter intelligence [service]; **abwehren** *vt* ward off; (*Ball*) stop; **~de Geste** dismissive gesture.

abweichen *irr vi* deviate; (*Meinung*) differ; **abweichend** *adj* deviant; differing.

abweisen *irr vt* turn away; (*Antrag*) turn down; **abweisend** *adj* (*Haltung*) cold.

abwenden *irr* **1.** *vt* avert; **2.** *vr:* **sich ~** turn away.

abwerben *irr vt* woo away (*jdm* from sb).

abwerfen *irr vt* throw off; (*Profit*) yield; (*aus Flugzeug*) drop; (*Spielkarte*) discard.

abwerten *vt* (FIN) devalue.

abwesend *adj* absent; **Abwesenheit** *f* absence.

abwickeln *vt* (*Geschäft*) complete.

abwiegen *irr vt* weigh out.

abwimmeln *vt* (*umg*) get rid of; (*Auftrag*) get out of.

abwischen *vt* wipe off [*o* away]; (*putzen*) wipe.

Abwurf *m* throwing off; (*von Bomben etc*) dropping; (*von Reiter,* SPORT) throw.

abwürgen *vt* (*umg*) scotch; (*Motor*) stall.

abzahlen *vt* pay off.
abzählen *vt, vi* count [up].
Abzahlung *f* repayment; **auf ~ kaufen** buy on hire purchase.
Abzeichen *nt* badge; (*Orden*) decoration.
abzeichnen 1. *vt* draw, copy; (*Dokument*) initial; **2.** *vr:* **sich ~** stand out; (*fig: bevorstehen*) loom.
Abziehbild *nt* transfer.
abziehen *irr* **1.** *vt* take off; (*Tier*) skin; (*Bett*) strip; (*subtrahieren*) take away, subtract; (*kopieren*) run off; **2.** *vi* go away; (*Truppen*) withdraw.
abzielen *vi* be aimed (*auf+akk* at).
abzocken *vt* (*sl*) fleece.
Abzug *m* departure; (*von Truppen*) withdrawal; (*Kopie*) copy; (*Subtraktion*) subtraction; (*Betrag*) deduction; (*Rauch~*) flue; (*von Waffen*) trigger.
abzüglich *präp +gen* less.
abzweigen 1. *vi* branch off; **2.** *vt* set aside; **Abzweigung** *f* junction.
Accessoires *pl* accessories *pl.*
ach *interj* oh; **mit Ach und Krach** by the skin of one's teeth.
Achse *f* <-, -n> axis; (AUTO) axle; **auf ~ sein** be on the move.
Achsel *f* <-, -n> shoulder; **Achselhöhle** *f* armpit; **Achselzucken** *nt* shrug [of one's shoulders].
Achsenbruch *m* (AUTO) broken axle.
acht *num* eight; **~ Tage** a week.
Acht *f* <-> attention; (HIST) proscription; **~ geben**[RR] take care (*auf+akk* of); **sich in ~**[RR] **nehmen** be careful (*vor +dat* of), watch out (*vor+dat* for); **etw außer ~**[RR] **lassen** disregard sth.
achtbar *adj* worthy.
achte(r, s) *adj* eighth; **der ~ September** the eighth of September; **Stuttgart, den 8. September** Stuttgart, September 8th; **Achte(r)** *mf* eighth.
Achtel *nt* <-s, -> (*Bruchteil*) eighth.
achten 1. *vt* respect; **2.** *vi* pay attention (*auf+akk* to); **darauf ~, dass ...** be careful that ...
ächten *vt* outlaw, ban.
achtens *adv* in the eighth place.
Achterbahn *f* big dipper, roller coaster.
achtfach 1. *adj* eightfold; **2.** *adv* eight times.
achtgeben *irr vi s.* **Acht.**
achthundert *num* eight hundred; **achtjährig** *adj* (*8 Jahre alt*) eight-year-old; (*8 Jahre dauernd*) eight-year.
achtlos *adj* careless.
achtmal *adv* eight times.
achtsam *adj* attentive.
Achtung 1. *f* attention; (*Ehrfurcht*) respect; **2.** *interj* look out; (MIL) attention; **~ Lebensgefahr/Stufe!** danger/mind the step!
achtzehn *num* eighteen.
achtzig *num* eighty.
ächzen *vi* groan (*vor+dat* with).
Acker *m* <-s, Äcker> field; **Ackerbau** *m* agriculture.
Acryl *nt* <-s> acrylic.
Adapter *m* <-s, -> adapter, adaptor.
addieren *vt* add [up]; **Addition** *f* addition.
ade *interj* farewell, adieu.
Adel *m* <-s> nobility; **adelig** *adj* noble.
Ader *f* <-, -n> vein.
Adjektiv *nt* adjective.
Adler *m* <-s, -> eagle.
adlig *adj* noble.
Admiral(in) *m(f)* <-s, -e> admiral.
adoptieren *vt* adopt; **Adoption** *f* adoption; **Adoptiveltern** *pl* adoptive parents *pl;* **Adoptivkind** *nt* adopted child.
Adrenalin *nt* <-s> adrenalin.
Adresse *f* <-, -n> (*a.* INFORM) address; **adressieren** *vt* address (*an +akk* to).
Advent *m* <-[e]s, -e> Advent; **Adventskranz** *m* Advent wreath.
Adverb *nt* adverb; **adverbial** *adj* adverbial.
Aerobic *nt* <-s> aerobics *sing.*
aerodynamisch *adj* aerodynamic.
Affäre *f* <-, -n> affair.
Affe *m* <-n, -n> monkey.
affektiert *adj* affected.
affenartig *adj* like a monkey; **mit ~er Geschwindigkeit** like a flash; **Affenhitze** *f* (*umg*) incredible heat; **Affenschande** *f* (*umg*) crying shame.
affig *adj* affected.
Afghanistan *nt* Afghanistan.
Afrika *nt* Africa; **Afrikaner(in)** *m(f)* <-s, -> African; **afrikanisch** *adj* African.
After *m* <-s, -> anus.
AG *f* <-, -s> *abk von* **Aktiengesellschaft** plc, Ltd, inc.
Agent(in) *m(f)* agent; **Agentur** *f* agency.
Aggregat *nt* <-[e]s, -e> aggregate; (TECH) unit; **Aggregatzustand** *m* (PHYS) state.
Aggression *f* aggression; **aggressiv** *adj* aggressive; **Aggressivität** *f* aggressiveness.
Agitation *f* agitation.
Agrarpolitik *f* agricultural policy; **Agrar-**

staat *m* agrarian state.

Ägypten *nt* Egypt.

aha *interj* aha; **Aha-Erlebnis** *nt* sudden insight.

Ahn *m* <-en, -en> forebear.

ähneln 1. *vi +dat* be like, resemble; 2. *vr:* **sich** ~ be alike [*o* similar].

ahnen *vt* suspect; (*Tod, Gefahr*) have a presentiment of; **du ahnst es nicht** you have no idea.

ähnlich *adj* similar (*dat* to); **Ähnlichkeit** *f* similarity.

Ahnung *f* idea, suspicion; (*Vor~*) presentiment; **ahnungslos** *adj* unsuspecting.

Ahorn *m* <-s, -e> maple.

Ähre *f* <-, -n> ear.

Aids *nt* <-> aids, AIDS; **Aids-Hilfe** *f* aids-centre; **Aids-krank** *adj* aids-infected; **Aids-positiv** *adj* tested positive for aids; **Aidstest** *m* aids test.

Airbag *m* <-s, -s> (AUTO) airbag.

Airbus *m* airbus.

Akademiker(in) *m(f)* <-s, -> university graduate; **akademisch** *adj* academic.

akklimatisieren *vr:* **sich** ~ become acclimatized.

Akkord *m* <-[e]s, -e> (MUS) chord; **im ~ arbeiten** do piecework; **Akkordarbeit** *f* piecework.

Akkordeon *nt* <-s, -s> accordion.

Akkusativ *m* accusative [case].

Akrobat(in) *m(f)* <-en, -en> acrobat.

Akt *m* <-[e]s, -e> act; (KUNST) nude.

Akte *f* <-, -n> file; **etw zu den ~n legen** (*a. fig*) file sth away; **Aktenkoffer** *m* attaché case; **aktenkundig** *adj* on the files; **Aktenschrank** *m* filing cabinet; **Aktentasche** *f* briefcase.

Aktie *f* <-, -n> share; **Aktienemission** *f* share issue; **Aktienfonds** *m* unit/investment trust fund; **Aktiengesellschaft** *f* joint-stock company; **Aktienkurs** *m* share price.

Aktion *f* campaign; (*Polizei~, Such~*) action.

Aktionär(in) *m(f)* <-s, -e> shareholder.

aktiv *adj* active; (MIL) regular; **Aktiv** *nt* <-s> (LING) active [voice]; **Aktiva** *pl* assets *pl;* **aktivieren** *vt* activate; **Aktivität** *f* activity.

aktualisieren *vt* (*a.* INFORM) update; **Aktualität** *f* topicality; (*einer Mode*) up-to-dateness; **aktuell** *adj* topical; up-to-date.

Akupressur *f* acupressure.

Akupunktur *f* acupuncture.

Akustik *f* acoustics *sing;* **Akustikkoppler** *m* <-s, -> (INFORM) acoustic coupler.

akut *adj* acute.

AKW *nt* <-s, -s> *abk von* **Atomkraftwerk** nuclear power station.

Akzent *m* <-[e]s, -e> accent; (*Betonung*) stress.

Akzeptanz *f* acceptance; **akzeptieren** *vt* accept.

Alarm *m* <-[e]s, -e> alarm; **Alarmanlage** *f* alarm system; **alarmbereit** *adj* standing by; **Alarmbereitschaft** *f* stand-by; **alarmieren** *vt* alarm.

Albanien *nt* Albania.

albern *adj* silly.

Albtraum[RR] *m* nightmare.

Album *nt* <-s, Alben> album.

Algebra *f* <-> algebra.

Algerien *nt* Algeria.

algorithmisch *adj* algorithmic; **Algorithmus** *m* algorithm.

Alibi *nt* <-s, -s> alibi; **Alibifunktion** *f:* **~ haben** be used as an alibi.

Alimente *pl* alimony.

Alkohol *m* <-s, -e> alcohol; **alkoholfrei** *adj* non-alcoholic, alcohol-free; **Alkoholiker(in)** *m(f)* <-s, -> alcoholic; **alkoholisch** *adj* alcoholic; **Alkoholismus** *m* alcoholism; **Alkoholverbot** *nt* ban on alcohol.

All *nt* <-s> universe.

allabendlich *adj* every evening.

alle(r, s) 1. *adj* all; 2. *adv* (*umg: zu Ende*) finished; **wir ~** all of us; **~ beide** both of us/you; **~ vier Jahre** every four years; **etw ~ machen** finish sth up.

Allee *f* <-, -n> avenue.

allein 1. *adv* alone; (*ohne Hilfe*) on one's own, by oneself; **~ erziehende**[RR] **Mutter** single mother; **~ stehend**[RR] single; 2. *konj* but, only; **nicht ~** (*nicht nur*) not only; **alleinerziehend** *adj s.* **allein**; **Alleinerziehende(r)** *mf* <-n, -n> single mother/father/parent; **Alleingang** *m:* **im ~** on one's own; **alleinstehend** *adj s.* **allein**.

allerbeste(r, s) *adj* very best; **allerdings** *adv* (*zwar*) admittedly; (*gewiss*) certainly.

Allergie *f* allergy; **Allergiker(in)** *m(f)* <-s, -> person suffering from an allergy; **er ist ~** he suffers from an allergy; **allergisch** *adj* allergic.

allerhand *adj inv* (*umg*) all sorts of; **das ist doch ~!** that's a bit thick; **~!** (*lobend*) good show!

Allerheiligen *nt* All Saints' Day.

allerhöchste(**r**, **s**) *adj* very highest; **allerhöchstens** *adv* at the very most.
allerlei *adj inv* all sorts of.
allerletzte(**r**, **s**) *adj* very last.
allerseits *adv* on all sides; **prost ~!** cheers everyone!
allerwenigste(**r**, **s**) *adj* very least.
alles *pron* everything; **~ in allem** all in all.
allgegenwärtig *adj* ever-present, ubiquitous.
allgemein *adj* general; **~ gültig**[RR] generally accepted; **im Allgemeinen**[RR] in general; **Allgemeinbildung** *f* general knowledge; **allgemeingültig** *adj s.* **allgemein**; **Allgemeinheit** *f* (*Menschen*) general public; **~en** *pl* (*Redensarten*) general remarks *pl;* **Allgemeinmedizin** *f* general medicine.
Alliierte(**r**) *mf* ally.
alljährlich *adj* annual.
allmählich *adj* gradual.
Allradantrieb *m* all-wheel drive.
Alltag *m* everyday life; **alltäglich** *adj* daily; (*gewöhnlich*) commonplace.
allwissend *adj* omniscient.
allzu *adv* all too; **~ oft**[RR] all too often; **~ viel**[RR] too much; **allzuoft** *adv s.* **allzu**; **allzuviel** *adv s.* **allzu**.
Almosen *nt* <-s, -> alms *pl;* (*geringer Lohn*) pittance.
Alpen *pl* Alps *pl;* **Alpenblume** *f* alpine flower.
Alphabet *nt* <-[e]s, -e> alphabet; **alphabetisch** *adj* alphabetical.
alphanumerisch *adj* alphanumeric.
Alptraum *m* nightmare.
als *konj* (*zeitlich*) when; (*bei Komparativ*) than; (*Gleichheit*) as; **nichts ~** nothing but; **~ ob** as if.
also *konj* so; (*folglich*) therefore; **ich komme ~ morgen** so I'll come tomorrow; **~ gut** [*o* **schön**]**!** okay then; **~, so was!** well really!; **na ~!** there you are then!
alt *adj* old; **~ aussehen** (*umg*) look a right fool; **ich bin nicht mehr der Alte**[RR] I am not the man I was; **alles beim Alten**[RR] **lassen** leave everything as it was.
Alt *m* <-s, -e> (MUS) alto.
Altar *m* <-[e]s, Altäre> altar.
Alteisen *nt* scrap iron.
Alter *nt* <-s, -> age; (*hohes*) old age; **im ~ von** at the age of; **altern** *vi* grow old, age.
alternativ *adj* (*Weg, Methode, Lebensweise, Energiegewinnung*) alternative; (POL) unconventional; (*umweltbewusst*) ecologically minded.
Alternativ- *in Zusammensetzungen* alternative; (*Bäckerei, Landwirtschaft*) organic.
Alternative *f* alternative.
Alternative(**r**) *mf* (POL) member of the alternative movement.
altersbedingt *adj* age-related.
Altersgrenze *f* age limit; **Altersheim** *nt* old people's home; **Altersversorgung** *f* old age pension.
Altertum *nt* antiquity.
Altglascontainer *m* bottle bank; **altklug** *adj* precocious; **Altlasten** *pl* (*Boden*) contaminated soil; (*fig*) inherited problems; **Altlastsanierung** *f* removal of hazardous waste; **altmodisch** *adj* old-fashioned; **Altpapier** *nt* waste paper; **Altstadt** *f* old town; **Altweibersommer** *m* Indian summer.
Alufolie *f* tin foil, kitchen foil.
Aluminium *nt* <-s> aluminium, aluminum *US.*
Alzheimer-Krankheit *f* Alzheimer's disease.
am = **an dem**: **~ Sterben** on the point of dying; **~ 15. März** on March 15th; **~ besten/schönsten** best/most beautiful.
Amalgam *nt* <-s, -e> amalgam.
Amateur(**in**) *m(f)* amateur.
Amboss[RR] *m* <-es, -e> anvil.
ambulant *adj* outpatient.
Ameise *f* <-, -n> ant.
Amerika *nt* America; **in ~** in America; **nach ~ fahren** go to America; **Amerikaner**(**in**) *m(f)* <-s, -> American; **amerikanisch** *adj* American.
Amortisationszeit *f* payback period.
Ampel *f* <-, -n> traffic lights *pl.*
amputieren *vt* amputate.
Amsel *f* <-, -n> blackbird.
Amt *nt* <-[e]s, Ämter> office; (*Pflicht*) duty; (TEL) exchange; **amtieren** *vi* hold office; **amtlich** *adj* official; **Amtszeichen** *nt* (TEL) dial tone *US,* dialling tone *Brit;* **Amtszeit** *f* period of office.
amüsant *adj* amusing; **amüsieren** 1. *vt* amuse; 2. *vr:* **sich ~** enjoy oneself; **Amüsierviertel** *nt* nightclub district.
an 1. *präp + dat* (*räumlich*) at; (*auf, bei*) on; (*nahe bei*) near; (*zeitlich*) on; 2. *präp + akk* (*räumlich*) [on]to; 3. *adv:* **von ... ~** from ... on; **~ die 5 DM** around 5 marks; **das Licht ist ~** the light is on; **~ Ostern** at Easter; **~ diesem Ort/Tag** at this place/on this day; **~ und für sich** actually.

Anabolikum *nt* <-s, Anabolika> anabolic steroid.

analog *adj* analogous; (INFORM) analog; **Analogrechner** *m* analog computer.

Analyse *f* <-, -n> analysis; **analysieren** *vt* analyse.

Ananas *f* <-, - *o* -se> pineapple.

Anarchie *f* anarchy.

Anarcho *m* <-s, -s> (*umg*) anarchist.

Anatomie *f* anatomy.

anbändeln *vi* (*umg*) flirt.

Anbau 1. *m* (AGR) cultivation; 2. *m* <Anbauten *pl*> (*Gebäude*) extension; **anbauen** *vt* (AGR) cultivate; (*Gebäudeteil*) build on.

anbehalten *irr vt* keep on.

anbei *adv* enclosed.

anbeißen *irr* 1. *vt* bite into; 2. *vi* bite; (*fig*) swallow the bait; **zum Anbeißen** (*umg*) nice enough to eat.

anbelangen *vt* concern; **was mich anbelangt** as far as I am concerned.

anbeten *vt* worship.

Anbetracht *m*: **in** ~ +*gen* in view of.

anbiedern *vr*: **sich** ~ make up (*bei* to).

anbieten *irr* 1. *vt* offer; 2. *vr*: **sich** ~ volunteer.

anbinden *irr vt* tie up; **kurz angebunden** (*fig*) curt.

Anblick *m* sight; **anblicken** *vt* look at.

anbrechen *irr* 1. *vt* start; (*Vorräte*) break into; 2. *vi* start; (*Tag*) break; (*Nacht*) fall.

anbrennen *irr vi* catch fire; (GASTR) burn.

anbringen *irr vt* bring; (*Ware*) sell; (*festmachen*) fasten.

Anbruch *m* beginning; ~ **des Tages/der Nacht** dawn/nightfall.

anbrüllen *vt* roar at.

Andacht *f* <-, -en> devotion; (*Gottesdienst*) prayers *pl*; **andächtig** *adj* devout.

andauern *vi* last, go on; **andauernd** *adj* (*ständig*) continuous; (*anhaltend*) continual; **sie beklagt sich** ~ she keeps on complaining.

Andenken *nt* <-s, -> memory; souvenir.

andere(r, s) *adj* other; (*verschieden*) different; **am ~n Tage** the next day; **ein ~s Mal** another time; **kein ~r** nobody else; **von etwas ~m sprechen** talk about something else; **anderenteils**, **andererseits** *adv* on the other hand.

ändern 1. *vt* alter, change; 2. *vr*: **sich** ~ change.

anders *adv* differently (*als* from); **wer ~?** who else?; **jd/irgendwo** ~ sb/somewhere else; ~ **aussehen/klingen** look/sound different; **andersartig** *adj* different; **andersherum** *adv* the other way round; **anderswo** *adv* elsewhere.

anderthalb *num* one and a half.

Änderung *f* alteration, change.

anderweitig *adv* otherwise; (*anderswo*) elsewhere.

andeuten *vt* indicate; (*Wink geben*) hint at; **Andeutung** *f* indication; hint.

Andorra *nt* Andorra.

Andrang *m* crush.

andrehen *vt* turn [*o* switch] on; **jdm etw** ~ (*umg*) unload sth onto sb.

androhen *vt*: **jdm etw** ~ threaten sb with sth.

aneignen *vt*: **sich** *dat* **etw** ~ acquire sth; (*widerrechtlich*) appropriate sth.

aneinander *adv* at/on/to one another [*o* each other]; ~ **geraten**[RR] clash; ~ **legen**[RR] put together; **aneinandergeraten** *irr vi s.* **aneinander**; **aneinanderlegen** *vt s.* **aneinander**.

anekeln *vt* disgust.

Anemone *f* <-, -n> anemone.

anerkannt *adj* recognized, acknowledged.

anerkennen *irr vt* recognize, acknowledge; (*würdigen*) appreciate; **anerkennend** *adj* appreciative; **anerkennenswert** *adj* praiseworthy; **Anerkennung** *f* recognition, acknowledgement; appreciation.

anfahren *irr* 1. *vt* deliver; (*fahren gegen*) hit; (*Hafen*) put into; (*fig*) bawl out; 2. *vi* drive up; (*losfahren*) drive off.

Anfall *m* (MED) attack.

anfallen *irr* 1. *vt* attack; (*fig*) overcome; 2. *vi* (*Arbeit*) come up; (*Produkt*) be obtained.

anfällig *adj* delicate; ~ **für etw** prone to sth.

Anfang *m* <-[e]s, Anfänge> beginning, start; **von** ~ **an** right from the beginning; **zu** ~ at the beginning; ~ **Mai** at the beginning of May; **anfangen** *irr vt, vi* begin, start; (*machen*) do.

Anfänger(in) *m(f)* <-s, -> beginner.

anfangs *adv* at first; **Anfangsbuchstabe** *m* initial [*o* first] letter; **Anfangsstadium** *nt* initial stages *pl*.

anfassen 1. *vt* handle; (*berühren*) touch; 2. *vi* lend a hand; 3. *vr*: **sich** ~ feel; **zum Anfassen** accessible; (*Mensch*) approachable.

anfechten *irr vt* dispute; (*beunruhigen*)

trouble.

anfertigen *vt* make.

anfeuern *vt* (*fig*) spur on.

anflehen *vt* implore.

anfliegen *irr* **1.** *vt* fly to; **2.** *vi* fly up; **Anflug** *m* (FLUG) approach; (*Spur*) trace.

anfordern *vt* demand; **Anforderung** *f* demand (*gen* for).

Anfrage *f* inquiry; **anfragen** *vi* inquire.

anfreunden *vr:* **sich ~ mit etw** get to like sth; **sich ~ mit jdm** make [*o* become] friends with sb.

anfügen *vt* add; (*beifügen*) enclose.

anführen *vt* lead; (*zitieren*) quote; **Anführer(in)** *m(f)* leader; **Anführungsstriche** *pl*, **Anführungszeichen** *pl* quotation marks *pl.*

Angabe *f* statement; (TECH) specification; (*umg*) boasting; (SPORT) service; **~n** *pl* (*Auskunft*) particulars *pl.*

angeben *irr* **1.** *vt* give; (*bestimmen*) set; **2.** *vi* (*umg*) boast; (SPORT) serve; **Angeber(in)** *m(f)* <-s, -> (*umg*) show-off; **Angeberei** *f* (*umg*) showing off.

angeblich *adj* alleged.

angeboren *adj* inborn, innate (*jdm* in sb).

Angebot *nt* offer; (WIRTS) supply (*an +dat* of).

angebracht *adj* appropriate, in order.

angeheitert *adj* tipsy.

angehen *irr* **1.** *vt* concern; (*bitten*) approach (*um* for); **2.** *vi* (*Feuer*) light; (*beginnen*) begin; **angehend** *adj* prospective; **er ist ein ~er Vierziger** he is approaching forty.

angehören *vi* belong (*dat* to).

Angehörige(r) *mf* relative.

Angeklagte(r) *mf* accused.

Angel *f* <-, -n> fishing rod; (*Tür~*) hinge.

Angelegenheit *f* affair, matter.

Angelhaken *m* fish hook; **angeln** **1.** *vt* catch; **2.** *vi* fish; **Angeln** *nt* <-s> angling, fishing.

angeloben *vt* (*A*) swear in; **Angelobung** *f* (*A*) swearing in.

Angelrute *f* fishing rod.

angemessen *adj* appropriate, suitable.

angenehm *adj* pleasant; **~!** (*bei Vorstellung*) pleased to meet you; **jdm ~ sein** be welcome to sb.

angenommen *adj* assumed; **~, wir ...** assuming we ...

angesagt *adj* (*sl*): **~ sein** be up.

angesehen *adj* respected.

angesichts *präp +gen* in view of, considering.

angespannt *adj* (*Mensch*) tense; (*Markt*) tight.

Angestellte(r) *mf* employee, white-collar worker.

angestrengt *adv* as hard as one can.

angetan *adj:* **von jdm/etw ~ sein** be impressed by sb/sth; **es jdm ~ haben** appeal to sb.

angewiesen *adj:* **auf jdn/etw ~ sein** be dependent on sb/sth.

angewöhnen *vt:* **jdm/ sich etw ~** get sb/become accustomed to sth.

Angewohnheit *f* habit.

Angler(in) *m(f)* <-s, -> angler.

angreifen *irr vt* attack; (*anfassen*) touch; (*Arbeit*) tackle; (*beschädigen*) damage; **Angreifer(in)** *m(f)* <-s, -> attacker; **Angriff** *m* attack; **etw in ~ nehmen** make a start on sth; **angriffslustig** *adj* aggressiv.

Angst *f* <-, Ängste> fear; **~ haben** be afraid [*o* scared] (*vor +dat* of); **jdm ~**[RR] **machen** scare sb; **~ um jdn/etw haben** be worried about sb/sth; **nur keine ~!** don't be scared; **angst** *adj:* **jdm ist ~** sb is afraid [*o* scared]; **Angsthase** *m* (*umg*) chicken, scaredy-cat; **ängstigen** **1.** *vt* frighten; **2.** *vr:* **sich ~** worry [oneself] (*um, vor +dat* about); **ängstlich** *adj* nervous; (*besorgt*) worried; **Ängstlichkeit** *f* nervousness.

anhaben *irr vt* have on; **er kann mir nichts ~** he can't hurt me.

anhalten *irr* **1.** *vt* stop; (*gegen etw halten*) hold up (*jdm* against sb); **2.** *vi* stop; (*andauern*) persist; **jdn zur Arbeit/Höflichkeit ~** make sb work/be polite; **anhaltend** *adj* persistent; **Anhalter(in)** *m(f)* <-s, -> hitch-hiker; **per ~ fahren** hitch-hike.

Anhaltspunkt *m* clue.

anhand *präp +gen* with.

Anhang *m* appendix; (*Leute*) family; (*Fans*) supporters *pl.*

anhängen **1.** *vt* hang up; (*Wagen*) couple up; (*Zusatz*) add [on]; **2.** *vr:* **sich an jdn ~** attach oneself to sb; **Anhänger** *m* <-s, -> (AUTO) trailer; (*am Koffer*) tag; (*Schmuck*) pendant; **Anhänger(in)** *m(f)* <-s, -> supporter; **Anhängerkupplung** *f* tow-bar; **Anhängerschaft** *f* supporters *pl.*

anhänglich *adj* devoted; **Anhänglichkeit** *f* devotion.

Anhängsel *nt* <-s, -> appendage.

Anhäufung *f* accumulation.

anheben *irr vt* lift up; (*Preise*) raise.

anheim *adv:* **jdm etw ~ stellen**[RR] leave sth up to sb.

anheimelnd *adj* comfortable, cosy.

anheimstellen *vt s.* **anheim**.

Anhieb *m:* **auf ~** at the very first go; (*kurz entschlossen*) on the spur of the moment.

anhören 1. *vt* listen to; (*anmerken*) hear; **2.** *vr:* **sich ~** sound.

Animateur(in) *m(f)* host/hostess.

animieren *vt* encourage, urge on.

Anis *m* <-es, -e> aniseed.

ankaufen *vt* purchase, buy.

Anker *m* <-s, -> anchor; **vor ~ gehen** drop anchor; **ankern** *vt, vi* anchor; **Ankerplatz** *m* anchorage.

Anklage *f* accusation; (JUR) charge; **Anklagebank** *f* <Anklagebänke *pl*> dock; **anklagen** *vt* accuse; (JUR) charge (*gen* with).

Anklang *m:* **bei jdm ~ finden** meet with sb's approval.

Ankleidekabine *f* changing cubicle.

anklopfen *vi* knock; **Anklopfen** *nt* (TEL) call waiting.

anknüpfen 1. *vt* fasten [*o* tie] on; (*fig*) start; **2.** *vi* (*anschließen*) refer (*an +akk* to).

ankommen *irr vi* arrive; (*näherkommen*) approach; (*Anklang finden*) go down (*bei* with); **es kommt darauf an** it depends; (*wichtig*) that [is what] matters; **es kommt auf ihn an** it depends on him; **es darauf ~ lassen** let things take their course; **gegen jdn/etw ~** cope with sb/sth.

ankündigen *vt* announce.

Ankunft *f* <-, Ankünfte> arrival; **Ankunftszeit** *f* time of arrival.

Anlage *f* disposition; (*Begabung*) talent; (*Park*) gardens *pl;* (*Beilage*) enclosure; (TECH) plant; (*EDV-~*) system; (FIN) investment; (*Entwurf*) layout.

Anlass[RR] *m* <-es, Anlässe> cause (*zu* for); (*Ereignis*) occasion; **aus ~** *+gen* on the occasion of; **~ zu etw geben** give rise to sth; **etw zum ~ nehmen** take the opportunity of sth.

anlassen *irr* **1.** *vt* leave on; (*Motor*) start; **2.** *vr:* **sich ~** (*umg*) start off.

Anlasser *m* <-s, -> (AUTO) starter.

Anlauf *m* run-up; **anlaufen** *irr* **1.** *vi* begin; (*Film*) show; (SPORT) run up; (*Fenster*) mist up; (*Metall*) tarnish; **2.** *vt* call at; **rot ~** colour; **gegen etw ~** run into [*o* up against] sth; **angelaufen kommen** come running up; **Anlaufstelle** *f* shelter, refuge.

anläuten *vt* ring.

anlegen 1. *vt* put (*an +akk* against/on); (*anziehen*) put on; (*gestalten*) lay out; (*Geld*) invest; (*Gewehr*) aim (*auf+akk* at); **2.** *vi* dock; **es auf etw** *akk* **~** be out for sth/to do sth; **sich mit jdm ~** (*umg*) quarrel with sb; **Anlegestelle** *f* landing place.

anlehnen 1. *vt* lean (*an +akk* against); (*Tür*) leave ajar; **2.** *vr:* **sich ~** lean (*an +akk* on).

anleiern *vt* (*umg*) launch, get on the road.

anleiten *vt* instruct; **Anleitung** *f* instructions *pl.*

Anliegen *nt* <-s, -> matter; (*Wunsch*) wish.

Anlieger(in) *m(f)* <-s, -> resident.

anlügen *irr vt* lie to.

anmachen *vt* attach; (*Elektrisches*) put on; (*Salat*) dress; (*umg: aufreizen*) give the come-on to; (*umg: ansprechen*) chat up; (*umg: beschimpfen*) slam.

anmaßen *vt:* **sich** *dat* **etw ~** lay claim to sth; **anmaßend** *adj* arrogant; **Anmaßung** *f* presumption.

Anmeldeformular *nt* registration form; **anmelden 1.** *vt* announce; **2.** *vr:* **sich ~** (*sich ankündigen*) make an appointment; (*polizeilich, für Kurs etc*) register; **Anmeldung** *f* announcement; appointment; registration.

anmerken *vt* observe; (*anstreichen*) mark; **jdm etw ~** notice sb's sth; **sich** *dat* **nichts ~ lassen** not give anything away; **Anmerkung** *f* note.

Anmut *f* <-> grace; **anmutig** *adj* charming.

annähen *vt* sew on.

annähernd *adj* approximate.

Annäherung *f* approach; **Annäherungsversuch** *m* advances *pl.*

Annahme *f* <-, -n> acceptance; (*Vermutung*) assumption.

annehmbar *adj* acceptable; **annehmen** *irr* **1.** *vt* accept; (*Namen*) take; (*Kind*) adopt; (*vermuten*) suppose, assume; **2.** *vr:* **sich ~** take care (*gen* of); **angenommen, das ist so** assuming that is so.

Annehmlichkeit *f* comfort.

annektieren *vt* annex.

annerven *vt* (*sl*) get on one's nerves.

Annonce *f* <-, -n> advertisement; **annoncieren** *vt, vi* advertise.

annullieren *vt* annul.

Anode *f* <-, -n> anode.
anöden *vt* (*umg*) bore stiff.
anonym *adj* anonymous.
Anonymität *f* anonymity.
Anorak *m* <-s, -s> anorak.
anordnen *vt* arrange; (*befehlen*) order; **Anordnung** *f* arrangement; order.
anorganisch *adj* inorganic.
anpacken *vt* grasp; (*fig*) tackle; **mit ~** lend a hand.
anpassen 1. *vt* fit (*jdm* on sb); (*fig*) adapt (*dat* to); **2.** *vr:* **sich ~** adapt, conform; **Anpassung** *f* fitting; adaptation; **anpassungsfähig** *adj* adaptable.
Anpfiff *m* (SPORT) [starting] whistle; (*Beginn*) kick-off; (*umg*) rocket.
anpöbeln *vt* abuse.
anprangern *vt* denounce.
anpreisen *irr vt* extol.
Anprobe *f* trying on; **anprobieren** *vt* try on.
anrechnen *vt* charge; (*fig*) count; **jdm etw hoch ~** value sb's sth greatly.
Anrecht *nt* right (*auf + akk* to).
Anrede *f* form of address; **anreden** *vt* address; (*belästigen*) accost.
anregen *vt* stimulate; **angeregte Unterhaltung** lively discussion; **anregend** *adj* stimulating; **Anregung** *f* stimulation; (*Vorschlag*) suggestion.
anreichern *vt* enrich.
Anreise *f* journey; **anreisen** *vi* arrive.
Anreiz *m* incentive.
Anrichte *f* <-, -n> sideboard; **anrichten** *vt* serve up; **Unheil ~** make mischief.
anrüchig *adj* dubious.
Anruf *m* call; **Anrufbeantworter** *m* <-s, -> [telephone] answering machine; **anrufen** *irr vt* call out to; (*bitten*) call on; (TEL) ring up, phone, call.
anrühren *vt* touch; (*mischen*) mix.
ans = an das.
Ansage *f* announcement; **ansagen 1.** *vt* announce; **2.** *vr:* **sich ~** say one will come; **angesagt sein** be recommended, be suggested; (*modisch*) be the in thing; **Spannung ist angesagt** we are in for a bit of excitement; **Ansager**(**in**) *m(f)* <-s, -> announcer.
Ansammlung *f* collection; (*Leute*) crowd.
ansässig *adj* resident.
Ansatz *m* start; (*fig*) approach; (*Haar~*) hairline; (*Hals~*) base; (*Verlängerungsstück*) extension; **die ersten Ansätze zu etw** the beginnings of sth; **Ansatzpunkt** *m* starting point.
anschaffen *vt* buy, purchase; **Anschaffung** *f* purchase.
anschalten *vt* switch on.
anschauen *vt* look at; **anschaulich** *adj* illustrative; **Anschauung** *f* (*Meinung*) view; **aus eigener ~** from one's own experience; **Anschauungsmaterial** *nt* illustrative material.
Anschein *m* appearance; **allem ~ nach** to all appearances; **den ~ haben** seem, appear; **anscheinend** *adj* apparent.
Anschlag *m* notice; (*Attentat*) attack; (WIRTS) estimate; (*auf Klavier*) touch; (*auf Schreibmaschine*) character; **anschlagen** *irr* **1.** *vt* put up; (*beschädigen*) chip; (*Akkord*) strike; (*Kosten*) estimate; **2.** *vi* hit (*an + akk* against); (*wirken*) have an effect; (*Hund*) bark.
anschließen *irr* **1.** *vt* connect up; (*Sender*) link up; **2.** *vi, vr:* [**sich**] **an etw** *akk* **~** adjoin sth; (*zeitlich*) follow sth; **3.** *vr:* **sich ~** join (*jdm/ einer Sache* sb/sth); (*beipflichten*) agree (*jdm/ einer Sache* with sb/sth); **anschließend 1.** *adj* adjacent; (*zeitlich*) subsequent; **2.** *adv* afterwards; **~ an** *+ akk* following.
Anschluss[RR] *m* (ELEK, EISENB) connection; (*von Wasser etc*) supply; **im ~ an** *+ akk* following; **~ finden** make friends; **Anschlussflug**[RR] *m* connecting flight.
anschmiegsam *adj* affectionate.
anschnallen 1. *vt* buckle on; **2.** *vr:* **sich ~** fasten one's seat belt.
anschneiden *irr vt* cut into; (*Thema*) broach.
anschreiben *irr vt* write [up]; (WIRTS) charge up; (*benachrichtigen*) write to; **bei jdm gut/schlecht angeschrieben sein** be well/badly thought of by sb, be in sb's good/bad books.
anschreien *irr vt* shout at.
Anschrift *f* address.
anschwellen *irr vi* swell [up].
anschwindeln *vt* lie to.
ansehen *irr vt* look at; **jdm etw ~** see sth [from sb's face]; **jdn/etw als etw ~** look on sb/sth as sth; **~ für** consider.
Ansehen *nt* <-s> respect; (*Ruf*) reputation.
ansehnlich *adj* fine-looking; (*beträchtlich*) considerable.
ansein, an sein[RR] *irr vi* (*umg*) be on.
ansetzen 1. *vt* (*anfügen*) fix on (*an + akk* to); (*Trompete*) put (*an + akk* to); (*Termin*) fix; (*Fett*) put on; (*zubereiten*) pre-

pare; **2.** *vi* (*anfangen*) start, begin; (*Entwicklung*) set in; (*dick werden*) put on weight; **3.** *vr:* **sich** ~ (*Rost etc*) start to develop; **jdn/etw auf jdn/etw** ~ set sb/sth on sb/sth; **zu etw** ~ prepare to do sth.

Ansicht *f* (*Anblick*) sight; (*Meinung*) view, opinion; **zur** ~ on approval; **meiner** ~ **nach** in my opinion; **Ansichtskarte** *f* picture postcard; **Ansichtssache** *f* matter of opinion.

Anspannung *f* strain.

Anspiel *nt* (SPORT) start; **anspielen** *vi* (SPORT) start play; **auf etw** *akk* ~ refer [*o* allude] to sth; **Anspielung** *f* reference, allusion (*auf+akk* to).

Ansporn *m* <-[e]s> incentive.

Ansprache *f* address.

ansprechen *irr* **1.** *vt* speak to; (*bitten, gefallen*) appeal to; **2.** *vi* react (*auf+akk* to); **jdn auf etw** *akk* **hin** ~ ask sb about sth; **etw als etw** ~ regard sth as sth; **ansprechend** *adj* attractive; **Ansprechpartner(in)** *m(f)* person to talk to, contact.

anspringen *irr vi* (AUTO) start.

Anspruch *m* (*Recht*) claim (*auf+akk* to); **hohe Ansprüche stellen/haben** demand/expect a lot; **jdn/ etw in** ~ **nehmen** occupy sb/take up sth; **anspruchslos** *adj* undemanding; **anspruchsvoll** *adj* demanding.

anspucken *vt* spit at.

anstacheln *vt* spur on.

Anstalt *f* <-, -en> institution; **~en machen etw zu tun** prepare to do sth.

Anstand *m* decency; **anständig** *adj* decent; (*umg*) proper; (*groß*) considerable; **anstandslos** *adv* without any ado.

anstarren *vt* stare at.

anstatt 1. *präp +gen* instead of; **2.** *konj:* ~ **etw zu tun** instead of doing sth.

anstechen *irr vt* prick; (*Fass*) tap.

anstecken 1. *vt* pin on; (MED) infect; (*Pfeife*) light; (*Haus*) set fire to; **2.** *vr:* **ich habe mich bei ihm angesteckt** I caught it from him; **3.** *vi* (*fig*) be infectious; **ansteckend** *adj* infectious; **Ansteckung** *f* infection.

anstehen *irr vi* queue [up], line up *US.*

anstelle, an Stelle[RR] *präp +gen* in place of.

anstellen 1. *vt* (*einschalten*) turn on; (*Arbeit geben*) employ; (*machen*) do; **2.** *vr:* **sich** ~ queue [up], line up *US;* (*umg*) act; **stell dich nicht so an!** don't be stupid!

Anstellung *f* employment; (*Posten*) post, position.

Anstieg *m* <-[e]s, -e> climb; (*von Preisen*) increase (*gen* in).

anstiften *vt* (*Unglück*) cause; **jdn zu etw** ~ put sb up to sth.

anstimmen 1. *vt* (*Lied*) strike up with; (*Geschrei*) set up; **2.** *vi* strike up.

Anstoß *m* impetus; (*Ärgernis*) offence; (SPORT) kick-off; **der erste** ~ the initiative; ~ **nehmen an** *+dat* take offence at.

anstoßen *irr* **1.** *vt* push; (*mit Fuß*) kick; **2.** *vi* knock, bump; (*mit der Zunge*) lisp; (*mit Gläsern*) drink [a toast] (*auf+akk* to).

anstößig *adj* offensive, indecent.

anstreben *vt* strive for.

anstreichen *irr vt* paint; **Anstreicher(in)** *m(f)* <-s, -> painter.

anstrengen 1. *vt* strain; (JUR) bring; **2.** *vr:* **sich** ~ make an effort; **anstrengend** *adj* tiring; **Anstrengung** *f* effort.

Anstrich *m* coat of paint.

Ansturm *m* rush; (MIL) attack.

Antagonismus *m* antagonism.

antasten *vt* touch; (*Recht*) infringe upon.

Anteil *m* share (*an +dat* in); (*Mitgefühl*) sympathy; ~ **nehmen an** *+dat* share in; (*sich interessieren*) take an interest in; **Anteilnahme** *f* <-> sympathy.

Antenne *f* <-, -n> aerial; (ZOOL) antenna; **eine/keine** ~ **haben für etw** (*fig umg*) have a/no feeling for sth.

Anthrazit *m* <-s, -e> anthracite.

Anti- *in Zusammensetzungen* anti; **Antialkoholiker(in)** *m(f)* teetotaller; **antiautoritär** *adj* antiauthoritarian; **Antibiotikum** *nt* <-s, Antibiotika> antibiotic; **Antiblockiersystem** *nt* antilock braking system; **Antihistamin** *nt* <-s, -e> (MED) antihistamine.

antik *adj* antique; **Antike** *f* <-, -n> (*Zeitalter*) ancient world.

Antikörper *m* antibody.

Antilope *f* <-, -n> antelope.

Antipathie *f* antipathy.

Antiquariat *nt* secondhand bookshop.

Antiquitäten *pl* antiques *pl;* **Antiquitätenhandel** *m* antique business; **Antiquitätenhändler(in)** *m(f)* antique dealer.

antörnen *vt* (*sl*) turn on.

Antrag *m* <-[e]s, Anträge> proposal; (POL) motion; (*Gesuch*) application.

antreffen *irr vt* meet.

antreiben *irr* **1.** *vt* drive on; (*Motor*) drive; (*anschwemmen*) wash up; **2.** *vi* be washed up.

antreten *irr* **1.** *vt* (*Amt*) take up; (*Erbschaft*) come into; (*Beweis*) offer; (*Reise*) start, begin; **2.** *vi* (MIL) fall in; (SPORT) line up; **gegen jdn** ~ play/fight against sb.

Antrieb *m* (*a. fig*) drive; **aus eigenem** ~ of one's own accord.

antrinken *irr vt* (*Flasche, Glas*) start to drink from; **sich** *dat* **Mut/einen Rausch** ~ give oneself Dutch courage/get drunk; **angetrunken sein** be tipsy.

Antritt *m* beginning, commencement; (*eines Amts*) taking up.

antun *irr vt:* **jdm etw** ~ do sth to sb; **sich** *dat* **etw** ~ force oneself.

anturnen *vt* (*umg*) to turn on.

Antwort *f* <-, -en> answer, reply; **um** ~ **wird gebeten** RSVP; **antworten** *vi* answer, reply.

anvertrauen 1. *vt:* **jdm etw** ~ entrust sb with sth; **2.** *vr:* **sich jdm** ~ confide in sb.

anwachsen *irr vi* grow; (*Pflanze*) take root.

Anwalt *m* <-[e]s, Anwälte>, **Anwältin** *f* lawyer; (*als Berater*) solicitor, attorney *US;* **Anwaltskosten** *pl* legal expenses.

Anwandlung *f* caprice; **eine** ~ **von etw** a fit of sth.

Anwärter(**in**) *m(f)* candidate.

anweisen *irr vt* instruct; (*zuteilen*) assign (*jdm etw* sth to sb); **Anweisung** *f* instruction; (WIRTS) remittance; (*Post~, Zahlungs~*) money order.

anwendbar *adj* practicable, applicable; **anwenden** *vt* use, employ; (*Gesetz, Regel*) apply; **Anwender**(**in**) *m(f)* <-s, -> user; **Anwenderprogramm** *nt* user program; **Anwendung** *f* use; application; **Anwendungsprogramm** *nt* (COMPUT) application program.

anwesend *adj* present; **die Anwesenden** *pl* those present *pl;* **Anwesenheit** *f* presence; **Anwesenheitsliste** *f* attendance register.

anwidern *vt* disgust.

Anzahl *f* number (*an +dat* of).

anzahlen *vt* pay on account; **Anzahlung** *f* deposit, payment on account.

anzapfen *vt* tap; **jdn** (**um Geld**) ~ (*umg*) touch sb (for money).

Anzeichen *nt* sign, indication.

Anzeige *f* <-, -n> (*Zeitungs~*) announcement; (*Werbung*) advertisement; (INFORM) display; (*bei Polizei*) report; ~ **gegen jdn erstatten** report sb [to the police]; **anzeigen** *vt* (*zu erkennen geben*) show; (*bekannt geben*) announce; (*bei Polizei*) report; **Anzeigenteil** *m* advertisements *pl;* **Anzeiger** *m* <-s, -> indicator.

anziehen *irr* **1.** *vt* attract; (*Kleidung*) put on; (*jdn*) dress; (*Schraube, Seil*) pull tight; (*Knie*) draw up; (*Feuchtigkeit*) absorb; **2.** *vr:* **sich** ~ get dressed; **anziehend** *adj* attractive; **Anziehung** *f* (*Reiz*) attraction; **Anziehungskraft** *f* power of attraction; (PHYS) force of gravitation.

Anzug *m* suit; **im** ~ **sein** be approaching.

anzüglich *adj* personal; (*anstößig*) offensive; **Anzüglichkeit** *f* offensiveness; (*Bemerkung*) personal remark.

anzünden *vt* light; **Anzünder** *m* lighter.

anzweifeln *vt* doubt.

apart *adj* distinctive.

Apathie *f* apathy; **apathisch** *adj* apathetic.

Apfel *m* <-s, Äpfel> apple; **Apfelsaft** *m* apple juice; **Apfelsine** *f* orange; **Apfelwein** *m* cider.

Apostel *m* <-s, -> apostle.

Apostroph *m* <-s, -e> apostrophe.

Apotheke *f* <-, -n> chemist's [shop], drugstore *US;* **Apotheker**(**in**) *m(f)* <-s, -> chemist, druggist *US.*

Apparat *m* <-[e]s, -e> piece of apparatus; camera; telephone; (RADIO, TV) set; **am** ~ **bleiben** hold the line.

Appartement *nt* <-s, -s> flat *Brit,* apartment.

Appell *m* <-s, -e> (MIL) muster, parade; (*fig*) appeal; **appellieren** *vi* appeal (*an +akk* to).

Appetit *m* <-[e]s, -e> appetite; **guten** ~! enjoy your meal!; **appetitlich** *adj* appetizing; **Appetitlosigkeit** *f* lack of appetite.

Applaus *m* <-es, -e> applause.

Appretur *f* finish.

Aprikose *f* <-, -n> apricot.

April *m* <-[s], -e> April; **im** ~ in April; **1.** ~ **1999** April 1st, 1999, 1st April 1999; ~! ~! April fool!; **Aprilwetter** *nt* April showers *pl.*

Aquaplaning *nt* <-[s]> aquaplaning.

Aquarell *nt* <-s, -e> watercolour.

Aquarium *nt* aquarium.

Äquator *m* <-s> equator.

Araber(**in**) *m(f)* <-s, -> Arab; **Arabien** *nt* <-> Arabia; **arabisch** *adj* Arabian; **Arabisch** *nt* Arabic.

Arbeit *f* <-, -en> work (*kein Artikel*); (*Stelle*) job; (*Erzeugnis*) piece of work; (*wissenschaftliche* ~) dissertation; (*Klassen~*) test; **das war eine** ~ that was a hard job; **arbeiten** *vi* work; **Arbeiter(in)** *m(f)* <-s, -> worker; (*ungelernt*) labourer; **Arbeiterschaft** *f* workers *pl*, labour force; **Arbeitgeber(in)** *m(f)* <-s, -> employer; **Arbeitgeberhälfte** *f* employer's contribution; **Arbeitnehmer(in)** *m(f)* <-s, -> employee.

Arbeits- *in Zusammensetzungen* labour; **Arbeitsamt** *nt* employment exchange; **Arbeitsbeschaffungsmaßnahme** *f* job-creation scheme; **Arbeitsessen** *nt* working dinner; **arbeitsfähig** *adj* fit for work, able-bodied; **Arbeitsgang** *m* operation; **Arbeitsgemeinschaft** *f* study group; **Arbeitskräfte** *pl* workers *pl*, labour; **arbeitslos** *adj* unemployed, out-of-work; **Arbeitslose(r)** *mf* <-n, -n> unemployed person; **die ~n** the unemployed; **Arbeitslosengeld** *nt* earnings-related benefit; **Arbeitslosenhilfe** *f* unemployment benefit; **Arbeitslosigkeit** *f* unemployment; **Arbeitsmarkt** *m* labour market; **Arbeitsplatz** *m* job; (*Ort*) place of work; **Arbeitsspeicher** *m* working storage; **Arbeitstag** *m* work[ing] day; **Arbeitsteilung** *f* division of labour; **arbeitsunfähig** *adj* unfit for work; **Arbeitszeit** *f* working hours *pl*; **gleitende ~** flexible working hours *pl*, flex[i]time; **Arbeitszeitverkürzung** *f* reduction in working hours.

Archäologe *m* <-n, -n>, **Archäologin** *f* archaeologist.

Architekt(in) *m(f)* <-en, -en> architect; **Architektur** *f* architecture.

Archiv *nt* <-s, -e> archive.

arg 1. *adj* bad, awful; **2.** *adv* awfully, very.

Argentinien *nt* Argentina, the Argentine.

Ärger *m* <-s> (*Wut*) anger; (*Unannehmlichkeit*) trouble; **ärgerlich** *adj* (*zornig*) angry; (*lästig*) annoying, aggravating; **ärgern 1.** *vt* annoy; **2.** *vr:* **sich ~** get annoyed; **Ärgernis** *nt* annoyance; **öffentliches ~ erregen** be a public nuisance.

Argument *nt* argument.

Argwohn *m* <-[e]s> suspicion; **argwöhnisch** *adj* suspicious.

Arie *f* <-, -n> aria.

Aristokrat(in) *m(f)* <-en, -en> aristocrat; **Aristokratie** *f* aristocracy; **aristokratisch** *adj* aristocratic.

arithmetisch *adj* arithmetical.

Arktis *f* <-> Arctic.

arm *adj* poor.

Arm *m* <-[e]s, -e> arm; (*Fluss~*) branch.

Armatur *f* (ELEK) armature; **Armaturenbrett** *nt* instrument panel; (AUTO) dashboard.

Armband *nt* <Armbänder *pl*> bracelet; **Armbanduhr** *f* [wrist] watch.

Arme(r) *mf* poor man/woman; **die ~n** *pl* the poor *pl*.

Armee *f* <-, -n> army.

Ärmel *nt* <-s, -> sleeve; **etw aus dem ~ schütteln** (*fig*) produce sth just like that.

ärmlich *adj* poor.

armselig *adj* wretched, miserable.

Armut *f* <-> poverty.

Aroma *nt* <-s, Aromen> aroma; **Aromatherapie** *f* aromatherapy; **aromatisch** *adj* aromatic.

arrangieren 1. *vt* arrange; **2.** *vr:* **sich ~** come to an arrangement.

Arrest *m* <-[e]s, -e> detention.

arrogant *adj* arrogant; **Arroganz** *f* arrogance.

Arsch *m* <-es, Ärsche> (*umg!*) arse; **Arschkriecher** *m* (*umg!*) brownnoser.

Art *f* <-, -en> (*Weise*) way; (*Sorte*) kind, sort; (BIO) species *sing*; **eine ~ [von] Frucht** a kind of fruit; **Häuser aller ~en** houses of all kinds; **es ist nicht seine ~, das zu tun** it's not like him to do that; **ich mache das auf meine ~** I do that my [own] way; **nach ~ des Hauses** à la maison; **Artenschutz** *m* protection of species; **Artenschwund** *m* disappearance of species.

Arterie *f* artery; **Arterienverkalkung** *f* arteriosclerosis.

artig *adj* good, well-behaved.

Artikel *m* <-s, -> article.

Arznei *f* medicine; **Arzneimittel** *nt* medicine, medicament.

Arzt *m* <-es, Ärzte> doctor; **Arzthelfer(in)** *m(f)* doctor's [*o* surgery] assistant; **Ärztin** *f* doctor; **ärztlich** *adj* medical.

As *nt s.* **Ass**.

Asbest *m* <-[e]s, -e> asbestos.

Asche *f* <-, -n> ash, cinder; **Aschenbahn** *f* cinder track; **Aschenbecher** *m* ashtray; **Aschenbrödel** *nt* <-s, -> Cinderella; **Aschermittwoch** *m* Ash Wednesday.

ASCII-Code *m* <-s, -s> ASCII.

Asiat(in) *m(f)* <-en, -en> Asian; **asiatisch** *adj* Asian; **Asien** *nt* Asia.

asozial *adj* antisocial; (*Familie*) asocial.

Aspekt *m* <-[e]s, -e> aspect.

Asphalt *m* <-[e]s, -e> asphalt; **asphal-**

tieren *vt* asphalt.
aß *imperf von* **essen**.
Ass^{RR} *nt* <-es, -e> ace.
Assembler *m* <-s, -> (INFORM) assembler.
Assistent(in) *m(f)* assistant; (*Universität*) junior lecturer.
Assoziation *f* association.
Ast *m* <-[e]s, Äste> bough, branch.
Aster *f* <-, -n> aster.
ästhetisch *adj* aesthetic.
Asthma *nt* <-s> asthma; **Asthmatiker(in)** *m(f)* <-s, -> asthmatic.
Astrologe *m* <-n, -n> astrologer; **Astrologie** *f* astrology; **Astrologin** *f* astrologer; **Astronaut(in)** *m(f)* <-en, -en> astronaut; **Astronautik** *f* astronautics *sing;* **Astronomie** *f* astronomy.
ASU *f* <-, -s> *abk von* Abgassonderuntersuchung *anti-pollution test of exhaust fumes.*
Asyl *nt* <-s, -e> asylum; (*Heim*) home; (*Obdachlosen~*) shelter; **Asylant(in)** *m(f),* **Asylbewerber(in)** *m(f)* person seaking political asylum; **Asylrecht** *nt* right of [political] asylum.
Atelier *nt* <-s, -s> studio.
Atem *m* <-s> breath; **den ~ anhalten** hold one's breath; **außer ~** out of breath; **atemberaubend** *adj* breath-taking; **atemlos** *adj* breathless; **Atempause** *f* breather; **Atemzug** *m* breath.
Atheismus *m* atheism; **Atheist(in)** *m(f)* atheist; **atheistisch** *adj* atheistic.
Äther *m* <-s, -> ether.
Äthiopien *nt* Ethiopia.
Athlet(in) *m(f)* <-en, -en> athlete; **Athletik** *f* athletics *sing;* **athletisch** *adj* athletic.
Atlantik *m* <-s> Atlantic [Ocean].
Atlas *m* <- *o* Atlasses, Atlanten> atlas.
atmen *vt, vi* breathe.
Atmosphäre *f* <-, -n> atmosphere.
Atmung *f* respiration.
Atom *nt* <-s, -e> atom.
Atom- *in Zusammensetzungen* atomic, nuclear.
atomar *adj* atomic.
Atombombe *f* atom bomb; **Atomenergie** *f* atomic [*o* nuclear] energy; **Atomkraft** *f* nuclear [*o* atomic] energy; **Atomkraftwerk** *nt* nuclear power station; **Atomkrieg** *m* nuclear [*o* atomic] war; **Atommacht** *f* nuclear [*o* atomic] power; **Atommüll** *m* atomic waste; **Atomsperrvertrag** *m* (POL) [nuclear] non-proliferation treaty; **Atomversuch** *m* atomic test; **Atomwaffen** *pl* atomic weapons *pl;* **atomwaffenfrei** *adj* nuclear-free; **Atomzeitalter** *nt* atomic age.
Attentat *nt* <-[e]s, -e> [attempted] assassination (*auf +akk* of); **Attentäter(in)** *m(f)* [would-be] assassin.
Attest *nt* <-[e]s, -e> certificate; **ärztliches ~** medical certificate; (*umg*) doctor's note.
attraktiv *adj* attractive.
Attrappe *f* <-, -n> dummy.
Attribut *nt* <-[e]s, -e> (LING) attribute.
ätzen *vi* be caustic; **ätzend** *adj* (*umg*) revolting, sickening, nauseating.
auch *konj* also, too, as well; (*selbst, sogar*) even; (*wirklich*) really; **oder ~** or; **~ das ist schön** that's nice too [*o* as well]; **das habe ich ~ nicht gemacht** I didn't do it either; **ich ~ nicht** nor I, me neither; **~ wenn das Wetter schlecht ist** even if the weather is bad; **wer/was ~** whoever/whatever; **so sieht es ~ aus** it looks like it too; **~ das noch!** that's all we needed!
audiovisuell *adj* audio-visual.
auf 1. *präp +akk o dat* (*räumlich*) on; **2.** *präp +akk* (*hinauf*) up; (*in Richtung*) to; (*nach*) after; **3.** *adv:* **~ und ab** up and down; **~ und davon** up and away; **~!** (*los*) come on!; **~ dass** so that; **~ der Reise** on the way; **~ der Post/dem Fest** at the post office/party; **~ das Land** into the country; **~ der Straße** on the road; **~ dem Land/der ganzen Welt** in the country/the whole world; **~ Deutsch**^{RR} in German; **~ Lebenszeit** for sb's lifetime; **bis ~ ihn** except for him; **~ einmal** at once; **~ sein**^{RR} (*umg*) be open; (*Mensch*) be up.
aufatmen *vi* heave a sigh of relief.
Aufbau 1. *m* (*Bauen*) building, construction; **2.** *m* <Aufbauten *pl*> (*Struktur*) structure; (*aufgebautes Teil*) superstructure; (AUTO) body; **aufbauen** *vt* erect, build [up]; (*Existenz*) make; (*gestalten*) construct; (*gründen*) found, base (*auf +akk* on).
aufbauschen *vt* (*fig*) exaggerate.
Aufbaustudium *nt* postgraduate studies *pl.*
aufbehalten *irr vt* keep on.
aufbekommen *irr vt* (*öffnen*) get open; (*Hausaufgaben*) be given.
aufbereiten *vt* (*Daten*) edit.
aufbessern *vt* (*Gehalt*) increase.
aufbewahren *vt* keep; (*Gepäck*) put in the left-luggage office; **Aufbewahrung** *f*

[safe]keeping; (*Gepäck~*) left-luggage office; **jdm etw zur ~ geben** give sb sth for safekeeping; **Aufbewahrungsort** *m* storage place.

aufbieten *irr vt* (*Kraft*) summon [up], exert; (*Armee, Polizei*) mobilize.

aufblasen *irr vt* blow up, inflate.

aufbleiben *irr vi* (*Laden*) remain open; (*Mensch*) stay up.

aufblenden *vt* (*Scheinwerfer*) turn on full beam.

aufbrauchen *vt* use up.

aufbrausen *vi* (*fig*) flare up.

aufbrechen *irr* **1.** *vt* break [*o* prize] open; **2.** *vi* burst open; (*gehen*) start, set off.

aufbringen *irr vt* (*öffnen*) open; (*in Mode*) bring into fashion; (*beschaffen*) procure; (FIN) raise; (*ärgern*) irritate; **Verständnis für etw ~** be able to understand sth.

Aufbruch *m* departure.

aufbürden *vt* burden (*jdm etw* sb with sth).

aufdecken *vt* uncover.

aufdrängen **1.** *vt* force (*jdm* on sb); **2.** *vr:* **sich ~** intrude (*jdm* on sb).

aufdringlich *adj* pushy.

aufeinander *adv* (*achten*) after each other; (*schießen*) at each other; (*vertrauen*) each other; **~ folgen**RR follow one another; **~ legen**RR lay on top of one another; **~ prallen**RR hit one another; **aufeinanderfolgen** *vi s.* **aufeinander**; **aufeinanderlegen** *vt s.* **aufeinander**; **aufeinanderprallen** *vi s.* **aufeinander**.

Aufenthalt *m* stay; (*Verzögerung*) delay; (EISENB) stop; (*Ort*) haunt; **Aufenthaltsgenehmigung** *f* residence permit; **Aufenthaltsort** *m* [place of] residence.

Auferstehung *f* resurrection.

aufessen *irr vt* eat up.

auffahren *irr* **1.** *vi* (*Auto*) run, crash (*auf +akk* into); (*herankommen*) draw up; (*hochfahren*) jump up; (*wütend werden*) flare up; **2.** *vt* (*Kanonen, Geschütz*) bring up; **Auffahrt** *f* (*Haus~*) drive; (*Autobahn~*) slip road; **Auffahrunfall** *m* pile-up.

auffallen *irr vi* be noticeable; **jdm ~** strike sb; **auffallend** *adj* striking; **auffällig** *adj* conspicuous, striking.

auffangen *irr vt* catch; (*Funkspruch*) intercept; (*Preise*) peg; **Auffanglager** *nt* refugee camp.

auffassen *vt* understand, comprehend; (*auslegen*) see, view; **Auffassung** *f* (*Meinung*) opinion; (*Auslegung*) view, concept; (*Auffassungsgabe*) grasp.

auffindbar *adj* to be found.

auffordern *vt* (*befehlen*) call upon, order; (*bitten*) ask; **Aufforderung** *f* (*Befehl*) order; (*Einladung*) invitation.

auffrischen **1.** *vt* freshen up; (*Kenntnisse*) brush up; (*Erinnerungen*) reawaken; **2.** *vi* (*Wind*) freshen.

aufführen **1.** *vt* (THEAT) perform; (*in einem Verzeichnis*) list, specify; **2.** *vr:* **sich ~** (*sich benehmen*) behave; **Aufführung** *f* (THEAT) performance; (*Liste*) specification.

Aufgabe *f* task; (SCH) exercise; (*Haus~*) homework; (*Verzicht*) giving up; (*von Gepäck*) registration; (*von Post*) posting; (*von Inserat*) insertion.

Aufgabenbereich *m* area of responsibility.

Aufgang *m* ascent; (*Sonnen~*) rise; (*Treppe*) staircase.

aufgeben *irr* **1.** *vt* (*verzichten auf*) give up; (*Paket*) send, post; (*Gepäck*) register; (*Bestellung*) give; (*Inserat*) insert; (*Rätsel, Problem*) set; **2.** *vi* give up.

aufgedreht *adj* (*umg*) excited.

aufgedunsen *adj* swollen, puffed up.

aufgehen *irr vi* (*Sonne, Teig*) rise; (*sich öffnen*) open; (*klarwerden*) become clear (*jdm* to sb); (MATH) come out exactly; (*sich widmen*) be absorbed (*in +dat* in); **in Rauch/Flammen ~** go up in smoke/flames.

aufgeklärt *adj* enlightened; (*sexuell*) knowing the facts of life.

aufgekratzt *adj* (*umg*) psyched.

aufgelegt *adj:* **gut/ schlecht ~ sein** be in a good/bad mood; **zu etw ~ sein** be in the mood for sth.

aufgeregt *adj* excited.

aufgeschlossen *adj* open, open-minded.

aufgeschmissen *adj* (*umg*) in a fix.

aufgeweckt *adj* bright, intelligent.

aufgrund *präp +gen* on the basis of; (*wegen*) because of.

aufhaben *irr* **1.** *vt* have on; (*Arbeit*) have to do; **2.** *vi* (*Geschäft*) be open.

aufhalten *irr* **1.** *vt* (*jdn*) detain; (*Entwicklung*) check; (*Tür, Hand*) hold open; (*Augen*) keep open; **2.** *vr:* **sich ~** (*wohnen*) live; (*bleiben*) stay; **sich über etw/jdn ~** go on about sth/sb; **sich mit etw ~** waste time over sth.

aufhängen **1.** *vt* (*Wäsche*) hang up; (*jdn*) hang; **2.** *vr:* **sich ~** hang oneself; **Auf-**

hänger *m* <-s, -> (*am Mantel*) tab, loop; (*fig*) peg.

aufheben *irr* **1.** *vt* (*hochheben*) raise, lift; (*Sitzung*) wind up; (*Urteil*) annul; (*Gesetz*) repeal, abolish; (*aufbewahren*) keep; **2.** *vr:* **sich** ~ cancel oneself out; **bei jdm gut aufgehoben sein** be well looked after at sb's.

Aufheben *nt* <-s>: **viel Aufheben[s] machen** make a fuss (*von* about).

aufheitern **1.** *vt* (*jdn*) cheer up; **2.** *vr:* **sich** ~ (*Himmel, Miene*) brighten.

aufhellen *vt* clear up; (*Farbe, Haare*) lighten.

aufhetzen *vt* incite.

aufholen **1.** *vt* make up; **2.** *vi* catch up.

aufhorchen *vi* prick up one's ears.

aufhören *vi* stop; ~ **etw zu tun** stop doing sth.

aufklären **1.** *vt* (*Geheimnis etc*) clear up; (*jdn*) enlighten; (*sexuell*) tell the facts of life to; **2.** *vr:* **sich** ~ clear up; **Aufklärung** *f* (*von Geheimnis*) clearing up; (*Unterrichtung, Zeitalter*) enlightenment; (*sexuell*) sex education; (MIL, FLUG) reconnaissance.

aufkleben *vt* stick on; **Aufkleber** *m* <-s, -> sticker.

aufkommen *irr vi* (*Wind*) come up; (*Zweifel, Gefühl*) arise; (*Mode*) start; **für jdn/etw** ~ be liable [*o* responsible] for sb/sth.

aufladen *irr vt* load.

Auflage *f* edition; (*von Zeitung*) circulation; (*Bedingung*) condition; **jdm etw zur** ~ **machen** make sth a condition for sb.

auflassen *irr vt* (*offen lassen*) leave open; (*aufgesetzt lassen*) leave on; (*A: stilllegen*) close down.

auflauern *vi:* **jdm** ~ lie in wait for sb.

Auflauf *m* (GASTR) pudding; (*Menschen~*) crowd.

aufleben *vi* revive.

auflegen *vt* put on; (*Telefon*) hang up; (TYP) print.

auflehnen **1.** *vt* lean on; **2.** *vr:* **sich** ~ rebel (*gegen* against).

auflesen *irr vt* pick up.

aufleuchten *vi* light up.

aufliegen *irr vi* lie on; (WIRTS) be available.

Auflistung *f* (INFORM) listing.

auflockern *vt* loosen; (*fig*) liven up.

auflösen *vt* dissolve; (*Missverständnis*) sort out; **[in Tränen] aufgelöst sein** be in tears.

aufmachen **1.** *vt* open; (*Kleidung*) undo; **2.** *vr:* **sich** ~ set out; **Aufmachung** *f* (*Kleidung*) outfit, get-up; (*Gestaltung*) format.

aufmerksam *adj* attentive; **jdn auf etw** *akk* ~ **machen** point sth out to sb; **Aufmerksamkeit** *f* attention, attentiveness.

aufmuntern *vt* (*ermutigen*) encourage; (*erheitern*) cheer up.

Aufnahme *f* <-, -n> reception; (*Beginn*) beginning; (*in Verein etc*) admission; (*in Liste etc*) inclusion; (*Notieren*) taking down; (FOTO) shot; (*auf Tonband etc*) recording; **Aufnahmeprüfung** *f* entrance test.

aufnehmen *irr vt* receive; (*hochheben*) pick up; (*beginnen*) take up; (*in Verein etc*) admit; (*in Liste etc*) include; (*fassen*) hold; (*notieren*) take down; (*fotografieren*) photograph; (*auf Tonband, Platte*) record; (FIN) take out; **es mit jdm** ~ **können** be able to compete with sb.

aufpassen *vi* (*aufmerksam sein*) pay attention; **auf jdn/etw** ~ look after sb/sth, watch sb/sth; **aufgepasst!**[RR] look out!

Aufprall *m* <-s, -e> impact; **aufprallen** *vi* hit, strike.

Aufpreis *m* extra charge.

aufpumpen *vt* pump up.

aufputschen *vt* (*aufhetzen*) inflame; (*erregen*) stimulate.

Aufputschmittel *nt* stimulant; (*umg*) upper.

aufputzen *vt* (*A*) decorate.

aufraffen *vr:* **sich** ~ rouse oneself.

aufräumen *vt, vi* (*Dinge*) clear away; (*Zimmer*) tidy up.

aufrecht *adj* (*a. fig*) upright; **aufrechterhalten** *irr vt* maintain.

aufregen **1.** *vt* excite; **2.** *vr:* **sich** ~ get excited; **aufregend** *adj* exciting; **Aufregung** *f* excitement.

aufreiben *irr vt* (*Haut*) rub open; (*erschöpfen*) exhaust; **aufreibend** *adj* strenuous.

aufreißen *irr vt* (*Umschlag*) tear open; (*Augen*) open wide; (*Tür*) throw open; (*Straße*) take up.

aufrichtig *adj* sincere, honest.

Aufruf *m* summons *sing;* (*zur Hilfe,* FLUG, INFORM) call; (*des Namens*) calling out; **aufrufen** *irr vt* (*auffordern*) call upon (*zu* for); (*Namen*) call out; (FLUG) call; (INFORM) call up.

Aufruhr *m* <-[e]s, -e> uprising, revolt; **in** ~ **sein** be in uproar.

aufrunden *vt* (*Summe*) round up.
aufrüstbar *adj* (COMPUT) expandable.
Aufrüstung *f* rearmament.
aufs = **auf das**.
aufsässig *adj* rebellious.
Aufsatz *m* (*Geschriebenes*) essay; (*auf Schrank etc*) top.
aufsaugen *vt* soak up.
aufschauen *vi* look up.
aufschieben *irr vt* push open; (*verzögern*) put off, postpone.
Aufschlag *m* (*Ärmel~*) cuff; (*Jacken~*) lapel; (*Hosen~*) turn-up; (*Aufprall*) impact; (*Preis~*) surcharge; (TENNIS) service; **aufschlagen** *irr* **1.** *vt* (*öffnen*) open; (*verwunden*) cut; (*hochschlagen*) turn up; (*Zelt, Lager*) pitch, erect; (*Wohnsitz*) take up; **2.** *vi* (*aufprallen*) hit; (*teurer werden*) go up; (TENNIS) serve.
aufschließen *irr* **1.** *vt* open up, unlock; **2.** *vi* (*aufrücken*) close up.
Aufschluss[RR] *m* information; **aufschlussreich**[RR] *adj* informative, illuminating.
aufschneiden *irr* **1.** *vt* (*Geschwür*) cut open; (*Brot*) cut up; (MED) lance; **2.** *vi* brag.
Aufschnitt *m* [slices of] cold meat.
aufschrecken 1. *vt* startle; **2.** *irr vi* start up.
Aufschrei *m* cry.
aufschreiben *irr vt* write down.
aufschreien *irr vi* cry out.
Aufschrift *f* (*Inschrift*) inscription; (*auf Etikett*) label.
Aufschub *m* delay, postponement.
aufschwatzen *vt:* **jdm etw** ~ talk sb into [getting/having] sth.
Aufschwung *m* (*Elan*) boost; (*wirtschaftlich*) upturn, boom; (SPORT) circle.
aufsehen *irr vi* (*a. fig*) look up (*zu* at, *fig* to).
Aufsehen *nt* <-s> sensation, stir; ~ **erregend**[RR] sensational; **aufsehenerregend** *adj s.* **Aufsehen**.
Aufseher(in) *m(f)* <-s, -> guard; (*im Betrieb*) supervisor; (*Museums~*) attendant; (*Park~*) keeper.
aufsein *irr vi s.* **auf**.
aufsetzen 1. *vt* put on; (*Flugzeug*) put down; (*Dokument*) draw up; **2.** *vr:* **sich** ~ sit upright; **3.** *vi* (*Flugzeug*) touch down.
Aufsicht *f* supervision; **die** ~ **haben** be in charge.
Aufsichtsrat *m* supervisory board.
aufsitzen *irr vi* (*aufrecht hinsitzen*) sit up; (*aufs Pferd, Motorrad*) mount, get on; **jdm** ~ (*umg*) be taken in by sb.
aufsperren *vt* unlock; (*Mund*) open wide.
aufspielen *vr:* **sich** ~ show off; **sich als etw** ~ try to come on as sth.
aufspringen *irr vi* jump (*auf* +*akk* onto); (*hochspringen*) jump up; (*sich öffnen*) spring open; (*Hände, Lippen*) become chapped.
aufstacheln *vt* incite.
Aufstand *m* insurrection, rebellion.
aufstechen *irr vt* prick open, puncture.
aufstehen *irr vi* get up; (*Tür*) be open.
aufstellen *vt* (*aufrecht stellen*) put up; (*aufreihen*) line up; (*nominieren*) put up; (*formulieren: Programm*) draw up; (*Rekord*) set up; **Aufstellung** *f* (SPORT) lineup; (*Liste*) list.
Aufstieg *m* <-[e]s, -e> (*auf Berg*) ascent; (*Fortschritt*) rise; (*beruflich,* SPORT) promotion.
aufstoßen *irr* **1.** *vt* push open; **2.** *vi* belch.
Aufstrich *m* spread.
aufstützen 1. *vr:* **sich** ~ lean (*auf* +*akk* on); **2.** *vt* (*Körperteil*) prop, lean; (*jdn*) prop up.
aufsuchen *vt* (*besuchen*) visit; (*konsultieren*) consult.
auftakeln *vr:* **sich** ~ (*umg*) deck oneself out.
Auftakt *m* (MUS) upbeat; (*fig*) prelude.
auftanken 1. *vi* get petrol; **2.** *vt* refuel.
auftauchen *vi* appear; (*aus Wasser etc*) emerge; (*U-Boot*) surface; (*Zweifel*) arise.
auftauen *vt, vi* thaw; (*fig*) relax.
aufteilen *vt* divide up; (*Raum*) partition; **Aufteilung** *f* division; partition.
auftischen *vt* serve [up]; (*fig*) tell.
Auftrag *m* <-[e]s, Aufträge> order; (*Arbeit*) job; (*Anweisung*) commission; (*Aufgabe*) task; **im** ~ **von** on behalf of.
auftragen *irr* **1.** *vt* (*Essen*) serve; (*Farbe*) put on; **2.** *vi* (*dick machen*) make you/me look fat; **jdm etw** ~ tell sb sth; **dick** ~ (*fig*) exaggerate.
Auftraggeber(in) *m(f)* <-s, -> (WIRTS) purchaser; (*Kunde*) customer.
auftreiben *irr vt* (*umg: beschaffen*) raise.
auftreten *irr vi* appear; (*mit Füßen*) tread; (*sich verhalten*) behave; **Auftreten** *nt* <-s> (*Vorkommen*) appearance; (*Benehmen*) behaviour.
Auftrieb *m* (PHYS) buoyancy, lift; (*fig*) impetus.
Auftritt *m* (*des Schauspielers*) entrance; (*a. fig: Szene*) scene.
aufwachen *vi* wake up.

aufwachsen *irr vi* grow up.

Aufwand *m* <-[e]s> expenditure; (*Kosten a.*) expense; (*Luxus*) show; **bitte, keinen ~!** please don't go out of your way; **aufwändig**[RR] *adj* costly.

aufwärmen *vt* warm up; (*alte Geschichten*) rake up.

aufwärts *adv* upwards; ~ **gehen**[RR] (*fig*) look up; **aufwärtsgehen** *irr vi s.* **aufwärts**.

aufwecken *vt* wake[n] up.

aufweisen *irr vt* show.

aufwenden *irr vt* expend; (*Geld*) spend; (*Sorgfalt*) devote; **aufwendig** *adj* costly.

aufwerfen *irr* **1.** *vt* (*Fenster etc*) throw open; (*Probleme*) throw up, raise; **2.** *vr:* **sich zu etw ~** make oneself out to be sth.

aufwerten *vt* (FIN) revalue; (*fig*) raise in value.

aufwiegeln *vt* stir up, incite.

aufwiegen *irr vt* make up for.

Aufwind *m* up-current; (*fig*) impetus.

aufwirbeln *vt* whirl up; **Staub ~** (*fig*) create a stir.

aufwischen *vt* wipe up.

aufzählen *vt* count out.

aufzeichnen *vt* sketch; (*schriftlich*) jot down; (*auf Band*) record; **Aufzeichnung** *f* (*schriftlich*) note; (*Tonband~*) recording; (*Film*) record.

aufzeigen *vt* show, demonstrate.

aufziehen *irr vt* (*hochziehen*) raise, draw up; (*öffnen*) pull open; (*Uhr*) wind; (*umg: necken*) tease; (*Kinder*) raise, bring up; (*Tiere*) rear.

Aufzug *m* (*Fahrstuhl*) lift, elevator; (*Kleidung*) get-up; (THEAT) act.

aufzwingen *irr vt:* **jdm etw ~** force sth upon sb.

Auge *nt* <-s, -n> eye; (*Fett~*) globule; **jdm etw aufs ~ drücken** impose sth on sb; **ins ~ gehen** go wrong; **unter vier ~n** in private.

Augenarzt *m,* **Augenärztin** *f* eye specialist.

Augenblick *m* moment; **im ~** at the moment; **augenblicklich** *adj* (*sofort*) instantaneous; (*gegenwärtig*) present.

Augenbraue *f* <-, -n> eyebrow; **Augenweide** *f* sight for sore eyes; **Augenzeuge** *m,* **Augenzeugin** *f* eye witness.

August *m* <-[e]s *o* -, -e> August; **im ~** in August; **24. ~ 1999** August 24th, 1999, 24th August 1999.

Auktion *f* auction.

Aula *f* <-, Aulen *o* -s> assembly hall.

aus 1. *präp +dat* out of; (*von … her*) from; (*Material*) made of; **2.** *adv* out; (*beendet*) finished, over; (*ausgezogen*) off; ~ **sein**[RR] (*umg*) be out; (*zu Ende*) be over; ~ **ihr wird nie etwas** she'll never get anywhere; **bei jdm ~ und ein gehen** visit sb frequently; **weder ~ noch ein wissen** be at sixes and sevens; **auf etw** *akk* **~ sein** be after sth; **vom Fenster ~** out of the window; **von Rom ~** from Rome; **von sich ~** of one's own accord; **Aus** *nt* <-> (SPORT) touch, offside; (*fig*) end, finish; **ins ~ gehen** go out.

ausarbeiten *vt* work out.

ausarten *vi* degenerate; (*Kind*) become overexcited.

ausatmen *vi* breathe out.

ausbaden *vt:* **etw ~ müssen** (*umg*) carry the can for sth.

Ausbau 1. *m* (*Herausnahme*) removal; **2.** *m* <Ausbauten *pl*> extension, expansion; **ausbauen** *vt* extend, expand; (*herausnehmen*) take out, remove; **ausbaufähig** *adj* (*fig*) worth developing.

ausbedingen *irr vt:* **sich** *dat* **etw ~** insist on sth.

ausbessern *vt* mend, repair.

ausbeulen *vt* beat out.

Ausbeute *f* yield; **ausbeuten** *vt* exploit; (MIN) work.

ausbilden *vt* educate; (*Lehrling, Soldat*) instruct, train; (*Fähigkeiten*) develop; (*Geschmack*) cultivate; **Ausbildung** *f* education; training, instruction; development; **Ausbildungsangebot** *nt* availability of training places; **Ausbildungsplatz** *m* traineeship.

ausbleiben *irr vi* (*Menschen*) stay away, not come; (*Ereignisse*) fail to happen, not happen.

Ausblick *m* (*a. fig*) outlook, view.

ausbomben *vt* bomb out.

ausbrechen *irr* **1.** *vi* break out; **2.** *vt* break off; **in Tränen/Gelächter ~** burst into tears/out laughing.

ausbreiten 1. *vt* spread [out]; (*Arme*) stretch out; **2.** *vr:* **sich ~** spread; (*über Thema*) expand, enlarge (*über +akk* on).

Ausbruch *m* outbreak; (*von Vulkan*) eruption; (*Gefühls~*) outburst; (*von Gefangenen*) escape.

ausbrüten *vt* (*a. fig*) hatch.

ausbuhen *vt* boo.

ausbürsten *vt* brush out.

Ausdauer *f* perseverance, stamina.

ausdehnen *vt* (*räumlich*) expand;

(*Gummi*) stretch; (*zeitlich*) stretch; (*fig: Macht*) extend.

ausdenken *irr vt* (*zu Ende denken*) think through; **sich** *dat* **etw** ~ think sth up.

ausdiskutieren *vt* talk out.

Ausdruck 1. *m* <Ausdrücke *pl*> expression, phrase; (*Kundgabe, Gesichts~*) expression; **2.** *m* <Ausdrucke *pl*> (*Computer~*) print-out.

ausdrucken *vt* (INFORM) print [out].

ausdrücken 1. *vt* (*formulieren, zeigen*) express; (*Zigarette*) put out; (*Zitrone*) squeeze; **2.** *vr:* **sich** ~ express oneself.

ausdrücklich *adj* express, explicit.

ausdruckslos *adj* expressionless, blank; **Ausdrucksweise** *f* mode of expression.

auseinander *adv* (*getrennt*) apart; ~ **schreiben** write as separate words; ~ **gehen**[RR] (*Menschen*) separate; (*Meinungen*) differ; (*Gegenstand*) fall apart; (*umg: dick werden*) put on weight; ~ **halten**[RR] tell apart; ~ **setzen**[RR] (*erklären*) set forth, explain; **sich** ~ **setzen**[RR] (*sich verständigen*) come to terms; (*sich befassen*) concern oneself; **Auseinandersetzung** *f* argument, controversy.

auserlesen *adj* select, choice.

ausfahren *irr* 1. *vi* drive out; (NAUT) put out [to sea]; **2.** *vt* take out; (TECH: *Fahrwerk*) drive out.

Ausfahrt *f* (*des Zuges etc*) leaving, departure; (*Autobahn~, Garagen~*) exit, way out; (*Spazierfahrt*) drive, excursion.

Ausfall *m* loss; (*Nichtstattfinden*) cancellation; **ausfallen** *irr vi* (*Zähne, Haare*) fall [*o* come] out; (*nicht stattfinden*) be cancelled; (*wegbleiben*) be omitted; (*Mensch*) drop out; (*Lohn*) be stopped; (*nicht funktionieren*) break down; (*Resultat haben*) turn out; **wie ist das Spiel ausgefallen?** what was the result of the game?

ausfallend *adj* impertinent.

Ausfallstraße *f* road leading out of a town.

Ausfallzeit *f* (COMPUT) downtime.

ausfertigen *vt* draw up; (*Rechnung*) make out; **doppelt** ~ duplicate; **Ausfertigung** *f* drawing up; making out; (*Exemplar*) copy.

ausfindig machen *vt* discover.

ausfliegen *irr vt, vi* fly away; **sie sind ausgeflogen** (*umg*) they're out.

ausflippen *vi* (*umg*) freak out.

Ausflucht *f* <-, Ausflüchte> excuse.

Ausflug *m* excursion, outing; **Ausflügler(in)** *m(f)* <-s, -> tripper.

Ausfluss[RR] *m* outlet; (MED) discharge.

ausfragen *vt* interrogate, question.

ausfransen *vi* fray.

ausfressen *irr vt* eat up; (*aushöhlen*) corrode; (*umg: anstellen*) be up to.

Ausfuhr 1. *f* <-, -en> export, exportation; **2.** *in Zusammensetzungen* export.

ausführen *vt* (*verwirklichen*) carry out; (*jdn*) take out; (*Hund*) take for a walk; (WIRTS) export; (*erklären*) give details of.

ausführlich 1. *adj* detailed; **2.** *adv* in detail.

Ausführung *f* execution, performance; (*Durchführung*) completion; (*Herstellungsart*) version; (*Erklärung*) explanation.

ausfüllen *vt* fill up; (*Fragebogen etc*) fill in; (*Beruf*) be fulfilling for.

Ausgabe *f* (*Geld~*) expenditure, outlay; (*Aushändigung*) giving out; (*Gepäck~*) left-luggage office; (INFORM) output; (*Buch*) edition; (*Nummer*) issue.

Ausgang *m* way out, exit; (*Ende*) end; (*Ausgangspunkt*) starting point; (*Ergebnis*) result; (*Ausgehtag*) free time, time off; **kein** ~ no exit.

ausgeben *irr* 1. *vt* (*Geld*) spend; (*austeilen*) issue, distribute; **2.** *vr:* **sich für etw/jdn** ~ pass oneself off as sth/sb.

ausgebucht *adj* fully booked.

ausgebufft *adj* (*umg: erledigt*) washed-up; (*erschöpft*) knackered; (*trickreich*) shrewd, fly.

ausgedient *adj* (*Soldat*) discharged; (*verbraucht*) no longer in use; ~ **haben** have done good service.

ausgefallen *adj* (*ungewöhnlich*) exceptional.

ausgeglichen *adj* [well-]balanced; **Ausgeglichenheit** *f* balance; (*von Mensch*) even-temperedness.

ausgehen *irr vi* go out; (*zu Ende gehen*) come to an end; (*Benzin*) run out; (*Haare, Zähne*) fall [*o* come] out; (*Feuer, Ofen, Licht*) go out; (*Strom*) go off; (*Resultat haben*) turn out; **von etw** ~ (*wegführen*) lead away from sth; (*herrühren*) come from sth; (*zugrunde legen*) proceed from sth; **wir können davon ~, dass ...** we can proceed from the assumption that ..., we can take as our starting point that ...; **leer** ~ get nothing; **schlecht** ~ turn out badly; **mir ging das Benzin aus** I ran out of petrol.

ausgelassen *adj* boisterous, high-spirited.

ausgelastet *adj* fully occupied.

ausgelernt *adj* trained, qualified.

ausgemacht *adj* (*umg*) settled; (*Dummkopf etc*) out-and-out, downright; **es gilt als ~, dass ...** it is settled that ...; **es war eine ~e Sache, dass ...** it was a foregone conclusion that ...

ausgenommen *konj, präp +gen o dat* except; **Anwesende sind ~** present company excepted.

ausgeprägt *adj* (*Gesicht*) distinctive; (*Eigenschaft*) distinct; (*Charakter, Interesse*) marked, pronounced.

ausgerechnet *adv* just, precisely; **~ du/heute** you of all people/today of all days.

ausgereift *adj* (*fig*) well- [*o* highly-] developed.

ausgeschlossen *adj* (*unmöglich*) impossible, out of the question; **es ist nicht ~, dass ...** it cannot be ruled out that ...

ausgesprochen **1.** *adj* (*Faulheit, Lüge etc*) out-and-out; (*unverkennbar*) marked; **2.** *adv* decidedly.

ausgezeichnet *adj* excellent.

ausgiebig *adj* (*Gebrauch*) thorough, good; (*Essen*) generous, lavish; **~ schlafen** have a good sleep.

Ausgleich *m* <-[e]s, -e> balance; (*Vermittlung*) reconciliation; (SPORT) equalization; **zum ~** *+gen* in order to offset; **das ist ein guter ~** that's very relaxing; **ausgleichen** *irr* **1.** *vt* balance [out]; (*Höhe*) even up; **2.** *vi* (SPORT) equalize; **Ausgleichssport** *m* sport for fitness; **Ausgleichstor** *nt* equalizer.

ausgraben *irr vt* dig up; (*Leichen*) exhume; (*fig*) unearth; **Ausgrabung** *f* excavation.

ausgrenzen *vt* exclude.

Ausguss[RR] *m* (*Spüle*) sink; (*Abfluss*) outlet; (*Tülle*) spout.

aushaben *irr vt* (*umg: Kleidung*) have taken off; (*Buch*) have finished.

aushalten *irr* **1.** *vt* bear, stand; (*Geliebte*) keep; **2.** *vi* hold out; **das ist nicht zum Aushalten** that is unbearable.

aushandeln *vt* negotiate.

aushändigen *vt:* **jdm etw ~** hand sth over to sb.

Aushang *m* notice.

aushängen **1.** *vt* (*Meldung*) put up; (*Fenster*) take off its hinges; **2.** *irr vi* be displayed; **3.** *vr:* **sich ~** hang out; **Aushängeschild** *nt* [shop] sign.

aushecken *vt* (*umg*) concoct, think up.

aushelfen *irr vi:* **jdm ~** help sb out.

Aushilfe *f* help, assistance; (*Mensch*) [temporary] worker; **Aushilfskraft** *f* temporary worker; **aushilfsweise** *adv* temporarily, as a stopgap.

ausholen *vi* swing one's arm back; (*zur Ohrfeige*) raise one's hand; (*beim Gehen*) take long strides; **weit ~** (*fig*) be expansive.

aushorchen *vt* sound out, pump.

aushungern *vt* starve out.

auskennen *irr vr:* **sich ~** know thoroughly; (*an einem Ort*) know one's way about; (*in Fragen etc*) be knowledgeable.

Ausklang *m* end.

ausklingen *irr vi* (*Ton, Lied*) die away; (*Fest*) peter out.

auskochen *vt* boil; (MED) sterilize; **ausgekocht** (*fig*) cunning.

auskommen *irr vi:* **mit jdm ~** get on with sb; **mit etw ~** get by with sth; **Auskommen** *nt:* **sein ~ haben** get by.

auskugeln *vt* (*umg: Arm*) dislocate.

auskundschaften *vt* spy out; (*Gebiet*) reconnoitre.

Auskunft *f* <-, Auskünfte> information; (*nähere*) details *pl*, particulars *pl*; (*Stelle*) information office; (TEL) [directory] inquiries *sing* (*kein Artikel*); **jdm ~ erteilen** give sb information.

auskuppeln *vi* disengage the clutch.

auslachen *vt* laugh at, mock.

ausladen *irr vt* unload; (*umg: Gäste*) cancel an invitation to.

Auslage *f* shop window [display]; **~n** *pl* outlay, expenditure.

Ausland *nt* foreign countries *pl*; **im/ins ~** abroad; **Ausländer(in)** *m(f)* <-s, -> foreigner; **ausländerfeindlich** *adj* hostile to foreigners, xenophobic; **Ausländerfeindlichkeit** *f* hostility towards foreigners, xenophobia; **ausländisch** *adj* foreign; **Auslandsgespräch** *nt* international call; **Auslandskorrespondent(in)** *m(f)* foreign correspondent.

auslassen *irr* **1.** *vt* leave out; (*Wort etc a.*) omit; (*Fett*) melt; (*Wut, Ärger*) vent (*an +dat* on); **2.** *vr:* **sich über etw** *akk* **~** speak one's mind about sth.

Auslauf *m* (*für Tiere*) run; (*Ausfluss*) outflow, outlet; **der Hund braucht ~** the dog needs exercise; **auslaufen** *irr vi* run out; (*Behälter*) leak; (NAUT) put out [to sea]; (*langsam aufhören*) run down.

Ausläufer *m* (*von Gebirge*) foothill; (*von Pflanze*) runner; (METEO: *von Hoch*) ridge; (*von Tief*) trough.

ausleeren *vt* empty.

auslegen *vt* (*Waren*) lay out; (*Köder*) put down; (*Geld*) lend; (*bedecken*) cover; (*Text etc*) interpret; (*technisch ausstatten*) design (*für, auf+akk* for); **Auslegung** *f* interpretation.

Ausleihe *f* <-, -n> issuing; (*Stelle*) issue desk; **ausleihen** *irr vt* (*verleihen*) lend; **sich** *dat* **etw** ~ borrow sth.

Auslese *f* selection; (*Elite*) elite; (*Wein*) wine made of selected grapes; **auslesen** *irr vt* select; (*umg: zu Ende lesen*) finish.

ausliefern **1.** *vt* deliver [up], hand over; (WIRTS) deliver; **2.** *vr:* **sich jdm** ~ give oneself up to sb; **jdm/einer Sache ausgeliefert sein** be at the mercy of sb/sth.

auslosen *vt* draw lots for.

auslösen *vt* (*Explosion, Schuss*) set off; (*hervorrufen*) cause, produce; **Auslöser** *m* <-s, -> (FOTO) release.

ausmachen *vt* (*Licht, Radio*) turn off; (*Feuer*) put out; (*entdecken*) make out; (*vereinbaren*) agree; (*beilegen*) settle; (*Anteil darstellen, betragen*) represent; (*bedeuten*) matter; **das macht ihm nichts aus** it doesn't matter to him; **macht es Ihnen etwas aus, wenn ...?** would you mind if ...?

ausmalen *vt* paint; (*fig*) describe; **sich** *dat* **etw** ~ imagine sth.

Ausmaß *nt* dimension; (*fig a.*) scale, extent.

ausmerzen *vt* eliminate.

ausmessen *irr vt* measure.

Ausnahme *f* <-, -n> exception; **eine ~ machen** make an exception; **Ausnahmefall** *m* exceptional case; **Ausnahmezustand** *m* state of emergency; **ausnahmslos** *adv* without exception; **ausnahmsweise** *adv* by way of exception, for once.

ausnehmen *irr* **1.** *vt* take out, remove; (*Tier*) gut; (*Nest*) rob; (*umg: Geld abnehmen*) clean out; (*ausschließen*) make an exception of; **2.** *vr:* **sich** ~ look, appear; **ausnehmend** *adv* exceptionally.

ausnutzen *vt* (*Zeit, Gelegenheit*) use, turn to good account; (*Einfluss*) use; (*jdn, Gutmütigkeit*) take advantage of.

auspacken *vt* unpack.

auspfeifen *irr vt* hiss/boo at.

ausplaudern *vt* (*Geheimnis*) blab.

ausprobieren *vt* try [out].

Auspuff *m* <-[e]s, -e> (TECH) exhaust; **Auspuffrohr** *nt* exhaust [pipe]; **Auspufftopf** *m* (AUTO) silencer.

ausradieren *vt* erase, rub out.

ausrangieren *vt* (*umg*) chuck out.

ausrasten *vi* (TECH) disengage; (*umg*) flip one's lid.

ausrauben *vt* rob.

ausräumen *vt* (*Dinge*) clear away; (*Schrank, Zimmer*) empty; (*Bedenken*) put aside.

ausrechnen *vt* calculate, reckon.

Ausrede *f* excuse; **ausreden** **1.** *vi* have one's say; **2.** *vt:* **jdm etw** ~ talk sb out of sth.

ausreichend *adj* sufficient, adequate; (SCH) adequate.

Ausreise *f* departure; **bei der** ~ when leaving the country; **Ausreiseerlaubnis** *f* exit visa; **ausreisen** *vi* leave the country; **Ausreisewillige(r)** *mf* prospective emigrant.

ausreißen *irr* **1.** *vt* tear [*o* pull] out; **2.** *vi* (*Riss bekommen*) tear; (*umg*) make off, scram.

ausrenken *vt* dislocate.

ausrichten *vt* (*Botschaft*) deliver; (*Gruß*) pass on; (*Hochzeit etc*) arrange; (*erreichen*) get anywhere (*bei* with); (*in gerade Linie bringen*) get in a straight line; (*angleichen*) bring into line; **jdm etw** ~ take a message for sb; **ich werde es ihm** ~ I'll tell him.

ausrotten *vt* stamp out, exterminate.

ausrücken *vi* (MIL) move off; (*Feuerwehr, Polizei*) be called out; (*umg: weglaufen*) run away.

Ausruf *m* (*Schrei*) cry, exclamation; (*Verkünden*) proclamation; **ausrufen** *irr vt* exclaim; (*Schlagzeilen*) cry out; (*verkünden*) call out; (*Haltestelle, Streik*) call; **Ausrufezeichen** *nt* exclamation mark.

ausruhen *vi, vr:* **sich** ~ rest.

ausrüsten *vt* equip, fit out; **Ausrüstung** *f* equipment.

ausrutschen *vi* slip.

Aussage *f* statement; **aussagen** **1.** *vt* say, state; **2.** *vi* (JUR) give evidence.

ausschalten *vt* switch off; (*fig*) eliminate.

Ausschank *m* <-[e]s, Ausschänke> dispensing, giving out; (WIRTS) selling; (*Theke*) bar.

Ausschau *f:* ~ **halten** look out, watch (*nach* for); **ausschauen** *vi* look out (*nach* for), be on the look-out.

ausscheiden *irr* **1.** *vt* separate; (MED) give off, secrete; **2.** *vi* leave (*aus etw* sth); (SPORT) be eliminated, be knocked out; **er scheidet für den Posten aus** he can't be considered for the job.

ausschenken *vt* pour out; (WIRTS) sell.

ausschimpfen *vt* scold, tell off.

ausschlachten *vt* (*Auto*) cannibalize; (*fig*) make a meal of.

ausschlafen *irr* 1. *vi, vr:* **sich ~** have a long lie [in]; 2. *vt* sleep off; **ich bin nicht ausgeschlafen** I didn't have [*o* get] enough sleep.

Ausschlag *m* (MED) rash; (*Pendel~*) swing; (*von Nadel*) deflection; **den ~ geben** (*fig*) tip the balance; **ausschlagen** *irr* 1. *vt* knock out; (*auskleiden*) deck out; (*verweigern*) decline; 2. *vi* (*Pferd*) kick out; (BOT) sprout; (*Zeiger*) be deflected; **ausschlaggebend** *adj* decisive.

ausschließen *irr vt* shut out, lock out; (*fig*) exclude; **ich will mich nicht ~** myself not excepted.

ausschließlich 1. *adv* exclusively; 2. *präp +gen* excluding, exclusive of.

Ausschluss[RR] *m* exclusion.

ausschmücken *vt* decorate; (*fig*) embellish.

ausschneiden *irr vt* cut out; (*Büsche*) trim.

Ausschnitt *m* (*Teil*) section; (*von Kleid*) neckline, décolleté; (*Zeitungs~*) cutting; (*aus Film*) excerpt.

ausschreiben *irr vt* (*ganz schreiben*) write out [in full]; (*ausstellen*) write [out]; (*Stelle, Wettbewerb etc*) announce, advertise.

Ausschreitung *f* excess.

Ausschuss[RR] *m* committee, board; (*Abfall*) waste, scraps *pl;* (WIRTS: *~ware*) reject.

ausschütten 1. *vt* pour out; (*Eimer*) empty; (*Geld*) pay; 2. *vr:* **sich ~** shake [with laughter].

ausschweifend *adj* (*Leben*) dissipated, debauched; (*Phantasie*) extravagant; **Ausschweifung** *f* excess.

ausschweigen *irr vr:* **sich ~** keep silent.

ausschwitzen *vt* exude; (*Mensch*) sweat out.

aussehen *irr vi* look; **das sieht nach nichts aus** that doesn't look anything special; **es sieht nach Regen aus** it looks like rain; **es sieht schlecht aus** things look bad; **Aussehen** *nt* <-s> appearance.

aussein *irr vi s.* **aus.**

außen *adv* outside; (*nach ~*) outwards; **~ ist es rot** it's red [on the] outside; **~ vor sein** be out of it; **Außenantenne** *f* outside aerial; **Außenbordmotor** *m* outboard motor.

aussenden *irr vt* send out, emit.

Außendienst *m* outside [*o* field] service; (*von Diplomat*) foreign service; **Außenhandel** *m* foreign trade; **Außenminister(in)** *m(f)* foreign minister; **Außenministerium** *nt* foreign office; **Außenpolitik** *f* foreign policy; **Außenseite** *f* outside; **Außenseiter(in)** *m(f)* <-s, -> outsider; **Außenspiegel** *m* exterior [*o* side] mirror; **Außenstehende(r)** *mf* outsider.

außer 1. *präp +dat* (*räumlich*) out of; (*abgesehen von*) except; 2. *konj* (*ausgenommen*) except; **~ Gefahr sein** be out of danger; **~ Zweifel** beyond any doubt; **~ Betrieb** out of order; **~ sich** *dat* **sein** be beside oneself; **~ Dienst** retired; **~ Landes** abroad; **~ wenn** unless; **~ dass** except.

außerdem *konj* besides, in addition.

äußere(r, s) *adj* outer, external.

außerehelich *adj* extramarital; **außergewöhnlich** *adj* unusual; **außerhalb** *präp +gen* outside; **Außerkraftsetzung** *f* putting out of action.

äußerlich *adj* external.

äußern 1. *vt* utter, express; (*zeigen*) show; 2. *vr:* **sich ~** give one's opinion; (*sich zeigen*) show itself.

außerordentlich *adj* extraordinary; **außerplanmäßig** *adj* unscheduled.

äußerst *adv* extremely, most.

außerstande, außer Stande[RR] *adv* not in a position, unable; **äußerste(r, s)** *adj* utmost; (*räumlich*) farthest; (*Termin*) last possible; (*Preis*) highest; **äußerstenfalls** *adv* if the worst comes to the worst.

Äußerung *f* remark.

aussetzen 1. *vt* (*Kind, Tier*) abandon; (*Boote*) lower; (*Belohnung*) offer; (*Urteil, Verfahren*) postpone; 2. *vi* (*aufhören*) stop; (*Pause machen*) drop out; **jdn/sich einer Sache** *dat* **~** lay sb/oneself open to sth; **jdm/einer Sache ausgesetzt sein** be exposed to sb/sth; **an jdm/etw etwas ~** find fault with sb/sth.

Aussicht *f* view; (*in Zukunft*) prospect; **in ~ sein** be in view; **etw in ~ haben** have sth in view; **aussichtslos** *adj* hopeless; **Aussichtspunkt** *m* viewpoint; **aussichtsreich** *adj* promising; **Aussichtsturm** *m* observation tower.

aussitzen *irr vt* sit out.

aussöhnen 1. *vt* reconcile; 2. *vr:* **sich ~**

reconcile oneself, become reconciled; **Aussöhnung** *f* reconciliation.

aussondern *vt* separate, select.

aussortieren *vt* sort out.

ausspannen **1.** *vt* spread [*o* stretch] out; (*Pferd*) unharness; (*umg*) steal (*jdm* from sb); **2.** *vi* relax.

aussparen *vt* leave open.

aussperren *vt* lock out.

ausspielen **1.** *vt* (*Karte*) play; (*Geldprämie*) offer as a prize; **2.** *vi* (KARTEN) lead; **jdn gegen jdn ~** play sb off against sb; **ausgespielt haben** be finished.

Aussprache *f* pronunciation; (*Unterredung*) [frank] discussion.

aussprechen *irr* **1.** *vt* pronounce; (*zu Ende sprechen*) speak; (*äußern*) say, express; **2.** *vr:* **sich ~** talk (*über + akk* about); (*sich anvertrauen*) unburden oneself; (*diskutieren*) discuss; **3.** *vi* (*zu Ende sprechen*) finish speaking.

Ausspruch *m* saying, remark.

ausspülen *vt* wash out; (*Mund*) rinse.

Ausstand *m* strike; **in den ~ treten** go on strike.

ausstatten *vt* (*Zimmer etc*) furnish; **jdn mit etw ~** equip sb with sth, kit sb out with sth; **Ausstattung** *f* (*Ausstatten*) provision; (*Kleidung*) outfit; (*Aufmachung*) make-up; (*Einrichtung*) furnishing.

ausstechen *irr vt* (*Augen, Rasen, Graben*) dig out; (*Kekse*) cut out; (*übertreffen*) outshine.

ausstehen *irr* **1.** *vt* stand, endure; **2.** *vi* (*noch nicht dasein*) be outstanding; **ich kann ihn/das nicht ~** I can't stand him/that.

aussteigen *irr vi* get out, alight.

Aussteiger(in) *m(f)* (*fig*) downshifter.

ausstellen *vt* exhibit, display; (*umg: ausschalten*) switch off; (*Rechnung*) make out; (*Pass, Zeugnis*) issue; **Ausstellung** *f* exhibition; (FIN) drawing up; (*einer Rechnung*) making out; (*eines Passes*) issuing.

aussterben *irr vi* die out, become extinct.

Aussteuer *f* dowry.

Ausstieg *m* <-s, -e> withdrawal.

ausstopfen *vt* stuff.

ausstoßen *irr vt* (*Luft, Rauch*) give off, emit; (*aus Verein etc*) expel, exclude.

ausstrahlen *vt* radiate; (RADIO) broadcast; **Ausstrahlung** *f* radiation; (*fig*) charisma.

ausstrecken *vt* stretch out.

ausstreichen *irr vt* cross out; (*glätten*) smooth out.

ausströmen *vi* (*Gas*) pour out, escape.

aussuchen *vt* select, pick out.

Austausch *m* exchange; **austauschbar** *adj* exchangeable; **austauschen** *vt* exchange, swop; **Austauschmotor** *m* reconditioned engine.

austeilen *vt* distribute, give out.

Auster *f* <-, -n> oyster.

austoben *vr:* **sich ~** (*Kind*) run wild; (*Erwachsene*) sow one's wild oats.

austragen *irr vt* (*Post*) deliver; (*Streit etc*) decide; (*Wettkämpfe*) hold.

Australien *nt* Australia; **in ~** in Australia; **nach ~ fahren** go to Australia; **Australier(in)** *m(f)* <-s, -> Australian; **australisch** *adj* Australian.

austreiben *irr vt* drive out, expel; (*Geister*) exorcize.

austreten *irr* **1.** *vi* (*zur Toilette*) be excused; **2.** *vt* (*Feuer*) tread out, trample; (*Schuhe*) wear out; (*Treppe*) wear down; **aus etw ~** leave sth.

austrinken *irr* **1.** *vt* (*Glas*) drain; (*Getränk*) drink up; **2.** *vi* finish one's drink, drink up.

Austritt *m* emission; (*aus Verein, Partei etc*) retirement, withdrawal.

austrocknen *vi* dry up.

ausüben *vt* (*Beruf*) practise, carry out; (*Funktion*) perform; (*Einfluss*) exert; (*Reiz, Wirkung*) exercise, have (*auf jdn* on sb); **Ausübung** *f* practice, exercise.

Ausverkauf *m* sale; **ausverkaufen** *vt* sell out; (*Geschäft*) sell up; **ausverkauft** *adj* (*Karten, Artikel*) sold out; (THEAT: *Haus*) full.

Auswahl *f* selection, choice (*an + dat* of); **auswählen** *vt* select, choose.

auswandern *vi* emigrate; **Auswanderung** *f* emigration.

auswärtig *adj* (*nicht am/vom Ort*) out-of-town; (*ausländisch*) foreign; **Auswärtiges Amt** Foreign Office, State Department *US;* **auswärts** *adv* outside; (*nach außen*) outwards; **~ essen** eat out; **Auswärtsspiel** *nt* away game.

auswechseln *vt* change, substitute.

Ausweg *m* way out; **ausweglos** *adj* hopeless.

ausweichen *irr vi* dodge, evade; **jdm/einer Sache ~** move aside [*o* make way] for sb/sth; (*fig*) side-step sb/sth; **ausweichend** *adj* evasive.

ausweinen *vr:* **sich ~** have a [good] cry.

Ausweis *m* <-es, -e> identity card, passport; (*Mitglieds~, Bibliotheks~*) card; **ausweisen** *irr* **1.** *vt* expel, banish; **2.** *vr:* **sich** ~ prove one's identity; **Ausweispapiere** *pl* identity papers *pl;* **Ausweisung** *f* expulsion.

auswendig *adv* by heart; ~ **lernen** learn by heart.

auswerten *vt* evaluate; **Auswertung** *f* evaluation, analysis; (*Nutzung*) utilization.

auswirken *vr:* **sich** ~ have an effect; **Auswirkung** *f* effect.

Auswuchs *m* [out]growth; (*fig*) excess.

auswuchten *vt* (AUTO) balance.

auszahlen 1. *vt* (*Lohn, Summe*) pay out; (*Arbeiter*) pay off; (*Miterbe*) buy out; **2.** *vr:* **sich** ~ (*sich lohnen*) pay.

auszählen *vt* (*Stimmen*) count; (BOXEN) count out.

auszeichnen 1. *vt* honour; (MIL) decorate; (WIRTS) price; **2.** *vr:* **sich** ~ distinguish oneself; **Auszeichnung** *f* distinction; (WIRTS) pricing; (*Ehrung*) awarding of decoration; (*Ehre*) honour; (*Orden*) decoration; **mit** ~ with distinction.

ausziehen *irr* **1.** *vt* (*Kleidung*) take off; (*Haare, Zähne, Tisch etc*) pull out; **2.** *vr:* **sich** ~ undress; **3.** *vi* (*aufbrechen*) leave; (*aus Wohnung*) move out.

Auszubildende(r) *mf* trainee.

Auszug *m* (*aus Wohnung*) removal; (*aus Buch etc*) extract; (*Konto~*) statement.

Autismus *m* autism; **autistisch** *adj* autistic.

Auto *nt* <-s, -s> [motor-]car; ~ **fahren** drive; **Autobahn** *f* motorway; **Autobahngebühr** *f* motorway toll; **Autobombe** *f* car bomb; **Autofahrer(in)** *m(f)* motorist, driver; **Autofahrt** *f* drive; **Autogas** *nt* liquefied petroleum gas.

autogen *adj* autogenous.

Autogramm *nt* <-s, -e> autograph.

Automat *m* <-en, -en> machine.

Automatikgurt *m* inertia-reel seat belt; **Automatikschaltung** *f* automatic gear change *Brit,* automatic gear shift *US;* **Automatikwagen** *m* automatic.

automatisch *adj* automatic; **~er Zeilenumbruch** (COMPUT) word wrap, wraparound.

Autopsie *f* post-mortem, autopsy.

Autor(in) *m(f)* <-s, -en> author.

Autoradio *nt* car radio; **Autoreifen** *m* car tyre; **Autoreisezug** *m* Motorail train, auto train *US;* **Autorennen** *nt* motor racing.

autoritär *adj* authoritarian.

Autorität *f* authority.

Autotelefon *nt* car phone; **Autounfall** *m* car [*o* motor] accident; **Autoverleih** *m* car hire.

Axt *f* <-, Äxte> axe.

Azubi *m* <-s, -s>, *f* <-, -s> *akr von* **Auszubildende** trainee; **Azubine** *f* (*umg*) (female) trainee.

B

B, b *nt* B, b.

Baby *nt* <-s, -s> baby; **Babynahrung** *f* baby food; **Babysitter(in)** *m(f)* <-s, -> baby-sitter.

Bach *m* <-[e]s, Bäche> stream, brook.

Backblech *nt* baking tray.

Backbord *nt* (NAUT) port.

Backe *f* <-, -n> cheek.

backen <backte, gebacken> *vt, vi* bake.

Backenbart *m* sideboards *pl;* **Backenzahn** *m* molar.

Bäcker(in) *m(f)* <-s, -> baker; **Bäckerei** *f* bakery; (*Laden*) baker's [shop].

Backform *f* baking tin; **Backhähnchen** *nt* roast chicken; **Backobst** *nt* dried fruit; **Backofen** *m* oven; **Backpflaume** *f* prune; **Backpulver** *nt* baking powder; **Backstein** *m* brick.

backte *imperf von* **backen**.

Bad *nt* <-[e]s, Bäder> bath; (*Schwimmen*) bathe; (*Ort*) spa; **Badeanstalt** *f* [swimming] baths *pl;* **Badeanzug** *m* bathing suit, swimsuit; **Badehose** *f* bathing [*o* swimming] trunks *pl;* **Badekappe** *f* bathing cap; **Bademantel** *m* bath[ing] robe; **Bademeister(in)** *m(f)* baths attendant; **Bademütze** *f* bathing cap.

baden 1. *vi* bathe, have a bath; **2.** *vt* bath.

Baden-Württemberg *nt* <-s> Baden-Württemberg.

Badeort *m* spa; **Badetuch** *nt* bath towel; **Badewanne** *f* bath [tub]; **Badezimmer** *nt* bathroom.

baff *adj:* ~ **sein** (*umg*) be flabbergasted.

Bafög *nt* <-> *akr von* **Bundesausbildungsförderungsgesetz** student grant.

Bagatelle *f* trifle.

Bagger *m* <-s, -> excavator; (NAUT) dredger; **baggern** *vt, vi* excavate; (NAUT) dredge.

Bahamas *pl* Bahamas *pl.*

Bahn *f* <-, -en> railway, railroad *US;* (*Weg*)

road, way; (*Spur*) lane; (*Renn~*) track; (ASTR) orbit; (*Stoff~*) length; **bahnbrechend** *adj* pioneering; **BahnCard** *f* railcard (*allowing 50% reduction on tickets*); **Bahndamm** *m* railway embankment; **bahnen** *vt:* **sich/jdm einen Weg ~** clear a way/a way for sb; **Bahnfahrt** *f* railway journey; **Bahnhof** *m* station; **auf dem ~** at the station; **Bahnhofshalle** *f* station concourse; **Bahnhofsmission** *f* organisation which helps travellers in need; **Bahnhofswirtschaft** *f* station restaurant; **Bahnlinie** *f* [railway] line; **Bahnpolizei** *f* railway police; **Bahnsteig** *m* <-[e]s, -e> platform; **Bahnsteigkarte** *f* platform ticket; **Bahnstrecke** *f* [railway] line; **Bahnübergang** *m* level crossing, grade crossing *US;* **Bahnwärter(in)** *m(f)* gatekeeper, [level crossing] attendant.

Bahre *f* <-, -n> stretcher.

Bakterien *pl* bacteria *pl.*

Balance *f* <-, -n> balance, equilibrium; **balancieren** *vt, vi* balance.

bald *adv* (*zeitlich*) soon; (*beinahe*) almost; **baldig** *adj* early, speedy; **baldmöglichst** *adv* as soon as possible.

Baldrian *m* <-s, -e> valerian.

Balkan *m* <-s> Balkans *pl.*

Balken *m* <-s, -> beam; (*Trag~*) girder; (*Stütz~*) prop; **Balkencodeleser** *m* optical bar reader.

Balkon *m* <-s, -s *o* -e> balcony; (THEAT) [dress] circle.

Ball *m* <-[e]s, Bälle> ball; (*Tanz*) dance, ball.

ballaballa *adj* (*sl*) whacko *Brit.*

Ballade *f* ballad.

Ballast *m* <-[e]s, -e> ballast; (*fig*) weight, burden; **Ballaststoffe** *pl* roughage *sing.*

ballen 1. *vt* (*formen*) make into a ball; (*Faust*) clench; **2.** *vr:* **sich ~** build up; (*Menschen*) gather.

Ballen *m* <-s, -> bale; (ANAT) ball.

Ballett *nt* <-[e]s, -e> ballet; **Balletttänzer(in)**[RR] *m(f)* ballet dancer.

Balljunge *m* ball boy; **Ballkleid** *nt* evening dress.

Ballon *m* <-s, -s *o* -e> balloon.

Ballspiel *nt* ball game.

Ballung *f* concentration; (*von Energie*) build-up; **Ballungsgebiet** *nt* conurbation; **Ballungszentrum** *nt* centre.

Baltikum *nt* <-s> Baltic states *pl.*

Bambus *m* <-ses, -se> bamboo; **Bambusrohr** *nt* bamboo cane.

banal *adj* banal; **Banalität** *f* banality.

Banane *f* <-, -n> banana; **Bananenrepublik** *f* (*pej*) banana republic.

Banause *m* <-n, -n> (*pej*) philistine.

band *imperf von* **binden**.

Band 1. *m* <-[e]s, Bände> (*Buch~*) volume; **2.** *nt* <-[e]s, Bänder> (*Stoff~*) ribbon, tape; (*Fließ~*) production line; (*Ton~*) tape; (ANAT) ligament; **3.** *nt* <-[e]s, -e> (*Freundschafts~*) bond; **4.** *f* <-, -s> band, group; **etw auf ~ aufnehmen** tape sth; **am laufenden ~** (*umg*) non-stop.

bandagieren *vt* bandage.

Bandbreite *f* (RADIO) wave band, frequency range; (*fig*) range.

Bande *f* <-, -n> band; (*Straßen~*) gang.

bändigen *vt* (*Tier*) tame; (*Trieb, Leidenschaft*) control, restrain.

Bandit(in) *m(f)* <-en, -en> bandit.

Bandmaß *nt* tape measure; **Bandsäge** *f* band saw; **Bandscheibe** *f* (ANAT) disc; **Bandwurm** *m* tapeworm.

bange *adj* scared; (*besorgt*) anxious; **jdm wird es ~** sb is becoming scared; **jdm Bange**[RR] **machen** scare sb; **bangen** *vi:* **um jdn/etw ~** be anxious [*o* worried] about sb/sth.

Banjo *nt* <-s, -s> banjo.

Bank 1. *f* <-, Bänke> (*Sitz~*) bench; (*Sand~*) [sand]bank, sandbar; **2.** *f* <-, -en> (*Geld~*) bank; **Bankangestellte(r)** *mf* bank clerk; **Bankanweisung** *f* banker's order.

Bankett *nt* <-[e]s, -e> (*Essen*) banquet; (*Straßenrand*) verge.

Bankier *m* <-s, -s> banker.

Banking *nt* banking; **elektronisches ~** electronic banking.

Bankkonto *nt* bank account; **Bankleitzahl** *f* bank [*o* sorting] code number; **Banknote** *f* banknote; **Bankraub** *m* bank robbery.

bankrott *adj* bankrupt; **Bankrott** *m* <-[e]s, -e> bankruptcy; **~ machen** go bankrupt.

Banküberfall *m* bank hold-up.

Bankverbindung *f* banking arrangements *pl;* (*Kontonummer*) banking details *pl.*

Banner *nt* <-s, -> banner, flag.

bar *adj* (*unbedeckt*) bare; (*frei von*) lacking (*gen* in); (*offenkundig*) utter, sheer; **~es Geld** cash; **etw [in] ~ bezahlen** pay sth [in] cash; **etw für ~e Münze nehmen** take sth at its face value.

Bar *f* <-, -s> bar.

Bär *m* <-en, -en> bear.
Baracke *f* <-, -n> hut, barrack.
barbarisch *adj* barbaric, barbarous.
barfuß *adj* barefoot.
barg *imperf von* **bergen**.
Bargeld *nt* cash, ready money; **bargeldlos** *adj* non-cash; **Barkauf** *m* cash purchase.
Barkeeper *m* <-s, ->, **Barmann** *m* <Barmänner *pl*> barman, bartender.
barmherzig *adj* merciful, compassionate; **Barmherzigkeit** *f* mercy, compassion.
Barometer *m* <-s, -> barometer.
Barren *m* <-s, -> parallel bars *pl;* (*Gold~*) ingot.
Barriere *f* <-, -n> barrier.
Barrikade *f* barricade.
barsch *adj* brusque, gruff.
Barsch *m* <-[e]s, -e> perch.
Barscheck *m* open [*o* uncrossed] cheque.
barst *imperf von* **bersten.**
Bart *m* <-[e]s, Bärte> beard; (*Schlüssel~*) bit; **bärtig** *adj* bearded.
Barzahlung *f* cash payment.
Basar *m* <-s, -e> bazaar.
Base *f* <-, -n> (CHEM) base.
basieren 1. *vt* base (*auf+akk* on); **2.** *vi* be based (*auf+dat* on).
Basis *f* <-, Basen> basis.
basisch *adj* (CHEM) alkaline.
Baskenland *nt* Basque Country [*o* Region].
Basketball *m* basketball.
Bass[RR] *m* <-es, Bässe> bass.
Bassin *nt* <-s, -s> pool.
Bassist(in) *m(f)* bass, bass-player.
Bassschlüssel[RR] *m* bass clef.
Bast *m* <-[e]s, -e> raffia.
basteln 1. *vt* make; **2.** *vi* do handicrafts.
bat *imperf von* **bitten**.
Batterie *f* battery.
Bau 1. *m* <-[e]s> (*Bauen*) building, construction; (*Aufbau*) structure; (*Körper~*) physique, build; (*Baustelle*) building site; **2.** *m* <Baue *pl*> (*Tier~*) hole, burrow; (MIN) workings *pl;* **3.** *m* <Bauten *pl*> (*Gebäude*) building; **sich im ~ befinden** be under construction; **Bauarbeiter(in)** *m(f)* building worker.
Bauch *m* <-[e]s, Bäuche> belly; (ANAT) stomach, abdomen; **Bauchfell** *nt* peritoneum; **Bauchmuskel** *m* abdominal muscle; **Bauchnabel** *m* belly button; **Bauchredner(in)** *m(f)* ventriloquist; **Bauchschmerzen** *pl* stomach-ache; **Bauchtanz** *m* belly dance; (*das Tanzen*) belly dancing; **Bauchweh** *nt* <-s> stomach-ache.
bauen *vt, vi* build; (TECH) construct; **auf jdn/etw ~** depend [*o* count] upon sb/sth.
Bauer 1. *m* <-n *o* -s, -n> farmer; (SCHACH) pawn; **2.** *m* <-s, -> (*Vogel~*) cage; **Bäuerin** *f* farmer; (*Frau des Bauers*) farmer's wife; **bäuerlich** *adj* rustic; **Bauernbrot** *nt* black bread; **Bauernfängerei** *f* deception; **Bauernhaus** *nt* farmhouse; **Bauernhof** *m* farm[yard].
baufällig *adj* dilapidated; **Baufälligkeit** *f* dilapidation; **Baufirma** *f* construction firm; **Baugelände** *nt* building site; **Baugenehmigung** *f* building permit; **Bauherr(in)** *m(f)* client (*for whom sth is being built*)*;* **Baukasten** *m* building kit; **Baukastensystem** *nt* unit [*o* modular] construction system; **Baukosten** *pl* construction costs *pl;* **Bauland** *nt* building land; **baulich** *adj* structural.
Baum *m* <-[e]s, Bäume> tree.
baumeln *vi* dangle.
bäumen *vr:* **sich ~** rear [up].
Baumschule *f* nursery; **Baumstamm** *m* tree trunk; **Baumsterben** *nt* <-s> forest die-back, dying of trees; **Baumstumpf** *m* tree stump.
Baumwolle *f* cotton.
Bauplan *m* architect's plan; **Bauplatz** *m* building site.
Bausch *m* <-[e]s, Bäusche> (*Watte~*) ball, wad; **in ~ und Bogen** lock, stock and barrel; **bauschen** *vt, vr:* **sich ~** puff out; **bauschig** *adj* baggy, wide.
bausparen *vi* save with a building society; **Bausparkasse** *f* building society; **Bausparvertrag** *m* saving agreement with a building-society; **Baustein** *m* (*für Haus*) stone; (*Spielzeug~*) brick; (*fig*) constituent; **elektonischer ~** chip; **Baustelle** *f* building [*o* construction] site; (*Straße, Autobahn*) roadworks *pl;* **Bauteil** *nt* prefabricated part [of building]; **Bauunternehmer(in)** *m(f)* contractor, builder; **Bauweise** *f* [method of] construction; **Bauwerk** *nt* building; **Bauwirtschaft** *f* construction [*o* building] industry; **Bauzaun** *m* hoarding.
Bayer(in) *m(f)* <-n, -n> Bavarian; **Bayern** *nt* <-s> Bavaria; **bayrisch** *adj* Bavarian.
Bazillus *m* <-, Bazillen> bacillus.
beabsichtigen *vt* intend.
beachten *vt* take note of; (*Vorschrift*) obey; (*Vorfahrt*) observe; **beachtens-**

wert *adj* noteworthy; **beachtlich** *adj* considerable; **Beachtung** *f* notice, attention, observation.

Beamte(r) *m* <-n, -n>, **Beamtin** *f* official; (*Staatsbeamte*) civil servant.

beängstigend *adj* alarming.

beanspruchen *vt* claim; (*Zeit, Platz*) take up, occupy; **jdn** ~ take up sb's time.

beanstanden *vt* complain about, object to.

beantragen *vt* apply for, ask for.

beantworten *vt* answer.

bearbeiten *vt* work; (*Material*) process; (*Thema*) deal with; (*Land*) cultivate; (INFORM) process; (CHEM) treat; (*Buch*) revise; (*umg: beeinflussen wollen*) work on; **Bearbeitung** *f* processing; treatment; cultivation; revision.

Beatmung *f* respiration.

beaufsichtigen *vt* supervise.

beauftragen *vt* instruct; **jdn mit etw** ~ entrust sb with sth.

bebauen *vt* build on; (AGR) cultivate.

Beben *nt* <-s, -> earthquake.

bebildern *vt* illustrate.

Becher *m* <-s, -> mug; (*ohne Henkel*) tumbler.

Becken *nt* <-s, -> basin; (MUS) cymbal; (ANAT) pelvis.

Becquerel *nt* <-, -> Becquerel.

bedächtig *adj* (*umsichtig*) thoughtful, reflective; (*langsam*) slow, deliberate.

bedanken *vr*: **sich** ~ say thank you (*bei jdm* to sb).

Bedarf *m* <-[e]s> need, requirement; (WIRTS) demand; **je nach** ~ according to demand; **bei** ~ if necessary; ~ **an etw** *dat* **haben** be in need of sth; **Bedarfsfall** *m* case of need; **Bedarfsgüter** *pl* consumer goods *pl*; **Bedarfshaltestelle** *f* request stop.

bedauerlich *adj* regrettable; **bedauern** *vt* be sorry for; (*bemitleiden*) pity; **Bedauern** *nt* <-s> regret; **bedauernswert** *adj* (*Zustände*) regrettable; (*Mensch*) pitiable, unfortunate.

bedecken *vt* cover; **bedeckt** *adj* covered; (*Himmel*) overcast.

bedenken *irr vt* think [over], consider; **Bedenken** *nt* <-s, -> (*Überlegen*) consideration; (*Zweifel*) doubt; (*Skrupel*) scruple; **bedenklich** *adj* doubtful; (*bedrohlich*) dangerous, risky; **Bedenkzeit** *f* time for reflection.

bedeuten *vt* mean; (*versinnbildlichen*) signify; (*wichtig sein*) be of importance; **bedeutend** *adj* important; (*beträchtlich*) considerable; **Bedeutung** *f* meaning; significance; (*Wichtigkeit*) importance; **bedeutungslos** *adj* insignificant, unimportant; **bedeutungsvoll** *adj* momentous, significant.

bedienen 1. *vt* serve; (*Maschine*) work, operate; **2.** *vr*: **sich** ~ (*beim Essen*) help oneself; (*gebrauchen*) make use (*gen* of); **Bediener(in)** *m(f)* <-s, -> operator; **Bedienung** *f* service; (*Kellner*) waiter/waitress; (*Verkäufer*) shop assistant; (*Zuschlag*) service [charge]; **Bedienungsanleitung** *f* operating instructions; **Bedienungskomfort** *m* user-friendliness.

bedingen *vt* (*voraussetzen*) demand, involve; (*verursachen*) cause, occasion; **bedingt** *adj* limited, conditional; (*Reflex*) conditioned; **Bedingung** *f* condition; (*Voraussetzung*) stipulation; **bedingungslos** *adj* unconditional.

bedrängen *vt* pester, harass.

bedrohen *vt* threaten; **bedrohlich** *adj* ominous, threatening; **Bedrohung** *f* threat, menace.

bedrucken *vt* print on.

bedrücken *vt* oppress, trouble.

Bedürfnis *nt* need; ~ **nach etw haben** need sth; **bedürftig** *adj* in need (*gen* of); (*arm*) poor, needy.

beehren *vt* honour; **wir** ~ **uns** we have pleasure in.

beeilen *vr*: **sich** ~ hurry.

beeindrucken *vt* impress, make an impression on; **beeindruckend** *adj* impressive.

beeinflussen *vt* influence.

beeinträchtigen *vt* affect adversely; (*Freiheit*) infringe upon.

beenden *vt* end, finish, terminate; (INFORM) terminate.

beengen *vt* cramp; (*fig*) hamper, oppress.

beerben *vt* inherit from.

beerdigen *vt* bury; **Beerdigung** *f* funeral, burial; **Beerdigungsunternehmer(in)** *m(f)* undertaker.

Beere *f* <-, -n> berry; (*Trauben~*) grape.

Beet *nt* <-[e]s, -e> bed.

Befähigung *f* capability; (*Begabung*) talent, aptitude.

befahl *imperf von* **befehlen**.

befahrbar *adj* passable; (NAUT) navigable; **befahren 1.** *irr vt* use, drive over; (NAUT) navigate; **2.** *adj* used.

befallen *irr vt* come over.

befangen *adj* (*schüchtern*) shy, self-conscious; (*voreingenommen*) biased; **Befangenheit** *f* shyness; bias.

befassen *vr:* **sich ~** concern oneself.

Befehl *m* <-[e]s, -e> command, order; (INFORM) instruction, command; **befehlen** <befahl, befohlen> **1.** *vt* order; **2.** *vi* give orders; **jdm etw ~** order sb to do sth; **Befehlsempfänger(in)** *m(f)* subordinate; **Befehlsform** *f* (LING) imperative; **Befehlshaber(in)** *m(f)* <-s, -> commanding officer; **Befehlstaste** *f* (COMPUT) command key; **Befehlsverweigerung** *f* insubordination.

befestigen *vt* fasten (*an +dat* to); (*stärken*) strengthen; (MIL) fortify.

befeuchten *vt* damp[en], moisten.

befinden *irr* **1.** *vr:* **sich ~** be; (*sich fühlen*) feel; **2.** *vi* decide (*über +akk* on); **Befinden** *nt* <-s> health, condition; (*Meinung*) view, opinion.

befohlen *pp von* **befehlen**.

befolgen *vt* comply with, follow.

befördern *vt* (*senden*) transport, send; (*beruflich*) promote; **Beförderung** *f* transport, conveyance; promotion.

befragen *vt* question; **Befragung** *f* questioning; (*Umfrage*) opinion poll.

befreien *vt* set free; (*erlassen*) exempt; **Befreiung** *f* liberation, release; (*Erlassen*) exemption.

befremden *vt* surprise, disturb; **Befremden** *nt* <-s> surprise, astonishment.

befreunden *vr:* **sich ~** make friends; **befreundet** *adj* friendly.

befriedigen *vt* satisfy; **befriedigend** *adj* satisfactory; **Befriedigung** *f* satisfaction, gratification.

befristet *adj* limited.

befruchten *vt* fertilize; (*fig*) stimulate.

Befugnis *f* authorization, powers *pl;* **befugt** *adj* authorized, entitled.

befühlen *vt* feel, touch.

Befund *m* <-[e]s, -e> findings *pl;* (MED) diagnosis.

befürchten *vt* fear; **Befürchtung** *f* fear, apprehension.

befürworten *vt* support, speak in favour of; **Befürworter(in)** *m(f)* <-s, -> supporter, advocate; **Befürwortung** *f* support[ing], favouring.

begabt *adj* gifted; **Begabung** *f* talent, gift.

begann *imperf von* **beginnen**.

begeben *irr vr:* **sich ~** (*gehen*) proceed (*zu, nach* to); (*geschehen*) occur; **Begebenheit** *f* occurrence.

begegnen **1.** *vi* meet (*jdm* sb), meet with (*einer Sache dat* sth); (*behandeln*) treat (*jdm* sb); **2.** *vr:* **sich ~** meet; **Begegnung** *f* meeting.

begehen *irr vt* (*Straftat*) commit; (*Feier*) celebrate.

begehren *vt* desire; **begehrenswert** *adj* desirable; **begehrt** *adj* in demand; (*Junggeselle*) eligible.

begeistern **1.** *vt* fill with enthusiasm, inspire; **2.** *vr:* **sich für etw ~** get enthusiastic about sth; **begeistert** *adj* enthusiastic; **Begeisterung** *f* enthusiasm.

Begierde *f* <-, -n> desire, passion.

begierig *adj* eager, keen.

begießen *irr vt* water; (*mit Alkohol*) drink to.

Beginn *m* <-[e]s> beginning; **zu ~** at the beginning; **beginnen** <begann, begonnen> *vt, vi* start, begin.

beglaubigen *vt* countersign; **beglaubigte Übersetzung** official translation; **Beglaubigung** *f* countersignature; **Beglaubigungsschreiben** *nt* credentials *pl.*

begleiten *vt* accompany; (MIL) escort; **Begleiter(in)** *m(f)* <-s, -> companion; (*zum Schutz*) escort; (MUS) accompanist; **Begleiterscheinung** *f* concomitant [occurrence]; **Begleitmusik** *f* accompaniment; **Begleitschreiben** *nt* covering letter; **Begleitung** *f* company; (MIL) escort; (MUS) accompaniment.

beglückwünschen *vt* congratulate (*zu* on).

begnadigen *vt* pardon; **Begnadigung** *f* pardon, amnesty.

begnügen *vr:* **sich ~** be satisfied, content oneself.

Begonie *f* begonia.

begonnen *pp von* **beginnen**.

begraben *irr vt* bury; **Begräbnis** *nt* burial, funeral.

begradigen *vt* straighten [out].

begreifen *irr vt* understand, comprehend; **begreiflich** *adj* understandable.

Begrenztheit *f* limitation, restriction; (*fig*) narrowness.

Begriff *m* <-[e]s, -e> concept, idea; **im ~ sein etw zu tun** be about to do [*o* on the point of doing] sth; **schwer von ~** (*umg*) slow, dense; **begriffsstutzig** *adj* dense, slow.

begründen *vt* (*Gründe geben für*) justify; **begründet** *adj* well-founded, justified;

Begründung *f* justification, reason.

begrüßen *vt* greet, welcome; **begrüßenswert** *adj* welcome; **Begrüßung** *f* greeting, welcome.

begünstigen *vt* (*jdn*) favour; (*Sache*) further, promote.

begutachten *vt* assess.

behaart *adj* hairy.

behäbig *adj* (*dick*) portly, stout; (*gerusam*) comfortable.

behagen *vi:* **das behagt ihm nicht** he does not like it; **Behagen** *nt* <-s> comfort, ease; **behaglich** *adj* comfortable, cosy; **Behaglichkeit** *f* comfort, cosiness.

behalten *irr vt* keep, retain; (*im Gedächtnis*) remember.

Behälter *m* <-s, -> container, receptacle.

behandeln *vt* treat; (*Thema*) deal with; (*Maschine*) handle; **Behandlung** *f* treatment; (*von Maschine*) handling.

beharren *vi:* **auf etw** *dat* ~ stick [*o* keep] to sth.

beharrlich *adj* (*ausdauernd*) steadfast, unwavering; (*hartnäckig*) tenacious, dogged; **Beharrlichkeit** *f* steadfastness; tenacity.

behaupten 1. *vt* claim, assert, maintain; **2.** *vr:* **sich** ~ assert oneself; **Behauptung** *f* claim, assertion.

Behausung *f* dwelling, abode; (*armselig*) hovel.

beheimatet *adj* domiciled; (*Tier, Pflanze*) with its habitat (*in* +*dat* in).

beheizen *vt* heat.

Behelf *m* <-[e]s, -e> expedient, makeshift; **behelfen** *irr vr:* **sich mit etw** ~ make do with sth; **behelfsmäßig** *adj* improvised, makeshift; (*vorübergehend*) temporary.

behelligen *vt* trouble, bother.

beherbergen *vt* put up, house.

beherrschen 1. *vt* (*Volk*) rule, govern; (*Situation*) control; (*Sprache, Gefühle*) master; **2.** *vr:* **sich** ~ control oneself; **beherrscht** *adj* controlled; **Beherrschung** *f* rule; control; mastery.

beherzigen *vt* take to heart.

behilflich *adj* helpful; **jdm** ~ **sein** help sb (*bei* with).

behindern *vt* hinder, impede; **Behinderte(r)** *mf* disabled person; **behindertengerecht** *adj* suitable for handicapped people; **Behinderung** *f* hindrance; (*Körper~*) handicap.

Behörde *f* <-, -n> authorities *pl;* **behördlich** *adj* official.

behüten *vt* guard; **jdn vor etw** *dat* ~ preserve sb from sth.

behutsam *adj* cautious, careful.

bei *präp* +*dat* (*örtlich*) near, by; (*zeitlich*) at, on; (*während*) during; **~m Friseur** at the hairdresser's; ~ **uns** at our place; (*in unserem Land*) in our country; ~ **einer Firma arbeiten** work for a firm; ~ **Nacht** at night; ~ **Nebel** in fog; ~ **Regen** if it rains; **etw** ~ **sich haben** have sth on one; **jdn** ~ **sich haben** have sb with one; ~ **Goethe** in Goethe; **~m Militär** in the army; **~m Fahren** while driving.

beibehalten *irr vt* keep, retain.

beibringen *irr vt* bring forward; (*Gründe*) adduce; **jdm etw** ~ (*zufügen*) inflict sth on sb; (*zu verstehen geben*) make sb understand sth; (*lehren*) teach sb sth.

Beichte *f* <-, -n> confession; **beichten 1.** *vt* confess; **2.** *vi* go to confession; **Beichtgeheimnis** *nt* secret of the confessional; **Beichtstuhl** *m* confessional.

beide(s) *pron* both; **meine ~n Brüder** my two brothers, both my brothers; **die ersten ~n** the first two; **wir** ~ we two; **einer von ~n** one of the two; **alles ~s** both [of them]; **beidemal** *adv* both times; **beiderlei** *adj inv* of both; **beiderseitig** *adj* mutual, reciprocal; **beiderseits 1.** *adv* mutually; **2.** *präp* +*gen* on both sides of.

beieinander *adv* together.

Beifahrer(in) *m(f)* passenger; **Beifahrersitz** *m* passenger seat.

Beifall *m* <-[e]s> applause; (*Zustimmung*) approval.

beifügen *vt* enclose.

beige *adj inv* beige, fawn.

beigeben *irr* **1.** *vt* (*zufügen*) add; (*mitgeben*) give; **2.** *vi* (*nachgeben*) give in (*dat* to).

Beigeschmack *m* aftertaste.

Beihilfe *f* aid, assistance; (*Studien~*) grant; (JUR) aiding and abetting.

beikommen *irr vi* +*dat* get at; (*einem Problem*) deal with.

Beil *nt* <-[e]s, -e> axe, hatchet.

Beilage *f* (*Buch~*) supplement; (GASTR) side dish; (*Gemüse*) vegetables.

beiläufig 1. *adj* casual, incidental; **2.** *adv* casually, by the way.

beilegen *vt* (*hinzufügen*) enclose, add; (*beimessen*) attribute, ascribe; (*Streit*) settle.

beileibe *adv:* ~ **nicht** by no means.

Beileid *nt* condolence, sympathy;

herzliches ~ deepest sympathy.

beiliegend *adj* (WIRTS) enclosed.

beim = bei dem.

beimessen *irr vt* attribute, ascribe (*dat* to).

Bein *nt* <-[e]s, -e> leg.

beinah[e] *adv* almost, nearly.

Beinbruch *m* fracture of the leg.

beinhalten *vt* contain.

beipflichten *vi:* **jdm/einer Sache ~** agree with sb/sth.

Beirat *m* legal adviser; (*Körperschaft*) advisory council; (*Eltern~*) parents' council.

Beiried *nt* (*A*) roast beef.

beirren *vt:* **sich nicht ~ lassen** not let oneself be confused.

beisammen *adv* together; **Beisammensein** *nt* <-s> get-together.

Beischlaf *m* sexual intercourse.

Beisein *nt* <-s> presence.

beiseite *adv* to one side, aside; (*stehen*) on one side, aside; **etw ~ legen** (*sparen*) put sth by; **jdn/etw ~ schaffen** put sb/get sth out of the way.

beisetzen *vt* bury; **Beisetzung** *f* funeral.

Beispiel *nt* <-[e]s, -e> example; **sich** *dat* **an jdm ein ~ nehmen** take sb as an example; **zum ~** for example; **beispielhaft** *adj* exemplary; **beispiellos** *adj* unprecedented, unexampled; **beispielsweise** *adv* for instance, for example.

beißen <biss, gebissen> **1.** *vi, vt* bite; (*stechen: Rauch, Säure*) burn; **2.** *vr:* **sich ~** (*Farben*) clash; **beißend** *adj* biting, caustic; (*fig a.*) sarcastic.

Beißzange *f* pliers *pl.*

Beistand *m* support, help; (JUR) adviser; **beistehen** *irr vi:* **jdm ~** stand by sb.

beisteuern *vt* contribute.

Beitrag *m* <-[e]s, Beiträge> contribution; (*Zahlung*) fee, subscription; (*Versicherungs~*) premium; **beitragen** *irr vt* contribute (*zu* to); (*mithelfen*) help (*zu* with); **beitragspflichtig** *adj* (*Arbeitnehmer*) liable to pay contributions; (*Einkommen*) on which contributions are payable; **Beitragszahlende(r)** *mf* fee-paying member.

beitreten *irr vi* join (*einem Verein* a club); **Beitritt** *m* joining, membership; **Beitrittserklärung** *f* declaration of membership.

Beiwagen *m* (*Motorrad~*) sidecar; (*Straßenbahn~*) extra carriage.

Beize *f* <-, -n> (*Holz~*) stain; (GASTR) marinade.

beizeiten *adv* in time.

bejahen *vt* (*Frage*) say yes to, answer in the affirmative; (*gutheißen*) agree with.

bekämpfen **1.** *vt* (*Gegner*) fight; (*Seuche*) combat; **2.** *vr:* **sich ~** fight; **Bekämpfung** *f* fight, struggle (*gen* against).

bekannt *adj* [well-]known; (*nicht fremd*) familiar; **mit jdm ~ sein** know sb; **~ geben**[RR] announce publicly; **jdn mit jdm ~ machen** introduce sb to sb; **~ machen**[RR] announce; **das ist mir ~** I know that; **es/sie kommt mir ~ vor** it/she seems familiar; **durch etw ~ werden** become famous because of sth; **Bekannte(r)** *mf* friend, acquaintance; **Bekanntenkreis** *m* circle of friends; **bekanntgeben** *irr vt s.* **bekannt**; **bekanntlich** *adv* as is well known, as you know; **bekanntmachen** *vt s.* **bekannt**; **Bekanntmachung** *f* publication; announcement; **Bekanntschaft** *f* acquaintance.

bekehren **1.** *vt* convert; **2.** *vr:* **sich ~** become converted; **Bekehrung** *f* conversion.

bekennen *irr vt* confess; (*Glauben*) profess; **die Bekennende Kirche** the [German] Confessional Church; **Bekennerbrief** *m* letter claiming responsibility; **Bekenntnis** *nt* admission, confession; (*Religion*) confession, denomination.

beklagen *vr:* **sich ~** complain; **beklagenswert** *adj* lamentable, pathetic.

bekleben *vt:* **etw mit Bildern ~** stick pictures onto sth.

Bekleidung *f* clothing.

beklemmen *vt* oppress; **beklommen** *adj* anxious, uneasy; **Beklommenheit** *f* anxiety, uneasiness.

bekommen *irr* **1.** *vt* get, receive; (*Kind*) have; (*Zug*) catch, get; **2.** *vi:* **jdm ~** agree with sb.

bekräftigen *vt* confirm, corroborate.

bekreuzigen *vr:* **sich ~** cross oneself.

bekümmern *vt* worry, trouble.

bekunden *vt* (*sagen*) state; (*zeigen*) show.

belächeln *vt* laugh at.

beladen *irr vt* load.

Belag *m* <-[e]s, Beläge> covering, coating; (*Brot~*) spread; (*Zahn~*) tartar; (*auf Zunge*) fur; (*Brems~*) lining.

belagern *vt* besiege; **Belagerung** *f* siege; **Belagerungszustand** *m* state of siege.

belämmert[RR] *adj* (*umg*) sheepish.

Belang *m* <-[e]s, -e> importance; **~e** *pl* interests *pl;* **belangen** *vt* (JUR) take to court; **belanglos** *adj* trivial, unimportant; **Belanglosigkeit** *f* triviality.

belassen *irr vt* (*in Zustand, Glauben*) leave; (*in Stellung*) retain; **es dabei ~** leave it at that.

Belastbarkeit *f* (*Mensch*) resilience; (*Material*) load-bearing capacity.

belasten 1. *vt* burden; (*fig: bedrücken*) trouble, worry; (WIRTS: *Konto*) debit; (JUR) incriminate; **2.** *vr:* **sich ~** weigh oneself down; (JUR) incriminate oneself; **belastend** *adj* (JUR) incriminating.

belästigen *vt* annoy, pester; **Belästigung** *f* annoyance, pestering.

Belastung *f* load; (*fig: Sorge etc*) burden; (WIRTS) charge, debit[ing]; (JUR) incriminatory evidence.

belaufen *irr vr:* **sich ~** amount (*auf + akk* to).

belauschen *vt* eavesdrop on.

belebt *adj* (*Straße*) crowded.

Beleg *m* <-[e]s, -e> (WIRTS) receipt; (*Beweis*) documentary evidence, proof; (*Beispiel*) example; **belegen** *vt* cover; (*Kuchen, Brot*) spread; (*Platz*) reserve, book; (*Kurs, Vorlesung*) register for; (*beweisen*) verify, prove; **belegtes Brötchen** filled roll; **Belegschaft** *f* personnel, staff.

belehren *vt* instruct, teach; **jdn eines Besseren ~** teach sb better; **Belehrung** *f* instruction.

beleidigen *vt* insult, offend; **Beleidigung** *f* insult; (JUR) slander, libel.

belemmert *adj s.* **belämmert**.

belesen *adj* well-read.

beleuchten *vt* light, illuminate; (*fig*) throw light on; **Beleuchtung** *f* lighting, illumination.

Belgien *nt* Belgium; **Belgier(in)** *m(f)* <-s, -> Belgian; **belgisch** *adj* Belgian.

belichten *vt* expose; **Belichtung** *f* exposure; **Belichtungsmesser** *m* <-s, -> exposure meter.

Belieben *nt:* **[ganz] nach ~** [just] as you wish.

beliebig *adj* any you like, as you like; **~ viel** as many as you like; **ein ~es Thema** any subject you like [*o* want].

beliebt *adj* popular; **sich bei jdm ~ machen** make oneself popular with sb; **Beliebtheit** *f* popularity.

beliefern *vt* supply.

bellen *vi* bark.

belohnen *vt* reward; **Belohnung** *f* reward.

belügen *irr vt* lie to, deceive.

belustigen *vt* amuse; **Belustigung** *f* amusement.

bemalen *vt* paint.

bemängeln *vt* criticize.

bemannen *vt* man.

bemerkbar *adj* perceptible, noticeable; **sich ~ machen** (*Mensch*) make [*o* get] oneself noticed; (*Unruhe*) become noticeable.

bemerken *vt* (*wahrnehmen*) notice, observe; (*sagen*) say, mention; **bemerkenswert** *adj* remarkable, noteworthy; **Bemerkung** *f* remark; (*schriftlich a.*) note.

bemitleiden *vt* pity.

bemühen *vr:* **sich ~** take trouble [*o* pains]; **Bemühung** *f* trouble, effort, pains *pl.*

bemuttern *vt* mother.

benachbart *adj* neighbouring.

benachrichtigen *vt* inform; **Benachrichtigung** *f* notification, information.

benachteiligen *vt* [put at a] disadvantage, victimize.

benehmen *irr vr:* **sich ~** behave; **Benehmen** *nt* <-s> behaviour.

beneiden *vt* envy; **beneidenswert** *adj* enviable.

Beneluxländer *pl* Benelux countries *pl.*

benennen *irr vt* name.

Bengel *m* <-s, -> [little] rascal [*o* rogue].

benommen *adj* dazed.

benötigen *vt* need.

benutzen *vt* use; **Benutzer(in)** *m(f)* <-s, -> user; **benutzerfreundlich** *adj* user-friendly; **Benutzeroberfläche** *f* (INFORM) user/system interface; **Benutzung** *f* utilization, use.

Benzin *nt* <-s, -e> (AUTO) petrol, gas[oline] *US;* **Benzinkanister** *m* petrol can; **Benzintank** *m* petrol tank; **Benzinuhr** *f* petrol gauge; **Benzinverbrauch** *m* petrol consumption.

beobachten *vt* observe; **Beobachter(in)** *m(f)* <-s, -> observer; (*eines Unfalls*) witness; (PRESSE, TV) correspondent; **Beobachtung** *f* observation.

bepacken *vt* load, pack.

bepflanzen *vt* plant.

bequem *adj* comfortable; (*Ausrede*) convenient; (*Mensch*) lazy, indolent; **Bequemlichkeit** *f* convenience, comfort; (*Faulheit*) laziness, indolence.

beraten *irr* 1. *vt* advise; (*besprechen*) discuss, debate; **2.** *vr:* **sich ~** consult; **gut/schlecht ~ sein** be well/ill advised; **sich ~ lassen** get advice; **Berater(in)** *m(f)*

<-s, -> adviser, consultant; **Beratung** *f* advice, consultation; (*Besprechung*) consultation; **Beratungsstelle** *f* advice centre.

berauben *vt* rob.

berechenbar *adj* calculable.

berechnen *vt* calculate; (WIRTS: *anrechnen*) charge; **berechnend** *adj* (*Mensch*) calculating, scheming; **Berechnung** *f* calculation; (WIRTS) charge.

berechtigen *vt* entitle, authorize; (*fig*) justify; **berechtigt** *adj* justifiable, justified; **Berechtigung** *f* authorization; (*fig*) justification.

bereden *vt* (*besprechen*) discuss; (*überreden*) persuade.

beredt *adj* eloquent.

Bereich *m* <-[e]s, -e> (*Bezirk*) area; (PHYS) range; (*Ressort, Gebiet*) sphere.

bereichern **1.** *vt* enrich; **2.** *vr:* **sich ~** get rich.

bereinigen *vt* settle.

bereisen *vt* travel through.

bereit *adj* ready, prepared; **zu etw ~ sein** be ready for sth; **sich ~ erklären** declare oneself willing; **bereiten** *vt* prepare, make ready; (*Kummer, Freude*) cause; **bereithalten** *irr vt* keep in readiness; **bereitlegen** *vt* lay out.

bereits *adv* already.

Bereitschaft *f* readiness; (*bei Polizei*) alert; **in ~ sein** be on the alert, be on stand-by; **Bereitschaftsdienst** *m* emergency service.

bereitwillig *adj* willing, ready.

bereuen *vt* regret.

Berg *m* <-[e]s, -e> mountain, hill; **bergab** *adv* downhill; **Bergarbeiter** *m* miner; **bergauf** *adv* uphill; **Bergbahn** *f* mountain railway; **Bergbau** *m* mining.

bergen <barg, geborgen> *vt* (*retten*) rescue; (*Ladung*) salvage; (*enthalten*) contain.

Bergführer(in) *m(f)* mountain guide; **Berggipfel** *m* mountain top, peak, summit; **bergig** *adj* mountainous, hilly; **Bergkamm** *m* crest, ridge; **Bergkette** *f* mountain range; **Bergmann** *m* <Bergleute *pl*> miner; **Bergrutsch** *m* landslide; **Bergschuh** *m* walking boot; **Bergsteigen** *nt* mountaineering; **Bergsteiger(in)** *m(f)* <-s, -> mountaineer, climber.

Bergung *f* (*von Menschen*) rescue; (*von Material*) recovery; (NAUT) salvage.

Bergwacht *f* <-, -en> mountain rescue service; **Bergwerk** *nt* mine.

Bericht *m* <-[e]s, -e> report, account; **berichten** *vt, vi* report; **Berichterstatter(in)** *m(f)* <-s, -> reporter, [newspaper] correspondent; **Berichterstattung** *f* reporting.

berichtigen *vt* correct.

beritten *adj* mounted.

Bermudainseln *pl* Bermudas *pl;* **Bermudashorts** *pl* Bermuda shorts *pl.*

Bernstein *m* amber.

bersten <barst, geborsten> *vi* burst, split.

berüchtigt *adj* notorious, infamous.

berücksichtigen *vt* consider, bear in mind.

Beruf *m* <-[e]s, -e> occupation, profession; (*Gewerbe*) trade.

berufen *irr* **1.** *vt* (*in Amt*) appoint (*in + akk* to, *zu* as); **2.** *vr:* **sich auf jdn/etw ~** refer to sb/sth; **3.** *adj* competent, qualified.

beruflich *adj* professional.

Berufsausbildung *f* vocational [*o* professional] training; **Berufsberater(in)** *m(f)* careers adviser; **Berufsberatung** *f* vocational guidance; **Berufsbezeichnung** *f* job description; **Berufserfahrung** *f* work experience; **Berufskrankheit** *f* occupational disease; **Berufsleben** *nt* professional life; **Berufsrisiko** *nt* occupational hazard; **Berufsschule** *f* ≈ vocational school *US;* **Berufssoldat(in)** *m(f)* professional soldier, regular; **Berufssportler(in)** *m(f)* professional [sportsman/sportswoman]; **berufstätig** *adj* employed; **Berufsverkehr** *m* commuter traffic; **Berufswahl** *f* choice of a job.

Berufung *f* vocation, calling; (*Ernennung*) appointment; (JUR) appeal; **~ einlegen** appeal.

beruhen *vi:* **auf etw** *dat* **~** be based on sth; **etw auf sich ~ lassen** leave sth at that.

beruhigen **1.** *vt* calm, pacify, soothe; **2.** *vr:* **sich ~** (*Mensch*) calm [oneself] down; (*Situation*) calm down; **Beruhigung** *f* reassurance; (*der Nerven*) calming; **zu jds ~** to reassure sb; **Beruhigungsmittel** *nt* sedative; **Beruhigungspille** *f* tranquillizer.

berühmt *adj* famous; **Berühmtheit** *f* (*Ruf*) fame; (*Mensch*) celebrity.

berühren **1.** *vt* touch; (*gefühlsmäßig bewegen*) affect; (*flüchtig erwähnen*) mention, touch on; **2.** *vr:* **sich ~** meet, touch; **Berührung** *f* contact; **Berührungsangst** *f* fear of contact; **Berührungs-**

B

punkt *m* point of contact.

besagen *vt* mean; **besagt** *adj* (*Tag etc*) in question.

besänftigen *vt* soothe, calm; **besänftigend** *adj* soothing; **Besänftigung** *f* soothing, calming.

Besatz *m* trimming, edging.

Besatzung *f* garrison; (NAUT, FLUG) crew; **Besatzungsmacht** *f* occupying power; **Besatzungszone** *f* occupation zone.

besaufen *irr vr:* **sich ~** (*umg*) get drunk [*o* stoned].

beschädigen *vt* damage; **Beschädigung** *f* damage; (*Stelle*) damaged spot.

beschaffen 1. *vt* get, acquire; **2.** *adj* constituted; **Beschaffenheit** *f* constitution, nature; **Beschaffung** *f* acquisition.

beschäftigen 1. *vt* occupy; (*beruflich*) employ; **2.** *vr:* **sich ~** occupy oneself; **sich mit etw ~** (*sich befassen, abhandeln*) deal with sth; **sich mit jdm ~** devote one's attention to sb; **beschäftigt** *adj* busy, occupied; **Beschäftigung** *f* (*Beruf*) employment; (*Tätigkeit*) occupation; (*Befassen*) concern; **Beschäftigungstherapie** *f* occupational therapy.

beschämen *vt* put to shame; **beschämend** *adj* shameful; (*Hilfsbereitschaft*) shaming; **beschämt** *adj* ashamed.

beschatten *vt* shade; (*Verdächtige*) shadow.

beschaulich *adj* contemplative.

Bescheid *m* <-[e]s, -e> information; (*Weisung*) directions *pl;* **~ wissen** be well-informed (*über +akk* about); **ich weiß ~** I know; **jdm ~ geben** [*o* **sagen**] let sb know.

bescheiden 1. *irr vr:* **sich ~** content oneself; **2.** *adj* modest; **Bescheidenheit** *f* modesty.

bescheinen *irr vt* shine on.

bescheinigen *vt* certify; (*bestätigen*) acknowledge; **Bescheinigung** *f* certificate; (*Quittung*) receipt.

bescheißen *irr vt* (*umg!*) cheat.

beschenken *vt* give presents to.

bescheren *vt:* **jdm etw ~** give sb sth as a present; **jdn ~** give presents to sb; **Bescherung** *f* giving of presents; (*umg*) mess.

beschildern *vt* signpost.

beschimpfen *vt* abuse; **Beschimpfung** *f* abuse, insult.

Beschiss[RR] *m* <-es>: **das ist ~** (*umg!*) that is a swizz [*o* a cheat].

beschissen *adj* (*umg!*) shitty.

Beschlag *m* (*Metallband*) fitting; (*Wasserdampf*) condensation; (*auf Metall*) tarnish; (*Hufeisen*) horseshoe; **jdn/etw in ~ nehmen, jdn/etw mit ~ belegen** monopolize sb/sth; **beschlagen** *irr* **1.** *vt* cover; (*Pferd*) shoe; **2.** *vi, vr:* **sich ~** (*Fenster etc*) mist over; **3.** *adj:* **~ sein** be well versed (*in, auf+dat* in).

beschlagnahmen *vt* seize, confiscate.

beschleunigen 1. *vt* accelerate, speed up; **2.** *vi* (AUTO) accelerate; **Beschleunigung** *f* acceleration.

beschließen *irr vt* decide on; (*beenden*) end, close.

Beschluss[RR] *m* decision, conclusion.

beschneiden *irr vt* cut, prune, trim; (REL) circumcise.

beschönigen *vt* gloss over.

beschränken 1. *vt* limit, restrict (*auf +akk* to); **2.** *vr:* **sich ~** restrict oneself.

beschrankt *adj* (*Bahnübergang*) with gates.

beschränkt *adj* confined, narrow; (*Mensch*) limited, narrow-minded; **Beschränktheit** *f* narrowness; **Beschränkung** *f* limitation.

beschreiben *irr vt* describe; (*Papier*) write on; **Beschreibung** *f* description.

beschriften *vt* mark, label; **Beschriftung** *f* lettering.

beschuldigen *vt* accuse; **Beschuldigung** *f* accusation.

beschummeln *vt, vi* (*umg*) cheat.

beschützen *vt* protect (*vor +dat* from); **Beschützer(in)** *m(f)* <-s, -> protector.

Beschwerde *f* <-, -n> complaint; (*Mühe*) hardship; **~n** *pl* (*Leiden*) pain.

beschweren 1. *vt* weight down; (*fig*) burden; **2.** *vr:* **sich ~** complain.

beschwerlich *adj* tiring, exhausting.

beschwichtigen *vt* soothe, pacify.

beschwindeln *vt* (*betrügen*) cheat; (*belügen*) fib to.

beschwingt *adj* cheery, in high spirits.

beschwipst *adj* tipsy.

beschwören *irr vt* (*Aussage*) swear to; (*anflehen*) implore; (*Geister*) conjure up.

besehen *irr vt* look at; **genau ~** examine closely.

beseitigen *vt* remove; **Beseitigung** *f* removal.

Besen *m* <-s, -> broom; **Besenstiel** *m* broomstick.

besessen *adj* possessed.

besetzen *vt* (*Haus, Land*) occupy; (*Platz*) take, fill; (*Posten*) fill; (*Rolle*) cast; (*mit*

Edelsteinen) set; **besetzt** *adj* full; (TEL) engaged, busy; (*Platz*) taken; (*WC*) engaged; **Besetztzeichen** *nt* engaged tone; **Besetzung** *f* occupation; (*von Platz*) filling; (*von Rolle*) casting; (*die Schauspieler*) cast.

besichtigen *vt* visit, look at; **Besichtigung** *f* visit.

besiegen *vt* defeat, overcome; **Besiegte(r)** *mf* loser.

besinnen *irr vr:* **sich ~** (*nachdenken*) think, reflect; (*sich erinnern*) remember; **sich anders ~** change one's mind.

besinnlich *adj* contemplative.

Besinnung *f* consciousness; **zur ~ kommen** recover consciousness; (*fig*) come to one's senses; **besinnungslos** *adj* unconscious.

Besitz *m* <-es> possession; (*Eigentum*) property; **besitzanzeigend** *adj* (LING) possessive; **besitzen** *irr vt* possess, own; (*Eigenschaft*) have; **Besitzer(in)** *m(f)* <-s, -> owner, proprietor.

besoffen *adj* (*umg*) drunk, pissed.

besohlen *vt* sole.

Besoldung *f* salary, pay.

besondere(r, s) *adj* special; (*eigen*) particular; (*gesondert*) separate; (*eigentümlich*) peculiar; **im Besonderen**[RR] in particular; **Besonderheit** *f* peculiarity; **besonders** *adv* especially, particularly; (*getrennt*) separately.

besonnen *adj* sensible, level-headed; **Besonnenheit** *f* prudence.

besorgen *vt* (*beschaffen*) acquire; (*kaufen a.*) purchase; (*erledigen: Geschäfte*) deal with; (*sich kümmern um*) take care of; **es jdm ~** (*umg*) show sb what for; (*sexuell*) have it off with sb.

Besorgnis *f* anxiety, concern; **besorgt** *adj* anxious, worried.

Besorgung *f* acquisition; (*Kauf*) purchase; **~en machen** do some shopping.

bespielen *vt* record.

bespitzeln *vt* spy on.

besprechen *irr* **1.** *vt* discuss; (*Tonband etc*) record, speak onto; (*Buch*) review; **2.** *vr:* **sich ~** discuss, consult; **Besprechung** *f* meeting, discussion; (*von Buch*) review.

besser *adj komp von* **gut** better; **nur ein ~er ...** just a glorified ...; **es geht ihm ~**[RR] he feels better; **bessergehen** *irr vi s.* **besser**; **bessern 1.** *vt* make better, improve; **2.** *vr:* **sich ~** improve; (*Menschen*) reform; **Besserung** *f* improvement; **gute ~!** get well soon; **Besserwisser(in)** *m(f)* <-s, -> know-all.

Bestand *m* (*Fortbestehen*) duration, stability; (*Kassen~*) amount, balance; (*Vorrat*) stock; **eiserner ~** iron rations *pl;* **~ haben, von ~ sein** last long, endure.

beständig *adj* (*ausdauernd*) constant; (*Wetter*) settled; (*Stoffe*) resistant; (*Klagen etc*) continual.

Bestandsaufnahme *f* stocktaking; **eine ~ machen** (*fig*) take stock; **Bestandteil** *m* part, component; (*Zutat*) ingredient.

bestärken *vt:* **jdn in etw** *dat* **~** strengthen [*o* confirm] sb in sth.

bestätigen *vt* confirm; (*anerkennen*) acknowledge; **Bestätigung** *f* confirmation; acknowledgement.

bestatten *vt* bury; **Bestattung** *f* funeral; **Bestattungsinstitut** *nt* firm of undertakers.

bestäuben *vt* powder, dust; (*Pflanze*) pollinate.

beste(r, s) *adj superl von* **gut** best; **sie singt am ~n** she sings best; **so ist es am ~n** it's best that way; **am ~n gehst du gleich** you'd better go at once; **jdn zum Besten**[RR] **haben** pull sb's leg; **etw zum Besten**[RR] **geben** tell a joke/story; **aufs Beste**[RR] in the best possible way; **zu jds Besten** for the benefit of sb.

bestechen *irr vt* bribe; **bestechlich** *adj* corruptible; **Bestechlichkeit** *f* corruptibility; **Bestechung** *f* bribery, corruption.

Besteck *nt* <-[e]s, -e> knife fork and spoon, cutlery; (MED) set of instruments.

bestehen *irr* **1.** *vi* be, exist; (*andauern*) last; **2.** *vt* (*Kampf, Probe, Prüfung*) pass; **~ auf** *+dat* insist on; **~ aus** consist of.

bestehlen *irr vt* rob.

besteigen *irr vt* climb, ascend; (*Pferd*) mount; (*Thron*) ascend.

bestellen *vt* order; (*kommen lassen*) arrange to see; (*nominieren*) name; (*Acker*) cultivate; (*Grüße, Auftrag*) pass on; **Bestellschein** *m* order coupon; **Bestellung** *f* (WIRTS) order; (*das Bestellen*) ordering.

bestenfalls *adv* at best.

bestens *adv* very well.

besteuern *vt* tax.

Bestie *f* (*a. fig*) beast.

bestimmen *vt* (*Regeln*) lay down; (*Tag, Ort*) fix; (*beherrschen*) characterize; (*ausersehen*) mean; (*ernennen*) appoint; (*definieren*) define; (*veranlassen*) induce; **bestimmt 1.** *adj* (*entschlossen*) firm;

(*gewiss*) certain, definite; (*Artikel*) definite; **2.** *adv* (*gewiss*) definitely, for sure; **Bestimmung** *f* (*Verordnung*) regulation; (*Festsetzen*) determining; (*Verwendungszweck*) purpose; (*Schicksal*) fate; (*Definition*) definition; **Bestimmungsort** *m* destination.

Bestleistung *f* best performance; **bestmöglich** *adj* best possible.

Bestnoten *pl* top marks *pl.*

Best.-Nr. *abk von* **Bestellnummer** order number.

bestrafen *vt* punish; **Bestrafung** *f* punishment.

bestrahlen *vt* shine on; (MED) treat with X-rays; **Bestrahlung** *f* (MED) X-ray treatment, radiotherapy.

bestreichen *irr vt* (*Brot*) spread.

bestreiten *irr vt* (*abstreiten*) dispute; (*finanzieren*) pay for, finance.

bestreuen *vt* sprinkle, dust; (*Straße*) [spread with] grit.

Bestseller *m* best-seller.

bestürmen *vt* (*mit Fragen, Bitten etc*) overwhelm, swamp.

bestürzen *vt* dismay; **bestürzt** *adj* dismayed; **Bestürzung** *f* consternation.

Besuch *m* <-[e]s, -e> visit; (*Mensch*) visitor; **einen ~ bei jdm machen** pay sb a visit; **~ haben** have visitors; **bei jdm auf** [*o* **zu**] **~ sein** be visiting sb; **besuchen** *vt* visit; (SCH) attend; **gut besucht** well-attended; **Besucher(in)** *m(f)* <-s, -> visitor, guest; **Besuchserlaubnis** *f* permission to visit; **Besuchszeit** *f* visiting hours *pl.*

Betablocker *m* <-s, -> (MED) beta-blocker.

betagt *adj* aged.

betasten *vt* touch, feel.

betätigen **1.** *vt* (*bedienen*) work, operate; **2.** *vr:* **sich ~** involve oneself; **sich politisch ~** be involved in politics; **sich als etw ~** work as sth; **Betätigung** *f* activity; (*beruflich*) occupation; (TECH) operation.

betäuben *vt* stun; (*fig: Gewissen*) still; (MED) anaesthetize; **Betäubungsmittel** *nt* anaesthetic.

Bete *f* <-, -n>: **Rote ~**^RR^ beetroot.

beteiligen **1.** *vr:* **sich an etw** *dat* **~** take part in sth, partcipate in sth, share in sth; (*finanziell*) have a share in sth; **2.** *vt:* **jdn an etw** *dat* **~** give sb a share in sth; **Beteiligung** *f* participation; (*Anteil*) share, interest; (*Besucherzahl*) attendance.

beten *vi* pray.

beteuern *vt* assert; (*Unschuld*) protest; **jdm etw ~** assure sb of sth; **Beteuerung** *f* assertion, protest[ation], assurance.

Beton *m* <-s, -s> concrete.

betonen *vt* stress.

betonieren *vt* concrete.

Betonung *f* stress, emphasis.

betören *vt* beguile.

Betr. *abk von* **Betreff** re.

Betracht *m:* **in ~ kommen** be concerned, be relevant; **nicht in ~ kommen** be out of the question; **etw in ~ ziehen** consider sth; **betrachten** *vt* look at; (*fig a.*) consider; **Betrachter(in)** *m(f)* <-s, -> onlooker.

beträchtlich *adj* considerable.

Betrachtung *f* (*Ansehen*) examination; (*Erwägung*) consideration.

Betrag *m* <-[e]s, Beträge> amount, sum; **betragen** *irr* **1.** *vt* amount to; **2.** *vr:* **sich ~** behave; **Betragen** *nt* <-s> behaviour.

betrauen *vt:* **jdn mit etw ~** entrust sb with sth.

betreffen *irr vt* concern, affect; **was mich betrifft** as for me; **betreffend** *adj* relevant, in question; **betreffs** *präp +gen* concerning, regarding.

betreiben *irr vt* (*ausüben*) practise; (*Politik*) follow; (*Studien*) pursue; (*vorantreiben*) push ahead; (TECH: *antreiben*) drive; **Betreiber(in)** *m(f)* <-s, -> runner.

betreten **1.** *irr vt* enter; (*Bühne etc*) step onto; **2.** *adj* embarrassed; **Betreten verboten** keep off/out.

betreuen *vt* look after; (*Reisegruppe, Abteilung*) be in charge of.

Betrieb *m* <-[e]s, -e> (*Firma*) firm, concern; (*Anlage*) plant; (*Tätigkeit*) operation; (*Treiben*) traffic; **außer ~ sein** be out of order; **in ~ sein** be in operation; **Betriebsausflug** *m* firm's outing; **betriebsbereit** *adj* operational; **Betriebsferien** *pl* company holidays *pl;* **Betriebsklima** *nt* [working] atmosphere; **Betriebskosten** *pl* running costs *pl;* **Betriebsrat** *m* workers'[*o* works] council; **betriebssicher** *adj* safe, reliable; **Betriebsstörung** *f* breakdown; **Betriebssystem** *nt* (INFORM) operating system; **Betriebsunfall** *m* industrial accident; **Betriebswirtschaft** *f* business management.

betrinken *irr vr:* **sich ~** get drunk.

betroffen *adj* (*bestürzt*) full of consternation; **von etw ~ werden** [*o* **sein**] be affected by sth.

betrüben *vt* grieve; **betrübt** *adj* sorrowful, grieved.

Betrug *m* <-[e]s> deception; (JUR) fraud; **betrügen** *irr* **1.** *vt* cheat; (JUR) defraud; (*Ehepartner*) be unfaithful to; **2.** *vr:* **sich ~** deceive oneself; **Betrüger(in)** *m(f)* <-s, -> cheat, deceiver; **betrügerisch** *adj* deceitful; (JUR) fraudulent.

betrunken *adj* drunk.

Bett *nt* <-[e]s, -en> bed; **ins [*o* zu] ~ gehen** go to bed; **Bettbezug** *m* duvet cover; **Bettdecke** *f* blanket; (*Daunen~*) quilt; (*Überwurf*) bedspread.

bettelarm *adj* very poor, destitute; **Bettelei** *f* begging; **betteln** *vi* beg.

betten *vt* make a bed for; **bettlägerig** *adj* bedridden; **Bettlaken** *nt* sheet.

Bettler(in) *m(f)* <-s, -> beggar.

Bettnässer(in) *m(f)* <-s, -> bedwetter; **Bettvorleger** *m* bedside rug; **Bettwäsche** *f*, **Bettzeug** *nt* bedding, bedclothes *pl.*

beugen 1. *vt* bend; (LING) inflect; **2.** *vr:* **sich ~** (*sich fügen*) submit, bow (*dat* to).

Beule *f* <-, -n> bump, swelling.

beunruhigen 1. *vt* disturb, alarm; **2.** *vr:* **sich ~** become worried; **Beunruhigung** *f* worry, alarm.

beurkunden *vt* attest, verify.

beurlauben *vt* give leave [*o* holiday] to.

beurteilen *vt* judge; (*Buch etc*) review; **Beurteilung** *f* judgement; review; (*Note*) mark.

Beute *f* <-> booty, loot.

Beutel *m* <-s, -> bag; (*Geld~*) purse; (*Tabak~*) pouch.

bevölkern *vt* populate; **Bevölkerung** *f* population; **Bevölkerungsentwicklung** *f* demographic developments; **Bevölkerungsexplosion** *f* population explosion.

bevollmächtigen *vt* authorize; **Bevollmächtigte(r)** *mf* authorized agent.

bevor *konj* before; **bevormunden** *vt* treat like a child; **bevorstehen** *irr vi* be in store (*dat* for); **bevorstehend** *adj* imminent, approaching; **bevorzugen** *vt* prefer; **Bevorzugung** *f* preference; (*bessere Behandlung*) preferential treatment.

bewachen *vt* watch, guard; **Bewachung** *f* (*Bewachen*) guarding; (*Leute*) guard, watch.

Bewaffnung *f* (*Vorgang*) arming; (*Ausrüstung*) armament, arms *pl.*

bewahren *vt* keep; **jdn vor jdm/etw ~** save sb from sb/sth.

bewähren *vr:* **sich ~** prove oneself; (*Maschine*) prove its worth.

bewahrheiten *vr:* **sich ~** come true.

bewährt *adj* reliable, tried and tested.

Bewährung *f* probation; **Bewährungsfrist** *f* [period of] probation.

bewaldet *adj* wooded.

bewältigen *vt* overcome; (*Arbeit*) finish; (*Portion*) manage.

bewandert *adj* expert, knowledgeable.

bewässern *vt* irrigate; **Bewässerung** *f* irrigation.

bewegen *vt, vr:* **sich ~** move; **jdn zu etw ~** induce sb to [do] sth; **es bewegt sich etwas** (*fig*) things happen, things get going; **Beweggrund** *m* motive; **beweglich** *adj* movable, mobile; (*flink*) quick; **bewegt** *adj* (*Leben*) eventful; (*Meer*) rough; (*ergriffen*) touched; **Bewegung** *f* movement, motion; (*innere ~*) emotion; (*körperlich*) exercise; **sich** *dat* **~ verschaffen** take exercise; **etw kommt in ~** (*fig*) sth gets moving; **Bewegungsfreiheit** *f* freedom of movement [*o* action]; **bewegungslos** *adj* motionless.

Beweis *m* <-es, -e> proof; (*Zeichen*) sign; **beweisbar** *adj* provable; **beweisen** *irr vt* prove; (*zeigen*) show; **Beweismittel** *nt* evidence.

bewenden *irr vi:* **etw dabei ~ lassen** leave sth at that.

bewerben *irr vr:* **sich ~** apply (*um* for); **Bewerber(in)** *m(f)* <-s, -> applicant; **Bewerbung** *f* application; **Bewerbungsunterlagen** *pl* application documents *pl.*

bewerten *vt* assess; **Bewertung** *f* assessment.

bewilligen *vt* grant, allow.

bewirken *vt* cause, bring about.

bewirten *vt* entertain.

bewirtschaften *vt* manage.

Bewirtung *f* hospitality; **Bewirtungskosten** *pl* entertainment expenses.

bewohnbar *adj* inhabitable; **bewohnen** *vt* inhabit, live in; **Bewohner(in)** *m(f)* <-s, -> inhabitant; (*von Haus*) resident.

bewölkt *adj* cloudy, overcast; **Bewölkung** *f* clouds *pl.*

Bewunderer *m* <-s, ->, **Bewunderin** *f* admirer; **bewundern** *vt* admire; **bewundernswert** *adj* admirable, wonderful; **Bewunderung** *f* admiration.

bewusst[RR] *adj* conscious; (*absichtlich*)

deliberate; **sich** *dat* **einer Sache** *gen* ~ **sein** be aware of sth; **jdm/sich etw** ~ **machen**[RR] make sb/oneself aware of sth; **bewusstlos**[RR] *adj* unconscious; **Bewusstlosigkeit**[RR] *f* unconsciousness; **Bewusstsein**[RR] *nt* <-s> consciousness; **bei** ~ conscious; **bewusstseinsverändernd**[RR] *adj* (*Droge*) which alters one's [state of] awareness.

bezahlen *vt* pay [for]; **es macht sich bezahlt** it will pay; **Bezahlung** *f* payment.

bezaubern *vt* enchant, charm.

bezeichnen *vt* (*kennzeichnen*) mark; (*nennen*) call; (*beschreiben*) describe; (*zeigen*) show, indicate; **bezeichnend** *adj* characteristic, typical (*für* of); **Bezeichnung** *f* (*Zeichen*) mark, sign; (*Beschreibung*) description.

bezeugen *vt* testify to.

Bezichtigung *f* accusation.

beziehen *irr* **1.** *vt* (*mit Überzug*) cover; (*Bett*) put a cover on; (*Haus, Position*) move into; (*Standpunkt*) take up; (*erhalten*) receive; (*Zeitung*) subscribe to, take; **2.** *vr:* **sich** ~ refer (*auf +akk* to); (*Himmel*) cloud over; **etw auf jdn/etw** ~ relate sth to sb/sth.

Beziehung *f* (*Verbindung*) connection; (*Zusammenhang*) relation; (*Verhältnis*) relationship; (*Hinsicht*) respect; **~en haben** (*vorteilhaft*) have connections [*o* contacts]; **Beziehungskiste** *f* (*umg*) problematic relationship; **beziehungsweise** *adv* or; (*genauer gesagt a.*) that is, or rather.

Bezirk *m* <-[e]s, -e> district.

Bezug *m* <-[e]s, Bezüge> (*Hülle*) covering; (WIRTS) ordering; (*Gehalt*) income, salary; (*Beziehung*) relationship (*zu* to); **in** ~ **auf**[RR] *+akk* with reference to; ~ **nehmen auf** *+akk* refer to.

bezüglich *präp +gen* concerning, referring to.

Bezugnahme *f* <-, -n> reference (*auf +akk* to); **Bezugspreis** *m* retail price; **Bezugsquelle** *f* source of supply.

bezwecken *vt* aim at.

bezweifeln *vt* doubt, query.

Bhf. *abk von* **Bahnhof** station.

Bibel *f* <-, -n> Bible.

Biber *m* <-s, -> beaver.

Bibliografie[RR], **Bibliographie** *f* bibliography; **Bibliothek** *f* <-, -en> library; **Bibliothekar(in)** *m(f)* <-s, -e> librarian.

biblisch *adj* biblical.

bieder *adj* upright, worthy; (*pej*) conventional; (*Kleid etc*) plain.

biegen <bog, gebogen> **1.** *vt, vr:* **sich** ~ bend; **2.** *vi* turn (*in +akk* into); **biegsam** *adj* supple; **Biegung** *f* bend, curve.

Biene *f* <-, -n> bee; **Bienenhonig** *m* honey; **Bienenwachs** *nt* beeswax.

Bier *nt* <-[e]s, -e> beer; **Bierbrauer(in)** *m(f)* <-s, -> brewer; **Bierdeckel** *m,* **Bierfilz** *m* beer mat; **Bierkrug** *m,* **Bierseidel** *nt* beer mug.

Biest *nt* <-[e]s, -er> (*Tier*) creature; (*Mensch*) wretch; (*Frau*) bitch.

bieten <bot, geboten> **1.** *vt* offer; (*bei Versteigerung*) bid; **2.** *vr:* **sich** ~ (*Gelegenheit*) be open (*dat* to); **sich** *dat* **etw** ~ **lassen** put up with sth.

Bikini *m* <-s, -s> bikini.

Bilanz *f* balance; (*fig*) outcome; ~ **ziehen** take stock (*aus* of); **Bilanzzahlen** *pl* balance sheet figures *pl.*

Bild *nt* <-[e]s, -er> (*a. fig*) picture; photo; (*Spiegel~*) reflection; **Bildbericht** *m* pictorial report.

bilden **1.** *vt* form; (*erziehen*) educate; (*ausmachen*) constitute; **2.** *vr:* **sich** ~ arise; (*kulturell*) educate oneself.

Bilderbuch *nt* picture book; **Bilderrahmen** *m* picture frame.

Bildfläche *f* screen; (*fig*) scene; **Bildhauer(in)** *m(f)* <-s, -> sculptor; **bildhübsch** *adj* lovely, pretty as a picture; **bildlich** *adj* pictorial; (*übertragen*) figurative; **Bildplatte** *f* video disc; **Bildplattenspieler** *m* video disc player.

Bildschirm *m* television screen; (*von Computer*) screen; visual display unit, VDU; **Bildschirmarbeitsplatz** *m* VDU, work station; **Bildschirmgerät** *nt* visual display unit, VDU; **Bildschirmschoner** *m* screen-saver; **Bildschirmtext** *m* viewdata, videotext.

bildschön *adj* lovely.

Bildtelefon *nt* video-phone.

Bildung *f* formation; (*Wissen, Benehmen*) education; **Bildungslücke** *f* gap in one's education; **Bildungspolitik** *f* educational policy; **Bildungsurlaub** *m* educational holiday; **Bildungswesen** *nt* education system.

Bildverarbeitung *f* (COMPUT) image processing.

Bildweite *f* (FOTO) distance.

Billard *nt* <-s, -e> billiards *sing;* **Billardball** *m,* **Billardkugel** *f* billiard ball.

billig *adj* cheap; (*gerecht*) fair, reasonable;

Billigarbeiter *pl* cheap labour *sing.*
billigen *vt* approve of; **Billigung** *f* approval.
Billion *f* billion, trillion *US.*
bimmeln *vi* tinkle.
binär *adj* binary.
Binde *f* <-, -n> bandage; (*Arm~*) band; (*Damen~*) sanitary towel; **Bindeglied** *nt* connecting link.
binden <band, gebunden> 1. *vt* bind, tie; 2. *vr:* **sich ~** commit oneself; **er will sich nicht ~** he does not want to get involved, he does not want to tie himself down.
Bindestrich *m* hyphen.
Bindfaden *m* string.
Bindung *f* bond, tie; (*Ski~*) binding.
Binnenhafen *m* inland harbour; **Binnenhandel** *m* internal trade; **Binnenmarkt** *m* domestic [*o* home] market; **europäischer ~** Single [European] Market; **Binnenschiffahrt** *f* inland navigation; **Binnensee** *m* lake; **Binnenstaat** *m* landlocked country.
Binse *f* <-, -n> rush, reed; **Binsenwahrheit** *f* truism.
Bio- *in Zusammensetzungen* bio-; **Biochemie** *f* biochemistry; **biodynamisch** *adj* biodynamic; **Biogas** *nt* biogas.
Biografie[RR], **Biographie** *f* biography.
Biologe *m* <-n, -n> biologist; **Biologie** *f* biology; **Biologin** *f* biologist; **biologisch** *adj* biological.
Biorhythmus *m* biorhythm; **Biotechnik** *f* biotechnology; **Biotop** *nt* <-s, -e> biotope.
Birke *f* <-, -n> birch.
Birnbaum *m* pear tree; **Birne** *f* <-, -n> pear; (ELEK) [light] bulb.
bis 1. *adv, präp +akk* (*räumlich, ~ zu/an*) to, as far as; (*zeitlich*) till, until; 2. *konj* (*mit Zahlen*) to; (*zeitlich*) until, till; **Sie haben ~ Dienstag Zeit** you have until [*o* till] Tuesday; **~ Dienstag muss es fertig sein** it must be ready by Tuesday; **~ hierher** this far; **~ in die Nacht** into the night; **~ auf weiteres** until further notice; **~ bald/gleich** see you later/soon; **~ auf etw** *akk* (*einschließlich*) including sth; (*ausgeschlossen*) except sth; **~ zu** up to; **von ... ~ ...** from ... to ...
Bischof *m* <-s, Bischöfe>, **Bischöfin** *f* bishop; **bischöflich** *adj* episcopal.
bisexuell *adj* bisexual.
bisher *adv* till now, hitherto.
Biskuit *nt* <-[e]s, -s *o* -e> biscuit; **Biskuitteig** *m* sponge mixture.
bislang *adv* hitherto.
biss[RR] *imperf von* **beißen**.
Biss[RR] *m* <-es, -e> bite; **~ haben** (*fig*) have bite.
bisschen[RR] *adj, adv* bit.
Bissen *m* <-s, -> bite, morsel.
bissig *adj* (*Hund*) snappy; (*Bemerkung*) cutting, biting.
Bistum *nt* <-s, Bistümer> bishopric.
Bit *nt* <-s, -s> bit.
bitte *interj* please; (*wie ~*) [I beg your] pardon; (*als Antwort auf Dank*) you're welcome; **~ schön!** it was a pleasure; **Bitte** *f* <-, -n> request; **bitten** <bat, gebeten> *vt, vi* ask (*um* for); **bittend** *adj* pleading, imploring.
bitter *adj* bitter; **bitterböse** *adj* very angry.
blähen *vt, vr:* **sich ~** swell, blow out.
Blähungen *pl* (MED) wind.
blamabel *adj* disgraceful; **Blamage** *f* <-, -n> disgrace; **blamieren** 1. *vr:* **sich ~** make a fool of oneself, disgrace oneself; 2. *vt* let down, disgrace.
blank *adj* bright; (*unbedeckt*) bare; (*sauber*) clean, polished; (*umg: ohne Geld*) broke; (*offensichtlich*) blatant.
blanko *adv* blank; **Blankoscheck** *m* blank cheque.
Bläschen *nt* bubble; (MED) spot, blister.
Blase *f* <-, -n> bubble; (MED) blister; (ANAT) bladder.
Blasebalg *m* bellows *pl.*
blasen <blies, geblasen> *vi* blow; **Blasinstrument** *nt* wind instrument; **Blaskapelle** *f* brass band.
blass[RR] *adj* pale; **Blässe** *f* <-> paleness, palour.
Blatt *nt* <-[e]s, Blätter> leaf; (*von Papier*) sheet; (*Zeitung*) newspaper; (KARTEN) hand; **vom ~ singen/spielen** sight-read.
blättern *vi* (INFORM) scroll; **in etw** *dat* **~** leaf through sth.
Blätterteig *m* flaky [*o* puff] pastry.
blau *adj* blue; (*umg: betrunken*) drunk, stoned; (GASTR) boiled; (*Auge: von Schlag etc*) black; **~er Fleck** bruise; **Fahrt ins Blaue** mystery tour; **blauäugig** *adj* blue-eyed; (*fig*) naive; **Blaukraut** *nt* (*A*) red cabbage; **Blaulicht** *nt* flashing blue light; **blaumachen** *vi* (*umg*) skive off work; **Blaustrumpf** *m* (*fig*) bluestocking.
Blech *nt* <-[e]s, -e> tin, sheet metal; (*Back~*) baking tray; **Blechdose** *f* tin,

can; **blechen** *vt, vi* (*umg*) pay; **Blechlawine** *f* (*umg*) flood of cars; **Blechschaden** *m* (AUTO) damage to bodywork.

Blei *nt* <-[e]s, -e> lead.

Bleibe *f* <-, -n> roof over one's head.

bleiben <blieb, geblieben> *vi* stay, remain; ~ **lassen**[RR] leave [alone].

bleich *adj* faded, pale; **bleichen** *vt* bleach; **Bleichmittel** *nt* bleach.

bleiern *adj* leaden.

bleifrei *adj* (*Benzin*) lead-free, unleaded; **bleihaltig** *adj* (*Benzin*) containing lead.

Bleistift *m* pencil; **Bleistiftspitzer** *m* <-s, -> pencil sharpener.

Blende *f* <-, -n> (FOTO) aperture.

blenden *vt* blind, dazzle; (*fig*) hoodwink; **blendend** *adj* (*umg*) grand; ~ **aussehen** look smashing.

Blick *m* <-[e]s, -e> (*kurz*) glance, glimpse; (*Anschauen*) look, gaze; (*Aussicht*) view; **blicken** *vi* look; **sich ~ lassen** put in an appearance; **Blickfeld** *nt* range of vision.

blieb *imperf von* **bleiben**.

blies *imperf von* **blasen**.

blind *adj* blind; (*Glas etc*) dull; **~er Passagier** stowaway; **Blinddarm** *m* appendix; **Blinddarmentzündung** *f* appendicitis; **Blindenschrift** *f* braille; **Blindgänger** *m* unexploded bomb; **Blindheit** *f* blindness; **blindlings** *adv* blindly; **Blindschleiche** *f* <-, -n> slow worm; **blindschreiben** *irr vi* touch-type.

blinken 1. *vi* twinkle, sparkle; (*Licht*) flash, signal; (AUTO) indicate; 2. *vt* flash, signal; **Blinker** *m* <-s, ->, **Blinklicht** *nt* (AUTO) indicator.

blinzeln *vi* blink, wink.

Blitz *m* <-es, -e> [flash of] lightning; **Blitzableiter** *m* <-s, -> lightning conductor; **blitzen** *vi* (*aufleuchten*) glint, shine; **es blitzt** (METEO) there's [a flash of] lightning; **Blitzlicht** *nt* flashlight; **Blitz[licht]würfel** *m* flash cube; **blitzschnell** *adj, adv* as quick as a flash.

Block *m* <-[e]s, Blöcke> (*a. fig*) block; (*von Papier*) pad.

Blockade *f* blockade.

Blockflöte *f* recorder.

blockfrei *adj* (POL) unaligned.

blockieren 1. *vt* block; 2. *vi* (*Räder*) jam.

Blockschrift *f* block letters *pl*.

blöd *adj* silly, stupid; **blödeln** *vi* (*umg*) fool around; **Blödheit** *f* stupidity; **Blödsinn** *m* nonsense; **blödsinnig** *adj* silly, idiotic.

blond *adj* blond, fair-haired.

bloß 1. *adj* (*unbedeckt*) bare; (*nackt*) naked; (*nur*) mere; 2. *adv* only, merely; **lass das ~!** just don't do that!

Blöße *f* <-, -n> bareness; (*Nacktheit*) nakedness; (*fig*) weakness; **sich** *dat* **eine ~ geben** lay oneself open to attack.

bloßstellen *vt* show up.

blühen *vi* bloom, be in bloom; (*fig*) flourish.

Blume *f* <-, -n> flower; (*von Wein*) bouquet; **Blumenkohl** *m* cauliflower; **Blumentopf** *m* flowerpot; **Blumenzwiebel** *f* bulb.

Bluse *f* <-, -n> blouse.

Blut *nt* <-[e]s> blood; **blutarm** *adj* anaemic; **blutbefleckt** *adj* bloodstained; **Blutbuche** *f* copper beech; **Blutdruck** *m* blood pressure.

Blüte *f* <-, -n> blossom; (*fig*) prime.

Blutegel *m* leech.

bluten *vi* bleed.

Blütenstaub *m* pollen.

Bluter *m* <-s, -> (MED) haemophiliac.

Bluterguss[RR] *m* haemorrhage; (*auf Haut*) bruise.

Blütezeit *f* flowering period; (*fig*) prime.

Blutgruppe *f* blood group; **blutig** *adj* bloody; **blutjung** *adj* very young; **Blutkonserve** *f* unit of stored blood; **Blutprobe** *f* blood test; **Blutschande** *f* incest; **Blutspender(in)** *m(f)* blood donor; **Bluttransfusion** *f*, **Blutübertragung** *f* blood transfusion; **Blutung** *f* bleeding, haemorrhage; **Blutvergiftung** *f* blood poisoning; **Blutwurst** *f* black pudding.

BLZ *abk von* **Bankleitzahl**.

Bock *m* <-[e]s, Böcke> buck, ram; (*Gestell*) trestle, support; (SPORT) buck; **keinen ~ haben etw zu tun** (*umg*) not to feel like doing sth.

Boden *m* <-s, Böden> ground; (*Fuß~*) floor; (*Meeres~, Fass~*) bottom; (*Speicher*) attic; **Bodenerhaltung** *f* soil conservation; **bodenlos** *adj* bottomless; (*umg*) incredible; **Bodensatz** *m* dregs *pl*; **Bodenschätze** *pl* mineral wealth; **Bodenturnen** *nt* floor exercises *pl*.

Body *m* bodystocking.

Bodybuilding *nt* bodybuilding.

Bö[e] *f* <-, -en> squall.

bog *imperf von* **biegen**.

Bogen *m* <-s, -> (*Biegung*) curve; (ARCHIT) arch; (*Waffe*, MUS) bow; (*Papier~*) sheet; **Bogengang** *m* arcade; **Bogenschütze** *m*, **Bogenschützin** *f* archer.

Bohle *f* <-, -n> plank.
Bohne *f* <-, -n> bean; **Bohnenkaffee** *m* real coffee.
Bohnerwachs *nt* floor polish.
bohren *vt* bore; **Bohrer** *m* <-s, -> drill; **Bohrinsel** *f* oil [*o* drilling] rig; **Bohrmaschine** *f* drill; **Bohrturm** *m* derrick.
Boiler *m* <-s, -> water-heater.
Boje *f* <-, -n> buoy.
Bolivien *nt* Bolivia.
Bolzen *m* <-s, -> bolt.
bombardieren *vt* bombard; (*aus der Luft*) bomb.
Bombe *f* <-, -n> bomb; **Bombenangriff** *m* bombing raid; **Bombenanschlag** *m* bomb attack; **Bombenerfolg** *m* (*umg*) huge success.
Bonbon *nt* <-s, -s> sweet, candy.
Bonus *m* <- *o* -ses, -se *o* Boni> bonus; (*Punktvorteil*) bonus points *pl;* (*Schadenfreiheitsrabatt*) no-claims bonus.
Boot *nt* <-[e]s, -e> boat.
Bord 1. *m* <-[e]s, -e> (FLUG, NAUT) board; **2.** *nt* <-[e]s, -e> (*Brett*) shelf; **an** ~ on board.
Bordell *nt* <-s, -e> brothel.
Bordfunkanlage *f* radio; **Bordkarte** *f* boarding card, boarding pass.
Bordstein *m* kerb[stone].
borgen *vt* borrow; **jdm etw** ~ lend sb sth.
borniert *adj* narrow-minded.
Börse *f* <-, -n> stock exchange; (*Geld~*) purse; **Börsenkrach** *m* stock-market crash; **Börsenkurs** *m* stock-market price.
Borste *f* <-, -n> bristle.
Borte *f* <-, -n> edging; (*Band*) trimming.
bös *adj* bad, evil; (*zornig*) angry; **bösartig** *adj* malicious; (MED) malignant.
Böschung *f* slope; (*Ufer~*) embankment.
boshaft *adj* malicious, spiteful; **Bosheit** *f* malice, spite.
Bosnien *nt* <-s> Bosnia; **Bosnien-Herzegowina** *nt* <-s> Bosnia-Herzegovina; **Bosnier(in)** *m(f)* Bosnian; **bosnisch** *adj* Bosnian.
böswillig *adj* malicious.
bot *imperf von* **bieten**.
Botanik *f* botany; **botanisch** *adj* botanical.
Bote *m* <-n, -n>, **Botin** *f* messenger.
Botschaft *f* message, news; (POL) embassy; **Botschafter(in)** *m(f)* <-s, -> ambassador.
Bottich *m* <-[e]s, -e> vat, tub.
Bouillon *f* <-, -s> bouillon, stock.
Bowle *f* <-, -n> punch.
boxen *vi* box; **Boxer(in)** *m(f)* <-s, -> boxer; **Boxhandschuh** *m* boxing glove; **Boxkampf** *m* boxing match.
Boykott *m* <-(e)s, -e> boycott.
boykottieren *vt* boycott.
brach *imperf von* **brechen**.
brachte *imperf von* **bringen**.
Brainstorming *nt* <-s> brainstorming.
Branche *f* <-, -n> line of business; **Branchenverzeichnis** *nt* yellow pages *pl.*
Brand *m* <-[e]s, Brände> fire; (MED) gangrene.
branden *vi* surge; (*Meer*) break.
Brandenburg *nt* <-s> Brandenburg.
brandmarken *vt* brand; (*fig*) stigmatize.
Brandsalbe *f* ointment for burns; **Brandstifter(in)** *m(f)* arsonist, fire-raiser; **Brandstiftung** *f* arson.
Brandung *f* surf.
Brandwunde *f* burn.
brannte *imperf von* **brennen**.
Branntwein *m* brandy.
Brasilien *nt* Brazil.
braten <briet, gebraten> *vt* roast, fry; **Braten** *m* <-s, -> roast, joint; **Brathuhn** *nt* roast chicken; **Bratkartoffeln** *pl* fried potatoes *pl;* **Bratpfanne** *f* frying pan, skillet *US;* **Bratrost** *m* grill.
Bratsche *f* <-, -n> viola.
Bratspieß *m* spit; **Bratwurst** *f* grilled sausage.
Brauch *m* <-[e]s, Bräuche> custom.
brauchbar *adj* usable, serviceable; (*Mensch*) capable.
brauchen *vt* (*bedürfen*) need; (*müssen*) have to; (*verwenden*) use.
brauen *vt* brew; **Brauerei** *f* brewery.
braun *adj* brown; (*von Sonne a.*) tanned; (*pej*) Nazi; **Bräune** *f* <-, -n> brownness; (*Sonnen~*) tan; **bräunen** *vt* make brown; (*Sonne*) tan; **braungebrannt** *adj* tanned.
Brause *f* <-, -n> shower bath; (*von Gießkanne*) rose; (*Getränk*) lemonade; **Brausepulver** *nt* lemonade powder.
Braut *f* <-, Bräute> bride; (*Verlobte*) fiancée.
Bräutigam *m* <-s, -e> bridegroom; (*Verlobter*) fiancé.
Brautjungfer *f* bridesmaid; **Brautpaar** *nt* bride and bridegroom, bridal pair.
brav *adj* (*artig*) good; (*ehrenhaft*) worthy, honest.
BRD *f* <-> *abk von* **Bundesrepublik Deutschland** FRG.

Brecheisen *nt* crowbar.

brechen <brach, gebrochen> **1.** *vt* break; (*Licht*) refract; (*er~*) vomit; **2.** *vi* break; (*er~*) vomit, be sick; **3.** *vr:* **sich ~** break; (*Licht*) be refracted; **die Ehe ~** commit adultery; **Brechreiz** *m* nausea, retching.

Brei *m* <-[e]s, -e> (*Masse*) pulp; (GASTR) gruel; (*Hafer~*) porridge.

breit *adj* wide, broad; **sich ~ machen**[RR] spread oneself out; **Breite** *f* <-, -n> width; breadth; (GEO) latitude; **breiten** *vt:* **etw über etw** *akk* **~** spread sth over sth; **Breitengrad** *m* degree of latitude; **breitschult[e]rig** *adj* broad-shouldered; **Breitwandfilm** *m* wide-screen film.

Bremsbelag *m* brake lining; **Bremse** *f* <-, -n> brake; (ZOOL) horsefly; **bremsen** **1.** *vi* brake, apply the brakes; **2.** *vt* (*Auto*) brake; (*fig*) slow down; **Bremsflüssigkeit** *f* brake fluid; **Bremslicht** *nt* brake light; **Bremspedal** *nt* brake pedal; **Bremsschuh** *m* brake shoe; **Bremsspur** *f* tyre marks *pl;* **Bremstrommel** *f* brake drum; **Bremsweg** *m* braking distance.

brennbar *adj* inflammable; **Brennelement** *nt* fuel element; **brennen** <brannte, gebrannt> **1.** *vi* burn, be on fire; (*Licht, Kerze etc*) burn; **2.** *vt* (*Holz etc*) burn; (*Ziegel, Ton*) fire; (*Kaffee*) roast; **darauf ~ etw zu tun** be dying to do sth.

Brennmaterial *nt* fuel; **Brennnessel**[RR] *f* nettle; **Brennspiritus** *m* methylated spirits *sing o pl;* **Brennstab** *m* fuel rod; **Brennstoff** *m* liquid fuel.

brenzlig *adj* smelling of burning, burnt; (*fig*) precarious.

Brett *nt* <-[e]s, -er> board, plank; (*Bord*) shelf; (*Spiel~*) board; **Schwarzes ~** notice board; **~er** *pl* (SKI) skis *pl;* (THEAT) boards *pl;* **Bretterzaun** *m* wooden fence.

Brezel *f* <-, -n> bretzel, pretzel.

Brief *m* <-[e]s, -e> letter; **Briefbeschwerer** *m* <-s, -> paperweight; **Brieffreund(in)** *m(f)* pen pal, pen friend; **Briefkasten** *m* letterbox, mail box *US;* **elektronischer ~** electronic mailbox; **Briefmarke** *f* [postage] stamp; **Briefmarkenautomat** *m* stamp machine; **Brieföffner** *m* letter opener; **Briefpapier** *nt* notepaper; **Brieftasche** *f* wallet; **Briefträger(in)** *m(f)* postman/-woman; **Briefumschlag** *m* envelope; **Briefwechsel** *m* correspondence.

briet *imperf von* **braten**.

Brikett *nt* <-s, -s> briquette.

brillant *adj* (*fig*) sparkling, brilliant; **Brillant** *m* <-en, -en> brilliant, diamond.

Brille *f* <-, -n> spectacles *pl,* glasses *pl;* (*Schutz~*) goggles *pl;* (*Toiletten~*) [toilet] seat; **sie trägt keine ~** she does not wear spectacles [*o* glasses].

bringen <brachte, gebracht> *vt* bring; (*mitnehmen, begleiten*) take; (*einbringen: Profit*) bring in; (*veröffentlichen*) publish; (THEAT, FILM) show; (RADIO, TV) broadcast; (*in einen Zustand versetzen*) get; (*umg: tun können*) manage; **jdn dazu ~ etw zu tun** make sb do sth; **jdn nach Hause ~** take sb home; **jdn um etw ~** make sb lose sth; **jdn auf eine Idee ~** give sb an idea.

Brise *f* <-, -n> breeze.

Brite *m* <-n, -n>, **Britin** *f* Briton; (*umg*) Brit; **britisch** *adj* British; **die Britischen Inseln** *pl* the British Isles *pl.*

Brocken *m* <-s, -> piece, bit; (*Fels~*) lump of rock.

Brokat *m* <-[e]s, -e> brocade.

Brokkoli *pl* broccoli *pl.*

Brombeere *f* blackberry, bramble.

Bronchien *pl* bronchial tubes *pl,* bronchia *pl.*

Bronze *f* <-, -n> bronze.

Brosame *f* <-, -n> crumb.

Brosche *f* <-, -n> brooch.

Broschüre *f* <-, -n> brochure.

Brot *nt* <-[e]s, -e> bread; (*~laib*) loaf.

Brötchen *nt* roll.

Bruch *m* <-[e]s, Brüche> breakage; (*zerbrochene Stelle*) break; (*fig*) split, breach; (MED: *Eingeweide~*) rupture, hernia; (*Knochen~*) fracture; (MATH) fraction; **zu ~ gehen** break; **Bruchbude** *f* (*umg*) shack.

brüchig *adj* brittle, fragile.

Bruchstrich *m* (MATH) line; **Bruchstück** *nt* fragment; **Bruchteil** *m* fraction.

Brücke *f* <-, -n> bridge; (*Teppich*) rug.

Bruder *m* <-s, Brüder> brother; **brüderlich** *adj* brotherly; **Brüderschaft** *f* brotherhood, fellowship; **~ trinken** fraternize, address each other as 'du'.

Brühe *f* <-, -n> broth, stock; (*pej*) muck.

brüllen *vi* bellow, scream.

brummen **1.** *vi* (*Bär, Mensch etc*) growl; (*Insekt, Radio*) buzz; (*Motoren*) roar; (*murren*) grumble; **2.** *vt* growl; **jdm brummt der Kopf** sb's head is buzzing.

Brunch *m* brunch (*breakfast and lunch*).
brünett *adj* brunette, dark-haired.
Brunnen *m* <-s, -> fountain; (*tief*) well; (*natürlich*) spring; **Brunnenkresse** *f* watercress.
brüsk *adj* abrupt, brusque.
Brüssel *nt* Brussels.
Brust *f* <-, Brüste> breast; (*Männer~*) chest.
brüsten *vr:* **sich ~** boast.
Brustfellentzündung *f* pleurisy; **Brustkasten** *m* chest; **Brustschwimmen** *nt* breast-stroke.
Brüstung *f* parapet.
Brustwarze *f* nipple.
Brut *f* <-, -en> brood; (*Brüten*) hatching.
brutal *adj* brutal; **Brutalität** *f* brutality.
brüten *vi* hatch, brood; (*fig*) brood; **Brüter** *m* <-s, ->: **schneller ~** fast-breeder [reactor].
Brutkasten *m* incubator.
brutto *adv* gross; **Bruttogehalt** *nt* gross salary; **Bruttogewicht** *f* gross weight; **Bruttolohn** *m* gross wages *pl;* **Bruttosozialprodukt** *nt* gross national product.
Btx *abk von* **Bildschirmtext.**
Bubikopf *m* bobbed hair, shingle.
Buch *nt* <-[e]s, Bücher> book; (WIRTS) account book; **Buchbinder(in)** *m(f)* <-s, -> bookbinder; **Buchdrucker(in)** *m(f)* printer.
Buche *f* <-, -n> beech tree.
buchen *vt* book; (*Betrag*) enter.
Bücherbrett *nt* bookshelf; **Bücherei** *f* library; **Bücherregal** *nt* bookshelves *pl;* **Bücherschrank** *m* bookcase.
Buchfink *m* chaffinch.
Buchführung *f* book-keeping, accounting; **Buchhalter(in)** *m(f)* <-s, -> bookkeeper; **Buchhandel** *m* book trade; **Buchhändler(in)** *m(f)* bookseller; **Buchhandlung** *f* bookshop.
Buchse *f* <-, -n> socket.
Büchse *f* <-, -n> tin, can; (*Holz~*) box; (*Gewehr*) rifle; **Büchsenfleisch** *nt* tinned meat; **Büchsenöffner** *m* tin [*o* can] opener.
Buchstabe *m* <-ns, -n> letter [of the alphabet]; **buchstabieren** *vt* spell; **buchstäblich** *adj* literal.
Bucht *f* <-, -en> bay.
Buchung *f* booking; (WIRTS) entry.
Buckel *m* <-s, -> hump.
bücken *vr:* **sich ~** bend.
Bückling *m* (*Fisch*) kipper; (*Verbeugung*) bow.
Buddhismus *m* buddhism.
Bude *f* <-, -en> booth, stall; (*umg*) digs *pl.*
Budget *nt* <-s, -s> budget.
Büfett *nt* <-s, -s> (*Anrichte*) sideboard; (*Geschirrschrank*) dresser; **kaltes ~** cold buffet.
Büffel *m* <-s, -> buffalo.
Bug *m* <-[e]s, -e> (NAUT) bow; (FLUG) nose.
Bügel *m* <-s, -> (*Kleider~*) hanger; (*Steig~*) stirrup; (*Brillen~*) arm; (*von Lift*) [T-]bar.
Bügelbrett *nt* ironing board; **Bügeleisen** *nt* iron; **Bügelfalte** *f* crease; **bügeln** *vt, vi* iron.
Bühne *f* <-, -n> stage; **Bühnenbild** *nt* set, scenery.
Buhruf *m* boo.
Bulette *f* meatball.
Bulgarien *nt* Bulgaria; **bulgarisch** *adj* Bulgarian.
Bulldogge *f* bulldog.
Bulldozer *m* <-s, -> bulldozer.
Bulle *m* <-n, -n> bull; (*umg: Polizist*) cop[per].
Bummel *m* <-s, -> stroll; (*Schaufenster~*) window-shopping; **bummeln** *vi* wander, stroll; (*trödeln*) dawdle; (*faulenzen*) skive, loaf around; **Bummelstreik** *m* go-slow; **Bummelzug** *m* slow train; **Bummler(in)** *m(f)* <-s, -> (*langsamer Mensch*) dawdler; (*Faulenzer*) idler, loafer.
bumsen *vi* (*umg!*) have sex.
Bund **1.** *m* <-[e]s, Bünde> (*Freundschafts~*) bond; (*Organisation*) union; (POL) confederacy; (*Hosen~, Rock~*) waistband; **2.** *nt* <-[e]s, -e> bunch; (*Stroh~*) bundle.
Bündchen *nt* ribbing; (*Ärmel~*) cuff.
Bündel *nt* <-s, -> bundle, bale; **bündeln** *vt* bundle.
Bundes- *in Zusammensetzungen* Federal; (*auf Deutschland bezogen a.*) West German; **Bundesbahn** *f* Federal Railways *pl;* **Bundesbank** *f* Federal Bank; **Bundesheer** *nt* (*A*) (Austrian) Federal Armed Forces; **Bundeskanzler(in)** *m(f)* Federal Chancellor; **Bundesland** *nt* Land; **Bundespräsident(in)** *m(f)* Federal President; **Bundesrat** *m* upper house of West German Parliament; **Bundesrepublik** *f* Federal Republic; **Bundesstaat** *m* Federal state; **Bundesstraße** *f* Federal Highway, ≈ A road; **Bundestag** *m* West German Parliament; **Bundes-**

verfassungsgericht *nt* Federal Constitutional Court; **Bundeswehr** *f* West German Armed Forces *pl.*

Bundfaltenhose *f* pleated trousers *pl.*

bündig *adj* (*kurz*) concise.

Bündnis *nt* alliance; **Bündnisgrüne** *pl* members of the Bündnis/Green Alliance.

Bungeejumping *nt* bungee jumping.

Bunker *m* <-s, -> bunker.

bunt *adj* coloured; (*gemischt*) mixed; **jdm wird es zu** ~ it's getting too much for sb; **Buntstift** *m* coloured pencil, crayon.

Burg *f* <-, -en> castle.

Bürge *m* <-n, -n> guarantor; **bürgen** *vi* vouch.

Bürger(in) *m(f)* <-s, -> citizen; **Bürgerinitiative** *f* citizens' action group; **Bürgerkrieg** *m* civil war; **bürgerlich** *adj* (*Rechte*) civil; (*Klasse*) middle-class; (*pej*) bourgeois; **gut ~e Küche** good home cooking; **Bürgermeister(in)** *m(f)* mayor; **Bürgerrecht** *nt* civil rights *pl;* **Bürgerrechtler(in)** *m(f)* civil rights activist; **Bürgerschaft** *f* population, citizens *pl;* **Bürgersteig** *m* <-[e]s, -e> pavement.

Bürgin *f* garantor.

Bürgschaft *f* surety; ~ **leisten** give security.

Burnout *nt* burnout.

Büro *nt* <-s, -s> office; **Büroangestellte(r)** *mf* office worker; **Büroklammer** *f* paper clip; **Bürokommunikationssystem** *nt* office communication system.

Bürokrat(in) *m(f)* <-en, -en> bureaucrat; **Bürokratie** *f* bureaucracy; **bürokratisch** *adj* bureaucratic.

Bursch[e] *m* <-en, -en> lad, fellow.

burschikos *adj* tomboyish; (*unbekümmert*) casual.

Bürste *f* <-, -n> brush; **bürsten** *vt* brush.

Bus 1. *m* <-ses, -se> bus; **2.** *m* <-, -se> (INFORM) bus.

Busbahnhof *m* bus station; (*Reisebusse*) coach station.

Busch *m* <-[e]s, Büsche> bush, shrub.

Büschel *nt* <-s, -> tuft.

buschig *adj* bushy.

Busen *m* <-s, -> bosom; (*Meer~*) inlet, bay; **Busenfreund(in)** *m(f)* bosom friend.

Buße *f* <-, -n> atonement, penance; (*Geld~*) fine; **büßen 1.** *vt* pay for; (*Sünden*) atone for; **2.** *vi:* **für etw** ~ atone for sth; (*für Leichtsinn*) pay for sth; **Bußgeld** *nt* fine.

Büste *f* <-, -n> bust; **Büstenhalter** *m* bra.

Butter *f* <-> butter; **Butterberg** *m* butter mountain; **Butterblume** *f* buttercup; **Butterbrot** *nt* [piece of] bread and butter; **Butterbrotpapier** *nt* greaseproof paper; **Butterdose** *f* butter dish; **butterweich** *adj* soft as butter; (*umg: Mensch*) soft.

Button *m* <-s, -s> badge, button.

b.w. *abk von* **bitte wenden** pto.

Byte *nt* <-s, -s> byte.

bzw. *adv abk von* **beziehungsweise**.

C

C, c *nt* C, c.

Cache *m* <-> (INFORM) cache memory.

CAD *nt abk von* **Computer Aided Design** CAD.

Café *nt* <-s, -s> café.

Cafeteria *f* <-, -s> cafeteria.

campen *vi* camp; **Camper(in)** *m(f)* <-s, -> camper; **Camping** *nt* <-s> camping; **Campingbus** *m* camper, dormobile®; **Campingplatz** *m* camp[ing] site.

Caravan *m* <-s, -s> caravan.

Carsharing *nt* car sharing.

Cäsium *nt* <-s> caesium.

CD *f* <-, -s> *abk von* **Compactdisc**[RR], **Compact Disc** compact disc, CD; **CD-Player** *m* <-s, -> compact disc player, CD player.

CD-ROM *f* <-, -s> *abk von* **Compact Disc Read Only Memory** CD-ROM; **CD-ROM-Laufwerk** *nt* CD-ROM drive.

CD-Spieler *m s.* **CD-Player**.

CDU *f* <-> *abk von* **Christlich Demokratische Union** Christian Democratic Union.

Cellist(in) *m(f)* cellist; **Cello** *nt* <-s, -s *o* Celli> cello.

Celsius *nt* <-, -> centigrade.

Chamäleon *nt* <-s, -s> chameleon.

Champagner *m* <-s, -> champagne.

Champignon *m* <-s, -s> button mushroom.

Chance *f* <-, -n> chance, opportunity; **Chancengleichheit** *f* equality of opportunity.

Chaos *nt* <-> chaos; **Chaot(in)** *m(f)* <-en, -en> (POL) anarchist; (*unordent-*

licher Mensch) chaotic person; **chaotisch** *adj* chaotic.

Charakter *m* <-s, -e> character; **charakterfest** *adj* of firm character; **charakterisieren** *vt* characterize; **Charakteristik** *f* characterization; **charakteristisch** *adj* characteristic, typical (*für* of); **charakterlos** *adj* unprincipled; **Charakterlosigkeit** *f* lack of principle; **Charakterschwäche** *f* weakness of character; **Charakterstärke** *f* strength of character; **Charakterzug** *m* characteristic, trait.

Charisma *nt* <-s, Charismen *o* Charismata> charisma.

charmant *adj* charming.

Charme *m* <-s> charm.

Charterflug *m* charter flight; **Charterflugzeug** *nt* charter plane.

Chassis *nt* <-, -> chassis.

Chauffeur(in) *m(f)* chauffeur; **Chauffeuse** *f* (*CH*) female professional driver.

Chauvi *m* <-s, -s> (*umg*) male chauvinist pig, MCP; **Chauvinismus** *m* (POL) chauvinism, jingoism; (*männlicher* ~) male chauvinism; **Chauvinist(in)** *m(f)* (POL) chauvinist, jingoist; (*männlicher* ~) male chauvinist; **chauvinistisch** *adj* (POL) chauvinistic; (*männlich* ~) chauvinist.

checken *vt* (*überprüfen*) check; (*umg: verstehen*) get [it].

Chef(in) *m(f)* <-s, -s> head; (*umg*) boss; **Chefarzt** *m*, **Chefärztin** *f* head physician.

Chemie *f* <-> chemistry; **Chemiefaser** *f* man-made fibre.

Chemikalie *f* chemical.

Chemiker(in) *m(f)* <-s, -> [industrial] chemist.

chemisch *adj* chemical; **~e Reinigung** dry cleaning.

Chemotherapie *f* chemotherapy.

Chiffre *f* <-, -n> (*Geheimzeichen*) cipher; (*in Zeitung*) box number.

Chile *nt* Chile.

China *nt* China; **Chinese** *m* <-n, -n>, **Chinesin** *f* Chinese; **die ~n** *pl* the Chinese *pl*; **chinesisch** *adj* Chinese.

Chip *m* <-s, -s> (INFORM) chip; **Chipkarte** *f* smart card; **Chips** *pl* (*Kartoffel~*) crisps *pl*, chips *pl US*.

Chirurg(in) *m(f)* <-en, -en> surgeon; **Chirurgie** *f* surgery; **chirurgisch** *adj* surgical.

Chlor *nt* <-s> chlorine.

Chloroform *nt* <-s> chloroform.

Chlorophyll *nt* <-s> chlorophyll.

Cholera *f* <-> cholera.

cholerisch *adj* choleric.

Cholesterin *nt* <-s> cholesterol.

Chor *m* <-[e], Chöre> choir; (*Musikstück*, THEAT) chorus.

Choral *m* <-s, Choräle> chorale.

Choreograf(in)[RR], **Choreograph(in)** *m(f)* <-en, -en> choreographer; **Choreografie**[RR], **Choreographie** *f* choreography.

Chorgestühl *nt* choir stalls *pl*.

Christ(in) *m(f)* <-en, -en> Christian; **Christbaum** *m* Christmas tree; **Christenheit** *f* Christendom; **Christentum** *nt* Christianity; **Christkind** *nt* (*bringer of presents at Christmas*) Father Christmas; (*Jesus*) baby Jesus; **christlich** *adj* Christian; **Christus** *m* <-> Christ.

Chrom *nt* <-s> chrome; (CHEM) chromium.

Chromosom *nt* <-s, -en> (BIO) chromosome.

Chronik *f* chronicle.

chronisch *adj* chronic.

chronologisch *adj* chronological.

Chrysantheme *f* <-, -n> chrysanthemum.

circa *adv* about, approximately.

Clique *f* <-, -n> (*Freundeskreis*) group, set; (*pej*) clique.

Clown *m* <-s, -s> clown.

Compactdisc[RR], **Compact Disc** *f* <-, -s> compact disc.

Computer *m* <-s, -> computer; **Computeranimation** *f* computer animation; **Computerarbeitsplatz** *m* computer work station; **computergestützt** *adj* computer-aided; **Computergrafik** *f* computer graphic[s]; **Computerspiel** *nt* computergame; **Computertomographie** *f* computerized axial tomography; **Computervirus** *m* computer virus.

Conférencier *m* <-s, -s> compère.

Container *m* <-s, -> (*zum Transport*) container; (*für Bauschutt*) skip; (*für Pflanzen*) plant box.

cool *adj* (*umg*) cool.

Copyshop *m* copyshop.

Coupé *nt* <-s, -s> (AUTO) coupé, sports version.

Coupon *m* <-s, -s> coupon.

Cousin *m* <-s, -s> cousin; **Cousine** *f* cousin.

Creme *f* <-, -s> cream; (*Schuh~*) polish; (*Zahn~*) paste; (GASTR) mousse; **cremefarben** *adj* cream[-coloured].

Curry[pulver] *nt* <-s, -> curry powder; **Currywurst** *f fried sausage with ketchup and curry powder.*

Cursor *m* <-s, -> (INFORM) cursor.

Cutter(in) *m(f)* <-s, -> (FILM) editor.

Cybercafé *nt* cyber café; **Cyberspace** *m* cyberspace.

D

D, d *nt* D, d.

da 1. *adv* (*dort*) there; (*hier*) here; (*dann*) then; ~ **sein**[RR] be there; **2.** *konj* as; **~, wo** where; **dabehalten** *irr vt* keep.

dabei *adv* (*räumlich*) close to it; (*noch dazu*) besides; (*zusammen mit*) with them; (*zeitlich*) during this; (*obwohl doch*) but, however; **was ist schon ~?** what of it?; **es ist doch nichts ~, wenn ...** it doesn't matter if ...; **bleiben wir ~** let's leave it at that; **es soll nicht ~ bleiben** this isn't the end of it; **es bleibt ~** that's settled; **das Dumme/Schwierige ~** the stupid/difficult part of it; **er war gerade ~ zu gehen** he was just leaving; **~ sein** (*anwesend*) be present; (*beteiligt*) be involved; **dabeistehen** *irr vi* stand around.

Dach *nt* <-[e]s, Dächer> roof; **Dachboden** *m* attic, loft; **Dachdecker(in)** *m(f)* <-s, -> slater, tiler; **Dachfenster** *nt,* **Dachluke** *f* skylight; **Dachpappe** *f* roofing felt; **Dachrinne** *f* gutter.

Dachs *m* <-es, -e> badger.

dachte *imperf von* **denken**.

Dachziegel *m* roof tile.

Dackel *m* <-s, -> dachshund.

dadurch 1. *adv* (*räumlich*) through it; (*durch diesen Umstand*) thereby, in that way; (*deshalb*) because of that, for that reason; **2.** *konj:* **~, dass** because.

dafür *adv* for it; (*anstatt*) instead; **er kann nichts ~** he can't help it; **er ist bekannt ~** he is well-known for that; **was bekomme ich ~?** what will I get for it?; **Dafürhalten** *nt* <-s>: **nach meinem ~** in my opinion.

dagegen 1. *adv* against it; (*im Vergleich damit*) in comparison with it; (*bei Tausch*) for it; **2.** *konj* however; **ich habe nichts ~** I don't mind; **ich war ~** I was against it; **~ kann man nichts tun** one can't do anything about it.

daheim *adv* at home; **Daheim** *nt* <-s> home.

daher 1. *adv* (*räumlich*) from there; (*Ursache*) from that; **2.** *konj* (*deshalb*) that's why; **~ die Schwierigkeiten** that's what is causing the difficulties.

dahin *adv* (*räumlich*) there; (*zeitlich*) then; (*vergangen*) gone; **das tendiert ~** it is tending towards that; **er bringt es noch ~, dass ich ...** he'll make me ...; **dahingehend** *adv* to this effect; **dahingestellt** *adv:* **~ bleiben** remain to be seen; **~ sein lassen** leave sth open [*o* undecided].

dahinter *adv* behind it; **~ kommen** find out; (*begreifen*) get it.

Dahlie *f* dahlia.

dalassen *irr vt* leave [behind].

damals *adv* at that time, then.

Damast *m* <-[e]s, -e> damask.

Dame *f* <-, -n> lady; (SCHACH, KARTEN) queen; (*Spiel*) draughts *sing;* **damenhaft** *adj* ladylike; **Damenwahl** *f* ladies' stet; **Damespiel** *nt* draughts *sing.*

damit 1. *adv* with it; (*begründend*) by that; **2.** *konj* in order that [*o* to]; **was meint er ~?** what does he mean by that?; **genug ~!** that's enough; **~ basta!** and that's that; **~ eilt es nicht** there's no hurry.

Damm *m* <-[e]s, Dämme> dyke; (*Stau~*) dam; (*Hafen~*) mole; (*Bahn~, Straßen~*) embankment.

dämmern *vi* (*Tag*) dawn; (*Abend*) fall; **Dämmerung** *f* twilight; (*Morgen~*) dawn; (*Abend~*) dusk; **dämmrig** *adj* dim, faint.

Dämon *m* <-s, -en> demon; **dämonisch** *adj* demoniacal.

Dampf *m* <-[e]s, Dämpfe> steam; (*Dunst*) vapour; **Dampfbügeleisen** *nt* steam iron; **dampfen** *vi* steam.

dämpfen *vt* (GASTR) steam; (*bügeln*) iron with a damp cloth; (*fig*) dampen, subdue.

Dampfer *m* <-s, -> steamer.

Dampfkochtopf *m* pressure cooker; **Dampflokomotive** *f* steam engine; **Dampfmaschine** *f* steam engine; **Dampfwalze** *f* steamroller.

danach *adv* after that; (*zeitlich a.*) afterwards; (*gemäß*) accordingly; according to which [*o* that]; **er sieht ~ aus** he looks it.

Däne *m* <-n, -n> Dane.

daneben *adv* beside it; (*im Vergleich*) in comparison; **danebenbenehmen** *irr vr:* **sich ~** misbehave; **danebengehen**

irr vi miss; (*Plan*) fail.

Dänemark *nt* Denmark.

Dänin *f* Dane; **dänisch** *adj* Danish.

dank *präp +dat o gen* thanks to; **Dank** *m* <-[e]s> thanks *pl;* **vielen ~** many thanks; **jdm ~ sagen** thank sb; **dankbar** *adj* grateful; (*Aufgabe*) rewarding; **Dankbarkeit** *f* gratitude; **danke** *interj* thank you, thanks; **danken** *vi:* **jdm ~** thank sb; **dankenswert** *adj* (*Arbeit*) worthwhile; rewarding; (*Bemühung*) kind.

dann *adv* then; **~ und wann** now and then.

daran *adv* on it; (*stoßen*) against it; **es liegt ~, dass ...** the cause of it is that ...; **gut/schlecht ~ sein** be well/badly off; **das Beste/Dümmste ~** the best/stupidest thing about it; **ich war nahe ~ zu ...** I was on the point of ...; **er ist ~ gestorben** he died from [*o* of] it; **daransetzen** *vt* stake; **er hat alles darangesetzt, von Ulm wegzukommen** he has done his utmost to get away from Ulm.

darauf *adv* (*räumlich*) on it; (*zielgerichtet*) towards it; (*danach*) afterwards; **es kommt ganz ~ an, ob ...** it depends whether ...; **die Tage ~** the days following [*o* thereafter]; **am Tag ~** the next day; **~ folgend** (*Tag, Jahr*) next, following; **daraufhin** *adv* (*im Hinblick darauf*) in this respect; (*aus diesem Grund*) as a result.

daraus *adv* from it; **was ist ~ geworden?** what became of it?; **~ geht hervor, dass ...** this means that ...

Darbietung *f* performance.

darin *adv* in [there], in it.

darlegen *vt* explain, expound, set forth.

Darlehen *nt* <-s, -> loan.

Darm *m* <-[e]s, Därme> intestine; (*Wurst~*) skin; **Darmsaite** *f* gut string.

darstellen 1. *vt* (*abbilden, bedeuten*) represent; (THEAT) act; (*beschreiben*) describe; **2.** *vr:* **sich ~** appear to be; **Darsteller(in)** *m(f)* <-s, -> actor/actress; **Darstellung** *m* portrayal, depiction; (*Beschreibung*) description.

darüber *adv* (*räumlich*) over/above it; (*fahren*) over it; (*mehr*) more; (*währenddessen*) meanwhile; (*sprechen, streiten*) about it; **~ geht nichts** there's nothing like it; **seine Gedanken ~** his thoughts about [*o* on it].

darum *adv* (*räumlich*) round it; (*deshalb*) because of that; **ich tue es ~, weil ...** I am doing it because ...; **er bittet ~** he is asking kindly for it; **es geht ~, dass ...** the thing is that ...; **er würde viel ~ geben, wenn ...** he would give a lot to ...

darunter *adv* (*räumlich*) under it; (*dazwischen*) among them; (*weniger*) less; **ein Stockwerk ~** one floor below [it]; **was verstehen Sie ~?** what do you understand by that?

das 1. *art* the; **2.** *pron* that; **~ heißt** that is.

Dasein *nt* <-s> (*Leben*) life; (*Anwesenheit*) presence; (*Bestehen*) existence.

dass[RR] *konj* that.

dasselbe *pron* the same.

dastehen *irr vi* stand there.

Datei *f* (INFORM) file; **Dateiname** *m* file name.

Datenaustausch *m* data exchange, data interchange; **Datenautobahn** *f* information superhighway; **Datenbank** *f* <Datenbanken *pl*> data bank; **Datenbasis** *f* database; **Datenbestand** *m* database; **Datenerfassung** *f* data capture; **Datenfernverarbeitung** *f* teleprocessing; **Datenhandschuh** *m* data glove; **Datenklau** *m* data theft; **Datenmissbrauch** *m* data abuse; **Datenschutz** *m* data protection; **Datenschutzbeauftragte(r)** *mf* person responsible for data protection; **Datensicherheit** *f* data integrity; **Datenträger** *m* data carrier; **Datenverarbeitung** *f* data processing; **Datenzentrale** *f* data headquarters *pl;* **Datenzentrum** *nt* data centre.

datieren *vt* date.

Dativ *m* dative.

Dattel *f* <-, -n> date.

Datum *nt* <-s, Daten> date; **Daten** *pl* (*Angaben*) data *pl;* **das heutige ~** today's date.

Dauer *f* <-, -n> duration; (*gewisse Zeitspanne*) length; (*Bestand, Fortbestehen*) permanence; **es war nur von kurzer ~** it didn't last long; **auf die ~** in the long run; (*auf längere Zeit*) indefinitely; **Dauerauftrag** *m* standing order; **dauerhaft** *adj* lasting, durable; **Dauerkarte** *f* season ticket; **Dauerlauf** *m* long-distance run; **dauern** *vi* last; **es hat sehr lang gedauert, bis er ...** it took him a long time to ...; **dauernd** *adj* constant; **Dauerregen** *m* continuous rain; **Dauerwelle** *f* perm[anent wave]; **Dauerwurst** *f* German salami; **Dauerzustand** *m* permanent state of affairs.

Daumen *m* <-s, -> thumb; **Daumenlutscher(in)** *m(f)* thumb-sucker.

Daune *f* <-, -n> down; **Daunendecke** *f*

D

down duvet [*o* quilt].

davon *adv* of it; (*räumlich*) away; (*weg von*) from it; (*Grund*) because of it; **das kommt ~!** that's what you get; **~ abgesehen** apart from that; **~ sprechen/wissen** talk/know of [*o* about] it; **was habe ich ~?** what's the point?; **davonkommen** *irr vi* escape; **davonlaufen** *irr vi* run away; **davontragen** *irr vt* carry off; (*Verletzung*) receive.

davor *adv* (*räumlich*) in front of it; (*zeitlich*) before [that]; **~ warnen** warn about it.

dazu *adv* (*legen, stellen*) by it; (*essen, singen*) with it; **und ~ noch** and in addition; **ein Beispiel/seine Gedanken ~** one example for/his thoughts on this; **wie komme ich denn ~?** why should I?; **~ fähig sein** be capable of it; **sich ~ äußern** say something on it; **dazugehören** *vi* belong to it; **dazukommen** *irr vi* (*Ereignisse*) happen too; (*an einen Ort*) come along.

dazwischen *adv* in between; (*räumlich a.*) between [them]; (*zusammen mit*) among them; **der Unterschied ~** the difference between them; **dazwischenkommen** *irr vi* (*hineingeraten*) get caught in it; **es ist etwas dazwischengekommen** something cropped up; **dazwischenreden** *vi* (*unterbrechen*) interrupt; (*sich einmischen*) interfere.

DDR *f* <-> *abk von* **Deutsche Demokratische Republik** (HIST) GDR.

Deal *m* <-s, -s> (*umg*) deal.

dealen *vi* (*umg*) deal in drugs; **Dealer**(**in**) *m(f)* <-s, -> (*umg*) dealer, pusher; (*international*) trafficker.

Debatte *f* debate.

Deck *nt* <-[e]s, -s *o* -e> deck; **an ~ gehen** go on deck.

Decke *f* <-, -n> cover; (*Bett~*) blanket; (*Tisch~*) tablecloth; (*Zimmer~*) ceiling; **unter einer ~ stecken** be hand in glove.

Deckel *m* <-s, -> lid.

decken 1. *vt* cover; **2.** *vr:* **sich ~** coincide; **3.** *vi* (*Tisch ~*) lay the table.

Deckmantel *m:* **unter dem ~ von** under the guise of; **Deckname** *m* assumed name.

Deckung *f* (*Schützen*) covering; (*Schutz*) cover; (SPORT) defence; (*Übereinstimmen*) agreement; **in ~ gegen** take cover; **deckungsgleich** *adj* congruent.

Decoder *m* <-s, -> decoder.

defekt *adj* faulty; **Defekt** *m* <-[e]s, -e> fault, defect.

defensiv *adj* defensive.

definieren *vt* define; **Definition** *f* definition.

definitiv *adj* definite.

Defizit *nt* <-s, -e> deficit.

deftig *adj* (*Essen*) solid, substantial; (*Witz*) coarse.

Degen *m* <-s, -> sword.

degenerieren *vi* degenerate.

degradieren *vt* degrade.

dehnbar *adj* elastic; (*fig: Begriff*) loose; **dehnen** *vt, vr:* **sich ~** stretch; **Dehnung** *f* stretching.

Deich *m* <-[e]s, -e> dyke.

Deichsel *f* <-, -n> shaft.

dein *pron* (*adjektivisch*) your; **deine**(**r, s**) *pron* (*substantivisch*) yours; **deiner** *pron gen von* **du** of you; **deinerseits** *adv* as far as you are concerned; **deinesgleichen** *pron* people like you; (*gleichrangig*) your equals; **deinetwegen** *adv* (*wegen dir*) because of you; (*dir zuliebe*) for your sake; (*um dich*) about you; (*für dich*) on your behalf; (*von dir aus*) as far as you are concerned.

Deka[**gramm**] *m* (*A*) 10 gram[me]s.

dekadent *adj* decadent; **Dekadenz** *f* decadence.

Dekan *m* <-s, -e> dean.

Deklination *f* declension; **deklinieren** *vt* decline.

Dekolleté, **Dekolletee**[RR] *nt* <-s, -s> low neckline.

Dekorateur(**in**) *m(f)* window dresser.

Dekoration *f* decoration; (*in Laden*) window dressing; **dekorativ** *adj* decorative; **dekorierieren** *vt* decorate; (*Schaufenster*) dress.

Delegation *f* delegation; **delegieren** *vt, vi* delegate.

Delfin[RR] *m* <-s, -e> dolphin.

delikat *adj* (*zart, heikel*) delicate; (*köstlich*) delicious.

Delikatesse *f* <-, -n> delicacy; **~n** *pl* (*Feinkost*) delicatessen *pl;* **Delikatessengeschäft** *nt* delicatessen [shop] *sing.*

Delikt *nt* <-[e]s, -e> (JUR) offence.

Delle *f* <-, -en> (*umg*) dent.

Delphin, **Delfin**[RR] *m* <-s, -e> dolphin.

Delta *nt* <-s, -s> delta.

dem *dat von* **der**.

Demagoge *m* <-n, -n>, **Demagogin** *f* demagogue.

dementieren *vt* deny.

demgemäß, **demnach** *adv* accordingly.

demnächst *adv* shortly.

Demo *f* <-, -s> (*umg*) demo.

Demokrat(**in**) *m(f)* <-en, -en> democrat; **Demokratie** *f* democracy; **demokratisch** *adj* democratic; **demokratisieren** *vt* democratize.

demolieren *vt* demolish.

Demonstrant(**in**) *m(f)* demonstrator; **Demonstration** *f* demonstration; **demonstrativ** *adj* demonstrative; (*Protest*) pointed; **demonstrieren** *vt, vi* demonstrate.

Demoskopie *f* public opinion research.

Demut *f* <-> humility; **demütig** *adj* humble; **demütigen** *vt* humiliate; **Demütigung** *f* humiliation.

den *akk von* **der**.

denen *dat von* **diese**.

denkbar *adj* conceivable.

Denke *f* (*umg*) way of thinking.

denken <dachte, gedacht> *vt, vi* think; **Denken** *nt* <-s> thinking; **Denker**(**in**) *m(f)* <-s, -> thinker; **Denkfähigkeit** *f* intelligence; **denkfaul** *adj* lazy; **Denkfehler** *m* logical error.

Denkmal *nt* <-s, Denkmäler> monument.

Denkmalschutz *m* protection of historic monuments; **unter ~ stehen** be listed.

denkwürdig *adj* memorable; **Denkzettel** *m*: **jdm einen ~ verpassen** teach sb a lesson.

denn 1. *konj* for; **2.** *adv* then; (*nach Komparativ*) than.

dennoch *konj* nevertheless.

Denunziant(**in**) *m(f)* informer.

Deo *nt* <-s, -s>, **Deodorant** *nt* <-s, -s> deodorant; **Deoroller** *m* roll-on deodorant; **Deospray** *m o nt* deodorant spray.

Deponie *f* <-, -n> dump, landfill; **deponieren** *vt* dump; (WIRTS) deposit.

Depot *nt* <-s, -s> warehouse; (*Bus~*, EISENB) depot; (*Bank~*) strongroom.

Depression *f* depression; **depressiv** *adj* prone to depression.

deprimieren *vt* depress.

der 1. *art* the; **2.** *pron* (*relativ*) that, which; (*jemand*) who; (*demonstrativ*) this one.

derart *adv* so; (*solcher Art*) such; **derartig** *adj* such, this sort of.

derb *adj* sturdy; (*Kost*) solid; (*grob*) coarse.

dergleichen *pron* such.

derjenige *pron* he; she; it; (*relativ*) the one [who]; that [which].

dermaßen *adv* to such an extent, so.

derselbe *pron* the same.

des *gen von* **der**.

Desaster *nt* <-s, -> disaster.

Deserteur(**in**) *m(f)* deserter; **desertieren** *vi* desert.

desgleichen *pron* the same.

deshalb *adv* therefore, that's why.

Design *nt* <-s, -s> design; **Designer**(**in**) *m(f)* <-s, -> designer; **Designerdroge** *f* designer drug.

Desinfektion *f* disinfection; **Desinfektionsmittel** *nt* disinfectant; **desinfizieren** *vt* disinfect.

Desinteresse *nt* lack of interest.

dessen *gen von* **der**, **das**.

Dessert *nt* <-s, -s> dessert.

destillieren *vt* distil.

desto *adv* all the, so much the; **~ besser** all the better.

deswegen *konj* therefore, hence.

Detail *nt* <-s, -s> detail; **ins ~ gehen** go into detail; **detaillieren** *vt* specify, give details of.

Detektiv(**in**) *m(f)* detective.

Detektor *m* (TECH) detector.

deuten 1. *vt* interpret, explain; **2.** *vi* point (*auf+akk* to o at).

deutlich *adj* clear; (*Unterschied*) distinct; **Deutlichkeit** *f* clarity, distinctness.

deutsch *adj* German; **~ sprechen** speak German; **Deutscher**[RR] **Schäferhund** Alsatian *Brit*, German shepherd *US*; **Deutsch** *nt* German; **~ lernen** learn German; **auf ~**[RR] in German; **ins ~e übersetzen** translate into German; **Deutsche**(**r**) *mf* German; **die ~n** *pl* the Germans *pl*; **Deutschland** *nt* Germany; **in ~** in Germany; **nach ~ fahren** go to Germany.

Deutung *f* interpretation.

Devise *f* <-, -n> motto, device; **~n** *pl* (FIN) foreign currency [*o* exchange]; **Devisenhandel** *m* foreign exchange dealing(s).

Dezember *m* <-[s], -> December; **im ~** in December; **24. ~ 1999** 24th December, 1999, December 24th 1999.

dezent *adj* discreet.

dezentral *adj* decentalized.

dezimal *adj* decimal; **Dezimalbruch** *m* decimal [fraction]; **Dezimalsystem** *nt* decimal system.

DFÜ *f* <-> *abk von* **Datenfernübertragung** data transmission.

Dia *nt* <-s, -s> slide.

Diabetes *m* <-, -> (MED) diabetes; **Diabetiker**(**in**) *m(f)* <-s, -> diabetic.

Diagnose *f* <-, -n> diagnosis.

diagonal *adj* diagonal; **Diagonale** *f* <-, -n> diagonal.

Diagramm *nt* <-s, -e> diagram.

Dialekt *m* <-[e]s, -e> dialect.

dialektisch *adj* dialectal; (*Logik*) dialectical.

Dialog *m* <-[e]s, -e> dialogue; (INFORM) dialog.

Dialyse *f* <-, -n> (MED) dialysis.

Diamant *m* diamond.

Diapositiv *nt* (FOTO) slide, transparency.

Diät *f* <-, -en> diet; **Diäten** *pl* (POL) allowance; **Diavortrag** *m* talk with slides.

dich *pron akk von* **du** you.

dicht 1. *adj* dense; (*Nebel*) thick; (*Gewebe*) close; (*undurchlässig*) [water]tight; (*fig*) concise; **2.** *adv:* ~ **an/bei** close to; **dichtbevölkert** *adj* densely [*o* heavily] populated; **Dichte** *f* <-, -n> density; thickness; closeness; [water]tightness; (*fig*) conciseness.

dichten *vt* (LITER) compose, write; **Dichter(in)** *m(f)* <-s, -> poet; (*Autor*) writer; **dichterisch** *adj* poetical.

dichthalten *irr vi* (*umg*) keep mum.

Dichtung *f* (TECH) washer; (AUTO) gasket; (*Gedichte*) poetry; (*Prosa*) [piece of] writing.

dick *adj* thick; (*fett*) fat; **durch ~ und dünn** through thick and thin; **Dicke** *f* <-, -n> thickness; fatness; **dickfellig** *adj* thickskinned; **dickflüssig** *adj* viscous.

Dickicht *nt* <-s, -e> thicket.

Dickkopf *m* mule; **Dickmilch** *f* soured milk.

die 1. *art* the; **2.** *pron* (*relativ*) that, which; (*jemand*) who; (*demonstrativ*) this one; **3.** *pl von* **der, die, das**.

Dieb(in) *m(f)* <-[e]s, -e> thief; **diebisch** *adj* thieving; (*umg*) immense; **Diebstahl** *m* <-[e]s, Diebstähle> theft; **Diebstahlsicherung[sanlage]** *f* burglar alarm [system].

Diele *f* <-, -n> (*Brett*) board; (*Flur*) hall, lobby.

dienen *vi* serve (*jdm* sb); **Diener(in)** *m(f)* <-s, -> servant; **Dienerschaft** *f* servants *pl.*

Dienst *m* <-[e]s, -e> service; **außer ~** (*Mensch*) retired; **~ haben** be on duty; **der öffentliche ~** the civil service.

Dienstag *m* Tuesday; **[am] ~** on Tuesday; **Dienstagabend**[RR] *m* Tuesday evening; **dienstags** *adv* on Tuesdays, on a Tuesday.

Dienstgeheimnis *nt* professional secret; **Dienstgespräch** *nt* business call; **Dienstgrad** *m* rank; **diensthabend** *adj* (*Arzt*) on duty; **Dienstleistung** *f* service; **dienstlich** *adj* official; **Dienstmädchen** *nt* domestic servant; **Dienstprogramm** *nt* (COMPUT) utility (program); **Dienstreise** *f* business trip; **Dienststelle** *f* office; **Dienstweg** *m* official channels *pl;* **Dienstzeit** *f* office hours *pl;* (MIL) period of service.

diesbezüglich *adj* (*Frage*) on this matter.

diese(r, s) *pron* this [one].

Diesel 1. *m* <-s, -> (AUTO) diesel; **2.** *nt* <-s> (*~öl*) diesel [oil].

dieselbe *pron* the same.

diesig *adj* hazy, misty.

diesjährig *adj* this year's; **diesmal** *adv* this time; **diesseits** *präp +gen* on this side; **Diesseits** *nt* <-> this life.

Dietrich *m* picklock.

Differentialgetriebe, **Differenzialgetriebe**[RR] *nt* differential gear; **Differentialrechnung**, **Differenzialrechnung**[RR] *f* differential calculus.

differenzieren *vt* make differences in; **differenziert** complex.

digital *adj* digital; **Digitalanzeige** *f* digital display; **Digitalfernsehen** *nt* digital TV; **Digitaluhr** *f* digital clock; (*Armbanduhr*) digital watch.

Diktat *nt* dictation.

Diktator(in) *m(f)* dictator; **diktatorisch** *adj* dictatorial; **Diktatur** *f* dictatorship.

diktieren *vt* dictate.

Dilemma *nt* <-s, -s *o* Dilemmata> dilemma.

Dilettant(in) *m(f)* dilettante; **dilettantisch** *adj* amateurish.

Dimension *f* dimension.

Ding *nt* <-[e]s, -e> thing, object; **Dingsbums** *nt* <-> (*umg*) thingummybob.

Dinosaurier *m* <-s, -> dinosaur.

Diode *f* <-, -n> (INFORM) diode.

Dioxin *nt* <-s, -e> dioxin.

Diözese *f* <-, -n> diocese.

Diphtherie *f* diphtheria.

Diplom *nt* <-[e]s, -e> diploma, certificate.

Diplomat(in) *m(f)* <-en, -en> diplomat; **Diplomatie** *f* diplomacy; **diplomatisch** *adj* diplomatic.

Diplomingenieur(in) *m(f)* qualified engineer.

dir *pron dat von* **du** [to] you.

direkt *adj* direct.

Direktor(in) *m(f)* director; (SCH) principal,

headmaster/-mistress.

Direktübertragung *f* live broadcast; **Direktzugriffsspeicher** *m* (INFORM) random access memory, RAM.

Dirigent(in) *m(f)* conductor.

dirigieren *vt* direct; (MUS) conduct.

Dirndl *nt* <-s, -n> (*A*) girl; (*Kleid*) dirndl.

Dirne *f* <-, -n> prostitute.

Diskette *f* disk, diskette; **DD-~/~ mit doppelter Schreibdichte** double density diskette; **HD-~/~ mit hoher Schreibdichte** high density diskette; **Diskettenlaufwerk** *nt* disk drive.

Disko *f* <-, -s> (*umg*) disco.

Diskont *m* <-s, -e> discount; **Diskontsatz** *m* rate of discount.

Diskothek *f* <-, -en> disco[theque].

Diskrepanz *f* discrepancy.

diskret *adj* discreet; **Diskretion** *f* discretion.

diskriminieren *vt* discriminate against.

Diskussion *f* discussion; debate; **zur ~ stehen** be under discussion.

diskutabel *adj* debatable.

diskutieren *vt, vi* discuss; debate.

Display *nt* <-s, -s> display.

disqualifizieren *vt* disqualify.

Dissertation *f* dissertation, doctoral thesis.

Distanz *f* distance; **distanzieren** *vr:* **sich ~** distance oneself.

Distel *f* <-, -n> thistle.

Disziplin *f* <-, -en> discipline.

divers *adj* various.

Dividende *f* <-, -n> dividend.

dividieren *vt* divide (*durch* by).

DM *abk von* **Deutsche Mark** deutschmark.

DNS *abk von* **Desoxyribonukleinsäure** DNA.

doch 1. *adv:* **das ist nicht wahr!–~!** that's not true!–yes it is!; **nicht ~!** oh no!; **er kam ~ noch** he came after all; **2.** *konj* (*aber*) but; (*trotzdem*) all the same.

Docht *m* <-[e]s, -e> wick.

Dock *nt* <-s, -s *o* -e> dock.

Dogge *f* <-, -n> bulldog.

Dogma *nt* <-s, Dogmen> dogma; **dogmatisch** *adj* dogmatic.

Doktor(in) *m(f)* doctor; **Doktorand(in)** *m(f)* <-en, -en> candidate for a doctorate; **Doktorarbeit** *f* [doctoral] thesis; **Doktortitel** *m* doctorate; **Doktorvater** *m* PhD supervisor.

Dokument *nt* document; **Dokumentarfilm** *m* documentary [film]; **dokumentarisch** *adj* documentary; **dokumentieren** *vt* (*a.* INFORM) document.

Dolch *m* <-[e]s, -e> dagger.

dolmetschen *vt, vi* interpret; **Dolmetscher(in)** *m(f)* <-s, -> interpreter.

Dolomiten *pl* Dolomites *pl.*

Dom *m* <-[e]s, -e> cathedral.

dominieren 1. *vt* dominate; **2.** *vi* predominate.

Dompfaff *m* bullfinch.

Dompteur *m*, **Dompteuse** *f* (*Zirkus~*) trainer.

Donau *f* Danube.

Donner *m* <-s, -> thunder; **donnern** *vi* thunder.

Donnerstag *m* Thursday; [**am**] ~ on Thursday; **Donnerstagmorgen**[RR] *m* Thursday morning; **donnerstags** *adv* on Thursdays, on a Thursday.

Donnerwetter *nt* thunderstorm; (*fig*) dressing-down.

doof *adj* (*umg*) daft, stupid.

dopen *vt* dope; **Doping** *nt* <-s> doping; **Dopingkontrolle** *f* doping check.

Doppel *nt* <-s, -> duplicate; (SPORT) doubles *sing;* **Doppelbeschluss**[RR] *m* (POL) two-track [*o* twin-track] solution [*o* double-track]; **Doppelbett** *nt* double bed; **Doppelfenster** *nt* double glazing; **Doppelgänger(in)** *m(f)* <-s, -> double; **Doppelpunkt** *m* colon; **Doppelstecker** *m* two-way adaptor; **doppelt** *adj* double; **in ~er Ausführung** in duplicate; **Doppelverdiener** *pl* double-income family; (*umg*) dinkies *pl;* **Doppelzentner** *m* 100 kilograms *pl;* **Doppelzimmer** *nt* double room.

Dorf *nt* <-[e]s, Dörfer> village; **Dorfbewohner(in)** *m(f)* villager.

Dorn 1. *m* <-[e]s, -en> (BOT) thorn; **2.** *m* <-[e]s, -e> (*Schnallen~*) tongue, pin; **dornig** *adj* thorny; **Dornröschen** *nt* Sleeping Beauty.

dörren *vt* dry; **Dörrobst** *nt* dried fruit.

Dorsch *m* <-[e]s, -e> cod.

dort *adv* there; **~ drüben** over there; **dorther** *adv* from there; **dorthin** *adv* [to] there; **dortig** *adj* of that place; in that town.

Dose *f* <-, -n> box; (*Blech~*) tin, can.

dösen *vi* (*umg*) doze.

Dosenöffner *m* tin [*o* can] opener.

Dosis *f* <-, Dosen> dose.

Dotter *m* <-s, -> egg yolk.

Downsyndrom *nt* <-(e)s, -e> (MED) Down's syndrome.

Dozent(in) *m(f)* university lecturer.

Drache *m* <-n, -n> (*Tier*) dragon; **Drachen** *m* <-s, -> (*Spielzeug*) kite; (SPORT) hang-glider; **Drachenfliegen** *nt* <-s> hang-gliding; **Drachenflieger(in)** *m(f)* hang-glider.

Draht *m* <-[e]s, Drähte> wire; **auf ~ sein** be on the ball; **drahtig** *adj* wiry; **Drahtseil** *nt* cable; **Drahtseilbahn** *f* cable railway, funicular.

drall *adj* strapping; (*Frau*) buxom.

Drama *nt* <-s, Dramen> drama, play; **Dramatiker(in)** *m(f)* <-s, -> dramatist; **dramatisch** *adj* dramatic.

dran 1. = (*umg*) **daran**; **2.** *adv:* **gut/schlecht ~ sein** be well/be in a bad way.

drang *imperf von* **dringen**.

Drang *m* <-[e]s, Dränge> (*Trieb*) impulse, urge, desire (*nach* for); (*Druck*) pressure.

drängeln *vt, vi* push, jostle.

drängen 1. *vt* (*schieben*) push, press; (*antreiben*) urge; **2.** *vi* (*eilig sein*) be urgent; (*Zeit*) press; **auf etw** *akk* **~** press for sth.

drastisch *adj* drastic.

drauf = (*umg*) **darauf**.

Draufgänger(in) *m(f)* <-s, -> daredevil.

draußen *adv* outside, out-of-doors.

Dreck *m* <-[e]s> mud, dirt; **dreckig** *adj* dirty, filthy.

Dreharbeiten *pl* (FILM) shooting; **Drehbank** *f* <Drehbänke *pl*> lathe; **drehbar** *adj* revolving; **Drehbuch** *nt* (FILM) script; **drehen 1.** *vt, vi* turn, rotate; (*Zigaretten*) roll; (*Film*) shoot; **2.** *vr:* **sich ~** turn; (*handeln von*) be (*um* about); **Drehorgel** *f* barrel organ; **Drehtür** *f* revolving door; **Drehung** *f* (*Rotation*) rotation; (*Um~, Wendung*) turn; **Drehwurm** *m:* **den ~ haben/bekommen** (*umg*) be/become dizzy; **Drehzahl** *f* rate of revolutions; **Drehzahlmesser** *m* <-s, -> rev[olution] counter.

drei *num* three; **Dreieck** *nt* triangle; **dreieckig** *adj* triangular; **Dreieinigkeit** *f s.* **Dreifaltigkeit**; **dreifach 1.** *adj* threefold; **2.** *adv* three times; **Dreifaltigkeit** *f* Trinity; **dreihundert** *num* three hundred; **dreijährig** *adj* (*3 Jahre alt*) three-year-old; (*3 Jahre dauernd*) three-year; **Dreikönigsfest** *nt* Epiphany; **dreimal** *adv* three times, thrice.

dreinreden *vi:* **jdm ~** (*dazwischenreden*) interrupt sb; (*sich einmischen*) interfere with sb.

dreißig *num* thirty.

dreist *adj* bold, audacious; **Dreistigkeit** *f* boldness, audacity.

dreiviertel *num* three-quarters; **Dreiviertelstunde** *f* three-quarters of an hour.

dreizehn *num* thirteen.

dreschen <drosch, gedroschen> *vt* thresh.

dressieren *vt* train.

Dressing *f* <-s, -s> salad dressing.

Drillbohrer *m* [light] drill.

Drilling *m* triplet.

drin = (*umg*) **darin**.

dringen <drang, gedrungen> *vi* (*Wasser, Licht, Kälte*) penetrate (*durch* through, *in + akk* into); **auf etw** *akk* **~** insist on sth; **in jdn ~** entreat sb.

dringend, **dringlich** *adj* urgent; **Dringlichkeit** *f* urgency.

drinnen *adv* inside, indoors.

dritte(r, s) *adj* third; **die ~ Welt** the third world; **der ~ Mai** the third of May; **Ulm, den 3. Mai** Ulm, May 3rd; **Dritte(r)** *mf* third; **Drittel** *nt* <-s, -> (*Bruchteil*) third; **drittens** *adv* in the third place, thirdly; **Dritte-Welt-Laden** *m* ≈ OXFAM shop; **Drittländer** *pl* third countries.

droben *adv* above, up there.

Droge *f* <-, -n> drug; **drogenabhängig** *adj* addicted to drugs; **Drogenabhängige(r)** *mf* drug addict.

Drogerie *f* chemist's shop.

Drogist(in) *m(f)* pharmacist, chemist.

drohen *vi* threaten (*jdm* sb).

dröhnen *vi* (*Motor*) roar; (*Stimme, Musik*) ring, resound.

Drohung *f* threat.

drollig *adj* droll.

drosch *imperf von* **dreschen**.

Droschke *f* <-, -n> cab.

Drossel *f* <-, -n> thrush.

drüben *adv* over there, on the other side.

drüber = (*umg*) **darüber**.

Druck *m* <-[e]s, -e> (*Zwang,* PHYS) pressure; (TYP: *Vorgang*) printing; (*Produkt*) print; (*fig: Belastung*) burden, weight; **Druckbuchstabe** *m* block letter.

Drückeberger(in) *m(f)* <-s, -> shirker, dodger.

drucken *vt, vi* print.

drücken 1. *vt, vi* (*Knopf, Hand*) press; (*zu eng sein*) pinch; (*fig: Preise*) keep down; (*fig: belasten*) oppress, weigh down; **2.** *vr:* **sich vor etw** *dat* **~** get out of [doing] sth; **jdm etw in die Hand ~** press sth into sb's hand; **drückend** *adj* oppressive.

Drucker *m* <-s, -> (INFORM) printer.
Drücker *m* <-s, -> button; (*Tür~*) handle; (*am Gewehr*) trigger; (*umg: Abonnementverkäufer*) hawker.
Druckerei *f* printing works *pl;* (*Betrieb a.*) printer's; (*Druckwesen*) printing.
Druckerschwärze *f* printer's ink.
Druckfehler *m* misprint; **Druckknopf** *m* press stud, snap fastener; **Druckmittel** *nt* leverage; **Drucksache** *f* printed matter; **Druckschrift** *f* block [*o* printed] letters *pl.*
drunten *adv* below, down there.
Drüse *f* <-, -n> gland; **Drüsenfieber** *nt* glandular fever.
Dschungel *m* <-s, -> jungle.
DTP *nt* <-> *abk von* **Desktoppublishing** DTP.
du *pron* you.
ducken *vt, vr:* **sich ~** duck; **Duckmäuser** *m* <-s, -> yes-man.
Dudelsack *m* bagpipes *pl.*
Duell *nt* <-s, -e> duel.
Duett *nt* <-[e]s, -e> duet.
Duft *m* <-[e]s, Düfte> scent, odour; **dufte** *adj* (*umg*) great, smashing; **duften** *vi* smell, be fragrant; **duftig** *adj* (*Stoff, Kleid*) delicate, diaphanous; (*Muster*) fine.
dulden *vt, vi* suffer; (*zulassen*) tolerate; **duldsam** *adj* tolerant.
dumm *adj* stupid; **das wird mir zu ~** that's just too much; **der/die Dumme sein** be the loser; **dummdreist** *adj* impudent; **dummerweise** *adv* stupidly; **Dummheit** *f* stupidity; (*Tat*) blunder, stupid mistake; **Dummkopf** *m* blockhead.
dumpf *adj* (*Ton*) hollow, dull; (*Luft*) close; (*Erinnerung, Schmerz*) vague.
Düne *f* <-, -n> dune.
Dung *m* <-[e]s> dung, manure.
düngen *vt* manure; **Dünger** *m* <-s, -> fertilizer.
dunkel *adj* dark; (*Stimme*) deep; (*Ahnung*) vague; (*rätselhaft*) obscure; (*verdächtig*) dubious, shady; **im Dunkeln tappen**[RR] (*fig*) grope in the dark.
Dünkel *m* <-s> self-conceit; **dünkelhaft** *adj* conceited.
Dunkelheit *f* darkness; (*fig*) obscurity; **Dunkelkammer** *f* (FOTO) dark room; **Dunkelziffer** *f* estimated number of unnotified cases.
dünn *adj* thin; **~ gesät** scarce; **dünnflüssig** *adj* watery, thin.
Dunst *m* <-es, Dünste> vapour; (*Wetter*) haze.
dünsten *vt* steam.
dunstig *adj* vaporous; (*Wetter*) hazy, misty.
Duplikat *nt* duplicate.
Dur *nt* <-, -> (MUS) major.
durch *präp +akk* through; (*Mittel, Ursache*) by; (*Zeit*) during; **den Sommer ~** during the summer; **8 Uhr ~** past 8 o'clock; **~ und ~** completely.
durcharbeiten **1.** *vt, vi* work through; **2.** *vr:* **sich ~** work one's way through.
durchaus *adv* completely; (*unbedingt*) definitely.
durchbeißen *irr* **1.** *vt* bite through; **2.** *vr:* **sich ~** (*fig*) battle on.
durchblättern *vt* leaf through.
Durchblick *m* view; (*fig*) comprehension; **durchblicken** *vi* look through; (*umg: verstehen*) understand (*bei etw* sth); **etw ~ lassen** (*fig*) hint at sth.
durchbohren *vt* bore through, pierce.
durchbrechen *irr vt* break; (*Schranken*) break through; (*Schallmauer*) break; (*Gewohnheit*) break free from.
durchbrennen *irr vi* (*Draht, Sicherung*) burn through; (*umg*) run away.
durchbringen *irr* **1.** *vt* get through; (*Geld*) squander; **2.** *vr:* **sich ~** make a living.
Durchbruch *m* (*Öffnung*) opening; (*von Gefühlen etc*) eruption; (*der Zähne*) cutting; (*fig*) breakthrough; **zum ~ kommen** break through.
durchdacht *adv* well thought-out; **durchdenken** *irr vt* think out.
durchdiskutieren *vt* talk over, discuss.
durchdrehen **1.** *vt* (*Fleisch*) mince; **2.** *vi* (*umg*) crack up.
durchdringen *irr* **1.** *vi* penetrate, get through; **2.** *vt* penetrate; **mit etw ~** get one's way with sth.
durcheinander *adv* in a mess, in confusion; (*umg: verwirrt*) confused; **~ bringen**[RR] mess up; (*verwirren*) confuse; **~ reden**[RR] *vi* talk at the same time; **~ trinken** mix one's drinks; **Durcheinander** *nt* <-s> (*Verwirrung*) confusion; (*Unordnung*) mess.
Durchfahrt *f* transit; (*Verkehr*) thoroughfare; **keine ~** no through road.
Durchfall *m* (MED) diarrhoea; **durchfallen** *irr vi* fall through; (*in Prüfung*) fail.
durchfragen *vr:* **sich ~** find one's way by asking.

durchführbar *adj* feasible, practicable; **durchführen** *vt* carry out; **Durchführung** *f* execution, performance.

Durchgang *m* passage[way]; (*bei Produktion, Versuch*) run; (SPORT) round; (*bei Wahl*) ballot; **„~ verboten"** "no thoroughfare"; **Durchgangslager** *nt* transit camp; **Durchgangsverkehr** *m* through traffic.

durchgefroren *adj* (*See*) completely frozen; (*Mensch*) frozen stiff.

durchgehen *irr* **1.** *vt* (*behandeln*) go over; **2.** *vi* go through; (*ausreißen: Pferd*) break loose; (*Mensch*) run away; **mein Temperament ging mit mir durch** my temper got the better of me; **jdm etw ~ lassen** let sb get away with sth; **durchgehend** *adj* (*Zug*) through; (*Öffnungszeiten*) continuous.

durchgreifen *irr vi* take strong action.

durchhalten *irr* **1.** *vi* last out; **2.** *vt* keep up.

durchhecheln *vt* (*umg*) gossip about.

durchkommen *irr vi* get through; (*überleben*) pull through.

durchkreuzen *vt* thwart, frustrate.

durchlassen *irr vt* (*jdn*) let through; (*Wasser*) let in.

Durchlauf[wasser]erhitzer *m* <-s, -> [hot water] geyser.

durchleben *vt* live [*o* go] through, experience.

durchlesen *irr vt* read through.

durchleuchten *vt* X-ray.

durchlöchern *vt* perforate; (*mit Löchern*) punch holes in; (*mit Kugeln*) riddle.

durchmachen *vt* go through; **die Nacht ~** make a night of it.

Durchmarsch *m* march through.

Durchmesser *m* <-s, -> diameter.

durchnehmen *irr vt* go over.

durchnumerieren *vt* number consecutively.

durchpausen *vt* trace.

durchqueren *vt* cross.

Durchreiche *f* <-, -n> [serving] hatch.

Durchreise *f* transit; **auf der ~** passing through; (*Güter*) in transit.

durchringen *irr vr:* **sich ~** reach after a long struggle.

durchrosten *vi* rust through.

durchs = durch das.

Durchsage *f* <-, -n> intercom/radio announcement.

durchschauen **1.** *vi* look [*o* see] through; **2.** *vt* (*jdn, Lüge*) see through.

durchscheinen *irr vi* shine through; **durchscheinend** *adj* translucent.

Durchschlag *m* (*Doppel*) carbon copy; (*Sieb*) strainer; **durchschlagen** *irr* **1.** *vt* (*entzweischlagen*) split [in two]; (*sieben*) sieve; **2.** *vi* (*zum Vorschein kommen*) emerge, come out; **3.** *vr:* **sich ~** get by; **durchschlagend** *adj* resounding.

durchschneiden *irr vt* cut through.

Durchschnitt *m* (*Mittelwert*) average; **über/unter dem ~** above/below average; **im ~** on average; **durchschnittlich** **1.** *adj* average; **2.** *adv* on average; **Durchschnittsgeschwindigkeit** *f* average speed; **Durchschnittsmensch** *m* average person, man in the street; **Durchschnittswert** *m* average.

Durchschrift *f* copy.

durchsehen *irr vt* look through.

durchsetzen **1.** *vt* enforce; **2.** *vr:* **sich ~** (*Erfolg haben*) succeed; (*sich behaupten*) get one's way; **seinen Kopf ~** get one's own way; **Durchsetzungsvermögen** *nt* ability to assert oneself.

Durchseuchung *f* (MED) spread of the/an epidemic (*der Bevölkerung* through the population).

Durchsicht *f* looking through, checking; **durchsichtig** *adj* transparent; **Durchsichtigkeit** *f* transparence.

durchsickern *vi* seep through; (*fig*) leak out.

durchsprechen *irr vt* talk over.

durchstehen *irr vt* live through.

durchstöbern *vt* ransack, search through.

durchstreichen *irr vt* cross out.

durchsuchen *vt* search; **Durchsuchung** *f* search; **Durchsuchungsbefehl** *m* search warrant.

durchtrieben *adj* cunning, wily.

durchwachsen *adj* (*Speck*) streaky; (*fig: mittelmäßig*) so-so.

Durchwahl *f* direct dialling; (*Nummer*) number of the direct line.

durchweg *adv* throughout, completely.

durchzählen **1.** *vt* count; **2.** *vi* count off.

durchziehen *irr* **1.** *vt* (*Faden*) draw through; **2.** *vi* pass through.

Durchzug *m* (*Luft*) draught; (*von Truppen, Vögeln*) passage.

dürfen <durfte, gedurft> *vi* be allowed; **darf ich?** may I?; **es darf geraucht werden** you may smoke; **was darf es sein?** what can I do for you?; **das darf nicht geschehen** that must not happen;

das ~ **Sie mir glauben** you can believe me; **es dürfte Ihnen bekannt sein, dass ...** as you will probably know ...

dürftig *adj* (*ärmlich*) needy, poor; (*unzulänglich*) inadequate.

dürr *adj* dried-up; (*Land*) arid; (*mager*) skinny, gaunt; **Dürre** *f* <-, -n> aridity; (*Zeit*) drought; (*Magerkeit*) skinniness.

Durst *m* <-[e]s> thirst; ~ **haben** be thirsty; **durstig** *adj* thirsty.

Dusche *f* <-, -n> shower; **duschen** *vi, vr:* **sich** ~ have a shower; **Duschgel** *nt* shower gel.

Düse *f* <-, -n> nozzle; (*Flugzeug~*) jet; **düsen** *vi* (*umg*) dash; **Düsenantrieb** *m* jet propulsion; **Düsenflugzeug** *nt* jet [plane]; **Düsenjäger** *m* jet fighter.

Dussel *m* <-s, -> (*umg*) twit; **dusselig** *adj* (*umg*) gormless.

düster *adj* dark; (*Gedanken, Zukunft*) gloomy; **Düsterkeit** *f* darkness, gloom; gloominess.

Dutyfreeshop[RR], **Duty-free-Shop** *m* <-s, -s> duty free shop.

Dutzend *nt* <-s, -e> dozen; **dutzend[e]mal** *adv* a dozen times; **dutzendweise** *adv* by the dozen.

duzen 1. *vt address sb using the familiar form;* 2. *vr:* **sich** ~ **[mit jdm]** *address each other using the familiar form.*

DV *f* <-> *abk von* **Datenverarbeitung** DP.

Dynamik *f* (PHYS) dynamics *sing;* (*fig: Schwung*) momentum; (*von Mensch*) dynamism; **dynamisch** *adj* (*a. fig*) dynamic.

Dynamit *nt* <-s> dynamite.

Dynamo *m* <-s, -s> dynamo.

D-Zug *m* through train.

E

E, e *nt* E, e.

Ebbe *f* <-, -n> low tide.

eben 1. *adj* level; (*glatt*) smooth; 2. *adv* just; (*bestätigend*) exactly; ~ **deswegen** just because of that; **ebenbürtig** *adj:* **jdm** ~ **sein** be sb's peer; **Ebene** *f* <-, -n> plain; **ebenerdig** *adj* at ground level; **ebenfalls** *adv* likewise; **Ebenheit** *f* levelness; smoothness; **ebenso** *adv* just as; ~ **gut**[RR] just as well; ~ **oft**[RR] just as often; ~ **viel**[RR] just as much; ~ **weit**[RR] just as far; ~ **wenig**[RR] just as little.

Eber *m* <-s, -> boar; **Eberesche** *f* mountain ash, rowan.

ebnen *vt* level.

EC *m* <-, -s> *abk von* **Eurocityzug**.

Echo *nt* <-s, -s> echo.

echt *adj* genuine; (*typisch*) typical; **Echtheit** *f* genuineness; **Echtzeit** *f* (INFORM) real time.

Eckball *m* corner [kick]; **Ecke** *f* <-, -n> corner; (MATH) angle; **eckig** *adj* angular; **Eckzahn** *m* eye tooth.

Ecstasy *nt* Ecstasy.

edel *adj* noble; **Edelmetall** *nt* precious metal; **Edelstein** *m* precious stone; (*geschliffen*) gem, jewel.

editieren *vt* (INFORM) edit; **Editor** *m* <-s, -en> (INFORM) editor.

Edutainment *nt* edutainment.

EDV *f* <-> *abk von* **elektronische Datenverarbeitung** EDP; **EDV-Anlage** *f* EDP equipment.

Efeu *m* <-s> ivy.

Effekt *m* <-s, -e> effect; **Effekten** *pl* stocks *pl;* **Effektenbörse** *f* Stock Exchange; **Effekthascherei** *f* sensationalism; **effektiv** *adj* effective.

effizient *adj* efficient.

EG *f* <-> *abk von* **Europäische Gemeinschaft** (HIST) EC.

egal *adj* all the same.

Egoismus *m* selfishness, egoism; **Egoist(in)** *m(f)* egoist; **egoistisch** *adj* selfish, egoistic; **egozentrisch** *adj* egocentric, self-centred.

ehe *konj* before.

Ehe *f* <-, -n> marriage; **eheähnlich** *adj:* **~e Gemeinschaft** cohabitation; **Eheberater(in)** *m(f)* marriage [guidance] counsellor; **Ehebrecher(in)** *m(f)* <-s, -> adulterer/adulteress; **Ehebruch** *m* adultery; **Ehefrau** *f* married woman; wife; **Eheleute** *pl* married people *pl;* **ehelich** *adj* matrimonial; (*Kind*) legitimate.

ehemalig *adj* former; **ehemals** *adv* formerly.

Ehemann *m* <Ehemänner *pl*> married man; husband; **Ehepaar** *nt* married couple.

eher *adv* (*früher*) sooner; (*lieber*) rather, sooner; (*mehr*) more.

Ehering *m* wedding ring; **Ehescheidung** *f* divorce; **Eheschließung** *f* marriage.

eheste(r, s) *adj* (*früheste*) first, earliest; **am ~n** (*liebsten*) soonest; (*meisten*) most; (*wahrscheinlichsten*) most probably.

ehrbar *adj* honourable, respectable; **Ehre** *f* <-, -n> honour; **ehren** *vt* honour; **Ehrengast** *m* guest of honour; **ehrenhaft** *adj* honourable; **Ehrenmann** *m* <Ehrenmänner *pl*> man of honour; **Ehrenmitglied** *nt* honorary member; **Ehrenplatz** *m* place of honour; **Ehrenrechte** *pl* civic rights *pl;* **ehrenrührig** *adj* defamatory; **Ehrenrunde** *f* lap of honour; **Ehrensache** *f* point of honour; **ehrenvoll** *adj* honourable; **Ehrenwort** *nt* word of honour; **ehrerbietig** *adj* respectful; **Ehrfurcht** *f* awe, deep respect; **Ehrgefühl** *nt* sense of honour; **Ehrgeiz** *m* ambition; **ehrgeizig** *adj* ambitious; **ehrlich** *adj* honest; **Ehrlichkeit** *f* honesty; **ehrlos** *adj* dishonourable; **Ehrung** *f* honour[ing]; **ehrwürdig** *adj* venerable.

ei *interj* well, well; (*beschwichtigend*) now, now.

Ei *nt* <-[e]s, -er> egg.

Eichamt *nt* Office of Weights and Measures.

Eiche *f* <-, -n> oak [tree]; **Eichel** *f* <-, -n> acorn.

eichen *vt* calibrate.

Eichhörnchen *nt* squirrel.

Eichmaß *nt* standard; **Eichung** *f* calibration.

Eid *m* <-[e]s, -e> oath.

Eidechse *f* <-, -n> lizard.

eidesstattlich *adj:* **~e Erklärung** affidavit; **Eidgenosse** *m,* **Eidgenossin** *f* Swiss; **eidlich** *adj* [sworn] upon oath.

Eidotter *nt* egg yolk; **Eierbecher** *m* eggcup; **Eierkuchen** *m* omelette; pancake; **Eierschale** *f* eggshell; **Eierschwammerl** *nt* (*A*) chanterelle; **Eierstock** *m* ovary; **Eieruhr** *f* egg timer.

Eifer *m* <-s> zeal, enthusiasm; **Eifersucht** *f* jealousy; **eifersüchtig** *adj* jealous (*auf+akk* of).

eifrig *adj* zealous, enthusiastic.

Eigelb *nt* <-[e]s, -> egg yolk.

eigen *adj* own; (*~artig*) peculiar; **mit der/dem ihm ~en ...** with that ... peculiar to him; **sich** *dat* **etw zu ~ machen** make sth one's own; **Eigenart** *f* peculiarity; (*Eigenschaft*) characteristic; **eigenartig** *adj* peculiar; **Eigenbedarf** *m* one's own requirements *pl;* **Eigengewicht** *nt* dead weight; **eigenhändig** *adj* with one's own hand; **Eigenheim** *nt* owner-occupied house; **Eigenheit** *f* peculiarity; **Eigenlob** *nt* self-praise; **eigenmächtig** *adj* high-handed; **Eigenname** *m* proper name; **eigens** *adv* expressly, on purpose; **Eigenschaft** *f* quality, property, attribute; **Eigenschaftswort** *nt* adjective; **Eigensinn** *m* obstinacy; **eigensinnig** *adj* obstinate; **eigentlich** 1. *adj* actual, real; 2. *adv* actually, really; **Eigentor** *nt* own goal; **Eigentum** *nt* property; **Eigentümer(in)** *m(f)* <-s, -> owner, proprietor; **eigentümlich** *adj* peculiar; **Eigentümlichkeit** *f* peculiarity; **Eigentumswohnung** *f* owner-occupied flat *Brit,* condominium *US.*

eignen *vr:* **sich ~** be suited; **Eignung** *f* suitability.

Eilbote *m* courier; **per ~n** express; **Eilbrief** *m* express letter; **Eile** *f* <-> haste; **es hat keine ~** there's no hurry; **eilen** *vi* (*Mensch*) hurry; (*dringend sein*) be urgent; **eilends** *adv* hastily; **eilfertig** *adj* eager, solicitous; **Eilgut** *nt* express goods *pl,* fast freight *US;* **eilig** *adj* hasty, hurried; (*dringlich*) urgent; **es ~ haben** be in a hurry; **Eilzug** *m* semi-fast train, limited stop train.

Eimer *m* <-s, -> bucket, pail.

ein(e) 1. *num* one; 2. *art* a, an; 3. *adv:* **nicht ~ noch aus wissen** not know what to do.

einander *pron* one another, each other.

einarbeiten *vr:* **sich ~** familiarize oneself (*in +akk* with).

einarmig *adj* one-armed.

einatmen *vt, vi* inhale, breathe in.

einäugig *adj* one-eyed.

Einbahnstraße *f* one-way street.

Einband *m* <Einbände *pl*> binding, cover.

einbändig *adj* one-volume.

einbauen *vt* build in; (*Motor*) install, fit; **Einbauküche** *f* fitted kitchen; **Einbaumöbel** *pl* built-in furniture.

einberufen *irr vt* convene; (MIL) call up; **Einberufung** *f* convocation; call-up.

einbetten *vt* embed.

Einbettzimmer *nt* single room.

einbeziehen *irr vt* include.

einbiegen *irr vi* turn.

einbilden *vt:* **sich** *dat* **etw ~** imagine sth; **Einbildung** *f* imagination; (*Dünkel*) conceit; **Einbildungskraft** *f* imagination.

einbinden *irr vt* (*Buch*) bind; (*einbeziehen*) integrate; **Einbindung** *f* (*fig*) integration.

einblenden *vt* fade in.

Einblick *m* insight.

einbrechen *irr vi* (*in Haus*) break in; (*in Land etc*) invade (*in ein Land* a country); (*Nacht*) fall; (*Winter*) set in; (*durchbrechen*) break; **Einbrecher(in)** *m(f)* <-s, -> burglar.

einbringen *irr* **1.** *vt* bring in; (*Geld, Vorteil*) yield; (*Gesetzesantrag*) introduce; (*mitbringen*) contribute; (*fig: integrieren*) integrate; **2.** *vr:* **sich ~** commit oneself; **jdm etw ~** bring sb sth; **das bringt nichts ein** it's not worth it.

Einbruch *m* (*Haus~*) break-in, burglary; (*Eindringen*) invasion; (*des Winters*) onset; (*Durchbrechen*) break; (METEO) approach; (MIL) penetration; **bei ~ der Nacht** at nightfall; **einbruchssicher** *adj* burglar-proof.

einbürgern **1.** *vt* naturalize; **2.** *vr:* **sich ~** become adopted; **das hat sich so eingebürgert** that's become a custom.

Einbuße *f* loss, forfeiture.

einbüßen *vt* lose, forfeit.

einchecken *vt* check in.

eindecken *vr:* **sich ~** lay in stocks (*mit* of).

eindeutig *adj* unequivocal.

eindringen *irr vi* force one's way in (*in +akk* into); (*in Haus*) break in (*in +akk* into); (*in Land*) invade (*in ein Land* a country); (*Gas, Wasser*) penetrate (*in etw* sth); (*mit Bitten*) pester (*auf jdn* sb); **eindringlich** *adj* forcible, urgent; **Eindringling** *m* intruder.

Eindruck *m* <Eindrücke *pl*> impression; **eindrucksvoll** *adj* impressive.

eine(r, s) *pron* one; (*jemand*) someone.

eineiig *adj* (*Zwillinge*) identical.

eineinhalb *num* one and a half.

Einelternfamilie *f* single parent family.

einengen *vt* confine, restrict.

einerlei *adj inv* (*gleichartig*) the same kind of; **es ist mir ~** it is all the same to me; **Einerlei** *nt* <-s> sameness; **einerseits** *adv* on one hand.

einfach **1.** *adj* (*nicht kompliziert*) simple; (*Mensch*) ordinary; (*Essen*) plain; (*nicht mehrfach*) single; **2.** *adv* simply; (*nicht mehrfach*) once; **~e Fahrkarte** one-way ticket, single ticket *Brit;* **Einfachheit** *f* simplicity.

einfädeln *vt* (*Nadel*) thread; (*fig*) contrive.

einfahren *irr* **1.** *vt* bring in; (*Barriere*) knock down; (*Auto*) run in; **2.** *vi* drive in; (*Zug*) pull in; (MIN) go down; **Einfahrt** *f* (*Vorgang*) driving in; pulling in; (MIN) descent; (*Ort*) entrance.

Einfall *m* (*Idee*) idea, notion; (*Licht~*) incidence; (MIL) raid; **einfallen** *irr vi* (*Licht*) fall; (MIL) raid; (*einstimmen*) join in (*in +akk* with); (*einstürzen*) fall in, collapse; **etw fällt jdm ein** sth occurs to sb; **das fällt mir gar nicht ein** I wouldn't dream of it; **sich** *dat* **etw ~ lassen** have a good idea; **einfallsreich** *adj* imaginative.

einfältig *adj* simple[-minded].

Einfamilienhaus *nt* detached house.

einfangen *irr vt* catch.

einfarbig *adj* all one colour; (*Stoff etc*) self-coloured.

einfassen *vt* set; (*Stoff*) edge, border; **Einfassung** *f* setting.

einfetten *vt* grease.

einfinden *irr vr:* **sich ~** come, turn up.

einfliegen *irr vt* fly in.

einfließen *irr vi* flow in.

einflößen *vt:* **jdm etw ~** give sb sth; (*fig*) instil sth in sb.

Einfluss[RR] *m* influence; **Einflussbereich**[RR] *m* sphere of influence; **einflussreich**[RR] *adj* influential.

einförmig *adj* uniform; **Einförmigkeit** *f* uniformity.

einfrieren *irr vt, vi* freeze.

einfügen *vt* fit in; (*zusätzlich*) add; (INFORM) insert.

Einfühlungsvermögen *nt* ability to empathize.

Einfuhr *f* <-> import; **Einfuhrartikel** *m* imported article.

einführen *vt* bring in; (*Mensch, Sitten*) introduce; (*Ware*) import; **Einführung** *f* introduction; **Einführungspreis** *m* introductory price.

Eingabe *f* petition; (*Daten~*) input; **Eingabetaste** *f* (INFORM) return [*o* enter] key.

Eingang *m* entrance; (WIRTS: *Ankunft*) arrival; (*Sendung*) post; **eingangs** *adv, präp +gen* at the outset [of]; **Eingangsbestätigung** *f* acknowledgement of receipt; **Eingangshalle** *f* entrance hall.

eingeben *irr vt* (*Arznei*) give; (*Daten etc*) enter, key in; (*Gedanken*) inspire.

eingebildet *adj* imaginary; (*eitel*) conceited.

Eingeborene(r) *mf* native.

Eingebung *f* inspiration.

eingedenk *präp +gen* bearing in mind.

eingefallen *adj* (*Gesicht*) gaunt.

eingefleischt *adj* inveterate; **~er Junggeselle** confirmed bachelor.

eingehen *irr* **1.** *vi* (*Aufnahme finden*) come in; (*verständlich sein*) be comprehensible (*jdm* to sb); (*Sendung, Geld*) be received; (*Tier*) die; (*Firma*) fold; (*schrumpfen*) shrink; **2.** *vt* enter into; (*Wette*) make; **auf etw** *akk* ~ go into sth; **auf jdn** ~ respond to sb; **eingehend** *adj* exhaustive, thorough.

Eingemachte(s) *nt* bottled fruit and vegetables *pl;* (*Marmelade*) preserves *pl;* **ans ~ gehen** make inroads into one's reserves.

eingemeinden *vt* incorporate.

eingenommen *adj* fond (*von* of), partial (*von* to); (*gegen*) prejudiced.

eingeschrieben *adj* registered.

eingespielt *adj:* **aufeinander ~ sein** be in tune with each other.

Eingeständnis *nt* admission, confession.

eingestehen *irr vt* confess.

eingetragen *adj* (WIRTS) registered.

Eingeweide *pl* innards *pl.*

Eingeweihte(r) *mf* initiate.

eingewöhnen *vt* accustom.

eingießen *irr vt* pour [out].

eingleisig *adj* single-track.

eingraben *irr* **1.** *vt* dig in; **2.** *vr:* **sich** ~ dig oneself in.

eingreifen *irr vi* intervene, interfere; (*Zahnrad*) mesh; **Eingriff** *m* intervention, interference; (*Operation*) operation.

einhaken 1. *vt* hook in; **2.** *vr:* **sich bei jdm** ~ link arms with sb; **3.** *vi* (*sich einmischen*) intervene.

Einhalt *m:* ~ **gebieten** *+dat* put a stop to; **einhalten** *irr* **1.** *vt* (*Regel*) keep; **2.** *vi* stop.

einhändig *adj* one-handed.

einhängen *vt* hang; (*Telefon*) hang up; **sich bei jdm** ~ link arms with sb.

einheimisch *adj* native.

Einheimische(r) *mf* <-n, -n> local.

Einheit *f* unity; (*Maß,* MIL) unit; **einheitlich** *adj* uniform; **Einheitspreis** *m* standard price.

einhellig *adj, adv* unanimous.

einholen 1. *vt* (*Tau*) haul in; (*Fahne, Segel*) lower; (*Vorsprung aufholen*) catch up with; (*Verspätung*) make up; (*Rat, Erlaubnis*) ask; **2.** *vi* (*einkaufen*) buy, shop.

Einhorn *nt* unicorn.

einhundert *num* one hundred.

einig *adj* (*vereint*) united; **sich** *dat* ~ **sein** be in agreement; ~ **werden** agree.

einige *pron pl* some; (*mehrere*) several; **einige(r, s)** *adj* some; **einigemal** *adv* a few times.

einigen 1. *vt* unite; **2.** *vr:* **sich** ~ agree (*auf +akk* on).

einigermaßen *adv* somewhat; (*leidlich*) reasonably.

einiges *pron* something; (*ziemlich viel*) quite some, quite a bit.

Einigkeit *f* unity; (*Übereinstimmung*) agreement; **Einigung** *f* agreement; (*Vereinigung*) unification.

einjährig *adj* (*1 Jahr alt*) one-year-old; (*1 Jahr dauernd*) one-year; (*Pflanze*) annual.

einkalkulieren *vt* take into account, allow for.

Einkauf *m* purchase; **einkaufen 1.** *vt* buy; **2.** *vi* go shopping; **Einkaufsbummel** *m* shopping spree; **Einkaufsgutschein** *m* shopping voucher; **Einkaufsnetz** *nt* string bag; **Einkaufspreis** *m* cost price; **Einkaufswagen** *m* [shopping] trolley; **Einkaufszentrum** *nt* shopping centre.

einkerben *vt* notch.

einklammern *vt* put in brackets, bracket.

Einklang *m* harmony.

einkleiden *vt* clothe; (*fig*) express.

einklemmen *vt* jam.

einknicken 1. *vt* bend in; (*Papier*) fold; **2.** *vi* give way.

einkochen *vt* boil down; (*Obst*) preserve, bottle.

Einkommen *nt* <-s, -> income; **einkommensschwach** *adj* low-income; **Einkommensteuer** *f* income tax.

einkreisen *vt* encircle.

Einkünfte *pl* income, revenue.

einladen *irr vt* (*jdn*) invite; (*Gegenstände*) load; **jdn ins Kino** ~ take sb to the cinema; **Einladung** *f* invitation.

Einlage *f* (*Programm~*) interlude; (*Spar~*) deposit; (*Schuh~*) insole; (*Fußstütze*) support; (*Zahn~*) temporary filling; (GASTR) *vegetables etc added to clear soup.*

einlagern *vt* store.

Einlass[RR] *m* <-es, Einlässe> admission.

einlassen *irr* **1.** *vt* let in; (*einsetzen*) set in; **2.** *vr:* **sich mit jdm/auf etw** *akk* ~ get involved with sb/sth.

Einlauf *m* arrival; (*von Pferden*) finish; (MED) enema; **einlaufen** *irr* **1.** *vi* arrive, come in; (*in Hafen*) enter; (SPORT) finish; (*Wasser*) run in; (*Stoff*) shrink; **2.** *vt* (*Schuhe*) break in; **3.** *vr:* **sich** ~ (SPORT) warm up; (*Motor, Maschine*) run in; **jdm das Haus** ~ invade sb's house.

einleben *vr:* **sich** ~ settle down.

Einlegearbeit *f* inlay; **einlegen** *vt* (*ein-*

fügen: Blatt, Sohle) insert; (GASTR) pickle; (*in Holz etc*) inlay; (*Pause*) have; (*Protest*) make; (*Veto*) use; (*Berufung*) lodge; **ein gutes Wort bei jdm** ~ put in a good word with sb; **Einlegesohle** *f* insole.

einleiten *vt* introduce, start; (*Geburt*) induce; **Einleitung** *f* introduction; induction.

einleuchten *vi* be clear [*o* evident] (*jdm* to sb); **einleuchtend** *adj* clear.

einliefern *vt* take (*in +akk* into).

einlösen *vt* (*Scheck*) cash; (*Schuldschein, Pfand*) redeem; (*Versprechen*) keep.

einmachen *vt* preserve.

einmal *adv* (*früher*) once; (*erstens*) first; (*in Zukunft*) some day; **nehmen wir ~ an** just let's suppose; **noch** ~ once more; **nicht** ~ not even; **auf** ~ all at once; **es war** ~ once upon a time there was/were; **Einmaleins** *nt* multiplication tables *pl;* **einmalig** *adj* unique; (*einmal geschehend*) single; (*prima*) fantastic.

Einmannbetrieb *m* one-man business; **Einmannbus** *m* one-man-operated bus.

Einmarsch *m* entry; (MIL) invasion; **einmarschieren** *vi* march in.

einmischen *vr:* **sich** ~ interfere (*in +akk* with).

einmünden *vi* run (*in +akk* into), join (*in etw akk* sth).

einmütig *adj* unanimous.

Einnahme *f* <-, -n> (*Geld*) takings *pl;* (*von Medizin*) taking; (MIL) capture, taking; **Einnahmequelle** *f* source of income.

einnehmen *irr vt* take; (*Stellung, Raum*) take up; ~ **für/gegen** persuade in favour of/against; **einnehmend** *adj* charming.

einnicken *vi* nod off.

einnisten *vr:* **sich bei jdm** ~ park oneself on sb.

Einöde *f* desert, wilderness.

einordnen 1. *vt* arrange, fit in; **2.** *vr:* **sich** ~ adapt; (AUTO) get into lane.

einpacken *vt* pack [up].

einparken *vt* park.

einpendeln *vr:* **sich** ~ even out.

Einpersonenhaushalt *m* <-(e)s, -e> single-person household.

einpferchen *vt* pen in, coop up.

einpflanzen *vt* plant; (MED) implant.

einplanen *vt* plan for.

einprägen *vt* impress, imprint; (*beibringen*) impress (*jdm* on sb); **sich** *dat* **etw** ~ memorize sth; **einprägsam** *adj* easy to remember; (*Melodie*) catchy.

einrahmen *vt* frame.

einrasten *vi* engage.

einräumen *vt* (*ordnend*) put away; (*überlassen: Platz*) give up; (*zugestehen*) admit, concede.

einrechnen *vt* include; (*berücksichtigen*) take into account.

einreden *vt:* **jdm/sich etw** ~ talk sb/oneself into believing sth.

einreiben *irr vt* rub in.

einreichen *vt* hand in; (*Antrag*) submit.

Einreise *f* entry; **Einreisebestimmungen** *pl* entry regulations *pl;* **Einreiseerlaubnis** *f,* **Einreisegenehmigung** *f* entry permit; **einreisen** *vi* enter (*in ein Land* a country).

einreißen *irr* **1.** *vt* (*Papier*) tear; (*Gebäude*) pull down; **2.** *vi* tear; (*Gewohnheit werden*) catch on.

einrichten 1. *vt* (*Haus*) furnish; (*schaffen*) establish, set up; (*arrangieren*) arrange; (*möglich machen*) manage; **2.** *vr:* **sich** ~ (*in Haus*) furnish one's house; (*sich vorbereiten*) prepare oneself (*auf +akk* for); (*sich anpassen*) adapt (*auf +akk* to); **Einrichtung** *f* (*Wohnungs~*) furnishings *pl;* (*öffentliche Anstalt*) organization; (*Dienste*) service; **Einrichtungshaus** *nt* furniture store.

einrosten *vi* get rusty.

einrücken 1. *vi* (*Soldat*) join up; (*in Land*) move in; **2.** *vt* (*Anzeige*) insert; (*Zeile*) indent.

eins *num* one; **es ist mir alles** ~ it's all one to me.

einsalzen *vt* salt.

einsam *adj* lonely, solitary; **Einsamkeit** *f* loneliness, solitude.

einsammeln *vt* collect.

Einsatz *m* (*Teil*) inset; (*an Kleid*) insertion; (*Tisch*) leaf; (*Verwendung*) use, employment; (*Spiel~*) stake; (*Risiko*) risk; (MIL) operation; (MUS) entry; **Einsätze bitte!** place your bets!; **im** ~ in action; **einsatzbereit** *adj* ready for action.

einschalten 1. *vt* (*einfügen*) insert; (*Pause*) make; (ELEK) switch on; (AUTO: *Gang*) engage; (*Anwalt*) bring in; **2.** *vr:* **sich** ~ (*dazwischentreten*) intervene.

einschärfen *vt* impress (*jdm etw* sth on sb).

einschätzen 1. *vt* estimate, assess; **2.** *vr:* **sich** ~ rate oneself.

einschenken *vt* pour out.

einschicken *vt* send in.

einschieben *irr vt* push in; (*zusätzlich*)

insert.

einschiffen 1. *vt* take on board; 2. *vr:* **sich** ~ embark, go on board.

einschlafen *irr vi* fall asleep, go to sleep; **einschläfernd** *adj* (MED) soporific; (*langweilig*) boring; (*Stimme*) lulling.

Einschlag *m* impact; (AUTO) lock; (*fig: Beimischung*) touch, hint; **einschlagen** *irr* 1. *vt* knock in; (*Fenster*) smash, break; (*Zähne, Schädel*) smash in; (*Steuer*) turn; (*kürzer machen*) take up; (*Ware*) pack, wrap up; (*Weg, Richtung*) take; 2. *vi* hit (*in etw akk* sth, *auf jdn* sb); (*sich einigen*) agree; (*Anklang finden*) work, succeed.

einschlägig *adj* relevant.

einschleichen *irr vr:* **sich** ~ (*in Haus, Fehler*) creep in, steal in; (*in Vertrauen*) worm one's way in.

einschließen *irr* 1. *vt* (*jdn*) lock in; (*Häftling*) lock up; (*Gegenstand*) lock away; (*Bergleute*) cut off; (*umgeben*) surround; (MIL) encircle; (*fig*) include, comprise; 2. *vr:* **sich** ~ lock oneself in; **einschließlich** 1. *adv* inclusive; 2. *präp +gen* inclusive of, including.

einschmeicheln *vr:* **sich** ~ ingratiate oneself (*bei* with).

einschnappen *vi* (*Tür*) click to; (*fig*) be touchy; **eingeschnappt sein** be in a huff.

einschneidend *adj* incisive.

Einschnitt *m* cutting; (MED) incision; (*Ereignis*) turning point.

einschränken 1. *vt* limit, restrict; (*Kosten*) cut down, reduce; 2. *vr:* **sich** ~ cut down [on expenditure]; **einschränkend** *adj* restrictive; **Einschränkung** *f* restriction, limitation; reduction; (*von Behauptung*) qualification.

Einschreib[e]brief *m* recorded delivery letter; **einschreiben** *irr* 1. *vt* write in; (*Post*) send recorded delivery; 2. *vr:* **sich** ~ register; (SCH) enrol; **Einschreiben** *nt* recorded delivery letter; **Einschreib[e]sendung** *f* recorded delivery packet.

einschreiten *irr vi* step in, intervene; ~ **gegen** take action against.

Einschub *m* <-s, Einschübe> insertion.

einschüchtern *vt* intimidate.

einschweißen *vt* (*in Plastik*) shrink-wrap.

einsehen *irr vt* (*Akten*) have a look at; (*verstehen*) see; (*Fehler*) recognize; **das sehe ich nicht ein** I don't see why; **Einsehen** *nt* <-s> understanding; **ein** ~ **haben** show understanding.

einseifen *vt* soap, lather; (*fig*) take in, cheat.

einseitig *adj* one-sided; **Einseitigkeit** *f* one-sidedness.

einsenden *irr vt* send in; **Einsender(in)** *m(f)* sender, contributor; **Einsendung** *f* (*bei Preisausschreiben*) entry.

einsetzen 1. *vt* put [in]; (*in Amt*) appoint, install; (*Geld*) stake; (*verwenden*) use; (MIL) employ; 2. *vi* (*beginnen*) set in; (MUS) enter, come in; 3. *vr:* **sich** ~ work hard; **sich für jdn/etw** ~ support sb/sth.

Einsicht *f* insight; (*in Akten*) look, inspection; **zu der** ~ **kommen, dass ...** come to the conclusion that ...; **einsichtig** *adj* (*Mensch*) reasonable; (*verständnisvoll*) understanding; (*verständlich*) understandable; **Einsichtnahme** *f* <-, -n> examination.

Einsiedler(in) *m(f)* hermit.

einsilbig *adj* (*a. fig*) monosyllabic; **Einsilbigkeit** *f* (*fig*) taciturnity.

einsinken *irr vi* sink in.

Einsitzer *m* <-s, -> single-seater.

einspannen *vt* put [in], insert; (*Pferde*) harness; (*umg: jdn*) rope in.

einspeisen *vt* (*Strom*) feed in; (*Daten, Programm*) enter.

einsperren *vt* lock up.

einspielen 1. *vr:* **sich** ~ (SPORT) warm up; (*Regelung*) work out; 2. *vt* (*Film, Geld*) bring in; (*Instrument*) play in; **sich aufeinander** ~ become attuned to each other; **gut eingespielt** smoothly running.

einspringen *irr vi* (*aushelfen*) help out, step into the breach.

einspritzen *vt* inject; **Einspritzmotor** *m* fuel-injection engine.

Einspruch *m* protest, objection; ~ **gegen etwas erheben** raise an objection to sth; **Einspruchsrecht** *nt* veto.

einspurig *adj* single-line.

einst *adv* once; (*zukünftig*) one [*o* some] day.

Einstand *m* (TENNIS) deuce; (*Antritt*) entrance [to office].

einstecken *vt* stick in, insert; (*Brief*) post; (ELEK: *Stecker*) plug in; (*Geld*) pocket; (*mitnehmen*) take; (*überlegen sein*) outclass, put in the shade; (*hinnehmen*) swallow.

einstehen *irr vi* guarantee (*für jdn/etw* sb/sth); (*verantworten*) answer (*für* for); **einsteigen** *irr vi* get in [*o* on]; (*in Schiff*) go on board; (*sich beteiligen*) get involved, come in; (*hineinklettern*) climb in.

Einsteiger(in) *m(f)* (*umg*) beginner.
einstellbar *adj* adjustable; **einstellen 1.** *vt, vi* (*aufhören*) stop; (*Geräte*) adjust; (*Kamera*) focus; (*Sender, Radio*) tune in; (*unterstellen*) put; (*in Firma*) employ, take on; **2.** *vr:* **sich ~** (*anfangen*) set in; (*kommen*) arrive; **sich auf jdn/etw ~** adapt to sb/prepare oneself for sth; **Einstellung** *f* (*Aufhören*) suspension, cessation; (*von Gerät*) adjustment; (*von Kamera*) focusing; (*von Arbeiter*) appointment, taking on; (*Haltung*) attitude.
Einstieg *f* <-[e]s, -e> entry; (*fig*) approach.
einstig *adj* former.
einstimmen 1. *vi* join in; **2.** *vt* (MUS) tune; (*in Stimmung bringen*) put in the mood.
einstimmig *adj* unanimous; (MUS) for one voice; **Einstimmigkeit** *f* unanimity.
einstmalig *adj* former; **einstmals** *adv* once, formerly.
einstöckig *adj* single-storeyed.
einstudieren *vt* study, rehearse.
einstündig *adj* one-hour.
einstürmen *vi:* **auf jdn ~** rush at sb; (*Eindrücke*) overwhelm sb.
Einsturz *m* collapse; **einstürzen** *vi* fall in, collapse; **Einsturzgefahr** *f* danger of collapse.
einstweilen *adv* meanwhile; (*vorläufig*) temporarily, for the time being; **einstweilig** *adj* temporary.
eintägig *adj* one-day.
eintauchen 1. *vt* immerse, dip in; **2.** *vi* dive.
eintauschen *vt* exchange.
eintausend *num* one thousand.
einteilen *vt* (*in Teile*) divide [up]; (*Menschen*) assign.
einteilig *adj* one-piece.
eintönig *adj* monotonous; **Eintönigkeit** *f* monotony.
Eintopf *m* (*~gericht*) stew.
Eintracht *f* <-> concord, harmony; **einträchtig** *adj* harmonious.
Eintrag *m* <-[e]s, Einträge> entry; **amtlicher ~** entry in the register; **eintragen** *irr* **1.** *vt* (*in Buch*) enter; (*Profit*) yield; **2.** *vr:* **sich ~** put one's name down; **jdm etw ~** bring sb sth; **einträglich** *adj* profitable.
eintreffen *irr vi* happen; (*ankommen*) arrive.
eintreten *irr* **1.** *vi* occur; (*hineingehen*) enter (*in etw akk* sth); (*sich einsetzen*) intercede; (*in Club, Partei*) join (*in etw akk* sth); (*in Stadium etc*) enter; **2.** *vt* (*Tür*) kick open.
Eintritt *m* (*Betreten*) entrance; (*Anfang*) commencement; (*in Club etc*) joining; **Eintrittsgeld** *nt,* **Eintrittskarte** *f* [admission] ticket; **Eintrittspreis** *m* charge for admission.
eintrocknen *vi* dry up.
einüben *vt* practise, drill.
einundzwanzig *num* twenty-one.
einverleiben *vt* incorporate; (*Gebiet*) annex; **sich** *dat* **etw ~** (*fig: geistig*) acquire sth.
Einvernehmen *nt* <-s, -> agreement, understanding.
einverstanden 1. *interj* agreed; **2.** *adj:* **~ sein** agree, be agreed; **Einverständnis** *nt* understanding; (*gleiche Meinung*) agreement.
Einwand *m* <-[e]s, Einwände> objection.
Einwanderer *m* immigrant; **einwandern** *vi* immigrate; **Einwanderung** *f* immigration; **Einwanderungsland** *nt* immigration country.
einwandfrei *adj* perfect, flawless.
Einwand[r]erin *f* immigrant.
einwärts *adv* inwards.
einwecken *vt* bottle, preserve.
Einwegflasche *f* non returnable bottle.
einweichen *vt* soak.
einweihen *vt* (*Kirche*) consecrate; (*Brücke*) open; (*Gebäude*) inaugurate; (*jdn*) initiate (*in + akk* in); **Einweihung** *f* consecration; opening; inauguration; initiation.
einweisen *irr vt* (*in Amt*) install; (*in Arbeit*) introduce; (*in Anstalt*) send; **Einweisung** *f* installation; introduction; sending.
einwenden *irr vt* object, oppose (*gegen* to).
einwerfen *irr vt* throw in; (*Brief*) post; (*Geld*) put in, insert; (*Fenster*) smash; (*äußern*) interpose.
einwickeln *vt* wrap up; (*fig umg*) outsmart.
einwilligen *vi* consent, agree (*in + akk* to); **Einwilligung** *f* consent.
einwirken *vi:* **auf jdn/etw ~** influence sb/sth.
Einwohner(in) *m(f)* <-s, -> inhabitant; **Einwohnermeldeamt** *nt* registration office; **Einwohnerzahl** *f* population.
Einwurf *m* (*Öffnung*) slot; (*Einwand*) objection; (SPORT) throw-in.

E

Einzahl *f* singular.
einzahlen *vt* pay in; **Einzahlung** *f* payment; **Einzahlungsbeleg** *m* counterfoil.
einzäunen *vt* fence in.
einzeichnen *vt* draw in.
Einzel **1.** *nt* <-s, -> (TENNIS) singles *sing;* **2.** *in Zusammensetzungen* individual; single; **Einzelbett** *nt* single bed; **Einzelfahrschein** *m* single ticket *Brit,* one way ticket; **Einzelfall** *m* single instance, individual case; **Einzelgänger(in)** *m(f)* loner; **Einzelhaft** *f* solitary confinement; **Einzelhandel** *m* retail trade; **Einzelheit** *f* particular, detail; **Einzelkind** *nt* only child; **einzeln** **1.** *adj* single; (*vereinzelt*) the odd; **2.** *adv* singly; ~ **angeben** specify; **der/die Einzelne**[RR] the individual; **das Einzelne**[RR] the particular; **ins Einzelne**[RR] **gehen** go into detail[s]; **Einzelteil** *nt* component [part]; **Einzelzimmer** *nt* single room.
einziehen *irr* **1.** *vt* draw in, take in; (*Kopf*) duck; (*Fühler, Antenne, Fahrgestell*) retract; (*Steuern, Erkundigungen*) collect; (MIL) draft, call up; (*aus dem Verkehr ziehen*) withdraw; (*konfiszieren*) confiscate; **2.** *vi* move in[to]; (*Friede, Ruhe*) come; (*Flüssigkeit*) penetrate.
einzig *adj* only; (*ohnegleichen*) unique; **das Einzige**[RR] the only thing; **der/die Einzige**[RR] the only one; **einzigartig** *adj* unique.
Einzug *m* entry, moving in.
Eis *nt* <-es, -> ice; (*Speise~*) ice cream; **Eisbahn** *f* ice [*o* skating] rink; **Eisbär** *m* polar bear; **Eisbecher** *m* sundae; **Eisbein** *nt* pig's trotters *pl;* **Eisberg** *m* iceberg; **Eisblumen** *pl* ice fern; **Eisdecke** *f* sheet of ice; **Eisdiele** *f* ice-cream parlour.
Eisen *nt* <-s, -> iron.
Eisenbahn *f* railway, railroad *US;* **Eisenbahner** *m* <-s, -> railwayman, railway employee, railroader *US;* **Eisenbahnschaffner(in)** *m(f)* railway guard; **Eisenbahnübergang** *m* level crossing, grade crossing *US;* **Eisenbahnwagen** *m* railway carriage.
Eisenerz *nt* iron ore; **eisenhaltig** *adj* containing iron; **Eisenhütte** *f* ironworks, iron foundry.
eisern *adj* iron; (*Gesundheit*) robust; (*Energie*) unrelenting; (*Reserve*) emergency.
eisfrei *adj* clear of ice; **Eishockey** *nt* ice hockey; **eisig** *adj* icy; **eiskalt** *adj* icy cold; **Eiskunstlauf** *m* figure skating; **Eislaufen** *nt* ice skating; **Eisläufer(in)** *m(f)* ice-skater; **Eispickel** *m* ice-axe; **Eisschießen** *nt* curling; **Eisschrank** *m* fridge, ice-box *US;* **Eiszapfen** *m* icicle; **Eiszeit** *f* ice age.
eitel *adj* vain; **Eitelkeit** *f* vanity.
Eiter *m* <-s> pus; **eiterig** *adj* suppurating; **eitern** *vi* suppurate.
Eiweiß *nt* <-es, -e> white of an egg; (CHEM, BIO) protein; **eiweißreich** *adj* high-protein; **Eizelle** *f* ovum.
Ekel **1.** *m* <-s> nausea, disgust; **2.** *nt* <-s, -> (*umg: Mensch*) nauseating person; ~ **erregend**[RR] nauseating, disgusting; **ekelhaft, ek[e]lig** *adj* nauseating, disgusting; **ekeln** **1.** *vt* disgust; **2.** *vr:* **sich** ~ loathe, be disgusted (*vor+dat* at); **es ekelt jdn** [*o* **jdm**] sb is disgusted.
EKG *nt abk von* Elektrokardiogramm ECG.
Ekstase *f* <-, -n> ecstasy.
Ekzem *nt* <-s, -e> (MED) eczema.
Elan *m* <-s> zest, vigour.
elastisch *adj* elastic; **Elastizität** *f* elasticity.
Elch *m* <-[e]s, -e> moose.
Elefant *m* elephant.
elegant *adj* elegant; **Eleganz** *f* elegance.
Elektrifizierung *f* electrification; **Elektriker(in)** *m(f)* <-s, -> electrician; **elektrisch** *adj* electric; **elektrisieren** **1.** *vt* (*a. fig*) electrify; (*jdn*) give an electric shock to; **2.** *vr:* **sich** ~ get an electric shock; **Elektrizität** *f* electricity; **Elektrizitätsversorgung** *f* [electric] power supply; **Elektrizitätswerk** *nt* [electric] power station.
Elektroauto *nt* electric car; **Elektrode** *f* <-, -n> electrode; **Elektroherd** *m* electric cooker; **Elektroingenieur(in)** *m(f)* electrical engineer; **Elektrolyse** *f* <-, -n> electrolysis; **Elektromotor** *m* electric motor; **Elektron** *nt* <-s, -en> electron; **Elektronen[ge]hirn** *nt* electronic brain; **Elektronenmikroskop** *nt* electron microscope; **Elektronik** *f* electronics; **Elektronikschrott** *m* electronic scrap; **elektronisch** *adj* electronic; **~er Zahlungsverkehr** EFT, electronic funds transfer; **Elektrorasierer** *m* <-s, -> electric razor; **Elektrosmog** *m* electronic smog; **Elektrotechnik** *f* electrical engineering.
Element *nt* <-s, -e> element; (ELEK) cell,

battery; **elementar** *adj* elementary; (*naturhaft*) elemental.

elend *adj* miserable; **Elend** *nt* <-[e]s> misery; **elendiglich** *adv* miserably; **Elendsviertel** *nt* slum.

elf *num* eleven; **Elf** *f* <-, -en> (SPORT) eleven.

Elfe *f* <-, -n> elf.

Elfenbein *nt* ivory.

Elfmeter *m* (SPORT) penalty [kick].

eliminieren *vt* eliminate.

Elite *f* <-, -n> elite.

Elixier *nt* <-s, -e> elixir.

Elle *f* <-, -n> ell; (*Maß*) yard; **Ell[en]bogen** *m* elbow.

Ellipse *f* <-, -n> ellipse.

Elsass *nt* Alsace.

Elster *f* <-, -n> magpie.

elterlich *adj* parental; **Eltern** *pl* parents *pl;* **Elternhaus** *nt* home; **elternlos** *adj* parentless.

E-Mail *nt* E-mail, email.

Email *nt* <-s, -s> enamel; **emaillieren** *vt* enamel.

Emanze *f* <-, -n> (*umg*) women's libber.

Emanzipation *f* emancipation.

emanzipieren *vt* emancipate.

Embargo *nt* <-s, -s> embargo.

Embryo *m* <-s, -s *o* -nen> embryo.

Emigrant(in) *m(f)* emigrant; **Emigration** *f* emigration; **emigrieren** *vi* emigrate.

emotional *adj* emotional.

empfahl *imperf von* **empfehlen**.

empfand *imperf von* **empfinden**.

Empfang *m* <-[e]s, Empfänge> reception; (*Erhalten*) receipt; **in ~ nehmen** receive; **empfangen** <empfing, empfangen> **1.** *vt* receive; **2.** *vi* (*schwanger werden*) conceive; **Empfänger(in)** *m(f)* <-s, -> receiver; (WIRTS) addressee, consignee; **empfänglich** *adj* receptive, susceptible; **Empfängnis** *f* conception; **Empfängnisverhütung** *f* contraception; **Empfangsbestätigung** *f* acknowledgement; **Empfangsdame** *f* receptionist; **Empfangsschein** *m* receipt.

empfehlen <empfahl, empfohlen> **1.** *vt* recommend; **2.** *vr:* **sich ~** take one's leave; **empfehlenswert** *adj* recommendable; **Empfehlung** *f* recommendation; **Empfehlungsschreiben** *nt* letter of recommendation.

empfinden <empfand, empfunden> *vt* feel; **empfindlich** *adj* sensitive; (*Stelle*) sore; (*reizbar*) touchy; (*Strafe*) severe; **Empfindlichkeit** *f* sensitiveness; (*Reizbarkeit*) touchiness; **empfindsam** *adj* sentimental; **Empfindung** *f* feeling, sentiment; **empfindungslos** *adj* unfeeling, insensitive.

empfing *imperf von* **empfangen**.

empfohlen *pp von* **empfehlen**.

empfunden *pp von* **empfinden**.

empor *adv* up, upwards.

empören **1.** *vt* make indignant; shock; **2.** *vr:* **sich ~** become indignant; **empörend** *adj* outrageous.

emporkommen *irr vi* rise; succeed; **Emporkömmling** *m* upstart, parvenu.

Empörung *f* indignation.

emsig *adj* diligent, busy.

End- *in Zusammensetzungen* final; **Endauswertung** *f* final analysis; **Endbahnhof** *m* terminus; **Ende** *nt* <-s, -n> end; **am ~** at the end; (*schließlich*) in the end; **am ~ sein** be at the end of one's tether; **~ Dezember** at the end of December; **zu ~ sein** be finished; **enden** *vi* end; **Endgerät** *nt* (INFORM) terminal [equipment]; **endgültig** *adj* final, definite.

Endivie *f* endive.

Endlager *nt* final depot, permanent storage depot; **endlagern** *vt* put into permanent storage; **Endlagerung** *f* permanent [*o* final] storage.

endlich **1.** *adj* final; (MATH) finite; **2.** *adv* finally; **~!** at last!

endlos *adj* endless, infinite; **Endlospapier** *nt* (INFORM) continuous form [*o* stationary]; **Endspiel** *nt* final[s]; **Endspurt** *m* (SPORT) final spurt; **Endstation** *m* terminus; **Endsumme** *f* total.

Endung *f* ending.

Energie *f* energy; **energiegeladen** *adj* energetic dynamic; **energielos** *adj* lacking in energy, weak; **energiesparend** *adj* energy-saving; **Energieträger** *m* energy source; **Energiewirtschaft** *f* energy industry.

energisch *adj* energetic.

eng *adj* narrow; (*Kleidung*) tight; (*fig: Horizont a.*) limited; (*Freundschaft, Verhältnis*) close; **~ an etw** *dat* close to sth; **etw ~ sehen** (*umg*) see sth narrowly.

Engagement *nt* <-s, -s> engagement; (*Verpflichtung*) commitment.

engagieren **1.** *vt* engage; **2.** *vr:* **sich ~** commit oneself; **ein engagierter Schriftsteller** a committed writer.

Enge *f* <-, -n> narrowness; (*Land~*) defile; (*Meer~*) straits *pl;* **jdn in die ~ treiben**

drive sb into a corner.

Engel *m* <-s, -> angel; **engelhaft** *adj* angelic; **Engelmacher(in)** *m(f)* <-s, -> (*umg*) backstreet abortionist.

engherzig *adj* petty.

England *nt* England; **in** ~ in England; **nach** ~ **fahren** go to England; **Engländer(in)** *m(f)* <-s, -> Englishman/-woman; **die** ~ *pl* the English *pl;* **englisch** *adj* English; **Englisch** *nt* English; ~ **lernen** learn English; **auf** ~[RR] in English; **ins ~e übersetzen** translate into English.

Engpass[RR] *m* defile, pass; (*fig*) bottleneck.

en gros *adv* wholesale.

engstirnig *adj* narrow-minded.

Enkel(in) *m(f)* <-s, -> grandson/-daughter; **Enkelkind** *nt* grandchild.

en masse *adv* en masse.

enorm *adj* enormous.

Ensemble *nt* <-s, -s> company, ensemble.

entarten *vi* degenerate.

entbehren *vt* do without, dispense with; **entbehrlich** *adj* superfluous; **Entbehrung** *f* privation.

entbinden *irr* **1.** *vt* release (*gen* from); (MED) deliver; **2.** *vi* (MED) give birth; **Entbindung** *f* release; (MED) confinement; **Entbindungsheim** *nt* maternity hospital.

entblößen *vt* denude, uncover; (*berauben*) deprive (*gen* of).

Entbürokratisierung *f* cutting red tape.

entdecken *vt* discover; **jdm etw** ~ disclose sth to sb; **Entdecker(in)** *m(f)* <-s, -> discoverer; **Entdeckung** *f* discovery.

Ente *f* <-, -n> duck; (*fig*) canard, false report.

entehren *vt* dishonour, disgrace.

enteignen *vt* expropriate; (*Besitzer*) dispossess; **Enteignung** *f* expropriation.

enteisen *vt* de-ice, defrost.

enterben *vt* disinherit.

entfachen *vt* kindle.

entfallen *irr vi* drop, fall; (*wegfallen*) be dropped; (*Gebühr*) not apply; **jdm** ~ (*vergessen*) slip sb's memory; **auf jdn** ~ be allotted to sb.

entfalten **1.** *vt* unfold; (*Talente*) develop; **2.** *vr:* **sich** ~ open; (*Mensch*) develop one's potential.

entfernen **1.** *vt* remove; (*hinauswerfen*) expel; **2.** *vr:* **sich** ~ go away, retire, withdraw; **entfernt** *adj* distant; **weit davon ~ sein etw zu tun** be far from doing sth; **Entfernung** *f* distance; (*Wegschaffen*) removal; **Entfernungsmesser** *m* <-s, -> (FOTO) rangefinder.

entfesseln *vt* (*fig*) arouse.

entfetten *vt* take the fat from.

entfremden *vt* estrange, alienate; **Entfremdung** *f* alienation, estrangement.

entfrosten *vt* defrost; **Entfroster** *m* <-s, -> (AUTO) defroster.

entführen *vt* carry off, abduct; kidnap; **Entführer(in)** *m(f)* kidnapper; **Entführung** *f* abduction; kidnapping.

entgegen **1.** *präp* +*dat* contrary to, against; **2.** *adv* towards; **entgegenbringen** *irr vt* bring; (*fig*) show (*jdm etw* sb sth); **entgegengehen** *irr vi* +*dat* go to meet, go towards; **entgegengesetzt** *adj* opposite; (*widersprechend*) opposed; **entgegenhalten** *irr vt* (*fig*) object; **entgegenkommen** *irr vi* approach; meet (*jdm* sb); (*fig*) accommodate (*jdm* sb); **Entgegenkommen** *nt* obligingness; **entgegenkommend** *adj* obliging; **entgegennehmen** *irr vt* receive, accept; **entgegensehen** *irr vi* +*dat* await; **entgegentreten** *irr vi* +*dat* step up to; (*fig*) oppose, counter; **entgegenwirken** *vi* +*dat* counteract.

entgegnen *vt* reply, retort; **Entgegnung** *f* reply, retort.

entgehen *irr vi* (*fig*) escape sb's notice; **sich** *dat* **etw** ~ **lassen** miss sth.

entgeistert *adj* thunderstruck, dumbfounded.

Entgelt *nt* <-[e]s, -e> compensation, remuneration; **entgelten** *irr vt:* **jdm etw** ~ repay sb for sth.

entgleisen *vi* (EISENB) be derailed; (*fig: Mensch*) misbehave; ~ **lassen** derail; **Entgleisung** *f* derailment; (*fig*) faux pas, gaffe.

entgleiten *irr vi* slip (*jdm* from sb's hand).

entgräten *vt* fillet, bone.

Enthaarungsmittel *nt* depilatory.

enthalten *irr* **1.** *vt* contain; **2.** *vr:* **sich** ~ abstain, refrain (*gen* from); **enthaltsam** *adj* abstinent, abstemious; **Enthaltsamkeit** *f* abstinence; **Enthaltung** *f* abstention.

enthemmen *vt:* **jdn** ~ free sb from his inhibitions.

enthüllen *vt* reveal, unveil; **Enthüllung** *f* revelation, disclosure.

Enthusiasmus *m* enthusiasm; **enthusiastisch** *adj* enthusiastic.

entkernen *vt* stone; core.

entkoffeiniert *adj* decaffeinated.

entkommen *irr vi* get away, escape (*dat* from).
entkorken *vt* uncork.
entkräften *vt* weaken, exhaust; (*Argument*) refute.
entladen *irr* **1.** *vt* unload; (ELEK) discharge; **2.** *vr:* **sich ~** (*Gewehr,* ELEK) discharge; (*Ärger etc*) vent itself.
entlang *präp +akk o dat:* **~ dem Fluss, den Fluss ~** along the river; **entlanggehen** *irr vi* walk along.
entlarven *vt* unmask, expose.
entlassen *irr vt* discharge; (*Arbeiter*) dismiss; **Entlassung** *f* discharge; dismissal.
entlasten *vt* relieve; (*Achse*) relieve the load on; (*Angeklagte*) exonerate; (*Konto*) clear; **Entlastung** *f* relief; (WIRTS) crediting; **Entlastungszeuge** *m,* **Entlastungszeugin** *f* defence witness.
entledigen *vr:* **sich jds/einer Sache ~** rid oneself of sb/sth.
entlegen *adj* remote.
entlocken *vt* elicit (*jdm etw* sth from sb).
entlüften *vt* ventilate.
entmachten *vt* deprive of power.
entmenscht *adj* inhuman, bestial.
entmilitarisiert *adj* demilitarized.
entmündigen *vt* certify.
entmutigen *vt* discourage.
Entnahme *f* <-, -n> removal, withdrawal.
entnehmen *irr vt* take out (*dat* of), take (*dat* from); (*folgern*) infer (*dat* from).
entpuppen *vr:* **sich ~** (*fig*) reveal oneself, turn out (*als* to be).
entrahmen *vt* skim.
entreißen *irr vt* snatch [away] (*jdm etw* sth from sb).
entrichten *vt* pay.
entrosten *vt* derust.
entrüsten **1.** *vt* incense, outrage; **2.** *vr:* **sich ~** be filled with indignation; **entrüstet** *adj* indignant, outraged; **Entrüstung** *f* indignation.
entsagen *vi* renounce (*einer Sache dat* sth).
entschädigen *vt* compensate; **Entschädigung** *f* compensation.
entschärfen *vt* defuse; (*Kritik*) tone down.
Entscheid *m* <-[e]s, -e> decision; **entscheiden** *irr vt, vi, vr:* **sich ~** decide; **entscheidend** *adj* decisive; (*Stimme*) casting; (*Frage, Problem*) crucial; **Entscheidung** *f* decision; **Entscheidungsspiel** *nt* play-off; **Entscheidungsträger(in)** *m(f)* decision-maker.
entschieden *adj* decided; (*entschlossen*) resolute; **Entschiedenheit** *f* firmness, determination.
entschlacken *vt* (MED) purify.
entschließen *irr vr:* **sich ~** decide.
entschlossen *adj* determined, resolute; **Entschlossenheit** *f* determination.
Entschluss[RR] *m* decision; **entschlussfreudig**[RR] *adj* decisive; **Entschlusskraft**[RR] *f* determination, decisiveness.
entschuldbar *adj* excusable; **entschuldigen** **1.** *vt* excuse; **2.** *vr:* **sich ~** apologize; **Entschuldigung** *f* apology; (*Grund*) excuse; **jdn um ~ bitten** apologize to sb; **~!** excuse me; (*Verzeihung*) sorry.
Entschwefelung *f* desulphurization; **Entschwefelungsanlage** *f* desulphurization plant.
entsetzen **1.** *vt* horrify; **2.** *vr:* **sich ~** be horrified [*o* appalled]; **Entsetzen** *nt* <-s> horror, dismay; **entsetzlich** *adj* dreadful, appalling; **entsetzt** *adj* horrified.
entsichern *vt* release the safety catch of.
entsinnen *irr vr:* **sich ~** remember (*einer Sache gen* sth).
entsorgen *vt:* **eine Stadt ~** dispose of a town's refuse and sewage; **Entsorger** *m* waste remover; **Entsorgung** *f* waste disposal.
entspannen *vt, vr:* **sich ~** (*Körper*) relax; (POL: *Lage*) ease; **Entspannung** *f* relaxation, rest; (POL) détente; **Entspannungspolitik** *f* policy of détente; **Entspannungsübungen** *pl* relaxation exercises *pl.*
entsprechen *irr vi +dat* correspond to; (*Anforderungen, Wünschen*) meet, comply with; **entsprechend** **1.** *adj* appropriate; **2.** *adv* accordingly.
entspringen *irr vi* spring (*dat* from).
entstehen *irr vi* arise, result; **Entstehung** *f* genesis, origin.
entstellen *vt* disfigure; (*Wahrheit*) distort.
Entstickungsanlage *f* denitration plant.
entstören *vt* (RADIO) eliminate interference from; (AUTO) suppress.
enttäuschen *vt* disappoint; **Enttäuschung** *f* disappointment.
entwaffnen *vt* (*a. fig*) disarm.
Entwarnung *f* all clear [signal].
entwässern *vt* drain; **Entwässerung** *f* drainage.
entweder *konj* either.
entweichen *irr vi* escape.
entweihen *vt* desecrate.

entwenden *irr vt* purloin, steal.

entwerfen *irr vt* (*Möbel*) design; (*Schreiben*) draft.

entwerten *vt* devalue; (*stempeln*) cancel; **Entwerter** *m* <-s, -> ticket[-cancelling] machine.

entwickeln *vt, vr:* **sich** ~ (*a.* FOTO) develop; (*Mut, Energie*) show, display; **Entwickler** *m* <-s, -> developer; **Entwicklung** *f* development; (FOTO) developing; **Entwicklungsdienst** *m* voluntary service overseas *Brit,* Peace Corps *US;* **Entwicklungshelfer(in)** *m(f)* development worker; **Entwicklungshilfe** *f* aid for developing countries; **Entwicklungsjahre** *pl* adolescence; **Entwicklungsland** *nt* developing country.

entwirren *vt* disentangle.

entwischen *vi* escape.

entwöhnen *vt* wean; (*Süchtige*) cure (*dat* of); **Entwöhnung** *f* weaning; cure, curing.

entwürdigend *adj* degrading.

Entwurf *m* outline, design; (*Vertrags~, Konzept*) draft.

entwurzeln *vt* uproot.

entziehen *irr* **1.** *vt* withdraw, take away (*dat* from); (*Flüssigkeit*) draw, extract; **2.** *vr:* **sich** ~ escape (*einer Sache dat* from); (*jds Kenntnis*) be outside; (*der Pflicht*) shirk; **Entziehungskur** *f* withdrawal programme.

entziffern *vt* decipher; decode.

entzücken *vt* delight; **Entzücken** *nt* <-s> delight; **entzückend** *adj* delightful, charming.

Entzug *m* withdrawal; (*Behandlung*) cure for drug addiction/alcoholism; **Entzugserscheinung** *f* withdrawal symptom.

entzünden **1.** *vt* light, set light to; (*fig*) inflame; (*Streit*) spark off; **2.** *vr:* **sich** ~ catch fire; (*Streit*) start; (MED) become inflamed; **Entzündung** *f* (MED) inflammation.

entzwei *adv* broken; in two; **entzweibrechen** *irr vt, vi* break in two; **entzweien** **1.** *vt* set at odds; **2.** *vr:* **sich** ~ fall out; **entzweigehen** *irr vi* break [in two].

Enzian *m* <-s, -e> gentian.

Enzyklopädie *f* encyclopaedia.

Enzym *nt* <-s, -e> enzyme.

Epidemie *f* epidemic; **Epidemiologe** *m* <-n, -n> epidemiologist; **Epidemiologie** *f* epidemiology; **Epidemiologin** *f* epidemiologist; **epidemiologisch** *adj* epidemiological.

Epilepsie *f* epilepsy; **Epileptiker(in)** *m(f)* epileptic.

episch *adj* epic.

Episode *f* <-, -n> episode.

Epoche *f* <-, -n> epoch; ~ **machend**[RR] epoch-making.

Epos *nt* <-s, Epen> epic [poem].

er *pron* he.

erachten *vt:* ~ **für** [*o* **als**] consider [to be]; **meines Erachtens** in my opinion.

erbarmen *vr:* **sich** ~ have pity [*o* mercy] (*gen* on); **Erbarmen** *nt* <-s> pity.

erbärmlich *adj* wretched, pitiful; **Erbärmlichkeit** *f* wretchedness.

erbarmungslos *adj* pitiless, merciless; **erbarmungsvoll** *adj* compassionate; **erbarmungswürdig** *adj* pitiable, wretched.

erbauen *vt* build; (*fig*) edify; **Erbauer(in)** *m(f)* <-s, -> builder; **erbaulich** *adj* edifying; **Erbauung** *f* construction; (*fig*) edification.

Erbe **1.** *m* <-n, -n> heir; **2.** *nt* <-s> inheritance; (*fig*) heritage; **erben** *vt* inherit.

erbeuten *vt* carry off; (MIL) capture.

Erbfaktor *m* gene; **Erbfehler** *m* hereditary defect; **Erbfolge** *f* [line of] succession; **Erbgut** *nt* (BIO) genotype, genetic make-up; **erbgutschädigend** *adj* genetically damaging.

Erbin *f* heiress.

erbittert *adj* (*Kampf*) fierce, bitter.

Erbkrankheit *f* hereditary disease.

erblassen, **erbleichen** *vi* [turn] pale.

erblich *adj* hereditary; **Erbmasse** *f* estate; (BIO) genotype.

erbost *adj:* ~ **sein über** +*akk* be furious at.

erbrechen *irr vt, vr:* **sich** ~ vomit.

Erbrecht *nt* right of succession, hereditary right; law of inheritance; **Erbschaft** *f* inheritance.

Erbse *f* <-, -n> pea.

Erbstück *nt* heirloom; **Erbteil** *nt* inherited trait; [portion of] inheritance.

Erdachse *f* earth's axis; **Erdapfel** *m* (*A*) potato; **Erdbahn** *f* orbit of the earth; **Erdbeben** *nt* earthquake; **Erdbeere** *f* strawberry; **Erdboden** *m* ground, earth; **Erde** *f* <-, -n> earth; **zu ebener** ~ at ground level; **erden** *vt* (ELEK) earth.

erdenklich *adj* conceivable, imaginable; **alles** ~ **Gute** all the very best.

Erdgas *nt* natural gas; **Erdgeschoss**[RR] *nt* ground floor, first floor *US;* **Erdkunde** *f* geography; **Erdnuss**[RR] *f* peanut; **Erd-**

oberfläche *f* surface of the earth; **Erdöl** *nt* [mineral] oil.

erdreisten *vr:* **sich ~** dare, have the audacity [to do sth].

erdrosseln *vt* strangle, throttle.

erdrücken *vt* crush.

Erdrutsch *m* landslide; **Erdteil** *m* continent.

erdulden *vt* endure, suffer.

ereifern *vr:* **sich ~** get excited.

ereignen *vr:* **sich ~** happen; **Ereignis** *nt* event; **ereignisreich** *adj* eventful.

erfahren 1. *irr vt* learn, find out; (*erleben*) experience; **2.** *adj* experienced; **Erfahrung** *f* experience; **erfahrungsgemäß** *adv* according to my/our experience.

erfassen *vt* seize; (INFORM) capture; (*fig: einbeziehen*) include, register; (*verstehen*) grasp.

erfinden *irr vt* invent; **Erfinder(in)** *m(f)* <-s, -> inventor; **erfinderisch** *adj* inventive; **Erfindung** *f* invention; **Erfindungsgabe** *f* inventiveness.

Erfolg *m* <-[e]s, -e> success; (*Folge*) result; **~ versprechend**[RR] *adj* promising; **erfolgen** *vi* follow; (*sich ergeben*) result; (*stattfinden*) take place; (*Zahlung*) be effected; **erfolglos** *adj* unsuccessful; **Erfolglosigkeit** *f* lack of success; **erfolgreich** *adj* successful; **Erfolgsaussicht** *f* prospect of success; **Erfolgserlebnis** *nt* feeling of achievement.

erforderlich *adj* requisite, necessary; **erfordern** *vt* require, demand; **Erfordernis** *nt* requirement; prerequisite.

erforschen *vt* (*Land*) explore; (*Problem*) investigate; (*Gewissen*) search; **Erforscher(in)** *m(f)* <-s, -> explorer; investigator; **Erforschung** *f* exploration; investigation; searching.

erfragen *vt* inquire, ask.

erfreuen 1. *vr:* **sich ~ an** *+dat* enjoy; **sich einer Sache** *gen* **~** enjoy sth; **2.** *vt* delight; **erfreulich** *adj* pleasing, gratifying; **erfreulicherweise** *adv* happily, luckily.

erfrieren *irr vi* freeze [to death]; (*Glieder*) get frostbitten; (*Pflanzen*) be killed by frost.

erfrischen *vt* refresh; **Erfrischung** *f* refreshment; **Erfrischungsraum** *m* snack bar, cafeteria; **Erfrischungstuch** *nt* towelette.

erfüllen 1. *vt* (*Raum*) fill; (*fig: Bitte etc*) fulfil; **2.** *vr:* **sich ~** come true.

ergänzen 1. *vt* supplement, complete; **2.** *vr:* **sich ~** complement one another; **Ergänzung** *f* completion; (*Zusatz*) supplement.

ergattern *vt* (*umg*) get hold of, hunt up.

ergaunern *vt:* **sich** *dat* **etw ~** (*umg*) get hold of sth by underhand methods.

ergeben *irr* **1.** *vt* yield, produce; **2.** *vr:* **sich ~** surrender; (*sich hingeben*) give oneself up, yield (*dat* to); (*folgen*) result; **3.** *adj* devoted, humble; (*dem Trunk*) addicted [to]; **Ergebenheit** *f* devotion, humility.

Ergebnis *nt* result; **ergebnislos** *adj* without result, fruitless.

ergehen *irr* **1.** *vi* be issued, go out; **2.** *vi unpers:* **es wird ihm schlecht ~** he will suffer; **etw über sich ~ lassen** put up with sth.

ergiebig *adj* productive; (*sparsam im Verbrauch*) economical.

Ergonomie *f* ergonomics *sing;* **ergonomisch** *adj* ergonomic.

ergötzen *vt* amuse, delight.

ergreifen *irr vt* seize; (*Beruf*) take up; (*Maßnahmen*) take, resort to; (*rühren*) move; **ergreifend** *adj* moving, affecting; **ergriffen** *adj* deeply moved.

erhaben *adj* raised, embossed; (*fig*) exalted, lofty; **über etw** *akk* **~ sein** be above sth.

erhalten *irr vt* receive; (*bewahren*) preserve, maintain; **gut ~** in good condition; **erhältlich** *adj* obtainable, available; **Erhaltung** *f* maintenance, preservation.

erhängen *vt, vr:* **sich ~** hang.

erhärten *vt* harden; (*Behauptung*) substantiate, corroborate.

erheben *irr* **1.** *vt* raise; (*Protest, Forderungen*) make; (*Fakten*) ascertain, establish; **2.** *vr:* **sich ~** rise [up]; **sich über etw** *akk* **~** rise above sth.

erheblich *adj* considerable.

erheitern *vt* amuse, cheer [up]; **Erheiterung** *f* amusement; **zur allgemeinen ~** to everybody's amusement.

erhellen 1. *vt* (*a. fig*) illuminate; (*Geheimnis*) shed light on; **2.** *vr:* **sich ~** brighten, light up.

erhitzen 1. *vt* heat; **2.** *vr:* **sich ~** heat up; (*fig*) become heated [*o* aroused].

erhoffen *vt* hope for.

erhöhen *vt* raise; (*verstärken*) increase.

erholen *vr:* **sich ~** recover; (*entspannen*) have a rest; **erholsam** *adj* restful; **Erholung** *f* recovery; relaxation, rest; **erholungsbedürftig** *adj* in need of a rest, run-down; **Erholungsgebiet** *nt* recreational area; **Erholungsheim** *nt* rest home; (*Sanatorium*) convalescent home.

erhören *vt* (*Gebet*) hear; (*Bitte*) yield to.

Erika *f* <-, Eriken> (BOT) heather.

erinnern 1. *vt* remind (*an +akk* of); **2.** *vr:* **sich ~** remember (*an etw akk* sth); **Erinnerung** *f* memory; (*Andenken*) reminder; **Erinnerungstafel** *f* commemorative plaque; **Erinnerungsvermögen** *nt* memory.

erkälten *vr:* **sich ~** catch cold; **erkältet** *adj* with a cold; **~ sein** have a cold; **Erkältung** *f* cold.

erkennbar *adj* recognizable; **erkennen** *irr vt* recognize; (*sehen, verstehen*) see; **erkenntlich** *adj:* **sich ~ zeigen** show one's appreciation; **Erkenntlichkeit** *f* gratitude; (*Geschenk*) token of one's gratitude; **Erkenntnis** *f* knowledge; (*das Erkennen*) recognition; (*Einsicht*) insight; **zur ~ kommen** realize; **Erkennung** *f* recognition; **Erkennungsmarke** *f* identity disc.

Erker *m* <-s, -> bay; **Erkerfenster** *nt* bay window.

erklärbar *adj* explicable; **erklären** *vt* explain; **erklärlich** *adj* explicable; (*verständlich*) understandable; **Erklärung** *f* explanation; (*Aussage*) declaration.

erklecklich *adj* considerable.

erklingen *irr vi* resound, ring out.

erkranken *vi* become [*o* fall] ill; **Erkrankung** *f* illness.

erkunden *vt* find out, ascertain; (MIL) reconnoitre, scout; **erkundigen** *vr:* **sich ~** inquire (*nach* about); **Erkundigung** *f* inquiry; **Erkundung** *f* (MIL) reconnaissance, scouting.

erlahmen *vi* tire; (*nachlassen*) flag, wane.

erlangen *vt* attain, achieve.

Erlass^RR *m* <-es, Erlässe> decree; (*Aufhebung*) remission.

erlassen *irr vt* (*Verfügung*) issue; (*Gesetz*) enact; (*Strafe*) remit; **jdm etw ~** release sb from sth.

erlauben 1. *vt* allow, permit (*jdm etw* sb to do sth); **2.** *vr:* **sich ~** permit oneself, venture; **Erlaubnis** *f* permission.

erläutern *vt* explain; **Erläuterung** *f* explanation.

Erle *f* <-, -n> alder.

erleben *vt* experience; (*Zeit*) live through; (*mit~*) witness; (*noch mit~*) live to see; **Erlebnis** *nt* experience.

erledigen *vt* take care of, deal with; (*Antrag etc*) process; (*umg: erschöpfen*) wear out; (*umg: ruinieren*) finish; (*umg: umbringen*) do in.

erlegen *vt* kill.

erleichtern *vt* make easier; (*fig: Last*) lighten; (*lindern, beruhigen*) relieve; **erleichtert** *adj* relieved; **Erleichterung** *f* relief.

erleiden *irr vt* suffer, endure.

erlernbar *adj* learnable; **erlernen** *vt* learn, acquire.

erlesen *adj* select, choice.

erleuchten *vt* illuminate; (*fig*) inspire; **Erleuchtung** *f* (*Einfall*) inspiration.

erlogen *adj* untrue, made-up.

Erlös *m* <-es, -e> proceeds *pl.*

erlöschen *vi* (*Feuer*) go out; (*Interesse*) cease, die; (*Vertrag, Recht*) expire.

erlösen *vt* redeem, save; **Erlösung** *f* release; (REL) redemption.

ermächtigen *vt* authorize, empower; **Ermächtigung** *f* authorization; authority.

ermahnen *vt* admonish, urge; (*warnend*) warn; **Ermahnung** *f* admonition.

ermäßigen *vt* reduce; **Ermäßigung** *f* reduction.

ermessen *irr vt* estimate, gauge; **Ermessen** *nt* <-s> estimation; discretion; **in jds ~ liegen** lie within sb's discretion.

ermitteln 1. *vt* determine; (*Täter*) trace; **2.** *vi:* **gegen jdn ~** investigate sb; **Ermittlung** *f* determination; (*Polizei~*) investigation.

ermöglichen *vt* make possible (*dat* for).

ermorden *vt* murder; **Ermordung** *f* murder.

ermüden *vt, vi* tire; (TECH) fatigue; **ermüdend** *adj* tiring; (*fig*) wearisome; **Ermüdung** *f* fatigue; **Ermüdungserscheinung** *f* sign of fatigue.

ermuntern *vt* rouse; (*ermutigen*) encourage; (*beleben*) liven up; (*aufmuntern*) cheer up.

ermutigen *vt* encourage.

ernähren 1. *vt* feed, nourish; (*Familie*) support; **2.** *vr:* **sich ~** support oneself, earn a living; **sich ~ von** live on; **Ernährer(in)** *m(f)* <-s, -> breadwinner; **Ernährung** *f* nourishment; nutrition; (*Unterhalt*) maintenance; **Ernährungswissenschaft** *f* dietetics *sing.*

ernennen *irr vt* appoint; **Ernennung** *f* appointment.

erneuern *vt* renew; (*restaurieren*) restore; (*renovieren*) renovate; (*Maschinenteile*) replace; **Erneuerung** *f* renewal; restoration; renovation; replacement; **erneut 1.** *adj* renewed, fresh; **2.** *adv* once more.

erniedrigen *vt* humiliate, degrade.

ernst *adj* serious; ~ **gemeint**RR meant in earnest, serious; **Ernst** *m* <-es> seriousness; **das ist mein** ~ I'm quite serious; **im** ~ in earnest; **mit etw** ~ **machen** put sth into practice; **Ernstfall** *m* emergency; **ernstgemeint** *adj s.* **ernst**; **ernsthaft** *adj* serious; **Ernsthaftigkeit** *f* seriousness; **ernstlich** *adj* serious.

Ernte *f* <-, -n> harvest; **Erntedankfest** *nt* harvest festival; **ernten** *vt* harvest; (*Lob etc*) earn.

ernüchtern *vt* sober up; (*fig*) bring down to earth; **Ernüchterung** *f* sobering up; (*fig*) disillusionment.

Eroberer *m* <-s, -> conqueror; **erobern** *vt* conquer; **Eroberung** *f* conquest.

eröffnen 1. *vt* open; **2.** *vr:* **sich** ~ present itself; **jdm etw** ~ disclose sth to sb; **Eröffnung** *f* opening; **Eröffnungsansprache** *f* inaugural [*o* opening] address; **Eröffnungsfeier** *f* opening ceremony.

erogen *adj* erogenous.

erörtern *vt* discuss; **Erörterung** *f* discussion.

Erotik *f* eroticism; **erotisch** *adj* erotic.

erpicht *adj* eager, keen (*auf+akk* on).

erpressen *vt* (*Geld etc*) extort; (*jdn*) blackmail; **Erpresser(in)** *m(f)* <-s, -> blackmailer; **Erpressung** *f* blackmail; extortion.

erproben *vt* test.

erraten *irr vt* guess.

erregbar *adj* excitable; (*reizbar*) irritable; **Erregbarkeit** *f* excitability; irritability; **erregen 1.** *vt* excite; (*ärgern*) infuriate; (*hervorrufen*) arouse, provoke; **2.** *vr:* **sich** ~ get excited [*o* worked up]; **Erreger** *m* <-s, -> (MED) pathogen; **Erregtheit** *f* excitement; (*Beunruhigung*) agitation; **Erregung** *f* excitement.

erreichbar *adj* accessible, within reach; **erreichen** *vt* reach; (*Zweck*) achieve; (*Zug*) catch.

errichten *vt* erect, put up; (*gründen*) establish, set up.

erringen *irr vt* gain, win.

erröten *vi* blush, flush.

Errungenschaft *f* achievement; (*umg: Anschaffung*) acquisition.

Ersatz *m* <-es> substitute; replacement; (*Schaden~*) compensation; **Ersatzbefriedigung** *f* vicarious satisfaction; **Ersatzdienst** *m* (MIL) [*alternative*] *community service;* **Ersatzmann** *m* <Ersatzmänner *o* Ersatzleute *pl*> replacement; (SPORT) substitute; **Ersatzreifen** *m* (AUTO) spare tyre; **Ersatzteil** *nt* spare [part].

ersaufen *irr vi* (*umg*) drown.

ersäufen *vt* drown.

erschaffen *irr vt* create.

erscheinen *irr vi* appear; **Erscheinung** *f* appearance; (*Geist*) apparition; (*Gegebenheit*) phenomenon; (*Gestalt*) figure.

erschießen *irr vt* shoot [dead].

erschlaffen *vi* go limp; (*Mensch*) become exhausted.

erschlagen *irr vt* kill, strike dead.

erschleichen *irr vt* obtain by stealth [*o* dubious methods].

erschöpfen *vt* exhaust; **erschöpfend** *adj* exhaustive, thorough; **erschöpft** *adj* exhausted; **Erschöpfung** *f* exhaustion.

erschrecken 1. *vt* startle, frighten; **2.** <erschrak, erschrocken> *vi* be frightened [*o* startled]; **erschreckend** *adj* alarming, frightening; **erschrocken** *adj* frightened, startled.

erschüttern *vt* shake; (*ergreifen*) move deeply; **Erschütterung** *f* shaking; shock.

erschweren *vt* complicate.

erschwinglich *adj* affordable.

ersehen *irr vt:* **aus etw ~, dass** gather from sth that.

ersetzbar *adj* replaceable; **ersetzen** *vt* replace; **jdm Unkosten** ~ pay sb's expenses.

ersichtlich *adj* evident, obvious.

ersparen *vt* (*Ärger*) spare; (*Geld*) save; **Ersparnisse** *pl* savings *pl.*

ersprießlich *adj* profitable, useful; (*angenehm*) pleasant.

erst *adv* [at] first; (*nicht früher, nur*) only; (*nicht bis*) not till; ~ **einmal** first.

erstarren *vi* stiffen; (*vor Furcht*) grow rigid; (*Materie*) solidify.

erstatten *vt* (*Kosten*) [re]pay; **Anzeige gegen jdn** ~ report sb; **Bericht** ~ make a report.

Erstaufführung *f* first performance.

erstaunen *vt* astonish; **Erstaunen** *nt* <-s> astonishment; **erstaunlich** *adj* astonishing.

Erstausgabe *f* first edition; **erstbeste(r, s)** *adj* first that comes along.

erste(r, s) *adj* first; **der** ~ **Juli** the first of July; **Bonn, den 1. Juli** Bonn, July 1st; **Erste(r)** *mf* first.

erstechen *irr vt* stab [to death].

ersteigen *irr vt* climb, ascend.

erstellen *vt* erect, build.

erstemal *adv* [the] first time; **erstens** *adv* first[ly], in the first place; **erstere**(**r**, **s**) *pron* [the] former.

ersticken 1. *vt* stifle; (*jdn*) suffocate; (*Flammen*) smother; **2.** *vi* (*Mensch*) suffocate; (*Feuer*) be smothered; **in Arbeit** ~ be snowed under with work; **Erstickung** *f* suffocation.

erstklassig *adj* first-class; **Erstkommunion** *f* first communion; **erstmalig** *adj* first; **erstmals** *adv* for the first time.

erstrebenswert *adj* desirable, worthwhile.

erstrecken *vr:* **sich** ~ extend, stretch.

Erstschlag *m* first strike; **Ersttagsstempel** *m* first-day [date] stamp.

ersuchen *vt* request.

ertappen *vt* catch, detect.

erteilen *vt* give.

ertönen *vi* sound, ring out.

Ertrag *m* <-[e]s, Erträge> yield; (*Gewinn*) proceeds *pl;* **ertragen** *irr vt* bear, stand; **erträglich** *adj* tolerable, bearable; **Ertragslage** *f* profit situation, profits.

ertränken *vt* drown.

erträumen *vt:* **sich** *dat* **etw** ~ dream of sth, imagine sth.

ertrinken *irr vi* drown; **Ertrinken** *nt* <-s> drowning.

erübrigen 1. *vt* spare; **2.** *vr:* **sich** ~ be unnecessary.

erwachen *vi* awake.

erwachsen *adj* grown-up; **Erwachsene**(**r**) *mf* adult; **Erwachsenenbildung** *f* adult education.

erwägen <erwog *o* erwägte, erwogen> *vt* consider; **Erwägung** *f* consideration.

erwähnen *vt* mention; **erwähnenswert** *adj* worth mentioning; **Erwähnung** *f* mention.

erwärmen 1. *vt* warm, heat; **2.** *vr:* **sich** ~ get warm, warm up; **sich** ~ **für** warm to.

erwarten *vt* expect; (*warten auf*) wait for; **etw kaum** ~ **können** hardly be able to wait for sth; **Erwartung** *f* expectation; **erwartungsgemäß** *adv* as expected; **erwartungsvoll** *adj* expectant.

erwecken *vt* rouse, awake; **den Anschein** ~ give the impression.

erweichen *vt, vi* soften.

Erweis *m* <-es, -e> proof; **erweisen** *irr* **1.** *vt* prove; (*Ehre, Dienst*) do (*jdm* sb); **2.** *vr:* **sich** ~ prove (*als* to be).

Erwerb *m* <-[e]s, -e> acquisition; (*Beruf*) trade; **erwerben** *irr vt* acquire; **erwerbslos** *adj* unemployed; **Erwerbsquelle** *f* source of income; **erwerbstätig** *adj* [gainfully] employed; **erwerbsunfähig** *adj* unemployable.

erwidern *vt* reply; (*vergelten*) return.

Erwiderung *f* reply.

erwiesen *adj* proven.

erwischen *vt* (*umg*) catch, get.

erwog *imperf von* **erwägen**; **erwogen** *pp von* **erwägen**.

erwünscht *adj* desired.

erwürgen *vt* strangle.

Erz *nt* <-es, -e> ore.

erzählen *vt* tell; **Erzähler**(**in**) *m(f)* <-s, -> narrator; (*Geschichten~*) story-teller; **Erzählung** *f* story, tale.

Erzbischof *m* archbishop; **Erzengel** *m* archangel.

erzeugen *vt* produce; (*Strom*) generate; **Erzeugnis** *nt* product, produce; **Erzeugung** *f* production; generation.

erziehen *irr vt* bring up; (*bilden*) educate, train; **Erzieher**(**in**) *m(f)* teacher; **Erziehung** *f* bringing up; (*Bildung*) education; **Erziehungsbeihilfe** *f* educational grant; **Erziehungsberechtigte**(**r**) *mf* parent; guardian; **Erziehungsheim** *nt* approved school.

erzielen *vt* achieve, obtain; (*Tor*) score.

erzwingen *irr vt* force, obtain by force.

es *pron* (*Nominativ und akk*) it.

Esche *f* <-, -n> ash.

Esel *m* <-s, -> donkey, ass; **Eselsbrücke** *f* mnemonic; **Eselsohr** *nt* dog-ear.

Eskalation *f* escalation.

essbar[RR] *adj* eatable, edible.

essen <aß, gegessen> *vt, vi* eat; **gegessen sein** (*fig umg*) be history; **Essen** *nt* <-s, -> meal; food; **Essenszeit** *f* mealtime; dinner time.

Essig *m* <-s, -e> vinegar; **Essiggurke** *f* gherkin.

Esskastanie[RR] *f* sweet chestnut; **Esslöffel**[RR] *m* tablespoon; **Esstisch**[RR] *m* dining table; **Esswaren**[RR] *pl* victuals *pl,* food provisions *pl;* **Esszimmer**[RR] *nt* dining room.

Estland *nt* <-s> Esthonia.

etablieren *vr:* **sich** ~ become established; set up business.

Etage *f* <-, -n> floor, storey; **Etagenbett** *nt* bunk bed; **Etagenwohnung** *f* flat, apartment *US.*

Etappe *f* <-, -n> stage.

Etat *m* <-s, -s> budget.

etepetete *adj* (*umg*) fussy.

Ethik *f* ethics *sing;* **ethisch** *adj* ethical.

ethnisch *adj* ethnic.

Etikett *nt* <-[e]s, -e> label.

Etikette *f* etiquette, manners *pl.*

etikettieren *vt* label.

etliche *pron pl* some, quite a few; **etliches** *pron* a thing or two.

Etui *nt* <-s, -s> case.

etwa *adv* (*ungefähr*) about; (*vielleicht*) perhaps; (*beispielsweise*) for instance; **nicht ~** by no means; **etwaig** *adj* possible.

etwas 1. *pron* something; anything; (*ein wenig*) a little; **2.** *adv* a little.

Etymologie *f* etymology.

EU *f* <-> *abk von* **Europäische Union** EU.

euch 1. *pron akk von* **ihr** you; **2.** *pron dat von* **ihr** [to] you.

euer 1. *pron* (*adjektivisch*) your; **2.** *pron gen von* **ihr** of you; **euere(r, s)** *pron* (*substantivisch*) yours.

Eule *f* <-, -n> owl.

Euphorie *f* euphoria; **euphorisch** *adj* euphorisch.

eure(r, s) *pron* (*substantivisch*) yours; **eurerseits** *adv* as far as you are concerned; **euresgleichen** *pron* people like you; (*gleichrangig*) your equals; **euretwegen** *adv* (*wegen euch*) because of you; (*euch zuliebe*) for your sakes; (*um euch*) about you; (*für euch*) on your behalf; (*von euch aus*) as far as you are concerned.

Eurocityzug[RR] *m* European Inter-City train.

Eurokrat(in) *m(f)* <-en, -en> eurocrat; **Europa** *nt* Europe; **Europäer(in)** *m(f)* <-s, -> European; **europäisch** *adj* European; **Europäische Gemeinschaft** *f* (HIST) European Community; **Europäischer Binnenmarkt** *m* [European] Single Market; **Europäisches Währungssystem** *nt* European Monetary System; **Europäische Union** *f* European Union; **Europameister(in)** *m(f)* European champion; **Europameisterschaft** *f* European Championship; **Euroscheck** *m* eurocheque; **Eurotunnel** *m* Eurotunnel.

Euter *nt* <-s, -> udder.

e.V. *abk von* **eingetragener Verein** registered association.

evakuieren *vt* evacuate.

evangelisch *adj* Protestant.

Evangelium *nt* gospel.

Eva[s]kostüm *nt:* **im ~** in one's birthday suit.

eventuell 1. *adj* possible; **2.** *adv* possibly, perhaps.

EWG *f* <-> *abk von* **Europäische Wirtschaftsgemeinschaft** (HIST) EEC, Common Market.

ewig *adj* eternal; **Ewigkeit** *f* eternity.

EWS *nt abk von* **Europäisches Währungssystem** EMS.

exakt *adj* exact.

Examen *nt* <-s, – *o* Examina> exam[ination].

Exempel *nt* <-s, -> example.

Exemplar *nt* <-s, -e> specimen; (*Buch~*) copy; **exemplarisch** *adj* exemplary.

exerzieren *vi* drill.

Exhibitionist(in) *m(f)* exhibitionist.

Exil *nt* <-s, -e> exile.

Existenz *f* existence; (*Unterhalt*) livelihood, living; **Existenzgründer(in)** *m(f)* founder of a new business; **Existenzkampf** *m* struggle for existence; **Existenzminimum** *nt* subsistence level.

existieren *vi* exist.

exklusiv *adj* exclusive; **exklusive** *adv, präp +gen* exclusive of, not including.

exorzieren *vt* exorcize.

exotisch *adj* exotic.

Expansion *f* expansion.

Expedition *f* expedition; (WIRTS) dispatch office.

Experiment *nt* experiment; **experimentell** *adj* experimental; **experimentieren** *vi* experiment.

Experte *m* <-n, -n> expert, specialist; **Expertensystem** *nt* (INFORM) expert system; **Expertin** *f* expert, specialist.

explodieren *vi* explode; **Explosion** *f* explosion; **explosiv** *adj* explosive.

Exponent *m* exponent.

Export *m* <-[e]s, -e> export; **Exporteur(in)** *m(f)* exporter; **Exporthandel** *m* export trade; **exportieren** *vt* export; **Exportland** *nt* exporting country.

Expressgut[RR] *nt* express [*o* freight] goods *pl;* **Expresszug**[RR] *m* express [train].

extern *adj* out-of-house.

extra 1. *adj* (*umg: gesondert*) separate; (*besondere*) extra; **2.** *adv* (*gesondert*) separately; (*speziell*) specially; (*absichtlich*) on purpose; (*vor Adjektiven, zusätzlich*) extra; **Extra** *nt* <-s, -s> extra; **Extraausgabe** *f,* **Extrablatt** *nt* special edition.

Extrakt *m* <-[e]s, -e> extract.

Extrawurst *f:* **eine ~ bekommen** get a special treatment.

extrem *adj* extreme; **extremistisch** *adj* (POL) extremist; **Extremitäten** *pl* extremities *pl.*

Exzellenz *f* excellency.

Exzentriker(in) *m(f)* eccentric; **exzentrisch** *adj* eccentric.

ExzessRR *m* <-es, -e> excess.

F

F, f *nt* F, f.

Fabel *f* <-, -n> fable; **fabelhaft** *adj* fabulous, marvellous.

Fabrik *f* factory; **Fabrikant(in)** *m(f)* (*Hersteller*) manufacturer; (*Besitzer*) industrialist; **Fabrikarbeiter(in)** *m(f)* factory worker.

Fabrikat *nt* manufacture, product.

Fabrikation *f* manufacture, production.

Fabrikbesitzer(in) *m(f)* factory owner; **Fabrikgelände** *nt* factory premises *pl.*

Fach *nt* <-[e]s, Fächer> compartment; (*Sachgebiet*) subject; **ein Mann vom ~** an expert; **Facharbeiter(in)** *m(f)* skilled worker; **Facharzt** *m,* **Fachärztin** *f* [medical] specialist; **Fachausdruck** *m* <Fachausdrücke *pl*> technical term.

Fächer *m* <-s, -> fan.

fachlich *adj* expert [*o* specialist]; **Fachliteratur** *f* specialist literature; **Fachschule** *f* technical college; **fachsimpeln** *vi* talk shop; **Fachsprache** *f* specialist language; **Fachwerk** *nt* half-timbering; **Fachwerkhaus** *nt* half-timbered house.

Fackel *f* <-, -n> torch.

fad[e] *adj* insipid; (*langweilig*) dull.

Faden *m* <-s, Fäden> thread; **der rote ~** (*fig*) central theme; **Fadennudeln** *pl* vermicelli *pl;* **fadenscheinig** *adj* (*a. fig*) threadbare.

fähig *adj* capable (*zu +gen* of), able; **Fähigkeit** *f* ability.

Fähnchen *nt* pennon, streamer.

fahnden *vi:* **~ nach** search for; **Fahndung** *f* search; **Fahndungsliste** *f* list of wanted criminals, wanted list.

Fahne *f* <-, -n> flag, standard; **eine ~ haben** (*umg*) smell of drink.

Fahrausweis *m* ticket; **Fahrbahn** *f* carriageway *Brit,* roadway; **fahrbar** *adj* mobile.

Fähre *f* <-, -n> ferry.

fahren <fuhr, gefahren> **1.** *vt* drive; (*Rad*) ride; (*befördern*) drive, take; (*Rennen*) drive in; **2.** *vi* (*sich bewegen*) go; (*Schiff*) sail; (*abfahren*) leave; **mit dem Auto/Zug ~** go [*o* travel] by car/train; **mit der Hand ~ über** *+akk* pass one's hand over.

Fahrer(in) *m(f)* <-s, -> driver; **Fahrerflucht** *f:* **~ begehen** fail to stop after an accident.

Fahrgast *m* passenger; **Fahrgeld** *nt* fare; **Fahrgemeinschaft** *f* car pool *US;* **Fahrgestell** *nt* chassis; (FLUG) undercarriage; **Fahrkarte** *f* ticket; **Fahrkartenausgabe** *f,* **Fahrkartenautomat** *m* ticket machine; **Fahrkartenschalter** *m* ticket office.

fahrlässig *adj* negligent; **~e Tötung** manslaughter; **Fahrlässigkeit** *f* negligence.

Fahrlehrer(in) *m(f)* driving instructor; **Fahrplan** *m* timetable; **fahrplanmäßig** *adj* (EISENB) scheduled; **Fahrpreis** *m* fare; **Fahrpreisermäßigung** *f* fare reduction; **Fahrprüfung** *f* driving test; **Fahrrad** *nt* bicycle; **Fahrradfahrer(in)** *m(f)* cyclist; **Fahrradweg** *m* cycle path; **Fahrschein** *m* ticket; **Fahrscheinautomat** *m* ticket machine; **Fahrschule** *f* driving school; **Fahrschüler(in)** *m(f)* learner [driver] *Brit,* student driver *US;* **Fahrstuhl** *m* lift, elevator *US.*

Fahrt *f* <-, -en> journey; (*kurz*) trip; (AUTO) drive; (*Geschwindigkeit*) speed.

Fährte *f* <-, -n> track, trail.

Fahrtkosten *pl* travelling expenses *pl;* **Fahrtrichtung** *f* course, direction; **Fahrtunterbrechung** *f* break in the journey.

Fahrzeug *nt* vehicle; **Fahrzeughalter(in)** *m(f)* <-s, -> owner of a vehicle.

faktisch *adj* actual.

Faktor *m* factor.

Faktum *nt* <-s, Fakten> fact.

Faktura *f* <-, Fakturen> (*A, CH*) invoice.

Fakultät *f* faculty.

Falke *m* <-n, -n> falcon.

Fall *m* <-[e]s, Fälle> (*Sturz*) fall; (*Sachverhalt,* JUR, LING) case; **auf jeden ~, auf alle Fälle** in any case; (*bestimmt*) definitely.

Falle *f* <-, -n> trap.

fallen <fiel, gefallen> *vi* fall; **etw ~ lassen** drop sth; **~ lassen**RR (*Bemerkung*) make; (*Plan*) abandon, drop.

fällen *vt* (*Baum*) fell; (*Urteil*) pass.

fallenlassen *vt s.* **fallen**.

fällig *adj* due; **Fälligkeit** *f* (WIRTS) maturity.

Fallobst *nt* fallen fruit, windfall.

Fall-out[RR], **Fallout** *m* <-s, -s> fallout.

falls *adv* in case, if.

Fallschirm *m* parachute; **Fallschirmspringer(in)** *m(f)* parachutist; **Falltür** *f* trap door.

falsch *adj* false; (*unrichtig*) wrong.

fälschen *vt* forge; **Fälscher(in)** *m(f)* <-s, -> forger.

Falschgeld *nt* counterfeit money; **Falschheit** *f* falsity, falseness; (*Unrichtigkeit*) wrongness.

fälschlich *adj* false; **fälschlicherweise** *adv* mistakenly.

Fälschung *f* forgery; **fälschungssicher** *adj* unforgeable.

Faltblatt *nt* leaflet.

Fältchen *nt* crease, wrinkle.

Falte *f* <-, -n> (*Knick*) fold, crease; (*Haut~*) wrinkle; (*Rock~*) pleat.

falten *vt* fold; (*Stirn*) wrinkle.

familiär *adj* familiar.

Familie *f* family; **Familienkreis** *m* family circle; **Familienname** *m* surname; **Familienstand** *m* marital status; **Familienvater** *m* head of the family.

Fan *m* fan.

Fanatiker(in) *m(f)* <-s, -> fanatic; **fanatisch** *adj* fanatical; **Fanatismus** *m* fanaticism.

fand *imperf von* **finden**.

Fang *m* <-[e]s, Fänge> catch; (*Jagen*) hunting; (*Kralle*) talon, claw; **fangen** <fing, gefangen> **1.** *vt* catch; **2.** *vr:* **sich ~** get caught; (*Flugzeug*) level out; (*Mensch: nicht fallen*) steady oneself; (*fig*) compose oneself; (*in Leistung*) get back on form.

Fantasie[RR] *f* imagination; **fantasielos**[RR] *adj* unimaginative; **fantasieren**[RR] *vi* fantasize; **fantasievoll**[RR] *adj* imaginative.

fantastisch[RR] *adj* fantastic.

Farbabzug *m* coloured print; **Farbaufnahme** *f* colour photograph; **Farbband** *m* <Farbbänder *pl*> typewriter ribbon; **Farbe** *f* <-, -n> colour; (*zum Malen etc*) paint; (*Stoff~*) dye; **farbecht** *adj* colourfast.

färben *vt* colour; (*Stoff, Haar*) dye.

farbenblind *adj* colour-blind; **farbenfroh**, **farbenprächtig** *adj* colourful, gay.

Farbfernsehen *nt* colour television; **Farbfernseher** *m* colour television [set]; **Farbfilm** *m* colour film; **Farbfoto** *nt* colour photo; **Farbfotoprafie**[RR], **Farbphotographie** *f* colour photography; **farbig** *adj* coloured; **Farbige(r)** *mf* coloured; **Farbkasten** *m* paint-box; **Farbkopierer** *m* colour copier; **farblos** *adj* colourless; **Farbstift** *m* coloured pencil; **Farbstoff** *m* dye; **Farbton** *m* hue, tone.

Färbung *f* colouring; (*Tendenz*) bias.

Farn *m* <-[e]s, -e> fern; (*Adler~*) bracken.

Fasan *m* <-[e]s, -e[n]> pheasant.

Faschierte(s) *nt* (*A*) mince(d meat) *Brit*, ground meat *US*.

Fasching *m* <-s, -e *o* -s> carnival.

Faschismus *m* fascism; **Faschist(in)** *m(f)* fascist; **faschistisch** *adj* fascist.

faseln *vi* talk nonsense, drivel.

Faser *f* <-, -n> fibre; **fasern** *vi* fray.

Fass[RR] *nt* <-es, Fässer> vat, barrel; (*Öl~*) drum; **Bier vom ~** draught beer; **fassbar**[RR] *adj* comprehensible; **Fassbier**[RR] *nt* draught beer.

fassen 1. *vt* (*ergreifen*) grasp, take; (*inhaltlich*) hold; (*Entschluss etc*) take; (*verstehen*) understand; (*Ring etc*) set; (*formulieren*) formulate, phrase; **2.** *vr:* **sich ~** calm down; **nicht zu ~** unbelievable.

fasslich[RR] *adj* intelligible.

Fassung *f* (*Umrahmung*) mounting; (*Lampen~*) socket; (*Wortlaut*) version; (*Beherrschung*) composure; **jdn aus der ~ bringen** upset sb; **fassungslos** *adj* speechless; **Fassungsvermögen** *nt* capacity; (*Verständnis*) comprehension.

fast *adv* almost, nearly.

fasten *vi* fast; **Fasten** *nt* <-s> fasting; **Fastenzeit** *f* Lent.

Fastnacht *f* Shrove Tuesday; carnival.

fatal *adj* fatal; (*peinlich*) embarrassing.

faul *adj* rotten; (*Mensch*) lazy; (*Ausreden*) lame; **daran ist etwas ~** there's something fishy about it; **faulen** *vi* rot.

faulenzen *vi* idle; **Faulenzer(in)** *m(f)* <-s, -> idler, loafer; **Faulheit** *f* laziness.

faulig *adj* going bad; (*Geruch, Geschmack*) foul, putrid.

Fäulnis *f* decay, putrefaction.

Faust *f* <-, Fäuste> fist; **Fausthandschuh** *m* mitten.

Favorit(in) *m(f)* <-en, -en> favourite.

Fax *nt* <-es, -e> fax; **faxen** *vi, vt* fax, send by fax; **Faxgerät** *nt* fax machine.

FCKW *nt abk von* **Fluorchlorkohlenwasserstoff** CFC.
Feature *nt* feature.
Feber *m* <-s, -> (*A*) February.
Februar *m* <-[s], -e> February; **im ~** in February; **24. ~ 1999** February 24th, 1999, 24th February 1999.
fechten <focht, gefochten> *vi* fence.
Feder *f* <-, -n> feather; (*Schreib~*) pen nib; (TECH) spring; **Federball** *m* shuttlecock; **Federballspiel** *nt* badminton; **Federbett** *nt* continental quilt; **Federhalter** *m* penholder, pen; **federleicht** *adj* light as a feather; **federn 1.** *vi* (*nachgeben*) be springy; (*sich bewegen*) bounce; **2.** *vt* spring; **Federung** *f* suspension; **Federvieh** *nt* poultry.
Fee *f* <-, -n> fairy; **feenhaft** *adj* fairylike.
Fegefeuer *nt* purgatory.
fegen *vt* sweep.
fehl *adj:* **~ am Platz** [*o* **Ort**] out of place.
fehlen *vi* be wanting, be missing; (*abwesend sein*) be absent; **etw fehlt jdm** sb lacks sth; **du fehlst mir** I miss you; **was fehlt ihm?** what's wrong with him?
Fehler *m* <-s, -> mistake, error; (*Mangel, Schwäche*) fault; **fehlerfrei** *adj* faultless; without any mistakes; **fehlerhaft** *adj* incorrect; faulty; **Fehlerquote** *f* error rate.
Fehlgeburt *f* miscarriage; **fehlgehen** *irr vi* go astray; **Fehlgriff** *m* blunder; **Fehlkonstruktion** *f* bad design; **Fehlschlag** *m* failure; **fehlschlagen** *irr vi* fail; **Fehlschluss**[RR] *m* wrong conclusion; **Fehlstart** *m* (SPORT) false start; **Fehltritt** *m* false move; (*fig*) blunder, slip; **Fehlzündung** *f* (AUTO) misfire, backfire.
Feier *f* <-, -n> celebration; **Feierabend** *m* (*Geschäftsschluss*) closing time; **~ machen** stop, knock off; **jetzt ist ~!** that's enough!; **feierlich** *adj* solemn; **Feierlichkeit** *f* solemnity; **~en** *pl* festivities *pl;* **feiern** *vt, vi* celebrate; **Feiertag** *m* holiday.
feig[**e**] *adj* cowardly.
Feige *f* <-, -n> fig.
Feigheit *f* cowardice; **Feigling** *m* coward.
Feile *f* <-, -n> file; **feilen** *vt, vi* file.
feilschen *vi* haggle.
fein *adj* fine; (*vornehm*) refined; (*Gehör*) keen; **~!** great!
Feind(**in**) *m(f)* <-[e]s, -e> enemy; **feindlich** *adj* hostile; **Feindschaft** *f* hostility, enmity; **feindselig** *adj* hostile; **Feindseligkeit** *f* hostility.
feinfühlig *adj* sensitive; **Feingefühl** *nt* delicacy, tact; **Feinheit** *f* fineness, refinement; keenness; **Feinkostgeschäft** *nt* delicatessen [shop] *sing;* **Feinschmecker**(**in**) *m(f)* <-s, -> gourmet.
feist *adj* fat.
Feld *nt* <-[e]s, -er> (*a.* INFORM) field; (SCHACH) square; (SPORT) pitch; **Feldblume** *f* wild flower; **Feldherr** *m* commander; **Feldsalat** *m* lamb's lettuce; **Feldwebel**(**in**) *m(f)* <-s, -> sergeant; **Feldweg** *m* path; **Feldzug** *m* (*a. fig*) campaign.
Felge *f* <-, -n> [wheel] rim; **Felgenbremse** *f* caliper brake.
Fell *nt* <-[e]s, -e> fur; (*von lebendem Tier a.*) coat; (*von Schaf*) fleece; (*von toten Tieren*) skin.
Fels *m* <-en, -en>, **Felsen** *m* <-s, -> rock; (*von Dover etc*) cliff; **felsenfest** *adj* firm; **Felsenvorsprung** *m* ledge; **felsig** *adj* rocky; **Felsspalte** *f* crevice.
feminin *adj* feminine; (*pej*) effeminate.
Feminismus *m* feminism; **Feminist**(**in**) *m(f)* feminist; **feministisch** *adj* feminist.
Fenchel *m* <-s, -> fennel.
Fenster *nt* <-s, -> (*a.* INFORM) window; **Fensterbrett** *nt* windowsill; **Fensterladen** *m* shutter; **Fensterputzer**(**in**) *m(f)* <-s, -> window cleaner; **Fensterscheibe** *f* windowpane; **Fenstersims** *m* windowsill; **Fenstertechnik** *f* (INFORM) window technology.
Ferien *pl* holidays *pl,* vacation *US;* **~ haben** be on holiday; **Ferienarbeit** *f* vacation work; **Ferienhaus** *nt* holiday cottage; **Ferienkurs** *m* holiday course; **Ferienreise** *f* holiday; **Ferienwohnung** *f* holiday flat; **Ferienzeit** *f* holiday/vacation *US* period.
Ferkel *nt* <-s, -> piglet.
fern *adj, adv* far-off, distant; **~ von hier** a long way [away] from here; **sich ~ halten**[RR] keep away; **jdm ~ liegen**[RR] be far from sb's mind; **Fernabfrage** *f* remote-control access; **Fernbedienung** *f* remote control; **Ferne** *f* <-, -n> distance; **ferner** *adj, adv* further; (*weiterhin*) in future; **Fernflug** *m* long-distance flight; **Ferngespräch** *nt* long distant call, trunk call *Brit;* **Fernglas** *nt* binoculars *pl;* **fernhalten** *vt s.* **fern**; **Fernkopie** *f* fax; **fernkopieren** *vt* fax, send by fax; **Fernkopierer** *m* fax machine; **Fern-**

lenkung *f* remote control; **fernliegen** *vi s.* **fern**; **Fernrohr** *nt* telescope; **Fernschreiber** *m* teleprinter; **fernschriftlich** *adj* by telex.

Fernsehapparat *m* television set; **fernsehen** *irr vi* watch television; **Fernsehen** *nt* <-s> television; **im ~** on television; **Fernseher** *m* television [set]; **Fernsehsatellit** *m* TV satellite; **Fernsehüberwachungsanlage** *f* CCTV (*closed circuit TV*).

Fernsprecher *m* telephone; **Fernsprechzelle** *f* telephone box, telephone booth *US*.

Ferse *f* <-, -n> heel.

fertig *adj* (*bereit*) ready; (*beendet*) finished; (*gebrauchs~*) ready-made; **~ bringen**[RR] (*fähig sein*) manage, be capable of; (*beenden*) finish; **~ machen**[RR] (*beenden*) finish; (*umg: jdn*) finish; (*körperlich*) exhaust; (*moralisch*) get down; **sich ~ machen**[RR] get ready; **~ stellen**[RR] complete; **Fertigbau** *m* <Fertigbauten *pl*> prefab[ricated house]; **fertigbringen** *vt s.* **fertig**; **Fertigkeit** *f* skill; **fertigmachen** *vt s.* **fertig**; **fertigstellen** *vt s.* **fertig**; **Fertigungsstandort** *m* production/manufacturing site; **Fertigware** *f* finished product.

Fessel *f* <-, -n> fetter; **fesseln** *vt* bind; (*mit Fesseln*) fetter; (*fig*) spellbind; **fesselnd** *adj* fascinating, captivating.

fest 1. *adj* firm; (*Nahrung*) solid; (*Gehalt*) regular; **2.** *adv* (*schlafen*) soundly.

Fest *nt* <-[e]s, -e> party; festival.

festangestellt *adj* permanently employed.

Festbeleuchtung *f* illumination.

festbinden *irr vt* tie, fasten; **festbleiben** *irr vt* stand firm.

Festessen *nt* banquet.

festfahren *irr vr:* **sich ~** get stuck; **festhalten** *irr* **1.** *vt* seize, hold fast; (*Ereignis*) record; **2.** *vr:* **sich ~** hold on (*an +dat* to).

festigen *vt* strengthen; **Festigkeit** *f* strength.

festklammern *vr:* **sich ~** cling on (*an +dat* to); **Festland** *nt* mainland; **festlegen 1.** *vt* fix; **2.** *vr:* **sich ~** commit oneself.

festlich *adj* festive.

festmachen *vt* fasten; (*Termin etc*) fix; **Festnahme** *f* <-, -n> capture; **festnehmen** *irr vt* capture, arrest; **Festplatte** *f* (INFORM) hard disk; **Festplattenlaufwerk** *nt* (INFORM) hard disk drive.

Festrede *f* address.

festschnallen 1. *vt* strap down; **2.** *vr:* **sich ~** fasten one's seat belt; **festschreiben** *irr vt* establish; **festsetzen** *vt* fix, settle.

Festspiel *nt* festival.

feststehen *irr vi* be certain; **feststellen** *vt* establish; (*sagen*) remark.

Festung *f* fortress.

fett *adj* fat; (*Essen etc*) greasy; **~ gedruckt**[RR] bold-type; **Fett** *nt* <-[e]s, -e> fat, grease; **fettarm** *adj* low fat; **fetten** *vt* grease; **Fettfleck** *m* grease spot [*o* stain]; **fettgedruckt** *adj s.* **fett**; **Fettgehalt** *m* fat content; **fettig** *adj* greasy, fatty; **Fettnäpfchen** *nt:* **ins ~ treten** put one's foot in it.

Fetzen *m* <-s, -> scrap.

fetzig *adj* (*umg*) racy.

feucht *adj* damp; (*Luft*) humid; **Feuchtigkeit** *f* dampness; humidity.

Feuer *nt* <-s, -> fire; (*zum Rauchen*) a light; (*fig: Schwung*) spirit; **Feueralarm** *m* fire alarm; **Feuereifer** *m* zeal; **feuerfest** *adj* fireproof; **Feuergefahr** *f* danger of fire; **feuergefährlich** *adj* inflammable; **Feuerleiter** *f* fire escape ladder; **Feuerlöscher** *m* <-s, -> fire extinguisher; **Feuermelder** *m* <-s, -> fire alarm; **feuern** *vt, vi* (*a. fig*) fire; **feuersicher** *adj* fireproof; **Feuerstein** *m* flint; **Feuerwehr** *f* <-, -en> fire brigade; **Feuerwerk** *nt* fireworks *pl;* **Feuerzeug** *nt* [cigarette] lighter.

Fichte *f* <-, -n> spruce.

ficken *vt, vi* (*umg!*) fuck.

fidel *adj* jolly.

Fieber *nt* <-s, -> fever, temperature; **fieberhaft** *adj* feverish; **Fiebermesser** *m* <-s, ->, **Fieberthermometer** *nt* thermometer.

fiel *imperf von* **fallen**.

fies *adj* (*umg*) nasty.

Figur *f* <-, -en> figure; (*Schach~*) chessman, chess piece.

Filiale *f* <-, -n> (WIRTS) branch.

Film *m* <-[e]s, -e> film; **Filmaufnahme** *f* shooting; **filmen** *vt, vi* film; **Filmkamera** *f* cine-camera; **Filmprojektor** *m* film projector.

Filter *m* <-s, -> filter; **Filtermundstück** *nt* filter tip; **filtern** *vt* filter; **Filterpapier** *nt* filter paper; **Filterzigarette** *f* tipped cigarette.

Filz *m* <-es, -e> felt; **filzen 1.** *vt* (*umg: durchsuchen*) frisk; **2.** *vi* (*Wolle*) go felty;

F

Filzschreiber *m,* **Filzstift** *m* felt[-tip] pen, felt-tip.

Finale *nt* <-s, -[s]> finale; (SPORT) final[s].

Finanz *f* finance; **Finanzamt** *nt* Inland Revenue Office; **Finanzbeamte(r)** *m,* **Finanzbeamtin** *f* revenue officer; **finanziell** *adj* financial; **finanzieren** *vt* finance; **Finanzminister(in)** *m(f)* minister of finance, Chancellor of the Exchequer *Brit.*

finden <fand, gefunden> **1.** *vt* find; (*meinen*) think; **2.** *vr:* **sich** ~ be [found]; (*sich fassen*) compose oneself; **ich finde nichts dabei, wenn ...** I don't see what's wrong if ...; **das wird sich** ~ things will work out; **Finder(in)** *m(f)* <-s, -> finder; **Finderlohn** *m* reward; **findig** *adj* resourceful.

fing *imperf von* **fangen**.

Finger *m* <-s, -> finger; **Fingerabdruck** *m* <Fingerabdrücke *pl*> fingerprint; **genetischer** ~ genetic fingerprint; **Fingerhandschuh** *m* glove; **Fingerhut** *m* thimble; (BOT) foxglove; **Fingerring** *m* ring; **Fingerspitze** *f* fingertip; **Fingerspitzengefühl** *nt* feeling; **Fingerzeig** *m* <-[e]s, -e> hint, pointer.

fingieren *vt* feign; **fingiert** *adj* made-up, fictitious.

Fink *m* <-en, -en> finch.

Finne *m* <-n, -n>, **Finnin** *f* Finn, Finnish man/woman; **finnisch** *adj* Finnish; **Finnland** *nt* Finland.

finster *adj* dark, gloomy; (*verdächtig*) dubious; (*verdrossen*) grim; (*Gedanke*) dark; **Finsternis** *f* darkness, gloom.

Finte *f* <-, -n> feint, trick.

Firma *f* <-, Firmen> firm; **Firmenschild** *nt* [shop] sign; **Firmenzeichen** *nt* registered trademark.

Firnis *m* <-ses, -se> varnish.

Fisch *m* <-[e]s, -e> fish; ~**e** *pl* (ASTR) Pisces *sing;* **Adelheid ist ein** ~ Adelheid is Pisces [*o* a Piscean]; **fischen** *vt, vi* fish; **Fischer(in)** *m(f)* <-s, -> fisherman/-woman; **Fischerei** *f* fishing, fishery; **Fischfang** *m* fishing; **Fischgeschäft** *nt* fishmonger's [shop]; **Fischgräte** *f* fishbone; **Fischzucht** *f* fish farming.

fit *adj* fit; **Fitness**[RR] *f* <-> fitness; **Fitnesscenter**[RR] *nt* <-s, -> health centre.

fix *adj* fixed; (*Mensch*) alert, smart; ~ **und fertig** finished; (*erschöpft*) worn out.

fixen *vi* (*umg*) fix, shoot; **Fixer(in)** *m(f)* <-s, -> (*umg*) fixer.

fixieren *vt* fix; (*anstarren*) stare at.

flach *adj* flat; (*Gefäß*) shallow.

Fläche *f* <-, -n> area; (*Ober~*) surface; **flächendeckend** *adj* complete, allover; **Flächeninhalt** *m* surface area.

Flachheit *f* flatness; shallowness; **Flachland** *nt* lowland.

flackern *vi* flare, flicker.

Flagge *f* <-, -n> flag.

flagrant *adj* flagrant; **in ~i** red-handed.

Flamme *f* <-, -n> flame.

Flanell *m* <-s, -e> flannel.

Flanke *f* <-, -n> flank; (SPORT: *Seite*) wing.

Flasche *f* <-, -n> bottle; **eine ~ sein** (*umg*) be useless, wash-out; **Flaschenbier** *nt* bottled beer; **Flaschenöffner** *m* bottle opener; **Flaschenzug** *m* pulley.

flatterhaft *adj* flighty, fickle.

flattern *vi* flutter.

flau *adj* weak, listless; (*Nachfrage*) slack; **jdm ist** ~ sb feels queasy.

Flaum *m* <-[e]s> (*Feder*) down; (*Haare*) fluff.

flauschig *adj* fluffy.

Flausen *pl* silly ideas *pl;* (*Ausflüchte*) weak excuses *pl.*

Flaute *f* <-, -n> calm; (WIRTS) recession.

Flechte *f* <-, -n> plait; (MED) dry scab; (BOT) lichen; **flechten** <flocht, geflochten> *vt* plait; (*Kranz*) twine.

Fleck *m* <-[e]s, -e>, **Flecken** *m* <-s, -> spot; (*Schmutz~*) stain; (*Stoff~*) patch; (*Makel*) blemish; **nicht vom ~ kommen** not get any further; **vom ~ weg** straight away; **fleckenlos** *adj* spotless; **Fleckenmittel** *nt,* **Fleckentferner** *m* stain remover; **fleckig** *adj* spotted; stained.

Fledermaus *f* bat.

Flegel *m* <-s, -> flail; (*Mensch*) lout; **flegelhaft** *adj* loutish, unmannerly; **Flegeljahre** *pl* adolescence; **flegeln** *vr:* **sich** ~ lounge about.

flehen *vi* implore; **flehentlich** *adj* imploring.

Fleisch *nt* <-[e]s> flesh; (*Essen*) meat; **Fleischbrühe** *f* beef, stock; **Fleischer(in)** *m(f)* <-s, -> butcher; **Fleischerei** *f* butcher's [shop]; **fleischig** *adj* fleshy; **fleischlich** *adj* carnal; **Fleischpastete** *f* meat pie; **Fleischwolf** *m* mincer; **Fleischwunde** *f* flesh wound.

Fleiß *m* <-es> diligence, industry; **fleißig** *adj* diligent, industrious.

flektieren *vt* inflect.

flennen *vi* (*umg*) cry, blubber.

fletschen *vt:* **die Zähne ~ fletschen** bare [*o* show] ones/its teeth.
flexibel *adj* flexible.
flicken *vt* mend; **Flicken** *m* <-s, -> patch.
Flieder *m* <-s, -> lilac.
Fliege *f* <-, -n> fly; (*Kleidung*) bow tie.
fliegen <flog, geflogen> *vt, vi* fly; **auf jdn/etw ~** (*umg*) be mad about sb/sth.
Fliegenpilz *m* fly agaric.
Flieger(in) *m(f)* <-s, -> flier, airman; **Fliegeralarm** *m* air-raid warning.
fliehen <floh, geflohen> *vi* flee.
Fliese *f* <-, -n> tile.
Fließband *nt* <Fließbänder *pl*> conveyor-belt; (*als Einrichtung*) production [*o* assembly] line.
fließen <floss, geflossen> *vi* flow; **fließend** *adj* flowing; (*Rede, Deutsch*) fluent; (*Übergänge*) smooth; **Fließheck** *nt* fastback; **Fließkomma** *nt* floating decimal point; **Fließpapier** *nt* blotting paper.
flimmerfrei *adj* (INFORM: *Monitor*) non-interlaced; **flimmern** *vi* glimmer.
flink *adj* nimble, lively.
Flinte *f* <-, -n> rifle; shotgun.
Flip-Chart *f* <-, -s> flip chart.
flippig *adj* (*umg*) kooky, eccentric.
Flirt *m* <-s, -s> flirtation.
flirten *vi* flirt.
Flitterwochen *pl* honeymoon.
flitzen *vi* (*umg*) whizz, dash.
flocht *imperf von* **flechten**.
Flocke *f* <-, -n> flake; **flockig** *adj* flaky.
flog *imperf von* **fliegen**.
floh *imperf von* **fliehen**.
Floh *m* <-[e]s, Flöhe> flea; **Flohmarkt** *m* flea market.
Flop *m* <-s, -s> flop.
florieren *vi* flourish.
Floskel *f* <-, -n> empty phrase.
Floß *nt* <-es, Flöße> raft, float.
floss[RR] *imperf von* **fließen**.
Flosse *f* <-, -n> fin.
Flöte *f* <-, -n> flute; (*Block~*) recorder; **flötengehen** *vi* (*umg*) vanish into thin air.
Flötist(in) *m(f)* flautist.
flott *adj* lively; (*elegant*) smart; (NAUT) afloat.
Flotte *f* <-, -n> fleet, navy.
Flöz *nt* <-es, -e> layer, seam.
Fluch *m* <-[e]s, Flüche> curse; **fluchen** *vi* curse, swear.
Flucht *f* <-, -en> flight; (*Fenster~*) row; (*Reihe*) range; (*Zimmer~*) suite; **fluchtartig** *adj* hasty.
flüchten *vi, vr:* **sich ~** flee, escape.
flüchtig *adj* fugitive; (CHEM) volatile; (*vergänglich*) transitory; (*oberflächlich*) superficial; (*eilig*) fleeting; **Flüchtigkeit** *f* transitoriness; volatility; superficiality; **Flüchtigkeitsfehler** *m* careless slip.
Flüchtling *m* fugitive, refugee.
Flüchtlingslager *nt* refugee camp.
Flug *m* <-[e]s, Flüge> flight; **im ~** airborne, in flight; **Flugabwehr** *f* anti-aircraft defence; **Flugbegleiter(in)** *m(f)* flight attendant; **Flugblatt** *nt* leaflet; **Flugdatenschreiber** *m* flight recorder.
Flügel *m* <-s, -> wing; (MUS) grand piano.
Fluggast *m* airline passenger.
flügge *adj* [fully-]fledged.
Fluggeschwindigkeit *f* flying speed; **Fluggesellschaft** *f* airline [company]; **Flughafen** *m* airport; **Flughöhe** *f* altitude [of flight]; **Fluglotse** *m* air-traffic controller, flight controller; **Flugnummer** *f* flight number; **Flugplan** *m* flight schedule; **Flugplatz** *m* airport; (*klein*) airfield; **Flugschein** *m* plane ticket, air ticket; **Flugsimulator** *m* flight simulator; **Flugstrecke** *f* air route; **Flugverkehr** *m* air traffic; **Flugwesen** *nt* aviation; **Flugzeug** *nt* [aero]plane, airplane *US;* **Flugzeugentführung** *f* hijacking of a plane; **Flugzeughalle** *f* hangar; **Flugzeugträger** *m* aircraft carrier.
Flunder *f* <-, -n> flounder.
flunkern 1. *vi* tell stories; **2.** *vt* make up.
Fluor *nt* <-s> fluorine.
Fluorchlorkohlenwasserstoff *m* chlorofluorocarbon.
Flur *m* <-[e]s, -e> hall; (*Treppen~*) staircase.
Fluss[RR] *m* <Flusses, Flüsse> river; (*Fließen*) flow; **im ~ sein** (*fig*) be in a state of flux; **Flussdiagramm**[RR] *nt* flow chart, flow diagram.
flüssig *adj* liquid; **~ machen**[RR] (*Geld*) make available; **Flüssigkeit** *f* liquid; (*Zustand*) liquidity; **Flüssigkristall** *m* liquid crystal; **Flüssigkristallanzeige** *f* liquid crystal display; **flüssigmachen** *vt s.* **flüssig**.
flüstern *vt, vi* whisper; **Flüsterpropaganda** *f* whispering campaign.
Flut *f* <-, -en> (*a. fig*) flood; (*Gezeiten*) high tide; **fluten** *vi* flood; **Flutlicht** *nt* floodlight.

fl. W. *abk von* **fließendes Wasser** running water.

focht *imperf von* **fechten**.

Fohlen *nt* <-s, -> foal.

Föhn *m* <-[e]s, -e> foehn, warm south wind.

Föhn[RR] *m* <-[e]s, -e> (*Haar~*) hair-dryer; **föhnen**[RR] *vt* [blow-]dry.

Föhre *f* <-, -n> Scots pine.

Folge *f* <-, -n> series *sing*, sequence; (*Fortsetzung*) instalment; (*Auswirkung*) result; **in rascher ~** in quick succession; **etw zur ~ haben** result in sth; **~n haben** have consequences; **einer Sache** *dat* **~ leisten** comply with sth; **Folgeerscheinung** *f* consequence; **folgen** *vi* follow (*jdm* sb); (*gehorchen*) obey (*jdm* sb); **jdm ~ können** (*fig*) be able to follow sb, understand sb; **folgend** *adj* following; **folgendermaßen** *adv* as follows, in the following way; **folgenschwer** *adj* momentous; **folgerichtig** *adj* logical.

folgern *vt* conclude (*aus* from); **Folgerung** *f* conclusion.

folglich *adv* consequently.

folgsam *adj* obedient.

Folie *f* foil.

Folter *f* <-, -n> torture; (*Gerät*) rack; **foltern** *vt* torture.

Fön® *m* <-[e]s, -e> hair-dryer; **fönen** *vt s.* **föhnen**.

Fontäne *f* <-, -n> fountain.

foppen *vt* tease.

Förderband *nt* <Förderbänder *pl*> conveyor belt; **Förderkorb** *m* pit cage; **förderlich** *adj* beneficial.

fordern *vt* demand.

fördern *vt* promote; (*unterstützen*) help; (*Kohle*) extract; **Förderung** *f* promotion; help; extraction.

Forderung *f* demand.

Forelle *f* trout.

Form *f* <-, -en> shape; (*Gestaltung*) form; (*Guss~*) mould; (*Back~*) baking tin; **in ~ sein** be in good form [*o* shape]; **in ~ von** in the shape of.

Formaldehyd *nt* <-s> formaldehyde.

formalisieren *vt* formalize.

Formalität *f* formality.

Format *nt* format; (*fig*) distinction; **formatieren** *vt* (*Diskette*) format.

Formation *f* formation.

formbar *adj* malleable.

Formel *f* <-, -n> formula.

formell *adj* formal.

formen *vt* form, shape.

Formfehler *m* faux-pas, gaffe; (JUR) irregularity.

förmlich *adj* formal; (*umg*) real; **Förmlichkeit** *f* formality.

formlos *adj* shapeless; (*zwanglos*) casual, informal.

Formular *nt* <-s, -e> form.

formulieren *vt* formulate.

forsch *adj* energetic, vigorous.

forschen **1.** *vt* search (*nach* for); **2.** *vi* (*wissenschaftlich*) [do] research; **forschend** *adj* searching; **Forscher(in)** *m(f)* <-s, -> research scientist; (*Natur~*) explorer; **Forschung** *f* research; **Forschungsreise** *f* scientific expedition; **Forschungssatellit** *m* research satellite; **Forschungsvorhaben** *nt* research project.

Forst *m* <-[e]s, -e> forest; **Forstarbeiter(in)** *m(f)* forestry worker; **Förster(in)** *m(f)* <-s, -> forester; (*für Wild*) gamekeeper; **Forstwirtschaft** *f* forestry.

fort *adv* away; (*verschwunden*) gone; (*vorwärts*) on; **und so ~** and so on; **in einem ~** on and on; **fortbestehen** *irr vi* survive; **fortbewegen** **1.** *vt* move away; **2.** *vr:* **sich ~** move; **fortbilden** *vr:* **sich ~** continue one's education; **Fortbildung** *f* further education; (*im Beruf*) further training; **fortbleiben** *irr vi* stay away; **fortbringen** *irr vt* take away; **Fortdauer** *f* continuance, continuation; **fortfahren** *irr vi* depart; (*fortsetzen*) go on, continue; **fortführen** *vt* continue, carry on; **fortgehen** *irr vi* go away; **fortgeschritten** *adj* advanced; **fortkommen** *irr vi* get on; (*wegkommen*) get away; **fortkönnen** *irr vi* be able to get away; **fortmüssen** *irr vi* have to go.

fortpflanzen *vr:* **sich ~** reproduce; **Fortpflanzung** *f* reproduction.

Fortschritt *m* advance; **~e machen** make progress; **fortschrittlich** *adj* progressive.

fortsetzen *vt* continue; **Fortsetzung** *f* continuation; (*folgender Teil*) instalment; **~ folgt** to be continued.

fortwährend *adj* incessant, continual.

fortziehen *irr* **1.** *vt* pull away; **2.** *vi* move on; (*umziehen*) move away.

fossil *adj* (*Brennstoff*) fossil.

Foto **1.** *nt* <-s, -s> photo[graph]; **2.** *m* <-s, -s> (*~apparat*) camera; **Foto-CD** *f* photo CD; **Fotograf(in)** *m(f)* <-en, -en> photographer; **Fotografie** *f* photography; (*Bild*) photograph; **fotografieren 1.** *vt* photograph; **2.** *vi* take photographs; **Fotokopierer** *m,* **Fotokopiergerät** *nt* photocopier.

Foul *nt* <-s, -s> foul.

Fracht *f* <-, -en> freight; (NAUT) cargo; (*Preis*) carriage; **Frachter** *m* <-s, -> freighter, cargo boat; **Frachtgut** *nt* freight.

Frack *m* <-[e]s, Fräcke> tails *pl.*

Frage *f* <-, -n> question; **etw in ~ stellen** question sth; **jdm eine ~ stellen** ask sb a question, put a question to sb; **nicht in ~ kommen** be out of the question; **Fragebogen** *m* questionnaire; **fragen** *vt, vi* ask; **Fragezeichen** *nt* question mark; **fraglich** *adj* questionable, doubtful; **fraglos** *adv* unquestionably.

Fragment *nt* fragment; **fragmentarisch** *adj* fragmentary.

fragwürdig *adj* questionable, dubious.

Fraktion *f* parliamentary party.

frankieren *vt* stamp, frank; **franko** *adv* post-paid; carriage paid.

Frankreich *nt* France.

Franse *f* <-, -n> fringe; **fransen** *vi* fray.

Franzose *m* <-n, -n>, **Französin** *f* Frenchman/-woman; **die ~n** *pl* the French *pl;* **französisch** *adj* French; **die ~e Schweiz** French-speaking Switzerland.

fraß *imperf von* **fressen.**

Fratze *f* <-, -n> grimace.

Frau *f* <-, -en> woman; (*Ehe~*) wife; (*Anrede*) Mrs; (*unverheiratet*) Ms; **~ Doktor** Doctor; **Frauenarzt** *m,* **Frauenärztin** *f* gynaecologist; **Frauenbeauftragte(r)** *mf* official women's representative; **Frauenbewegung** *f* feminist movement, women's lib; **frauenfeindlich** *adj* misogynist, anti-woman; **Frauenförderung** *f* promotion of women; **Frauenhaus** *nt* refuge [for battered women]; **Frauenquote** *f* quota of women (*guideline for the number of posts in politics and administration that should be allocated to women*); **Frauenzeitschrift** *f* womens' magazine.

Fräulein *nt* young lady; (*Anrede*) Miss; (*Bedienung*) waitress.

fraulich *adj* womanly.

Freak *m* <-s, -s> (*umg*) freak.

frech *adj* cheeky, impudent; **Frechdachs** *m* cheeky monkey; **Frechheit** *f* cheek, impudence.

Fregatte *f* frigate.

frei *adj* free; (*Stelle, Sitzplatz a.*) vacant; (*Mitarbeiter*) freelance; (*Geld*) available; (*unbekleidet*) bare; **sich** *dat* **einen Tag ~ nehmen** take a day off; **von etw ~ sein** be free of sth; **im Freien** in the open air; **~ sprechen** talk without notes; **Freibad** *nt* open-air [swimming] pool; **freibekommen** *irr vt:* **jdn/einen Tag ~** get sb freed/get a day off; **freiberuflich** *adj* free-lance; **freigebig** *adj* generous; **Freigebigkeit** *f* generosity; **freihaben** *vi:* **ich habe Freitag frei** I've got Friday off; **freihalten** *irr vt* keep free; **Freihandelsabkommen** *nt* free-trade agreement; **freihändig** *adv* (*fahren*) with no hands; **Freiheit** *f* freedom; **freiheitlich** *adj* liberal; **Freiheitsstrafe** *f* prison sentence; **Freikarte** *f* free ticket; **freikommen** *irr vi* get free; **freilassen** *irr vt* [set] free; **Freilauf** *m* freewheeling; **freilegen** *vt* expose.

freilich *adv* certainly, admittedly; **ja ~** yes of course.

Freilichtbühne *f* open-air theatre; **freimachen 1.** *vt* (*Post*) put a stamp on; **2.** *vr:* **sich ~** arrange to be free; (*beim Arzt: sich entkleiden*) take one's clothes off; **Tage ~** take days off; **freisprechen** *irr vt* acquit (*von* of); **Freispruch** *m* acquittal; **freistellen** *vt:* **jdm etw ~** leave sth [up] to sb; **Freistoß** *m* free kick.

Freitag *m* Friday; **[am] ~** on Friday; **freitags** *adv* on Fridays, on a Friday.

freiwillig *adj* voluntary; **Freiwillige(r)** *mf* volunteer.

Freizeit *f* spare [*o* free] time; **Freizeitausgleich** *m* free time compensation; **Freizeitgestaltung** *f* leisure activity; **Freizeitpark** *m* amusement park, theme park.

freizügig *adj* liberal, broad-minded; (*mit Geld*) generous.

fremd *adj* (*unvertraut*) strange; (*ausländisch*) foreign; (*nicht eigen*) someone else's; **etw ist jdm ~** sth is foreign to sb; **fremdartig** *adj* strange; **Fremde(r)** *mf* stranger; (*Ausländer*) foreigner; **Fremdenführer(in)** *m(f)* [tourist] guide; **Fremdenlegion** *f* foreign legion; **Fremdenverkehr** *m* tourism; **Fremdenzimmer** *nt* guest room; **fremdgehen** *vi* (*umg*) be unfaithful; **Fremdkörper** *m* foreign body; **fremdländisch** *adj* foreign; **Fremdling** *m* stranger; **Fremdsprache** *f* foreign language; **fremdsprachig** *adj* foreign-language; **Fremd-**

wort *nt* foreign word.
Frequenz *f* (RADIO) frequency.
fressen <fraß, gefressen> *vt, vi* (*Tier*) eat; (*Mensch*) guzzle.
Freude *f* <-, -n> joy, delight; **freudig** *adj* joyful, happy; **freudlos** *adj* joyless.
freuen 1. *vt unpers* make happy; **2.** *vr:* **sich ~** be glad, be happy; **sich auf etw** *akk* **~** look forward to sth; **sich über etw** *akk* **~** be pleased about sth.
Freund *m* <-[e]s, -e> friend; boyfriend; **Freundin** *f* friend; girlfriend; **freundlich** *adj* kind, friendly; **freundlicherweise** *adv* kindly; **Freundlichkeit** *f* friendliness, kindness; **Freundschaft** *f* friendship; **freundschaftlich** *adj* friendly.
Frevel *m* <-s, -> crime, offence (*an +dat* against); **frevelhaft** *adj* wicked.
Frieden *m* <-s, -> peace; **im ~** in peacetime; **Friedensbemühungen** *pl* efforts to bring about peace; **Friedensbewegung** *f* peace movement; **Friedensinitiative** *f* peace initiative; **Friedensverhandlungen** *pl* peace negotiations *pl;* **Friedensvertrag** *m* peace treaty; **Friedenszeit** *f* peacetime.
Friedhof *m* cemetery.
friedlich *adj* peaceful.
frieren <fror, gefroren> *vt, vi* freeze; **ich friere, es friert mich** I am freezing, I'm cold.
Fries *m* <-es, -e> (ARCHIT) frieze.
frigid[e] *adj* frigid.
Frikadelle *f* meatball.
Frisbeescheibe® *f* frisbee®.
frisch *adj* fresh; (*lebhaft*) lively; **~ gestrichen!** wet paint!; **sich ~ machen** freshen [oneself] up; **Frische** *f* <-> freshness; liveliness; **Frischhaltefolie** *f* cling film; **Frischzellentherapie** *f* cellular therapy; live-cell therapy.
Friseur *m,* **Friseuse** *f* hairdresser.
frisieren *vt, vr:* **sich ~** do [one's hair]; (*fig: Abrechnung*) fiddle, doctor; **Frisiersalon** *m* hairdressing salon; **Frisiertisch** *m* dressing table.
Frisör *m* <-s, -e> hairdresser.
Frist *f* <-, -en> period; (*Termin*) deadline; **fristen** *vt* (*Dasein*) lead; (*kümmerlich*) eke out; **fristlos** *adj* (*Entlassung*) instant.
Frisur *f* hairdo, hairstyle.
frittieren[RR] *vt* deep-fry.
frivol *adj* frivolous.
Frl. *abk von* **Fräulein** Miss.
froh *adj* happy, cheerful; **ich bin ~, dass ...** I'm glad that ...
fröhlich *adj* merry, happy; **Fröhlichkeit** *f* merriness, gaiety.
frohlocken *vi* exult; (*hämisch*) gloat.
Frohsinn *m* cheerfulness.
fromm *adj* pious, good; (*Wunsch*) idle.
Frömmelei *f* false piety.
Frömmigkeit *f* piety.
frönen *vi* indulge (*einer Sache dat* in sth).
Fronleichnam *m* <-[e]s> Corpus Christi.
Front *f* <-, -en> front.
frontal *adj* frontal; **Frontalzusammenstoß** *m* head-on collision.
fror *imperf von* **frieren**.
Frosch *m* <-[e]s, Frösche> frog; (*Feuerwerk*) squib; **Froschmann** *m* <Froschmänner *pl*> frogman; **Froschschenkel** *m* frog's leg.
Frost *m* <-[e]s, Fröste> frost; **Frostbeule** *f* chilblain.
frösteln *vi* shiver.
frostig *adj* frosty.
Frostschutzmittel *nt* anti-freeze.
Frottee *m o nt* <-[s], -s> towelling.
frottieren *vt* rub, towel; **Frottier[hand]tuch** *nt* towel.
Frucht *f* <-, Früchte> (*a. fig*) fruit; (*Getreide*) corn; **Fruchtbarkeit** *f* fertility; **fruchten** *vi* be of use; **fruchtlos** *adj* fruitless; **Fruchtsaft** *m* fruit juice; **Fruchtzucker** *m* fructose.
früh *adj, adv* early; **heute ~** this morning; **Frühaufsteher(in)** *m(f)* <-s, -> early riser; **Frühe** *f* <-> early morning; **früher 1.** *adj* earlier; (*ehemalig*) former; **2.** *adv* formerly; **~ war das anders** that used to be different; **frühestens** *adv* at the earliest; **Frühgeburt** *f* premature birth/baby.
Frühjahr *nt,* **Frühling** *m* spring; **im ~** in spring.
frühreif *adj* precocious.
Frühstück *nt* breakfast; **frühstücken** *vi* [have] breakfast.
Frühverrentung *f* early retirement.
frühzeitig *adj* early.
Frust *m* <-s> (*umg*) frustration; **frustrieren** *vt* frustrate.
Fuchs *m* <-es, Füchse> fox; **fuchsen 1.** *vt* (*umg*) rile, annoy; **2.** *vr:* **sich ~** be annoyed; **Füchsin** *f* vixen; **fuchsteufelswild** *adj* (*umg*) hopping mad.
fuchteln *vi* gesticulate wildly.
Fuge *f* <-, -n> joint; (MUS) fugue.
fügen 1. *vt* place, join; **2.** *vr:* **sich ~** be

obedient (*in +akk* to); (*anpassen*) adapt oneself (*in +akk* to); **3.** *vr unpers:* **sich ~** happen; **fügsam** *adj* obedient.

fühlbar *adj* perceptible, noticeable; **fühlen** *vt, vi, vr:* **sich ~** feel; **Fühler** *m* <-s, -> feeler.

fuhr *imperf von* **fahren**.

führen 1. *vt* lead; (*Geschäft*) run; (*Name*) bear; (*Buch*) keep; **2.** *vi* lead; **3.** *vr:* **sich ~** behave; **Führer** *m* <-s, -> (*Fremden~*) guide; **Führerschein** *m* driving licence.

Fuhrmann *m* <Fuhrleute *pl*> carter.

Führung *f* leadership; (*eines Unternehmens*) management; (MIL) command; (*Benehmen*) conduct; (*Museums~*) conducted tour; **Führungskraft** *f* executive; **Führungszeugnis** *nt* (*polizeiliches ~*) *certificate issued by the police, stating that the holder has no criminal record.*

Fuhrwerk *nt* cart.

Fülle *f* <-> wealth, abundance; **füllen** *vt, vr:* **sich ~** fill; (GASTR) stuff.

Füllen *nt* <-s, -> foal.

Füller, Füllfederhalter *m* <-s, -> fountain pen.

Füllung *f* filling; (*Holz~*) panel.

fummeln *vi* (*umg*) fumble.

Fund *m* <-[e]s, -e> find.

Fundament *nt* foundation; **fundamental** *adj* fundamental; **Fundamentalismus** *m* fundamentalism; **Fundamentalist(in)** *m(f)* (POL) fundamentalist; **fundamentalistisch** *adj* (POL) fundamentalist.

Fundbüro *nt* lost property office, lost and found; **Fundgrube** *f* (*fig*) treasure trove.

Fundi *m* <-s, -s>, *f* <-, -s> fundamentalist [of the ecology movement].

fundieren *vt* back up; **fundiert** *adj* sound.

fünf *num* five; **fünffach 1.** *adj* fivefold; **2.** *adv* five times; **fünfhundert** *num* five hundred; **fünfjährig** *adj* (*5 Jahre alt*) five-year-old; (*5 Jahre dauernd*) five-year; **fünfmal** *adv* five times; **Fünftagewoche** *f* five-day week.

fünfte(r, s) *adj* fifth; **der ~ Juni** the fifth of June; **Stuttgart, den ~n Juni** Stuttgart, June 5th; **Fünfte(r)** *mf* fifth.

Fünftel *nt* <-s, -> (*Bruchteil*) fifth.

fünftens *adv* in the fifth place.

fünfzehn *num* fifteen.

fünfzig *num* fifty.

fungieren *vi* function; (*Mensch*) act.

Funk *m* <-s> radio.

funkeln *vi* sparkle.

Funke[n] *m* <-ns, -n> (*a. fig*) spark.

funken *vt* radio; **Funker(in)** *m(f)* <-s, -> radio operator; **Funkgerät** *nt* radio set; **Funkhaus** *nt* broadcasting centre; **Funkspruch** *m* radio message; **Funkstation** *f* radio station; **Funktaxi** *nt* radio taxi, radio cab.

Funktion *f* function.

Funktionär(in) *m(f)* functionary.

funktionieren *vi* work, function.

Funktionstaste *f* (INFORM) function key.

für *präp +akk* for; **was ~** what kind [*o* sort] of; **das Für und Wider** the pros and cons *pl;* **Schritt ~ Schritt** step by step.

Furan *nt* <-s, -e> furan[e].

Fürbitte *f* intercession.

Furche *f* <-, -n> furrow; **furchen** *vt* furrow.

Furcht *f* <-> fear; **furchtbar** *adj* terrible, frightful.

fürchten 1. *vt* be afraid of, fear; **2.** *vr:* **sich ~** be afraid (*vor +dat* of).

fürchterlich *adj* awful.

furchtlos *adj* fearless; **furchtsam** *adj* timid.

füreinander *adv* for each other.

Furnier *nt* <-s, -e> veneer.

fürs = für das.

Fürsorge *f* care; (*Sozial~*) welfare; **Fürsorgeamt** *nt* welfare office; **Fürsorger(in)** *m(f)* <-s, -> welfare worker; **Fürsorgeunterstützung** *f* social security, welfare benefit *US*.

Fürsprache *f* recommendation; (*um Gnade*) intercession; **Fürsprecher(in)** *m(f)* advocate.

Fürst(in) *m(f)* <-en, -en> prince/princess; **Fürstentum** *nt* principality; **fürstlich** *adj* princely.

Furt *f* <-, -en> ford.

Fürwort *nt* pronoun.

Furz *m* <-es, -e> (*umg!*) fart; **furzen** *vi* (*umg!*) fart.

Fuß *m* <-es, Füße> foot; (*von Glas, Säule etc*) base; (*von Möbel*) leg; **zu ~** on foot; **Fußball** *m* football; **Fußballspiel** *nt* football match; **Fußballspieler(in)** *m(f)* footballer; **Fußboden** *m* floor; **Fußbremse** *f* (AUTO) footbrake; **fußen** *vi* rest, be based (*auf +dat* on); **Fußende** *nt* foot; **Fußgänger(in)** *m(f)* <-s, -> pedestrian; **Fußgängerstreifen** *m* (*CH*) pedestrian crossing; **Fußgängerzone** *f* pedestrian precinct; **Fußnote** *f* footnote; **Fußpfleger(in)** *m(f)* chiropodist; **Fußspur** *f* footprint; **Fußtritt** *m* kick; (*Spur*)

footstep; **Fußweg** *m* footpath.
Futter *nt* <-s, -> fodder, feed; (*Stoff*) lining.
Futteral *nt* <-s, -e> case.
füttern *vt* feed; (*Kleidung*) line.
Futur *nt* <-s, -e> future [tense].

G

G, g *nt* G, g.
gab *imperf von* **geben**.
Gabe *f* <-, -n> gift.
Gabel *f* <-, -n> fork; **Gabelung** *f* fork.
gackern *vi* cackle.
gaffen *vi* gape.
Gage *f* <-, -n> fee; (*regelmäßig*) salary.
gähnen *vi* yawn.
Gala *f* <-> formal dress.
galant *adj* gallant, courteous.
Galavorstellung *f* (THEAT) gala performance.
Galerie *f* gallery.
Galgen *m* <-s, -> gallows *pl;* **Galgenfrist** *f* respite; **Galgenhumor** *m* macabre humour.
Galle *f* <-, -n> gall; (*Organ*) gall-bladder.
Galopp *m* <-s> gallop; **galoppieren** *vi* gallop.
galt *imperf von* **gelten**.
galvanisieren *vt* galvanize.
Gamasche *f* <-, -n> gaiter; (*kurz*) spat.
Gammler(in) *m(f)* <-s, -> loafer, layabout.
Gämse[RR] *f* <-, -n> chamois.
gang *adj:* ~ **und gäbe** usual, normal.
Gang 1. *m* <-[e]s, Gänge> walk; (*Boten~*) errand; (*~art*) gait; (*Abschnitt eines Vorgangs*) operation; (*Essens~, Ablauf*) course; (*Flur etc*) corridor; (*Durch~*) passage; (TECH) gear; **2.** *f* <-, -s> gang; **in ~ bringen** start up; (*fig*) get off the ground; **in ~ sein** be in operation; (*fig*) be underway; **gangbar** *adj* passable; (*Methode*) practicable.
gängeln *vt* (*umg pej*) spoonfeed, treat like a child.
gängig *adj* common, current; (*Ware*) in demand, selling well.
Gangschaltung *f* gears *pl.*
Ganove *m* <-n, -n> (*umg*) crook.
Gans *f* <-, Gänse> goose.
Gänseblümchen *nt* daisy; **Gänsebraten** *m* roast goose; **Gänsefüßchen** *pl* (*umg*) inverted commas *pl Brit,* quotes *pl;* **Gänsehaut** *f* goose pimples *pl;* **Gänsemarsch** *m:* **im ~** in single file; **Gänserich** *m* gander.
ganz 1. *adj* whole; (*vollständig*) complete; **2.** *adv* quite; (*völlig*) completely; **~ Europa** all Europe; **sein ~es Geld** all his money; **~ und gar nicht** not at all; **es sieht ~ so aus** it really looks like it; **aufs Ganze gehen** go for the lot.
gar 1. *adj* cooked, done; **2.** *adv* quite; **~ nicht/nichts/keiner** not/nothing/nobody at all; **~ nicht schlecht** not bad at all.
Garage *f* <-, -n> garage.
Garantie *f* guarantee; **garantieren** *vt* guarantee.
Garbe *f* <-, -n> sheaf.
Garde *f* <-, -n> guard[s]; **die alte ~** the old guard.
Garderobe *f* <-, -n> wardrobe; (*Abgabe*) cloakroom; **Garderobenständer** *m* hallstand.
Gardine *f* curtain.
gären <gor *o* gärte, gegoren *o* gegärt> *vi* ferment.
Garn *nt* <-[e]s, -e> thread; (*fig a.*) yarn.
Garnele *f* <-, -n> shrimp.
garnieren *vt* decorate; (*Speisen*) garnish.
Garnison *f* <-, -en> garrison.
Garnitur *f* (*Satz*) set; (*Unterwäsche*) set of [matching] underwear; **erste ~** (*fig*) top rank; **zweite ~** second rate.
garstig *adj* nasty, horrid.
Garten *m* <-s, Gärten> garden; **Gartenarbeit** *f* gardening; **Gartenbau** *m* horticulture; **Gartenfest** *nt* garden party; **Gartenhaus** *nt* summerhouse; **Gartenkresse** *f* cress; **Gartenlokal** *nt* garden café; **Gartenschere** *f* pruning shears *pl.*
Gärtner(in) *m(f)* gardener; **Gärtnerei** *f* nursery; (*Gemüse~*) market garden *Brit,* truck farm *US;* **gärtnern** *vi* garden.
Gärung *f* fermentation.
Gas *nt* <-es, -e> gas; **~ geben** (AUTO) accelerate, step on the gas; **gasförmig** *adj* gaseous; **Gasherd** *m* gas cooker; **Gasleitung** *f* gas pipe; **Gasmaske** *f* gas mask; **Gaspedal** *nt* accelerator, gas pedal.
Gasse *f* <-, -n> lane, alley; **Gassenjunge** *m* street urchin.
Gast *m* <-es, Gäste> guest; **Gastarbeiter(in)** *m(f)* foreign worker; **Gästebuch** *nt* visitors' book, guest book;

Gästezimmer *nt* [guest] room; **gastfreundlich** *adj* hospitable; **Gastgeber(in)** *m(f)* <-s, -> host/hostess; **Gasthaus** *nt,* **Gasthof** *m* hotel, inn.
gastieren *vi* (THEAT) [appear as a] guest.
gastlich *adj* hospitable.
Gastronomie *f* (*Gewerbe*) catering trade; **gastronomisch** *adj* gastronomic[al].
Gastspiel *nt* (SPORT) away game; **Gaststätte** *f* restaurant; pub; **Gastwirt(in)** *m(f)* innkeeper; **Gastwirtschaft** *f* hotel, inn.
Gasvergiftung *f* gas poisoning; **Gaswerk** *nt* gasworks *sing o pl;* **Gaszähler** *m* gas meter.
Gatte *m* <-n, -n> husband, spouse; **die ~n** *pl* husband and wife.
Gatter *nt* <-s, -> railing, grating; (*Eingang*) gate.
Gattin *f* wife, spouse.
Gattung *f* (BIO) genus; (LITER, MUS) genre; (*fig*) type, kind.
Gau, GAU *m* <-s, -s> *akr von* **größter anzunehmender Unfall** maximum credible accident.
Gaul *m* <-[e]s, Gäule> horse; (*pej*) nag.
Gaumen *m* <-s, -> palate.
Gauner(in) *m(f)* <-s, -> rogue; **Gaunerei** *f* swindle.
Gaze *f* <-, -n> gauze.
geb. 1. *adj abk von* **geboren** born; **2.** *adj abk von* **geborene** née.
Gebäck *nt* <-[e]s, -e> pastry.
gebacken *pp von* **backen**.
Gebälk *nt* <-[e]s> timberwork.
gebar *imperf von* **gebären**.
Gebärde *f* <-, -n> gesture; **gebärden** *vr:* **sich ~** behave.
gebären <gebar, geboren> *vt* give birth to, bear; **Gebärmutter** *f* uterus, womb.
Gebäude *nt* <-s, -> building; **Gebäudekomplex** *m* [building] complex.
Gebell *nt* <-[e]s> barking.
geben <gab, gegeben> **1.** *vt, vi* give (*jdm etw* sb sth, sth to sb); (*Karten*) deal; **2.** *vb unpers:* **es gibt** there is/are; there will be; **3.** *vr:* **sich ~** (*sich verhalten*) behave, act; (*aufhören*) abate; **sich geschlagen ~** admit defeat; **das wird sich schon ~** that'll soon sort itself out; **ein Wort gab das andere** one angry word led to another.
Gebet *nt* <-[e]s, -e> prayer.
gebeten *pp von* **bitten**.
Gebiet *nt* <-[e]s, -e> area; (*Hoheits~*) territory; (*fig*) field.
gebieten *irr vt* command, demand; **gebieterisch** *adj* imperious.
Gebilde *nt* <-s, -> object, structure.
gebildet *adj* cultured, educated.
Gebirge *nt* <-s, -> mountains *pl,* mountain chain; **gebirgig** *adj* mountainous; **Gebirgskette** *f* mountain range.
Gebiss[RR] *nt* <-es, -e> teeth *pl;* (*künstlich*) dentures *pl.*
gebissen *pp von* **beißen**.
geblasen *pp von* **blasen**.
geblieben *pp von* **bleiben**.
geblümt *adj* flowery.
gebogen *pp von* **biegen**.
geboren 1. *pp von* **gebären**; **2.** *adj* born; **Monika Braun, ~e Schlüter** Monika Braun, née Schlüter.
geborgen 1. *pp von* **bergen**; **2.** *adj* secure, safe.
geborsten *pp von* **bersten**.
Gebot *nt* <-[e]s, -e> command; (*biblisch*) commandment; (*bei Auktion*) bid.
geboten *pp von* **bieten**.
gebracht *pp von* **bringen**.
gebrannt *pp von* **brennen**.
gebraten *pp von* **braten**.
Gebräu *nt* <-[e]s, -e> brew, concoction.
Gebrauch *m* <-[e]s, Gebräuche> use; (*Sitte*) custom; **gebrauchen** *vt* use.
gebräuchlich *adj* usual, customary.
Gebrauchsanweisung *f* directions *pl* for use; **Gebrauchsartikel** *m* article of everyday use; **gebrauchsfertig** *adj* ready for use; **Gebrauchsgegenstand** *m* commodity.
gebraucht *adj* used; **Gebrauchtwagen** *m* secondhand [*o* used] car.
gebrechlich *adj* frail.
gebrochen *pp von* **brechen**.
Gebrüder *pl* brothers *pl.*
Gebrüll *nt* <-[e]s> (*von Mensch*) yelling; (*von Löwe*) roaring.
Gebühr *f* <-, -en> charge; (*Maut*) toll; (*Honorar*) fee; **über ~** unduly.
gebühren 1. *vi:* **jdm ~** be sb's due, be due to sb; **2.** *vr:* **sich ~** be fitting.
Gebührenerlass[RR] *m* remission of fees; **Gebührenermäßigung** *f* reduction of fees; **gebührenfrei** *adj* free of charge; **gebührenpflichtig** *adj* subject to charges.
gebunden *pp von* **binden**.
Geburt *f* <-, -en> birth; **Geburtenkontrolle** *f* birth control; **Geburtenrate** *f* birth-rate.
gebürtig *adj* born in, native of; **~e**

Schweizerin native of Switzerland, Swiss-born.

Geburtsanzeige *f* birth notice; **Geburtsdatum** *nt* date of birth; **Geburtsjahr** *nt* year of birth; **Geburtsort** *m* birthplace; **Geburtstag** *m* birthday; **herzlichen Glückwunsch zum ~** happy birthday, many happy returns; **Geburtsurkunde** *f* birth certificate.

Gebüsch *nt* <-[e]s, -e> bushes *pl.*

gedacht *pp von* **denken**.

Gedächtnis *nt* memory; **Gedächtnisschwund** *m* loss of memory, failing memory; **Gedächtnisverlust** *m* amnesia.

Gedanke *m* <-ns, -n> thought; **sich** *dat* **über etw** *akk* **~n machen** think about sth; (*sich sorgen*) worry about sth; **Gedankenaustausch** *m* exchange of ideas; **gedankenlos** *adj* thoughtless; **Gedankenlosigkeit** *f* thoughtlessness; **Gedankenstrich** *m* dash; **Gedankenübertragung** *f* thought transference, telepathy.

Gedeck *nt* <-[e]s, -e> cover[ing]; (*Speisenfolge*) menu; **ein ~ auflegen** lay a place.

gedeihen <gedieh, gediehen> *vi* thrive, prosper.

gedenken 1. *irr vi* (*sich erinnern*) remember (*jds/einer Sache* sb/sth); **2.** *irr vt:* **~ etw zu tun** intend to do sth; (*beabsichtigen*) intend; **Gedenkfeier** *f* commemoration; **Gedenkminute** *f* minute's silence; **Gedenktag** *m* remembrance day.

Gedicht *nt* <-[e]s, -e> poem.

gediegen *adj* [good] quality; (*Mensch*) reliable, honest.

gedieh *imperf von* **gedeihen**; **gediehen** *pp von* **gedeihen**.

Gedränge *nt* <-s> crush, crowd; **ins ~ kommen** (*fig*) get into difficulties.

gedrängt *adj* compressed; **~ voll** packed.

gedroschen *pp von* **dreschen**.

gedrungen 1. *pp von* **dringen**; **2.** *adj* thickset, stocky.

Geduld *f* <-> patience; **gedulden** *vr:* **sich ~** be patient; **geduldig** *adj* patient, forbearing; **Geduldsprobe** *f* trial of [one's] patience.

gedurft *pp von* **dürfen**.

geeignet *adj* suitable.

Gefahr *f* <-, -en> danger; **~ laufen etw zu tun** run the risk of doing sth; **auf eigene ~** at one's own risk.

gefährden *vt* endanger.

gefahren *pp von* **fahren**.

Gefahrenquelle *f* source of danger; **Gefahrenzulage** *f* danger money.

gefährlich *adj* dangerous.

Gefährte *m* <-n, -n>, **Gefährtin** *f* companion.

Gefälle *nt* <-s, -> gradient, incline; (*Unterschied*) difference.

gefallen 1. *pp von* **fallen**; **2.** *irr vi:* **jdm ~** please sb; **er/es gefällt mir** I like him/it; **das gefällt mir an ihm** that's one thing I like about him; **sich** *dat* **etw ~ lassen** put up with sth; **Gefallen 1.** *m* <-s, -> favour; **2.** *nt* <-s> pleasure; **an etw** *dat* **~ finden** derive pleasure from sth; **jdm etw zu ~ tun** do sth to please sb.

gefällig *adj* (*hilfsbereit*) obliging; (*erfreulich*) pleasant; **Gefälligkeit** *f* favour; helpfulness; **etw aus ~ tun** do sth as a favour; **gefälligst** *adv* kindly.

gefangen 1. *pp von* **fangen**; **2.** *adj* captured; (*fig*) captivated; **~ halten**[RR] keep prisoner; **~ nehmen**[RR] take prisoner; **Gefangene(r)** *mf* prisoner, captive; **Gefangenenlager** *nt* prisoner-of-war camp; **gefangenhalten** *vt s.* **gefangen**; **Gefangennahme** *f* <-, -n> capture; **Gefangenschaft** *f* captivity.

Gefängnis *nt* prison; **Gefängnisstrafe** *f* prison sentence; **Gefängniswärter(in)** *m(f)* prison warder/wardress.

Gefasel *nt* <-s> twaddle, drivel.

Gefäß *nt* <-es, -e> (*Behälter*) container, receptacle; (ANAT, BOT) vessel.

gefasst[RR] *adj* composed, calm; **auf etw** *akk* **~ sein** be prepared [*o* ready] for sth.

Gefecht *nt* <-[e]s, -e> fight; (MIL) engagement.

gefeit *adj:* **gegen etw ~ sein** be immune to sth.

Gefieder *nt* <-s, -> plumage, feathers *pl;* **gefiedert** *adj* feathered.

gefleckt *adj* spotted, mottled.

geflissentlich *adj, adv* intentional[ly].

geflochten *pp von* **flechten**.

geflogen *pp von* **fliegen**.

geflohen *pp von* **fliehen**.

geflossen *pp von* **fließen**.

Geflügel *nt* <-s> poultry.

gefochten *pp von* **fechten**.

Gefolge *nt* <-s, -> retinue; **Gefolgschaft** *f* following; (*Arbeiter*) personnel; **Gefolgsmann** *m* <Gefolgsleute *pl*> follower.

gefragt *adj* in demand.

gefräßig *adj* voracious.
Gefreite(r) *mf* <-n, -n> lance corporal; (NAUT) able seaman, seaman apprentice; (FLUG) aircraftman.
gefressen *pp von* **fressen**.
gefrieren *irr vi* freeze; **Gefrierfach** *nt* icebox; **Gefrierfleisch** *nt* frozen meat; **gefriergetrocknet** *adj* freeze-dried; **Gefrierpunkt** *m* freezing point; **Gefrierschrank** *m* [upright] freezer; **Gefriertruhe** *f* [chest] freezer.
gefroren *pp von* **frieren**.
Gefüge *nt* <-s, -> structure.
gefügig *adj* pliant; (*pej: Mensch*) obedient.
Gefühl *nt* <-[e]s, -e> feeling; **etw im ~ haben** have a feel for sth; **gefühllos** *adj* unfeeling; **gefühlsbetont** *adj* emotional; **Gefühlsduselei** *f* emotionalism; **gefühlsmäßig** *adj* instinctive.
gefunden *pp von* **finden**.
gegangen *pp von* **gehen**.
gegeben 1. *pp von* **geben**; **2.** *adj* given; **zu ~er Zeit** in good time; **gegebenenfalls** *adv* if need be.
gegen *präp +akk* against; (*in Richtung auf, jdn betreffend, kurz vor*) towards; (*im Austausch für*) [in return] for; (*ungefähr*) round about; **Gegenangriff** *m* counterattack; **Gegenanzeige** *f* contraindication; **Gegenbeweis** *m* counter-evidence.
Gegend *f* <-, -en> area, district.
gegeneinander *adv* against one another.
Gegenfahrbahn *f* opposite carriageway; **Gegenfrage** *f* counter-question; **Gegengewicht** *nt* counterbalance; **Gegengift** *nt* antidote; **Gegenleistung** *f*: **als ~** in return; **Gegenlichtaufnahme** *f* contre-jour photograph; **Gegenmaßnahme** *f* counter-measure; **Gegenprobe** *f* cross-check; **Gegensatz** *m* contrast; **Gegensätze überbrücken** overcome differences; **gegensätzlich** *adj* contrary, opposite; (*widersprüchlich*) contradictory; **Gegenschlag** *m* counterattack; **Gegenseite** *f* opposite side; (*Rückseite*) reverse; **gegenseitig** *adj* mutual, reciprocal; **sich ~ helfen** help each other; **Gegenseitigkeit** *f* reciprocity; **das beruht auf ~** it's mutual; **Gegenspieler(in)** *m(f)* opponent.
Gegenstand *m* object; **gegenständlich** *adj* concrete.
Gegenstimme *f* vote against; **Gegenstück** *nt* counterpart.
Gegenteil *nt* opposite; **im ~** on the contrary; **ins ~ umschlagen** swing to the other extreme; **gegenteilig** *adj* opposite, contrary.
gegenüber 1. *präp +dat* opposite; (*zu*) to[wards]; (*angesichts*) in the face of; **2.** *adv* opposite; **Gegenüber** *nt* <-s, -> person opposite; (*bei Diskussion*) opposite number; **gegenüberliegen** *irr vr*: **sich ~** face each other; **gegenüberstellen** *vt* confront (*dat* with); (*fig*) compare; **Gegenüberstellung** *f* confrontation; (*fig: Vergleich*) comparison; **gegenübertreten** *irr vi* face (*jdm* sb).
Gegenverkehr *m* oncoming traffic; **Gegenvorschlag** *m* counterproposal; **Gegenwart** *f* <-> present; **gegenwärtig 1.** *adj* present; **2.** *adv* at present; **das ist mir nicht mehr ~** that has slipped my mind; **Gegenwert** *m* equivalent; **Gegenwind** *m* headwind; **Gegenwirkung** *f* reaction; **gegenzeichnen** *vt, vi* countersign; **Gegenzug** *m* countermove; (EISENB) corresponding train in the other direction.
gegessen *pp von* **essen**.
geglichen *pp von* **gleichen**.
geglitten *pp von* **gleiten**.
geglommen *pp von* **glimmen**.
Gegner(in) *m(f)* <-s, -> opponent; **gegnerisch** *adj* opposing; **Gegnerschaft** *f* opposition.
gegolten *pp von* **gelten**.
gegoren *pp von* **gären**.
gegossen *pp von* **gießen**.
gegraben *pp von* **graben**.
gegriffen *pp von* **greifen**.
gehabt *pp von* **haben**.
Gehackte(s) *nt* mince[d meat].
Gehalt 1. *m* <-[e]s, -e> content; **2.** *nt* <-[e]s, Gehälter> salary.
gehalten *pp von* **halten**.
Gehaltsempfänger(in) *m(f)* salary earner; **Gehaltserhöhung** *f* [salary] increase; **Gehaltszulage** *f* [salary] increment.
gehangen *pp von* **hängen**.
geharnischt *adj* forceful, angry.
gehässig *adj* spiteful, nasty; **Gehässigkeit** *f* spitefulness.
gehauen *pp von* **hauen**.
Gehäuse *nt* <-s, -> case; (*Radio~, Kamera~*) casing, body.
Gehege *nt* <-s, -> enclosure, preserve; **jdm ins ~ kommen** (*fig*) get under sb's feet.

geheim *adj* secret; ~ **halten**^RR keep secret; **Geheimdienst** *m* secret service, intelligence service; **geheimhalten** *vt s.* **geheim**; **Geheimnis** *nt* secret; (*rätselhaft*) mystery; **Geheimniskrämer(in)** *m(f)* secretive type; **geheimnisvoll** *adj* mysterious; **Geheimnummer** *f* (*Geldautomat*) PIN-number; **eine ~ haben** (TEL) be exdirectory *Brit,* have an unlisted number *US;* **Geheimpolizei** *f* secret police; **Geheimschrift** *f* code, secret writing.

geheißen *pp von* **heißen**.

gehen <ging, gegangen> **1.** *vt, vi* go; (*zu Fuß ~*) walk; **2.** *vi unpers:* **wie geht es [dir]?** how are you [*o* things]?; **mir/ihm geht es gut** I'm/he's [doing] fine; **geht das?** is that possible?; **geht's noch?** can you still manage?; **es geht** not too bad, O.K.; **das geht nicht** that's not on; **es geht um etw** it concerns sth, it's about sth; ~ **nach** (*Fenster*) face.

geheuer *adj:* **nicht** ~ eery; (*fragwürdig*) dubious.

Geheul *nt* <-[e]s> howling.

Gehilfe *m* <-n, -n>, **Gehilfin** *f* assistant.

Gehirn *nt* <-[e]s, -e> brain; **Gehirnerschütterung** *f* concussion; **Gehirnwäsche** *f* brainwashing.

gehoben **1.** *pp von* **heben**; **2.** *adj* (*Sprache*) elevated; (*Stellung*) senior.

geholfen *pp von* **helfen**.

Gehör *nt* <-[e]s> hearing; **musikalisches** ~ ear; ~ **finden** gain a hearing; **jdm ~ schenken** listen to sb.

gehorchen *vi* obey (*jdm* sb).

gehören **1.** *vi* belong (*jdm* to sb); **2.** *vr unpers:* **sich** ~ be right, be proper.

gehörig *adj* proper.

gehorsam *adj* obedient; **Gehorsam** *m* <-s> obedience.

Gehsteig *m* pavement, sidewalk *US.*

Geier *m* <-s, -> vulture; **weiß der** ~ (*umg*) God knows.

geifern *vi* salivate; (*fig*) bitch.

Geige *f* <-, -n> violin; **Geiger(in)** *m(f)* <-s, -> violinist.

Geigerzähler *m* geiger counter.

geil *adj* randy, horny *US;* (*umg: toll*) fantastic, brillant.

Geisel *f* <-, -n> hostage.

Geiselnahme *f* <-, -n> hostage-taking.

Geißel *f* <-, -n> scourge, whip; **geißeln** *vt* scourge.

Geist *m* <-[e]s, -er> spirit; (*Gespenst*) ghost; (*Verstand*) mind; **Geisterfahrer(in)** *m(f) person driving in the wrong direction on a motorway;* **geisterhaft** *adj* ghostly; **geistesabwesend** *adj* absent-minded; **Geistesblitz** *m* brainwave; **Geistesgegenwart** *f* presence of mind; **geisteskrank** *adj* mentally ill; **Geisteskranke(r)** *mf* mentally ill person; **Geisteskrankheit** *f* mental illness; **Geisteswissenschaften** *pl* arts *pl;* **Geisteszustand** *m* state of mind; **geistig** *adj* intellectual; (PSYCH) mental; ~ **behindert** mentally handicapped.

geistlich *adj* spiritual; (*kirchlich*) religious; **Geistliche(r)** *m* clergyman; **Geistlichkeit** *f* clergy.

geistlos *adj* uninspired, dull; **geistreich** *adj* clever; (*witzig*) witty; **geisttötend** *adj* soul-destroying.

Geiz *m* <-es> miserliness, meanness; **geizen** *vi* be miserly; **Geizhals** *m* miser; **geizig** *adj* miserly, mean; **Geizkragen** *m* miser.

gekannt *pp von* **kennen**.

Geklapper *nt* <-s> rattling.

geklungen *pp von* **klingen**.

geknickt *adj* (*fig*) dejected.

gekniffen *pp von* **kneifen**.

gekommen *pp von* **kommen**.

gekonnt **1.** *pp von* **können**; **2.** *adj* skilful, masterly.

Gekritzel *nt* <-s> scrawl, scribble.

gekrochen *pp von* **kriechen**.

gekünstelt *adj* artificial, affected.

Gel *nt* <-s, -s> gel.

Gelächter *nt* <-s, -> laughter.

geladen **1.** *pp von* **laden**; **2.** *adj* loaded; (ELEK) live; (*fig*) furious.

Gelage *nt* <-s, -> feast, banquet.

gelähmt *adj* paralysed.

Gelände *nt* <-s, -> land, terrain; (*von Fabrik, Sport~*) grounds *pl;* (*Bau~*) site; **Geländefahrzeug** *nt* cross-country [*o* all-terrain] vehicle; **geländegängig** *adj* [suitable for driving] cross-country; **Geländelauf** *m* cross-country race.

Geländer *nt* <-s, -> railing; (*Treppen~*) banister[s].

Geländewagen *m* cross-country vehicle.

gelang *imperf von* **gelingen**.

gelangen *vi* reach (*zu etw, an etw akk* sth); (*erwerben*) attain; **in jds Besitz ~** come into sb's possession.

gelassen **1.** *pp von* **lassen**; **2.** *adj* calm, composed; **Gelassenheit** *f* calmness, composure.

Gelatine *f* gelatine.

gelaufen *pp von* **laufen**.

geläufig *adj* (*üblich*) common; **das ist mir nicht** ~ I'm not familiar with that.

gelaunt *adj:* **gut/schlecht** ~ in a good/bad mood; **wie ist er ~?** what sort of mood is he in?

Geläut[e] *nt* <-[e]s> ringing; (*Läutwerk*) chime.

gelb *adj* yellow; (*Ampellicht*) amber; **gelblich** *adj* yellowish; **Gelbsucht** *f* jaundice.

Geld *nt* <-[e]s, -er> money; **etw zu ~ machen** sell sth off; **Geldanlage** *f* investment; **Geldautomat** *m* cash dispenser; **Geldbetrag** *m* sum [of money]; **Geldbeutel** *m* purse; **Geldbuße** *f* fine; **Geldeinwurf** *m* slot; **Geldgeber(in)** *m(f)* <-s, -> financial backer; **geldgierig** *adj* avaricious; **Geldmittel** *pl* capital, means *pl;* **Geldschein** *m* banknote; **Geldschrank** *m* safe, strongbox; **Geldstrafe** *f* fine; **Geldstück** *nt* coin; **Geldverlegenheit** *f:* **in ~ sein/kommen** to be/run short of money; **Geldverschwendung** *f* waste of money; **Geldwechsel** *m* exchange [of money]; (*Ort*) bureau de change.

Gelee *nt* <-s, -s> jelly.

gelegen 1. *pp von* **liegen**; **2.** *adj* situated; (*passend*) convenient, opportune; **etw kommt jdm** ~ sth is convenient for sb.

Gelegenheit *f* opportunity; (*Anlass*) occasion; **bei jeder** ~ at every opportunity; **Gelegenheitsarbeit** *f* casual work; **Gelegenheitsarbeiter(in)** *m(f)* casual worker; **Gelegenheitskauf** *m* bargain.

gelegentlich 1. *adj* occasional; **2.** *adv* occasionally; (*bei Gelegenheit*) some time [or other]; **3.** *präp +gen* on the occasion of.

gelehrig *adj* quick to learn, intelligent.

gelehrt *adj* learned; **Gelehrte(r)** *mf* scholar; **Gelehrtheit** *f* scholarliness.

Geleit *nt* <-[e]s> escort; **Geleitschutz** *m* escort.

Gelenk *nt* <-[e]s, -e> joint; **gelenkig** *adj* supple, agile.

gelernt *adj* skilled.

gelesen *pp von* **lesen**.

Geliebte(r) *mf* (*Mann*) lover; (*Frau*) mistress.

geliehen *pp von* **leihen**.

gelind[e] *adj* mild, light; **~e gesagt** to put it mildly.

gelingen <gelang, gelungen> *vi* succeed; **die Arbeit gelingt mir nicht** I'm not being very successful with this piece of work; **es ist mir gelungen etw zu tun** I succeeded in doing sth.

gelitten *pp von* **leiden**.

geloben *vt* vow, swear.

gelogen *pp von* **lügen**.

gelten <galt, gegolten> **1.** *vt* (*wert sein*) be worth; **2.** *vi* (*gültig sein*) be valid; (*erlaubt sein*) be allowed; **3.** *vb unpers:* **es gilt etw zu tun** it is necessary to do sth; **jdm** ~ (*gemünzt sein auf*) be meant for [*o* aimed at] sb; **etw gilt bei jdm viel/wenig** sb values sth highly/sb doesn't value sth very highly; **jdm viel/wenig** ~ mean a lot/not mean much to sb; **was gilt die Wette?** what do you bet?; **etw ~ lassen** accept sth; **als** [*o* **für**] **etw** ~ be considered to be sth; **jdm** [*o* **für jdn**] ~ (*betreffen*) apply to [*o* for] sb; **geltend** *adj* prevailing; **etw ~ machen** assert sth; **sich ~ machen** make itself/oneself felt; **Geltung** *f:* **~ haben** have validity; **sich/einer Sache** *dat* **~ verschaffen** establish oneself/sth; **etw zur ~ bringen** show sth to its best advantage; **zur ~ kommen** be seen/heard to its best advantage; **Geltungsbedürfnis** *nt* desire for recognition.

Gelübde *nt* <-s, -> vow.

gelungen 1. *pp von* **gelingen**; **2.** *adj* successful.

gemächlich *adj* leisurely.

Gemahl(in) *m(f)* <-[e]s, -e> husband/wife.

gemahlen *pp von* **mahlen**.

Gemälde *nt* <-s, -> painting, picture.

gemäß 1. *präp +dat* in accordance with; **2.** *adj* appropriate (*dat* to).

gemäßigt *adj* moderate; (*Klima*) temperate.

gemein *adj* common; (*niederträchtig*) mean; **etw ~ haben [mit]** have sth in common [with].

Gemeinde *f* <-, -n> district, community; (*Pfarr~*) parish; (*Kirchen~*) congregation; **Gemeinderat** *m* (*Gremium*) local council; (*Mitglied*) local councillor; **Gemeinderatswahl** *f* local council election; **Gemeindeverwaltung** *f* local administration; **Gemeindezentrum** *nt* community centre.

gemeingefährlich *adj* dangerous to the public; **Gemeingut** *nt* public property.

Gemeinheit *f* (*Niedertracht*) meanness; (*Vulgarität*) vulgarity; (*Tat*) mean trick, dirty trick; (*Behandlung*) mean treatment; (*Worte*) mean thing [to say]; (*Ärgernis*) nuisance.

gemeinsam 1. *adj* joint, common; **2.** *adv* together, jointly; **~e Sache mit jdm machen** be in cahoots with sb; **etw ~ haben** have sth in common.

Gemeinschaft *f* community; **in ~ mit** together with, jointly with; **Gemeinschaft Unabhängiger Staaten** Commonwealth of Independent States; **Gemeinschaftsarbeit** *f* teamwork.

Gemenge *nt* <-s, -> mixture; (*Hand~*) scuffle.

gemessen 1. *pp von* **messen**; **2.** *adj* measured.

Gemetzel *nt* <-s, -> slaughter, carnage, butchery.

gemieden *pp von* **meiden**.

Gemisch *nt* <-es, -e> mixture; **gemischt** *adj* mixed.

gemocht *pp von* **mögen**.

gemolken *pp von* **melken**.

Gemse *s.* **Gämse**.

Gemunkel *nt* <-s> gossip.

Gemüse *nt* <-s, -> vegetables *pl;* **Gemüsegarten** *m* vegetable garden; **Gemüsehändler(in)** *m(f)* greengrocer.

gemusst[RR] *pp von* **müssen**.

Gemüt *nt* <-[e]s, -er> disposition, nature; (*Mensch*) person; **sich** *dat* **etw zu ~e führen** (*umg*) indulge in sth; **die ~er erregen** arouse strong feelings.

gemütlich *adj* comfortable, cosy; (*Mensch*) good-natured and easy-going; **Gemütlichkeit** *f* comfortableness, cosiness; amiability.

Gemütsbewegung *f* emotion; **Gemütsmensch** *m* good-natured and easy-going person; **Gemütsruhe** *f* composure; **Gemütszustand** *m* state of mind.

Gen *nt* <-s, -e> gene.

genannt *pp von* **nennen**.

genas *imperf von* **genesen**.

genau *adj, adv* exact[ly], precise[ly]; **etw ~ nehmen** take sth seriously; **~ genommen**[RR] strictly speaking; **Genauigkeit** *f* exactness, accuracy.

genehm *adj:* **jdm ~ sein** suit sb.

genehmigen *vt* approve, authorize; **sich** *dat* **etw ~** indulge in sth; **Genehmigung** *f* approval, authorization.

geneigt *adj:* **~ sein etw zu tun** be inclined to do sth.

General(in) *m(f)* <-s, -e *o* Generäle> general; **Generaldirektor(in)** *m(f)* director general; **Generalkonsul** *m* consul general; **Generalkonsulat** *nt* consulate general; **Generalprobe** *f* dress rehearsal; **Generalstreik** *m* general strike; **generalüberholen** *vt* thoroughly overhaul.

Generation *f* generation; **Generationskonflikt** *m* generation gap.

Generator *m* generator.

genesen <genas, genesen> *vi* convalesce, recover, get well; **Genesung** *f* recovery, convalescence.

genetisch *adj* genetic; **~er Code** genetic code; **~er Fingerabdruck** genetic fingerprint.

Genf *nt* Geneva.

genial *adj* brilliant; **Genialität** *f* brilliance, genius.

Genick *nt* <-[e]s, -e> [back of the] neck.

Genie *nt* <-s, -s> genius.

genieren *vr:* **sich ~** feel awkward, feel self-conscious.

genießbar *adj* edible; drinkable.

genießen <genoss, genossen> *vt* enjoy; eat; drink; **Genießer(in)** *m(f)* <-s, -> epicure; pleasure lover; **genießerisch** 1. *adj* appreciative; **2.** *adv* with relish.

Genmanipulation *f* genetic manipulation.

genommen *pp von* **nehmen**.

genoss[RR] *imperf von* **genießen**.

Genosse *m* <-n, -n> (POL) comrade; (*Mitglied einer Genossenschaft*) member of a cooperative [society].

genossen *pp von* **genießen**.

Genossenschaft *f* cooperative [association].

Genossin *f s.* **Genosse**.

Gentechnik *f,* **Gentechnologie** *f* genetic engineering.

genug *adv* enough.

Genüge *f* <->: **jdm/einer Sache ~ tun** satisfy sb/sth; **zur ~** enough; **genügen** *vi* be enough, be sufficient (*jdm* for sb), satisfy (*jdm* sb); **genügend** *adj* sufficient.

genügsam *adj* modest, easily satisfied; **Genügsamkeit** *f* moderation.

Genugtuung *f* satisfaction.

Genuss[RR] *m* <-es, Genüsse> pleasure; (*Zusichnehmen*) consumption; **in den ~ von etw kommen** receive the benefit of sth.

genüsslich[RR] *adv* with relish; **Genussmittel**[RR] *pl* [semi-]luxury items *pl.*

Geograf(in)[RR], **Geograph(in)** *m(f)* <-en, -en> geographer; **Geografie**[RR],

Geographie *f* geography; **geografisch**[RR], **geographisch** *adj* geographical.

Geologe *m* <-n, -n> geologist; **Geologie** *f* geology; **Geologin** *f* geologist.

Geometrie *f* geometry.

Georgien *nt* <-s> Georgia.

Gepäck *nt* <-[e]s> luggage, baggage; **Gepäckabfertigung** *f* luggage desk [*o* check-in]; **Gepäckannahme** *f* (*zur Beförderung*) luggage office; (*zur Aufbewahrung*) left-luggage office *Brit*, checkroom *US*; **Gepäckaufbewahrung** *f* left-luggage office *Brit*, checkroom *US*; **Gepäckausgabe** *f* luggage desk/office; **Gepäcknetz** *nt* luggage-rack; **Gepäckschein** *m* luggage ticket; **Gepäckschließfach** *nt* luggage locker; **Gepäckträger** *m* porter; (*an Fahrrad*) carrier; **Gepäckwagen** *m* luggage van, baggage car *US*.

gepfiffen *pp von* **pfeifen**.

gepflegt *adj* well-groomed; (*Park*) well looked after.

Gepflogenheit *f* custom.

Geplapper *nt* <-s> chatter.

Geplauder *nt* <-s> chat[ting].

gepriesen *pp von* **preisen**.

gequollen *pp von* **quellen**.

gerade 1. *adj* straight; (*Zahl*) even; 2. *adv* (*genau*) exactly; (*örtlich*) straight; (*eben*) just; **warum ~ ich?** why me?; **~ weil** precisely [*o* just] because; **nicht ~ schön** not exactly nice; **das ist es ja ~** that's just it; **~ noch** just; **~ neben** right next to; **Gerade** *f* <-n, -n> straight line; (SPORT) straight; (BOXEN) straight right/left; **geradeaus** *adv* straight ahead; **geradeheraus** *adv* straight out, bluntly; **geradeso** *adv* just so; **~ dumm** just as stupid; **~ wie** just as; **geradezu** *adv* (*beinahe*) virtually, almost.

gerannt *pp von* **rennen**.

Gerät *nt* <-[e]s, -e> device; (*Werkzeug*) tool; (SPORT) apparatus; (*Zubehör*) equipment.

geraten 1. *pp von* **raten**; 2. <geriet, geraten> *vi* (*gelingen*) turn out (*jdm* for sb); **gut/schlecht ~** turn out well/badly; **an jdn ~** come across sb; **in etw** *akk* **geraten** get into sth; **in Angst ~** get frightened; **nach jdm ~** take after sb.

Geratewohl *nt*: **aufs ~** on the off chance; (*bei Wahl*) at random.

geraum *adj*: **seit ~er Zeit** for some considerable time.

geräumig *adj* roomy.

Geräusch *nt* <-[e]s, -e> sound, noise; **geräuschlos** *adj* silent; **geräuschvoll** *adj* noisy.

gerben *vt* tan; **Gerber(in)** *m(f)* <-s, -> tanner; **Gerberei** *f* tannery.

gerecht *adj* fair, just; **jdm/einer Sache ~ werden** do justice to sb/sth; **Gerechtigkeit** *f* justice.

Gerede *nt* <-s> talk, gossip.

gereizt *adj* irritable.

Gericht *nt* <-[e]s, -e> court; (*Essen*) dish; **mit jdm hart ins ~ gehen** judge sb harshly; **über jdn zu ~ sitzen** sit in judgement on sb; **das Letzte ~** the Last Judgement; **Gerichtsbarkeit** *f* jurisdiction; **Gerichtshof** *m* court [of law]; **Gerichtskosten** *pl* [legal] costs *pl*; **Gerichtssaal** *m* courtroom; **Gerichtsverfahren** *nt* legal proceedings *pl*; **Gerichtsverhandlung** *f* court proceedings *pl*; **Gerichtsvollzieher(in)** *m(f)* bailiff.

gerieben 1. *pp von* **reiben**; 2. *adj* grated.

geriet *imperf von* **geraten**.

gering *adj* slight, small; (*niedrig*) low; (*Zeit*) short; **~ achten**[RR] think little of; **geringfügig** *adj* slight, trivial; **geringschätzig** *adj* disparaging; **Geringschätzung** *f* disdain; **geringste(r, s)** *adj* slightest, least.

gerinnen *irr vi* congeal; (*Blut*) clot; (*Milch*) curdle; **Gerinnsel** *nt* clot.

Gerippe *nt* <-s, -> skeleton.

gerissen 1. *pp von* **reißen**; 2. *adj* wily, smart.

geritten *pp von* **reiten**.

gern[e] *adv* willingly, gladly; **~ haben, ~ mögen** like; **etw ~ tun** like doing sth; **Gernegroß** *m* <-, -e> show-off.

gerochen *pp von* **riechen**.

Geröll *nt* <-[e]s, -e> scree.

geronnen *pp von* **rinnen**.

Gerste *f* <-, -n> barley; **Gerstenkorn** *nt* (*im Auge*) stye.

Gerte *f* <-, -n> switch, rod; **gertenschlank** *adj* willowy.

Geruch *m* <-[e]s, Gerüche> smell, odour; **geruchlos** *adj* odourless; **Geruchssinn** *m* sense of smell.

Gerücht *nt* <-[e]s, -e> rumour.

geruchtilgend *adj* deodorant.

gerufen *pp von* **rufen**.

geruhen *vi*: **~ etw zu tun** deign [*o* condescend] to do sth.

Gerümpel *nt* <-s> junk.

gerungen *pp von* **ringen**.

Gerüst *nt* <-[e]s, -e> (*Bau~*) scaffolding; (*Gestell*) trestle; (*fig*) framework (*zu* of).

gesalzen *pp von* **salzen**.

gesamt *adj* whole, entire; (*Kosten*) total; (*Werke*) complete; **im Gesamten**[RR] all in all; **Gesamtausgabe** *f* complete edition; **gesamtdeutsch** *adj* all-German; **Gesamteindruck** *m* general impression; **Gesamtheit** *f* totality, whole; **Gesamtschule** *f* comprehensive school; **Gesamtvolumen** *nt* total volume; **gesamtwirtschaftlich** *adj* of the economy as a whole.

gesandt *pp von* **senden**; **Gesandte(r)** *mf* envoy; **Gesandtschaft** *f* legation.

Gesang *m* <-[e]s, Gesänge> song; (*Singen*) singing; **Gesangbuch** *nt* (REL) hymn book; **Gesangverein** *m* choral society.

Gesäß *nt* <-es, -e> seat, bottom.

gesch. *adj abk von* **geschieden** divorced.

geschaffen *pp von* **schaffen**.

Geschäft *nt* <-[e]s, -e> business; (*Laden*) shop; (*~sabschluss*) deal; **Geschäftemacher(in)** *m(f)* <-s, -> profiteer; **geschäftig** *adj* active, busy; (*pej*) officious; **geschäftlich 1.** *adj* commercial; **2.** *adv* on business; **Geschäftsbericht** *m* financial report; **Geschäftsessen** *nt* business meal; **Geschäftsführer(in)** *m(f)* manager; (*von Klub*) secretary; **Geschäftsjahr** *nt* financial year; **Geschäftslage** *f* business situation; **Geschäftsleitung** *f* management; **Geschäftsmann** *m* <Geschäftsleute *pl*> businessman; **geschäftsmäßig** *adj* businesslike; **Geschäftsreise** *f* business trip; **Geschäftsschluss**[RR] *m* closing time; **Geschäftssinn** *m* business sense; **Geschäftsstelle** *f* office, place of business; (*Zweigstelle*) branch; **geschäftstüchtig** *adj* efficient.

geschehen <geschah, geschehen> *vi* happen; **es war um ihn** ~ that was the end of him.

gescheit *adj* clever.

Geschenk *nt* <-[e]s, -e> present, gift; **Geschenkgutschein** *m* gift voucher; **Geschenkpackung** *f* gift pack.

Geschichte *f* <-, -n> story; (*Sache*) affair; (HIST) history; **Geschichtenerzähler(in)** *m(f)* storyteller; **geschichtlich** *adj* historical; **Geschichtsschreiber(in)** *m(f)* historian.

Geschick *nt* <-[e]s, -e> aptitude; (*Schicksal*) fate; **Geschicklichkeit** *f* skill, dexterity; **geschickt** *adj* skilful.

geschieden 1. *pp von* **scheiden**; **2.** *adj* divorced.

geschienen *pp von* **scheinen**.

Geschirr *nt* <-[e]s, -e> crockery; pots and pans *pl*; (*von Pferd*) harness; **Geschirrspülmaschine** *f* dishwasher; **Geschirrspülmittel** *nt* washing-up liquid; **Geschirrtuch** *nt* dish cloth.

geschlafen *pp von* **schlafen**.

geschlagen *pp von* **schlagen**.

Geschlecht *nt* <-[e]s, -er> sex; (LING) gender; **geschlechtlich** *adj* sexual; **Geschlechtskrankheit** *f* venereal disease; **Geschlechtsteil** *nt* genitals *pl*; **Geschlechtsverkehr** *m* sexual intercourse; **Geschlechtswort** *nt* (LING) article.

geschlichen *pp von* **schleichen**.

geschliffen *pp von* **schleifen**.

geschlossen *pp von* **schließen**.

geschlungen *pp von* **schlingen**.

Geschmack *m* <-[e]s, Geschmäcke> taste; **nach jds** ~ to sb's taste; **an etw** *dat* ~ **finden** [come to] like sth; **geschmacklos** *adj* tasteless; (*fig*) in bad taste; **Geschmacksinn** *m* sense of taste; **Geschmack[s]sache** *f* matter of taste; **geschmackvoll** *adj* tasteful.

geschmeidig *adj* supple; (*formbar*) malleable.

geschmissen *pp von* **schmeißen**.

geschmolzen *pp von* **schmelzen**.

geschnitten *pp von* **schneiden**.

geschoben *pp von* **schieben**.

gescholten *pp von* **schelten**.

Geschöpf *nt* <-[e]s, -e> creature.

geschoren *pp von* **scheren**.

Geschoss[RR] *nt* <-es, -e> (MIL) projectile, missile; (*Stockwerk*) floor.

geschossen *pp von* **schießen**.

Geschrei *nt* <-s> cries *pl*; (*fig*) noise, fuss.

geschrieben *pp von* **schreiben**.

geschrien[RR] *pp von* **schreien**.

geschritten *pp von* **schreiten**.

geschunden *pp von* **schinden**.

Geschütz *nt* <-es, -e> gun, cannon.

geschützt *adj* protected.

Geschwader *nt* <-s, -> (NAUT) squadron; (FLUG) group.

Geschwafel *nt* <-s> waffle.

Geschwätz *nt* <-es> chatter, gossip; **geschwätzig** *adj* talkative.

geschweige *adv*: ~ [**denn**] let alone, not to mention.

geschwiegen *pp von* **schweigen**.

geschwind *adj* quick, swift; **Geschwindigkeit** *f* speed, velocity; **Geschwindigkeitsbegrenzung** *f* speed limit; **Geschwindigkeitsbeschränkung** *f* speed restriction; **Geschwindigkeitskontrolle** *f* speed check; **Geschwindigkeitsmesser** *m* <-s, -> (AUTO) speedometer; **Geschwindigkeitsüberschreitung** *f* exceeding the speed limit.

Geschwister *pl* brothers and sisters *pl.*

geschwollen 1. *pp von* **schwellen**; 2. *adj* (*Rede*) pompous.

geschwommen *pp von* **schwimmen**.

geschworen *pp von* **schwören**; **Geschworene(r)** *mf* juror; **die ~n** *pl* the jury.

Geschwulst *f* <-, Geschwülste> growth.

geschwunden *pp von* **schwinden**.

geschwungen 1. *pp von* **schwingen**; 2. *adj* curved.

Geschwür *nt* <-[e]s, -e> ulcer.

gesehen *pp von* **sehen**.

Geselle *m* <-n, -n> fellow; (*Handwerks~*) journeyman.

gesellig *adj* sociable; **Geselligkeit** *f* sociability; (*Fest*) social gathering.

Gesellschaft *f* society; (*Begleitung*) company; (*Abend~*) party; **Gesellschafter(in)** *m(f)* partner; (*Teilhaber*) shareholder; **gesellschaftlich** *adj* social; **Gesellschaftsanzug** *m* evening dress; **gesellschaftsfähig** *adj* (*Verhalten*) socially acceptable; (*Aussehen*) presentable; **Gesellschaftsordnung** *f* social structure; **Gesellschaftsschicht** *f* social stratum.

gesessen *pp von* **sitzen**.

Gesetz *nt* <-es, -e> law; **Gesetzbuch** *nt* civil code; **Gesetzentwurf** *m*, **Gesetzesvorlage** *f* bill; **gesetzgebend** *adj* legislative; **Gesetzgeber** *m* <-s, -> legislator; **Gesetzgebung** *f* legislation; **gesetzlich** *adj* legal, lawful; **gesetzlos** *adj* lawless; **gesetzmäßig** *adj* lawful.

gesetzt *adj* (*Mensch*) sedate.

gesetztenfalls *adv* supposing [that].

gesetzwidrig *adj* illegal, unlawful.

Gesicht *nt* <-[e]s, -er> face; **das ist mir nie zu ~ gekommen** I've never laid eyes on that; **Gesichtsausdruck** *m* <Gesichtsausdrücke *pl*> [facial] expression; **Gesichtsfarbe** *f* complexion; **Gesichtspunkt** *m* point of view; **Gesichtswasser** *nt* facial tonic water; **Gesichtszüge** *pl* features *pl.*

Gesindel *nt* <-s> rabble.

gesinnt *adj* disposed, minded.

Gesinnung *f* disposition; (*Ansicht*) views *pl*; **Gesinnungsgenosse** *m*, **Gesinnungsgenossin** *f* like-minded person; **Gesinnungslosigkeit** *f* lack of conviction; **Gesinnungswandel** *m* change of opinion, volte-face.

gesittet *adj* well-mannered.

gesoffen *pp von* **saufen**.

gesogen *pp von* **saugen**.

gesonnen *pp von* **sinnen**.

Gespann *nt* <-[e]s, -e> team; **ein gutes ~ abgeben** (*umg*) make a good team.

gespannt *adj* tense, strained; (*begierig*) eager; **ich bin ~, ob** I wonder if [*o* whether]; **auf etw/jdn ~ sein** look forward to sth/meeting sb.

Gespenst *nt* <-[e]s, -er> ghost, spectre; **gespensterhaft** *adj* ghostly.

Gespiele *m* <-n, -n>, **Gespielin** *f* playmate.

gespien[RR] *pp von* **speien**.

gesponnen *pp von* **spinnen**.

Gespött *nt* <-[e]s> mockery; **zum ~ werden** become a laughing stock.

Gespräch *nt* <-[e]s, -e> conversation; discussion[s]; (*Anruf*) call; **zum ~ werden** become a topic of conversation; **gesprächig** *adj* talkative; **Gesprächigkeit** *f* talkativeness; **Gesprächsthema** *nt* subject, topic [of conversation].

gesprochen *pp von* **sprechen**.

gesprungen *pp von* **springen**.

Gespür *nt* <-s> feel[ing].

Gestalt *f* <-, -en> form, shape; (*Mensch*) figure; **in ~ von** in the form of; **~ annehmen** take shape; **gestalten** 1. *vt* (*formen*) shape, form; (*organisieren*) arrange, organize; 2. *vr*: **sich ~** turn out (*zu* to be); **Gestaltung** *f* formation; organization.

gestanden *pp von* **stehen**.

geständig *adj*: **~ sein** have confessed; **Geständnis** *nt* confession.

Gestank *m* <-[e]s> stench.

gestatten *vt* permit, allow; **~ Sie?** may I?; **sich** *dat* **~ etw zu tun** take the liberty of doing sth.

Geste *f* <-, -n> gesture.

gestehen *irr vt* confess.

Gestein *nt* <-[e]s, -e> rock.

Gestell *nt* <-[e]s, -e> frame; (*Regal*) rack, stand.

gestern *adv* yesterday; **~ Abend/Morgen**[RR] yesterday evening/morning.

gestiegen *pp von* **steigen**.
gestikulieren *vi* gesticulate.
Gestirn *nt* <-[e]s, -e> star.
gestochen *pp von* **stechen**.
gestohlen *pp von* **stehlen**.
gestorben *pp von* **sterben**.
gestoßen *pp von* **stoßen**.
Gesträuch *nt* <-[e]s, -e> shrubbery, bushes *pl.*
gestreift *adj* striped.
gestrichen *pp von* **streichen**.
gestrig *adj* yesterday's.
gestritten *pp von* **streiten**.
Gestrüpp *nt* <-[e]s, -e> undergrowth.
gestunken *pp von* **stinken**.
Gestüt *nt* <-[e]s, -e> stud farm.
Gesuch *nt* <-[e]s, -e> petition; (*Antrag*) application.
gesucht *adj* (WIRTS) in demand; (*Verbrecher*) wanted.
gesund *adj* healthy; **wieder ~ werden** get better; **Gesundheit** *f* health[iness]; **~!** bless you!; **gesundheitlich 1.** *adj* health, physical; **2.** *adv* healthwise; **wie geht es Ihnen ~?** how's your health?; **gesundheitsschädlich** *adj* unhealthy; **Gesundheitswesen** *nt* health service; **Gesundheitszustand** *m* state of health.
gesungen *pp von* **singen**.
gesunken *pp von* **sinken**.
getan *pp von* **tun**.
Getöse *nt* <-s> din, racket.
getragen *pp von* **tragen**.
Getränk *nt* <-[e]s, -e> drink.
Getränkeautomat *m* drinks machine.
getrauen *vr:* **sich ~** dare, venture.
Getreide *nt* <-s, -> cereal, grain; **Getreidespeicher** *m* granary.
getrennt *adj* separate.
getreten *pp von* **treten**.
Getriebe *nt* <-s, -> (AUTO) gearbox; (*von Leuten*) bustle.
getrieben *pp von* **treiben**.
Getriebeöl *nt* transmission oil.
getroffen *pp von* **treffen**.
getrogen *pp von* **trügen**.
getrost *adv* without [any] qualms; **~ sterben** die in peace.
getrunken *pp von* **trinken**.
Getue *nt* <-s> fuss.
geübt *adj* experienced.
Gewächs *nt* <-es, -e> growth; (*Pflanze*) plant.
gewachsen 1. *pp von* **wachsen**; **2.** *adj:* **jdm/einer Sache ~ sein** be sb's equal/equal to sth.
Gewächshaus *nt* greenhouse.
gewagt *adj* daring, risky.
gewählt *adj* (*Sprache*) refined, elegant.
Gewähr *f* <-> guarantee; **„ohne ~"** "subject to change"; **keine ~ übernehmen für** accept no responsibility for; **gewährleisten** *vt* guarantee.
Gewahrsam *m* <-s, -e> safekeeping; (*Polizei~*) custody.
Gewährsmann *m* <Gewährsmänner *o* Gewährsleute *pl*> informant, source.
Gewalt *f* <-, -en> power; (*große Kraft*) force; (*~taten*) violence; **mit aller ~** with all one's might; **Gewaltanwendung** *f* use of force; **Gewaltherrschaft** *f* tyranny.
gewaltig *adj* tremendous; (*Irrtum*) huge.
gewaltsam *adj* forcible; **gewalttätig** *adj* violent; **Gewalttätigkeit** *f* violence; **Gewaltverbrechen** *nt* violent crime.
Gewand *nt* <-[e]s, Gewänder> garment.
gewandt 1. *pp von* **wenden**; **2.** *adj* deft, skilful; (*erfahren*) experienced; **Gewandtheit** *f* dexterity, skill.
gewann *imperf von* **gewinnen**.
gewaschen *pp von* **waschen**.
Gewässer *nt* <-s, -> stretch of water.
Gewebe *nt* <-s, -> (*Stoff*) fabric; (BIO) tissue.
Gewehr *nt* <-[e]s, -e> gun; rifle; **Gewehrlauf** *m* rifle barrel.
Geweih *nt* <-[e]s, -e> antlers *pl.*
Gewerbe *nt* <-s, -> trade, occupation; **Handel und ~** trade and industry; **Gewerbeertragssteuer** *f* (local) business tax; **Gewerbegebiet** *nt* trading estate; **Gewerbeschule** *f* technical school; **Gewerbesteuer** *f* trade tax; **gewerblich** *adj* industrial; trade; **gewerbsmäßig** *adj* professional; **Gewerbszweig** *m* line of trade.
Gewerkschaft *f* trade union; **Gewerkschaft[l]er(in)** *m(f)* <-s, -> trade unionist; **gewerkschaftlich** *adv:* **~ organisiert sein** be a union member; **Gewerkschaftsbund** *m* trade unions federation.
gewesen *pp von* **sein**.
gewichen *pp von* **weichen**.
Gewicht *nt* <-[e]s, -e> weight; (*fig*) importance; **gewichtig** *adj* weighty.
gewieft *adj* shrewd, cunning.
gewiesen *pp von* **weisen**.
gewillt *adj* willing, prepared.
Gewimmel *nt* <-s> swarm.

Gewinde *nt* <-s, -> (*von Schraube*) thread.

Gewinn *m* <-[e]s, -e> profit; (*bei Spiel*) winnings *pl;* **etw mit ~ verkaufen** sell sth at a profit; **~ bringend**[RR] profitable; **Gewinnbeteiligung** *f* profit-sharing; **gewinnbringend** *adj s.* **Gewinn**; **gewinnen** <gewann, gewonnen> **1.** *vt* win; (*erwerben*) gain; (*Kohle, Öl*) extract; **2.** *vi* win; (*profitieren*) gain; **an etw** *dat* **~** gain in sth; **gewinnend** *adj* winning, attractive; **Gewinner(in)** *m(f)* <-s, -> winner; **Gewinnnummer**[RR] *f* winning number; **Gewinnpotential** *nt* potential profit; **Gewinnspanne** *f* profit margin; **Gewinnsucht** *f* love of gain; **Gewinnung** *f* winning; gaining; (*von Kohle etc*) extraction.

Gewirr *nt* <-[e]s> tangle; (*von Straßen*) maze.

gewiss[RR] **1.** *adj* (*sicher*) certain, sure; (*attributiv*) certain; **2.** *adv* certainly; **eine gewisse Frau Kaiser** a certain Mrs Kaiser.

Gewissen *nt* <-s, -> conscience; **gewissenhaft** *adj* conscientious; **Gewissenhaftigkeit** *f* conscientiousness; **gewissenlos** *adj* unscrupulous; **Gewissensbisse** *pl* pangs *pl* of conscience; **Gewissensfrage** *f* matter of conscience; **Gewissensfreiheit** *f* freedom of conscience; **Gewissenskonflikt** *m* moral conflict; **Gewissenspflicht** *f* moral obligation.

gewissermaßen *adv* to an extent, in a way.

Gewissheit[RR] *f* certainty.

Gewitter *nt* <-s, -> thunderstorm; **gewittern** *vi unpers:* **es gewittert** there's a thunderstorm.

gewoben *pp von* **weben**.

gewogen *pp von* **wiegen**.

gewöhnen 1. *vt:* **jdn an etw** *akk* **~** accustom sb to sth; **2.** *vr:* **sich an jdn/etw** *akk* **~** get used [*o* accustomed] to sb/sth.

Gewohnheit *f* habit; (*Brauch*) custom; **aus ~** from habit; **zur ~ werden** become a habit; **Gewohnheits-** *in Zusammensetzungen* habitual; **Gewohnheitsmensch** *m* creature of habit; **Gewohnheitsrecht** *nt* (JUR) common law; **Gewohnheitstier** *nt* (*umg*) creature of habit.

gewöhnlich *adj* usual; (*durchschnittlich*) ordinary; (*pej*) common; **wie ~** as usual.

gewohnt *adj* usual; **etw ~ sein** be used to sth.

Gewöhnung *f* getting accustomed (*an +akk* to).

Gewölbe *nt* <-s, -> vault.

gewonnen *pp von* **gewinnen**.

geworben *pp von* **werben**.

geworden *pp von* **werden**.

geworfen *pp von* **werfen**.

gewrungen *pp von* **wringen**.

Gewühl *nt* <-[e]s> throng.

gewunden *pp von* **winden**.

Gewürz *nt* <-es, -e> spice, seasoning; **Gewürznelke** *f* clove.

gewusst[RR] *pp von* **wissen**.

Gezeiten *pl* tides *pl;* **Gezeitenkraftwerk** *nt* tidal power station.

Gezeter *nt* <-s> clamour, yelling.

gezielt *adj* with a particular aim in mind, purposeful; (*Kritik*) pointed.

geziert *adj* affected.

gezogen *pp von* **ziehen**.

Gezwitscher *nt* <-s> twitter[ing], chirping.

gezwungen 1. *pp von* **zwingen**; **2.** *adj* forced; **gezwungenermaßen** *adv* of necessity.

Gibraltar *nt* Gibraltar.

Gicht *f* <-> gout.

Giebel *m* <-s, -> gable.

Gier *f* <-> greed; **gierig** *adj* greedy.

gießen <goss, gegossen> *vt* pour; (*Blumen*) water; (*Metall*) cast; (*Wachs*) mould; **Gießerei** *f* foundry; **Gießkanne** *f* watering can.

Gift *nt* <-[e]s, -e> poison; **giftig** *adj* poisonous; (*fig*) venomous; **Giftmüll** *m* toxic waste; **Giftzahn** *m* fang.

gigantisch *adj* gigantic.

Gilde *f* <-, -n> guild.

ging *imperf von* **gehen**.

Ginster *m* <-s, -> broom.

Gipfel *m* <-s, -> summit, peak; (*fig*) height; **gipfeln** *vi* culminate; **Gipfeltreffen** *nt* summit [meeting].

Gips *m* <-es, -e> plaster; (MED) plaster [of Paris]; **Gipsabdruck** *m* <Gipsabdrücke *pl*> plaster cast; **gipsen** *vt* plaster; **Gipsfigur** *f* plaster figure; **Gipsverband** *m* <Gipsverbände *pl*> plaster [cast].

Giraffe *f* <-, -n> giraffe.

Girlande *f* <-, -n> garland.

Giro *nt* <-s, -s> giro; **Girokonto** *nt* current account.

Gischt *m* <-[e]s> spray, foam.

Gitarre *f* <-, -n> guitar.

Gitter *nt* <-s, -> grating, bars *pl;* (*für*

Pflanzen) trellis; (*Zaun*) railing[s]; **Gitterbett** *nt* cot; **Gitterfenster** *nt* barred window.

Glace *f* <-, -n> (*schweizerisch*) ice cream.

Glacéhandschuh *m* kid glove.

Gladiole *f* <-, -n> gladiolus.

Glanz *m* <-es> shine, lustre; (*fig*) splendour; **glänzen** 1. *vi* (*a. fig*) shine; 2. *vt* polish; **glänzend** *adj* shining; (*fig*) brilliant; **Glanzleistung** *f* brilliant achievement; **glanzlos** *adj* dull; **Glanzzeit** *f* heyday.

Glas *nt* <-es, Gläser> glass; **Glasbläser** *m* <-s, -> glass blower; **Glascontainer** *m* bottle bank; **Glaser(in)** *m(f)* <-s, -> glazier; **gläsern** *adj* (*aus Glas*) glass; (*fig: durchschaubar*) transparent; **Glasfaserkabel** *nt* fibre-optic cable.

glasieren *vt* glaze.

glasig *adj* glassy; **Glasscheibe** *f* pane.

Glasur *f* glaze; (GASTR) icing.

glatt *adj* smooth; (*rutschig*) slippery; (*Absage*) flat; (*Lüge*) downright; **Glätte** *f* <-> smoothness; slipperiness; **Glatteis** *nt* [black] ice; **jdn aufs ~ führen** take sb for a ride; **glätten** *vt* smooth [out].

Glatze *f* <-, -n> bald head; **eine ~ bekommen** go bald; **glatzköpfig** *adj* bald.

Glaube *m* <-ns, -n> faith (*an +akk* in), belief (*an +akk* in); **glauben** *vt, vi* believe (*an +akk* in); (*meinen*) think; **jdm ~** believe sb; **Glaubensbekenntnis** *nt* creed; **glaubhaft** *adj* credible.

gläubig *adj* (REL) religious; (*vertrauensvoll*) trustful; **Gläubige(r)** *mf* believer; **die ~n** *pl* the faithful *pl*.

Gläubiger(in) *m(f)* <-s, -> creditor.

glaubwürdig *adj* credible; (*Mensch*) trustworthy.

gleich 1. *adj* equal; (*identisch*) [the] same, identical; 2. *adv* equally; (*sofort*) straight away; (*bald*) in a minute; **~ bleiben**[RR] *vi* remain the same; **~ bleibend**[RR] *adj* constant; **~ groß** the same size; **~ nach/an** right after/at; **es ist mir ~** it's all the same to me; **2 mal 2 ~ 4** 2 times 2 is [*o* equals] 4; **gleichaltrig** *adj* of the same age; **gleichartig** *adj* similar; **gleichbedeutend** *adj* synonymous; **gleichberechtigt** *adj* having equal rights; **Gleichberechtigung** *f* equal rights *pl*; **gleichbleiben** *vi s.* gleich; **gleichbleibend** *adj s.* gleich.

gleichen <glich, geglichen> 1. *vi*: **jdm/einer Sache ~** be like sb/sth; 2. *vr*: **sich ~** be alike.

gleichfalls *adv* likewise; **danke ~!** the same to you; **gleichgesinnt** *adj* like-minded; **Gleichgewicht** *nt* equilibrium, balance; **gleichgültig** *adj* indifferent; (*unbedeutend*) unimportant; **Gleichgültigkeit** *f* indifference; **Gleichheit** *f* equality; **gleichkommen** *irr vi +dat* be equal to; **Gleichmacherei** *f* egalitarianism; **gleichmäßig** *adj* even, equal; **Gleichmut** *m* equanimity.

Gleichnis *nt* parable.

gleichsehen *irr vi*: **jdm ~** be [*o* look] like sb; **Gleichstellung** *f* equal status; **Gleichstrom** *m* (ELEK) direct current.

Gleichung *f* equation.

gleichwertig *adj* of equal value.

gleichzeitig *adj* simultaneous.

Gleis *nt* <-es, -e> track, rails *pl*; (*Bahnsteig*) platform.

gleiten <glitt, geglitten> *vi* glide; (*rutschen*) slide; **~de Arbeitszeit** flex[i]time; **Gleitflug** *m* glide; gliding; **Gleitzeit** *f* flexible working hours; (*umg*) flex[i]time.

Gletscher *m* <-s, -> glacier; **Gletscherspalte** *f* crevasse.

glich *imperf von* **gleichen**.

Glied *nt* <-[e]s, -er> (*Arm, Bein*) limb; (*von Kette*) link; (MIL) rank[s].

gliedern *vt* organize, structure; **Gliederung** *f* structure, organization.

Gliedmaßen *pl* limbs *pl*.

glimmen <glomm, geglommen> *vi* glow, gleam; **Glimmer** *m* <-s, -> glow, gleam; (*Mineral*) mica; **Glimmstengel** *m* (*umg*) fag.

glimpflich *adj* mild, lenient; **~ davonkommen** get off lightly.

glitt *imperf von* **gleiten**.

glitzern *vi* glitter, twinkle.

Globus *m* <- *o* -ses, -se *o* Globen> globe.

Glöckchen *nt* [little] bell.

Glocke *f* <-, -n> bell; **etw an die große ~ hängen** shout sth from the rooftops; **Glockenspiel** *nt* chime[s]; (MUS) glockenspiel.

glomm *imperf von* **glimmen**.

Glosse *f* <-, -n> comment.

glotzen *vi* (*umg*) stare.

Glück *nt* <-[e]s> luck, fortune; (*Freude*) happiness; **~ haben** be lucky; **viel ~** good luck; **zum ~** fortunately; **glücken** *vi* succeed; **ihr glückt alles** everything she does is a success.

gluckern *vi* glug.

glücklich *adj* (*froh*) happy, fortunate; **glücklicherweise** *adv* fortunately.

Glücksbringer *m* <-s, -> lucky charm; **Glücksfall** *m* stroke of luck; **Glückskind** *nt* lucky person; **Glückssache** *f*: **das ist ~** that's a matter of luck; **Glücksspiel** *nt* game of chance; **Glücksstern** *m* lucky star.

Glückwunsch *m* congratulations *pl*, best wishes *pl*.

Glühbirne *f* light bulb; **glühen** *vi* glow; **glühend** *adj* glowing; **~ heiß**[RR] scorching hot; **Glühwein** *m* mulled wine; **Glühwürmchen** *nt* glow-worm.

Glut *f* <-, -en> (*Röte*) glow; (*Feuers~*) embers; (*Hitze*) heat; (*fig*) ardour.

GmbH *f* <-, -s> *abk von* **Gesellschaft mit beschränkter Haftung** plc.

Gnade *f* <-, -n> (*Gunst*) favour; (*Erbarmen*) mercy; (*Milde*) clemency; **Gnadenfrist** *f* reprieve, respite; **Gnadengesuch** *nt* petition for clemency; **Gnadenstoß** *m* coup de grâce.

gnädig *adj* gracious; (*voll Erbarmen*) merciful.

Gold *nt* <-[e]s> gold; **golden** *adj* golden; **Goldfisch** *m* goldfish; **Goldgrube** *f* goldmine; **Goldregen** *m* laburnum; **Goldschnitt** *m* gilt edging; **Goldwährung** *f* gold standard.

Golf **1.** *m* <-[e]s, -e> gulf; **2.** *nt* <-s> golf; **der ~ von Biskaya** the Bay of Biscay; **Golfkrieg** *m* Gulf war; **Golfplatz** *m* golf course; **Golfschläger** *m* golf club; **Golfspieler(in)** *m(f)* golfer; **Golfstaat** *m* Gulf state; **Golfstrom** *m* Gulf Stream.

Gondel *f* <-, -n> gondola; (*Seilbahn*) cable-car.

gönnen *vt*: **jdm etw ~** not begrudge sb sth; **sich** *dat* **etw ~** allow oneself sth; **Gönner(in)** *m(f)* <-s, -> patron/patroness; **gönnerhaft** *adj* patronizing; **Gönnermiene** *f* patronizing air.

gor *imperf von* **gären**.

goss[RR] *imperf von* **gießen**.

Gosse *f* <-, -n> gutter.

Gott *m* <-es, Götter> god; **um ~es willen!** for heaven's sake!; **~ sei Dank!** thank God!; **Gottesdienst** *m* service; **Gotteshaus** *nt* place of worship; **Gottheit** *f* deity; **Göttin** *f* goddess; **göttlich** *adj* divine; **gottlos** *adj* godless; **Gottvertrauen** *nt* trust in God.

Götze *m* <-n, -n> idol.

Grab *nt* <-[e]s, Gräber> grave.

graben <grub, gegraben> *vt* dig; **Graben** *m* <-s, Gräben> ditch; (MIL) trench.

Grabrede *f* funeral oration; **Grabstein** *m* gravestone.

Grad *m* <-[e]s, -e> degree; **Gradeinteilung** *f* graduation; **gradweise** *adv* gradually.

Graf *m* <-en, -en> count, earl.

Graffiti *pl* graffiti *pl*.

Grafik *f* graphic; (*Fach*) graphic arts; (*Illustration*) diagram; **Grafikbildschirm** *m* graphics screen; **Grafiker(in)** *m(f)* graphic artist [*o* designer]; **Grafikkarte** *f* graphics card; **Grafikprogramm** *nt* graphics software.

Gräfin *f* countess.

grafisch *adj* graphic; **~e Darstellung** graph.

Grafschaft *f* county.

Gram *m* <-[e]s> grief, sorrow; **grämen** *vr*: **sich ~** grieve.

Gramm *nt* <-s, -e> gram[me].

Grammatik *f* grammar; (*Buch*) grammar book; **grammatisch** *adj* grammatical.

Grammel *f* (*A*) greaves *pl*.

Grammofon[RR], **Grammophon** *nt* <-s, -e> gramophone.

Granat *m* <-[e]s, -e> (*Stein*) garnet; **Granatapfel** *m* pomegranate.

Granate *f* <-, -n> (MIL) shell; (*Hand~*) grenade.

Granit *m* <-s, -e> granite.

Grapefruit *f* <-, -s> grapefruit.

Graphik *f* graphic; (*Fach*) graphic arts; (*Illustration*) diagram; **Graphiker(in)** *m(f)* graphic artist [*o* designer]; **graphisch** *adj* graphic; **~e Darstellung** graph.

Gras *nt* <-es, Gräser> grass; **grasen** *vi* graze; **Grashalm** *m* blade of grass; **grasig** *adj* grassy; **Grasnarbe** *f* turf.

grassieren *vi* be rampant, rage.

gräßlich *adj* horrible.

Grat *m* <-[e]s, -e> ridge.

Gräte *f* <-, -n> fishbone.

gratis *adj, adv* free [of charge]; **Gratisprobe** *f* free sample.

Gratulation *f* congratulation[s]; **gratulieren** *vi*: **jdm [zu etw] ~** congratulate sb [on sth]; **[ich] gratuliere!** congratulations!

Gratwanderung *f* (*fig*) balancing act.

grau *adj* grey.

Gräuel[RR] *m* <-s, -> horror, revulsion; **etw ist jdm ein ~** sb loathes sth; **Gräueltat**[RR] *f* atrocity.

grauen **1.** *vi* (*Tag*) dawn; **2.** *vi unpers*: **es graut jdm vor etw** sb dreads sth, sb is afraid of sth; **3.** *vr*: **sich ~ vor** dread, have a horror of; **Grauen** *nt* <-s> horror; **~ er-**

G

regend[RR] atrocious, horrible; **grauenhaft** *adj* horrible.
grauhaarig *adj* grey-haired; **graumeliert** *adj* greying.
grausam *adj* cruel; **Grausamkeit** *f* cruelty.
gravieren *vt* engrave.
gravierend *adj* grave.
Grazie *f* grace; **graziös** *adj* graceful.
greifbar *adj* tangible, concrete; (*Nähe*) within reach.
greifen <griff, gegriffen> **1.** *vt* seize; grip; **2.** *vi* (*Regel etc*) have an effect (*bei* on); **nach etw ~** reach for sth; **um sich ~** (*fig*) spread; **zu etw ~** (*fig*) turn to sth.
Greis(in) *m(f)* <-es, -e> old man/woman; **Greisenalter** *nt* old age.
grell *adj* harsh.
Grenzbeamte(r) *m*, **Grenzbeamtin** *f* frontier official.
Grenze *f* <-, -n> boundary; (*Staats~*) frontier; (*Schranke*) limit; **grenzen** *vi* border (*an +akk* on); **grenzenlos** *adj* boundless; **Grenzfall** *m* borderline case; **Grenzlinie** *f* boundary; **Grenzübergang** *m* frontier crossing; **Grenzwert** *m* limit.
Greuel *m s.* Gräuel.
Grieche *m* <-n, -n> Greek; **Griechenland** *nt* Greece; **Griechin** *f* Greek; **griechisch** *adj* Greek.
griesgrämig *adj* grumpy.
Grieß *m* <-es, -e> (GASTR) semolina.
griff *imperf von* **greifen**.
Griff *m* <-[e]s, -e> grip; (*Vorrichtung*) handle; **griffbereit** *adj* handy.
Griffel *m* <-s, -> slate pencil; (BOT) style.
Grille *f* <-, -n> cricket; (*fig*) whim.
grillen *vt* grill.
Grimasse *f* <-, -n> grimace.
Grimm *m* <-[e]s> fury; **grimmig** *adj* furious; (*heftig*) fierce, severe.
grinsen *vi* grin.
Grippe *f* <-, -n> influenza, flu.
grob *adj* coarse; (*Fehler, Verstoß*) gross; **Grobheit** *f* coarseness; (*Äußerung*) coarse expression; **Grobian** *m* <-s, -e> brute; **grobknochig** *adj* large-boned.
Groll *m* <-[e]s> resentment; **grollen** *vi* bear ill will (*dat* towards); (*Donner*) rumble.
Grönland *nt* Greenland.
grooven *vi* (*sl*) groove.
groß **1.** *adj* big, large; (*hoch*) tall; (*fig*) great; **2.** *adv* greatly; **im Großen und Ganzen**[RR] on the whole; **großartig** *adj* great, splendid; **Großaufnahme** *f* (FILM) close-up; **Großbritannien** *nt* [Great] Britain; **in ~** in [Great] Britain; **nach ~ fahren** go to [Great] Britain; **Großcomputer** *m* mainframe [computer].
Größe *f* <-, -n> size; (*fig*) greatness; (*Länge*) height.
Großeinkauf *m* bulk purchase; **Großeltern** *pl* grandparents *pl;* **Größenordnung** *f* size, order of magnitude; **großenteils** *adv* mostly.
Größenunterschied *m* difference in size; **Größenwahn** *m* megalomania; **größenwahnsinnig** *adj* megalomaniac.
Großformat *nt* large size; **Großhandel** *m* wholesale trade; **Großhändler(in)** *m(f)* wholesaler; **großherzig** *adj* generous; **Großmacht** *f* great power; **Großmarkt** *m* hypermarket; **Großmaul** *m* braggart; **Großmut** *f* <-> magnanimity; **großmütig** *adj* magnanimous; **Großmutter** *f* grandmother; **Großoffensive** *f* major offensive; **Großraumbüro** *nt* open-plan office; **Großraumwagen** *m* (EISENB) coach car; **großspurig** *adj* pompous; **Großstadt** *f* city, large town.
größtenteils *adv* for the most part.
Großvater *m* grandfather; **großziehen** *irr vt* raise; **großzügig** *adj* generous; (*Planung*) on a large scale.
grotesk *adj* grotesque.
Grotte *f* <-, -n> grotto.
grub *imperf von* **graben**.
Grübchen *nt* dimple.
Grube *f* <-, -n> pit; (MIN) mine.
grübeln *vi* brood.
Grubengas *nt* firedamp.
Grübler(in) *m(f)* <-s, -> brooder; **grüblerisch** *adj* brooding, pensive.
Gruft *f* <-, Grüfte> tomb, vault.
grün *adj* green; (POL) green, ecologist; **der Grüne Punkt** *green symbol on packaging showing that it can be recycled;* **Grünanlage** *f* park.
Grund *m* <-[e]s, Gründe> ground; (*von See, Gefäß*) bottom; (*Ursache etc*) reason; **im ~e genommen** basically; **zu ~e gehen**[RR] collapse; **Grundausbildung** *f* basic training; **Grundbedeutung** *f* basic meaning; **Grundbedingung** *f* fundamental condition; **Grundbesitz** *m* land[ed property], real estate; **Grundbuch** *nt* land register; **grundehrlich** *adj* thoroughly honest.
gründen **1.** *vt* found; **2.** *vr:* **sich ~** be

based (*auf +dat* on); ~ **auf** *+akk* base on; **Gründer(in)** *m(f)* <-s, -> founder.

grundfalsch *adj* utterly wrong.

Grundfreibetrag *m* personal allowance; **Grundgebühr** *f* basic charge; **Grundgedanke** *m* basic idea; **Grundgesetz** *nt* basic law; (*in Deutschland*) [German] Constitution; **Grundlage** *f* foundation; **grundlegend** *adj* fundamental.

gründlich *adj* thorough.

grundlos *adj* groundless; **Grundmauer** *f* foundation wall; **Grundregel** *f* basic rule; **Grundriss**[RR] *m* plan; (*fig*) outline; **Grundsatz** *m* principle; **grundsätzlich** *adj* fundamental; (*Frage*) of principle; (*prinzipiell*) on principle; **Grundschule** *f* elementary school; **Grundstein** *m* foundation stone; **Grundsteuer** *f* [local] property tax *pl;* **Grundstück** *nt* plot; (*Anwesen*) estate; (*Bau~*) site.

Gründung *f* foundation.

grundverschieden *adj* utterly different; **Grundwasser** *nt* ground water; **Grundzug** *m* characteristic.

Grüne(r) *mf* (POL) Ecologist, Green.

Grüne(s) *nt* <-n>: **im ~n** in the open air; **Grünkohl** *m* kale; **Grünschnabel** *m* greenhorn; **Grünspan** *m* verdigris; **Grünstreifen** *m* central reservation.

grunzen *vi* grunt.

Gruppe *f* <-, -n> group; **gruppenweise** *adv* in groups.

gruppieren *vt, vr:* **sich ~** group.

gruselig *adj* creepy; **gruseln** **1.** *vi unpers:* **es gruselt jdm vor etw** sth gives sb the creeps; **2.** *vr:* **sich ~** have the creeps.

Gruß *m* <-es, Grüße> greeting; (MIL) salute; **viele Grüße** best wishes; **Grüße an** *+akk* regards to; **grüßen** *vt* greet; (MIL) salute; **jdn von jdm ~** give sb sb's regards; **jdn ~ lassen** send sb one's regards.

gucken *vi* look.

Gulasch *m o nt* <-[e]s, -e> goulash.

gültig *adj* valid; **Gültigkeit** *f* validity; **Gültigkeitsdauer** *f* period of validity.

Gummi *m o nt* <-s, -s> rubber; (*~harze*) gum; **Gummiband** *nt* <Gummibänder *pl*> rubber [*o* elastic] band; (*Hosen~*) elastic; **gummieren** *vt* gum; **Gummiknüppel** *m* rubber truncheon; **Gummistrumpf** *m* elastic stocking.

Gunst *f* <-> favour; **zu ~en**[RR] in favour of.

günstig *adj* favourable.

Gurgel *f* <-, -n> throat; **gurgeln** *vi* gurgle; (*im Mund*) gargle.

Gurke *f* <-, -n> cucumber; **saure ~** pickled cucumber, gherkin.

Gurt *m* <-[e]s, -e> belt.

Gürtel *m* <-s, -> belt; (GEO) zone; **Gürtelreifen** *m* radial tyre.

Guru *m* <-s, -s> guru.

GUS *f* <-> *abk von* Gemeinschaft Unabhängiger Staaten CIS.

Guss[RR] *m* <-es, Güsse> casting; (*Regen~*) downpour; (GASTR) glazing; **Gusseisen**[RR] *nt* cast iron.

gut *adj* <besser, am besten> **1.** *adj* good; **2.** *adv* well; **lass es ~ sein** that'll do; **~ gehen**[RR] work, come off; **es geht jdm ~** sb's doing fine; **~ gemeint**[RR] well meant; **~ heißen**[RR] approve [of].

Gut *nt* <-[e]s, Güter> (*Besitz*) possession; (*Land~*) estate; **Güter** *pl* goods *pl.*

Gutachten *nt* <-s, -> [expert] opinion; **Gutachter(in)** *m(f)* <-s, -> expert.

gutartig *adj* good-natured; (MED) benign; **gutaussehend** *adj* good-looking; **gutbürgerlich** *adj* (*Küche*) [good] plain; **Gutdünken** *nt* <-s>: **nach ~** at one's discretion.

Güte *f* <-> goodness, kindness; (*Qualität*) quality.

Güterabfertigung *f* (EISENB) goods office; **Güterbahnhof** *m* goods station; **Güterwagen** *m* goods waggon, freight car *US;* **Güterzug** *m* goods train, freight train *US.*

gutgehen *vi s.* **gut**; **gutgelaunt** *adj* good-humoured, in a good mood.

gutgemeint *adj s.* **gut**; **gutgläubig** *adj* trusting; **Guthaben** *nt* <-s> credit; **gutheißen** *vt s.* **gut**; **gutherzig** *adj* kind[-hearted].

gütig *adj* kind.

gütlich *adj* amicable.

gutmütig *adj* good-natured; **Gutmütigkeit** *f* good nature.

Gutsbesitzer(in) *m(f)* landowner.

Gutschein *m* voucher; **gutschreiben** *irr vt* credit (*jdm etw* sth to sb); **Gutschrift** *f* credit.

Gutsherr *m* squire.

guttun *irr vi:* **jdm ~** do sb good; **gutwillig** *adj* willing.

Gymnasiallehrer(in) *m(f)* grammar school teacher *Brit,* high school teacher *US;* **Gymnasium** *nt* grammar school *Brit,* high school *US.*

Gymnastik *f* exercises *pl,* keep fit; **Gymnastikanzug** *m* leotard.

H

H, h *nt* H, h.

Haar *nt* <-[e]s, -e> hair; **um ein ~** nearly; **Haarbürste** *f* hairbrush; **haaren** *vi, vr:* **sich ~** lose hair; **Haaresbreite** *f:* **um ~** by a hair's breadth; **haargenau** *adv* precisely; **haarig** *adj* hairy; (*fig*) nasty; **Haarklemme** *f* hair grip; **Haarnadel** *f* hairpin; **Haarnadelkurve** *f* hairpin bend; **haarscharf** *adj* (*beobachten*) very sharply; (*daneben*) by a hair's breadth; **Haarschnitt** *m* haircut; **Haarschopf** *m* head of hair; **Haarspalterei** *f* hair-splitting; **Haarspange** *f* hair slide; **haarsträubend** *adj* hair-raising; **Haarteil** *nt* hairpiece; **Haartrockner** *m* <-s, -> hair-drier; **Haarwaschmittel** *nt* shampoo.

haben <hatte, gehabt> *vt, Hilfsverb* have; **Hunger/Angst ~** be hungry/afraid; **woher hast du das?** where did you get that from?; **was hast du denn?** what's the matter [with you]?; **Haben** *nt* <-s, -> credit.

Habgier *f* avarice; **habgierig** *adj* avaricious.

Habicht *m* <-[e]s, -e> hawk.

Habseligkeiten *pl* belongings *pl.*

Hachse *f* <-, -n> (GASTR) knuckle.

Hacke *f* <-, -n> hoe; (*Ferse*) heel; **hacken** *vt* hack, chop; (*Erde*) hoe; **Hacker(in)** *m(f)* <-s, -> (INFORM) hacker; **Hackfleisch** *nt* mince, minced meat.

Häcksel *m* <-s> chopped straw, chaff.

hadern *vi* (*unzufrieden sein*) be at odds (*mit* with).

Hafen *m* <-s, Häfen> harbour, port; **Hafenarbeiter(in)** *m(f)* docker; **Hafenstadt** *f* port.

Hafer *m* <-s, -> oats *pl;* **Haferbrei** *m* porridge; **Haferflocken** *pl* porridge oats *pl;* **Haferschleim** *m* gruel.

Haft *f* <-> custody; **haftbar** *adj* liable, responsible; **Haftbefehl** *m* warrant [of arrest]; **haften** *vi* stick, cling; **~ für** be liable [*o* responsible] for; **~ bleiben**[RR] stick (*an* + *dat* to); **Häftling** *m* prisoner; **Haftnotiz** *f* [removable] self-stick note; **Haftpflicht** *f* liability; **Haftpflichtversicherung** *f* third party insurance; **Haftung** *f* liability.

Hagebutte *f* <-, -n> rose hip; **Hagedorn** *m* hawthorn.

Hagel *m* <-s> hail; **hageln** *vb unpers* hail.

hager *adj* gaunt.

Häher *m* <-s, -> jay.

Hahn *m* <-[e]s, Hähne> cock; (*Wasser~*) tap, faucet *US;* **Hähnchen** *nt* cockerel; (GASTR) chicken.

Hai[fisch] *m* <-[e]s, -e> shark.

Häkchen *nt* small hook; (*Häkelnadel*) crochet hook; **Häkelarbeit** *f* crochet work; **häkeln** *vt* crochet; **Häkelnadel** *f* crochet hook.

Haken *m* <-s, -> hook; (*fig*) catch, snag; **Hakenkreuz** *nt* swastika; **Hakennase** *f* hooked nose.

halb *adj* half; **~ eins** half past twelve; **ein ~es Dutzend** half a dozen; **~ offen**[RR] half-open; **Halbdunkel** *nt* semi-darkness.

-halber *präp + gen* (*wegen*) on account of; (*für*) for the sake of.

Halbheit *f* half-measure; **halbieren** *vt* halve; **Halbinsel** *f* peninsula; **halbjährlich** *adj* half-yearly; **Halbkreis** *m* semicircle; **Halbkugel** *f* hemisphere; **halblaut** *adv* in an undertone, in a low voice; **Halbleiter** *m* semiconductor; **Halblinks** *m* <-, -> (SPORT) inside-left; **Halbmond** *m* (ASTR) half-moon; (*Symbol*) crescent; **halboffen** *adj s.* **halb**; **Halbrechts** *m* <-, -> (SPORT) inside-right; **Halbschuh** *m* shoe; **halbtags** *adv* part-time; **Halbtagsarbeit** *f* part-time work; **halbwegs** *adv* half-way; **~ besser** more or less better; **Halbwertszeit** *f* half-life; **Halbwüchsige(r)** *mf* adolescent; **Halbzeit** *f* (SPORT) half; (*Pause*) half-time.

Halde *f* <-, -n> tip; (*Schlacken~*) slag heap; (*von Vorräten*) pile.

half *imperf von* **helfen**.

Hälfte *f* <-, -n> half.

Halfter *f* <-, -n> halter; (*Pistolen~*) holster.

Halle *f* <-, -n> hall; (FLUG) hangar.

hallen *vi* echo, resound.

Hallenbad *nt* indoor swimming pool.

hallo *interj* hello.

Halluzination *f* hallucination.

Halm *m* <-[e]s, -e> blade, stalk.

Halogenlampe *f* halogen lamp.

Hals *m* <-es, Hälse> neck; (*Kehle*) throat; **~ über Kopf** in a rush; **Halsentzündung** *f* sore throat; **Halskette** *f* necklace; **Hals-Nasen-Ohren-Arzt** *m,* **Hals-Nasen-Ohren-Ärztin** *f* ear, nose and throat specialist; **Halsschlagader** *f* carotid artery; **Halsschmerzen** *pl* sore throat; **halsstarrig** *adj* stubborn, obstinate; **Halstuch** *nt* scarf; **Halsweh** *nt* sore throat; **Halswirbel** *m* cervical vertebra.

Halt *m* <-[e]s, -e> stop; (*fester* ~) hold; (*innerer* ~) stability; **halt!** stop!; ~ **machen**[RR] stop.

haltbar *adj* durable; (*Lebensmittel*) non-perishable; (MIL) tenable; **Haltbarkeit** *f* durability; [non-]perishability; tenability; **Haltbarkeitsdatum** *nt* sell-by date.

halten <hielt, gehalten> **1.** *vt* keep; (*fest*~) hold; **2.** *vi* hold; (*frisch bleiben*) keep; (*stoppen*) stop; **3.** *vr:* **sich** ~ (*frisch bleiben*) keep; (*sich behaupten*) hold out; **sich rechts/links** ~ keep to the right/left; ~ **für** regard as; ~ **von** think of; **an sich** *akk* ~ restrain oneself.

Haltestelle *f* stop; **Halteverbot** *nt* ban on stopping; **haltlos** *adj* unstable; **Haltlosigkeit** *f* instability; **haltmachen** *vi* *s.* **Halt**.

Haltung *f* posture; (*fig*) attitude; (*Selbstbeherrschung*) composure.

Halunke *m* <-n, -n> rascal.

hämisch *adj* malicious.

Hammel *m* <-s, -> wether; **Hammelfleisch** *nt* mutton; **Hammelkeule** *f* leg of mutton.

Hammer *m* <-s, Hämmer> hammer; (*fig umg*) bad mistake; **hämmern** *vt, vi* hammer.

Hämorrhoiden, **Hämorriden**[RR] *pl* piles *pl.*

Hampelmann *m* <Hampelmänner *pl*> (*a. fig*) puppet.

Hamster *m* <-s, -> hamster; **hamstern** *vi* hoard.

Hand *f* <-, Hände> hand; **Handarbeit** *f* manual work; (*Nadelarbeit*) needlework; **Handarbeiter(in)** *m(f)* manual worker; **Handbesen** *m* brush; **Handbremse** *f* handbrake; **Handbuch** *nt* handbook, manual; **Händedruck** *m* handshake.

Handel *m* <-s> trade; (*Geschäft*) transaction.

handeln **1.** *vi* act; (WIRTS) trade; **2.** *vr unpers:* **sich** ~ **um** be a question of, be about; ~ **von** be about; **Handeln** *nt* <-s> action.

Handelsabkommen *nt* trade agreement; **Handelsbilanz** *f* balance of trade; **handelseinig** *adj:* **mit jdm** ~ **werden** conclude a deal with sb; **Handelskammer** *f* chamber of commerce; **Handelskette** *f* sales [*o* marketing] chain; **Handelskorrespondenz** *f* business correspondence; **Handelsmarine** *f* merchant navy; **Handelspartner** *m* trading partner; **Handelsrecht** *nt* commercial law; **Handelsreisende(r)** *mf* commercial traveller; **Handelsschule** *f* business school; **Handelsvertreter(in)** *m(f)* sales representative.

Handfeger *m* <-s, -> brush; **handgearbeitet** *adj* handmade; **Handgelenk** *nt* wrist; **Handgemenge** *nt* scuffle; **Handgepäck** *nt* hand luggage; **handgeschrieben** *adj* handwritten; **handgreiflich** *adj* clear; ~ **werden** become violent; **Handgriff** *m* (*Bewegung*) movement, handle; **mit ein paar ~en** (*schnell*) in no time at all; **Handkarren** *m* handcart; **Handkuss**[RR] *m* kiss on the hand.

Händler(in) *m(f)* <-s, -> trader, dealer.

handlich *adj* handy.

Handlung *f* act[ion]; (*in Buch*) plot; (*Geschäft*) shop; **Handlungsbevollmächtige(r)** *mf* authorized agent; **Handlungsweise** *f* manner of dealing.

Handpflege *f* manicure; **Handschelle** *f* handcuff; **Handschlag** *m* handshake; **Handschrift** *f* handwriting; (*Text*) manuscript; **Handschuh** *m* glove; **Handschuhfach** *nt* glove-compartment; **Handtasche** *f* handbag, purse *US;* **Handtuch** *nt* towel; **das** ~ **werfen** throw in the towel; **Handwerk** *nt* trade, craft; **Handwerker(in)** *m(f)* <-s -> [skilled] manual worker; (*Kunst*~) craftsperson, craftsman/-woman; **wir haben die** ~ **im Haus** we have workmen in the house; **Handwerkzeug** *nt* tools *pl.*

Handy *nt* mobile (phone).

Hanf *m* <-[e]s> hemp.

Hang *m* <-[e]s, Hänge> inclination; (*Ab*~) slope.

Hängebrücke *f* suspension bridge; **Hängematte** *f* hammock.

hängen **1.** <hing, gehangen> *vi* hang; **2.** *vt* hang (*an +akk* on[to]); ~ **an** (*fig*) be attached to; **sich** ~ **an** *+akk* hang on to, cling to; ~ **bleiben**[RR] be caught (*an +dat* on); (*fig*) remain, stick.

Hannover *nt* <-s> Hanover.

hänseln *vt* tease.

Hantel *f* <-, -n> dumb-bell.

hantieren *vi* work, be busy; **mit etw** ~ handle sth.

hapern *vi unpers:* **es hapert an etw** *dat* there's a lack of sth; **es hapert [bei jdm] mit etw** (*klappt nicht*) sb has a problem with sth.

Happen *m* <-s, -> mouthful.

Happyend[RR], **Happy End** *nt* <-s, -s> happy ending.

Hardware *f* <-, -s> hardware.

Harfe *f* <-, -n> harp.

Harke *f* <-, -n> rake; **harken** *vt, vi* rake.

harmlos *adj* harmless; **Harmlosigkeit** *f* harmlessness.

Harmonie *f* harmony; **harmonieren** *vi* harmonize.

Harmonika *f* <-, -s> (*Zieh~*) concertina.

harmonisch *adj* harmonious.

Harmonium *nt* harmonium.

Harn *m* <-[e]s, -e> urine; **Harnblase** *f* bladder.

Harnisch *m* <-[e]s, -e> armour; **jdn in ~ bringen** infuriate sb; **in ~ geraten** become angry.

Harpune *f* <-, -n> harpoon.

harren *vi* wait (*auf+akk* for).

hart *adj* hard; (*fig*) harsh; **~ gekocht**[RR] *adj* hard-boiled; **Härte** *f* <-, -n> hardness; (*fig*) harshness; **härten** *vt, vr:* **sich ~** harden; **hartgekocht** *adj s.* **hart**; **hartgesotten** *adj* tough, hard-boiled; **hartherzig** *adj* hard-hearted; **hartnäckig** *adj* stubborn.

Harz *nt* <-es, -e> resin.

Haschee *nt* <-s, -s> hash.

haschen 1. *vt* catch, snatch; **2.** *vi* (*umg*) smoke hash.

Haschisch *nt* <-> hashish.

Hase *m* <-n, -n> hare.

Haselnuss[RR] *f* hazelnut.

Hasenfuß *m* coward; **Hasenscharte** *f* harelip.

Hass[RR] *m* <-es> hate, hatred; **hassen** *vt* hate; **hassenenswert** *adj* hateful.

hässlich[RR] *adj* ugly; (*gemein*) nasty; **Hässlichkeit**[RR] *f* ugliness; nastiness.

Hast *f* <-> haste, rush; **hastig** *adj* hasty.

hätscheln *vt* pamper; (*zärtlich*) cuddle.

hatte *imperf von* **haben**.

Haube *f* <-, -n> hood; (*Mütze*) cap; (AUTO) bonnet, hood *US*.

Hauch *m* <-[e]s, -e> breath; (*Luft~*) breeze; (*fig*) trace; **hauchen** *vi* breathe; **hauchfein** *adj* very fine.

Haue *f* <-, -n> hoe, pick; (*umg: Schläge*) hiding; **hauen** <haute *o* hieb, gehauen> *vt* hew, cut; (*umg*) thrash.

häufen 1. *vt* pile up; **2.** *vr:* **sich ~** accumulate.

Haufen *m* <-s, -> heap; (*Leute*) crowd; **ein ~ [x]** loads [*o* a lot] [of x]; **auf einem ~** in one heap; **haufenweise** *adv* in heaps; **etw ~ haben** have piles of sth.

häufig *adj, adv* frequent[ly]; **Häufigkeit** *f* frequency.

Haupt *nt* <-[e]s, Häupter> head; (*Ober~*) chief.

Haupt- *in Zusammensetzungen* main; **Hauptbahnhof** *m* central [*o* main] station; **hauptberuflich** *adv* as one's main occupation; **Hauptbuch** *nt* (WIRTS) ledger; **Hauptdarsteller(in)** *m(f)* leading actor/actress; **Haupteingang** *m* main entrance; **Hauptfach** *nt* main subject; **Hauptfilm** *m* main film; **Hauptgewinn** *m* first prize.

Häuptling *m* chief[tain].

Hauptmann *m* <Hauptleute *pl*> captain; **Hauptpostamt** *nt* main post office; **Hauptquartier** *nt* headquarters *pl;* **Hauptreisezeit** *f* peak [holiday] season; **Hauptrolle** *f* leading part; **Hauptsache** *f* main thing; **hauptsächlich** *adv* mainly, chiefly; **Hauptsaison** *f* high [*o* peak] season; **Hauptsatz** *m* main clause; **Hauptschlagader** *f* aorta; **Hauptspeicher** *m* (INFORM) main storage [*o* memory]; **Hauptstadt** *f* capital; **Hauptstraße** *f* main street; **Hauptwort** *nt* noun.

Haus *nt* <-es, Häuser> house; **nach ~e** home; **zu ~e** at home; **ins ~ stehen** be forthcoming; **~ halten**[RR] keep house; (*sparen*) economize; **Hausarbeit** *f* housework; (SCH) homework; **Hausarzt** *m*, **Hausärztin** *f* family doctor; **Hausaufgabe[n]** *f* (SCH) homework; **Hausbesetzer(in)** *m(f)* squatter; **Hausbesetzung** *f* squat; **Hausbesitzer(in)** *m(f)*, **Hausdurchsuchung** *f* (*A, CH*) police raid; **Hauseigentümer(in)** *m(f)* house-owner.

hausen *vi* live [in poverty]; (*pej*) wreak havoc.

Häuserblock *m* block [of houses]; **Häusermakler(in)** *m(f)* estate agent.

Hausfrau *f* housewife; **Hausfreund** *m* family friend; (*umg*) lover; **hausgemacht** *adj* home-made; **Haushalt** *m* household; (POL) budget; **haushalten** *vi s.* **Haus**; **Haushälterin** *f* housekeeper; **Haushaltsgeld** *nt* housekeeping [money]; **Haushaltsgerät** *nt* domestic appliance; **Haushaltsplan** *m* budget; **Haushaltstechnik** *f* domestic automation; **Haushaltung** *f* housekeeping; **Hausherr(in)** *m(f)* host/hostess; (*Vermieter*) landlord/-lady; **haushoch** *adv:*

~ **verlieren** lose by a mile.

hausieren *vi* hawk, peddle; **Hausierer(in)** *m(f)* <-s, -> hawker, peddlar.

häuslich *adj* domestic; **Häuslichkeit** *f* domesticity.

Hausmann *m* <Hausmänner *pl*> househusband; **Hausmeister(in)** *m(f)* caretaker, janitor; **Hausnummer** *f* house number; **Hausordnung** *f* house rules *pl;* **Hausputz** *m* house cleaning; **Hausratversicherung** *f* household contents insurance; **Hausschlüssel** *m* front-door key; **Hausschuh** *m* slipper; **Haussuchung** *f* police raid; **Haustier** *nt* domestic animal; (*nicht Nutztier*) pet; **Hausverwalter(in)** *m(f)* caretaker; **Hauswart** *m* (*A*) caretaker *Brit,* janitor *US;* **Hauswirt(in)** *m(f)* landlord/-lady; **Hauswirtschaft** *f* domestic science.

Haut *f* <-, Häute> skin; (*Tier~*) hide; **Hautarzt** *m,* **Hautärztin** *f* dermatologist; **häuten 1.** *vt* skin; **2.** *vr:* **sich** ~ slough one's skin; **hauteng** *adj* skintight; **Hautfarbe** *f* complexion.

Haxe *f* <-, -n> knuckle.

Hbf. *m abk von* **Hauptbahnhof** central station.

Hebamme *f* <-, -n> midwife.

Hebel *m* <-s, -> lever.

heben <hob, gehoben> *vt* raise, lift.

hecheln *vi* (*Hund*) pant.

Hecht *m* <-[e]s, -e> pike.

Heck *nt* <-[e]s, -e> (*von Boot*) stern; (*von Auto*) rear.

Hecke *f* <-, -n> hedge; **Heckenrose** *f* dog rose; **Heckenschütze** *m* sniper.

Heckklappe *f* tailgate; **Heckmotor** *m* rear engine; **Heckscheibe** *f* rear window.

Heer *nt* <-[e]s, -e> army.

Hefe *f* <-, -n> yeast.

Heft *nt* <-[e]s, -e> exercise book; (*Zeitschrift*) number; (*von Messer*) haft; **heften** *vt* fasten (*an +akk* to); (*nähen*) tack; **Hefter** *m* <-s, -> folder.

heftig *adj* fierce, violent; **Heftigkeit** *f* fierceness, violence.

Heftklammer *f* paper clip; **Heftmaschine** *f* stapling machine; **Heftpflaster** *nt* sticking plaster; **Heftzwecke** *f* drawing pin.

hegen *vt* nurse; (*fig*) harbour, foster.

Hehl *m o nt:* **kein[en]** ~ **aus etw machen** make no secret of sth.

Hehler(in) *m(f)* <-s, -> receiver [of stolen goods], fence; (*umg*).

Heide *f* <-, -n> heath, moor.

Heide *m* <-n, -n> heathe, pagan.

Heidekraut *nt* heather.

Heidelbeere *f* bilberry, blueberry.

Heidentum *nt* paganism; **Heidin** *f* heathen, pagan; **heidnisch** *adj* heathen, pagan.

heikel *adj* awkward, thorny; (*wählerisch*) fussy.

heil 1. *adj* in one piece, intact; **2.** *interj* hail; **Heil** *nt* <-[e]s> well-being; (*Seelen~*) salvation; **Heiland** *m* <-[e]s, -e> saviour; **heilbar** *adj* curable; **heilen 1.** *vt* cure; **2.** *vi* heal; **heilfroh** *adj* very relieved; **Heilgymnast(in)** *m(f)* physiotherapist.

heilig *adj* holy; ~ **sprechen**^RR canonize; **Heiligabend** *m* Christmas Eve; **Heilige(r)** *mf* saint; **Heiligenschein** *m* halo; **Heiligkeit** *f* holiness; **heiligsprechen** *vt s.* **heilig**; **Heiligtum** *nt* shrine; (*Gegenstand*) relic.

heillos *adj* unholy; **Heilmittel** *nt* remedy; **Heilpraktiker(in)** *m(f)* naturopath, non-medical practitioner; **heilsam** *adj* (*fig*) salutary; **Heilsarmee** *f* Salvation Army; **Heilung** *f* cure.

heim *adv* home; **Heim** *nt* <-[e], -e> home.

Heimat *f* <-, -en> home [town/country]; **Heimatland** *nt* native country; **heimatlich** *adj* native, home; (*Gefühle*) nostalgic; **heimatlos** *adj* homeless; **Heimatort** *m* home town/area; **Heimatvertriebene(r)** *mf* displaced person.

heimbegleiten *vt* accompany home; **Heimcomputer** *m* home computer.

heimelig *adj* homely, cosy.

heimfahren *irr vi* drive/go home; **Heimfahrt** *f* journey home; **heimgehen** *irr vi* go home; (*sterben*) pass away.

heimisch *adj* (*gebürtig*) native; **sich** ~ **fühlen** feel at home.

Heimkehr *f* <-, -en> homecoming; **heimkehren** *vi* return home.

heimlich *adj* secret; **Heimlichkeit** *f* secrecy.

Heimreise *f* journey home.

heimsuchen *vt* afflict; (*Geist*) haunt.

Heimtrainer *m* exercise bike.

heimtückisch *adj* malicious.

Heimvorteil *m* (SPORT) home advantage.

heimwärts *adv* homewards; **Heimweg** *m* way home; **Heimweh** *nt* homesickness; ~ **haben** be homesick; **heim-**

zahlen *vt:* **jdm etw** ~ pay back sb for sth.

Heirat *f* <-, -en> marriage; **heiraten** *vt, vi* marry; **Heiratsantrag** *m* proposal; **jdm einen ~ machen** propose to sb.

heiser *adj* hoarse; **Heiserkeit** *f* hoarseness.

heiß *adj* hot; **~er Draht** hot line; **~ ersehnt**RR longed for; **heißblütig** *adj* hot-blooded.

heißen <hieß, geheißen> **1.** *vi* be called; (*bedeuten*) mean; **2.** *vt* command; (*nennen*) name; **3.** *vb unpers* it says; (*man sagt*) it is said.

heißersehnt *adj s.* **heiß**; **Heißhunger** *m* ravenous hunger; **heißlaufen** *irr vi* overheat; (*Telefon*) buzz; **Heißluftherd** *m* convection oven.

heiter *adj* cheerful; (*Wetter*) bright; **Heiterkeit** *f* cheerfulness; (*Belustigung*) amusement.

heizbar *adj* (*Heckscheibe*) heated; (*Raum*) with heating; **leicht ~** easily heated; **Heizdecke** *f* electric blanket; **heizen** *vt* heat; **Heizer** *m* <-s, -> stoker; **Heizkörper** *m* radiator; **Heizöl** *nt* fuel oil; **Heizung** *f* heating; **Heizungsanlage** *f* heating system.

hektisch *adj* hectic.

Held *m* <-en, -en> hero; **heldenhaft** *adj* heroic; **Heldin** *f* heroine.

helfen <half, geholfen> **1.** *vi* help (*jdm bei* sb with); (*nützen*) be of use; **2.** *vi unpers:* **es hilft nichts, du musst ...** it's no use, you have to ...; **sich** *dat* **zu ~ wissen** be resourceful; **Helfer(in)** *m(f)* <-s, -> helper, assistant; **Helfershelfer(in)** *m(f)* accomplice.

hell *adj* clear, bright; (*Farbe*) light; **hellblau** *adj* light blue; **hellblond** *adj* ash-blond; **Helle** *f* <-> clearness, brightness; **hellhörig** *adj* keen of hearing; (*Wand*) poorly soundproofed; **~ werden** prick up one's ears; **Helligkeit** *f* clearness, brightness; lightness; **Helligkeitsregelung** *f* brightness control; **Hellseher(in)** *m(f)* clairvoyant; **hellwach** *adj* wide-awake.

Helm *m* <-[e]s, -e> (*auf Kopf*) helmet.

Hemd *nt* <-[e]s, -en> shirt; (*Unter~*) vest; **Hemdbluse** *f* blouse; **Hemdenknopf** *m* shirt button.

hemmen *vt* check, hold up; **gehemmt sein** be inhibited; **Hemmschwelle** *f* inhibition threshold; **Hemmung** *f* check; (PSYCH) inhibition; **hemmungslos** *adj* unrestrained, without restraint.

Hengst *m* <-es, -e> stallion.

Henkel *m* <-s, -> handle.

henken *vt* hang; **Henker** *m* <-s, -> hangman.

Henne *f* <-, -n> hen.

her *adv* here; (*zeitlich*) ago; **~ damit!** hand it over!

herab *adv* down, downward[s]; **herabhängen** *irr vi* hang down; **herablassen** *irr* **1.** *vt* let down; **2.** *vr:* **sich ~** condescend; **Herablassung** *f* condescension; **herabsehen** *irr vi* look down (*auf +akk* on); **herabsetzen** *vt* lower, reduce; (*fig*) belittle, disparage; **Herabsetzung** *f* reduction; disparagement; **herabwürdigen** *vt* belittle, disparage.

heran *adv:* **näher ~!** come up closer!; **~ zu mir!** come up to me!; **heranbilden** *vt* train; **heranbringen** *irr vt* bring up (*an +akk* to); **heranfahren** *irr vi* drive up (*an +akk* to); **herankommen** *irr vi* approach, come near (*an etw akk* sth); **heranmachen** *vr:* **sich an jdn ~** make up to sb; **heranwachsen** *irr vi* grow up; **heranziehen** *irr vt* pull nearer; (*aufziehen*) raise; (*ausbilden*) train; **jdn zu etw ~** call upon sb to help in sth.

herauf *adv* up, upward[s], up here; **heraufbeschwören** *irr vt* conjure up, evoke; **heraufbringen** *irr vt* bring up; **heraufziehen** *irr* **1.** *vt* draw [*o* pull] up; **2.** *vi* approach; (*Sturm*) gather.

heraus *adv* out; outside; **herausarbeiten** *vt* work out; (*hervorheben*) bring out; **herausbekommen** *irr vt* get out; (*Wechselgeld*) get back; (*fig*) find out; **herausbringen** *irr vt* bring out; (*Geheimnis*) elicit; **herausfinden** *irr vt* find out; **herausfordern** *vt* challenge; **Herausforderung** *f* challenge, provocation; **herausgeben** *irr vt* give up, surrender; (*Geld*) give back; (*Buch*) edit; (*veröffentlichen*) publish; **Herausgeber(in)** *m(f)* <-s, -> editor; (*Verleger*) publisher; **herausgehen** *irr vi:* **aus sich ~** come out of one's shell; **heraushalten** *irr vr:* **sich aus etw ~** keep out of sth; **herausholen** *vt* get out (*aus* of); **herauskommen** *irr vi* come out; **dabei kommt nichts heraus** nothing will come of it; **herausnehmen** *irr vt* take out; **sich** *dat* **Freiheiten ~** take liberties; **herausrücken** *vt* fork out, hand over; **mit etw ~** (*fig*) come out with sth; **herausrutschen** *vi* slip out; **herausschlagen** *irr vt* knock out; (*fig*) obtain; **herausstellen** *vr:* **sich ~** turn out (*als* to be); **herauswachsen**

irr vi grow out (*aus* of); **herausziehen** *irr vt* pull out, extract.

herb *adj* [slightly] bitter, acid; (*Wein*) dry; (*fig: schmerzlich*) bitter; (*streng*) stern, austere.

Herberge *f* <-, -n> (*Unterkunft*) lodging; (*fig*) refuge, shelter; (*Jugend~*) hostel; **Herbergsmutter** *f*, **Herbergsvater** *m* warden.

herbitten *irr vt* ask to come [here]; **herbringen** *irr vt* bring here.

Herbst *m* <-[e]s, -e> autumn, fall *US;* **im ~** in autumn, in fall; **herbstlich** *adj* autumnal.

Herd *m* <-[e]s, -e> cooker; (*fig*) focus, centre.

Herde *f* <-, -n> herd; (*Schaf~*) flock.

herein *adv* in [here], here; **~!** come in!; **hereinbitten** *irr vt* ask in; **hereinbrechen** *irr vi* set in; **hereinbringen** *irr vt* bring in; **hereindürfen** *irr vi* have permission to enter; **hereinfallen** *irr vi* be caught, taken in; **~ auf** *+akk* fall for; **hereinkommen** *irr vi* come in; **hereinlassen** *irr vt* admit; **hereinlegen** *vt:* **jdn ~** take sb for a ride; **hereinplatzen** *vi* burst in.

Herfahrt *f* journey here; **herfallen** *irr vi:* **über jdn ~** pounce on sb; (*kritisieren*) pull to pieces; **über das Essen ~** pounce upon the food; **Hergang** *m* course of events, circumstances *pl;* **hergeben** *irr vt* give, hand [over]; **sich zu etw ~** lend one's name to sth; **hergehen** *irr vi:* **hinter jdm ~** follow sb; **es geht hoch her** there's plenty going on here; **herhalten** *irr vt* hold out; **~ müssen** (*umg*) have to suffer; **herhören** *vi* listen; **hör mal her!** listen here!

Hering *m* <-s, -e> herring.

herkommen *irr vi* come; **komm mal her!** come here!; **herkömmlich** *adj* conventional; **Herkunft** *f* <-, Herkünfte> origin; **herlaufen** *irr vi:* **hinter einer Sache/jdm ~** run after sth/sb; **herleiten** *vt* derive; **hermachen** *vr:* **sich ~ über** *+akk* set about, set upon.

Hermelin *m* <-s, -e> (*Pelz*) ermine.

hermetisch *adj* hermetic.

Heroin *nt* <-s> heroin.

heroisch *adj* heroic.

Herold *m* <-[e]s, -e> herald.

Herpes *m* <-> (MED) herpes.

Herr *m* <-[e]n, -en> master; (*Mann*) gentleman; (*adliger*) Lord; (*vor Namen*) Mr.; **mein ~!** sir!; **meine ~en!** gentlemen!; **Herrenbekanntschaft** *f* gentleman friend; **Herrendoppel** *nt* men's doubles *sing;* **Herreneinzel** *nt* men's singles *sing;* **Herrenhaus** *nt* mansion; **herrenlos** *adj* ownerless.

herrichten *vt* prepare.

Herrin *f* mistress; **herrisch** *adj* domineering, overbearing.

herrlich *adj* marvellous, splendid; **Herrlichkeit** *f* splendour, magnificence.

Herrschaft *f* power, rule; (*Herr und Herrin*) master and mistress; **meine ~en!** ladies and gentlemen!

herrschen *vi* rule; (*bestehen*) prevail, be; **Herrscher(in)** *m(f)* <-s, -> ruler; **Herrschsucht** *f* domineering behaviour.

herrühren *vi* arise, originate (*von* from); **herstellen** *vt* make, manufacture; **Hersteller(in)** *m(f)* <-s, -> manufacturer; **Herstellung** *f* manufacture; **Herstellungskosten** *pl* manufacturing costs *pl.*

herüber *adv* over [here], across.

herum *adv* about, [a]round; **um etw ~** around sth; **herumärgern** *vr:* **sich ~** keep struggling (*mit* with); **herumführen** *vt* show around; **herumgehen** *irr vi* walk [*o* go] round (*um etw* sth), walk about; **herumirren** *vi* wander about; **herumkriegen** *vt* bring [*o* talk] around; **herumlungern** *vi* lounge about; **herumsprechen** *irr vr:* **sich ~** get around, be spread; **herumtreiben** *irr vi, vr:* **sich ~** (*umg*) hang about; **herumziehen** *irr vi* wander about.

herunter *adv* downward[s], down [there]; **heruntergekommen** *adj* run-down; **herunterhängen** *irr vi* hang down; **herunterholen** *vt* bring down; **herunterkommen** *irr vi* come down; (*fig*) come down in the world; **heruntermachen** *vt* take down; (*schimpfen*) abuse, criticise severely.

hervor *adv* out, forth; **hervorbringen** *irr vt* produce; (*Wort*) utter; **hervorgehen** *irr vi* emerge, result; **hervorheben** *irr vt* stress; (*als Kontrast*) set off; **hervorragend** *adj* excellent; (*vorstehend*) projecting; **hervorrufen** *irr vt* cause, give rise to; **hervortreten** *irr vi* come out.

Herz *nt* <-ens, -en> heart; **Herzanfall** *m* heart attack; **Herzenslust** *f:* **nach ~** to one's heart's content; **Herzfehler** *m* heart defect; **herzhaft** *adj* hearty; **Herzinfarkt** *m* heart attack; **Herzklopfen** *nt* palpitation; **herzkrank** *adj* suffering from a heart condition; **herzlich** *adj*

(*Empfang*) warm; (*Mensch*) warm-hearted; (*Lachen*) hearty; ~**en Glückwunsch** congratulations; ~**e Grüße** best wishes; ~ **wenig** precious little; **Herzlichkeit** *f* warmth; warm-heartedness; **herzlos** *adj* heartless.

Herzog *m* <-[e]s, Herzöge> duke; **Herzogin** *f* duchess; **herzoglich** *adj* ducal; **Herzogtum** *nt* duchy.

Herzschlag *m* heartbeat; (MED) heart attack; **Herzschrittmacher** *m* [cardiac] pacemaker; **herzzerreißend** *adj* heart-rending.

Hessen *nt* <-s> Hessen.

heterogen *adj* heterogeneous.

Heterosexualität *f* heterosexuality; **heterosexuell** *adj* heterosexual; **Heterosexuelle(r)** *mf* heterosexual.

Hetze *f* <-, -n> (*Eile*) rush; **hetzen 1.** *vt* hunt; (*verfolgen*) chase; **2.** *vi* (*eilen*) rush; ~ **gegen** stir up feeling against; **jdn/etw auf jdn/etw** ~ set sb/sth on sb/sth; **Hetzerei** *f* (*Eile*) rush.

Heu *nt* <-[e]s> hay; **Heuboden** *m* hayloft.

Heuchelei *f* hypocrisy; **heucheln 1.** *vt* pretend, feign; **2.** *vi* be hypocritical; **Heuchler(in)** *m(f)* <-s, -> hypocrite; **heuchlerisch** *adj* hypocritical.

Heugabel *f* pitchfork.

heulen *vi* howl; cry; **das** ~**de Elend bekommen** get the blues.

heurig *adj* (*A, CH*) this year's.

Heuschnupfen *m* hay fever; **Heuschrecke** *f* <-, -n> grasshopper, locust.

heute *adv* today; ~ **Abend**[RR]**/früh** this evening/morning; **das Heute** today; **heutig** *adj* today's; **heutzutage** *adv* nowadays.

Hexe *f* <-, -n> witch; **hexen** *vi* practise witchcraft; **ich kann doch nicht** ~ I can't work miracles; **Hexenkessel** *m* cauldron; (*fig*) pandemonium; **Hexenmeister** *m* wizard; **Hexenschuss**[RR] *m* lumbago; **Hexerei** *f* witchcraft.

Hickhack *nt* <-s> squabbling.

hieb *imperf von* **hauen**; **Hieb** *m* <-[e]s, -e> blow; (*Wunde*) cut, gash; (*Stichelei*) cutting remark; ~**e bekommen** get a thrashing.

hielt *imperf von* **halten**.

hier *adv* here; ~ **behalten**[RR] keep here; ~ **bleiben**[RR] stay here; ~ **lassen**[RR] leave here; **hieramts** *adv* (*A*) at this office; **hierauf** *adv* thereupon; (*danach*) after that; **hierbehalten** *vt s.* **hier**; **hierbei** *adv* herewith, enclosed; **hierbleiben** *vi s.* **hier**; **hierdurch** *adv* by this means; (*örtlich*) through here; **hierher** *adv* this way, here; **hierlassen** *vt s.* **hier**; **hiermit** *adv* hereby; **hiernach** *adv* hereafter; **hiervon** *adv* about this, hereof; **hierzulande** *adv* in this country.

hiesig *adj* of this place, local.

hieß *imperf von* **heißen**.

Hi-Fi-Anlage *f* hi-fi [set].

high *adj* (*umg*) high; **Highlife** *nt* <-s> high life; ~ **machen** live it up; **Hightech**[RR], **High Tech** *nt* <-s> high-tech.

Hilfe *f* <-, -n> help; (*für Notleidende, finanziell*) aid; **Erste** ~ first aid; ~**!** help!; **kontextsensitive** ~ (INFORM) context-sensitive help; **Hilfeleistung** *f*: **unterlassene** ~ (JUR) denial of assistance; **hilflos** *adj* helpless; **Hilflosigkeit** *f* helplessness; **hilfreich** *adj* helpful.

Hilfsaktion *f* relief measures *pl;* **Hilfsarbeiter(in)** *m(f)* labourer; **hilfsbedürftig** *adj* needy; **hilfsbereit** *adj* ready to help, helpful; **Hilfsbereitschaft** *f* helpfulness; **Hilfsdatei** *f* (INFORM) help file; **Hilfskraft** *f* assistant, helper; **Hilfsorganisation** *f* aid organisation; **Hilfsschule** *f* (*umg*) school for backward children; **Hilfszeitwort** *nt* auxiliary verb.

Himbeere *f* raspberry.

Himmel *m* <-s, -> sky; (REL) heaven; **himmelangst** *adj:* **es ist mir** ~ I'm scared to death; **himmelblau** *adj* sky-blue; **Himmelfahrt** *f* Ascension; **himmelschreiend** *adj* outrageous; **Himmelsrichtung** *f* direction; **himmlisch** *adj* heavenly.

hin *adv* there; ~ **und her** to and fro; **bis zur Mauer** ~ up to the wall; **Geld** ~**, Geld her** money or no money; **mein Glück ist** ~ my happiness has gone.

hinab *adv* down; **hinabgehen** *irr vi* go down; **hinabsehen** *irr vi* look down.

hinauf *adv* up; **hinaufarbeiten** *vr:* **sich** ~ work one's way up; **hinaufsteigen** *irr vi* climb (*auf etw akk* sth).

hinaus *adv* out; **hinausbefördern** *vt* kick/throw out; **hinausgehen** *irr vi* go out; ~ **über** +*akk* exceed; **hinauslaufen** *irr vi* run out; ~ **auf** +*akk* come to, amount to; **hinausschieben** *irr vt* put off, postpone; **hinauswerfen** *irr vt* throw out; **hinauswollen** *vi* want to go out; ~ **auf** +*akk* drive at, get at; **hinausziehen** *irr* **1.** *vt* draw out; **2.** *vr:* **sich** ~ be protracted.

Hinblick *m:* in [*o* im] ~ **auf** +*akk* in view of.

hinderlich *adj* awkward; **hindern** *vt* hinder, hamper; **jdn an etw** *dat* ~ prevent sb from doing sth; **Hindernis** *nt* obstacle.

hindeuten *vi* point (*auf* +*akk* to).

hindurch *adv* through; across; (*zeitlich*) over.

hinein *adv* in; **hineinfallen** *irr vi* fall in; ~ **in** +*akk* fall into; **hineingehen** *irr vi* go in; ~ **in** +*akk* go into, enter; **hineingeraten** *irr vi:* ~ **in** +*akk* get into; **hineinpassen** *vi* fit in; ~ **in** +*akk* fit into; **hineinreden** *vi:* **jdm** ~ interfere in sb's affairs; **hineinschlittern** *vi:* **in eine Situation** ~ stumble into a situation; **hineinsteigern** *vr:* **sich** ~ get worked up; **hineinversetzen** *vr:* **sich** ~ **in** +*akk* put oneself in the position of.

hinfahren *irr* **1.** *vi* go; drive; **2.** *vt* take; drive; **Hinfahrt** *f* journey there; **hinfallen** *irr vi* fall down; **hinfällig** *adj* (*Regel*) invalid, frail, decrepit.

hing *imperf von* **hängen**.

Hingabe *f* devotion; **hingeben** *vr:* **sich** ~ +*dat* give oneself up to, devote oneself to; **hingehen** *irr vi* go; (*Zeit*) pass; **hinhalten** *irr vt* hold out; (*warten lassen*) put off, stall.

hinken *vi* limp; (*Vergleich*) be unconvincing.

hinlegen 1. *vt* put down; **2.** *vr:* **sich** ~ lie down; **hinnehmen** *irr vt* (*fig*) put up with, take; **Hinreise** *f* journey out; **hinreißen** *irr vt* carry away, enrapture; **sich** ~ **lassen etw zu tun** get carried away and do sth; **hinrichten** *vt* execute; **Hinrichtung** *f* execution; **hinsichtlich** *präp* +*gen* with regard to; **Hinspiel** *nt* (SPORT) first leg; **hinstellen 1.** *vt* put [down]; **2.** *vr:* **sich** ~ place oneself.

hintanstellen *vt* put last; (*vernachlässigen*) neglect.

hinten *adv* at the back; behind; **hintenherum** *adv* round the back; (*fig*) secretly.

hinter *präp* +*dat o akk* behind; (*nach*) after; ~ **jdm hersein** be after sb; **Hinterachse** *f* rear axle; **Hinterbein** *nt* hind leg; **sich auf die** ~**e stellen** get tough; **Hinterbliebene**(**r**) *mf* surviving relative; **hinterdrein** *adv* afterwards; **hintere**(**r, s**) *adj* rear, back; **hintereinander** *adv* one after the other; **Hintergedanke** *m* ulterior motive; **hintergehen** *irr vt* deceive; **Hintergrund** *m* background; **Hinterhalt** *m* ambush; **hinterhältig** *adj* underhand, sneaky; **hinterher** *adv* afterwards; **Hinterhof** *m* backyard; **Hinterkopf** *m* back of one's head; **hinterlassen** *irr vt* leave; **Hinterlassenschaft** *f* [testator's] estate; **hinterlegen** *vt* deposit; **Hinterlist** *f* cunning, trickery; (*Handlung*) trick, dodge; **hinterlistig** *adj* cunning, crafty; **Hintermänner** *pl* people behind *pl;* **Hinterrad** *nt* back wheel, rear wheel; **Hinterradantrieb** *m* (AUTO) rear wheel drive; **hinterrücks** *adv* from behind; **Hinterteil** *nt* behind; **Hintertreffen** *nt:* **ins** ~ **kommen** lose ground; **hintertreiben** *irr vt* prevent, frustrate; **Hintertür** *f* back door; (*fig: Ausweg*) escape, loophole; **hinterziehen** *irr vt* (*Steuern*) evade [paying].

hinüber *adv* across, over; **hinübergehen** *irr vi* go over [*o* across].

hinunter *adv* down; **hinunterbringen** *irr vt* take down; **hinunterschlucken** *vt* (*a. fig*) swallow; **hinuntersteigen** *irr vi* descend.

Hinweg *m* journey out.

hinwegsetzen *vr:* **sich** ~ **über** +*akk* disregard.

Hinweis *m* <-es, -e> (*Andeutung*) hint; (*Anweisung*) instruction; (*Verweis*) reference; **hinweisen** *irr vi* (*anzeigen*) point (*auf* +*akk* to); (*sagen*) point out, refer (*auf* +*akk* to).

hinzu *adv* in addition; **hinzufügen** *vt* add.

Hirn *nt* <-[e]s, -e> brain[s]; **Hirngespinst** *nt* <-[e]s, -e> fantasy; **hirnverbrannt** *adj* half-baked, crazy.

Hirsch *m* <-[e]s, -e> stag.

Hirse *f* <-, -n> millet.

Hirt(**in**) *m(f)* <-en, -en> herdsperson; (*Schaf~, fig*) shepherd/shepherdess.

hissen *vt* hoist.

Historiker(**in**) *m(f)* <-s, -> historian; **historisch** *adj* historical.

Hitparade *f* charts *pl.*

Hitze *f* <-> heat; **hitzebeständig** *adj* heat-resistant; **Hitzewelle** *f* heatwave.

hitzig *adj* hot-tempered; (*Debatte*) heated.

Hitzkopf *m* hothead; **Hitzschlag** *m* heatstroke.

HIV *nt* <-[s], -[s]> *abk von* **Human Immunodeficiency Virus** HIV; **HIV-negativ** *adj* HIV negative; **HIV-positiv** *adj* HIV positive.

H-Milch *f* long-life milk.

hob *imperf von* **heben**.

Hobby *nt* <-s, -s> hobby.

Hobel *m* <-s, -> plane; **Hobelbank** *f* <Hobelbänke *pl*> carpenter's bench; **hobeln** *vt, vi* plane; **Hobelspäne** *pl* wood shavings *pl*.

hoch *adj* <höher, am höchsten> high; **Hoch** *nt* <-s, -s> (*Ruf*) cheer; (METEO) anticyclone.

Hochachtung *f* respect, esteem; **hochachtungsvoll** *adv* (*in Briefen*) yours faithfully; **Hochamt** *nt* high mass; **hocharbeiten** *vr:* **sich ~** work one's way up; **hochauflösend** *adj* high-resolution; **hochbegabt** *adj* extremely gifted; **hochbetagt** *adj* very old, aged; **Hochbetrieb** *m* intense activity; (WIRTS) peak time; **hochbringen** *irr vt* bring up; **Hochburg** *f* stronghold; **Hochdeutsch** *nt* High German; **hochdotiert** *adj* highly paid; **Hochdruck** *m* (METEO) high pressure; **Hochebene** *f* plateau; **hocherfreut** *adj* extremely delighted; **hochfliegend** *adj* (*fig*) high-flown; **Hochform** *f* top form; **Hochgebirge** *nt* [high] mountains; **Hochgeschwindigkeitszug** *m* high-speed train; **hochgradig** *adj* intense, extreme; **hochhalten** *irr vt* hold up; (*fig*) uphold, cherish; **Hochhaus** *nt* multi-storey building; **hochheben** *irr vt* lift [up]; **Hochkonjunktur** *f* boom; **Hochland** *nt* highlands *pl;* **hochleben** *vi:* **jdn ~ lassen** give sb three cheers; **Hochleistungschip** *m* high-performance chip; **Hochleistungssport** *m* top-level sport; **Hochmut** *m* pride; **hochmütig** *adj* proud, haughty; **hochnäsig** *adj* stuck-up, snooty; **Hochofen** *m* blast furnace; **hochprozentig** *adj* strong; **Hochrechnung** *f* projected result; **hochrentabel** *adj* highly profitable; **hochrüsten** *vt* (TECH) upgrade; **Hochsaison** *f* high season; **Hochschätzung** *f* high esteem; **Hochschulabschluss**[RR] *m* university degree; **Hochschule** *f* college; university; **hochschwanger** *adj* heavily pregnant; **Hochsommer** *m* height of summer; **Hochspannung** *f* high tension; **Hochspannungsleitung** *f* high voltage line, power line; **hochspringen** *irr vi* jump up; **Hochsprung** *m* high jump.

höchst *adv* highly, extremely.

Hochstapler(in) *m(f)* <-s, -> swindler.

höchste(r, s) *adj superl von* **hoch** highest; (*äußerste*) extreme; **höchstens** *adv* at the most; **Höchstgeschwindigkeit** *f* maximum speed; **höchstpersönlich** *adv* in person; **Höchstpreis** *m* maximum price; **höchstwahrscheinlich** *adv* most probably.

Hochtöner *m* <-s, -> tweeter.

hochtrabend *adj* pompous, high-flown; **Hochverrat** *m* high treason; **Hochwasser** *nt* high water; (*Überschwemmung*) floods *pl;* **hochwertig** *adj* high-class, first-rate; **Hochwürden** *m* <-s, -> Reverend; **Hochzahl** *f* (MATH) exponent.

Hochzeit *f* <-, -en> wedding; **Hochzeitsreise** *f* honeymoon.

hocken *vi, vr:* **sich ~** squat, crouch.

Hocker *m* <-s, -> stool.

Höcker *m* <-s, -> hump.

Hoden *m* <-s, -> testicle.

Hof *m* <-[e]s, Höfe> (*Hinter~*) yard; (*Bauern~*) farm; (*Königs~*) court.

hoffen *vi* hope (*auf +akk* for); **hoffentlich** *adv* I hope, hopefully; **Hoffnung** *f* hope; **hoffnungslos** *adj* hopeless; **Hoffnungslosigkeit** *f* hopelessness; **Hoffnungsschimmer** *m* glimmer of hope; **Hoffnungsträger(in)** *m(f)* carrier of hope; **hoffnungsvoll** *adj* hopeful.

höflich *adj* polite, courteous; **Höflichkeit** *f* courtesy, politeness.

hohe(r, s) *adj s.* **hoch**.

Höhe *f* <-, -n> height; (*An~*) hill.

Hoheit *f* (POL) sovereignty; (*Titel*) Highness; **Hoheitsgebiet** *nt* sovereign territory; **Hoheitsgewässer** *nt* territorial waters *pl;* **Hoheitszeichen** *nt* national emblem.

Höhenangabe *f* altitude reading; (*auf Karte*) height marking; **Höhenmesser** *m* <-s, -> altimeter; **Höhensonne** *f* sun lamp; **Höhenunterschied** *m* difference in altitude; **Höhenzug** *m* mountain chain.

Höhepunkt *m* climax.

höher *adj, adv komp von* **hoch** higher.

hohl *adj* hollow.

Höhle *f* <-, -n> cave, hole; (*Mund~*) cavity; (*fig*) den.

Hohlheit *f* hollowness; **Hohlmaß** *nt* measure of capacity; **Hohlsaum** *m* hemstitch.

Hohn *m* <-[e]s> scorn; **höhnen** *vt* taunt, scoff at; **höhnisch** *adj* scornful, taunting.

holen *vt* get, fetch; (*Atem*) take; **jdn/etw ~ lassen** send for sb/sth.

Holland *nt* Holland; **Holländer(in)** *m(f)* <-s, -> Dutchman/-woman; **die ~** *pl* the

Dutch *pl;* **holländisch** *adj* Dutch.

Hölle *f* <-, -n> hell; **Höllenangst** *f:* **eine ~ haben** be scared to death; **höllisch** *adj* hellish, infernal.

Hologramm *nt* <-s, -e> hologram; **Holographie** *f* holography.

holperig *adj* rough, bumpy; **holpern** *vi* jolt.

Holunder *m* <-s, -> elder.

Holz *nt* <-es, Hözer> wood; **hölzern** *adj* (*a. fig*) wooden; **Holzfäller(in)** *m(f)* <-s, -> lumberjack, woodcutter; **holzig** *adj* woody; **Holzklotz** *m* wooden block; **Holzkohle** *f* charcoal; **Holzscheit** *nt* log; **Holzschuh** *m* clog; **Holzweg** *m:* **auf dem ~ sein** be on the wrong track; **Holzwolle** *f* fine wood shavings *pl;* **Holzwurm** *m* woodworm.

Homebanking *nt* home banking.

Hometrainer *m* exerciser.

Homosexualität *f* homosexuality; **homosexuell** *adj* homosexual; **Homosexuelle(r)** *mf* homosexual.

Honig *m* <-s, -e> honey; **Honigmelone** *f* honeydew melon; **Honigwabe** *f* honeycomb.

Honorar *nt* <-s, -e> fee.

honorieren *vt* remunerate; (*Scheck*) honour.

Hopfen *m* <-s, -> (BOT) hop; (*beim Brauen*) hops *pl.*

hopsen *vi* hop.

hopsgehen *vi* (*umg*) go missing.

Hörapparat *m* hearing aid; **hörbar** *adj* audible.

horch *interj* listen; **horchen** *vi* listen; (*pej*) eavesdrop; **Horcher(in)** *m(f)* <-s, -> listener; eavesdropper.

Horde *f* <-, -n> horde.

hören *vt, vi* hear; **Hörensagen** *nt:* **vom ~** from hearsay; **Hörer(in)** *m(f)* <-s, -> hearer; (RADIO) listener; (SCH) student; (*Telefon~*) receiver.

Horizont *m* <-[e]s, -e> horizon; **horizontal** *adj* horizontal.

Hormon *nt* <-s, -e> hormone.

Hörmuschel *f* (TEL) earpiece.

Horn *nt* <-[e]s, Hörner> horn; **Hornhaut** *f* horny skin; (*des Auges*) cornea.

Hornisse *f* <-, -n> hornet.

Horoskop *nt* <-s, -e> horoscope.

Hörrohr *nt* ear trumpet; (MED) stethoscope; **Hörsaal** *m* lecture room; **Hörspiel** *nt* radio play.

Hort *m* <-[e]s, -e> hoard; (SCH) nursery school; **horten** *vt* hoard.

Hose *f* <-, -n> trousers *pl Brit,* pants *pl US;* (*Damen~ auch*) slacks *pl;* (*Unter~*) [under]pants *pl;* **eine ~** a pair of pants; **tote ~ sein** (*umg: langweilig*) be a drag; (*erfolglos*) be a dead loss; **in die ~ gehen** (*umg*) be a flop; **Hosenanzug** *m* trouser suit; **Hosenrock** *m* culottes *pl;* **Hosensack** *m* (*CH*) trouser pocket; **Hosentasche** *f* [trouser] pocket; **Hosenträger** *m* braces *pl,* suspenders *pl US.*

Hostie *f* (REL) host.

Hotel *nt* <-s, -s> hotel; **Hotelier** *m* <-s, -s> hotelkeeper, hotelier.

Hub *m* <-[e]s, Hübe> lift; (TECH) stroke.

hüben *adv* on this side, over here.

Hubraum *m* (AUTO) cubic capacity.

hübsch *adj* pretty, nice.

Hubschrauber *m* <-s, -> helicopter.

hudeln *vi* (*umg*) be sloppy.

Huf *m* <-[e]s, -e> hoof; **Hufeisen** *nt* horseshoe.

Hüfte *f* <-, -n> hip; **Hüfthalter** *f* <-s, -> girdle.

Hügel *m* <-s, -> hill; **hügelig** *adj* hilly.

Huhn *nt* <-[e]s, Hühner> hen; (GASTR) chicken; **Hühnerauge** *nt* corn; **Hühnerbrühe** *f* chicken broth.

huldigen *vi* pay homage (*jdm* to sb); **Huldigung** *f* homage.

Hülle *f* <-, -n> cover; (*Schallplatten~*) sleeve; (*für Ausweis*) case; (*Zellophan~*) wrapping; **in ~ und Fülle** galore; **hüllen** *vt* cover, wrap (*in +akk* with).

Hülse *f* <-, -n> husk, shell; **Hülsenfrucht** *f* pulse.

human *adj* humane; **humanitär** *adj* humanitarian; **Humanität** *f* humanity.

Hummel *f* <-, -n> bumblebee.

Hummer *m* <-s, -> lobster.

Humor *m* <-s> humour; **~ haben** have a sense of humour; **Humorist(in)** *m(f)* humorist; **humoristisch** *adj,* **humorvoll** *adj* humorous.

humpeln *vi* hobble.

Humpen *m* <-s, -> tankard.

Hund *m* <-[e]s, -e> dog; **Hundehütte** *f* [dog] kennel; **Hundekuchen** *m* dog biscuit; **hundemüde** *adj* (*umg*) dog-tired.

hundert *num* hundred; **Hundertjahrfeier** *f* centenary; **hundertprozentig** *adj, adv* one hundred per cent.

Hündin *f* bitch.

Hunger *m* <-s> hunger; **~ haben** be hungry; **Hungerlohn** *m* starvation wages *pl;* **hungern** *vi* starve; **Hungersnot** *f* famine; **Hungerstreik** *m* hunger strike;

H

hungrig *adj* hungry.
Hupe *f* <-, -n> horn, hooter; **hupen** *vi* hoot, sound one's horn.
hüpfen *vi* hop, jump.
Hürde *f* <-, -n> hurdle; (*für Schafe*) pen; **Hürdenlauf** *m* (*Sportart*) hurdling; (*Wettkampf*) hurdles *pl.*
Hure *f* <-, -n> whore.
huschen *vi* flit, scurry.
husten *vi* cough; **Husten** *m* <-s> cough; **Hustenanfall** *m* coughing fit; **Hustenbonbon** *m o nt* cough drop; **Hustensaft** *m* cough mixture.
Hut 1. *m* <-[e]s, Hüte> hat; 2. *f* <-> care; **auf der ~ sein** be on one's guard.
hüten 1. *vt* guard; 2. *vr:* **sich ~** watch out; **sich ~ zu** take care not to; **sich ~ vor** *+dat* beware of.
Hütte *f* <-, -n> hut, cottage; (*Eisen~*) forge; **Hüttenwerk** *nt* foundry.
hutzelig *adj* shrivelled.
Hyäne *f* <-, -n> hyena.
Hyazinthe *f* <-, -n> hyacinth.
Hydrant *m* hydrant.
hydraulisch *adj* hydraulic.
Hydrierung *f* hydrogenation.
Hydrokultur *f* hydroponics *sing.*
Hygiene *f* <-> hygiene; **hygienisch** *adj* hygienic.
Hymne *f* <-, -n> hymn, anthem.
hyper- *präf* hyper-.
Hypnose *f* <-, -n> hypnosis; **hypnotisch** *adj* hypnotic; **Hypnotiseur**(**in**) *m(f)* hypnotist; **hypnotisieren** *vt* hypnotize.
Hypothek *f* <-, -en> mortgage.
Hypothese *f* hypothesis; **hypothetisch** *adj* hypothetical.
Hysterie *f* hysteria; **hysterisch** *adj* hysterical.

I

I, i *nt* I, i.
i.A. *abk von* **im Auftrag** for, pp.
IC *m* <-, -s> *abk von* **Intercity** Intercity.
ICE *m* <-, -s> *abk von* **Intercityexpresszug**[RR] *German high speed train.*
ich *pron* I; **~ bin's!** it's me!; **Ich** *nt* <-[s], -[s]> self; (PSYCH) ego.
Icon *nt* <-s, -s> (INFORM) icon.
IC-Zuschlag *m* Intercity supplement.
ideal *adj* ideal; **Ideal** *nt* <-s, -e> ideal; **Idealgewicht** *nt* ideal weight; **Idealismus** *m* idealism; **Idealist**(**in**) *m(f)* idealist; **idealistisch** *adj* idealistic.
Idee *f* <-, -n> idea; **ideell** *adj* ideal.
identifizieren *vt* identify; **identisch** *adj* identical; **Identität** *f* identity.
Ideologe *m* <-n, -n> ideologist; **Ideologie** *f* ideology; **Ideologin** *f* ideologist; **ideologisch** *adj* ideological.
idiomatisch *adj* idiomatic.
Idiot(**in**) *m(f)* <-en, -en> idiot; **idiotisch** *adj* idiotic.
Idylle *f* idyll; **idyllisch** *adj* idyllic.
IG *f abk von* **Industriegewerkschaft**.
Igel *m* <-s, -> hedgehog.
ignorieren *vt* ignore.
ihm 1. *pron dat von* **er** [to] him; 2. *pron dat von* **es** [to] it.
ihn *pron akk von* **er** him.
ihnen *pron dat von pl* **sie** [to] them.
Ihnen *pron dat von* **Sie** [to] you.
ihr 1. *pron* (*2. Person pl*) you; 2. *pron dat von sing* **sie** [to] her; 3. *pron possessiv von sing* **sie** (*adjektivisch*) her; 4. *pron possessiv von pl* **sie** (*adjektivisch*) their.
Ihr *pron possessiv von* **Sie** (*adjektivisch*) your.
ihre(**r**, **s**) 1. *pron possessiv von sing* **sie** (*substantivisch*) hers; 2. *pron possessiv von pl* **sie** (*substantivisch*) theirs.
Ihre(**r**, **s**) *pron possessiv von* **Sie** (*substantivisch*) yours.
ihrer 1. *pron gen von sing* **sie** of her; 2. *pron gen von pl* **sie** of them.
Ihrer *pron gen von* **Sie** of you.
ihrerseits 1. *adv bezüglich auf sing* **sie** as far as she is concerned; 2. *adv bezüglich auf pl* **sie** as far as they are concerned; **Ihrerseits** *adv* as far as you are concerned; **ihresgleichen** 1. *pron bezüglich auf sing* **sie** people like her; (*gleichrangig*) her equals; 2. *pron bezüglich auf pl* **sie** people like them; (*gleichrangig*) their equals; **Ihresgleichen** *pron* people like you; (*gleichrangig*) your equals; **ihretwegen** 1. *adv* (*wegen ihr*) because of her; (*ihr zuliebe*) for her sake; (*um sie*) about her; (*für sie*) on her behalf; (*von ihr aus*) as far as she is concerned; 2. *adv* (*wegen ihnen*) because of them; (*ihnen zuliebe*) for their sake; (*um sie*) about them; (*für sie*) on their behalf; (*von ihnen aus*) as far as they are concerned; **Ihretwegen** *adv* (*wegen Ihnen*) because of you; (*Ihnen zuliebe*) for your sake; (*um Sie*) about you; (*für Sie*) on your behalf;

(*von Ihnen aus*) as far as you are concerned.

Ikone *f* <-, -n> icon.

illegal *adj* illegal.

Illusion *f* illusion; **illusorisch** *adj* illusory.

illustrieren *vt* illustrate; **Illustrierte** *f* <-n, -n> [glossy] magazine.

Iltis *m* <-ses, -se> polecat.

im = in dem.

imaginär *adj* imaginary.

Imbiss[RR] *m* <-es, -e> snack; **Imbissstube**[RR] *f* snack bar.

imitieren *vt* imitate.

Imker(in) *m(f)* <-s, -> beekeeper.

Immatrikulation *f* (SCH) registration; **immatrikulieren** *vi, vr:* **sich** ~ register.

immer *adv* always; ~ **wieder** again and again; ~ **noch** still; ~ **noch nicht** still not; **für** ~ forever; ~ **wenn ich ...** everytime I ...; ~ **schöner/trauriger** more and more beautiful/sadder and sadder; **was/wer [auch]** ~ whatever/whoever; **immerhin** *adv* all the same; **immerzu** *adv* all the time.

Immobilien *pl* real estate.

immun *adj* immune; **Immunität** *f* immunity; **Immunschwäche** *f* immunodeficiency; **Immunschwächekrankheit** *f* immune deficiency syndrom; **Immunsystem** *nt* immune system.

Imperativ *m* imperative.

Imperfekt *nt* <-s, -e> imperfect [tense].

imperialistisch *adj* imperialistic.

impfen *vt* vaccinate; **Impfstoff** *m* vaccine; **Impfung** *f* vaccination; **Impfzwang** *m* compulsory vaccination.

implizieren *vt* imply.

imponieren *vi* impress (*jdm* sb).

Import *m* <-[e]s, -e> import; **importieren** *vt* import; **importlastig** *adj* import-orientated.

imposant *adj* imposing.

impotent *adj* impotent.

imprägnieren *vt* [water]proof.

Improvisation *f* improvization; **improvisieren** *vt, vi* improvize.

Impuls *m* <-es, -e> impulse; **impulsiv** *adj* impulsive.

imstande, im Stande[RR] *adj:* ~ **sein** be in a position; (*fähig*) be able.

in 1. *präp +akk* in[to]; to; **2.** *präp +dat* in; ~ **der/die Stadt** in/into town; ~ **der/die Schule** at/to school.

Inanspruchnahme *f* <-, -n> demands *pl* (*gen* on).

Inbegriff *m* embodiment, personification; **inbegriffen** *adv* included.

Inbetriebname *f:* **vor** ~ **[des Geräts]...** before use...

inbrünstig *adj* ardent.

indem *konj* while; ~ **man etw macht** (*dadurch*) by doing sth.

Inder(in) *m(f)* <-s, -> Indian.

Indianer(in) *m(f)* <-s, -> [Red] Indian; **indianisch** *adj* [Red] Indian.

Indien *nt* India.

Indikativ *m* indicative.

indirekt *adj* indirect.

indisch *adj* Indian.

indiskret *adj* indiscreet; **Indiskretion** *f* indiscretion.

indiskutabel *adj* out of the question.

Individualist(in) *m(f)* individualist; **Individualität** *f* individuality; **individuell** *adj* individual; **Individuum** *nt* <-s, -en> individual.

Indiz *nt* <-es, -ien> sign (*für* of); (JUR) clue; **Indizienbeweis** *m* circumstantial evidence.

indoktrinieren *vt* indoctrinate.

Indonesien *nt* Indonesia.

industrialisieren *vt* industrialize.

Industrie *f* industry; **Industrie-** *in Zusammensetzungen* industrial; **Industriegebiet** *nt* industrial area; **Industriegewerkschaft** *f* [industrial] trade union; **Industriekonzern** *m* industrial concern; **industriell** *adj* industrial; **Industriezweig** *m* branch of industry.

ineinander *adv* in[to] one another [*o* each other].

Infanterie *f* infantry.

Infarkt *m* <-[e]s, -e> coronary [thrombosis].

Infektion *f* infection; **Infektionskrankheit** *f* infectious disease.

Infinitiv *m* infinitive.

infizieren 1. *vt* infect; **2.** *vr:* **sich** ~ be infected (*bei* by).

Inflation *f* inflation; **inflationär** *adj*, **inflationistisch** *adj* inflationary; **Inflationsrate** *f* inflation rate.

Info *f* <-, -s> info.

infolge *präp +gen* as a result of, owing to; **infolgedessen** *adv* consequently.

Informatik *f* computer science; **Informatiker(in)** *m(f)* <-s, -> information [*o* computer] scientist.

Information *f* information; **informationell** *adj* informational; **Informationsstand** *m* (*mit Material*) information stand; **Informationstechnik** *f* information technology; **Informationszeitalter** *nt* Information Age.

informieren 1. *vt* inform; 2. *vr:* **sich** ~ find out (*über* + *akk* about).

Infotainment *nt* infotainment.

Infrastruktur *f* infrastructure.

Infusion *f* infusion.

Ingenieur(in) *m(f)* engineer; **Ingenieurschule** *f* school of engineering.

Ingwer *m* <-s> ginger.

Inhaber(in) *m(f)* <-s, -> owner; (*Haus~*) occupier; (*Lizenz~*) licensee, holder; (FIN) bearer.

inhaftieren *vt* take into custody.

inhalieren *vt, vi* inhale.

Inhalt *m* <-[e]s, -e> contents *pl;* (*eines Buchs etc*) content; (MATH) area; volume; **inhaltlich** *adj* as regards content; **Inhaltsangabe** *f* summary; **inhaltslos** *adj* empty; **inhalt[s]reich** *adj* full; **Inhaltsverzeichnis** *nt* table of contents.

inhuman *adj* inhuman.

Initiative *f* initiative.

Injektion *f* injection.

inklusive *adv, präp* inclusive (*gen* of).

inkognito *adv* incognito.

inkonsequent *adj* inconsistent.

inkorrekt *adj* incorrect.

In-Kraft-Treten[RR] *nt* <-s> coming into force.

Inland *nt* (GEO) inland; (POL, WIRTS) home [country]; **Inlandsporto** *nt* inland postage.

Inlineskate *m* inline skate.

inmitten *präp* +*gen* in the middle of; ~ **von** amongst.

innehaben *irr vt* hold.

innen *adv* inside; **Innenaufnahme** *f* indoor photograph; **Inneneinrichtung** *f* [interior] furnishings *pl;* **Innenminister(in)** *m(f)* minister of the interior, Home Secretary *Brit;* **Innenpolitik** *f* domestic policy; **Innenstadt** *f* town/city centre.

innere(r, s) *adj* inner; (*im Körper, inländisch*) internal; **Innere(s)** *nt* inside; (*Mitte*) centre; (*fig*) heart.

Innereien *pl* innards *pl.*

innerhalb *adv, präp* +*gen* within; (*räumlich*) inside.

innerlich *adj* internal; (*geistig*) inward.

innerste(r, s) *adj* innermost; **Innerste(s)** *nt* heart.

innig *adj* profound; (*Freundschaft*) intimate.

Innovation *f* innovation; **innovativ** *adj* innovative.

inoffiziell *adj* unofficial.

ins = **in das**.

Insasse *m* <-n, -n>, **Insassin** *f* (*von Anstalt*) inmate; (AUTO) passenger.

insbesondere *adv* [e]specially.

Inschrift *f* inscription.

Insekt *nt* <-[e]s, -en> insect; **Insektenbekämpfungsmittel** *nt* insecticide.

Insel *f* <-, -n> island.

Inserat *nt* advertisement; **Inserent(in)** *m(f)* advertiser; **inserieren** *vt, vi* advertise.

insgeheim *adv* secretly.

insgesamt *adv* altogether, all in all.

Insider(in) *m(f)* <-s, -> insider.

insofern 1. *adv* in this respect; 2. *konj* if; (*deshalb*) [and] so; ~ **als** in so far as.

Installateur(in) *m(f)* electrician; plumber.

Installation *f* (INFORM) installation; **installieren** *vt* (INFORM) install.

Instandhaltung *f* maintenance; **Instandsetzung** *f* overhaul; (*eines Gebäudes*) restoration.

Instanz *f* authority; (JUR) court; **Instanzenweg** *m* official channels *pl.*

Instinkt *m* <-[e]s, -e> instinct; **instinktiv** *adj* instinctive.

Institut *nt* <-[e]s, -e> institute.

Instrument *nt* instrument.

Insulin *nt* <-s> insulin.

insultieren *vt* (*A*) insult.

inszenieren *vt* direct; (*fig*) stage-manage; **Inszenierung** *f* production.

integrieren *vt* integrate; **integrierte Schaltung** integrated circuit; **Integrierung** *f* integration.

intellektuell *adj* intellectual.

intelligent *adj* intelligent; **Intelligenz** *f* intelligence; (*Leute*) intelligentsia *pl.*

Intendant(in) *m(f)* director.

intensiv *adj* intensive; **Intensivkurs** *m* intensive course; **Intensivmedizin** *f* intensive medicine; **Intensivstation** *f* intensive care unit.

interaktiv *adj* interactive.

Intercity *m* <-s, -s> Intercity [train].

interessant *adj* interesting; **interessanterweise** *adv* interestingly enough.

Interesse *nt* <-s, -n> interest; ~ **haben** be interested (*an* +*dat* in); **Interessent(in)** *m(f)* interested party; **interessieren** 1. *vt* interest; 2. *vr:* **sich** ~ be interested (*für* in).

Interface *nt* <-, -s> (INFORM) interface.
Internat *nt* boarding school.
international *adj* international.
internieren *vt* intern.
Internverbindung *f* internal connection.
interpretieren *vt* interpret.
Interpunktion *f* punctuation.
Interrailkarte *f* interrail ticket.
Intervall *nt* <-s, -e> interval.
Interview *nt* <-s, -s> interview; **interviewen** *vt* interview.
intim *adj* intimate; **Intimität** *f* intimacy; **Intimkontakt** *m* intimate contact.
intolerant *adj* intolerant.
intransitiv *adj* (LING) intransitive.
Intrige *f* <-, -n> intrigue, plot.
Invasion *f* invasion.
Inventar *nt* <-s, -e> inventory; (*Einrichtung*) fittings *pl.*
Inventur *f* stocktaking; ~ **machen** stocktake.
investieren *vt* invest; **Investition** *f* investment; **Investitionsgüter** *pl* capital goods *pl.*
inwiefern *adv* how far, to what extent.
inzwischen *adv* meanwhile.
Irak *m:* [**der**] ~ Iraq.
Iran *m:* [**der**] ~ Iran.
irdisch *adj* earthly.
Ire *m* <-n, -n> Irishman; **die ~n** *pl* the Irish *pl.*
irgend *adv* at all; **wann/was/wer** ~ whenever/whatever/whoever; **irgendein**(**e, s**) *adj* some, any; **irgendeinmal** *adv* sometime or other; (*fragend*) ever; **irgendetwas**[RR] *pron* something; anything; **irgendjemand**[RR] *pron* somebody; anybody; **irgendwann** *adv* sometime; **irgendwie** *adv* somehow; **irgendwo** *adv* somewhere; anywhere.
Irin *f* Irishwoman; **irisch** *adj* Irish; **Irland** *nt* Ireland; **in** ~ in Ireland; **nach** ~ **fahren** go to Ireland.
Ironie *f* irony; **ironisch** *adj* ironic[al].
irre *adj* crazy, mad; **Irre**(**r**) *mf* lunatic; **irreführen** *vt* mislead; **irremachen** *vt* confuse; **irren** *vi, vr:* **sich** ~ be mistaken; (*umher~*) wander, stray; **Irrenanstalt** *f* lunatic asylum.
irrig *adj* incorrect, wrong.
irrsinnig *adj* mad, crazy; (*umg*) terrific.
Irrtum *m* <-s, Irrtümer> mistake, error; **irrtümlich** *adj* mistaken.
Islam *m* <-s> Islam; **islamisch** *adj* Islamic.
Island *nt* Iceland; **Isländer**(**in**) *m(f)* <-s, -> Icelander; **isländisch** *adj* Icelandic.
Isolation *f* isolation; (ELEK) insulation; **Isolator** *m* insulator; **Isolierband** *nt* <Isolierbänder *pl*> insulating tape; **isolieren** *vt* isolate; (ELEK) insulate; **Isolierkanne** *f* thermos jug, insulated flask; **Isolierstation** *f* (MED) isolation ward; **Isolierung** *f* (ELEK) insulation.
Isomatte *f* thermomat, karrymat®.
Israel *nt* Israel.
Italien *nt* Italy; **Italiener**(**in**) *m(f)* <-s, -> Italian; **italienisch** *adj* Italian.

J

J, j *nt* J, j.
ja *adv* yes; **tu das ~ nicht!** don't do that!
Jacht *f* <-, -en> yacht.
Jacke *f* <-, -n> jacket; (*Woll~*) cardigan.
Jackett *nt* <-s, -s *o* -e> jacket.
Jagd *f* <-, -en> hunt; (*Jagen*) hunting; **Jagdbeute** *f* kill; **Jagdflugzeug** *nt* fighter; **Jagdgewehr** *nt* sporting gun.
jagen **1.** *vi* hunt; (*eilen*) race; **2.** *vt* hunt; (*weg~*) drive [off]; (*verfolgen*) chase.
Jäger(**in**) *m(f)* <-s, -> hunter/huntress.
jäh *adj* sudden, abrupt; (*steil*) steep, precipitous.
Jahr *nt* <-[e]s, -e> year; **jahrelang** *adv* for years; **Jahresabonnement** *nt* annual subscription; **Jahresabschluss**[RR] *m* end of the year; (WIRTS) annual statement of account; **Jahresausgleich** *m* annual wage-tax adjustment; **Jahresbericht** *m* annual report; **Jahreswechsel** *m* turn of the year; **Jahreszahl** *f* date, year; **Jahreszeit** *f* season; **Jahrgang** *m* age group; (*von Wein*) vintage; **Jahrhundert** *nt* <-s, -e> century; **Jahrhundertfeier** *f* centenary; **Jahrhundertwende** *f* turn of the century.
jährlich *adj* yearly.
Jahrmarkt *m* fair; **Jahrzehnt** *nt* <-s, -e> decade.
Jähzorn *m* sudden anger; hot temper; **jähzornig** *adj* hot-tempered.
Jalousie *f* venetian blind.
Jammer *m* <-s> misery; **es ist ein ~, dass ...** it is a crying shame that ...
jämmerlich *adj* wretched, pathetic.
jammern **1.** *vi* wail; **2.** *vt unpers:* **es jammert jdn** it makes sb feel sorry.
jammerschade *adj:* **es ist ~** it is a crying

shame.

Jänner *m* (*A*) January.

Januar *m* <-s, -e> January; **im ~** in January; **2. ~ 1999** January 2nd, 1999, 2nd January 1999.

Japan *nt* Japan; **Japaner(in)** *m(f)* Japanese; **die ~** *pl* the Japanese *pl*; **japanisch** *adj* Japanese.

Jargon *m* <-s, -s> jargon.

jäten *vt*: **Unkraut ~** weed.

jauchzen *vi* rejoice, shout [with joy]; **Jauchzer** *m* <-s, -> shout of joy.

jaulen *vi* howl.

jawohl *adv* yes [of course]; **Jawort** *nt*: **jdm das ~ geben** consent to marry sb.

Jazz *m* <-> Jazz.

je *adv* ever; (*jeweils*) each; **~ nach** depending on; **~ nachdem** it depends; **~ … desto** [*o* ~] the … the.

Jeans *f* <-, -> jeans *pl*, denims *pl*.

jede(r, s) 1. *adj* every, each; **2.** *pron* everybody; (*~ einzelne*) each; **ohne ~ x** without any x; **jedenfalls** *adv* in any case; **jedermann** *pron* everyone; **jederzeit** *adv* at any time; **jedesmal** *adv* every time, each time.

jedoch *adv* however.

jeher *adv*: **von ~** all along.

jemals *adv* ever.

jemand *pron* somebody; anybody.

jene(r, s) 1. *adj* that; **2.** *pron* that one.

jenseits 1. *adv* on the other side; **2.** *präp +gen* on the other side of, beyond; **das Jenseits** the hereafter, the beyond.

jetzig *adj* present.

jetzt *adv* now.

jeweilig *adj* respective; **jeweils** *adv*: **~ zwei zusammen** two at a time; **zu ~ 5 DM** at 5 marks each; **~ das Erste** the first each time.

Job *m* <-s, -s> (*a.* INFORM) job; **jobben** *vi* (*umg*) work, have a job; **Jobsharing**^{RR} *nt* <-s> job-sharing.

Joch *nt* <-[e]s, -e> yoke.

Jockey *m* <-s, -s> jockey.

Jod *nt* <-[e]s> iodine.

jodeln *vi* yodel.

Joga *nt* <-(s)> yoga.

joggen *vi* jog; **Jogger(in)** *m(f)* <-s, -> jogger; **Jogging** *nt* <-s> jogging; **Jogginganzug** *m* jogging suit.

Joghurt, **Jogurt**^{RR} *m o nt* <-s, -s> yoghurt.

Johannisbeere *f*: **rote ~** redcurrant; **schwarze ~** blackcurrant.

johlen *vi* yell.

Joint *m* <-s, -s> (*umg*) joint.

Jolle *f* <-, -n> dinghy.

jonglieren *vi* juggle.

Jordanien *nt* Jordan.

Joule *nt* <-[s], -> joule.

Journalismus *m* journalism; **Journalist(in)** *m(f)* journalist; **journalistisch** *adj* journalistic.

Joystick *m* <-s, -s> (INFORM) joystick.

Jubel *m* <-s> rejoicing; **jubeln** *vi* rejoice.

Jubiläum *nt* <-s, Jubiläen> anniversary, jubilee.

jucken 1. *vi* itch; **2.** *vt*: **es juckt mich am Arm** my arm is itching; **das juckt mich** that's itchy; **das juckt mich nicht** (*umg*) I couldn't care less; **Juckreiz** *m* itch.

Jude *m* <-n, -n> Jew; **Judentum** *nt* <-s> Judaism; Jewry; **Judenverfolgung** *f* persecution of the Jews; **Jüdin** *f* Jewess; **jüdisch** *adj* Jewish.

Judo *nt* <-[s]> judo.

Jugend *f* <-> youth; **Jugendherberge** *f* youth hostel; **Jugendkriminalität** *f* juvenile crime; **jugendlich** *adj* youthful; **Jugendliche(r)** *mf* teenager, young person; **Jugendrichter(in)** *m(f)* juvenile court judge.

Jugoslawe *m* <-n, -n> Yugoslav; **Jugoslawien** *nt*: **das ehemalige ~** former Yugoslavia; **Jugoslawin** *f* Yugoslav; **jugoslawisch** *adj* Yugoslav[ian].

Juli *m* <-[s], -s> July; **im ~** in July; **4. ~ 1999** July 4th, 1999, 4th July 1999.

jung *adj* young.

Junge *m* <-n, -n> boy, lad.

Junge(s) *nt* <-n, -n> young animal; **die ~n** *pl* the young *pl*.

Jünger *m* <-s, -> disciple.

jünger *adj* younger.

Jungfer *f* <-, -n>: **alte ~** old maid; **Jungfernfahrt** *f* maiden voyage.

Jungfrau *f* virgin; (ASTR) Virgo.

Junggeselle *m*, **Junggesellin** *f* bachelor/single woman.

Jüngling *m* youth.

jüngste(r, s) *adj* youngest; (*neueste*) latest.

Juni *m* <-[s], -s> June; **im ~** in June; **17. ~ 1961** June 17th, 1961, 17th June 1961.

Junior(in) *m(f)* <-s, -en> junior.

Jurist(in) *m(f)* jurist, lawyer; **juristisch** *adj* legal.

Jus *nt* (*A, CH*) law.

Justiz *f* <-> justice; **Justizbeamte(r)** *m*, **Justizbeamtin** *f* judicial officer; **Justizirrtum** *m* miscarriage of justice.

Juwel *nt* <-s, -en> jewel; **Juwelier**(**in**) *m(f)* <-s, -e> jeweller; **Juweliergeschäft** *nt* jeweller's [shop].

Jux *m* <-es, -e> joke, lark.

K

K, k *nt* K, k.

K *abk von* Kilobyte K.

Kabarett *nt* <-s, -e *o* -s> cabaret; **Kabarettist**(**in**) *m(f)* cabaret artist.

Kabel *nt* <-s, -> (ELEK) wire; (*stark*) cable; **Kabelfernsehen** *nt* cable television.

Kabeljau *m* <-s, -e *o* -s> cod.

Kabelkanal *m* cable channel.

Kabine *f* cabin; (*Zelle*) cubicle.

Kabinett *nt* <-s, -e> (POL) cabinet.

Kachel *f* <-, -n> tile; **kacheln** *vt* tile; **Kachelofen** *m* tiled stove.

Kadaver *m* <-s, -> carcass.

Kadett *m* <-en, -en> cadet.

Käfer *m* <-s, -> beetle.

Kaff *nt* <-s, -s> dump, hole.

Kaffee *m* <-s, -s> coffee; **Kaffeekanne** *f* coffeepot; **Kaffeeklatsch** *m*, **Kaffeekränzchen** *nt* ≈ coffee morning, coffee klatsch *US*; **Kaffeelöffel** *m* coffee spoon; **Kaffeemaschine** *f* coffee machine; **Kaffeemühle** *f* coffee grinder; **Kaffeepause** *f* coffee break; **Kaffeesatz** *m* coffee grounds *pl*.

Käfig *m* <-s, -e> cage.

kahl *adj* bald; ~ **fressen**[RR] strip bare; ~ **geschoren**[RR] shaven, shorn; **Kahlheit** *f* baldness; **kahlköpfig** *adj* bald-headed.

Kahn *m* <-[e]s, Kähne> boat, barge.

Kai *m* <-s, -e *o* -s> quay[side].

Kaiser(**in**) *m(f)* <-s, -> emperor/empress; **kaiserlich** *adj* imperial; **Kaiserreich** *nt* empire; **Kaiserschnitt** *m* (MED) Caesarian [section].

Kajüte *f* <-, -n> cabin.

Kakao *m* <-s, -s> cocoa.

Kaktee *f* <-, -n>, **Kaktus** *m* <-, -se> cactus.

Kalb *nt* <-[e]s, Käber> calf; **kalben** *vi* calve; **Kalbfleisch** *nt* veal; **Kalbsleder** *nt* calf[skin].

Kalender *m* <-s, -> calendar; (*Taschen~*) diary.

Kali *nt* <-s, -s> potash.

Kaliber *nt* <-s, -> (*a. fig*) calibre.

Kalk *m* <-[e]s, -e> lime; (BIO) calcium; **Kalkstein** *m* limestone.

Kalkulation *f* calculation; **kalkulieren** *vt* calculate.

Kalorie *f* calorie; **kalorienarm** *adj* low-calorie.

kalt *adj* cold; **mir ist** [**es**] ~ I am cold; ~ **bleiben**[RR] be unmoved; ~ **stellen**[RR] chill; **kaltblütig** *adj* cold-blooded; (*ruhig*) cool; **Kaltblütigkeit** *f* cold-bloodedness.

Kälte *f* <-> cold; coldness; **Kälteeinbruch** *m* cold snap; **Kältegrad** *m* degree of frost [*o* below zero]; **Kältewelle** *f* cold spell.

kaltherzig *adj* cold-hearted; **kaltschnäuzig** *adj* cold, unfeeling; **Kaltstart** *m* cold start; **kaltstellen** *vt* (*fig*) leave out in the cold.

Kalzium *nt* <-s> calcium.

Kamel *nt* <-[e]s, -e> camel.

Kamera *f* <-, -s> camera.

Kamerad(**in**) *m(f)* <-en, -en> friend, companion; **Kameradschaft** *f* comradeship; **kameradschaftlich** *adj* comradely.

Kamerafrau *f* camerawoman; **Kameraführung** *f* camera work; **Kameramann** *m* <Kameraleute *o* Kameramänner *pl*> cameraman.

Kamille *f* <-, -n> camomile; **Kamillentee** *m* camomile tea.

Kamin *m* <-s, -e> (*außen*) chimney; (*innen*) fireside, fireplace; **Kaminfeger**(**in**) *m(f)* <-s, ->, **Kaminkehrer**(**in**) *m(f)* <-s, -> chimney sweep.

Kamm *m* <-[e]s, Kämme> comb; (*Berg~*) ridge; (*Hahnen~*) crest; **alles über einen ~ scheren** lump everything together; **kämmen** *vt* comb.

Kammer *f* <-, -n> chamber; (*Abstell~*) box room; **Kammerdiener** *m* valet; **Kammerzofe** *f* chambermaid.

Kampf *m* <-[e]s, Kämpfe> fight, battle; (*Wettbewerb*) contest; (*fig: Anstrengung*) struggle; **kampfbereit** *adj* ready for action.

kämpfen *vi* fight.

Kampfer *m* <-s> camphor.

Kämpfer(**in**) *m(f)* <-s, -> fighter, combatant.

Kampfhandlung *f* action; **kampflos** *adj* without a fight; **kampflustig** *adj* pugnacious; **Kampfrichter**(**in**) *m(f)* (SPORT) referee; (TENNIS) umpire.

Kanada *nt* Canada; **Kanadier**(**in**) *m(f)* <-s, -> Canadian; **kanadisch** *adj* Canadian.

K

Kanal *m* <-s, Kanäle> (*Fluss*) canal; (*Rinne, Ärmel~*) channel; (*für Abfluss*) drain; **Kanalinseln** *pl* Channel Islands *pl;* **Kanalisation** *f* sewage system; **kanalisieren** *vt* provide with a sewage system.

Kanarienvogel *m* canary.

Kandidat(in) *m(f)* <-en, -en> candidate; **Kandidatur** *f* candidature, candidacy; **kandidieren** *vi* stand, run.

Kandis[zucker] *m* <-> *large brown or white sugar crystals used to sweeten tea.*

Känguru[RR] *nt* <-s, -s> kangaroo.

Kaninchen *nt* rabbit.

Kanister *m* <-s, -> can, canister.

Kanne *f* <-, -n> (*Krug*) jug; (*Kaffee~*) pot; (*Milch~*) churn; (*Gieß~*) can.

kannte *imperf von* **kennen**.

Kanon *m* <-s, -s> canon.

Kanone *f* <-, -n> cannon; (*fig: Mensch*) ace; (*umg: Revolver*) gun.

Kante *f* <-, -n> edge; **kantig** *adj* angular.

Kantine *f* canteen.

Kanton *m* <-s, -e> canton.

Kanu *nt* <-s, -s> canoe.

Kanzel *f* <-, -n> pulpit.

Kanzlei *f* chancery; (*Büro*) chambers *pl.*

Kanzler(in) *m(f)* <-s, -> chancellor.

Kap *nt* <-s, -s> cape.

Kapazität *f* capacity; (*Fachmann*) authority.

Kapelle *f* (*Gebäude*) chapel; (MUS) band.

Kaper *f* <-, -n> caper.

kapern *vt* capture.

kapieren *vt, vi* (*umg*) understand.

Kapital *nt* <-s, -e *o* -ien> capital; **Kapitalanlage** *f* investment; **Kapitalismus** *m* capitalism; **Kapitalist(in)** *m(f)* capitalist; **kapitalkräftig** *adj* wealthy; **Kapitalmarkt** *m* money market; **Kapitalrendite** *f* return on investment, ROI; **Kapitaltransfer** *m* transfer of capital.

Kapitän *m* <-s, -e> captain.

Kapitel *nt* <-s, -> chapter.

Kapitulation *f* capitulation; **kapitulieren** *vi* capitulate.

Kaplan *m* <-s, Kapläne> chaplain.

Kaposy-Sarkom *nt* <-s, -e> Kaposi's sarcoma.

Kappe *f* <-, -n> cap; (*Kapuze*) hood.

kappen *vt* cut.

Kapsel *f* <-, -n> capsule.

kaputt *adj* (*umg*) smashed, broken; (*Mensch*) exhausted, finished; **kaputtgehen** *irr vi* break; (*Schuhe*) fall apart; (*Firma*) go bust; (*Stoff*) wear out; (*sterben*) cop it; **kaputtlachen** *vr:* **sich ~** laugh oneself silly; **kaputtmachen** *vt* break; (*Mensch*) exhaust, wear out.

Kapuze *f* <-, -n> hood.

Karaffe *f* <-, -n> carafe; (*geschliffen*) decanter.

Karambolage *f* <-, -n> (*Zusammenstoß*) crash.

Karamell[RR] *m* <-s> caramel, toffee.

Karat *nt* carat.

Karate *nt* <-s> karate.

Karawane *f* <-, -n> caravan.

Kardinal *m* <-s, Kardinäle> cardinal; **Kardinalzahl** *f* cardinal number.

Karfiol *m* (*A*) cauliflower.

Karfreitag *m* Good Friday.

karg *adj* scanty, poor; (*Mahlzeit auch*) meagre; (*Boden*) barren; **kärglich** *adj* poor, scanty.

kariert *adj* checked; (*Papier*) squared.

Karies *f* <-> caries.

Karikatur *f* caricature; **Karikaturist(in)** *m(f)* cartoonist; **karikieren** *vt* caricature.

Karneval *m* <-s, -e *o* -s> carnival.

Karo *nt* <-s, -s> square; (KARTEN) diamonds *pl.*

Karosserie *f* (AUTO) body[work].

Karotte *f* <-, -n> carrot.

Karpfen *m* <-s, -> carp.

Karren *m* <-s, -> cart, barrow.

Karriere *f* <-, -n> career; **~ machen** get on, get to the top; **Karrierefrau** *f* career woman; **Karrieremacher(in)** *m(f)* <-s, -> careerist.

Karte *f* <-, -n> (*a.* INFORM) card; (*Land~*) map; (*Speise~*) menu; (*Eintritts~, Fahr~*) ticket; **alles auf eine ~ setzen** put all one's eggs in one basket.

Kartei *f* card index; **Karteikarte** *f* index card, file card.

Kartell *nt* <-s, -e> cartel.

Kartenhaus *nt* (*a. fig*) house of cards; **Kartenspiel** *nt* card game; pack of cards; **Kartentelefon** *nt* cardphone; **Kartenvorverkauf** *m* advance ticket sales.

Kartoffel *f* <-, -n> potato; **Kartoffelbrei** *m,* **Kartoffelpüree** *nt* mashed potatoes *pl;* **Kartoffelsalat** *m* potato salad; **Kartoffelschäler** *m* <-s, -> potato peeler; **Kartoffelstock** *m* (*CH*) mashed potatoes *pl.*

Karton *m* <-s, -s> cardboard; (*Schachtel*) cardboard box; **kartoniert** *adj* hardback.

Karussell *nt* <-s, -s> roundabout *Brit,* merry-go-round.

Karwoche *f* Holy Week.

karzinogen *adj* carcinogenic; **Karzinom** *nt* <-s, -e> carcinoma, malignant growth.

Kaschemme *f* <-, -n> (*pej*) dive.

Käse *m* <-s, -> cheese; **Käseblatt** *nt* (*umg*) [local] rag; **Käsekuchen** *m* cheesecake.

Kaserne *f* <-, -n> barracks *pl;* **Kasernenhof** *m* parade ground.

Kasino *nt* <-s, -s> club; (MIL) officers' mess; (*Spiel~*) casino.

Kasper *m* <-s, -> Punch; (*fig*) clown.

Kasse *f* <-, -n> (*in Geschäft*) till, cash register; (*Geldkasten*) cashbox; (*Kino~, Theater~*) box office; ticket office; (*Kranken~*) health insurance; (*Spar~*) savings bank; ~ **machen** count the money; **getrennte ~ führen** pay separately; **an der ~** (*in Geschäft*) at the desk; **gut bei ~ sein** be in the money; **Kassenarzt** *m,* **Kassenärztin** *f* panel doctor *Brit;* **Kassenbestand** *m* cash balance; **Kassenpatient(in)** *m(f)* panel patient *Brit;* **Kassenprüfung** *f* audit; **Kassensturz** *m:* ~ **machen** check one's money; **Kassenzettel** *m* receipt.

Kasserolle *f* <-, -n> casserole.

Kassette *f* small box; (*Tonband*) cassette; (*Bücher~*) case; **Kassettendeck** *nt* cassette deck; **Kassettenrecorder** *m* <-s, -> cassette recorder.

kassieren 1. *vt* take; **2.** *vi:* **darf ich ~?** would you like to pay now?; **Kassierer(in)** *m(f)* <-s, -> cashier; (*von Klub*) treasurer.

Kastanie *f* chestnut; **Kastanienbaum** *m* chestnut tree.

Kästchen *nt* small box, casket.

Kaste *f* <-, -n> caste.

Kasten *m* <-s, Kästen> box; (*Truhe*) chest; (*A*) cupboard *Brit,* closet *US;* (*für Kleider*) wardrobe; **Kastenwagen** *m* van.

kastrieren *vt* castrate.

Katalog *m* <-[e]s, -e> catalogue; **katalogisieren** *vt* catalogue.

Katalysator *m* (PHYS) catalyst; (AUTO) catalytic converter.

Katapult *nt* <-[e]s, -e> catapult.

Katarrh, **Katarr**[RR] *m* <-s, -e> catarrh.

katastrophal *adj* catastrophic; **Katastrophe** *f* <-, -n> catastrophe, disaster; **Katastrophenschutz** *m* disaster control.

Kategorie *f* category.

kategorisch *adj* categorical.

kategorisieren *vt* categorize.

Kater *m* <-s, -> tomcat; (*umg*) hangover.

Kathedrale *f* <-, -n> cathedral.

Kathode *f* <-, -n> cathode.

Katholik(in) *m(f)* <-en, -en> Catholic; **katholisch** *adj* Catholic; **Katholizismus** *m* Catholicism.

Kätzchen *nt* kitten.

Katze *f* <-, -n> cat; **für die Katz** (*umg*) in vain, for nothing; **Katzenauge** *nt* cat's eye; (*an Fahrrad*) rear light; **Katzenjammer** *m* (*umg*) hangover; **Katzensprung** *m* (*umg*) stone's throw; short journey; **Katzenwäsche** *f* a lick and a promise.

Kauderwelsch *nt* <-[s]> (*unverständlich*) double Dutch; (*Fachjargon*) jargon.

kauen *vt, vi* chew.

kauern *vi* crouch.

Kauf *m* <-[e]s, Käufe> purchase, buy; (*Kaufen*) buying; **ein guter ~** a bargain; **etw in ~ nehmen** put up with sth; **kaufen** *vt* buy; **Käufer(in)** *m(f)* <-s, -> buyer; **Kaufhaus** *nt* department store; **Kaufkraft** *f* purchasing power; **Kaufladen** *m* shop, store; (*Spielzeug*) toy shop.

käuflich *adj* for sale; (*pej*) venal; ~ **erwerben** purchase.

kauflustig *adj* inclined to buy, in a buying mood; **Kaufmann** *m* <Kaufleute *pl*> business man; shopkeeper; **kaufmännisch** *adj* commercial; **~er Angestellter** clerk; **Kaufvertrag** *m* contract of sale.

Kaugummi *m* chewing gum.

Kaukasus *m* Caucasus.

Kaulquappe *f* <-, -n> tadpole.

kaum *adv* hardly, scarcely.

Kaution *f* deposit; (JUR) bail.

Kautschuk *m* <-s, -e> [india]rubber.

Kauz *m* <-es, Käuze> screech owl; (*fig*) queer fellow.

Kavalier *m* <-s, -e> gentleman; **Kavaliersdelikt** *nt* peccadillo.

Kavallerie *f* cavalry.

Kaviar *m* caviar.

KB *nt* <-> *abk von* **Kilobyte** KB.

keck *adj* cheeky; **Keckheit** *f* cheekiness.

Kegel *m* <-s, -> skittle; (MATH) cone; **Kegelbahn** *f* bowling alley; **kegelförmig** *adj* conical; **kegeln** *vi* play skittles.

Kehle *f* <-, -n> throat; **Kehlkopf** *m* larynx; **Kehllaut** *m* guttural.

Kehre *f* <-, -n> turn[ing], bend; **kehren** *vt, vi* (*wenden*) turn; (*mit Besen*) sweep; **Kehricht** *m* <-s> sweepings *pl;*

Kehrmaschine *f* sweeper; **Kehrreim** *m* refrain; **Kehrseite** *f* reverse, other side; (*negativer Aspekt*) bad side, negative aspect; **kehrtmachen** *vi* turn about, about-turn.

keifen *vi* scold, nag.

Keil *m* <-[e]s, -e> wedge; **Keilriemen** *m* (AUTO) fan belt.

Keim *m* <-[e]s, -e> bud; (MED) germ; **etw im ~ ersticken** nip sth in the bud; **keimen** *vi* germinate; **keimfrei** *adj* sterile; **keimtötend** *adj* antiseptic, germicidal; **Keimzelle** *f* (*fig*) nucleus.

kein *adj* no, not any; **keine(r, s)** *pron* no one, nobody; none; **keinesfalls** *adv* on no account; **keineswegs** *adv* by no means; **keinmal** *adv* not once.

Keks *m* <-es, -e> biscuit, cookie *US;* **jdm auf den ~ gehen** (*umg*) get on sb's wick.

Kelch *m* <-[e]s, -e> cup, goblet, chalice.

Kelle *f* <-, -n> ladle; (*Maurer~*) trowel.

Keller *m* <-s, -> cellar; **Kellerassel** *f* <-, -n> woodlouse; **Kellerwohnung** *f* basement flat.

Kellner(in) *m(f)* <-s, -> waiter/waitress.

keltern *vt* press.

Kenia *nt* Kenya.

kennen <kannte, gekannt> *vt* know; **~ lernen**[RR] get to know; **sich ~ lernen** get to know each other; (*zum ersten Mal*) meet; **Kenner(in)** *m(f)* <-s, -> connoisseur; **kenntlich** *adj* distinguishable, discernible; **etw ~ machen** mark sth.

Kenntnis *f* knowledge; **etw zur ~ nehmen** note sth; **von etw ~ nehmen** take notice of sth; **jdn in ~ setzen** inform sb.

Kennwort *nt* (*a.* INFORM) password, keyword; **Kennzeichen** *nt* mark, sign; (AUTO) number plate *Brit,* license plate *US;* **unveränderliche ~** *pl* distinguishing marks *pl;* **kennzeichnen** *vt* mark; (*charakterisieren*) characterize; **Kennziffer** *f* reference number.

kentern *vi* capsize.

Keramik *f* ceramics *pl,* pottery.

Kerbe *f* <-, -n> notch, groove.

Kerbel *m* <-s, -> chervil.

Kerbholz *nt:* **etw auf dem ~ haben** have done sth wrong.

Kerker *m* <-s, -> prison.

Kerl *m* <-s, -e> chap, bloke *Brit,* guy.

Kern *m* <-[e]s, -e> (*Obst~*) pip, stone; (*Nuss~*) kernel; (*Atom~*) nucleus; (*fig*) heart, core; **Kernarbeitszeit** *f* core time; **Kernbrennstoff** *m* nuclear fuel; **Kernenergie** *f* nuclear energy; **Kernforschung** *f* nuclear research; **Kernfrage** *f* central issue; **Kernfusion** *f* nuclear fusion; **Kerngehäuse** *nt* core; **kerngesund** *adj* thoroughly healthy, fit as a fiddle.

kernig *adj* robust; (*Ausspruch*) pithy.

Kernkraft *f* nuclear power; **Kernkraftgegner(in)** *m(f)* antinuclear activist; **Kernkraftwerk** *nt* nuclear power station.

kernlos *adj* seedless, pipless; **Kernphysik** *f* nuclear physics *sing;* **Kernreaktion** *f* nuclear reaction; **Kernschmelze** *f* <-, -n> meltdown; **Kernspaltung** *f* nuclear fission; **Kernspeicher** *m* (INFORM) core memory; **Kernwaffen** *pl* nuclear weapons *pl.*

Kerze *f* <-, -n> candle; (*Zünd~*) plug; **kerzengerade** *adj* straight as a die; **Kerzenständer** *m* candle holder.

kess[RR] *adj* saucy.

Kessel *m* <-s, -> kettle; (*von Lokomotive etc*) boiler; (GEO) depression; (MIL) encirclement.

Ketchup, Ketschup[RR] *m o nt* <-(s), -s> ketchup.

Kette *f* <-, -n> chain; **ketten** *vt* chain; **Kettenrauchen** *nt* chain smoking; **Kettenreaktion** *f* chain reaction.

Ketzer(in) *m(f)* <-s, -> heretic; **ketzerisch** *adj* heretical.

keuchen *vi* pant, gasp; **Keuchhusten** *m* whooping cough.

Keule *f* <-, -n> club; (GASTR) leg.

keusch *adj* chaste; **Keuschheit** *f* chastity.

Keyboard *nt* <-s, -s> (MUS) keyboard.

Kfz *nt abk von* **Kraftfahrzeug**.

KI *f* <-> *abk von* **Künstliche Intelligenz** AI.

kichern *vi* giggle.

kidnappen *vt* kidnap.

Kiebitz *m* <-es, -e> peewit.

Kiefer 1. *m* <-s, -> jaw; **2.** *f* <-, -n> pine; **Kiefernzapfen** *m* pine cone.

Kieferorthopäde, -din *m, f* orthodontist.

Kiel *m* <-[e]s, -e> (*Feder~*) quill; (NAUT) keel; **Kielwasser** *nt* wake.

Kieme *f* <-, -n> gill.

Kies *m* <-es, -e> gravel; **Kiesel** *m* <-s, -> pebble; **Kieselstein** *m* pebble; **Kiesgrube** *f* gravel pit; **Kiesweg** *m* gravel path.

kiffen *vi* (*umg*) smoke [pot].

Kilo *nt* <-s, -[s]> kilo; **Kilogramm** *nt* <-s, -> kilogram; **Kilojoule** *nt* kilojoule; **Kilometer** *m* kilometre; **Kilometerzähler** *m* milometer.

Kimme *f* <-, -n> notch; (*an Gewehr*) backsight.

Kind *nt* <-[e]s, -er> child; **von ~ auf** from childhood; **sich bei jdm lieb ~ machen** ingratiate oneself with sb; **Kinderbeihilfe** *f* (*A*) child benefit; **Kinderbetreuungsdienst** *f* creche; **Kinderbett** *nt* cot; **Kinderbuch** *nt* children's book; **Kinderei** *f* childishness; **Kinderfahrkarte** *f* child's ticket, half; **kinderfeindlich** *adj* hostile to children; **Kindergarten** *m* nursery school, playgroup; **Kindergeld** *nt* family allowance; **Kinderlähmung** *f* polio[myelitis]; **kinderleicht** *adj* childishly easy; **kinderlos** *adj* childless; **Kindermädchen** *nt* nanny; **kinderreich** *adj* with many children; **Kinderspiel** *nt* child's play; **Kinderstube** *f*: **eine gute ~ haben** be well-mannered; **Kinderwagen** *m* pram, baby carriage *US*; **Kindesalter** *nt* infancy; **Kindesbeine** *pl*: **von ~n an** from early childhood; **Kindheit** *f* childhood; **kindisch** *adj* childish; **kindlich** *adj* child-like.

Kinn *nt* <-[e]s, -e> chin; **Kinnlade** *f* jaw.

Kino *nt* <-s, -s> cinema; **Kinobesucher(in)** *m(f)* cinema-goer; **Kinoprogramm** *nt* film programme; (*Übersicht*) film guide.

Kiosk *m* <-[e]s, -e> kiosk.

Kippe *f* <-, -n> (*umg*) cigarette end, fag; **auf der ~ stehen** (*fig*) be touch and go; **kippen 1.** *vi* topple over, overturn; **2.** *vt* tilt; (*fig: umstoßen*) drop; (*Regierung, Minister*) topple; **Kippschalter** *m* toggle switch.

Kirche *f* <-, -n> church; **Kirchendiener** *m* churchwarden; **Kirchenfest** *nt* church festival; **Kirchenlied** *nt* hymn; **Kirchensteuer** *f* church tax; **Kirchgänger(in)** *m(f)* <-s, -> churchgoer; **Kirchhof** *m* churchyard; **kirchlich** *adv* in church; **Kirchtag** *m* (*A*) fair, kermis *US*; **Kirchturm** *m* church tower, steeple; **Kirchweih** *f* <-, -en> fair, kermis *US*.

Kirsche *f* <-, -n> cherry.

Kissen *nt* <-s, -> cushion; (*Kopf~*) pillow; **Kissenbezug** *m* pillowslip.

Kiste *f* <-, -n> box; chest.

Kitsch *m* <-[e]s> trash; **kitschig** *adj* trashy.

Kitt *m* <-[e]s, -e> putty.

Kittchen *nt* (*umg*) clink.

Kittel *m* <-s, -> overall, smock.

kitten *vt* putty; (*fig*) cement.

Kitz *nt* <-es, -e> kid; (*Reh~*) fawn.

kitzelig *adj* (*a. fig*) ticklish; **kitzeln** *vi* tickle.

Kiwi *f* <-, -s> (*Frucht*) kiwi.

KKW *nt* <-s, -s> *abk von* **Kernkraftwerk** nuclear power station.

klaffen *vi* gape.

kläffen *vi* yelp.

Klage *f* <-, -n> complaint; (JUR) action; **klagen** *vi* (*weh~*) lament, wail; (*sich beschweren*) complain; (JUR) take legal action; **Kläger(in)** *m(f)* <-s, -> plaintiff.

kläglich *adj* wretched.

klamm *adj* numb; (*feucht*) damp.

Klamm *f* <-, -en> ravine.

Klammer *f* <-, -n> clamp; (*in Text*) bracket; (*Büro~*) clip; (*Wäsche~*) peg; (*Zahn~*) brace; **klammern** *vr*: **sich ~** cling (*an +akk* to).

klang *imperf von* **klingen**; **Klang** *m* <-[e]s, Klänge> sound; **klangvoll** *adj* sonorous; (*Name*) fine-sounding.

Klappe *f* <-, -n> valve; (*Ofen~*) damper; (*umg: Mund*) trap; (*A: Telefonanschluss*) extension.

klappen 1. *vi* (*Geräusch*) click; **2.** *vt, vi* (*Sitz etc*) tip; **3.** *vi unpers* work.

Klapper *f* <-, -n> rattle.

klappern *vi* clatter, rattle; **Klapperschlange** *f* rattlesnake; **Klapperstorch** *m* stork.

Klappmesser *nt* jack-knife; **Klapprad** *nt* collapsible bicycle.

klapprig *adj* run-down, worn-out.

Klappstuhl *m* folding chair.

Klaps *m* <-es, -e> slap; **Klapsmühle** *f* (*pej*) loony-bin.

klar *adj* clear; (NAUT) ready for sea; (MIL) ready for action; **~ sehen**[RR] see clearly; **sich** *dat* **im Klaren**[RR] **sein** be clear (*über +akk* about).

Kläranlage *f* purification plant.

klären 1. *vt* (*Flüssigkeit*) purify; (*Probleme*) clarify; **2.** *vr*: **sich ~** clear [itself] up.

Klarheit *f* clarity.

Klarinette *f* clarinet.

klarlegen *vt* clear up, explain; **klarmachen** *vt* (*Schiff*) get ready for sea; **jdm etw ~** make sth clear to sb.

Klärschlamm *m* sludge.

klarsehen *vi s.* **klar**; **Klarsichtfolie** *f*

K

transparent film; **klarstellen** *vt* clarify.

Klärung *f* purification; clarification.

klasse *adj inv* (*umg*) smashing; **das ist Klasse!** that's smashing!

Klasse *f* <-, -n> class; (SCH) form.

Klassenarbeit *f* test; **Klassenbewusstsein**[RR] *nt* class consciousness; **Klassengesellschaft** *f* class society; **Klassenkampf** *m* class conflict; **Klassenlehrer(in)** *m(f)* form master/mistress; **klassenlos** *adj* classless; **Klassensprecher(in)** *m(f)* form prefect; **Klassentreffen** *nt* class reunion; **Klassenzimmer** *nt* classroom.

klassifizieren *vt* classify; **Klassifizierung** *f* classification.

Klassik *f* (*Zeit*) classical period; (*Stil*) classicism; **Klassiker(in)** *m(f)* <-s, -> classic; **klassisch** *adj* (*a. fig*) classical.

Klatsch *m* <-[e]s, -e> smack, crack; (*Gerede*) gossip; **Klatschbase** *f* gossip, scandalmonger.

Klatsche *f* <-, -n> (*umg*) crib.

klatschen *vi* (*Geräusch*) clash; (*reden*) gossip; (*Beifall*) applaud, clap.

Klatschmohn *m* [corn] poppy; **klatschnass**[RR] *adj* soaking wet; **Klatschspalte** *f* gossip column.

klauben *vt* pick.

Klaue *f* <-, -n> claw; (*umg: Schrift*) scrawl; **klauen** *vt* (*umg*) pinch.

Klause *f* <-, -n> cell; hermitage.

Klausel *f* <-, -n> clause.

Klausur *f* (*an der Universität*) examination paper; **Klausurarbeit** *f* examination paper.

Klaviatur *f* keyboard.

Klavier *nt* <-s, -e> piano.

Klebemittel *nt* glue; **kleben** *vt* stick (*an +akk* to); **klebrig** *adj* sticky; **Klebstoff** *m* glue; **Klebstreifen** *m* adhesive tape.

kleckern *vi* slobber.

Klecks *m* <-es, -e> blot, stain; **klecksen** *vi* blot.

Klee *m* <-s> clover; **Kleeblatt** *nt* cloverleaf; (*fig*) trio.

Kleid *nt* <-[e]s, -er> garment; (*Frauen~*) dress; **~er** *pl* clothes *pl;* **Kleiderbügel** *m* coat hanger; **Kleiderbürste** *f* clothes brush; **Kleiderschrank** *m* wardrobe; **kleidsam** *adj* becoming; **Kleidung** *f* clothing; **Kleidungsstück** *nt* garment.

Kleie *f* <-, -n> bran.

klein *adj* little, small; **~ gedruckt**[RR] in small print; **~ hacken**[RR] chop up, mince; **~ schneiden**[RR] chop up; **Kleinanzeige** *f* small [*o* classified] ad[vertisement]; **Kleinbürgertum** *nt* petite bourgeoisie; **Kleine(r)** *mf,* **Kleine(s)** *nt* little one; **Kleinformat** *nt* small size; **im ~** small-scale; **kleingedruckt** *adj s.* **klein**; **Kleingedruckte** *nt* small print; **Kleingeld** *nt* small change; **kleingläubig** *adj* of little faith; **kleinhacken** *vt s.* **klein**; **Kleinholz** *nt* firewood; **aus jdm ~ machen** make mincemeat of sb.

Kleinigkeit *f* trifle.

Kleinkind *nt* infant; **Kleinkram** *m* details *pl;* **kleinlaut** *adj* dejected, quiet; **kleinlich** *adj* petty, paltry; **kleinmütig** *adj* faint-hearted; **kleinschneiden** *vt s.* **klein**; **Kleinstadt** *f* small town; **kleinstädtisch** *adj* provincial; **kleinstmöglich** *adj* smallest possible; **Kleinwüchsige(r)** *mf* very short person, person with stunted growth.

Kleister *m* <-s, -> paste; **kleistern** *vt* paste.

Klemme *f* <-, -n> clip; (MED) clamp; (*fig*) jam; **klemmen 1.** *vt* (*festhalten*) jam; (*quetschen*) pinch, nip; **2.** *vr:* **sich ~** catch oneself; (*sich hineinzwängen*) squeeze oneself; **3.** *vi* (*Tür*) stick, jam; **sich hinter jdn/etw ~** get on to sb/get down to sth.

Klempner(in) *m(f)* <-s, -> plumber.

Kleptomanie *f* kleptomania.

Klerus *m* <-> clergy.

Klette *f* <-, -n> burr.

Kletterer *m* <-s, -> climber; **klettern** *vi* climb; **Kletterpflanze** *f* creeper; **Klett[r]erin** *f* climber.

Klettverschluss[RR] *m* Velcro® fastening.

klicken *vi* click.

Klient(in) *m(f)* client.

Klima *nt* <-s, -s *o* -te> climate; **Klimaanlage** *f* air conditioning; **klimatisieren** *vt* air-condition; **Klimawechsel** *m* change of air.

klimpern *vi* tinkle; (*auf Gitarre*) strum.

Klinge *f* <-, -n> blade; sword.

Klingel *f* <-, -n> bell; **Klingelbeutel** *m* collection bag; **klingeln** *vi* ring.

klingen <klang, geklungen> *vi* sound; (*Gläser*) clink.

Klinik *f* hospital, clinic; **klinisch** *adj* clinical.

Klinke *f* <-, -n> handle.

Klinker *m* <-s, -> clinker.

Klippe *f* <-, -n> cliff; (*im Meer*) reef; (*fig*) hurdle.

klipp und klar *adj* clear and concise.

Klips *m* <-es, -e> clip; (*Ohr~*) earring.

klirren *vi* clank, jangle; (*Gläser*) clink; **~de Kälte** biting cold.

Klischee *nt* <-s, -s> (*Druckplatte*) plate, block; (*fig*) cliché; **Klischeevorstellung** *f* stereotyped idea.

Klo *nt* <-s, -s> (*umg*) loo.

Kloake *f* <-, -n> sewer.

klobig *adj* clumsy.

Klonen *nt* <-s> (BIO) cloning.

klopfen 1. *vt, vi* knock; (*Herz*) thump; **2.** *vt* beat; **es klopft** somebody's knocking; **jdm auf die Schulter ~** tap sb on the shoulder; **Klopfer** *m* <-s, -> (*Teppich~*) beater; (*Tür~*) knocker.

Klöppel *m* <-s, -> (*von Glocke*) clapper; **klöppeln** *vi* make lace.

Klops *m* <-es, -e> meatball.

Klosett *nt* <-s, -e *o* -s> lavatory, toilet; **Klosettpapier** *nt* toilet paper.

Kloß *m* <-es, Klöße> (*Erd~*) clod; (*im Hals*) lump; (GASTR) dumpling.

Kloster *nt* <-s, Klöster> (*Männer~*) monastery; (*Frauen~*) convent; **klösterlich** *adj* monastic; convent.

Klotz *m* <-es, Klötze> log; (*Hack~*) block; **ein ~ am Bein** (*fig*) a drag, a millstone round sb's neck.

Klub *m* <-s, -s> club; **Klubsessel** *m* easy chair.

Kluft *f* <-, Klüfte> cleft, gap; (GEO) gorge, chasm.

klug *adj* clever, intelligent; **Klugheit** *f* cleverness, intelligence; **Klugscheißer** *m* (*umg*) smart-arse, smart-ass *US*.

Klümpchen *nt* clot, blob.

Klumpen *m* <-s, -> (*Erd~*) clod; (*Blut~*) lump, clot; (*Gold~*) nugget; (GASTR) lump; **klumpen** *vi* go lumpy, clot.

Klumpfuß *m* club-foot.

knabbern *vt, vi* nibble.

Knabe *m* <-n, -n> boy; **knabenhaft** *adj* boyish.

Knäckebrot *nt* crispbread.

knacken *vt, vi* crack.

Knackpunkt *m* critical point, crucial point.

Knall *m* <-[e]s, -e> bang; (*Peitschen~*) crack; **~ und Fall** (*umg*) unexpectedly; **Knallbonbon** *nt* cracker; **Knalleffekt** *m* surprise effect, spectacular effect; **knallen** *vi* bang; crack; **knallrot** *adj* bright red.

knapp *adj* tight; (*Geld*) scarce; (*Sprache*) concise; **knapphalten** *irr vt* stint; **Knappheit** *f* tightness; scarcity; conciseness.

knarren *vi* creak.

knattern *vi* rattle; (*MG*) chatter.

Knäuel *nt* <-s, -> (*Woll~*) ball; (*Menschen~*) knot.

Knauf *m* <-[e]s, Knäufe> knob; (*Schwert~*) pommel.

knauserig *adj* miserly; **knausern** *vi* be mean.

knautschen *vt, vi* crumple; **Knautschzone** *f* (AUTO) crumple zone.

Knebel *m* <-s, -> gag; **knebeln** *vt* gag.

Knecht *m* <-[e]s, -e> farm labourer; servant; **knechten** *vt* enslave; **Knechtschaft** *f* servitude.

kneifen <kniff, gekniffen> *vt, vi* pinch; (*sich drücken*) back out; **vor etw ~** dodge sth.

Kneipe *f* <-, -n> (*umg*) pub.

Knete *f* (*umg*) dough.

kneten *vt* knead; (*Wachs*) mould; **Knetmasse** *f* Plasticine®.

Knick *m* <-[e]s, -e> (*Sprung*) crack; (*Kurve*) bend; (*Falte*) fold; **knicken** *vt, vi* (*springen*) crack; (*brechen*) break; (*Papier*) fold; **geknickt sein** be downcast.

Knicks *m* <-es, -e> curtsey; **knicksen** *vi* curtsey.

Knie *nt* <-s, -> knee; **Kniebeuge** *f* <-, -n> knee bend; **Kniefall** *m* genuflection; **Kniegelenk** *nt* knee joint; **Kniekehle** *f* back of the knee; **knien** *vi* kneel; **Kniescheibe** *f* kneecap; **Kniestrumpf** *m* knee-length sock.

kniff *imperf von* **kneifen**.

Kniff *m* <-[e]s, -e> (*Zwicken*) pinch; (*Falte*) fold; (*fig*) trick, knack; **kniffelig** *adj* tricky.

knipsen *vt, vi* punch; (FOTO) take a snap [of], snap.

Knirps *m* <-es, -e> little chap; (®: *Schirm*) telescopic umbrella.

knirschen *vi* crunch; **mit den Zähnen ~** grind one's teeth.

knistern *vi* crackle.

knitterfrei *adj* non-crease; **knittern** *vi* crease.

Knoblauch *m* garlic.

Knöchel *m* <-s, -> knuckle; (*Fuß~*) ankle.

Knochen *m* <-s, -> bone; **Knochenbau** *m* bone structure; **Knochenbruch** *m* fracture; **Knochengerüst** *nt* skeleton; **Knochenmark** *nt* bone marrow.

knöchern *adj* bone.

knochig *adj* bony.

Knödel *m* <-s, -> dumpling.

Knolle *f* <-, -n> bulb.

Knopf *m* <-[e]s, Knöpfe> button; (*Kragen~*) stud.

knöpfen *vt* button.

Knopfloch *nt* buttonhole.

Knorpel *m* <-s, -> cartilage, gristle; **knorpelig** *adj* gristly.

knorrig *adj* gnarled, knotted.

Knospe *f* <-, -n> bud; **knospen** *vi* bud.

knoten *vt* knot; **Knoten** *m* <-s, -> knot; (BOT) node; (MED) lump; **Knotenpunkt** *m* junction.

Know-how *nt* <-[s]> know-how, expertise.

Knüller *m* <-s, -> (*umg*) hit; (*Reportage*) scoop.

knüpfen *vt* tie; (*Teppich*) knot; (*Freundschaft*) form.

Knüppel *m* <-s, -> cudgel; (*Polizei~*) baton, truncheon; (FLUG) [joy]stick; **Knüppelschaltung** *f* (AUTO) floor-mounted gear change.

knurren *vi* (*Hund*) snarl, growl; (*Magen*) rumble; (*Mensch*) mutter.

knusperig *adj* crisp; (*Keks*) crunchy.

k.o. *adj inv* (SPORT) knocked out; (*fig*) whacked.

Koalition *f* coalition.

Kobalt *nt* <-s> cobalt.

Kobold *m* <-[e]s, -e> goblin, imp.

Kobra *f* <-, -s> cobra.

Koch *m* <-[e]s, Köche> cook; **Kochbuch** *nt* cookery book, cookbook; **kochen** *vt, vi* cook; (*Wasser*) boil; **Kocher** *m* <-s, -> stove, cooker.

Köcher *m* <-s, -> quiver.

Kochgelegenheit *f* cooking facilities *pl;* **Köchin** *f* cook; **Kochlöffel** *m* kitchen spoon; **Kochnische** *f* kitchenette; **Kochplatte** *f* hotplate; **Kochsalz** *nt* cooking salt; **Kochtopf** *m* saucepan, pot.

Köder *m* <-s, -> bait, lure; **ködern** *vt* lure, entice.

Koexistenz *f* coexistence.

Koffein *nt* <-s> caffeine; **koffeinfrei** *adj* decaffeinated.

Koffer *m* <-s, -> suitcase; (*Schrank~*) trunk; **Kofferradio** *nt* portable radio; **Kofferraum** *m* (AUTO) boot, trunk *US.*

Kognak *m* <-s, -s> brandy, cognac.

Kohl *m* <-[e]s, -e> cabbage.

Kohle *f* <-, -n> coal; (*Holz~*) charcoal; (CHEM) carbon; (*umg*) dough.

Kohlehydrat *nt* carbohydrate.

Kohlekraftwerk *nt* coal power station; **Kohlendioxyd** *nt* <-[e]s, -e> carbon dioxide; **Kohlensäure** *f* carbonic acid; (*in Getränken*) fizz; **Kohlenstoff** *m* carbon; **Kohlepapier** *nt* carbon paper.

Kohlestift *m* charcoal pencil.

Kohlrübe *f* turnip; **kohlschwarz** *adj* coal-black; **Kohlsprosse** *f* (*A*) Brussel sprout.

Koje *f* <-, -n> cabin; (*Bett*) bunk.

Kokain *nt* <-s> cocaine.

kokett *adj* coquettish, flirtatious; **kokettieren** *vi* flirt.

Kokosnuss[RR] *f* coconut.

Koks *m* <-es, -e> coke.

Kolben *m* <-s, -> (*Gewehr~*) rifle butt; (*Keule*) club; (CHEM) flask; (TECH) piston; (*Mais~*) cob.

Kolik *f* colic, gripe.

Kollaps *m* <-es, -e> collapse.

Kolleg *nt* <-s, -s *o* -ien> lecture course; **Kollege** *m* <-n, -n>, **Kollegin** *f* colleague; **Kollegium** *nt* board; (SCH) staff.

Kollekte *f* <-, -n> (REL) collection.

kollektiv *adj* collective.

kollidieren *vi* collide; (*zeitlich*) clash; **Kollision** *f* collision; (*zeitlich*) clash.

Köln *nt* Cologne.

kolonial *adj* colonial.

Kolonie *f* colony.

kolonisieren *vt* colonize.

Kolonne *f* <-, -n> column; (*von Fahrzeugen*) convoy.

Koloss[RR] *m* <-es, -e> colossus.

kolossal *adj* colossal.

Columbien *nt* <-s> Columbia.

Koma *nt* <-s, -s> coma.

Kombi *m* <-[s], -s> estate [car] *Brit,* station wagon *US;* **Kombination** *f* combination; (*Vermutung*) conjecture; (*Hemdhose*) combinations *pl;* (FLUG) flying suit; **kombinieren** **1.** *vt* combine; **2.** *vi* deduce, work out; (*vermuten*) guess; **Kombiwagen** *m* station wagon; **Kombizange** *f* [pair of] pliers *pl.*

Komet *m* <-en, -en> comet.

Komfort *m* <-s> luxury.

Komik *f* humour, comedy; **Komiker(in)** *m(f)* <-s, -> comedian; **komisch** *adj* funny.

Komitee *nt* <-s, -s> committee.

Komma *nt* <-s, -s *o* Kommata> comma.

Kommandant(in) *m(f)* commander, commanding officer; **Kommandeur(in)** *m(f)* commanding officer; **kommandieren** *vt, vi* command; **Kommando** *nt* <-s, -s> command, order; (*Truppe*) detachment, squad; **auf ~** to order; **Kommandokapsel** *f* space module.

kommen <kam, gekommen> *vi* come; (*näher~*) approach; (*passieren*) happen; (*gelangen, geraten*) get; (*Blumen, Zähne, Tränen etc*) appear; (*in die Schule, das Zuchthaus etc*) go; ~ **lassen** send for; **zu sich** ~ come round [*o* to]; **zu etw** ~ acquire sth; **um etw** ~ lose sth; **nichts auf jdn/etw** ~ **lassen** have nothing said against sb/sth; **jdm frech** ~ get cheeky with sb; **unter ein Auto** ~ be run over by a car; **das kommt in den Schrank** that goes in the cupboard; **auf jeden vierten kommt ein Platz** there's one place to every fourth person; **wer kommt zuerst?** who's first?; **wie hoch kommt das?** what does that cost?; **Kommen** *nt* <-s> coming.

Kommentar *m* commentary; **kein** ~ no comment; **kommentarlos** *adj* without comment; **Kommentator(in)** *m(f)* (TV) commentator; **kommentieren** *vt* comment on.

kommerziell *adj* commercial.

Kommilitone *m* <-n, -n>, **Kommilitonin** *f* fellow student.

Kommiss[RR] *m* <-es> [life in the] army.

Kommissar(in) *m(f)* police inspector.

Kommissbrot[RR] *nt* rye bread.

Kommission *f* (WIRTS) commission; (*Ausschuss*) committee.

Kommode *f* <-, -n> chest of drawers.

Kommune *f* <-, -n> commune.

Kommunikation *f* communication; **Kommunikationstechnik** *f* communications technology.

Kommunikee[RR], **Kommuniqué** *nt* <-s, -s> communiqué.

Kommunion *f* communion.

Kommunismus *m* communism; **Kommunist(in)** *m(f)* communist; **kommunistisch** *adj* communist.

kommunizieren *vi* communicate; (REL) receive communion.

Komödiant(in) *m(f)* comedian/comedienne.

Komödie *f* comedy.

Kompagnon *m* <-s, -s> (WIRTS) partner.

kompakt *adj* compact; **Kompaktkamera** *f* compact camera.

Kompanie *f* company.

Komparativ *m* comparative.

Kompass[RR] *m* <-es, -e> compass.

kompatibel *adj* compatible; **Kompatibilität** *f* compatibility.

kompetent *adj* competent; **Kompetenz** *f* competence, authority.

komplett *adj* complete.

Komplex *m* <-es, -e> complex; (*Minderwertigkeits~*) hang-up; **komplex** *adj* complex.

Komplikation *f* complication.

Kompliment *nt* compliment.

Komplize *m* <-n, -n> accomplice.

komplizieren *vt* complicate; **kompliziert** *adj* complicated.

Komplizin *f* accomplice.

Komplott *nt* <-[e]s, -e> plot.

komponieren *vt* compose; **Komponist(in)** *m(f)* composer; **Komposition** *f* composition.

Kompost *m* <-[e]s, -e> compost; **Komposthaufen** *m* compost heap; **kompostieren** *vt* compost; **Kompostierung** *f* composting.

Kompott *nt* <-[e]s, -e> stewed fruit.

Kompresse *f* <-, -n> compress.

Kompression *f* (INFORM) compression.

Kompressor *m* compressor.

Kompromiss[RR] *m* <-es, -e> compromise; **kompromissbereit**[RR] *adj* willing to compromise; **Kompromisslösung**[RR] *f* compromise solution.

kompromittieren *vt* compromise.

Kondensation *f* condensation; **Kondensator** *m* condenser; **kondensieren** *vt* condense.

Kondensmilch *f* condensed milk, evaporated milk; **Kondensstreifen** *m* vapour trail; **Kondenswasser** *nt* condensation.

Kondition *f* condition, fitness.

Konditor(in) *m(f)* pastrycook; **Konditorei** *f* café; cake shop.

kondolieren *vi* condole (*jdm* with sb).

Kondom *nt* <-s, -e> condom.

Konfektion *f* production of ready-made clothing; **Konfektionskleidung** *f* ready-made clothing.

Konferenz *f* conference, meeting.

Konfession *f* religion; (*christlich*) denomination; **konfessionell** *adj* denominational; **konfessionslos** *adj* non-denominational; **Konfessionsschule** *f* denominational school.

Konfetti *nt* <-[s]> confetti.

Konfiguration *f* (INFORM) configuration.

Konfirmand(in) *m(f)* candidate for confirmation.

Konfirmation *f* (REL) confirmation.

konfirmieren *vt* confirm.

konfiszieren *vt* confiscate.

Konfitüre *f* <-, -n> jam.

Konflikt *m* <-[e]s, -e> conflict; **Kon-**

fliktparteien *pl* warring factions *pl.*

konform *adj* concurring; ~ **gehen** be in agreement.

konfrontieren *vt* confront.

konfus *adj* confused.

Kongress[RR] *m* <-es, -e> congress.

Kongruenz *f* agreement, congruence.

König(**in**) *m(f)* <-[e]s, -e> king/queen; **Königinpastete** *f* vol-au-vent; **königlich** *adj* royal; **Königreich** *nt* kingdom; **Königtum** *nt* <-[e]s, Königtümer> kingship.

konisch *adj* conical.

Konjugation *f* conjugation; **konjugieren** *vt* conjugate.

Konjunktion *f* conjunction.

Konjunktiv *m* subjunctive.

Konjunktur *f* economic situation; (*Hoch~*) boom; **Konjunkturaufschwung** *m* economic upturn/upswing.

konkav *adj* concave.

konkret *adj* concrete.

Konkurrent(**in**) *m(f)* competitor; **Konkurrenz** *f* competition; **konkurrenzfähig** *adj* competitive; **Konkurrenzkampf** *m* competition; (*umg*) rat race; **konkurrieren** *vi* compete.

Konkurs *m* <-es, -e> bankruptcy.

können <konnte, gekonnt> *vt, vi* be able to, can; (*wissen*) know; ~ **Sie Deutsch?** can you speak German?; **ich kann nicht ...** I can't [*o* cannot] ...; **kann ich gehen?** can I go?; **das kann sein** that's possible; **ich kann nicht mehr** I can't go on; **Können** *nt* <-s> ability.

konsequent *adj* consistent; **Konsequenz** *f* consistency; (*Folgerung*) conclusion.

konservativ *adj* conservative.

Konservatorium *nt* academy of music, conservatory.

Konserve *f* <-, -n> tinned food; **Konservenbüchse** *f* tin, can.

konservieren *vt* preserve; **Konservierung** *f* preservation; **Konservierungsmittel** *nt* preservative.

Konsonant *m* consonant.

konstant *adj* constant.

Konstitution *f* constitution; **konstitutionell** *adj* constitutional.

konstruieren *vt* construct; **Konstrukteur**(**in**) *m(f)* engineer, designer; **Konstruktion** *f* construction.

konstruktiv *adj* constructive.

Konsul(**in**) *m(f)* <-s, -n> consul; **Konsulat** *nt* consulate.

konsultieren *vt* consult.

Konsum *m* <-s> consumption; **Konsumartikel** *m* consumer article; **Konsument**(**in**) *m(f)* consumer; **Konsumgesellschaft** *f* consumer society; **konsumieren** *vt* consume.

Kontakt *m* <-[e]s, -e> contact; **kontaktarm** *adj* unsociable; **kontaktfreudig** *adj* sociable; **Kontaktlinsen** *pl* contact lenses *pl;* **Kontaktperson** *f* contact.

konterkarieren *vt* counteract; (*Aussage*) contradict.

kontern *vt, vi* counter.

Konterrevolution *f* counter-revolution.

Kontinent *m* continent.

Kontingent *nt* <-[e]s, -e> quota; (*Truppen~*) contingent.

kontinuierlich *adj* continuous.

Kontinuität *f* continuity.

Konto *nt* <-s, Konten> account; **Kontoauszug** *m* statement [of account]; **Kontoinhaber**(**in**) *m(f)* account holder; **Kontonummer** *f* account number; **Kontostand** *m* state of account.

Kontra *nt* <-s, -s> (KARTEN) double; **jdm ~ geben** (*fig*) contradict sb; **Kontrabass**[RR] *m* double bass.

Kontrahent(**in**) *m(f)* (*bei Vertrag*) contracting party; (*Gegner*) opponent.

kontraproduktiv *adj* counterproductive.

Kontrapunkt *m* counterpoint.

Kontrast *m* <-[e]s, -e> contrast; **Kontrastregler** *m* contrast control.

Kontrolle *f* <-, -n> control, supervision; (*Pass~*) passport control; **Kontrolleur**(**in**) *m(f)* inspector; **kontrollieren** *vt* control, supervise; (*nachprüfen*) check; **Kontrollzentrum** *nt* control centre, mission control.

Kontur *f* contour.

Konvention *f* convention; **konventionell** *adj* conventional.

Konversation *f* conversation; **Konversationslexikon** *nt* encyclopaedia.

konvex *adj* convex.

Konvoi *m* <-s, -s> convoy.

Konzentration *f* concentration; **Konzentrationslager** *nt* concentration camp.

konzentrieren *vt, vr:* **sich ~** concentrate; **konzentriert 1.** *adj* concentrated; **2.** *adv* (*zuhören, arbeiten*) intently.

Konzept *nt* <-[e]s, -e> rough draft; **jdn aus dem ~ bringen** confuse sb.

Konzern *m* <-s, -e> group [of companies];

Konzernmutter *f* parent company; **Konzerntochter** *f* subsidiary.

Konzert *nt* <-[e]s, -e> concert; (*Stück*) concerto; **Konzertsaal** *m* concert hall.

Konzession *f* licence; (*Zugeständnis*) concession; **konzessionieren** *vt* license.

Konzil *nt* <-s, -e *o* -ien> council.

konzipieren *vt* conceive.

Kooperation *f* cooperation.

koordinieren *vt* coordinate.

Kopf *m* <-[e]s, Köpfe> head; (*Nachrichten~*) heading; (*Spreng~*) warhead; **Kopfbedeckung** *f* headgear.

köpfen *vt* behead; (*Baum*) lop; (*Ei*) take the top off; (*Ball*) head.

Kopfhaut *f* scalp; **Kopfhörer** *m* headphone; **Kopfkissen** *nt* pillow; **kopflos** *adj* panic-stricken; **kopfrechnen** *vi* do mental arithmetic; **Kopfsalat** *m* lettuce; **Kopfschmerzen** *pl* headache; **Kopfsprung** *m* header, dive; **Kopfstand** *m* headstand; **Kopftuch** *nt* headscarf; **kopfüber** *adv* head over heels; **Kopfweh** *nt* headache; **Kopfzerbrechen** *nt:* **jdm ~ machen** give sb a lot of headaches.

Kopie *f* copy; **kopieren** *vt* (*a.* INFORM) copy; **Kopierer** *m* <-s, ->, **Kopiergerät** *nt* copier; **Kopierschutz** *m* (INFORM) copy [*o* write] protection.

koppeln *vt* couple; **Koppelung** *f* coupling; **Koppelungsmanöver** *nt* docking manoeuvre.

Koralle *f* <-, -n> coral; **Korallenriff** *nt* coral reef.

Korb *m* <-[e]s, Körbe> basket; **jdm einen ~ geben** (*fig*) turn sb down; **Korbball** *m* basketball; **Korbstuhl** *m* wicker chair.

Kord *m* <-[e]s, -e> corduroy.

Kordel *f* <-, -n> cord, string.

Korea *nt* Korea.

Kork *m* <-[e]s, -e> cork; **Korken** *m* <-s, -> stopper, cork; **Korkenzieher** *m* <-s, -> corkscrew.

Korn *nt* <-[e]s, Körner> corn, grain; (*von Gewehr*) sight; **Kornblume** *f* cornflower; **Körnchen** *nt* grain, granule; **Kornkammer** *f* granary.

Körper *m* <-s, -> body; **Körperbau** *m* build; **körperbehindert** *adj* disabled; **Körpergewicht** *nt* weight; **Körpergröße** *f* height; **Körperhaltung** *f* carriage, deportment; **körperlich** *adj* physical; **Körperpflege** *f* personal hygiene; **Körperschaft** *f* corporation; **Körperteil** *m* part of the body.

Korps *nt* <-, -> (MIL) corps; (SCH) student's club.

korpulent *adj* corpulent.

korrekt *adj* correct; **Korrektheit** *f* correctness; **Korrektor(in)** *m(f)* proofreader; **Korrektur** *f* (*eines Textes*) proofreading; (*Text*) proof; (SCH) marking, correction; **Korrekturband** *nt* <Korrekturbänder *pl*> correction tape; **Korrekturflüssigkeit** *f* correction fluid, white-out *US;* **Korrekturspeicher** *m* correction memory; **Korrekturtaste** *f* correction key.

Korrespondent(in) *m(f)* correspondent; **Korrespondenz** *f* correspondence; **korrespondieren** *vi* correspond.

Korridor *m* <-s, -e> corridor.

korrigieren *vt* correct.

Korrosion *f* corrosion.

korrumpieren *vt* corrupt.

Korruption *f* corruption.

Korsett *nt* <-[e]s, -e> corset.

Koseform *f* pet form; **Kosename** *m* pet name; **Kosewort** *nt* term of endearment.

Kosmetik *f* cosmetics *pl;* **Kosmetiker(in)** *m(f)* beautician; **Kosmetiktuch** *nt* paper tissue; **kosmetisch** *adj* cosmetic; (*Chirurgie*) plastic.

kosmisch *adj* cosmic; **Kosmonaut(in)** *m(f)* <-en, -en> cosmonaut; **Kosmopolit(in)** *m(f)* <-en, -en> cosmopolitan; **Kosmos** *m* <-> cosmos.

Kost *f* <-> (*Nahrung*) food; (*Verpflegung*) board.

kostbar *adj* precious; (*teuer*) costly, expensive; **Kostbarkeit** *f* preciousness; costliness, expensiveness; (*Wertstück*) valuable.

kosten **1.** *vt* cost; **2.** *vt, vi* (*versuchen*) taste.

Kosten *pl* cost[s]; (*Ausgaben*) expenses *pl;* **auf ~ von** at the expense of; **kostenlos** *adj* free [of charge]; **Kostenmanagement** *nt* cost management; **Kostenvoranschlag** *m* estimate.

köstlich *adj* precious; (*Einfall*) delightful; (*Essen*) delicious; **sich ~ amüsieren** have a marvellous time.

Kostprobe *f* taste; (*fig*) sample; **kostspielig** *adj* expensive.

Kostüm *nt* <-s, -e> costume; (*Damen~*) suit; **Kostümfest** *nt* fancy-dress party; **kostümieren** *vt, vr:* **sich ~** dress up;

K

Kostümverleih *m* costume agency.

Kot *m* <-[e]s> excrement.

Kotelett *nt* <-[e]s, -e *o* -s> cutlet, chop; **Koteletten** *pl* sideboards *pl.*

Köter *m* <-s, -> cur.

Kotflügel *m* (AUTO) wing.

Krabbe *f* <-, -n> shrimp.

krabbeln *vi* crawl.

Krach *m* <-[e]s, -s *o* -e> crash; (*andauernd*) noise; (*umg: Streit*) quarrel, row; **krachen 1.** *vi* crash; (*beim Brechen*) crack; **2.** *vr:* **sich ~** (*umg*) row, quarrel.

krächzen *vi* croak.

kraft *präp +gen* by virtue of.

Kraft *f* <-, Kräfte> strength, power, force; (*Arbeits~*) worker; **in ~ treten** come into effect; **Kraftausdruck** *m* <Kraftausdrücke *pl*> swearword.

Kraftfahrzeug *nt* motor vehicle; **Kraftfahrzeugbrief** *m* logbook; **Kraftfahrzeugsteuer** *f* ≈ road tax; **Kraftfahrzeugversicherung** *f* car insurance; **Kraftfahrzeugzulassungsstelle** *f* vehicle registration office.

kräftig *adj* strong; **kräftigen** *vt* strengthen.

kraftlos *adj* weak; (JUR) invalid; **Kraftprobe** *f* trial of strength; **Kraftrad** *nt* motorcycle; **kraftvoll** *adj* vigorous; **Kraftwagen** *m* motor vehicle; **Kraftwerk** *nt* power station.

Kragen *m* <-s, -> collar; **Kragenweite** *f* collar size.

Krähe *f* <-, -n> crow; **krähen** *vi* crow.

Krake *f* octopus.

krakeelen *vi* (*umg*) make a din.

Kralle *f* <-, -n> claw; (*Vogel~*) talon; (*Park~*) wheel clamp; **krallen** *vt* clutch; (*krampfhaft*) claw.

Kram *m* <-[e]s> stuff, rubbish; **kramen** *vi* rummage; **Kramladen** *m* (*pej*) small shop.

Krampf *m* <-[e]s, Krämpfe> cramp; (*zuckend*) spasm; **Krampfader** *f* varicose vein; **krampfhaft** *adj* convulsive; (*fig*) desperate.

Kran *m* <-[e]s, Kräne> crane; (*Wasser~*) tap.

Kranich *m* <-s, -e> (ZOOL) crane.

krank *adj* ill, sick; **Kranke(r)** *mf* sick person; invalid, patient.

kränkeln *vi* be in bad health.

kranken *vi:* **an etw** *dat* **~** (*fig*) suffer from sth.

kränken *vt* hurt.

Krankenbericht *m* medical report; **Krankengeld** *nt* sick pay; **Krankengymnast(in)** *m(f)* <-en, -en> physiotherapist; **Krankenhaus** *nt* hospital; **Krankenkasse** *f* health insurance; **Krankenpfleger(in)** *m(f)* nursing orderly; **Krankenschein** *m* medical insurance record card; **Krankenschwester** *f* nurse; **Krankenversicherung** *f* health insurance; **Krankenwagen** *m* ambulance.

krankhaft *adj* diseased; (*Angst etc*) morbid; **Krankheit** *f* illness, disease; **Krankheitserreger** *m* disease-carrying agent.

kränklich *adj* sickly.

krankmelden[RR] *vt:* **sich ~** let the office know that one is sick; **krankschreiben**[RR] *vt* give a medical certificate.

Kränkung *f* insult, offence.

Kranz *m* <-es, Kränze> wreath, garland.

Kränzchen *nt* small wreath; (*Kaffee~ etc*) ladies' party.

Krapfen *m* <-s, -> fritter; (*Berliner*) doughnut.

krass[RR] *adj* crass.

Krater *m* <-s, -> crater.

Kratzbürste *f* (*fig*) crosspatch; **kratzen** *vt, vi* scratch; **Kratzer** *m* <-s, -> scratch; (*Werkzeug*) scraper.

kraulen 1. *vi* (*schwimmen*) do the crawl; **2.** *vt* (*streicheln*) pet.

kraus *adj* crinkly; (*Haar*) frizzy; (*Stirn*) wrinkled; **Krause** *f* <-, -n> frill, ruffle; (*Haare*) frizzy hair; **kräuseln 1.** *vt* make frizzy; (*Stoff*) gather; (*Stirn*) wrinkle; **2.** *vr:* **sich ~** (*Haar*) go frizzy; (*Stirn*) wrinkle; (*Wasser*) ripple.

Kraut *nt* <-[e]s, Kräuter> plant; (*Gewürz*) herb; (*Gemüse*) cabbage.

Krawall *m* <-s, -e> row, uproar.

Krawatte *f* tie.

kreativ *adj* creative; **Kreativität** *f* creativity.

Kreatur *f* creature.

Krebs *m* <-es, -e> (ZOOL) crab; (MED) cancer; (ASTR) Cancer; **~ erregend**[RR] carcinogenic; **Krebsvorsorge** *f* cancer screening.

Kredit *m* <-[e]s, -e> credit; **Kreditkarte** *f* credit card; **Kreditnehmer(in)** *m(f)* borrower; **kreditwürdig** *adj* creditworthy.

Kreide *f* <-, -n> chalk; **kreidebleich** *adj* as white as a sheet.

Kreis *m* <-es, -e> circle; (*Stadt~ etc*) district.

kreischen *vi* shriek, screech.

Kreisel *m* <-s, -> top; (*Verkehrs~*) roundabout.

kreisen *vi* circle; (*um Achse, Gedanken*) revolve; (*Satellit*) orbit; (*Blut etc*) circulate.

kreisförmig *adj* circular; **Kreislauf** *m* (MED) circulation; (*fig: der Natur etc*) cycle; **Kreislaufstörung** *f* circulatory trouble; **Kreissäge** *f* circular saw.

Kreißsaal *m* delivery room.

Kreisstadt *f* county town.

Kreisverkehr *m* roundabout traffic, traffic cercle *US*.

Krem *f* <-, -s> cream, mousse.

Krematorium *nt* crematorium.

Kreml *m* <-s> Kremlin.

Krempe *f* <-, -n> brim.

Krempel *m* <-s> (*umg*) rubbish.

Kren *m* (*A*) horse-radish.

krepieren *vi* (*umg: sterben*) die, kick the bucket.

Krepp *m* <-s, -s *o* -e> crepe; **Krepppapier**[RR] *nt* crepe paper; **Kreppsohle** *f* crepe sole.

Kresse *f* <-, -n> cress.

Kreuz *nt* <-es, -e> cross; (ANAT) small of the back; (KARTEN) clubs *pl;* **jdn aufs ~ legen** (*umg*) take sb for a ride; **kreuzen** **1.** *vt, vr:* **sich ~** cross; **2.** *vi* (NAUT) cruise; **Kreuzer** *m* <-s, -> (*Schiff*) cruiser; **Kreuzfahrt** *f* cruise; **Kreuzfeuer** *nt:* **im ~ stehen** (*fig*) be caught in the crossfire; **Kreuzgang** *m* cloisters *pl.*

kreuzigen *vt* crucify; **Kreuzigung** *f* crucifixion.

Kreuzotter *f* adder; **Kreuzschlitzschraubenzieher** *m* Phillips screwdriver®; **Kreuzschlüssel** *m* (AUTO) wheel brace.

Kreuzung *f* (*Verkehrs~*) crossing, junction, intersection *US;* (*Züchten*) cross.

Kreuzverhör *nt* cross-examination; **Kreuzweg** *m* crossroads *sing o pl;* (REL) Way of the Cross; **Kreuzworträtsel** *nt* crossword puzzle; **Kreuzzeichen** *nt* sign of the cross; **Kreuzzug** *m* crusade.

kriechen <kroch, gekrochen> *vi* crawl, creep; (*pej*) grovel, crawl; **Kriecher(in)** *m(f)* <-s, -> crawler; **Kriechspur** *f* crawler lane; **Kriechtier** *nt* reptile.

Krieg *m* <-[e]s, -e> war.

kriegen *vt* (*umg*) get.

Krieger(in) *m(f)* <-s, -> warrior; **kriegerisch** *adj* warlike; **Kriegführung** *f* warfare.

Kriegsbemalung *f* war paint; **Kriegsdienstverweigerer** *m* <-s, -> conscientious objector; **Kriegserklärung** *f* declaration of war; **Kriegsfuß** *m:* **mit jdm/etw auf ~ stehen** be at loggerheads with sb/not get on with sth; **Kriegsgefangene(r)** *mf* prisoner of war; **Kriegsgefangenschaft** *f* captivity; **Kriegsgericht** *nt* court-martial; **Kriegsschiff** *nt* warship; **Kriegsverbrechen** *nt* war crime; **Kriegsverbrecher(in)** *m(f)* war criminal; **Kriegsversehrte(r)** *mf* person disabled in the war.

Krimi *m* <-s, -s> (*umg*) thriller.

Kriminalbeamte(r) *m,* **Kriminalbeamtin** *f* detective.

Kriminalität *f* criminality.

Kriminalpolizei *f* detective force, CID *Brit;* **Kriminalroman** *m* detective story.

kriminell *adj* criminal; **Kriminelle(r)** *mf* criminal.

Krippe *f* <-, -n> manger, crib; (*Kinder~*) crêche.

Krise *f* <-, -n> crisis; **kriseln** *vi unpers:* **es kriselt** there's a crisis; **Krisengebiet** *nt* crisis area [*o* region]; **Krisenherd** *m* trouble spot; **Krisenstab** *m* action committee.

Kristall **1.** *m* <-s, -e> crystal; **2.** *nt* <-s> (*Glas*) crystal.

Kriterium *nt* criterion.

Kritik *f* criticism; (*Zeitungs~*) review, write-up; **Kritiker(in)** *m(f)* <-s, -> critic; **kritiklos** *adj* uncritical; **kritisch** *adj* critical; **kritisieren** *vt, vi* criticize.

kritzeln *vt, vi* scribble, scrawl.

Kroate *m* <-n, -n> Croat; **Kroatien** *nt* <-s> Croatia; **Kroatin** *f* Croat; **kroatisch** *adj* Croatian.

kroch *imperf von* **kriechen**.

Krokodil *nt* <-s, -e> crocodile.

Krokus *m* <-, – *o* -se> crocus.

Krone *f* <-, -n> crown; (*Baum~*) top.

krönen *vt* crown.

Kronkorken *m* bottle top; **Kronleuchter** *m* chandelier; **Kronprinz** *m,* **Kronprinzessin** *f* crown prince/princess.

Krönung *f* coronation.

Kropf *m* <-[e]s, Kröpfe> (MED) goitre; (*von Vogel*) crop.

Kröte *f* <-, -n> toad.

Krücke *f* <-, -n> crutch.

Krug *m* <-[e]s, Krüge> jug; (*Bier~*) mug.

Krümel *m* <-s, -> crumb; **krümeln** *vt, vi*

crumble.

krumm *adj* (*a. fig*) crooked; (*kurvig*) curved; **jdm etw ~ nehmen**RR (*umg*) take sth amiss; **krummbeinig** *adj* bandy-legged.

krümmen *vt, vr:* **sich** ~ curve, bend.

krummlachen *vr:* **sich** ~ (*umg*) laugh oneself silly; **krummnehmen** *vt s.* **krumm**.

Krümmung *f* bend, curve.

Krüppel *m* <-s, -> cripple.

Kruste *f* <-, -n> crust.

Kruzifix *nt* <-es, -e> crucifix.

Kuba *nt* Cuba.

Kübel *m* <-s, -> tub; (*Eimer*) pail.

Küche *f* <-, -n> kitchen; (*Kochen*) cooking, cuisine.

Kuchen *m* <-s, -> cake; **Kuchenblech** *nt* baking tray; **Kuchenform** *f* baking tin; **Kuchengabel** *f* pastry fork.

Küchenherd *m* range; (*Gas etc*) cooker, stove; **Küchenmaschine** *f* kitchen appliance, food processor; **Küchenschabe** *f* cockroach; **Küchenschrank** *m* kitchen cabinet.

Kuchenteig *m* cake mixture.

Kuckuck *m* <-s, -e> cuckoo.

Kufe *f* <-, -n> (*Schlitten~*) runner; (FLUG) skid.

Kugel *f* <-, -n> ball; (MATH) sphere; (MIL) bullet; (*Erd~*) globe; (SPORT) shot; **kugelförmig** *adj* spherical; **Kugelhagel** *m* hail of bullets; **Kugelkopf** *m* golf ball; **Kugelkopfschreibmaschine** *f* golfball typewriter; **Kugellager** *nt* ball bearing; **kugelrund** *adj* (*Gegenstand*) round; (*umg*) tubby; **Kugelschreiber** *m* ball-point [pen], biro®; **kugelsicher** *adj* bulletproof; **Kugelstoßen** *nt* <-s> shot-put.

Kuh *f* <-, Kühe> cow.

kühl *adj* (*a. fig*) cool; **Kühlanlage** *f* refrigerating plant; **Kühlbecken** *nt* (*für Brennelemente*) cooling pond; **Kühlbox** *f* <-, -en> cold box; **Kühle** *f* <-> coolness; **kühlen** *vt* cool; **Kühler** *m* <-s, -> (AUTO) radiator; **Kühlerhaube** *f* (AUTO) bonnet, hood *US;* **Kühlhaus** *nt* cold store; **Kühlraum** *m* cold-storage chamber; **Kühlschrank** *m* refrigerator, ice box *US;* **Kühltruhe** *f* [chest] freezer; **Kühlturm** *m* cooling tower; **Kühlung** *f* cooling; **Kühlwasser** *nt* cooling water.

kühn *adj* bold, daring; **Kühnheit** *f* boldness.

Küken *nt* <-s, -> chicken.

kulant *adj* obliging, accommodating.

Kuli *m* <-s, -s> coolie; (*umg: Kugelschreiber*) biro®.

Kulisse *f* <-, -n> scene.

kullern *vi* roll.

Kult *m* <-[e]s, -e> worship, cult; **mit etw ~ treiben** make a cult out of sth; **Kultfigur** *f* cult figure.

kultivieren *vt* cultivate; **kultiviert** *adj* cultivated, refined.

Kultur *f* culture; civilization; (*des Bodens*) cultivation; **Kulturbeutel** *m* washbag, toilet bag; **kulturell** *adj* cultural; **Kultusministerium** *nt* ministery of education and culture.

Kümmel *m* <-s, -> caraway seed; (*Branntwein*) kümmel.

Kummer *m* <-s> grief, sorrow.

kümmerlich *adj* miserable, wretched.

kümmern 1. *vr:* **sich um jdn ~** look after sb; **sich um etw ~** see to sth; **2.** *vt* concern; **das kümmert mich nicht** that doesn't worry me.

Kumpan *m* <-s, -e> mate; (*pej*) accomplice.

Kumpel *m* <-s, -> (*umg*) mate.

kündbar *adj* redeemable, recallable; (*Vertrag*) terminable.

Kunde *f* <-, -n> (*Botschaft*) news *sing.*

Kunde *m* <-n, -n> customer; **Kundendienst** *m* after-sales service.

kundgeben *irr vt* announce; **Kundgebung** *f* announcement; (*Versammlung*) rally.

kundig *adj* expert, experienced.

kündigen 1. *vi* give in one's notice; **2.** *vt* cancel; **jdm ~** give sb his notice, dismiss sb; **[jdm] die Stellung/Wohnung ~** give [sb] notice; **Kündigung** *f* (*Arbeitsverhältnis*) dismissal; (*Vertrag*) termination; (*Abonnement*) cancellation; (*Frist*) notice; **Kündigungsfrist** *f* period of notice.

Kundin *f* customer.

Kundschaft *f* customers *pl.*

künftig 1. *adj* future; **2.** *adv* in future.

Kunst *f* <-, Künste> art; (*Können*) skill; **das ist doch keine ~** it's easy; **Kunstakademie** *f* academy of art; **Kunstdruck** *m* [fine] art print; **Kunstdünger** *m* artificial fertilizer; **Kunstfaser** *f* synthetic fibre; **Kunstfertigkeit** *f* skilfulness; **Kunstgeschichte** *f* history of art; **Kunstgewerbe** *nt* arts and crafts *pl;* **Kunstgriff** *m* trick, knack; **Kunsthändler(in)** *m(f)* art dealer; **Kunstharz**

nt artificial resin; **Kunstherz** *nt* artificial heart.

Künstler(in) *m(f)* <-s, -> artist; **künstlerisch** *adj* artistic; **Künstlername** *m* stagename; pseudonym.

künstlich *adj* artificial; ~**e Intelligenz** artificial intelligence.

Kunstsammler(in) *m(f)* art collector; **Kunstseide** *f* artificial silk; **Kunststoff** *m* synthetic material; **kunststoffbeschichtet** *adj* synthetic-coated; **Kunststopfen** *nt* <-s> invisible mending; **Kunststück** *nt* trick; **kein** ~ nothing special; **Kunstturnen** *nt* gymnastics *sing;* **kunstvoll** *adj* ingenious, artistic; **Kunstwerk** *nt* work of art.

kunterbunt *adj* higgledy-piggledy.

Kupfer *nt* <-s, -> copper; **Kupfergeld** *nt* coppers *pl;* **kupfern** *adj* copper; **Kupferstich** *m* copperplate engraving.

Kuppe *f* <-, -n> (*Berg~*) top; (*Finger~*) tip.

Kuppel *f* <-, -n> cupola, dome.

Kuppelei *f* (JUR) procuring; **kuppeln** **1.** *vi* (JUR) procure; (AUTO) declutch; **2.** *vt* join; **Kuppler(in)** *m(f)* <-s, -> matchmaker; (JUR) procurer/procuress; **Kupplung** *f* coupling; (AUTO) clutch.

Kur *f* <-, -en> cure, treatment.

Kür *f* <-, -en> (SPORT) free skating/exercises *pl.*

Kurbel *f* <-, -n> crank, winch; (AUTO) starting handle; **Kurbelwelle** *f* crankshaft.

Kürbis *m* <-ses, -se> pumpkin; (*exotisch*) gourd.

Kurgast *m* visitor [to a health resort].

kurieren *vt* cure.

kurios *adj* curious, odd; **Kuriosität** *f* curiosity.

Kurort *m* health resort; **Kurpfuscher(in)** *m(f)* quack.

Kurs *m* <-es, -e> course; (FIN) rate; (*Wechsel~*) exchange rate; **hoch im ~ stehen** (*fig*) be highly thought of; **Kursbuch** *nt* timetable; **Kurseinbruch** *m* slump in price; **Kursfixierung** *f* rate fixing.

kursieren *vi* circulate.

kursiv *adv* (TYP) in italics; **Kursive** *f* italics *pl.*

Kursus *m* <-, Kurse> course.

Kurswagen *m* (EISENB) through carriage; **Kurswechsel** *m* change of course.

Kurve *f* <-, -n> curve; (*Straßen~*) bend; **kurvenreich**, **kurvig** *adj* (*Straße*) bendy.

kurz *adj* short; **zu ~ kommen** come off badly; **den Kürzeren**[RR] **ziehen** get the worst of it; **Kurzarbeit** *f* short-time work; **kurzärm[e]lig** *adj* short-sleeved.

Kürze *f* <-, -n> shortness, brevity.

kürzen *vt* cut short; (*in der Länge*) shorten; (*Gehalt*) reduce.

kurzerhand *adv* on the spot.

Kurzfassung *f* shortened version; **kurzfristig** *adj* short-term; **Kurzgeschichte** *f* short story; **kurzhalten** *irr vt* keep short; **kurzlebig** *adj* shortlived.

kürzlich *adv* lately, recently.

Kurzparkzone *f* short-term parking zone.

Kurzschluss[RR] *m* (ELEK) short circuit; **Kurzschrift** *f* shorthand; **kurzsichtig** *adj* short-sighted; **Kurzsichtigkeit** *f* short-sightedness; **Kurzstreckenrakete** *f* short-range rocket [*o* missile]; **Kurzwelle** *f* short wave; **Kurzzeitgedächtnis** *nt* short-term memory.

kuscheln *vr:* **sich ~** snuggle up.

Kusine *f* cousin.

Kuss[RR] *m* <-es, Küsse> kiss; **küssen** *vt, vr:* **sich ~** kiss.

Küste *f* <-, -n> coast, shore; **Küstenwache** *f* coastguard [station].

Küster(in) *m(f)* <-s, -> sexton, verger.

Kutsche *f* <-, -n> coach, carriage; **Kutscher(in)** *m(f)* <-s, -> coachman/-woman.

Kutte *f* <-, -n> habit.

Kutteln *pl* tripe.

Kuvert *nt* <-s, -e *o* -s> envelope.

Kybernetik *f* cybernetics *sing;* **kybernetisch** *adj* cybernetic.

KZ *nt* <-s, -s> *abk von* **Konzentrationslager** concentration camp.

L

L, l *nt* L, l.

laben *vr:* **sich an etw** *dat* ~ relish sth.

labil *adj* (*psychisch*) unstable.

Labor *nt* <-s, -e *o* -s> lab; **Laborant(in)** *m(f)* lab[oratory] assistant; **Laboratorium** *nt* laboratory.

Labyrinth *nt* <-s, -e> labyrinth.

Lache *f* <-, -n> (*Wasser*) pool, puddle; (*pej: Gelächter*) laugh.

lächeln *vi* smile; **Lächeln** *nt* <-s> smile.

lachen *vi* laugh.

lächerlich *adj* ridiculous.

Lachgas *nt* laughing gas; **lachhaft** *adj*

laughable.

Lachs *m* <-es, -e> salmon.

Lack *m* <-[e]s, -e> lacquer, varnish; (*von Auto*) paint; **lackieren** *vt* varnish; (*Auto*) spray; **Lackleder** *nt* patent leather.

laden <lud, geladen> *vt* (*a.* INFORM) load; (JUR) summon; (*einladen*) invite.

Laden *m* <-s, Läden> shop; (*Fenster~*) shutter; **Ladenbesitzer(in)** *m(f)* shopkeeper; **Ladendieb(in)** *m(f)* shoplifter; **Ladendiebstahl** *m* shoplifting; **Ladenhüter** *m* <-s, -> (*pej*) unsaleable item; **Ladenpreis** *m* retail price; **Ladenschlusszeit**[RR] *f* closing time; **Ladentisch** *m* counter.

Laderaum *m* (NAUT) hold.

Ladung *f* (*Last*) cargo, load; (JUR) summons *sing;* (*Einladung*) invitation; (*Spreng~*) charge.

lag *imperf von* **liegen**.

Lage *f* <-, -n> position, situation; (*Schicht*) layer; **in der ~ sein** be in a position; **lagenweise** *adv* in layers.

Lager *nt* <-s, -> camp; (WIRTS) warehouse; (*Schlaf~*) bed; (*von Tier*) lair; (TECH) bearing; **Lagerarbeiter(in)** *m(f)* storehand; **Lagerbestand** *m* stocks *pl;* **Lagerhaus** *nt* warehouse, store; **lagern 1.** *vi* (*Dinge*) be stored; (*Menschen*) camp; **2.** *vt* store; (*Maschine*) bed; **Lagerstätte** *f* resting place; **Lagerung** *f* storage.

Lagune *f* <-, -n> lagoon.

lahm *adj* lame; **~ legen**[RR] paralyse; **lahmen** *vi* be lame, limp.

lähmen *vt* paralyse; **lahmlegen** *vt s.* **lahm**.

Lähmung *f* paralysis.

Laib *m* <-s, -e> loaf.

Laich *m* <-[e]s, -e> spawn; **laichen** *vi* spawn.

Laie *m* <-n, -n> layman; **laienhaft** *adj* amateurish.

Lakai *m* <-en, -en> lackey.

Laken *nt* <-s, -> sheet.

Lakritze *f* <-, -n> liquorice.

lallen *vt, vi* babble.

Lamelle *f* lamella; (ELEK) lamina; (TECH) plate.

Lametta *nt* <-s> lametta.

Lamm *nt* <-[e]s, Lämmer> lamb; **Lammfell** *nt* lambskin; **lammfromm** *adj* like a lamb; **Lammwolle** *f* lambswool.

Lampe *f* <-, -n> lamp; **Lampenfieber** *nt* stage fright; **Lampenschirm** *m* lampshade.

Lampion *m* <-s, -s> Chinese lantern.

LAN *nt akr von* **Local Area Network** (INFORM) LAN.

Land *nt* <-[e]s, Länder> (*Gelände*) land; (*Nation, nicht Stadt*) country; (*Bundes~*) state, Land; **auf dem ~[e]** in the country; **Landarbeiter(in)** *m(f)* farm [*o* agricultural] worker; **Landbesitz** *m* landed property; **Landbesitzer(in)** *m(f)* landowner.

Landebahn *f* runway; **landeinwärts** *adv* inland.

landen *vt, vi* land.

Ländereien *pl* estates *pl.*

Landesfarben *pl* national colours *pl;* **Landesinnere(s)** *nt* inland region; **Landessprache** *f* national language; **Landestracht** *f* national costume; **landesüblich** *adj* customary; **Landesverrat** *m* high treason; **Landeswährung** *f* national currency.

Landgut *nt* estate; **Landhaus** *nt* country house; **Landkarte** *f* map; **Landkreis** *m* administrative region; **landläufig** *adj* popular.

ländlich *adj* rural.

Landschaft *f* countryside; (KUNST) landscape; **landschaftlich 1.** *adj* regional; **2.** *adv:* **~ schön gelegen** picturesque; **Landsmann** *m,* **Landsmännin** *f* <Landsleute *pl*> compatriot, fellow countryman/-woman; **Landstraße** *f* country road; **Landstreicher(in)** *m(f)* <-s, -> tramp, hobo *US;* **Landstrich** *m* region; **Landtag** *m* (POL) regional parliament.

Landung *f* landing; **Landungsboot** *nt* landing craft; **Landungsbrücke** *f* jetty; **Landungsstelle** *f* landing place.

Landvermesser(in) *m(f)* <-s, -> surveyor; **Landwirt(in)** *m(f)* farmer; **Landwirtschaft** *f* agriculture; **landwirtschaftlich** *adj* agricultural; **Landzunge** *f* spit.

lang *adj* long; (*Mensch*) tall; **langatmig** *adj* long-winded; **lange** *adv* for a long time; (*dauern, brauchen*) a long time.

Länge *f* <-, -n> length; (GEO) longitude.

langen *vi* (*umg: ausreichen*) do; (*umg: fassen*) reach (*nach* for); **es langt mir** I've had enough.

Längengrad *m* longitude; **Längenmaß** *nt* linear measure.

Langeweile *f* boredom.

Langlauf *m* cross-country skiing; **Lang-**

läufer(in) *m(f)* cross-country skier; **Langlaufski** *m* cross-country ski.

langlebig *adj* long-lived.

länglich *adj* longish.

Langmut *f* <-> forbearance, patience; **langmütig** *adj* forbearing.

längs 1. *präp +gen* along; **2.** *adv* lengthwise.

langsam *adj* slow; **Langsamkeit** *f* slowness.

Langschläfer(in) *m(f)* late riser; **Langspielplatte** *f* long-playing record.

längst *adv:* **das ist ~ fertig** that was finished a long time ago; **längste(r, s)** *adj* longest.

Langstreckenrakete *f* long-range missile.

Languste *f* <-, -n> crayfish, crawfish *US.*

langweilig *adj* boring, tedious; **Langwelle** *f* long wave; **langwierig** *adj* lengthy.

Lanze *f* <-, -n> lance.

lapidar *adj* terse.

Lappalie *f* trifle.

Lappen *m* <-s, -> cloth, rag; (ANAT) lobe.

läppisch *adj* silly.

Lapsus *m* <-, -> slip; (*gesellschaftlich*) faux pas.

Laptop *m* <-s, -s> (INFORM) laptop.

Lärche *f* <-, -n> larch.

Lärm *m* <-[e]s> noise; **lärmen** *vi* make a noise; **Lärmschutz** *m* noise prevention; **Lärmschutzwall** *m* sound barrier.

Larve *f* <-, -n> (BIO) larva.

las *imperf von* **lesen**.

lasch *adj* slack; (*Geschmack*) tasteless.

Lasche *f* <-, -n> (*eines Briefumschlags*) flap; (*Schuh~*) tongue; (EISENB) fishplate.

Laser *m* <-s, -> laser; **Laserdrucker** *m* laser printer; **Lasersonde** *f* laser probe; **Laserstrahl** *m* laser beam.

lassen <ließ, gelassen> *vi, vt* leave; (*erlauben*) let; (*aufhören mit*) stop; (*veranlassen*) make; **etw machen ~** to have sth done; **es lässt sich machen** it can be done; **es lässt sich öffnen** it can be opened, it opens.

lässig *adj* casual; **Lässigkeit** *f* casualness.

Last *f* <-, -en> load, burden; (NAUT, FLUG) cargo; (*meist pl: Gebühr*) charge; **jdm zur ~ fallen** be a burden on sb; **lasten** *vi* weigh (*auf+dat* on).

Laster 1. *nt* <-s, -> vice; **2.** *m* (*umg*) truck, lorry; **lasterhaft** *adj* immoral.

lästerlich *adj* scandalous.

lästern *vi:* **über jdn/etw ~** make nasty remarks about sb/sth.

lästig *adj* troublesome; (*Person*) tiresome.

Lastkahn *m* barge; **Lastkraftwagen** *m* heavy goods vehicle; **Lastschrift** *f* debit; **Lasttier** *nt* beast of burden; **Lastwagen** *m* lorry, truck.

latent *adj* latent.

Laterne *f* <-, -n> lantern; (*Straßen~*) lamp, light; **Laternenpfahl** *m* lamppost.

Latrine *f* latrine.

Latsche *f* <-, -n> dwarf pine.

latschen *vi* (*umg*) trudge; (*lässig*) slouch.

Latte *f* <-, -n> slat; (SPORT) bar; (*quer*) crossbar; **Lattenzaun** *m* lattice fence.

Latz *m* <-es, Lätze> bib; (*Hosen~*) flies *pl;* **Lätzchen** *nt* bib; **Latzhose** *f* dungarees *pl.*

lau *adj* balmy; (*Wasser*) lukewarm.

Laub *nt* <-[e]s> foliage; **Laubbaum** *m* deciduous tree.

Laube *f* <-, -n> arbour.

Laubfrosch *m* tree frog; **Laubsäge** *f* fretsaw.

Lauch *m* <-[e]s, -e> leek.

Lauer *f:* **auf der ~ sein** [*o* **liegen**] lie in wait; **lauern** *vi* lie in wait; (*Gefahr*) lurk.

Lauf *m* <-[e]s, Läufe> (*a.* INFORM) run; (*Wett~*) race; (*Entwicklung*) course; (*von Gewehr*) barrel; **einer Sache** *dat* **ihren ~ lassen** let sth take its course; **Laufbahn** *f* career.

laufen <lief, gelaufen> *vi, vt* run; (*umg: gehen*) walk; **~ lassen**[RR] let go; **laufend** *adj* running; (*Monat, Ausgaben*) current; **auf dem Laufenden**[RR] **sein/halten** be/keep up-to-date; **am ~en Band** (*fig*) continuously.

Läufer *m* <-s, -> (*Teppich*) rug; (SCHACH) bishop.

Läufer(in) *m(f)* <-s, -> (SPORT) runner; (*Fußball*) half-back.

Laufkundschaft *f* passing trade; **Laufmasche** *f* run, ladder *Brit;* **Laufstall** *m* playpen; **Laufsteg** *m* catwalk; **Laufwerk** *nt* (INFORM) drive; **Laufzettel** *m* circular.

Lauge *f* <-, -n> soapy water; (CHEM) alkaline solution.

Laune *f* <-, -n> mood; (*Einfall*) caprice; (*schlechte ~*) temper; **launenhaft** *adj* capricious; **launisch** *adj* moody.

Laus *f* <-, Läuse> louse.

Lausbub *m* rascal.

lauschen *vi* listen; (*heimlich*) eavesdrop.

lauschig *adj* snug.

lausen *vt* delouse.

lausig *adj* lousy.

laut 1. *adj* loud; **2.** *adv* loudly; (*lesen*) aloud; **3.** *präp +gen o dat* according to.

Laut *m* <-[e]s, -e> sound.

Laute *f* <-, -n> lute.

lauten *vi* say; (*Urteil*) be.

läuten *vt, vi* ring.

lauter 1. *adj* (*Wahrheit, Charakter*) honest; **2.** *adv* (*umg: nur*) nothing/nobody but.

läutern *vt* purify.

lauthals *adv* at the top of one's voice; **lautlos** *adj* silent; **lautmalend** *adj* onomatopoeic; **Lautschrift** *f* phonetics *pl;* **Lautsprecher** *m* loudspeaker; **Lautsprecherbox** *f* <-, -en> speaker; **Lautsprecherwagen** *m* loudspeaker van; **lautstark** *adj* vociferous; **Lautstärke** *f* loudness; (RADIO) volume.

lauwarm *adj* (*a. fig*) lukewarm.

Lava *f* <-, Laven> lava.

Lavendel *m* <-s, -> lavender.

Lawine *f* avalanche; **Lawinengefahr** *f* danger of avalanches.

lax *adj* lax.

Lazarett *nt* <-[e]s, -e> (MIL) hospital, infirmary.

LCD-Anzeige *f* LCD-display.

leasen *vt* lease; **Leasing** *nt* <-s> leasing.

Lebemann *m* <Lebemänner *pl*> man about town.

leben *vt, vi* live; **Leben** *nt* <-s, -> life; **lebend** *adj* living; **lebendig** *adj* alive; (*lebhaft*) lively; **Lebendigkeit** *f* liveliness.

Lebensart *f* way of life; **Lebenserfahrung** *f* experience of life; **Lebenserwartung** *f* life expectancy; **lebensfähig** *adj* viable; **lebensfroh** *adj* full of the joys of life; **Lebensgefahr** *f:* **~!** danger!; **in ~** dangerously ill; **lebensgefährlich** *adj* dangerous; (*Verletzung*) critical; **Lebenshaltungskosten** *pl* cost of living; **Lebenslage** *f* situation in life; **Lebenslauf** *m* curriculum vitae; **lebenslustig** *adj* cheerful; **Lebensmittel** *pl* food; **Lebensmittelgeschäft** *nt* grocer's; **lebensmüde** *adj* tired of life; **Lebensqualität** *f* quality of life; **Lebensretter(in)** *m(f)* lifesaver; **Lebensstandard** *m* standard of living; **Lebensstellung** *f* permanent post; **Lebensunterhalt** *m* livelihood; **Lebensversicherung** *f* life insurance; **Lebenswandel** *m* way of life; **Lebensweise** *f* way of life, habits *pl;* **Lebenszeichen** *nt* sign of life; **Lebenszeit** *f* lifetime.

Leber *f* <-, -n> liver; **Leberfleck** *m* mole; **Lebertran** *m* cod-liver oil; **Leberwurst** *f* liver sausage.

Lebewesen *nt* creature, living thing; **Lebewohl** *nt* farewell, goodbye.

lebhaft *adj* lively, vivacious; **Lebhaftigkeit** *f* liveliness, vivacity; **Lebkuchen** *m* gingerbread; **leblos** *adj* lifeless.

lechzen *vi:* **nach etw ~** long for sth.

leck *adj* leaky, leaking; **Leck** *nt* <-[e]s, -s> leak; **lecken** 1. *vi* (*Loch haben*) leak; **2.** *vt, vi* (*schlecken*) lick.

lecker *adj* delicious, tasty; **Leckerbissen** *m* tasty morsel; **Leckermaul** *nt:* **ein ~ sein** enjoy one's food.

led. *adj abk von* **ledig** single.

Leder *nt* <-s, -> leather; **ledern** *adj* leather; **Lederwaren** *pl* leather goods *pl.*

ledig *adj* single; **einer Sache** *gen* **~ sein** be free of sth; **Ledige(r)** *mf* single person.

lediglich *adv* merely, solely.

leer *adj* empty; **~ stehend**[RR] empty; **Leere** *f* <-> emptiness; **leeren** 1. *vt* empty; **2.** *vr:* **sich ~** become empty; **Leergewicht** *nt* weight when empty; **Leergut** *nt* returned empties; **Leerlauf** *m* neutral; **im ~ fahren** coast; **leerstehend** *adj s.* **leer**; **Leerung** *f* emptying; (*von Post*) collection.

legal *adj* legal, lawful; **legalisieren** *vt* legalize; **Legalität** *f* legality.

legen 1. *vt* put, place; (*Ei*) lay; **2.** *vr:* **sich ~** lie down; (*fig*) subside.

Legende *f* <-, -n> legend.

leger *adj* casual.

Leggings *pl* <-> leggings *pl.*

legieren *vt* alloy; **Legierung** *f* alloy.

Legislative *f* legislature.

legitim *adj* legitimate; **Legitimation** *f* legitimation; **legitimieren** 1. *vt* legitimate; **2.** *vr:* **sich ~** prove one's identity; **Legitimität** *f* legitimacy.

Lehm *m* <-[e]s, -e> loam; (*Ton*) clay; **lehmig** *adj* loamy.

Lehne *f* <-, -n> arm; (*Rücken~*) back; **lehnen** *vt, vr:* **sich ~** lean; **Lehnstuhl** *m* armchair.

Lehramt *nt* teaching profession; **Lehrbrief** *m* indentures *pl;* **Lehrbuch** *nt* textbook.

Lehre *f* <-, -n> teaching; (*beruflich*) apprenticeship; (*moralisch*) lesson; (TECH) gauge; **lehren** *vt* teach; **Lehrer(in)** *m(f)* <-s, -> teacher.

Lehrgang *m* course; **Lehrjahre** *pl* apprenticeship; **Lehrkraft** *f* teacher; **Lehrling** *m* apprentice; **Lehrplan** *m* syllabus; **lehrreich** *adj* instructive; **Lehrsatz** *m* theorem; **Lehrstelle** *f* position as an apprentice; **Lehrstuhl** *m* chair; **Lehrzeit** *f* apprenticeship.

Leib *m* <-[e]s, -er> body; **halt ihn mir vom ~!** keep him away from me; **Leibeserziehung** *f* physical education; **Leibesübung** *f* physical exercise; **leibhaftig** *adj* personified; (*Teufel*) incarnate; **leiblich** *adj* physical; (*Vater*) natural; **Leibwächter** *f* bodyguard.

Leiche *f* <-, -n> corpse; **Leichenbeschauer(in)** *m(f)* <-s, -> doctor conducting a post-mortem; **Leichenwagen** *m* hearse.

Leichnam *m* <-[e]s, -e> corpse.

leicht *adj* light; (*einfach*) easy; **jdm ~ fallen**[RR] be easy for sb; **es sich** *dat* **~ machen**[RR] make things easy for oneself; **~ nehmen**[RR] take lightly; **Leichtathletik** *f* athletics *sing;* **leichtfallen** *vi s.* **leicht**; **leichtfertig** *adj* frivolous; **leichtgläubig** *adj* gullible; **Leichtgläubigkeit** *f* gullibility; **leichthin** *adv* lightly; **Leichtigkeit** *f* easiness; **mit ~** with ease; **leichtlebig** *adj* easy-going; **leichtmachen** *vt s.* **leicht**; **leichtnehmen** *vt s.* **leicht**; **Leichtsinn** *m* carelessness; **leichtsinnig** *adj* careless; **Leichtwasserreaktor** *m* light water reactor.

leid *adj:* **jdn/etw ~ sein** be tired of sb/sth.

Leid *nt* <-[e]s> grief, sorrow; **es tut mir/ihm ~**[RR] I am/he is sorry; **er/das tut mir ~**[RR] I am sorry for him/it; **jdm etw zu ~e**[RR] **tun** harm sb.

leiden <litt, gelitten> *vi, vt* suffer; **jdn/etw nicht ~ können** not be able to stand sb/sth; **Leiden** *nt* <-s, -> suffering; (*Krankheit*) complaint.

Leidenschaft *f* passion; **leidenschaftlich** *adj* passionate.

leider *adv* unfortunately; **ja, ~** yes, I'm afraid so; **~ nicht** I'm afraid not.

leidig *adj* tiresome.

leidlich 1. *adj* reasonable; **2.** *adv* reasonably.

Leidtragende(r) *mf* bereaved; (*Benachteiligter*) one who suffers; **Leidwesen** *nt:* **zu jds ~** to sb's dismay.

Leier *f* <-, -n> lyre; **es ist immer die alte ~** it's always the same old story; **Leierkasten** *m* barrel-organ.

Leihbibliothek *f* lending library; **leihen** <lieh, geliehen> *vt* lend; **sich** *dat* **etw ~** borrow sth; **Leihgabe** *f* loan; **Leihgebühr** *f* hire charge; (*für Buch*) lending charge; **Leihhaus** *nt* pawnshop; **Leihmutter** *f* surrogate mother; **Leihschein** *m* pawn ticket; (*für Buch*) borrowing slip; **Leihwagen** *m* hired car.

Leim *m* <-[e]s, -e> glue; **leimen** *vt* glue; (*umg: reinlegen*) take for a ride.

Leine *f* <-, -n> line, cord; (*Hunde~*) leash, lead.

Leinen *nt* <-s, -> linen; **Leintuch** *nt* (*für Bett*) sheet; **Leinwand** *f* (KUNST) canvas; (FILM) screen.

leise *adj* quiet; (*sanft*) soft, gentle.

Leiste *f* <-, -n> ledge; (*Zier~*) strip; (ANAT) groin.

leisten *vt* (*Arbeit*) do; (*Gesellschaft*) keep; (*Ersatz*) supply; (*vollbringen*) achieve; **sich** *dat* **etw ~ können** be able to afford sth.

Leistung *f* performance; (*gute ~*) achievement; **Leistungsdroge** *f* high-performance drug; **Leistungsdruck** *m* pressure [to do well]; **leistungsfähig** *adj* efficient; **Leistungsfähigkeit** *f* efficiency; **Leistungsgesellschaft** *f* competitive [*o* performance-oriented] society; **Leistungskurs** *m* (SCH) set; **Leistungsnachweis** *m* evidence of achievment; **Leistungssport** *m* competitive sport; **Leistungssportler(in)** *m(f)* competitive sportsman/sportswoman; **Leistungszulage** *f* productivity bonus.

Leitartikel *m* leader; **Leitbild** *nt* model.

leiten *vt* lead; (*Firma*) manage; (*in eine Richtung*) direct; (ELEK) conduct; **leitend** *adj* leading; (*Stellung*) managerial; **~er Angestellter** executive.

Leiter 1. *f* <-, -n> ladder; **2.** *m* <-s, -> (ELEK) conductor.

Leiter(in) *m(f)* <-s, -> leader; (*von Geschäft*) manager; (*von Orchester*) director.

Leitfaden *m* guide; **Leitfähigkeit** *f* conductivity; **Leitmotiv** *nt* leitmotiv; **Leitplanke** *f* <-, -n> crash barrier.

Leitung *f* (*Führung*) direction; (FILM, THEAT) production; (*von Firma*) management; (*Wasser~*) pipe; (*Kabel*) cable; **eine lange ~ haben** be slow on the uptake; **Leitungsrohr** *nt* pipe; **Leitungswasser** *nt* tap water.

Leitwerk *nt* (FLUG) tail unit.

Lektion *f* lesson.

Lektor(in) *m(f)* (SCH) foreign language assistant; (*im Verlag*) editor.

Lektüre *f* <-, -n> (*Lesen*) reading; (*Lesestoff*) reading matter.

Lemming *m* <-s, -e> lemming.

Lende *f* <-, -n> loin.

lenkbar *adj* steerable; **lenken** *vt* steer; (*Kind*) guide; (*Blick, Aufmerksamkeit*) direct (*auf +akk* at); **Lenkflugkörper** *m* guided missile; **Lenkrad** *nt* steering wheel; **Lenkstange** *f* handlebars *pl.*

Leopard *m* <-en, -en> leopard.

Lepra *f* <-> leprosy.

Lerche *f* <-, -n> lark.

lernbegierig *adj* eager to learn; **lernbehindert** *adj* educationally handicapped; **lernen** *vt* learn.

lesbar *adj* legible.

Lesbe *f* (*umg*), **Lesbierin** *f* lesbian; **lesbisch** *adj* lesbian.

Lese *f* <-, -n> (*Wein~*) harvest; **Lesebrille** *f* reading glasses *pl;* **Lesebuch** *nt* reading book, reader; **Lesegerät** *nt* (INFORM) reading device; **lesen** <las, gelesen> *vi, vt* (*a.* INFORM) read; (*ernten*) gather, pick; **Leser**(**in**) *m(f)* <-s, -> reader; **Leserbrief** *m* reader's letter; ~e (*Rubrik*) Letters to the editor; **leserlich** *adj* legible; **Lesesaal** *m* reading room; **Lesespeicher** *m* read only memory, ROM; **Lesezeichen** *nt* bookmark.

Lesung *f* (POL) reading; (REL) lesson.

Lettland *nt* Latvia.

letzte(**r, s**) *adj* last; (*neueste*) latest; **zum letzten Mal**[RR] for the last time; **letztens** *adv* lately; **letztere**(**r, s**) *adj* latter.

Leuchtanzeige *f* illuminated display; **Leuchtdiode** *f* light-emitting diode, LED.

Leuchte *f* <-, -n> lamp, light; (*umg: Person*) genius.

leuchten *vi* shine, gleam; **Leuchter** *m* <-s, -> candlestick; **Leuchtfarbe** *f* fluorescent colour; **Leuchtfeuer** *nt* beacon; **Leuchtrakete** *f* flare; **Leuchtreklame** *f* neon sign; **Leuchtröhre** *f* strip light; **Leuchtstift** *m* highlighter; **Leuchtturm** *m* lighthouse; **Leuchtzifferblatt** *nt* luminous dial.

leugnen *vt, vi* deny.

Leukämie *f* leukaemia.

Leukoplast® *nt* <-[e]s, -e> elastoplast®.

Leumund *m* <-[e]s, -e> reputation; **Leumundszeugnis** *nt* character reference.

Leute *pl* people *pl.*

Leutnant *m* <-s, -s *o* -e> lieutenant.

leutselig *adj* affable; **Leutseligkeit** *f* affability.

Lexikon *nt* <-s, Lexika> dictionary.

Libanon *m:* **der** ~ the Lebanon.

Libelle *f* dragonfly; (TECH) spirit level.

liberal *adj* liberal; **Liberalismus** *m* liberalism.

Libero *m* <-s, -s> (*Fußball*) sweeper.

Libyen *nt* Libya.

Licht *nt* <-[e]s, -er> light; **Lichtbild** *nt* photograph; (*Dia*) slide; **Lichtblick** *m* cheering prospect; **lichtempfindlich** *adj* sensitive to light.

lichten 1. *vt* clear; (*Anker*) weigh; **2.** *vr:* **sich** ~ clear up; (*Haar*) thin.

lichterloh *adv:* ~ **brennen** be ablaze.

Lichtgriffel *m* light pen; **Lichthupe** *f* flashing of headlights; **Lichtjahr** *nt* light year; **Lichtmaschine** *f* dynamo; **Lichtmess**[RR] *f* <-> Candlemas; **Lichtschalter** *m* light switch; **Lichtschutzfaktor** *m* protection factor.

Lichtung *f* clearing, glade.

Lid *nt* <-[e]s, -er> eyelid; **Lidschatten** *m* eyeshadow.

lieb *adj* dear; **jdn ~ haben**[RR] be fond of sb; **liebäugeln** *vi:* **mit etw** ~ have an eye on sth; **mit dem Gedanken ~ etw zu tun** be toying with the idea of doing sth.

Liebe *f* <-, -n> love; **liebebedürftig** *adj:* ~ **sein** need love; **Liebelei** *f* flirtation; **lieben** *vt* love; **liebenswert** *adj* loveable; **liebenswürdig** *adj* kind; **liebenswürdigerweise** *adv* kindly; **Liebenswürdigkeit** *f* kindness.

lieber *adv* rather, preferably; **ich gehe ~ nicht** I'd rather not go; *s. a.* **gern, lieb.**

Liebesbrief *m* love letter; **Liebesdienst** *m* good turn; **Liebeskummer** *m:* ~ **haben** be lovesick; **Liebespaar** *nt* courting couple, lovers *pl.*

liebevoll *adj* loving.

liebgewinnen *irr vt* get fond of; **liebhaben** *vt s.* **lieb**; **Liebhaber**(**in**) *m(f)* <-s, -> lover; **Liebhaberei** *f* hobby; **liebkosen** *vt* caress; **lieblich** *adj* lovely, charming.

Liebling *m* darling.

Lieblings- *in Zusammensetzungen* favourite.

lieblos *adj* unloving; **Liebschaft** *f* love affair.

Liechtenstein *nt* Liechtenstein.

Lied *nt* <-[e]s, -er> song; (REL) hymn; **Liederbuch** *nt* songbook.

liederlich *adj* slovenly; (*Lebenswandel*) loose, immoral.

Liedermacher(**in**) *m(f)* <-s, -> singer-songwriter.

lief *imperf von* **laufen**.

Lieferant(in) *m(f)* supplier.

liefern *vt* deliver; (*versorgen mit*) supply; (*Beweis*) produce.

Lieferschein *m* delivery note; **Liefertermin** *m* delivery date; **Lieferung** *f* delivery; **Lieferwagen** *m* van.

Liege *f* <-, -n> bed.

liegen <lag, gelegen> *vi* lie; (*sich befinden*) be; **mir liegt nichts/viel daran** it doesn't matter to me/it matters a lot to me; **es liegt bei Ihnen, ob ...** it rests with you whether ...; **Sprachen ~ mir nicht** languages are not my line; **woran liegt es?** what's the cause?; ~ **bleiben**[RR] (*Mensch*) stay in bed; (*nicht aufstehen*) stay lying down; (*Ding*) be left [behind]; ~ **lassen**[RR] (*vergessen*) leave behind.

Liegenschaft *f* real estate.

Liegesitz *m* reclining seat; **Liegestuhl** *m* deck chair; **Liegewagen** *m* (EISENB) couchette.

lieh *imperf von* **leihen**.

ließ *imperf von* **lassen**.

Lift *m* <-[e]s, -e *o* -s> lift.

Likör *m* <-s, -e> liqueur.

lila *adj inv* purple, lilac.

Lilie *f* lily.

Liliputaner(in) *m(f)* <-s, -> person with stunted growth.

Limonade *f* lemonade.

lind *adj* gentle, mild.

Linde *f* <-, -n> lime tree, linden.

lindern *vt* alleviate, soothe; **Linderung** *f* alleviation.

lindgrün *adj* lime green.

Lineal *nt* <-s, -e> ruler.

Linguistik *f* linguistics.

Linie *f* line; **Linienblatt** *nt* ruled sheet; **Linienflug** *m* scheduled flight; **Linienrichter(in)** *m(f)* linesperson.

liniieren *vt* line.

Linke *f* <-, -n> left side; (*Hand*) left hand; (POL) left; **linke(r, s)** *adj* left; ~ Masche purl.

linken *vt* (*umg*) con.

linkisch *adj* awkward, gauche.

links *adv* left; to [*o* on] the left; ~ **von mir** on [*o* to] my left; **Linksaußen** *m* <-, -> (SPORT) outside left; **Linkshänder(in)** *m(f)* <-s, -> left-handed person; **Linkskurve** *f* left-hand bend; **linksradikal** *adj* (POL) extreme left-wing; **Linksverkehr** *m* driving on the left.

Linoleum *nt* <-s> lino[leum].

Linse *f* <-, -n> lentil; (*optisch*) lens.

Lippe *f* <-, -n> lip; **Lippenbekenntnis** *nt:* **ein ~ für etwas ablegen** pay lipservice to sth; **Lippenstift** *m* lipstick.

liquidieren *vt* liquidate.

lispeln *vi* lisp.

List *f* <-, -en> cunning; (*Trick*) trick, ruse.

Liste *f* <-, -n> list.

listig *adj* cunning, sly.

Litanei *f* litany.

Litauen *nt* Lithuania.

Liter *m o nt* <-s, -> litre.

literarisch *adj* literary.

Literatur *f* literature; **Literaturpreis** *m* award for literature.

Litfasssäule[RR] *f* advertising pillar.

Lithographie *f* lithography.

litt *imperf von* **leiden**.

Liturgie *f* liturgy; **liturgisch** *adj* liturgical.

Litze *f* <-, -n> braid; (ELEK) flex.

live *adv* (RADIO, TV) live.

Livree *f* <-, -n> livery.

Lizenz *f* licence.

Lkw *m* <-[s], -[s]> *abk von* **Lastkraftwagen**.

Lob *nt* <-[e]s> praise; **loben** *vt* praise; **lobenswert** *adj* praiseworthy; **löblich** *adj* praiseworthy, laudable; **Lobrede** *f* eulogy.

Loch *nt* <-[e]s, Löcher> hole; **lochen** *vt* punch holes in; **Locher** *m* <-s, -> punch; **löcherig** *adj* full of holes; **Lochkarte** *f* punch card; **Lochstreifen** *m* punch tape.

Locke *f* <-, -n> curl; **locken** *vt* entice; (*Haare*) curl; **Lockenwickler** *m* <-s, -> curler.

locker *adj* loose; **lockerlassen** *irr vi:* **nicht ~** not let up; **lockern** *vt* loosen.

lockig *adj* curly.

Lockruf *m* call; **Lockung** *f* enticement; **Lockvogel** *m* decoy.

Lodenmantel *m* thick woollen coat.

lodern *vi* blaze.

Löffel *m* <-s, -> spoon; **löffeln** *vt* [eat with a] spoon; **löffelweise** *adv* by the spoonful.

log *imperf von* **lügen**.

Logarithmentafel *f* log[arithm] tables *pl;* **Logarithmus** *m* logarithm.

Loge *f* <-, -n> (THEAT) box; (*Freimaurer~*) [masonic] lodge; (*Pförtner~*) lodge.

Logik *f* logic; **logisch** *adj* logical.

Lohn *m* <-[e]s, Löhne> reward; (*Arbeits~*) pay, wages *pl;* **Lohnarbeit** *f* wage labour; **Lohnausfall** *m* loss of earnings; **Lohnausgleich** *m* wage adjustment; **bei vollem ~** with full pay; **Lohndumping** *nt* paying (illegal) workers at a reduced rate; **Lohnempfänger(in)** *m(f)* wage earner.

lohnen 1. *vt* reward (*jdm etw* sb for sth); **2.** *vr:* **sich ~** be worth it; **lohnend** *adj* worthwhile.

Lohnforderung *f* wage claim; **Lohnfortzahlung** *f:* **~ bei Krankheit** statutory sick pay; **Lohngefälle** *nt* wage differentials; **Lohnniveau** *nt* wage level.

Lohnpolitik *f* pay policy; **Lohnsteuer** *f* income tax; **Lohnsteuerjahresausgleich** *m* annual adjustment of income tax; **Lohnsteuerkarte** *f* [income] tax card; **Lohnstreifen** *m* pay slip; **Lohnstückkosten** *pl* unit wage costs *pl;* **Lohntüte** *f* pay packet.

Loipe *f* <-, -n> cross-country ski run.

lokal *adj* local; **Lokal** *nt* <-[e]s, -e> pub, bar; **lokalisieren** *vt* localize; **Lokalisierung** *f* localization.

Lokomotive *f* locomotive; **Lokomotivführer(in)** *m(f)* engine driver.

Lorbeer *m* <-s, -en> (*a. fig*) laurel; **Lorbeerblatt** *nt* (GASTR) bay leaf.

Lore *f* <-, -n> (MIN) truck.

los *adj* loose; **~!** go on!; **etw ~ sein** be rid of sth; **was ist ~?** what's the matter?; **dort ist nichts/viel ~** there's nothing/a lot going on there; **etw ~ haben** (*umg*) be clever.

Los *nt* <-es, -e> (*Schicksal*) lot, fate; (*Lotterie~*) lottery ticket.

losbinden *irr vt* untie.

löschen 1. *vt* (*Feuer, Licht*) put out, extinguish; (*Durst*) quench; (WIRTS) cancel; (*Tonband*) erase; (*Speicher, Bildschirm*) clear; (*Daten*) erase; (*Information*) cancel; (*Zeile*) delete; (*Fracht*) unload; **2.** *vi* (*Feuerwehr*) put out a fire; (*Papier*) blot; **Löschfahrzeug** *nt* fire engine; fire boat; **Löschgerät** *nt* fire extinguisher; **Löschpapier** *nt* blotting paper; **Löschtaste** *f* erase key; **Löschung** *f* extinguishing; (WIRTS) cancellation; (*von Fracht*) unloading.

lose *adj* loose.

Lösegeld *nt* ransom.

losen *vi* draw lots.

lösen 1. *vt* loosen; (*Rätsel*) solve; (CHEM) dissolve; (*Verlobung*) call off; (*Partnerschaft*) break up; (*Fahrkarte*) buy; **2.** *vr:* **sich ~** (*aufgehen*) come loose; (*Zucker etc*) dissolve; (*Problem, Schwierigkeit*) [re]solve itself.

losfahren *irr vi* leave; **losgehen** *irr vi* set out; (*anfangen*) start; (*Bombe*) go off; **auf jdn ~** go for sb; **loskaufen** *vt* (*Gefangene, Geiseln*) pay ransom for; **loskommen** *irr vi:* **von etw ~** get away from sth; **loslassen** *irr vt* let go of; (*Schimpfe*) let loose.

löslich *adj* soluble.

losmachen 1. *vt* loosen; (*Boot*) unmoor; **2.** *vr:* **sich ~** get free; **lossagen** *vr:* **sich ~** renounce (*von jdm/etw* sb/sth).

Losung *f* watchword, slogan.

Lösung *f* (*Lockermachen*) loosening; (*eines Rätsels*) solution; **Lösungsmittel** *nt* solvent.

loswerden *irr vt* get rid of.

Lot *nt* <-[e]s, -e> plummet; **im ~** vertical; (*fig*) on an even keel; **loten** *vt* plumb, sound.

löten *vt* solder; **Lötkolben** *m* soldering iron.

Lotse *m* <-n, -n> (NAUT) pilot; (FLUG) air traffic controller; **lotsen** *vt* pilot; (*umg*) lure.

Lotterie *f* lottery.

Löwe *m* <-n, -n> (ZOOL) lion; (ASTR) Leo; **Löwenanteil** *m* lion's share; **Löwenmaul** *nt* snapdragon; **Löwenzahn** *m* dandelion; **Löwin** *f* lioness.

loyal *adj* loyal; **Loyalität** *f* loyalty.

Luchs *m* <-es, -e> lynx.

Lücke *f* <-, -n> gap; **Lückenbüßer(in)** *m(f)* <-s, -> stopgap; **lückenhaft** *adj* defective, full of gaps; **lückenlos** *adj* complete.

lud *imperf von* **laden**.

Luder *nt* <-s, -> (*pej: Frau*) hussy.

Luft *f* <-, Lüfte> air; (*Atem*) breath; **in der ~ liegen** be in the air; **jdn wie ~ behandeln** ignore sb; **Luftangriff** *m* air raid; **Luftballon** *m* balloon; **Luftblase** *f* air bubble; **Luftbrücke** *f* air-bridge; **luftdicht** *adj* airtight; **Luftdruck** *m* atmospheric pressure.

lüften *vt* air; (*Hut*) lift, raise.

Luftfahrt *f* aviation; **luftgekühlt** *adj* air-cooled; **luftig** *adj* (*Ort*) breezy; (*Raum*) airy; (*Kleider*) summery; **Luftkissenfahrzeug** *nt* hovercraft; **Luftkurort** *m* health resort; **luftleer** *adj:* **~er Raum** vacuum; **Luftlinie** *f:* **10 km ~** 10 km as the crow flies; **Luftloch** *nt* air-hole; (FLUG) air-pocket; **Luftmatratze** *f* lilo®, air mattress; **Luftpirat(in)** *m(f)* hijacker;

Luftpost *f* airmail; **Luftreinhaltung** *f* air-purity maintenance; **Luftrettungsdienst** *m* air rescue service; **Luftröhre** *f* (ANAT) wind pipe; **Luftschlange** *f* streamer; **Luftschutz** *m* anti-aircraft defence; **Luftschutzkeller** *m* air-raid shelter; **Luftsprung** *m:* **einen ~ machen** (*fig*) jump for joy.
Lüftung *f* ventilation.
Luftverkehr *m* air traffic; **Luftverschmutzung** *f* air pollution; **Luftwaffe** *f* air force; **Luftzug** *m* draught.
Lüge *f* <-, -n> lie; **jdn/etw ~n strafen** give the lie to sb/sth; **lügen** <log, gelogen> *vi* lie; **Lügner(in)** *m(f)* <-s, -> liar.
Luke *f* <-, -n> dormer window, hatch.
Lümmel *m* <-s, -> lout; **lümmeln** *vr:* **sich ~** lounge [about].
Lump *m* <-en, -en> scamp, rascal.
lumpen *vi:* **sich nicht ~ lassen** not be mean.
Lumpen *m* <-s, -> rag.
lumpig *adj* (*gemein*) shabby.
Lunge *f* <-, -n> lung; **Lungenbraten** *m* (*A*) loin roast; **Lungenentzündung** *f* pneumonia; **lungenkrank** *adj* consumptive; **Lungenkrebs** *m* lung cancer.
lungern *vi* hang about.
Lunte *f* <-, -n> fuse; **~ riechen** smell a rat.
Lupe *f* <-, -n> magnifying glass; **unter die ~ nehmen** (*fig*) scrutinize.
Lupine *f* lupin.
Lust *f* <-, Lüste> joy, delight; (*Neigung*) desire; **~ auf etw** *akk* **haben** feel like sth; **~ haben etw zu tun** feel like doing sth.
Lüsterklemme *f* (ELEK) connector.
lüstern *adj* lustful, lecherous.
Lustgefühl *nt* pleasurable feeling.
lustig *adj* (*komisch*) amusing, funny; (*fröhlich*) cheerful.
Lüstling *m* lecher.
lustlos *adj* unenthusiastic; **Lustspiel** *nt* comedy; **lustwandeln** *vi* stroll about.
lutschen *vt, vi* suck; **am Daumen ~** suck one's thumb; **Lutscher** *m* <-s, -> lollipop.
Luxemburg *nt* Luxembourg; **luxemburgisch** *adj* Luxembourgian.
luxuriös *adj* luxurious.
Luxus *m* <-> luxury; **Luxusartikel** *pl* luxury goods *pl;* **Luxushotel** *nt* luxury hotel; **Luxussteuer** *f* tax on luxuries.
Lymphe *f* <-, -n> lymph.
lynchen *vt* lynch.
Lyrik *f* lyric poetry; **Lyriker(in)** *m(f)* <-s, -> lyric poet; **lyrisch** *adj* lyrical.

M

M, m *nt* M, m.
Machart *f* make; **machbar** *adj* feasible; **Mache** *f* <-> (*umg*) show, sham; **machen 1.** *vt* make; (*tun*) do; (*umg: reparieren*) fix; (*betragen*) be; **2.** *vr:* **sich ~** come along [nicely]; **3.** *vi* (*umg: sich beeilen*) get a move on; **das macht nichts** that doesn't matter; **mach's gut!** good luck!; **sich an etw** *akk* **~** set about sth; **Machenschaften** *pl* wheeling and dealing; **Macher** *m* (*umg*) doer.
Macho *m* <-s, -s> (*umg*) macho.
Macht *f* <-s, Mächte> power; **Machthaber(in)** *m(f)* <-s, -> ruler.
mächtig *adj* powerful, mighty; (*umg: ungeheuer*) enormous.
machtlos *adj* powerless; **Machtprobe** *f* trial of strength; **Machtstellung** *f* position of power; **Machtwort** *nt:* **ein ~ sprechen** lay down the law.
Machwerk *nt* (*schlechte Arbeit*) botched-up job.
Mädchen *nt* girl; **mädchenhaft** *adj* girlish; **Mädchenname** *m* maiden name.
Made *f* <-, -n> maggot; **madig** *adj* maggoty; **jdm etw ~ machen** spoil sth for sb.
Magazin *nt* <-s, -e> magazine.
Magd *f* <-, Mägde> maid[servant].
Magen *m* <-s, – *o* Mägen> stomach; **Magengeschwür** *nt* stomach ulcer; **Magenschmerzen** *pl* stomachache.
mager *adj* lean; (*dünn*) thin; **Magerkeit** *f* leanness; thinness; **Magermotor** *m* lean-burn engine; **Magersucht** *f* anorexia.
Magie *f* magic; **Magier(in)** *m(f)* <-s, -> magician; **magisch** *adj* magical.
Magnet *m* <-s *o* -en, -en> magnet; **Magnetband** *nt* <Magnetbänder *pl*> magnetic tape; **magnetisch** *adj* magnetic; **magnetisieren** *vt* magnetize; **Magnetnadel** *f* magnetic needle; **Magnetstreifen** *m* magnetic strip.
Mahagoni *nt* <-s> mahogany.
Mähdrescher *m* combine harvester; **mähen** *vt, vi* mow.
mahlen <mahlte, gemahlen> *vt* grind; **Mahlzeit 1.** *f* meal; **2.** *interj* good day (*greeting at lunchtime*).

Mahnbrief *m* reminder.

Mähne *f* <-, -n> mane.

mahnen *vt* remind; (*warnend*) warn; (*wegen Schulden*) demand payment from; **Mahnung** *f* reminder; admonition, warning.

Mai *m* <-[e]s, -e> May; **im ~** in May; **24. ~ 1999** May 24th, 1999, 24th May 1999; **Maiglöckchen** *nt* lily of the valley; **Maikäfer** *m* cockchafer.

Mailbox *f* <-, -en> (INFORM) mailbox.

Mais *m* <-es, -e> maize, corn *US;* **Maiskolben** *m* corn cob; (GASTR) corn on the cob; **Maisstärke** *f* cornflour *BRIT,* cornstarch *US.*

Majestät *f* majesty; **majestätisch** *adj* majestic.

Major(in) *m(f)* <-s, -e> (MIL) major; (FLUG) squadron leader.

Majoran *m* <-s, -e> marjoram.

makaber *adj* macabre.

Makel *m* <-s, -> blemish; (*moralisch*) stain; **makellos** *adj* immaculate, spotless.

mäkeln *vi* find fault.

Makkaroni *pl* macaroni *sing.*

Makler(in) *m(f)* <-s, -> broker.

Makrele *f* <-, -n> mackerel.

Makrone *f* <-, -n> macaroon.

mal *adv* times; (*umg*) *s.* **einmal**; **Mal** *nt* <-[e]s, -e> mark, sign; (*Zeitpunkt*) time.

malen *vt, vi* paint; **Maler(in)** *m(f)* <-s, -> painter; **Malerei** *f* painting; **malerisch** *adj* picturesque; **Malkasten** *m* paintbox.

malnehmen *irr vt, vi* multiply.

Malta *nt* Malta.

Malz *nt* <-es> malt; **Malzkaffee** *m* malt coffee.

Mama, Mami *f* <-, -s> (*umg*) mum, mummy.

Mammut *nt* <-s, -e *o* -s> mammoth.

man *pron* one, people *pl,* you.

Manager(in) *m(f)* <-s, -> manager.

manche(r, s) **1.** *adj* many a; (*mit pl*) a number of; **2.** *pron* some; **mancherlei** **1.** *adj inv* various; **2.** *pron* a variety of things; **manchmal** *adv* sometimes.

Mandant(in) *m(f)* (JUR) client.

Mandarine *f* mandarin, tangerine.

Mandat *nt* mandate.

Mandel *f* <-, -n> almond; (ANAT) tonsil; **Mandelentzündung** *f* tonsillitis.

Manege *f* <-, -n> ring, arena.

Mangel **1.** *f* <-, -n> (*Wäsche~*) mangle; **2.** *m* <-s, Mängel> (*Fehlen*) lack; (*Knappheit*) shortage (*an +dat* of); (*Fehler*) defect, fault; **Mangelerscheinung** *f* deficiency symptom; **mangelhaft** *adj* poor; (*fehlerhaft*) defective, faulty; **mangeln** **1.** *vi unpers:* **es mangelt jdm an etw** *+dat* sb lacks sth; **2.** *vt* (*Wäsche*) mangle; **mangels** *präp +gen* for lack of.

Mango *f* <-, -s> mango.

Manie *f* mania.

Manier *f* <-> manner; (*pej*) mannerism; **Manieren** *pl* manners *pl;* **manierlich** *adj* well-mannered.

Manifest *nt* <-es, -e> manifesto.

Maniküre *f* <-, -n> manicure; **maniküren** *vt* manicure.

manipulieren *vt* manipulate.

Manko *nt* <-s, -s> deficiency; (WIRTS) deficit.

Mann *m* <-[e]s, Männer> man; (*Ehe~*) husband; (NAUT) hand; **seinen ~ stehen** hold one's own.

Männchen *nt* little man; (*Tier*) male.

Mannequin *nt* <-s, -s> [fashion] model.

mannigfaltig *adj* various, varied.

männlich *adj* masculine; (BIO) male.

Mannschaft *f* (SPORT, *fig*) team; (NAUT, FLUG) crew; (MIL) other ranks *pl;* **Mannweib** *nt* (*pej*) mannish woman.

Manöver *nt* <-s, -> manoeuvre; **manövrieren** *vt, vi* (*a. fig*) manoeuvre.

Mansarde *f* <-, -n> attic.

Manschette *f* cuff; (*Papier~*) paper frill; (TECH) sleeve; **Manschettenknopf** *m* cufflink.

Mantel *m* <-s, Mäntel> coat; (TECH) casing, jacket.

Manuskript *nt* <-[e]s, -e> manuscript.

Mappe *f* <-, -n> briefcase; (*Akten~*) folder.

Maracuja *f* <-, -s> maracuja.

Märchen *nt* fairy tale; **märchenhaft** *adj* fabulous; **Märchenprinz** *m* prince charming.

Marder *m* <-s, -> marten.

Margarine *f* margarine.

Marienkäfer *m* ladybird *Brit,* ladybug *US.*

Marille *f* (*A*) apricot.

Marine *f* navy; **marineblau** *adj* navy-blue.

marinieren *vt* marinate.

Marionette *f* puppet.

Mark **1.** *f* <-, -> (*Münze*) mark; **2.** *nt* <-[e]s> (*Knochen~*) marrow; **jdm durch ~ und Bein gehen** go right through sb; **markant** *adj* striking.

Marke *f* <-, -n> mark; (*Warensorte*) brand; (*Fabrikat*) make; (*Rabatt~, Brief~*)

stamp; (*Essens~*) ticket; (*aus Metall etc*) token, disc.

markieren 1. *vt* mark; **2.** *vt, vi* (*umg: vortäuschen*) act; **Markierung** *f* marking.

markig *adj* (*fig*) pithy.

Markise *f* <-, -n> awning.

Markstück *nt* one-mark piece.

Markt *m* <-[e]s, Märkte> market; **Marktanteil** *m* share of the market; **Marktchancen** *pl* market opportunities *pl;* **Marktentwicklung** *f* market-building; **Marktforschung** *f* market research; **Marktplatz** *m* market place; **Marktstudie** *f* study of the market, market survey; **Marktwirtschaft** *f* market economy; **marktwirtschaftlich** *adj* free-market.

Marmelade *f* jam.

Marmor *m* <-s, -e> marble; **marmorieren** *vt* marble.

marode *adj* (*umg*) clapped-out; (*Wirtschaft*) ailing.

Marokko *nt* Morocco.

Marone *f* <-, -n *o* Maroni> chestnut.

Marotte *f* <-, -n> fad, quirk.

marsch *interj* march; **Marsch 1.** *m* <-[e]s, Märsche> march; **2.** *f* <-, -en> marsh; **Marschbefehl** *m* marching orders *pl;* **marschbereit** *adj* ready to move; **Marschflugkörper** *m* cruise missile; **marschieren** *vi* march.

Märtyrer(in) *m(f)* <-s, -> martyr.

März *m* <-[es], -e> March; **im ~** in March; **24. ~ 1999** March 24th, 1999, 24th March 1999.

Marzipan *nt* <-s, -e> marzipan.

Masche *f* <-, -n> mesh; (*beim Stricken*) stitch; **das ist die neueste ~** that's the latest thing; **Maschendraht** *m* wire mesh.

Maschine *f* machine; (*Motor*) engine; **~ schreiben**[RR] type; **maschinell** *adj* mechanical, machine-; **Maschinenbau** *m* engineering; **Maschinenbauer(in)** *m(f)* <-s, -> mechanical engineer; **Maschinengewehr** *nt* machine gun; **maschinenlesbar** *adj* machine readable; **Maschinenpistole** *f* submachine gun; **Maschinenraum** *m* engine-room; **Maschinenschaden** *m* mechanical fault; **Maschinenschlosser(in)** *m(f)* fitter; **maschine[n]schreiben** *vi s.* **Maschine**; **Maschinenschrift** *f* typescript.

Maschinist(in) *m(f)* engineer.

Masern *pl* (MED) measles *sing.*

Maserung *f* grain[ing].

Maske *f* <-, -n> (*a.* INFORM) mask; **Maskenball** *m* fancy-dress ball; **Maskerade** *f* masquerade; **maskieren 1.** *vt* mask; (*verkleiden*) dress up; **2.** *vr:* **sich ~** disguise oneself, dress up.

maß *imperf von* **messen**.

Maß 1. *nt* <-es, -e> measure; (*Mäßigung*) moderation; (*Grad*) degree, extent; **~ halten**[RR] exercise moderation; **2.** *f* <-, -[e]> litre of beer.

Massage *f* <-, -n> massage.

Maßanzug *m* made-to-measure suit; **Maßarbeit** *f* (*fig*) neat piece of work.

Masse *f* <-, -n> mass; **Massenarbeitslosigkeit** *f* mass unemployment; **Massenartikel** *m* mass-produced article; **Massengrab** *nt* mass grave; **massenhaft** *adj inv* loads of; **Massenkarambolage** *f* multiple pile-up; **Massenmedien** *pl* mass media *pl.*

Masseur(in) *m(f)* (*Berufsbezeichnung*) masseur/masseuse; **Masseuse** *f* (*in Eroscenter etc*) masseuse.

maßgebend *adj* authoritative; **maßgeschneidert** *adj* (*a. fig*) tailor-made; **maßhalten** *vi s.* **Maß**.

massieren *vt* massage; (MIL) mass.

massig *adj* massive; (*umg*) a massive amount of.

mäßig *adj* moderate; **mäßigen** *vt* restrain, moderate; **Mäßigkeit** *f* moderation.

massiv *adj* solid; (*fig*) heavy, rough; **Massiv** *nt* <-s, -e> massif.

Maßkrug *m* tankard; **maßlos** *adj* extreme.

Maßnahme *f* <-, -n> measure, step.

Maßstab *m* rule, measure; (*fig*) standard; (GEO) scale; **maßvoll** *adj* moderate.

Mast *m* <-[e]s, -e[n]> mast; (ELEK) pylon.

mästen *vt* fatten.

Material *nt* <-s, -ien> material[s]; **Materialermüdung** *f* material fatigue; **Materialfehler** *m* material defect; **Materialismus** *m* materialism; **Materialist(in)** *m(f)* materialist; **materialistisch** *adj* materialistic.

Materie *f* matter, substance; **materiell** *adj* material.

Mathematik *f* mathematics *sing;* **Mathematiker(in)** *m(f)* <-s, -> mathematician; **mathematisch** *adj* mathematical.

Matratze *f* <-, -n> mattress.

Matrixdrucker *m* dot-matrix printer.

Matrize *f* <-, -n> matrix; (*zum Abziehen*) stencil.

Matrose *m* <-n, -n> sailor.

Matsch *m* <-[e]s> mud; (*Schnee~*) slush; **matschig** *adj* muddy; (*Schnee*) slushy.

matt *adj* weak; (*glanzlos*) dull; (FOTO) matt; (SCHACH) mate.

Matte *f* <-, -n> mat; **auf der ~ stehen** (*umg*) be there and ready for action.

Mattscheibe *f* (TV) screen; **~ haben** (*umg*) be not quite with it.

Mauer *f* <-, -n> wall; **mauern** *vt, vi* build; lay bricks; (*fig*) stall, stonewall; **Mauerwerk** *nt* brickwork; (*aus Stein*) masonry.

Maul *nt* <-[e]s, Mäuler> mouth; **maulen** *vi* (*umg*) grumble; **Maulesel** *m* mule; **Maulkorb** *m* muzzle; **Maulsperre** *f* lockjaw; **Maultier** *nt* mule; **Maulwurf** *m* mole; **Maulwurfshaufen** *m* molehill.

Maurer(in) *m(f)* <-s, -> bricklayer.

Maus *f* <-, Mäuse> (*a.* INFORM) mouse; **mäuschenstill** *adj* dead quiet; **Mausefalle** *f* mousetrap.

mausern *vr:* **sich ~** moult.

maus[e]tot *adj* stone dead.

maximal *adj* maximum.

Maxime *f* <-, -n> maxim.

Mayonnaise *f* <-, -n> mayonnaise.

MB *nt* <-> *abk von* **Megabyte** MB.

Mechanik *f* mechanics *sing;* (*Getriebe*) mechanics *pl;* **Mechaniker(in)** *m(f)* <-s, -> mechanic; **mechanisch** *adj* mechanical; **mechanisieren** *vt* mechanize; **Mechanismus** *m* mechanism.

meckern *vi* bleat; (*umg*) moan.

Mecklenburg-Vorpommern *nt* <-s> Mecklenburg-West Pomerania.

Medaille *f* <-, -n> medal.

Medaillon *nt* <-s, -s> (*Schmuck*) locket.

Medien *pl* <-> media *pl.*

medienwirksam *adj* with great impact on the media.

Medikament *nt* medicine.

Medioabrechnung *f* mid-month accounts.

Meditation *f* meditation; **meditieren** *vi* meditate.

Medizin *f* <-, -en> medicine; **medizinisch** *adj* medical.

Meer *nt* <-[e]s, -e> sea; **Meerbusen** *m* bay, gulf; **Meerenge** *f* straits *pl;* **Meeresspiegel** *m* sea level; **Meerrettich** *m* horseradish; **Meerschweinchen** *nt* guinea-pig.

Megabyte *nt* megabyte.

Megaphon *nt* <-s, -e> megaphone.

Mehl *nt* <-[e]s, -e> flour; **mehlig** *adj* floury; **Mehlspeise** *f* (*A*) sweet dish; (*Kuchen*) cake.

mehr *adj, adv* more; **Mehraufwand** *m* additional expenditure; **Mehrbereichsöl** *nt* (AUTO) multigrade oil; **mehrdeutig** *adj* ambiguous; **mehrere** *adj* several; **mehreres** *pron* several things; **mehrfach** *adj* multiple; (*wiederholt*) repeated; **Mehrfamilienhaus** *nt* multiple dwelling; **Mehrheit** *f* majority; **mehrmalig** *adj* repeated; **mehrmals** *adv* repeatedly; **mehrplatzfähig** *adj* (INFORM) multistation; **Mehrplatzrechner** *m* (INFORM) multistation system; **mehrstimmig** *adj* for several voices; **~ singen** harmonize; **Mehrwertsteuer** *f* value added tax, VAT; **Mehrzahl** *f* majority; (LING) plural.

meiden <mied, gemieden> *vt* avoid.

Meile *f* <-, -n> mile; **Meilenstein** *m* milestone; **meilenweit** *adv* for miles.

mein *pron* (*adjektivisch*) my; **meine(r, s)** *pron* (*substantivisch*) mine.

Meineid *m* perjury.

meinen *vt, vi* think; (*sagen*) say; (*sagen wollen*) mean; **das will ich ~** I should think so.

meiner *pron gen von* **ich** of me; **meinerseits** *adv* as far as I am concerned; **meinesgleichen** *pron* people like me; (*gleichrangig*) my equals; **meinetwegen** *adv* (*wegen mir*) because of me; (*mir zuliebe*) for my sake; (*um mich*) about me; (*für mich*) on my behalf; (*von mir aus*) as far as I'm concerned; **na ~** I don't mind.

Meinung *f* opinion; **jdm die ~ sagen** give sb a piece of one's mind; **Meinungsaustausch** *m* exchange of views; **Meinungsforschung** *f* opinion research; **Meinungsfreiheit** *f* freedom of speech; **Meinungsumfrage** *f* opinion poll; **Meinungsverschiedenheit** *f* difference of opinion.

Meise *f* <-, -n> tit[mouse]; **eine ~ haben** (*umg*) be crackers.

Meißel *m* <-s, -> chisel; **meißeln** *vt* chisel.

meist *adv* mostly; **meiste(r, s)** *pron superl von* **viel** (*adjektivisch*) most [of]; (*substantivisch*) most of them; **das ~** most of it; **die ~n Leute** most people; **am ~n** the most; (*adverbial*) most of all; **meistens** *adv* mostly; (*zum größten Teil*) for the most part.

Meister(**in**) *m(f)* <-s, -> master; (SPORT) champion; **meisterhaft** *adj* masterly; **meistern** *vt* master; **Meisterschaft** *f* mastery; (SPORT) championship; **Meisterstück** *nt*, **Meisterwerk** *nt* masterpiece.

meistverkauft *adj* top-selling.

Melancholie *f* melancholy; **melancholisch** *adj* melancholy.

Melanzani *pl* (*A*) aubergine *Brit*, eggplant *US*.

Meldefrist *f* registration period; **melden** **1.** *vt* report; **2.** *vr:* **sich** ~ report (*bei* to); (SCH) put one's hand up; (*freiwillig*) volunteer; (*auf etw, am Telefon*) answer; **sich zu Wort** ~ ask to speak; **Meldepflicht** *f* (*a.* MED) compulsory registration; **Meldestelle** *f* registration office; **Meldung** *f* announcement; (*Bericht*) report.

meliert *adj* (*Haar*) greying; (*Stoff*) mottled.

melken <molk, gemolken> *vt* milk.

Melodie *f* melody, tune.

melodisch *adj* melodious, tuneful.

Melone *f* <-, -n> melon; (*Hut*) bowler [hat] *Brit*, derby *US*.

Membran[**e**] *f* <-, -en> (TECH) diaphragm.

Memoiren *pl* memoirs *pl*.

Menge *f* <-, -n> quantity; (*Menschen~*) crowd; (*große Anzahl*) lot [of].

mengen **1.** *vt* mix; **2.** *vr:* **sich** ~ **in** *+akk* meddle with.

Mengenlehre *f* (MATH) set theory; **Mengenrabatt** *m* bulk discount.

Mensa *f* <-, Mensen> canteen.

Mensch **1.** *m* <-en, -en> human being, man; (*Person*) person; **2.** *nt* <-[e]s, -er> (*pej: Frau*) hussy; **kein** ~ nobody; **Menschenalter** *nt* generation; **Menschenfeind**(**in**) *m(f)* misanthrope; **menschenfreundlich** *adj* philanthropical; (*menschlich*) catering for human needs; **Menschenkenner**(**in**) *m(f)* <-s, -> judge of human nature; **Menschenkette** *f* human chain; **Menschenliebe** *f* philanthropy; **Menschenmögliche** *nt* humanly possible; **Menschenrechte** *pl* human rights *pl*; **Menschenrechtsbeauftragte**(**r**) *mf* human rights commissioner; **menschenscheu** *adj* shy; **menschenunwürdig** *adj* degrading; **menschenverachtend** *adj* inhuman; **Menschenverstand** *m:* **gesunder** ~ common sense; **Menschheit** *f* humanity, mankind; **menschlich** *adj* human; (*human*) humane; **Menschlichkeit** *f* humanity.

Menstruation *f* menstruation.

Mentalität *f* mentality.

Menü *nt* <-s, -s> (*a.* INFORM) menu; **Menüanzeige** *f* menu display; **menügesteuert** *adj* menu-driven.

merci *interj* (*CH*) thanks.

Merkblatt *nt* instruction sheet [*o* leaflet]; **merken** *vt* notice; **sich** *dat* **etw** ~ remember sth; **merklich** *adj* noticeable; **Merkmal** *nt* <-[e]s, -e> sign, characteristic; **merkwürdig** *adj* odd.

messbar[RR] *adj* measurable; **Messbecher**[RR] *m* measuring cup; **Messbuch**[RR] *nt* missal.

Messe *f* <-, -n> fair; (*Handelsmesse*) trade fair; (REL) mass; (MIL) mess; **Messegelände** *nt* site of a/the trade fair.

messen <maß, gemessen> **1.** *vt* measure; **2.** *vr:* **sich** ~ compete.

Messer *nt* <-s, -> knife; **Messerspitze** *f* knife point; (*in Rezept*) pinch.

Messestand *m* exhibition stand.

Messgerät[RR] *nt* measuring device, gauge; **Messgewand**[RR] *nt* chasuble.

Messing *nt* <-s> brass.

Metall *nt* <-s, -e> metal; **metallen**, **metallisch** *adj* metallic.

Metaphysik *f* metaphysics *sing*.

Metastase *f* <-, -n> (MED) secondary growth, metastasis.

Meteor *m* <-s, -e> meteor.

Meter *m o nt* <-s, -> metre; **Metermaß** *nt* tape measure.

Methode *f* <-, -n> method; **methodisch** *adj* methodical.

Metropole *f* <-, -n> metropolis.

Metzger(**in**) *m(f)* <-s, -> butcher; **Metzgerei** *f* butcher's [shop].

Meuchelmord *m* assassination.

Meute *f* <-, -n> pack.

Meuterei *f* mutiny; **Meuterer** *m* <-s, -> mutineer; **meutern** *vi* mutiny; **Meut**[**r**]**erin** *f* mutineer.

Mexiko *nt* Mexico.

miauen *vi* miaow.

mich *pron akk von* **ich** me.

mied *imperf von* **meiden**.

Miene *f* <-, -n> look, expression.

mies *adj* (*umg*) lousy.

Mietauto *nt* hired car; **Miete** *f* <-, -n> rent; **zur** ~ **wohnen** live in rented accommodation; **mieten** *vt* rent; (*Auto*) hire; **Mieter**(**in**) *m(f)* <-s, -> tenant; **Mietshaus** *nt* tenement; **Mietvertrag** *m* lease, tenancy agreement; **Mietwagen**

m hired car; **Mietwohnung** *f* rented flat.

Migräne *f* <-, -n> migraine.

Mikrobe *f* <-, -n> microbe.

Mikrochip *m* microchip.

Mikrocomputer *m* micro[computer].

Mikroelektonik *f* microelectronics *sing.*

Mikrofon, **Mikrophon** *nt* <-s, -e> microphone.

Mikroprozessor *m* microprocessor.

Mikroskop *nt* <-s, -e> microscope; **mikroskopisch** *adj* microscopic.

Mikrowelle *f* microwave; **Mikrowellenherd** *m* microwave [oven].

Milch *f* <-> milk; (*Fisch~*) milt, roe; **Milchglas** *nt* frosted glass; **milchig** *adj* milky; **Milchkaffee** *m* white coffee; **Milchpulver** *nt* powdered milk; **Milchstraße** *f* Milky Way; **Milchzahn** *m* milk tooth.

mild *adj* mild; (*Richter*) lenient; (*freundlich*) kind, charitable.

mildern *vt* mitigate, soften; (*Schmerz*) alleviate; **~de Umstände** (JUR) extenuating circumstances.

Milieu *nt* <-s, -s> background, environment; **milieugeschädigt** *adj* maladjusted.

militant *adj* militant.

Militär *nt* <-s> military, army; **Militärgericht** *nt* military court, court martial; **militärisch** *adj* military; **Militarismus** *m* militarism; **militaristisch** *adj* militaristic.

Milliardär(**in**) *m(f)* multimillionaire; **Milliarde** *f* <-, -n> thousand million, billion *US.*

Millimeter *m* millimetre.

Million *f* million; **Millionär**(**in**) *m(f)* millionaire.

Millirem *nt* <-s, -> millirem.

Milz *f* <-, -en> spleen.

Mimik *f* facial expression[s].

Mimose *f* <-, -n> mimosa; (*fig*) oversensitive person.

mindere(**r**, **s**) **1.** *adj* inferior; **2.** *adv* less.

Minderheit *f* minority.

minderjährig *adj* minor; **Minderjährigkeit** *f* minority.

mindern *vt* decrease, diminish; **Minderung** *f* decrease.

minderwertig *adj* inferior; **Minderwertigkeitsgefühl** *nt*, **Minderwertigkeitskomplex** *m* inferiority complex.

Mindestalter *nt* minimum age; **Mindestbetrag** *m* minimum amount; **mindeste**(**r**, **s**) *adj* least; **mindestens** *adv* at least; **Mindesthaltbarkeitsdatum** *nt* best-before date; **Mindestlohn** *m* minimum wage; **Mindestmaß** *nt* minimum; **Mindeststandard** *m* minimum standard.

Mine *f* <-, -n> mine; (*Bleistift~*) lead; (*Kugelschreiber~*) refill; **Minenfeld** *nt* minefield.

Mineral *nt* <-s, -e *o* -ien> mineral; **mineralisch** *adj* mineral; **Mineralwasser** *nt* mineral water.

Miniatur *f* miniature.

minimal *adj* minimal.

Minister(**in**) *m(f)* <-s, -> minister; **ministeriell** *adj* ministerial; **Ministerium** *nt* ministry; **Ministerpräsident**(**in**) *m(f)* prime minister.

minus *adv* minus; **Minus** *nt* <-, -> deficit; **Minuspol** *m* negative pole; **Minuszeichen** *nt* minus sign.

Minute *f* <-, -n> minute; **Minutenzeiger** *m* minute hand.

minutiös *adj* meticulous.

mir *pron dat von* **ich** [to] me; ~ **nichts, dir nichts** just like that.

Mischehe *f* mixed marriage; **mischen** *vt* mix; **Mischling** *m* half-caste; **Mischpult** *m* mixing console; **Mischung** *f* mixture.

missachten[RR] *vt* disregard; **Missachtung**[RR] *f* disregard; **Missbehagen**[RR] *nt* discomfort, uneasiness; **Missbildung**[RR] *f* deformity; **missbilligen**[RR] *vt* disapprove of; **Missbilligung**[RR] *f* disapproval; **Missbrauch**[RR] *m* abuse; (*falscher Gebrauch*) misuse; **missbrauchen**[RR] *vt* abuse; misuse (*zu* for); **missdeuten**[RR] *vt* misinterpret; **Misserfolg**[RR] *m* failure.

Missetat *f* misdeed; **Missetäter**(**in**) *m(f)* criminal; (*umg*) scoundrel.

missfallen[RR] *irr vi* displease (*jdm* sb); **Missfallen**[RR] *nt* <-s> displeasure; **Missgeburt**[RR] *f* freak; (*fig*) abortion; **Missgeschick**[RR] *nt* misfortune; **missglücken**[RR] *vi* fail; **jdm missglückt etw** sb has no success [in doing sth]; **Missgriff**[RR] *m* mistake; **Missgunst**[RR] *f* envy; **missgünstig**[RR] *adj* envious; **misshandeln**[RR] *vt* ill-treat; **Misshandlung**[RR] *f* ill-treatment.

Mission *f* mission; **Missionar**(**in**) *m(f)* missionary.

Missklang[RR] *m* discord; **Misskredit**[RR] *m* discredit; **misslingen**[RR] <misslang,

misslungen> *vi* fail; **Missmanagement**[RR] *nt* <-s> mismanagement; **Missmut**[RR] *m* sullenness; **missmutig**[RR] *adj* sullen; **missraten**[RR] **1.** *irr vi* turn out badly; **2.** *adj* ill-bred; **Missstand**[RR] *m* disgrace; (*allgemeiner Zustand*) bad state of affairs; (*Ungerechtigkeit*) abuse; (*Mangel*) defect; **Missstände beseitigen** remedy things which are wrong; **Missstimmung**[RR] *f* discord.

misstrauen[RR] *vi* mistrust (*jdm/einer Sache* sb/sth); **Misstrauen**[RR] *nt* <-s> distrust, suspicion (*gegenüber* of); **Misstrauensantrag**[RR] *m* (POL) motion of no confidence; **Misstrauensvotum**[RR] *nt* <-s, Misstrauensvoten> (POL) vote of no confidence; **misstrauisch**[RR] *adj* distrustful; (*argwöhnisch*) suspicious.

Missverhältnis[RR] *nt* disproportion; **Missverständnis**[RR] *nt* misunderstanding; **missverstehen**[RR] *irr vt* misunderstand.

Mist *m* <-[e]s> dung; (*als Dünger*) manure; (*umg*) rubbish; **so ein ~!** what a nuisance!

Mistel *f* <-, -n> mistletoe.

Misthaufen *m* dungheap.

mit 1. *präp +dat* with; (*mittels*) by; **2.** *adv* along, too; **wollen Sie ~?** do you want to come along?; **~ der Bahn** by train; **~ 10 Jahren** at the age of 10.

Mitarbeit *f* cooperation; **mitarbeiten** *vi* cooperate; **Mitarbeiter(in)** *m(f)* employee; (*Kollege*) colleague; **freier ~** freelance; **die ~** *pl* the staff.

Mitbestimmung *f* participation in decision-making; (POL) co-determination.

Mitbewohner(in) *m(f)* (*im gleichen Haus*) [fellow] occupant; (*in der gleichen Wohnung*) flat-mate.

mitbringen *irr vt* bring along.

Mitbringsel *nt* <-s, -> small present.

Mitbürger(in) *m(f)* fellow citizen.

mitdenken *irr vi* follow; **du hast ja mitgedacht!** good thinking!

miteinander *adv* together, with one another.

miterleben *vt* see, witness.

Mitesser *m* <-s, -> blackhead.

Mitfahrerzentrale *f agency for arranging lifts.*

mitgeben *irr vt* give.

Mitgefühl *nt* sympathy.

mitgehen *irr vi* go/come along.

mitgenommen *adj* done in, in a bad way.

Mitgift *f* dowry.

Mitglied *nt* member; **Mitgliedsbeitrag** *m* membership fee; **Mitgliedschaft** *f* membership.

mithalten *irr vi* keep up.

Mithilfe *f* help, assistance.

mithören *vt* (*Gespräch*) overhear; (*heimlich*) listen in on.

mitkommen *irr vi* come along; (*verstehen*) keep up, follow.

Mitläufer(in) *m(f)* hanger-on; (POL) fellow-traveller.

Mitleid *nt* sympathy; (*Erbarmen*) compassion; **~ erregend**[RR] pitiful; **Mitleidenschaft** *f*: **in ~ ziehen** affect; **mitleidig** *adj* sympathetic; **mitleidslos** *adj* pitiless, merciless.

mitmachen *vt* join in, take part in.

Mitmensch *m* fellow creature.

mitnehmen *irr vt* take along/away; (*anstrengen*) wear out, exhaust.

mitsamt *präp +dat* together with.

Mitschuld *f* complicity; **mitschuldig** *adj* also guilty (*an +dat* of); **Mitschuldige(r)** *mf* accomplice.

Mitschüler(in) *m(f)* schoolmate.

mitspielen *vi* play too; (*in Mannschaft*) play; **in einem Film/Stück ~** act in a film/play; **Mitspieler(in)** *m(f)* player; (THEAT) member of the cast.

Mitspracherecht *nt* voice, say.

Mittag *m* midday; **zu ~ essen** have lunch; **gestern ~**[RR] at midday yesterday, yesterday lunchtime; **Mittagessen** *nt* lunch; **mittags** *adv* at lunchtime [*o* noon]; **Mittagspause** *f* lunch break; **Mittagsschlaf** *m* early afternoon nap, siesta.

Mittäter(in) *m(f)* accomplice.

Mitte *f* <-, -n> middle; **aus unserer ~** from our midst.

mitteilen *vt*: **jdm etw ~** inform sb of sth, communicate sth to sb; **mitteilsam** *adj* communicative; **Mitteilung** *f* communication.

Mittel *nt* <-s -> means *sing;* (*Maßnahme, Methode*) method; (MATH) average; (MED) medicine; **ein ~ zum Zweck** a means to an end; **ein ~ gegen Flecke** something to remove stains.

Mittelalter *nt* Middle Ages *pl;* **mittelalterlich** *adj* medieval.

Mittelamerika *nt* Central America.

mittelbar *adj* indirect.

Mittelding *nt* cross.

Mitteleuropa *nt* Central Europa.

mittellos *adj* without means.

mittelmäßig *adj* mediocre; **Mittelmä-**

ßigkeit *f* mediocrity.
Mittelmeer *nt* Mediterranean [Sea].
Mittelpunkt *m* centre.
mittels *präp +gen* by means of.
Mittelstand *m* middle class; **mittelständisch** *adj* middle-class; (*Unternehmen*) medium-sized; **Mittelstreckenrakete** *f* intermediate-range missile, medium-range missile; **Mittelstreifen** *m* central reservation; **Mittelstürmer(in)** *m(f)* centre-forward; **Mittelweg** *m* middle course; **Mittelwelle** *f* (RADIO) medium wave; **Mittelwert** *m* average value, mean.
mitten *adv* in the middle; ~ **auf der Straße/in der Nacht** in the middle of the street/night; ~ **hindurch** through the middle.
Mitternacht *f* midnight.
mittlere(r, s) *adj* (*durchschnittlich*) medium, average.
mittlerweile *adv* meanwhile.
Mittwoch *m* <-[e]s, -e> Wednesday; [**am**] ~ on Wednesday; **mittwochs** *adv* on Wednesdays, on a Wednesday.
mitunter *adv* occasionally, sometimes.
mitverantwortlich *adj* responsible.
mitwirken *vi* contribute (*bei* to); (THEAT) take part (*bei* in); **Mitwirkung** *f* contribution; participation.
Mitwisser(in) *m(f)* <-s, -> sb in the know; (JUR) accessory.
Mixer *m* <-s, -> (*Gerät*) blender; (*zum Rühren*) mixer.
Möbel *nt* <-s, -> [piece of] furniture; **Möbelwagen** *m* removal van.
mobil *adj* mobile; (MIL) mobilized; **Mobilfunk** *m* mobile telephone system.
Mobiliar *nt* <-s, -e> movable assets *pl.*
möblieren *vt* furnish; **möbliert wohnen** live in furnished accommodation.
mochte *imperf von* **mögen**.
Mode *f* <-, -n> fashion.
Modell *nt* <-s, -e> model; **modellieren** *vt* model.
Modem *nt* <-s, -s> (INFORM) modem.
Mode[n]schau *f* fashion show.
modern *adj* modern; (*modisch*) fashionable; **modernisieren** *vt* modernize.
Modeschmuck *m* fashion jewellery; **Modewort** *nt* in-word.
modisch *adj* fashionable.
Modul *nt* <-s, -e> module; **modular** *adj* modular.
Modus *m* <-, Modi> (INFORM) mode; (*fig*) way; (LING) mood.
Mofa *nt* <-s, -s> small moped.
mogeln *vi* (*umg*) cheat.
mögen <mochte, gemocht> *vt, vi* like; **ich möchte ...** I would like ...; **das mag wohl sein** that may well be so.
möglich *adj* possible; **alles Mögliche**[RR] **tun** do everything possible; **möglicherweise** *adv* possibly; **Möglichkeit** *f* possibility; **nach** ~ if possible; **möglichst** *adv* as ... as possible; **sein Möglichstes**[RR] **tun** do one's utmost.
Mohn *m* <-[e]s, -e> (*~blume*) poppy; (*~samen*) poppy seed.
Möhre *f* <-, -n>, **Mohrrübe** *f* carrot.
mokieren *vr:* **sich** ~ make fun (*über +akk* of).
Mole *f* <-, -n> [harbour] mole.
Molekül *nt* <-s, -e> molecule; **Molekulardesign** *nt* molecular design.
molk *imperf von* **melken**.
Molkerei *f* dairy.
Moll *nt* <-, -> (MUS) minor [key].
mollig *adj* cosy; (*dicklich*) plump.
Moment 1. *m* <-[e]s, -e> moment; **2.** *nt* <-[e]s, -e> factor, element; **im** ~ at the moment; **momentan 1.** *adj* momentary; **2.** *adv* at the moment.
Monaco *nt* Monaco.
Monarch(in) *m(f)* <-en, -en> monarch; **Monarchie** *f* monarchy.
Monat *m* <-[e]s, -e> month; **monatelang** *adv* for months; **monatlich** *adj* monthly; **Monatsgehalt** *nt* monthly salary; **Monatskarte** *f* monthly ticket.
Mönch *m* <-[e]s, -e> monk.
Mond *m* <-[e]s, -e> moon; **Mondfähre** *f* lunar [excursion] module; **Mondfinsternis** *f* eclipse of the moon; **mondhell** *adj* moonlit; **Mondlandung** *f* moon landing; **Mondschein** *m* moonlight; **Mondsonde** *f* moon probe.
monegassisch *adj* Monegasque.
Mongolei *f* Mongolia.
mongoloid *adj* (MED) mongoloid.
Monitor *m* (INFORM) monitor.
Monolog *m* <-s, -e> monologue.
Monopol *nt* <-s, -e> monopoly; **monopolisieren** *vt* monopolize.
monoton *adj* monotonous; **Monotonie** *f* monotony.
Monsun *m* <-s, -e> monsoon.
Montag *m* <-[e]s, -e> Monday; **am** ~ on Monday.
Montage *f* <-, -n> (FOTO) montage; (TECH) assembly; (*Einbauen*) fitting.
montags *adv* on Mondays, on a Monday.

Monteur(in) *m(f)* fitter.

montieren *vt* assemble, set up.

Monument *nt* monument; **monumental** *adj* monumental.

Moor *nt* <-[e]s, -e> moor.

Moos *nt* <-es, -e> moss.

Moped *nt* <-s, -s> moped.

Mopp[RR] *m* <-s, -s> mop.

Mops *m* <-es, Möpse> pug.

Moral *f* <-> morality; (*einer Geschichte*) moral; **moralisch** *adj* moral.

Moräne *f* <-, -n> moraine.

Morast *m* <-[e]s, -e> morass, mire; **morastig** *adj* boggy.

Mord *m* <-[e]s, -e> murder; **Mordanschlag** *m* assassination attempt.

Mörder(in) *m(f)* <-s, -> murderer/murderess.

Mordkommission *f* murder squad, homicide squad *US;* **Mordsglück** *nt* (*umg*) amazing luck; **mordsmäßig** *adj* (*umg*) terrific, enormous; **Mordsschreck** *m* (*umg*) terrible fright; **Mordverdacht** *m* suspicion of murder; **Mordwaffe** *f* murder weapon.

morgen *adv* tomorrow; ~ **früh** tomorrow morning.

Morgen *m* <-s, -> morning; **Morgenessen** *nt* (*CH*) breakfast; **Morgenmantel** *m,* **Morgenrock** *m* dressing gown; **Morgenröte** *f* dawn.

morgens *adv* in the morning.

morgig *adj* tomorrow's; **der ~e Tag** tomorrow.

Morphium *nt* morphine.

morsch *adj* rotten.

Morsealphabet *nt* Morse code; **morsen** *vi* send a message in Morse code.

Mörtel *m* <-s, -> mortar.

Mosaik *nt* <-s, -en *o* -e> mosaic.

Moschee *f* <-, -n> mosque.

Moskito *m* <-s, -s> mosquito.

Moslem *m* <-s, -s> Moslem; **moslemisch** *adj* Moslem; **Moslime** *f* <-, -n> Moslem.

Most *m* <-[e]s, -e> [unfermented] fruit juice; (*Apfelwein*) cider.

Motel *nt* <-s, -s> motel.

Motiv *nt* motive; (MUS) theme; **motivieren** *vt* motivate; **Motivierung** *f* motivation.

Motor *m* engine; (ELEK) motor; **Motorboot** *nt* motorboat; **Motorenöl** *nt* motor oil; **Motorhaube** *f* bonnet *Brit,* hood *US;* **motorisieren** *vt* motorize; **Motorrad** *nt* motorcycle; **Motorradfahrer(in)** *m(f)* motorcyclist; **Motorroller** *m* motor scooter; **Motorschaden** *m* engine trouble [*o* failure]; **Motorsport** *m* autosport.

Motte *f* <-, -n> moth; **Mottenkugel** *f,* **Mottenpulver** *nt* mothball[s].

Motto *nt* <-s, -s> motto.

Möwe *f* <-, -n> seagull.

Mücke *f* <-, -n> midge, gnat.

Mucken *pl* caprice; (*von Ding*) snag, bug; **seine ~ haben** be temperamental.

Mückenstich *m* midge [*o* gnat] bite.

mucksen *vr:* **sich** ~ (*umg*) budge; (*Laut geben*) open one's mouth.

müde *adj* tired; **Müdigkeit** *f* tiredness.

Muff *m* <-[e]s, -e> (*Handwärmer*) muff.

Muffel *m* <-s, -> (*umg*) killjoy, sourpuss.

muffig *adj* (*Geruch*) musty; (*Gesicht, Mensch*) grumpy.

Mühe *f* <-, -n> trouble, pains *pl;* **mit Müh und Not** with great difficulty; **sich** *dat* ~ **geben** go to a lot of trouble; **mühelos** *adj* without trouble, easy.

muhen *vi* moo.

mühevoll *adj* laborious, arduous.

Mühle *f* <-, -n> mill; (*Kaffee~*) grinder.

Mühsal *f* <-, -e> hardship, tribulation; **mühsam** *adj* troublesome; **mühselig** *adj* arduous, laborious.

Mulatte *m* <-n, -n>, **Mulattin** *f* mulatto.

Mulde *f* <-, -n> hollow, depression.

Mull *m* <-[e]s, -e> thin muslin; (MED) gauze.

Müll *m* <-[e]s> refuse; **Müllabfuhr** *f* rubbish disposal; **Müllabladeplatz** *m* rubbish dump.

Mullbinde *f* gauze bandage.

Müllcontainer *m* waste container; **Mülldeponie** *f* landfill site; **Mülleimer** *m* dustbin, garbage can *US.*

Müllhaufen *m* rubbish heap; **Müllkippe** *f* rubbish dump; **Mülltrennung** *f sorting and collecting waste products according to material;* **Müllverbrennungsanlage** *f* incinerating plant; **Müllwagen** *m* dustcart, garbage truck *US.*

mulmig *adj* uncomfortable; **jdm ist** ~ sb feels funny.

Multi *m* <-s, -s> multinational [organization].

multifunktional *adj* (INFORM) multi-function.

Multifunktionstastatur *f* (INFORM) multiple-function keyboard.

multikulturell *adj* mulicultural.

Multimedia- *in Zusammensetzungen* multimedia; **Multimedia-CD-ROM** *f* multimedia CD-ROM; **multimedial** *adj* multimedia.

multiplizieren *vt* multiply.

Multitasking *nt* <-> (INFORM) multitasking.

Mumie *f* mummy.

Mumm *m* <-s> (*umg*) gumption, nerve.

München *nt* Munich.

Mund *m* <-[e]s, Münder> mouth; **Mundart** *f* dialect.

Mündel *nt* <-s, -> ward.

münden *vi* flow (*in +akk* into).

mundfaul *adj* taciturn; **Mundfäule** *f* <-> (MED) stomatitis; **Mundgeruch** *m* bad breath; **Mundharmonika** *f* mouth organ.

mündig *adj* of age; **Mündigkeit** *f* majority.

mündlich *adj* oral.

Mundstück *nt* mouthpiece; (*Zigaretten~*) tip; **mundtot** *adj:* **jdn ~ machen** muzzle sb.

Mündung *f* mouth; (*Gewehr~*) muzzle.

Mundwasser *nt* mouthwash; **Mundwerk** *nt:* **ein großes ~ haben** have a big mouth; **Mundwinkel** *m* corner of the mouth.

Munition *f* ammunition; **Munitionslager** *nt* ammunition dump.

munkeln *vi* whisper, mutter.

Münster *nt* <-s, -> minster, cathedral.

munter *adj* lively; **Munterkeit** *f* liveliness.

Münze *f* <-, -n> coin; **münzen** *vt* coin, mint; **auf jdn gemünzt sein** be aimed at sb; **Münzfernsprecher** *m* callbox, pay phone *US*.

mürb[e] *adj* (*Gestein*) crumbly; (*Holz*) rotten; (*Gebäck*) crisp; **jdn ~ machen** wear sb down; **Mürb[e]teig** *m* shortcrust pastry.

murmeln *vt, vi* murmer, mutter.

Murmeltier *nt* marmot.

murren *vi* grumble.

mürrisch *adj* sullen.

Mus *nt* <-es, -e> puree.

Muschel *f* <-, -n> mussel; (*~schale*) shell.

Muse *f* <-, -n> muse.

Museum *nt* <-s, Museen> museum.

Musik *f* music; (*Kapelle*) band; **musikalisch** *adj* musical; **Musikbox** *f* <-, -en> jukebox; **Musiker(in)** *m(f)* <-s, -> musician; **Musikhochschule** *f* college of music; **Musikinstrument** *nt* musical instrument; **Musikkassette** *f* music cassette.

musizieren *vi* make music.

Muskat *m* <-[e]s> nutmeg; **Muskatblüte** *f* mace.

Muskel *m* <-s, -n> muscle; **Muskelkater** *m:* **einen ~ haben** be stiff.

Muskulatur *f* muscular system.

muskulös *adj* muscular.

Müsli *nt* <-s, -> muesli.

Muss[RR] *nt* <-> necessity, must.

Muße *f* <-> leisure.

müssen <musste, gemusst> *vi* must, have to; **er hat gehen ~** he [has] had to go.

müßig *adj* idle; **Müßiggang** *m* idleness.

musste[RR] *imperf von* **müssen**.

Muster *nt* <-s, -> model; (*Dessin*) pattern; (*Probe*) sample; **~ ohne Wert** free sample; **mustergültig** *adj* exemplary; **mustern** *vt* (*fig*) examine; (*Truppen*) inspect; **Musterschüler(in)** *m(f)* model pupil; **Musterung** *f* (*von Stoff*) pattern; (MIL) inspection.

Mut *m* <-[e]s> courage; **nur ~!** cheer up!; **jdm ~ machen** encourage sb; **wie ist dir zu ~e?**[RR] how do you feel?; **mutig** *adj* courageous; **mutlos** *adj* discouraged, despondent.

mutmaßlich **1.** *adj* presumed; **2.** *adv* probably.

Mutter **1.** *f* <-, Mütter> mother; **2.** *f* <-, -n> (*Schrauben~*) nut; **mütterlich** *adj* motherly; **mütterlicherseits** *adv* on the mother's side; **Mutterliebe** *f* motherly love; **Muttermal** *nt* <-[e]s, -e> birthmark, mole; **Mutterschaft** *f* motherhood, maternity; **Mutterschaftsurlaub** *m* maternity leave; **Mutterschutz** *m* maternity regulations *pl;* **mutterseelenallein** *adj* all alone; **Muttersprache** *f* native language; **Muttersprachler(in)** *m(f)* <-s, -> native speaker; **Muttertag** *m* Mother's Day.

mutwillig *adj* deliberate.

Mütze *f* <-, -n> cap.

MwSt *abk von* **Mehrwertsteuer** VAT.

mysteriös *adj* mysterious.

Mystik *f* mysticism; **Mystiker(in)** *m(f)* <-s, -> mystic.

Mythos *m* <-, Mythen> myth.

N

N, n *nt* N, n.
na *interj* well.
Nabel *m* <-s, -> navel; **Nabelschnur** *f* umbilical cord.
nach *präp +dat* after; (*in Richtung*) to; (*gemäß*) according to; ~ **oben/hinten** up/back; [**bitte**] ~ **Ihnen!** after you!; ~ **wie vor** still; ~ **und** ~ gradually; **dem Namen** ~ judging by his name; **nachäffen** *vt* ape; **nachahmen** *vt* imitate; **Nachahmung** *f* imitation.
Nachbar(**in**) *m(f)* <-n, -n> neighbour; **Nachbarhaus** *nt:* **im** ~ next door; **nachbarlich** *adj* neighbourly.
Nachbarschaft *f* neighbourhood; **Nachbarstaat** *m* neighbouring state.
nachbestellen *vt* reorder, order some more; **Nachbestellung** *f* (WIRTS) repeat order.
nachbilden *vt* copy; **Nachbildung** *f* imitation, copy.
nachblicken *vi* look [*o* gaze] after (*jdm* sb).
nachdatieren *vt* postdate.
nachdem *konj* after; (*weil*) since; **je** ~ [**ob**] it depends [whether].
nachdenken *irr vi* think (*über* +*akk* about); **nachdenklich** *adj* thoughtful.
Nachdruck 1. *m* emphasis; 2. *m* <Nachdrucke *pl*> (TYP) reprint; **nachdrücklich** *adj* emphatic.
nacheifern *vi* emulate (*jdm* sb).
nacheinander *adv* one after another [*o* the other].
nachempfinden *irr vt:* **jdm etw** ~ feel sth with sb.
Nacherzählung *f* retelling; (SCH) reproduction [of a story].
Nachfolge *f* succession; **nachfolgen** *vi* follow (*jdm/ einer Sache* sb/sth); **Nachfolger**(**in**) *m(f)* <-s, -> successor.
nachforschen *vt, vi* investigate; **Nachforschung** *f* investigation.
Nachfrage *f* inquiry; (WIRTS) demand; **nachfragen** *vi* inquire.
nachfühlen *vt:* **jdm etw** ~ fell sth with sb.
nachfüllen *vt* refill; **Nachfüllpackung** *f* refill [packet].
nachgeben *irr vi* yield.
Nachgebühr *f* surcharge; (POST) excess postage.
Nachgeburt *f* afterbirth.
nachgehen *irr vi* follow (*jdm* sb); (*erforschen*) inquire (*einer Sache* into sth); (*Uhr*) be slow.
Nachgeschmack *m* aftertaste.
nachgiebig *adj* soft, accommodating.
nachhaltig *adj* lasting; (*Widerstand*) persistent.
nachhelfen *irr vi* assist, help (*jdm* sb).
nachher *adv* afterwards.
Nachhilfeunterricht *m* extra tuition.
Nachholbedarf *m* need to catch up; **nachholen** *vt* catch up with; (*Versäumtes*) make up for.
Nachkomme *m* <-n, -n> descendant; **nachkommen** *irr vi* follow; (*einer Verpflichtung*) fulfil; **Nachkommenschaft** *f* descendants *pl.*
Nachkriegs- *in Zusammensetzungen* postwar; **Nachkriegszeit** *f* postwar period.
Nachlass[RR] *m* <-es, Nachlässe> (WIRTS) discount, rebate; (*Erbe*) estate.
nachlassen *irr* 1. *vt* (*Strafe*) remit; (*Summe*) take off; (*Schulden*) cancel; 2. *vi* decrease, ease off; (*Sturm a.*) die down; (*schlechter werden*) deteriorate; **er hat nachgelassen** he has got worse; **nachlässig** *adj* negligent, careless; **Nachlässigkeit** *f* negligence, carelessness.
nachlaufen *irr vi* run after, chase (*jdm* sb).
nachmachen *vt* imitate, copy (*jdm etw* sth from sb); (*fälschen*) counterfeit.
Nachmittag *m* afternoon; **am** ~, **nachmittags** in the afternoon; **heute** ~[RR] this afternoon; **nachmittags** *adv* in the afternoon.
Nachnahme *f* <-, -n> cash on delivery; **per** ~ C.O.D.
Nachname *m* surname.
Nachporto *nt* excess postage.
nachprüfen *vt* check, verify.
nachrechnen *vt* check.
Nachrede *f:* **üble** ~ (JUR) defamation of character.
Nachricht *f* <-, -en> [piece of] news *sing;* (*Mitteilung*) message; **Nachrichten** *pl* news *sing;* **Nachrichtenagentur** *f* news agency; **Nachrichtendienst** *m* (MIL) intelligence service; **Nachrichtensprecher**(**in**) *m(f)* newsreader; **Nachrichtentechnik** *f* telecommunications *sing.*
nachrücken *vi* move up.
Nachruf *m* obituary.
nachrüsten 1. *vt* (*Gerät, Auto*) refit; 2. *vi*

(MIL) re-equip, rearm.

nachsagen *vt* repeat; **jdm etw ~** (*fig*) accuse sb of sth.

nachschicken *vt* forward.

nachschlagen *irr* **1.** *vt* look up; **2.** *vi:* **jdm ~** take after sb; **Nachschlagewerk** *nt* reference book.

Nachschlüssel *m* duplicate key.

Nachschub *m* supplies *pl;* (*Truppen*) reinforcements *pl.*

nachsehen *irr* **1.** *vt* (*prüfen*) check; **2.** *vi* look after (*jdm* sb); (*erforschen*) look and see; **jdm etw ~** forgive sb sth; **das Nachsehen haben** come off worst.

nachsenden *irr vt* send on, forward.

Nachsicht *f* indulgence, leniency; **nachsichtig** *adj* indulgent, lenient.

nachsitzen *irr vi* (SCH) be kept in.

Nachspeise *f* dessert, sweet.

Nachspiel *nt* epilogue; (*fig*) sequel.

nachsprechen *irr vt* repeat (*jdm* after sb).

nächst *präp +dat* (*räumlich*) next to; (*außer*) apart from; **nächstbeste(r, s)** *adj* first that comes along; (*zweitbeste*) next best; **nächste(r, s)** *adj* next; **der Nächste[RR] bitte!** next please; (*nächstgelegen*) nearest; **Nächste(r)** *mf* (*fig: Mitmensch*) neighbour; **Nächstenliebe** *f* love for one's fellow men; **nächstens** *adv* shortly, soon; **nächstliegend** *adj* nearest; (*fig*) obvious; **nächstmöglich** *adj* next possible.

Nacht *f* <-, Nächte> night.

Nachteil *m* disadvantage; **nachteilig** *adj* disadvantageous.

Nachtessen *nt* (*CH*) supper.

Nachthemd *nt* nightdress.

Nachtigall *f* <-, -en> nightingale.

Nachtisch *m* dessert, sweet, pudding.

nächtlich *adj* nightly.

Nachtmahl *nt* (*A*) supper.

Nachtrag *m* <-[e]s, Nachträge> supplement; **nachtragen** *irr vt* carry (*jdm* after sb); (*zufügen*) add; **jdm etw ~** hold sth against sb; **nachtragend** *adj* resentful.

nachtrauern *vi:* **jdm/einer Sache ~** mourn the loss of sb/sth.

Nachtruhe *f* sleep; **nachts** *adv* by night; **Nachtschicht** *f* nightshift; **nachtsüber** *adv* during the night; **Nachttarif** *m* off-peak tariff; **Nachttisch** *m* bedside table; **Nachttopf** *m* chamberpot; **Nachtwächter** *m* night watchman.

Nachuntersuchung *f* checkup.

nachwachsen *irr vi* grow again.

Nachwehen *pl* afterpains *pl;* (*fig*) after-effects *pl.*

Nachweis *m* <-es, -e> proof; **nachweisbar** *adj* provable, demonstrable; **nachweisen** *irr vt* prove; **jdm etw ~** point sth out to sb; **nachweislich** *adj* evident, demonstrable.

nachwinken *vi* wave (*jdm* after sb).

nachwirken *vi* have after-effects; **Nachwirkung** *f* after-effect.

Nachwort *nt* appendix.

Nachwuchs *m* offspring; (*beruflich etc*) new recruits *pl.*

nachzahlen *vt, vi* pay extra.

nachzählen *vt* check.

Nachzahlung *f* additional payment; (*zurückdatiert*) back pay.

Nachzügler(in) *m(f)* <-s, -> latecomer.

Nacken *m* <-s, -> [nape of the] neck.

nackt *adj* naked; (*Tatsachen*) plain, bare; **Nacktheit** *f* nakedness.

Nadel *f* <-, -n> needle; (*Steck~*) pin; **Nadelbaum** *m* conifer; **Nadeldrucker** *m* stylus [*o* dot matrix] printer; **Nadelkissen** *nt* pincushion; **Nadelöhr** *nt* eye of a needle; **Nadelwald** *m* coniferous forest.

Nagel *m* <-s, Nägel> nail; **Nägel mit Köpfen machen** do the job properly; **Nagelfeile** *f* nailfile; **Nagelhaut** *f* cuticle; **Nagellack** *m* nail varnish; **Nagellackentferner** *m* <-s, -> nail polish [*o* varnish] remover; **nageln** *vt, vi* nail; **nagelneu** *adj* brand-new; **Nagelschere** *f* nail scissors *pl.*

nagen *vt, vi* gnaw; **Nagetier** *nt* rodent.

Nahaufnahme *f* close-up.

nah[e] **1.** *adj, adv* (*räumlich*) near[by]; (*Verwandte*) near; (*Freunde*) close; (*zeitlich*) near, close; **~ gehen[RR]** grieve (*jdm* sb); **~ kommen[RR]** get close (*jdm* to sb); **jdm etw ~ legen[RR]** suggest sth to sb; **~ liegen[RR]** be obvious; **~ liegend[RR]** obvious; **~ stehen[RR]** be close; **einer Sache ~ stehen[RR]** sympathize with sth; **~ stehend[RR]** close; **jdm zu ~ treten[RR]** offend sb; **2.** *präp +dat* near [to], close to.

Nähe *f* <-> nearness, proximity; (*Umgebung*) vicinity; **in der ~** close by; **aus der ~** from close to.

nahen *vi* draw near.

nähen *vt, vi* sew.

nähere(r, s) *adj* (*Erklärung, Erkundigung*) more detailed; **Nähere(s)** *nt* details *pl.*

Näherin *f* seamstress.

näherkommen *irr vi, vr:* **sich ~** get closer; **nähern** *vr:* **sich ~** approach;

Näherungswert *m* approximate value. **nahestehen** *irr vi s.* nahe; **nahestehend** *adj s.* nahe; **nahetreten** *irr vi s.* nahe.

Nähgarn *nt* thread; **Nähkasten** *m* workbox.

nahm *imperf von* **nehmen**.

Nähmaschine *f* sewing machine; **Nähnadel** *f* needle.

nähren *vt, vr:* **sich ~** feed; **Nährgehalt** *m* nutritional value; **nahrhaft** *adj* nourishing, nutritious; **Nährstoffe** *pl* nutrients *pl;* **Nahrung** *f* food; (*fig a.*) sustenance; **Nahrungskette** *f* food chain; **Nahrungsmittel** *nt* foodstuffs *pl;* **Nahrungsmittelindustrie** *f* food industry; **Nahrungssuche** *f* search for food; **Nährwert** *m* nutritional value.

Naht *f* <-, Nähte> seam; (MED) suture; (TECH) join; **nahtlos** *adj* seamless; **~ ineinander übergehen** follow without a gap.

Nahverkehr *m* local traffic; **Nahverkehrszug** *m* local train; **Nahziel** *nt* immediate objective.

naiv *adj* naive; **Naivität** *f* naivety.

Name *m* <-ns, -n> name; **im ~n von** on behalf of; **namens** *adv* by the name of; **Namensschild** *nt* (*zum Anstecken*) name tag; (*an Türen*) name plate; **namentlich 1.** *adj* by name; **2.** *adv* particularly, especially.

namhaft *adj* (*berühmt*) famed, renowned; (*beträchtlich*) considerable; **~ machen** name.

nämlich *adv* that is to say, namely; (*denn*) since; **der/die/das ~e** the same.

nannte *imperf von* **nennen**.

Napf *m* <-[e]s, Näpfe> bowl, dish.

Narbe *f* <-, -n> scar; **narbig** *adj* scarred.

Narkose *f* <-, -n> anaesthetic.

Narr *m* <-en, -en> fool; **narren** *vt* fool; **Närrin** *f* fool; **närrisch** *adj* foolish, crazy.

Narzisse *f* <-, -n> narcissus.

naschen *vt, vi* nibble; eat secretly; **naschhaft** *adj* fond of sweet things; **Naschkatze** *f* (*umg*) guzzler; **eine ~ sein** have a sweet tooth.

Nase *f* <-, -n> nose; **die ~ voll haben** (*umg*) have had enough (*von* of); **jdn an der ~ herumführen** (*umg*) pull the wool over sb's eyes; **Nasenbluten** *nt* <-s> nosebleed; **Nasenloch** *nt* nostril; **Nasenrücken** *m* bridge of the nose; **Nasentropfen** *pl* nose drops *pl;* **naseweis** *adj* pert, cheeky; (*neugierig*) nosey.

Nashorn *nt* rhinoceros.

nass[RR] *adj* wet; **Nässe** *f* <-> wetness; **nässen** *vi* (*Wunde*) weep, discharge; **nasskalt**[RR] *adj* wet and cold; **Nassrasur**[RR] *f* wet shave.

Nation *f* nation; **national** *adj* national; **Nationalhymne** *f* national anthem; **nationalisieren** *vt* nationalize; **Nationalismus** *m* nationalism; **Nationalist(in)** *m(f)* nationalist; **nationalistisch** *adj* nationalistic; **Nationalität** *f* nationality; **Nationalmannschaft** *f* national team; **Nationalrat** *m* (*A, CH*) National Assembly, parliament; **Nationalsozialismus** *m* national socialism.

Natrium *nt* sodium.

Natron *nt* <-s> soda.

Natter *f* <-, -n> adder.

Natur *f* nature; (*körperlich*) constitution; **Naturalien** *pl* natural produce; **in ~** in kind; **Naturalismus** *m* naturalism; **Naturerscheinung** *f* natural phenomenon [*o* event]; **naturfarben** *adj* natural coloured; **naturgemäß** *adj* natural; **Naturgesetz** *nt* law of nature; **Naturkatastrophe** *f* natural disaster.

natürlich 1. *adj* natural; **2.** *adv* naturally; **natürlicherweise** *adv* naturally, of course; **Natürlichkeit** *f* naturalness.

Naturprodukt *nt* natural product; **naturrein** *adj* natural, pure; **Naturschutz** *m* nature conservation; **Naturschutzgebiet** *nt* nature reserve; **Naturwissenschaft** *f* natural science; **Naturwissenschaftler(in)** *m(f)* scientist; **Naturzustand** *m* natural state.

nautisch *adj* nautical.

Navelorange *f* navel orange.

Navigation *f* navigation; **Navigationsfehler** *m* navigational error; **Navigationsinstrumente** *pl* navigation instruments *pl.*

Nazi *m* <-s, -s> Nazi.

Nebel *m* <-s, -> fog, mist; **nebelig** *adj* foggy, misty; **Nebelscheinwerfer** *m* foglamp; **Nebelschlussleuchte**[RR] *f* (AUTO) rear foglight.

neben *präp +akk o dat* next to; (*außer*) apart from, besides; **nebenan** *adv* next door; **Nebenanschluss**[RR] *m* (TEL) extension; **nebenbei** *adv* at the same time; (*außerdem*) additionally; (*beiläufig*) incidentally; **Nebenbeschäftigung** *f* sideline; **Nebenbuhler(in)** *m(f)* <-s, -> rival.

nebeneinander *adv* side by side; **~ le-**

N

gen[RR] put next to each other.

Nebeneingang *m* side entrance; **Nebenerscheinung** *f* side effect; **Nebenfach** *nt* subsidiary subject; **Nebenfluss**[RR] *m* tributary; **Nebengeräusch** *nt* (RADIO) noise *pl,* interference.

nebenher *adv* (*zusätzlich*) besides; (*gleichzeitig*) at the same time; (*daneben*) alongside; **nebenherfahren** *irr vi* drive alongside.

Nebenkosten *pl* extra charges *pl,* extras *pl;* **Nebenprodukt** *nt* by-product; **Nebenrolle** *f* minor part; **Nebensache** *f* side issue; **nebensächlich** *adj* minor, peripheral; **Nebensaison** *f* low season; **Nebenstraße** *f* side street; **Nebenwirkung** *f* side effect; **Nebenzimmer** *nt* adjoining room.

Necessaire, **Nessessär**[RR] *nt* <-s, -s> (*Näh~*) needlework box; (*Nagel~*) manicure case.

necken *vt* tease; **Neckerei** *f* teasing; **neckisch** *adj* coy; (*Einfall, Lied*) amusing.

Neffe *m* <-n, -n> nephew.

negativ *adj* negative; **Negativ** *nt* (FOTO) negative.

nehmen <nahm, genommen> *vt* take; **jdn zu sich** ~ take sb in; **sich ernst** ~ take oneself seriously; **nimm dir noch einmal** help yourself.

Neid *m* <-[e]s> envy; **Neider(in)** *m(f)* <-s, -> envious person; **neidisch** *adj* envious.

neigen 1. *vt* incline, lean; (*Kopf*) bow; **2.** *vi:* **zu etw** ~ tend to sth.

Neigung *f* (*des Geländes*) slope; (*Tendenz*) inclination; (*Vorliebe*) liking; **Neigungswinkel** *m* angle of inclination.

nein *adv* no.

Nektarine *f* nectarine.

Nelke *f* <-, -n> carnation; (*Gewürz*) clove.

nennen <nannte, genannt> *vt* name; (*mit Namen*) call; **nennenswert** *adj* worth mentioning; **Nenner** *m* <-s, -> (MATH) denominator; **Nennung** *f* naming; **Nennwert** *m* nominal value; (WIRTS) par.

Neon *nt* <-s> neon.

Neonazi *m* <-s, -s> Neo-nazi.

Neonlicht *nt* neon light; **Neonröhre** *f* neon tube.

Nerv *m* <-s, -en> nerve; **jdm auf die ~en gehen** get on sb's nerves; **nerven** *vt* (*umg*) irritate; **nervenaufreibend** *adj* nerve-racking; **Nervenbündel** *nt* bundel of nerves; **Nervenheilanstalt** *f* mental home; **nervenkrank** *adj* mentally ill; **Nervenschwäche** *f* neurasthenia; **Nervensystem** *nt* nervous system; **Nervenzusammenbruch** *m* nervous breakdown; **nervös** *adj* nervous; **Nervosität** *f* nervousness; **nervtötend** *adj* nerve-racking; (*Arbeit*) soul-destroying.

Nerz *m* <-es, -e> mink.

Nessel *f* <-, -n> nettle.

Nessessär[RR] *nt* <-s, -s> (*Näh~*) needlework box; (*Nagel~*) manicure case.

Nest *nt* <-[e]s, -er> nest; (*pej: Ort*) dump.

nesteln *vi* fumble [*o* fiddle] about (*an + dat* with).

Netsurfer(in) *m(f)* Net surfer.

nett *adj* nice; (*freundlich*) kind; **netterweise** *adv* kindly.

netto *adv* net.

Netz *nt* <-es, -e> net; (*Einkaufs~*) string bag; (*Spinnen~*) web; (*System,* INFORM) network; (*Strom*) grid; **ans ~ gehen** go into service, join up with the national grid; **jdm ins ~ gehen** (*fig*) fall into sb's trap; **Netzanschluss**[RR] *m* mains connection; **Netzgerät** *nt* power pack; **Netzhaut** *f* retina; **Netzkarte** *f* season ticket; **Netzwerk** *nt* (INFORM) network.

neu *adj* new; (*Sprache, Geschichte*) modern; **seit ~estem** [since] recently; **~ schreiben** rewrite, write again; **Neuanschaffung** *f* new purchase [*o* acquisition]; **neuartig** *adj* new kind of; **Neuauflage** *f,* **Neuausgabe** *f* new edition; **Neubau** *m* <Neubauten *pl*> new building; **Neueinsteiger(in)** *m(f)* newcomer; **neuerdings** *adv* (*kürzlich*) [since] recently; (*von neuem*) again; **Neuerung** *f* innovation; (*Reform*) reform.

Neugier *f* curiosity; **neugierig** *adj* curious.

Neuheit *f* novelty; **Neuigkeit** *f* news *sing;* **Neujahr** *nt* New Year; **neulich** *adv* recently, the other day; **Neuling** *m* newcomer; (*pej a.*) beginner, greenhorn; **Neumond** *m* new moon.

neun *num* nine; **neunfach 1.** *adj* ninefold; **2.** *adv* nine times; **neunhundert** *num* nine hundred; **neunjährig** *adj* (*9 Jahre alt*) nine-year-old; (*9 Jahre dauernd*) nine-year; **neunmal** *adv* nine times.

neunte(r, s) *adj* ninth; **der ~ September** the ninth of September; **Stuttgart, den 9. September** Stuttgart, September 9th; **Neunte(r)** *mf* ninth.

Neuntel *nt* <-s, -> (*Bruchteil*) ninth.

neuntens *adv* in the ninth place.

neunzehn *num* nineteen.

neunzig *num* ninety.

neureich *adj* nouveau riche.

Neurose *f* <-, -n> neurosis; **Neurotiker(in)** *m(f)* <-s, -> neurotic; **neurotisch** *adj* neurotic.

Neuseeland *nt* New Zealand; **Neuseeländer(in)** *m(f)* <-s, -> New Zealander; **neuseeländisch** *adj* New Zealand.

neutral *adj* neutral; **neutralisiern** *vt* neutralize; **Neutralität** *f* neutrality.

Neutron *nt* <-s, -en> neutron; **Neutronenbombe** *f* neutron bomb.

Neutrum *nt* <-s, -a *o* -en> neuter.

Neuwert *m* purchase price; **Neuzeit** *f* modern age; **neuzeitlich** *adj* modern, recent.

nicht 1. *adv* not; **2.** *präf* non-; ~ **wahr?** isn't it/he?, don't you?; ~ **doch!** don't!; ~ **berühren!** do not touch!; **was du ~ sagst!** the things you say!; **Nichtachtung** *f* disregard; **Nichtangriffspakt** *m* non-aggression pact.

Nichte *f* <-, -n> niece.

nichtig *adj* (*ungültig*) null, void; (*wertlos*) futile; **Nichtigkeit** *f* nullity, invalidity; (*Sinnlosigkeit*) futility.

Nichtraucher(in) *m(f)* non-smoker.

nichtrostend *adj* stainless.

nichts *pron* nothing; **für ~ und wieder ~** for nothing at all; ~ **ahnend**[RR] unsuspecting; ~ **sagend**[RR] meaningless; **Nichts** *nt* <-> nothingness; (*pej*) nonentity; **nichtsahnend** *adj s.* **nichts**; **nichtsdestoweniger** *adv* nevertheless; **Nichtsnutz** *m* <-es, -e> good-for-nothing; **nichtsnutzig** *adj* worthless, useless; (*unartig*) good-for-nothing; **nichtssagend** *adj s.* **nichts**; **Nichtstun** *nt* <-s> idleness.

Nickel *nt* <-s> nickel.

nicken *vi* nod.

Nickerchen *nt* nap.

nie *adv* never; ~ **wieder** [*o* **mehr**] never again; ~ **und nimmer** never ever.

nieder 1. *adj* low; (*gering*) inferior; **2.** *adv* down; **Niedergang** *m* decline; **niedergehen** *irr vi* descend; (FLUG) come down; (*Regen*) fall; (*Boxer*) go down; **niedergeschlagen** *adj* depressed, dejected; **Niedergeschlagenheit** *f* depression, dejection; **Niederlage** *f* defeat; (*Lager*) depot; (*Filiale*) branch; **Niederlande** *pl* Netherlands *pl;* **niederlassen** *irr vr:* **sich ~** (*sich setzen*) sit down; (*an Ort*) settle [down]; (*Arzt, Rechtsanwalt*) set up a practice; **Niederlassung** *f* settlement; (WIRTS) branch; **niederlegen** *vt* lay down; (*Arbeit*) stop; (*Amt*) resign; **Niedersachsen** *nt* <-s> Lower Saxony; **Niederschlag** *m* (CHEM) precipitate, sediment; (METEO) precipitation; rainfall; (BOXEN) knockdown; **niederschlagen** *irr* **1.** *vt* (*Gegner*) beat down; (*Gegenstand*) knock down; (*Augen*) lower; (JUR: *Prozess*) dismiss; (*Aufstand*) put down; **2.** *vr:* **sich ~** (CHEM) precipitate.

niederträchtig *adj* base, mean.

Niederung *f* (GEO) depression.

niedlich *adj* sweet, nice, cute *US.*

niedrig *adj* low; (*Stand*) lowly, humble; (*Gesinnung*) mean.

niemals *adv* never.

niemand *pron* nobody, no one; **Niemandsland** *nt* no-man's land.

Niere *f* <-, -n> kidney; **jdm an die ~n gehen** (*umg*) get sb down; **Nierenentzündung** *f* kidney infection.

nieseln *vi unpers* drizzle.

niesen *vi* sneeze.

Niet *m* <-[e]s, -e>, **Niete** *f* <-, -n> (TECH) rivet.

Niete *f* <-, -n> (*Los*) blank; (*Reinfall*) flop; (*pej: Mensch*) failure.

nieten *vt* rivet.

Nihilismus *m* nihilism; **Nihilist(in)** *m(f)* nihilist; **nihilistisch** *adj* nihilistic.

Nikotin *nt* <-s> nicotine; **nikotinarm** *adj* low in nicotine.

Nilpferd *nt* hippopotamus.

nimmersatt *adj* insatiable; **Nimmersatt** *m* <-[e]s, -e> glutton.

nippen *vt, vi* sip.

Nippsachen *pl* knick-knacks *pl.*

nirgends, **nirgendwo** *adv* nowhere.

Nische *f* <-, -n> niche.

nisten *vi* nest.

Nitrat *nt* nitrate.

Niveau *nt* <-s, -s> level.

Nixe *f* <-, -n> water nymph.

noch 1. *adv* still; (*in Zukunft*) still, yet; one day; (*außerdem*) else; **2.** *konj* nor; ~ **nie** never [yet]; ~ **nicht** not yet; **immer ~** still; ~ **heute** today; ~ **vor einer Woche** only a week ago; **und wenn es ~ so schwer ist** however hard it is; ~ **einmal** again; ~ **dreimal** three more times; ~ **und ~** heaps of; (*mit Verb*) again and again; **nochmalig** *adj* repeated; **nochmal[s]** *adv* again, once more.

Nockenwelle *f* camshaft.

Nominativ *m* nominative.

nominell *adj* nominal.

Noname(produkt) *nt* no-name (product).

Nonne *f* <-, -n> nun; **Nonnenkloster** *nt* convent.

Nordamerika *nt* North America; **norddeutsch** *adj* North German; **Norddeutschland** *nt* North[ern] Germany; **Norden** *m* <-s> north; (*von Land*) North; **Nordirland** *nt* Northern Ireland; **nordisch** *adj* (*Völker, Sprache*) nordic; **~e Kombination** (SKI) nordic combination; **nördlich 1.** *adj* northern; (*Kurs, Richtung*) northerly; **2.** *adv* [to the] north; **~ von Bonn** north of Bonn; **Nordosten** *m* north-east; (*von Land*) North-East; **Nordpol** *m* North Pole; **Nordrhein-Westfalen** *nt* <-s> North-Rhine Westphalia; **Nordsee** *f* North Sea; **Nordstaaten** *pl* (*von Amerika*) Northern States *pl*, North; **Nordwesten** *m* north-west; (*von Land*) North-West.

Nörgelei *f* grumbling; **nörgeln** *vi* grumble; **Nörgler(in)** *m(f)* <-s, -> grumbler.

Norm *f* <-, -en> norm; (*Größenvorschrift*) standard.

normal *adj* normal; **Normalbenzin** *nt* regular [petrol]; **normalerweise** *adv* normally; **normalisieren 1.** *vt* normalize; **2.** *vr:* **sich ~** return to normal.

normen *vt* standardize.

Norwegen *nt* Norway; **Norweger(in)** *m(f)* <-s, -> Norwegian; **norwegisch** *adj* Norwegian.

Not *f* <-, Nöte> need; (*Mangel*) want; (*Mühe*) trouble; (*Zwang*) necessity; **zur ~** if necessary; (*gerade noch*) just about; **~ leidend**[RR] needy.

Notar(in) *m(f)* notary; **notariell** *adj* notarial.

Notarzt *m* emergency doctor; **Notausgang** *m* emergency exit; **Notbehelf** *m* <-s, -e> makeshift; **Notbremse** *f* emergency brake; **notdürftig** *adj* scanty; (*behelfsmäßig*) makeshift.

Note *f* <-, -n> note; (SCH) mark.

Notebook *nt* <-[s], -s> note; (INFORM) notebook.

Notenblatt *nt* sheet of music; **Notenschlüssel** *m* clef; **Notenständer** *m* music stand.

Notfall *m* [case of] emergency; **notfalls** *adv* if need be; **notgedrungen** *adj* necessary, unavoidable; **etw ~ machen** be forced to do sth.

notieren *vt* note; (WIRTS) quote; **Notierung** *f* (WIRTS) quotation.

nötig *adj* necessary; **etw ~ haben** need sth.

nötigen *vt* compel, force.

nötigenfalls *adv* if necessary.

Notiz *f* <-, -en> note; (*Zeitungs~*) item; **~ nehmen** take notice; **Notizblock** *m* notepad; **Notizbuch** *nt* notebook; **Notizzettel** *m* piece of paper.

Notlage *f* crisis, emergency; **notlanden** *vi* make a forced [*o* emergency] landing; **Notlandung** *f* emergency landing; **notleidend** *adj s.* **Not**; **Notlösung** *f* temporary solution; **Notlüge** *f* white lie.

notorisch *adj* notorious.

Notruf *m* emergency call; **Notrufsäule** *f* emergency telephone; **Notrutsche** *f* escape chute; **Notstand** *m* state of emergency; **Notstandsgesetz** *nt* emergency law; **Notunterkunft** *f* emergency accommodation; **Notverband** *m* <Notverbände *pl*> emergency dressing; **Notwehr** *f* <-> self-defence.

notwendig *adj* necessary; **Notwendigkeit** *f* necessity.

Notzucht *f* rape.

Novelle *f* short story; (JUR) amendment.

November *m* <-[s], -> November; **im ~** in November; **16. ~ 1999** November 16th, 1999, 16th November 1999.

Nu *m:* **im ~** in an instant.

Nuance *f* <-, -n> nuance.

nüchtern *adj* sober; (*Magen*) empty; (*Urteil*) prudent; **Nüchternheit** *f* sobriety.

Nudel *f* <-, -n> noodle.

null *num* zero; (*Fehler*) no; (TEL) O, zero *US;* (SPORT) nil, nothing; (TENNIS) love; **~ Uhr** midnight; **~ und nichtig** null and void; **Null** *f* <-, -en> nought, zero; (*pej: Mensch*) dead loss; **Nulllösung**[RR] *f* (POL) zero option; **Nullpunkt** *m* zero; **auf dem ~** at zero; **Nullrunde** *f* zero payround; **Nulltarif** *m* free travel; (*Eintritt*) free admission; **zum ~** free of charge.

numerieren *vt s.* **nummerieren**.

numerisch *adj* numerical.

Numerus clausus *m* <-> (SCH) restricted entry.

Nummer *f* <-, -n> number; **nummerieren**[RR] *vt* number; **Nummernscheibe** *f* telephone dial; **Nummernschild** *nt* (AUTO) number plate, license plate *US*.

nun 1. *adv* now; **2.** *interj* well.

nur *adv* just, only.

Nürnberg *nt* Nuremberg.
Nuss[RR] *f* <-, Nüsse> nut; **Nussbaum**[RR] *m* walnut tree; **Nussknacker**[RR] *m* <-s, -> nutcracker.
Nüster *f* <-, -n> nostril.
Nutte *f* <-, -n> tart.
nutz, nütze *adj:* **zu nichts ~ sein** be useless; **nutzbar** *adj:* **~ machen** utilize; **Nutzbarmachung** *f* utilization; **nutzbringend** *adj* profitable; **nutzen, nützen 1.** *vt* use (*zu etw* for sth); **2.** *vi* be of use; **was nützt es?** what use is it?; **Nutzen** *m* usefulness; (*Gewinn*) profit; **von ~** useful.
nützlich *adj* useful; **Nützlichkeit** *f* usefulness.
nutzlos *adj* useless; **Nutzlosigkeit** *f* uselessness; **Nutznießer(in)** *m(f)* <-s, -> beneficiary.
Nymphe *f* <-, -n> nymph.

O

O, o *nt* O, o.
Oase *f* <-, -n> oasis.
ob *konj* if, whether; **~ das wohl wahr ist?** can that be true?; **und ~!** you bet!
Obacht *f:* **~ geben** pay attention.
ÖBB *f abk von* **Österreichische Bundesbahn** Austrian Federal Railway.
Obdach *nt* shelter, lodging; **obdachlos** *adj* homeless; **Obdachlose(r)** *mf* homeless person.
Obduktion *f* post-mortem; **obduzieren** *vt* do a post mortem on.
O-Beine *pl* bow [*o* bandy] legs *pl.*
oben *adv* above; (*in Haus*) upstairs; **~ erwähnt**[RR], **~ genannt**[RR] above-mentioned; **nach ~** up; **von ~** down; **~ ohne** topless; **jdn von ~ bis unten mustern** look sb up and down; **Befehl von ~** orders from above; **obenan** *adv* at the top; **obenauf 1.** *adv* up above, on top; **2.** *adj* (*munter*) in form; **obendrein** *adv* into the bargain; **obenerwähnt, obengenannt** *adj s.* **oben**.
Ober *m* <-s, -> waiter.
Oberarm *m* upper arm; **Oberarzt** *m*, **Oberärztin** *f* senior physician; **Oberaufsicht** *f* supervision; **Oberbefehl** *m* supreme command; **Oberbefehlshaber(in)** *m(f)* commander-in-chief; **Oberbegriff** *m* generic term; **Oberbekleidung** *f* outer clothing; **Oberbett** *nt* quilt; **Oberbürgermeister(in)** *m(f)* mayor; **Oberdeck** *nt* upper [*o* top] deck.
obere(r, s) *adj* upper; **die Oberen** *pl* the bosses *pl;* (REL) the superiors *pl.*
Oberfläche *f* surface; **oberflächlich** *adj* superficial.
Obergeschoss[RR] *nt* upper storey; **oberhalb** *adv, präp +gen* above; **Oberhaupt** *nt* head; (*Anführer*) leader; **Oberhaus** *nt* upper house; (*in Großbritannien*) House of Lords; **Oberhemd** *nt* shirt; **Oberherrschaft** *f* supremacy, sovereignty.
Oberin *f* matron; (REL) Mother Superior.
Oberkellner(in) *m(f)* head waiter/waitress; **Oberkiefer** *m* upper jaw; **Oberkommando** *nt* supreme command; **Oberkörper** *m* trunk, upper part of body; **Oberleitung** *f* direction; (ELEK) overhead cable; **Oberlicht** *nt* skylight; **Oberlid** *nt* upper lid; **Oberlippe** *f* upper lip.
Obers *nt* (*A*) cream.
Oberschenkel *m* thigh; **Oberschicht** *f* upper classes *pl;* **Oberschule** *f* grammar school *Brit,* high school *US;* **Oberschwester** *f* (MED) matron.
Oberst *m* <-en *o* -s, -e[n]> colonel.
oberste(r, s) *adj* very top, topmost.
Oberstufe *f* upper school, ≈ sixth-form *in Großbritannien;* **Oberteil** *nt* upper part; (*von Kleidung*) top; **Oberwasser** *nt:* **~ haben/bekommen** be/get on top [of things]; **Oberweite** *f* bust/chest measurement.
obgleich *konj* although.
Obhut *f* <-> care, protection; **in jds ~ sein** be in sb's care.
obig *adj* above.
Objekt *nt* <-[e]s, -e> object.
objektiv *adj* objective; **Objektiv** *nt* lens; **Objektivität** *f* objectivity.
obligatorisch *adj* compulsory, obligatory.
Oboe *f* <-, -n> oboe.
Obrigkeit *f* (*Behörden*) authorities *pl;* (*Regierung*) government.
obschon *konj* although.
Observatorium *nt* observatory.
obskur *adj* obscure; (*verdächtig*) dubious.
Obst *nt* <-[e]s> fruit; **Obstbau** *m* fruit-growing; **Obstbaum** *m* fruit tree; **Obstgarten** *m* orchard; **Obsthändler(in)** *m(f)* fruiterer, fruit merchant; **Obstkuchen** *m* fruit tart.
obszön *adj* obscene; **Obszönität** *f* obscenity.

obwohl *konj* although.

Ochse *m* <-n, -n> ox; **Ochsenschwanzsuppe** *f* oxtail soup; **Ochsenzunge** *f* oxtongue.

öd[e] *adj* waste, barren; (*fig*) dull; **Öde** *f* <-, -n> desert, waste[land]; (*fig*) tedium.

oder *konj* or.

Ofen *m* <-s, Öfen> oven; (*Heiz~*) fire, heater; (*Kohle~*) stove; (*Hoch~*) furnace; (*Herd*) cooker, stove; **Ofenrohr** *nt* stovepipe.

offen *adj* open; (*aufrichtig*) frank; (*Stelle*) vacant; ~ **gesagt** to be honest; ~ **bleiben**[RR] (*Fenster*) stay open; (*Frage, Entscheidung*) remain open; ~ **halten**[RR] keep open; ~ **lassen**[RR] leave open; ~ **stehen**[RR] be open; (*Rechnung*) be unpaid; **es steht Ihnen offen es zu tun** you are at liberty to do it.

offenbar *adj* obvious; **offenbaren** *vt* reveal, manifest; **Offenbarung** *f* (REL) revelation.

offenbleiben *vi s.* **offen**; **offenhalten** *vt s.* **offen**.

Offenheit *f* candour, frankness.

offenkundig *adj* well-known; (*klar*) evident; **offenlassen** *vt s.* **offen**; **offensichtlich** *adj* evident, obvious.

offensiv *adj* offensive; **Offensive** *f* offensive.

offenstehen *vt s.* **offen**.

öffentlich *adj* public; **Öffentlichkeit** *f* (*Leute*) public; (*einer Versammlung etc*) public nature; **in aller** ~ in public; **an die** ~ **dringen** reach the public ear; **Öffentlichkeitskampagne** *f* public relations campaign.

Offerte *f* <-, -n> offer.

offiziell *adj* official.

Offizier(in) *m(f)* <-s, -e> officer; **Offizierskasino** *nt* officers' mess.

Offlinebetrieb[RR] *m* (INFORM) off-line mode.

öffnen *vt, vr:* **sich** ~ open; **jdm die Tür** ~ open the door for sb; **Öffner** *m* <-s, -> opener; **Öffnung** *f* opening; **Öffnungszeiten** *pl* opening times *pl.*

oft *adv* often; **öfter** *adv* more often [*o* frequently]; **öfters** *adv* often, frequently.

ohne *konj, präp +akk* without; **das ist nicht** ~ (*umg*) it's not bad; ~ **weiteres** without a second thought; (*sofort*) immediately; **ohnedies** *adv* anyway; **ohnegleichen** *adj* unsurpassed, without equal; **ohnehin** *adv* anyway, in any case.

Ohnmacht *f* <Ohnmachten *pl*> faint; (*fig*) impotence; **in** ~ **fallen** faint; **ohnmächtig** *adj* unconscious; (*fig*) impotent; **sie ist** ~ she has fainted.

Ohr *nt* <-[e]s, -en> ear; (*Gehör*) hearing.

Öhr *nt* <-[e]s, -e> eye.

Ohrenarzt *m,* **Ohrenärztin** *f* ear specialist; **ohrenbetäubend** *adj* deafening; **Ohrenschmalz** *nt* earwax; **Ohrenschmerzen** *pl* earache; **Ohrenschützer** *m* <-s, -> earmuff; **Ohrfeige** *f* slap [on the face]; **ohrfeigen** *vt:* **jdn** ~ slap sb's face; box sb's ears; **Ohrläppchen** *nt* ear lobe; **Ohrring** *m* earring; **Ohrwurm** *m* earwig; (MUS) catchy tune.

okkupieren *vt* occupy.

Ökologe *m* <-n, -n> ecologist; **Ökologie** *f* ecology; **Ökologin** *f* ecologist; **ökologisch** *adj* ecological; **~es Gleichgewicht** ecological balance.

ökonomisch *adj* economical.

Ökopartei *f* ecology party; **Ökopax** *m* <-en, -en> *pacifist member of the ecology movement;* **Ökosteuer** *f* ecotax; **Ökosystem** *nt* ecosystem.

Oktanzahl *f* (*bei Benzin*) octane rating.

Oktave *f* <-, -n> octave.

Oktober *m* <-[s], -> October; **im** ~ in October; **3.** ~ **1999** October 3rd, 1999, 3rd October 1999.

ökumenisch *adj* ecumenical.

Öl *nt* <-[e]s, -e> oil; **Ölbaum** *m* olive tree; **ölen** *vt* oil; (TECH) lubricate; **Ölfarbe** *f* oil paint; **Ölfeld** *nt* oilfield; **Ölfilm** *m* film of oil; **Ölfilter** *m* oil filter; **Ölheizung** *f* oil-fired central heating; **ölig** *adj* oily.

oliv *adj inv* olive-green; **Olive** *f* <-, -n> olive.

Ölmessstab[RR] *m* dipstick; **Ölpest** *f* oil pollution; **Ölsardine** *f* sardine; **Ölscheich** *m* oil sheik[h]; **Ölstandanzeiger** *m* (AUTO) oil gauge; **Ölteppich** *m* oil slick; **Ölung** *f* oiling; **die Letzte** ~ (REL) the extreme unction; **Ölwechsel** *m* oil change.

Olympiade *f* Olympic Games *pl;* **Olympiasieger(in)** *m(f)* Olympic champion; **Olympiateilnehmer(in)** *m(f)* Olympic competitor; **olympisch** *adj* Olympic.

Ölzeug *nt* oilskins *pl.*

Oma *f* <-, -s> (*umg*) granny.

Omelett *nt* <-[e]s, -s>, **Omelette** *f* omlet[te].

Omen *nt* <-s, – *o* Omina> omen.

Omnibus *m* [omni]bus.

onanieren *vi* masturbate.

Onkel *m* <-s, -> uncle.

Onlinebetrieb[RR] *m* (INFORM) on-line mode; **Onlinebibliothek**[RR] *f* on-line library.

Opa *m* <-s, -s> (*umg*) grandad, grandpa.

Opal *m* <-s, -e> opal.

Openair[RR] *nt* open-air concert.

Oper *f* <-, -n> opera; (*Gebäude*) opera house.

Operation *f* operation; **Operationssaal** *m* operating theatre.

Operette *f* operetta.

operieren 1. *vi* operate; **2.** *vt* operate on.

Opernglas *nt* opera glasses *pl;* **Opernhaus** *nt* opera house; **Opernsänger(in)** *m(f)* opera singer.

Opfer *nt* <-s, -> sacrifice; (*Mensch*) victim; **opfern 1.** *vt* sacrifice; **2.** *vr:* **sich ~** sacrifice oneself; (*fig umg*) be a martyr; **Opferstock** *m* (REL) offertory box; **Opferung** *f* sacrifice.

Opium *nt* <-s> opium.

opponieren *vi* oppose (*gegen jdn/etw* sb/sth).

opportun *adj* opportune; **Opportunismus** *m* opportunism; **Opportunist(in)** *m(f)* opportunist.

Opposition *f* opposition; **oppositionell** *adj* opposing.

Optik *f* optics *sing;* **Optiker(in)** *m(f)* <-s, -> optician.

optimal *adj* optimal, optimum; **optimieren** *vt* optimize.

Optimismus *m* optimism; **Optimist(in)** *m(f)* optimist; **optimistisch** *adj* optimistic.

Optimum *nt* <-s> optimum.

optisch *adj* optical.

Orakel *nt* <-s, -> oracle.

orange *adj inv* orange; **Orange** *f* <-, -n> orange; **Orangeade** *f* orangeade; **Orangeat** *nt* candied peel; **Orangenmarmelade** *f* marmalade; **Orangensaft** *m* orange juice; **Orangenschale** *f* orange peel.

Orchester *nt* <-s, -> orchestra.

Orchidee *f* <-, -n> orchid.

Orden *m* <-s, -> (REL) order; (MIL) decoration; **Ordensschwester** *f* nun.

ordentlich 1. *adj* (*anständig*) respectable; (*geordnet*) tidy, neat; (*umg: annehmbar*) not bad; (*umg: tüchtig*) proper; **2.** *adv* properly; **~er Professor** [full] professor.

Ordinalzahl *f* ordinal number.

ordinär *adj* common, vulgar.

ordnen *vt* order.

Ordner *m* <-s, -> steward; (WIRTS: *Aktien~*) file.

Ordnung *f* order; (*Ordnen*) ordering; (*Geordnetsein*) tidiness; **ordnungsgemäß** *adj* proper, according to the rules; **ordnungshalber** *adv* as a matter of form; **Ordnungsliebe** *f* liking things to be tidy; **Ordnungsstrafe** *f* fine; **ordnungswidrig** *adj* contrary to the rules, irregular; **Ordnungszahl** *f* ordinal number.

Organ *nt* <-s, -e> organ; (*Stimme*) voice.

Organisation *f* organisation; **Organisationstalent** *nt* organizing ability; (*Mensch*) good organizer; **Organisator(in)** *m(f)* organizer.

organisch *adj* organic.

organisieren 1. *vt* organize, arrange; (*umg: beschaffen*) acquire; **2.** *vr:* **sich ~** organize.

Organismus *m* organism.

Organist(in) *m(f)* organist.

Organverpflanzung *f* transplantation [of organs].

Orgasmus *m* orgasm.

Orgel *f* <-, -n> organ; **Orgelpfeife** *f* organ pipe; **wie die ~n stehen** stand in order of height.

Orgie *f* orgy.

Orient *m* <-s> Orient, East; **Orientale** *m* <-n, -n>, **Orientalin** *f* person from the Middle East; **orientalisch** *adj* oriental.

orientieren 1. *vt* (*örtlich*) locate; (*fig*) inform; **2.** *vr:* **sich ~** find one's way [*o* bearings]; inform oneself; **Orientierung** *f* orientation; (*fig*) information; **Orientierungssinn** *m* sense of direction.

original *adj* original; **Original** *nt* <-s, -e> original; **Originalfassung** *f* original soundtrack; **Originalität** *f* originality; **Originalton** *m* original soundtrack.

originell *adj* original.

Orkan *m* <-[e]s, -e> hurricane.

Ornament *nt* decoration, ornament; **ornamental** *adj* decorative, ornamental.

Ort *m* <-[e]s, -e *o* Örter> place; (*Dorf*) village; **an ~ und Stelle** on the spot; **orten** *vt* locate.

orthodox *adj* orthodox.

Orthografie[RR], **Orthographie** *f* spelling, orthography; **orthografisch**[RR], **orthographisch** *adj* orthographic.

Orthopäde *m* <-n, -n> orthopaedic specialist, orthopaedist; **Orthopädie** *f* orthopaedics *sing;* **Orthopädin** *f* orthopaedic specialist, orthopaedist; **orthopä-**

disch *adj* orthopaedic.

örtlich *adj* local; **Örtlichkeit** *f* locality.

Ortsangabe *f* [name of the] town; **ortsansässig** *adj* local; **Ortschaft** *f* village, small town; **ortsfremd** *adj* non-local; **Ortsgespräch** *nt* local [phone]call; **Ortsname** *m* place name; **Ortsnetz** *nt* (TEL) local telephone exchange area; **Ortssinn** *m* sense of direction; **Ortszeit** *f* local time.

Ortung *f* locating.

Öse *f* <-, -n> loop, eye.

Ostblock *m* (HIST) Eastern bloc; **Osten** *m* <-s> east; (*von Land*) East; **der Nahe** ~ the Middle East; **der Mittlere** ~ the Middle East; **der Ferne** ~ the Far East.

ostentativ *adj* pointed, ostentatious.

Osterei *nt* Easter egg; **Osterfest** *nt* Easter; **Osterglocke** *f* daffodil; **Osterhase** *m* Easter bunny; **Ostermontag** *m* Easter Monday; **Ostern** *nt* <-, -> Easter.

Österreich *nt* Austria; **in** ~ in Austria; **nach** ~ **fahren** go to Austria; **Österreicher(in)** *m(f)* <-s, -> Austrian; **österreichisch** *adj* Austrian.

Ostersonntag *m* Easter Day, Easter Sunday.

östlich 1. *adj* eastern; (*Kurs, Richtung*) easterly; 2. *adv* [to the] east; ~ **von Ulm** east of Ulm; **Ostsee** *f* Baltic Sea.

oszillieren *vi* oscillate.

O-Ton *m* original soundtrack.

Otter 1. *m* <-s, -> (*Fisch~*) otter; 2. *f* <-, -n> (*Schlange*) adder.

out *adj* (*umg*) out.

Ouvertüre *f* <-, -n> overture.

oval *adj* oval.

Overheadprojektor *m* overhead projector.

Overkill *m* <-s> overkill.

Ovulation *f* ovulation.

Oxyd *nt* <-[e]s, -e> oxide; **oxydieren** *vt, vi* oxidize.

Ozean *m* <-s, -e> ocean; **Ozeandampfer** *m* [ocean-going] liner; **ozeanisch** *adj* oceanic.

Ozon *nt* <-s> ozone; **Ozonloch** *nt* hole in the ozone layer; **Ozonschicht** *f* ozone layer; **Ozonschild** *m* ozone barrier, ozone shield.

P

P, p *nt* P, p.

paar *adj inv:* **ein** ~ a few.

Paar *nt* <-[e]s, -e> pair; (*Ehe~*) couple; **paaren** *vt, vr:* **sich** ~ (*Tiere*) mate, pair; **Paarlauf** *m* pair skating.

paarmal *adv:* **ein** ~ a few times.

Paarung *f* combination; (*Kopulation*) mating; **paarweise** *adv* in pairs; in couples.

Pacht *f* <-, -en> lease; **pachten** *vt* lease; **Pächter(in)** *m(f)* <-s, -> leaseholder, tenant.

Pack 1. *m* <-[e]s, -e> bundle, pack; 2. *nt* <-[e]s> (*pej*) mob, rabble.

Päckchen *nt* small package; (*Zigaretten~*) packet; (*Post~*) small parcel.

packen *vt* pack; (*fassen*) grasp, seize; (*umg: schaffen*) manage; (*fig: fesseln*) grip.

Packen *m* <-s, -> bundle; (*fig: Menge*) heaps *pl* of.

Packesel *m* (*fig*) packhorse; **Packpapier** *nt* brown paper, wrapping paper.

Packung *f* packet; (*Pralinen~*) box; (MED) compress.

Pädagoge *m* <-n, -n> teacher; **Pädagogik** *f* education; **Pädagogin** *f* teacher; **pädagogisch** *adj* educational; **~e Hochschule** college of education.

Paddel *nt* <-s, -> paddle; **Paddelboot** *nt* canoe; **paddeln** *vi* paddle.

paffen *vt, vi* puff.

Page *m* <-n, -n> page; **Pagenkopf** *m* pageboy.

Paillette *f* sequin.

Paket *nt* <-[e]s, -e> packet; (*Post~*) parcel; (INFORM) package; **Paketkarte** *f* dispatch form; **Paketpost** *f* parcel post; **Paketschalter** *m* parcels counter.

Pakistan *nt* Pakistan.

Pakt *m* <-[e]s, -e> pact.

Palast *m* <-es, Paläste> palace.

Palästina *nt* Palestine; **Palästinenser(in)** *m(f)* <-s, -> Palestinian.

Palette *f* (*Malerei*) palette; (*Lade~*) pallet; (*Vielfalt*) range.

Palme *f* <-, -n> palm [tree]; **Palmsonntag** *m* Palm Sunday.

Palmtop *nt* palmtop.

Pampelmuse *f* <-, -n> grapefruit.

pampig *adj* (*umg: frech*) fresh; (*breiig*) gooey.

panieren *vt* (GASTR) coat with egg and breadcrumbs; **Paniermehl** *nt* breadcrumbs *pl.*

Panik *f* panic; **panisch** *adj* panic-stricken.

Panne *f* <-, -n> (AUTO) breakdown; (*Missgeschick*) slip; **Pannendienst** *m,* **Pannenhilfe** *f* breakdown [*o* rescue] service.

panschen 1. *vi* splash about; **2.** *vt* (*Wein*) adulterate; (*verwässern*) water down.

Panter[RR], **Panther** *m* <-s, -> panther.

Pantoffel *m* <-s, -n> slipper; **Pantoffelheld** *m* (*pej*) henpecked husband.

Pantomime *f* <-, -n> mime.

Panzer *m* <-s, -> armour; (*Platte*) armour plate; (*Fahrzeug*) tank; **Panzerglas** *nt* bulletproof glass; **panzern** *vt, vr:* **sich ~** armour; (*fig*) arm oneself; **Panzerschrank** *m* strongbox.

Papa *m* <-s, -s> (*umg*) dad, daddy.

Papagei *m* <-s, -en> parrot.

Papaya *f* <-, -s> papaya.

Papier *nt* <-s, -e> paper; (*Wert~*) share; **Papierfabrik** *f* paper mill; **Papiergeld** *nt* paper money; **Papierkorb** *m* wastepaper basket; **Papierkrieg** *m* red tape; **Papiertüte** *f* paper bag; **Papiervorschub** *m* (*bei Drucker*) paper feed.

Pappbecher *m* paper cup; **Pappdeckel** *m,* **Pappe** *f* <-, -n> cardboard; **Pappeinband** *m* <Pappeinbände *pl*> pasteboard.

Pappel *f* <-, -n> poplar.

Pappenstiel *m:* **keinen ~ wert sein** (*umg*) not be worth a thing; **für einen ~ bekommen** get for a song.

papperlapapp *interj* rubbish.

pappig *adj* sticky.

Pappmaché, **Pappmaschee**[RR] *nt* <-s, -s> papier-mâché; **Pappteller** *m* paper plate.

Paprika *m* <-s, -s> (*Gewürz*) paprika; (*~schote*) pepper.

Papst *m* <-[e]s, Päpste> pope; **päpstlich** *adj* papal.

Parabel *f* <-, -n> parable; (MATH) parabola.

Parade *f* (MIL) parade, review; (SPORT) parry.

Paradeiser *m* <-s, -> (*A*) tomato.

Parademarsch *m* march-past; **Paradeschritt** *m* goose-step.

Paradies *nt* <-es, -e> paradise; **paradiesisch** *adj* heavenly.

paradox *adj* paradoxical; **Paradox** *nt* <-es, -e> paradox.

Paragraf[RR], **Paragraph** *m* <-en, -en> paragraph; (JUR) section.

parallel *adj* parallel; **Parallele** *f* <-, -n> parallel; **Parallelrechner** *f* parallel computer; **Parallelverarbeitung** *f* multiprocessing.

Parameter *m* parameter.

paramilitärisch *adj* paramilitary.

Paranuss[RR] *f* Brazil nut.

paraphieren *vt* (*Vertrag*) initial.

Parasit *m* <-en, -en> (*a. fig*) parasite.

parat *adj* ready.

Pärchen *nt* couple.

Parfum *nt,* **Parfüm** *nt* <-s, -s *o* -e> perfume; **Parfümerie** *f* perfumery; **Parfümflasche** *f* scent bottle; **parfümieren** *vt* scent, perfume.

parieren 1. *vt* parry; **2.** *vi* (*umg*) obey.

Parität *f* (*a.* INFORM) parity.

Park *m* <-s, -s> park.

Park-and-ride-System *nt* park-and-ride system.

Parkanlage *f* park; (*um Gebäude*) grounds *pl.*

parken *vt, vi* park.

Parkett *nt* <-[e]s, -e> parquet [floor]; (THEAT) stalls *pl.*

Parkhaus *nt* multi-storey car park; **Parkkralle** *f* (AUTO) wheel clamp; **Parklücke** *f* parking space; **Parkplatz** *m* (*für ein Auto*) parking place; (*für mehrere Autos*) car park, parking lot *US;* **Parkscheibe** *f* parking disc; **Parkuhr** *f* parking meter; **Parkverbot** *nt* no parking.

Parlament *nt* parliament; **Parlamentarier(in)** *m(f)* <-s, -> parliamentarian; **parlamentarisch** *adj* parliamentary; **Parlamentsmitglied** *nt* member of parliament.

Parodie *f* parody; **parodieren** *vt* parody.

Parole *f* <-, -n> password; (*Wahlspruch*) motto.

Partei *f* party; **für jdn ~ ergreifen** take sb's side; **Parteiführung** *f* party leadership; **parteiisch** *adj* partial, biased; **parteilos** *adj* independent; **Parteimitglied** *nt* party member; **Parteinahme** *f* <-, -n> support, taking the part of; **Parteitag** *m* party conference; **Parteivorsitzende(r)** *mf* party chairperson.

Parterre *nt* <-s, -s> ground floor; (THEAT) stalls *pl.*

Partie *f* part; (*Spiel*) game; (*Ausflug*) outing; (*Mann, Frau*) catch; (WIRTS) lot; **mit von der ~ sein** join in.

Partikel *f* <-, -n> particle.

Partisan *m* <-s *o* -en, -en>, **Partisanin** *f* partisan.

Partitur *f* (MUS) score.

Partizip *nt* <-s, -ien> participle.

Partner(in) *m(f)* <-s, -> partner; **part-**

nerschaftlich *adj* as partners; **Partnerstadt** *f* twin town.

Party *f* <-, -s> party.

Parzelle *f* plot, allotment.

Pass[RR] *m* <-es, Pässe> pass; (*Ausweis*) passport.

passabel *adj* passable, reasonable.

Passage *f* <-, -n> passage.

Passagier *m* <-s, -e> passenger; **Passagierdampfer** *m* passenger steamer; **Passagierflugzeug** *nt* airliner.

Passamt[RR] *nt* passport office.

Passant(in) *m(f)* passer-by.

Passbild[RR] *nt* passport photo[graph].

passen *vi* fit; (*Farbe*) go (*zu* with); (*auf Frage*) pass; **das passt mir nicht** that doesn't suit me; **er passt nicht zu dir** he's not right for you; **passend** *adj* suitable; (*zusammen~*) matching; (*angebracht*) fitting; (*Zeit*) convenient.

passierbar *adj* passable.

passieren 1. *vt* pass; (*durch Sieb*) strain; **2.** *vi* happen; **Passierschein** *m* pass, permit.

Passion *f* passion; **passioniert** *adj* enthusiastic, passionate; **Passionsspiel** *nt* Passion Play.

passiv *adj* passive; **Passiv** *nt* passive; **Passiva** *pl* (WIRTS) liabilities *pl;* **Passivität** *f* passiveness; **Passivrauchen** *nt* passive smoking.

Passkontrolle[RR] *f* passport control; **Passstraße**[RR] *f* [mountain] pass; **Passwort**[RR] *nt* (INFORM) password, keyword; **Passzwang**[RR] *m* requirement to carry a passport.

Paste *f* <-, -n> paste.

Pastell *nt* <-[e]s, -e> pastel.

Pastete *f* <-, -n> pie.

pasteurisieren *vt* pasteurize.

Pastor(in) *m(f)* vicar; (*von Freikirchen*) pastor, minister.

Pate *m* <-n, -n> godfather; **Patenkind** *nt* godchild.

patent *adj* clever.

Patent *nt* <-[e]s, -e> patent; **Patentamt** *nt* patent office; **patentieren** *vt* patent; **Patentinhaber(in)** *m(f)* patentee; **Patentrezept** *nt* patent remedy; **Patentschutz** *m* patent right.

Pater *m* <-s, – *o* Patres> Father.

pathetisch *adj* emotional.

Pathologe *m* <-n, -n>, **Pathologin** *f* pathologist; **pathologisch** *adj* pathological.

Pathos *nt* <-> emotiveness, emotionalism.

Patient(in) *m(f)* patient.

Patin *f* godmother.

Patina *f* <-> patina.

Patriarch(in) *m(f)* <-en, -en> patriarch; **patriarchalisch** *adj* patriarchal.

Patriot(in) *m(f)* <-en, -en> patriot; **patriotisch** *adj* patriotic; **Patriotismus** *m* patriotism.

Patrone *f* <-, -n> cartridge; **Patronenhülse** *f* cartridge case.

Patrouille *f* <-, -n> patrol; **patrouillieren** *vi* patrol.

Patsche *f* <-, -n> (*umg: Händchen*) paw; (*Fliegen~*) swat; (*Bedrängnis*) mess, jam; **patschnass**[RR] *adj* soaking wet.

patzig *adj* (*umg*) cheeky, saucy.

Pauke *f* <-, -n> kettledrum; **auf die ~ hauen** live it up; **pauken** *vt, vi* (SCH) swot, cram; **Pauker(in)** *m(f)* <-s, -> (*umg*) teacher.

pausbäckig *adj* chubby-cheeked.

pauschal *adj* (*Kosten*) inclusive; (*Urteil*) sweeping; **Pauschale** *f* <-, -n>, **Pauschalgebühr** *f* flat rate [charge]; **Pauschalpreis** *m* flat rate; **Pauschalreise** *f* package tour; **Pauschalsumme** *f* lump sum.

Pause *f* <-, -n> break; (THEAT) interval; (*Innehalten*) pause; (*Durchzeichnung*) tracing; **pausen** *vt* trace; **pausenlos** *adj* non-stop; **Pausenzeichen** *nt* call sign; (MUS) rest; **Pauspapier** *nt* tracing paper.

Pavian *m* <-s, -e> baboon.

Pay-TV *nt* pay TV.

Pazifik *m* <-s> Pacific [Ocean].

Pazifist(in) *m(f)* pacifist; **pazifistisch** *adj* pacifist.

PC *m* <-s, -s> *abk von* Personalcomputer PC.

PDS *f* <-> *abk von* Partei des Demokratischen Sozialismus Democratic Socialist Party.

Pech *nt* <-s, -e> pitch; (*fig*) bad luck; **~ haben** be unlucky; **pechschwarz** *adj* pitch-black; **Pechsträhne** *m* (*umg*) unlucky patch; **Pechvogel** *m* (*umg*) unlucky person.

Pedal *nt* <-s, -e> pedal.

Pedant(in) *m(f)* pedant; **Pedanterie** *f* pedantry; **pedantisch** *adj* pedantic.

Peddigrohr *nt* cane.

Pegel *m* <-s, -> water gauge; **Pegelstand** *m* water level.

peilen *vt* get a fix on.

Pein *f* <-> agony, pain; **peinigen** *vt* torture; (*plagen*) torment.

peinlich *adj* (*unangenehm*) embarrassing, awkward; (*genau*) painstaking.

Peitsche *f* <-, -n> whip; **peitschen** *vt* whip; (*Regen*) lash.

Pelikan *m* <-s, -e> pelican.

Pelle *f* <-, -n> skin; **pellen** *vt* skin, peel; **Pellkartoffeln** *pl* potatoes *pl* boiled in their jackets.

Pelz *m* <-es, -e> fur.

Pendel *nt* <-s, -> pendulum; **Pendelverkehr** *m* shuttle traffic; (*für Pendler*) commuter traffic; **Pendler(in)** *m(f)* <-s, -> commuter.

penetrant *adj* sharp; (*Mensch*) pushing.

Penis *m* <-, -se> penis.

Pension *f* (*Geld*) pension; (*Ruhestand*) retirement; (*für Gäste*) boarding house, guest-house; **halbe/volle** ~ half/full board; **Pensionär(in)** *m(f)* pensioner; **pensionieren** *vt* pension [off]; **pensioniert** *adj* retired; **Pensionierung** *f* retirement; **Pensionsgast** *m* boarder, [paying] guest.

Pensum *nt* <-s, Pensen> workload; (SCH) curriculum; **tägliches** ~ daily quota.

Penthaus *nt* penthouse.

per *präp +akk* by, per; (*pro*) per; (*bis*) by.

perfekt *adj* perfect.

Perfekt *nt* <-[e]s, -e> perfect.

Perfektionismus *m* perfectionism.

perforieren *vt* perforate.

Pergament *nt* parchment; **Pergamentpapier** *nt* greaseproof paper.

Periode *f* <-, -n> period; **periodisch** *adj* periodic; (*dezimal*) recurring.

Peripherie *f* periphery; (*um Stadt*) outskirts *pl;* (MATH) circumference; (INFORM) periphery; **Peripheriegerät** *nt* (INFORM) peripheral.

Perle *f* <-, -n> (*a. fig*) pearl; **perlen** *vi* sparkle; (*Tropfen*) trickle; **Perlmutt** *nt* <-s> mother-of-pearl.

perplex *adj* dumbfounded.

Persianer *m* <-s, -> Persian lamb [coat].

Person *f* <-, -en> person; **zehn ~en** ten people; **ich für meine** ~ personally I; **klein von** ~ of small build.

Personal *nt* <-s> personnel; (*Bedienung*) servants *pl;* **Personalabteilung** *f* personnel [department]; **Personalausweis** *m* identity card.

Personalcomputer[RR] *m* personal computer.

Personalien *pl* particulars *pl.*

Personalpronomen *nt* personal pronoun.

Personenaufzug *m* lift, elevator *US;* **Personenkraftwagen** *m* car; **Personenkreis** *m* group of people; **Personenschaden** *m* injury to persons; **Personenwaage** *f* scales *pl;* **Personenzug** *m* stopping train, passenger train.

personifizieren *vt* personify.

persönlich 1. *adj* personal; **2.** *adv* personally; (*auf Briefen*) private; (*selbst*) in person; **Persönlichkeit** *f* personality.

Perspektive *f* perspective.

Perücke *f* <-, -n> wig.

pervers *adj* perverted; **Perversität** *f* perversity.

Pessimismus *m* pessimism; **Pessimist(in)** *m(f)* pessimist; **pessimistisch** *adj* pessimistic.

Pest *f* <-> plague.

Pestizid *nt* <-s, -e> pesticide.

Peterli *m* (*CH*) parsley.

Petersilie *f* parsley.

Petroleum *nt* <-s> paraffin, kerosene *US.*

petzen *vi* (*umg*) tell tales.

Pfad *m* <-[e]s, -e> (*a.* INFORM) path; **Pfadfinder** *m* <-s, -> boy scout; **Pfadfinderin** *f* girl guide.

Pfahl *m* <-[e]s, Pfähle> post, stake; **Pfahlbau** *m* <Pfahlbauten *pl*> pile dwelling.

Pfand *nt* <-[e]s, Pfänder> pledge, security; (*Flaschen~*) deposit; (*im Spiel*) forfeit; (*fig: der Liebe etc*) pledge; **Pfandbrief** *m* bond.

pfänden *vt* seize.

Pfänderspiel *nt* game of forfeits.

Pfandflasche *f* returnable bottle; **Pfandhaus** *nt* pawnshop; **Pfandleiher(in)** *m(f)* <-s, -> pawnbroker; **Pfandschein** *m* pawn ticket.

Pfändung *f* seizure.

Pfanne *f* <-, -n> [frying] pan.

Pfannkuchen *m* pancake; (*Berliner*) doughnut.

Pfarrei *f* parish; **Pfarrer(in)** *m(f)* <-s, -> priest; (*anglikanisch*) vicar; (*von Freikirchen*) minister; **Pfarrhaus** *nt* vicarage; (*schottisch, methodistisch*) manse.

Pfau *m* <-[e]s, -en> peacock; **Pfauenauge** *nt* peacock butterfly.

Pfeffer *m* <-s, -> pepper; **Pfefferkorn** *nt* peppercorn; **Pfefferkuchen** *m* gingerbread; **Pfefferminz** *nt* <-es, -e> peppermint; **Pfeffermühle** *f* pepper-mill; **pfeffern** *vt* pepper; (*umg: werfen*) fling; **gepfefferte Preise/Witze** steep prices/spicy jokes.

Pfeife *f* <-, -n> whistle; (*Tabak~, Orgel~*) pipe; (*pej: Mensch*) failure; **pfeifen** <pfiff, gepfiffen> *vt, vi* whistle.

Pfeil *m* <-[e]s, -e> arrow.

Pfeiler *m* <-s, -> pillar, prop; (*Brücken~*) pier.

Pfennig *m* <-[e]s, -e> pfennig (*hundredth part of a mark*).

Pferd *nt* <-[e]s, -e> horse; **Pferderennen** *nt* horse-race; (*Sportart*) horse-racing; **Pferdeschwanz** *m* (*Frisur*) ponytail; **Pferdestall** *m* stable.

pfiff *imperf von* **pfeifen**; **Pfiff** *m* <-[e]s, -e> whistle; (*Kniff*) trick; **mit ~** stylish.

Pfifferling *m* chanterelle; **keinen ~ wert** not worth a thing.

pfiffig *adj* sly, sharp.

Pfingsten *nt* <-, -> Whitsun; **Pfingstrose** *f* peony.

Pfirsich *m* <-s, -e> peach.

Pflanze *f* <-, -n> plant; **pflanzen** *vt* plant; **Pflanzenfett** *nt* vegetable fat; **pflanzlich** *adj* vegetable; **Pflanzung** *f* plantation.

Pflaster *nt* <-s, -> plaster; (*Straßen~*) pavement; **pflastern** *vt* pave; **Pflasterstein** *m* paving stone.

Pflaume *f* <-, -n> plum.

Pflege *f* <-, -n> care; (*von Idee*) cultivation; (*Kranken~*) nursing; **in ~ sein** (*Kind*) be fostered out; **pflegebedürftig** *adj* in need of care; **Pflegeeltern** *pl* foster parents *pl;* **Pflegekind** *nt* foster child; **pflegeleicht** *adj* easy-care; (*fig*) easy to handle; **Pflegemutter** *f* foster mother; **pflegen** *vt* look after; (*Kranke*) nurse; (*Beziehungen*) foster; (*Daten*) maintain; **etwas zu tun ~** be in the habit of doing sth; **Pfleger** *m* <-s, -> male nurse; **Pflegerin** *f* nurse, attendant; **Pflegevater** *m* foster father; **Pflegeversicherung** *f medical insurance for old people who are no longer able to look after themselves and need round-the-clock attention.*

Pflicht *f* <-, -en> duty; (SPORT) compulsory section; **pflichtbewusst**[RR] *adj* conscientious; **Pflichtfach** *nt* (SCH) compulsory subject; **Pflichtgefühl** *nt* sense of duty; **pflichtgemäß** 1. *adj* dutiful; 2. *adv* as in duty bound; **pflichtvergessen** *adj* irresponsible; **Pflichtversicherung** *f* compulsory insurance.

Pflock *m* <-[e]s, Pflöcke> peg; (*für Tiere*) stake.

pflücken *vt* pick.

Pflug *m* <-[e]s, Pflüge> plough; **pflügen** *vt* plough.

Pforte *f* <-, -n> gate; **Pförtner(in)** *m(f)* <-s, -> porter, doorkeeper.

Pfosten *m* <-s, -> post.

Pfote *f* <-, -n> paw; (*umg: Schrift*) scrawl.

Pfropf *m* <-[e]s, -e>, **Pfropfen** *m* <-s, -> (*Flaschen~*) stopper; (*Blut~*) clot; **pfropfen** *vt* (*stopfen*) cram; (*Baum*) graft.

pfui *interj* ugh; (*na na*) tut tut.

Pfund *nt* <-[e]s, -e> pound.

pfuschen *vi* (*umg*) be sloppy; **jdm in etw** *akk* **~** interfere in sth; **Pfuscher(in)** *m(f)* <-s, -> (*umg*) sloppy worker; (*Kur~*) quack; **Pfuscherei** *f* (*umg*) sloppy work.

Pfütze *f* <-, -n> puddle.

Phänomen *nt* <-s, -e> phenomenon; **phänomenal** *adj* phenomenal.

Phantasie *f* imagination; **phantasielos** *adj* unimaginative; **phantasieren** *vi* fantasize; **phantasievoll** *adj* imaginative.

phantastisch *adj* fantastic.

Pharisäer *m* <-s, -> pharisee.

Pharmaindustrie *f* pharmaceutical industry; **Pharmazeut(in)** *m(f)* <-en, -en> pharmacist.

Phase *f* <-, -n> phase.

Phenol *nt* <-s, -e> phenol.

Philanthrop *m* <-en, -en> philanthropist; **philanthropisch** *adj* philanthropic.

Philippinen *pl* Philippines *pl.*

Philologe *m* <-n, -n> philologist; **Philologie** *f* philology; **Philologin** *f* philologist.

Philosoph(in) *m(f)* <-en, -en> philosopher; **Philosophie** *f* philosophy; **philosophisch** *adj* philosophical.

Phlegma *nt* <-s> lethargy; **phlegmatisch** *adj* lethargic.

Phonetik *f* phonetics *sing;* **phonetisch** *adj* phonetic.

Phosphat *nt* phosphate; **phosphatfrei** *adj* phosphate-free.

Phosphor *m* <-s> phosphorus; **phosphoreszieren** *vt* phosphoresce.

Photo *nt* <-s, -s> photo[graph].

Phrase *f* <-, -n> phrase; (*pej*) hollow phrase.

pH-Wert *m* pH.

Physik *f* physics *sing;* **physikalisch** *adj* of physics; **Physiker(in)** *m(f)* <-s, -> physicist.

Physiologe *m* <-n, -n> physiologist; **Physiologie** *f* physiology; **Physiolo-**

gin *f* physiologist.

physisch *adj* physical.

Pianist(in) *m(f)* pianist; **Piano** *nt* <-s, -s> piano.

picheln *vi* (*umg*) booze.

Pickel *m* <-s, -> pimple; (*Werkzeug*) pickaxe; (*Berg~*) ice-axe; **pickelig** *adj* pimply.

picken *vi* pick, peck.

Picknick *nt* <-s, -e *o* -s> picnic; ~ machen have a picnic.

piepen, **piepsen** *vi* chirp.

Piercing *nt* (body) piercing.

piesacken *vt* (*umg*) torment.

Pietät *f* piety, reverence; **pietätlos** *adj* impious, irreverent.

Pigment *nt* pigment.

Pik 1. *nt* <-s, -s> (KARTEN) spade[s]; **2.** *m:* einen ~ **auf jdn haben** (*umg*) have it in for sb.

pikant *adj* spicy, piquant; (*anzüglich*) suggestive.

pikiert *adj* offended.

Piktogramm *nt* <-s, -e> pictogram.

Pilger(in) *m(f)* <-s, -> pilgrim; **Pilgerfahrt** *f* pilgrimage.

Pille *f* <-, -n> pill.

Pilot(in) *m(f)* <-en, -en> pilot; **Pilotprojekt** *nt* pilot scheme.

Pilz *m* <-es, -e> fungus; (*essbar*) mushroom; (*giftig*) toadstool; **Pilzkrankheit** *f* fungal disease.

pingelig *adj* (*umg*) fussy.

Pinguin *m* <-s, -e> penguin.

Pinie *f* pine.

pinkeln *vi* (*umg*) pee.

Pinsel *m* <-s, -> paintbrush; **ein eingebildeter ~** (*umg*) a self-opinionated twit.

Pinzette *f* tweezers *pl.*

Pionier(in) *m(f)* <-s, -e> pioneer; (MIL) sapper, engineer.

Pirat(in) *m(f)* <-en, -en> pirate; **Piratensender** *m* pirate radio station.

Pirsch *f* <-> stalk; **auf [die] ~ gehen** go stalking.

Piste *f* <-, -n> (SKI) run, piste; (FLUG) runway.

Pistole *f* <-, -n> pistol.

Pixel *nt* <-s, -s> (INFORM) pixel.

Pizza *f* <-, -s> pizza.

Pkw *m* <-[s], -[s]> *abk von* **Personenkraftwagen** car.

Placebo *nt* <-s, -s> placebo.

Plackerei *f* drudgery.

plädieren *vi* plead.

Plädoyer *nt* <-s, -s> speech for the defence; (*fig*) plea.

Plage *f* <-, -n> plague; (*Mühe*) nuisance; **Plagegeist** *m* pest, nuisance; **plagen** 1. *vt* torment; **2.** *vr:* **sich ~** toil, slave.

Plakat *nt* poster.

Plakette *f* (*Schildchen*) badge; (*Scheibe*) disc.

Plan *m* <-[e]s, Pläne> plan; (*Karte*) map.

Plane *f* <-, -n> tarpaulin.

planen *vt* plan; (*Mord etc*) plot; **Planer(in)** *m(f)* <-s, -> planner.

Planet *m* <-en -en> planet; **Planetenbahn** *f* orbit [of a planet].

planieren *vt* plane, level; **Planierraupe** *f* bulldozer.

Planke *f* <-, -n> plank.

Plänkelei *f* skirmish[ing]; **plänkeln** *vi* skirmish.

Plankton *nt* <-s> plankton.

planlos *adj* (*Vorgehen*) unsystematic; (*Umherlaufen*) aimless; **planmäßig** *adj* according to plan; (EISENB) scheduled.

Planschbecken *nt* paddling pool; **planschen** *vi* splash.

Plansoll *nt* <-s> output target; **Planstelle** *f* post.

Plantage *f* <-, -n> plantation.

Planung *f* planning.

Planwagen *m* covered wagon.

Planwirtschaft *f* planned economy.

plappern *vi* chatter.

plärren *vi* (*umg: weinen*) wail; (*Radio*) blare.

Plasma *nt* <-s, Plasmen> plasma.

Plastik 1. *f* sculpture; **2.** *nt* <-s> (*Kunststoff*) plastic; **Plastikfolie** *f* plastic film; **Plastiktüte** *f* plastic bag.

Plastilin *nt* <-s> plasticine®.

plastisch *adj* plastic; **stell dir das ~ vor!** just picture it!

Platane *f* <-, -n> plane [tree].

Platin *nt* <-s> platinum.

Platitüde *f* <-, -n> platitude.

platonisch *adj* platonic.

platsch *interj* splash; **platschen** *vi* splash.

plätschern *vi* babble.

platschnassRR *adj* drenched.

platt *adj* flat; (*umg: überrascht*) flabbergasted; (*fig: geistlos*) flat, boring.

plattdeutsch *adj* low German.

Platte *f* <-, -n> (*Speisen~*, FOTO, TECH) plate; (*Stein~*) flag; (*Kachel*) tile; (*Schall~*) record; (INFORM) disk.

plätten *vt, vi* iron.

Plattenspieler *m* record player; **Plat-**

tenteller *m* turntable.

Plattfuß *m* flat foot; (*Reifen*) flat tyre.

Platz *m* <-es, Plätze> place; (*Sitz~*) seat; (*Raum*) space, room; (*in Stadt*) square; (*Sport~*) playing field; **jdm ~ machen** make room for sb; **Platzangst** *f* (MED) agoraphobia; (*umg*) claustrophobia; **Platzanweiser(in)** *m(f)* usher/usherette.

Plätzchen *nt* spot; (*Gebäck*) biscuit.

platzen *vi* burst; (*Bombe*) explode; **vor Wut ~** (*umg*) be bursting with anger.

platzieren[RR] **1.** *vt* place; **2.** *vr:* **sich ~** (SPORT) be placed; (TENNIS) be seeded.

Platzkarte *f* seat reservation; **Platzmangel** *m* lack of space; **Platzpatrone** *f* blank cartridge; **Platzregen** *m* downpour; **Platzwunde** *f* cut.

Plauderei *f* chat, conversation; (RADIO) talk; **plaudern** *vi* chat, talk.

plausibel *adj* plausible; **Plausibilität** *f* plausibility; **Plausibilitätskontrolle** *f* (INFORM) plausibility check, parity check.

plazieren *vt s.* **platzieren**.

Plebejer(in) *m(f)* <-s, -> plebeian.

pleite *adj* (*umg*) broke; **Pleite** *f* <-, -n> bankruptcy; (*umg: Reinfall*) flop; **~ machen** go bust.

Plenum *nt* <-s, Plena> plenum.

Pleuelstange *f* connecting rod.

Plissee *nt* <-s, -s> pleating.

PLO *f abk von* **Palästinensische Befreiungsorganisation** PLO.

Plombe *f* <-, -n> lead seal; (*Zahn~*) filling; **plombieren** *vt* seal; (*Zahn*) fill.

Plotter *m* <-s, -> (INFORM) plotter.

plötzlich 1. *adj* sudden; **2.** *adv* suddenly.

plump *adj* clumsy; (*Hände*) coarse; (*Körper*) shapeless.

plumpsen *vi* (*umg*) plump down, fall.

Plunder *m* <-s> rubbish.

plündern *vt, vi* plunder; (*Stadt*) sack; **Plünderung** *f* plundering, sack, pillage.

Plural *m* <-s, -e> plural; **pluralistisch** *adj* pluralistic.

plus *adv* plus; **Plus** *nt* <-, -> plus; (FIN) profit; (*Vorteil*) advantage.

Plüsch *m* <-[e]s, -e> plush.

Pluspol *m* (ELEK) positive pole; **Pluspunkt** *m* point; (*fig*) advantage, point in sb's favour.

Plusquamperfekt *nt* pluperfect.

Plutonium *nt* plutonium.

PLZ *abk von* **Postleitzahl** postcode *Brit*, zip code *US*.

Po *m* <-s, -s> (*umg*) bottom, bum.

Pöbel *m* <-s> mob, rabble; **Pöbelei** *f* vulgarity; **pöbelhaft** *adj* low, vulgar.

pochen *vi* knock; (*Herz*) pound; **auf etw akk ~** (*fig*) insist on sth.

Pocken *pl* smallpox.

Podium *nt* podium; **Podiumsdiskussion** *f* panel discussion.

Poesie *f* poetry; **Poet(in)** *m(f)* <-en, -en> poet; **poetisch** *adj* poetic.

Pointe *f* <-, -n> point.

Pokal *m* <-s, -e> goblet; (SPORT) cup; **Pokalspiel** *nt* cup-tie.

Pökelfleisch *nt* salt meat; **pökeln** *vt* pickle, salt.

Pol *m* <-s, -e> pole; **polar** *adj* polar; **Polarkreis** *m* arctic circle.

Pole *m* <-n, -n> Pole.

Polemik *f* polemics *sing;* **polemisch** *adj* polemical; **polemisieren** *vi* polemicize.

Polen *nt* Poland.

Police *f* <-, -n> insurance policy.

Polier *m* <-s, -e> foreman.

polieren *vt* polish.

Poliklinik *f* clinic [for outpatients *sing* only].

Polin *f* Pole, Polish woman.

Politik *f* politics *sing;* (*eine bestimmte*) policy; **Politiker(in)** *m(f)* <-s, -> politician; **Politikverdrossenheit** *f* disillusionment with politics; **politisch** *adj* political; **politisieren 1.** *vi* talk politics; **2.** *vt* politicize.

Politur *f* polish.

Polizei *f* police *pl;* **Polizeibeamte(r)** *m*, **Polizeibeamtin** *f* police officer; **polizeilich** *adj* police; **sich ~ melden** register with the police; **Polizeirevier** *nt* police station; **Polizeischutz** *m* police protection; **Polizeistaat** *m* police state; **Polizeistunde** *f* closing time; **polizeiwidrig** *adj* illegal.

Polizist(in) *m(f)* policeman/-woman.

Polizze *f* <-, -n> (*A*) (insurance) policy.

Pollen *m* <-s, -> pollen.

polnisch *adj* Polish.

Polohemd *nt* polo shirt.

Polster *nt* <-s, -> cushion; (*Polsterung*) upholstery; (*in Kleidung*) padding; (*fig: Geld*) reserves *pl;* **Polstermöbel** *pl* upholstered furniture; **polstern** *vt* upholster; pad; **Polsterung** *f* upholstery.

Polterabend *m party on the eve of a wedding.*

poltern *vi* (*Krach machen*) crash; (*schimpfen*) rant.

Polygamie *f* polygamy.

Polyp *m* <-en -en> polyp; (*umg: Polizist*) cop; ~**en** *pl* adenoids *pl.*

Pomade *f* pomade.

Pommes frites *pl* chips *pl,* French fried potatoes *pl.*

Pomp *m* <-[e]s> pomp; **pompös** *adj* grandiose.

Pony 1. *m* <-s, -s> (*Frisur*) fringe; **2.** *nt* <-s, -s> (*Pferd*) pony.

Popcorn *nt* <-s> popcorn.

Popmusik *f* pop.

Popo *m* <-s, -s> (*umg*) bottom, bum.

populär *adj* popular; **Popularität** *f* popularity; **populärwissenschaftlich** *adj* popular science.

Pore *f* <-, -n> pore.

Pornografie[RR], **Pornographie** *f* pornography.

porös *adj* porous.

Porree *m* <-s, -s> leek.

Portal *nt* <-s, -e> portal.

Portemonnaie, **Portmonee**[RR] *nt* <-s, -s> purse.

Portier *m* <-s, -s> porter; *s. a.* Pförtner.

Portion *f* portion, helping; (*umg: Anteil*) amount.

Portmonee[RR] *nt* <-s, -s> purse.

Porto *nt* <-s, -s> postage; **portofrei** *adj* post-free, [postage] prepaid.

Porträt *nt* <-s, -s> portrait; **porträtieren** *vt* paint, portray.

Portugal *nt* Portugal; **Portugiese** *m* <-n, -n>, **Portugiesin** *f* Portuguese; **die ~n** *pl* the Portuguese *pl;* **portugiesisch** *adj* Portuguese.

Porzellan *nt* <-s, -e> china, porcelain; (*Geschirr*) china.

Posaune *f* <-, -n> trombone.

Pose *f* <-, -n> pose; **posieren** *vi* pose.

Position *f* position; **positionieren** *vt* (INFORM) position; **Positionslichter** *pl* (FLUG) position lights *pl.*

positiv *adj* positive; **Positiv** *nt* (FOTO) positive.

Positur *f* posture, attitude.

possessiv *adj* possessive; **Possessivpronomen** *nt* possessive pronoun.

possierlich *adj* funny.

Post *f* <-, -en> post [office]; (*Briefe*) mail; **Postamt** *nt* post office; **Postanweisung** *f* postal order, money order; **Postbote** *m,* **Postbotin** *f* postman/-woman.

Posten *m* <-s, -> post, position; (WIRTS) item; (*auf Liste*) entry; (MIL) sentry; (*Streik*~) picket.

Poster *nt* <-s, -> poster.

Postfach *nt* post-office box, PO box; **Postkarte** *f* postcard; **postlagernd** *adv* poste restante; **Postleitzahl** *f* postcode *Brit,* zip code *US.*

postmodern *adj* postmodern.

Postscheckkonto *nt* post office giro account; **Postsparkasse** *f* post office savings bank; **Poststempel** *m* postmark; **postwendend** *adv* by return [of post].

potent *adj* potent; (*fig*) high-powered.

Potential *nt* <-s, -e> potential.

potentiell *adj* potential.

Potenz *f* power; (*eines Mannes*) potency.

Potenzial[RR] *nt* <-s, -e> potential.

potenziell[RR] *adj* potential.

Poulet *nt* <-s, -s> (*CH*) chicken.

Powidl *m* <-s, -> (*A*) plum jam.

PR *abk von* Public Relations PR.

Pracht *f* <-> splendour, magnificence; **prächtig** *adj* splendid; **Prachtstück** *nt* showpiece; **prachtvoll** *adj* splendid, magnificent.

Prädikat *nt* title; (LING) predicate; (*Zensur*) distinction; (*von Wein*) special quality.

prägen *vt* stamp; (*Münze*) mint; (*Ausdruck*) coin; (*Charakter*) form.

prägnant *adj* concise, terse; **Prägnanz** *f* conciseness, terseness.

Prägung *f* minting; forming; (*Eigenart*) character, stamp.

prahlen *vi* boast, brag; **Prahlerei** *f* boasting; **prahlerisch** *adj* boastful.

Praktik *f* practice; **praktikabel** *adj* practicable; **Praktikant(in)** *m(f)* trainee; **Praktikantenstelle** *f* traineeship; **Praktikum** *nt* <-s, Praktika> practical training; **praktisch** *adj* practical, handy; **~er Arzt** general practitioner; **praktizieren** *vt, vi* practise.

Praline *f* chocolate.

prall *adj* firmly rounded; (*Segel*) taut; (*Arme*) plump; (*Sonne*) blazing; **prallen** *vi* bounce, rebound; (*Sonne*) blaze.

Prämie *f* premium; (*Belohnung*) award, prize; **prämieren** *vt* give an award to.

Pranger *m* <-s, -> (HIST) pillory; **jdn an den ~ stellen** (*fig*) pillory sb.

Präparat *nt* (BIO) preparation; (MED) medicine.

Präposition *f* preposition.

Prärie *f* prairie.

Präsens *nt* <-> present tense.

präsentieren *vt* present.

Präsenzdiener *m* (*A*) soldier doing his national [*o* selective] service in the Austrian army.

Präservativ *nt* contraceptive.

Präsident(in) *m(f)* president; **Präsidentschaft** *f* presidency; **Präsidentschaftskandidat(in)** *m(f)* presidential candidate.

Präsidium *nt* presidency, chair[manship]; (*Polizei~*) police headquarters *pl.*

prasseln *vi* (*Feuer*) crackle; (*Hagel*) drum; (*Wörter*) rain down.

prassen *vi* live it up.

Präteritum *nt* <-s, Präterita> preterite.

Präventiv- *präf* preventive.

Praxis *f* <-, Praxen> practice; (*Behandlungsraum*) surgery; (*von Anwalt*) office; **praxisbezogen** *adj,* **praxisnah** *adj* practical; **praxisorientiert** *adj* practical.

Präzedenzfall *m* precedent.

präzis[e] *adj* precise; **Präzision** *f* precision.

predigen *vt, vi* preach; **Prediger(in)** *m(f)* <-s, -> preacher; **Predigt** *f* <-, -en> sermon.

Preis *m* <-es, -e> price; (*Sieges~*) prize; **um keinen ~** not at any price; **Preisausschreiben** *nt* <-s, -> [prize] competition.

Preiselbeere *f* cranberry.

preisen <pries, gepriesen> *vi* praise.

preisgeben *irr vt* abandon; (*opfern*) sacrifice; (*zeigen*) expose.

preisgekrönt *adj* prize-winning; **Preisgericht** *nt* jury; **preisgünstig** *adj* inexpensive; **Preislage** *f* price range; **preislich** *adj* price, in price; **Preissturz** *m* slump; **Preisträger(in)** *m(f)* prizewinner; **preiswert** *adj* inexpensive.

prekär *adj* precarious.

Prellbock *m* buffers *pl;* **prellen** *vt* bump; (*fig*) cheat, swindle; **Prellung** *f* bruise.

Premiere *f* <-, -n> premiere.

Premierminister(in) *m(f)* prime minister, premier.

Presse *f* <-, -n> press; **Presseberichterstattung** *f* press coverage; **Pressefreiheit** *f* freedom of the press; **Pressekonferenz** *f* press conference; **Pressemeldung** *f* press report.

pressen *vt* press.

Pressluft[RR] *f* compressed air; **Pressluftbohrer**[RR] *m* pneumatic drill.

Prestige *nt* <-s> prestige.

prickeln *vt, vi* tingle, tickle.

pries *imperf von* **preisen**.

Priester(in) *m(f)* <-s, -> priest.

prima *adj inv* first-class, excellent.

primär *adj* primary.

Primel *f* <-, -n> primrose.

primitiv *adj* primitive.

Prinz *m* <-en, -en> prince; **Prinzessin** *f* princess.

Prinzip *nt* <-s, -ien> principle; **prinzipienlos** *adj* unprincipled.

Priorität *f* priority; **Prioritätenliste** *f* list of priorities.

Prise *f* <-, -n> pinch.

Prisma *nt* <-s, Prismen> prism.

privat *adj* privat; **Privat-** *in Zusammensetzungen* private; **Privatsender** *m* commercial broadcaster.

Privileg *nt* <-(e)s, -ien *o* -e> privilege.

pro *präp +akk* per; **Pro** *nt* <-s> pro.

Probe *f* <-, -n> test; (*Teststück*) sample; (THEAT) rehearsal; **jdn auf die ~ stellen** put sb to the test; **Probeexemplar** *nt* specimen copy; **Probefahrt** *f* test drive; **proben** *vt* try; (THEAT) rehearse; **probeweise** *adv* on approval; **Probezeit** *f* probation period.

probieren *vt, vi* try; (*Wein, Speise*) taste, sample.

Problem *nt* <-s, -e> problem; **Problematik** *f* problem, problematic nature; **problematisch** *adj* problematic; **problemlos** *adj* problem-free.

Produkt *nt* <-[e]s, -e> product; (AGR) produce; **Produktion** *f* production; output; **Produktionsleistung** *f* outturn; **Produktionsstandort** *m* production site; **produktiv** *adj* productive; **Produktivität** *f* productivity; **Produktpalette** *f* product range, product-mix.

Produzent(in) *m(f)* manufacturer; (FILM) producer.

produzieren *vt* produce.

Professor(in) *m(f)* professor; **Professur** *f* chair.

Profil *nt* <-s, -e> profile; (*fig*) image; **profilieren** *vr:* **sich ~** create an image for oneself; **Profillosigkeit** *f* blandness.

Profit *m* <-[e]s, -e> profit; **profitieren** *vi* profit (*von* from).

Prognose *f* <-, -n> prediction, prognosis.

Programm *nt* <-s, -e> programme; (INFORM) program; **programmieren** *vt* program; **Programmierer(in)** *m(f)* <-s, -> programmer; **Programmierfehler** *m* bug, programming error; **Programmierkurs** *m* programming course; **Programmiersprache** *f* programming language.

Programmkino *nt* alternative cinema.

progressiv *adj* progressive.

Projekt *nt* <-[e]s, -e> project.
Projektor *m* projector.
projizieren *vt* project.
proklamieren *vt* proclaim.
Prolet(**in**) *m(f)* <-en, -en> prole, pleb; **Proletariat** *nt* proletariat; **Proletarier**(**in**) *m(f)* <-s, -> proletarian.
Prolog *m* <-[e]s, -e> prologue.
Promenade *f* promenade.
Promille *nt* <-[s], -> alcohol level.
prominent *adj* prominent; **Prominenz** *f* VIPs *pl*, prominent figures *pl*.
Promiskuität *f* promiscuity; **promiskuitiv** *adj* promiscuous.
Promotion *f* doctorate, Ph.D; **promovieren** *vi* do a doctorate [*o* Ph.D].
prompt *adj* prompt.
Pronomen *nt* <-s, -> pronoun.
Propaganda *f* <-> propaganda.
Propeller *m* <-s, -> propeller.
Prophet(**in**) *m(f)* <-en, -en> prophet/prophetess; **prophezeien** *vt* prophesy; **Prophezeiung** *f* prophecy.
Proportion *f* proportion; **proportional** *adj* proportional; **Proportionalschrift** *f* proportional spacing.
Prosa *f* <-> prose; **prosaisch** *adj* prosaic.
prosit *interj* cheers.
Prospekt *m* <-[e]s, -e> leaflet, brochure.
prost *interj* cheers.
Prostituierte(**r**) *mf* prostitute; **Prostitution** *f* prostitution.
Protest *m* <-[e]s, -e> protest.
Protestant(**in**) *m(f)* Protestant; **protestantisch** *adj* Protestant.
protestieren *vi* protest; **Protestkundgebung** *f* [protest] rally.
Prothese *f* <-, -n> artificial limb; (*Zahn~*) dentures *pl*.
Protokoll *nt* <-s, -e> register; (*von Sitzung*) minutes *pl*; (*diplomatisch*) protocol; (*Polizei~*) statement; **protokollieren** *vt* take down in the minutes.
Proton *nt* <-s, -en> proton.
Prototyp *m* prototype.
Protz *m* <-en, -e[n]> swank; **protzen** *vi* show off; **protzig** *adj* ostentatious.
Proviant *m* <-s, -e> provisions *pl*.
Provinz *f* <-, -en> province; **provinziell** *adj* provincial.
Provision *f* (WIRTS) commission.
provisorisch *adj* provisional.
Provokation *f* provocation.
provozieren *vt* provoke.
Prozedur *f* procedure; (*pej*) carry-on.
Prozent *nt* <-[e]s, -e> per cent, percentage; **Prozentrechnung** *f* percentage calculation; **Prozentsatz** *m* percentage; **prozentual** *adj* percentage; as a percentage.
Prozess[RR] *m* <-es, -e> trial, case; **prozessieren** *vi* bring an action, go to law (*mit* against).
Prozession *f* procession.
Prozesskosten[RR] *pl* [legal] costs *pl*.
Prozessor *m* (INFORM) processor.
prüde *adj* prudish; **Prüderie** *f* prudery.
prüfen *vt* examine, test; (*nach~*) check; **Prüfer**(**in**) *m(f)* <-s, -> examiner; **Prüfling** *m* examinee; **Prüfstein** *m* touchstone; **Prüfung** *f* examination; checking; **Prüfungskommission** *f* examining board.
Prügel *m* <-s, -> cudgel; ~ *pl* beating; **Prügelei** *f* fight; **Prügelknabe** *m* scapegoat; **prügeln 1.** *vt* beat; **2.** *vr:* **sich ~** fight; **Prügelstrafe** *f* corporal punishment.
Prunk *m* <-[e]s> pomp, show; **prunkvoll** *adj* splendid, magnificent.
Psalm *m* <-s, -en> psalm.
pseudo- *präf* pseudo; **Pseudokrupp** *m* <-s> (MED) pseudo-croup.
Psychiater(**in**) *m(f)* <-s, -> psychiatrist.
psychisch *adj* psychological.
Psychoanalyse *f* psychoanalysis.
Psychologe *m* <-n, -n> psychologist; **Psychologie** *f* psychology; **Psychologin** *f* psychologist; **psychologisch** *adj* psychological.
Psychopharmaka *pl* psychopharmacological drugs *pl*.
psychosomatisch *adj* psychosomatic.
Pubertät *f* puberty.
Publikum *nt* <-s> audience; (SPORT) crowd.
publizieren *vt* publish, publicize; **Publizistik** *f* journalism.
Pudding *m* <-s, -e *o* -s> blancmange.
Pudel *m* <-s, -> poodle.
Puder *m* <-s, -> powder; **Puderdose** *f* powder compact; **pudern** *vt* powder; **Puderzucker** *m* icing sugar.
Puff 1. *m* <-s, -e> (*Wäsche~*) linen basket; (*Sitz~*) pouf; (*umg: Bordell*) brothel; **2.** *m* <-s, Püffe> (*umg: Stoß*) push.
Puffer *m* <-s, -> (*a.* INFORM) buffer; **Pufferstaat** *m* buffer state.
Pulli *m* <-s, -s>, **Pullover** *m* <-s, -> pullover, jumper.
Puls *m* <-es, -e> pulse; **Pulsader** *f* ar-

P

tery; **pulsieren** *vi* throb, pulsate.

Pult *nt* <-[e]s, -e> desk.

Pulver *nt* <-s, -> powder; **pulverig** *adj* powdery; **pulverisieren** *vt* pulverize; **Pulverschnee** *m* powdery snow.

pummelig *adj* chubby.

Pumpe *f* <-, -n> pump; **pumpen** *vt* pump; (*umg: verleihen*) lend; (*sich ausleihen*) borrow.

Punk *m* <-s, -s> (*Musik, Mensch*) punk.

Punkt *m* <-[e]s, -e> point; (*bei Muster*) dot; (*Satzzeichen*) full stop; **etw auf den ~ bringen** get to the heart of sth, bring sth into focus; **~ 10 Uhr**[RR] at 10 o'clock on the dot; **punktieren** *vt* dot; (MED) aspirate.

pünktlich *adj* punctual; **Pünktlichkeit** *f* punctuality.

Punktsieg *m* victory on points; **Punktzahl** *f* score.

Pupille *f* <-, -n> pupil.

Puppe *f* <-, -n> doll; (*Marionette*) puppet; (*Insekten~*) pupa, chrysalis; **Puppenspieler(in)** *m(f)* puppeteer; **Puppenstube** *f* doll's house.

pur *adj* pure; (*völlig*) sheer; (*Whisky*) neat.

Püree *nt* <-s, -s> puree; (*Kartoffel~*) mashed potatoes *pl*.

Purzelbaum *m* somersault; **purzeln** *vi* tumble.

Puste *f* <-> (*umg*) puff; (*fig*) steam.

Pustel *f* <-, -n> pustule.

pusten *vi* puff, blow.

Pute *f* <-, -n> turkey[-hen]; **Puter** *m* <-s, -> turkey-cock.

Putsch *m* <-[e]s, -e> revolt, putsch; **putschen** *vi* revolt; **Putschist(in)** *m(f)* rebel.

Putz *m* <-es> (*Mörtel*) plaster, roughcast.

putzen **1.** *vt* clean; (*Nase*) wipe, blow; **2.** *vr:* **sich ~** clean oneself; **Putzfrau** *f* charwoman, cleaner.

putzig *adj* quaint, funny.

Putzlappen *m* cloth; **Putztag** *m* cleaning day; **Putzzeug** *nt* cleaning things *pl*.

Puzzle *nt* <-s, -s> jigsaw.

Pyjama *m* <-s, -s> pyjamas *pl*.

Pyramide *f* <-, -n> pyramid.

Q

Q, q *nt* Q, q.

quabb[e]lig *adj* wobbly; (*Frosch*) slimy.

Quacksalber(in) *m(f)* <-s, -> quack [doctor].

Quader *m* <-s, -> square stone; (MATH) cuboid.

Quadrat *nt* square; **quadratisch** *adj* square; **Quadratmeter** *m* square metre.

quaken *vi* croak; (*Ente*) quack.

quäken *vi* screech.

Qual *f* <-, -en> pain, agony; (*seelisch*) anguish; **quälen** **1.** *vt* torment; **2.** *vr:* **sich ~** struggle; (*geistig*) torment oneself; **Quälerei** *f* torture, torment; **Quälgeist** *m* pest.

qualifizieren *vt, vr:* **sich ~** qualify; (*einstufen*) label.

Qualität *f* quality; **Qualitätskontrolle** *f* quality control; **Qualitätssicherung** *f* quality assurance; **Qualitätsware** *f* article of high quality.

Qualle *f* <-, -n> jellyfish.

Qualm *m* <-[e]s> thick smoke; **qualmen** *vt, vi* smoke.

qualvoll *adj* excruciating, painful, agonizing.

Quantentheorie *f* quantum theory.

Quantität *f* quantity; **quantitativ** *adj* quantitative.

Quantum *nt* <-s, Quanten> quantity, amount.

Quarantäne *f* <-, -n> quarantine.

Quark *m* <-s> curd cheese; (*umg*) rubbish.

Quartal *nt* <-s, -e> quarter [year].

Quartier *nt* <-s, -e> accommodation; (MIL) quarters *pl*; (*Stadt~*) district.

Quarz *m* <-es, -e> quartz.

quasi *adv* virtually.

quasseln *vi* (*umg*) natter, gabble.

Quatsch *m* <-es> rubbish; **quatschen** *vi* chat, natter.

Quecksilber *nt* mercury.

Quelle *f* <-, -n> spring; (*eines Flusses*) source; **quellen** <quoll, gequollen> *vi* (*hervor~*) pour [*o* gush] forth; (*schwellen*) swell.

Quengelei *f* (*umg*) whining; **quengelig** *adj* (*umg*) whining; **quengeln** *vi* (*umg*) whine.

quer *adv* crossways, diagonally; (*rechtwinklig*) at right angles; **~ auf dem Bett** across the bed; **Querbalken** *m* crossbeam; **querfeldein** *adv* across country; **Querflöte** *f* flute; **Querkopf** *m* awkward customer; **Querschiff** *nt* transept; **Querschnitt** *m* cross-section; **querschnittsgelähmt** *adj* paralysed below the waist, paraplegic; **Querstraße** *f* intersecting road; **Quertreiber(in)** *m(f)* <-s, -> obstructionist; **Querverbindung** *f* connection, link; **Querverweis** *m* cross-reference.

quetschen *vt* squash, crush; (MED) bruise; **Quetschung** *f* bruise, contusion.

quieken *vi* squeak.

quietschen *vi* squeak.

Quintessenz *f* quintessence.

Quintett *nt* <-[e]s, -e> quintet.

Quirl *m* <-[e]s, -e> whisk.

quitt *adj* quits, even.

Quitte *f* <-, -n> quince; **quittengelb** *adj* [sickly] yellow.

quittieren *vt* give a receipt for; (*Dienst*) leave; **Quittung** *f* receipt.

Quiz *nt* <-, -> quiz.

quoll *imperf von* **quellen**.

Quote *f* <-, -n> number, rate; (COM, POL) quota.

R

R, r *nt* R, r.

Rabatt *m* <-[e]s, -e> discount.

Rabatte *f* flowerbed, border.

Rabattmarke *f* trading stamp.

Rabe *m* <-n, -n> raven; **Rabenmutter** *f* (*pej*) bad mother.

rabiat *adj* furious.

Rache *f* <-> revenge, vengeance.

Rachen *m* <-s, -> throat.

rächen 1. *vt* avenge, revenge; **2.** *vr:* **sich ~** take [one's] revenge; **das wird sich ~** you'll pay for that.

Rachitis *f* <-> rickets *sing.*

Rachsucht *f* vindictiveness; **rachsüchtig** *adj* vindictive.

Rad *nt* <-[e]s, Räder> wheel; (*Fahr~*) bike; **~ fahren**[RR] cycle.

Radar *m o nt* <-s> radar; **Radarfalle** *f* speed trap; **Radarkontrolle** *f* radar-controlled speed trap.

Radau *m* <-s> (*umg*) row.

Raddampfer *m* paddle steamer.

radebrechen *vt, vi:* **Deutsch ~** speak broken German.

radeln *vi* (*umg*) cycle.

Rädelsführer(in) *m(f)* ringleader.

radfahren *vi s.* **Rad**; **Radfahrer(in)** *m(f)* cyclist; **Radfahrweg** *m* cycle track [*o* path].

Radicchio *m* <-s> (*Salatsorte*) radicchio.

radieren *vt* rub out, erase; (KUNST) etch; **Radiergummi** *m* rubber, eraser; **Radierung** *f* etching.

Radieschen *nt* radish.

radikal *adj* radical; **Radikale(r)** *mf* radical.

Radio *nt* <-s, -s> radio, wireless.

radioaktiv *adj* radioactive; **Radioaktivität** *f* radioactivity.

Radioapparat *m* radio, wireless set; **Radiorecorder** *m* <-s, -> radio cassette recorder; **Radiowecker** *m* radio alarm [clock].

Radium *nt* radium.

Radius *m* <-, Radien> radius.

Radkappe *f* (AUTO) hub cap.

Radler(in) *m(f)* <-s, -> cyclist; **Radlerhose** *f* cycling shorts.

Radrennbahn *f* cycling [race]track; **Radrennen** *nt* cycle race; cycle racing; **Radsport** *m* cycling; **Radweg** *m* cycle track [*o* path].

RAF *f abk von* **Rote Armee Fraktion** Red Army Faction.

Raffinade *f* refined sugar; **raffinieren** *vt* refine; **raffiniert** *adj* crafty, cunning; (*Zucker*) refined.

ragen *vi* tower, rise.

Rahm *m* <-s> cream.

rahmen *vt* frame; **Rahmen** *m* <-s, -> frame[work]; **im ~ des Möglichen** within the bounds of possibility.

rahmig *adj* creamy.

Rakete *f* <-, -n> rocket; **ferngelenkte ~** guided missile; **Raketenabwehrsystem** *nt* missile-defence system.

RAM *m abk von* **Random Access Memory** (INFORM) RAM.

rammen *vt* ram.

Rampe *f* <-, -n> ramp; **Rampenlicht** *vt* (THEAT) footlights *pl;* (*fig*) limelight.

ramponieren *vt* (*umg*) damage, batter.

Ramsch *m* <-[e]s, -e> junk.

ran = (*umg*) **heran**.

Rand *m* <-[e]s, Ränder> edge; (*von Brille, Tasse etc*) rim; (*Hut~*) brim; (*auf Papier*) margin; (*Schmutz~, unter Augen*) ring; (*fig*) verge, brink; **außer ~ und Band** wild; **am ~e bemerkt** mentioned in passing; **zu ~e kommen** manage.

Randale *f* <-, -n> (*umg*) rioting; **~ machen** go on a riot; **randalieren** *vi* [go on the] rampage; **Randalierer(in)** *m(f)* hooligan.

Randbemerkung *f* marginal note; (*fig*)

odd comment; **Randerscheinung** *f* unimportant side effect, marginal phenomenon; **Randgruppe** *f* fringe group.

rang *imperf von* **ringen**.

Rang *m* <-[e]s, Ränge> rank; (*Stand*) standing; (*Wert*) quality; (THEAT) circle; Ränge *pl* (SPORT) stands *pl.*

Rangierbahnhof *m* marshalling yard; **rangieren** 1. *vt* (EISENB) shunt, switch *US;* **2.** *vi* rank, be classed; **Rangiergleis** *nt* siding.

Rangordnung *f* hierarchy; (MIL) ranks *pl;* **Rangunterschied** *m* social distinction; (MIL) difference in rank.

Ranke *f* <-, -n> tendril, shoot.

rann *imperf von* **rinnen**.

rannte *imperf von* **rennen**.

Ranzen *m* <-s, -> satchel; (*umg: Bauch*) gut, belly.

ranzig *adj* rancid.

Rappe *m* <-n, -n> black horse.

Raps *m* <-es, -e> (BOT) rape.

rar *adj* rare; **sich ~ machen** (*umg*) keep oneself to oneself; **Rarität** *f* rarity; (*Sammelobjekt*) curio.

rasant *adj* quick, rapid.

rasch *adj* quick.

rascheln *vi* rustle.

rasen *vi* rave; (*schnell*) race.

Rasen *m* <-s, -> lawn; grass.

rasend *adj* furious; **~e Kopfschmerzen** a splitting head-ache.

Rasenmäher *m* <-s, -> lawnmower; **Rasenplatz** *m* lawn.

Raser *m* <-s, -> speed merchant.

Raserei *f* raving, ranting; (*schnelles Fahren*) reckless speeding.

Rasierapparat *m* shaver; **Rasiercreme** *f* shaving cream; **rasieren** *vt, vr:* **sich ~** shave; **Rasierklinge** *f* razor blade; **Rasiermesser** *nt* razor; **Rasierpinsel** *m* shaving brush; **Rasierschaum** *m* shaving foam; **Rasierseife** *f* shaving soap [*o* stick]; **Rasierwasser** *nt* shaving lotion.

Rasse *f* <-, -n> race; (*Tier~*) breed; **Rassehund** *m* thoroughbred dog.

Rassel *f* <-, -n> rattle; **rasseln** *vi* rattle, clatter.

Rassenhass[RR] *m* race [*o* racial] hatred; **Rassentrennung** *f* racial segregation.

Rassismus *m* racism; **Rassist(in)** *m(f)* racist; **rassistisch** *adj* racist.

Rast *f* <-, -en> rest; **rasten** *vi* rest.

Rasterfahndung *f* computer scan search.

Rasthaus *nt* (AUTO) service station; **rastlos** *adj* tireless; (*unruhig*) restless; **Rastplatz** *m* (AUTO) layby; **Raststätte** *f* (AUTO) service area.

Rasur *f* shave.

Rat *m* <-[e]s, Ratschläge> [piece of] advice; **jdn zu ~e ziehen** consult sb; **keinen ~ wissen** not know what to do.

Rate *f* <-, -n> instalment.

raten <riet, geraten> *vt, vi* guess; (*empfehlen*) advise (*jdm* sb).

ratenweise *adv* by instalments; **Ratenzahlung** *f* hire purchase.

Ratgeber(in) *m(f)* <-s, -> adviser; **Rathaus** *nt* town hall.

ratifizieren *vt* ratify; **Ratifizierung** *f* ratification.

Ration *f* ration.

rational *adj* rational.

rationalisieren *vt* rationalize.

rationell *adj* efficient.

rationieren *vt* ration.

ratlos *adj* at a loss, helpless; **Ratlosigkeit** *f* helplessness; **ratsam** *adj* advisable; **Ratschlag** *m* [piece of] advice.

Rätsel *nt* <-s, -> puzzle; (*Wort~*) riddle; **rätselhaft** *adj* mysterious; **es ist mir ~** it's a mystery to me.

Ratskeller *m* town-hall restaurant.

Ratte *f* <-, -n> rat; **Rattenfänger** *m* <-s, -> ratcatcher.

rattern *vi* rattle, clatter.

rau[RR] *adj* rough, coarse; (*Wetter*) harsh.

Raub *m* <-[e]s> robbery; (*Beute*) loot, booty; **Raubbau** *m* ruthless exploitation; **rauben** *vt* rob; (*jdn*) kidnap, abduct; **Räuber(in)** *m(f)* <-s, -> robber; **räuberisch** *adj* thieving; **raubgierig** *adj* rapacious; **Raubmord** *m* robbery with murder; **Raubtier** *nt* predator; **Raubüberfall** *m* robbery with violence; **Raubvogel** *m* bird of prey.

Rauch *m* <-[e]s> smoke; **rauchen** *vt, vi* smoke; **Raucher(in)** *m(f)* <-s, -> smoker; **Raucherabteil** *nt* (EISENB) smoker.

räuchern *vt* smoke, cure.

Rauchfang *m* (*A*) chimney; **Rauchfangkehrer(in)** *m(f)* (*A*) chimney sweep.

Rauchfleisch *nt* smoked meat; **rauchig** *adj* smoky; **Rauchmelder** *m* smoke alarm, smoke detector; **Rauchverbot** *nt* ban on smoking.

räudig *adj* mangy.

rauf = (*umg*) **herauf**.

Raufbold *m* <-[e]s, -e> rowdy, hooligan; **raufen** 1. *vt* (*Haare*) pull out; **2.** *vi, vr:*

sich ~ fight; **Rauferei** *f* brawl, fight.

rauh *adj s.* **rau**; **Rauhreif** *m s.* **Raureif**.

Raum *m* <-[e]s, Räume> space; (*Zimmer, Platz*) room; (*Gebiet*) area.

räumen *vt* clear; (*Wohnung, Platz*) vacate; (*wegbringen*) shift, move; (*in Schrank etc*) put away.

Raumfähre *f* space shuttle; **Raumfahrt** *f* space travel; (*~technik*) space technology; **Rauminhalt** *m* cubic capacity, volume; **Raumlabor** *nt* space lab.

räumlich *adj* spatial; **Räumlichkeiten** *pl* premises *pl*.

Raummangel *m* lack of space; **Raummeter** *m* cubic metre; **Raumpfleger(in)** *m(f)* cleaner; **Raumschiff** *nt* spaceship; **Raumsonde** *f* space probe; **Raumstation** *f* space station.

Räumung *f* vacating, evacuation; clearing [away]; **Räumungsverkauf** *m* clearance sale.

raunen *vt, vi* whisper mysteriously.

Raupe *f* <-, -n> caterpillar; (*~nkette*) [caterpillar] track; **Raupenschlepper** *m* caterpillar tractor.

Raureif[RR] *m* hoarfrost.

raus = (*umg*) **heraus, hinaus**.

Rausch *m* <-[e]s, Räusche> intoxication.

rauschen *vi* (*Wasser*) rush; (*Baum*) rustle; (*Radio etc*) hiss; (*Mensch*) sweep, sail; **rauschend** *adj* (*Beifall*) thunderous; (*Fest*) sumptuous.

Rauschgift *nt* drug; **Rauschgiftdezernat** *nt* drug squad; **Rauschgiftsüchtige(r)** *mf* drug addict.

räuspern *vr:* **sich** ~ clear one's throat.

Raute *f* <-, -n> diamond; (MATH) rhombus; **rautenförmig** *adj* rhombic.

Razzia *f* <-, Razzien> raid.

Reagenzglas *nt* test tube.

reagieren *vi* react (*auf* + *akk* to).

Reaktion *f* reaction.

reaktionär *adj* reactionary.

Reaktionsgeschwindigkeit *f* speed of reaction.

Reaktor *m* reactor; **Reaktorblock** *m* reactor block; **Reaktorkern** *m* core [of the reactor]; **Reaktorsicherheit** *f* reactor safety.

real *adj* real, material.

Realismus *m* realism; **Realist(in)** *m(f)* realist; **realistisch** *adj* realistic.

Realo *m* <-s, -s> (POL) political realist [of the ecology movement].

Realpolitiker(in) *m(f)* political realist.

Rebe *f* <-, -n> vine.

Rebell(in) *m(f)* <-en, -en> rebel; **Rebellion** *f* rebellion; **rebellisch** *adj* rebellious.

Rebhuhn *nt* partridge; **Rebstock** *m* vine.

Rechaud *m* <-s, -s> spirit burner.

rechen *vt, vi* rake; **Rechen** *m* <-s, -> rake.

Rechenaufgabe *f* sum, mathematical problem; **Rechenfehler** *m* miscalculation; **Rechenmaschine** *f* calculating machine; **Rechenschaft** *f* account; **Rechenschaftsbericht** *m* report; **Rechenschieber** *m* slide rule; **Rechenzentrum** *nt* computer centre.

rechnen 1. *vt, vi* calculate; 2. *vr:* **sich** ~ pay off, turn out to be profitable; **jdn/etw ~ zu** [*o* **unter**] count sb/sth among; ~ **mit** reckon with; ~ **auf** + *akk* count on; **Rechner** *m* <-s, -> calculator; (*Computer*) computer; **Rechnung** *f* calculation[s]; (WIRTS) bill, check *US*; **jdm/einer Sache ~ tragen** take sb/sth into account; **Rechnungsjahr** *nt* financial year; **Rechnungsprüfer(in)** *m(f)* auditor; **Rechnungsprüfung** *f* audit[ing].

recht *adj, adv* right; (*vor Adjektiv*) really, quite; **das ist mir** ~ that suits me; **jetzt erst** ~ now more than ever.

Recht *nt* <-[e]s, -e> right; (JUR) law; ~ **sprechen** administer justice; **mit** ~ rightly, justly; **von ~s wegen** by rights; ~ **haben**[RR] be right; **jdm ~ geben**[RR] agree with sb.

Rechte *f* <-n, -n> right side; right hand; (POL) right.

rechte(r, s) *adj* right; **Rechte(r)** *mf* right person; **Rechte(s)** *nt* right thing; **etwas/nichts ~s** something/nothing proper.

Rechteck *nt* <-s, -e> rectangle; **rechteckig** *adj* rectangular.

rechtfertigen *vt, vr:* **sich** ~ justify [oneself]; **Rechtfertigung** *f* justification; **rechthaberisch** *adj* dogmatic; **rechtlich** *adj*, **rechtmäßig** *adj* legal, lawful.

rechts *adv* right; to [*o* on] the right; ~ **von mir** on [*o* to] my right.

Rechtsanwalt *m*, **Rechtsanwältin** *f* lawyer, barrister; **Rechtsaußen** *m* <-, -> (SPORT) outside right; **Rechtsbeistand** *m* legal adviser.

rechtschaffen *adj* upright.

Rechtschreibfehler *m* spelling mistake; **Rechtschreibung** *f* spelling.

Rechtsextremismus *m* right-wing extremism.

R

Rechtsextremist(in) *m(f)* right-wing extremist; **rechtsextremistisch** *adj* right-wing extremist.

Rechtsfall *m* [law] case; **Rechtsfrage** *f* legal question; **Rechtshänder(in)** *m(f)* <-s, -> right-handed person; **rechtskräftig** *adj* valid, legal; **Rechtskurve** *f* right-hand bend; **rechtsradikal** *adj* (POL) extreme right-wing; **Rechtsradikale(r)** *mf* right-wing extremist; **Rechtsschutzversicherung** *f* legal costs insurance; **Rechtsstreit** *m* lawsuit; **Rechtsverkehr** *m* driving on the right; **Rechtsweg** *m:* **den ~ beschreiten** take legal action; **rechtswidrig** *adj* illegal.

rechtwinklig *adj* right-angled; **rechtzeitig 1.** *adj* timely; **2.** *adv* in time.

Reck *nt* <-[e]s, -e> horizontal bar.

recken *vt, vr:* **sich ~** stretch.

recyceln *vt* recycle; **recyclebar** *adj* recyclable; **Recycling** *nt* <-s> recycling; **Recyclingpapier** *nt* recycled paper; **recyclingsgerecht** *adj* recyclable, suitable for recycling.

Redakteur(in) *m(f)* editor; **Redaktion** *f* editing; (*Leute*) editorial staff; (*Büro*) editorial office[s]; **redaktionell** *adj* editorial.

Rede *f* <-, -n> speech; (*Gespräch*) talk; **jdn zur ~ stellen** take sb to task; **Redefreiheit** *f* freedom of speech; **redegewandt** *adj* eloquent; **reden 1.** *vi* talk, speak; **2.** *vt* say; (*Unsinn etc*) talk; **Reden** *nt* <-s> talking, speech; **Redensart** *f* set phrase; **Redewendung** *f* expression, idiom.

redlich *adj* honest.

Redner(in) *m(f)* <-s, -> speaker, orator; **redselig** *adj* talkative, loquacious.

reduzieren *vt* reduce.

Reede *f* <-, -n> protected anchorage; **Reeder(in)** *m(f)* <-s, -> shipowner; **Reederei** *f* shipping line [*o* firm].

reell *adj* fair, honest; (MATH) real.

Referat *nt* report; (*Vortrag*) paper; (*Gebiet*) section.

Referent(in) *m(f)* speaker; (*Berichterstatter*) reporter; (*Sachbearbeiter*) expert.

Referenz *f* reference.

referieren *vi:* **~ über** *+akk* speak [*o* talk] on.

reflektieren *vt, vi* reflect; **~ auf** *+akk* be interested in.

Reflex *m* <-es, -e> reflex; **Reflexbewegung** *f* reflex action; **reflexiv** *adj* reflexive.

Reform *f* <-, -en> reform.

Reformation *f* reformation; **Reformator(in)** *m(f)* reformer; **reformatorisch** *adj* reformatory, reforming.

Reformhaus *nt* health food shop.

reformieren *vt* reform.

Refrain *m* <-s, -s> refrain, chorus.

Regal *nt* <-s, -e> shelves *pl.*

rege *adj* lively, active; (*Geschäft*) brisk.

Regel *f* <-, -n> rule; (MED) period; **regelmäßig** *adj* regular; **Regelmäßigkeit** *f* regularity; **regeln 1.** *vt* regulate, control; (*Angelegenheit*) settle; **2.** *vr:* **sich von selbst ~** take care of itself; **regelrecht** *adj* regular, proper, thorough; **Regelung** *f* regulation; (*Erledigung*) settlement; (*Abmachung*) arrangement; (*Bestimmung*) ruling; **regelwidrig** *adj* irregular, against the rules.

regen *vt, vr:* **sich ~** move, stir.

Regen *m* <-s, -> rain; **Regenbogen** *m* rainbow; **Regenbogenhaut** *f* (ANAT) iris; **Regenguss**[RR] *m* downpour; **Regenmantel** *m* raincoat, mac[kintosh]; **Regenschauer** *m* shower [of rain]; **Regenschirm** *m* umbrella.

Regent(in) *m(f)* regent.

Regentag *m* rainy day.

Regentschaft *f* regency.

Regenwald *m* rainforest; **Regenwurm** *m* earthworm; **Regenzeit** *f* rainy season, rains *pl.*

Regie *f* (FILM) direction; (THEAT) production.

regieren *vt, vi* govern, rule; **Regierung** *f* government; (*bei Monarchie*) reign; **Regierungswechsel** *m* change of government; **Regierungszeit** *f* period in government; (*von König*) reign.

Regiment *nt* <-s, -er> regiment.

Region *f* region; **regional** *adj* regional.

Regisseur(in) *m(f)* director; (THEAT) [stage] producer.

Register *nt* <-s, -> register; (*in Buch*) table of contents, index.

Registratur *f* registry, record office.

registrieren *vt* register.

Regler *m* <-s, -> regulator, governor.

regnen *vb unpers* rain; **regnerisch** *adj* rainy.

regulär *adj* regular.

regulieren *vt* regulate; (WIRTS) settle.

Regung *f* motion; (*Gefühl*) feeling, impulse; **regungslos** *adj* motionless.

Reh *nt* <-[e]s, -e> deer, roe.

Rehabilitationszentrum *nt* (MED) rehabilitation centre.

rehabilitieren *vt* rehabilitate.

Rehbock *m* roebuck; **Rehkalb** *nt,* **Rehkitz** *nt* fawn.

Reibe *f* <-, -n>, **Reibeisen** *nt* grater; **reiben** <rieb, gerieben> *vt* rub; (GASTR) grate.

Reiberei *f* friction; **Reibfläche** *f* rough surface.

Reibung *f* friction; **reibungslos** *adj* smooth.

reich *adj* rich.

Reich *nt* <-[e]s, -e> empire, kingdom; (*fig*) realm; **das Dritte** ~ the Third Reich.

reichen 1. *vi* reach; (*genügen*) be enough, be sufficient (*jdm* for sb); 2. *vt* hold out; (*geben*) pass, hand; (*anbieten*) offer.

reichhaltig *adj* ample, rich; **reichlich** *adj* ample, plenty of; **Reichtum** *m* <-s, Reichtümer> wealth.

Reichweite *f* range.

reif *adj* ripe; (*Mensch, Urteil*) mature.

Reif 1. *m* <-[e]s> (*Rauh~*) hoarfrost; 2. *m* <-[e]s, -e> (*Ring*) ring, hoop.

Reife *f* <-> ripeness; (*von Mensch*) maturity; **reifen** *vi* mature; (*Obst*) ripen.

Reifen *m* <-s, -> ring, hoop; (*Fahrzeug~*) tyre; **Reifenschaden** *m* puncture.

Reifeprüfung *f* school leaving exam; **Reifezeugnis** *nt* school leaving certificate.

Reihe *f* <-, -n> row; (*von Tagen etc, umg: Anzahl*) series *sing;* **der ~ nach** in turn; **er ist an der** ~ it's his turn; **an die ~ kommen** have one's turn; **reihen** *vt* set in a row; arrange in series; (*Perlen*) string; **Reihenfolge** *f* sequence; **alphabetische** ~ alphabetical order; **Reihenhaus** *nt* terraced house, town house *US.*

Reiher *m* <-s, -> heron.

Reim *m* <-[e]s, -e> rhyme; **reimen** *vt* rhyme.

rein 1. = (*umg*) **herein, hinein;** 2. *adj* pure; (*sauber*) clean; 3. *adv* (*ausschließlich*) purely; (*umg: völlig*) absolutely; **etw ins Reine**[RR] **schreiben** make a fair copy of sth; **etw ins Reine**[RR] **bringen** clear up sth; **Rein-** *in Zusammensetzungen* (WIRTS) net[t]; **Reinemachefrau** *f* charwoman; **Reinfall** *m* (*umg*) let-down; **Reingewinn** *m* net profit; **Reinheit** *f* purity; (*Sauberkeit*) cleanliness.

reinigen *vt* clean; (*Wasser*) purify; **Reinigung** *f* cleaning; purification; (*Geschäft*) cleaner's; **chemische** ~ (*Geschäft*) dry cleaning; dry cleaner's.

reinlich *adj* clean; **Reinlichkeit** *f* cleanliness.

reinrassig *adj* pedigree; **Reinschrift** *f* fair copy; **reinwaschen** *irr vr:* **sich** ~ clear oneself.

Reis 1. *m* <-es, -e> rice; 2. *nt* <-es, -er> (*Zweig*) twig, sprig.

Reise *f* <-, -n> journey; (*Schiffs~*) voyage; **~n** *pl* travels *pl;* **Reiseandenken** *nt* souvenir; **Reisebüro** *nt* travel agency; **reisefertig** *adj* ready to start; **Reiseführer(in)** *m(f)* (*Mensch*) travel guide; (*Buch*) guide[book]; **Reisegepäck** *nt* luggage; **Reisegesellschaft** *f* party of travellers; (*Veranstalter*) tour operator; **Reisekosten** *pl* travelling expenses *pl;* **Reiseleiter(in)** *m(f)* courier; **Reiselektüre** *f* reading matter for the journey; **reisen** *vi* travel; go (*nach* to); **Reisende(r)** *mf* traveller; **Reisepass**[RR] *m* passport; **Reisepläne** *pl* plans *pl* for a journey; **Reiseproviant** *m* provisions *pl* for the journey; **Reiseruf** *m* (*im Radio*) *emergency call to sb who is travelling;* **Reisescheck** *m* traveller's cheque; **Reisetasche** *f* travelling bag [*o* case]; **Reiseveranstalter(in)** *m(f)* travel agent, tour operator; **Reiseverkehr** *m* tourist/holiday traffic; **Reiseversicherung** *f* travel insurance; **Reisewetter** *nt* holiday weather; **Reiseziel** *nt* destination.

Reisig *nt* <-s> brushwood.

Reißaus *m:* ~ **nehmen** run away, flee; **Reißbrett** *nt* drawing board; **reißen** <riss, gerissen> *vt, vi* tear; (*ziehen*) pull, drag; (*Witz*) crack; **etw an sich** ~ snatch sth up; (*fig*) take over sth; **sich um etw** ~ scramble for sth; **reißend** *adj* (*Fluss*) torrential; (WIRTS) rapid.

Reißer *m* <-s, -> (*umg*) thriller; **reißerisch** *adj* (*pej*) sensationalistic.

Reißleine *f* (FLUG) ripcord; **Reißnagel** *m* drawing pin, thumbtack *US;* **Reißverschluss**[RR] *m* zip[per], zip fastener; **Reißzeug** *nt* geometry set; **Reißzwecke** *f* drawing pin, thumbtack *US.*

reiten <ritt, geritten> *vt, vi* ride; **Reiter(in)** *m(f)* <-s, -> rider; (MIL) cavalryman, trooper; **Reithose** *f* riding breeches *pl;* **Reitpferd** *nt* saddle horse; **Reitsport** *m* riding; **Reitstiefel** *m* riding boot; **Reitzeug** *nt* riding outfit.

Reiz *m* <-es, -e> stimulus; (*angenehm*) charm; (*Verlockung*) attraction; **reizbar** *adj* irritable; **Reizbarkeit** *f* irritability;

R

reizen *vt* stimulate; (*unangenehm*) irritate; (*verlocken*) appeal to, attract; **reizend** *adj* charming; **Reizgas** *nt* shock gas, strong gas irritant; **reizlos** *adj* unattractive; **Reizthema** *nt* explosive topic; **reizvoll** *adj* attractive; **Reizwäsche** *f* sexy underwear.

rekeln *vr:* **sich ~** stretch out; (*lümmeln*) lounge [*o* loll] about.

Reklamation *f* complaint.

Reklame *f* <-, -n> advertising; advertisement; **~ für etw machen** advertise sth.

reklamieren *vt, vi* complain [about]; (*zurückfordern*) reclaim.

rekonstruieren *vt* reconstruct.

Rekonvaleszenz *f* convalescence.

Rekord *m* <-[e]s, -e> record; **Rekordleistung** *f* record performance.

Rekrut(in) *m(f)* <-en, -en> recruit; **rekrutieren 1.** *vt* recruit; **2.** *vr:* **sich ~** be recruited.

Rektor(in) *m(f)* (*von Universität*) rector, vice-chancellor; (SCH) headmaster/-mistress; **Rektorat** *nt* rectorate, vice-chancellorship; headship; (*Zimmer*) rector's office; headmaster's/headmistress's office.

Relais *nt* <-, -> relay.

relational *adj* (INFORM) relational.

relativ *adj* relative; **Relativität** *f* relativity.

relaxen *vi* (*umg*) relax.

relevant *adj* relevant.

Relief *nt* <-s, -s> relief.

Religion *f* religion; **Religionsunterricht** *m* religious instruction; **religiös** *adj* religious.

Relikt *nt* <-[e]s, -e> relic.

Reling *f* <-, -s> (NAUT) rail.

Reliquie *f* relic.

Rem *nt* <-, -> rem.

Reminiszenz *f* reminiscence, recollection.

Remoulade *f* remoulade.

Ren *nt* <-s, -s *o* -e> reindeer.

Rendezvous *nt* <-, -> rendezvous.

Rendite *f* <-, -n> rate of return.

Rennbahn *f* racecourse; (AUTO) circuit, race track; **rennen** <rannte, gerannt> *vt, vi* run, race; **Rennen** *nt* <-s, -> running; (*Wettbewerb*) race.

Renner *m* <-s, -> (*umg*) big seller.

Rennfahrer(in) *m(f)* racing driver; **Rennpferd** *nt* racehorse; **Rennplatz** *m* racecourse; **Rennrad** *nt* racer; **Rennwagen** *m* racing car.

renovieren *vt* renovate; **Renovierung** *f* renovation.

rentabel *adj* profitable, lucrative; **Rentabilität** *f* profitability.

Rente *f* <-, -n> pension; **Rentenanspruch** *m* pension entitlement; **Rentenempfänger(in)** *m(f)* pensioner.

Rentier *nt* reindeer.

rentieren *vr:* **sich ~** pay, be profitable.

Rentner(in) *m(f)* <-s, -> pensioner.

Reparatur *f* repairing; repair; **reparaturbedürftig** *adj* in need of repair; **Reparaturwerkstatt** *f* repair shop; (AUTO) garage; **reparieren** *vt* repair.

Repertoire *nt* <-s, -s> repertoire.

Reportage *f* <-, -n> report; **Reporter(in)** *m(f)* <-s, -> reporter, commentator.

Repräsentant(in) *m(f)* representative; **repräsentativ** *adj* representative; (*Geschenk etc*) prestigious; **repräsentieren 1.** *vt* represent; **2.** *vi* perform official duties.

Repressalien *pl* reprisals *pl.*

Reproduktion *f* reproduction; **reproduzieren** *vt* reproduce.

Reptil *nt* <-s, -ien> reptile.

Republik *f* republic; **Republikaner(in)** *m(f)* <-s, -> republican; **republikanisch** *adj* republican.

Reservat *nt* reservation.

Reserve *f* <-, -n> reserve; **Reserverad** *nt* (AUTO) spare wheel; **Reservespieler(in)** *m(f)* reserve; **Reservetank** *m* reserve tank; **reservieren** *vt* reserve; **Reservist(in)** *m(f)* reservist.

Reservoir *nt* <-s, -e> reservoir.

Residenz *f* residence, seat.

Resignation *f* resignation; **resignieren** *vi* give up; **resigniert** *adj* resigned.

resolut *adj* resolute.

Resolution *f* resolution.

Resonanz *f* resonance; **Resonanzboden** *m* sounding board; **Resonanzkasten** *m* resonance box.

Resopal® *nt* <-s> formica®.

resozialisieren *vt* rehabilitate.

Respekt *m* <-[e]s> respect; **respektabel** *adj* respectable; **respektieren** *vt* respect; **respektlos** *adj* disrespectful; **Respektsperson** *f* person commanding respect; **respektvoll** *adj* respectful.

Ressort *nt* <-s, -s> department.

Rest *m* <-[e]s, -e> remainder, rest; (*Über~*) remains *pl;* **~e** *pl* (WIRTS) remnants *pl.*

Restaurant *nt* <-s, -s> restaurant.

restaurieren *vt* restore.

Restbetrag *m* remainder, outstanding sum; **restlich** *adj* remaining; **restlos** *adj* complete; **Restrisiko** *nt* minimal risk.

Resultat *nt* result.

Retorte *f* <-, -n> retort; **Retortenbaby** *nt* test-tube baby.

Retourgeld *nt* (*CH*) change.

Retrovirus *nt* retrovirus.

retten *vt* save, rescue; **Retter**(**in**) *m(f)* <-s, -> rescuer, saviour.

Rettich *m* <-s, -e> radish.

Rettung *f* rescue; (*Hilfe*) help; **seine letzte ~** his last hope; **Rettungsboot** *nt* lifeboat; **Rettungsgürtel** *m* lifebelt, life preserver *US;* **rettungslos** *adj* hopeless; **Rettungsring** *m* lifebelt, life preserver *US;* **Rettungswagen** *m* rescue vehicle.

retuschieren *vt* (FOTO) retouch.

Reue *f* <-> remorse; (*Bedauern*) regret; **reuen** *vt* regret; **es reut ihn** he regrets [it], he is sorry [about it]; **reuig** *adj* penitent.

Revanche *f* <-, -n> revenge; (SPORT) return match; **revanchieren** *vr:* **sich ~** (*sich rächen*) get one's own back, have one's revenge; (*erwidern*) reciprocate, return the compliment.

Revers *m o nt* <-, -> lapel.

revidieren *vt* revise.

Revier *nt* <-s, -e> district; (*Jagd~*) preserve; (*Polizei~*) police station/beat; (MIL) sick-bay.

Revision *f* revision; (WIRTS) auditing; (JUR) appeal.

Revolte *f* <-, -n> revolt.

Revolution *f* revolution; **revolutionär** *adj* revolutionary; **Revolutionär**(**in**) *m(f)* revolutionary; **revolutionieren** *vt* revolutionize.

Revolver *m* <-s, -> revolver.

Rezensent(**in**) *m(f)* reviewer, critic; **rezensieren** *vt* review; **Rezension** *f* review, criticism.

Rezept *nt* <-[e]s, -e> recipe; (MED) prescription; **rezeptpflichtig** *adj* available only on prescription.

Rezession *f* recession.

rezitieren *vt* recite.

Rhabarber *m* <-s> rhubarb.

Rhein *m* Rhine; **Rheinland-Pfalz** *nt* <-> Rhineland-Palatinate.

Rhesusfaktor *m* rhesus factor.

Rhetorik *f* rhetoric; **rhetorisch** *adj* rhetorical.

Rheuma *nt* <-s>, **Rheumatismus** *m* rheumatism.

Rhinozeros *nt* <- *o* Rhinozerosses, Rhinozerosse> rhinoceros.

rhythmisch *adj* rythmical; **Rhythmus** *m* rhythm.

Ribisel *f* <-, -n> (*A*): **rote/schwarze ~** redcurrant/blackcurrant.

richten 1. *vt* direct (*an +akk* at); (*fig*) direct (*an +akk* to); (*Waffe*) aim (*auf +akk* at); (*einstellen*) adjust; (*instand setzen*) repair; (*zurechtmachen*) prepare; (*bestrafen*) pass judgement on; **2.** *vr:* **sich ~ nach** go by.

Richter(**in**) *m(f)* <-s, -> judge; **richterlich** *adj* judicial.

richtig 1. *adj* right, correct; (*echt*) proper; **2.** *adv* (*umg: sehr*) really; **der/die Richtige**[RR] the right one [*o* person]; **das Richtige**[RR] the right thing; **Richtigkeit** *f* correctness; **Richtigstellung** *f* correction, rectification.

Richtlinie *f* guideline; (*EU*) directive; **Richtpreis** *m* recommended price.

Richtung *f* direction; (*Tendenz*) tendency, orientation.

rieb *imperf von* **reiben**.

riechen <roch, gerochen> *vt, vi* smell (*an etw dat* sth, *nach* of); **ich kann das/ihn nicht ~** (*umg*) I can't stand it/him.

rief *imperf von* **rufen**.

Riege *f* <-, -n> team, squad.

Riegel *m* <-s, -> bolt, bar.

Riemen *m* <-s, -> strap; (*Gürtel*) belt; (NAUT) oar.

Riese *m* <-n, -n> giant.

rieseln *vi* trickle; (*Schnee*) fall gently.

Riesenerfolg *m* enormous success; **riesengroß** *adj,* **riesenhaft** *adj* colossal, gigantic, huge; **riesig** *adj* enormous, huge, vast; **Riesin** *f* giantess.

riet *imperf von* **raten**.

Riff *nt* <-[e]s, -e> reef.

Rille *f* <-, -n> groove.

Rind *nt* <-[e]s, -er> ox; cow; cattle *pl;* (GASTR) beef.

Rinde *f* <-, -n> rind; (*Baum~*) bark; (*Brot~*) crust.

Rinderwahnsinn *m* mad cow disease; **Rindfleisch** *nt* beef; **Rindsbraten** *m* roast beef; **Rindvieh** *nt* cattle *pl;* (*umg*) blockhead, stupid oaf.

Ring *m* <-[e]s, -e> ring; **Ringbuch** *nt* loose-leaf book, ring binder.

Ringelnatter *f* grass snake.

ringen <rang, gerungen> *vi* wrestle;

Ringen *nt* <-s> wrestling.

Ringfinger *m* ring finger; **ringförmig** *adj* ring-shaped; **Ringkampf** *m* wrestling bout; **Ringrichter(in)** *m(f)* referee; **ringsherum** *adv* round about; **Ringstraße** *f* ring road; **ringsum[her]** *adv* (*rundherum*) round about; (*überall*) all round.

Rinne *f* <-, -n> gutter, drain.

rinnen <rann, geronnen> *vi* run, trickle.

Rinnsal *nt* <-s, -e> trickle of water; **Rinnstein** *m* gutter.

Rippchen *nt* small rib; cutlet.

Rippe *f* <-, -n> rib; **Rippenfellentzündung** *f* pleurisy.

Risiko *nt* <-s, -s *o* Risiken> risk; **risikobereit** *adj* prepared to take risks; **Risikogruppe** *f* risk group.

riskant *adj* risky, hazardous; **riskieren** *vt* risk.

riss^RR *imperf von* **reißen**; **Riss**^RR *m* <-es, -e> tear; (*in Mauer, Tasse etc*) crack; (*in Haut*) scratch; (TECH) design; **rissig** *adj* torn; cracked; scratched.

ritt *imperf von* **reiten**; **Ritt** *m* <-[e]s, -e> ride.

Ritter *m* <-s, -> knight; **ritterlich** *adj* chivalrous; **Ritterschlag** *m* knighting; **Rittertum** *nt* <-s> chivalry; **Ritterzeit** *f* age of chivalry.

rittlings *adv* astride.

Ritus *m* <-, Riten> rite.

Ritze *f* <-, -n> crack, chink; **ritzen** *vt* scratch.

Rivale *m* <-n, -n>, **Rivalin** *f* rival; **Rivalität** *f* rivalry.

Rizinusöl *nt* castor oil.

RNS *f abk von* Ribonukleinsäure RNA.

Robbe *f* <-, -n> seal.

Robe *f* <-, -n> robe.

Roboter *m* <-s, -> robot.

roch *imperf von* **riechen**.

röcheln *vi* wheeze.

Rock *m* <-[e]s, Röcke> skirt; (*Jackett*) jacket; (*Uniform~*) tunic.

Rockband *f* <-, -s> (*Musikgruppe*) rock band; **Rockmusik** *f* rock [music].

Rodel *m* <-s, -> toboggan; **Rodelbahn** *f* toboggan run; **rodeln** *vi* toboggan.

roden *vt, vi* clear.

Rogen *m* <-s, -> roe, spawn.

Roggen *m* <-s, -> rye; **Roggenbrot** *nt* rye bread, black bread.

roh *adj* raw; (*Mensch*) coarse, crude; **Rohbau** *m* <Rohbauten *pl*> shell of a building; **Roheisen** *nt* pig iron; **Rohling** *m* ruffian; **Rohmaterial** *nt* raw material; **Rohöl** *nt* crude oil.

Rohr *nt* <-[e]s, -e> pipe, tube; (BOT) cane; (*Schilf*) reed; (*Gewehr~*) barrel; **Rohrbruch** *m* burst pipe.

Röhre *f* <-, -n> tube, pipe; (RADIO) valve; (*Back~*) oven.

Rohrleitung *f* pipeline; **Rohrpost** *f* pneumatic post; **Rohrstock** *m* cane; **Rohrstuhl** *m* basket chair; **Rohrzucker** *m* cane sugar.

Rohseide *f* raw silk; **Rohstoff** *m* raw material.

Rokoko *nt* <-s> rococo.

Rolladen *m s.* Rollladen.

Rolle *f* <-, -n> roll; (THEAT) role; (*Garn~ etc*) reel, spool; (*Walze*) roller; **keine ~ spielen** not matter; **rollen** *vt, vi* roll; (FLUG) taxi; **Rollenbesetzung** *f* (THEAT) cast; **Rollentausch** *m* role-swapping; **Rollenverteilung** *f* role allocation.

Roller *m* <-s, -> scooter; (*Welle*) roller.

Rollfeld *nt* (FLUG) runway; **Rollkragenpullover** *m* roll-neck sweater; **Rollladen**^RR *m* shutter; **Rollmops** *m* pickled herring; **Rollschuh** *m* roller skate; **Rollsteg** *m* travolator; **Rollstuhl** *m* wheelchair; **Rollstuhlfahrer(in)** *m(f)* wheelchair driver; **rollstuhlgerecht** *adj* suitable for wheelchairs; **Rolltreppe** *f* escalator.

ROM *m abk von* Read Only Memory (INFORM) ROM.

Roman *m* <-s, -e> novel; **Romanschreiber(in)** *m(f)*, **Romanschriftsteller(in)** *m(f)* novelist.

Romantik *f* romanticism; **Romantiker(in)** *m(f)* <-s, -> romanticist; **romantisch** *adj* romantic.

Romanze *f* <-, -n> romance.

Römer(in) *m(f)* <-s, -> (*Mensch*) Roman; (*für Wein*) wineglass.

römisch *adj* Roman; **römisch-katholisch** *adj* Roman Catholic.

röntgen *vt* X-ray; **Röntgenaufnahme** *f*, **Röntgenbild** *nt* X-ray; **Röntgenstrahlen** *pl* X-rays *pl*.

rosa *adj inv* pink, rose[-coloured].

Rose *f* <-, -n> rose; **Rosenkohl** *m* Brussel[s] sprouts *pl;* **Rosenkranz** *m* rosary; **Rosenmontag** *m* Shrove Monday.

Rosette *f* rosette.

rosig *adj* rosy.

Rosine *f* raisin, currant.

Ross^RR *nt* <-es, Rösser> horse, steed; **Rosskastanie**^RR *f* horse chestnut.

Rost *m* <-[e]s, -e> rust; (*Gitter*) grill, gridiron; (*Bett~*) springs *pl;* **Rostbraten** *m* roast[ed] meat, joint; **rosten** *vi* rust.

rösten *vt* roast; toast; grill.

rostfrei *adj* rust-free, rustproof; stainless; **rostig** *adj* rusty; **Rostschutz** *m* rustproofing.

rot *adj* red.

Rotation *f* rotation.

rotbäckig *adj* red-cheeked; **rotblond** *adj* strawberry blond.

Röte *f* <-> redness.

Röteln *pl* German measles *sing.*

röten *vt, vr:* **sich ~** redden.

rothaarig *adj* red-haired.

rotieren *vi* rotate.

Rotkäppchen *nt* Little Red Riding Hood; **Rotkehlchen** *nt* robin; **Rotkraut** *nt* (*A*) red cabbage; **Rotstift** *m* red pencil; **Rotwein** *m* red wine.

Rotz *m* <-es, -e> (*umg*) snot; **rotzfrech** *adj* (*umg*) insolent, snotty.

Roulade *f* (GASTR) beef olive.

Route *f* <-, -n> route.

Routine *f* experience; (*Trott*) routine.

Rübe *f* <-, -n> turnip; **Gelbe ~**[RR] carrot; Rote ~[RR] beetroot; **Rübenzucker** *m* beet sugar.

Rubin *m* <-s, -e> ruby.

Rubrik *f* heading; (*Spalte*) column.

Ruck *m* <-[e]s, -e> jerk, jolt.

Rückantwort *f* reply, answer; **rückbezüglich** *adj* reflexive; **rückblenden** *vi* flash back; **rückblickend** *adj* retrospective.

rücken *vt, vi* move.

Rücken *m* <-s, -> back; (*Berg~*) ridge; **Rückendeckung** *f* backing; **Rückenlehne** *f* back [of chair]; **Rückenmark** *nt* spinal cord; **Rückenschwimmen** *nt* backstroke; **Rückenwind** *m* following wind.

Rückerstattung *f* return, restitution, repayment; **Rückfahrt** *f* return journey; **Rückfall** *m* relapse; **rückfällig** *adj* relapsing; **~ werden** relapse; **Rückflug** *m* return flight; **Rückfrage** *f* question; **Rückgabe** *f* return; **Rückgang** *m* decline, fall; **rückgängig** *adj:* **etw ~ machen** cancel sth; **Rückgrat** *nt* <-[e]s, -e> spine, backbone; **Rückgriff** *m* recourse; **Rückhalt** *m* (*Unterstützung*) backing; (*Einschränkung*) reservation; **rückhaltlos** *adj* unreserved; **Rückkehr** *f* <-, -en> return; **Rückkoppelung** *f* feedback; **Rücklage** *f* reserve, savings *pl;* **rückläufig** *adj* declining, falling; **Rücklicht** *nt* back light; **rücklings** *adv* from behind; backwards; **Rücknahme** *f* <-, -n> taking back; **Rückporto** *nt* return postage; **Rückreise** *f* return journey; (NAUT) home voyage; **Rückruf** *m* recall.

Rucksack *m* rucksack, backpack *US;* **Rucksacktourist(in)** *m(f)* backpacker.

Rückschluss[RR] *m* conclusion; **Rückschritt** *m* retrogression; **rückschrittlich** *adj* reactionary; (*Entwicklung*) retrograde; **Rückseite** *f* back; (*von Münze etc*) reverse.

Rücksicht *f* consideration; **~ nehmen auf** *+akk* show consideration for; **rücksichtslos** *adj* inconsiderate; (*Fahren*) reckless; (*unbarmherzig*) ruthless; **rücksichtsvoll** *adj* considerate.

Rücksitz *m* back seat; **Rückspiegel** *m* (AUTO) rear-view mirror; **Rückspiel** *nt* return match; **Rücksprache** *f* further discussion [*o* talk]; **Rückstand** *m* arrears *pl;* **rückständig** *adj* backward, out-of-date; (*Zahlungen*) in arrears; **Rückstoß** *m* recoil; **Rückstrahler** *m* <-s, -> rear reflector; **Rücktaste** *f* backspace key; **Rücktritt** *m* resignation; **Rücktrittbremse** *f* pedal brake; **Rückvergütung** *f* repayment; (WIRTS) refund; **rückwärtig** *adj* rear; **rückwärts** *adv* backward[s], back; **Rückwärtsgang** *m* (AUTO) reverse gear; **Rückweg** *m* return journey, way back; **rückwirkend** *adj* retroactive, retrospective; **Rückwirkung** *f* repercussion; **mit ~ vom ...** backdated to ...; **Rückzahlung** *f* repayment; **Rückzieher** *m* <-s, -> climbdown; **Rückzug** *m* retreat.

rüde *adj* blunt, gruff.

Rüde *m* <-n, -n> male dog/fox/wolf.

Rudel *nt* <-s, -> pack; (*von Hirschen, Wildschweinen*) herd.

Ruder *nt* <-s, -> oar; (*Steuer*) rudder; **Ruderboot** *nt* rowing boat; **Ruderer** *m* <-s, -> rower; **rudern** *vt, vi* row; **Rud[r]erin** *f* rower.

Rüebli *nt* <-s, -> (*CH*) carrot.

Ruf *m* <-[e]s, -e> call, cry; (*Ansehen*) reputation; **rufen** <rief, gerufen> *vt, vi* call; cry; **Rufname** *m* usual [first] name; **Rufnummer** *f* [tele]phone number; **Rufumleitung** *f* call diversion; **Rufzeichen** *nt* (RADIO) call sign; (TEL) ringing tone.

Rüge *f* <-, -n> reprimand, rebuke; **rügen** *vt* reprimand.

R

Ruhe *f* <-> rest; (*Ungestörtheit*) peace, quiet; (*Gelassenheit, Stille*) calm; (*Schweigen*) silence; **sich zur ~ setzen** retire; ~! be quiet!, silence!; **ruhelos** *adj* restless; **ruhen** *vi* rest; **Ruhepause** *f* break; **Ruhestand** *m* retirement; **Ruhestätte** *f*: **letzte ~** final resting place; **Ruhestörung** *f* breach of the peace; **Ruhetag** *m* closing day.

ruhig *adj* quiet; (*bewegungslos*) still; (*Hand*) steady; (*gelassen, friedlich*) calm; (*Gewissen*) clear; **tu das ~** feel free to do that.

Ruhm *m* <-[e]s> fame, glory; **rühmen 1.** *vt* praise; **2.** *vr*: **sich ~** boast; **rühmlich** *adj* laudable; **ruhmlos** *adj* inglorious; **ruhmreich** *adj* glorious.

Ruhr *f* <-> dysentery.

Rührei *nt* scrambled egg[s]; **rühren 1.** *vt, vr*: **sich ~** move; (*um~*) stir; **2.** *vi*: **~ von** come [*o* stem] from; **~ an** *+akk* touch on; **rührend** *adj* touching, moving; **rührig** *adj* active, lively; **rührselig** *adj* sentimental, emotional; **Rührung** *f* emotion.

Ruin *m* <-s> ruin.

Ruine *f* <-, -n> ruin.

ruinieren *vt* ruin.

rülpsen *vi* burp, belch.

Rum *m* <-s, -s> rum.

Rumäne *m* <-n, -n> Romanian; **Rumänien** *nt* Romania; **Rumänin** *f* Romanian; **rumänisch** *adj* Romanian.

Rummel *m* <-s> (*umg*) hubbub; (*Jahrmarkt*) fair; **Rummelplatz** *m* fairground, fair.

rumoren *vi* be noisy, make a noise.

Rumpelkammer *f* junk room.

rumpeln *vi* rumble; (*holpern*) jolt.

Rumpf *m* <-[e]s, Rümpfe> trunk, torso; (FLUG) fuselage; (NAUT) hull.

rümpfen *vt* (*Nase*) turn up.

Run *m* <-s, -s> run (*auf+akk* on).

rund 1. *adj* round; **2.** *adv* (*etwa*) around; **~ um etw** round sth; **Rundbogen** *m* Norman [*o* Romanesque] arch; **Rundbrief** *m* circular.

Runde *f* <-, -n> round;. (*in Rennen*) lap; (*Gesellschaft*) circle.

runden 1. *vt* make round; **2.** *vr*: **sich ~** (*fig*) take shape.

runderneuert *adj* (*Reifen*) remoulded; **Rundfahrt** *f* [round] trip.

Rundfunk *m* broadcasting; (*~anstalt*) broadcasting service; **im ~** on the radio; **Rundfunkempfang** *m* reception; **Rundfunkgebühr** *f* radio licence fee; **Rundfunkgerät** *nt* wireless set; **Rundfunksendung** *f* broadcast, radio programme.

rundlich *adj* plump, rounded.

Rundreise *f* round trip; **Rundschreiben** *nt* circular.

Rundung *f* curve, roundness.

runter = (*umg*) **herunter, hinunter.**

Runzel *f* <-, -n> wrinkle; **runzelig** *adj* wrinkled; **runzeln** *vt* wrinkle; **die Stirn ~** frown.

Rüpel *m* <-s, -> lout; **rüpelhaft** *adj* loutish.

rupfen *vt* pluck.

Rupfen *m* <-s, -> sackcloth.

ruppig *adj* rough, gruff.

Rüsche *f* <-, -n> frill.

Ruß *m* <-es> soot.

Russe *m* <-n, -n> Russian.

Rüssel *m* <-s, -> snout; (*Elefanten~*) trunk.

rußen *vi* smoke; (*Ofen*) be sooty.

rußig *adj* sooty.

Russin *f* Russian.

russisch *adj* Russian; **~ sprechen** speak Russian; **Russisch** *nt* Russian; **Russland**[RR] *nt* Russia.

rüsten *vt, vi, vr*: **sich ~** prepare; (MIL) arm.

rüstig *adj* sprightly, vigorous.

Rüstung *f* (*mit Waffen*) arming; (*Ritter~*) armour; (*Waffen etc*) armaments *pl*; **Rüstungskontrolle** *f* arms control; **Rüstungswettlauf** *m* arms race.

Rüstzeug *nt* tools *pl*; (*fig*) capacity.

Rute *f* <-, -n> rod, switch.

Rutsch *m* <-[e]s, -e> slide; (*Erd~*) landslide; **Rutschbahn** *f* slide; **rutschen** *vi* slide; (*aus~*) slip; **rutschig** *adj* slippery.

rütteln *vt, vi* shake, jolt.

S

S, s *nt* S, s.

Saal *m* <-[e]s, Säle> hall; (*für Sitzungen*) room.

Saarland *nt* <-[e]s> Saarland.

Saat *f* <-, -en> seed; (*Pflanzen*) crop; (*Säen*) sowing.

sabbern *vi* (*umg*) slobber.

Säbel *m* <-s, -> sabre, sword.

Sabotage *f* <-, -n> sabotage; **sabotieren** *vt* sabotage.

Sachbearbeiter(**in**) *m(f)* specialist;

sachdienlich *adj* relevant, helpful.

Sache *f* <-, -n> thing; (*Angelegenheit*) affair, business; (*Frage*) matter; (*Pflicht*) task; **zur ~** to the point.

sachgemäß *adj* appropriate, suitable; **sachkundig** *adj* expert; **Sachlage** *f* situation, state of affairs; **sachlich** *adj* matter-of-fact, objective; (*Irrtum, Angabe*) factual.

sächlich *adj* neuter.

Sachschaden *m* material damage.

Sachsen *nt* <-s> Saxony; **Sachsen-Anhalt** *nt* <-s> Saxony-Anhalt.

sacht[**e**] *adv* softly, gently.

Sachverständige(**r**) *mf* expert; **Sachzwang** *m* situational requirement [*o* pressure], necessity.

Sack *m* <-[e]s, Säcke> sack.

sacken *vi* sag, sink.

Sackgasse *f* cul-de-sac, dead-end street *US*.

Sadismus *m* sadism; **Sadist**(**in**) *m(f)* sadist; **sadistisch** *adj* sadistic.

säen *vt, vi* sow.

Saft *m* <-[e]s, Säfte> juice; (BOT) sap; **saftig** *adj* juicy; **saftlos** *adj* dry.

Sage *f* <-, -n> legend, saga.

Säge *f* <-, -n> saw; **Sägemehl** *nt* sawdust; **sägen** *vt, vi* saw.

sagen *vt, vi* say (*jdm* to sb), tell (*jdm* sb).

sagenhaft *adj* legendary; (*umg*) great, smashing.

Sägewerk *nt* sawmill.

sah *imperf von* **sehen**.

Sahne *f* <-> cream.

Saison *f* <-, -s> season; **Saisonarbeiter**(**in**) *m(f)* seasonal worker.

Saite *f* <-, -n> string; **Saiteninstrument** *nt* string instrument.

Sakko *m o nt* <-s, -s> jacket.

Sakrament *nt* sacrament.

Sakristei *f* sacristy.

Salat *m* <-[e]s, -e> salad; (*Kopfsalat*) lettuce; **Salatsoße** *f* salad dressing.

Salbe *f* <-, -n> ointment.

Salbei *m* <-s> sage.

salben *vt* anoint; **Salbung** *f* anointing; **salbungsvoll** *adj* unctuous.

Saldo *m* <-s, Salden> balance.

Salmiak *m* <-s> sal ammoniac; **Salmiakgeist** *m* liquid ammonia.

Salmonellen *pl* salmonellae *pl*.

Salon *m* <-s, -s> salon.

salopp *adj* casual.

Salpeter *m* <-s> saltpetre; **Salpetersäure** *f* nitric acid.

Salut *m* <-[e]s, -e> salute; **salutieren** *vi* salute.

Salve *f* <-, -n> salvo.

Salz *nt* <-es, -e> salt; **salzen** <salzte, gesalzen> *vt* salt; **salzig** *adj* salty; **Salzkartoffeln** *pl* boiled potatoes *pl*; **Salzsäure** *f* hydrochloric acid.

Samen *m* <-s, -> seed; (ANAT) sperm.

Sammelband *m* <Sammelbände *pl*> anthology; **Sammelbecken** *nt* reservoir; **Sammelbestellung** *f* collective order; **sammeln 1.** *vt* collect; **2.** *vr:* **sich ~** assemble, gather; (*sich konzentrieren*) concentrate; **Sammelsurium** *nt* <-s> hotchpotch.

Sammlung *f* collection; (*An~, Konzentration*) concentration.

Samstag *m* Saturday; [**am**] ~ on Saturday; **samstags** *adv* on Saturdays, on a Saturday.

samt *präp +dat* [along] with, together with; **~ und sonders** each and every one [of them].

Samt *m* <-[e]s, -e> velvet.

sämtliche *adj* all [the], entire.

Sand *m* <-[e]s, -e> sand.

Sandale *f* <-, -n> sandal.

Sandbank *f* <Sandbänke *pl*> sandbank; **sandig** *adj* sandy; **Sandkasten** *m* sandpit; **Sandkuchen** *m* Madeira cake; **Sandpapier** *nt* sandpaper; **Sandstein** *m* sandstone; **sandstrahlen** *vt* sandblast.

sandte *imperf von* **senden**.

Sanduhr *f* hourglass.

sanft *adj* soft, gentle; **sanftmütig** *adj* gentle, meek.

sang *imperf von* **singen**.

Sänger(**in**) *m(f)* <-s, -> singer.

sanieren 1. *vt* redevelop; (*Gebäude*) rehabilitate; (*Betrieb*) make financially sound, restore to profitability; **2.** *vr:* **sich ~** line one's pockets; (*Unternehmen*) become financially sound; **Sanierung** *f* redevelopment; (*von Unternehmen*) making viable, restoration to profitability.

sanitär *adj* sanitary; **~e Anlagen** *pl* sanitation.

Sanitäter(**in**) *m(f)* <-s, -> first-aid attendant; (MIL) [medical] orderly.

sank *imperf von* **sinken**.

sanktionieren *vt* sanction.

sann *imperf von* **sinnen**.

Saphir *m* <-s, -e> sapphire.

Sardelle *f* anchovy.

Sardine *f* sardine.

Sarg *m* <-[e]s, Särge> coffin.

Sarkasmus *m* sarcasm; **sarkastisch** *adj* sarcastic.

saß *imperf von* **sitzen**.

Satan *m* <-s, -e> Satan, devil.

Satellit *m* <-en, -en> satellite; **Satellitenaufnahme** *f* satellite picture; **Satellitennavigationssystem** *nt* Global Positioning System; **Satellitenschüssel** *f* (*umg*) satellite dish; **Satellitenstadt** *f* satellite town.

Satire *f* <-, -n> satire; **satirisch** *adj* satirical.

satt *adj* full; (*Farbe*) rich, deep; **jdn/etw ~ sein** [*o* **haben**] be fed up with sb/sth; **sich ~ hören/sehen an** *+dat* see/hear enough of; **sich ~ essen** eat one's fill; **~ machen** be filling.

Sattel *m* <-s, Sättel> saddle; (*Berg~*) ridge; **sattelfest** *adj* (*fig*) proficient; **satteln** *vt* saddle.

sättigen *vt* satisfy; (CHEM) saturate.

Satz *m* <-es, Sätze> (LING) sentence; (*Neben~, Adverbial~*) clause; (*Lehr~*) theorem; (MUS) movement; (TENNIS) set; (*Kaffee~*) grounds *pl;* (WIRTS) rate; (*Sprung*) jump; **Satzgegenstand** *m* (LING) subject; **Satzlehre** *f* syntax; **Satzteil** *m* constituent [of a sentence].

Satzung *f* statute, rule; **satzungsgemäß** *adj* statutory.

Satzzeichen *nt* punctuation mark.

Sau *f* <-, Säue> sow; (*pej*) dirty pig.

sauber *adj* clean; (*ironisch*) fine; **~ halten**[RR] keep clean; **Sauberkeit** *f* cleanness; (*eines Menschen*) cleanliness; **säuberlich** *adv* neatly; **Saubermann** *m* <Saubermänner *pl*> Mr. Clean; **säubern** *vt* clean; (POL) purge.

Sauce *f* <-, -n> sauce, gravy.

Saudi-Arabien *nt* Saudi Arabia.

sauer *adj* sour; (CHEM) acid; (*umg*) cross; **saurer Regen** acid rain.

Sauerei *f* (*umg*) rotten state of affairs, scandal; (*Schmutz etc*) mess; (*Unanständigkeit*) obscenity.

säuerlich *adj* sourish, tart.

Sauermilch *f* sour milk; **Sauerstoff** *m* oxygen; **Sauerstoffgerät** *nt* breathing apparatus; **Sauerteig** *m* leaven.

saufen <soff, gesoffen> *vt, vi* (*umg*) drink, booze; **Säufer(in)** *m(f)* <-s, -> (*umg*) boozer; **Sauferei** *f* drinking, boozing; (*Saufgelage*) booze-up.

saugen <sog *o* saugte, gesogen *o* gesaugt> *vt, vi* suck.

säugen *vt* suckle.

Sauger *m* <-s, -> dummy, comforter *US;* (*auf Flasche*) teat; (*Staub~*) vacuum cleaner, hoover®.

Säugetier *nt* mammal; **Säugling** *m* infant, baby.

Säule *f* <-, -n> column, pillar; **Säulengang** *m* arcade.

Saum *m* <-[e]s, Säume> hem; (*Naht*) seam; **säumen** *vt* hem; seam; (*Straße*) line.

Sauna *f* <-, -s> sauna; **saunieren** *vi* take a sauna, take saunas.

Säure *f* <-, -n> acid; (*Geschmack*) sourness, acidity; **säurebeständig** *adj* acid-proof; **säurehaltig** *adj* acidic.

säuseln *vt, vi* (*Wind*) murmur; (*Blätter*) rustle; (*Mensch*) purr.

sausen *vi* blow; (*umg*) rush; (*Ohren*) buzz; **etw ~ lassen** (*umg*) give sth a miss; **einen ~ lassen** (*umg*) let off.

Saustall *m* (*umg*) pigsty.

Saxofon[RR], **Saxophon** *nt* <-s, -e> saxophone.

S-Bahn *f* suburban railway.

SB-Laden *m* self-service shop.

Scanner *m* <-s, -> scanner.

Schabe *f* <-, -n> cockroach.

schaben *vt* scrape.

Schabernack *m* <-[e]s, -e> trick, prank.

schäbig *adj* shabby; **Schäbigkeit** *f* shabbiness.

Schablone *f* <-, -n> stencil; (*Muster*) pattern; (*fig*) convention; **schablonenhaft** *adj* stereotyped, conventional.

Schach *nt* <-s, -s> chess; (*Stellung*) check; **Schachbrett** *nt* chessboard; **Schachfigur** *f* chessman; **schachmatt** *adj* checkmate; **Schachpartie** *f,* **Schachspiel** *nt* game of chess.

Schacht *m* <-[e]s, Schächte> shaft.

Schachtel *f* <-, -n> box; (*pej*) bag, cow.

schade 1. *adj* a pity, a shame; 2. *interj* [what a] pity [*o* shame]; **sich** *dat* **für etw zu ~ sein** consider oneself too good for sth.

Schädel *m* <-s, -> skull; **Schädelbruch** *m* fractured skull.

schaden *vi* hurt (*jdm* sb); **einer Sache ~** damage sth; **Schaden** *m* <-s, Schäden> damage; (*Verletzung*) injury; (*Nachteil*) disadvantage; **Schadenersatz** *m* compensation, damages *pl;* **schadenersatzpflichtig** *adj* liable for damages; **Schadenfreiheitsrabatt** *m* no-claims bonus; **Schadenfreude** *f* malicious delight; **schadenfroh** *adj* gloating, with malicious delight.

schadhaft *adj* faulty, damaged.

schädigen *vt* damage; (*jdn*) do harm to, harm.

schädlich *adj* harmful (*für* to); **Schädlichkeit** *f* harmfulness; **Schädling** *m* pest; **Schädlingsbekämpfungsmittel** *nt* pesticide.

schadlos *adj:* **sich ~ halten an** +*dat* take advantage of; **Schadstoff** *m* harmful substance; **schadstoffarm** *adj* low-pollution.

Schaf *nt* <-[e]s, -e> sheep; **Schafbock** *m* ram; **Schäfchen** *nt* lamb; **Schäfchenwolken** *pl* cirrus clouds *pl;* **Schäfer** *m* <-s, -> shepherd; **Schäferhund** *m* Alsatian, German shepherd *US;* **Schäferin** *f* shepherdess.

schaffen 1. <schuf, geschaffen> *vt* create; (*Platz*) make; **2.** *vt* (*erreichen*) manage, do; (*erledigen*) finish; (*Prüfung*) pass; (*transportieren*) take; **3.** *vi* (*umg*) work; **sich an etw** *dat* **zu ~ machen** busy oneself with sth; **sich** *dat* **etw ~** get oneself sth; **Schaffen** *nt* <-s> [creative] activity; **Schaffensdrang** *m* creative urge; energy; **Schaffenskraft** *f* creativity.

Schaffner(in) *m(f)* <-s, -> (*Bus~*) conductor/conductress; (EISENB) guard.

Schaft *m* <-[e]s, Schäfte> shaft; (*von Gewehr*) stock; (*von Stiefel*) leg; (BOT) stalk; **Schaftstiefel** *m* high boot.

Schakal *m* <-s, -e> jackal.

schäkern *vi* flirt; (*necken*) play about.

schal *adj* flat; (*fig*) insipid.

Schal *m* <-s, -e *o* -s> scarf.

Schälchen *nt* cup, bowl.

Schale *f* <-, -n> skin; (*abgeschält*) peel; (*Nuss~, Muschel~, Ei~*) shell; (*Geschirr*) dish, bowl.

schälen 1. *vt* peel; (*Tomate, Mandel*) skin; (*Erbsen, Eier, Nüsse*) shell; (*Getreide*) husk; **2.** *vr:* **sich ~** peel.

Schall *m* <-[e]s, -e> sound; **Schalldämpfer** *m* <-s, -> (AUTO) silencer; **schalldicht** *adj* soundproof; **schallen** *vi* [re]sound; **schallend** *adj* resounding, loud; **Schallmauer** *f* sound barrier; **Schallplatte** *f* record.

schalt *imperf von* **schelten**.

Schaltbild *nt* circuit diagram; **Schaltbrett** *nt* switchboard; **schalten 1.** *vt* switch, turn; **2.** *vi* (AUTO) change [gear]; (*umg: begreifen*) catch on; **~ und walten** do as one pleases.

Schalter *m* <-s, -> counter; (*an Gerät*) switch; **Schalterbeamte(r)** *m,* **Schalterbeamtin** *f* counter clerk.

Schalthebel *m* switch; (AUTO) gear-lever; **Schaltjahr** *nt* leap year; **Schaltung** *f* switching; (ELEK) circuit; (AUTO) gear change.

Scham *f* <-> shame; (*~gefühl*) modesty; (*Organe*) private parts *pl;* **schämen** *vr:* **sich ~** be ashamed; **Schamhaare** *pl* pubic hair; **schamhaft** *adj* modest, bashful; **schamlos** *adj* shameless.

Schande *f* <-> disgrace; **schändlich** *adj* disgraceful, shameful.

Schandtat *f* (*umg*) escapade, shenanigan; **Rudi ist zu jeder ~ bereit** Rudi is game for anything.

Schändung *f* violation, defilement.

Schanze *f* <-, -n> (MIL) fieldwork, earthworks *pl;* (*Sprung~*) skijump.

Schar *f* <-, -en> band, company; (*Vögel*) flock; (*Menge*) crowd; **in ~en** in droves.

scharen *vr:* **sich ~** assemble, rally; **scharenweise** *adv* in droves.

scharf *adj* (*Messer*) sharp; (*Essen*) hot; (*Munition*) live; **~ nachdenken** think hard; **auf etw** *akk* **~ sein** (*umg*) be keen on sth; **Scharfblick** *m* (*fig*) penetration.

Schärfe *f* <-, -n> sharpness; (*Strenge*) rigour; **schärfen** *vt* sharpen.

Scharfrichter *m* executioner; **Scharfschütze** *m* marksman, sharpshooter; **Scharfsinn** *m* penetration, astuteness; **scharfsinnig** *adj* astute, shrewd.

Scharmützel *nt* <-s, -> skirmish.

Scharnier *nt* <-s, -e> hinge.

Schärpe *f* <-, -n> sash.

scharren *vt, vi* scrape, scratch.

Scharte *f* <-, -n> notch, nick; **schartig** *adj* jagged.

Schaschlik *m o nt* <-s, -s> [shish] kebab.

Schatten *m* <-s, -> shadow; **Schattenbild** *nt,* **Schattenriss**[RR] *m* silhouette; **Schattenseite** *f* shady side, dark side.

schattieren *vt* shade; **Schattierung** *f* shading.

schattig *adj* shady.

Schatulle *f* <-, -n> casket; (*Geld~*) coffer.

Schatz *m* <-es, Schätze> treasure; (*Mensch*) darling; **Schatzamt** *nt* treasury.

Schätzchen *nt* darling, love.

schätzen *vt* (*ab~*) estimate; (*Gegenstand*) value; (*würdigen*) value, esteem; (*vermuten*) reckon; **~ lernen**[RR] learn to appreciate; **Schätzung** *f* estimate; esti-

S

mation; valuation; **nach meiner ~ ...** I reckon that ...; **schätzungsweise** *adv* approximately; **Schätzwert** *m* estimated value.

Schau *f* <-> show; (*Ausstellung*) display, exhibition; **etw zur ~ stellen** make a show of sth, show sth off; **Schaubild** *nt* diagram.

Schauder *m* <-s, -s> shudder; (*wegen Kälte*) shiver; **schauderhaft** *adj* horrible; **schaudern** *vi* shudder; shiver.

schauen *vi* look.

Schauer *m* <-s, -> (*Regen~*) shower; (*Schreck*) shudder; **Schauergeschichte** *f* horror story; **schauerlich** *adj* horrific, spine-chilling.

Schaufel *f* <-, -n> shovel; (NAUT) paddle; (TECH) scoop; **schaufeln** *vt* shovel, scoop.

Schaufenster *nt* shop window; **Schaufensterauslage** *f* window display; **Schaufensterbummel** *m* window shopping [expedition]; **Schaufensterdekorateur(in)** *m(f)* window dresser; **Schaugeschäft** *nt* show business; **Schaukasten** *m* showcase.

Schaukel *f* <-, -n> swing; **schaukeln** *vi* swing, rock; **Schaukelpferd** *nt* rocking horse; **Schaukelstuhl** *m* rocking chair.

Schaulustige(r) *mf* onlooker.

Schaum *m* <-[e]s, Schäume> foam; (*Seifen~*) lather; **schäumen** *vi* foam; **Schaumfestiger** *m* styling mousse; **Schaumgummi** *m* foam [rubber]; **schaumig** *adj* frothy, foamy; **Schaumwein** *m* sparkling wine.

Schauplatz *m* scene.

schaurig *adj* horrific, dreadful.

Schauspiel *nt* spectacle; (THEAT) play; **Schauspieler(in)** *m(f)* actor/actress; **schauspielern** *vi* act.

Scheck *m* <-s, -s> cheque; **Scheckheft** *nt* chequebook.

scheckig *adj* dappled, piebald.

Scheckkarte *f* cheque card.

scheel *adj*: **jdn ~ ansehen** (*umg*) give sb a dirty look.

scheffeln *vt* amass.

Scheibe *f* <-, -n> disc; (*Brot etc*) slice; (*Glas~*) pane; (MIL) target; **Scheibenbremse** *f* (AUTO) disc brake; **Scheibenwaschanlage** *f* (AUTO) windscreen washers *pl*; **Scheibenwischer** *m* (AUTO) windscreen wiper.

Scheich *m* <-s, -e *o* -s> sheik[h].

Scheide *f* <-, -n> sheath; (ANAT) vagina.

scheiden <schied, geschieden> **1.** *vt* (*trennen*) separate; (*Ehe*) dissolve; **2.** *vi* [de]part; **sich ~ lassen** get a divorce; **Scheidung** *f* divorce; **Scheidungsgrund** *m* grounds *pl* for divorce; **Scheidungsklage** *f* divorce suit.

Schein *m* <-[e]s, -e> light; (*An~*) appearance; (*Geld~*) [bank]note; (*Bescheinigung*) certificate; **zum ~** in pretence; **scheinbar** *adj* apparent; **scheinen** <schien, geschienen> *vi* shine; (*den Anschein haben*) seem; **scheinheilig** *adj* (*pej*) hypocritical; **Scheintod** *m* apparent death; **Scheinwerfer** *m* <-s, -> floodlight; (*im Theater*) spotlight; (*Such~*) searchlight; (AUTO) headlamp.

Scheiß- *in Zusammensetzungen* (*umg!*) bloody; **Scheiße** *f* <-> (*umg!*) shit, crap; **scheißen** *vt, vi* (*umg!*) shit, crap.

Scheit *nt* <-[e]s, -e *o* -er> log, billet.

Scheitel *m* <-s, -> top; (*Haar~*) parting; **scheiteln** *vt* part; **Scheitelpunkt** *m* zenith, apex.

scheitern *vi* fail.

Schellfisch *m* haddock.

Schelm *m* <-[e]s, -e> rogue; **schelmisch** *adj* mischievous, roguish.

Schelte *f* <-, -n> scolding; **schelten** <schalt, gescholten> *vt* scold.

Schema *nt* <-s, -s *o* Schemata> scheme, plan; (*Darstellung*) schema; **nach ~** quite mechanically; **schematisch** *adj* schematic; (*pej*) mechanical.

Schemel *m* <-s, -> [foot]stool.

Schenkel *m* <-s, -> thigh.

schenken *vt* give; **sich** *dat* **etw ~** (*umg*) skip sth; **das ist geschenkt!** (*billig*) that's a giveaway!; **Schenkung** *f* gift.

Scherbe *f* <-, -n> broken piece, fragment; (*archäologisch*) potsherd.

Schere *f* <-, -n> scissors *pl*; (*groß*) shears *pl*; **eine ~** a pair of scissors/shears; **scheren 1.** <schor, geschoren> *vt* cut; (*Schaf*) shear; **2.** *vt* (*kümmern*) bother; **3.** *vr*: **sich ~** care; **scher dich [zum Teufel]!** get lost!

Schererei *f* (*umg*) bother, trouble.

Scherflein *nt* mite, bit.

Scherz *m* <-es, -e> joke; **Scherzfrage** *f* conundrum; **scherzhaft** *adj* joking, jocular.

scheu *adj* shy; **Scheu** *f* <-> shyness; (*Angst*) fear (*vor +dat* of); (*Ehrfurcht*) awe.

scheuchen *vt* scare [off].

scheuen 1. *vr*: **sich ~ vor** *+dat* be afraid

of, shrink from; **2.** *vt* shun; **3.** *vi* (*Pferd*) shy.

Scheuerbürste *f* scrubbing brush; **Scheuerlappen** *m* floorcloth; **Scheuerleiste** *f* skirting board; **scheuern** *vt* scour, scrub.

Scheuklappe *f* blinker.

Scheune *f* <-, -n> barn.

Scheusal *nt* <-s, -e> monster.

scheußlich *adj* dreadful, frightful; **Scheußlichkeit** *f* dreadfulness.

Schi *m* <-s, -er> ski.

Schicht *f* <-, -en> layer; (*Klasse*) class, level; (*in Fabrik etc*) shift; **Schichtarbeit** *f* shift work; **schichten** *vt* layer, stack.

schick *adj* stylish, chic.

schicken **1.** *vt* send; **2.** *vr:* **sich ~** resign oneself (*in +akk* to); (*anständig sein*) be fitting.

Schickimicki *m* <-, -s> (*umg*) trendy.

schicklich *adj* proper, fitting.

Schicksal *nt* <-s, -e> fate; **schicksalhaft** *adj* fateful; **Schicksalsschlag** *m* great misfortune, blow.

Schiebedach *nt* (AUTO) sunshine roof; **schieben** <schob, geschoben> *vt, vi* push; (*Schuld*) put (*auf jdn* on sb); **Schiebetür** *f* sliding door; **Schieblehre** *f* calliper rule.

Schiebung *f* fiddle.

schied *imperf von* **scheiden**.

Schiedsgericht *nt* court of arbitration; **Schiedsrichter(in)** *m(f)* referee, umpire; (*Schlichter*) arbitrator; **Schiedsspruch** *m* [arbitration] award.

schief **1.** *adj* crooked; (*Ebene*) sloping; (*Turm*) leaning; (*Winkel*) oblique; (*Blick*) funny; (*Vergleich*) distorted; **2.** *adv* crooked[ly]; (*ansehen*) askance; **etw ~ stellen** slope sth; **~ gehen**[RR] (*umg*) go wrong; **~ liegen**[RR] (*umg*) be wrong.

Schiefer *m* <-s, -> slate; **Schieferdach** *nt* slate roof.

schiefgehen *vi s.* **schief**; **schieflachen** *vr:* **sich ~** (*umg*) double up with laughter; **schiefliegen** *vi s.* **schief**.

schielen *vi* squint; **nach etw ~** (*umg*) eye sth.

schien *imperf von* **scheinen**.

Schienbein *nt* shinbone.

Schiene *f* <-, -n> rail; (MED) splint; **schienen** *vt* put in splints; **Schienenstrang** *m* (EISENB) [section of] track.

schier **1.** *adj* pure; (*Fleisch*) lean and boneless; (*fig*) sheer; **2.** *adv* nearly, almost.

Schießbude *f* shooting gallery; **Schießbudenfigur** *f* (*umg*) clown, ludicrous figure; **schießen** <schoss, geschossen> *vt, vi* shoot (*auf+akk* at); (*Ball*) kick; (*Geschoss*) fire; (*Salat etc*) run to seed; **Schießerei** *f* shooting incident, shoot-up; **Schießplatz** *m* firing range; **Schießpulver** *nt* gunpowder; **Schießscharte** *f* embrasure; **Schießstand** *m* rifle [*o* shooting] range.

Schiff *nt* <-[e]s, -e> ship, vessel; (*Kirchen~*) nave; **Schiffahrt** *f s.* **Schifffahrt**; **schiffbar** *adj* navigable; **Schiffbau** *m* shipbuilding; **Schiffbruch** *m* shipwreck; **schiffbrüchig** *adj* shipwrecked; **Schiffchen** *nt* small boat; (*zum Weben*) shuttle; (*Mütze*) forage cap; **Schiffer** *m* <-s, -> bargeman, boatman; **Schifffahrt**[RR] *f* shipping; (*Reise*) voyage; **Schifffahrtslinie**[RR] *f* shipping route; **Schifffahrtsweg**[RR] *m* waterway; **Schiffsjunge** *m* cabin boy; **Schiffsladung** *f* cargo, shipload.

Schikane *f* <-, -n> harassment; dirty trick; **mit allen ~n** (*umg*) with all the trimmings; **schikanieren** *vt* harass, torment.

Schild **1.** *m* <-[e]s, -e> shield; (*Mützen~*) peak, visor; **2.** *nt* <-[e]s, -er> sign; (*Namens~*) nameplate; (*Etikett*) label; **etw im ~e führen** be up to sth; **Schildbürger** *m* (*pej*) duffer, blockhead; **Schilddrüse** *f* thyroid gland.

schildern *vt* depict, portray; **Schilderung** *f* description, portrayal.

Schildkröte *f* tortoise; (*Wasser~*) turtle.

Schilf *nt* <-[e]s, -e>, **Schilfrohr** *nt* (*Pflanze*) reed; (*Material*) reeds *pl.*

schillern *vi* shimmer; **schillernd** *adj* iridescent.

Schimmel *m* <-s, -> mould; (*Pferd*) white horse; **schimmelig** *adj* mouldy; **schimmeln** *vi* get mouldy.

Schimmer *m* <-s> glimmer; **schimmern** *vi* glimmer, shimmer.

Schimpanse *m* <-n, -n> chimpanzee.

schimpfen **1.** *vt, vi* scold; **2.** *vi* curse, complain; **Schimpfwort** *nt* term of abuse.

Schindel *f* <-, -n> shingle.

schinden <schindete, geschunden> **1.** *vt* maltreat, drive too hard; **2.** *vr:* **sich ~** sweat and strain, toil away (*mit* at); **Eindruck ~** (*umg*) create an impression; **Schinderei** *f* grind, drudgery; **Schindluder** *nt:* **~ treiben mit** (*umg*) muck [*o* mess] about; (*Vorrecht*) abuse.

S

Schinken *m* <-s, -> ham.

Schippe *f* <-, -n> shovel; **schippen** *vt* shovel.

Schirm *m* <-[e]s, -e> (*Regen~*) umbrella; (*Sonnen~*) parasol, sunshade; (*Wand~, Bild~*) screen; (*Lampen~*) [lamp]shade; (*Mützen~*) peak; (*Pilz~*) cap; **Schirmbildaufnahme** *f* X-ray; **Schirmherr(in)** *m(f)* patron/patroness, protector; **Schirmherrschaft** *f* patronage; **Schirmmütze** *f* peaked cap; **Schirmständer** *m* umbrella stand.

schizophren *adj* schizophrenic.

Schlacht *f* <-, -en> battle.

schlachten *vt* slaughter, kill.

Schlachtenbummler(in) *m(f)* football supporter.

Schlachter(in) *m(f)* <-s, -> butcher.

Schlachtfeld *nt* battlefield; **Schlachthaus** *nt,* **Schlachthof** *m* slaughterhouse, abattoir; **Schlachtplan** *m* (*a. fig*) battle plan; **Schlachtruf** *m* battle cry, war cry; **Schlachtschiff** *nt* battleship; **Schlachtvieh** *nt* animals kept for meat; (*Rinder*) beef cattle.

Schlacke *f* <-, -n> slag.

Schlaf *m* <-[e]s> sleep; **Schlafanzug** *m* pyjamas *pl;* **Schläfchen** *nt* nap.

Schläfe *f* <-, -n> temple.

schlafen <schlief, geschlafen> *vi* sleep; **Schlafenszeit** *f* bedtime; **Schläfer(in)** *m(f)* <-s, -> sleeper.

schlaff *adj* slack; (*energielos*) limp; (*erschöpft*) exhausted; **Schlaffheit** *f* slackness; limpness; exhaustion.

Schlafgelegenheit *f* sleeping accommodation; **Schlaflied** *nt* lullaby; **schlaflos** *adj* sleepless; **Schlaflosigkeit** *f* sleeplessness, insomnia; **Schlafmittel** *nt* soporific, sleeping pill; **schläfrig** *adj* sleepy; **Schlafsaal** *m* dormitory; **Schlafsack** *m* sleeping bag; **Schlafstadt** *f* dormitory town; **Schlaftablette** *f* sleeping pill; **schlaftrunken** *adj* drowsy, half-asleep; **Schlafwagen** *m* sleeping car, sleeper; **schlafwandeln** *vi* sleepwalk; **Schlafzimmer** *nt* bedroom.

Schlag *m* <-[e]s, Schläge> (*a. fig*) blow; (*a.* MED) stroke; (*Puls~, Herz~*) beat; (ELEK) shock; (*Blitz~*) bolt, stroke; (*Autotür*) car door; (*umg: Portion*) helping; (*Art*) kind, type; **Schläge** *pl* (*Prügel*) a beating; **mit einem** ~ all at once; ~ **auf** ~ in rapid succession; **Schlagabtausch** *m* (*verbal*) [verbal] exchange; (*nuklear*) conflict; (*beim Boxen*) exchange of blows; **Schlagader** *f* artery; **Schlaganfall** *m* stroke; **schlagartig** *adj* sudden, without warning; **Schlagbaum** *m* barrier; **Schlagbohrmaschine** *f* percussion drill.

Schlägel[RR] *m* <-s, -> [drum]stick; (*Hammer*) mallet, hammer.

schlagen <schlug, geschlagen> **1.** *vt, vi* strike, hit; (*wiederholt ~, besiegen*) beat; (*Glocke*) ring; (*Stunde*) strike; (*Sahne*) whip; (*Schlacht*) fight; (*einwickeln*) wrap; **2.** *vr:* **sich** ~ fight; **sich gut** ~ (*fig*) do well; **nach jdm** ~ (*fig*) take after sb; **schlagend** *adj* (*Beweis*) convincing; ~**e Wetter** *pl* (MIN) firedamp.

Schlager *m* <-s, -> hit.

Schläger 1. *m* <-s, -> (SPORT) bat; (TENNIS) racket; (GOLF) [golf] club; (*Hockey~*) hockey stick; (*Waffe*) rapier; **2.** *m* <-s, -> (*pej: gewalttätiger Mensch*) brawler; **Schlägerei** *f* fight, punch-up.

Schlagersänger(in) *m(f)* pop singer.

schlagfertig *adj* quick-witted; **Schlagfertigkeit** *f* ready wit, quickness of repartee; **Schlaginstrument** *nt* percussion instrument; **Schlagloch** *nt* pothole; **Schlagobers** *nt* (*A*) whipped cream; **Schlagrahm** *m,* **Schlagsahne** *f* [whipped] cream; **Schlagseite** *f* (NAUT) list; **Schlagwort** *nt* slogan, catch phrase; **Schlagzeile** *f* headline; **Schlagzeug** *nt* drums *pl;* (*in Orchester*) percussion; **Schlagzeuger(in)** *m(f)* <-s, -> drummer.

Schlamassel *m o nt* <-s, -> (*umg*) mess.

Schlamm *m* <-[e]s, -e> mud; **schlammig** *adj* muddy; **Schlammschlacht** *f* mudslinging.

Schlampe *f* <-, -n> (*pej*) slattern, slut; **schlampen** *vi* (*umg*) be sloppy; **Schlamper(in)** *m(f)* <-s, -> sloppy person; **Schlamperei** *f* (*umg*) disorder, untidiness; sloppy work; **schlampig** *adj* (*umg*) slovenly, sloppy.

schlang *imperf von* **schlingen**.

Schlange *f* <-, -n> snake; (*Menschen~*) queue *Brit,* line-up *US;* ~ **stehen** [form a] queue, line up, stand in line *US;* **schlängeln** *vr:* **sich** ~ twist, wind; (*Fluss*) meander; **Schlangenbiss**[RR] *m* snake bite; **Schlangengift** *nt* snake venom; **Schlangenlinie** *f* wavy line.

schlank *adj* slim, slender; **Schlankheit** *f* slimness, slenderness; **Schlankheitskur** *f* diet.

schlapp *adj* limp; (*locker*) slack.

Schlappe *f* <-, -n> (*umg*) setback.

Schlappheit *f* limpness; slackness.

Schlapphut *m* slouch hat; **schlappmachen** *vi* (*umg*) wilt, droop.

Schlaraffenland *nt* land of milk and honey.

schlau *adj* crafty, cunning.

Schlauch *m* <-[e]s, Schläuche> hose; (*in Reifen*) inner tube; (*umg*) grind; **Schlauchboot** *nt* rubber dinghy; **schlauchen** *vt* (*umg*) take it out of exhaust; **schlauchlos** *adj* (*Reifen*) tubeless.

Schläue *f* <-> cunning; **Schlaukopf** *m* (*umg*) clever dick.

schlecht *adj* bad; ~ **und recht** after a fashion; **jdm ist** ~ sb feels sick [*o* bad]; **etw** ~ **machen** do sth badly; **jdm geht es** ~[RR] sb is in a bad way; ~ **machen**[RR] run down; **Schlechtheit** *f* badness; **schlechthin** *adv* simply; **der Dramatiker** ~ the playwright; **Schlechtigkeit** *f* badness; (*Tat*) bad deed; **schlechtmachen** *vt s.* **schlecht**.

schlecken *vt, vi* lick.

Schlegel *m* <-s, -> (GASTR) leg.

schleichen <schlich, geschlichen> *vi* creep, crawl; **schleichend** *adj* creeping; (*Krankheit, Gift*) insidious.

Schleier *m* <-s, -> veil; **schleierhaft** *adj*: **jdm** ~ **sein** (*umg*) be a mystery to sb.

Schleife *f* <-, -n> (*a.* INFORM) loop; (*Band*) bow.

schleifen 1. *vt* (*ziehen, schleppen*) drag; (MIL: *Stadt*) raze; **2.** *vi* drag; **3.** <schliff, geschliffen> *vt* (*schärfen*) grind; (*Edelstein*) cut; (MIL: *Soldaten*) drill; **Schleifstein** *m* grindstone.

Schleim *m* <-[e]s, -e> slime; (MED) mucus; (GASTR) gruel; **Schleimhaut** *f* mucous membrane; **schleimig** *adj* slimy.

schlemmen *vi* feast; **Schlemmer(in)** *m(f)* <-s, -> gourmet; **Schlemmerei** *f* gluttony, feasting.

schlendern *vi* stroll.

Schlendrian *m* <-[e]s> (*pej*) slackness.

schlenkern *vt, vi* swing, dangle.

Schleppe *f* <-, -n> train.

schleppen *vt* drag; (*Auto, Schiff*) tow; (*tragen*) lug; **schleppend** *adj* dragging, slow; **Schlepper** *m* <-s, -> tractor; (*Schiff*) tug; **Schlepplift** *m* ski tow; **Schlepptau** *nt* towrope; **jdn ins** ~ **nehmen** (*fig*) take sb in tow.

Schleswig-Holstein *nt* <-s> Schleswig-Holstein.

Schleuder *f* <-, -n> catapult; (*Wäsche~*) spin-drier; (*Butter~*) centrifuge; **schleudern 1.** *vt* hurl; (*Wäsche*) spin-dry; **2.** *vi* (AUTO) skid; **Schleuderpreis** *m* give-away price; **Schleudersitz** *m* (FLUG) ejector seat; (*fig*) hot seat; **Schleuderware** *f* cheap [*o* cut-price] goods *pl.*

schleunigst *adv* straight away.

Schleuse *f* <-, -n> lock; (*~ntor*) sluice.

schlich *imperf von* **schleichen**.

Schlich *m* <-[e]s, -e> dodge, trick.

schlicht *adj* simple, plain.

schlichten *vt* (*Streit*) settle; **Schlichter(in)** *m(f)* <-s, -> mediator, arbitrator; **Schlichtung** *f* settlement; arbitration.

Schlick *m* <-[e]s, -e> mud; (*Öl~*) slick.

schlief *imperf von* **schlafen**.

Schließe *f* <-, -n> fastener.

schließen <schloss, geschlossen> *vt, vi, vr:* **sich** ~ close, shut; (*beenden*) close; (*Freundschaft, Bündnis, Ehe*) enter into; (*folgern*) infer (*aus* from); **etw in sich** ~ include sth; **Schließfach** *nt* locker.

schließlich *adv* finally; (~ *doch*) after all.

schliff *imperf von* **schleifen**; **Schliff** *m* <-[e]s, -e> cut[ting]; (*fig*) polish.

schlimm *adj* bad; **schlimmer** *adj* worse; **schlimmste(r, s)** *adj* worst; **schlimmstenfalls** *adv* at [the] worst.

Schlinge *f* <-, -n> loop; (*Henkers~*) noose; (*Falle*) snare; (MED) sling.

Schlingel *m* <-s, -> rascal.

schlingen <schlang, geschlungen> **1.** *vt* wind; **2.** *vt, vi* (*essen*) bolt [one's food], gobble.

schlingern *vi* roll.

Schlips *m* <-es, -e> (*umg*) tie.

Schlitten *m* <-s, -> sledge, sleigh; **Schlittenbahn** *f* toboggan run; **Schlittenfahren** *nt* <-s> tobogganing.

schlittern *vi* slide.

Schlittschuh *m* skate; ~ **laufen** skate; **Schlittschuhbahn** *f* skating rink; **Schlittschuhläufer(in)** *m(f)* skater.

Schlitz *m* <-es, -e> slit; (*für Münze*) slot; (*Hosen~*) flies *pl;* **schlitzäugig** *adj* slant-eyed; **Schlitzohr** *nt* (*umg*) crafty devil.

Schlögel *m* (*A*) leg; (*vom Wild*) haunch.

schlohweiß *adj* snow-white.

schloss[RR] *imperf von* **schließen**.

Schloss[RR] *nt* <-es, Schlösser> lock; (*an Schmuck*) clasp; (*Burg*) castle; (*Palast*) chateau.

Schlosser(in) *m(f)* <-s, -> (AUTO) fitter; (*für Schlüssel etc*) locksmith; **Schlosse-**

S

rei *f* metal [working] shop.

Schlot *m* <-[e]s, -e> chimney; (NAUT) funnel.

schlottern *vi* shake, tremble.

Schlucht *f* <-, -en> gorge, ravine.

schluchzen *vi* sob.

Schluck *m* <-[e]s, -e> swallow; (*Menge*) drop; **Schluckauf** *m* <-s>, **Schlucken** *m* <-s> hiccups *pl*; **schlucken** *vt, vi* swallow.

schludern *vi* skimp, do sloppy work.

schlug *imperf von* **schlagen**.

Schlummer *m* <-s> slumber; **schlummern** *vi* slumber.

Schlund *m* <-[e]s, Schlünde> gullet; (*fig*) jaw.

schlüpfen *vi* slip; (*Vogel etc*) hatch [out].

Schlüpfer *m* <-s, -> panties *pl*.

Schlupfloch *nt* hole; (*Versteck*) hide-out; (*fig*) loophole.

schlüpfrig *adj* slippery; (*fig*) lewd; **Schlüpfrigkeit** *f* slipperiness; (*fig*) lewdness.

schlurfen *vi* shuffle.

schlürfen *vt, vi* slurp.

Schluss[RR] *m* <-es, Schlüsse> end; (*~folgerung*) conclusion; **am** ~ at the end; ~ **machen mit** finish with.

Schlüssel *m* <-s, -> (*a. fig*) key; (*Schrauben~*) spanner, wrench; (MUS) clef; **Schlüsselbein** *nt* collarbone; **Schlüsselblume** *f* cowslip; **Schlüsselbund** *m* bunch of keys; **Schlüsselkind** *nt* latchkey child; **Schlüsselloch** *nt* keyhole; **Schlüsselposition** *f* key position.

Schlussfolgerung[RR] *f* conclusion.

schlüssig *adj* conclusive.

Schlusslicht[RR] *nt* taillight; (*fig*) tailender; **Schlussstrich**[RR] *m* (*fig*) final stroke; **Schlussverkauf**[RR] *m* clearance sale; **Schlusswort**[RR] *nt* concluding words *pl*.

Schmach *f* <-> disgrace, ignominy.

schmachten *vi* languish; (*sich sehnen*) long (*nach* for).

schmächtig *adj* slight.

schmachvoll *adj* ignominious, humiliating.

schmackhaft *adj* tasty.

schmählich *adj* ignominious, shameful.

schmal *adj* narrow; (*Mensch, Buch etc*) slender, slim; (*karg*) meagre; **schmälern** *vt* diminish; (*fig*) belittle; **Schmalfilm** *m* (FILM) film; **Schmalspur** *f* narrow gauge.

Schmalz *nt* <-es, -e> dripping, lard; (*fig*) sentiment, schmaltz; **schmalzig** *adj* (*fig*) schmaltzy, slushy.

schmarotzen *vi* sponge; (BOT) be parasitic; **Schmarotzer(in)** *m(f)* <-s, -> parasite; (*Mensch a.*) sponger.

Schmarren *m* <-s, -> *small piece of pancake;* (*fig*) rubbish, tripe.

schmatzen *vi* smack one's lips; eat noisily.

Schmaus *m* <-es, Schmäuse> feast; **schmausen** *vi* feast.

schmecken *vt, vi* taste; **es schmeckt ihm** he likes it.

Schmeichelei *f* flattery; **schmeichelhaft** *adj* flattering; **schmeicheln** *vi* flatter (*jdm* sb).

schmeißen <schmiss, geschmissen> *vt* (*umg*) throw, chuck.

Schmeißfliege *f* bluebottle.

Schmelz *m* <-es, -e> enamel; (*Glasur*) glaze; (*von Stimme*) melodiousness.

schmelzen <schmolz, geschmolzen> *vt, vi* melt; (*Erz*) smelt; **Schmelzpunkt** *m* melting point; **Schmelzwasser** *nt* melted snow.

Schmerz *m* <-es, -en> pain; (*Trauer*) grief; **schmerzempfindlich** *adj* sensitive to pain; **schmerzen** *vt, vi* hurt; **Schmerzensgeld** *nt* compensation; **schmerzhaft**, **schmerzlich** *adj* painful; **schmerzlindernd** *adj* pain-relieving; **schmerzlos** *adj* painless; **schmerzstillend** *adj* pain-killing; (MED) analgesic.

Schmetterling *m* butterfly.

schmettern *vt, vi* smash; (*Melodie*) sing loudly, bellow out; (*Trompete*) blare.

Schmied(in) *m(f)* <-[e]s, -e> blacksmith; **Schmiede** *f* <-, -n> smithy, forge; **Schmiedeeisen** *nt* wrought iron; **schmieden** *vt* forge; (*Pläne*) devise, concoct.

schmiegen **1.** *vt* press, nestle; **2.** *vr:* **sich** ~ cling, nestle [up] (*an +akk* to); **schmiegsam** *adj* flexible, pliable.

Schmiere *f* <-, -n> grease; (THEAT) greasepaint, make-up; **schmieren 1.** *vt* smear; (*ölen*) lubricate, grease; (*bestechen*) bribe; **2.** *vt, vi* (*schreiben*) scrawl; **Schmierfett** *nt* grease; **Schmierfink** *m* messy person; **Schmiergeld** *nt* (*umg*) bribe; **schmierig** *adj* greasy; **Schmiermittel** *nt* lubricant; **Schmierseife** *f* soft soap.

Schminke *f* <-, -n> make-up; **schminken** *vt, vr:* **sich** ~ make up.

schmirgeln *vt* sand [down]; **Schmirgelpapier** *nt* emery paper.

schmiss[RR] *imperf von* **schmeißen**.

Schmöker *m* <-s, -> (*umg*) book; **schmökern** *vi* (*umg*) browse.

schmollen *vi* sulk, pout; **schmollend** *adj* sulky.

schmolz *imperf von* **schmelzen**.

Schmorbraten *m* stewed [*o* braised] meat; **schmoren** *vt* stew, braise.

Schmuck *m* <-[e]s, -e> jewellery; (*Verzierung*) decoration; **schmücken** *vt* decorate; **schmucklos** *adj* unadorned, plain; **Schmucksachen** *pl* jewels *pl*.

Schmuggel *m* <-s> smuggling; **schmuggeln** *vt, vi* smuggle; **Schmuggler(in)** *m(f)* <-s, -> smuggler.

schmunzeln *vi* smile benignly.

Schmutz *m* <-es> dirt, filth; **schmutzen** *vi* get dirty; **Schmutzfink** *m* filthy creature; **Schmutzfleck** *m* stain; **schmutzig** *adj* dirty.

Schnabel *m* <-s, Schnäbel> beak, bill; (*Ausguss*) spout.

Schnake *f* <-, -n> cranefly; (*Stechmücke*) gnat.

Schnalle *f* <-, -n> buckle, clasp; **schnallen** *vt* buckle.

schnalzen *vi* snap; (*mit Zunge*) click.

Schnäppchen *nt* (*umg*) bargain, snip.

schnappen 1. *vt* grab, catch; 2. *vi* snap.

Schnappschloss[RR] *nt* spring lock; **Schnappschuss**[RR] *m* (FOTO) snapshot.

Schnaps *m* <-es, Schnäpse> spirits *pl*, schnapps.

schnarchen *vi* snore.

schnattern *vi* chatter; (*zittern*) shiver.

schnauben 1. *vi* snort; 2. *vr:* **sich ~** blow one's nose.

schnaufen *vi* puff, pant.

Schnauzbart *m* moustache; **Schnauze** *f* <-, -n> snout, muzzle; (*Ausguss*) spout; (*umg*) gob.

schnäuzen[RR] *vr:* **sich ~** blow one's nose.

Schnecke *f* <-, -n> snail; **Schneckenhaus** *nt* snail's shell; **Schneckentempo** *nt:* **im ~** at a snail's pace.

Schnee *m* <-s> snow; (*Ei~*) beaten egg white; **~ von gestern** old hat; **Schneeball** *m* snowball; **Schneeflocke** *f* snowflake; **Schneegestöber** *nt* snow flurry; **Schneeglöckchen** *nt* snowdrop; **Schneekette** *f* (AUTO) snow chain; **Schneematsch** *m* slush; **Schneepflug** *m* snowplough; **Schneeschmelze** *f* <-, -n> thaw; **Schneeverwehung** *f*, **Schneewehe** *f* snowdrift; **Schneewittchen** *nt* Snow White.

Schneid *m* <-[e]s> (*umg*) pluck.

Schneide *f* <-, -n> edge; (*Klinge*) blade; **schneiden** <schnitt, geschnitten> *vt, vr:* **sich ~** cut [oneself]; (*kreuzen*) cross, intersect; **schneidend** *adj* cutting.

Schneider *m* <-s, -> tailor; **Schneiderin** *f* dressmaker; **schneidern** 1. *vt* make; 2. *vi* be a tailor/dressmaker.

Schneidezahn *m* incisor.

schneidig *adj* dashing; (*mutig*) plucky.

schneien *vi* snow.

Schneise *f* <-, -n> clearing.

schnell 1. *adj* quick, fast; 2. *adv* quickly, fast; **Schnelldrucker** *m* high-speed printer.

schnellen *vi* shoot, fly.

Schnellgaststätte *f* fast-food restaurant; **Schnellhefter** *m* <-s, -> loose-leaf binder; **Schnelligkeit** *f* speed; **schnellstens** *adv* as quickly as possible; **Schnellstraße** *f* expressway; **Schnellzug** *m* fast [*o* express] train.

schneuzen *vi s.* **schnäuzen**.

schnippisch *adj* sharp-tongued.

schnitt *imperf von* **schneiden**; **Schnitt** *m* <-[e]s, -e> cut[ting]; (*~punkt*) intersection; (*Quer~*) [cross] section; (*Durch~*) average; (*~muster*) pattern; (*Ernte*) crop; (*an Buch*) edge; (*umg: Gewinn*) profit; **Schnittblumen** *pl* cut flowers *pl*.

Schnitte *f* <-, -n> slice; (*belegt*) sandwich.

Schnittfläche *f* section; **Schnittlauch** *m* chives *pl*; **Schnittmuster** *nt* pattern; **Schnittpunkt** *m* [point of] intersection; **Schnittstelle** *f* (INFORM, *fig*) interface; **Schnittwunde** *f* cut.

Schnitzel *nt* <-s, -> chip; (GASTR) escalope.

schnitzen *vt* carve; **Schnitzer(in)** *m(f)* <-s, -> carver; (*umg*) blunder; **Schnitzerei** *f* carving; (*Gegenstand*) carved woodwork.

schnodderig *adj* (*umg*) snotty.

schnöde *adj* base, mean.

Schnorchel *m* <-s, -> snorkel.

Schnörkel *m* <-s, -> flourish; (ARCHIT) scroll.

schnorren *vt, vi* cadge.

schnüffeln *vi* sniff; **Schnüffler(in)** *m(f)* <-s, -> snooper.

Schnuller *m* <-s, -> dummy, comforter *US*.

Schnupfen *m* <-s, -> cold.

schnuppern *vi* sniff.

Schnur *f* <-, Schnüre> string, cord; (ELEK)

flex.

schnüren *vt* tie.

schnurgerade *adj* straight as a die, straight as an arrow; **schnurlos** *adj* cordless; **~es Telefon** cordless (tele)phone.

Schnurrbart *m* moustache.

schnurren *vi* purr; (*Kreisel*) hum.

Schnürschuh *m* lace-up [shoe]; **Schnürsenkel** *m* shoelace.

schnurstracks *adv* straight [away].

schob *imperf von* **schieben**.

Schock *m* <-[e]s, -e> shock; **schockieren** *vt* shock, outrage.

Schöffe *m* <-n, -n> ≈ lay magistrate; **Schöffengericht** *nt* magistrates' court; **Schöffin** *f* lay magistrate.

Schokolade *f* chocolate.

Scholle *f* <-, -n> clod; (*Eis~*) ice floe; (*Fisch*) plaice.

schon *adv* already; (*zwar*) certainly; **warst du ~ einmal da?** have you ever been there?; **ich war ~ einmal da** I've been there before; **das ist ~ immer so** that has always been the case; **das wird ~ [noch] gut** that'll be OK; **wenn ich das ~ höre ...** I only have to hear that ...; **~ der Gedanke** the very thought.

schön *adj* beautiful; (*nett*) nice; **~e Grüße** best wishes; **~en Dank** [many] thanks.

schonen 1. *vt* look after; **2.** *vr:* **sich ~** take it easy; **schonend** *adj* careful, gentle.

Schöngeist *m* aesthete; **Schönheit** *f* beauty; **Schönheitsfehler** *m* blemish, flaw; **Schönheitsoperation** *f* cosmetic surgery; **schönmachen** *vr:* **sich ~** make oneself look nice.

Schonung *f* good care; (*Nachsicht*) consideration; (*Forst*) plantation of young trees; **schonungslos** *adj* unsparing, harsh.

Schonzeit *f* close season.

schöpfen *vt* scoop, ladle; (*Mut*) summon up; (*Luft*) breathe in.

Schöpfer(in) *m(f)* <-s, -> creator; **schöpferisch** *adj* creative.

Schöpfkelle *f*, **Schöpflöffel** *m* ladle.

Schöpfung *f* creation.

schor *imperf von* **scheren**.

Schorf *m* <-[e]s, -e> scab.

Schornstein *m* chimney; (NAUT) funnel; **Schornsteinfeger(in)** *m(f)* <-s, -> chimney sweep.

Schoß *m* <-es, Schöße> lap; (*Rock~*) coat tail.

schoss[RR] *imperf von* **schießen**.

Schoßhund *m* pet dog, lapdog.

Schote *f* <-, -n> pod.

Schotte *m* <-n, -n> Scot, Scotsman; **die ~n** *pl* the Scots *pl.*

Schotter *m* <-s> broken stone, road metal; (EISENB) ballast.

Schottin *f* Scot, Scotswoman; **schottisch** *adj* Scottish, Scots; **Schottland** *nt* Scotland; **in ~** in Scotland; **nach ~ fahren** go to Scotland.

schraffieren *vt* hatch.

schräg *adj* slanting, not straight; **etw ~ stellen** put sth at an angle; **~ gegenüber** diagonally opposite; **Schräge** *f* <-, -n> slant; **Schrägschrift** *f* italics *pl;* **Schrägstreifen** *m* bias binding; **Schrägstrich** *m* oblique [stroke].

Schramme *f* <-, -n> scratch; **schrammen** *vt* scratch.

Schrank *m* <-[e]s, Schränke> cupboard; (*Kleider~*) wardrobe.

Schranke *f* <-, -n> barrier; **schrankenlos** *adj* boundless; (*zügellos*) unrestrained; **Schrankenwärter(in)** *m(f)* (EISENB) level crossing attendant.

Schrankkoffer *m* trunk.

Schraube *f* <-, -n> screw; **schrauben** *vt* screw; **Schraubenschlüssel** *m* spanner; **Schraubenzieher** *m* <-s, -> screwdriver.

Schraubstock *m* (TECH) vice.

Schraubverschluss[RR] *m* screw top, screw cap.

Schrebergarten *m* allotment.

Schreck *m* <-[e]s, -e>, **Schrecken** *m* <-s, -> terror; fright; **schrecken** *vt* frighten, scare; **Schreckgespenst** *nt* spectre, nightmare; **schreckhaft** *adj* jumpy, easily frightened.

schrecklich *adj* terrible, dreadful.

Schreckschuss[RR] *m* warning shot; **Schreckschusspistole**[RR] *f* blank gun.

Schrei *m* <-[e]s, -e> scream; (*Ruf*) shout.

Schreibblock *m* writing pad; **Schreibdichte** *f* (INFORM: *von Diskette*) density.

schreiben <schrieb, geschrieben> *vt, vi* write; (*buchstabieren*) spell; **Schreiben** *nt* <-s, -> letter, communication.

Schreiber(in) *m(f)* <-s, -> writer; (*Büro~*) clerk.

schreibfaul *adj* bad about writing letters; **Schreibfehler** *m* spelling mistake; **Schreibkraft** *f* clerical assistant; **Schreibmaschine** *f* typewriter; **Schreibpapier** *nt* notepaper; **Schreibstelle** *f* (INFORM) character position; **Schreibstellenmarke** *f* (INFORM) cursor; **Schreibtisch** *m* desk; **Schreibung** *f* spelling; **Schreibwaren** *pl* stationery; **Schreibweise** *f* spelling; way of writing; **Schreibzeug** *nt* writing materials *pl.*

schreien <schrie, geschrie[e]n> *vt, vi* scream; (*rufen*) shout; **schreiend** *adj* (*fig*) glaring; (*Farbe*) loud.

Schreiner(in) *m(f)* <-s, -> joiner; (*Zimmermann*) carpenter; (*Möbel~*) cabinetmaker; **Schreinerei** *f* joiner's workshop.

schreiten <schritt, geschritten> *vi* stride.

schrie *imperf von* **schreien**.

schrieb *imperf von* **schreiben**.

Schrift *f* <-, -en> writing; (*Hand~*) handwriting; (*~art*) typeface; (*Gedrucktes*) pamphlet, work; **Schriftbild** *nt* type; **Schriftdeutsch** *nt* written German, standard German; **Schriftführer(in)** *m(f)* secretary; **schriftlich** 1. *adj* written; 2. *adv* in writing; **Schriftsetzer(in)** *m(f)* compositor; **Schriftsprache** *f* written language; **Schriftsteller(in)** *m(f)* <-s, -> writer; **Schriftstück** *nt* document.

schrill *adj* shrill; **schrillen** *vi* sound [*o* ring] shrilly.

schritt *imperf von* **schreiten**; **Schritt** *m* <-[e]s, -e> step; (*Gangart*) walk; (*Tempo*) pace; (*von Hose*) crutch; **Schrittmacher** *m* <-s, -> (*a.* MED) pacemaker; **Schritttempo**[RR] *nt:* **im ~** at a walking pace.

schroff *adj* steep; (*zackig*) jagged; (*fig*) brusque; (*ungeduldig*) abrupt.

schröpfen *vt* (*fig*) fleece.

Schrot *m o nt* <-[e]s, -e> (*Blei~*) [small] shot; (*Getreide*) coarsely ground grain, [whole-]meal; **Schrotflinte** *f* shotgun.

Schrott *m* <-[e]s, -e> scrap metal; (*fig*) useless stuff; **Schrotthaufen** *m* scrap heap; **schrottreif** *adj* ready for the scrap heap.

schrubben *vt* scrub; **Schrubber** *m* <-s, -> scrubbing brush.

Schrulle *f* <-, -n> eccentricity, queer idea/habit.

schrumpfen *vi* shrink; (*Apfel*) shrivel.

Schubkarren *m* wheelbarrow.

Schublade *f* drawer.

schüchtern *adj* shy; **Schüchternheit** *f* shyness.

schuf *imperf von* **schaffen**.

Schufa *f* <-> credit rating company.

Schuft *m* <-[e]s, -e> scoundrel.

schuften *vi* (*umg*) graft, slave away.

Schuh *m* <-[e]s, -e> shoe; **Schuhband** *nt* <Schuhbänder *pl*> shoelace; **Schuhcreme** *f* shoe polish; **Schuhlöffel** *m* shoehorn; **Schuhmacher(in)** *m(f)* <-s, -> shoemaker.

Schulabgänger(in) *m(f)* school leaver; **Schulaufgaben** *pl* homework; **Schulbesuch** *m* school attendance; **Schulbuch** *nt* schoolbook.

schuld *adj:* **~ sein** be to blame (*an +dat* for); **er ist ~** it's his fault; **Schuld** *f* <-, -en> guilt; (FIN) debt; (*Verschulden*) fault; **jdm ~ geben**[RR] blame sb; **~ haben**[RR] be to blame.

schulden *vt* owe.

Schulden *pl* debts *pl;* **sich** *dat* **etw zu ~ kommen lassen**[RR] make oneself guilty of sth; **schuldenfrei** *adj* free from debt.

Schuldgefühl *nt* feeling of guilt.

schuldig *adj* guilty (*an +dat* of); (*gebührend*) due; **jdm etw ~ sein** owe sb sth; **jdm etw ~ bleiben** not provide sb with sth.

schuldlos *adj* innocent, without guilt.

Schuldner(in) *m(f)* <-s, -> debtor.

Schuldschein *m* promissory note, IOU; **Schuldspruch** *m* verdict of guilty; **Schuldzuweisung** *f* accusation, assignment of guilt.

Schule *f* <-, -n> school; **schulen** *vt* train, school.

Schüler(in) *m(f)* <-s, -> pupil.

Schulferien *pl* school holidays *pl;* **schulfrei** *adj:* **~er Tag** holiday; **~ sein** be a holiday; **Schulfunk** *m* schools' broadcasts *pl;* **Schulgeld** *nt* school fees *pl;* **Schulhof** *m* playground; **Schuljahr** *nt* school year; **Schuljunge** *m* schoolboy; **Schulmädchen** *nt* schoolgirl; **schulpflichtig** *adj* of school age; **Schulschiff** *nt* training ship; **Schulstunde** *f* period, lesson; **Schultasche** *f* satchel.

Schulter *f* <-, -n> shoulder; **Schulterblatt** *nt* shoulder blade; **schultern** *vt* shoulder; **Schulterschluss**[RR] *m* shoulder-to-shoulder stance, solidarity.

Schulung *f* training; (*Veranstaltung*) training course; **Schulungsdiskette** *f* training diskette, didactic disk.

Schulwesen *nt* education system; **Schulzeugnis** *nt* school report.

Schund *m* <-[e]s> trash, garbage; **Schundroman** *m* trashy novel.

Schuppe *f* <-, -n> scale; **schuppen** 1. *vt*

scale; **2.** *vr:* **sich** ~ peel; **Schuppen** *pl* (*Haar~*) dandruff.

Schuppen *m* <-s, -> shed.

schuppig *adj* scaly.

Schur *f* <-, -en> shearing.

schüren *vt* rake; (*fig*) stir up.

schürfen *vt, vi* scrape, scratch; (MIN) prospect, dig; **Schürfung** *f* abrasion; (MIN) prospecting.

Schürhaken *m* poker.

Schurke *m* <-n, -n>, **Schurkin** *f* rogue.

Schurz *m* <-es, -e> loincloth; (*von Schmied, süddeutsch: Schürze*) apron.

Schürze *f* <-, -n> apron.

Schuss[RR] *m* <-es, Schüsse> shot; (WEBEN) woof.

Schüssel *f* <-, -n> bowl.

schusselig *adj* (*umg*) scatter-brained.

Schusslinie[RR] *f* line of fire; **Schussverletzung**[RR] *f* bullet wound; **Schusswaffe**[RR] *f* firearm.

Schuster(in) *m(f)* <-s, -> shoemaker.

Schutt *m* <-[e]s> rubbish; (*Bau~*) rubble; **Schuttabladeplatz** *m* refuse dump.

Schüttelfrost *m* shivering; **schütteln** *vt, vr:* **sich** ~ shake.

schütten 1. *vt* pour; (*Zucker, Kies etc*) tip; (*ver~*) spill; **2.** *vi unpers* pour [down].

schütter *adj* (*Haare*) sparse, thin.

Schutz *m* <-es> protection; (*Unterschlupf*) shelter; **jdn in ~ nehmen** stand up for sb; **Schutzanzug** *m* overalls *pl;* **Schutzbefohlene(r)** *mf* charge; **Schutzblech** *nt* mudguard; **Schutzbrief** *m* travel insurance [document]; **Schutzbrille** *f* goggles *pl.*

Schütze *m* <-n, -n> marksman; (SPORT) rifleman; (*beim Fußball*) scorer; (JAGD) hunter; (*Bogen~*) archer; (ASTR) Sagittarius.

schützen *vt* protect.

Schutzengel *m* guardian angel; **Schutzgebiet** *nt* protectorate; (*Natur~*) reserve; **Schutzhaft** *f* protective custody; **Schutzhelm** *m* safety helmet, hard hat; **Schutzimpfung** *f* immunisation; **schutzlos** *adj* defenceless; **Schutzmann** *m* <Schutzleute *o* Schutzmänner *pl*> policeman; **Schutzmaßnahme** *f* precaution; **Schutzpatron(in)** *m(f)* patron saint; **Schutzumschlag** *m* [book] jacket; **Schutzvorrichtung** *f* safety device.

schwach *adj* weak, feeble; **Schwäche** *f* <-, -n> weakness; **schwächen** *vt* weaken; **schwächlich** *adj* weakly, delicate; **Schwächling** *m* weakling; **Schwachsinn** *m* imbecility; (*fig*) nonsense; **schwachsinnig** *adj* mentally deficient; (*Idee*) idiotic; **Schwachstelle** *f* weak point; **Schwachstrom** *m* weak current; **Schwächung** *f* weakening.

Schwaden *m* <-s, -> cloud.

schwafeln *vt, vi* blather, drivel.

Schwager *m* <-s, Schwäger> brother-in-law; **Schwägerin** *f* sister-in-law.

Schwalbe *f* <-, -n> swallow.

Schwall *m* <-[e]s, -e> surge; (*Worte*) flood, torrent.

schwamm *imperf von* **schwimmen**.

Schwamm *m* <-[e]s, Schwämme> sponge; (*Pilz*) fungus; **schwammig** *adj* spongy; (*Gesicht*) puffy; (*unpräzise*) woolly.

Schwan *m* <-[e]s, Schwäne> swan.

schwand *imperf von* **schwinden**.

schwanen *vi unpers:* **jdm schwant etw** sb has a foreboding of sth.

schwang *imperf von* **schwingen**.

schwanger *adj* pregnant; **schwängern** *vt* make pregnant; **Schwangerschaft** *f* pregnancy; **Schwangerschaftsabbruch** *m* termination of pregnancy; **Schwangerschaftstest** *m* pregnancy test.

Schwank *m* <-[e]s, Schwänke> funny story.

schwanken *vi* sway; (*taumeln*) stagger, reel; (*Preise, Zahlen*) fluctuate; (*zögern*) hesitate, vacillate; **Schwankung** *f* fluctuation.

Schwanz *m* <-es, Schwänze> tail.

schwänzen 1. *vt* (*umg*) skip, cut; **2.** *vi* play truant, play hooky *US.*

Schwarm *m* <-[e]s, Schwärme> swarm; (*umg*) heart-throb, idol; **schwärmen** *vi* swarm; ~ **für** be mad [*o* wild] about; **Schwärmerei** *f* enthusiasm; **schwärmerisch** *adj* impassioned, effusive.

Schwarte *f* <-, -n> hard skin; (*Speck~*) rind.

schwarz *adj* black; **ins Schwarze treffen** (*a. fig*) hit the bull's eye; **Schwarzarbeit** *f* illicit work, moonlighting; **Schwarzbrot** *nt* black bread; **Schwärze** *f* <-, -n> blackness; (*Farbe*) blacking; (*Drucker~*) printer's ink; **schwärzen** *vt* blacken; **schwarzfahren** *irr vi* travel without paying; (*ohne Führerschein*) drive without a licence; **Schwarzfahrer(in)** *m(f)* fare-dodger; **Schwarzhandel** *m* black-market [trade]; **schwarzhören** *vi* listen to the radio without a licence; **Schwarzmarkt** *m* black market; **schwarzsehen** *irr vi* (*umg*) see the gloomy side of things; (TV) watch TV without a licence; **Schwarzseher(in)** *m(f)* pessimist; (TV) viewer without a licence; **Schwarzwald** *m* Black Forest; **schwarzweiß** *adj* black and white.

schwatzen, **schwätzen** *vi* chatter; **Schwätzer(in)** *m(f)* <-s, -> (*Schwafler*) gasbag; (*Klatschmaul*) chatterbox, gossip; **schwatzhaft** *adj* talkative, gossipy.

Schwebe *f*: **in der ~** (*fig*) in abeyance; **Schwebebahn** *f* overhead railway; **Schwebebalken** *m* (SPORT) beam; **schweben** *vi* drift, float; (*hoch*) soar; (*unentschieden sein*) be in the balance.

Schwede *m* <-n, -n> Swede; **Schweden** *nt* Sweden; **Schwedin** *f* Swede; **schwedisch** *adj* Swedish.

Schwefel *m* <-s> sulphur; **schwefelig** *adj* sulphurous; **Schwefelsäure** *f* sulphuric acid.

Schweif *m* <-[e]s, -e> tail.

Schweigegeld *nt* hush money; **schweigen** <schwieg, geschwiegen> *vi* be silent; stop talking; **Schweigen** *nt* <-s> silence; **schweigsam** *adj* silent, taciturn; **Schweigsamkeit** *f* taciturnity, quietness.

Schwein *nt* <-[e]s, -e> pig; (*fig umg*) luck; **Schweinefleisch** *nt* pork; **Schweinehund** *m* (*umg*) stinker, swine; **Schweinerei** *f* mess; (*Gemeinheit*) dirty trick; **Schweinestall** *m* pigsty; **schweinisch** *adj* filthy; **Schweinsleder** *nt* pigskin.

Schweiß *m* <-es> sweat, perspiration.

Schweißbrenner *m* welding torch; **schweißen** *vt, vi* weld; **Schweißer(in)** *m(f)* <-s, -> welder.

Schweißfüße *pl* sweaty feet *pl.*

Schweißnaht *f* weld.

Schweiz *f*: **die ~** Switzerland; **in der ~** in Switzerland; **in die ~ fahren** go to Switzerland; **Schweizer(in)** *m(f)* <-s, -> Swiss; **die ~** *pl* the Swiss *pl;* **Schweizerdeutsch** *nt* Swiss German; **schweizerisch** *adj* Swiss.

schwelen *vi* smoulder.

schwelgen *vi* indulge.

Schwelle *f* <-, -n> doorstep; (*a. fig*) threshold; (EISENB) sleeper.

schwellen <schwoll, geschwollen> *vi* swell.

Schwellenangst *f* (*fig*) fear of embarking on something new; **Schwellenland** *nt* advanced developing country.

Schwellung *f* swelling.

schwenkbar *adj* swivel-mounted; **schwenken 1.** *vt* swing; (*Fahne*) wave; (*abspülen*) rinse; **2.** *vi* turn, swivel; (MIL) wheel.

schwer 1. *adj* heavy; (*schwierig*) difficult, hard; (*schlimm*) serious, bad; **2.** *adv* (*sehr*) very [much]; (*verletzt etc*) seriously, badly; **Schwerarbeiter(in)** *m(f)* labourer; **Schwere** *f* <-, -n> weight, heaviness; (PHYS) gravity; **schwerelos** *adj* weightless; (*Kammer*) zero-G; **Schwerelosigkeit** *f* weightlessness.

Schwerenöter *m* <-s, -> casanova, ladies' man.

schwererziehbar *adj* difficult [to bring up], maladjusted; **schwerfallen** *irr vi:* **jdm ~** be difficult for sb; **schwerfällig** *adj* ponderous; **Schwergewicht** *nt* heavyweight; (*fig*) emphasis; **schwerhörig** *adj* hard of hearing; **Schwerindustrie** *f* heavy industry; **Schwerkraft** *f* gravity; **Schwerkranke(r)** *mf* person who is seriously ill; **schwerlich** *adv* hardly; **schwermachen** *vt:* **jdm/sich etw ~** make sth difficult for sb/oneself; **Schwermetall** *nt* heavy metal; **schwermütig** *adj* melancholy; **schwernehmen** *irr vt* take to heart; **Schwerpunkt** *m* centre of gravity; (*fig*) emphasis, crucial point.

Schwert *nt* <-[e]s, -er> sword; **Schwertlilie** *f* iris.

schwertun *irr vi:* **sich** *dat o akk* **~** have difficulties; **Schwerverbrecher(in)** *m(f)* criminal, serious offender; **schwerverdaulich** *adj* indigestible, heavy; **schwerverletzt** *adj* badly injured; **schwerverwundet** *adj* seriously wounded; **schwerwiegend** *adj* weighty, important.

Schwester *f* <-, -n> sister; (MED) nurse; **schwesterlich** *adj* sisterly.

schwieg *imperf von* **schweigen**.

Schwiegereltern *pl* parents-in-law *pl;* **Schwiegermutter** *f* mother-in-law; **Schwiegersohn** *m* son-in-law; **Schwiegertochter** *f* daughter-in-law; **Schwiegervater** *m* father-in-law.

Schwiele *f* <-, -n> callus.

schwierig *adj* difficult, hard; **Schwierigkeit** *f* difficulty.

Schwimmbad *nt* swimming baths *pl;*

Schwimmbecken *nt* swimming pool; **schwimmen** <schwamm, geschwommen> *vi* swim; (*treiben, nicht sinken*) float; (*fig: unsicher sein*) be all at sea; **Schwimmer(in)** *m(f)* <-s, -> swimmer; (*beim Angeln*) float; **Schwimmsport** *m* swimming; **Schwimmweste** *f* life jacket.

Schwindel *m* <-s> giddiness; (*~anfall*) dizzy spell; (*Betrug*) swindle, fraud; (*Zeug*) stuff; ~ **erregend**[RR] causing dizziness; **schwindelfrei** *adj* free from giddiness; **schwindeln** *vi* (*umg: lügen*) fib; **jdm schwindelt es** sb feels giddy.

schwinden <schwand, geschwunden> *vi* disappear; (*sich verringern*) decrease; (*Kräfte*) decline.

Schwindler(in) *m(f)* <-s, -> swindler; (*Lügner*) liar.

schwindlig *adj* giddy; **mir ist** ~ I feel giddy.

schwingen <schwang, geschwungen> *vt, vi* swing; (*Waffe etc*) brandish; (*vibrieren*) vibrate; (*klingen*) sound.

Schwinger *m* <-s, -> (BOXEN) swing.

Schwingtür *f* swing door[s].

Schwingung *f* vibration; (PHYS) oscillation.

Schwips *m* <-es, -e>: **einen ~ haben** be tipsy.

schwirren *vi* buzz.

schwitzen *vi* sweat, perspire.

schwoll *imperf von* **schwellen**.

schwören <schwor, geschworen> *vt, vi* swear.

schwul *adj* (*umg*) gay.

schwül *adj* sultry, close; **Schwüle** *f* <-> sultriness, closeness.

Schwule(r) *m* (*umg*) gay.

schwülstig *adj* pompous.

Schwund *m* <-[e]s> loss; (*Schrumpfen*) shrinkage.

Schwung *m* <-[e]s, Schwünge> swing; (*Triebkraft*) momentum; (*fig: Energie*) verve, energy; (*umg: Menge*) batch; **schwunghaft** *adj* brisk, lively; **Schwungrad** *nt* flywheel; **schwungvoll** *adj* vigorous.

Schwur *m* <-[e]s, Schwüre> oath; **Schwurgericht** *nt* court with a jury.

Sciencefiction[RR] *f* <-, -> science-fiction.

sechs *num* six; **sechsfach 1.** *adj* sixfold; **2.** *adv* six times; **sechshundert** *num* six hundred; **sechsjährig** *adj* (*6 Jahre alt*) six-year-old; (*6 Jahre dauernd*) six-year; **sechsmal** *adv* six times.

sechste(r, s) *adj* sixth; **der ~ Mai** the sixth of May; **Bonn, den 6. Mai** Bonn, May 6th; **Sechste(r)** *mf* sixth.

Sechstel *nt* <-s, -> (*Bruchteil*) sixth.

sechstens *adv* in the sixth place.

sechzehn *num* sixteen.

sechzig *num* sixty.

Secondhandladen *m* secondhand shop.

See 1. *f* <-, -n> sea; **2.** *m* <-s, -n> lake; **Seebad** *nt* seaside resort; **Seefahrt** *f* seefaring; (*Reise*) voyage; **Seegang** *m* [motion of the] sea; **Seegras** *nt* seaweed; **Seehund** *m* seal; **Seeigel** *m* sea urchin; **seekrank** *adj* seasick; **Seekrankheit** *f* seasickness; **Seelachs** *m* rock salmon.

Seele *f* <-, -n> soul; **seelenruhig** *adv* calmly.

Seeleute *pl* seamen *pl.*

seelisch *adj* mental.

Seelsorge *f* pastoral duties *pl;* **Seelsorger(in)** *m(f)* <-s, -> pastor.

Seemacht *f* naval power; **Seemann** *m* <Seemänner *o* Seeleute *pl*> seaman, sailor; **Seemeile** *f* nautical mile; **Seenot** *f* distress; **Seepferd[chen]** *nt* sea horse; **Seeräuber(in)** *m(f)* pirate; **Seerose** *f* water lily; **Seestern** *m* starfish; **seetüchtig** *adj* seaworthy; **Seeweg** *m* sea route; **auf dem ~** by sea; **Seezunge** *f* sole.

Segel *nt* <-s, -> sail; **Segelboot** *nt* yacht; **Segelfliegen** *nt* <-s> gliding; **Segelflieger(in)** *m(f)* glider pilot; **Segelflugzeug** *nt* glider; **segeln** *vt, vi* sail; **Segelschiff** *nt* sailing vessel; **Segelsport** *m* sailing; **Segeltuch** *nt* canvas.

Segen *m* <-s, -> blessing; **segensreich** *adj* beneficial.

Segler(in) *m(f)* <-s, -> sailor, yachtsman/-woman; (*Boot*) sailing boat.

segnen *vt* bless.

sehen <sah, gesehen> *vt, vi* see; (*in bestimmte Richtung*) look; **sehenswert** *adj* worth seeing; **Sehenswürdigkeiten** *pl* sights *pl* [of a town]; **Seher(in)** *m(f)* <-s, -> seer; **Sehfehler** *m* sight defect.

Sehne *f* <-, -n> sinew; (*an Bogen*) string.

sehnen *vr:* **sich ~** long, yearn (*nach* for); **sehnlich** *adj* ardent; **Sehnsucht** *f* longing; **sehnsüchtig** *adj* longing.

sehr *adv* (*vor Adjektiv, Adverb*) very; (*mit Verben*) a lot, [very] much; **zu ~** too much.

seicht *adj* shallow.

Seide *f* <-, -n> silk.

Seidel *nt* <-s, -> tankard, beer mug.

seiden *adj* silk; **Seidenpapier** *nt* tissue paper; **seidig** *adj* silky.

Seife *f* <-, -n> soap; **Seifenlauge** *f* soapsuds *pl;* **Seifenoper** *f* soap opera; **Seifenschale** *f* soap dish; **Seifenschaum** *m* lather; **seifig** *adj* soapy.

seihen *vt* strain, filter.

Seil *nt* <-[e]s, -e> rope; cable; **Seilbahn** *f* cable railway; **Seilhüpfen** *nt* <-s>, **Seilspringen** *nt* skipping; **Seiltänzer(in)** *m(f)* tightrope walker.

sein <war, gewesen> *vi, Hilfsverb* be; **lass das ~!** leave that!; stop that!; **es ist an dir zu ...** it's up to you to ...

sein 1. *pron possessiv von* **er** (*adjektivisch*) his; **2.** *pron possessiv von* **es** (*adjektivisch*) its; **seine(r, s)** 1. *pron possessiv von* **er** (*substantivisch*) his; **2.** *pron possessiv von* **es** (*substantivisch*) its; **seiner** 1. *pron gen von* **er** of him; **2.** *pron gen von* **es** of it; **seinerseits** 1. *adv bezüglich auf* **er** as far as he is concerned; **2.** *adv bezüglich auf* **es** as far as it is concerned; **seinerzeit** *adv* in those days, formerly; **seinesgleichen** 1. *pron bezüglich auf* **er** people like him; (*gleichrangig*) his equals; **2.** *pron bezüglich auf* **es** things like it; (*gleichrangig*) its equals; **seinetwegen** *adv bezüglich auf* **er/es** (*wegen ihm*) because of him/it; (*ihm zuliebe*) for his/its sake; (*um ihn/es*) about him/it; (*für ihn/es*) on his/its behalf; (*von ihm aus*) as far as he/it is concerned.

Seismograf[RR], **Seismograph** *m* <-en, -en> seismograph.

seit *konj:* **er ist ~ einer Woche hier** he has been here for a week; **~ langem** for a long time; **seitdem** *adv, konj* since.

Seite *f* <-, -n> side; (*Buch~*) page; (MIL) flank; **auf/von ~n**[RR] on the part of; **Seitenansicht** *f* side view; **Seitenhieb** *m* (*fig*) passing shot, dig; **Seitenruder** *nt* (FLUG) rudder; **seitens** *präp +gen* on the part of; **Seitenschiff** *nt* aisle; **Seitensprung** *m* extramarital escapade; **Seitenstechen** *nt* [a] stitch; **Seitenstraße** *f* side road; **Seitenstreifen** *m* hard shoulder; **Seitenwagen** *m* sidecar; **Seitenzahl** *f* page number; number of pages.

seither *adv* since [then].

seitlich *adj* on one [*o* the] side; side.

Sekretär *m* (*Möbel*) bureau; **Sekretär(in)** *m(f)* secretary; **Sekretariat** *nt* secretariat.

Sekt *m* <-[e]s, -e> sparkling wine.

Sekte *f* <-, -n> sect.

sekundär *adj* secondary.

Sekunde *f* <-, -n> second.

selber *pron s.* **selbst**.

selbst 1. *pron* myself; yourself; himself; herself; itself; ourselves; yourselves; themselves; **2.** *adv* even; **von ~** by itself; **~ gemacht**[RR] home-made; **Selbst** *nt* <-> self; **Selbstachtung** *f* self-respect.

selbständig *adj s.* **selbstständig**.

Selbstauslöser *m* (FOTO) delayed-action shutter release; **Selbstbedienung** *f* self-service; **Selbstbefriedigung** *f* masturbation; **Selbstbeherrschung** *f* self-control; **selbstbewusst**[RR] *adj* [self-] confident; **Selbstbewusstsein**[RR] *nt* self-confidence; **Selbsterhaltung** *f* self-preservation; **Selbsterkenntnis** *f* self-knowledge; **selbstgefällig** *adj* smug, self-satisfied; **Selbstgespräch** *nt* conversation with oneself; **Selbsthilfegruppe** *f* self-help group; **selbstklebend** *adj* self-adhesive; **Selbstkostendeckung** *f* covering one's costs; **Selbstkostenpreis** *m* cost price; **selbstlos** *adj* unselfish, selfless.

Selbstmord *m* suicide; **Selbstmörder(in)** *m(f)* suicide; **selbstmörderisch** *adj* suicidal.

Selbstreinigungskraft *f* self-purifying power; **selbstsicher** *adj* self-assured; **selbstständig**[RR] *adj* independent; (*arbeitend*) self-employed; **Selbstständige(r)**[RR] *mf* self-employed person; **Selbstständigkeit**[RR] *f* independence; self-employment; **selbstsüchtig** *adj* selfish; **selbsttätig** *adj* automatic; **selbstverständlich** 1. *adj* obvious; **2.** *adv* naturally; **ich halte das für ~** I take that for granted; **Selbstverständlichkeit** *f* matter of course; **Selbstverteidigung** *f* self-defence; **Selbstvertrauen** *nt* self-confidence; **Selbstverwaltung** *f* autonomy, self-government; **Selbstzweck** *m* end in itself.

selig *adj* happy, blissful; (REL) blessed; (*tot*) late; **Seligkeit** *f* bliss.

Sellerie *m* <-s, -[s]>, *f* <-, -n> celeriac; (*Stangen~*) celery.

selten 1. *adj* rare; **2.** *adv* seldom, rarely; **Seltenheit** *f* rarity.

Selterswasser *nt* soda water.

seltsam *adj* strange, curious; **seltsamerweise** *adv* curiously, strangely; **Selt-**

S

samkeit *f* strangeness.
Semester *nt* <-s, -> semester.
Semikolon *nt* <-s, -s> semicolon.
Seminar *nt* <-s, -e> (*der Universität*) department; (*~übung*) seminar; (*Priester~*) seminary; (*Lehrer~*) college of education.
Semmel *f* <-, -n> roll.
Senat *m* <-[e]s, -e> senate, council.
Sendebereich *m* range of transmission; **Sendefolge** *f* (*Serie*) series *sing;* **senden 1.** <sandte, gesandt> *vt* send; **2.** *vt, vi* (RADIO, TV) transmit, broadcast; **Sender** *m* <-s, -> station; (*Anlage*) transmitter; **Sendereihe** *f* series *sing* [of broadcasts]; **Sendung** *f* consignment; (*Aufgabe*) mission; (RADIO, TV) transmission; (*Programm*) programme.
Senf *m* <-[e]s, -e> mustard.
sengen 1. *vt* singe; **2.** *vi* scorch.
Senior(in) *m(f)* <-s, -en> senior citizen; **Seniorenpass**[RR] *m* senior citizen's travel pass.
Senkblei *nt* plumb.
Senke *f* <-, -n> depression.
Senkel *m* <-s, -> [shoe]lace.
senken 1. *vt* lower; **2.** *vr:* **sich ~** sink, drop gradually; **Senkfuß** *m* flat foot; **Senkfußeinlage** *f* arch support.
senkrecht *adj* vertical, perpendicular; **Senkrechte** *f* <-n, -n> perpendicular; **Senkrechtstarter(in)** *m(f)* (FLUG) vertical take-off plane; (*fig*) high-flier.
Sensation *f* sensation; **sensationell** *adj* sensational.
Sense *f* <-, -n> scythe.
sensibel *adj* sensitive; (*heikel*) sensitive, problematic.
sensibilisieren *vt* sensitize.
Sensibilität *f* sensitivity.
Sensor *m* <-s, -en> sensor.
sentimental *adj* sentimental; **Sentimentalität** *f* sentimentality.
separat *adj* separate.
September *m* <-[s], -> September; **im ~** in September; **12. ~ 1999** September 12th, 1999, 12th September 1999.
septisch *adj* septic.
sequentiell *adj* (INFORM) sequential.
Serbien *nt* Serbia; **Serbier(in)** *m(f)* Serb; **serbisch** *adj* Serbian.
Serie *f* series *sing.*
seriell *adj* (INFORM) serial.
Serienherstellung *f* mass production; **serienweise** *adv* in series.
seriös *adj* serious, bona fide.
Serpentine *f* hairpin [bend].
Serum *nt* <-s, Seren> serum.
Server *m* <-s, -> (INFORM) server.
Service 1. *nt* <-[s], -> (*Geschirr*) set, service; **2.** *m* <-, -s> service; **Servicepersonal** *nt* service personnel.
servieren *vt, vi* serve.
Serviette *f* napkin, serviette.
Servolenkung *f* (AUTO) power-assisted steering.
Sessel *m* <-s, -> armchair; **Sessellift** *m* chairlift.
sesshaft[RR] *adj* settled; (*ansässig*) resident.
Set *m o nt* <-s, -s> set; (*Tisch~*) tablemat.
setzen 1. *vt* put, set; (*Baum etc*) plant; (*Segel*) set; **2.** *vr:* **sich ~** settle; (*Mensch*) sit down; **3.** *vi* leap.
Setzer(in) *m(f)* <-s, -> (TYP) compositor; **Setzerei** *f* caseroom; (*Betrieb*) typesetter's.
Setzling *m* young plant.
Seuche *f* <-, -n> epidemic; **Seuchengebiet** *nt* infected area.
seufzen *vt, vi* sigh; **Seufzer** *m* <-s, -> sigh.
Sex *m* <-[es]> sex.
Sexismus *m* sexism; **Sexist(in)** *m(f)* sexist; **sexistisch** *adj* sexist.
Sexualität *f* sex, sexuality.
Sexualobjekt *nt* sex object.
sexuell *adj* sexual.
sezieren *vt* dissect.
sich *pron* himself; herself; itself; oneself; yourself; yourselves themselves; each other.
Sichel *f* <-, -n> sickle; (*Mond~*) crescent.
sicher *adj* safe (*vor +dat* from); (*gewiss*) certain (*gen* of); (*zuverlässig*) secure, reliable; (*selbst~*) confident; **sichergehen** *irr vi* make sure.
Sicherheit *f* safety; (*a.* FIN) security; (*Gewissheit*) certainty; (*Selbst~*) confidence; **Sicherheitsabstand** *m* safe distance; **Sicherheitsbehälter** *m* (*von Kernkraftwerk*) containment; **Sicherheitsglas** *nt* safety glass; **Sicherheitsgurt** *m* safety-belt; **sicherheitshalber** *adv* to be on the safe side; **Sicherheitskopie** *f* (INFORM) backup copy; **Sicherheitsmarge** *f* safety margin; **Sicherheitsnadel** *f* safety pin; **Sicherheitsschloss**[RR] *nt* safety lock; **Sicherheitsverschluss**[RR] *m* safety clasp; **Sicherheitsvorkehrung** *f* safety precaution.
sicherlich *adv* certainly, surely.
sichern *vt* secure; (*schützen*) protect;

(*Waffe*) put the safety catch on; (INFORM) protect, safeguard; (*Daten*) back up; **jdm/ sich etw** ~ secure sth for sb/[for oneself].

sicherstellen *vt* impound.

Sicherung *f* (*Sichern*) securing; (*Vorrichtung*) safety device; (*an Waffen*) safety catch; (ELEK) fuse; (INFORM) backup.

Sicht *f* <-> sight; (*Aus~*) view; (*~verhältnisse*) visibility; **auf** [*o* **nach**] ~ (FIN) at sight; **auf lange** ~ on a long-term basis; **sichtbar** *adj* visible; **sichten** *vt* sight; (*auswählen*) sort out; **Sichtgerät** *nt* monitor; (INFORM) visual display unit, VDU; **sichtlich** *adj* evident, obvious; **Sichtverhältnisse** *pl* visibility; **Sichtvermerk** *m* visa; **Sichtweite** *f* visibility.

sickern *vi* trickle, seep.

sie **1.** *pron* (*3. Person Singular*) she; **2.** *pron* (*3. Person Plural*) they; **3.** *pron akk von sing* **sie** her; **4.** *pron akk von pl* **sie** them.

Sie *pron* (*Höflichkeitsform, Nominativ und akk*) you.

Sieb *nt* <-[e]s, -e> sieve; (GASTR) strainer; **Siebdruck** *m* screen-printing; **sieben** *vt* sift; (*Flüssigkeit*) strain.

sieben *num* seven; **siebenfach** **1.** *adj* sevenfold; **2.** *adv* seven times; **siebenhundert** *num* seven hundred; **siebenjährig** *adj* (*7 Jahre alt*) seven-year-old; (*7 Jahre dauernd*) seven-year; **siebenmal** *adv* seven times; **Siebensachen** *pl* belongings *pl;* **Siebenschläfer** *m* dormouse.

siebte(**r, s**) *adj* seventh; **der ~ Mai** the seventh of May; **Bonn, den 7. Mai** Bonn, May 7th; **Siebte**(**r**) *mf* seventh.

Siebtel *nt* <-s, -> (*Bruchteil*) seventh.

siebzehn *num* seventeen.

siebzig *num* seventy.

sieden *vt, vi* boil, simmer; **Siedepunkt** *m* boiling point; **Siedewasserreaktor** *m* boiling water reactor.

Siedler(**in**) *m(f)* <-s, -> settler; **Siedlung** *f* settlement; (*Häuser~*) housing estate, housing development *US.*

Sieg *m* <-[e]s, -e> victory.

Siegel *nt* <-s, -> seal; **Siegellack** *m* sealing wax; **Siegelring** *m* signet ring.

siegen *vi* be victorious; (SPORT) win; **Sieger**(**in**) *m(f)* <-s, -> victor; (SPORT) winner; **siegessicher** *adj* sure of victory; **Siegeszug** *m* triumphal procession; **siegreich** *adj* victorious.

siehe *imp* see; ~ **da** behold.

siezen *vt address sb using the formal form.*

Signal *nt* <-s, -e> signal; **signalisieren** *vt* signal.

Signatur *f* signature.

signieren *vt* sign.

Silbe *f* <-, -n> syllable.

Silber *nt* <-s> silver; **Silberbergwerk** *nt* silver mine; **Silberblick** *m:* **einen ~ haben** have a slight squint; **silbern** *adj* silver.

Silhouette *f* silhouette.

Silo *m* <-s, -s> silo.

Silvester *nt* <-s, ->, **Silvesterabend** *m* New Year's Eve, Hogmanay *Scot.*

Simbabwe *nt* Zimbabwe.

simpel *adj* simple; **Simpel** *m* <-s, -> (*umg*) simpleton.

Sims *m o nt* <-es, -e> (*Kamin~*) mantlepiece; (*Fenster~*) [window]sill.

Simulant(**in**) *m(f)* malingerer.

simulieren *vt, vi* simulate; (*vortäuschen*) feign.

simultan *adj* simultaneous.

Sinfonie *f* symphony.

singen <sang, gesungen> *vt, vi* sing.

Single *f* <-, -s> (*Schallplatte*) single.

Single *m* <-s, -s>, *f* <-, -s> (*Mensch*) single.

Singular *m* singular.

Singvogel *m* songbird.

sinken <sank, gesunken> *vi* sink; (*Preise etc*) fall, go down.

Sinn *m* <-[e]s, -e> mind; (*Wahrnehmungs~*) sense; (*Bedeutung*) sense, meaning; ~ **machen** make sense; ~ **für etw** sense of sth; **von ~en sein** be out of one's mind; **Sinnbild** *nt* symbol; **sinnbildlich** *adj* symbolic.

sinnen <sann, gesonnen> *vi* ponder; **auf etw** *akk* ~ contemplate sth.

Sinnenmensch *m* sensualist; **Sinnestäuschung** *f* illusion.

sinngemäß *adj* faithful; (*Wiedergabe*) in one's own words.

sinnig *adj* clever.

sinnlich *adj* sensual, sensuous; (*Wahrnehmung*) sensory; **Sinnlichkeit** *f* sensuality.

sinnlos *adj* (*unsinnig*) meaningless; (*Verhalten*) senseless; (*zwecklos*) pointless, senseless; **Sinnlosigkeit** *f* meaninglessness; pointlessness; senselessness; **sinnvoll** *adj* meaningful; (*vernünftig*) sensible.

Sintflut *f* Flood.

Sinus *m* <-, – *o* -se> sinus; (MATH) sine.

Siphon *m* <-s, -s> siphon.

Sippe *f* <-, -n> clan, kin; **Sippschaft** *f* (*pej*) relations *pl;* (*Bande*) gang.
Sirene *f* <-, -n> siren.
Sirup *m* <-s, -e> syrup.
Sitte *f* <-, -n> custom; **~n** *pl* morals *pl;* **Sittenpolizei** *f* vice squad.
sittlich *adj* moral; **Sittlichkeit** *f* morality; **Sittlichkeitsverbrechen** *nt* sex offence.
sittsam *adj* modest, demure.
Situation *f* situation.
Sitz *m* <-es, -e> seat; (*einer Firma*) headquarters, head office; **der Anzug hat einen guten ~** the suit is a good fit; **Sitzblockade** *f* sit-in.
sitzen <saß, gesessen> *vi* sit; (*Bemerkung, Schlag*) strike home, tell; (*Gelerntes*) have sunk in; **~ bleiben** remain seated; **~ bleiben**[RR] (SCH) have to repeat a year; **auf etw** *dat* **~ bleiben**[RR] be lumbered with sth; **~ lassen**[RR] (SCH) make [sb] repeat a year; (*Mädchen*) jilt; (*Wartenden*) stand up; **etw auf sich** *dat* **~ lassen**[RR] take sth lying down; **sitzend** *adj* (*Tätigkeit*) sedentary; **Sitzgelegenheit** *f* place to sit down; **Sitzplatz** *m* seat; **Sitzstreik** *m* sit-down strike; **Sitzung** *f* meeting.
Sizilien *nt* Sicily.
Skala *f* <-, Skalen> scale.
Skalpell *nt* <-s, -e> scalpel.
Skandal *m* <-s, -e> scandal; **skandalös** *adj* scandalous.
Skandinavien *nt* Scandinavia.
Skateboard *nt* <-s, -s> skateboard.
Skelett *nt* <-[e]s, -e> skeleton.
Skepsis *f* <-> scepticism; **skeptisch** *adj* sceptical.
Ski *m* <-s, -er> ski; **~ laufen** [*o* **fahren**] ski; **Skianzug** *m* ski suit; **Skibindung** *f* ski binding; **Skibrille** *f* ski glasses *pl;* **Skifahrer**(**in**) *m(f)*, **Skiläufer**(**in**) *m(f)* skier; **Skilehrer**(**in**) *m(f)* ski instructor; **Skilift** *m* ski-lift.
Skinhead *m* <-s, -s> skinhead.
Skischuh *m* ski boot; **Skischule** *f* ski school; **Skispringen** *nt* ski-jumping; **Skiträger** *m* ski rack; **Skiurlaub** *m* skiing holiday.
Skizze *f* <-, -n> sketch.
skizzieren *vt, vi* sketch.
Sklave *m* <-n, -n> slave; **Sklaverei** *f* slavery; **Sklavin** *f* slave.
Skonto *m o nt* <-s, -s> discount.
Skorpion *m* <-s, -e> (ZOOL) scorpion; (ASTR) Scorpio.
Skrupel *m* <-s, -> scruple; **skrupellos** *adj* unscrupulous.
Skulptur *f* sculpture.
Slalom *m* <-s, -s> slalom.
slimmen *vi* slim.
Slip *m* <-s, -s> [pair of] briefs *pl;* **Slipeinlage** *f* panty-liner.
Slowake *m* Slovak; **Slowakei** *f* Slovak Republic; **Slowakin** *f* Slovak; **slowakisch** *adj* Slovakian; **Slowakische Republik** *f* Slovak Republic.
Slowene *m* Slovene; **Slowenien** *nt* Slovenia; **Slowenin** *f* Slovene; **slowenisch** *adj* Slovenian.
Smaragd *m* <-[e]s, -e> emerald.
Smog *m* <-s> smog; **Smogalarm** *m* smog alert.
Smoking *m* <-s, -s> dinner jacket, tuxedo *US.*
Snowboard *nt* <-s, -s> snowboard.
so 1. *adv* so; (*auf diese Weise*) like this; (*etwa*) roughly; **2.** *konj* so; (*vor Adjektiv*) as; **~ ein** such a; **~, das ist fertig** well, that's finished; **~ etwas!** well, well!; **~ ... wie ...** as ... as ...; **~ dass** so that, with the result that; **~ viel**[RR] as much (*wie* as); **rede nicht ~ viel**[RR] don't talk so much.
Socke *f* <-, -n> sock.
Sockel *m* <-s, -> pedestal, base.
Sodawasser *nt* soda water.
Sodbrennen *nt* <-s> heartburn.
soeben *adv* just [now].
Sofa *nt* <-s, -s> sofa; **Sofabett** *nt* sofa-bed.
sofern *konj* if, provided [that].
soff *imperf von* **saufen**.
sofort *adv* immediately, at once; **Sofortabschreibung** *f* immediate depreciation; **Sofortbildkamera** *f* instant-picture camera; **sofortig** *adj* immediate.
Softie *m* <-s, -s> (*umg*) softy.
Software *f* <-, -s> software; **Softwarepaket** *nt* [software] package.
sog *imperf von* **saugen**.
Sog *m* <-[e]s, -e> suction.
sogar *adv* even; **sogenannt** *adj* so-called; **sogleich** *adv* straight away, at once.
Sohle *f* <-, -n> sole; (*Tal~ etc*) bottom; (MIN) level.
Sohn *m* <-[e]s, Söhne> son.
solang[**e**] *konj* as, so long as.
Solarium *nt* solarium.
Solarzeitalter *nt* solar age.
Solarzelle *f* solar cell.
Solbad *nt* saltwater bath.

solch *pron* such; **ein ~e(r, s) ...** such a ...

Sold *m* <-[e]s, -e> pay.

Soldat(in) *m(f)* <-en, -en> soldier; **soldatisch** *adj* soldierly.

Söldner(in) *m(f)* <-s, -> mercenary.

solidarisch *adj* in/with solidarity; **sich ~ erklären** declare one's solidarity; **solidarisieren** *vr:* **sich ~** show solidarity (*mit jdm* with sb); **Solidarität** *f* solidarity; **Solidaritätszuschlag** *m* solidarity levy (*towards costs of German unification*).

solid[e] *adj* solid; (*Leben, Mensch*) staid, respectable.

Solist(in) *m(f)* soloist.

Soll *nt* <-[s], -[s]> (FIN) debit [side]; (*Arbeitsmenge*) quota, target.

sollen *vi* be supposed to; (*Verpflichtung*) shall, ought to; **du hättest nicht gehen ~** you shouldn't have gone; **soll ich?** shall I?; **was soll das?** what's that supposed to mean?

Solo *nt* <-s, -s *o* Soli> solo.

somit *konj* and so, therefore.

Sommer *m* <-s, -> summer; **im ~** in summer; **sommerlich** *adj* summery; summer; **Sommerloch** *nt* summer gap, silly season; **Sommersmog** *m* summer smog; **Sommersprossen** *pl* freckles *pl;* **Sommerzeit** *f* summer time.

Sonate *f* <-, -n> sonata.

Sonde *f* <-, -n> probe.

Sonder- *in Zusammensetzungen* special; **Sonderangebot** *nt* special offer; **sonderbar** *adj* strange, odd; **Sonderdruck** *m* offprint; **Sonderfahrt** *f* special trip; **Sonderfall** *m* special case.

sondergleichen *adj inv* without parallel, unparalleled.

sonderlich *adj* particular; (*außergewöhnlich*) remarkable; (*eigenartig*) peculiar.

Sonderling *m* eccentric.

Sondermüll *m* hazardous waste.

sondern 1. *konj* but; **nicht nur ..., ~ auch** not only ..., but also; **2.** *vt* separate.

Sonderzeichen *nt* special character; **Sonderzug** *m* special train.

sondieren *vt* suss out; (*Gelände*) scout out.

Sonett *nt* <-[e]s, -e> sonnet.

Sonnabend *m* Saturday; **[am] ~** on Saturday; **sonnabends** *adv* on Saturdays, on a Saturday.

Sonne *f* <-, -n> sun; **sonnen** *vr:* **sich ~** sun oneself; **Sonnenaufgang** *m* sunrise; **sonnenbaden** *vi* sunbathe; **Sonnenblume** *f* sunflower; **Sonnenbrand** *m* sunburn; **Sonnenbrille** *f* sunglasses *pl;* **Sonnenfinsternis** *f* solar eclipse; **Sonnenkollektor** *m* solar panel; **Sonnenschein** *m* sunshine; **Sonnenschirm** *m* parasol, sunshade; **Sonnenstich** *m* sunstroke; **Sonnenuhr** *f* sundial; **Sonnenuntergang** *m* sunset; **Sonnenwende** *f* solstice; **sonnig** *adj* sunny.

Sonntag *m* Sunday; **[am] ~** on Sunday; **sonntags** *adv* on Sundays, on a Sunday; **Sonntagsfahrer(in)** *m(f)* (*pej*) Sunday [afternoon] driver.

sonst *adv, konj* otherwise; (*mit pron, in Fragen*) else; (*zu anderer Zeit*) at other times, normally; **~ noch etwas?** anything else?; **~ nichts** nothing else; **~ jemand**[RR] anybody [at all]; **~ woher**[RR] from somewhere else; **~ wo[hin]**[RR] somewhere else; **sonstig** *adj* other.

sooft *konj* whenever.

Sopran *m* <-s, -e> soprano; **Sopranistin** *f* soprano.

Sorge *f* <-, -n> care, worry; **sorgen 1.** *vi:* **für jdn ~** look after sb; **für etw ~** take care of sth, see to sth; **2.** *vr:* **sich ~** worry (*um* about); **sorgenfrei** *adj* carefree; **Sorgenkind** *nt* problem child; **sorgenvoll** *adj* troubled, worried; **Sorgerecht** *nt* custody [of a child].

Sorgfalt *f* <-> care[fulness]; **sorgfältig** *adj* careful; **sorglos** *adj* careless; (*ohne Sorgen*) carefree; **sorgsam** *adj* careful.

Sorte *f* <-, -n> sort; (*Waren~*) brand; **Sorten** *pl* (FIN) foreign currency.

sortieren *vt* sort [out]; (INFORM) sort; **Sortierlauf** *m* (INFORM) sort run.

Sortiment *nt* assortment.

sosehr *konj* as much as.

Soße *f* <-, -n> sauce; (*Braten~*) gravy.

Souffleur *m*, **Souffleuse** *f* prompter; **soufflieren** *vt, vi* prompt.

Soundkarte *f* (INFORM) sound card.

souverän *adj* sovereign; (*überlegen*) superior.

soviel *konj* as far as.

soweit 1. *konj* as far as; **2.** *adj:* **~ sein** be ready; **~ wie [*o* als] möglich** as far as possible; **ich bin ~ zufrieden** by and large I'm quite satisfied.

sowenig 1. *konj* little as; **2.** *pron* as little (*wie* as).

sowie *konj* (*sobald*) as soon as; (*ebenso*) as well as; **sowieso** *adv* anyway.

S

Sowjetunion *f* (HIST): **die** ~ the Soviet Union.

sowohl *konj:* ~ **... als** [*o* **wie**] **auch** both ... and.

sozial *adj* social; **Sozialabgaben** *pl* national insurance contributions *pl;* **Sozialarbeiter(in)** *m(f)* social worker; **Sozialdemokrat(in)** *m(f)* social democrat; **Sozialdienste** *pl* welfare services *pl;* **Sozialhilfe** *f* income support; **Sozialhilfeleistungen** *pl* income support *sing.*

Sozialismus *m* socialism; **Sozialist(in)** *m(f)* socialist; **sozialistisch** *adj* socialist.

Sozialplan *m* social compensation plan; **Sozialpolitik** *f* social policy; **Sozialprodukt** *nt* [gross/net] national product; **Sozialstaat** *m* welfare state; **Sozialversicherung** *f* national insurance *Brit,* social security *US;* **Sozialwohnung** *f* council flat *Brit.*

Soziologe *m* <-n, -n> sociologist; **Soziologie** *f* sociology; **Soziologin** *f* sociologist; **soziologisch** *adj* sociological.

Sozius *m* (WIRTS) partner; (*auf Motorrad*) pillion rider; **Soziussitz** *m* pillion [seat].

sozusagen *adv* so to speak.

Spachtel *m* <-s, -> spatula.

spähen *vi* peep, peek.

Spalier *nt* <-s, -e> (*Gerüst*) trellis; (*Leute*) guard of honour.

Spalt *m* <-[e]s, -e> crack; (*Tür~*) chink; (*fig: Kluft*) split.

Spalte *f* <-, -n> crack, fissure; (*Gletscher~*) crevasse; (*in Text*) column.

spalten *vt, vr:* **sich** ~ split; **Spaltmaterial** *nt* fission material; **Spaltung** *f* splitting.

Span *m* <-[e]s, Späne> shaving; **Spanferkel** *nt* sucking-pig.

Spange *f* <-, -n> clasp; (*Haar~*) hair slide; (*Schnalle*) buckle; (*Armreif*) bangle.

Spanien *nt* Spain; **Spanier(in)** *m(f)* <-s, -> Spaniard; **die** ~ *pl* the Spanish *pl;* **spanisch** *adj* Spanish; **das kommt mir** ~ **vor** that seems odd to me.

spann *imperf von* **spinnen**.

Spannbeton *m* pre-stressed concrete.

Spanne *f* <-, -n> (*Zeit~*) space; (*Differenz*) gap.

spannen 1. *vt* (*straffen*) tighten, tauten; (*befestigen*) brace; **2.** *vi* be tight.

spannend *adj* exciting, gripping; **Spannung** *f* tension; (ELEK) voltage; (*fig*) suspense; (*unangenehm*) tension; **Spannungsprüfer** *m* voltage detector.

Sparbuch *nt* savings book; **Sparbüchse** *f* moneybox; **sparen** *vt, vi* save; **sich** *dat* **etw** ~ save oneself sth; (*Bemerkung*) keep sth to oneself; **mit etw** ~ be sparing with sth; **an etw** *dat* ~ economize on sth; **Sparer(in)** *m(f)* <-s, -> saver.

Spargel *m* <-s, -> asparagus.

Sparkasse *f* savings bank; **Sparkonto** *nt* savings account.

spärlich *adj* meagre; (*Bekleidung*) scanty.

Sparmaßnahme *f* economy measure, cut; **sparsam** *adj* economical; **Sparsamkeit** *f* thrift, economizing; **Sparschwein** *nt* piggy bank.

Sparte *f* <-, -n> field; (*beruflich*) line of business; (PRESSE) column.

Spaß *m* <-es, Späße> joke; (*Freude*) fun; **jdm** ~ **machen** be fun [for sb]; **spaßen** *vi* joke; **mit ihm ist nicht zu** ~ you can't take liberties with him; **spaßeshalber** *adv* for the fun of it; **spaßhaft, spaßig** *adj* funny, droll; **Spaßmacher(in)** *m(f)* <-s, -> joker, funny person; **Spaßverderber(in)** *m(f)* <-s, -> spoilsport.

spät *adj, adv* late; **Spätaussiedler(in)** *m(f)* <-s, -> *ethnic German who moved west relatively late.*

Spaten *m* <-s, -> spade.

später *adj, adv* later.

spätestens *adv* at the latest.

Spatz *m* <-en, -en> sparrow.

spazieren *vi* stroll, walk; ~ **fahren**[RR] go for a drive; ~ **gehen**[RR] go for a walk; **Spaziergang** *m* walk; **Spazierstock** *m* walking stick; **Spazierweg** *m* path, walk.

SPD *f* <-> *abk von* **Sozialdemokratische Partei Deutschlands** Social Democrat Party.

Specht *m* <-[e]s, -e> woodpecker.

Speck *m* <-[e]s, -e> bacon.

Spediteur *m* carrier; (*Möbel~*) furniture remover.

Spedition *f* carriage; (*~sfirma*) road haulage contractor; (*für Umzug*) removal firm.

Speer *m* <-[e]s, -e> spear; (SPORT) javelin.

Speiche *f* <-, -n> spoke.

Speichel *m* <-s> saliva, spit[tle].

Speicher *m* <-s, -> storehouse; (*Dach~*) attic, loft; (*Korn~*) granary; (*Wasser~*) tank; (TECH) store; (INFORM) memory, store; **Speicherauszug** *m* (INFORM) memory dump; **Speicherfunktion** *f* (INFORM) memory function; **speicherintensiv** *adj* (INFORM) memory-hogging; **Speicher-**

kapazität *f* (INFORM) memory capacity; **speichern** *vt* (*a.* INFORM) store; (*ab~*) file; **Speicherplatz** *m* (INFORM) storage space; (*bestimmter Ort*) slot; **Speicherschreibmaschine** *f* memory typewriter; **Speicherschutz** *m* (INFORM) memory protection.

speien <spie, gespie[e]n> *vt, vi* spit; (*erbrechen*) vomit; (*Vulkan*) spew.

Speise *f* <-, -n> food; **Speiseeis** *nt* ice-cream; **Speisekammer** *f* larder, pantry; **Speisekarte** *f* menu; **speisen 1.** *vt* feed; (*essen*) eat; **2.** *vi* dine; **Speiseröhre** *f* gullet, oesophagus; **Speisesaal** *m* dining room; **Speisewagen** *m* dining car; **Speisezettel** *m* menu.

Spektakel 1. *m* <-s, -> (*umg: Krach*) row; **2.** *nt* <-s, -> (*Schauspiel*) spectacle.

Spekulant(in) *m(f)* speculator; **Spekulation** *f* speculation; **spekulieren** *vi* (*a. fig*) speculate; **auf etw** *akk* ~ have hopes of sth.

Spelunke *f* <-, -n> dive.

Spende *f* <-, -n> donation; **spenden** *vt* donate, give; **Spender(in)** *m(f)* <-s, -> donor, donator.

spendieren *vt* pay for, buy; **jdm etw** ~ treat sb to sth, stand sb sth.

Spengler(in) *m(f)* (*A, CH*) plumber.

Sperling *m* sparrow.

Sperma *nt* <-s, Spermen> sperm.

sperrangelweit *adv:* ~ **offen** wide open.

Sperre *f* <-, -n> barrier; (*Verbot*) ban; **sperren 1.** *vt* block; (SPORT) suspend, bar; (*vom Ball*) obstruct; (*einschließen*) lock; (*verbieten*) ban; **2.** *vr:* **sich** ~ baulk, jib[e]; **Sperrgebiet** *nt* prohibited area.

Sperrholz *nt* plywood.

sperrig *adj* bulky.

Sperrmüll *m* bulky refuse; **Sperrsitz** *m* (THEAT) stalls *pl;* **Sperrstunde** *f,* **Sperrzeit** *f* closing time.

Spesen *pl* expenses *pl.*

Spezial- *in Zusammensetzungen* special.

spezialisieren *vr:* **sich** ~ specialize (*auf +akk* in); **Spezialisierung** *f* specialization.

Spezialist(in) *m(f)* specialist.

Spezialität *f* speciality.

speziell *adj* special.

spezifisch *adj* specific.

Sphäre *f* <-, -n> sphere.

spicken 1. *vt* lard; **2.** *vi* (SCH) copy, crib.

spie *imperf von* **speien**.

Spiegel *m* <-s, -> mirror; (*Wasser~*) level; **Spiegelbild** *nt* reflection; **spiegelbildlich** *adj* reversed; **Spiegelei** *nt* fried egg; **spiegeln 1.** *vt* mirror, reflect; **2.** *vr:* **sich** ~ be reflected; **3.** *vi* gleam; (*wider~*) be reflective; **Spiegelreflexkamera** *f* reflex camera; **Spiegelschrift** *f* mirror-writing; **Spiegelung** *f* reflection.

Spiel *nt* <-[e]s, -e> game; (*Schau~*) play; (*Tätigkeit*) play[ing]; (KARTEN) deck; (TECH) [free] play; **spielen** *vt, vi* play; (*um Geld*) gamble; (THEAT) perform, act; **spielend** *adv* easily; **Spieler(in)** *m(f)* <-s, -> player; (*um Geld*) gambler; **Spielerei** *f* trifling pastime; **spielerisch** *adj* playful; (*Leichtigkeit*) effortless; **~es Können** skill as a player; (THEAT) acting ability; **Spielfeld** *nt* pitch, field; **Spielfilm** *m* feature film; **Spielhalle** *f* amusement hall, amusement centre; **Spielplan** *m* (THEAT) programme; **Spielplatz** *m* playground; **Spielraum** *m* room to manoeuvre, scope; **Spielsachen** *pl* toys *pl;* **Spielverderber(in)** *m(f)* <-s, -> spoilsport; **Spielwaren** *pl,* **Spielzeug** *nt* toys *pl.*

Spieß *m* <-es, -e> spear; (*Brat~*) spit; **Spießbürger(in)** *m(f)* bourgeois; **spießig** *adj* (*pej*) [petit] bourgeois; **Spießrutenlaufen** *nt* running the gauntlet.

Spikes *pl* spikes *pl;* (AUTO) studs *pl.*

Spinat *m* <-[e]s, -e> spinach.

Spind *m* <-[e]s, -e> locker.

Spinne *f* <-, -n> spider.

spinnen <spann, gesponnen> *vt, vi* spin; (*umg*) talk rubbish; (*verrückt sein*) be crazy, be mad.

Spinn[en]gewebe *nt* cobweb.

Spinnerei *f* spinning mill.

Spinnrad *nt* spinning-wheel.

Spinnwebe *f* <-, -n> cobweb.

Spion(in) *m(f)* <-s, -e> spy; (*in Tür*) spy-hole; **Spionage** *f* <-, -n> espionage; **spionieren** *vi* spy.

Spirale *f* <-, -n> spiral; (MED) coil, loop.

Spirituosen *pl* spirits *pl.*

Spiritus *m* <-, -se> [methylated] spirit.

Spital *nt* <-s, Spitäler> hospital.

spitz *adj* pointed; (*Winkel*) acute; (*fig: Zunge*) sharp; (*Bemerkung*) caustic.

Spitz *m* <-es, -e> spitz.

Spitzbogen *m* pointed arch.

Spitzbube *m,* **Spitzbübin** *f* rogue.

Spitze *f* <-, -n> point, tip; (*Berg~*) peak; (*Bemerkung*) taunt, dig; (*erster Platz*) lead, top; (*Gewebe*) lace.

Spitzel *m* <-s, -> informer.

spitzen *vt* sharpen.

Spitzen- *in Zusammensetzungen* top;

Spitzengespräch *nt* top-level talks; **Spitzenkandidat(in)** *m(f)* top candidate, favourite; **Spitzenleistung** *f* top performance; **Spitzenlohn** *m* top wages *pl;* **Spitzenmanager(in)** *m(f)* top-flight manager; **Spitzensportler(in)** *m(f)* top-class sportsman/-woman; **Spitzenvertreter(in)** *m(f)* leading representative.

spitzfindig *adj* [over]subtle.

spitzig *adj s.* **spitz**.

Spitzname *m* nickname.

Splitter *m* <-s, -> splinter; **splitternackt** *adj* stark naked.

Splitting *nt* split taxation.

Spoiler *m* <-s, -> (AUTO) spoiler.

sponsern *vt* sponsor; **Sponsor(in)** *m(f)* <-s, -en> sponsor.

spontan *adj* spontaneous.

Sport *m* <-[e]s, -e> sport; (*fig*) hobby; **Sportlehrer(in)** *m(f)* games [*o* P.E.] teacher; **Sportler(in)** *m(f)* <-s, -> sportsman/-woman; **sportlich** *adj* sporting; (*Mensch*) sporty; **Sportplatz** *m* playing [*o* sports] field; **Sportverein** *m* sports club; **Sportwagen** *m* sports car; (*für Kinder*) pushchair *Brit,* stroller *US;* **Sportzeug** *nt* sports gear.

Spott *m* <-[e]s> mockery, ridicule; **spottbillig** *adj* dirt-cheap; **spotten** *vi* mock (*über+akk* at), ridicule; **spöttisch** *adj* mocking.

sprach *imperf von* **sprechen**.

sprachbegabt *adj* good at languages; **Sprache** *f* <-, -n> language; **Sprachfehler** *m* speech defect; **Sprachführer** *m* phrasebook; **Sprachgebrauch** *m* [linguistic] usage; **Sprachgefühl** *nt* feeling for language; **Sprachkenntnisse** *pl* knowledge of a language; **Sprachkurs** *m* language course; **sprachlich** *adj* linguistic; **sprachlos** *adj* speechless; **Sprachregelung** *f* [policy] line; **Sprachrohr** *nt* megaphone; (*fig*) mouthpiece.

sprang *imperf von* **springen**.

Spray *m o nt* <-s, -s> spray.

Sprechanlage *f* intercom; **sprechen** <sprach, gesprochen> **1.** *vi* speak, talk (*mit* to); **2.** *vt* say; (*Sprache*) speak; (*jdn*) speak to; **das spricht für ihn** that's a point in his favour; **Sprecher(in)** *m(f)* <-s, -> speaker; (*für Gruppe*) spokesperson; (RADIO, TV) announcer; **Sprechstunde** *f* consultation [hour]; [doctor's] surgery; (*Anwalt usw.*) office hours; **Sprechstundenhilfe** *f* [doctor's] receptionist; **Sprechzimmer** *nt* consulting room; (*von Arzt*) surgery.

spreizen 1. *vt* spread; **2.** *vr:* **sich ~** put on airs.

Sprengarbeiten *pl* blasting operations *pl;* **sprengen** *vt* sprinkle; (*mit Sprengstoff*) blow up; (*Gestein*) blast; (*Versammlung*) break up; **Sprengladung** *f* explosive charge; **Sprengstoff** *m* explosive[s].

Spreu *f* <-> chaff.

Sprichwort *nt* proverb; **sprichwörtlich** *adj* proverbial.

Springbrunnen *m* fountain.

springen <sprang, gesprungen> *vi* jump; (*Glas*) crack; (*mit Kopfsprung*) dive; **Springer(in)** *m(f)* <-s, -> (*Mensch*) jumper; (SCHACH) knight.

Sprit *m* <-[e]s, -e> (*umg*) petrol, fuel.

Spritze *f* <-, -n> syringe; injection; (*an Schlauch*) nozzle; **spritzen 1.** *vt* spray; (MED) inject; **2.** *vi* splash; (*heraus~*) spurt; (MED) give injections; **Spritzpistole** *f* spray gun.

spröde *adj* brittle; (*Mensch*) reserved, coy.

Spross[RR] *m* <-es, -e> shoot; (*Kind*) scion.

Sprosse *f* <-, -n> rung; (*Fenster*) glazing bar; **Sprossenfenster** *nt* lattice window.

Sprössling[RR] *m* offspring.

Spruch *m* <-[e]s, Sprüche> saying, maxim; (JUR) judgement.

Sprudel *m* <-s, -> mineral water; (*süßer ~*) lemonade.

sprudeln *vi* bubble.

Sprühdose *f* aerosol [can]; **sprühen** *vt, vi* spray; (*fig*) sparkle; **Sprühregen** *m* drizzle.

Sprung *m* <-[e]s, Sprünge> jump; (*Riss*) crack; **Sprungbrett** *nt* springboard; **sprunghaft** *adj* erratic; (*Aufstieg*) rapid; **Sprungschanze** *f* skijump.

Spucke *f* <-> spit; **spucken** *vt, vi* spit.

Spuk *m* <-[e]s, -e> haunting; (*fig*) nightmare; **spuken** *vi* (*Geist*) walk; **hier spukt es** this place is haunted.

Spule *f* <-, -n> spool; (ELEK) coil.

Spüle *f* <-, -n> [kitchen] sink; **spülen** *vt, vi* rinse; (*Geschirr*) wash up; (*Toilette*) flush; **Spülmaschine** *f* dishwasher; **Spülmittel** *nt* washing-up liquid; **Spülstein** *m* sink; **Spülung** *f* rinsing; flush; (MED) irrigation.

Spur *f* <-, -en> trace; (*Fuß~, Rad~, Tonband~*) track; (*Fährte*) trail; (*Fahr~*) lane.

spürbar *adj* noticeable, perceptible.

spüren *vt* feel.
Spurenelement *nt* trace element.
Spürhund *m* tracker dog; (*fig*) sleuth.
spurlos *adv* without [a] trace.
Spurt *m* <-[e]s, -s *o* -e> spurt.
sputen *vr:* **sich** ~ make haste.
Squash *nt* <-> squash.
Sri Lanka *nt* Sri Lanka.
Staat *m* <-[e]s, -en> state; (*Prunk*) show; (*Kleidung*) finery; **mit etw ~ machen** show sth off, parade sth; **Staatenbund** *m* confederation; **staatenlos** *adj* stateless; **staatlich** *adj* state[-]; (*vom Staat betrieben*) state-run; **Staatsangehörigkeit** *f* nationality; **Staatsanwalt** *m*, **Staatsanwältin** *f* public prosecutor; **Staatsbürger(in)** *m(f)* citizen; **Staatsdienst** *m* civil service; **staatseigen** *adj* state-owned; **Staatsexamen** *nt* degree; **staatsfeindlich** *adj* subversive; **Staatsmann** *m* <Staatsmänner *pl*> statesman; **Staatsminister(in)** *m(f)* minister of state; **Staatsoberhaupt** *nt* head of state; **Staatssekretär(in)** *m(f)* secretary of state; **Staatssicherheit** *f* state security [service]; **Staatsstreich** *m* coup d'état; **Staatsvertrag** *m* international treaty.
Stab *m* <-[e]s, Stäbe> rod; (*Gitter~*) bar; (*Menschen*) staff; **Stäbchen** *nt* (*Ess~*) chopstick; **Stabhochsprung** *m* pole vault.
stabil *adj* stable; (*Möbel*) sturdy; **stabilisieren** *vt* stabilize.
Stabreim *m* alliteration.
stach *imperf von* **stechen**.
Stachel *m* <-s, -n> spike; (*von Tier*) spine; (*von Insekten*) sting; **Stachelbeere** *f* gooseberry; **Stacheldraht** *m* barbed wire; **stachelig** *adj* prickly; **Stachelschwein** *nt* porcupine.
Stadion *nt* <-s, Stadien> stadium.
Stadium *nt* stage, phase.
Stadt *f* <-, Städte> town; **Städtchen** *nt* small town; **Städtebau** *m* town planning; **Städtepartnerschaft** *f* twinning; **Städter(in)** *m(f)* <-s, -> town dweller; **städtisch** *adj* municipal; (*nicht ländlich*) urban; **Stadtmauer** *f* city wall[s]; **Stadtplan** *m* [street] map; **Stadtrand** *m* outskirts *pl;* **Stadtteil** *m* district, part of town.
Staffel *f* <-, -n> rung; (SPORT) relay [team]; (FLUG) squadron.
Staffelei *f* easel.
staffeln *vt* graduate; **Staffelung** *f* graduation.
stahl *imperf von* **stehlen**.
Stahl *m* <-[e]s, Stähle> steel; **Stahlbeton** *m* reinforced concrete; **Stahlhelm** *m* steel helmet.
Stall *m* <-[e]s, Ställe> stable; (*Kaninchen~*) hutch; (*Schweine~*) sty; (*Hühner~*) henhouse.
Stamm *m* <-[e]s, Stämme> (*Baum~*) trunk; (*Menschen~*) tribe; (LING) stem; **Stammbaum** *m* family tree; (*von Tier*) pedigree; **Stammdaten** *pl* master data *pl*.
stammeln *vt, vi* stammer.
stammen *vi:* ~ **von**, ~ **aus** come from.
Stammgast *m* regular [customer]; **Stammhalter** *m* <-s, -> son and heir.
stämmig *adj* sturdy; (*Mensch*) stocky.
stampfen *vt, vi* stamp; (*stapfen*) tramp; (*mit Werkzeug*) pound.
stand *imperf von* **stehen**.
Stand *m* <-[e]s, Stände> position; (*Wasser~, Benzin~*) level; (*Stehen*) standing position; (*Zustand*) state; (*Spiel~*) score; (*Messe~*) stand; (*Klasse*) class; (*Beruf*) profession; **außer ~e sein**[RR] not in a position, unable; **im ~e sein**[RR] be in a position; (*fähig*) be able; **zu ~e bringen**[RR] bring about; **zu ~e kommen**[RR] come about.
Standard *m* <-s, -s> standard; **Standardwert** *m* (INFORM) default value.
Ständchen *nt* serenade.
Ständer *m* <-s, -> stand.
Standesamt *nt* registry office; **Standesbeamte(r)** *m*, **Standesbeamtin** *f* registrar; **Standesunterschied** *m* social difference.
standhaft *adj* steadfast; **Standhaftigkeit** *f* steadfastness; **standhalten** *irr vi* stand firm (*jdm/etw* against sb/sth), resist (*jdm/etw* sb/sth).
ständig *adj* permanent; (*ununterbrochen*) constant, continual.
Standlicht *nt* sidelights *pl*, parking lights *pl US;* **Standort** *m* location; (MIL) garrison; **Standpunkt** *m* standpoint; **Standspur** *f* (AUTO) hard shoulder.
Stange *f* <-, -n> stick; (*Stab*) pole, bar; (*Gardinen~*) rod; (*Zigaretten~*) carton; **von der** ~ (WIRTS) off the peg; **eine ~ Geld** quite a packet.
Stängel[RR] *m* <-s, -> stalk.
stank *imperf von* **stinken**.
Stanniol *nt* <-s, -e> tinfoil.
stanzen *vt* stamp.

Stapel *m* <-s, -> pile; (NAUT) stocks *pl;* **Stapellauf** *m* launch; **stapeln** *vt* pile [up].

Star 1. *m* <-[e]s, -e> starling; (MED) cataract; **2.** *m* <-s, -s> (*Film~ etc*) star.

starb *imperf von* **sterben**.

stark *adj* strong; (*heftig, groß*) heavy; (*Maßangabe*) thick; **sich für etw ~ machen** stand up for sth; **Stärke** *f* <-, -n> strength, heaviness; (*Dicke*) thickness; (*Wäsche~,* GASTR) starch; **stärken** *vt* strengthen; (*Wäsche*) starch; **Starkstrom** *m* heavy current, high-voltage current; **Stärkung** *f* strengthening; (*Essen*) refreshment.

starr *adj* stiff; (*unnachgiebig*) rigid; (*Blick*) staring.

starren *vi* stare; **~ vor** [*o* **von**] be covered in; (*Waffen*) be bristling with.

Starrheit *f* rigidity; **starrköpfig** *adj* stubborn; **Starrsinn** *m* obstinacy.

Start *m* <-[e]s, -e> start; (FLUG) takeoff; **Startautomatik** *f* (AUTO) automatic choke; **Startbahn** *f* runway; **starten** *vt, vi* start; (FLUG) take off; **Starter** *m* <-s, -> starter; **Starterlaubnis** *f* takeoff clearance; **Starthilfekabel** *nt* jump leads *pl;* **Startkapital** *nt* start-up capital; **Startzeichen** *nt* start signal.

Station *f* station; (*im Krankenhaus*) [hospital] ward; **stationieren** *vt* station.

Statist(in) *m(f)* (FILM) extra, supernumerary.

Statistik *f* statistics *sing;* **Statistiker(in)** *m(f)* <-s, -> statistician; **statistisch** *adj* statistical.

Stativ *nt* tripod.

statt *konj, präp +gen o dat* instead of.

Stätte *f* <-, -n> place.

stattfinden *irr vi* take place.

statthaft *adj* admissible.

stattlich *adj* imposing, handsome.

Statue *f* <-, -n> statue.

Statur *f* stature.

Status *m* <-, -> status; **Statussymbol** *nt* status symbol.

Stau *m* <-[e]s, -e> blockage; (*Verkehrs~*) [traffic] jam.

Staub *m* <-[e]s> dust; **stauben** *vi* be dusty; **Staubfaden** *m* stamen; **staubig** *adj* dusty; **Staubsauger** *m* vacuum cleaner; **Staubtuch** *nt* duster.

Staudamm *m* dam.

Staude *f* <-, -n> shrub.

stauen 1. *vt* (*Wasser*) dam up; (*Blut*) stop the flow of; **2.** *vr:* **sich ~** (*Wasser*) become dammed up; (MED) become congested; (*Menschen*) collect together; (*Gefühle*) build up.

staunen *vi* be astonished; **Staunen** *nt* <-s> amazement.

Stausee *m* reservoir.

Stauung *f* (*von Wasser*) damming-up; (*von Blut, Verkehr*) congestion.

stdl. *adv abk von* **stündlich** every hour.

stechen <stach, gestochen> *vt, vi* (*mit Nadel etc*) prick; (*mit Messer*) stab; (*mit Finger*) poke; (*Biene*) sting; (*Mücke*) bite; (*Sonne*) burn; (KARTEN) take; (KUNST) engrave; (*Torf, Spargel*) cut; **in See ~** put to sea; **Stechen** *nt* <-s, -> (SPORT) play-off; jump-off; **stechend** *adj* piercing; (*Schmerz*) sharp; (*Geruch*) pungent; **Stechginster** *m* gorse; **Stechpalme** *f* holly; **Stechuhr** *f* time clock.

Steckbrief *m* "wanted" poster; **Steckdose** *f* [wall] socket; **stecken 1.** *vt* put, insert; (*Nadel*) stick; (*Pflanzen*) plant; (*beim Nähen*) pin; **2.** *vi* be; (*festsitzen*) be stuck; (*Nadeln*) stick; **~ bleiben**[RR] get stuck; **~ lassen**[RR] leave in.

Steckenpferd *nt* hobby-horse.

Stecker *m* <-s, -> plug.

Stecknadel *f* pin; **Steckplatz** *m* (INFORM) slot; **Steckrübe** *f* swede, turnip; **Steckzwiebel** *f* bulb.

Steg *m* <-[e]s, -e> small bridge; (*Anlege~*) landing stage.

Stegreif *m:* **aus dem ~** just like that.

stehen <stand, gestanden> **1.** *vi* stand (*zu* by); (*sich befinden*) be; (*in Zeitung*) say; (*still~*) have stopped; **2.** *vi unpers:* **es steht schlecht um jdn** things are bad for sb; **wie steht's?** how are things?; (SPORT) what's the score?; **jdm ~** suit sb; **~ bleiben**[RR] remain standing; (*Uhr*) stop; (*Fehler*) stay as it is; **~ lassen**[RR] leave; (*Bart*) grow.

stehlen <stahl, gestohlen> *vt* steal.

steif *adj* stiff; **Steifheit** *f* stiffness.

Steigbügel *m* stirrup; **Steigeisen** *nt* crampon; **steigen** <stieg, gestiegen> *vi* rise; (*klettern*) climb; **~ in/auf** *+akk* get in/on.

steigern 1. *vt* raise; (LING) compare; **2.** *vi* (*bei Auktion*) bid; **3.** *vr:* **sich ~** increase; **Steigerung** *f* raising; (LING) comparison.

Steigung *f* incline, gradient, rise.

steil *adj* steep.

Stein *m* <-[e]s, -e> stone; (*in Uhr*) jewel; **steinalt** *adj* ancient; **Steinbock** *m* (ZOOL) ibex; (ASTR) Capricorn; **Stein-**

bruch *m* quarry; **Steinbutt** *m* <-s, -e> turbot; **steinern** *adj* [made of] stone; (*fig*) stony; **Steinfraß** *m* <-es> stone erosion; **Steingut** *nt* stoneware; **steinhart** *adj* hard as stone; **steinig** *adj* stony; **steinigen** *vt* stone; **Steinkohle** *f* [hard] coal; **Steinmetz**(**in**) *m(f)* <-es, -e> stonemason.

Steiß *m* <-es, -e> rump.

Stelle *f* <-, -n> place; (*Arbeit*) post, job; (*Amt*) office.

stellen 1. *vt* put; (*Uhr etc*) set; (*zur Verfügung* ~) supply; (*fassen: Dieb*) apprehend; **2.** *vr:* **sich** ~ (*sich aufstellen*) stand; (*sich einfinden*) present oneself; (*bei Polizei*) give oneself up; (*vorgeben*) pretend [to be]; **sich zu etw** ~ have an opinion on sth.

Stellenangebot *nt* offer of a post; (*in Zeitung*) vacancies *pl;* **Stellenanzeige** *f* job advertisement; **Stellengesuch** *nt* application for a post; **Stellennachweis** *m,* **Stellenvermittlung** *f* employment agency; **Stellenwert** *m* (INFORM) place value; (*fig*) status; **einen hohen** ~ **haben** play an important role.

Stellung *f* position; (MIL) line; ~ **nehmen zu** comment on; **Stellungnahme** *f* <-, -n> comment.

stellvertretend *adj* deputy, acting; **Stellvertreter**(**in**) *m(f)* deputy.

Stellwerk *nt* (EISENB) signal box.

Stelze *f* <-, -n> stilt.

Stemmbogen *m* (SKI) stem turn.

stemmen *vt* lift [up]; (*drücken*) press; **sich** ~ **gegen** (*fig*) resist, oppose.

Stempel *m* <-s, -> stamp; (BOT) pistil; **Stempelkissen** *nt* inkpad; **stempeln** *vt* stamp; (*Briefmarke*) cancel; ~ **gehen** (*umg*) be/go on the dole.

Stengel *m* <-s, -> stalk.

Stenografie[RR], **Stenographie** *f* shorthand; **stenografieren**[RR], **stenographieren** *vt, vi* write [in] shorthand.

Stenogramm *nt* <-s, -e> shorthand report.

Stenotypist(**in**) *m(f)* shorthand typist.

Steppdecke *f* quilt.

Steppe *f* <-, -n> steppe.

steppen 1. *vt* stitch; **2.** *vi* (*tanzen*) tap-dance.

Sterbebett *nt* deathbed; **Sterbefall** *m* death; **Sterbehilfe** *f* active euthanasia; **sterben** <starb, gestorben> *vi* die; **Sterbeurkunde** *f* death certificate.

sterblich *adj* mortal; **Sterblichkeit** *f* mortality; **Sterblichkeitsziffer** *f* death rate.

stereo- *in Zusammensetzungen* stereo[-]; **Stereoanlage** *f* stereo; **stereotyp** *adj* stereotype.

steril *adj* sterile; **Sterilisation** *f* sterilisation; **sterilisieren** *vt* sterilize; **Sterilisierung** *f* sterilization.

Stern *m* <-[e]s, -e> star; **Sternbild** *nt* constellation; **Sternchen** *nt* asterisk; **Sternschnuppe** *f* <-, -n> shooting star; **Sternstunde** *f* great moment.

stet *adj* steady; **stetig** *adj* constant, continual; **stets** *adv* always.

Steuer 1. *nt* <-s, -> (NAUT) helm; (~*ruder*) rudder; (AUTO) steering wheel; **2.** *f* <-, -n> tax; **Steuerberater**(**in**) *m(f)* tax consultant; **Steuerbord** *nt* starboard; **Steuererklärung** *f* tax return; **Steuergerät** *nt* (RADIO) tuner-amplifier; (INFORM) control unit; **Steuergerechtigkeit** *f* fiscal justice; **Steuerhinterziehung** *f* tax evasion; **Steuerklasse** *f* tax group; **Steuerknüppel** *m* control column; (FLUG, INFORM) joystick; **Steuermann** *m* <Seemänner *o* Seeleute *pl*> helmsman; **steuern** *vt, vi* steer; (*Flugzeug*) pilot; (*Entwicklung, Tonstärke,* INFORM) control; **steuerpflichtig** *adj* taxable; (*Mensch*) liable to pay tax; **Steuerrad** *nt* steering wheel; **Steuerung** *f* (*a.* AUTO) steering; (FLUG) piloting; (*fig*) control; (*Vorrichtung*) controls *pl;* **Steuerwerk** *nt* (INFORM) control unit; **Steuerzahler**(**in**) *m(f)* <-s, -> taxpayer; **Steuerzeichen** *nt* (INFORM) control character, function character.

Steward *m* <-s, -s> steward; **Stewardess**[RR] *f* <-, -en> stewardess, air hostess.

stibitzen *vt* (*umg*) pilfer, steal.

Stich *m* <-[e]s, -e> (*Insekten*~) sting; (*Messer*~) stab; (*beim Nähen*) stitch; (*Färbung*) tinge; (KARTEN) trick; (KUNST) engraving; **jdn im** ~ **lassen** leave sb in the lurch.

Stichel *m* <-s, -> engraving tool, style.

Stichelei *f* jibe, taunt; **sticheln** *vi* jibe.

stichhaltig *adj* sound, tenable; **Stichprobe** *f* spot check; **Stichsäge** *f* fretsaw; **Stichwahl** *f* final ballot; **Stichwort** *nt* cue; (*in Wörterbuch*) headword; (*für Vortrag*) note; **Stichwortverzeichnis** *nt* index.

sticken *vt, vi* embroider; **Stickerei** *f* embroidery.

stickig *adj* stuffy, close.

Stickoxid *nt* nitrogen oxide; **Stickstoff** *m* nitrogen.

Stiefel *m* <-s, -> boot.

Stiefkind *nt* stepchild; (*fig*) Cinderella; **Stiefmutter** *f* stepmother; **Stiefmütterchen** *nt* pansy.

stieg *imperf von* **steigen**.

Stiel *m* <-[e]s, -e> handle; (BOT) stalk.

stier *adj* (*Blick*) staring, fixed.

Stier *m* <-[e]s, -e> (ZOOL) bull; (ASTR) Taurus.

stieß *imperf von* **stoßen**.

Stift 1. *m* <-[e]s, -e> peg; (*Nagel*) tack; (*Farb~*) crayon; (*Blei~*) pencil; 2. *nt* <-[e]s, -e> [charitable] foundation; (REL) religious institution.

stiften *vt* found; (*Unruhe*) cause; (*spenden*) contribute; **Stifter(in)** *m(f)* <-s, -> founder; **Stiftung** *f* donation; (*Organisation*) foundation.

Stiftzahn *m* post crown.

Stil *m* <-[e]s, -e> style; **Stilblüte** *f* howler.

still *adj* quiet; (*unbewegt*) still; (*heimlich*) secret; ~ **halten**RR keep still; **Stille** *f* <-, -n> stillness, quietness; **in aller** ~ quietly.

stillegen *vt s.* **stilllegen**.

stillen *vt* stop; (*befriedigen*) satisfy; (*Säugling*) breast-feed.

stillgestanden *interj* attention; **stillhalten** *vi s.* **still**.

stilllegenRR *vt* close down; **Stilllegung**RR *f* closure; **Stillschweigen** *nt* silence; **stillschweigend** *adj, adv* silent[ly]; (*Einverständnis*) tacit[ly]; **Stillstand** *m* standstill; **stillstehen** *irr vi* stand still.

Stimmabgabe *f* voting; **Stimmbänder** *pl* vocal chords *pl;* **stimmberechtigt** *adj* entitled to vote.

Stimme *f* <-, -n> voice; (*Wahl~*) vote.

stimmen 1. *vt* (MUS) tune; 2. *vi* be right; ~ **für/gegen** vote for/against; **das stimmte ihn traurig** that made him feel sad.

Stimmenmehrheit *f* majority [of votes]; **Stimmenthaltung** *f* abstention; **Stimmgabel** *f* tuning fork; **stimmhaft** *adj* voiced; **Stimmlage** *f* register; **stimmlos** *adj* voiceless; **Stimmrecht** *nt* right to vote.

Stimmung *f* mood; atmosphere; **stimmungsvoll** *adj* enjoyable; full of atmosphere.

Stimmzettel *m* ballot paper.

stinken <stank, gestunken> *vi* stink.

Stipendiat(in) *m(f)* person receiving a grant; **Stipendium** *nt* grant.

Stirn *f* <-, -en> forehead, brow; (*Frechheit*) impudence; **Stirnhöhle** *f* sinus; **Stirnrunzeln** *nt* <-s> frown[ing].

stöbern *vi* rummage.

stochern *vi* poke [about].

Stock 1. *m* <-[e]s, Stöcke> stick; (BOT) stock; 2. *m* <Stockwerke *pl*> floor, storey.

stocken *vi* stop, pause; **stockend** *adj* halting.

Stockente *f* mallard.

stocktaub *adj* stone-deaf.

Stockung *f* stoppage.

Stockwerk *nt* storey, floor.

Stoff *m* <-[e]s, -e> (*Gewebe*) material, cloth; (*Materie*) matter; (*von Buch etc*) subject [matter]; (*umg: Rauschgift*) stuff; **stofflich** *adj* material; with regard to subject matter; **Stoffwechsel** *m* metabolism.

stöhnen *vi* groan.

stoisch *adj* stoical.

Stollen *m* <-s, -> (MIN) gallery; (GASTR) *cake eaten at Christmas;* (*von Schuhen*) stud.

stolpern *vi* stumble, trip.

stolz *adj* proud; **Stolz** *m* <-es> pride.

stolzieren *vi* strut.

stopfen 1. *vt* (*hinein~*) stuff; (*voll~*) fill [up]; (*nähen*) darn; 2. *vi* (MED) cause constipation; **Stopfgarn** *nt* darning thread.

Stoppel *f* <-, -n> stubble.

stoppen *vt, vi* stop; (*mit Uhr*) time; **Stoppschild** *nt* stop sign; **Stoppuhr** *f* stopwatch.

Stöpsel *m* <-s, -> plug; (*für Flaschen*) stopper.

Stör *m* <-[e]s, -e> sturgeon.

Storch *m* <-[e]s, Störche> stork.

stören 1. *vt* disturb; (*behindern*) interfere with; 2. *vr:* **sich an etw** *dat* ~ let sth bother one; **störend** *adj* disturbing, annoying; **Störenfried** *m* <-[e]s, -e> troublemaker; **Störfall** *m* disruptive incident, malfunction.

störrisch *adj* stubborn, perverse.

Störsender *m* jammer; **Störung** *f* disturbance; (RADIO) interference; (TECH) fault; (*Verkehrs~*) hold-up; (MED) disorder; **Störungsanzeige** *f* (INFORM) fault indication, fault display.

Stoß *m* <-es, Stöße> (*Schub*) push; (*Schlag*) blow; knock; (*mit Schwert*) thrust; (*mit Fuß*) kick; (*Erd~*) shock; (*Haufen*) pile; **Stoßdämpfer** *m* <-s, -> shock absorber; **stoßen** <stieß, gestoßen> 1. *vt* (*mit Druck*) shove, push; (*mit Schlag*) knock, bump; (*mit Fuß*) kick;

(*Schwert etc*) thrust; (*an~*) bump; (*zerkleinern*) pulverize; **2.** *vr:* **sich** ~ get a knock; **3.** *vi:* ~ **an** [*o* **auf**] +*akk* bump into; (*finden*) come across; (*angrenzen*) be next to; **sich** ~ **an** +*dat* (*fig*) take exception to; **Stoßstange** *f* (AUTO) bumper; **stoßweise** *adv* spasmodically; (*stapelweise*) in piles.

Stotterer(**in**) *m(f)* <-s, -> stutterer; **stottern** *vt, vi* stutter.

Stövchen *nt* warmer.

Str. *abk von* Straße St.

stracks *adv* straight.

Strafanstalt *f* penal institution; **Strafarbeit** *f* (SCH) punishment; (*schriftlich*) lines *pl;* **strafbar** *adj* punishable; **Strafbarkeit** *f* criminal nature.

Strafe *f* <-, -n> punishment; (JUR) penalty; (*Gefängnis~*) sentence; (*Geld~*) fine; **strafen** *vt* punish.

straff *adj* tight; (*streng*) strict; (*Stil etc*) concise; (*Haltung*) erect; **straffen** *vt* tighten, tauten.

Strafgefangene(**r**) *mf* prisoner, convict; **Strafgesetzbuch** *nt* penal code; **Strafkolonie** *f* penal colony.

sträflich *adj* criminal; **Sträfling** *m* convict.

Strafporto *nt* excess postage [charge]; **Strafpredigt** *f* severe lecture; **Strafraum** *m* (SPORT) penalty area; **Strafrecht** *nt* criminal law; **Strafstoß** *m* (SPORT) penalty [kick]; **Straftat** *f* punishable act; **Strafzettel** *m* ticket.

Strahl *m* <-s, -en> ray, beam; (*Wasser~*) jet; **strahlen** *vi* radiate; (*fig*) beam; **Strahlenbehandlung** *f,* **Strahlenbelastung** *f* [exposure to] radiation; **Strahlendosis** *f* dose of radiation; **Strahlenkrankheit** *f* radiation sickness; **Strahlentherapie** *f* radiotherapy; **strahlenverseucht** *adj* contaminated [by radiation]; **Strahlung** *f* radiation; **strahlungsarm** *adj* (INFORM: *Monitor*) low-radiation.

Strähne *f* <-, -n> strand; (*weiß, gefärbt*) streak.

stramm *adj* tight; (*Haltung*) erect; (*Mensch*) robust; **strammstehen** *irr vi* (MIL) stand to attention.

strampeln *vi* kick [about].

Strand *m* <-[e]s, Strände> shore; (*mit Sand*) beach; **Strandbad** *nt* open-air swimming pool, lido; **stranden** *vi* run aground; (*fig: Mensch*) fail; **Strandgut** *nt* flotsam; **Strandkorb** *m* beach chair.

Strang *m* <-[e]s, Stränge> cord, rope; (*Bündel*) skein; (*Schienen~*) track; **über die Stränge schlagen** kick over the traces.

Strapaze *f* <-, -n> strain, exertion; **strapazieren** *vt* (*Material*) treat roughly, punish; (*Mensch, Kräfte*) wear out, exhaust; **strapazierfähig** *adj* hard-wearing; **strapaziös** *adj* exhausting, tough.

Straße *f* <-, -n> street, road; **Straßenbahn** *f* tram, streetcar *US;* **Straßenbau** *m* roadbuilding; **Straßenbeleuchtung** *f* street lighting; **Straßenfeger**(**in**) *m(f)* <-s, -> roadsweeper; **Straßenkarte** *f* road map; **Straßenkehrer**(**in**) *m(f)* <-s, -> roadsweeper; **Straßensperre** *f* roadblock; **Straßenverkehr** *m* road traffic; **Straßenverkehrsordnung** *f* highway code.

Strategie *f* strategy; **strategisch** *adj* strategic.

Stratosphäre *f* stratosphere.

sträuben 1. *vt* ruffle; **2.** *vr:* **sich** ~ bristle; (*Mensch*) resist (*gegen etw* sth).

Strauch *m* <-[e]s, Sträucher> bush, shrub.

straucheln *vi* stumble, stagger.

Strauß 1. *m* <-es, Sträuße> bunch; (*als Geschenk*) bouquet; **2.** *m* <Strauße *pl*> (*Vogel*) ostrich.

Streamer *m* <-s, -> (INFORM) streamer.

Strebe *f* <-, -n> strut; **Strebebalken** *m* buttress.

streben *vi* strive (*nach* for), endeavour; ~ **zu,** ~ **nach** make for; **Streber**(**in**) *m(f)* <-s, -> (*pej*) pusher, climber; (SCH) swot; **strebsam** *adj* industrious.

Strecke *f* <-, -n> stretch; (*Entfernung*) distance; (EISENB) line; (MATH) line.

strecken 1. *vt* stretch; (*Waffen*) lay down; (GASTR) eke out; **2.** *vr:* **sich** ~ stretch [oneself]; **3.** *vi* (SCH) put one's hand up.

Streetball *m* streetball.

Streich *m* <-[e]s, -e> trick, prank; (*Hieb*) blow.

Streicheleinheiten *pl* caresses *pl;* **ich brauche ein paar** ~ I need attention; **streicheln** *vt* stroke.

streichen <strich, gestrichen> **1.** *vt* (*berühren*) stroke; (*auftragen*) spread; (*anmalen*) paint; (*durch~*) delete; (*nicht genehmigen*) cancel; **2.** *vi* (*berühren*) brush; (*schleichen*) prowl; **Streicher** *pl* (MUS) strings *pl;* **Streichholz** *nt* match; **Streichinstrument** *nt* string instrument.

Streife *f* <-, -n> (*Polizei~*) patrol.

streifen 1. *vt* (*leicht berühren*) brush against, graze; (*Blick*) skim over; (*Thema, Problem*) touch on; (*ab~*) take off; **2.** *vi* (*gehen*) roam.

Streifen *m* <-s, -> (*Linie*) stripe; (*Stück*) strip; (*Film*) film.

Streifendienst *m* patrol duty; **Streifenwagen** *m* patrol car.

Streifschuss[RR] *m* graze, grazing shot; **Streifzug** *m* scouting trip.

Streik *m* <-[e]s, -s> strike; **Streikbrecher(in)** *m(f)* <-s, -> blackleg, strikebreaker; **streiken** *vi* strike; **Streikkasse** *f* strike fund; **Streikposten** *m* picket.

Streit *m* <-[e]s, -e> argument; (*Auseinandersetzung*) dispute; **streiten** <stritt, gestritten> *vi, vr:* **sich** ~ argue; dispute; **Streitfrage** *f* point at issue; **streitig** *adj:* **jdm etw ~ machen** dispute sb's right to sth; **Streitigkeiten** *pl* quarrel, dispute; **Streitkräfte** *pl* (MIL) armed forces *pl;* **streitlustig** *adj* quarrelsome; **Streitsucht** *f* quarrelsomeness; **streitsüchtig** *adj* quarrelsome.

streng *adj* severe; (*Lehrer, Maßnahme*) strict; (*Geruch etc*) sharp; **~ genommen[RR]** strictly speaking; **Strenge** *f* <-> severity; strictness; sharpness; **strenggläubig** *adj* orthodox, strict.

Stress[RR] *m* <-es> stress; **stressen** *vt* stress, put under stress; **stressfrei[RR]** *adj* free of stress; **stressgeplagt[RR]** *adj* under stress; **stressig** *adj* (*umg*) stressful.

Streu *f* <-, -en> litter, bed of straw.

streuen *vt* scatter; (*Sand, Stroh, Dünger*) spread; (*Straße*) grit; (*Gewürz, Zucker*) sprinkle; **Streugut** *nt* road grit/salt; **Streuung** *f* (*in Statistik*) mean variation; (PHYS) scattering.

strich *imperf von* **streichen**.

Strich *m* <-[e]s, -e> (*Linie*) line; (*Feder~, Pinsel~*) stroke; (*von Geweben*) nap; (*von Fell*) pile; **auf den ~ gehen** (*umg*) walk the streets; **jdm gegen den ~ gehen** rub sb up the wrong way; **einen ~ machen durch** cross out; (*fig*) foil; **Strichjunge** *m* streetwalker; **Strichkode** *m* <-s, -s> bar code; **Strichmädchen** *nt* streetwalker; **Strichpunkt** *m* semicolon; **strichweise** *adv* here and there.

Strick *m* <-[e]s, -e> rope; (*umg: Kind*) rascal.

stricken *vt, vi* knit; **Strickjacke** *f* cardigan; **Strickleiter** *f* rope ladder; **Stricknadel** *f* knitting needle; **Strickwaren** *pl* knitwear.

Strieme *f* <-, -n>, **Striemen** *m* <-s, -> weal.

strikt *adj* strict.

stritt *imperf von* **streiten**.

strittig *adj* disputed, in dispute.

Stroh *nt* <-[e]s> straw; **Strohblume** *f* everlasting flower; **Strohdach** *nt* thatched roof; **Strohhalm** *m* [drinking] straw; **Strohmann** *m* <Strohmänner *pl*> dummy, straw man; **Strohwitwe(r)** *mf* grass widow/widower.

Strolch *m* <-[e]s, -e> layabout, bum.

Strom *m* <-[e]s, Ströme> river; (*fig*) stream; (ELEK) current; **stromabwärts** *adv* downstream; **stromaufwärts** *adv* upstream.

strömen *vi* stream, pour.

Stromkreis *m* circuit; **stromlinienförmig** *adj* streamlined; **Stromrechnung** *f* electricity bill; **Stromsperre** *f* power cut; **Stromstärke** *f* amperage.

Strömung *f* current.

Strontium *nt* strontium.

Strophe *f* <-, -n> verse.

strotzen *vi:* **~ vor, ~ von** abound in, be full of.

Strudel *m* <-s, -> whirlpool, vortex; (GASTR) strudel; **strudeln** *vi* swirl, eddy.

Struktur *f* structure; **strukturell** *adj* structural; **Strukturierung** *f* (*a.* INFORM) structuring; **Strukturkrise** *f* structural crisis; **strukturschwach** *adj* economically weak, economically depressed; **Strukturwandel** *m* structural change.

Strumpf *m* <-[e]s, Strümpfe> stocking; **Strumpfband** *nt* <Strumpfbänder *pl*> garter; **Strumpfhose** *f* [pair of] tights *pl.*

Strunk *m* <-[e]s, Strünke> stump.

struppig *adj* shaggy, unkempt.

Stube *f* <-, -n> room; **Stubenhocker(in)** *m(f)* <-s, -> (*umg*) stay-at-home; **stubenrein** *adj* house-trained.

Stuck *m* <-[e]s> stucco.

Stück *nt* <-[e]s, -e> piece; (*etwas*) bit; (THEAT) play; **Stückchen** *nt* little piece; **Stücklohn** *m* piecework wages *pl;* **stückweise** *adv* bit by bit, piecemeal; (WIRTS) individually.

Student(in) *m(f)* student; **Studentenwohnheim** *nt* hall of residence; **studentisch** *adj* student, academic.

Studie *f* study.

Studienplatz *m* university place; **stu-**

dieren *vt, vi* study.
Studio *nt* <-s, -s> studio.
Studium *nt* studies *pl.*
Stufe *f* <-, -n> step; (*Entwicklungs~*) stage; **Stufenleiter** *f* (*fig*) ladder; **Stufenplan** *m* graduated plan; **stufenweise** *adv* gradually.
Stuhl *m* <-[e]s, Stühle> chair; **Stuhlgang** *m* bowel movement.
stülpen *vt* (*umdrehen*) turn upside down; (*bedecken*) put.
stumm *adj* silent; (MED) dumb.
Stummel *m* <-s, -> stump; (*Zigaretten~*) stub.
Stummfilm *m* silent film; **Stummheit** *f* silence; (MED) dumbness.
Stümper(in) *m(f)* <-s, -> incompetent, duffer; **stümperhaft** *adj* bungling, incompetent; **stümpern** *vi* (*umg*) bungle.
stumpf *adj* blunt; (*teilnahmslos, glanzlos*) dull; (*Winkel*) obtuse.
Stumpf *m* <-[e]s, Stümpfe> stump.
Stumpfsinn *m* tediousness; **stumpfsinnig** *adj* dull.
Stunde *f* <-, -n> hour; **stunden** *vt:* **jdm etw ~** give sb time to pay sth; **Stundengeschwindigkeit** *f* average speed per hour; **Stundenkilometer** *pl* kilometres *pl* per hour; **stundenlang** *adj* for hours; **Stundenlohn** *m* hourly wage; **Stundenplan** *m* timetable; **stundenweise** *adj, adv* by the hour; (*stündlich*) every hour.
stündlich *adj* hourly.
Stuntman *m* <-s, Stuntmen> stuntman; **Stuntwoman** *m* <-s, Stuntwomen> stuntwoman.
Stups *m* <-es, -e> (*umg*) push; **Stupsnase** *f* snub nose.
stur *adj* obstinate, pigheaded.
Sturm *m* <-[e]s, Stürme> storm, gale; (MIL) attack, assault; **stürmen 1.** *vi* (*Wind*) blow hard, rage; (*rennen*) storm; **2.** *vt* (MIL, *fig*) storm; **3.** *vi unpers:* **es stürmt** there's a gale blowing; **Stürmer(in)** *m(f)* <-s, -> (SPORT) forward, striker; **Sturmflut** *f* storm tide; **stürmisch** *adj* stormy; (*fig*) tempestuous; (*Zeit*) turbulent; (*Liebhaber*) passionate; (*Beifall, Begrüßung*) tumultuous; **Sturmwarnung** *f* gale warning.
Sturz *m* <-es, Stürze> fall; (POL) overthrow; **stürzen 1.** *vt* (*werfen*) hurl; (POL) overthrow; (*umkehren*) overturn; **2.** *vr:* **sich ~** rush; (*hinein~*) plunge; **3.** *vi* fall; (FLUG) dive; (*rennen*) dash; **Sturzflug** *m* nose-dive; **Sturzhelm** *m* crash helmet.
Stute *f* <-, -n> mare.
Stützbalken *m* brace, joist; **Stütze** *f* <-, -n> support; help; (*umg: Arbeitslosenunterstützung*) dole.
stutzen 1. *vt* trim; (*Ohr, Schwanz*) dock; (*Flügel*) clip; **2.** *vi* hesitate; become suspicious.
stützen *vt* support; (*Ellbogen etc*) prop up.
stutzig *adj* perplexed, puzzled; (*misstrauisch*) suspicious.
Stützmauer *f* supporting wall; **Stützpunkt** *m* point of support; (*von Hebel*) fulcrum; (MIL, *fig*) base.
Styropor® *nt* <-s> polystyrene.
Subjekt *nt* <-[e]s, -e> subject.
subjektiv *adj* subjective; **Subjektivität** *f* subjectivity.
Substantiv *nt* noun.
Substanz *f* substance.
subtil *adj* subtle.
subtrahieren *vt* subtract.
Subvention *f* subsidy; **subventionieren** *vt* subsidize.
subversiv *adj* subversive.
Suche *f* (*a.* INFORM) search; **suchen** *vt, vi* look [for], seek; (INFORM) search; (*ver~*) try; **Sucher** *m* <-s, -> (FOTO) viewfinder; **Suchlauf** *m* (INFORM) search operation; **Suchmaschine** *f* (INFORM) search engine.
Sucht *f* <-, Süchte> mania; (MED) addiction, craving; **süchtig** *adj* addicted; **Süchtige(r)** *mf* addict; **Suchtkranke(r)** *mf* addict.
Südafrika *nt* South Africa; **Südamerika** *nt* South America; **süddeutsch** *adj* South German; **Süddeutschland** *nt* South[ern] Germany; **Süden** *m* <-s> south; (*von Land*) South; **Südfrüchte** *pl* Mediterranean fruit; **südlich 1.** *adj* southern; (*Kurs, Richtung*) southerly; **2.** *adv* [to the] south; **~ von Heidelberg** south of Heidelberg; **Südosten** *m* southeast; (*von Land*) South-East; **Südpol** *m* South Pole; **Südsee** *f* South Seas *pl;* **Südstaaten** *pl* (*von USA*) Southern States *pl*, South; **Südwesten** *m* southwest; (*von Land*) South-West.
süffig *adj* (*Wein*) pleasant to the taste.
süffisant *adj* smug.
suggerieren *vt* suggest (*jdm etw* sth to sb).
Sühne *f* <-, -n> atonement, expiation; **sühnen** *vt* atone for, expiate.
Sulfonamid *nt* <-[e]s, -e> (MED) sul-

phonamide.
Sultan(**in**) *m(f)* <-s, -e> sultan/sultana.
Sultanine *f* sultana.
Sülze *f* <-, -n> brawn.
summarisch *adj* summary.
Summe *f* <-, -n> sum, total.
summen *vt, vi* buzz; (*Lied*) hum.
summieren *vt, vr:* **sich** ~ add up.
Sumpf *m* <-[e]s, Sümpfe> swamp, marsh; **sumpfig** *adj* marshy.
Sünde *f* <-, -n> sin; **Sündenbock** *m* (*umg*) scapegoat; **Sündenfall** *m* Fall [of man]; **Sünder**(**in**) *m(f)* <-s, -> sinner.
Super *nt* <-s> (*Benzin*) four star [petrol].
Superlativ *m* superlative.
Supermarkt *m* supermarket.
Suppe *f* <-, -n> soup.
Surfbrett *nt* surf board; **surfen** *vi* surf; **im Internet** ~ surf the Internet; **Surfen** *nt* <-s> surfing; **Surfer**(**in**) *m(f)* <-s, -> surfer.
surren *vi* buzz, hum.
Surrogat *nt* substitute, surrogate.
suspekt *adj* suspect.
süß *adj* sweet; **Süße** *f* <-> sweetness; **süßen** *vt* sweeten; **Süßigkeit** *f* sweetness; (*Bonbon etc*) sweet, candy *US;* **süßlich** *adj* sweetish; (*fig*) sugary; **Süßspeise** *f* pudding, sweet; **Süßstoff** *m* sweetening agent; **Süßwasser** *nt* fresh water.
Sweatshirt *nt* <-s, -s> sweatshirt.
Sylvester *nt* <-s, -> New Year's Eve, Hogmanay *Scot.*
Symbol *nt* <-s, -e> symbol; **Symbolfigur** *f* symbol, symbolic figure; **symbolisch** *adj* symbolic[al].
Symmetrie *f* symmetry; **Symmetrieachse** *f* symmetric axis; **symmetrisch** *adj* symmetrical.
Sympathie *f* liking; (*Mitgefühl*) sympathy; **Sympathisant**(**in**) *m(f)* sympathiser; **sympathisch** *adj* likeable, congenial; **er ist mir** ~ I like him; **sympathisieren** *vi* sympathize.
Symptom *nt* <-s, -e> symptom; **symptomatisch** *adj* symptomatic.
Synagoge *f* <-, -n> synagogue.
synchron *adj* synchronous; **Synchrongetriebe** *nt* synchromesh; **synchronisieren** *vt* synchronize; (*Film*) dub.
Syndikat *nt* syndicate.
Syndrom *nt* <-s, -e> syndrome.
synonym *adj* synonymous; **Synonym** *nt* <-s, -e> synonym.
Syntax *f* <-, -en> (LING, INFORM) syntax.
Synthese *f* <-, -n> synthesis.
Synthesizer *m* <-s, -> (MUS) synthesizer.
synthetisch *adj* synthetic.
Syphilis *f* <-> syphilis.
Syrien *nt* Syria.
System *nt* <-s, -e> system; **Systemabsturz** *m* (INFORM) system crash; **Systemanalyse** *f* (INFORM) systems analysis; **Systemanalytiker**(**in**) *m(f)* <-s, -> system analyst; **systematisch** *adj* systematic; **systematisieren** *vt* systematize; **Systemfehler** *m* (INFORM) system error; **Systemtechnik** *f* systems technology.
Szene *f* <-, -n> scene; **Szenerie** *f* scenery.

T

T, t *nt* T, t.
Tabak *m* <-s, -e> tobacco.
tabellarisch *adj* tabular.
Tabelle *f* table; **Tabellenführer** *m* top of the table, league leader; **Tabellenkalkulation** *f* (INFORM: ~*sprogramm*) spreadsheet.
Tabernakel *m* <-s, -> tabernacle.
Tablette *f* tablet, pill.
Tabulator *m* tabulator, tab.
Tachometer *m* <-s, -> (AUTO) speedometer.
Tadel *m* <-s, -> censure, scolding; (*Fehler*) fault, blemish; **tadellos** *adj* faultless, irreproachable; **tadeln** *vt* scold; **tadelnswert** *adj* blameworthy.
Tafel *f* <-, -n> (*a.* MATH) table; (*Anschlag~*) board; (*Wand~*) blackboard; (*Schiefer~*) slate; (*Gedenk~*) plaque; (*Illustration*) plate; (*Schalt~*) panel; (*Schokolade etc*) bar.
täfeln *vt* panel; **Täfelung** *f* panelling.
Tag *m* <-[e]s, -e> day; (*Tageslicht*) daylight; **unter/über ~e** (MIN) underground/on the surface; **an den ~ kommen** come to light; **zu ~e**[RR] **bringen** bring to light; **zu ~e**[RR] **treten** come to light; **guten ~!** good morning/afternoon!; **tagaus tagein** *adv* day in day out; **Tagdienst** *m* day duty; **Tagebau** *m* open-cast mining; **Tagebuch** *nt* diary; **Tagedieb**(**in**) *m(f)* idler; **Tagegeld** *nt* daily allowance; **tagelang** *adv* for days; **tagen** **1.** *vi* sit, meet; **2.** *vi unpers:* **es tagt** dawn is break-

ing; **Tagesablauf** *m* course of the day; **Tagesanbruch** *m* dawn; **Tageskarte** *f* day ticket; (*Speisekarte*) menu of the day; **Tageslicht** *nt* daylight; **Tageslichtprojektor** *m* overhead projector; **Tagesmutter** *f* child minder; **Tagesordnung** *f* agenda; **Tagessatz** *m* daily rate; **Tageszeit** *f* time of day; **Tageszeitung** *f* daily [paper].

tägl. *adv abk von* **täglich** daily.

täglich *adj, adv* daily.

tagsüber *adv* during the day.

Tagung *f* conference.

Taille *f* <-, -n> waist.

Takel *nt* <-s, -> tackle; **takeln** *vt* rig.

Takt *m* <-[e]s, -e> tact; (MUS) time; **Taktfrequenz** *f* (INFORM) clock [pulse] frequency; **Taktgefühl** *nt* tact.

Taktik *f* tactics *pl;* **taktisch** *adj* tactical.

taktlos *adj* tactless; **Taktlosigkeit** *f* tactlessness.

Taktstock *m* [conductor's] baton; **taktvoll** *adj* tactful.

Tal *nt* <-[e]s, Täler> valley.

Talar *m* (JUR) robe; (SCH) gown.

Talent *nt* <-[e]s, -e> talent; **talentiert** *adj* talented, gifted.

Taler *m* <-s, -> (HIST) taler, florin.

Talg *m* <-[e]s, -e> tallow; **Talgdrüse** *f* sebaceous gland.

Talisman *m* <-s, -e> talisman.

Talkshow *f* <-, -s> talkshow.

Talsohle *f* bottom of a valley; **Talsperre** *f* dam.

Tamburin *nt* <-s, -e> tambourine.

Tampon *m* <-s, -s> tampon.

Tang *m* <-[e]s, -e> seaweed.

Tangente *f* <-, -n> tangent.

tangieren *vt* be tangent to; (*fig*) affect.

Tank *m* <-s, -s> tank; **tanken** *vi* fill up with petrol [*o* gas *US*]; (FLUG) [re]fuel; **Tanker** *m* <-s, ->, **Tankschiff** *nt* tanker; **Tankstelle** *f* petrol station, gas station *US;* **Tankwart(in)** *m(f)* <-s, -e> petrol pump attendant, gas station attendant *US.*

Tanne *f* <-, -n> fir; **Tannenbaum** *m* fir tree; **Tannenzapfen** *m* fir cone.

Tante *f* <-, -n> aunt.

Tantieme *f* <-, -n> percentage of profits.

Tanz *m* <-es, Tänze> dance; **tanzen** *vt, vi* dance; **Tänzer(in)** *m(f)* <-s, -> dancer; **Tanzfläche** *f* [dance] floor; **Tanzschule** *f* dancing school.

Tapete *f* <-, -n> wallpaper; **Tapetenwechsel** *m* (*fig*) change of scenery; **tapezieren** *vt* [wall]paper; **Tapezierer(in)** *m(f)* <-s, -> [interior] decorator.

tapfer *adj* brave; **Tapferkeit** *f* courage, bravery.

tappen *vi* walk uncertainly [*o* clumsily].

täppisch *adj* clumsy.

Tarif *m* <-s, -e> tariff, [scale of] fares/charges *pl;* **Tarifauseinandersetzung** *f* pay dispute; **Tariflohn** *m* standard wage rate.

tarnen *vt* camouflage; (*jdn, Absicht*) disguise; **Tarnfarbe** *f* camouflage paint; **Tarnung** *f* camouflaging; disguising.

Tasche *f* <-, -n> pocket; (*Hand~ etc*) bag; **Taschen-** *in Zusammensetzungen* pocket; **Taschenbuch** *nt* paperback; **Taschendieb(in)** *m(f)* pickpocket; **Taschengeld** *nt* pocket money; **Taschenlampe** *f* [electric] torch, flashlight *US;* **Taschenmesser** *nt* penknife; **Taschenrechner** *m* pocket calculator; **Taschenspieler(in)** *m(f)* conjurer; **Taschentuch** *nt* handkerchief.

Tasse *f* <-, -n> cup.

Tastatur *f* keyboard.

Taste *f* <-, -n> button; (*von Klavier, an Schreibmaschine, Computer*) key.

tasten 1. *vt* feel, touch; **2.** *vi* feel, grope; **3.** *vr:* **sich ~** feel one's way.

Tastentelefon *nt* push-button telephone.

Tastsinn *m* sense of touch.

tat *imperf von* **tun.**

Tat *f* <-, -en> act, deed, action; **in der ~** indeed, as a matter of fact; **Tatbestand** *m* facts *pl* of the case; **Tatendrang** *m* desire for action; **tatenlos** *adj* inactive.

Täter(in) *m(f)* <-s, -> perpetrator, culprit; **Täterschaft** *f* guilt.

tätig *adj* active; **in einer Firma ~ sein** work for a firm; **Tätigkeit** *f* activity; (*Beruf*) occupation.

tätlich *adj* violent; **Tätlichkeit** *f* violence; **~en** *pl* blows *pl.*

tätowieren *vt* tattoo; **Tätowierung** *f* tattoo.

Tatsache *f* fact; **tatsächlich 1.** *adj* actual; **2.** *adv* really.

Tatze *f* <-, -n> paw.

Tau 1. *nt* <-[e]s, -e> (*Seil*) rope; **2.** *m* <-[e]s> dew.

taub *adj* deaf; (*Nuss*) hollow.

Taube *f* <-, -n> pigeon; (*Turtel~, fig*) dove; **Taubenschlag** *m* dovecote.

Taubheit *f* deafness.

taubstumm *adj* deaf-and-dumb.

tauchen 1. *vt* dip; 2. *vi* dive; (NAUT) submerge; **Taucher(in)** *m(f)* <-s, -> diver; **Taucheranzug** *m* diving suit; **Tauchsieder** *m* <-s, -> portable immersion heater.

tauen *vt, vi, vb unpers* thaw.

Taufbecken *nt* font; **Taufe** *f* <-, -n> baptism; **taufen** *vt* christen, baptize; **Taufname** *m* Christian name; **Taufpate** *m* godfather; **Taufpatin** *f* godmother; **Taufschein** *m* certificate of baptism.

taugen *vi* be of use; ~ **für** do [*o* be] good for; **nicht** ~ be no good, be useless; **Taugenichts** *m* <-es, -e> good-for-nothing; **tauglich** *adj* suitable; (MIL) fit [for service]; **Tauglichkeit** *f* suitability; fitness.

Taumel *m* <-s> dizziness; (*fig*) frenzy; **taumeln** *vi* reel, stagger.

Tausch *m* <-[e]s, -e> exchange; **tauschen** *vt* exchange, swap.

täuschen 1. *vt* deceive; 2. *vi* be deceptive; 3. *vr:* **sich** ~ be wrong; **täuschend** *adj* deceptive.

Tauschhandel *m* barter.

Täuschung *f* deception; (*optisch*) illusion.

tausend *num* [a] thousand; **Tausendfüßler** *m* <-s, -> centipede, millipede.

Tautropfen *m* dew drop; **Tauwetter** *nt* thaw; **Tauziehen** *nt* <-s, -> tug-of-war.

Taxi *nt* <-[s], -[s]> taxi; **Taxifahrer(in)** *m(f)* taxi driver.

Technik *f* technology, engineering; (*Methode, Kunstfertigkeit*) technique; **Techniker(in)** *m(f)* <-s, -> technician, engineer; **technisch** *adj* technical.

Techno, Tekkno *m o nt* techno.

Technologie *f* technology; **Technologiepark** *m* technology park; **Technologietransfer** *m* <-s, -s> technology transfer; **Technologiezentrum** *nt* technology centre; **technologisch** *adj* technological.

Teddy[bär] *m* teddy[bear].

Tee *m* <-s, -s> tea; **Teekanne** *f* teapot; **Teelöffel** *m* teaspoon.

Teer *m* <-[e]s, -e> tar; **teeren** *vt* tar.

Teesieb *nt* tea strainer; **Teewagen** *m* tea trolley.

Teich *m* <-[e]s, -e> pond.

Teig *m* <-[e]s, -e> dough; **teigig** *adj* doughy; **Teigwaren** *pl* pasta *sing.*

Teil *m o nt* <-[e]s, -e> part; (*An~*) share; (*Bestand~*) component; **zum** ~ partly; **teilbar** *adj* divisible; **Teilbetrag** *m* instalment; **Teilchen** *nt* [atomic] particle; (*Gebäck*) cake, pastry.

teilen *vt, vr:* **sich** ~ divide; (*mit jdm* ~) share [with sb].

teilhaben *irr vi* share (*an +dat* in); **Teilhaber(in)** *m(f)* <-s, -> partner.

Teilkaskoversicherung *f* third party, fire and theft insurance.

Teilnahme *f* <-, -n> participation; (*Mitleid*) sympathy; **teilnahmslos** *adj* disinterested, apathetic; **teilnehmen** *irr vi* take part (*an +dat* in); **Teilnehmer(in)** *m(f)* <-s, -> participant.

teils *adv* partly.

Teilung *f* division.

teilweise *adv* partially, in part; **Teilzahlung** *f* payment by instalments; **teilzeitbeschäftigt** *adj* part-time [employed].

Teint *m* <-s, -s> complexion.

Telearbeit *f* teleworking; **Telearbeitsplatz** *m* workstation; **Telebanking** *nt* telebanking; **Telebrief** *m* telemessage, mailgram *US.*

Telefax *nt* <-es, -e> fax; **telefaxen** *vi, vt* fax, send by fax; **Telefaxgerät** *nt* telecopier, fax terminal.

Telefon *nt* <-s, -e> telephone; **Telefonamt** *nt* telephone exchange; **Telefonanruf** *m*, **Telefonat** *nt* [tele]phone call; **Telefonbuch** *nt* telephone directory; **Telefongespräch** *nt* telephone conversation; **telefonieren** *vi* telephone; **telefonisch** *adj* telephone; (*Benachrichtigung*) by telephone; **Telefonist(in)** *m(f)* telephonist; **Telefonkarte** *f* phonecard; **Telefonladen** *m* Telecom shop *Brit;* **Telefonleitung** *f* telephone line; **Telefonnummer** *f* [tele]phone number; **Telefonverbindung** *f* telephone connection; **Telefonzelle** *f* telephone kiosk, callbox; **Telefonzentrale** *f* telephone exchange, switchboard.

Telegraf *m* <-en, -en> telegraph; **Telegrafenleitung** *f* telegraph line; **Telegrafenmast** *m* telegraph pole; **Telegrafie** *f* telegraphy; **telegrafieren** *vt, vi* telegraph, wire; **telegrafisch** *adj* telegraphic.

Telegramm *nt* <-s, -e> telegram, cable; **Telegrammadresse** *f* telegraphic address; **Telegrammformular** *nt* telegram form.

Teleheimarbeit *f* teleworking.

Telekolleg *nt* university of the air, Open

University *Brit.*

Telekommunikationsnetz *nt* telecommunications network.

Telekopie *f* fax; **Telekopierer** *m* telecopier, fax terminal.

Teleobjektiv *nt* telephoto lens.

Telepathie *f* telepathy; **telepathisch** *adj* telepathic.

Teleshopping *nt* teleshopping.

Teleskop *nt* <-s, -e> telescope.

Telespiel *nt* video game.

Telex *nt* <-es, -e> telex; **telexen** *vt* telex.

Teller *m* <-s, -> plate.

Tempel *m* <-s, -> temple.

Temperafarbe *f* distemper.

Temperament *nt* temperament; (*Schwung*) vivacity, liveliness; **temperamentlos** *adj* spiritless; **temperamentvoll** *adj* high-spirited, lively.

Temperatur *f* temperature.

Tempo 1. *nt* <-s, -s> speed, pace; **2.** *nt* <Tempi *pl*> (MUS) tempo; **~!** get a move on!; **Tempolimit** *nt* <-s, -s> speed limit.

temporär *adj* temporary.

Tempotaschentuch® *nt* paper handkerchief.

Tendenz *f* tendency; (*Absicht*) intention; **tendenziös** *adj* biased, tendentious; **tendieren** *vi* show a tendency, incline (*zu* to[wards]).

Tenne *f* <-, -n> threshing floor.

Tennis *nt* <-> tennis; **Tennisplatz** *m* tennis court; **Tennisschläger** *m* tennis racket; **Tennisspieler(in)** *m(f)* tennis player.

Tenor *m* <-s, Tenöre> tenor.

Teppich *m* <-s, -e> carpet; **Teppichboden** *m* wall-to-wall carpeting; **Teppichkehrmaschine** *f* carpet sweeper; **Teppichklopfer** *m* carpet beater.

Termin *m* <-s, -e> (*Zeitpunkt*) date; (*Frist*) time limit, deadline; (*Arzt~ etc*) appointment.

Terminal *nt* <-s, -s> (INFORM, FLUG) terminal.

Termingeschäft *nt* (FIN) forward contract, futures deal.

Terminkalender *m* diary, appointments book.

Terminologie *f* terminology.

Termite *f* <-, -n> termite.

Terpentin *nt* <-s, -e> turpentine, turps.

Terrasse *f* <-, -n> terrace.

Terrine *f* tureen.

Territorium *nt* territory.

Terror *m* <-s> terror; reign of terror; **Terroranschlag** *m* terrorist attack; **terrorisieren** *vt* terrorize; **Terrorismus** *m* terrorism; **Terrorist(in)** *m(f)* terrorist.

Terz *f* <-, -en> (MUS) third.

Terzett *nt* <-[e]s, -e> trio.

Tesafilm® *m* sellotape®.

Test *m* <-s, -e> test.

Testament *nt* will, testament; (REL) Testament; **testamentarisch** *adj* testamentary; **Testamentsvollstrecker(in)** *m(f)* <-s, -> executor [of a will].

Testbild *nt* (TV) test card; **testen** *vt* test.

Tetanus *m* <-> tetanus; **Tetanusimpfung** *f* [anti-]tetanus injection.

teuer *adj* dear, expensive; **Teuerung** *f* increase in prices; **Teuerungszulage** *f* cost of living bonus.

Teufel *m* <-s, -> devil; **Teufelei** *f* devilry; **Teufelsaustreibung** *f* exorcism; **Teufelskreis** *m* vicious circle; **teuflisch** *adj* fiendish, diabolical.

Text *m* <-[e]s, -e> text; (*Lieder~*) words *pl*; **texten** *vi* write the words.

textil *adj* textile; **Textilien** *pl* textiles *pl*; **Textilindustrie** *f* textile industry; **Textilwaren** *pl* textiles *pl*.

Textsystem *nt* (INFORM) text system; **Textverarbeitung** *f* word processing; **Textverarbeitungsprogramm** *nt* word processor.

Thailand *nt* Thailand.

Theater *nt* <-s, -> theatre; (*umg*) fuss; **~ spielen** (*a. fig*) playact; **Theaterbesucher(in)** *m(f)* playgoer; **Theaterkasse** *f* box office; **Theaterstück** *nt* [stage-]play; **theatralisch** *adj* theatrical.

Theke *f* <-, -n> (*Schanktisch*) bar; (*Ladentisch*) counter.

Thema *nt* <-s, Themen> theme, topic, subject; **kein ~ sein** be no subject for discussion, be a dead topic, be of no interest; **thematisch** *adj* thematic.

Theologe *m* <-n, -n> theologian; **Theologie** *f* theology; **Theologin** *f* theologian; **theologisch** *adj* theological.

Theoretiker(in) *m(f)* <-s, -> theorist; **theoretisch** *adj* theoretical; **Theorie** *f* theory.

Therapeut(in) *m(f)* <-en, -en> therapist; **therapeutisch** *adj* therapeutic; **Therapie** *f* therapy.

Thermalbad *nt* thermal bath; (*Ort*) thermal spa.

Thermodrucker *m* thermal printer.

Thermometer *nt* <-s, -> thermometer.

Thermosflasche *f* Thermos®.

Thermostat *m* <-[e]s *o* -en, -e[n]> thermostat.

These *f* <-, -n> thesis.

Thrombose *f* <-, -n> thrombosis.

Thron *m* <-[e]s, -e> throne; **Thronbesteigung** *f* accession [to the throne]; **Thronerbe** *m*, **Thronerbin** *f* heir/heiress to the throne; **Thronfolge** *f* succession [to the throne].

Thunfisch, **Tunfisch**[RR] *m* tuna.

Thüringen *nt* <-s> Thuringia.

Thymian *m* <-s, -e> thyme.

Tick *m* <-[e]s, -s> tic; (*Eigenart*) quirk; (*Fimmel*) craze; **ticken** *vi* tick; **Peter tickt nicht ganz richtig** Peter is off his rocker.

Tiebreak *m* <-s, -s> (SPORT) tie breaker.

tief *adj* deep; (*tiefsinnig*) profound; (*Ausschnitt, Ton*) low; **Tief** *nt* <-s, -s> (METEO) depression; **Tiefdruck** *m* low pressure; **Tiefe** *f* <-, -n> depth; **Tiefebene** *f* plain; **Tiefenpsychologie** *f* depth psychology; **Tiefenschärfe** *f* (FOTO) depth of focus; **tiefernst** *adj* very grave [*o* solemn]; **Tiefgang** *m* (NAUT) draught; (*geistig*) depth; **tiefgekühlt** *adj* frozen; **tiefgreifend** *adj* far-reaching; **Tiefkühlfach** *nt* deep-freeze compartment; **Tiefkühlkost** *f* frozen food; **Tiefkühltruhe** *f* deep-freeze, freezer; **Tiefland** *nt* lowlands *pl*; **Tiefpunkt** *m* low point; (*fig*) low ebb; **Tiefschlag** *m* (BOXEN, *fig*) blow below the belt; **tiefschürfend** *adj* profound; **Tiefsee** *f* deep sea; **Tiefsinn** *m* profundity; **tiefsinnig** *adj* profound; **Tiefstand** *m* low level; **tiefstapeln** *vi* be overmodest; **Tiefstart** *m* (SPORT) crouch start; **Tiefstwert** *m* minimum [*o* lowest] value; **Tieftöner** *m* <-s, -> woofer.

Tiegel *m* <-s, -> saucepan; (CHEM) crucible.

Tier *nt* <-[e]s, -e> animal; **Tierarzt** *m*, **Tierärztin** *f* vet[erinary surgeon]; **Tiergarten** *m* zoo[logical gardens]; **tierisch** *adj* animal; (*a. fig*) brutish; (*fig: Ernst etc*) deadly; **Tierkreis** *m* zodiac; **Tierkunde** *f* zoology; **tierliebend** *adj* fond of animals; **Tierquälerei** *f* cruelty to animals; **Tierschützer(in)** *m(f)* <-s, -> animal protector; **Tierschutzverein** *m* society for the prevention of cruelty to animals; **Tierversuch** *m* animal experiment.

Tiger *m* <-s, -> tiger; **Tigerin** *f* tigress.

tilgen *vt* erase; (*Sünden*) expiate; (*Schulden*) pay off; **Tilgung** *f* erasing; expiation; repayment.

Timing *nt* <-s> timing.

Tinktur *f* tincture.

Tinte *f* <-, -n> ink; **Tintenfass**[RR] *nt* inkwell; **Tintenfisch** *m* cuttlefish; (*klein*) squid; (*achtarmig*) octopus; **Tintenfleck** *m* ink stain, blot; **Tintenstift** *m* copying [*o* indelible] pencil; **Tintenstrahldrucker** *m* ink jet printer.

Tipp[RR] *m* <-s, -s> tip; (*Andeutung*) hint.

tippen *vt, vi* tap, touch; (*umg: schreiben*) type; (*umg: raten*) guess; **auf jdn/etw ~** put one's money on sb/sth; (*im Lotto etc*) bet on sb/sth; **Tippfehler** *m* (*umg*) typing error; **Tippse** *f* <-, -n> (*umg*) typist.

tipptopp *adj* (*umg*) tip-top.

Tippzettel *m* [pools] coupon.

Tisch *m* <-[e]s, -e> table; **bei ~** at table; **vor/nach ~** before/after eating; **unter den Tisch fallen** (*fig*) be dropped; **vom ~ sein** be cleared out of the way; **jdn über den ~ ziehen** take sb in; **Tischdecke** *f* tablecloth.

Tischler(in) *m(f)* <-s, -> carpenter, joiner; **Tischlerei** *f* joiner's workshop; (*Arbeit*) carpentry, joinery; **tischlern** *vi* do carpentry.

Tischrechner *m* desktop calculator; **Tischrede** *f* after-dinner speech; **Tischtennis** *nt* table tennis.

Titel *m* <-s, -> title; **Titelanwärter(in)** *m(f)* (SPORT) challenger; **Titelbild** *nt* cover [picture]; (*von Buch*) frontispiece; **Titelrolle** *f* title role; **Titelseite** *f* cover; (*von Buch*) title page; **Titelverteidiger(in)** *m(f)* defending champion, title holder.

titulieren *vt* entitle; (*anreden*) address.

Toast *m* <-[e]s, -s *o* -e> toast; **toasten** *vt* toast; **Toaster** *m* <-s, -> toaster.

toben *vi* rage; (*Kinder*) romp about; **Tobsucht** *f* raving madness; **tobsüchtig** *adj* maniacal; **Tobsuchtsanfall** *m* maniacal fit.

Tochter *f* <-, Töchter> daughter; **Tochtergesellschaft** *f* subsidiary.

Tod *m* <-[e]s, -e> death; **todernst** **1.** *adj* (*umg*) deadly serious; **2.** *adv* in dead earnest; **Todesangst** *f* mortal fear; **Todesanzeige** *f* obituary [notice]; **Todesfall** *m* death; **Todeskampf** *m* throes *pl* of death; **Todesopfer** *nt* fatality; **Todesstoß** *m* death-blow; **Todesstrafe** *f* death penalty; **Todestag** *m* anniversary of death; **Todesursache** *f* cause of death; **Todesurteil** *nt* death sentence;

Todesverachtung *f* utter disgust; **todkrank** *adj* dangerously ill.

tödlich *adj* deadly, fatal.

todmüde *adj* dead tired; **todschick** *adj* (*umg*) smart, classy; **todsicher** *adj* (*umg*) absolutely [*o* dead] certain; **Todsünde** *f* deadly sin.

toi *interj*: ~, ~, ~ touch wood.

Toilette *f* toilet, lavatory, restroom *US;* (*Frisiertisch*) dressing table; (*Kleidung*) outfit; **Toilettenartikel** *pl* toiletries *pl;* **Toilettenpapier** *nt* toilet paper; **Toilettentisch** *m* dressing table.

tolerant *adj* tolerant; **Toleranz** *f* tolerance; **tolerieren** *vt* tolerate.

toll *adj* mad; (*Treiben*) wild; (*umg*) terrific; **tollen** *vi* romp; **Tollkirsche** *f* deadly nightshade; **tollkühn** *adj* daring; **Tollpatsch**[RR] *m* <-es, -e> clumsy creature; **Tollwut** *f* rabies *sing.*

Tölpel *m* <-s, -> oaf, clod.

Tomate *f* <-, -n> tomato; **Tomatenmark** *nt* tomato puree.

Tomograph *m* <-en, -en> tomograph.

Ton 1. *m* <-[e]s, -e> (*Erde*) clay; **2.** *m* <Töne *pl*> (*Laut*) sound; (MUS) note; (*Redeweise*) tone; (*Farb~, Nuance*) shade; (*Betonung*) stress; **Tonabnehmer** *m* <-s, -> pick-up; **tonangebend** *adj* leading; **Tonart** *f* [musical] key; **Tonband** *nt* <Tonbänder *pl*> tape; **Tonbandgerät** *nt* tape recorder.

tönen 1. *vi* sound; **2.** *vt* shade; (*Haare*) tint.

Toner *m* <-s, -> toner.

tönern *adj* clay.

Tonfall *m* intonation; **Tonfilm** *m* sound film; **Tonhöhe** *f* pitch; **tonlos** *adj* soundless.

Tonne *f* <-, -n> barrel; (*Gewicht*) ton.

Tonspur *f* soundtrack; **Tontaube** *f* clay pigeon; **Tonwaren** *pl* pottery, earthenware.

Top *nt* <-s, -s> top.

Topf *m* <-[e]s, Töpfe> pot; **Topfblume** *f* pot plant.

Topfen *m* <-s> (*A*) curd cheese.

Töpfer(in) *m(f)* <-s, -> potter; **Töpferei** *f* potter's workshop; (*Gegenstand*) piece of pottery; **Töpferscheibe** *f* potter's wheel.

Topflappen *m* oven-cloth; **Topfpflanze** *f* pot plant.

topografisch[RR], **topographisch** *adj* topographic.

Tor *nt* <-[e]s, -e> gate; (SPORT) goal; **Torbogen** *m* archway.

Torf *m* <-[e]s> peat.

Torheit *f* foolishness; foolish deed.

Torhüter(in) *m(f)* <-s, -> goalkeeper.

töricht *adj* foolish.

torkeln *vi* stagger, reel.

torpedieren *vt* torpedo; **Torpedo** *m* <-s, -s> torpedo.

Torte *f* <-, -n> cake; (*Obst~*) flan, tart.

Tortur *f* ordeal.

Torwart *m* <-[e]s, -e> goalkeeper.

tosen *vi* roar.

tot *adj* dead; **einen ~en Punkt haben** be at one's lowest.

total *adj* total.

totalitär *adj* totalitarian.

Totalschaden *m* complete write-off.

totarbeiten *vr:* **sich ~** work oneself to death; **totärgern** *vr:* **sich ~** (*umg*) get really annoyed.

Tote(r) *mf* dead person.

töten *vt, vi* kill.

Totenbett *nt* death bed; **totenblass**[RR] *adj* deathly pale, white as a sheet; **Totengräber(in)** *m(f)* <-s, -> gravedigger; **Totenhemd** *nt* shroud; **Totenkopf** *m* skull; **Totenschein** *m* death certificate; **Totenstille** *f* deathly silence; **Totentanz** *m* danse macabre.

totfahren *irr vt* run over; **totgeboren** *adj* stillborn; **totlachen** *vr:* **sich ~** (*umg*) laugh one's head off.

Toto *m o nt* <-s, -s> pools *pl;* **Totoschein** *m* pools coupon.

totschlagen *irr vt* (*a. fig*) kill; **Totschläger** *m* killer; (*Waffe*) cosh; **totschweigen** *irr vt* hush up; **totstellen** *vr:* **sich ~** pretend to be dead.

Tötung *f* killing.

Toupet *nt* <-s, -s> toupee.

toupieren *vt* back-comb.

Tour *f* <-, -en> tour, trip; (*Umdrehung*) revolution; (*Verhaltensart*) way; **in einer ~** incessantly; **Tourenzahl** *f* number of revolutions; **Tourenzähler** *m* rev counter.

Tourismus *m* tourism; **Tourist(in)** *m(f)* tourist; **Touristenklasse** *f* tourist class.

Tournee *f* <-, -n> (THEAT) tour; **auf ~ gehen** go on tour.

toxikologisch *adj* toxicological.

Trab *m* <-[e]s> trot.

Trabant *m* satellite; **Trabantenstadt** *f* satellite town.

traben *vi* trot.

Tracht *f* <-, -en> (*Kleidung*) costume,

dress; **eine ~ Prügel** a sound thrashing.

trachten *vi* strive (*nach* for), endeavour; **jdm nach dem Leben ~** seek to kill sb.

trächtig *adj* (*Tier*) pregnant; (*fig*) rich, fertile.

Trackball *m* <-s, -s> (INFORM) trackball.

Tradition *f* tradition; **traditionell** *adj* traditional.

traf *imperf von* **treffen**.

Tragbahre *f* stretcher; **tragbar** *adj* (*Gerät*) portable; (*Kleidung*) wearable; (*erträglich*) bearable; **~es Telefon** mobile phone.

träge *adj* sluggish, slow; (PHYS) inert.

tragen <trug, getragen> **1.** *vt* carry; (*Kleidung, Brille*) wear; (*Namen, Früchte*) bear; (*erdulden*) endure; **2.** *vi* (*schwanger sein*) be pregnant; (*Eis*) hold; **sich mit einem Gedanken ~** have an idea in mind; **zum Tragen kommen** have an effect.

Träger *m* <-s, -> (*an Kleidung*) strap; (*Hosen~*) braces *pl;* (ARCHIT) beam; (*Stahl~, Eisen~*) girder; (*Flugzeug~*) carrier; **Träger(in)** *m(f)* <-s, -> (*Lasten~*) bearer, porter; (*Namens~*) bearer; (*Ordens~, Titel~*) holder, bearer; (*von Kleidung*) wearer; (*Preis~*) winner; (*der Staatsgewalt etc*) representative; (*einer Veranstaltung*) sponsor; **~ des Vereins** those responsible for the club; **Trägerrakete** *f* booster; **Trägerrock** *m* pinafore dress.

Tragetasche *f* carrier bag.

Tragfähigkeit *f* load-carrying capacity; **Tragfläche** *f* (FLUG) wing; **Tragflügelboot** *nt* hydrofoil.

Trägheit *f* laziness; (PHYS) inertia.

Tragik *f* tragedy; **tragikomish** *adj* tragicomical; **tragisch** *adj* tragic; **Tragödie** *f* tragedy.

Tragweite *f* range; (*fig*) scope; **Tragwerk** *nt* wing assembly.

Trailer *m* <-s, -> (*Film*) trailer.

Trainer(in) *m(f)* <-s, -> (SPORT) trainer, coach; (*Fußball~*) manager; **trainieren** *vt, vi* train; (*jdn a.*) coach; (*Übung*) practise; **Fußball ~** do football practice; **Training** *nt* <-s, -s> training; **Trainingsanzug** *m* track suit.

Traktor *m* tractor.

trällern *vt, vi* trill, sing.

trampeln *vt, vi* trample, stamp.

trampen *vi* hitch-hike.

Tran *m* <-[e]s, -e> train oil, blubber.

Tranchierbesteck *nt* [pair of] carvers *pl;*

tranchieren *vt* carve.

Träne *f* <-, -n> tear; **tränen** *vi* water; **Tränengas** *nt* teargas.

trank *imperf von* **trinken**.

Tränke *f* <-, -n> watering place; **tränken** *vt* (*nass machen*) soak; (*Tiere*) water.

Transformator *m* transformer.

Transfusion *f* transfusion.

transgen *adj* transgenic.

Transistor *m* transistor.

Transit *m* <-s> transit.

transitiv *adj* transitive.

transparent *adj* transparent; **Transparent** *nt* <-[e]s, -e> (*Bild*) transparency; (*Spruchband*) banner.

transpirieren *vi* perspire.

Transplantation *f* transplantation; (*Haut~*) graft[ing].

Transport *m* <-[e]s, -e> transport; **transportieren** *vt* transport; **Transportkosten** *pl* transport charges *pl;* **Transportmittel** *nt* means *sing* of transport; **Transportunternehmen** *nt* haulage firm.

Transrapid *m* (German) high-speed magnetic train.

Trapez *nt* <-es, -e> trapeze; (MATH) trapezium.

Traube *f* <-, -n> (*einzelne Beere*) grape; (*ganze Frucht*) bunch of grapes; **Traubenlese** *f* vintage; **Traubenzucker** *m* glucose.

trauen 1. *vi:* **jdm/einer Sache ~** trust sb/sth; **2.** *vr:* **sich ~** dare; **3.** *vt* marry.

Trauer *f* <-> sorrow; (*für Verstorbenen*) mourning; **Trauerfall** *m* death, bereavement; **Trauermarsch** *m* funeral march; **trauern** *vi* mourn (*um* for); **Trauerrand** *m* black border; **Trauerspiel** *nt* tragedy; **Trauerweide** *f* weeping willow.

Traufe *f* <-, -n> eaves *pl.*

träufeln *vt, vi* drip.

traulich *adj* cosy, intimate.

Traum *m* <-[e]s, Träume> dream.

Trauma *nt* <-s, Traumen *o* Traumata> trauma; **traumatisch** *adj* traumatic.

träumen *vt, vi* dream; **Träumer(in)** *m(f)* <-s, -> dreamer; **Träumerei** *f* dreaming; **träumerisch** *adj* dreamy.

traumhaft *adj* dreamlike; (*fig*) wonderful.

traurig *adj* sad; **Traurigkeit** *f* sadness.

Trauschein *m* marriage certificate; **Trauung** *f* wedding ceremony; **Trauzeuge** *m,* **Trauzeugin** *f* witness [to a marriage].

treffen <traf, getroffen> **1.** *vt, vi* strike,

hit; (*Bemerkung*) hurt; (*begegnen*) meet; (*Entscheidung etc*) make; (*Maßnahmen*) take; **2.** *vr:* **sich** ~ meet; ~ **auf** +*akk* come across, meet with; **es traf sich, dass ...** it so happened that ...; **es trifft sich gut** it's convenient; **wie es sich so trifft** as these things happen; **er hat es gut getroffen** he was fortunate; **Treffen** *nt* <-s, -> meeting; **treffend** *adj* pertinent, apposite; **Treffer** *m* <-s, -> hit; (*Tor*) goal; (*Los*) winner; **Treffpunkt** *m* meeting place.

Treibeis *nt* drift ice.

treiben <trieb, getrieben> **1.** *vt* drive; (*Studien etc*) pursue; (SPORT) do, go in for; **2.** *vi* (*Schiff etc*) drift; (*Pflanzen*) sprout; (GASTR) rise; (*Tee, Kaffee*) be diuretic; **Unsinn** ~ fool around; **Treiben** *nt* <-s> activity.

Treibgas *nt* propellant; **Treibhaus** *nt* hothouse; **Treibhauseffekt** *m* greenhouse effect; **Treibnetzfischerei** *f* drift-net fishing; **Treibstoff** *m* fuel.

trennbar *adj* separable; **trennen 1.** *vt* separate; (*teilen*) divide; **2.** *vr:* **sich** ~ separate; **sich ~ von** part with; **Trennschärfe** *f* (RADIO) selectivity; **Trennung** *f* separation; **Trennwand** *f* partition [wall].

treppab *adv* downstairs; **treppauf** *adv* upstairs; **Treppe** *f* <-, -n> staircase, stairs *pl;* (*im Freien*) steps *pl;* **Treppengeländer** *nt* banister; **Treppenhaus** *nt* staircase.

Tresor *m* <-s, -e> safe.

treten <trat, getreten> **1.** *vi* step; (*Tränen, Schweiß*) appear; **2.** *vt* kick; (*nieder~*) tread, trample; ~ **nach** kick at; ~ **in** +*akk* step in[to]; **in Verbindung** ~ get in contact; **in Erscheinung** ~ appear.

treu *adj* faithful, true; **Treue** *f* <-> loyalty, faithfulness; **Treuhand** *f German privatisation agency;* **Treuhänder(in)** *m(f)* <-s, -> trustee; **Treuhandgesellschaft** *f* trust company; **treuherzig** *adj* innocent; **treulich** *adv* faithfully; **treulos** *adj* faithless.

Tribüne *f* <-, -n> grandstand; (*Redner~*) platform.

Trichter *m* <-s, -> funnel; (*in Boden*) crater.

Trick *m* <-s, -e *o* -s> trick; **Trickfilm** *m* cartoon.

trieb *imperf von* **treiben**.

Trieb *m* <-[e]s, -e> urge, drive; (*Neigung*) inclination; (*an Baum etc*) shoot; **Triebfeder** *f* (*fig*) motivating force; **triebhaft** *adj* impulsive; **Triebkraft** *f* (*fig*) drive; **Triebtäter(in)** *m(f)* sex offender; **Triebwagen** *m* (EISENB) diesel railcar; **Triebwerk** *nt* engine.

triefen *vi* drip.

triftig *adj* good, convincing.

Trigonometrie *f* trigonometry.

Trikot 1. *nt* <-s, -s> vest; (SPORT) shirt; **2.** *m* <-s, -s> (*Gewebe*) tricot.

Triller *m* <-s, -> (MUS) trill; **trillern** *vi* trill, warble; **Trillerpfeife** *f* whistle.

trinkbar *adj* drinkable; **trinken** <trank, getrunken> *vt, vi* drink; **Trinker(in)** *m(f)* <-s, -> drinker; **Trinkgeld** *nt* tip; **Trinkhalm** *m* [drinking] straw; **Trinkspruch** *m* toast; **Trinkwasser** *nt* drinking water.

Tripper *m* <-s, -> gonorrhoea.

Tritt *m* <-[e]s, -e> step; (*Fuß~*) kick; **Trittbrett** *nt* (EISENB) step; (AUTO) running-board.

Triumph *m* <-[e]s, -e> triumph; **Triumphbogen** *m* triumphal arch; **triumphieren** *vi* triumph; (*jubeln*) exult.

trivial *adj* trivial.

trocken *adj* dry; **Trockendock** *nt* dry dock; **Trockenelement** *nt* dry cell; **Trockenhaube** *f* hair-dryer; **Trockenheit** *f* dryness; **trockenlegen** *vt* (*Sumpf*) drain; (*Kind*) put a clean nappy on; **Trockenmilch** *f* dried milk; **trocknen** *vt, vi* dry.

Troddel *f* <-, -n> tassel.

Trödel *m* <-s> (*umg*) junk.

trödeln *vi* (*umg*) dawdle.

Trödler(in) *m(f)* <-s, -> secondhand dealer, junk dealer.

trog *imperf von* **trügen**.

Trog *m* <-[e]s, Tröge> trough.

Trommel *f* <-, -n> drum; **Trommelfell** *nt* eardrum; **trommeln** *vt, vi* drum; **Trommler(in)** *m(f)* <-s, -> drummer.

Trompete *f* <-, -n> trumpet; **Trompeter(in)** *m(f)* <-s, -> trumpeter.

Tropen *pl* tropics *pl;* **tropenbeständig** *adj* suitable for the tropics; **Tropenhelm** *m* topee, sun helmet.

Tropf *m* <-[e]s, Tröpfe> (*umg*) rogue; (*Infusion*) drip; **armer** ~ poor devil.

tröpfeln *vi* drop, trickle.

tropfen 1. *vt, vi* drip; **2.** *vb unpers:* **es tropft** a few raindrops are falling; **Tropfen** *m* <-s, -> drop; **tropfenweise** *adv* in drops; **tropfnass**[RR] *adj* dripping wet; **Tropfsteinhöhle** *f* stalactite cave.

tropisch *adj* tropical.

Trost *m* <-es> consolation, comfort; **trösten** *vt* console, comfort; **Tröster(in)** *m(f)* <-s, -> comfort[er]; **tröstlich** *adj* comforting; **trostlos** *adj* bleak; (*Verhältnisse*) wretched; **Trostpflaster** *nt* consolation; **Trostpreis** *m* consolation prize; **Tröstung** *f* comfort; consolation.

Trott *m* <-[e]s, -e> trot; (*Routine*) routine.

Trottel *m* <-s, -> (*umg*) fool, dope.

trotten *vi* trot.

Trottoir *nt* <-s, -s *o* -e> pavement, sidewalk *US*.

trotz *präp +gen o dat* in spite of; **Trotz** *m* <-es> pigheadedness; **etw aus ~ tun** do sth just to show them; **jdm zum ~** in defiance of sb; **Trotzalter** *nt* obstinate phase.

trotzdem **1.** *adv* nevertheless; **2.** *konj* although.

trotzig *adj* defiant, pig-headed; **Trotzkopf** *m* obstinate child; **Trotzreaktion** *f* fit of pique.

trüb *adj* dull; (*Flüssigkeit, Glas*) cloudy; (*fig*) gloomy; **trüben** **1.** *vt* cloud; **2.** *vr*: **sich ~** become clouded; **Trübsal** *f* <-, -e> distress; **trübselig** *adj* sad, melancholy; **Trübsinn** *m* depression; **trübsinnig** *adj* depressed, gloomy.

trudeln *vi* (FLUG) [go into a] spin.

Trüffel *f* <-, -n> truffle.

trug *imperf von* **tragen**.

trügen <trog, getrogen> **1.** *vt* deceive; **2.** *vi* be deceptive; **trügerisch** *adj* deceptive.

Trugschluss[RR] *m* false conclusion.

Truhe *f* <-, -n> chest.

Trümmer *pl* wreckage; (*Bau~*) ruins *pl*; **Trümmerhaufen** *m* heap of rubble.

Trumpf *m* <-[e]s, Trümpfe> (*a. fig*) trump.

Trunk *m* <-[e]s, Trünke> drink; **trunken** *adj* intoxicated; **Trunkenbold** *m* <-[e]s, -e> drunkard; **Trunkenheit** *f* intoxication; **~ am Steuer** drunken driving; **Trunksucht** *f* alcoholism.

Truppe *f* <-, -n> troop; (*Waffengattung*) force; (*Schauspiel~*) troupe; **~n** *pl* troops *pl*; **Truppenübungsplatz** *m* military training area.

Truthahn *m* turkey.

Tscheche *m* <-n, -n> Czech; **Tschechien** *nt* Czech Republic; **Tschechin** *f* Czech; **tschechisch** *adj* Czech; **Tschechische Republik** *f* Czech Republic; **Tschechoslowakei** *f*: **die ~** (HIST) Czechoslovakia; **tschechoslowakisch** *adj* Czechoslovak[ian].

tschüs, **tschüss**[RR] *interj* bye.

T-Shirt *nt* <-s, -s> T-shirt, tee-shirt.

Tube *f* <-, -n> tube.

Tuberkulose *f* <-, -n> tuberculosis.

Tuch *nt* <-[e]s, Tücher> cloth; (*Hals~*) scarf; (*Kopf~*) headscarf; (*Hand~*) towel.

tüchtig *adj* efficient, [cap]able; (*umg: kräftig*) good, sound; **Tüchtigkeit** *f* efficiency, ability.

Tücke *f* <-, -n> (*Arglist*) malice; (*Trick*) trick; (*Schwierigkeit*) difficulty, problem; **seine ~n haben** be temperamental; **tückisch** *adj* treacherous; (*böswillig*) malicious.

Tugend *f* <-, -en> virtue; **tugendhaft** *adj* virtuous.

Tüll *m* <-s, -e> tulle.

Tulpe *f* <-, -n> tulip.

tummeln *vr*: **sich ~** romp, gambol; (*sich beeilen*) hurry.

Tumor *m* <-s, -en> tumour.

Tümpel *m* <-s, -> pool, pond.

Tumult *m* <-[e]s, -e> tumult.

tun <tat, getan> **1.** *vt* (*machen*) do; (*legen*) put; **2.** *vi* act; **3.** *vr unpers:* **es tut sich etwas/viel** something/a lot is happening; **so ~, als ob** act as if; **jdm etw ~** (*antun*) do sth to sb; **etw tut es auch** sth will do; **das tut nichts** that doesn't matter; **das tut nichts zur Sache** that's neither here nor there.

Tünche *f* <-, -n> whitewash; **tünchen** *vt* whitewash.

Tuner *m* <-s, -> tuner-amplifier.

Tunesien *nt* Tunesia.

Tunfisch[RR] *m* tuna.

Tunke *f* <-, -n> sauce; **tunken** *vt* dip, dunk.

tunlichst *adv* if at all possible; **~ bald** as soon as possible.

Tunnel *m* <-s, -s *o* -> tunnel.

Tunte *f* (*umg pej*) queen.

Tüpfelchen *nt* [small] dot.

tupfen *vt, vi* dab; (*mit Farbe*) dot; **Tupfen** *m* <-s, -> dot, spot.

Tür *f* <-, -en> door.

Turbine *f* turbine.

Turbolader *m* <-s, -> (AUTO) turbocharger; **Turbomotor** *m* turbo engine.

turbulent *adj* turbulent.

Türke *m* <-n, -n> Turk; **Türkei** *f*: **die ~** Turkey; **Türkin** *f* Turk, Turkish woman.

türkis *adj* turquoise; **Türkis** *m* <-es, -e> turquoise.
türkisch *adj* Turkish.
Turm *m* <-[e]s, Türme> tower; (*Kirch~*) steeple; (*Sprung~*) diving platform; (SCHACH) castle, rook.
Türmchen *nt* turret.
türmen 1. *vr:* **sich** ~ tower up; **2.** *vt* heap up; **3.** *vi* (*umg*) scarper, bolt.
turnen 1. *vi* do gymnastic exercises; **2.** *vt* perform; **Turnen** *nt* <-s> gymnastics *sing;* (SCH) physical education, P.E.; **Turner**(**in**) *m(f)* <-s, -> gymnast; **Turnhalle** *f* gym[nasium]; **Turnhose** *f* gym shorts *pl.*
Turnier *nt* <-s, -e> tournament.
Turnschuh *m* gym shoe.
Turnus *m* <-, -se> rota; **im** ~ in rotation.
Turnverein *m* gymnastics club; **Turnzeug** *nt* gym things *pl.*
Tusche *f* <-, -n> Indian ink.
tuscheln *vt, vi* whisper.
Tuschkasten *m* paintbox.
Tussi *f* <-, -s> (*umg pej*) female.
Tüte *f* <-, -n> bag.
tuten *vi* toot; (AUTO) hoot.
TÜV *m* <-s, -s> *akr von* **Technischer Überwachungsverein** MOT; **TÜV-Plakette** *f German MOT sticker.*
TV-Hoppen *nt* zapping; **TV-Positionierung** *f* product placement.
Twen *m* <-s, -s> *person in her/his twenties.*
Typ *m* <-s, -en> type.
Type *f* <-, -n> (TYP) type; **Typenrad** *nt* daisy wheel; **Typenradschreibmaschine** *f* daisy-wheel typewriter.
Typhus *m* <-> typhoid [fever].
typisch *adj* typical (*für* of).
Tyrann(**in**) *m(f)* <-en, -en> tyrant; **Tyrannei** *f* tyranny; **tyrannisch** *adj* tyrannical; **tyrannisieren** *vt* tyrannize.

U

U, u *nt* U, u.
U.A.w.g. *abk von* **Um Antwort wird gebeten** RSVP.
U-Bahn *f* underground *Brit,* subway *US.*
übel *adj* bad; (*moralisch a.*) wicked; **jdm ist** ~ sb feels sick; ~ **gelaunt**[RR] bad-tempered, ill-humoured; **jdm eine Bemerkung** ~ **nehmen**[RR] be offended at sb's remark; **Übel** *nt* <-s, -> evil; (*Krankheit*) disease; **übelgelaunt** *adj s.* **übel**; **Übelkeit** *f* nausea; **übelnehmen** *vt s.* **übel**; **Übelstand** *m* bad state of affairs, abuse.
üben *vt, vi* exercise, practise.
über 1. *präp +dat o akk* over; (*hoch ~ auch*) above; (*quer ~ auch*) across; (*Route*) via; (*betreffend*) about; **2.** *adv* over; **den ganzen Tag** ~ all day long; **jdm in etw** *dat* ~ **sein** (*umg*) be superior to sb in sth; ~ **und** ~ all over.
überall *adv* everywhere.
überanstrengen *vr:* **sich** ~ overexert oneself.
überarbeiten 1. *vt* revise, rework; **2.** *vr:* **sich** ~ overwork [oneself].
überaus *adv* exceedingly.
überbelichten *vt* (FOTO) overexpose.
überbieten *irr vt* outbid; (*übertreffen*) surpass; (*Rekord*) break.
Überbleibsel *nt* residue, remainder.
Überblick *m* view; (*fig: Darstellung*) survey, overview; (*Fähigkeit*) overall view, grasp (*über +akk* of); **überblicken** *vt* survey.
überbringen *irr vt* deliver, hand over; **Überbringer**(**in**) *m(f)* <-s, -> bearer.
überbrücken *vt* bridge [over].
überdenken *irr vt* think over.
überdies *adv* besides.
überdimensional *adj* oversize.
Überdosis *f* overdose.
Überdruss[RR] *m* <-es> weariness; **bis zum** ~ ad nauseam; **überdrüssig** *adj* tired, sick (*gen* of).
übereifrig *adj* overkeen, overzealous.
übereilen *vt* hurry; **übereilt** *adj* [over]hasty, premature.
übereinander *adv* one upon the other; (*sprechen*) about each other.
übereinkommen *irr vi* agree; **Übereinkunft** *f* <-, Übereinkünfte> agreement; **übereinstimmen** *vi* agree; **Übereinstimmung** *f* agreement.
überempfindlich *adj* hypersensitive.
überfahren *irr vt* (AUTO) run over; (*fig*) outwit; **Überfahrt** *f* crossing.
Überfall *m* (*Bank~*) robbery; (MIL) raid; (*auf jdn*) assault; **überfallen** *irr vt* attack; (*Bank*) raid; (*besuchen*) surprise.
überfällig *adj* overdue.
überfliegen *irr vt* fly over, overfly; (*Buch*) skim through.
Überfluss[RR] *m* overabundance, excess (*an +dat* of); **Überflussgesell-**

schaft[RR] *f* consumer society; **überflüssig** *adj* superfluous.

überfordern *vt* demand too much of; (*Kräfte etc*) overtax.

Überfremdung *f* foreign infiltration.

überführen *vt* (*Leiche*) transport; (*Täter*) convict (*gen* of); **Überführung** *f* transport; conviction; (*Brücke*) overpass.

Übergabe *f* handing over; (MIL) surrender.

Übergang *m* crossing; (*Wandel, Überleitung*) transition; **Übergangserscheinung** *f* transitory phenomenon; **Übergangslösung** *f* provisional solution, stopgap; **Übergangsstadium** *nt* state of transition; **Übergangszeit** *f* transitional period.

übergeben *irr* **1.** *vt* hand over; (MIL) surrender; **2.** *vr:* **sich** ~ be sick; **dem Verkehr** ~ open to traffic.

übergehen *irr* **1.** *vi* (*Besitz*) pass; (*zum Feind etc*) go over, defect; (*überleiten*) go on (*zu* to); (*sich verwandeln*) turn (*in +akk* into); **2.** *vt* pass over, omit.

Übergewicht *nt* excess weight; (*fig*) preponderance.

überglücklich *adj* overjoyed.

überhaben *irr vt* (*umg*) be fed up with.

überhand nehmen[RR] *irr vi* gain the ascendancy.

überhaupt *adv* at all; (*im Allgemeinen*) in general; (*besonders*) especially; ~ **nicht** not at all.

überheblich *adj* arrogant; **Überheblichkeit** *f* arrogance.

überholen *vt* overtake; (TECH) overhaul; **Überholspur** *f* fast lane; **überholt** *adj* out-of-date, obsolete.

überhören *vt* not hear; (*absichtlich*) ignore.

überirdisch *adj* supernatural, unearthly.

überkompensieren *vt* overcompensate for.

überladen **1.** *irr vt* overload; **2.** *adj* (*fig*) cluttered.

überlassen *irr* **1.** *vt:* **jdm etw** ~ leave sth to sb; **2.** *vr:* **sich einer Sache** *dat* ~ give oneself over to sth.

überlasten *vt* overload; (*jdn*) overtax.

Überlaufanzeige *f* (*bei Rechner*) overflow indicator; **überlaufen** *irr* **1.** *vi* (*Flüssigkeit*) flow over; (*zum Feind etc*) go over, defect; **2.** *vt* (*Schauer etc*) come over; ~ **sein** be inundated; **Überläufer(in)** *m(f)* deserter.

überleben *vt* survive; **Überlebende(r)** *mf* survivor.

überlegen **1.** *vt* consider; **2.** *adj* superior; **Überlegenheit** *f* superiority; **Überlegung** *f* consideration, deliberation.

überliefern *vt* hand down, transmit; **Überlieferung** *f* tradition.

überlisten *vt* outwit.

überm = **über dem**.

Übermacht *f* superior force, superiority; **übermächtig** *adj* superior [in strength]; (*Gefühl*) overwhelming.

übermannen *vt* overcome.

Übermaß *nt* excess (*an +dat* of); **übermäßig** *adj* excessive.

Übermensch *m* superman; **übermenschlich** *adj* superhuman.

übermitteln *vt* convey.

übermorgen *adv* the day after tomorrow.

Übermüdung *f* fatigue, overtiredness.

Übermut *m* exuberance; **übermütig** *adj* exuberant, high-spirited; ~ **werden** get overconfident.

übernachten *vi* spend the night (*bei jdm* at sb's place).

übernächtigt *adj* bleary-eyed, very tired.

Übernachtung *f* overnight stay; ~ **und Frühstück** bed and breakfast.

Übernahme *f* <-, -n> taking over [*o* on], acceptance; **übernehmen** *irr* **1.** *vt* take on, accept; (*Amt, Geschäft*) take over; **2.** *vr:* **sich** ~ take on too much.

überprüfen *vt* examine, check; **Überprüfung** *f* examination.

überqueren *vt* cross.

überraschen *vt* surprise; **Überraschung** *f* surprise.

überreden *vt* persuade.

überreichen *vt* present, hand over.

überreizt *adj* overwrought.

Überreste *pl* remains *pl*, remnants *pl*.

Überrollbügel *m* <-s, -> (AUTO) roll bar.

überrumpeln *vt* take by surprise.

überrunden *vt* lap; (*fig*) outstrip.

übers = **über das**.

übersättigen *vt* satiate.

Überschallflugzeug *nt* supersonic jet; **Überschallgeschwindigkeit** *f* supersonic speed.

überschätzen *vt* overestimate.

überschäumen *vi* froth over; (*fig*) bubble over.

Überschlag *m* (FIN) estimate; (SPORT) somersault; **überschlagen** *irr* **1.** *vt* (*berechnen*) estimate; (*auslassen: Seite*) omit; (*Beine*) cross; **2.** *vr:* **sich** ~ somersault; (*Stimme*) crack; **3.** *adj* lukewarm, tepid.

überschnappen *vi* (*Stimme*) crack; (*umg: Mensch*) flip one's lid.
überschneiden *irr vr:* **sich ~** (*a. fig*) overlap; (*Linien*) intersect.
überschreiben *irr vt* provide with a heading; (*Daten, Diskette*) overwrite; **jdm etw ~** transfer [*o* make over] sth to sb.
überschreiten *irr vt* cross over; (*fig*) exceed; (*verletzen*) transgress.
Überschrift *f* heading, title.
Überschuss[RR] *m* surplus (*an +dat* of); **überschüssig** *adj* surplus, excess.
überschütten *vt:* **jdn/etw mit etw ~** pour sth over sb/sth; **jdn mit etw ~** (*fig*) shower sb with sth.
Überschwang *m* <-s> exuberance, excess; **überschwänglich**[RR] *adj* effusive; **Überschwänglichkeit**[RR] *f* effusion.
überschwemmen *vt* flood; **Überschwemmung** *f* flood.
überschwenglich *adj s.* **überschwänglich**.
Übersee *f:* **nach/in ~** overseas; **überseeisch** *adj* overseas.
übersehen *irr vt* (*Gelände*) look [out] over; (*fig: Folgen*) see, get an overall view of; (*nicht beachten*) overlook.
übersenden *irr vt* send.
übersetzen 1. *vt* translate; **2.** *vi* cross over; **Übersetzer(in)** *m(f)* <-s, -> translator; **Übersetzung** *f* translation; (TECH) gear ratio.
Übersicht *f* overall view; (*Darstellung*) survey; **übersichtlich** *adj* clear; (*Gelände*) open; **Übersichtlichkeit** *f* clarity.
überspannt *adj* eccentric; (*Idee*) wild, crazy.
überspitzt *adj* exaggerated.
überspringen *irr vt* jump over; (*fig*) skip.
übersprudeln *vi* bubble over.
überstehen *irr* **1.** *vt* (*durchstehen*) overcome, get over; (*Winter etc*) survive, get through; **2.** *vi* (*vorstehen*) project.
übersteigen *irr vt* climb over; (*fig*) exceed.
überstimmen *vt* outvote.
Überstunden *pl* overtime.
überstürzen 1. *vt* rush; **2.** *vr:* **sich ~** follow [one another] in rapid succession; **überstürzt** *adj* [over]hasty.
übertölpeln *vt* dupe.
übertönen *vt* drown [out].
Übertrag *m* <-[e]s, Überträge> (WIRTS) amount brought forward; **übertragbar** *adj* transferable; (MED) infectious; **übertragen** *irr* **1.** *vt* transfer (*auf +akk* to); (RADIO) broadcast; (*übersetzen*) render; (*Krankheit*) transmit; **2.** *vr:* **sich ~** spread (*auf+akk* to); **3.** *adj* figurative; **jdm etw ~** assign sth to sb; **Übertragung** *f* transfer[ence]; (RADIO) broadcast; rendering; transmission.
übertreffen *irr vt* surpass.
übertreiben *irr vt* exaggerate; **Übertreibung** *f* exaggeration.
übertreten *irr* **1.** *vt* (*Gebot etc*) break; **2.** *vi* (*über Linie, Gebiet*) step [over]; (SPORT) overstep; (*in andere Partei*) go over (*in +akk* to); (*zu anderem Glauben*) be converted.
übertrieben *adj* exaggerated, excessive.
übervorteilen *vt* dupe, cheat.
überwachen *vt* supervise; (*Verdächtigen*) keep under surveillance; **Überwachung** *f* supervision; surveillance; **Überwachungsstaat** *m* Big Brother state, surveillance state.
überwältigen *vt* overpower; **überwältigend** *adj* overwhelming.
überweisen *irr vt* transfer; (*Patienten*) refer (*an +akk* to); **Überweisung** *f* transfer; referral.
überwiegen *irr vi* predominate; **überwiegend** *adj* predominant.
überwinden *irr* **1.** *vt* overcome; **2.** *vr:* **sich ~** make an effort, force oneself; **Überwindung** *f* effort, strength of mind.
Überzahl *f* superiority, superior numbers *pl;* **in der ~ sein** outnumber sb, be numerically superior; **überzählig** *adj* surplus.
überzeugen *vt* convince; **überzeugend** *adj* convincing; **Überzeugung** *f* conviction; **Überzeugungskraft** *f* power of persuasion.
überziehen *irr* **1.** *vt* (*Mantel etc*) put on; **2.** *vt* (*beziehen*) cover; (*Konto*) overdraw; **Überzug** *m* cover; (*Belag*) coating.
üblich *adj* usual.
U-Boot *nt* submarine.
übrig *adj* remaining; **für jdn etwas ~ haben** (*umg*) be fond of sb; **die Übrigen**[RR] *pl* the rest; **im Übrigen**[RR] besides; **~ bleiben**[RR] remain, be left [over]; **~ lassen**[RR] leave [over]; **übrigens** *adv* besides; (*nebenbei bemerkt*) by the way; **übriglassen** *vt s.* **übrig**.
Übung *f* practice; (*Turn~, Aufgabe etc*) exercise; **~ macht den Meister** practice makes perfect.
UdSSR *f abk von* **Union der Sozialis-**

tischen **Sowjetrepubliken** (HIST) USSR.

Ufer *nt* <-s, -> bank; (*Meeres~*) shore.

Ufo *nt* <-[s], -s> *akr von* **unbekanntes Flugobjekt** UFO.

Uhr *f* <-, -en> clock; (*Armband~*) watch; **wieviel ~ ist es?** what time is it?; **1 ~** 1 o'clock; **20 ~** 8 o'clock, 8 p.m., 20.00 (twenty hundred hours); **Uhrband** *nt* <Uhrbänder *pl*> watch strap; **Uhrmacher(in)** *m(f)* <-s, -> watchmaker; **Uhrwerk** *nt* clockwork, works *pl* of a watch; **Uhrzeiger** *m* hand; **Uhrzeigersinn** *m*: **im ~** clockwise; **entgegen dem ~** anti-clockwise; **Uhrzeit** *f* time [of day].

Uhu *m* <-s, -s> eagle owl.

Ukraine *f*: **die ~** the Ukraine.

UKW *abk von* **Ultrakurzwelle[n]** VHF.

Ulk *m* <-s, -e> lark; **ulkig** *adj* funny.

Ulme *f* <-, -n> elm.

Ultimatum *nt* <-s, Ultimaten> ultimatum.

Ultrakurzwelle *f* very high frequency.

Ultraschallaufnahme *f* (MED) scan *Brit*, ultrasound *US*; **Ultraschallgerät** *nt* (MED) ultrasound scanner; **Ultraschalluntersuchung** *f* ultrasound scan.

ultraviolett *adj* ultraviolet.

um 1. *präp +akk* [a]round; (*zeitlich*) at; (*mit*) by; (*für*) for; 2. *konj* (*damit*) [in order] to; 3. *adv* (*ungefähr*) about; **zu klug ~ zu ...** too clever to ...; **er schlug ~ sich** he hit about him; **Stunde ~ Stunde** hour after hour; **Auge ~ Auge** an eye for an eye; **~ vieles [besser]** [better] by far; **~ nichts besser** not in the least better; **~ ... willen** for the sake of.

umadressieren *vt* readdress.

umändern *vt* alter.

umarmen *vt* embrace.

Umbau *m* <-[e]s, -e *o* -ten> reconstruction, alteration[s]; **umbauen** *vt* rebuild, reconstruct.

umbenennen *irr vt* rename.

umbilden *vt* reorganize; (POL) reshuffle.

umbinden *irr vt* (*Krawatte etc*) put on.

umblättern *vt* turn over.

umblicken *vr*: **sich ~** look around.

umbringen *irr vt* kill.

Umbruch *m* radical change; (TYP) make-up.

umbuchen *vi* change one's reservation/flight.

umdenken *irr vi* adjust one's views.

umdrehen *vt, vr*: **sich ~** turn [round]; (*Hals*) wring; **Umdrehung** *f* turn; (PHYS) revolution, rotation; (AUTO) revolution.

umfallen *irr vi* fall down, fall over.

Umfang *m* extent; (*von Buch*) size; (*Reichweite*) range; (*Fläche*) area; (MATH) circumference; **umfangreich** *adj* extensive; (*Buch etc*) voluminous.

Umfeld *nt* associated area, associated field.

umformen *vi* transform; **Umformer** *m* <-s, -> (ELEK) transformer, converter.

Umfrage *f* poll.

umfüllen *vt* transfer; (*Wein*) decant.

umfunktionieren *vt* convert, transform.

Umgang *m* company; (*mit jdm*) dealings *pl*; (*Behandlung*) way of behaving.

umgänglich *adj* sociable.

Umgangsformen *pl* manners *pl*; **Umgangssprache** *f* colloquial language.

umgeben *irr vt* surround; **Umgebung** *f* surroundings *pl*; (*Milieu*) environment; (*Personen*) people in one's circle.

umgehen *irr* 1. *vi* (*herumgehen*) go [a]round; 2. *vt* (*Gebiet*) bypass; (*Gesetz*) circumvent; (*vermeiden*) avoid; **mit jdm grob ~** treat sb roughly; **mit Geld sparsam ~** be careful with one's money; **umgehend** *adj* immediate; **Umgehungsstraße** *f* bypass.

umgekehrt 1. *adj* reverse[d]; (*gegenteilig*) opposite; 2. *adv* the other way [a]round; **und ~** and vice versa.

umgraben *irr vt* dig up.

umgruppieren *vt* regroup.

Umhang *m* wrap, cape.

Umhängetasche *f* shoulder-bag.

umhauen *irr vt* fell; (*fig*) bowl over.

umher *adv* about, around; **umhergehen** *irr vi* walk about; **umherreisen** *vi* travel about; **umherziehen** *irr vi* wander from place to place.

umhinkönnen *irr vi*: **ich kann nicht umhin das zu tun** I can't help doing it.

umhören *vr*: **sich ~** ask around.

Umkehr *f* <-> turning back; (*Änderung*) change; **umkehren** 1. *vi* turn back; 2. *vt* turn round, reverse; (*Kleidungsstück*) turn inside out.

umkippen 1. *vt* tip over; 2. *vi* overturn; (*fig*) change one's mind; (*umg: ohnmächtig werden*) keel over, pass out; (*Gewässer*) become polluted (*to the point where organic life is no longer possible*).

Umkleideraum *m* changing- [*o* dressing] room.

umkommen *irr vi* die, perish.

Umkreis *m* neighbourhood; (MATH) circumcircle; **im ~ von** within a radius of; **umkreisen** *vt* circle [round]; (*Satellit*) orbit.

umkrempeln *vt* turn up, roll up; (*fig*) completely change.

umladen *irr vt* transfer, reload.

Umlage *f* share of the costs.

Umlauf *m* circulation; (*von Gestirn*) revolution; (*Schreiben*) circular; **Umlaufbahn** *f* orbit.

Umlaut *m* umlaut.

umlegen *vt* put on; (*verlegen*) move, shift; (*Kosten*) share out; (*umkippen*) tip over; (*umg: töten*) bump off.

umleiten *vt* divert; **Umleitung** *f* diversion.

umlernen *vi* learn something new; (*umdenken*) adjust one's views.

umliegend *adj* surrounding.

Umnachtung *f* [mental] derangement.

umranden *vt* border, edge.

umrechnen *vt* convert; **Umrechnung** *f* conversion; **Umrechnungskurs** *m* rate of exchange.

umreißen *irr vt* outline, sketch.

umringen *vt* surround.

Umriss[RR] *m* outline.

umrühren *vt, vi* stir.

ums = **um das**.

umsatteln *vi* (*umg*) change one's occupation; switch.

Umsatz *m* turnover.

umschalten *vt* switch.

Umschau *f* look[ing] round; ~ **halten nach** look around for; **umschauen** *vr:* **sich** ~ look round.

Umschlag *m* cover; (*Buch~ a.*) jacket; (MED) compress; (*Brief~*) envelope; (*Wechsel*) change; (*von Hose*) turn-up; **Umschlagplatz** *m* (WIRTS) distribution centre.

umschreiben *irr* **1.** *vt* (*anders schreiben*) rewrite; (*übertragen*) transfer (*auf +akk* to); **2.** *vt* (*anders ausdrücken*) paraphrase; (*abgrenzen*) circumscribe, define.

umschulden *vt* roll over [a debt].

umschulen *vt* retrain; (*Kind*) send to another school.

umschwärmen *vt* swarm round; (*fig*) surround, idolize.

Umschweife *pl:* **ohne** ~ without beating about the bush, straight out.

Umschwung *m* change [around], revolution.

umsehen *irr vr:* **sich** ~ look around [*o* about]; (*suchen*) look out (*nach* for).

umseitig *adv* overleaf.

Umsicht *f* prudence, caution; **umsichtig** *adj* cautious, prudent.

umso[RR] *adv* so much; ~ **besser** so much the better.

umsonst *adv* in vain; (*gratis*) for nothing.

umspringen *irr vi* change; (*Wind a.*) veer; **so kannst du mit ihr nicht ~!** (*umg*) you can't treat her like that!

Umstand *m* circumstance; **Umstände** *pl* (*fig*) fuss; **in anderen Umständen sein** be pregnant; **Umstände machen** go to a lot of trouble; **unter Umständen** possibly; **mildernde Umstände** (JUR) extenuating circumstances *pl.*

umständlich *adj* (*Methode*) cumbersome, complicated; (*Ausdrucksweise*) long-winded; (*Mensch*) ponderous.

Umstandskleid *nt* maternity dress; **Umstandswort** *nt* adverb.

umsteigen *irr vi* (EISENB) change [trains/buses].

umstellen 1. *vt* (*an anderen Ort*) change round, rearrange; (TECH) convert; **2.** *vr:* **sich** ~ adapt oneself (*auf +akk* to); **3.** *vt* (*umgeben*) surround; **Umstellung** *f* change; (*Umgewöhnung*) adjustment; (TECH) conversion.

umstimmen *vt* (MUS) retune; **jdn** ~ make sb change his mind.

umstritten *adj* disputed.

Umsturz *m* overthrow; **umstürzlerisch** *adj* revolutionary.

Umtausch *m* exchange; **umtauschen** *vt* exchange.

Umtriebe *pl* machinations *pl.*

umtun *irr vr:* **sich** ~ see; **sich nach etw** ~ look for sth.

umwandeln *vt* change, convert; (ELEK) transform.

umwechseln *vt* change.

Umweg *m* detour, roundabout way.

Umwelt *f* environment; **Umweltauflagen** *pl* environmental requirements *pl;* **Umweltbeauftragte(r)** *mf* environmental health officer; **Umweltbelastung** *f* ecological damage; **Umweltengel** *m symbol designating an environmentally sound product in Germany;* **umweltfeindlich** *adj* ecologically harmful; **umweltfreundlich** *adj* environment-friendly; **umweltgefährdend** *adj* damaging to the environment; **Umweltgift** *nt* substance toxic to the environment; **Umweltkatastrophe** *f* environmental catastrophe; **Umweltkriminalität** *f* environmental terrorism; **Umweltpapier** *nt* recycled paper; **Umwelt-**

U

schutz *m* environmental protection [*o* conservation]; **Umweltschützer(in)** *m(f)* <-s, -> conservationist; **Umweltschutzorganisation** *f* environmental organisation; **Umweltschutzpapier** *nt* recycled paper; **Umweltschutztechnik** *f* conservation technology; **Umweltverschmutzung** *f* [environmental] pollution; **umweltverträglich** *adj* environmentally friendly; **Umweltverträglichkeitsprüfung** *f* ecotest.

umwenden *irr vt, vr:* **sich** ~ turn [round].

umwerben *irr vt* court, woo.

umwerfen *irr vt* upset, overturn; (*Mantel*) throw on; (*fig: ändern*) upset; (*fig umg: jdn*) bowl over; **umwerfend** *adj* (*umg*) drop-dead.

umziehen *irr* **1.** *vt, vr:* **sich** ~ change; **2.** *vi* move [house].

umzingeln *vt* surround, encircle.

Umzug *m* procession; (*Wohnungs~*) move, removal.

unabänderlich *adj* irreversible, unalterable.

unabhängig *adj* independent; **Unabhängigkeit** *f* independence.

unabkömmlich *adj* indispensable; **zur Zeit** ~ not free at the moment.

unablässig *adj* incessant, constant.

unabsehbar *adj* immeasurable; (*Folgen*) unforeseeable; (*Kosten*) incalculable.

unabsichtlich *adj* unintentional.

unachtsam *adj* careless; **Unachtsamkeit** *f* carelessness.

unangebracht *adj* uncalled-for.

unangemessen *adj* inappropriate.

unangenehm *adj* unpleasant.

Unannehmlichkeit *f* inconvenience; **~en** *pl* trouble.

unansehnlich *adj* unsightly.

unanständig *adj* indecent, improper; **Unanständigkeit** *f* indecency, impropriety.

unappetitlich *adj* unsavoury.

Unart *f* bad manners *pl;* (*Angewohnheit*) bad habit; **unartig** *adj* naughty, badly behaved.

unauffällig *adj* unobtrusive; (*Kleidung*) inconspicuous.

unauffindbar *adj* undiscoverable, not to be found.

unaufgefordert **1.** *adj* unasked; **2.** *adv* spontaneously.

unaufhaltsam *adj* relentless.

unaufhörlich *adj* incessant, continuous.

unaufmerksam *adj* inattentive.

unaufrichtig *adj* insincere.

unausgeglichen *adj* volatile.

unaussprechlich *adj* inexpressible.

unausstehlich *adj* intolerable.

unausweichlich *adj* unavoidable, inevitable.

unbändig *adj* extreme, excessive.

unbarmherzig *adj* pitiless, merciless.

unbeabsichtigt *adj* unintentional.

unbeachtet *adj* unnoticed, ignored.

unbedenklich **1.** *adj* harmless; (*Plan*) unobjectionable; **2.** *adv* without hesitation.

unbedeutend *adj* insignificant, unimportant; (*Fehler*) slight.

unbedingt **1.** *adj* unconditional; **2.** *adv* absolutely; **musst du ~ gehen?** do you really have to go?

unbefangen *adj* impartial, unprejudiced; (*ohne Hemmungen*) uninhibited; **Unbefangenheit** *f* impartiality; uninhibitedness.

unbefriedigend *adj* unsatisfactory; **unbefriedigt** *adj* unsatisfied, dissatisfied.

unbefugt *adj* unauthorized.

unbegabt *adj* untalented.

unbegreiflich *adj* (*unverständlich*) incomprehensible; (*Leichtsinn, Dummheit*) inconceivable.

unbegrenzt *adj* unlimited.

unbegründet *adj* unfounded.

Unbehagen *nt* discomfort; **unbehaglich** *adj* uncomfortable; (*Gefühl*) uneasy.

unbeholfen *adj* awkward, clumsy.

unbekannt *adj* unknown.

unbekümmert *adj* unconcerned.

unbeliebt *adj* unpopular; **Unbeliebtheit** *f* unpopularity.

unbequem *adj* (*Stuhl, Mensch*) uncomfortable; (*Regelung*) inconvenient.

unberechenbar *adj* incalculable; (*Mensch, Verhalten*) unpredictable.

unberechtigt *adj* unjustified; (*nicht erlaubt*) unauthorized.

unberufen *interj* touch wood.

unberührt *adj* untouched, intact; **sie ist noch** ~ she is still a virgin.

unbescheiden *adj* presumptuous.

unbeschreiblich *adj* indescribable.

unbesonnen *adj* unwise, rash, imprudent.

unbeständig *adj* (*Mensch*) inconstant; (*Wetter*) unsettled; (*Lage*) unstable.

unbestechlich *adj* incorruptible.

unbestimmt *adj* indefinite; (*Zukunft auch*) uncertain; **Unbestimmtheit** *f* vagueness.

unbeteiligt *adj* unconcerned, indifferent.
unbeugsam *adj* inflexible, stubborn; (*Wille auch*) unbending.
unbewacht *adj* unguarded.
unbeweglich *adj* immovable.
unbewusst[RR] *adj* unconscious.
unbrauchbar *adj* (*Arbeit*) useless; (*Gerät auch*) unusable.
unbürokratisch *adj* unbureaucratic.
uncool *adj* (*sl*) uncool.
und *konj* and; ~ **so weiter** and so on.
Undank *m* ingratitude; **undankbar** *adj* ungrateful; **Undankbarkeit** *f* ingratitude.
undefinierbar *adj* indefinable.
undenkbar *adj* inconceivable.
undeutlich *adj* indistinct.
undicht *adj* leaky.
Unding *nt* absurdity.
unduldsam *adj* intolerant.
undurchführbar *adj* impracticable.
undurchlässig *adj* waterproof, impermeable.
undurchsichtig *adj* opaque; (*fig*) obscure.
uneben *adj* uneven.
unehelich *adj* illegitimate.
uneigennützig *adj* unselfish.
uneinig *adj* divided; ~ **sein** disagree; **Uneinigkeit** *f* discord, dissension.
uneins *adj* at variance, at odds.
unempfindlich *adj* insensitive; **Unempfindlichkeit** *f* insensitivity.
unendlich *adj* infinite; **Unendlichkeit** *f* infinity.
unentbehrlich *adj* indispensable.
unentgeltlich *adj* free [of charge].
unentschieden *adj* undecided; ~ **enden** (SPORT) end in a draw.
unentschlossen *adj* undecided; (*entschlusslos*) irresolute.
unentwegt *adj* unswerving; (*unaufhörlich*) incessant.
unerbittlich *adj* unyielding, inexorable.
unerfahren *adj* inexperienced.
unerfreulich *adj* unpleasant.
unergründlich *adj* unfathomable.
unerhört *adj* unheard-of; (*Bitte*) outrageous.
unerlässlich[RR] *adj* indispensable.
unerlaubt *adj* unauthorized.
unermesslich[RR] *adj* immeasurable, immense.
unermüdlich *adj* indefatigable.
unersättlich *adj* insatiable.
unerschöpflich *adj* inexhaustible.
unerschütterlich *adj* unshakeable.
unerschwinglich *adj* exorbitant; too expensive.
unerträglich *adj* unbearable; (*Frechheit*) insufferable.
unerwartet *adj* unexpected.
unerwünscht *adj* undesirable, unwelcome.
unerzogen *adj* ill-bred, rude.
unfähig *adj* incapable (*zu* of); (*untüchtig*) incompetent; **Unfähigkeit** *f* (*Nichtkönnen*) inability; (*Untüchtigkeit*) incompetence.
unfair *adj* unfair.
Unfall *m* accident; **Unfallflucht** *f* hit-and-run [driving]; **Unfallgefahr** *f* accident risk; **Unfallstelle** *f* scene of the accident; **Unfallversicherung** *f* accident insurance.
unfassbar[RR] *adj* inconceivable.
unfehlbar 1. *adj* infallible; **2.** *adv* inevitably; **Unfehlbarkeit** *f* infallibility.
unflätig *adj* rude.
unfolgsam *adj* disobedient.
unfrankiert *adj* unstamped.
unfreiwillig *adj* involuntary, against one's will.
unfreundlich *adj* unfriendly; **Unfreundlichkeit** *f* unfriendliness.
Unfriede[n] *m* dissension, strife.
unfruchtbar *adj* infertile; (*Gespräche*) unfruitful; **Unfruchtbarkeit** *f* infertility; unfruitfulness.
Unfug *m* <-s> (*Benehmen*) mischief; (*Unsinn*) nonsense.
Ungar(in) *m(f)* <-n, -n> Hungarian; **ungarisch** *adj* Hungarian; **Ungarn** *nt* Hungary.
ungeachtet *präp +gen* notwithstanding.
ungeahnt *adj* unsuspected, undreamt-of.
ungebeten *adj* uninvited.
ungebildet *adj* uneducated, uncultured.
ungebräuchlich *adj* unusual, uncommon.
ungedeckt *adj* (*Scheck*) bouncing.
Ungeduld *f* impatience; **ungeduldig** *adj* impatient.
ungeeignet *adj* unsuitable.
ungefähr *adj* rough, approximate; **das kommt nicht von** ~ that's hardly surprising.
ungefährlich *adj* not dangerous, harmless.
ungehalten *adj* indignant.
ungeheuer 1. *adj* huge; **2.** *adv* (*umg*) enormously; **Ungeheuer** *nt* <-s, ->

monster; **ungeheuerlich** *adj* monstrous.

ungehobelt *adj* (*fig*) uncouth.

ungehörig *adj* impertinent, improper.

ungehorsam *adj* disobedient; **Ungehorsam** *m* disobedience; **ziviler** ~ civil disobedience.

ungeklärt *adj* not cleared up; (*Rätsel*) unsolved; (*Abwasser*) untreated.

ungeladen *adj* not loaded; (ELEK) uncharged; (*Gast*) uninvited.

ungelegen *adj* inconvenient.

ungelernt *adj* unskilled.

ungelogen *adv* really, honestly.

ungemein *adj* great, extreme.

ungemütlich *adj* unpleasant; (*Mensch*) disagreeable.

ungenau *adj* inaccurate; **Ungenauigkeit** *f* inaccuracy.

ungeniert 1. *adj* free and easy, unceremonious; 2. *adv* without embarrassment, freely.

ungenießbar *adj* inedible; (*Getränk*) undrinkable; (*umg: Mensch*) unbearable.

ungenügend *adj* insufficient, inadequate.

ungepflegt *adj* (*Garten*) untended; (*Aussehen*) unkempt; (*Hände*) neglected.

ungerade *adj* uneven, odd.

ungerecht *adj* unjust; **ungerechtfertigt** *adj* unjustified; **Ungerechtigkeit** *f* injustice, unfairness.

ungern *adv* unwillingly, reluctantly.

ungeschehen *adj:* ~ **machen** undo.

Ungeschicklichkeit *f* clumsiness; **ungeschickt** *adj* awkward, clumsy.

ungeschminkt *adj* without make-up; (*fig*) unvarnished.

ungesetzlich *adj* illegal.

ungestempelt *adj* (*Briefmarke*) uncancelled.

ungestört *adj* undisturbed.

ungestraft *adv* with impunity.

ungestüm *adj* impetuous; **Ungestüm** *nt* <-[e]s> impetuosity.

ungesund *adj* unhealthy.

ungetrübt *adj* clear; (*fig*) untroubled; (*Freude*) unalloyed.

Ungetüm *nt* <-[e]s, -e> monster.

ungewiss[RR] *adj* uncertain; **Ungewissheit**[RR] *f* uncertainty.

ungewöhnlich *adj* unusual.

ungewohnt *adj* unaccustomed.

Ungeziefer *nt* <-s> vermin.

ungezogen *adj* rude, impertinent; **Ungezogenheit** *f* rudeness, impertinence.

ungezwungen *adj* natural, unconstrained.

ungläubig *adj* unbelieving; **ein ~er Thomas** a doubting Thomas; **die Ungläubigen** *pl* the infidel[s].

unglaublich *adj* incredible.

unglaubwürdig *adj* untrustworthy, unreliable; (*Geschichte*) implausible.

ungleich 1. *adj* dissimilar; (*nicht vergleichbar*) unequal; 2. *adv* incomparably; ~ **besser** much better; **ungleichartig** *adj* different; **Ungleichheit** *f* dissimilarity; inequality.

Unglück *nt* <-[e]s, -e> misfortune; (*Pech*) bad luck; (*~sfall*) calamity, disaster; (*Verkehrs~*) accident; **unglücklich** *adj* unhappy; (*erfolglos*) unlucky; (*unerfreulich*) unfortunate; **unglücklicherweise** *adv* unfortunately; **unglückselig** *adj* calamitous; (*Mensch*) unfortunate; **Unglücksfall** *m* accident.

ungültig *adj* invalid; **Ungültigkeit** *f* invalidity.

ungünstig *adj* unfavourable.

ungut *adj* (*Gefühl*) uneasy; **nichts für** ~ no offence.

unhaltbar *adj* untenable.

Unheil *nt* evil; (*Unglück*) misfortune; ~ **anrichten** cause mischief; **unheilvoll** *adj* disastrous.

unheimlich 1. *adj* weird, uncanny; 2. *adv* (*umg*) tremendously.

unhöflich *adj* impolite; **Unhöflichkeit** *f* impoliteness.

unhygienisch *adj* unhygienic.

uni *adj inv* self-coloured.

Uni *f* <-, -s> university.

Uniform *f* <-, -en> uniform; **uniformiert** *adj* uniformed.

uninteressant *adj* uninteresting.

Union *f* union.

Universität *f* university.

Universum *nt* <-s> universe.

unkenntlich *adj* unrecognizable.

Unkenntnis *f* ignorance.

unklar *adj* unclear; **im Unklaren**[RR] **sein über** +*akk* be in the dark about; **Unklarheit** *f* unclarity; (*Unentschiedenheit*) uncertainty.

unklug *adj* unwise.

Unkosten *pl* expense[s].

Unkraut *nt* weed; weeds *pl;* **Unkrautvernichtungsmittel** *nt* weed killer, herbicide.

unlängst *adv* not long ago.

unlauter *adj* unfair.

unleserlich *adj* illegible.

unlogisch *adj* illogical.
unlösbar, **unlöslich** *adj* insoluble.
Unlust *f* lack of enthusiasm; **unlustig** *adj* unenthusiastic.
unmäßig *adj* immoderate.
Unmenge *f* tremendous number, hundreds *pl* (*von* of).
Unmensch *m* ogre, brute; **unmenschlich** *adj* inhuman, brutal; (*ungeheuer*) awful.
unmerklich *adj* imperceptible.
unmissverständlich[RR] *adj* unmistakable.
unmittelbar *adj* immediate.
unmöbliert *adj* unfurnished.
unmöglich *adj* impossible; **Unmöglichkeit** *f* impossibility.
unmoralisch *adj* immoral.
Unmut *m* ill humour.
unnachgiebig *adj* unyielding.
unnahbar *adj* unapproachable.
unnötig *adj* unnecessary; **unnötigerweise** *adv* unnecessarily.
unnütz *adj* useless.
unordentlich *adj* untidy; **Unordnung** *f* disorder.
unparteiisch *adj* impartial; **Unparteiische(r)** *mf* umpire; (*beim Fußball*) referee.
unpassend *adj* inappropriate; (*Zeit*) inopportune.
unpässlich[RR] *adj* unwell.
unpersönlich *adj* impersonal.
unpolitisch *adj* apolitical.
unpraktisch *adj* unpractical.
unproduktiv *adj* unproductive.
unproportioniert *adj* out of proportion.
unpünktlich *adj* unpunctual.
unrationell *adj* inefficient.
unrecht *adj* wrong; **Unrecht** *nt* wrong; **zu ~** wrongly; **~ haben, im ~ sein** be wrong; **unrechtmäßig** *adj* unlawful, illegal.
unregelmäßig *adj* irregular; **Unregelmäßigkeit** *f* irregularity.
unreif *adj* (*Obst*) unripe; (*fig*) immature.
unrentabel *adj* unprofitable.
unrichtig *adj* incorrect, wrong.
Unruhe *f* <-, -n> unrest; **Unruhestifter(in)** *m(f)* troublemaker; **unruhig** *adj* restless.
uns 1. *pron akk von* **wir** us; 2. *pron dat von* **wir** [to] us.
unsachlich *adj* not to the point, irrelevant; (*persönlich*) personal.
unsagbar, **unsäglich** *adj* indescribable.
unsanft *adj* rough.
unsauber *adj* unclean, dirty; (*fig*) crooked; (MUS) inaccurate.
unschädlich *adj* harmless; **jdn/etw ~ machen** render sb/sth harmless.
unscharf *adj* indistinct; (*Bild*) out of focus, blurred.
unscheinbar *adj* insignificant; (*Aussehen*) unprepossessing.
unschlagbar *adj* unbeatable.
unschlüssig *adj* undecided.
Unschuld *f* innocence; **unschuldig** *adj* innocent.
unselbständig *adj* dependent, over-reliant on others.
unser 1. *pron* (*adjektivisch*) our; 2. *pron gen von* **wir** of us; **unsere(r, s)** *pron* (*substantivisch*) ours; **unsererseits** *adv* from our side; **unseresgleichen** *pron* people like us; (*gleichrangig*) our equals; **unseretwegen** *adv* (*wegen uns*) because of us; (*uns zuliebe*) for our sake; (*für uns*) on our behalf; (*von uns aus*) as far as we are concerned.
unsicher *adj* uncertain; (*Mensch*) insecure; **Unsicherheit** *f* uncertainty; insecurity.
unsichtbar *adj* invisible; **Unsichtbarkeit** *f* invisibility.
Unsinn *m* nonsense; **unsinnig** *adj* nonsensical.
Unsitte *f* deplorable habit.
unsittlich *adj* indecent.
unsportlich *adj* unathletic, unfit; (*Verhalten*) unsporting.
unsre = **unsere**.
unsterblich *adj* immortal; **Unsterblichkeit** *f* immortality.
Unstimmigkeit *f* inconsistency; (*Streit*) disagreement.
unsympathisch *adj* unpleasant; **er ist mir ~** I don't like him.
untätig *adj* idle.
untauglich *adj* unsuitable; (MIL) unfit; **Untauglichkeit** *f* unsuitability; unfitness.
unteilbar *adj* indivisible.
unten *adv* below; (*im Haus*) downstairs; (*an der Treppe etc*) at the bottom; **nach ~** down; **~ am Berg** at the bottom of the mountain; **ich bin bei ihm ~ durch** (*umg*) he's through with me.
unter 1. *präp+akk o dat* under, below; (*bei Menschen*) among; (*während*) during; 2. *adv* under.
Unterabteilung *f* subdivision.

Unterarm *m* forearm.
unterbelichten *vt* (FOTO) underexpose.
Unterbewusstsein[RR] *nt* subconscious.
unterbezahlt *adj* underpaid.
unterbieten *irr vt* (WIRTS) undercut; (*Rekord*) lower, reduce.
unterbinden *irr vt* stop, call a halt to.
Unterbodenschutz *m* (AUTO) underseal.
unterbrechen *irr vt* interrupt; **Unterbrechung** *f* interruption.
unterbringen *irr vt* (*in Koffer*) stow; (*jdn: in Hotel*) accommodate, put up; (*umg: beruflich*) find a job for sb.
unterdessen *adv* meanwhile.
Unterdruck *m* <Unterdrücke *pl*> low pressure.
unterdrücken *vt* suppress; (*Leute*) oppress; **Unterdrückung** *f* suppression.
untere(r, s) *adj* lower.
untereinander *adv* with each other; among themselves.
unterentwickelt *adj* underdeveloped.
unterernährt *adj* undernourished, underfed; **Unterernährung** *f* malnutrition.
Unterführung *f* subway *Brit*, underpass.
Untergang *m* [down]fall, decline; (NAUT) sinking; (*von Gestirn*) setting.
untergeben *adj* subordinate.
untergehen *irr vi* go down; (*Sonne auch*) set; (*Staat*) fall; (*Volk*) perish; (*Welt*) come to an end; (*im Lärm*) be drowned.
Untergeschoss[RR] *nt* basement.
untergliedern *vt* subdivide.
Untergrund *m* foundation; (POL) underground; **Untergrundbahn** *f* underground, subway *US*; **Untergrundbewegung** *f* underground [movement].
unterhalb *adv, präp +gen* below; ~ **von** below.
Unterhalt *m* maintenance; **unterhalten** *irr* **1.** *vt* maintain; (*belustigen*) entertain; **2.** *vr:* **sich** ~ talk; (*sich belustigen*) enjoy oneself; **unterhaltend** *adj* entertaining; **unterhaltsam** *adj* entertaining; **Unterhaltspflicht** *f* obligation to pay maintenance; **Unterhaltung** *f* maintenance; (*Belustigung*) entertainment, amusement; (*Gespräch*) talk; **Unterhaltungselektronik** *f* consumer electronics *pl*, brown goods *pl*; **Unterhaltungsindustrie** *f* entertainment industry.
Unterhändler(in) *m(f)* negotiator.
Unterhemd *nt* vest, undershirt *US*.
Unterhose *f* underpants *pl*.
unterirdisch *adj* underground.
Unterkiefer *m* lower jaw.
unterkommen *irr vi* find shelter; find work; **das ist mir noch nie untergekommen** I've never met with that before.
Unterkunft *f* <-, Unterkünfte> accommodation.
Unterlage *f* foundation; (*Beleg*) document; (*Schreib~*) pad.
unterlassen *irr vt* (*versäumen*) fail to do; (*sich enthalten*) refrain from.
unterlaufen 1. *irr vi* happen; **2.** *adj:* **mit Blut** ~ (*Augen*) bloodshot.
unterlegen 1. *vt* lay [*o* put] under; **2.** *adj* inferior (*dat* to); (*besiegt*) defeated.
Unterleib *m* abdomen.
unterliegen *irr vi* be defeated [*o* overcome] (*jdm* by sb); (*unterworfen sein*) be subject to.
Untermiete *f:* **zur** ~ **wohnen** be a subtenant [*o* lodger]; **Untermieter(in)** *m(f)* subtenant, lodger.
unternehmen *irr vt* undertake; **Unternehmen** *nt* <-s, -> undertaking; (*a.* WIRTS) enterprise; **Unternehmensberater(in)** *m(f)* management consultant; **Unternehmer(in)** *m(f)* <-s, -> employer, entrepreneur; **unternehmungslustig** *adj* enterprising.
Unterredung *f* discussion, talk.
Unterricht *m* <-[e]s, -e> instruction, lessons *pl*; **unterrichten 1.** *vt* instruct; (SCH) teach; (*informieren*) inform; **2.** *vr:* **sich** ~ inform oneself (*über +akk* about).
Unterrock *m* slip, underskirt.
untersagen *vt* forbid (*jdm etw* sb to do sth).
unterschätzen *vt* underestimate.
unterscheiden *irr* **1.** *vt* distinguish; **2.** *vr:* **sich** ~ differ; **Unterscheidung** *f* (*Unterschied*) distinction; (*Unterscheiden*) differentiation.
Unterschied *m* <-[e]s, -e> difference, distinction; **im** ~ **zu** as distinct from; **unterschiedlich** *adj* varying, differing; (*diskriminierend*) discriminatory; **unterschiedslos** *adv* indiscriminately.
unterschlagen *irr vt* embezzle; (*verheimlichen*) suppress; **Unterschlagung** *f* embezzlement.
Unterschlupf *m* <-[e]s, Unterschlüpfe> refuge.
unterschreiben *irr vt* sign.
Unterschrift *f* signature.
Unterseeboot *nt* submarine.
Untersetzer *m* <-s, -> tablemat; (*für Gläser*) coaster.

untersetzt *adj* stocky.
unterste(r, s) *adj* lowest, bottom.
unterstehen *irr* **1.** *vi* be under (*jdm* sb); **2.** *vr:* **sich** ~ dare; **3.** *vi* (*zum Schutz*) shelter; **untersteh dich!** don't you dare!
unterstellen 1. *vt* (*rangmäßig*) subordinate (*dat* to); (*fig*) impute (*jdm etw* sth to sb); **2.** *vt* (*Auto*) park in a sheltered place; **3.** *vr:* **sich** ~ take shelter.
unterstreichen *irr vt* (*a. fig*) underline.
Unterstufe *f* lower grade.
unterstützen *vt* support; **Unterstützung** *f* support, assistance.
untersuchen *vt* (MED) examine; (*Polizei*) investigate; **Untersuchung** *f* examination; investigation, inquiry; **Untersuchungsausschuss**[RR] *m* committee of inquiry; **Untersuchungshaft** *f* remand [custody].
Untertan(in) *m(f)* <-s, -en> subject; **untertänig** *adj* submissive, humble.
Untertasse *f* saucer.
untertauchen *vi* dive; (*fig*) disappear, go underground.
Unterteil *nt* lower part, bottom.
unterteilen *vt* divide up.
untertreiben *vi* understate.
Unterverzeichnis *nt* (INFORM) subdirectory.
unterwandern *vt* infiltrate.
Unterwäsche *f* underwear.
unterwegs *adv* on the way.
unterweisen *irr vt* instruct.
Unterwelt *f* underworld.
unterwerfen *irr* **1.** *vt* subject; (*Volk*) subjugate; **2.** *vr:* **sich** ~ submit oneself (*dat* to); **unterwürfig** *adj* obsequious, servile.
unterzeichnen *vt* sign.
unterziehen *irr* **1.** *vt* subject (*dat* to); **2.** *vr:* **sich** ~ undergo (*einer Sache dat* sth); (*einer Prüfung*) take.
untreu *adj* unfaithful; **Untreue** *f* unfaithfulness.
untröstlich *adj* inconsolable.
Untugend *f* vice, failing; (*schlechte Angewohnheit*) bad habit.
untypisch *adj* atypical.
unüberlegt 1. *adj* ill-considered; **2.** *adv* without thinking.
unübersehbar *adj* incalculable.
unumgänglich *adj* absolutely necessary.
unumwunden 1. *adj* candid; **2.** *adv* straight out.
ununterbrochen *adj* uninterrupted.
unveränderlich *adj* unchangeable.
unverantwortlich *adj* irresponsible; (*unentschuldbar*) inexcusable.
unverbesserlich *adj* incorrigible.
unverbindlich 1. *adj* not binding; (*Antwort*) curt; **2.** *adv* (WIRTS) without obligation.
unverbleit *adj* unleaded, lead-free.
unverblümt *adv* plainly, bluntly.
unverdaulich *adj* indigestible.
unverdorben *adj* unspoilt.
unvereinbar *adj* incompatible.
unverfänglich *adj* harmless.
unverfroren *adj* impudent.
unverkennbar *adj* unmistakable.
unvermeidlich *adj* unavoidable.
unvermutet *adj* unexpected.
unvernünftig *adj* foolish.
unverschämt *adj* impudent; **Unverschämtheit** *f* impudence, insolence.
unversöhnlich *adj* irreconcilable.
unverständlich *adj* unintelligible.
unverträglich *adj* (*Mensch*) quarrelsome; (*Meinungen*, MED) incompatible.
unverwüstlich *adj* indestructible; (*Mensch*) irrepressible.
unverzeihlich *adj* unpardonable.
unverzüglich *adj* immediate.
unvollkommen *adj* imperfect; **unvollständig** *adj* incomplete.
unvorbereitet *adj* unprepared.
unvoreingenommen *adj* unbiased.
unvorhergesehen *adj* unforeseen.
unvorsichtig *adj* careless, imprudent.
unvorstellbar *adj* inconceivable.
unvorteilhaft *adj* disadvantageous.
unwahr *adj* untrue.
unwahrscheinlich 1. *adj* improbable, unlikely; **2.** *adv* (*umg*) incredibly; **Unwahrscheinlichkeit** *f* improbability, unlikelihood.
unweigerlich 1. *adj* unquestioning; **2.** *adv* without fail.
Unwesen *nt* nuisance; (*Unfug*) mischief; **sein ~ treiben** wreak havoc.
unwesentlich *adj* inessential, unimportant; ~ **besser** marginally better.
Unwetter *nt* thunderstorm.
unwichtig *adj* unimportant.
unwiderlegbar *adj* irrefutable; **unwiderruflich** *adj* irrevocable; **unwiderstehlich** *adj* irresistible.
Unwille(n) *m* indignation; **unwillig** *adj* indignant; (*widerwillig*) reluctant.
unwillkürlich 1. *adj* involuntary; **2.** *adv* instinctively; (*lachen*) involuntarily.
unwirklich *adj* unreal.

unwirsch *adj* cross, surly.
unwirtlich *adj* inhospitable.
unwirtschaftlich *adj* uneconomical.
unwissend *adj* ignorant; **Unwissenheit** *f* ignorance.
unwissenschaftlich *adj* unscientific.
unwohl *adj* unwell, ill; **Unwohlsein** *nt* <-s> indisposition.
unwürdig *adj* unworthy (*jds* of sb).
unzählig *adj* innumerable, countless.
unzerbrechlich *adj* unbreakable.
unzertrennlich *adj* inseparable.
Unzucht *f* sexual offence.
unzüchtig *adj* indecent.
unzufrieden *adj* dissatisfied; **Unzufriedenheit** *f* discontent.
unzulänglich *adj* inadequate.
unzulässig *adj* inadmissible.
unzurechnungsfähig *adj* not responsible; **jdn für ~ erklären lassen** have sb certified non compos mentis.
unzusammenhängend *adj* disconnected; (*Äußerung*) incoherent.
unzutreffend *adj* inapplicable; (*unwahr*) incorrect.
unzuverlässig *adj* unreliable.
unzweideutig *adj* unambiguous.
üppig *adj* (*Essen*) sumptuous, lavish; (*Vegetation*) lush.
Ur- *in Zusammensetzungen* original; **uralt** *adj* ancient, very old.
Uran *nt* <-s> uranium.
Uraufführung *f* first performance; **Ureinwohner(in)** *m(f)* native inhabitant; **Urenkel(in)** *m(f)* great-grandchild; **Urgroßmutter** *f* great-grandmother; **Urgroßvater** *m* great-grandfather.
Urheber(in) *m(f)* <-s, -> originator; (*Autor*) author.
urig *adj* original.
Urin *m* <-s, -e> urine.
urkomisch *adj* (*umg*) hysterically funny.
Urkunde *f* <-, -n> document, deed; **Urkundenfälschung** *f* document forgery; **urkundlich** *adj* documentary.
Urlaub *m* <-[e]s, -e> holiday[s], vacation *US;* (MIL) leave; **Urlauber(in)** *m(f)* <-s, -> holiday-maker, vacationer *US*.
Urmensch *m* primitive man.
Urne *f* <-, -n> urn; (*Wahl~*) ballot-box.
Ursache *f* cause.
Ursprung *m* origin, source; (*von Fluss*) source.
ursprünglich *adj, adv* original[ly].
Urteil *nt* <-s, -e> opinion; (JUR) sentence, judgement; **urteilen** *vi* judge; **Urteilsspruch** *m* sentence, verdict.
Urwald *m* jungle.
Urzeit *f* prehistoric times *pl*.
USA *pl* USA *sing*.
usw *abk von* **und so weiter** etc.
Utensilien *pl* utensils *pl*.
Utopie *f* pipe dream; **utopisch** *adj* utopian.

V

V, v *nt* V, v.
vag[e] *adj* vague.
Vagina *f* <-, Vaginen> vagina.
Vakuum *nt* <-s, Vakua *o* Vakuen> vacuum; **vakuumverpackt** *adj* vacuum-packed.
Vandalismus *m* vandalism.
Vanille *f* <-> vanilla.
Variation *f* variation; **variieren** *vt, vi* vary.
Vase *f* <-, -n> vase.
Vater *m* <-s, Väter> father; **Vaterland** *nt* native country; Fatherland; **Vaterlandsliebe** *f* patriotism; **väterlich** *adj* fatherly; **väterlicherseits** *adv* on the father's side; **Vaterschaft** *f* paternity; **Vaterunser** *nt* <-s, -> Lord's prayer.
Vatikan *m* Vatican.
Vegetarier(in) *m(f)* <-s, -> vegetarian; **vegetarisch** *adj* vegetarian.
vehement *adj* vehement.
Veilchen *nt* violet.
Velo *nt* <-s, -s> (*schweizerisch*) bicycle.
Vene *f* <-, -n> vein.
Venedig *nt* Venice.
Ventil *nt* <-s, -e> valve.
Ventilator *m* ventilator.
verabreden 1. *vt* agree, arrange; **2.** *vr:* **sich ~** arrange to meet (*mit jdm* sb); **Verabredung** *f* arrangement; (*Treffen*) appointment.
verabscheuen *vt* detest, abhor.
verabschieden 1. *vt* (*Gäste*) say goodbye to; (*entlassen*) discharge; (*Gesetz*) pass; **2.** *vr:* **sich ~** take one's leave (*von* of); **Verabschiedung** *f* leave-taking; discharge; passing.
verachten *vt* despise; **verächtlich** *adj* contemptuous; (*verachtenswert*) contemptible; **jdn ~ machen** run sb down; **Verachtung** *f* contempt.
verallgemeinern *vt* generalize; **Verall-**

gemeinerung *f* generalization.
veralten *vi* become obsolete [*o* out-of-date].
Veranda *f* <-, Veranden> veranda.
veränderlich *adj* changeable; **Veränderlichkeit** *f* variability, instability; **verändern** *vt, vr:* **sich ~** change, alter; **Veränderung** *f* change, alteration.
veranlagt *adj* with a ... nature; **Veranlagung** *f* (*körperlich*) predisposition; (*charakterlich*) disposition; (*Hang*) tendency; (*Fähigkeiten*) abilities *pl.*
veranlassen *vt* cause; **Maßnahmen ~** take measures; **sich veranlasst sehen** feel prompted; **Veranlassung** *f* cause; **auf jds ~ [hin]** at the instance of sb.
veranschaulichen *vt* illustrate.
veranschlagen *vt* estimate.
veranstalten *vt* organize, arrange; **Veranstalter(in)** *m(f)* <-s, -> organizer; **Veranstaltung** *f* (*Veranstalten*) organizing; (*Veranstaltetes*) event, function; **Veranstaltungskalender** *m* calendar of events.
verantworten 1. *vt* answer for; 2. *vr:* **sich ~** justify oneself; **verantwortlich** *adj* responsible; **Verantwortung** *f* responsibility; **verantwortungsbewusst**[RR] *adj* responsible; **verantwortungslos** *adj* irresponsible.
verarbeiten *vt* process; (*geistig*) assimilate; **etw zu etw ~** make sth into sth; **Verarbeitung** *f* processing; assimilation.
verärgern *vt* annoy.
verausgaben *vr:* **sich ~** run out of money; (*fig*) overexert oneself.
veräußern *vt* dispose of, sell.
Verb *nt* <-s, -en> verb.
Verband *m* <Verbände *pl*> (MED) bandage, dressing; (*Bund*) association, society; (MIL) unit; **Verband[s]kasten** *m* medicine chest, first-aid box; **Verband[s]zeug** *nt* dressing material.
verbannen *vt* banish; **Verbannung** *f* exile.
verbergen *irr vt, vr:* **sich ~** hide (*vor+dat* from).
verbessern *vt, vr:* **sich ~** improve; (*berichtigen*) correct [oneself]; **Verbesserung** *f* improvement; correction.
verbeugen *vr:* **sich ~** bow; **Verbeugung** *f* bow.
verbiegen *irr vi* bend.
verbieten *irr vt* forbid (*jdm etw* sb to do sth).
verbilligt *adj* reduced.
verbinden *irr* 1. *vt* connect; (*kombinieren*) combine; (MED) bandage; 2. *vr:* **sich ~** combine, join; **jdm die Augen ~** blindfold sb.
verbindlich *adj* binding; (*freundlich*) friendly; **Verbindlichkeit** *f* obligation; (*Höflichkeit*) civility.
Verbindung *f* connection; (*Zusammensetzung*) combination; (CHEM) compound; (*an Universität*) club, fraternity.
verbissen *adj* grim, dogged.
verbitten *irr vt:* **sich** *dat* **etw ~** not tolerate sth, not stand for sth.
verbittern 1. *vt* embitter; 2. *vi* get bitter.
verblassen *vi* fade.
Verbleib *m* <-[e]s> whereabouts *pl;* **verbleiben** *irr vi* remain; **wir sind so verblieben, dass wir ...** we agreed to ...
verbleit *adj* leaded.
Verblendung *f* (*fig*) delusion.
verblöden 1. *vi* go crazy; 2. *vt* turn into a zombie.
verblüffen *vt* stagger, amaze; **Verblüffung** *f* stupefaction.
verblühen *vi* wither, fade.
verbluten *vi* bleed to death.
verborgen *adj* hidden.
Verbot *nt* <-[e]s, -e> prohibition, ban; **verboten** *adj* forbidden; **Rauchen ~!** no smoking; **verbotenerweise** *adv* although it is forbidden; **Verbotsschild** *nt* sign prohibiting something.
Verbrauch *m* <-[e]s> consumption; **verbrauchen** *vt* use up; **Verbraucher(in)** *m(f)* <-s, -> consumer; **Verbraucherzentrale** *f* consumer advice centre; **verbraucht** *adj* used up, finished; (*Luft*) stale; (*Mensch*) worn-out.
verbrechen *irr vt* perpetrate; **Verbrechen** *nt* <-s, -> crime; **Verbrecher(in)** *m(f)* <-s, -> criminal; **verbrecherisch** *adj* criminal.
verbreiten *vt, vr:* **sich ~** spread.
verbreitern *vt* broaden.
Verbreitung *f* spread[ing], propagation.
verbrennen *irr vt* burn; (*Leiche*) cremate; **Verbrennung** *f* burning; (*in Motor*) combustion; (*von Leiche*) cremation; **Verbrennungsmotor** *m* internal combustion engine.
verbringen *irr vt* spend.
Verbrüderung *f* fraternization.
verbrühen *vt* scald.
verbuchen *vt* (FIN) register; (*Erfolg*) enjoy; (*Misserfolg*) suffer.
Verbund *m* association; **verbunden** *adj*

connected; **jdm ~ sein** be obliged [*o* indebted] to sb; **falsch ~** (TEL) wrong number.

verbünden *vr:* **sich ~** ally oneself.

Verbundenheit *f* bond, relationship.

Verbündete(r) *mf* ally.

verbürgen *vr:* **sich ~ für** vouch for.

verbüßen *vt:* **eine Strafe ~** serve a sentence.

verchromt *adj* chromium-plated.

Verdacht *m* <-[e]s> suspicion; **verdächtig** *adj* suspicious, suspect; **verdächtigen** *vt* suspect.

verdammen *vt* damn, condemn.

verdampfen *vi* vaporize, evaporate.

verdanken *vt:* **jdm etw ~** owe sb sth.

verdarb *imperf von* **verderben**.

verdauen *vt* (*a. fig*) digest; **verdaulich** *adj* digestible; **das ist schwer ~** that is hard to digest; **Verdauung** *f* digestion.

Verdeck *nt* <-[e]s, -e> (AUTO) hood; (NAUT) deck.

verdecken *vt* cover [up]; (*verbergen*) hide.

verdenken *irr vt:* **jdm etw ~** blame sb for sth, hold sth against sb.

verderben <verdarb, verdorben> **1.** *vt* spoil; (*schädigen*) ruin; (*moralisch*) corrupt; **2.** *vi* (*Lebensmittel*) spoil, rot; **es mit jdm ~** get into sb's bad books; **Verderben** *nt* <-s> ruin; **verderblich** *adj* (*Einfluss*) pernicious; (*Lebensmittel*) perishable; **verderbt** *adj* depraved; **Verderbtheit** *f* depravity.

verdeutlichen *vt* make clear.

verdichten *vt, vr:* **sich ~** condense.

verdienen *vt* earn; (*moralisch*) deserve; **Verdienst 1.** *m* <-[e]s, -e> earnings *pl;* **2.** *nt* <-[e]s, -e> merit; (*Leistung*) service (*um* to); **verdient** *adj* well-earned; (*Mensch*) deserving of esteem; **sich um etw ~ machen** do a lot for sth.

verdoppeln *vt* double; **Verdopp[e]lung** *f* doubling.

verdorben 1. *pp von* **verderben**; **2.** *adj* spoilt; (*geschädigt*) ruined; (*moralisch*) corrupt.

verdrängen *vt* oust; (*a.* PHYS) displace; (PSYCH) repress; **Verdrängung** *f* displacement; (PSYCH) repression.

verdrehen *vt* (*a. fig*) twist; (*Augen*) roll; **jdm den Kopf ~** (*fig*) turn sb's head.

verdreifachen *vt* treble, triple.

verdrießlich *adj* peevish, annoyed.

verdrossen *adj* cross, sulky.

verdrücken 1. *vt* (*umg*) put away, eat; **2.** *vr:* **sich ~** (*umg*) disappear.

Verdruss[RR] *m* <-es, -e> annoyance, worry.

verduften *vi* (*umg*) vanish into thin air; **verdufte!** go for [*o* take] a hike!

verdummen 1. *vt* make stupid; **2.** *vi* grow stupid.

verdunkeln *vt, vr:* **sich ~** darken; (*fig*) obscure; **Verdunk[e]lung** *f* blackout; (*fig*) obscuring; **Verdunk[e]lungsgefahr** *f* danger of evidence being suppressed.

verdünnen *vt* dilute.

verdunsten *vi* evaporate.

verdursten *vi* die of thirst.

verdutzt *adj* nonplussed, taken aback.

verehren *vt* venerate; (*a.* REL) worship; **jdm etw ~** present sb with sth; **Verehrer(in)** *m(f)* <-s, -> admirer; **verehrt** *adj* esteemed; **Verehrung** *f* respect; (REL) worship.

vereidigen *vt* swear in; **Vereidigung** *f* swearing in.

Verein *m* <-[e]s, -e> club, association.

vereinbar *adj* compatible.

vereinbaren *vt* agree upon; **Vereinbarung** *f* agreement.

vereinfachen *vt* simplify.

vereinheitlichen *vt* standardize.

vereinigen *vt, vr:* **sich ~** unite; **Vereinigtes Königreich** United Kingdom; **Vereinigte Staaten [von Amerika]** *pl* United States [of America] *pl;* **Vereinigung** *f* union; (*Verein*) association.

vereinsamen *vi* become isolated.

vereint *adj* united.

vereinzelt *adj* isolated.

vereisen 1. *vi* freeze, ice over; **2.** *vt* (MED) freeze.

vereiteln *vt* frustrate.

vereitern *vi* fester.

verengen *vr:* **sich ~** narrow.

vererben 1. *vt* bequeath; (BIO) pass on; **2.** *vr:* **sich ~** be hereditary; **vererblich** *adj* hereditary; **Vererbung** *f* bequeathing; (BIO) transmission; (*Lehre*) heredity.

verewigen 1. *vt* immortalize; **2.** *vr:* **sich ~** (*umg*) leave one's name.

verfahren *irr* **1.** *vi* proceed; **2.** *vr:* **sich ~** get lost; **3.** *adj* tangled; **~ mit** deal with; **Verfahren** *nt* <-s, -> procedure; (TECH) method; (JUR) proceedings *pl.*

Verfall *m* <-[e]s> decline; (*von Haus*) dilapidation; (FIN) expiry; **verfallen** *irr vi* decline; (*Haus*) be falling apart; (FIN) lapse; **~ in** lapse into; **~ auf** *+akk* hit upon; **einem Laster ~ sein** be addicted to a vice; **Ver-**

fallsdatum *nt* use-by date.
verfänglich *adj* awkward, tricky.
verfärben *vr:* **sich** ~ change colour.
verfassen *vt* write.
Verfasser(in) *m(f)* <-s, -> author, writer.
Verfassung *f* (*a.* POL) constitution; **Verfassungsgericht** *nt* constitutional court; **verfassungsmäßig** *adj* constitutional; **verfassungswidrig** *adj* unconstitutional.
verfaulen *vi* rot.
Verfechter(in) *m(f)* <-s, -> advocate.
verfehlen *vt* miss; **etw für verfehlt halten** regard sth as mistaken.
verfeinern *vt* refine.
verfliegen *irr vi* (*Duft*) fade [away]; (*Zeit*) pass, fly.
verflossen *adj* past, former.
verfluchen *vt* curse.
verflüchtigen *vr:* **sich** ~ clear; (*Geruch*) fade.
verfolgen *vt* pursue; (*gerichtlich*) prosecute; (*grausam,* POL) persecute; **Verfolger(in)** *m(f)* <-s, -> pursuer; **Verfolgung** *f* pursuit; prosecution; persecution; **Verfolgungsjagd** *f* pursuit, chase; **Verfolgungswahn** *m* persecution mania.
verfremden *vt* alienate, distance.
verfrüht *adj* premature.
verfügbar *adj* available; **verfügen** 1. *vt* direct, order; 2. *vi:* ~ **über** *+akk* have at one's disposal; **Verfügung** *f* direction, order; **zur** ~ at one's disposal; **jdm zur** ~ **stehen** be sbs disposal.
verführen *vt* tempt; (*sexuell*) seduce; **Verführer(in)** *m(f)* tempter; seducer; **verführerisch** *adj* seductive; **Verführung** *f* seduction; (*Versuchung*) temptation.
vergammeln *vi* (*umg*) go to seed; (*Nahrung*) go off.
vergangen *adj* past; **Vergangenheit** *f* past; **Vergangenheitsbewältigung** *f* process of coming to terms with the past.
vergänglich *adj* transitory; **Vergänglichkeit** *f* transitoriness, impermanence.
vergasen *vt* gasify; (*töten*) gas; **Vergaser** *m* <-s, -> (AUTO) carburettor.
vergaß *imperf von* **vergessen.**
vergeben *irr vt* forgive (*jdm etw* sb for sth); (*weggeben*) give away; ~ **sein** be occupied; (*umg: Mädchen*) be spoken for.
vergebens *adv* in vain; **vergeblich** 1. *adv* in vain; 2. *adj* vain, futile.
Vergebung *f* forgiveness.
vergegenwärtigen *vt:* **sich** *dat* **etw** ~ recall [*o* visualize] sth.
vergehen *irr* 1. *vi* pass by, pass away; 2. *vr:* **sich** ~ commit an offence (*gegen etw* against sth); **sich an jdm** ~ [sexually] assault sb; **jdm vergeht etw** sb loses sth; **Vergehen** *nt* <-s, -> offence.
vergelten *irr vt* pay back (*jdm etw* sb for sth), repay; **Vergeltung** *f* retaliation, reprisal; **Vergeltungsschlag** *m* (MIL) reprisal.
vergessen <vergaß, vergessen> *vt* forget; **Vergessenheit** *f* oblivion; **vergesslich**[RR] *adj* forgetful; **Vergesslichkeit**[RR] *f* forgetfulness.
vergeuden *vt* squander, waste.
vergewaltigen *vt* rape; (*fig*) violate; **Vergewaltigung** *f* rape; (*fig*) violation.
vergewissern *vr:* **sich** ~ make sure.
vergießen *irr vt* shed.
vergiften *vt* poison; **Vergiftung** *f* poisoning.
Vergissmeinnicht[RR] *nt* <-[e]s, -e> forget-me-not.
verglasen *vt* glaze.
Vergleich *m* <-[e]s, -e> comparison; (JUR) settlement; **im** ~ **mit** [*o* **zu**] compared with [*o* to]; **vergleichbar** *adj* comparable; **vergleichen** *irr* 1. *vt* compare; 2. *vr:* **sich** ~ reach a settlement.
vergnügen *vr:* **sich** ~ enjoy [*o* amuse] oneself; **Vergnügen** *nt* <-s, -> pleasure; **viel** ~! enjoy yourself!; **vergnügt** *adj* cheerful; **Vergnügung** *f* pleasure, amusement; **Vergnügungspark** *m* amusement park; **vergnügungssüchtig** *adj* pleasure-loving.
vergolden *vt* gild.
vergöttern *vt* idolize.
vergraben *irr vt* bury.
vergrätzen *vt* vex.
vergreifen *irr vr:* **sich an jdm** ~ lay hands on sb; **sich an etw** ~ misappropriate sth; **sich im Ton** ~ adopt the wrong tone.
vergriffen *adj* (*Buch*) out of print; (*Ware*) out of stock.
vergrößern *vt* enlarge; (*mengenmäßig*) increase; (*Lupe*) magnify; **Vergrößerung** *f* enlargement; increase; magnification; **Vergrößerungsglas** *nt* magnifying glass.
Vergünstigung *f* privilege; (*Preis~*) reduction.
vergüten *vt:* **jdm etw** ~ compensate sb for sth; **Vergütung** *f* compensation.
verh. *adj abk von* **verheiratet** married.

verhaften *vt* arrest; **Verhaftete(r)** *mf* prisoner; **Verhaftung** *f* arrest.

verhallen *vi* die away.

verhalten *irr vr:* **sich** ~ (*sich benehmen*) behave; (*Sache*) be, stand; (MATH) be in proportion to; **Verhalten** *nt* <-s> behaviour; **Verhaltensforschung** *f* behavioural science; **verhaltensgestört** *adj* disturbed, with a behavioural disorder; **Verhaltensmaßregel** *f* rule of conduct.

Verhältnis *nt* relationship; (MATH) proportion, ratio; **~se** *pl* conditions *pl;* **über seine ~se leben** live beyond one's means; **verhältnismäßig** *adj, adv* relative[ly], comparative[ly].

verhandeln 1. *vi* negotiate (*über etw akk* sth); (JUR) hold proceedings; **2.** *vt* discuss; (JUR) hear; **Verhandlung** *f* negotiation; (JUR) proceedings *pl.*

verhängen *vt* (*fig*) impose, inflict.

Verhängnis *nt* fate, doom; **jdm zum ~ werden** be sb's undoing; **verhängnisvoll** *adj* fatal, disastrous.

verharmlosen *vt* make light of, play down.

verharren *vi* remain; (*hartnäckig*) persist.

verhasst[RR] *adj* odious, hateful.

verheerend *adj* disastrous, devastating.

verhehlen *vt* conceal.

verheilen *vi* heal.

verheimlichen *vt* keep secret (*jdm* from sb).

verheiratet *adj* married.

verheißen *irr vt:* **jdm etw ~** promise sb sth.

verhelfen *irr vi:* **jdm ~ zu** help sb to get.

verherrlichen *vt* glorify.

verhexen *vt* bewitch; **es ist wie verhext** it's jinxed.

verhindern *vt* prevent; **sie ist verhindert** she can't make it.

verhöhnen *vt* mock, sneer at.

Verhör *nt* <-[e]s, -e> interrogation; (*gerichtlich*) [cross-]examination; **verhören 1.** *vt* interrogate, [cross-]examine; **2.** *vr:* **sich ~** misunderstand, mishear.

verhungern *vi* starve, die of hunger.

verhüten *vt* prevent, avert; **Verhütung** *f* prevention; **Verhütungsmittel** *nt* contraceptive.

verirren *vr:* **sich ~** get lost.

verjagen *vt* drive away.

verjüngen 1. *vt* rejuvenate; **2.** *vr:* **sich ~** taper.

verkabeln *vt* cable; **Verkabelung** *f* cabling.

verkalken *vi* calcify; (*umg*) become senile.

verkalkulieren *vr:* **sich ~** miscalculate.

verkannt *adj* unappreciated.

Verkauf *m* sale; **verkaufen** *vt* sell; **Verkäufer(in)** *m(f)* seller; (*beruflich*) salesperson; (*in Laden*) shop assistant *Brit,* sales clerk *US;* **verkäuflich** *adj* saleable; **Verkaufsargument** *nt* selling point; **Verkaufsoption** *f* (FIN) put option.

Verkehr *m* <-s, -e> traffic; (*Geschlechts~*) intercourse; (*Umlauf*) circulation; **verkehren 1.** *vi* (*Fahrzeug*) ply, run; (*besuchen*) visit regularly (*bei jdm* sb); **2.** *vt, vr:* **sich ~** turn, transform; **~ mit** associate with; **Verkehrsampel** *f* traffic lights *pl;* **verkehrsberuhigt** *adj:* **~e Straße** *a street with speed bumps and speed limits;* **Verkehrsberuhigung** *f* traffic calming; **Verkehrschaos** *nt* chaos on the roads; **Verkehrsdelikt** *nt* traffic offence; **Verkehrsinsel** *f* traffic island; **Verkehrsleitsystem** *nt* traffic guidance system; **Verkehrsmittel** *nt* means of transport; **öffentliche ~** *pl* public transport; **Verkehrsstockung** *f* traffic jam; **Verkehrsunfall** *m* traffic accident; **Verkehrsverbund** *m* combined transport authority; **verkehrswidrig** *adj* contrary to traffic regulations; **Verkehrszeichen** *nt* traffic sign.

verkehrt *adj* wrong; (*umgekehrt*) the wrong way round.

verkennen *irr vt* misjudge, not appreciate.

verklagen *vt* take to court.

verklappen *vt* dump [into the sea]; **Verklappung** *f* dumping [into the sea].

verklären *vt* transfigure; **verklärt lächeln** smile radiantly.

verkleiden *vt, vr:* **sich ~** disguise [oneself], dress up; **Verkleidung** *f* disguise; (ARCHIT) cladding.

verkleinern *vt* make smaller, reduce in size.

verklemmt *adj* (*fig*) inhibited.

verklingen *irr vi* die away.

verkneifen *irr vt:* **sich** *dat* **etw ~** (*Lachen*) stifle sth; (*Schmerz*) hide sth; (*sich versagen*) do without sth; **verkniffen** *adj* strained.

verknüpfen *vt* tie [up], knot; (*fig*) connect.

verkohlen 1. *vt, vi* carbonize; **2.** *vt* (*umg*) lead on.

verkommen 1. *irr vi* deteriorate, decay;

(*Mensch*) go downhill, come down in the world; **2.** *adj* (*moralisch*) dissolute, depraved; **Verkommenheit** *f* depravity.
verkörpern *vt* embody, personify.
verkraften *vt* be able to cope with.
verkriechen *irr vr:* **sich ~** creep away, creep into a corner.
verkrümmt *adj* crooked; **Verkrümmung** *f* bend, warp; (ANAT) curvature.
verkrüppelt *adj* crippled.
verkrustet *adj* (*Wunde*) scabbed; (*Strukturen*) rigid.
verkühlen *vr:* **sich ~** get a chill.
verkümmern *vi* waste away.
verkünden *vt* proclaim; (*Urteil*) pronounce; **Verkündung** *f* announcement.
verkürzen *vt* shorten; (*Wort*) abbreviate; **sich** *dat* **die Zeit ~** while away the time; **Verkürzung** *f* shortening; abbreviation.
verladen *irr vt* load.
Verlag *m* <-[e]s, -e> publishing firm.
verlangen 1. *vt* (*fordern*) demand; (*wollen*) want; (*Preis*) ask; (*Qualifikation*) require; (*erwarten*) ask (*von* of); (*fragen nach*) ask for; (*Pass etc*) ask to see; **2.** *vi:* **~ nach** ask for; **~ Sie Herrn X** ask for Mr X; **Sie werden am Telefon verlangt** you are wanted on the phone; **Verlangen** *nt* <-s, -> desire (*nach* for); **auf jds ~ [hin]** at sb's request.
verlängern *vt* extend; (*länger machen*) lengthen; **Verlängerung** *f* extension; (SPORT) extra time; **Verlängerungsschnur** *f* extension cable.
verlangsamen *vt, vr:* **sich ~** decelerate, slow down.
Verlass[RR] *m:* **auf ihn/das ist kein ~** he/it cannot be relied upon.
verlassen *irr* **1.** *vt* leave; **2.** *vr:* **sich ~** rely (*auf +akk* on); **3.** *adj* desolate; (*Mensch*) abandoned; **Verlassenheit** *f* loneliness.
verlässlich[RR] *adj* reliable; **Verlässlichkeit**[RR] *f* reliability.
Verlauf *m* course; **verlaufen** *irr* **1.** *vi* (*zeitlich*) pass; (*Farben*) run; **2.** *vr:* **sich ~** get lost; (*Menschenmenge*) disperse.
verlauten *vi:* **etw ~ lassen** disclose sth; **wie verlautet** as reported.
verleben *vt* spend.
verlebt *adj* dissipated, worn out.
verlegen 1. *vt* move; (*verlieren*) mislay; (*Buch*) publish; **2.** *vr:* **sich auf etw** *akk* **~** take up [*o* to] sth; **3.** *adj* embarrassed; **nicht ~ um** never at a loss for; **Verlegenheit** *f* embarrassment; (*Situation*) difficulty, scrape; **Verleger(in)** *m(f)* <-s, -> publisher.
Verleih *m* <-[e]s, -e> hire service; **verleihen** *irr vt* lend; (*Kraft, Anschein*) confer, bestow; (*Preis, Medaille*) award; **Verleihung** *f* lending; bestowal; award.
verleiten *vt* lead astray; **~ zu** talk into, tempt into.
verlernen *vt* forget.
verlesen *irr* **1.** *vt* read out; (*aussondern*) sort out; **2.** *vr:* **sich ~** make a mistake in reading.
verletzen *vt* (*a. fig*) injure, hurt; (*Gesetz*) violate; **verletzend** *adj* (*fig*) hurtful; **verletzlich** *adj* vulnerable, sensitive; **Verletzte(r)** *mf* injured person; **Verletzung** *f* injury; (*Verstoß*) violation, infringement.
verleugnen *vt* deny; (*Menschen*) disown.
verleumden *vt* slander; **verleumderisch** *adj* slanderous; **Verleumdung** *f* slander, libel.
verlieben *vr:* **sich ~** fall in love (*in jdn* with sb); **verliebt** *adj* in love; **Verliebtheit** *f* being in love.
verlieren <verlor, verloren> **1.** *vt, vi* lose; **2.** *vr:* **sich ~** get lost; (*verschwinden*) disappear.
verloben *vr:* **sich ~** get engaged (*mit* to); **Verlobte(r)** *mf* fiancé/fiancée; **Verlobung** *f* engagement.
Verlockung *f* temptation, attraction.
verlogen *adj* untruthful; **Verlogenheit** *f* untruthfulness.
verlor *imperf von* **verlieren**.
verloren 1. *pp von* **verlieren**; **2.** *adj* lost; (*Eier*) poached; **der ~e Sohn** the prodigal son; **etw ~ geben** give sth up for lost; **~ gehen**[RR] get lost.
verlosen *vt* raffle, draw lots for; **Verlosung** *f* raffle, lottery.
verlottern, **verludern** *vi* (*umg*) go to the dogs.
Verlust *m* <-[e]s, -e> loss; (MIL) casualty.
vermachen *vt* bequeath, leave; **Vermächtnis** *nt* legacy.
vermählen *vr:* **sich ~** marry; **Vermählung** *f* wedding, marriage.
vermasseln *vt* (*umg*) flub around.
vermehren *vt, vr:* **sich ~** multiply; (*Menge*) increase; **Vermehrung** *f* multiplying; increase.
vermeiden *irr vt* avoid.
vermeintlich *adj* supposed.
Vermerk *m* <-[e]s, -e> note; (*in Ausweis*) endorsement; **vermerken** *vt* note.
vermessen *irr* **1.** *vt* survey; **2.** *vr:* **sich ~**

(*falsch messen*) measure incorrectly; **3.** *adj* presumptuous, bold; **Vermessenheit** *f* presumptuousness; **Vermessung** *f* survey[ing].

vermieten *vt* let, rent [out]; (*Auto*) rent; **Vermieter(in)** *m(f)* landlord/-lady; **Vermietung** *f* letting, renting [out].

vermindern *vt, vr:* **sich ~** lessen, decrease; (*Preise*) reduce; **Verminderung** *f* reduction.

vermischen *vt, vr:* **sich ~** mix, blend.

vermissen *vt* miss; **vermisst**[RR] *adj* missing.

vermitteln 1. *vi* mediate; **2.** *vt* (*Gespräch*) connect; **jdm etw ~** help sb to obtain sth; **Vermittler(in)** *m(f)* <-s, -> (*Schlichter*) agent, mediator; **Vermittlung** *f* procurement; (*Stellen~*) agency; (TEL) exchange; (*Schlichtung*) mediation.

Vermögen *nt* <-s, -> wealth; (*Fähigkeit*) ability; **ein ~ kosten** cost a fortune; **vermögend** *adj* wealthy.

vermummen *vr:* **sich ~** disguise oneself, make oneself unrecognizable; **Vermummung** *f* disguising oneself, making oneself unrecognizable.

vermuten *vt* suppose, guess; (*argwöhnen*) suspect; **vermutlich 1.** *adj* supposed, presumed; **2.** *adv* probably; **Vermutung** *f* supposition; (*Verdacht*) suspicion.

vernachlässigen *vt* neglect; **Vernachlässigung** *f* neglect.

vernarben *vi* heal up.

vernehmen *irr vt* perceive, hear; (*erfahren*) learn; (JUR) [cross-]examine; **dem Vernehmen nach** from what I/we hear; **vernehmlich** *adj* audible; **Vernehmung** *f* [cross-]examination; **vernehmungsfähig** *adj* in a condition to be [cross-]examined.

verneigen *vr:* **sich ~** bow.

verneinen *vt* (*Frage*) answer in the negative; (*ablehnen*) deny; (LING) negate; **Verneinung** *f* negation.

vernetzen *vt* (INFORM) network; **Vernetzung** *f* connecting up; (INFORM) networking; **Vernetzungssystem** *nt* networking system.

vernichten *vt* annihilate, destroy; **vernichtend** *adj* (*fig*) crushing; (*Blick*) withering; (*Kritik*) scathing; **Vernichtung** *f* destruction, annihilation.

verniedlichen *vt* play down.

Vernunft *f* <-> reason, understanding; **vernünftig** *adj* sensible, reasonable.

veröffentlichen *vt* publish; **Veröffentlichung** *f* publication.

verordnen *vt* (MED) prescribe; **Verordnung** *f* order, decree; (MED) prescription.

verpachten *vt* lease [out].

verpacken *vt* pack; **Verpackung** *f* packing; **verpackungsarm** *adj* with minimum packaging; **Verpackungsmaterial** *nt* packaging.

verpassen *vt* miss; **jdm eine Ohrfeige ~** (*umg*) give sb a clip round the ear.

verpesten *vt* pollute.

verpflanzen *vt* transplant; **Verpflanzung** *f* transplantion.

verpflegen *vt* feed, cater for; **Verpflegung** *f* feeding, catering; (*Kost*) food; (*in Hotel*) board.

verpflichten 1. *vt* oblige, bind; (*anstellen*) engage; **2.** *vr:* **sich ~** undertake; (MIL) sign on; **3.** *vi* carry obligations; **jdm zu Dank verpflichtet sein** be obliged to sb; **Verpflichtung** *f* obligation, duty.

verpfuschen *vt* (*umg*) bungle, make a mess of.

verpissen *vr:* **sich ~** (*umg!*) piss off.

verplempern *vt* (*umg*) fritter away.

verpönt *adj* frowned upon.

verprassen *vt* squander.

verprügeln *vt* beat up, do over.

Verputz *m* plaster, roughcast; **verputzen** *vt* plaster; (*umg: essen*) put away.

verquollen *adj* swollen.

Verrat *m* <-[e]s> treachery; (POL) treason; **verraten** *irr* **1.** *vt* betray; (*Geheimnis*) divulge; **2.** *vr:* **sich ~** give oneself away; **Verräter(in)** *m(f)* <-s, -> traitor/traitress; **verräterisch** *adj* treacherous.

verrechnen 1. *vt:* **~ mit** set off against; **2.** *vr:* **sich ~** miscalculate; **Verrechnungsscheck** *m* crossed cheque.

verregnet *adj* spoilt by rain, rainy.

verreisen *vi* go away [on a journey].

verreißen *irr vt* pull to pieces.

verrenken *vt* contort; (MED) dislocate; **sich** *dat* **den Knöchel ~** sprain one's ankle; **Verrenkung** *f* contortion; (MED) dislocation, sprain.

verrichten *vt* do, perform.

verriegeln *vt* bolt up, lock.

verringern 1. *vt* reduce; **2.** *vr:* **sich ~** diminish; **Verringerung** *f* reduction; (*Abnahme*) lessening.

verrosten *vi* rust.

verrotten *vi* rot.

verrücken *vt* move, shift.

verrückt *adj* crazy, mad; **Verrückte(r)**

mf lunatic; **Verrücktheit** *f* madness, lunacy.

Verruf *m:* **in ~ geraten/bringen** fall/bring into disrepute; **verrufen** *adj* notorious, disreputable.

Vers *m* <-es, -e> line.

versagen 1. *vt:* **jdm/sich etw ~** deny sb/oneself sth; **2.** *vi* fail; **Versagen** *nt* <-s> failure; **menschliches ~** human error; **Versager(in)** *m(f)* <-s, -> failure.

versalzen *irr vt* put too much salt in; (*fig*) spoil.

versammeln *vt, vr:* **sich ~** assemble, gather; **Versammlung** *f* meeting, gathering.

Versand *m* <-[e]s> dispatch; (*~abteilung*) dispatch department; **Versandhaus** *nt* mail-order firm.

versäumen *vt* miss; (*unterlassen*) neglect, fail; **Versäumnis** *nt* neglect; (*Unterlassung*) omission.

verschaffen *vt:* **jdm/sich etw ~** get [*o* procure] sth for sb/oneself.

verschämt *adj* bashful.

verschandeln *vt* (*umg*) spoil.

verschanzen *vr:* **sich hinter etw** *dat* **~** dig in behind sth; (*fig*) take refuge behind sth.

verschärfen *vt, vr:* **sich ~** intensify; (*Lage*) aggravate.

verschätzen *vr:* **sich ~** miscalculate.

verschenken *vt* give away.

verscherzen *vt:* **sich** *dat* **etw ~** lose sth, throw sth away.

verscheuchen *vt* frighten away.

verschicken *vt* send off; (*Sträfling*) transport, deport.

verschieben *irr vt* shift; (EISENB) shunt; (*Termin*) postpone; (WIRTS) push.

verschieden *adj* (*unterschiedlich*) different; (*attributiv: mehrere*) various; **sie sind ~ groß** they are of different sizes; **Verschiedene**[RR] *pl* various people/things *pl;* **Verschiedenes**[RR] various things *pl;* **etwas Verschiedenes** something different; **verschiedenartig** *adj* various, of different kinds; **zwei so ~e ...** two such differing ...; **Verschiedenheit** *f* difference; **verschiedentlich** *adv* several times.

verschimmeln *vi* go mouldy.

verschlafen *irr* **1.** *vt* sleep through; (*fig*) miss; **2.** *vi, vr:* **sich ~** oversleep; **3.** *adj* sleepy.

verschlampen 1. *vi* fall into neglect; **2.** *vt* (*umg*) lose, mislay.

verschlanken *vt* downsize, trim down.

verschlechtern 1. *vt* make worse; **2.** *vr:* **sich ~** deteriorate, get worse; **Verschlechterung** *f* deterioration.

Verschleiß *m* <-es> wear and tear; **verschleißen** <verschliss, verschlissen> **1.** *vt* wear out; **2.** *vi, vr:* **sich ~** wear out.

verschleppen *vt* carry off, abduct; (*zeitlich*) drag out, delay.

verschleudern *vt* squander; (WIRTS) sell dirt-cheap.

verschließbar *adj* lockable; **verschließen** *irr* **1.** *vt* close; (*mit Schlüssel*) lock; **2.** *vr:* **sich einer Sache** *dat* **~** close one's mind to sth.

verschlimmern 1. *vt* make worse, aggravate; **2.** *vr:* **sich ~** get worse, deteriorate; **Verschlimmerung** *f* deterioration.

verschlingen *irr vt* devour, swallow up.

verschliss[RR] *imperf von* **verschleißen**; **verschlissen** *pp von* **verschleißen**.

verschlossen *adj* locked; (*fig*) reserved; **Verschlossenheit** *f* reserve.

verschlucken 1. *vt* swallow; **2.** *vr:* **sich ~** choke.

Verschluss[RR] *m* lock; (*von Kleid*) fastener; (FOTO) shutter; (*Stöpsel*) plug; **unter ~ halten** keep under lock and key.

verschlüsseln *vt* encode.

verschmähen *vt* disdain, scorn.

verschmelzen *irr vt, vi* merge, blend.

verschmerzen *vt* get over.

verschmutzen *vt* soil; (*Umwelt*) pollute.

verschneit *adj* covered in snow.

verschollen *adj* lost, missing.

verschonen *vt* spare (*jdn mit etw* sb sth).

verschönern *vt* decorate; (*verbessern*) improve.

verschreiben *irr* **1.** *vt* (*Papier*) use up; (MED) prescribe; **2.** *vr:* **sich ~** make a mistake [in writing]; **sich einer Sache** *dat* **~** devote oneself to sth; **verschreibungspflichtig** *adj* available only on prescription.

verschrien *adj* notorious.

verschroben *adj* eccentric, odd.

verschrotten *vt* scrap.

verschüchtert *adj* subdued, intimidated.

verschulden *vt* be guilty of; **Verschulden** *nt* <-s> fault, guilt; **verschuldet** *adj* in debt; **Verschuldung** *f* fault; (*Geldschulden*) debts *pl.*

verschütten *vt* spill; (*zuschütten*) fill; (*unter Trümmer*) bury.

verschweigen *irr vt* keep secret; **jdm**

etw ~ keep sth from sb.

verschwenden *vt* squander; **Verschwender(in)** *m(f)* <-s, -> spendthrift; **verschwenderisch** *adj* wasteful, extravagant; **Verschwendung** *f* waste; extravagance.

verschwiegen *adj* discreet; (*Ort*) secluded; **Verschwiegenheit** *f* discretion.

verschwimmen *irr vi* grow hazy, become blurred.

verschwinden *irr vi* disappear, vanish; **Verschwinden** *nt* <-s> disappearance.

verschwitzen *vt* soak with sweat; (*umg*) forget; **verschwitzt sein** be all sweaty.

verschwommen *adj* hazy, vague.

verschwören *irr vr:* **sich ~** plot, conspire; **Verschwörer(in)** *m(f)* <-s, -> conspirator; **Verschwörung** *f* conspiracy, plot.

versehen *irr* **1.** *vt* supply, provide; (*Pflicht*) carry out; (*Haushalt*) keep; **2.** *vr:* **sich ~** make a mistake; **ehe er [es] sich ~ hatte ...** before he knew it ...; **Versehen** *nt* <-s, -> oversight; **aus ~** by mistake; **versehentlich** *adv* by mistake.

Versehrte(r) *mf* disabled person.

versenden *irr vt* send, dispatch.

versenken **1.** *vt* sink; **2.** *vr:* **sich ~** become engrossed (*in +akk* in).

versessen *adj:* **~ auf** *+akk* mad about.

versetzen **1.** *vt* transfer; (*verpfänden*) pawn; (*umg: bei Verabredung*) stand up; **2.** *vr:* **sich in jdn [*o* jds Lage] ~** put oneself in sb's place; **jdm einen Tritt/Schlag ~** kick/hit sb; **etw mit etw ~** mix sth with sth; **jdn in gute Laune ~** put sb in a good mood; **Versetzung** *f* transfer.

verseuchen *vt* contaminate.

versichern **1.** *vt* assure; (*mit Geld*) insure; **2.** *vr:* **sich ~** make sure (*gen* of); **Versichertenkarte** *f* health insurance card; **Versicherung** *f* assurance; insurance; **Versicherungskarte** *f:* **grüne ~** green card; **Versicherungspolice** *f* insurance policy.

versiegeln *vt* seal [up].

versiegen *vi* dry up.

versinken *irr vi* sink.

Version *f* (*a.* INFORM) version.

versöhnen **1.** *vt* reconcile; **2.** *vr:* **sich ~** become reconciled; **Versöhnung** *f* reconciliation; **Versöhnungsgeste** *f* gesture of reconciliation.

versorgen **1.** *vt* provide, supply (*mit* with); (*Familie*) look after; **2.** *vr:* **sich ~** look after oneself; **Versorgung** *f* provision; (*Unterhalt*) maintenance; (*Alters~ etc*) benefit, assistance.

verspäten *vr:* **sich ~** be late; **Verspätung** *f* delay; **~ haben** be late.

versperren *vt* bar, obstruct.

verspielen *vt, vi* lose; **verspielt** *adj* playful; **bei jdm ~ haben** be in sb's bad books.

verspotten *vt* ridicule, scoff at.

versprechen *irr vt* promise; **sich** *dat* **etw von etw ~** expect sth from sth; **Versprechen** *nt* <-s, -> promise.

verstaatlichen *vt* nationalize.

Verstand *m* intelligence; mind; **den ~ verlieren** go out of one's mind; **über jds ~ gehen** go beyond sb; **verstandesmäßig** *adj* rational; intellectual; **verständig** *adj* sensible.

verständigen **1.** *vt* inform; **2.** *vr:* **sich ~** communicate; (*sich einigen*) come to an understanding; **Verständigung** *f* communication; (*Benachrichtigung*) informing; (*Einigung*) agreement.

verständlich *adj* understandable, comprehensible; **Verständlichkeit** *f* clarity, intelligibility.

Verständnis *nt* understanding; **verständnislos** *adj* uncomprehending; **verständnisvoll** *adj* understanding, sympathetic.

verstärken **1.** *vt* strengthen; (*Ton*) amplify; (*erhöhen*) intensify; **2.** *vr:* **sich ~** intensify; **Verstärker** *m* <-s, -> amplifier; **Verstärkung** *f* strengthening; (*Hilfe*) reinforcements *pl;* (*von Ton*) amplification.

verstauchen *vt* sprain.

verstauen *vt* stow away.

Versteck *nt* <-[e]s, -e> hiding [place]; **verstecken** *vt, vr:* **sich ~** hide; **Versteckspiel** *nt* hide-and-seek; **versteckt** *adj* hidden.

verstehen *irr* **1.** *vt* understand; **2.** *vr:* **sich ~** get on.

versteifen *vr:* **sich ~** (*fig*) insist (*auf +akk* on).

versteigern *vt* auction; **Versteigerung** *f* auction.

verstellbar *adj* adjustable, variable; **verstellen** **1.** *vt* move, shift; (*Uhr*) adjust; (*versperren*) block; (*fig*) disguise; **2.** *vr:* **sich ~** pretend, put on an act.

verstimmt *adj* out of tune; (*fig*) cross, put out.

verstockt *adj* stubborn.

verstohlen *adj* stealthy.

verstopfen *vt* block, stop up; (MED) constipate; **Verstopfung** *f* obstruction; (MED)

constipation.
verstorben *adj* deceased, late.
verstört *adj* (*Mensch*) distraught.
Verstoß *m* infringement, violation (*gegen* of); **verstoßen** *irr* **1.** *vt* disown, reject; **2.** *vi:* ~ **gegen** offend against.
verstrahlt *adj* contaminated by radiation.
verstreichen *irr* **1.** *vt* spread; **2.** *vi* elapse.
verstreuen *vt* scatter [about].
verstümmeln *vt* maim; (*a. fig*) mutilate.
verstummen *vi* go silent; (*Lärm*) die away.
Versuch *m* <-[e]s, -e> attempt; (*wissenschaftlich*) experiment; **versuchen 1.** *vt* try; (*verlocken*) tempt; **2.** *vr:* **sich an etw** *dat* ~ try one's hand at sth; **Versuchskaninchen** *nt* guinea-pig; **versuchsweise** *adv* on a trial basis; **Versuchung** *f* temptation.
versunken *adj* sunken; ~ **sein in** +*akk* be absorbed [*o* engrossed] in.
versüßen *vt:* **jdm etw** ~ (*fig*) make sth more pleasant for sb.
vertagen *vt, vi* adjourn.
vertauschen *vt* exchange; (*versehentlich*) mix up.
verteidigen *vt* defend; **Verteidiger(in)** *m(f)* <-s, -> defender; (JUR) defence counsel; **Verteidigung** *f* defence; **Verteidigungsinitiative** *f* defense initiative.
verteilen *vt* distribute; (*Rollen*) assign; (*Salbe*) apply; **Verteilung** *f* distribution, allotment.
vertiefen 1. *vt* deepen; **2.** *vr:* **sich in etw** *akk* ~ become engrossed [*o* absorbed] in sth; **Vertiefung** *f* depression.
vertikal *adj* vertical.
vertilgen *vt* exterminate; (*umg*) eat up, polish off.
vertippen *vr:* **sich** ~ make a typing mistake.
vertonen *vt* set to music.
Vertrag *m* <-[e]s, Verträge> contract, agreement; (POL) treaty.
vertragen *irr* **1.** *vt* tolerate, stand; **2.** *vr:* **sich** ~ get along; (*sich aussöhnen*) become reconciled.
vertraglich *adj* contractual.
verträglich *adj* (*Mensch*) good-natured, sociable; (*Speisen*) well digested; (MED) easily tolerated; **Verträglichkeit** *f* sociability; good nature; digestibility.
Vertragsbruch *m* breach of contract; **vertragsbrüchig** *adj* in breach of contract; **Vertragspartner(in)** *m(f)* party to a contract; **Vertragsspieler(in)** *m(f)* (SPORT) contract professional; **vertragswidrig** *adj* contrary to the terms of contract.
vertrauen *vi* trust (*jdm* sb), rely on; **Vertrauen** *nt* <-s> confidence; ~ **erweckend**[RR] inspiring trust; **Vertrauenssache** *f* confidential matter; **vertrauensselig** *adj* too trustful; **vertrauensvoll** *adj* trustful; **vertrauenswürdig** *adj* trustworthy.
vertraulich *adj* (*geheim*) confidential; **Vertraulichkeit** *f* confidentiality.
vertraut *adj* familiar; **Vertraute(r)** *mf* confidant, close friend; **Vertrautheit** *f* familiarity.
vertreiben *irr vt* drive away; (*aus Land*) expel; (WIRTS) sell; (*Zeit*) pass; **Vertreibung** *f* expulsion.
vertretbar *adj* justifiable.
vertreten *irr vt* represent; (*Ansicht*) hold, advocate; **sich** *dat* **die Beine** ~ stretch one's legs; **Vertreter(in)** *m(f)* <-s, -> representative; (*Verfechter*) advocate; **Vertretung** *f* representation; advocacy.
Vertrieb *m* <-[e]s, -e> marketing.
Vertriebene(r) *mf* <-n, -n> *sb who has been expelled from their native country.*
vertrocknen *vi* dry up.
vertrödeln *vt* (*umg*) fritter away.
vertrösten *vt* put off.
vertun *irr* **1.** *vt* waste; **2.** *vr:* **sich** ~ (*umg*) make a mistake.
vertuschen *vt* hush up, cover up.
verübeln *vt:* **jdm etw** ~ be cross [*o* offended] with sb on account of sth.
verüben *vt* commit.
verunglücken *vi* have an accident; **tödlich** ~ be killed in an accident.
verunreinigen *vt* soil; (*Umwelt*) pollute.
verunsichern *vt* rattle.
verunstalten *vt* disfigure; (*Gebäude etc*) deface.
veruntreuen *vt* embezzle.
verursachen *vt* cause; **Verursacher(in)** *m(f)* <-s, -> cause; **Verursacherprinzip** *nt principle that the party responsible is liable for the damages.*
verurteilen *vt* condemn; **Verurteilung** *f* condemnation; (JUR) sentence.
vervielfältigen *vt* duplicate, copy; **Vervielfältigung** *f* duplication, copying.
vervollkommnen *vt* perfect.
vervollständigen *vt* complete.
verwackeln *vt* (*Foto*) blur.
verwählen *vr:* **sich** ~ (*am Telefon*) dial

the wrong number.
verwahren 1. *vt* keep, lock away; **2.** *vr:* **sich** ~ protest.
verwahrlosen *vi* become neglected; (*moralisch*) go to the bad; **verwahrlost** *adj* neglected.
verwaist *adj* orphaned.
verwalten *vt* manage; (*behördlich*) administer; **Verwalter(in)** *m(f)* <-s, -> manager; (*Vermögens~*) trustee; **Verwaltung** *f* management; (*amtlich*) administration; **Verwaltungsbezirk** *m* administrative district.
verwandeln *vt, vr:* **sich** ~ change, transform; **Verwandlung** *f* change, transformation.
verwandt *adj* related (*mit* to); **Verwandte(r)** *mf* relative, relation; **Verwandtschaft** *f* relationship; (*Menschen*) relations *pl.*
verwarnen *vt* caution; **Verwarnung** *f* caution, warning.
verwaschen *adj* faded; (*fig*) vague.
verwässern *vt* dilute, water down.
verwechseln *vt* confuse (*mit* with), mistake (*mit* for); **zum Verwechseln ähnlich** as like as two peas; **Verwechslung** *f* confusion, mixing up.
verwegen *adj* daring, bold; **Verwegenheit** *f* daring, audacity, boldness.
Verwehung *f* snow-/sanddrift.
verweichlichen *vt* mollycoddle; **verweichlicht** *adj* effeminate, soft.
verweigern *vt* refuse (*jdm etw* sb sth); **den Gehorsam/die Aussage** ~ refuse to obey/testify; **Verweigerung** *f* refusal.
verweilen *vi* stay; (*fig*) dwell (*bei* on).
Verweis *m* <-es, -e> reprimand, rebuke; (*Hinweis*) reference; **verweisen** *irr vt* refer; **jdm etw** ~ (*tadeln*) scold sb for sth; **jdn von der Schule** ~ expel sb [from school]; **jdn des Landes** ~ deport sb, expel sb.
verwelken *vi* fade.
verwenden 1. *vt* use; (*Mühe, Zeit, Arbeit*) spend; **2.** *vr:* **sich** ~ intercede; **Verwendung** *f* use.
verwerfen *irr vt* reject.
verwerflich *adj* reprehensible.
Verwerfung *f* (GEO) fault.
verwerten *vt* utilize; **Verwertung** *f* utilization.
verwesen *vi* decay; **Verwesung** *f* decomposition.
verwickeln 1. *vt* tangle [up]; (*fig*) involve (*in +akk* in); **2.** *vr:* **sich** ~ get tangled [up]; **sich** ~ **in** *+akk* (*fig*) get involved in.
verwildern *vi* run wild.
verwinden *irr vt* get over.
verwirklichen *vt* realize, put into effect; **Verwirklichung** *f* realization.
verwirren *vt* tangle [up]; (*fig*) confuse; **Verwirrung** *f* confusion.
verwittern *vi* weather.
verwitwet *adj* widowed.
verwöhnen *vt* spoil.
verworfen *adj* depraved.
verworren *adj* confused.
verwundbar *adj* vulnerable; **verwunden** *vt* wound.
verwunderlich *adj* surprising; **Verwunderung** *f* astonishment.
Verwundete(r) *mf* injured [person]; **Verwundung** *f* wound, injury.
verwünschen *vt* curse.
verwüsten *vt* devastate; **Verwüstung** *f* devastation.
verzagen *vi* despair.
verzählen *vr:* **sich** ~ miscount.
verzehren *vt* consume.
verzeichnen *vt* list; (*Niederlage, Verlust*) register; **Verzeichnis** *nt* list, catalogue; (*in Buch*) index; (INFORM) directory.
verzeihen <verzieh, verziehen> *vt, vi* forgive (*jdm etw* sb for sth); **verzeihlich** *adj* pardonable; **Verzeihung** *f* forgiveness, pardon; **~!** sorry!, excuse me!
verzerren *vt* distort.
Verzicht *m* <-[e]s, -e> renunciation (*auf +akk* of); **verzichten** *vi* do without; give up (*auf etw akk* sth).
verzieh *imperf von* **verzeihen**; **verziehen** *pp von* **verzeihen**.
verziehen *irr* **1.** *vt* put out of shape; (*Kind*) spoil; (*Pflanzen*) thin out; **2.** *vr:* **sich** ~ go out of shape; (*Gesicht*) contort; (*verschwinden*) disappear; **das Gesicht** ~ pull a face.
verzieren *vt* decorate.
verzinsen *vt* pay interest on.
verzögern *vt* delay; **Verzögerung** *f* delay; **Verzögerungstaktik** *f* delaying tactics *pl.*
verzollen *vt* declare; (*Zoll bezahlen*) pay duty on.
verzückt *adj* enraptured; **Verzückung** *f* ecstasy.
verzweifeln *vi* despair; **verzweifelt** *adj* desperate; **Verzweiflung** *f* despair.
verzweigen *vr:* **sich** ~ branch out.
verzwickt *adj* (*umg*) awkward, complicated.

Veto *nt* <-s, -s> veto.

Vetter *m* <-s, -n> cousin; **Vetternwirtschaft** *f* nepotism.

vibrieren *vi* vibrate.

Video *nt* <-s, -s> video; **Videoclip** *m* <-s, -s> video clip; **Videogerät** *nt* video [set], video-player; **Videokamera** *f* video camera; **Videokassette** *f* video cassette; **Videokonferenz** *f* video conference; **Videorecorder** *m* <-s, -> video recorder; **Videospiel** *nt* video game; **Videothek** *f* <-, -en> video library.

Vieh *nt* <-[e]s> cattle; **viehisch** *adj* bestial.

viel *pron, adj* (*im Singular, adjektivisch*) a lot of, a great deal of; (*fragend, verneint*) much; (*substantivisch*) a lot, a great deal; (*fragend, verneint*) much; (*adverbial*) a lot, a great deal; much; ~ **zu wenig** much too little; ~ **größer** much bigger; **das ~e Geld** all this money; ~ **sagend**[RR] significant; ~ **versprechend**[RR] promising; **viele** *pron, adj* (*im Plural, adjektivisch*) many, a lot of; (*substantivisch*) many, a lot [of people/things]; **vielerlei** *adj inv* a great variety of; **vieles** *pron* a lot of things; **vielfach** *adj, adv:* **auf ~n Wunsch** by popular request; **Vielfalt** *f* <-> variety; **vielfältig** *adj* varied, many-sided.

vielleicht *adv* perhaps.

vielmal[s] *adv* many times; **danke ~s** many thanks; **vielmehr** *adv* rather, on the contrary; **vielsagend** *adj s.* **viel**; **vielseitig** *adj* many-sided; **vielversprechend** *adj s.* **viel**.

vier *num* four; **Viereck** *nt* <-[e]s, -e> four-sided figure; (*Quadrat*) square; **viereckig** *adj* four-sided; square; **vierfach** **1.** *adj* fourfold; **2.** *adv* four times; **vierhundert** *num* four hundred; **vierjährig** *adj* (*4 Jahre alt*) four-year-old; (*4 Jahre dauernd*) four-year; **viermal** *adv* four times; **Viertaktmotor** *m* four-stroke engine.

vierte(r, s) *adj* fourth; **der ~ Juli** the fourth of July; **Portland, den 4. Juli** Portland, July 4th; **Vierte(r)** *mf* fourth.

vierteilen *vt* quarter.

Viertel *nt* <-s, -> (*Stadt~*) quarter, district; (*Bruchteil*) quarter; (*~liter*) quarter-liter; (*Uhrzeit*) quarter; **[ein] ~ vor/nach drei** [a] quarter to/past three; **vierteljährlich** *adj* quarterly; **Viertelnote** *f* crotchet; **Viertelstunde** *f* quarter of an hour.

viertens *adv* fourthly.

vierzehn *num* fourteen; **in ~ Tagen** in a fortnight *Brit*, in two weeks *US;* **vierzehntägig** *adj* fortnightly.

vierzig *num* forty.

Vietnam *nt* Vietnam.

Vignette *f* (*Autobahn~*) [motorway] vignette.

Vikar(in) *m(f)* curate.

Villa *f* <-, Villen> villa; **Villenviertel** *nt* prosperous residential area.

violett *adj* violet.

Violinbogen *m* violin bow; **Violine** *f* violin; **Violinkonzert** *nt* violin concerto; **Violinschlüssel** *m* treble clef.

virtuell *adj* (*a.* INFORM) virtual.

Virus *m o nt* <-, Viren> (*a.* INFORM) virus; **Virusinfektion** *f* viral infection.

Visier *nt* <-s, -e> gunsight; (*am Helm*) visor.

Visite *f* <-, -n> (MED) visit; **Visitenkarte** *f* visiting-card.

visuell *adj* visual.

Visum *nt* <-s, Visa *o* Visen> visa.

vital *adj* lively, full of life.

Vitamin *nt* <-s, -e> vitamin.

Vizepräsident(in) *m(f)* vice-president.

Vogel *m* <-s, Vögel> bird; **einen ~ haben** (*umg*) have bats in the belfry; **jdm den ~ zeigen** (*umg*) tap one's forehead (*to indicate that sb is stupid*); **Vogelbeerbaum** *m* rowan tree; **vögeln** *vi, vt* (*umg!*) screw; **Vogelschau** *f* bird's-eye view; **Vogelscheuche** *f* <-, -n> scarecrow.

Vogerlsalat *m* (*A*) lamb's lettuce.

Vokabel *f* <-, -n> word; **Vokabular** *nt* <-s, -e> vocabulary.

Vokal *m* <-s, -e> vowel.

Volk *nt* <-[e]s, Völker> people; nation.

Völkerbund *m* League of Nations; **Völkerrecht** *nt* international law; **völkerrechtlich** *adj* according to international law; **Völkerverständigung** *f* international understanding; **Völkerwanderung** *f* migration.

Volkshochschule *f* adult education centre *pl;* **Volkslied** *nt* folksong; **Volksrepublik** *f* people's republic; **Volksschule** *f* elementary school; **Volkstanz** *m* folk dance; **volkstümlich** *adj* popular; **Volkswirtschaft** *f* economics *sing;* **Volkszählung** *f* [national] census.

voll *adj* full; ~ **und ganz** completely; **jdn für ~ nehmen** (*umg*) take sb seriously; **vollauf** *adv* amply.

Vollbeschäftigung *f* full employment;

vollblütig *adj* full-blooded; **Vollbremsung** *f* emergency stop.

vollbringen *irr vt* accomplish.

vollenden *vt* finish, complete.

vollends *adv* completely.

Vollendung *f* completion.

voller *adj:* ~ **Fehler/Probleme** full of mistakes/problems.

Volleyball *m* volleyball.

Vollgas *nt:* **mit** ~ at full throttle; ~ **geben** step on it.

völlig *adj, adv* complete[ly].

volljährig *adj* of age; **Vollkaskoversicherung** *f* fully comprehensive insurance.

vollkommen *adj* perfect; **Vollkommenheit** *f* perfection.

Vollkornbrot *nt* wholemeal bread.

vollmachen *vt* fill [up].

Vollmacht *f* <-, -en> power of authority *pl.*

Vollmilch *f* whole milk; **Vollmond** *m* full moon; **Vollpension** *f* full board; **vollschlank** *adj* with a fuller figure.

vollständig *adj* complete.

vollstrecken *vt* execute.

volltanken *vt, vi* fill up; **Volltreffer** *m* (*a. fig*) bull's eye.

Vollwertkost *f* wholefood.

vollzählig *adj* complete; **wir waren** ~ we were all there.

Volt *nt* <- *o* -[e]s, -> volt.

Volumen *nt* <-s, – *o* Volumina> volume.

vom = **von dem**.

von *präp +dat* from; (*statt Genitiv, bestehend aus*) of; (*im Passiv*) by; **ein Freund** ~ **mir** a friend of mine; ~ **mir aus** (*umg*) OK by me; ~ **wegen!** no way!; **voneinander** *adv* from each other.

vor *präp +dat o akk* before; (*räumlich*) in front of; ~ **Wut/Liebe** with rage/love; ~ **2 Tagen** 2 days ago; ~ **allem** above all.

Vorabend *m* evening before, eve.

voran *adv* before, ahead; **vorangehen** *irr vi* go ahead; **einer Sache** *dat* ~ precede sth; **vorangehend** *adj* previous; **vorankommen** *irr vi* come along, make progress.

Voranschlag *m* estimate; **Vorarbeiter(in)** *m(f)* foreman/-woman.

voraus *adv* ahead; (*zeitlich*) in advance; **jdm** ~ **sein** be ahead of sb; **im Voraus**[RR] in advance; **vorausbezahlen** *vt* pay in advance; **vorausgehen** *irr vi* go [on] ahead; (*fig*) precede; **vorausshaben** *irr vt:* **jdm etw** ~ have the edge on sb in sth; **Voraussage** *f* prediction; **voraussagen** *vt* predict; **voraussehen** *irr vt* foresee; **voraussetzen** *vt* assume; **vorausgesetzt, dass ...** provided that ...; **Voraussetzung** *f* requirement, prerequisite; **Voraussicht** *f* foresight; **aller** ~ **nach** in all probability; **in der** ~**, dass ...** anticipating that ...; **voraussichtlich** *adv* probably.

Vorbehalt *m* <-[e]s, -e> reservation, proviso; **vorbehalten** *irr vt:* **sich etw** ~ reserve the right to do sth; **vorbehaltlos** *adj, adv* unconditional[ly].

vorbei *adv* by, past; **vorbeigehen** *irr vi* pass by, go past; **vorbeischrammen** *vi* scrape past (*an etw* sth).

vorbelastet *adj* (*fig*) handicapped.

vorbereiten *vt* prepare; **Vorbereitung** *f* preparation.

vorbestraft *adj* previously convicted, with a [criminal] record.

vorbeugen 1. *vt, vr:* **sich** ~ lean forward; **2.** *vi* prevent (*einer Sache dat* sth); **vorbeugend** *adj* preventive; **Vorbeugung** *f* prevention; **zur** ~ **gegen** for the prevention of.

Vorbild *nt* model; **sich** *dat* **jdn zum** ~ **nehmen** model oneself on sb; **vorbildlich** *adj* model, ideal.

vorbringen *irr vt* advance, state; (*umg*) bring to the front.

Vordenker(in) *m(f)* guru; chief theoretician; (POL) party guru.

Vorderachse *f* front axle; **Vorderansicht** *f* front view; **vordere(r, s)** *adj* front; **Vordergrund** *m* foreground; **Vordermann** *m* <Vordermänner *pl*> man in front; **jdn auf** ~ **bringen** (*umg*) tell sb to pull his socks up; **Vorderseite** *f* front [side]; **vorderste(r, s)** *adj* front.

vordrängen *vr:* **sich** ~ push to the front.

vorehelich *adj* premarital.

voreilig *adj* hasty, rash.

voreingenommen *adj* biased; **Voreingenommenheit** *f* bias.

vorenthalten *irr vt:* **jdm etw** ~ withhold sth from sb.

vorerst *adv* for the moment.

Vorfahr(in) *m(f)* <-en, -en> ancestor/ancestress.

vorfahren *irr vi* drive [on] ahead; (*vors Haus etc*) drive up.

Vorfahrt *f* (AUTO) right of way; ~ **achten!** give way! *Brit,* yield! *US;* **Vorfahrtsregel** *f* right of way; **Vorfahrtsschild** *nt* give way sign; **Vorfahrtsstraße** *f* major

road.
Vorfall *m* incident; **vorfallen** *irr vi* occur.
Vorfeld *nt:* **im ~ der Wahlen/Verhandlungen** as a run-up to the elections/in the primary stages of the negotiations.
vorfinden *irr vt* find.
Vorfreude *f* anticipation.
vorführen *vt* show, display; **dem Gericht ~** bring before the court.
Vorgabe *f* (SPORT) start, handicap.
Vorgang *m* course of events; (*wissenschaftlich*) process; **der ~ von etw** how sth happens.
Vorgänger(in) *m(f)* <-s, -> predecessor.
vorgeben *irr vt* pretend, use as a pretext; (SPORT) give an advantage [*o* a start] of.
vorgefasstRR *adj* preconceived.
vorgefertigt *adj* prefabricated.
Vorgefühl *nt* presentiment, anticipation.
vorgehen *irr vi* (*voraus~*) go [on] ahead; (*nach vorn*) go up front; (*handeln*) act, proceed; (*Uhr*) be fast; (*Vorrang haben*) take precedence; (*passieren*) go on; **Vorgehen** *nt* <-s> procedure.
Vorgeschmack *m* foretaste.
Vorgesetzte(r) *mf* superior.
vorgestern *adv* the day before yesterday.
vorgreifen *irr vi* anticipate, forestall.
vorhaben *irr vt* plan to do; **hast du schon was vor?** have you got anything on?; **Vorhaben** *nt* <-s, -> intention.
vorhalten *irr* **1.** *vt* hold [*o* put] up; (*fig*) reproach (*jdm etw* sb for sth); **2.** *vi* last; **Vorhaltung** *f* reproach.
vorhanden *adj* existing; (*erhältlich*) available; **Vorhandensein** *nt* <-s> existence, presence.
Vorhang *m* curtain.
VorhängeschlossRR *nt* padlock.
Vorhaut *f* (MED) foreskin.
vorher *adv* before[hand]; **vorherbestimmen** *vt* (*Schicksal*) preordain; **vorhergehen** *irr vi* precede; **vorherig** *adj* previous.
Vorherrschaft *f* predominance, supremacy; **vorherrschen** *vi* predominate.
Vorhersage *f* forecast; **vorhersagen** *vt* forecast, predict; **vorhersehbar** *adj* predictable; **vorhersehen** *irr vt* foresee.
vorhin *adv* not long ago, just now; **vorhinein** *adv:* **im Vorhinein**RR beforehand.
vorig *adj* previous, last.
Vorkehrung *f* precaution.
Vorkenntnisse *fpl* previous knowledge.
vorkommen *irr vi* come forward; (*geschehen, sich finden*) occur; (*scheinen*) seem [to be]; **sich** *dat* **dumm ~** feel stupid; **Vorkommen** *nt* <-s, -> occurrence; **Vorkommnis** *nt* occurrence.
Vorkriegs- *präf* prewar.
Vorladung *f* summons *sing.*
Vorlage *f* model, pattern; (*Gesetzes~*) bill; (SPORT) pass.
vorlassen *irr vt* admit; (*vorgehen lassen*) allow to go in front.
vorläufig *adj* temporary, provisional.
vorlaut *adj* impertinent, cheeky.
vorlegen *vt* put in front; (*fig*) produce, submit; **jdm etw ~** put sth before sb.
Vorleger *m* <-s, -> mat.
vorlesen *irr vt* read [out]; **Vorlesung** *f* lecture; **Vorlesungsverzeichnis** *nt* lecture timetable.
vorletzte(r, s) *adj* last but one.
vorlieb *adv:* **mit etw ~ nehmen**RR make do with sth.
Vorliebe *f* preference, partiality.
vorliebnehmen *vi s.* **vorlieb.**
vorliegen *irr vi* be [here]; **etw liegt jdm vor** sb has sth; **vorliegend** *adj* present, at issue.
vormachen *vt:* **jdm etw ~** show sb how to do sth; (*fig*) fool sb, have sb on.
Vormachtstellung *f* supremacy, hegemony.
Vormarsch *m* advance.
vormerken *vt* make a note for; (*Plätze*) book.
Vormittag *m* morning; **vormittags** *adv* in the morning, before noon.
Vormund *m* <-[e]s, -e *o* Vormünder> guardian.
Vorname *m* first [*o* Christian] name.
vornan *adv* at the front.
vorn[e] *adv* in front; **von ~ anfangen** start at the beginning; **nach ~** to the front.
vornehm *adj* (*von Rang*) distinguished; (*Benehmen*) refined; (*fein, elegant*) elegant.
vornehmen *irr vt* (*fig*) carry out; **sich** *dat* **etw ~** start on sth; (*beschließen*) decide to do sth; **sich** *dat* **jdn ~** tell sb off.
vornehmlich *adv* chiefly, specially.
vornherein *adv:* **von ~** from the start.
Vorort *m* suburb; **Vorortzug** *m* commuter train.
Vorpremiere *f* sneak preview.
Vorrang *m* precedence, priority; **vorrangig** *adj* of prime importance, primary.
Vorrat *m* stock, supply; **vorrätig** *adj* in stock; **Vorratskammer** *f* pantry.
Vorrecht *nt* privilege.

Vorrichtung *f* device, contrivance.

vorrücken 1. *vi* advance; 2. *vt* move forward.

vorsagen *vt* recite, say out loud; (SCH) tell secretly, prompt.

Vorsatz *m* intention; (JUR) intent; **einen ~ fassen** make a resolution; **vorsätzlich** *adj* (JUR) premeditated.

Vorschau *f* [programme] preview; (*Film*) trailer.

vorschieben *irr vt* push forward; (*vor etw*) push across; (*fig*) put forward as an excuse; **jdn ~** use sb as a front.

Vorschlag *m* suggestion, proposal; **vorschlagen** *irr vt* suggest, propose.

vorschnell *adv* hastily, too quickly.

vorschreiben *irr vt* prescribe, specify.

Vorschrift *f* regulation[s]; rule[s]; (*Anweisungen*) instruction[s]; **Dienst nach ~** work-to-rule; **vorschriftsmäßig** *adj* as per regulations/instructions.

Vorschub *m* <-s, Vorschübe> (INFORM: *Papier~*) feed.

Vorschuss[RR] *m* advance.

vorschweben *vi:* **jdm schwebt etw vor** sb has sth in mind.

vorsehen *irr* 1. *vt* provide for, plan; 2. *vr:* **sich ~** take care, be careful; 3. *vi* be visible; **Vorsehung** *f* providence.

vorsetzen *vt* move forward; (*vor etw*) put in front; (*anbieten*) offer.

Vorsicht *f* caution, care; **~!** look out!, take care!; (*auf Schildern*) caution!, danger!; **~ Stufe!** mind the step!; **vorsichtig** *adj* cautious, careful; **vorsichtshalber** *adv* just in case; **Vorsichtsmaßnahme** *f* precaution.

Vorsilbe *f* prefix.

Vorsitz *m* chair[manship]; **Vorsitzende(r)** *mf* chairperson.

Vorsorge *f* precaution[s], provision[s]; (*Vorbeugung*) prevention; **vorsorgen** *vi:* **~ für** make provision[s] for; **Vorsorgeuntersuchung** *f* medical check up; **vorsorglich** *adv* as a precaution.

Vorspeise *f* hors d'oeuvre, appetizer.

Vorspiel *nt* prelude.

vorsprechen *irr* 1. *vt* say out loud, recite; 2. *vi:* **bei jdm ~** call on sb.

Vorsprung *m* projection, ledge; (*fig*) advantage, start.

Vorstadt *f* suburbs *pl.*

Vorstand *m* executive committee; (WIRTS) board [of directors]; (*Mensch*) director, head.

vorstehen *irr vi* project; **einer Sache** *dat* **~** (*fig*) be the head of sth.

vorstellbar *adj* conceivable; **vorstellen** *vt* put forward; (*vor etw*) put in front; (*bekannt machen*) introduce; (*darstellen*) represent; **sich** *dat* **etw ~** imagine sth; **Vorstellung** *f* (*Bekanntmachen*) introduction; (THEAT) performance; (*Gedanke*) idea, thought; **Vorstellungsgespräch** *nt* interview.

Vorstoß *m* advance.

Vorstrafe *f* previous conviction.

vorstrecken *vt* stretch out; (*Geld*) advance.

Vorstufe *f* first step[s].

Vortag *m* day before (*einer Sache* sth).

vortäuschen *vt* feign, pretend.

Vorteil *m* <-s, -e> advantage (*gegenüber* over); **im ~ sein** have the advantage; **vorteilhaft** *adj* advantageous.

Vortrag *m* <-[e]s, Vorträge> talk, lecture; (*~sart*) delivery, rendering; (WIRTS) balance carried forward; **vortragen** *irr vt* carry forward; (*a. fig*) recite; (*Rede*) deliver; (*Meinung*) express.

vortrefflich *adj* excellent.

vortreten *irr vi* step forward; (*Augen etc*) protrude.

vorüber *adv* past, over; **vorübergehen** *irr vi* pass [by]; **~ an** *+dat* (*fig*) pass over; **vorübergehend** *adj* temporary, passing.

Vorurteil *nt* prejudice.

Vorverkauf *m* advance booking.

Vorwahl *f* preliminary election; (TEL) dialling code, aera code *US.*

Vorwand *m* <-[e]s, Vorwände> pretext.

vorwärts *adv* forward; **~ gehen**[RR] progress; **~ kommen**[RR] get on, make progress; **Vorwärtsgang** *m* (AUTO) forward gear.

vorweg *adv* in advance; **Vorwegnahme** *f* <-, -n> anticipation; **vorwegnehmen** *irr vt* anticipate.

vorweisen *irr vt* show, produce.

vorwerfen *irr vt:* **jdm etw ~** reproach sb for sth, accuse sb of sth; **ich habe mir nichts vorzuwerfen** I've done nothing wrong.

vorwiegend *adj, adv* predominant[ly].

Vorwitz *m* cheek; **vorwitzig** *adj* saucy, cheeky.

Vorwort *nt* preface.

Vorwurf *m* reproach; **jdm/sich Vorwürfe machen** reproach sb/oneself; **vorwurfsvoll** *adj* reproachful.

Vorzeichen *nt* omen.

vorzeigen *vt* show, produce.

vorzeitig *adj* premature.

vorziehen *irr vt* pull forward; (*Gardinen*) draw; (*lieber haben*) prefer.
Vorzug *m* preference; (*gute Eigenschaft*) merit, good quality; (*Vorteil*) advantage; (EISENB) relief train.
vorzüglich *adj* excellent, first-rate.
vulgär *adj* vulgar.
Vulkan *m* <-s, -e> volcano; **vulkanisieren** *vt* vulcanize.

W

W, w *nt* W, w.
Waage *f* <-, -n> scales *pl;* (ASTR) Libra; **waagerecht** *adj* horizontal.
wabb[e]lig *adj* wobbly.
Wabe *f* <-, -n> honeycomb.
wach *adj* awake; (*fig*) alert; **Wache** *f* <-, -n> guard, watch; ~ **halten** keep watch; ~ **stehen** stand guard; **wachen** *vi* be awake; (*Wache halten*) guard.
Wacholder *m* <-s, -> juniper.
Wachs *nt* <-es, -e> wax.
wachsam *adj* watchful, vigilant; **Wachsamkeit** *f* vigilance.
wachsen 1. <wuchs, gewachsen> *vi* grow; 2. *vt* (*Skier*) wax.
Wachstuch *nt* oilcloth.
Wachstum *nt* <-s> growth; **Wachstumsmarkt** *m* growth market.
Wächter(in) *m(f)* <-s, -> guard, warder/wardress; (*Parkplatz~*) attendant.
Wachtmeister(in) *m(f)* officer; **Wachtposten** *m* guard, sentry.
wackelig *adj* shaky, wobbly; **Wackelkontakt** *m* loose connection; **wackeln** *vi* shake; (*fig*) be shaky.
wacker 1. *adj* valiant, stout; 2. *adv* well, bravely.
Wade *f* <-, -n> (ANAT) calf.
Waffe *f* <-, -n> weapon.
Waffel *f* <-, -n> waffle; (*Keks, Eis~*) wafer.
Waffenschein *m* gun licence; **Waffenstillstand** *m* armistice, truce.
Wagemut *m* daring.
wagen *vt* venture, dare.
Wagen *m* <-s, -> vehicle; (AUTO) car; (EISENB) carriage; (*Pferde~*) cart; **Wagenführer(in)** *m(f)* driver; **Wagenheber** *m* <-s, -> jack; **Wagenrücklauf** *m* carriage return.
Waggon, Wagon[RR] *m* <-s, -s> carriage; (*Güter~*) goods van, freight truck *US.*
waghalsig *adj* foolhardy.
Wagnis *nt* risk.
Wagon[RR] *m* <-s, -s> carriage; (*Güter~*) goods van, freight truck *US.*
Wahl *f* <-, -en> choice; (POL) election; **zweite** ~ seconds *pl.*
wählbar *adj* eligible; **wahlberechtigt** *adj* entitled to vote; **Wahlbeteiligung** *f* [electoral] turn-out; **wählen** *vt, vi* choose; (POL) elect, vote [for]; (TEL) dial; **Wähler(in)** *m(f)* <-s, -> voter; **wählerisch** *adj* fastidious, particular; **Wählerschaft** *f* electorate.
Wahlfach *nt* optional subject; **Wahlgang** *m* ballot; **Wahlkabine** *f* polling booth; **Wahlkampf** *m* election campaign; **Wahlkreis** *m* constituency; **Wahllokal** *nt* polling station; **wahllos** *adv* at random; **Wahlrecht** *nt* franchise; **Wahlspruch** *m* motto; **Wahlurne** *f* ballot box; **wahlweise** *adv* alternatively.
Wahn *m* <-[e]s> delusion; **Wahnsinn** *m* madness; **wahnsinnig** 1. *adj* insane, mad; 2. *adv* (*umg*) incredibly.
wahr *adj* true.
wahren *vt* maintain, keep.
während 1. *präp +gen* during; 2. *konj* while; **währenddessen** *adv* meanwhile.
wahrhaben *irr vt:* **etw nicht ~ wollen** refuse to admit sth.
wahrhaftig 1. *adj* true, real; 2. *adv* really.
Wahrheit *f* truth.
wahrnehmen *irr vt* perceive, observe; **Wahrnehmung** *f* perception.
wahrsagen *vi* prophesy, tell fortunes; **Wahrsager(in)** *m(f)* <-s, -> fortune teller.
wahrscheinlich 1. *adj* probable; 2. *adv* probably; **Wahrscheinlichkeit** *f* probability; **aller ~ nach** in all probability.
Währung *f* currency; **Währungsschwankungen** *pl* currency fluctuations *pl.*
Wahrzeichen *nt* emblem.
Waise *f* <-, -n> orphan; **Waisenhaus** *nt* orphanage; **Waisenkind** *nt* orphan.
Wal *m* <-[e]s, -e> whale.
Wald *m* <-[e]s, Wälder> wood[s]; (*groß*) forest; **waldig** *adj* wooded; **Waldsterben** *nt* dying of the forests.
Wales *nt* Wales.
Walfisch *m* whale.
Waliser(in) *m(f)* <-s, -> Welshman/Welshwoman; **die** ~ *pl* the Welsh *pl;* **walisisch** *adj* Welsh.

Walkie-Talkie[RR] *nt* <-[s], -s> walkie-talkie.

Walkman® *m* <-s, -s> walkman®, personal stereo.

Wall *m* <-[e]s, Wälle> embankment; (*Bollwerk*) rampart.

wallfahren *vi* go on a pilgrimage; **Wallfahrer(in)** *m(f)* pilgrim; **Wallfahrt** *f* pilgrimage.

Walnuss[RR] *f* walnut.

Walross[RR] *nt* walrus.

Walze *f* <-, -n> (*Gerät*) cylinder; (*Fahrzeug*) roller; **walzen** *vt* roll [out].

wälzen 1. *vt* roll [over]; (*Bücher*) pore over; (*Probleme*) deliberate on; **2.** *vr:* **sich** ~ wallow; (*vor Schmerzen*) roll about; (*im Bett*) toss and turn.

Walzer *m* <-s, -> waltz.

Wälzer *m* <-s, -> (*umg*) tome.

wand *imperf von* **winden**.

Wand *f* <-, Wände> wall; (*Trenn~*) partition; (*Berg~*) [rock] face.

Wandel *m* <-s> change; **wandelbar** *adj* changeable, variable; **wandeln 1.** *vt, vr:* **sich** ~ change; **2.** *vi* (*gehen*) walk.

Wanderausstellung *f* touring exhibition; **Wanderer** *m* <-s, -> hiker, rambler; **wandern** *vi* hike; (*Blick*) wander; (*Gedanken*) stray; **Wanderschaft** *f* travelling; **Wanderung** *f* walking tour, hike.

Wandlung *f* change, transformation; (REL) transubstantiation.

Wand[r]erin *f* hiker, rambler.

Wandschrank *m* cupboard.

wandte *imperf von* **wenden**.

Wandteppich *m* tapestry.

Wange *f* <-, -n> cheek.

wankelmütig *adj* vacillating, inconstant.

wanken *vi* stagger; (*fig*) waver.

wann *adv* when.

Wanne *f* <-, -n> [bath] tub.

Wanze *f* <-, -n> bug.

Wappen *nt* <-s, -> coat of arms, crest; **Wappenkunde** *f* heraldry.

war *imperf von* **sein**.

warb *imperf von* **werben**.

Ware *f* <-, -n> ware; **Warenhaus** *nt* department store; **Warenlager** *nt* stock, store; **Warenprobe** *f* sample; **Warentermingeschäft** *nt* commodity future (transaction); **Warenzeichen** *nt* trademark.

warf *imperf von* **werfen**.

warm *adj* warm; (*Essen*) hot.

Wärme *f* <-, -n> warmth; **Wärmedämmung** *f* insulation; **wärmen** *vt, vr:* **sich** ~ warm, heat; **Wärmepumpe** *f* heat pump; **Wärmetauscher** *m* <-s, -> heat exchanger; **Wärmflasche** *f* hot-water bottle.

Warmfront *f* (METEO) warm front; **warmherzig** *adj* warm-hearted; **warmlaufen** *irr vi* (AUTO) warm up; **Warmstart** *m* (INFORM) warm start; **Warmwassertank** *m* hot-water tank.

Warndreieck *nt* (AUTO) warning triangle; **warnen** *vt* warn; **Warnlichtanlage** *f* hazard warning lights *pl;* **Warnstreik** *m* token strike; **Warnung** *f* warning.

warten 1. *vi* wait (*auf +akk* for); **2.** *vt* (TECH) maintain, service; **auf sich** ~ **lassen** take a long time.

Wärter(in) *m(f)* <-s, -> attendant.

Wartesaal *m* (EISENB) waiting room; **Wartezimmer** *nt* waiting room.

Wartung *f* servicing; service.

warum *adv* why.

Warze *f* <-, -n> wart.

was *pron* what; (*umg: etwas*) something.

waschbar *adj* washable; **Waschbecken** *nt* washbasin.

Wäsche *f* <-, -n> wash[ing]; (*Bett~*) linen; (*Unter~*) underclothing.

waschecht *adj* colourfast; (*fig*) genuine.

Wäscheklammer *f* clothes peg, clothespin *US;* **Wäscheleine** *f* washing line.

waschen <wusch, gewaschen> **1.** *vt, vi* wash; **2.** *vr:* **sich** ~ [have a] wash; **sich** *dat* **die Hände waschen** wash one's hands; **Waschen und legen** shampoo and set.

Wäscherei *f* laundry; **Wäscheschleuder** *f* spin-drier; **Wäschetrockner** *m* <-s, -> tumble-drier.

Waschküche *f* laundry room; **Waschlappen** *m* flannel, washcloth *US;* (*umg: Feigling*) sissy; **Waschmaschine** *f* washing machine; **Waschmittel** *nt,* **Waschpulver** *nt* detergent, washing powder; **Waschtisch** *m* washhand basin.

Wasser *nt* <-s, -> water; **wasserdicht** *adj* watertight, waterproof; **Wasserfall** *m* waterfall; **Wasserfarbe** *f* watercolour; **wassergekühlt** *adj* (AUTO) water-cooled; **Wasserhahn** *m* tap, faucet *US.*

wässerig *adj* watery.

Wasserkraftwerk *nt* hydroelectric power station; **Wasserleitung** *f* water pipe; **Wassermann** *m* (ASTR) Aquarius; **Wassermelone** *f* water melon.

wassern *vi* land on the water; (*Raum-*

schiff) splash down.

wässern *vt, vi* water.

wasserscheu *adj* afraid of the water; **Wasserschi** *nt* water-skiing; **Wasserstand** *m* water level; **Wasserstoff** *m* hydrogen; **Wasserstoffbombe** *f* hydrogen bomb; **Wasserversorgung** *f* water supply; **Wasserwaage** *f* spirit level; **Wasserwelle** *f* shampoo and set; **Wasserwerfer** *m* water cannon; **Wasserzeichen** *nt* watermark.

wässrig[RR] *adj* watery; (CHEM) aqueous.

waten *vi* wade.

watscheln *vi* waddle.

Watt 1. *nt* <-[e]s, -en> mud flats *pl;* **2.** *nt* <-s, -> (ELEK) watt.

Watte *f* <-, -n> cotton wool, absorbent cotton *US;* **Wattestäbchen** *nt* cotton bud; **wattieren** *vt* pad.

weben <webte *o* wob, gewebt *o* gewoben> *vt* weave; **Weber(in)** *m(f)* <-s, -> weaver; **Weberei** *f* (*Betrieb*) weaving mill.

Webseite *f* web page.

Webstuhl *m* loom.

Websurfer(in) *m(f)* websurfer; **Websurfprogramm** *nt* Web browser.

Wechsel *m* <-s, -> change; (WIRTS) bill of exchange; **Wechselbeziehung** *f* correlation; **Wechselgeld** *nt* change; **wechselhaft** *adj* (*Wetter*) variable; **Wechseljahre** *pl* menopause, change of life; **Wechselkurs** *m* rate of exchange, exchange rate; **wechseln** 1. *vt* change; (*Blicke*) exchange; **2.** *vi* change; (*unterschiedlich sein*) vary; (*Geld* ~) have change; **Wechselstrom** *m* alternating current; **Wechselwirkung** *f* interaction.

wecken *vt* wake [up].

Wecker *m* <-s, -> alarm clock.

wedeln *vi* (*mit Schwanz*) wag; (*mit Fächer*) fan; (SKI) wedel.

weder *konj* neither; ~ **... noch ...** neither ... nor ...

weg *adv* away, off; **über etw** *akk* ~ **sein** be over sth; **er war schon** ~ he had already left; **Finger ~!** hands off!

Weg *m* <-[e]s, -e> way; (*Pfad*) path; (*Route*) route; **sich auf den ~ machen** be on one's way; **jdm aus dem ~ gehen** keep out of sb's way; **etw zu ~e**[RR] **bringen** accomplish sth.

wegbleiben *irr vi* stay away.

wegen *präp +gen o dat* because of.

wegfahren *irr vi* drive away; leave; **wegfallen** *irr vi* (*überflüssig werden*) become no longer necessary; (*Ferien, Bezahlung*) be cancelled; (*Regelung*) cease to apply; **weggehen** *irr vi* go away; leave; **weglassen** *irr vt* leave out; **weglaufen** *irr vi* run away, run off; **weglegen** *vt* put aside; **wegmachen** *vt* (*umg*) get rid of; **wegmüssen** *irr vi* (*umg*) have to go; **wegnehmen** *irr vt* take away; **wegrationalisieren** *vt* cut as part of rationalisation measures; **wegräumen** *vt* clear away; **wegschaffen** *vt* get rid of; (*wegräumen*) clear away; (*wegtragen, wegfahren*) remove; (*Arbeit*) get done; **wegschnappen** *vt* snatch away (*jdm etw* sth from sb); **wegtun** *irr vt* put away.

Wegweiser *m* <-s, -> road sign, signpost.

wegwerfen *irr vt* throw away; **wegwerfend** *adj* disparaging; **Wegwerfgesellschaft** *f* throwaway society.

wegziehen *irr vi* move away.

weh *adj* sore; ~ **tun** hurt, be sore; **jdm/sich ~ tun** hurt sb/oneself.

weh[e] *interj:* **~[e], wenn du ...** you'll be sorry if ...; **o ~!** oh dear!

Wehe *f* <-, -n> drift; **~n** *pl* (MED) labour pains *pl.*

wehen *vt, vi* blow; (*Fahnen*) flutter.

wehklagen *vi* wail; **wehleidig** *adj* whiny, whining; **Wehmut** *f* <-> melancholy; **wehmütig** *adj* melancholy.

Wehr 1. *nt* <-[e]s, -e> weir; **2.** *f:* **sich zur ~ setzen** defend oneself.

Wehrdienst *m* military service; **Wehrdienstverweigerer** *m* <-s, -> conscientious objector.

wehren *vr:* **sich ~** defend oneself.

wehrlos *adj* defenceless.

Wehrpflicht *f* compulsory military service; **wehrpflichtig** *adj* liable for military service.

Weib *nt* <-[e]s, -er> woman, female; **Weibchen** *nt* (ZOOL) female; (*pej*) dumb female; **weibisch** *adj* effeminate; **weiblich** *adj* feminine.

weich *adj* soft; ~ **gekocht**[RR] soft-boiled.

Weiche *f* <-, -n> (EISENB) points *pl.*

weichen <wich, gewichen> *vi* yield, give way.

Weichheit *f* softness; **weichlich** *adj* soft, namby-pamby; **Weichling** *m* weakling.

Weichsel *f* <-, -n> (*A, CH*) sour cherry.

Weichspüler *m* <-s, -> (*für Wäsche*) [fabric] softener, conditioner.

Weide *f* <-, -n> (*Baum*) willow; (*Gras*) pasture; **weiden** 1. *vi* graze; **2.** *vr:* **sich**

an etw *dat* ~ delight in sth.
weidlich *adv* thoroughly.
weigern *vr:* **sich** ~ refuse; **Weigerung** *f* refusal.
Weihe *f* <-, -n> consecration; (*Priester~*) ordination; **weihen** *vt* consecrate; (*Priester*) ordain.
Weiher *m* <-s, -> pond.
Weihnacht *f* <->, **Weihnachten** *nt* <-, -> Christmas; **weihnachtlich** *adj* Christmas, festive; **Weihnachtsabend** *m* Christmas Eve; **Weihnachtslied** *nt* Christmas carol; **Weihnachtsmann** *m* <Weihnachtsmänner *pl*> Father Christmas, Santa Claus; **Weihnachtstag** *m:* **zweiter** ~ Boxing Day.
Weihrauch *m* incense; **Weihwasser** *nt* holy water.
weil *konj* because.
Weile *f* <-> while, short time.
Wein *m* <-[e]s, -e> wine; (*Pflanze*) vine; **Weinbau** *m* wine-growing, viniculture; **Weinbeere** *f* grape; **Weinberg** *m* vineyard; **Weinbergschnecke** *f* snail; (*auf Speisekarte*) escargot; **Weinbrand** *m* brandy.
weinen *vt, vi* cry; **das ist zum Weinen** it's enough to make you cry [*o* weep]; **weinerlich** *adj* tearful.
Weingeist *m* [ethyl] alcohol; **Weinlese** *f* vintage; **Weinprobe** *f* wine-tasting; **Weinrebe** *f* vine; **Weinstein** *m* tartar; **Weinstock** *m* vine; **Weintraube** *f* grape.
weise *adj* wise; **Weise(r)** *mf* wise old man/woman, sage.
Weise *f* <-, -n> manner, way; (*Lied*) tune; **auf diese** ~ in this way.
weisen <wies, gewiesen> *vt* show.
Weisheit *f* wisdom; **Weisheitszahn** *m* wisdom tooth.
weiß *adj* white; **Weißblech** *nt* tinplate; **Weißbrot** *nt* white bread; **weißen** *vt* whitewash; **Weißglut** *f* (TECH) incandescence; **jdn bis zur** ~ **bringen** make sb see red; **Weißkohl** *m* [white] cabbage.
Weißkraut *nt* <-[e]s> (*A*) white cabbage; **Weißrussland**[RR] *nt* White Russia; **Weißwein** *m* white wine.
Weisung *f* instruction.
weit 1. *adj* wide; (*Begriff*) broad; (*Reise, Wurf*) long; **2.** *adv* far; **wie** ~ **ist es ...?** how far is it ...?; **in ~er Ferne** in the far distance; **das geht zu** ~ that's going too far; ~ **blickend**[RR] far-seeing; ~ **gehend**[RR] considerable; ~ **verbreitet**[RR] widespread; **weitaus** *adv* by far; **Weitblick** *m* (*fig*) far-sightedress; **weitblickend** *adj* far-seeing; **Weite** *f* <-, -n> width; (*Raum*) space; (*von Entfernung*) distance; **weiten** *vt, vr:* **sich** ~ widen.
weiter 1. *adj* wider; broader; farther [away]; (*zusätzlich*) further; **2.** *adv* further; **ohne ~es** without further ado; just like that; ~ **nichts/niemand** nothing/nobody else; **weiterarbeiten** *vi* go on working; **weiterbilden** *vr:* **sich** ~ continue one's education; **Weiterbildung** *f* further education [*o* training]; (*beruflich*) further training; **weiterempfehlen** *irr vt* recommend [to others]; **Weiterfahrt** *f* continuation of the journey; **weitergehen** *irr vi* go on; **weiterhin** *adv:* **etw** ~ **tun** go on doing sth; **weiterleiten** *vt* pass on; **weitermachen** *vt, vi* continue; **weiterreisen** *vi* continue one's journey.
weitgehend 1. *adj* considerable; **2.** *adv* largely; **weitläufig** *adj* (*Gebäude*) spacious; (*Erklärung*) lengthy; (*Verwandter*) distant; **weitschweifig** *adj* long-winded; **weitsichtig** *adj* long-sighted; (*fig*) far-sighted; **Weitsprung** *m* long jump; **weitverbreitet** *adj* widespread; **Weitwinkelobjektiv** *nt* (FOTO) wide-angle lens.
Weizen *m* <-s, -> wheat.
welch *pron:* ~ **ein(e) ...** what a ...; **welche** *pron* (*umg: einige*) some; **welche(r, s) 1.** *pron* (*für Personen*) who; (*für Sachen*) which; **2.** *pron* (*interrogativ, adjektivisch*) which; (*substantivisch*) which one.
welk *adj* withered; **welken** *vi* wither.
Wellblech *nt* corrugated iron.
Welle *f* <-, -n> wave; (TECH) shaft; **Wellenbereich** *m* waveband; **Wellenbrecher** *m* <-s, -> breakwater; **Wellenlänge** *f* (*a. fig*) wavelength; **Wellenlinie** *f* wavy line.
Wellensittich *m* <-s, -e> budgerigar.
Wellpappe *f* corrugated cardboard.
Welt *f* <-, -en> world; **Weltall** *nt* universe; **Weltanschauung** *f* philosophy of life; **weltberühmt** *adj* world-famous; **weltfremd** *adj* unworldly; **Welthandelsorganisation** *f* world trade organisation; **Weltkrieg** *m* world war; **weltlich** *adj* worldly; (*nicht kirchlich*) secular; **Weltmacht** *f* world power; **weltmännisch** *adj* sophisticated; **Weltmarktführer** *m* international market leader;

Weltmeister(in) *m(f)* world champion; **Weltmeisterschaft** *f* world championship; **Weltraum** *m* space; **Weltraumrüstung** *f* space armament; **Weltraumwaffe** *f* space weapon; **Weltreise** *f* trip round the world; **Weltrekord** *m* world record; **Weltstadt** *f* metropolis; **weltweit** *adj* world-wide; **Weltwunder** *nt* wonder of the world.

wem *pron dat von* **wer** [to] whom.

wen *pron akk von* **wer** whom.

Wende *f* <-, -n> turn; (HIST) *political change in East Germany;* (*Veränderung*) change; **Wendekreis** *m* (GEO) tropic; (AUTO) turning circle.

Wendeltreppe *f* spiral staircase.

wenden <wendete *o* wandte, wandte *o* gewandt> *vt, vi, vr:* **sich ~** turn; **sich an jdn ~** go/come to sb; **Wendepunkt** *m* turning point; **Wendung** *f* turn; (*Rede~*) idiom.

wenig *adj, adv* little; **wenige** *pron pl* few *pl;* **Wenigkeit** *f* trifle; **meine ~** yours truly, little me; **wenigste(r, s)** *adj* least; **wenigstens** *adv* at least.

wenn *konj* if; (*zeitlich*) when; **~ auch ...** even if ...; **~ ich doch ...** if only I ...; **wennschon** *adv:* **na ~** so what?; **~, dennschon!** if a thing's worth doing, it's worth doing properly.

wer *pron* who.

Werbefernsehen *nt* commercial television; **Werbegeschenk** *nt* giveaway, promotional gift; **Werbekampagne** *f* advertising campaign; **werben** <warb, geworben> **1.** *vt* win; (*Mitglied*) recruit; **2.** *vi* advertise; **um jdn/etw ~** try to win sb/sth; **für jdn/etw ~** promote sb/sth; **Werbespot** *m* commercial; **werbewirksam** *adj* effective; **Werbung** *f* advertising; (*von Mitgliedern*) recruitment; (*von Kunden*) winning, attracting; (*um Mädchen*) courting; **für etw ~ machen** advertise sth.

Werdegang *m* development; (*beruflich*) career.

werden <wurde, geworden> **1.** *vi* become; **2.** *Hilfsverb* (*Futur*) shall, will; (*Passiv*) be; **was ist aus ihm/aus der Sache geworden?** what became of him/it?; **es ist nichts/gut geworden** it came to nothing/turned out well; **mir wird kalt** I'm getting cold; **das muss anders ~** that will have to change; **zu Eis ~** turn to ice.

werfen <warf, geworfen> *vt* throw.

Werft *f* <-, -en> shipyard, dockyard.

Werk *nt* <-[e]s, -e> work; (*Tätigkeit*) job; (*Fabrik*) factory; (*Mechanismus*) works *pl;* **ans ~ gehen** set to work; **Werkstatt** *f* <-, Werkstätten> workshop; (AUTO) garage; **Werktag** *m* working day; **werktags** *adv* on working days; **Werkzeug** *nt* tool; **Werkzeugschrank** *m* tool chest.

Wermut *m* <-[e]s> (BOT) wormwood; (*Wein*) vermouth.

wert *adj* worth; (*geschätzt*) dear; **das ist nichts/viel ~** it's not worth anything/it's worth a lot; **das ist es/er mir ~** it's/he's worth that to me.

Wert *m* <-[e]s, -e> worth; (FIN) value; (*Zahlen~*) value; **~ legen auf** *+akk* attach importance to; **es hat doch keinen ~** it's useless; **Wertangabe** *f* declaration of value.

werten *vt* rate.

Wertgegenstand *m* article of value; **wertlos** *adj* worthless; **Wertlosigkeit** *f* worthlessness; **Wertpapier** *nt* security; **Wertsachen** *pl* valuables *pl;* **Wertstoff** *m* recyclable material; **wertvoll** *adj* valuable; **Wertzuwachs** *m* appreciation.

Wesen *nt* <-s, -> being; (*Natur, Charakter*) nature.

wesentlich *adj* significant; (*beträchtlich*) considerable; **im Wesentlichen**[RR] basically.

weshalb *adv* why.

Wespe *f* <-, -n> wasp.

wessen *pron gen von* **wer** whose.

Weste *f* <-, -n> waist coat, vest *US;* (*Woll~*) cardigan.

Westen *m* <-s> west; (*von Land*) West; **westlich 1.** *adj* western; (*Kurs, Richtung*) westerly; **2.** *adv* [to the] west; **~ von Ulm** west of Ulm.

weswegen *adv* why.

wett *adj* even; **Wettbewerb** *m* competition; **Wettbewerbsfähigkeit** *f* competitiveness; **Wette** *f* <-, -n> bet, wager; **Wetteifer** *m* rivalry; **wetten** *vt, vi* bet.

Wetter *nt* <-s, -> weather; **Wetterbericht** *m* weather report; **Wetterdienst** *m* meteorological service; **wetterfühlig** *adj sensitive to changes in the weather;* **Wetterlage** *f* [weather] situation; **Wettervorhersage** *f* weather forecast; **Wetterwarte** *f* <-, -n> weather station; **wetterwendisch** *adj* capricious, moody.

Wettkampf *m* contest; **Wettlauf** *m* race; **wettlaufen** *irr vi* race; **wettmachen** *vt* make good; **Wettstreit** *m* contest.

wetzen 1. *vt* sharpen; 2. *vi* (*umg*) dash.

WG *f* <-, -s> *abk von* **Wohngemeinschaft**.

Whirlpool *m* <-s, -s> whirlpool.

wich *imperf von* **weichen**.

Wicht *m* <-[e]s, -e> (*Kobold*) goblin; (*Kind*) [little] creature.

wichtig *adj* important; **Wichtigkeit** *f* importance.

wickeln *vt* wind; (*Haare*) set; (*Kind*) change; **jdn/etw in etw** *akk* ~ wrap sb/sth in sth.

Widder *m* <-s, -> (ZOOL) ram; (ASTR) Aries *sing.*

wider *präp* +*akk* against; **widerfahren** *irr vi* happen (*jdm* to sb); **widerlegen** *vt* refute.

widerlich *adj* disgusting, repulsive; **Widerlichkeit** *f* repulsiveness.

widerrechtlich *adj* unlawful.

Widerrede *f* contradiction.

Widerruf *m* retraction; revocation; countermanding; **widerrufen** *irr vt* retract; (*Anordnung*) revoke; (*Befehl*) countermand.

widersetzen *vr:* **sich** ~ oppose (*jdm/etw* sb/sth).

widerspenstig *adj* wilful, unruly; **Widerspenstigkeit** *f* wilfulness, unruliness.

widerspiegeln *vt* reflect.

widersprechen *irr vi* contradict (*jdm* sb); **widersprechend** *adj* contradictory; **Widerspruch** *m* contradiction; **widerspruchslos** *adv* without arguing.

Widerstand *m* resistance; **Widerstandsbewegung** *f* resistance [movement]; **widerstandsfähig** *adj* resistant, tough; **widerstandslos** *adj* unresisting.

widerstehen *irr vi* withstand (*jdm/etw* sb/sth).

widerwärtig *adj* nasty, horrid.

Widerwille *m* aversion (*gegen* to); **widerwillig** *adj* unwilling, reluctant.

widmen 1. *vt* dedicate; 2. *vt, vr:* **sich** ~ devote [oneself]; **Widmung** *f* dedication.

widrig *adj* (*Umstände*) adverse; (*Mensch*) repulsive.

wie 1. *adv* how; 2. *konj* as I said; **[so] schön ~ ...** as beautiful as ...; ~ **du** like you; **singen ~ ein ...** sing like a ...; ~ **viel**[RR] how much; ~ **viele Menschen**[RR] how many people.

wieder *adv* again; ~ **da sein** be back [again]; **gehst du schon ~?** are you off again?; ~ **ein(e) ...** another ...; ~ **aufarbeiten**[RR] reprocess; ~ **aufnehmen**[RR] resume; ~ **erkennen**[RR] recognize; ~ **gutmachen**[RR] make up for; (*Fehler*) put right; ~ **sehen**[RR] see again; ~ **vereinigen**[RR] reunite.

Wiederaufarbeitung *f* reprocessing; **Wiederaufarbeitungsanlage** *f* reprocessing plant.

Wiederaufbau *m* rebuilding.

Wiederaufnahme *f* resumption.

wiederbekommen *irr vt* get back.

Wiedergabe *f* reproduction; **wiedergeben** *irr vt* (*zurückgeben*) return; (*Erzählung etc*) repeat; (*Gefühle etc*) convey.

Wiedergutmachung *f* reparation.

wiederherstellen *vt* restore; **Wiederherstellung** *f* restoration.

wiederholen *vt* repeat; **wiederholt** *adj* repeated; **Wiederholung** *f* repetition.

Wiederhören *nt:* **auf** ~ (TEL) goodbye.

Wiederkehr *f* <-> return; (*von Vorfall*) repetition, recurrence.

Wiedernutzbarmachung *f* reutilization.

Wiedersehen *nt:* **auf** [*o* **Auf**[RR]] ~ goodbye.

wiederum *adv* again; (*andererseits*) on the other hand.

Wiedervereinigung *f* reunification.

Wiederwahl *f* re-election.

Wiege *f* <-, -n> cradle; **wiegen** 1. *vt* (*schaukeln*) rock; 2. <wog, gewogen> *vt, vi* (*Gewicht*) weigh; **Wiegenfest** *nt* birthday.

wiehern *vi* neigh, whinny.

Wien *nt* Vienna.

wies *imperf von* **weisen**.

Wiese *f* <-, -n> meadow.

Wiesel *nt* <-s, -> weasel.

wieso *adv* why.

wieviel *adv s.* **wie**; **wievielmal** *adv* how often; **wievielte(r, s)** *adj:* **zum ~n Mal?** how many times?; **den Wievielten haben wir?** what's the date?; **an ~r Stelle?** in what place?; **der ~ Besucher war er?** how many visitors were there before him?

wieweit *adv* to what extent.

wild *adj* wild.

Wild *nt* <-[e]s> game.

wildern *vi* poach.

wildfremd *adj* (*umg*) quite strange [*o* unknown]; **Wildheit** *f* wildness; **Wildleder** *nt* suede.

Wildnis *f* wilderness.

Wildschwein *nt* [wild] boar.

Wildwasserrafting *nt* whitewater rafting.

Wille *m* <-ns, -n> will.

willen *präp +gen:* **um ...** ~ for the sake of ...

willenlos *adj* weak-willed; **willensstark** *adj* strong-willed.

willig *adj* willing.

willkommen *adj* welcome; **jdn ~ heißen** welcome sb; **Willkommen** *nt* <-s, -> welcome.

willkürlich *adj* arbitrary; (*Bewegung*) voluntary.

wimmeln *vi* swarm (*von* with).

wimmern *vi* whimper.

Wimper *f* <-, -n> eyelash; **Wimperntusche** *f* mascara.

Wind *m* <-[e]s, -e> wind; **Windbeutel** *m* cream puff; (*fig*) windbag.

Winde *f* <-, -n> (TECH) winch, windlass; (BOT) bindweed.

Windel *f* <-, -n> nappy, diaper *US.*

winden 1. *vi unpers* be windy; **2.** <wand, gewunden> *vt* wind; (*Kranz*) weave; (*ent~*) twist; **3.** *vr:* **sich ~** wind; (*Mensch*) writhe.

Windhose *f* whirlwind; **Windhund** *m* greyhound; (*pej: Mensch*) fly-by-night; **windig** *adj* windy; (*fig*) dubious; **Windmühle** *f* windmill; **Windparkanlage** *f* wind-farm; **Windpocken** *pl* chickenpox; **Windschutzscheibe** *f* (AUTO) windscreen, windshield *US;* **Windstärke** *f* wind force; **Windstille** *f* calm; **Windstoß** *m* gust of wind; **Windsurfbrett** *nt* windsurfer, surfboard; **Windsurfen** *nt* windsurfing; **Windsurfer(in)** *m(f)* wind surfer.

Wink *m* <-[e]s, -e> hint; (*mit Kopf*) nod; (*mit Hand*) wave.

Winkel *m* <-s, -> (MATH) angle; (*Gerät*) set square; (*in Raum*) corner.

winken *vt, vi* wave.

winseln *vi* whine.

Winter *m* <-s, -> winter; **im ~** in winter; **winterlich** *adj* wintry; **Winterreifen** *m* winter tyre; **Winterschlaf** *m* hibernation; **Wintersport** *m* winter sports *pl.*

Winzer(in) *m(f)* <-s, -> wine-grower.

winzig *adj* tiny.

Wipfel *m* <-s, -> treetop.

wir *pron* we; ~ **alle** all of us, we all.

Wirbel *m* <-s, -> whirl, swirl; (*Trubel*) hurly-burly; (*Aufsehen*) fuss; (ANAT) vertebra; **wirbeln** *vi* whirl, swirl; **Wirbelsäule** *f* spine; **Wirbeltier** *nt* vertebrate; **Wirbelwind** *m* whirlwind.

wirken 1. *vi* have an effect; (*erfolgreich sein*) work; (*scheinen*) seem; **2.** *vt* (*Wunder*) work.

wirklich *adj* real; **Wirklichkeit** *f* reality.

wirksam *adj* effective; **Wirksamkeit** *f* effectiveness, efficacy.

Wirkung *f* effect; **wirkungslos** *adj* ineffective; ~ **bleiben** have no effect; **wirkungsvoll** *adj* effective.

wirr *adj* confused, wild; **Wirren** *pl* disturbances *pl;* **Wirrwarr** *m* <-s> disorder, chaos.

Wirsing[kohl] *m* <-s> savoy cabbage.

Wirt *m* <-[e]s, -e> landlord; **Wirtin** *f* landlady.

Wirtschaft *f* (*Gaststätte*) pub; (*Haushalt*) housekeeping; (*eines Landes*) economy; (*umg: Durcheinander*) mess; **wirtschaftlich** *adj* economical; (POL) economic; **Wirtschaftlichkeit** *f* economic viability; **Wirtschaftsflüchtling** *m* economic refugee; **Wirtschaftskriminalität** *f* white collar crimes *pl;* **Wirtschaftskrise** *f* economic crisis; **Wirtschaftsministerium** *nt* ministry of economic affairs; **Wirtschaftspolitik** *f* economic policy; **Wirtschaftsprüfer(in)** *m(f)* chartered accountant, auditor; **Wirtschaftsunion** *f* economic union; **Wirtschaftsverbrechen** *nt* white collar crime; **Wirtschaftswissenschaft** *f* economics; **Wirtschaftswunder** *nt* economic miracle.

Wirtshaus *nt* inn.

Wisch *m* <-[e]s, -e> scrap of paper.

wischen *vt* wipe; **Wischer** *m* <-s, -> (AUTO) wiper.

wispern *vt, vi* whisper.

Wissbegier[de][RR] *f* thirst for knowledge; **wissbegierdig**[RR] *adj* inquisitive, eager for knowledge.

wissen <wusste, gewusst> *vt* know; **Wissen** *nt* <-s> knowledge.

Wissenschaft *f* science; **Wissenschaftler(in)** *m(f)* <-s, -> scientist; **wissenschaftlich** *adj* scientific, academic.

wissenswert *adj* worth knowing.

wissentlich *adj* knowing.

wittern *vt* scent; (*fig*) suspect.

Witterung *f* weather; (*Geruch*) scent.

Witwe *f* <-, -n> widow; **Witwer** *m* <-s, -> widower.

Witz *m* <-[e]s, -e> joke; **Witzblatt** *nt* comic [paper]; **Witzbold** *m* <-[e]s, -e> joker; **witzeln** *vi* joke; **witzig** *adj* funny.

wo 1. *adv* where; (*umg*) somewhere; **2.** *konj* (*wenn*) if; **im Augenblick, ~ ...** the moment [that] ...; **die Zeit, ~ ...** the time when ...; **woanders** *adv* elsewhere.

wob *imperf von* **weben**.

wobei *adv* (*relativ*) by/with which; (*interrogativ*) what ... in/by/with.

Woche *f* <-, -n> week; **Wochenende** *nt* weekend; **wochenlang** *adj, adv* for weeks; **Wochenschau** *f* newsreel.

wöchentlich *adj, adv* weekly.

wodurch *adv* (*relativ*) through which; (*interrogativ*) what ... through; **wofür** *adv* (*relativ*) for which; (*interrogativ*) what ... for.

wog *imperf von* **wiegen**.

Woge *f* <-, -n> wave.

wogegen *adv* (*relativ*) against which; (*interrogativ*) what ... against.

wogen *vi* heave, surge.

woher *adv* where ... from; **wohin** *adv* where ... to.

wohl *adv* well; (*behaglich*) at ease, comfortable; (*vermutlich*) I suppose, probably; (*gewiss*) certainly; **er weiß das ~** he knows that perfectly well; **Wohl** *nt* <-[e]s> welfare; **zum ~!** cheers!; **wohlauf** *adv* well; **Wohlbehagen** *nt* feeling of well-being; **wohlbehalten** *adv* safe and sound.

Wohlfahrt *f* welfare; **Wohlfahrtsstaat** *m* welfare state.

wohlhabend *adj* wealthy.

wohlig *adj* contented, comfortable.

Wohlklang *m* melodious sound; **wohlschmeckend** *adj* delicious.

Wohlstand *m* prosperity, affluence; **Wohlstandsgesellschaft** *f* affluent society; **Wohlstandsschere** *f* gap between rich and poor.

Wohltat *f* relief; **Wohltäter(in)** *m(f)* benefactor; **wohltätig** *adj* charitable.

wohlverdient *adj* well-earned, well-deserved; **wohlweislich** *adv* prudently; **Wohlwollen** *nt* <-s> goodwill; **wohlwollend** *adj* benevolent.

wohnen *vi* live; **Wohngebiet** *nt* residential area; **Wohngemeinschaft** *f* shared flat; **wohnhaft** *adj* resident; **wohnlich** *adj* comfortable; **Wohnmobil** *nt* <-s, -e> camper; **Wohnort** *m* domicile; **Wohnsitz** *m* place of residence; **Wohnung** *f* house; (*Etagen~*) flat, apartment; **Wohnungsbau** *m* housing construction, house-building; **Wohnungsnot** *f* housing shortage; **Wohnwagen** *m* caravan; **Wohnzimmer** *nt* living room.

wölben *vt, vr:* **sich ~** curve; **Wölbung** *f* curve.

Wolf *m* <-[e]s, Wölfe> wolf; **Wölfin** *f* she-wolf.

Wolke *f* <-, -n> cloud; **Wolkenkratzer** *m* skyscraper; **wolkig** *adj* cloudy.

Wolle *f* <-, -n> wool; **wollen** *adj* woollen.

wollen *vt, vi* want.

wollüstig *adj* lustful, sensual.

womit *adv* (*relativ*) with which; (*interrogativ*) what ... with; **womöglich** *adv* probably, I suppose; **wonach** *adv* (*relativ*) after/for which; (*interrogativ*) what ... for/after.

Wonne *f* <-, -n> joy, bliss.

woran *adv* (*relativ*) on/at which; (*interrogativ*) what ... on/at; **worauf** *adv* (*relativ*) on which; (*interrogativ*) what ... on; **woraus** *adv* (*relativ*) from/out of which; (*interrogativ*) what ... from/out of; **worin** *adv* (*relativ*) in which; (*interrogativ*) what ... in.

Workshop *m* <-s, -s> workshop.

Workstation *m* <-, -s> (INFORM) workstation.

Wort 1. *nt* <-[e]s, Wörter> (*Vokabel*) word; **2.** *nt* <-[e]s, -e> (*Äußerung*) word; **jdn beim ~ nehmen** take sb at his word; **wortbrüchig** *adj* not true to one's word.

Wörterbuch *nt* dictionary.

Wortführer(in) *m(f)* spokesman/-woman, spokesperson; **wortkarg** *adj* taciturn; **Wortlaut** *m* wording.

wörtlich *adj* literal.

wortlos *adj* mute; **wortreich** *adj* wordy, verbose; **Wortschatz** *m* vocabulary; **Wortspiel** *nt* play on words, pun; **Wortwechsel** *m* dispute.

worüber *adv* (*relativ*) over/about which; (*interrogativ*) what ... over/about; **worum** *adv* (*relativ*) about/round which; (*interrogativ*) what ... about/round; **worunter** *adv* (*relativ*) under which; (*interrogativ*) what ... under; **wovon** *adv* (*relativ*) from which; (*interrogativ*) what ... from; **wovor** *adv* (*relativ*) before which; (*interrogativ*) before what; of what; **wozu** *adv* (*relativ*) to/for which; (*interrogativ*) what ... for/to; (*warum*) why.

Wrack *nt* <-[e]s, -s> wreck.

wringen <wrang, gewrungen> *vt* wring.

Wucher *m* <-s> profiteering; **Wucherer(in)** *m(f)* <-s, -> profiteer; **wucherisch** *adj* profiteering.

wuchern *vi* (*Pflanzen*) grow wild; **Wucherung** *f* (MED) growth, tumour.

wuchs *imperf von* **wachsen**; **Wuchs** *m* <-es> growth; (*Statur*) build.

Wucht *f* <-> force; **wuchtig** *adj* solid, massive.

wühlen *vi* scrabble; (*Tier*) root; (*Maulwurf*) burrow; (*umg: arbeiten*) slave away.

Wulst *m* <-es, Wülste> bulge; (*an Wunde*) swelling.

wund *adj* sore, raw.

Wunde *f* <-, -n> wound.

Wunder *nt* <-s, -> miracle; **es ist kein ~** it's no wonder; **wunderbar** *adj* wonderful, marvellous; **Wunderkind** *nt* infant prodigy; **wunderlich** *adj* odd, peculiar; **wundern 1.** *vr:* **sich ~** be surprised (*über +akk* at); **2.** *vt* surprise; **wunderschön** *adj* beautiful; **wundervoll** *adj* wonderful.

Wundstarrkrampf *m* tetanus.

Wunsch *m* <-[e]s, Wünsche> wish; **wünschen** *vt* wish; **sich** *dat* **etw ~** want sth, wish for sth; **wünschenswert** *adj* desirable.

wurde *imperf von* **werden**.

Würde *f* <-, -n> dignity; (*Stellung*) honour; **Würdenträger(in)** *m(f)* dignitary; **würdevoll** *adj* dignified; **würdig** *adj* worthy; (*würdevoll*) dignified; **würdigen** *vt* appreciate; **jdn keines Blickes ~** not so much as look at sb.

Wurf *m* <-s, Würfe> throw; (*Junge*) litter.

Würfel *m* <-s, -> dice; (MATH) cube; **Würfelbecher** *m* [dice] cup; **würfeln 1.** *vi* play dice; **2.** *vt* throw; (*in Würfel schneiden*) dice, cut into cubes; **Würfelspiel** *nt* game of dice; **Würfelzucker** *m* lump sugar.

würgen *vt, vi* choke.

Wurm *m* <-[e]s, Würmer> worm; **wurmen** *vt* (*umg*) rile, nettle; **Wurmfortsatz** *m* (MED) appendix; **wurmig** *adj* worm-eaten; **wurmstichig** *adj* worm-ridden.

Wurst *f* <-, Würste> sausage; **das ist mir ~** (*umg*) I don't care, I don't give a damn.

Würze *f* <-, -n> seasoning, spice.

Wurzel *f* <-, -n> root.

würzen *vt* season, spice; **würzig** *adj* spicy.

wusch *imperf von* **waschen**.

wusste[RR] *imperf von* **wissen**.

wüst *adj* untidy, messy; (*ausschweifend*) wild; (*öde*) waste; (*umg: heftig*) terrible.

Wüste *f* <-, -n> desert.

Wüstling *m* rake.

Wut *f* <-> rage, fury; **Wutanfall** *m* fit of rage.

wüten *vi* rage.

wütend *adj* furious, mad.

WWW *nt abk von* **World Wide Web** WWW.

X, x *nt* X, x.

X-Beine *pl* knock-knees *pl.*

x-beliebig *adj* any [whatever].

xerokopieren *vt* xerox.

x-mal *adv* any number of times, n times.

Xylophon *nt* <-s, -e> xylophone.

Y

Y, y *nt* Y, y.

Yen *m* <-[s], -[s]> yen.

Yoga *m o nt* <-[s]> yoga.

Ypsilon *nt* <-[s], -s> the letter Y.

Yuppie *m* <-s, -s>, *f* <-, -s> yuppy, yuppie.

Z

Z, z *nt* Z, z.

Zacke *f* <-, -n> point; (*Berg~*) jagged peak; (*Gabel~*) prong; (*Kamm~*) tooth; **zackig** *adj* jagged; (*umg*) smart; (*Tempo*) brisk.

zaghaft *adj* timid; **Zaghaftigkeit** *f* timidity.

zäh *adj* tough; (*Mensch*) tenacious; (*Flüssigkeit*) thick; (*schleppend*) sluggish; **zähflüssig** *adj* thick, viscous; **Zähigkeit** *f* toughness; tenacity.

Zahl *f* <-, -en> number; (*Verkaufs~*) figure.

zahlbar *adj* payable; **zahlen** *vt, vi* pay; ~ **bitte!** the bill please!

zählen *vt, vi* count (*auf+akk* on); ~ **zu** be numbered among.

zahlenmäßig *adj* numerical.

Zahler(in) *m(f)* <-s, -> payer.

Zähler *m* <-s, -> (TECH) meter; (MATH) numerator.

zahllos *adj* countless; **zahlreich** *adj* numerous.

Zahltag *m* payday.

Zahlung *f* payment; **zahlungsfähig** *adj* solvent; **zahlungsunfähig** *adj* insolvent; **Zahlungsverkehr** *m* payments *pl*, payment transactions *pl*.

Zahlwort *nt* numeral.

zahm *adj* tame; **zähmen** *vt* tame; (*fig*) curb.

Zahn *m* <-[e]s, Zähne> tooth; **Zahnarzt** *m*, **Zahnärztin** *f* dentist; **zahnärztlich** *adj* dental; **Zahnbürste** *f* toothbrush; **zahnen** *vi* teethe, cut one's teeth; **Zahnfäule** *f* <-> tooth decay, caries; **Zahnfleisch** *nt* gums *pl*; **Zahnimplantat** *nt* dental implant; **Zahnpasta**, **Zahnpaste** *f* toothpaste; **Zahnrad** *nt* cog[wheel]; **Zahnradbahn** *f* rack railway; **Zahnschmelz** *m* [tooth] enamel; **Zahnschmerzen** *pl* toothache; **Zahnseide** *f* dental floss; **Zahnstein** *m* tartar; **Zahnstocher** *m* <-s, -> toothpick.

Zange *f* <-, -n> pliers *pl*; (*Zucker~*) tongs *pl*; (*Beiß~*, ZOOL) pincers *pl*; (MED) forceps *pl*; **Zangengeburt** *f* forceps delivery.

Zankapfel *m* bone of contention; **zanken** *vi, vr:* **sich** ~ quarrel; **zänkisch** *adj* quarrelsome.

Zäpfchen *nt* (ANAT) uvula; (MED) suppository.

zapfen *vt* tap.

Zapfen *m* <-s, -> plug; (BOT) cone; (*Eis~*) icicle.

Zapfenstreich *m* (MIL) tattoo.

Zapfsäule *f* petrol pump, gas pump *US*.

zappelig *adj* wriggly; (*unruhig*) fidgety; **zappeln** *vi* wriggle; fidget.

zappen *vi* (*umg*) zap.

zart *adj* (*weich, leise*) soft; (*Braten etc*) tender; (*fein, schwächlich*) delicate; **Zartgefühl** *nt* tact; **Zartheit** *f* softness; tenderness; delicacy.

zärtlich *adj* tender, affectionate; **Zärtlichkeit** *f* tenderness; **~en** *pl* caresses *pl*.

Zauber *m* <-s, -> magic; (*~bann*) spell; **Zauberei** *f* magic; **Zauberer** *m* <-s, -> magician; (*Zauberkünstler auch*) conjuror; **zauberhaft** *adj* magical, enchanting; **Zauberin** *f* magician; (*Zauberkünstlerin auch*) conjuror; **Zauberkünstler(in)** *m(f)* conjuror; **zaubern** *vi* conjure, practise magic; **Zauberspruch** *m* [magic] spell.

zaudern *vi* hesitate.

Zaum *m* <-[e]s, Zäume> bridle; **etw im ~ halten** keep sth in check.

Zaun *m* <-[e]s, Zäune> fence; **vom ~[e] brechen** (*fig*) start; **Zaunkönig** *m* wren; **Zaunpfahl** *m:* **ein Wink mit dem ~** a broad hint.

z. B. *abk von* **zum Beispiel** e.g.

Zebra *nt* <-s, -s> zebra; **Zebrastreifen** *m* zebra crossing, pedestrian crosswalk *US*.

Zeche *f* <-, -n> (*Rechnung*) bill; (MIN) mine.

Zecke *f* <-, -n> tick.

Zehe *f* <-, -n> toe; (*Knoblauch~*) clove.

zehn *num* ten; **zehnfach 1.** *adj* tenfold; **2.** *adv* ten times; **zehnjährig** *adj* (*10 Jahre alt*) ten-year-old; (*10 Jahre dauernd*) ten-year; **zehnmal** *adv* ten times.

zehnte(r, s) *adj* tenth; **der ~ Mai** the tenth of May; **Freiburg, den 10. Mai** Freiburg, May 10th; **Zehnte(r)** *mf* tenth.

Zehntel *nt* <-s, -> (*Bruchteil*) tenth.

zehntens *adv* in the tenth place.

Zeichen *nt* <-s, -> sign.

zeichnen *vt, vi* draw; (*kenn~*) mark; (*unter~*) sign; **Zeichner(in)** *m(f)* <-s, -> artist; **technischer ~** draughtsman; **Zeichnung** *f* drawing; (*Markierung*) markings *pl*.

Zeigefinger *m* index finger; **zeigen 1.** *vt* show; **2.** *vi* point (*auf+akk* to, at); **3.** *vr:* **sich ~** show oneself; **es wird sich ~** time will tell; **es zeigte sich, dass …** it turned out that …

Zeiger *m* <-s, -> pointer; (*Uhr~*) hand.

Zeile *f* <-, -n> line; (*Häuser~*) row; **Zeilenabstand** *m* line spacing.

Zeit *f* <-, -en> time; (LING) tense; **zur ~** at the moment; **sich** *dat* **~ lassen** take one's time; **von ~ zu ~** from time to time; **~ raubend**[RR] time-consuming; **Zeitalter** *nt* age; **Zeitarbeit** *f* temporary work; **zeitgemäß** *adj* in keeping with the times; **Zeitgenosse** *m*, **Zeitgenossin** *f* contemporary; **zeitig** *adj* early; **zeitlebens** *adv* all one's life; **zeitlich** *adj* temporal; **Zeitlupe** *f* slow motion; **Zeitraffer** *m* <-s, -> time-lapse photography;

zeitraubend *adj s.* **Zeit**; **Zeitraum** *m* period; **Zeitrechnung** *f* time, era; **nach/vor unserer** ~ A.D./B.C.

Zeitschrift *f* magazine; (*wissenschaftliche* ~) periodical.

Zeitung *f* newspaper.

Zeitverschwendung *f* waste of time; **Zeitvertreib** *m* pastime, diversion; **zeitweilig** *adj* temporary; **zeitweise** *adv* for a time; **Zeitwort** *nt* verb; **Zeitzeichen** *nt* (RADIO) time signal; **Zeitzünder** *m* time fuse.

Zelle *f* <-, -n> cell; (*Telefon~*) callbox; **Zellkern** *m* cell, nucleus; **Zellstoff** *m* cellulose; **Zellteilung** *f* cell division.

Zelt *nt* <-[e]s, -e> tent; **Zeltbahn** *f* tarpaulin; groundsheet; **zelten** *vi* camp.

Zement *m* <-[e]s, -e> cement; **zementieren** *vt* cement.

zensieren *vt* censor; (SCH) mark; **Zensur** *f* censorship; (SCH) mark.

Zentimeter *m o nt* centimetre.

Zentner *m* <-s, -> ≈ hundredweight.

zentral *adj* central; **Zentrale** *f* <-, -n> central office; (TEL) exchange; **Zentraleinheit** *f* (INFORM) central processing unit, CPU; **Zentralheizung** *f* central heating; **zentralisieren** *vt* centralize; **Zentralrechner** *m* (INFORM) mainframe; **Zentralspeicher** *m* (INFORM) central memory; **Zentralverriegelung** *f* (AUTO) central [door] locking.

zentrieren *vt* (TYP) centre.

Zentrifugalkraft *f* centrifugal force.

Zentrifuge *f* <-, -n> centrifuge; (*für Wäsche*) spin-dryer.

Zentrum *nt* <-s, Zentren> centre.

Zepter *nt* <-s, -> sceptre.

zerbrechen *irr vt, vi* break; **zerbrechlich** *adj* fragile.

zerbröckeln *vt, vi* crumble [to pieces].

zerdrücken *vt* squash, crush; (*Kartoffeln*) mash.

Zeremonie *f* ceremony.

Zerfall *m* decay; **zerfallen** *irr vi* disintegrate, decay; (*sich gliedern*) fall (*in +akk* into).

zerfetzen *vt* tear to pieces.

zerfließen *irr vi* dissolve, melt away.

zergehen *irr vi* melt, dissolve.

zerkleinern *vt* cut up; (*zerhacken*) chop [up].

zerlegbar *adj* able to be taken apart; **zerlegen** *vt* take to pieces; (*Fleisch*) carve; (*Satz*) analyse; (*Gerät, Maschine*) dismantle.

zerlumpt *adj* ragged.

zermalmen *vt* crush.

zermürben *vt* wear down.

zerquetschen *vt* squash.

Zerrbild *nt* caricature, distorted picture.

zerreden *vt* (*Problem*) flog to death.

zerreißen *irr* **1.** *vt* tear to pieces; **2.** *vi* tear, rip.

zerren 1. *vt* drag; **2.** *vi* tug (*an +dat* at).

zerrinnen *irr vi* (*a. fig*) melt away.

Zerrissenheit *f* tattered state; (POL) disunion, discord; (*innere* ~) conflict.

Zerrung *f* (MED) a pulled muscle.

zerrütten *vt* wreck, destroy; **zerrüttet** *adj* wrecked, shattered; (*Ehe, Familie*) broken.

zerschlagen *irr* **1.** *vt* shatter, smash; **2.** *vr:* **sich** ~ fall through.

zerschneiden *irr vt* cut up.

zersetzen *vt, vr:* **sich** ~ decompose, dissolve.

zerspringen *irr vi* shatter, burst.

Zerstäuber *m* <-s, -> atomizer.

zerstören *vt* destroy; **Zerstörung** *f* destruction.

zerstoßen *irr vt* pound, pulverize.

zerstreiten *irr vr:* **sich** ~ fall out, break up.

zerstreuen *vt, vr:* **sich** ~ disperse, scatter; (*unterhalten*) divert; (*Zweifel etc*) dispel; **zerstreut** *adj* scattered; (*Mensch*) absent-minded; **Zerstreutheit** *f* absent-mindedness; **Zerstreuung** *f* dispersion; (*Ablenkung*) diversion.

zerstückeln *vt* cut up.

zertreten *irr vt* crush [underfoot].

zertrümmern *vt* shatter; (*Gebäude etc*) demolish.

Zerwürfnis *nt* dissension, quarrel.

zerzausen *vt* (*Haare*) ruffle up, tousle.

zetern *vi* shout, shriek.

Zettel *m* <-s, -> piece of paper, slip; (*Notiz~*) note; (*Formular*) form.

Zeug *nt* <-[e]s, -e> (*umg*) stuff; (*Ausrüstung*) gear; **dummes** ~ [stupid] nonsense; **das ~ haben zu** have the makings of; **sich ins ~ legen** put one's shoulder to the wheel.

Zeuge *m* <-n, -n> witness; **zeugen 1.** *vi* bear witness, testify; **2.** *vt* (*Kind*) father; **es zeugt von ...** it testifies to ...; **Zeugenaussage** *f* testimony; **Zeugenstand** *m* witness box; **Zeugin** *f* witness.

Zeugnis *nt* certificate; (SCH) report; (*Referenz*) reference; (*Aussage*) evidence, testimony; ~ **geben von** be evidence of, testify

to.
Zeugung *f* procreation; **zeugungsunfähig** *adj* sterile.
z.Hd. *abk von* **zu Händen von** attn.
zickig *adj* (*umg*) prim.
Zickzack *m* <-[e]s, -e> zigzag.
Ziege *f* <-, -n> goat.
Ziegel *m* <-s, -> brick; (*Dach~*) tile; **Ziegelei** *f* brickworks *sing o pl;* **Ziegelstein** *m* brick.
Ziegenleder *nt* kid.
ziehen <zog, gezogen> **1.** *vt* draw; (*zerren*) pull; (SCHACH) move; (*züchten*) rear; **2.** *vi* draw; (*um~, wandern*) move; (*Rauch, Wolke etc*) drift; (*reißen*) pull; **3.** *vi unpers:* **es zieht** there is a draught, it's draughty; **4.** *vr:* **sich ~** (*Gummi*) stretch; (*Grenze etc*) run; (*Gespräche*) go on and on, drag on; **etw nach sich ~** lead to sth, entail sth.
Ziehharmonika *f* concertina; accordion.
Ziehung *f* (*Los~*) drawing.
Ziel *nt* <-[e]s, -e> (*einer Reise*) destination; (SPORT) finish; (MIL) target; (*Absicht*) goal, aim; **zielen** *vi* aim (*auf+akk* at); **Zielfernrohr** *nt* telescopic sight; **Zielgruppe** *f* target group; **ziellos** *adj* aimless; **Zielscheibe** *f* target; **zielstrebig** *adj* purposeful.
ziemlich 1. *adj* quite a; fair; **2.** *adv* rather; quite a bit.
zieren *vr:* **sich ~** make a fuss.
zierlich *adj* dainty; (*Frau*) petite; **Zierlichkeit** *f* daintiness.
Zierpflanze *f* ornamental plant; **Zierstrauch** *m* flowering shrub.
Ziffer *f* <-, -n> figure, digit; **Zifferblatt** *nt* dial, clock-face.
zig *adj* (*umg*) umpteen.
Zigarette *f* cigarette; **Zigarettenautomat** *m* cigarette machine; **Zigarettenschachtel** *f* cigarette packet; **Zigarettenspitze** *f* cigarette holder.
Zigarre *f* <-, -n> cigar.
Zigeuner(in) *m(f)* <-s, -> gipsy.
Zimbabwe *nt* Zimbabwe.
Zimmer *nt* <-s, -> room; **Zimmerantenne** *f* indoor aerial; **Zimmerdecke** *f* ceiling; **Zimmerlautstärke** *f* reasonable volume; **Zimmermädchen** *nt* chambermaid; **Zimmermann** *m* <Zimmerleute *pl*> carpenter; **zimmern** *vt* make, carpenter; **Zimmerpflanze** *f* pot plant.
zimperlich *adj* squeamish; (*pingelig*) fussy, finicky.
Zimt *m* <-[e]s, -e> cinnamon; **Zimtstange** *f* cinnamon stick.
Zink *nt* <-[e]s> zinc.
Zinke *f* <-, -n> (*Gabel~*) prong; (*Kamm~*) tooth; **zinken** *vt* (*Karten*) mark.
Zinksalbe *f* zinc ointment.
Zinn *nt* <-[e]s> (*Element*) tin; (*in ~waren*) pewter.
zinnoberrot *adj* vermilion.
Zinnsoldat *m* tin soldier; **Zinnwaren** *pl* pewter.
Zins *m* <-es, -en> interest; **Zinsabschlagsteuer** *f* tax on interest payments; **Zinseszins** *m* compound interest; **Zinsfestschreibung** *f* tax on interest payments; **Zinsfuß** *m* rate of interest; **zinslos** *adj* interest-free; **Zinssatz** *m* rate of interest.
Zionismus *m* Zionism.
Zipfel *m* <-s, -> corner; (*spitz*) tip; (*Hemden~*) tail; (*Wurst~*) end; **Zipfelmütze** *f* stocking cap; nightcap.
zirka *adv* [round] about.
Zirkel *m* <-s, -> circle; (MATH) pair of compasses.
Zirkulation *f* circulation.
Zirkus *m* <-, -se> circus.
Zirrhose *f* <-, -n> cirrhosis.
zischeln *vt, vi* whisper.
zischen *vi* hiss.
Zitat *nt* quotation, quote; **zitieren** *vt* quote.
Zitronat *nt* candied lemon peel.
Zitrone *f* <-, -n> lemon; **Zitronenlimonade** *f* lemonade; **Zitronensaft** *m* lemon juice; **Zitronenscheibe** *f* lemon slice.
zittern *vi* tremble.
Zitze *f* <-, -n> (*bei Tieren*) teat, dug.
zivil *adj* civil; (*Preis: billig*) moderate; **Zivil** *nt* <-s> plain clothes *pl;* (MIL) civilian clothing; **Zivilbevölkerung** *f* civilian population; **Zivilcourage** *f* courage of one's convictions; **Zivildienst** *m* community service, alternative service.
Zivilisation *f* civilization; **Zivilisationserscheinung** *f* phenomenon of civilization; **Zivilisationskrankheit** *f* illness caused by civilization; **zivilisieren** *vt* civilize.
Zivilist(in) *m(f)* civilian.
Zivilrecht *nt* civil law.
zocken *vi* (*umg*) gamble; **Zocker(in)** *m(f)* <-s, -> (*umg*) gambler.
Zoff *m* <-s> (*umg*) trouble.
zog *imperf von* **ziehen**.

zögern *vi* hesitate.

Zölibat *m o nt* <-[e]s> celibacy.

Zoll *m* <-[e]s, Zölle> customs *pl;* (*Abgabe*) duty; **Zollabfertigung** *f* customs clearance; **Zollamt** *nt* customs office; **Zollbeamte(r)** *m,* **Zollbeamtin** *f* customs official; **Zollerklärung** *f* customs declaration; **zollfrei** *adj* duty-free; **zollpflichtig** *adj* liable to duty, dutiable.

Zombie *m* <-s, -s> (*fig*) zombie.

Zone *f* <-, -n> zone.

Zoo *m* <-s, -s> zoo.

Zoologe *m* <-n, -n> zoologist; **Zoologie** *f* zoology; **Zoologin** *f* zoologist; **zoologisch** *adj* zoological.

Zoom *nt* <-s, -s> zoom shot; (*Objektiv*) zoom lens.

Zopf *m* <-[e]s, Zöpfe> plait; (*nicht geflochten*) pigtail; **alter** ~ antiquated custom.

Zorn *m* <-[e]s> anger; **zornig** *adj* angry.

Zote *f* <-, -n> smutty joke/remark.

zottelig *adj* (*umg*) shaggy; **zottig** *adj* shaggy.

zu 1. *konj* (*mit Infinitiv*) to; **2.** *präp +dat* (*bei Richtung, Vorgang*) to; (*bei Orts-, Zeit-, Preisangabe*) at; (*Zweck*) for; **3.** *adv* (~ *sehr*) too; (*in Richtung*) towards [sb/sth]; **4.** *adj* (*umg*) shut; **~m Fenster herein** through the window; **~ meiner Zeit** in my time; **~ viel**[RR] too much; **~ wenig**[RR] too little.

zuallererst *adv* first of all; **zuallerletzt** *adv* last of all.

Zubehör *nt* <-[e]s, -e> accessories *pl.*

Zuber *m* <-s, -> tub.

zubereiten *vt* prepare.

zubilligen *vt* grant.

zubinden *irr vt* tie up.

zubleiben *irr vi* (*umg*) stay shut.

zubringen *irr vt* spend; (*umg: Tür*) get shut.

Zubringer *m* <-s, -> (TECH) feeder, conveyor; **Zubringerstraße** *f* approach road.

Zucchini *pl* courgettes *pl,* zucchini *pl US.*

Zucht *f* <-, -en> (*von Tieren*) breed[ing]; (*von Pflanzen*) cultivation; (*von Fischen*) farming; (*Rasse*) breed; (*Disziplin*) discipline; **züchten** *vt* (*Tiere*) breed; (*Pflanzen*) cultivate, grow; (*Fische*) farm; **Züchter(in)** *m(f)* <-s, -> breeder; grower.

Zuchthaus *nt* prison, penitentiary *US.*

Zuchthengst *m* stallion, stud.

züchtig *adj* modest, demure.

züchtigen *vt* chastise; **Züchtigung** *f* chastisement.

zucken 1. *vi* jerk, twitch; (*Strahl etc*) flicker; **2.** *vt* shrug.

zücken *vt* (*Schwert*) draw; (*Geldbeutel*) pull out.

Zucker *m* <-s, -> sugar; (MED) diabetes *sing;* **Zuckerdose** *f* sugar bowl; **Zuckerguss**[RR] *m* icing; **zuckerkrank** *adj* diabetic; **zuckern** *vt* sugar; **Zuckerrohr** *nt* sugar cane; **Zuckerrübe** *f* sugar beet.

Zuckung *f* convulsion, spasm; (*leicht*) twitch.

zudecken *vt* cover [up].

zudrehen *vt* turn off.

zudringlich *adj* forward, pushing.

zudrücken *vt* close; **ein Auge** ~ turn a blind eye.

zueinander *adv* to one other; (*in Verbverbindung*) together.

zuerst *adv* first; (*zu Anfang*) at first; ~ **einmal** first of all.

Zufahrt *f* approach; (*Einfahrt*) entrance; **Zufahrtsstraße** *f* approach road; (*von Autobahn etc*) slip road.

Zufall *m* chance; (*Ereignis*) coincidence; **durch** ~ by accident; **so ein** ~ what a coincidence.

zufallen *irr vi* close, shut itself; (*Anteil, Aufgabe*) fall (*jdm* to sb).

zufällig 1. *adj* chance; **2.** *adv* by chance; (*in Frage*) by any chance.

Zuflucht *f* recourse; (*Ort*) refuge.

Zufluss[RR] *m* (*Zufließen*) inflow, influx; (GEO) tributary; (WIRTS) supply.

zufolge *präp +dat o gen* judging by; (*laut*) according to.

zufrieden *adj* content[ed], satisfied; **~ stellen**[RR] satisfy; **Zufriedenheit** *f* satisfaction, contentedness.

zufrieren *irr vi* freeze up [*o* over].

zufügen *vt* add (*dat* to); (*Leid*) cause (*jdm etw* sth to sb).

Zufuhr *f* <-, -en> (*Herbeibringen*) supplying; (METEO) influx.

zuführen 1. *vt* (*leiten*) bring, conduct; (*transportieren*) convey to; (*versorgen*) supply; **2.** *vi:* **auf etw** *akk* ~ lead to sth.

Zug *m* <-[e]s, Züge> (EISENB) train; (*Luft~*) draught; (*Ziehen*) pull[ing]; (*Gesichts~*) feature; (SCHACH) move; (*Klingel~*) pull; (*Atem~*) breath; (*Charakter~*) characteristic trait; (*an Zigarette*) puff, pull, drag; (*Schluck*) gulp; (*Menschengruppe*) procession; (*von Vögeln*) flight; (MIL) platoon;

etw in vollen Zügen genießen enjoy sth to the full.

Zugabe *f* extra; (*in Konzert etc*) encore.

Zugabteil *nt* train compartment.

Zugang *m* access, approach.

zugänglich *adj* accessible; (*Mensch*) approachable.

Zugbrücke *f* drawbridge.

zugeben *irr vt* (*beifügen*) add, throw in; (*zugestehen*) admit; (*erlauben*) permit.

zugehen *irr* 1. *vi* (*schließen*) shut; 2. *vi unpers* (*sich ereignen*) go on, proceed; **auf jdn/etw ~** walk towards sb/sth; **dem Ende ~** be finishing.

Zugehörigkeit *f* membership (*zu* of), belonging (*zu* to); **Zugehörigkeitsgefühl** *nt* feeling of belonging.

zugeknöpft *adj* (*umg*) reserved, standoffish.

Zügel *m* <-s, -> rein[s]; (*fig a.*) curb; **zügellos** *adj* unrestrained, licentious; **Zügellosigkeit** *f* lack of restraint, licentiousness; **zügeln** *vt* (*a. fig*) curb.

Zugeständnis *nt* concession; **zugestehen** *irr vt* admit; (*Rechte*) concede (*jdm* to sb).

Zugführer(in) *m(f)* (EISENB) chief guard *Brit*, chief conductor *US*; (MIL) platoon commander.

zugig *adj* draughty.

zügig *adj* speedy, swift.

Zugluft *f* draught; **Zugmaschine** *f* traction engine, tractor.

zugreifen *irr vi* seize [*o* grab] it; (*helfen*) help; (*beim Essen*) help oneself; **Zugriff** *m* (INFORM) access; **Zugriffszeit** *f* (INFORM) access time.

zugrunde, zu Grunde[RR] *adv:* **~ gehen** collapse; (*Mensch*) perish; **einer Sache** *dat* **etw ~ legen** base sth on sth; **einer Sache** *dat* **~ liegen** be based on sth; **~ richten** ruin, destroy.

zugunsten, zu Gunsten[RR] *präp +gen o dat* in favour of.

zugute *adv:* **jdm etw ~ halten** concede sth; **jdm ~ kommen** be of assistance to sb.

Zugverbindung *f* train connection; **Zugvogel** *m* migratory bird.

zuhalten *irr* 1. *vt* hold shut; 2. *vi:* **auf jdn/etw ~** make for sb/sth.

Zuhälter *m* <-s, -> pimp.

Zuhause *nt* <-s> home.

Zuhilfenahme *f:* **unter ~ von** with the help of.

zuhören *vi* listen (*dat* to); **Zuhörer(in)** *m(f)* listener; **Zuhörerschaft** *f* audience.

zujubeln *vi* cheer (*jdm* sb).

zukleben *vt* (*Brief*) seal [up].

zuknöpfen *vt* button up, fasten.

zukommen *irr vi* come up (*auf +akk* to); (*sich gehören*) be fitting (*jdm* for sb); **das kommt ihr zu** (*Recht haben auf*) she is entitled to that; **jdm etw ~ lassen** give sb sth; **etw auf sich ~ lassen** wait and see.

Zukunft *f* <-, Zukünfte> future; **zukünftig** 1. *adj* future; 2. *adv* in future; **mein ~er Mann** my husband to be; **Zukunftsaussichten** *pl* future prospects *pl;* **Zukunftsmusik** *f* (*umg*) pie in the sky; **Zukunftsroman** *m* science-fiction novel; **Zukunftstechnologie** *f* sunrise technology.

Zulage *f* bonus, allowance.

zulassen *irr vt* (*hereinlassen*) admit; (*erlauben*) permit; (*Auto*) license; (*umg: nicht öffnen*) [keep] shut; **zulässig** *adj* permissible, permitted.

zulaufen *irr vi* run (*auf +akk* towards); (*Tier*) adopt (*jdm* sb); **spitz ~** come to a point.

zulegen *vt* add; (*Geld*) put in; (*Tempo*) accelerate, quicken; **sich** *dat* **etw ~** (*umg*) get oneself sth.

zuleide, zu Leide[RR] *adj:* **jdm etw ~ tun** hurt [*o* harm] sb.

zuletzt *adv* finally, at last.

zuliebe *adv:* **jdm ~** to please sb.

zum = zu dem: ~ dritten Mal for the third time; **~ Scherz** as a joke; **~ Trinken** for drinking.

zumachen 1. *vt* shut; (*Kleidung*) do up, fasten; 2. *vi* shut; (*umg: sich beeilen*) hurry up.

zumal *konj* especially [as].

zumindest *adv* at least.

zumutbar *adj* reasonable.

zumute, zu Mute[RR] *adv:* **wie ist ihm ~?** how does he feel?

zumuten *vt* expect, ask (*jdm* of sb); **Zumutung** *f* unreasonable expectation [*o* demand], impertinence.

zunächst *adv* first of all; **~ einmal** to start with.

zunähen *vt* sew up.

Zunahme *f* <-, -n> increase.

Zuname *m* surname.

zünden *vi* (*Feuer*) light, ignite; (*Motor*) fire; (*begeistern*) fire [with enthusiasm] (*bei jdm* sb); **zündend** *adj* fiery; **Zünder** *m* <-s, -> fuse; (MIL) detonator;

Zündholz *nt* match; **Zündkerze** *f* (AUTO) spark[ing] plug; **Zündschlüssel** *m* ignition key; **Zündschnur** *f* fuse wire; **Zündstoff** *m* (*fig*) dynamite; **Zündung** *f* ignition.

zunehmen *irr vi* increase, grow; (*Mensch*) put on weight.

Zuneigung *f* affection.

Zunft *f* <-, Zünfte> guild.

zünftig *adj* proper, real; (*Handwerk*) decent.

Zunge *f* <-, -n> tongue; **Zungenbrecher** *m* <-s, -> tongue-twister.

zunichte *adv:* ~ **machen** ruin, destroy; ~ **werden** come to nothing.

zunutze, **zu Nutze**[RR] *adv:* **sich** *dat* **etw** ~ **machen** make use of sth.

zuoberst *adv* at the top.

zupacken *vi* (*umg: bei der Arbeit*) knuckle down; **zupackend** *adj* vigorous, energetic.

zupfen *vt* pull, pick, pluck; (*Gitarre*) pluck.

zur = **zu der**.

zurande[RR], **zu Rande** *adv:* ~ **kommen** manage.

zurate[RR], **zu Rate** *adv:* **jdn** ~ **ziehen** consult sb.

zurechnungsfähig *adj* responsible, accountable; **Zurechnungsfähigkeit** *f* responsibility, accountability.

zurechtfinden *irr vr:* **sich** ~ find one's way [about]; **zurechtkommen** *irr vi* [be able to] deal (*mit* with), manage; **zurechtlegen** *vt* get ready; (*Ausrede etc*) have ready; **zurechtmachen 1.** *vt* prepare; **2.** *vr:* **sich** ~ get ready; **zurechtweisen** *irr vt* reprimand; **Zurechtweisung** *f* reprimand, rebuff.

zureden *vi* persuade, urge (*jdm* sb).

zurichten *vt* (*beschädigen*) batter, bash up.

zürnen *vi* be angry (*jdm* with sb).

zurück *adv* back.

zurückbehalten *irr vt* keep back.

zurückbekommen *irr vt* get back.

zurückbezahlen *vt* repay, pay back.

zurückbleiben *irr vi* (*Mensch*) remain behind; (*nicht nachkommen*) fall behind, lag; (*Schaden*) remain.

zurückbringen *irr vt* bring back.

zurückdrängen *vt* (*Gefühle*) repress; (*Feind*) push back.

zurückdrehen *vt* turn back.

zurückerobern *vt* reconquer.

zurückfahren *irr* **1.** *vi* travel back; (*vor Schreck*) recoil, start; **2.** *vt* drive back.

zurückfallen *irr vi* fall back; (*in Laster*) relapse.

zurückfinden *irr vi* find one's way back.

zurückfordern *vt* demand back.

zurückführen *vt* lead back; **etw auf etw** *akk* ~ trace sth back to sth.

zurückgeben *irr vt* give back; (*antworten*) retort with.

zurückgeblieben *adj* retarded.

zurückgehen *irr vi* go back; (*zeitlich*) date back (*auf+akk* to).

zurückgezogen *adj* retired, withdrawn.

zurückhalten *irr* **1.** *vt* hold back; (*Mensch*) restrain; (*hindern*) prevent; **2.** *vr:* **sich** ~ (*reserviert sein*) be reserved; (*im Essen*) hold back; **zurückhaltend** *adj* reserved; **Zurückhaltung** *f* reserve.

zurückkehren *vi* return.

zurückkommen *irr vi* come back; **auf etw** *akk* ~ return to sth.

zurücklassen *irr vt* leave behind.

zurücklegen *vt* put back; (*Geld*) put by; (*reservieren*) keep back; (*Strecke*) cover.

zurücknehmen *irr vt* take back.

zurückrufen *irr vt, vi* call back; **etw ins Gedächtnis** ~ recall sth.

zurückschrecken *vi* shrink (*vor +dat* from).

zurückstecken 1. *vt* put back; **2.** *vi* (*fig*) moderate [one's wishes].

zurückstellen *vt* put back, replace; (*aufschieben*) put off, postpone; (MIL) turn down; (*Interessen*) defer; (*Ware*) keep.

zurücktreten *irr vi* step back; (*von Amt*) retire; **gegenüber** [*o* **hinter**] **etw** ~ diminish in importance in view of sth.

zurückweisen *irr vt* turn down; (*jdn*) reject.

Zurückzahlung *f* repayment.

zurückziehen *irr* **1.** *vt* pull back; (*Angebot*) withdraw; **2.** *vr:* **sich** ~ retire.

Zuruf *m* shout, cry.

Zusage *f* <-, -n> promise; (*Annahme*) consent; **zusagen 1.** *vt* promise; **2.** *vi* accept; **jdm** ~ (*gefallen*) appeal to.

zusammen *adv* together.

Zusammenarbeit *f* cooperation, collaboration; **zusammenarbeiten** *vi* cooperate.

zusammenbeißen *irr vt* (*Zähne*) clench.

zusammenbleiben *irr vi* stay together.

zusammenbrechen *irr vi* collapse; (*Mensch auch*) break down.

zusammenbringen *irr vt* bring [*o* get] together; (*Geld*) get; (*Sätze*) put together.

Zusammenbruch *m* collapse.

zusammenfahren *irr vi* collide; (*erschrecken*) start.

zusammenfassen *vt* summarize; (*vereinigen*) unite; **zusammenfassend 1.** *adj* summarizing; **2.** *adv* to summarize; **Zusammenfassung** *f* summary, résumé.

Zusammenfluss[RR] *m* confluence.

zusammengehören *vi* belong together; (*Paar*) match.

zusammengesetzt *adj* compound, composite.

zusammenhalten *irr vi* stick together.

Zusammenhang *m* connection; **im/aus dem ~** in/out of context; **zusammenhängen** *irr vi* be connected, be linked; **zusammenhang[s]los** *adj* incoherent, disconnected.

zusammenkommen *irr vi* meet, assemble; (*sich ereignen*) occur at once [*o* together]; **Zusammenkunft** *f* <-, Zusammenkünfte> meeting.

zusammenlegen *vt* put together; (*stapeln*) pile up; (*falten*) fold; (*verbinden*) combine, unite; (*Termine, Fest*) amalgamate; (*Geld*) collect.

zusammennehmen *irr* **1.** *vt* summon up; **2.** *vr:* **sich ~** pull oneself together; **alles zusammengenommen** all in all.

zusammenpassen *vi* go well together, match.

zusammenschlagen *irr vt* (*jdn*) beat up; (*Dinge*) smash up; (*falten*) fold; (*Hände*) clap; (*Hacken*) click.

zusammenschließen *irr vt, vr:* **sich ~** join [together]; **Zusammenschluss**[RR] *m* amalgamation.

zusammenschreiben *irr vt* write together; (*Bericht*) put together.

Zusammensein *nt* <-s> get-together.

zusammensetzen 1. *vt* put together; **2.** *vr:* **sich ~** be composed of; **Zusammensetzung** *f* composition.

zusammenstellen *vt* put together; (*Bericht, Programm, Daten*) compile; **Zusammenstellung** *f* list; (*Vorgang*) compilation.

Zusammenstoß *m* collision; **zusammenstoßen** *irr vi* collide.

zusammentreffen *irr vi* coincide; (*Menschen*) meet; **Zusammentreffen** *nt* meeting; coincidence.

zusammenwachsen *irr vi* grow together.

zusammenzählen *vt* add up.

zusammenziehen *irr* **1.** *vt* (*verengen*) draw together; (*vereinigen*) bring together; (*addieren*) add up; **2.** *vr:* **sich ~** shrink; (*sich bilden*) form, develop.

Zusatz *m* addition; **Zusatzantrag** *m* (POL) amendment; **Zusatzgerät** *nt* attachment; (INFORM) ancillary equipment; **zusätzlich** *adj* additional.

zuschauen *vi* watch, look on; **Zuschauer(in)** *m(f)* <-s, -> spectator; **die ~** *pl* (THEAT) the audience.

zuschicken *vt* send, forward (*jdm etw* sth to sb).

zuschießen *irr* **1.** *vt* (*Ball*) kick (*dat* to); (*Geld*) put in; **2.** *vi:* **~ auf** *+akk* rush towards.

Zuschlag *m* extra charge, surcharge.

zuschlagen *irr* **1.** *vt* (*Tür*) slam; (*Ball*) hit (*jdm* to sb); (*bei Auktion*) knock down; **2.** *vi* (*Fenster, Tür*) shut; (*Mensch*) hit, punch.

Zuschlagskarte *f* (EISENB) surcharge ticket; **zuschlagspflichtig** *adj* subject to surcharge.

zuschließen *irr vt* lock [up].

zuschneiden *irr vt* cut out, cut to size.

zuschnüren *vt* tie up.

zuschrauben *vt* screw down [*o* up].

zuschreiben *irr vt* (*fig*) ascribe, attribute.

Zuschrift *f* letter, reply.

zuschulden, zu Schulden[RR] *adv:* **sich** *dat* **etw ~ kommen lassen** make oneself guilty of sth.

Zuschuss[RR] *m* subsidy, allowance.

zuschütten *vt* fill up.

zusehen *irr vi* watch (*jdm/etw* sb/sth); (*dafür sorgen*) take care; **zusehends** *adv* visibly; (*rasch*) rapidly.

zusenden *irr vt* forward, send on (*jdm etw* sth to sb).

zusetzen 1. *vt* (*beifügen*) add; (*Geld*) lose; **2.** *vi:* **jdm ~** harass sb; (*Krankheit*) take a lot out of sb.

zusichern *vt* assure (*jdm etw* sb of sth).

zuspielen *vt, vi* pass (*jdm* to sb).

zuspitzen 1. *vt* sharpen; **2.** *vr:* **sich ~** (*Lage*) become critical.

zusprechen *irr* **1.** *vt* (*zuerkennen*) award (*jdm etw* sb sth, sth to sb); **2.** *vi* speak (*jdm* to sb); **jdm Trost ~** comfort sb; **dem Essen/Alkohol ~** eat/drink a lot; **Zuspruch** *m* encouragement; (*Anklang*) appreciation, popularity.

Zustand *m* state, condition; (INFORM) state.

zustande, zu Stande[RR] *adv:* **~ bringen** bring about; **~ kommen** come about.

zuständig *adj* competent, responsible; **Zuständigkeit** *f* competence, responsibility.

zustehen *irr vi:* **jdm** ~ be sb's right.

zustellen *vt* (*verstellen*) block; (*Post etc*) send.

zustimmen *vi* agree (*dat* to); **Zustimmung** *f* agreement, consent.

zustoßen *irr vi* (*fig*) happen (*jdm* to sb).

Zustrom *m* (*fig*) influx.

zutage, **zu Tage**[RR] *adv:* ~ **bringen** bring to light; ~ **treten** come to light.

Zutaten *pl* ingredients *pl.*

zuteilen *vt* allocate, assign.

zutiefst *adv* deeply.

zutragen *irr* **1.** *vt* bring (*jdm etw* sth to sb); (*Klatsch*) tell; **2.** *vr:* **sich** ~ happen.

zuträglich *adj* beneficial.

zutrauen *vt* credit (*jdm etw* sb with sth); **Zutrauen** *nt* <-s> trust (*zu* in); **zutraulich** *adj* trusting, friendly; **Zutraulichkeit** *f* trust.

zutreffen *irr vi* be correct; (*gelten*) apply; **Zutreffendes bitte unterstreichen** please underline where applicable; **zutreffend** *adj* applicable; (*richtig*) correct.

Zutritt *m* access, admittance.

Zutun *nt* <-s> assistance; **es geschah ohne mein** ~ I didn't have a hand in it.

zuverlässig *adj* reliable; **Zuverlässigkeit** *f* reliability.

Zuversicht *f* <-> confidence; **zuversichtlich** *adj* confident; **Zuversichtlichkeit** *f* confidence, hopefulness.

zuviel; **zu viel**[RR] *adv* too much.

zuvor *adv* before, previously; **zuvorkommen** *irr vi* anticipate (*jdm* sb), beat [sb] to it; **zuvorkommend** *adj* obliging, courteous.

Zuwachs *m* <-es, Zuwächse> increase, growth; (*umg: Baby*) addition to the family.

zuwachsen *irr vi* become overgrown; (*Wunde*) heal [up].

Zuwachsrate *f* rate of increase.

zuwege, **zu Wege**[RR] *adv:* **etw** ~ **bringen** accomplish sth; **mit etw** ~ **kommen** manage sth; **gut** ~ **sein** be [doing] well.

zuweilen *adv* at times, now and then.

zuweisen *irr vt* assign, allocate (*jdm* to sb).

zuwenden *irr* **1.** *vt* turn (*dat* towards); **2.** *vr:* **sich** ~ devote oneself, turn (*dat* to); **jdm seine Aufmerksamkeit** ~ give sb one's attention; **Zuwendung** *f* (*Liebe*) care; (*Geldspende*) donation.

zuwenig; **zu wenig**[RR] *adv* too little.

zuwerfen *irr vt* throw (*jdm* to sb).

zuwider **1.** *adv:* **etw ist jdm** ~ sb loathes sth, sb finds sth repugnant; **2.** *präp +dat* contrary to; **zuwiderhandeln** *vi* act contrary (*dat* to); **einem Gesetz** ~ contravene a law; **Zuwiderhandlung** *f* contravention; **zuwiderlaufen** *irr vi* run counter (*dat* to).

zuziehen *irr* **1.** *vt* (*schließen: Vorhang*) draw, close; (*herbeirufen: Experten*) call in; **2.** *vi* move in, come; **sich** *dat* **etw** ~ catch sth; (*Zorn*) incur sth.

zuzüglich *präp +gen* plus, with the addition of.

zwang *imperf von* **zwingen**; **Zwang** *m* <-[e]s, Zwänge> compulsion, coercion.

zwängen *vt, vr:* **sich** ~ squeeze.

zwanglos *adj* informal; **Zwanglosigkeit** *f* informality.

Zwangsarbeit *f* forced labour; (*Strafe*) hard labour; **Zwangsernährung** *f* force feeding; **Zwangsjacke** *f* straightjacket; **Zwangslage** *f* predicament, tight corner; **zwangsläufig** *adj* necessary, inevitable; **Zwangsmaßnahme** *f* compulsory; (POL) sanction; **Zwangsräumung** *f* eviction; **zwangsweise** *adv* compulsorily.

zwanzig *num* twenty.

zwar *adv* to be sure, indeed; **das ist ~ ..., aber ...** that may be ... but ...; **und ~ am Sonntag** on Sunday to be precise; **und ~ so schnell, dass ...** in fact so quickly that ...

Zweck *m* <-[e]s, -e> purpose, aim.

Zwecke *f* <-, -n> tack; (*Heft~*) drawing pin, thumbtack *US.*

Zweckentfremdung *f* misuse; **zwecklos** *adj* pointless; **zweckmäßig** *adj* suitable, appropriate; **Zweckmäßigkeit** *f* suitability.

zwei *num* two; **zweideutig** *adj* ambiguous; (*unanständig*) suggestive; **zweierlei** *adj inv:* ~ **Stoff** two different kinds of material; ~ **Meinung** of differing opinions; ~ **zu tun haben** have two different things to do; **zweifach** *adj, adv* double.

Zweifel *m* <-s, -> doubt; **zweifelhaft** *adj* doubtful, dubious; **zweifellos** *adj* doubtless; **zweifeln** *vi* doubt (*an etw dat* sth); **Zweifelsfall** *m:* **im** ~ in case of doubt.

Zweig *m* <-[e]s, -e> branch; **Zweigstelle** *f* branch [office].

zweihundert *num* two hundred; **zweijährig** *adj* (*2 Jahre alt*) two-year-old; (*2 Jahre dauernd*) two-year; **Zweikampf** *m* duel; **zweimal** *adv* twice; **zweimotorig** *adj* twin-engined; **zweireihig** *adj* (*Anzug*) double-breasted; **zweischneidig** *adj* (*fig*) two-edged; **Zweisitzer** *m* <-s, -> two-seater; **zweisprachig** *adj* bilingual; **zweispurig** *adj* (AUTO) two-lane; **zweistimmig** *adj* for two voices; **Zweitaktmotor** *m* two-stroke engine.

zweite(**r**, **s**) *adj* second; **der ~ Mai** the second of May; **Trier, den 2. Mai** Trier, May 2nd; **Zweite**(**r**) *mf* second; **zweiteilig** *adj* two-part.

zweitens *adv* secondly; (*bei Aufzählungen*) second.

zweitgrößte(**r**, **s**) *adj* second largest; **zweitklassig** *adj* second-class; **zweitletzte**(**r**, **s**) *adj* last but one, penultimate; **zweitrangig** *adj* second-rate; **Zweitwagen** *m* second car.

Zweiwegebox *f* two-way speaker.

Zwerchfell *nt* diaphragm.

Zwerg(**in**) *m(f)* <-[e]s, -e> dwarf.

Zwetschge *f* <-, -n> plum.

Zwickel *m* <-s, -> gusset.

zwicken *vt* pinch, nip.

Zwieback *m* <-[e]s, -e> rusk.

Zwiebel *f* <-, -n> onion; (*Blumen~*) bulb.

Zwiegespräch *nt* dialogue; **Zwielicht** *nt* twilight; **zwielichtig** *adj* shady, dubious; **Zwiespalt** *m* conflict, split; **zwiespältig** *adj* (*Gefühle*) conflicting; (*Charakter*) contradictory; **Zwietracht** *f* discord, dissension.

Zwilling *m* <-s, -e> twin; **~e** *pl* (ASTR) Gemini *sing*.

zwingen <zwang, gezwungen> *vt* force; **zwingend** *adj* (*Grund etc*) compelling.

zwinkern *vi* blink; (*absichtlich*) wink.

Zwirn *m* <-[e]s, -e> thread.

zwischen *präp +akk o dat* between; **Zwischenbemerkung** *f* [incidental] remark; **Zwischenbilanz** *f* (WIRTS) interime balance; **zwischenblenden** *vt* (TV) insert; **Zwischending** *nt* cross; **zwischendurch** *adv* in between; (*räumlich*) here and there; **Zwischenergebnis** *nt* intermediate result; **Zwischenfall** *m* incident; **Zwischenfrage** *f* question; **Zwischengas** *nt*: **~ geben** double-declutch; **Zwischenhandel** *m* intermediate trade; **Zwischenhändler**(**in**) *m(f)* middleman, agent; **Zwischenlager** *nt* interim storage; **zwischenlagern** *vt* put into interim storage; **Zwischenlagerung** *f* interim storage; **Zwischenlandung** *f* stopover; **zwischenmenschlich** *adj* interpersonal; **Zwischenraum** *m* space; **Zwischenruf** *m* interruption; **Zwischenspiel** *nt* interlude; **zwischenstaatlich** *adj* interstate; international; **Zwischenstation** *f* intermediate stop; **wir machten in London ~** we stopped off in London; **Zwischenstecker** *m* adaptor [plug]; **Zwischenzeit** *f* interval; **in der ~** in the interim, meanwhile.

Zwist *m* <-es, -e> dispute, feud.

zwitschern *vt, vi* twitter, chirp.

Zwitter *m* <-s, -> hermaphrodite.

zwölf *num* twelve.

Zyklus *m* <-, Zyklen> cycle.

Zylinder *m* <-s, -> cylinder; (*Hut*) top hat; **zylinderförmig** *adj* cylindrical.

Zyniker(**in**) *m(f)* <-s, -> cynic; **zynisch** *adj* cynical; **Zynismus** *m* cynicism.

Zypern *nt* Cyprus.

Zyste *f* <-, -n> cyst.

z.Z[**t**]. *abk von* **zur Zeit** at present.

Kurzgrammatik

1 Verb forms Verbformen

	regular	irregular
infinitive	work	go
present simple	work/works	go/goes
past simple	worked	went
past participle	worked	gone
-ing-Form	working	going

I wanted to **work**. — Ich wollte arbeiten.
I must **go**. — Ich muss gehen.

He **goes** to the cinema every week. — Er geht jede Woche ins Kino.

We **went** to the cinema yesterday. — Wir sind gestern ins Kino gegangen.

She's always **worked** hard. — Sie hat immer hart gearbeitet.
They'd **gone** on holiday. — Sie waren in Urlaub gefahren.

I'm not **working** tomorrow. — Ich arbeite morgen nicht.

2 Tenses Zeitformen

	simple		
present	I/we/you/they she/he/it		work works
past	I/she/he/it/ we/you/they		worked
present perfect	I/we/you/they she/he/it	've/have 's/has	worked
past perfect	I/she/he/it/ we/you/they	'd/had	worked

	continuous		
present	I she/he/it we/you/they	'm/am 's/is 're/are	working
past	I/she/he/it we/you/they	was were	working
present perfect	I/we/you/they she/he/it	've/have 's/has	been working
past perfect	I/she/he/it/ we/you/they	'd/had	been working

3 Simple forms and continuous forms Einfache Formen und Verlaufsformen

- Die Verlaufsform wird aus einer Form von *be* + Verb + *-ing* gebildet.
- Im Gegensatz zu den einfachen Formen verleihen die Verlaufsformen einer Handlung oder einem Ereignis die Eigenschaft der (begrenzten) **Dauer**.

I **work** in Manchester.	Ich arbeite in Manchester.
I'**m working** late tonight.	Heute abend arbeite ich länger.

- Folgende Verben werden kaum oder überhaupt nicht in der Verlaufsform verwendet:

> *believe, belong, have* („besitzen"), *know, mean, prefer, remember, seem, suppose, think* („glauben"), *understand*

4 Short forms Kurzformen

- Im gesprochenen Englisch sind die Kurzformen üblich.

– I'**m** going home.	– Ich gehe jetzt nach Hause.
– Is that your new car?	– Ist das dein neues Auto?
– No, it **isn't**; it'**s** my brother's.	– Nein, es gehört meinem Bruder.

- Wenn im gesprochenen Englisch lange Formen benutzt werden, sind sie meist besonders betont und fügen einer Äußerung zusätzliche Information hinzu (z.B. Widerspruch des Sprechers).

– Of course I'm right!	– Natürlich hab ich Recht!
– You **are** right in this case, but that doesn't mean you're always right.	– In diesem Fall hast du Recht, aber das heißt nicht, dass du immer Recht hast.

- Im geschriebenen Englisch werden im Allgemeinen die langen Formen bevorzugt.

5 Important forms of *be*
Wichtige Formen von *be*

		bejaht	verneint
present simple	I she/he/it we/you/they	'm / am 's / is 're / are	'm not / am not isn't /'s not /is not arent't / 're not / are not
past simple	I/she/he/it we/you/they	was were	wasn't / was not weren't / were not
present perfect simple	I/we/you/they she/he/it	've / have been 's / has been	haven't / 've not / have not been hasn't / 's not / has not been
past perfect simple	I/she/he/it/ we/you/they	'd / had been	hadn't / 'd not / had not been

		Frage bejaht	Frage verneint
present simple	I she/he/it we/you/they	am I? is she? are we?	aren't I isn't she? aren't we?
past simple	I/she/he/it we/you/they	was I? were we?	wasn't I? weren't we?
present perfect simple	I/we/you/they she/he/it	have I been? has she been?	haven't I been? hasn't she been?
past perfect simple	I/she/he/it/ we/you/they	had I been?	hadn't I been?

Is he in the office today? — Ist er heute im Büro?

He **was** sure he **had been** there before. — Er war sich sicher, dass er schon einmal dort gewesen war.

- there + be

  There's a famous castle near here. — Es gibt eine berühmte Burg hier in der Nähe.

  Is there a telephone box near here? — Gibt es hier in der Nähe eine Telefonzelle?

There are a lot of people here tonight.	Es sind heute Abend viele Leute hier.
Weren't there any tickets left?	Gab es keine Karten mehr?

- Formen von *be* werden zur Bildung von Zeitformen verwendet.

– **Is** Fred leaving tomorrow?	– Reist Fred morgen ab?
– No, he isn't.	– Nein.
The plane **was** hit by lightning.	Das Flugzeug wurde vom Blitz getroffen.

6 Important forms of *have* Wichtige Formen von *have*

		bejaht	verneint	Frage bejaht	Frage verneint
present simple	I/we/you/they	've / have	haven't / 've not / have not	have I?	haven't I?
	she/he/it	's / has	hasn't / 's not / has not	has she?	hasn't she?
past simple	I/she/he/it/ we/you/they	'd / had	hadn't / 'd not / had not	had I?	hadn't I?

- Formen von *have* werden zur Bildung von Zeitformen (*present perfect, past perfect*) verwendet.

They **haven't sold** their house yet.	Sie haben ihr Haus noch nicht verkauft.
Has she **checked** the results?	Hat sie die Ergebnisse überprüft?
I'**d** never **done** anything like that before.	So etwas hatte ich noch nie gemacht.

7 Important forms of *do* Wichtige Formen von *do*

		bejaht	verneint	Frage bejaht	Frage verneint
present simple	I/we/you/they	do	don't / do not	do you?	don't you?
	she/he/it	does	doesn't / does not	does she?	doesn't she?
past simple	I/she/he/it / we/you/they	did	didn't / did not	did you?	didn't you?

- Formen von *do* werden zur Bildung von Verneinung und Frage verwendet.

I **don't like** it.	Ich mag das nicht.
Do you **come** here often?	Kommst du öfter hierher?
What time **did** you **get** home last night?	Wann bist du gestern Nacht nach Hause gekommen?

8 Negative statements Verneinte Aussagesätze

		bejaht		verneint	
present simple	I we/you/they		work	don't / do not	work
	she/he/it		works	doesn't / does not	work
past simple	I/she/he/it we/you/they		worked	didn't / did not	work
present perfect simple	I/we/you/they	've / have	worked	haven't / have not	worked
	she/he/it	's / have	worked	hasn't / has not	worked
past perfect simple	I/she/he/it/ we/you/they	'd / had	worked	hadn't / had not	worked

- Verneinung im *present* und *past: do* + *not* + Verb
  Verneinung im *present perfect* und *past perfect: have* + *not* + Verb

9 Questions Fragebildung

	Aussage			Frage
present simple	I we/you/they she/he/it		work works	do you work? does she work?
past simple	I/she/he/it we/you/they		worked	did she work?
present perfect simple	I/we/you/they	've / have	worked	have you worked?
	she/he/it	's / has	worked	has she worked?
past perfect simple	I/she/he/it/ we/you/they	'd / had	worked	had she worked?

- Grundsätzlich gilt:
  Fragebildung **mit** *do* → kein anderes Hilfsverb im Satz
  Fragebildung **ohne** *do* → ein oder mehrere Hilfsverben im Satz

– **Do** you work part-time?	– Arbeitest du Teilzeit?
– Yes, I do. You too?	– Ja, und du?
– No, I don't. I've got a fulltime job now.	– Nein, ich habe jetzt eine Ganztagsarbeit.
Has she always worked for Brown's?	Hat sie immer schon bei Brown gearbeitet?
Can you bring me the menu, please?	Können Sie mir bitte die Speisekarte bringen?
Have you got lamb chops today?	Gibt es heute Lammkoteletts?

- Die wichtigsten Fragewörter: *who, whose, what, which, where, why, how, when*

Who'd like a cup of tea?	Wer möchte eine Tasse Tee?
How many children have you got?	Wie viele Kinder haben Sie?

10 Imperative
Aufforderungen

- Diese Form wird verwendet um Anweisungen, Aufforderungen, Einladungen oder Warnungen auszudrücken.

Turn left at the next traffic lights.	Biegen Sie an der nächsten Ampel links ab.
Come in! Lovely to see you!	Kommt rein! Schön euch zu sehen!
Mind your head!	Vorsicht – Kopf einziehen!
Don't be afraid!	Hab keine Angst!
Let's go and see that new film!	Lass uns den neuen Film anschauen!

11 Present simple

Diese Zeitform wird benutzt um aus der Sicht des Sprechers

- auszudrücken, dass Handlungen/Ereignisse regelmäßig stattfinden.

I **go** to the cinema quite often.	Ich gehe relativ oft ins Kino.

- Fakten auszudrücken.

London **is** the capital of Britain.	London ist die Hauptstadt Großbritanniens.
I **don't like** spinach.	Ich mag keinen Spinat.

- über die Zukunft bekannte Tatsachen auszudrücken, insbesondere bei Fahrplänen und feststehenden Terminen.

The train **leaves** at 3 o'clock.	Der Zug fährt um 3 Uhr ab.

12 Present continuous

Diese Zeitform wird verwendet um aus der Sicht des Sprechers

- auszudrücken, dass Handlungen/Ereignisse sich auf den Moment des Sprechens beziehen.

Somebody**'s stealing** your car.	Da stiehlt jemand Ihr Auto.

- auszudrücken, dass Handlungen, Zustände usw. nur vorübergehend sind.

I usually cycle to work but I'**m going** by bus at the moment because it's so cold.	Normalerweise fahre ich mit dem Rad zur Arbeit, aber zur Zeit fahre ich mit dem Bus, weil es so kalt ist.
Aren't you **feeling** very well?	Fühlst du dich nicht wohl?

- Verabredungen, Pläne und Absichten für die Zukunft auszudrücken.

I'**m having** dinner with Tom on Thursday.	Am Donnerstag bin ich zum Abendessen mit Tom verabredet.
Where **are** you **going** on holiday next year?	Wohin fährst du nächstes Jahr in Urlaub?

13 Past simple

- Diese Zeitform wird häufig verwendet, wenn es sich aus der Sicht des Sprechers um punktuelle Handlungen/Ereignisse handelt, die vor dem Moment des Sprechens abgeschlossen sind.

My grandfather **died** before I **was born**.	Mein Großvater starb noch vor meiner Geburt.
Did you **see** Fred when you **were** in London?	Hast du Fred gesehen, als du in London warst?

- Zeitangaben mit *last* (*last week, year,* etc.) und *ago* (*two seconds ago, two centuries ago,* etc.) verlangen in der Regel *past tense.*

My neighbours **emigrated** to Canada last month.	Meine Nachbarn sind letzten Monat nach Kanada ausgewandert.
I **met** a remarkably attractive man two days ago.	Vor zwei Tagen habe ich einen äußerst attraktiven Mann kennen gelernt.

14 Past continuous

Diese Zeitform wird verwendet um

- vergangene Handlungen/Ereignisse von begrenzter Dauer auszudrücken.

I **was waiting** for you in front of the post office, but you didn't come.	Ich habe vor dem Postamt auf dich gewartet, aber du bist nicht gekommen.

- ein Ereignis auszudrücken, das schon im Gange war, als eine weitere Handlung einsetzte.

When we left the house, the sun **was shining**.	Als wir aus dem Haus kamen, schien die Sonne.

15 Present perfect simple

Diese Zeitform wird häufig verwendet, wenn

- der Sprecher auf Handlungen/Ereignisse zurückschaut und deren Auswirkungen auf die Gegenwart oder Zukunft in den Mittelpunkt stellt.

I **haven't done** it yet.	Ich habe es noch nicht gemacht.(Die Arbeit liegt immer noch unerledigt da).
The children **have made** a terrible mess.	Die Kinder haben eine furchtbare Schweinerei veranstaltet (und ich werde jetzt aufräumen müssen).

- Handlungen/Ereignisse in der Vergangenheit angefangen haben und noch andauern.

He's **been** unemployed for two years.	Er ist seit zwei Jahren arbeitslos (und ist es immer noch)
vgl.:	
He was unemployed for two years.	Er war zwei Jahre lang arbeitslos (und hat jetzt wieder Arbeit).

- Fragen sich auf einen Zeitraum bis hin zum Moment des Sprechens beziehen.

Have you ever **been** to Texas?	Waren Sie schon mal in Texas?
vgl.:	
Did you see the Alamo when you were in Texas?	Haben Sie das Alamo gesehen, als Sie in Texas waren?

16 Present perfect continuous

- Diese Zeitform wird verwendet, wenn der Sprecher auf Handlungen/Ereignisse zurückschaut und zusätzlich (begrenzte) Dauer betonen will.

– How long **have** you **been living** in Germany?	– Wie lange lebst du schon in Deutschland?
– I'**ve been living** here for 15 years.	– Ich lebe seit 15 Jahren hier.
– Why are you crying?	– Warum weinst du?
– I'**ve been chopping** onions for the last half hour.	– Weil ich seit einer halben Stunde dabei bin Zwiebeln klein zuschneiden.
vgl.:	
– Why are you crying?	– Warum weinst du?
– I've just cut my finger with the kitchen knife.	– Ich habe mich gerade mit dem Küchenmesser in den Finger geschnitten.

17 Past perfect simple

- Diese Zeitform wird verwendet, wenn der Sprecher von einem Punkt in der Vergangenheit auf einen noch früheren Zeitpunkt zurückschaut.

When I got home I found that the children **had made** a terrible mess.	Als ich nach Hause kam, entdeckte ich, dass die Kinder eine furchtbare Schweinerei veranstaltet hatten.
He **had been** unemployed for two years when the accident happened.	Er war schon zwei Jahre arbeitslos, als der Unfall passierte.

18 Past perfect continuous

- Diese Zeitform wird verwendet, wenn der Sprecher von einem Punkt in der Vergangenheit auf einen noch früheren Zeitpunkt zurückschaut und zusätzlich die (begrenzte) Dauer einer Handlung betonen will.

When I got home he was crying because he'**d been chopping** onions.	Als ich nach Hause kam, weinte er, weil er Zwiebeln klein geschnitten hatte.

19 Talking about the future
Zukunft ausdrücken

Im Englischen gibt es mehrere Möglichkeiten über die Zukunft zu sprechen.

- *be + going to + infinitive*
  Diese Form wird häufig verwendet, wenn
– es für den Sprecher deutliche Hinweise gibt, dass etwas geschehen wird.

I'**m going to be** sick.	Ich muss mich gleich übergeben.
It'**s going to snow** any time now.	Es wird jeden Moment schneien.

– es um eine längerfristige oder überlegte Entscheidung geht.

When I grow up **I'm going to be** a doctor.	Wenn ich erwachsen bin, möchte ich Arzt werden.
What **are** you **going to do** to improve the sales figures?	Was werden Sie tun um die Absatzzahlen zu verbessern?

- *'ll/will*

Diese Form wird häufig verwendet um über die Zukunft bekannte Tatsachen oder Vorhersagen auszudrücken.

We'll be on holiday next week.	Wir werden nächste Woche im Urlaub sein.
We **won't be** in this evening.	Wir sind heute Abend nicht zu Hause.
Do you think **I'll pass** the exam?	Meinen Sie, dass ich die Prüfung bestehen werde?
It'll probably **rain** tomorrow.	Morgen wird es wahrscheinlich regnen.

- *present continuous*
  Diese Form wird häufig verwendet um Verabredungen, Pläne und Absichten für die Zukunft auszudrücken.

  I'**m having** dinner with Tom on Thursday. — Am Donnerstag bin ich zum Abendessen mit Tom verabredet.

  Where **are** you **going** on holiday next year? — Wohin fährst du nächstes Jahr in Urlaub?

- *present simple*
  Diese Form wird verwendet um über die Zukunft bekannte Tatsachen auszudrücken, insbesondere bei Fahrplänen und feststehenden Terminen.

  The train **leaves** at 3 o'clock. — Der Zug fährt um 3 Uhr ab.

20 Passive forms Passivformen

- Die Passivformen werden aus einer Form von ***be + past participle*** des Verbs gebildet.

present	I she/he/it we/you/they		am is are	needed
past	I/we/you/they she/he/it		were was	needed
present perfect	I/we/you/they she/he/it	have has	been	needed
past perfect	I/she/he/it/ we/you/they	had	been	needed

- Die Passivformen werden verwendet, wenn aus der Sicht des Sprechers der Handelnde unbekannt oder weniger interessant ist als die Handlung selbst.

  English **is spoken** all over the world. — Englisch wird auf der ganzen Welt gesprochen.

  My bike **has been stolen.** — Mein Fahrrad ist gestohlen worden.

- Der Handelnde wird nur erwähnt, wenn es aus der Sicht des Sprechers um eine wichtige Zusatzinformation geht.

  English **is spoken by** millions of people. — Englisch wird von Millionen von Menschen gesprochen.

  My bike **was stolen by** a young girl. — Mein Fahrrad wurde von einem jungen Mädchen gestohlen.

21 Modal verbs
Modale Hilfsverben

Diese Verben weisen einige Besonderheiten auf:

- Sie haben für alle Personen (*I, she, he, it, we,* etc.) die gleiche Form, d. h. sie haben in der 3. Person Singular kein *-s.*
- Sie können keine *-ing*-Form bilden.
- Einige kommen nur in der Zeitform *present*, einige nur im *past* vor.
- Sie bilden Frage und Verneinung ohne *do.*

Zu den modalen Hilfsverben gehören:

will/would *shall/should*	*ought to* *had better*	*can/could* *may/might*	*must* *need (not)*	*used to*

22 *will*

bejaht	verneint
'll will	won't will not

- Absicht/Versprechen

I'll get it for you.	Ich hol's dir.
We'll bring something to eat.	Wir bringen etwas zu essen mit.
Will you be in on Sunday?	Seid ihr am Sonntag zu Hause?
I won't do it again.	Ich tu's nicht wieder.

- spontane Entscheidung

I'll have the chicken.	Ich nehme das Hähnchen.
I've got a headache – I think I'll take an aspirin.	Ich habe Kopfschmerzen, ich nehme mal ein Aspirin.

- Bitte

Will you help me finish this?	Hilfst du mir das hier fertig zu machen?

- über die Zukunft bekannte Fakten/Vorhersagen

We'll be on holiday next week.	Wir werden nächste Woche im Urlaub sein.
It'll probably rain tomorrow.	Morgen wird es wahrscheinlich regnen.

- in Bedingungssätzen

Muster: *if*-Satz → *Present*
Hauptsatz → *'ll/will*

If you start now, you'**ll** have plenty of time.	Wenn du jetzt losfährst, wirst du noch viel Zeit haben.

23 *would*

bejaht	verneint
'd would	wouldn't would not

- Angebot/Einladung

– Would you like a cup of coffee?	– Möchten Sie eine Tasse Kaffee?
– Yes, I'd love a cup.	– Ja, gerne.

- Wünsche

I'd like a map of London.	Ich hätte gern einen Stadtplan von London.

- Bitte

Would you hold this for a moment, please?	Würdest du das bitte einen Moment halten?

- Ratschlag

– What would you do?	– Was würdest du machen?
– I wouldn't go if I were you.	– An deiner Stelle würde ich nicht hingehen.

- in Bedingungssätzen

Muster: *if*-Satz → *past* Hauptsatz → *would*	*if*-Satz → *past perfect* Hauptsatz → *would have*
I **wouldn't** drink so much **if** I were you.	Ich würde nicht so viel trinken, wenn ich du wäre.
If they played better, they'**d** win more games.	Wenn sie besser spielten, würden sie auch mehr Spiele gewinnen.
If they played better, they'**d** have won.	Wenn sie besser gespielt hätten, dann hätten sie auch gewonnen.
You'**d** have loved the food!	Das Essen hätte dir geschmeckt! (wenn du da gewesen wärst)

24 *shall*

bejaht	verneint
shall	(shan't) (shall not)

- Vorschlag

Shall we go to the cinema?	Wollen wir ins Kino gehen?
Shall I meet you at the station?	Soll ich dich am Bahnhof abholen?

25 *should*

bejaht	verneint
should	shouldn't should not

- Ratschlag

You should see a doctor.	Du solltest zum Arzt gehen.
You shouldn't smoke so much.	Du solltest nicht so viel rauchen.
Shouldn't you have come earlier?	Hättest du nicht früher kommen sollen?
– Should we have it repaired?	– Sollten wir es reparieren lassen?
– I think we should.	– Ich glaube schon.

26 *ought to*

bejaht	verneint
ought to	ought not to

- (moralische) Verpflichtung/Ratschlag

We ought to write and thank them.	Wir sollten ihnen eigentlich schreiben und uns bedanken.
People ought not to dump rubbish in the woods.	Die Leute sollten ihren Müll nicht im Wald abladen.

- *ought to* kann als Ersatzverb für *should* verwendet werden.

You should see a doctor. You ought to see a doctor.	Du solltest zum Arzt gehen.

27 *had better*

bejaht	verneint
'd better had better	'd better not had better not

- Ratschlag/Warnung

I think you'd better go.	Ich glaube, du solltest jetzt gehen.
You'd better not be late.	Komm ja nicht zu spät!
Hadn't we better meet well in advance?	Sollten wir uns nicht rechtzeitig vorher treffen?

28 *can*

bejaht	verneint
can	can't cannot

- Fähigkeit/Möglichkeit

I can swim.	Ich kann schwimmen.
I can't come on Friday.	Ich kann am Freitag nicht kommen.
Can't they tell her what's wrong?	Können sie ihr nicht sagen, was los ist?

- Erlaubnis/Verbot

You can smoke here.	Sie können hier rauchen.
You can't park here.	Sie können hier nicht parken.

- Bitte/Angebot

Can I use your phone?	Kann ich Ihr Telefon benutzen?
Can I give you a lift?	Kann ich Sie mitnehmen?

29 *could*

bejaht	verneint
could	couldn't could not

- Fähigkeit/Möglichkeit

When I was young I could dance all night.	Als ich jung war, konnte ich die Nacht durchtanzen.
I could come on Friday if necessary.	Falls nötig könnte ich am Freitag kommen.
It couldn't have been better!	Das hätte nicht besser sein können!

- höfliche Bitte/Vorschlag

Could you tell me the way to the station, please?	Könnten Sie mir bitte sagen, wie ich zum Bahnhof komme?
Couldn't we talk about this later?	Könnten wir nicht später darüber reden?

30 *be able to*

- Fähigkeit/Möglichkeit

He wasn't able to come last night.	Er konnte gestern Abend nicht kommen.
When I was young I was able to dance all night.	Als ich jung war, konnte ich die Nacht durchtanzen.

- *be able to* kann als Ersatzverb für *can/could* verwendet werden.

Will you be able to visit me next week?	Kannst du mich nächste Woche besuchen?

31 *may*

bejaht	verneint
may	may not

- Wahrscheinlichkeit

We may see you next week.	Vielleicht sehen wir Sie nächste Woche.
They may not have heard the news.	Vielleicht haben sie die Neuigkeit noch nicht gehört.

- höfliche Bitte/Erlaubnis

May I open the window?	Darf ich vielleicht das Fenster aufmachen?

Merke: „du darst nicht" = *you mustn't/must not*

32 *might*

bejaht	verneint
might	mightn't might not

- Wahrscheinlichkeit (weniger sicher als *may*)

We **might** be a little bit late.	Es könnte sein, dass wir ein bisschen später kommen.

33 *be allowed to*

- Erlaubnis/Verbot

For many years women were not **allowed to** study at university.	Viele Jahre lang durften Frauen nicht an der Universität studieren.
Are you **allowed to** do that?	Darf man das?

- *be (not) allowed to* kann als Ersatzverb für *may* und *can* verwendet werden.

May I smoke in this room? Am I **allowed to** smoke in this room?	Darf ich in diesem Zimmer rauchen?
You **can't** smoke in this room. You are **not allowed to** smoke in this room.	In diesem Zimmer kannst du nicht rauchen.

34 *must*

bejaht	verneint
must	mustn't must not

- Notwendigkeit

I **must** get my hair cut. — Ich muss mir die Haare schneiden lassen.

- Verbot

You mustn't tell anybody. — Du darfst niemandem davon erzählen.

Merke: „du musst nicht“ = *you needn't/don't need to*

- logische Schlussfolgerung

We must have taken the wrong turning. — Wir müssen falsch abgebogen sein.

35 *need not*

bejaht	verneint
(need)	needn't need not

- fehlende Notwendigkeit (Gegenteil von *must*)

We needn't go yet. — Wir müssen noch nicht weg.

We needn't be there till 8 o'clock. — Wir brauchen nicht vor 8 Uhr da zu sein.

Merke: Neben dem Hilfsverb *need (not)* existiert das Vollverb *need.*
We don't need to go yet.

36 *have (got) to*

	present				**past**	
	bejaht		**ver- neint**		**bejaht**	**ver- neint**
I/we/you/they she/he/it	've / have 's / has	got to	haven't hasn't	got to	had to	didn't have to
I/we/you/they she/he/it	have to has to		don't/ do not doesn't/ does not	have to have to		did not have to

- äußere Notwendigkeit

In this job you have to be able to speak English. — In diesem Beruf muss man Englisch können.

Is it free or have we got to pay? — Ist es umsonst, oder müssen wir zahlen?

Doesn't he have to do shift work now? — Muss er jetzt nicht Schicht arbeiten?

We didn't have to wait long. — Wir mussten nicht lange warten.

We'll have to report it to the police. — Das werden wir der Polizei melden müssen.

- *have to* und *have got to* können als Ersatzverb für *must* verwendet werden.

Next week I'll have to get my hair cut. — Nächste Woche muss ich mir die Haare schneiden lassen.

37 *used to*

bejaht	verneint
used to	didn't used to

- frühere Gewohnheiten/Zustände

We used to come here quite often. (We don't now.) — Früher waren wir oft hier. (jetzt nicht mehr)

There didn't used to be a factory here. — Früher war hier keine Fabrik.

38 Noun plurals Mehrzahl von Nomen

regelmäßig	Einzahl	Mehrzahl
+-s	arm brother	arms brothers
+-es	bus dress church box	buses dresses churches boxes
-y → -ies	lady secretary	ladies secretaries
*-o → -oes**	tomato potato	tomatoes potatoes
*-f → -ves**	half leaf	halves leaves
unregelmäßig*	child foot man woman	children feet men women

* Es handelt sich hier um häufige Beispiele; für Abweichungen und weitere Beispiele vgl. die Einzeleinträge im Wörterbuch.

39 Countable and uncountable nouns Zählbare und nicht zählbare Nomen

- zählbar:
  one child → **two** children/**a** country → **several** countries/
  one man → **many** men

  Merke: *how many children, countries, men...?*

- nicht zählbar:
  Stoffe: *bread, butter, coffee, earth, steel*
  Eigenschaften: *humour, intelligence, pride*
  abstrakte Begriffe: *fun, health, politics, weather*
  Nicht zählbare Nomen haben keine Mehrzahl und können nicht mit *a(n)* verwendet werden.

  Merke: *how much bread, butter...?*

- Manche Wörter können je nach Bedeutung zählbar oder nicht zählbar sein:
  rubber = Gummi/ *a rubber* = ein Radiergummi
  iron = Eisen/ *an iron* = ein Bügeleisen
  coffee = Kaffee/ *a coffee* = eine Tasse Kaffee

- Abweichend vom Deutschen sind einige Wörter im Englischen nicht zählbar, z. B.:
  advice, furniture, information, news

  Merke: **eine** Information/Nachricht = *a(n) bit/item/piece of information/news*

40 *'s*-genitive
's-Genitiv

- Diese Form wird bei Menschen und Tieren verwendet um Besitz oder Zugehörigkeit auszudrücken:
  Caroline**'s** bike/St. Mary**'s** church/the children**'s** room/my uncle**'s** car
  Merke: at the butcher's (= at the butcher's shop)/at the doctor's/at Pat's (= bei Pat)
- In der Mehrzahl bei schon vorhandenem *s*:
  rabbit**s'** noses (Einzahl: a rabbit**'s** nose)
  spider**s'** webs (Einzahl: a spider**'s** web)
- Statt *'s*-Genitiv wird meist *of* benutzt
  – wenn es nicht um Menschen/Tiere geht
  – bei Mengenangaben
  the roof of the house/the taste of coffee/a kilo of tomatoes

41 Use of the article in English and German
Gebrauch des Artikels im Englischen und Deutschen

- unbestimmter Artikel: *an* vor *a/e/i/o/u* (an electrician, an orange) und vor stummem *h* (an hour)
  a vor allen anderen Buchstaben (a book, a man)
- bestimmter Artikel: the (the electrician/the hour [ðɪ]
  the book/the man [ðə])
- Der Gebrauch des Artikels ist in beiden Sprachen weitgehend ähnlich. Folgende Unterschiede sollte man sich aber merken:

She's **a** doctor/**an** engineer.	Sie ist Ärztin/Ingenieurin.
twice **a** week/once **a** year	zweimal **die** Woche/einmal **im** Jahr
It costs 60 p **a** pound.	Es kostet 60 p **das** Pfund.
play **the** piano/**the** flute	Klavier/Flöte spielen
I live in London Road.	Ich wohne in **der** London Road.
by bike/by bus	mit **dem** Rad/mit **dem** Bus

42 Personal, possessive and reflexive pronouns Personal-, Possessiv- und Reflexivpronomen

Personalpronomen		Possessivpronomen		Reflexivpronomen
(1)	(2)	(3)	(4)	(5)
I	me	my	mine	myself
she	her	her	hers	herself
he	him	his	his	himself
it	it	its		itself
we	us	our	ours	ourselves
you	you	your	yours	yourself*/yourselves**
they	them	their	theirs	themselves

* Einzahl ** Mehrzahl

She[1] saw **me**[2] coming. — Sie sah mich kommen.

I[1] wanted to give **him**[2] **his**[3] book back. — Ich wollte ihm sein Buch zurückgeben.

He[1] thought **it**[1] was **mine**[4] but actually **it**[1] belongs to a friend of **ours**[4], so I'm afraid **you**[1] can't have **it**[2]. — Er hat gedacht, es sei meins, aber in Wirklichkeit gehört es einem Freund von uns, deshalb kannst du es leider nicht haben.

Their[3] son had an accident and cut **himself**[5] badly. — Ihr Sohn hatte einen Unfall und hat sich eine ziemlich große Schnittverletzung zugezogen.

43 *this – that/these – those* Demonstrativpronomen

- *this/these:* nahe aus der Sicht des Sprechers
  that/those: nicht so nahe aus der Sicht des Sprechers

– Have you got a pullover like this but in blue? — – Haben Sie so einen Pullover in Blau?

– Have a look at those over there, madam. — – Schauen Sie sich die da drüben an.

These apples are very nice. I think I'll have another one. — Diese Äpfel schmecken sehr gut. Da nehme ich noch einen.

Those apples we had last week were very nice. — Die Äpfel letzte Woche haben sehr gut geschmeckt.

Good morning! This is Bruce Pye speaking. — Bruce Pye, guten Morgen!

Who was that on the phone just now? — Wer war das eben am Telefon?

44 *who, which, that* Relativpronomen

- *who* bezieht sich auf Personen, *which* auf Sachen. *that* kann sich auf beides beziehen.

Something for **the man who/that** has everything.	Etwas für den Mann, der alles hat.
There are a lot of **things which/that** annoy me.	Es gibt viele Dinge, die mich ärgern.

- *who/which/that* als Objekt des Relativsatzes fallen oft weg.

What's the name of that American (who/that) you used to work with?	Wie heißt der Amerikaner, mit dem du früher zusammengearbeitet hast?
What's the name of the company (which/that) you used to work for?	Wie heißt die Firma, bei der Sie früher gearbeitet haben?

45 *one(s)*

one(s) wird verwendet um eine Wiederholung eines vorher genannten oder bekannten Nomens zu vermeiden.

– Would you like **a cup of coffee?**	– Möchten Sie eine Tasse Kaffee?
– Thanks, I'd love **one**.	– Ja, sehr gerne.
These **jeans** are too tight. Have you got any larger **ones**?	Diese Jeans sind zu eng. Haben Sie diese in einer Nummer größer?

46 *some, any*

- Bei *some* hat der Sprecher einen Teil aus einer größeren Menge im Auge. Das gleiche gilt für *somebody, someone, something, somewhere.*
- Bei *any* hat der Sprecher die Vorstellung „alles oder nichts". Das gleiche gilt für *anybody, anyone, anything, anywhere.*

We need some sugar.	Wir brauchen Zucker.
We haven't got any tea.	Wir haben keinen Tee.
There must be someone who can help us.	Es muss doch jemanden geben, der uns helfen kann.
Anyone can do that - it's easy!	Das kann doch jeder, es ist ganz einfach!
There's something I'd like to discuss with you.	Ich möchte da gerne etwas mit Ihnen besprechen.
I'll do anything to help her.	Ich tue alles um ihr zu helfen.

47 Comparison of adjectives
Adjektive: Steigerung und Vergleich

- Für die Steigerung gilt im Allgemeinen diese Regel:

einsilbig	long	long**er**	long**est**
einsilbig mit -y	happ**y**	happ**ier**	happ**iest**
2 oder mehr Silben	charming expensive	**more** charming **more** expensive	**most** charming **most** expensive

- Unregelmäßig:

good bad	better worse	best worst

- Vergleiche mit *than:*

The Rhine is **longer than** the Thames. — Der Rhein ist länger als die Themse.

The train is **more expensive than** the bus. — Die Bahn ist teurer als der Bus.

- Vergleiche mit *as ... as:*

The Rhine is not **as long as** the Mississippi. — Der Rhein ist nicht so lang wie der Mississippi.

Charter flights are not **as expensive as** ordinary flights. — Charterflüge sind nicht so teuer wie Linienflüge.

48 Formation of adverbs
Adverbien: Bildung

	adjective	**adverb**
regelmäßig	bad careful slow	bad**ly** carful**ly** slow**ly**
unregelmäßig	good better early fast hard	well better early fast hard

I got a **bad mark** in the exam. — Ich habe eine schlechte Note in der Prüfung bekommen.

I **did badly** in the exam. — Ich habe bei der Prüfung schlecht abgeschnitten.

Her French is very **good.** — Ihr Französisch ist sehr gut.

She **speaks** French **well.** — Sie spricht gut französisch.

49 Comparison of adverbs
Adverbien: Vergleiche

- Vergleiche mit *than:*

He walks even more **slowly than** me.	Er läuft noch langsamer als ich.
The driver was **less badly** hurt **than** the passengers.	Der Fahrer wurde weniger schwer verletzt als die Mitfahrer.

- Vergleiche mit *as ... as:*

He did not do **as well as** he expected in the exam.	Er schnitt bei der Prüfung nicht so gut ab, wie er erwartet hatte.
Men do not drive **as carefully as** women.	Männer fahren nicht so vorsichtig wie Frauen.

50 Spelling notes
Anmerkungen zur Rechtschreibung

- Mitlaut + *-y* → *i*

hap**py**	→ happier/happiest/happily/happiness
t**ry**	→ trial/tried

- Mitlaut + *-y* + *-s* → *ie*

ba**by**	→ babies
myste**ry**	→ mysteries
t**ry**	→ tries

- Mitlaut + *-y* + *-ing:* keine Änderung

c**ry**	→ crying
t**ry**	→ trying

- *-ie* + *-ing* → *-y*

d**ie**	→ dying
l**ie**	→ lying

- Mitlaut + stummes *-e* + Selbstlaut → *-e* entfällt (z. B. bei *-ed, -ing*)

deci**de**	→ decided, deciding
lo**ve**	→ loved, lover, loving
smi**le**	→ smiled, smiling

- Bei Ableitungen mit den folgenden Endungen wird der Mitlaut verdoppelt, wenn der vorangehende Selbstlaut mit einem Buchstaben geschrieben wird.

  Zu diesen Endungen gehören: *-ed, -en, -er, -est, -ing, -ish, -y.*

fit	→ fitter/fittest/fitted/fitting
hot	→ hotter/hottest/hottish
rot	→ rotted/rotten/rotting
run	→ runner/running/runny
shop	→ shopped/shopper/shopping
begin	→ beginner/beginning
travel	→ travelled/travelling

Merke: keine Verdoppelung im amerikanischen Englisch!
travel → traveler, traveled, traveling

51 Word formation Wortbildung

verb → noun

-ment →	advertisement, agreement, employment
-ion →	connection, abolition, recognition, invitation, occupation, decision, discussion
-ence/-ance →	difference, disappearance, tolerance
-ing →	camping, singing, washing
-er →	driver, employer, manager
-or/-ress →	actor, actress, waitor, waitress
-ee →	employee, payee
-dom →	boredom, freedom

noun → noun

-ian →	musician, politician
-ist →	guitarist, soloist
-man/-woman →	businessman, businesswoman

adjective → noun

-ness →	cleverness, darkness, illness
-ence/-ance →	confidence, independence, importance
-y/-ity →	difficulty, equality, simplicity

noun → adjective

-y → dirty, rainy, sunny
-al → industrial, national, official
-ous → dangerous, furious, mysterious
-ish → English, Irish, Scottish
-ese → Chinese, Japanese, Siamese
-less → careless, joyless, speechless
-ful → careful, skilful, thoughtful
-able/-ible → drinkable, washable, edible

verb → adjective

-ive → attractive, creative, inventive
-ed → (un)employed, loved, wanted
-en → broken, hidden, rotten
-ing → boring, loving, developing

adjective → adverb

-ly → badly, carefully, lovingly

Prefixes

de- → depopulate, derail
dis- → disabled, disbelieve, dissatisfied
ex- → expatriate, ex-wife
im-/in- → impossible, insensitive, invariable
mis- → misspell, mistake
pre- → prefabricated, prefix, premature
re- → redecorate, redo, regain
semi- → semicircle, semidetached, semifinal
un- → unemployed, unknown, unseen

Unregelmäßige englische Verben

present	pt	pp
arise (arising)	arose	arisen
awake (awaking)	awoke	awaked
be (am, is are; being)	was, were	been
bear	bore	born[e]
beat	beat	beaten
become (becoming)	became	become
begin (beginning)	began	begun
bend	bent	bent
beseech	besought	besought
bet (betting)	bet (*also* betted)	bet (*also* betted)
bid (bidding)	bid	bid
bind	bound	bound
bite (biting)	bit	bitten
bleed	bled	bled
blow	blew	blown
break	broke	broken
breed	bred	bred
bring	brought	brought
build	built	built
burn	burnt *o* burned	burnt (*also* burned)
burst	burst	burst
buy	bought	bought
can	could	(been able)
cast	cast	cast
catch	caught	caught
choose (choosing)	chose	chosen
cling	clung	clung
come (coming)	came	come
cost	cost	cost
creep	crept	crept
cut (cutting)	cut	cut
deal	dealt	dealt
dig (digging)	dug	dug
do (does)	did	done
draw	drew	drawn
dream	dreamed *o* dreamt	dreamed *o* dreamt
drink	drank	drunk
drive (driving)	drove	driven
dwell	dwelt	dwelt
eat	ate	eaten
fall	fell	fallen
feed	fed	fed
feel	felt	felt
fight	fought	fought
find	found	found
flee	fled	fled
fling	flung	flung
fly (flies)	flew	flown
forbid (forbidding)	forbade	forbidden
forecast	forecast	forecast
foresee	foresaw	foreseen
foretell	foretold	foretold
forget (forgetting)	forgot	forgotten
forgive (forgiving)	forgave	forgiven
forsake (forsaking)	forsook	forsaken

present	pt	pp
freeze (freezing)	froze	frozen
get (getting)	got	got, *(US)* gotten
give (giving)	gave	given
go (goes)	went	gone
grind	ground	ground
grow	grew	grown
hang	hung (*also* hanged)	hung (*also* hanged)
have (has; having)	had	had
hear	heard	heard
hide (hiding)	hid	hidden
hit (hitting)	hit	hit
hold	held	held
hurt	hurt	hurt
keep	kept	kept
kneel	knelt (*also* kneeled)	knelt (*also* kneeled)
know	knew	known
lay	laid	laid
lead	led	led
lean	leant (*also* leaned)	leant (*also* leaned)
leap	leapt (*also* leaped)	leapt (*also* leaped)
learn	learnt (*also* learned)	learnt (*also* learned)
leave (leaving)	left	left
lend	lent	lent
let (letting)	let	let
lie (lying)	lay	lain
light	lit (*also* lighted)	lit (*also* lighted)
lose (losing)	lost	lost

present	pt	pp
make (making)	made	made
may	might	–
mean	meant	meant
meet	met	met
mistake (mistaking)	mistook	mistaken
mow	mowed	mown (*also* mowed)
must	(had to)	(had to)
pay	paid	paid
put (putting)	put	put
quit (quitting)	quit (*also* quitted)	quit (*also* quitted)
read	read	read
rend	rent	rent
rid (ridding)	rid	rid
ride (riding)	rode	ridden
ring	rang	rung
rise (rising)	rose	risen
run (running)	ran	run
saw	sawed	sawn
say	said	said
see	saw	seen
seek	sought	sought
sell	sold	sold
send	sent	sent
set (setting)	set	set
shake (shaking)	shook	shaken
shall	should	–
shear	sheared	shorn (*also* sheared)
shed (shedding)	shed	shed
shine (shining)	shone	shone
shoot	shot	shot

present	pt	pp
show	showed	shown
shrink	shrank	shrunk
shut (shutting)	shut	shut
sing	sang	sung
sink	sank	sunk
sit (sitting)	sat	sat
slay	slew	slain
sleep	slept	slept
slide (sliding)	slid	slid
sling	slung	slung
slit (slitting)	slit	slit
smell	smelt (*also* smelled)	smelt (*also* smelled)
sow	sowed	sown (*also* sowed)
speak	spoke	spoken
speed	sped (*also* speeded)	sped (*also* speeded)
spell	spelt (*also* spelled)	spelt (*also* spelled)
spend	spent	spent
spill	spilt (*also* spilled)	spilt (*also* spilled)
spin (spinning)	spun	spun
spit (spitting)	spat	spat
split (splitting)	split	split
spoil	spoiled (*also* spoilt)	spoiled (*also* spoilt)
spread	spread	spread
spring	sprang	sprung
stand	stood	stood
steal	stole	stolen
stick	stuck	stuck
sting	stung	stung
stink	stank	stunk

present	pt	pp
stride (striding)	strode	stridden
strike (striking)	struck	struck (*also* stricken)
strive (striving)	strove	striven
swear	swore	sworn
sweep	swept	swept
swell	swelled	swollen (*also* swelled)
swim (swimming)	swam	swum
swing	swung	swung
take (taking)	took	taken
teach	taught	taught
tear	tore	torn
tell	told	told
think	thought	thought
throw	threw	thrown
thrust	thrust	thrust
tread	trod	trodden
wake (waking)	woke (*also* waked)	woken (*also* waked)
wear	wore	worn
weave (weaving)	wove (*also* weaved)	woven (*also* weaved)
weep	wept	wept
win (winning)	won	won
wind	wound	wound
withdraw	withdrew	withdrawn
withhold	withheld	withheld
withstand	withstood	withstood
wring	wrung	wrung
write (writing)	wrote	written

Zahlwörter – Numerals

1. Grundzahlen – Cardinal numbers

0 nought, cipher, zero
1 one
2 two
3 three
4 four
5 five
6 six
7 seven
8 eight
9 nine
10 ten
11 eleven
12 twelve
13 thirteen
14 fourteen
15 fifteen
16 sixteen
17 seventeen
18 eighteen
19 nineteen
20 twenty
21 twenty-one
22 twenty-two
23 twenty-three
30 thirty
31 thirty-one
32 thirty-two
33 thirty-three
40 forty
41 forty-one
50 fifty
51 fifty-one
60 sixty
61 sixty-one
70 seventy
71 seventy-one
80 eighty
81 eighty-one
90 ninety
91 ninety-one
100 one hundred
101 hundred and one
102 hundred and two
110 hundred and ten
200 two hundred
300 three hundred
451 four hundred and fifty-one
1000 a (*o* one) thousand
2000 two thousand
10 000 ten thousand
1 000 000 a (*o* one) million
2 000 000 two million
1 000 000 000 a (*o* one) billion
1 000 000 000 000 a (*o* one) trillion

2. Ordnungszahlen – Ordinal numbers

1st first
2nd second
3rd third
4th fourth
5th fifth
6th sixth
7th seventh
8th eighth
9th ninth
10th tenth
11th eleventh
12th twelfth
13th thirteenth
14th fourteenth
15th fifteenth
16th sixteenth
17th seventeenth
18th eighteenth
19th nineteenth
20th twentieth
21st twenty-first
22nd twenty-second
23rd twenty-third
30th thirtieth
31st thirty-first
40th fortieth
41st forty-first
50th fiftieth
51st fifty-first
60th sixtieth
61st sixty-first
70th seventieth
71st seventy-first
80th eightieth
81st eighty-first
90th ninetieth
100th (one) hundredth
101st hundred and first
200th two hundredth
300th three hundredth
451st four hundred and fifty-first
1000th (one) thousandth
1100th (one thousand and (one) hundredth
2000th two thousandth
1 000 000th (one) hundred thousandth
1 000 000th (one) millionth
10 000 000th ten millionth

3. Bruchzahlen – Fractions

$^1/_2$ one (*o* a) half
$^1/_3$ one (*o* a) third
$^1/_4$ one (*o* a) fourth (*o* a quarter)
$^1/_5$ one (*o* a) fifth
$^1/_{10}$ one (*o* a) tenth
$^1/_{100}$ one hundredth
$^1/_{1000}$ one thousandth
$^1/_{1000000}$ one millionth
$^2/_3$ two thirds
$^3/_4$ three fourths, three quarters
$^2/_5$ two fifths
$^3/_{10}$ three tenths
$1^1/_2$ one and a half
$2^1/_2$ two and a half
$5^3/_8$ five and three eighths
1,1 one point one (1.1)

4. Vervielfältigungszahlen – Multiples

single *einfach*
double *zweifach*
threefold, treble, triple *dreifach*
fourfold, quadruple *vierfach*
fivefold *fünffach*
(one) hundredfold *hundertfach*

Uhrzeit – Time

Wie viel Uhr ist es?, wie spät ist es? Es ist ...	*What time is it? It is ...*
Mitternacht, zwölf Uhr nachts	midnight, twelve p.m.
ein Uhr (morgens *o* früh)	one o'clock (in the morning), one (a.m.)
fünf nach eins, ein Uhr fünf	five past one
Viertel nach eins,	a quarter past one,
ein Uhr fünfzehn	one fifteen
fünf vor halb zwei,	twenty-five past one,
ein Uhr fünfundzwanzig	one twenty-five
halb zwei,	half past one,
ein Uhr dreißig	one thirty
fünf nach halb zwei,	twenty-five to two,
ein Uhr fünfundzwanzig	one twenty-five
halb zwei,	half past one,
ein Uhr dreißig	one thirty
fünf nach halb zwei,	twenty-five to two,
ein Uhr fünfundvierzig	one forty-five
zehn vor zwei,	ten to two,
ein Uhr fünfzig	one fifty
zwölf Uhr (mittags),	twelve o'clock (a.m.),
Mittag	Midday, noon
halb eins (mittags *o* nachmittags), zwölf Uhr dreißig	half past twelve, twelve thirty (p.m.)
zwei Uhr (nachmittags),	two o'clock (in the afternoon),
vierzehn Uhr	two (p.m.)
halb acht (abends),	half past seven (in the evening),
neunzehn Uhr dreißig	seven thirty (p.m.)

Um wie viel Uhr?	*At what time?*
um Mitternacht	at midnight
um sieben Uhr	at seven o'clock
in zwanzig Minuten	in twenty minutes
vor fünfzehn Minuten	fifteen minutes ago

Maße und Gewichte – Weights and Measures

Längenmaße – Linear measures

1 inch (in) 1"		= 2,54 cm
1 foot (ft) 1'	= 12 inches	= 30,48 cm
1 yard (yd)	= 3 feet	= 91,44 cm
1 furlong (fur)	= 220 yards	= 201,17 m
1 mile (m)	= 1760 yards	= 1,609 km
1 league	= 3 miles	= 4,828 km

Nautische Maße – Nautical measures

1 fathom	= 6 feet	= 1,829 m
1 cable	= 608 feet	= 185,31 m
1 nautical, sea mile	= 10 cables	= 1,852 km
1 sea league	= 3 nautical miles	= 5,550 km

Feldmaße – Surveyors' measures

1 link	= 7,92 inches	= 20,12 cm
1 rod, perch, pole	= 25 links	= 5,029 m
1 chain	= 4 rods	= 20,12 m

Flächenmaße – Square measures

1 square inch		= 6,452 cm^2
1 square foot	= 144 sq inches	= 929,029 cm^2
1 square yard	= 9 sq feet	= 0,836 m^2
1 square rod	= 30,25 sq yards	= 25,29 m^2
1 acre	= 4840 sq yards	= 40,47 Ar
1 square mile	= 640 acres	= 2,59 km^2

Raummaße – Cubic measures

1 cubic inch		= 16,387 cm^3
1 cubic foot	= 1728 cu inches	= 0,028 m^3
1 cubic yard	= 27 cu feet	= 0,765 m^3
1 register ton	= 100 cu feet	= 2,832 m^3

Britische Hohlmaße – Measures of capacity

Flüssigkeitsmaße – Liquid measures of capacity

1 gill		= 0,142 l
1 pint (pt)	= 4 gills	= 0,568 l
1 quart (qt)	= 2 pints	= 1,136 l
1 gallon (gal)	= 4 quarts	= 4,546 l
1 barrel	= *(für Öl)* 35 gallons	= 159,106 l
	(Bierbrauerei) 36 gallons	= 163,656 l

Trockenmaße – Dry measures of capacity

1 peck	= 2 gallons	= 9,092 l
1 bushel	= 4 pecks	= 36,348 l
1 quarter	= 8 bushels	= 290,781 l

Amerikanische Hohlmaße – Measures of capacity

Flüssigkeitsmaße – Liquid measures of capacity

1 gill		= 0,118 l
1 pint	= 4 gills	= 0,473 l
1 quart	= 2 pints	= 0,946 l
1 gallon	= 4 quarts	= 3,785 l
1 barrel	= *(für Öl)* 42 gallons	= 159,106 l

Handelsgewichte – Avoirdupois weights

1 grain (gr)		= 0,0648 g
1 dram (dr)	= 27,3438 grains	= 1,772 g
1 ounce (oz)	= 16 drams	= 28,35 g
1 pound (lb)	= 16 ounces	= 453,59 g
1 stone	= 14 pounds	= 6,348 kg
1 quarter	= 28 pounds	= 12,701 kg
1 hundredweight (cwt)	= *(Brit long cwt)* 112 pounds	= 50,8 kg
	(US short cwt) 100 pounds	= 45,36 kg
1 ton	= *(Brit long ton)* 20 cwt	= 1016 kg
	(US short ton) 2000 pounds	= 907,185 kg

Temperaturumrechnung – Temperature conversion

Fahrenheit – Celsius		Celsius – Fahrenheit	
°F	°C	°C	°F
0	–17,8	–10	14
32	0	0	32
50	10	10	50
70	21,1	20	68
90	32,2	30	86
98,4	37	37	98,4
212	100	100	212

Zur Umrechung 32 abziehen und mit $^5/_9$ multiplizieren

zur Umrechnung mit $^9/_5$ multiplizieren und 32 addieren

1. Bewerbungen

Nützliche Redewendungen

In reply to your advertisement for a Trainee Manager in today's *Guardian*, I **would be grateful if you would send me further details** of the post	Mit Bezug auf Ihre Anzeige in der heutigen Ausgabe des „Guardian" möchte ich Sie bitten mir nähere Informationen über ... zuzusenden
I wish to apply for the post of bilingual correspondent, as advertised in this week's *Euronews*	Ich möchte mich um die Stelle als ... bewerben
I am writing to ask if there is any possibility of work in your company	Ich möchte nachfragen, ob ...
I am writing to enquire about the possibility of joining your company on work placement for a period of three months	Ich möchte mich erkundigen, ob die Möglichkeit besteht in Ihrem Unternehmen ein ... Praktikum zu absolvieren.

Berufserfahrung

I have three **years' experience of** office work	ich verfüge über ... Erfahrung
I am familiar with word processors	ich bin mit ... vertraut
As well as speaking fluent English, **I have a working knowledge of** German	ich spreche fließend ... und habe ausreichende ...kenntnisse
As you will see from my CV, I have worked in Belgium before	wie Sie meinem Lebenslauf entnehmen können, ...
Although I have no experience of this type of work, I have had other holiday jobs and can supply references from my employers, if you wish	ich habe zwar keine Erfahrung auf diesem Arbeitsgebiet, ...
My current salary is ... per annum and I have four weeks' paid leave	zur Zeit verdiene ich ...

Motivationen ausdrücken

I would like to make better use of my languages	ich möchte meine ...kenntnisse besser einsetzen
I am keen to work in public relations	ich möchte gerne im Bereich ... arbeiten

Briefschluss

I will be available from the end of April	ich stehe Ihnen ab Ende April zur Verfügung
I am available for interview at any time	über ein Vorstellungsgespräch würde ich mich freuen
Please do not hesitate to contact me for further information	Für weitere Informationen stehe ich Ihnen gerne jederzeit zur Verfügung
Please do not contact my current employers	ich möchte Sie bitten sich nicht mit … in Verbindung zu setzen
I enclose a stamped addressed envelope for your reply	ich lege … bei

Referenzen erbitten und erteilen

In my application for the position of lecturer, I have been asked to provide the names of two referees and **I wondered whether you would mind if I gave your name** as one of them	ich möchte Sie um Ihr Einverständnis bitten Ihren Namen angeben zu dürfen
Ms Lee has applied for the post of Marketing Executive with our company and has given us your name as a reference. **We would be grateful if you would let us know whether you would recommend her for this** position	Wir wären Ihnen sehr dankbar, wenn Sie uns mitteilen könnten, ob Sie sie für diesen Posten empfehlen können.
Your reply will be treated in the strictest confidence	Ihre Antwort wird selbstverständlich streng vertraulich behandelt.
I have known Mr Chambers for four years in his capacity as Sales Manager and **can warmly recommend him for the** position	ich kann ihn für die Stelle wärmstens empfehlen

Ein Angebot annehmen oder ablehnen

Thank you for your letter of 20 March. I **will be pleased to attend for interview** at your Manchester offices on Thursday 7 April at 10 a.m.	Ich finde mich gern … zu einem Vorstellungsgespräch ein.
I would like to confirm my acceptance of the post of Marketing Executive	Ich nehme Ihr Angebot, als … an.
I would be delighted to accept this post. However, would it be possible to postpone my starting date until 8 May?	ich würde das Angebot sehr gerne annehmen. Wäre es jedoch möglich …
I would be glad to accept your offer; however, the salary stated is somewhat lower than what I had hoped for	Ich würde Ihr Angebot gerne annehmen, ich hatte jedoch …
Having given your offer careful thought, **I regret that I am unable to accept**	bedauerlicherweise ist es mir nicht möglich Ihr Angebot anzunehmen

2. Geschäftsbriefe

Informationen erbitten

We see from your advertisement in the Healthy Holiday Guide that you are offering cut-price holidays in Scotland, and **would be grateful if you would send us details**	Wir wären Ihnen dankbar wenn Sie uns nähere Informationen darüber zusenden könnten.
I read about the Happy Pet Society in the NCT newsletter and would be very interested to learn more about it. **Please send me details of** membership	Bitte senden Sie mir Einzelheiten über … zu.

… und darauf antworten

In response to your enquiry of 8 March, **we have pleasure in enclosing** full details on our activity holidays in Cumbria, **together with** our price list, valid until May **1997**	Wir beziehen uns auf Ihre Anfrage vom … und senden Ihnen gerne … sowie … zu.
Thank you for your enquiry about the Society for Wildlife Protection. **I enclose** a leaflet explaining our beliefs and the issues we campaign on. **Should you wish** to join, a membership application form is also enclosed	Ich danke für Ihre Anfrage bezüglich … Ich lege … bei … Sollten Sie Interesse an … haben …

Bestellungen und Antwort auf Bestellungen

We would like to place an order for the following items, in the sizes and quantities specified below	Wir möchten eine Bestellung über … aufgeben.
Please find enclosed our order no. 3011 for …	anbei unsere Bestellung Nr. …
The enclosed order is based on your current price list, assuming our usual discount	der beigefügten Bestellung liegt … zugrunde.
I wish to order a can of "Buzz off!" wasp repellent, as advertised in the July issue of Gardeners' Monthly, **and enclose a cheque for** £19.50	Ich möchte … bestellen. Ich füge einen Scheck über … bei.
Thank you for your order of 3 May, which will be dispatched within 30 days	Wir danken Ihnen für Ihre Bestellung vom …
We acknowledge receipt of your order no. 3570 and advise that the goods will be dispatched within seven working days	Wir bestätigen den Eingang Ihrer Bestellung Nr. …
We regret that the goods you ordered are temporarily out of stock	Leider sind die von Ihnen bestellten Waren zur Zeit nicht auf Lager.
Please allow 28 days **for delivery**	Die Lieferung erfolgt innerhalb von …

Lieferungen

Our delivery time is 60 days from receipt of order	Unsere Lieferzeit beträgt …
We await confirmation of your order	Wir erwarten Ihre verbindliche Bestellung.
We confirm that the goods were dispatched on 4 September	Wir bestätigen den Abgang der Waren am …
We cannot accept responsibility for goods damaged in transit	Wir übernehmen keine Haftung für …

Sich beschweren

We have not yet received the items ordered on 6 May (ref. order no. 541)	... sind noch nicht bei uns eingegangen.
Unfortunately, the goods were damaged in transit	leider wurden die Waren ... beschädigt.
The goods received differ significantly from the description in your catalogue	Die eingegangenen Waren weichen wesentlich von ... ab.
If the goods are not received by 20 October, **we shall have to cancel our** order	... sehen wir uns leider gezwungen unsere Bestellung zu stornieren.

Bezahlung

The total amount outstanding is ...	Der zu zahlende Gesamtbetrag beläuft sich auf ...
We would be grateful if you would attend to this account immediately	Wir wären Ihnen dankbar, wenn Sie diese Rechnung sofort begleichen würden.
Please remit payment by return	Bitte überweisen Sie den Betrag unverzüglich.
Full payment **is due within** 14 working days from receipt of goods	... ist innerhalb von ... fällig.
We enclose a cheque for ... **in settlement of your invoice no.** 2003L/58	Anbei übersenden wir Ihnen ... zur Begleichung Ihrer Rechnung Nr. ...
We must point out an error in your account and **would be grateful if you would adjust your invoice** accordingly	Wir ... wären Ihnen dankbar, wenn Sie die Rechnung berichtigen würden.
This mistake was due to an accounting error, and **we enclose a credit note for** the sum involved	in der Anlage erhalten Sie eine Gutschrift über ...
Thank you for your cheque for ... in settlement of our invoice	Wir bedanken uns für Ihren Scheck über ...
We look forward to doing further business with you in the near future	Wir würden uns freuen schon bald wieder mit Ihnen zusammenarbeiten zu können.

3. Allgemeine Korrespondenz

Briefanfänge

An Bekannte

Thank you *or* **Thanks for your letter** which arrived yesterday	Vielen Dank für deinen Brief …
It was good *or* **nice** *or* **lovely to hear from you**	Ich habe mich sehr gefreut von dir zu hören.
It's such a long time since we were last in touch that **I felt I must write a few lines** just to say hello	… und da dachte ich, ich muss einfach ein paar Zeilen schreiben.
I'm sorry I haven't written for so long, and hope you'll forgive me; I've had a lot of work recently and …	Es tut mir Leid, dass ich so lange nicht geschrieben habe.

An eine Firma oder Organisation

I am writing to ask whether you have in stock a book entitled …	Ich möchte mich erkundigen, ob …
Please send me … I enclose a cheque for …	Würden Sie mir bitte … schicken.
When I left your hotel last week, I think I may have left a red coat in my room. **Would you be so kind as to** let me know whether it has been found?	Würden Sie bitte so freundlich sein und …
I have seen the details of your summer courses, and **wish to know whether** you still have any vacancies on the Beginners' Swedish course	ich möchte nachfragen, ob …

Briefschlüsse

An Bekannte

Gerald joins me in sending very best wishes to you all	Viele herzliche Grüße an Euch alle, auch von Gerald
Please remember me to your wife – I hope she is well	Bitte grüßen Sie auch … von mir.
I look forward to hearing from you	Ich würde mich freuen bald wieder von Ihnen zu hören.

An Freunde

Say hello to Martin for me	Grüß' Martin von mir.
Give my love to Daniel and Laura, and tell them how much I miss them	Grüß' … von mir.
Give my warmest regards to Vincent	Grüße bitte Vincent ganz herzlich von mir.
Do write when you have a minute	Schreib doch mal wieder.
Hoping to hear from you before too long	Hoffentlich höre ich bald wieder etwas von dir.

An enge Freunde

Rhona **sends her love**/Ray **sends his love**	… lässt herzlich grüßen.
Jodie and Carla **send you a big hug**	… umarmen dich.

4. Reiseplanung

Zimmerreservierung

Please send me details of your prices	Bitte schicken Sie mir nähere Informationen über … zu.
Please let me know by return of post if you have one single room with bath, half board, for the week commencing 3 October	Bitte teilen Sie mir umgehend mit, ob …
I would like to book bed-and-breakfast accommodation with you	Ich möchte … buchen.

Eine Buchung bestätigen oder stornieren

Please consider this a firm booking and hold the room until I arrive, however late in the evening	Bitte betrachten Sie diese Reservierung als verbindlich.
Please confirm the following by fax: one single room with hower for the nights of 20–23 April 1998	Bitte bestätigen Sie Folgendes per Fax.
We expect to arrive in the early evening, unless something unforeseen happens	Wir werden … eintreffen.
I am afraid I must ask you to alter my booking from 25 August **to** 3 September. I hope this will not cause too much inconvenience	Leider muss ich Sie bitten meine Reservierung vom … auf den … umzubuchen.
Owing to unforseen circumstances, **I am afraid (that) I must cancel the booking** made with you for the week beginning 5 September	… muss ich meine Reservierung leider stornieren.

5. Danksagungen

Just a line to say thanks for the lovely book which arrived today	Ich möchte mich nur ganz kurz für … bedanken.
I can't thank you enough for finding my watch	Ich weiß gar nicht, wie ich Ihnen für … danken kann.
(Would you) please thank him from me	Richten Sie ihm bitte meinen Dank aus.
We greatly appreciated your support during our recent difficulties	Wir sind Ihnen wirklich sehr dankbar für …
Your advice and understanding **were much appreciated**	… sind dankbar aufgenommen worden.
I am writing to thank you *or* **to say thank you for** allowing me to quote your experience in my article on multiple births	Ich möchte mich herzlich bei Ihnen für … bedanken.
Please accept our sincere thanks for all your help and support	Wir möchten uns herzlich bei Ihnen für … bedanken.
A big thank you to everyone involved in the show this year	Ein herzliches Dankeschön an alle, …
We would like to express our appreciation to the University of Durham Research Committee for providing a grant	Wir möchten unserer Dankbarkeit gegenüber … Ausdruck verleihen.

Im Namen einer Gruppe

Thank you on behalf of the Manx Operatic Society **for** all your support	Wir danken Ihnen im Namen … für …
I am instructed by our committee **to convey our sincere thanks for** your assistance at our recent Valentine Social	… hat mir die Aufgabe übertragen unseren herzlichen Dank für … zu übermitteln.

6. Glückwünsche

Spezielle Anlässe

I hope you have a lovely holiday	Hoffentlich hast du …
With love and best wishes for your wedding anniversary	Mit den besten Wünschen für …
(Do) give my best wishes to your mother **for** a happy and healthy retirement	Grüße … von mir und wünsche … alles Gute für …
Len **joins me in sending you our very best wishes for** your future career	… schließt sich meinen besten Wünschen für … an.

Zu Weihnachten und Neujahr

Merry Christmas and a happy New Year	Frohe Weihnachten und ein gutes neues Jahr!
With season's greetings and very best wishes from	Mit den besten Wünschen für ein gesegnetes Weihnachtsfest und ein gutes neues Jahr.
May I send you all our very best wishes for 1999	Ich sende euch allen die besten Wünsche für …

Zum Geburtstag

All our love and best wishes on your 21st **birthday**, from Simon, Liz, Kerry and the cats	Alles Liebe und Gute zu deinem … Geburtstag.
I am writing to wish you **many happy returns (of the day)**. Hope your birthday brings you everything you wished for	Alles Gute zum Geburtstag.

Gute Besserung

Sorry (to hear) you're ill – **get well soon!**	… gute Besserung!
I was very sorry to learn that you were ill, and send you **my best wishes for a speedy recovery**	meine besten Wünsche für eine baldige Genesung.

Erfolg wünschen

Good luck in your driving test. I hope things go well for you on Friday	Viel Glück bei …
Sorry to hear you didn't get the job – **better luck next time!**	… vielleicht klappt es ja beim nächsten Mal!
We all wish you the best of luck in your new job	Wir alle wünschen dir viel Glück in …

7. Telefonieren

Nach einer Nummer fragen	**Getting a number**
Could you get me Newhaven 465786, please? (*four-six-five-seven-eight-six*)	Können Sie mich bitte mit Bonn 465786 verbinden? (*vier-sechs-fünf-sieben-acht-sechs*)
Could you give me directory enquiries (*Brit*) *or* directory assistance (*US*), please?	Können Sie mich bitte mit der Auskunft verbinden?
Can you give me the number of Europost, of 54 Broad Street, Newham?	Ich hätte gern eine Nummer in Nürnberg, Firma Europost, Breite Straße 54.
It's not in the book.	Ich kann die Nummer nicht finden.
They're ex-directory (*Brit*) *or* They're unlisted (*US*)	Das ist eine Geheimnummer.
What is the code for Exeter?	Wie lautet die Vorwahl von Leipzig?
Can I dial direct to Peru?	Kann ich nach Peru durchwählen?
How do I make an outside call? *or* What do I dial for an outside line?	Wie bekomme ich die Amtsleitung?
What do I dial to get the speaking clock?	Wie lautet die Nummer der Zeitansage?
You'll have to look up the number in the directory	Sie müssen die Nummer im Telefonbuch nachschlagen.
You should get the number from International Directory Enquiries	Sie können die Nummer bei der internationalen Auskunft erfahren.
You omit the '0' when dialling England from Germany	Wenn Sie von Deutschland nach England anrufen, lassen Sie die Null weg.

Verschiedene Arten von Anrufen	Different types of call
It's a local call	Es ist ein Ortsgespräch.
It's a long-distance call from Worthing	Es ist ein Ferngespräch aus Hamburg.
I want to make an international call	Ich möchte ins Ausland anrufen.
I want to make a reverse charge call to a London number (*Brit*) *or* I want to call a London number collect (*US*)	Ich möchte ein R-Gespräch nach London anmelden.
I'd like to make a credit card call to Berlin	Ich möchte auf Kreditkarte nach Berlin anrufen.
I'd like an alarm call for 7.30 tomorrow morning	Ich hätte gern einen Weckruf für morgen früh um 7.30 Uhr.

Vermittlung	The operator speaks
Number, please	Welche Nummer möchten Sie?
What number do you want? *or* What number are you calling?	Welche Nummer möchten Sie?
Where are you calling from?	Woher rufen Sie an?
Would you repeat the number, please?	Können Sie die Nummer bitte wiederholen?
You can dial the number direct	Sie können durchwählen.
Replace the receiver and dial again	Legen Sie auf und wählen Sie noch einmal.
There's a Mr Campbell calling you from Canberra and wishes you to pay for the call. Will you accept it?	Ich habe Herrn Campbell mit einem R-Gespräch aus Canberra für Sie. Nehmen Sie das Gespräch an?
Go ahead, caller	Ich verbinde.
There's no listing under that name	Ich habe keine Eintragung unter diesem Namen.
There's no reply from 45 77 57 84	Der Teilnehmer 45 77 57 84 antwortet nicht.
I'll try to reconnect you	Ich versuche es noch einmal.
Hold the line, caller	Bitte bleiben Sie am Apparat.
All lines to Bristol are engaged – please try later	Alle Leitungen nach Bonn sind besetzt, bitte rufen Sie später noch einmal an.
I'm trying it for you now	Ich versuche Sie jetzt zu verbinden.
It's ringing *or* Ringing for you now	Wir haben ein Rufzeichen.
The line is engaged (*Brit*) *or* busy (*US*)	Die Leitung ist besetzt.

Der Teilnehmer antwortet	**When your number answers**
Could I have extension 516? *or* Can you give me extension 516?	Können Sie mich bitte mit Apparat 516 verbinden?
Is that Mr Lambert's phone?	Bin ich mit dem Apparat von Herrn Lambert verbunden?
Could I speak to Mr Swinton, please? *or* I'd like to speak to Mr Swinton, please *or* Is Mr Swinton there?	Kann ich bitte mit Herrn Schmid sprechen?
Could you put me through to Dr Henderson, please?	Können Sie mich bitte zu Herrn Dr. Grau durchstellen?
Who's speaking?	Wer ist am Apparat?
I'll try again later	Ich versuche es später noch einmal.
I'll call back in half an hour	Ich rufe in einer halben Stunde zurück.
Could I leave my number for her to call me back?	Könnte ich bitte meine Nummer hinterlassen, damit sie mich zurückrufen kann?
I'm ringing from a callbox (*Brit*) *or* I'm calling from a pay station (*US*)	Ich rufe aus einer Telefonzelle an.
I'm phoning from England	Ich rufe aus England an.
Would you ask him to ring me when he gets back?	Könnten Sie ihn bitten mich zurückzurufen, wenn er wiederkommt?

Die Zentrale antwortet	**The switchboard operator speaks**
Queen's Hotel, can I help you?	Hotel Maritim, guten Tag!
Who is calling, please?	Wer ist am Apparat, bitte?
Who shall I say is calling?	Wen darf ich melden?
Do you know his extension number?	Wissen Sie, welchen Apparat er hat?
I am connecting you now *or* I'm putting you through now	Ich verbinde Sie.
I have a call from Tokyo for Mrs Thomas	Ein Gespräch aus Tokio für Frau Böhme.
I've got Miss Trotter on the line for you	Frau Kohl für Sie.
Miss Paxton is calling you from Paris	Frau Paxton aus Paris für Sie.
Dr Craig is talking on the other line	Herr Dr. Craig spricht gerade auf der anderen Leitung.
Sorry to keep you waiting	Bitte bleiben Sie am Apparat.
There's no reply	Es meldet sich niemand.
You're through to our Sales Department	Sie sind mit unserer Verkaufsabteilung verbunden.

Sich am Telefon melden	Answering the telephone
Hello, this is Anne speaking	Hallo, hier ist Anne.
(*Is that Anne?*) Speaking	(*Kann ich mit Anne sprechen?*) Am Apparat.
Would you like to leave a message?	Möchten Sie eine Nachricht hinterlassen?
Can I take a message for him?	Kann ich ihm etwas ausrichten?
Don't hang up yet	Bitte bleiben Sie am Apparat.
Put the phone down and I'll call you back	Legen Sie bitte auf, ich rufe Sie zurück.
This is a recorded message	Hier spricht der automatische Anrufbeantworter.
Please speak after the tone	Bitte sprechen Sie nach dem Signalton.

Bei Schwierigkeiten	In case of difficulty
I can't get through	Ich komme nicht durch.
The number is not ringing	Ich bekomme kein Rufzeichen.
I'm getting 'number unobtainable' *or* I'm getting the 'number unobtainable' signal	Ich bekomme immer nur „Kein Anschluss unter dieser Nummer".
Their phone is out of order	Das Telefon ist gestört.
We were cut off	Wir sind unterbrochen worden.
I must have dialled the wrong number	Ich muss mich verwählt haben.
We've got a crossed line	Da ist noch jemand in der Leitung.
I've called them several times with no reply	Ich habe mehrmals angerufen, aber es hat sich niemand gemeldet.
You gave me a wrong number	Sie haben mir die falsche Nummer gegeben.
I got the wrong extension	Ich bin mit dem falschen Apparat verbunden worden.
This is a very bad line	Die Verbindung ist sehr schlecht.

Notizen

Notizen